二十五史藝文經籍志

考補萃編

第十五卷

隋書經籍志考證

（第一册）

王承略　劉心明　主編

〔清〕姚振宗　撰

劉克東　董建國　尹承　整理

清華大學出版社　北京

版權所有，侵權必究。侵權舉報電話：010-62782989　13701121933

圖書在版編目（CIP）數據

　　二十五史藝文經籍志考補萃編：全 4 冊. 第 15 卷／王承略，劉心明主編.
--北京：清華大學出版社，2014
　　ISBN 978-7-302-34802-3

　　Ⅰ. ①二…　Ⅱ. ①王…　②劉…　Ⅲ. ①中國歷史－古代史－紀傳體
②《二十五史》－研究　Ⅳ. ①K204.1

　　中國版本圖書館 CIP 數據核字（2013）第 301272 號

責任編輯：馬慶洲
封面設計：曲曉華
責任校對：王淑雲
責任印製：楊　艷

出版發行：清華大學出版社
　　　　網　　址：http：//www. tup. com. cn，http：//www. wqbook. com
　　　　地　　址：北京清華大學學研大廈 A 座　郵　編：100084
　　　　社總機：010-62770175　　　　　郵　購：010-62786544
　　　　投稿與讀者服務：010-62776969，c-service@tup. tsinghua. edu. cn
　　　　質 量 反 饋：010-62772015，zhiliang@tup. tsinghua. edu. cn
印 刷 者：清華大學印刷廠
裝 訂 者：三河市金元印裝有限公司
經　　銷：全國新華書店
開　　本：148mm×210mm　印　張：71.625　字　數：1592 千字
版　　次：2014 年 4 月第 1 版　　印　次：2014 年 4 月第 1 次印刷
定　　價：290.00 元（全四冊）

產品編號：043544-01

目　　録

隋書經籍志考證

［清］姚振宗 撰

劉克東 董建國 尹承 整理

敍　録

王隱《晉書》曰：“鄭默，字思元，爲祕書郎，删省舊文，除其浮穢，著《魏中經簿》。中書令虞松謂默曰：‘而今而後，朱紫别矣。’”《初學記·職官部》。

梁阮孝緒《七録敍目》曰：“魏晉之世，文籍逾廣，皆藏在祕書中、外三閣。祕書郎鄭默删定舊文，時之論者，謂爲朱紫有别。晉領祕書監荀勗因《魏中經》，更著《新簿》，雖分爲十有餘卷，而總以四部别之。”

本志序曰：“魏氏代漢，采掇遺亡，藏在祕書中、外三閣。魏祕書郎鄭默始制《中經》，祕書監荀勗又因《中經》更著《新簿》，分爲四部，總括群書。一曰甲部，紀六藝及小學等書。二曰乙部，有古諸子家、近世子家、兵書、兵家、術數。三曰丙部，有史記、舊事、皇覽簿、雜事。四曰丁部，有詩賦、圖贊、汲冢書。”

按鄭默撰《魏中經》，荀勗因之著《新簿》，名之曰《中經新簿》，蓋沿用鄭默舊名也。然則四部之體發端於鄭，而論定於荀。荀、鄭同時人，二人所撰，先後相去十餘年，其時唯以甲、乙、丙、丁爲部，尚未有經、史、子、集之名。鄭默見《晉書·鄭袤傳》，荀勗《中經簿》别詳史部簿録篇。

齊臧榮緒《晉書》曰：“李充，字弘度，爲著作郎，時典籍混亂，充删除煩重，以類相從，分爲四部，甚有條貫，祕閣以爲永制。五經爲甲部，史記爲乙部，諸子爲丙部，詩賦爲丁部。”《文選·王文憲集序》注。唐修《晉書·文苑·李充傳》削去後四語。

《七録敍目》又曰："江左草創，十不一存。後雖鳩集，淆亂已甚。及著作佐郎李充始加删正，因荀勗舊簿四部之法，而换其乙丙之書，没略衆篇之名，總以甲乙爲次。自是厥後，世相祖述。"又《古今書最》曰："《晉元帝書目》，四部，三百五表，三千一十四卷。"

本志序又曰："東晉之初，著作郎李充以勗舊簿校之，其見存者但有三千一十四卷。充遂總没衆篇之名，但以甲乙爲次。自爾因循，無所變革。"

　　按《七録敍目》所載《晉元帝書目》即李充所編，充以典籍無多，不能分别門類，故但以經、史、子、集提其綱。

宋晁公武《郡齋讀書志》序曰："劉歆始著《七略》，至荀勗更著《新簿》，其後歷代所編書目，如王儉、阮孝緒之徒，咸從歆例；謝靈運、任昉之徒，咸從勗例。唐之分經、史、子、集藏於四庫，是亦祖述勗而加詳焉。歐陽公謂其始於開元，誤矣。"

　　按《唐書・藝文志》序云"至唐始分爲四類，曰經、史、子、集"，此説非是，晁《志》稱歐陽公云云者，即指此事。

嘉定錢大昕《元史藝文志》序曰："晉荀勗撰《中經簿》，始分甲、乙、丙、丁四部，而子猶先於史。至李充爲著作郎，重分四部，而經、史、子、集之次始定。厥後王亮、謝朏、任昉、殷鈞撰書目，皆循四部之名。雖王儉、阮孝緒分而爲七，祖暅别而爲五，然隋、唐以來志經籍、藝文者，大率用李充部署而已。"①

　　按晁《志》言四部本末固善矣，而錢氏發前人所未發，尤爲精覈。四部之體不始於本志，而四部之書之存於世者，則唯本志爲最古矣。以上敍四部源流第一。

---

① "署"，清道光錢氏重刊《潛研堂全書》本《元史藝文志》作"敍"。

唐李延壽《南北史敍傳》曰：“貞觀十七年，尚書右僕射褚遂良時以諫議大夫奉敕修《隋書》十志，復準敕召延壽撰録。”

又李延壽《上南北史表》曰：“《梁》、《陳》、《齊》、《周》、《隋》五書，是貞觀中敕撰，以十志未奏，本猶未出。然其書及志始末，是臣所修。”

《舊唐書·令狐德棻附傳》：李延壽者，本隴西著姓，世居相州。貞觀中，累補太子典膳丞、崇賢館學士。嘗受詔與著作佐郎敬播同修《五代史志》。

唐劉知幾《史通·正史篇》：初，太宗以梁、陳及齊、周、隋氏並未有書，乃命學士分修。書成，下於史閣，唯有十志，斷爲三十卷，尋擬續奏，未有其文。又詔左僕射于志寧、太史令李淳風、著作郎韋安仁、符璽郎李延壽同撰。其先撰史人，唯令狐德棻重預其事。太宗崩後，刊勒始成。其篇第雖編入《隋書》，其實別行，俗呼爲《五代史志》。

> 按此以成書在後，故有似乎別行，其實不盡然。他不具論，第觀本志於隋人書皆不著“隋”字，與前朝分別時代，各冠以“漢”、“魏”、“吳”、“晉”等字者，其例迥殊，是當屬稿之初，已議定編入《隋書》矣。若意在別行，不與紀傳相屬，則亦當一律冠以“隋”字也，此亦一明證焉。

《唐書·藝文志》：姚思廉《梁書》五十六卷、《陳書》三十六卷，皆魏徵等同撰；李百藥《北齊書》五十卷、令狐德棻《後周書》五十卷、《隋書》八十五卷、《志》三十卷，顏師古、孔穎達、于志寧、李淳風、韋安仁、李延壽與德棻、敬播、趙弘志、魏徵等撰。

《四庫提要》曰：“貞觀十五年，又詔脩《梁》、《陳》、《齊》、《周》、《隋》五代史志。顯慶元年，長孫無忌上進。案宋刻《隋書》之後，有天聖中校正舊跋，稱舊本每卷分題十志，内惟《經籍志》題侍中鄭國公魏徵撰。今從衆本所載紀傳題以徵，志題無忌云云。是此書每卷所題撰人姓名至天聖中重刊始定，以領修者爲主，分題徵及無忌也。”

按本志天聖以前本，題“唐侍中鄭國公臣魏徵等撰”，今本題“唐太尉揚州都督監修國史上柱國趙國公臣長孫無忌等撰”。按李延壽上表言“十志是臣所修”，此斷非虛語。《舊唐書》言延壽受詔與敬播同修，亦斷非虛事。《史通》云：“太宗使魏徵總知其務，凡有贊論，徵多預焉。”此言五史紀、傳之論贊，與本志或不相涉。至《唐·經籍志》言“開元三年，整比内庫書籍，所用書序，咸取魏文貞；所分書類，皆據《隋·經籍志》”，斯則明言魏文貞撰書序矣。書序者，即本志大小序四十八篇，猶紀、傳之有論贊也。大抵是志初修於李延壽、敬播，有網羅彙聚之功；删訂於魏鄭公，有披荆蓟棘之實。撰人可考見者，凡三人，舊本題魏徵等撰，徵實可信也。以上敍本志撰人第二。

本志總序曰：“今考見存，分爲四部，合條爲一萬四千四百六十六部，有八萬九千六百六十六卷。其舊録所取，文義淺俗、無益教理者，並删去之。其舊録所遺，辭義可采，有所弘益者，咸附入之。遠覽馬《史》、班《書》，近觀王、阮《志》、《録》，挹其風流體制，削其浮雜鄙俚，離其疏遠，合其近密，約文緒義，凡五十五篇，各列本條之下，以備《經籍志》。雖未能研幾探賾，窮極幽隱，庶乎弘道設教，可以無遺闕焉。”

按此言五十五篇者，凡經部十篇、史部十三篇、子部十四篇、集部三篇，合四十篇。附以道經四篇、佛經十一篇，綜凡五十五篇也。

又按五十五篇各列本條之下者，謂所作篇序也。今考

道、佛二録，但條舉大綱而繫以序各一篇，實無所謂五十
五篇者，以意推尋，殆先朝舊録道、佛十五篇，篇各有序，
初意欲附存其目，删存其序，與四十篇之例一律，庶幾與
《七録》之例亦略從同；既而四部正文已滿四卷，不欲再
加卷袠，以此二録本在四部之外，可以從省，故但附總
最，以畢其事，不及追改總序之文歟？今所存卷首總序
一篇，四部後序四篇，分類小序四十篇，道、佛序二篇，又
後序一篇，實止於四十八篇。

本志經部敍曰：“班固列六藝爲九種，或以緯書解經，合爲
十種。”

　　按《唐六典》曰：“祕書郎掌四部之圖籍，分庫以藏之，以
甲乙景丁爲之部。甲部爲經，其類有十：一曰易，以紀陰
陽變化。二曰書，以紀帝王遺範。三曰詩，以紀興衰誦
歎。四曰禮，以紀文物體制。五曰樂，以紀聲容律度。
六曰春秋，以紀行事褒貶。七曰孝經，以紀天經地義。
八曰論語，以紀先聖微言。九曰圖緯，以紀六經讖候。
十曰小學，以紀字體聲韻。”

本志史部敍曰：“班固以《史記》附春秋，今開其事，凡三十種，
別爲史部。”按“三十種”爲“十三種”之寫誤。

　　按《唐六典》曰：“乙部爲史，其類一十有三：一曰正史，
以紀紀傳表志。二曰古史，以紀編年繫事。三曰雜史，
以紀異體雜記。四曰霸史，以紀偽朝國史。五曰起居
注，以紀人君動止。六曰舊事，以紀朝廷政令。七曰職
官，以紀班序品秩。八曰儀注，以紀吉凶行事。九曰刑
法，以紀律令格式。十曰雜傳，以紀先賢人物。十一曰
地理，以紀山川郡國。十二曰譜系，以紀氏族繼序。十
三曰略録，以紀史策條目。”

本志子部敍曰："《漢書》有《諸子》、《兵書》、《數術》、《方伎》之略，今合而敍之，爲十四種，謂之子部。"

按《唐六典》曰："景部爲子，其類一十有四：一曰儒家，以紀仁義教化。二曰道家，以紀清淨無爲。三曰法家，以紀刑法典制。四曰名家，以紀循名責實。五曰墨家，以紀強本節用。六曰從橫家，以紀辯説譎詐。七曰雜家，以紀兼敍衆説。八曰農家，以紀播植種藝。九曰小説家，以紀芻辭輿誦。十曰兵法，以紀權謀制變。十一曰天文，以紀星辰象緯。十二曰曆數，以紀推步氣朔。十三曰五行，以紀卜筮占候。十四曰醫方，以紀藥餌鍼灸。"

本志集部敍曰："班固有《詩賦略》，凡五種，今引而伸之，合爲三種，謂之集部。"

按《唐六典》曰："丁部爲集，其類有三：一曰楚辭，以紀騷人怨刺。二曰別集，以紀辭賦雜論。三曰總集，以紀類分文章。"凡《六典》所載四部門類並與本志篇目相同，惟經部第九"圖緯"，本志作"異説"；史部第十三"略録"，本志作"簿録"，爲小異耳。唐人諱"丙"，故改"丙部"爲"景部"。

本志道、佛篇敍曰："道、佛者，方外之教，聖人之遠致也。俗士爲之，不通其指，多雜以迂怪，假託變幻，亂於世。斯所以爲弊也。故中庸之教，是所罕言，然亦不可誣也。故録其大綱，附於四部之末。"

按道經大綱分類凡四，曰經戒，曰餌服，曰房中，曰符籙。佛經大綱分類十有一，曰大乘經，曰小乘經，曰雜經，曰雜疑經，曰大乘律，曰小乘律，曰雜律，曰大乘論，曰小乘論，曰雜論，曰記。大業中，有《寶臺法藏目録》及《玄門寶海》，別詳子部雜家。即此道、佛二録之所由來也。

《唐書‧經籍志》序曰："毋煚等撰集《群書四録》，依班固《漢書‧藝文志》體例，諸書隨部皆有小序發明其指，近史官撰《隋書‧經籍志》，其例亦然。"又曰："開元三年，詔左散騎常侍褚无量、馬懷素整比内庫經籍。所用書序，或取魏文貞；所分書類，皆據《隋‧經籍志》。"

按晉、宋以來，爲四部書目者多矣。至唐初而總覈會歸，定爲四十篇，名之曰《經籍志》。以《七録敍目》校之，唯史部之正史、古史、雜史、起居注四篇不用阮例，餘或合並篇目，或移易次第，大略相同。當時極重其書，至著於令，爲祕書省所有事，祕書郎職掌之；并取其事類，著之於《六典》。雖爲前代志經籍，亦即爲當代立法程，蓋亦唐一代之故事也。毋煚既與脩《六典》，又與脩《群書四部録》，皆悉遵是志而無所違越。《群書四録》不可見，見於《唐‧經籍志》。其於經部分出經解、訓詁二類；又於子部分出藝術、類事、經脈三類，其餘雖合分或不同，大致略無所異。是唐之官師法守，由來久矣。縱後世遞有變通，亦範圍不過也。以上敍本志體製第三。

《隋書‧牛弘傳》：開皇初，授祕書監。弘以典籍遺逸，上表請開獻書之路。於是下詔獻書一卷，賚縑一匹。一二年間，篇籍稍備。

按弘上表言"秦火以來，書遭五厄"，爲考古者所依據，後之論者稱其"有功典籍，不讓王儉、阮孝緒"。有《開皇四年四部書目》四卷，詳見簿録篇，即其爲祕書監時之職業也，亦即爲本志藍本之一。弘有文集，詳別集類。

《北史‧儒林‧劉炫傳》：炫除殿内將軍，時牛弘奏請購求天下遺逸之書，炫遂僞造書百餘卷，題爲《連山易》、《魯史記》等，録上送官，取賞而去。後有人訟之，經赦免死，坐除名。

按宋傅崧卿《夏小正戴氏傳》序曰"隋懸重賞，以求逸書，進書者多離析篇目，以邀賞帛。有司受之不加辯，作志者亦不復考"云云。傅氏疑本志禮類《夏小正》一卷，隋時從《大戴記》析出也。今按一人之書，有分爲二三部者。易類蕭子政《周易義疏》一書，既别出《繫辭義疏》三卷，又别有《繫辭義疏》二卷；禮類徐廣《禮論答問》一書，既著録八卷，又别出十三卷；樂類蕭吉《樂譜集》一書，又别出《樂論》一卷；春秋類干寶、崔靈恩、劉炫三家之書皆與序分别著録。若此者，雖或由本志從諸家書目節節抄入，亦未始非當時離析篇目之所致。傅氏之言，或有所受。劉氏僞造之書，又有《孝經孔氏傳》，詳見本條。

《史通・書志篇》曰："《漢書》之志藝文也，蓋欲廣列篇名，示存書體而已。文字既少，披閲易周，故雖乖節文，而未甚穢累。既而後來繼述，其流日廣。四部、《七録》、《中經》、祕閣之輩，莫不各踰三篋，自成一家。而近世有著《隋書》者，乃廣包衆作，勒成一志，騁其繇富，百倍前修。非惟循覆車而重軌，亦復加闊眉以半額者矣。但自史之立志，非復一門，其理有不安，多從沿革。唯藝文一體，古今是同，詳求厥義，未見其可。愚謂凡撰志者，宜除此篇。"

按劉氏於《藝文》一志，未嘗詳究其體用，故其言如此。《經義考》及《四庫提要》皆糾之，詳見後方。

又《因習篇》曰："當晉宅江淮，實膺正朔，嫉彼群雄，稱爲僭盜。故阮氏《七録》以田、范、裴、段諸記，劉、石、苻、姚等書，别刱一名，題爲僞史。及隋氏受命，海内爲家，國靡愛憎，人無彼我。而世有撰《隋書・經籍志》者，其流别群書，還依阮

《録》。案國之有僞，其來尚矣。如杜宇作帝，句踐稱王，孫權建鼎峙之業，蕭詧爲附庸之主，而揚雄撰《蜀記》，子貢著《越絶》，虞傳《江表》，蔡述《後梁》。考斯衆作，咸是僞書。自可類聚相從，何止取東晉一世十有六家而已乎？”

　　按本志史部霸史篇所載有《吐谷渾記》，宋人撰。又有《天啟記》，梁陳時人撰。又附載梁有《翟遼書》，皆在十六國之外，實不止東晉一代十六家之書。

宋鄭樵《通志·校讎略》曰：“《隋志》於禮類有‘喪服’一種，雖不別出，而於《儀禮》之後自成一類。以《喪服》者，《儀禮》之一篇也。後之議禮者，因而講究，遂成一家之書。尤多於三禮，故爲之別異，可以見先後之次，可以見因革之宜，而無所紊濫。”

又曰：“《隋志》每於一書而有數種，學者雖不標別，然亦有次第。如《春秋》三傳，雖不分爲三家，而有先後之列，先《左氏》，次《公羊》，次《穀梁》，次《國語》，可以次類求。”

　　按本志於此等處，皆據《七録》而取，則班書遠有所受者也。

又曰：“《隋志》於他類，祇注人姓名，不注義説，可以覩類而知義也。如史家一類，正史、編年各隨朝代。朝代易明，不言自顯。至於雜史，容有錯雜其間，故爲之注釋，其易知者則否。惟霸史一類，紛紛如也，故一一具注，蓋有應釋者，有不應釋者，不可執一概之論。”

　　按本志正史、古史二類亦略有所釋，非如此所云云也。

又曰：“《隋志》所類，無不當理，然亦有錯收者，謚法三部已見經解類矣，而《汝南君謚議》又見儀注，何也？”

　　按本志何嘗有經解一類，唯論語篇敍云：“並五經總義附於此篇。”雖後人改爲經解，而本書實無經解之目，當云

"論語"或"五經"。又儀注篇所載爲《汝南君譁議》，非
"謐議"，當是《魏晉謐議》之誤爾。

又曰："《隋志》分類不考，故亦有重復者。《嘉瑞記》、《祥瑞
記》二書，既出雜傳，又出五行。《諸葛武侯集誠》、《棠賢誠》、
《曹大家女誠》、《貞順志》、《娣姒訓》、《女誠》、《女訓》凡數種
書，既出儒家，又出總集。《棠僧傳》、《高僧傳》、《梁王大捨
記》、《法藏目録》、《玄門寶海》等書，既出雜傳，又出雜家。如
此三種，實由分類不明，是致錯誤。若乃陶弘景《天儀説要》，
天文類中兩出，趙畋《甲寅元曆序》，曆數類中兩出，《黃帝飛
鳥曆》與《海中仙人占災祥書》，五行類中兩出，庚季才《地形
志》，地理類中兩出，凡此五書，是不校勘之過也。"

按本志五行家無《嘉瑞記》，儒家亦無《女訓》，《法藏目
録》、《玄門寶海》亦雜傳篇所無，《地形志》乃兩見於五
行，非地理。

又曰："古之編書以人類書，何嘗以書類人哉？人則於書之下
注姓名耳。《唐志》一例削注，一例大書，遂以書類人，大有相
妨。若用《隋志》例，以其人之姓名著注於其下，無有不安
之理。"

按是説切中《新唐書》之病。以書類人，則書之部居亂。
三禮、三傳最易部署，本志倫貫有緒，《新志》則棼如亂
絲矣。

宋高似孫《子略》曰："隋代群書，始開皇三年，牛弘表請搜訪，
於是異書間出。平陳後經籍稍備，《隋志》之作盡出瀛洲學士
之手，可謂極一時史筆之妙，而志甚淆雜，乏詮彙之工。"

明焦竑《隋經籍志糾繆》曰："《夏小正》入禮，非，改時令；《五
經正名》等二十九種入論語，非，改經解；《洞紀》等十一種入
雜史，非，改通史；《後周太祖號令》入起居注，非，改制詔；

《竹譜》、《錢譜》入譜系，非，改食貨；《畫品》、《書録》入簿録，非，改藝術；《皇覽》、《類苑》、《華林遍略》入雜，非，改類家；《衆僧傳》、《高僧傳》入雜，非，改釋家。”

按此附所作《國史經籍志》之後者。所云時令、經解、通史、制詔、食貨、藝術、類家、釋家八名目，皆非本志所有，以後來雜出之目例之，前史未見其然。《夏小正》本志次《大戴記》之後，猶《喪服》之次《儀禮》，而以爲非，是不足與辯。《五經正名》等書，本志篇敍已明言，并五經總義附於此篇矣。《洞紀》等書，篇敍亦明言，抄撮舊史，備而存之矣。是皆類中分類，無所爲非也。章氏《校讎通義》謂：焦某不知古人類例，礑中其病。其所條甚多，大抵以《通志·藝文略》爲不傳之祕，皆虛浮無當，故不具。

秀水朱彝尊《經義考·著録篇》曰：“班固《漢書》依《七略》作《藝文志》，誠良史用心，而史家體例之不可少者也。其後唯袁山松撰《後漢書》有《藝文志》，顧不傳。自晉以下，國史皆無述焉。至《隋書》始勒成《經籍志》，附著《七録》之目於下，經典藉是略存，而劉知幾《史通》反訕之，謂‘騁其縣富’、‘凡撰志者，宜除此篇’，抑何見之褊乎？”

《四庫提要》曰：“《周禮》太史掌國之六典，小史掌邦國之志，則史官兼司掌故，古之制也。子玄之意，惟以褒貶爲宗，餘事皆視爲枝贅。故《表曆》、《書志》兩篇，於班、馬以來之舊例，一一排斥，多欲刪除，尤乖古法。”史部史評類《史通》條。

又曰：“《經籍志》編次無法，述經學源流，每多乖誤。如以《尚書》二十八篇爲伏生口傳，而不知伏生自有《書》，教齊、魯間。以《詩序》爲衛宏潤益，而不知傳自毛亨。以《小戴記》有《月令》、《明堂位》、《樂記》三篇爲馬融所增益，而不知劉向《別録》《禮記》已載。此三篇在十志中爲最下，然後漢以來之藝

文，惟藉是以考見源流，辨別真僞，亦不以小疵爲病矣。"_{史部正}
_{史類《隋書》條。}

謹按《提要》所指三事，皆書類、詩類、禮類篇敍中之文。
其禮類篇敍有云："戴聖删大戴之書爲四十六篇，謂之
《小戴記》。漢末馬融遂傳小戴之學。融又足《月令》一
篇、《明堂位》一篇、《樂記》一篇，合四十九篇。"按《通典》
禮類序引此文。"足"字實"定"字之誤，謂馬氏於小戴所
定四十六篇則仍其舊，唯此三篇不從小戴所取，故又重
定其本，仍合爲四十九篇。推其意，似欲分別言之，然總
不當云四十六篇也。至其編次無法，類皆有之，詳見
諸篇。

又曰："《漢書·藝文志》本劉歆《七略》而作，班固已有自注。
《隋書·經籍志》參考《七録》，互注存佚，亦沿其例。《唐書》
於作者姓名不見紀傳者，尚間有注文，以資考核。後來得見
古書之崖略，實緣於此。"_{史部目録類《崇文總目》條。}

又曰："《隋志》著録，凡於全經之内專説一篇者，如易類之《繫
辭注》、《乾坤義》，書類之《洪範五行傳》、《古文舜典》，禮類之
《夏小正》、《月令章句》、《中庸傳》等，皆與説全經者通敍先
後，俾條貫易明。"_{前類《經義考》條。}

謹按此亦據《七録》，皆《漢·藝文》舊例，班氏本之《七
略》者也。

又曰："《漢·藝文志》無史名，《戰國策》、《史記》均附見於春
秋。厥後著作漸繇，《隋志》乃分正史、古史、霸史諸目。然
《梁武帝》、《元帝實録》列諸雜史，義未安也。"_{史部別史類小序。}

又曰："雜史之目，肇於《隋書》。蓋載籍既繁，難於條析。義
取乎兼包衆體，宏括殊名。故《汲冢璅語》、王嘉《拾遺記》得
與《魏尚書》、《梁實録》並列，不爲嫌也。"_{史部雜史類小序。}

又曰："史鈔至《宋志》始自立門，然《隋志》雜史類中有《史要》十卷，'漢桂陽太守衛颯撰，約《史記》要言，以類相從'。又有《三史略》，吳張溫撰。自後專鈔一史者，有葛洪《漢書抄》、張緬《晉書抄》。合抄衆史者，有阮孝緒《正史削繁》。各若干卷。則其來已古矣。"史部史鈔類小序。

　　謹按本志雜史類，自衛颯《史要》以下二十九種書，皆抄撮舊史之屬，篇敍言之甚明，詳見本篇，是即後史之史鈔，《提要》已顯揭之矣。

又曰："五馬南浮，中原雲擾，偏方割據，各設史官，其事蹟亦不容泯滅。故阮孝緒作《七録》，僞史立焉。《隋志》改稱霸史。"史部載記類小序。

又曰："古書無以數人之書合爲一編而別題以總名者，惟《隋志》載《地理書》一百四十九卷，録一卷。注云陸澄合《山海經》以來一百六十家以爲此書。又載《地記》二百五十二卷，注曰梁任昉增陸澄之書八十四家以爲此記。是爲叢書之祖，然猶一家言也。"子部雜家類雜編案語。

　　謹按本志地理類之前，已有陸、任二家雜傳各若干卷，皆不注。所集家數與地理類例不畫一，此二類編次無法，實拘泥二家之書之故也。詳見本條。

又曰："《隋志》以秦會稽刻石及諸石經皆入小學。"又曰："《隋志》以法書、名畫列入目録。"又曰："《隋志》《欹器圖》猶附小說，《象經》、《棊勢》猶附兵家。"又曰："譜系，本陳族姓，而末載《竹譜》、《錢圖》。是皆明知其不安，而限於無類可歸，又復窮而不變，故支離顛舛，遂至於斯。"史部目録類案語、子部雜家案語、譜録類小序。

又曰："《隋志》集部以楚辭別爲一類，歷代因之。蓋漢魏以下，賦體既變，無全集皆作此體者。他集不與楚辭類，楚辭亦不與他集類。體例既異，理不得不分著也。"集部楚辭類小序。

又曰："集始於東漢。荀況諸集，後人追題也。其自製名者，始於張融《玉海集》。其區分部帙，則江淹有《前集》、有《後集》；梁武帝有《詩賦集》、有《文集》、有《別集》；梁元帝有《集》、有《小集》；謝朓有《集》、有《逸集》；與王筠之一官一集、沈約之正集百卷，又別選《集略》三十卷者，其體例均始於齊梁。蓋集之盛，自是始也。然《隋》、《唐志》所著錄，《宋志》已十不存一。"集部別集類小序。

又曰："梁阮孝緒作《七錄》，以二氏之文別錄於末。《隋書》遵用其例，亦附於志末，有部數、卷數而無書名。"子部釋家類小序。

嘉定錢大昕《隋書考異》曰："《經籍志》經部，孔穎達《詩正義序》稱，全緩、劉軌思、劉醜、劉焯俱有《義疏》。《春秋正義》引衛冀隆《難杜》、秦道静釋、蘇寬《義疏》、劉炫《規過》。賈公彥《儀禮疏》稱黃慶、李孟悊二家《章疏》。陸德明《經典釋文》有周弘正《周禮音》。已上諸書，唐初儒者皆見之，而《隋志》不載，并不在亡書之數，何也？又沈重《毛詩音》二卷、《周禮音》一卷、《儀禮音》一卷、《禮記音》二卷、《儀禮義》三十五卷、《喪服經義》五卷、樊深《孝經問疑》一卷、熊安生《周禮義疏》廿卷、《禮記義疏》四十卷、《孝經義疏》一卷，見於《周書》；明克讓《孝經義疏》、劉焯《五經述議》、劉炫《春秋攻昧》十卷、何妥《孝經義疏》三卷、辛德源《集注春秋三傳》三十卷、張沖《孝經義》三卷、劉善經《四聲指歸》一卷，見於《隋書》，而《志》皆遺之。或謂《志》所錄者，僅唐初所收東都圖籍，湮没之餘，[①]固宜漏落。然史臣自言於舊錄之外，更有附入，則有附有否，難辭掛漏之咎矣。"

---

① "湮"，清道光錢氏重刊《潛研堂全書》本《廿二史考異》作"漂"。

按劉善經《四聲指歸》一卷，本志小學家著錄於沈約《四聲》之前，錢氏蓋偶未見也。唐初所收圖籍在《唐·經籍志》，不在本志，本志所錄據隋人見存書目，非一一見其書而著之也，詳見後序。

又曰：“史部之見於列傳者，如于仲文《漢書刊繇》三十卷，張沖《前漢書音義》十二卷，許善心《梁書》七十卷，榮建緒《齊紀》三十卷，杜臺卿《齊紀》廿卷，王劭《齊書紀傳》百卷、《平賊記》三卷、《皇隋靈感志》三十卷，柳䛒《晉王北伐記》十五卷，明克讓《古今帝代記》一卷、《續名僧記》一卷，宇文愷《東都圖記》廿卷、《明堂圖議》二卷，劉善經《酬德傳》三十卷、《諸劉譜》三十卷，諸葛潁《洛陽古今記》一卷，《志》皆遺之。”

又曰：“子部之見於列傳者，如何妥《莊子義疏》三卷，辛德源注揚子《法言》廿三卷，張畟《道言》五十二篇，王劭《讀書記》三十卷，柳䛒《法華玄宗》廿卷，劉焯《稽極》十卷、《曆書》十卷，諸葛潁《馬名錄》二卷，來和《相經》四十卷，耿詢《鳥情占》一卷，蕭吉《宅經》八卷、《葬經》六卷、《相手版要決》一卷、《太一立成》一卷，臨孝恭《欹器圖》三卷、《九宮五墓》一卷、《遯甲月令》十卷、《元辰經》十卷、《元辰厄》一百九卷、《百怪書》十八卷、《祿命書》二十卷、《九宮龜經》一百十卷、《太一式經》三十卷、《孔子馬頭易卜書》一卷，劉祐《觀臺飛候》六卷、《玄象要記》五卷、《律曆術文》一卷、《婚姻志》三卷、《式經》四卷、《四時立成法》一卷、《安曆志》十二卷、《歸正易》十卷，《志》皆遺之。”

按張畟父羨，周太祖賜姓叱羅氏，故亦稱叱羅羨，所著《道言》五十二篇，本志著錄子部雜家，詳見本條。羨之事蹟，《隋書》附見其子畟傳首，故錢氏以爲張畟，其實非也。

又曰："集部之見於列傳者，如李文博《治道集》十卷、《明克讓集》廿卷、《劉臻集》十卷、《庾自直集》十卷、《孫萬壽集》十卷，《志》皆遺之。"

按本志總集類有《政道集》十卷，不著撰人。蓋即李文博之《治道集》，詳見本條。

又按本志總序篇序每云"今據見存"，所謂"見存"者，據隋人見存官私書目，或亦據唐初人見存書目。觀其載及陸德明《周易并注音》、《周易大義》，江灌《爾雅音》，曹憲《廣雅音》，皇甫遵《吳越春秋傳》、《參解楚辭》，裴矩《開業平陳記》，蔡允恭《并州入朝道里記》，虞世南《北堂書鈔》，孫思邈《龜上五兆動搖決》、《五兆算經》，甄權、甄立言兄弟醫書《本草》，宋俠《經心錄》，則并及唐初近時人，或亦見隋人書目，或由史官別自采入，猶班氏錄及東漢杜林之《倉頡訓故》也。錢氏所舉四部遺漏，但就《周》、《隋》二史約略言之耳，若合五史紀傳之所載，則所遺不知凡幾。

又曰："《志》中一書而重出者，如京相璠《春秋土地名》三卷，一見春秋類，一見地理類；李概《戰國春秋》二十卷，一見古史，一見霸史；裴子野《衆僧傳》，一見雜傳，一見雜家；《諸葛武侯集誡》等七書，俱一見儒家，一見總集。又如服虔《春秋漢議駁》兩收於春秋類，趙畋《甲寅元曆序》兩收於曆數類，庾季才《地形志》兩收於五行類，皆史臣牴疏之失。唐、宋而後，志藝文者，重複益甚矣。"

按重出之書，鄭氏、錢氏所舉之外，又有無名氏《周易玄品》，既見易家，又見五行；無名氏《新舊傳》、王延秀《感應傳》，既見雜傳，又見雜家；無名氏《正流論》，既見簿錄，又見總集。又如鄭氏駁何氏《漢議》，春秋類中兩見。

顧夷《吳郡記》、戴祚《西征記》，地理類中兩見。至於五行家遁甲一類之書，分前後兩起，類皆重複。醫家後半篇，自全元起《素問》注本之後，重複尤夥，悉數之不能盡。又所注梁有亡書，往往見於他類著録，亡而不亡，並詳見於各條。

又曰："阮孝緒《七録》撰於梁普通中，《志》所云梁者，阮氏書也。"

按《七録序目》題普通四年，別詳史部簿録篇。《志》中所注稱梁武帝、簡文帝、梁元帝之謚，必非《七録》本文，自是後人追改。他如朱異、蕭子顯、陶弘景、何胤、劉敞、劉潛諸家，皆並時之人，或卒於阮氏之後，而志皆附載其書，亦曰"梁有"。以《七録序目》從橫家驗之，知其采宋、齊、梁、陳四代書目，而亦注"梁有"。春秋三傳類中尚存有"宋有"一條。以《五代史志》託始於梁也，不盡是《七録》也。詳見子部從橫家類末。大抵宋、齊書目所有者，梁代諸家書目無不有之，故概以"梁有"括之也。

又曰："漢、魏至宋、齊，九卿官名皆不繫以'卿'字，至梁乃有司農卿、少府卿之稱。此志載魏司農卿董遇、吳太常卿徐整、晉少府卿華嶠、魏衛尉卿應璩、晉衛尉卿石崇、晉太常卿潘尼、晉太僕卿王嶠、宋太常卿蔡廓之類，皆史臣不諳官制，以意增之。"

按梁武帝按四時置十二卿，始於天監七年，見《隋書·百官志》。錢氏之意，謂南朝人是年之後，方可繫以"卿"字，雖世俗或有是稱，未可形之於史文也。

又《十駕齋養新録》曰："《隋書·經籍志》遺漏晉灼《漢書集解》十四卷、宋孝王《關東風俗傳》。"又曰："晉灼《集解》十四卷不載於《隋志》，顏師古所謂'東晉迄於梁、陳，南方學者皆未之見'。王、阮既未著録，故《隋志》遺之也。"

按本志正史類《漢書集注》十三卷，晉灼撰。錢氏一再言遺漏，非也。宋孝王《關東風俗傳》六十三卷，《志》實遺之。

又按本志所遺，如任孝恭《古文尚書大義》二十卷，王儉《尚書音義》四卷、《公羊音》二卷，陸德明《經典釋文》三十卷，張揖《三倉訓詁》三卷，諸葛穎《桂苑珠叢》一百卷，葛洪《要字苑》一卷，王愔《文字志》三卷，崔浩《漢書音義》二卷，顏游秦《漢書決疑》十二卷，孔衍《漢尚書》十卷、《後漢尚書》六卷、《魏尚書》十四卷、《漢春秋》十卷、《後漢春秋》六卷、《後魏春秋》九卷、《春秋時國語》十卷、《春秋後國語》十卷，本志唯有《魏尚書》八卷、《漢魏春秋》九卷，似皆非其原編。鄧粲《晉陽秋》三十二卷，蔡允恭《後梁春秋》十卷，鮑衡卿《宋春秋》二十卷，胡沖《吳朝人士品秩狀》八卷、《吳曆》六卷，虞溥《江表傳》五卷，裴矩《鄴都故事》十卷，吳均《吳郡錢塘先賢傳》五卷，陽休之《幽州古今人物志》三十卷，梁武帝《孝子傳》三十卷，袁淑《真隱傳》二卷，宗躬《止足傳》十卷，齊竟陵王子良《止足傳》十卷，似即宗躬書。其官屬也。宗躬《齊永明律》八卷、《北齊麟趾格》四卷、《晉太康土地記十卷》、《州郡縣名》五卷，梁元帝《職貢圖》一卷，王範《交廣二州記》一卷，丘賓卿《梁天監四年書目》四卷，殷淳《四部書敍録》三十九卷，劉沓《古今四部書目》五卷，王劭《隋開皇二十年四部書目》四卷，顏之推《家訓》七卷，范望《注太玄經》十二卷，衛元嵩《齊三教論》七卷，陸士衡《要覽》三卷，《范子計然》十五卷，《尹都尉書》三卷，嵇含《南方草木狀》三卷，宗懍《荊楚歲時記》一卷，杜公瞻《荊楚歲時記》二卷，諸葛穎《種植法》七十七卷，又《相馬經》六十卷，侯白《啓顏錄》十卷，裴子野《類林》三卷，張華《列異傳》一卷、《虞荔鼎錄》一卷，陶弘景《刀劍錄》一卷，任昉《述異記》二卷，顏協《晉仙傳》五卷，《魏武兵書》十三卷，_{亦稱《新書》。}杜公瞻《編珠》一卷，宋祖沖之《大明術》，梁虞劚《大同曆》，北魏孫僧化《永安曆》，隋張胄玄《開皇曆》、《大業曆》，隋劉焯《皇極曆》，崔篆《易林》十六卷，管輅《周易林》四卷，伏曼容《周易集林》十二卷，蕭吉《五行大義》五卷，柳彥詢《龜經》三卷，柳世隆《龜經祕要》二卷，《梁文帝集》十八卷，_{武帝之父，見《梁書》、《南史·本紀》。}《傅昭集》十卷，《袁昂集》二十卷，《周興嗣集》十卷，後魏《薛孝通集》六卷，《魏孝景集》一卷，_{當是"季景"之誤。}北齊《陽休之集》二卷，_{《新唐志》：三十卷。}後周《王衡集》三卷，陳《沈不害集》十卷，《顧越集》二卷，《顧覽集》五卷，《姚察集》二十卷，隋《殷英童集》三十卷，《尹式集》五卷，《虞茂世集》五卷，《劉興宗集》三卷，《李播集》三卷，道士《江旻集》三十卷，庾自直《類文》三百七十七卷，虞綽等《類集》一百十三卷，凡此皆見於《唐》、《宋志》、《玉海·藝文》及諸書所引，近時相傳最著聞者。其他小錄、短書尚不盡於此，此豈盡梁、隋書目所遺者乎？以史部簿錄篇覈之，知草率絓漏在所不免。以上敍諸家評論第四。

陽湖孫星衍《五松園文稿·章宗源傳》："宗源字逢之，浙江山陰人。以兄編修宗瀛官京師，遂以大興籍中式乾隆丙午科舉人。少聰穎，不喜爲時文，以對策博贍發科，益好學，積十餘年，采獲經史群籍傳注，輯錄唐宋已來亡佚古書盈數笈。自言'欲撰《隋書經籍志考證》，書成後，此皆糟粕，可鬻之'。然編次成帙,悉枕中祕本也。又言'輯書雖不由性靈,而學問日以進,吾爲此事久之,亦能爲古文爲駢體文矣'。其已輯各書,皆爲之敍,通知作者、體例曲折,詞旨明暢。古書多亡於北宋,故輯書始於王應麟,近代惠徵君棟踵爲之。《四庫全書》用其法,多從《永樂大典》寫錄、編次,刊布甚夥,至於宗源則無書不具焉。時都門廣慧寺有妖僧明心者,誑人以符錄降鬼儡,挾而書几,言禍福;又賄客僕從刺探隱事,面發之,示神驗。京朝官之佞佛者,大爲扇惑,爭饋貽之。僧益豪橫,或占人墳塋作廟基,或權子母取重利。事敗,僧以罪遣歸南中。宗源等以事佛與牽連,罷斥,不能復與會試。僧又潛出,游齊魯間,就大吏之不潔者,網賄遺,易姓名,捐職丞倅,出入詭祕甚。而宗源等猶信之,持長齋,且寓書屬予去所爲《三教論》者。予著《三教論》,時京朝官惑於妖僧日甚,因以曉譬之。大吏某曾倚上官勢,屬予去其文,不得。及得宗源書,戲云:'君以生平輯錄書付我,我即去此文。君必祕愛不忍割,是色空之説不足恃也。'然宗源好學之志終不衰,性恬澹,不肯干謁,亦異乎世之所謂'禪鑽'者。以嘉慶五年月日疾卒於京邸。撰《隋書經籍志》及雜文若干卷。舊史氏曰:惜哉!章君之好學而惑於釋氏也。既輯錄三代先秦古書,豈不知佛書出東漢六朝之不足貴,并非西域浮屠之所秉筆耶?及爲妖僧詿誤,猶以素食終身,年未五十而溘逝,釋氏之效安在?"

又《平津館叢書》章氏《古史考》輯本序曰:"故友章孝廉輯《古史考》一册,略爲整理,付之剞劂,俾考古者有所資焉。孝廉名宗源,字逢之,以對策博贍中乾隆丙午科舉人。好輯佚書,欲依《隋書·經籍志》目爲之考證,所輯書滿十餘笈。始欲售之畢督部,會楚中有兵事而止。余時官山東兗、沂、曹、濟道,欲購之,未果。君旋惑於廣慧寺僧,素食誦經,予告以素食爲喪節，誦經非先王法言，不悔也。已而僧以賄敗，牽連及君。故事，斥革科甲，應上請。故相擅權，變亂舊章，曰：'我吏部也，去一舉人名易耳。'君既不得與禮部試，意境寥落，所館居停厭薄之，焚其所授書，嘗言'吾教學，令學徒集十三經中夏、殷二代軼禮，惜爲主人燬之矣'。其篤好古學，猶類此。卒於嘉慶某年月日，遺書遂爲中書葉君繼雯所得。其波及予者十之一二，亦無經史要帙，此其手定稿之一也，嗚呼惜哉！時爲嘉慶十一年。"

道光九年烏程嚴可均《鐵橋漫稿·書〈北堂書鈔〉原本後》有曰："嘉慶時，漢魏晉佚書輯本及章鳳枝佚書輯本，彙聚淵如所者不下七八百種。假余兩年之力，庶可藏事，而限於齎斧，未獲竣功。今余老且病，諸輯本皆不在手，難復爲力，沈思往事，爲之太息。"又曰："淵如棄世，金陵祠屋藏書，聞頗散失。"

　　按章氏輯本後皆歸於葉氏、孫氏。葉氏未見傳刻，孫氏則有譙周《古史考》，在《平津館叢書》。華嶠《後漢書》、張璠《漢紀》，見《孫祠書目》。或謂歷城馬國翰玉函山房所刻經、史、子三部輯本皆章氏之書，或以爲章氏學誠，殆非也。其即得葉氏歟？其經、子兩部所得頗多，史部唯有八種，并孫氏所刻，可見者止十一種；而據其史部考證所載，則爲所輯錄者，奚啻數十倍，今皆未見傳本，星散零落，殆不可問；而集部則終於不見，或未嘗措手，今嚴氏集其成焉。嚴氏之書，後序詳之。

上元朱緒曾述之《開有益齋讀書志》曰："余於孫淵如觀察文集中知會稽章孝廉宗源編輯勤苦，思求其書，既宰孝豐，章廣文炳奎，其族裔也。廣文云：'孝廉著述甚富，沒後多零落，有《隋書經籍志考證》，最詳核。'余好爲目錄之學，常以王伯厚《漢書藝文志考證》極博且精，惟增入二十六種，屚雜贗鼎，至

漢人著作，仍有出於伯厚所載之外者。若《隋書·經籍志》，
則余素所措意者也。屢欲爲之考證，恨見書少，又不能專心
從事。聞孝廉有是作，爲之躍然。廣文許索諸其家，不可得。
余牧海昌，錢警石學博，云全書未見，若史部考證則有之。
《隋志》所載今佚者，必詳載體例及諸家評論，如干寶《晉紀》
則列劉彦和《文心雕龍》、劉子玄《史通》之議。又如《司徒
儀》，則列《北堂書鈔·設官部》從事中郎之職、《太平御覽·
職官部》右長史之職，以備其説。至史部爲《太平御覽》目録
所引隋以前書，凡《經籍志》未載者，悉取以補之。《御覽》雖
修於宋初，然以《修文殿御覽》爲藍本，故可據也。此外如《初
學記》、《北堂書鈔》、《藝文類聚》、《通典》、《通考》、《玉海》、
《白帖》之類，皆旁摭其佚文。隋以前乙部，殆無遺珠矣。余
假鈔副本，至經、子、集考證，未知有收藏者否。”
章氏《隋書經籍志考證》十三卷，道光二十八年嘉興錢泰吉題
識曰：“嘉慶戊寅，吾兄衎石自京師歸。篋中攜此書，謂鈔自
何夢華元錫，藏書家未有也。余乃鈔録副本，惜僅有史部。
三十年來，訪求全書，無知之者。道光丁未冬日，朱述之明府
假鈔一本，乃從述翁假孫氏《五松園文集》，録章君傳於册首。
此書名與王氏《漢書·藝文志》同，而編次則異。”

按章氏是書，光緒三年湖北崇文書局始刊入叢書，卷首
有孫氏傳、錢氏識，知即從錢本傳録。書凡十三篇，其目
曰正史，曰古史，曰雜史，曰霸史，曰起居注，曰地理，曰
譜系，曰簿録，曰舊事，曰職官，曰儀注，曰刑法，曰雜傳。
其先後次第，自起居注以下皆不從本志。篇中部居，亦
復有所移易。又本志所有而失載者，自劉顯《漢書音》以
下，凡一百七十九部。分見史部十三篇篇末。本志所無，標“不
著録”者，自延篤《史記音義》以下，雜出六百一十一部。

蓋極意規仿王氏《漢書・藝文志》。其於著録之書，不求
甚備，而篇敍之文反有所考；於撰人始末，不必甚悉，而
傳注類書所引諸佚文，則獨致其詳，皆王氏書之例。而
所謂不著録者，亦王氏之例，《四庫提要》詆爲"蛇足"是
也。其本意因輯書而爲是志，皆從輯本中約略録出，故
其書如此。名爲《經籍志考證》，實與《經籍志》在離合之
間。其族後學有章小雅者，嘗謂此書本名《史籍考》，今
題《經籍志考證》，好事者爲之也。豈信然耶？莫得而詳
已。以上敍章氏《考證》第五。

附　新編序例①

新編《隋書經籍志考證》五十二卷，予始爲《後漢》、《三國
藝文志》各四卷，矯錢氏、侯氏之所未備；繼爲《漢志拾
補》六卷、《漢志條理》八卷，演王深寧氏之所未盡；今又
爲是志，所以補苴章氏之殘缺不完也。名與章氏書同，
而體裁則區以別矣。因略述大旨而序之曰：目録之學，
自劉光禄父子始。班書傳贊曰："《七略》剖判藝文，總百
家之緒，有意其推本之也。"顏師古曰："言其究極根本，
深有意也。"《宋書・志序》曰："漢興，接秦之後，典墳殘
缺；耆生碩老，咸以亡逸爲慮。歆之《七略》、固之《藝
文》，蓋爲此也。"《七略》奏上，而值王莽之篡，日不暇給，
代不傳習。後二十餘年，光武中興，明、章繼軌，始於東
觀、仁壽闥依《七略》爲書部，校書郎班固、傅毅典其事。
吳孫休時，亦命中書郎韋昭依劉向故事，校定衆書。蜀
漢則王崇補東觀，郤正爲祕書。當時官司，皆各有簿籍，
而皆不傳。厥後，專門名家著書傳世，如魏鄭默撰《中

---

① "編"字目録中作"撰"。

經》，晉荀勖撰《新簿》，代不乏人。本志史部簿録篇及唐、宋《經籍》、《藝文志》所載，雖不能備，亦略可覩矣。自班氏以《七略》爲一志，於是亦爲史學之一體，故簿録一類，列之史部。本志取資於《七録》，師資於《七略》。《漢·藝文》之後，袁山松之書既亡，存於世者，唯是志爲最古。其所收録亦最爲宏富，自周秦六國、漢魏六朝迄於隋、唐之際，上下千餘年，網羅十幾代，古人制作之遺，胥在乎是。其文略，非考證不明。夫目録之學，固貴乎有所考證，而考證尤必得其體要。近時爲目録考證者，往往以搜緝佚文爲事，餘皆不甚措意，不知佚文特考證中之一端；不於一書之本末源流推尋端緒，徒沾沾於佚文之有無以究心焉，則直以輯書之法爲目録之學，殊不然也。又輯書自有別行之本，無俟輾轉傳寫。以佚文雜於目録之中，累牘連篇，或至數版、數十版，使目録亦變而爲輯本矣。離之則雙美，合之則兩傷，果何爲者耶？今所編録，凡撰人爵里、著書指歸，但有可以考見之處，靡不條舉而疏通證明之，務使一書源委大概可見，而佚文有無多寡之數，亦約略可稽。方之集注，實事求是；譬彼敍録，具體而微，其大要如此。未盡之例，別有四端，并疏於左：

其一曰：本志總序篇序及道、佛二録，凡四十八篇。其切要者，皆已采入篇中，自餘無關宏旨而其文實繁，具在本書，不復寫録。

其二曰：四十八篇之外，皆書目也。書目則一字不遺，其爲隋代著録之書，所注撰人官位、姓名，從劉昭補注《續漢·百官志》例，一律以本注爲大字，提其綱；其附注亡書，亦依次以大字臚列，醒其目。凡卷中低一字寫録，悉冠以"梁有"云云者，皆《七録》及梁代書目所有之書也。同條共貫，一目了然，所采史傳及諸家考證之文，皆低二字。自爲附案者，低三字，以此爲別。原注或省文，如禮類云梁有鄭玄、王肅、射慈、射貞、孫毓、繆炳《音》各一卷，蔡謨、曹耽、尹毅、李軌、范宣《音》各二卷，皆承上文《禮記音》而言。今既分條考證，自當補完其書名，斯則例固宜然，非關改竄，且亦有所本，并非臆增。《釋文》云王肅有《三禮音》，《七録》唯云撰《禮記音》，則《七録》本文固云《禮記音》也，餘亦可以類推也。

其三曰：本志類中分類，遠有師承，不知其例，則動多誤會。前世名家，有以次序先後論撰人時代而致疑武斷，聚訟紛紛，終於隔閡難通者，職是故也。略見經部小學類服虔《通俗文》條。往緝《漢志條理》，皆於三十八篇篇末發之。是志著録較夥，頭緒益繁，今推尋章法，各舉於類中分類之後，子部五行一類尤繁雜無頭緒，至分爲三十三類而始有眉目。四部之中，唯此類最難措手，與《漢志》五行家同焉。

其四曰：本志分類四十，其中多寡懸殊，今不欲亂其部次，各從其類爲卷。惟集部別集一類，總包漢魏兩晉兩北朝，卷帙過重，不能不有所分析。今以楚漢爲一卷，後漢爲一卷，三國一卷，西晉一卷，東晉一卷，宋一卷，齊一卷，梁一卷，後魏、北齊、後周、陳、隋各一卷，凡分十三子卷，大凡五十二卷。敍録一卷，後序一篇，釐訂爲二十三冊。經部、史部各五册，子部七册，集部六册。餘與《漢志條理》同例，已詳於彼，故不具。光緒二十一年正月初四日，山陰姚振宗。

干氏《漢書藝文志考證》、侯氏《補後漢三國藝文志》，其書皆未成之書，其例亦未定之例。且二家之書，皆無自

序。凡例本不自以爲例，又何有例之可言？侯氏屬稿尚
未完，頭角略不具，南海伍氏強分爲四卷，刊入《嶺南遺
書》。其刻書跋云："凡諸書見本傳及《隋》、《唐》、《宋
志》、《釋文・敍録》，皆不著所出；其采自他書或附傳者，
則著之；而他書復有可考證者，亦備録焉。"此伍氏據其
書之大致言之，非侯氏有是言也。假使侯氏實有是言，
其例亦挂一漏萬，未爲精善，況本無成例者耶？後之人不
察其所以然，輒以此兩家非例之例以爲例，是何異鑿空捕
景，踵譌襲謬？余因是發凡起例，別自爲學，非苟焉而已
也。世有知者，或不河漢斯言。後二年二月十八日又記。

卷一

經部一

易類　<small>類中分類凡七。</small>

歸藏十三卷　晉太尉參軍薛貞注

《周禮》：“太卜掌三易之法：一曰《連山》，二曰《歸藏》，三曰《周易》。其經卦皆八，其別皆六十有四。”又曰：“簭人掌三易，以辨九簭之名，一曰《連山》，二曰《歸藏》，三曰《周易》。”

《禮記·禮運篇》孔子曰：“吾欲觀殷道，是故之宋，而不足徵也，吾得《坤乾》焉。”鄭氏注曰：“殷陰陽之書，存者有《歸藏》。”

後漢桓譚《新論》曰：“《連山》八萬言，《歸藏》四千三百言，夏《易》煩而殷《易》簡。”又曰：“《連山》藏於蘭臺，《歸藏》藏於太卜。”

唐賈公彥《周禮疏》曰：“殷人因黃帝曰《歸藏》，《歸藏》易以純《坤》爲首，坤爲地，萬物莫不歸而藏於其中。殷十二月爲正，地統，故以《坤》爲首。又擇建立卜筮人，三人占，從二人之言，蓋筮時《連山》、《歸藏》、《周易》三易並用，夏殷以不變爲占，《周易》以變者爲占，三人各占一易。”

本志篇敍曰：“《歸藏》漢初已亡，案晉《中經》有之，唯載卜筮，不似聖人之旨。以本卦尚存，故取貫於《周易》之首，以備殷《易》之缺。”

唐日本國人佐世《見在書目》：《歸藏》四卷，晉太尉參軍薛貞注。

《唐書·經籍志》:《歸藏》十三卷,殷《易》,司馬膺撰。^① 按司馬膺未詳,或是膺所撰録。

《唐書·藝文志》:《歸藏》十三卷。不著注家姓名。

《宋史·藝文志》:薛貞注《歸藏》三卷。

《崇文總目》:《歸藏》三卷,晉太尉參軍薛貞注。隋世有十三篇,今但存《初經》、《齊母》、《本蓍》三篇。文多闕亂,不可詳解。

宋鄭樵《通志·藝文略》:《連山》亡矣,《歸藏》隋有薛貞注十三卷,今所存者《初經》、《齊母》、《本蓍》三篇而已。言占筮事,其辭質,其義古。後學謂爲不文,疑而棄之。獨不知後之人能爲此文乎?

秀水朱彝尊《經義考》曰:"按《歸藏》隋時尚存,至宋猶有《初經》、《齊母》、《本蓍》三篇。其見於傳注所引者,辭皆古奧,而孔氏《正義》謂《歸藏》僞妄之書,亦未盡然。"又曰:"《歸藏》之書有《本蓍篇》,亦有《啟筮篇》;有《齊母經》,亦有《鄭母經》,見於郭景純《山海經注》。《隋志》謂《歸藏》漢初已亡,故班固《藝文志》不載,又謂晉《中經簿》有之,斯景純得援之以釋《山經》也。"

歷城馬國翰玉函山房輯本序曰:"今玩其遺文,類皆韻語,奇古可誦,與《左氏傳》所載諸繇辭相類,焦氏《易林》源出於此。雖'畢日'、'奔月',頗涉荒怪,然'龍戰於野'、'載鬼一車',大《易》以之取象,亦無所嫌也。但殷《易》而載'武王枚占'、'穆王筮卦',蓋周太卜掌其法者,推記占驗之事附入篇中,其文非漢以後人所能作也。今並宋時三篇亦佚,朱太史《經義考》

---

① "撰",清乾隆武英殿本(以下簡稱"殿本")《舊唐書》作"注"。

搜輯甚詳，據以爲本，間有遺漏，爲補綴之，並附諸家論説爲一卷。”

金谿王謨《漢魏遺書鈔》曰：“今共鈔出《周禮疏》二條、《爾雅疏》一條、《山海經注》十條、《穆天子傳注》一條、《莊子釋文》一條、《楚辭補注》一條、《文選注》三條、《類聚》四條、《初學記》二條、《書鈔》一條、《御覽》十條、《路史》注二條、《經義考》五條，附録《連山易》二條。”

烏程嚴可均《全上古三代文編》輯本序曰：“《新論》稱‘《歸藏》四千三百言’，是西漢末實有此書。《漢志》本《七略》，偶失載耳。《崇文總目》云‘今但存三篇’，《玉海》引《中興書目》同。《文淵閣書目》不著録，蓋三篇又亡於元、明之際。今蒐輯群書，得八百四十六字，視桓譚所見本略存什二焉。”諸書引見不著篇名者，凡二十五條。又《歸藏·啟筮》十五條，《歸藏·鄭母經》三條，《歸藏·齊母經》、《歸藏·初經》、《歸藏·本蓍篇》各一條，附録一條。又附筮辭五條，卜頌十五條。

陽湖孫星衍《祠堂書目》：《歸藏》一卷，洪頤煊集本。

　　按劉歆《與揚雄從取〈方言〉書》云：“三代之書，蘊藏於家，顧弗多耶？今有一《周易》而無《連山》、《歸藏》。”則劉中壘家無此二書。《新論》言《連山》、《歸藏》在蘭臺、太卜，則在中祕書溫室、天禄閣之外，當時未及彙聚，故《七略》遺之也。薛貞始末未詳。

周易二卷　魏文侯師卜子夏傳。殘缺。梁六卷。

《史記·仲尼弟子列傳》：“卜商，字子夏，少孔子四十四歲。孔子既没，子夏居西河教授，爲魏文侯師。其子死，哭之失明。”唐司馬貞《索隱》曰：“子夏文學著於四科，序《詩》、傳《易》。又孔子以《春秋》屬商，又傳《禮》，著在《禮志》。而此史並不論，空記《論語》小事，亦其疏也。”

漢劉向《別録》曰：“《易傳》，子夏、韓氏嬰也。”

漢劉歆《七略》曰：“子夏《易傳》，漢興韓嬰傳。”

唐孔穎達《周易正義》曰：“初，卜商爲《易傳》，至西漢傳之。”

唐陸德明《釋文·敍録》：子夏《易傳》三卷。卜商，字子夏，衛人，孔子弟子，魏文侯師。《七略》云漢興，韓嬰傳。《中經簿録》云丁寬所作。張璠云：“或駻臂子弓所作，薛虞記。”虞不詳何許人。

本志篇敍曰：“孔子爲《彖》、《象》、《繫辭》、《文言》、《序卦》、《説卦》、《雜卦》，而子夏爲之傳。”

《唐書·經籍志》：《周易》二卷，卜商傳。

《唐書·藝文志》：《周易卜商傳》二卷。

宋王應麟《漢書藝文志考證》曰：“唐司馬貞曰：‘《七略》有《子夏傳》。’《七録》：六卷。或云韓嬰，或云丁寬。《中經簿》：四卷。”

武威張澍《二酉堂叢書》輯本序曰：“嘗案《家語》云‘孔子讀《易》至《損》、《益》卦，喟然而歎，子夏避席而問’，知卜氏子好精義，不讓商子木也審矣。澍溺苦儒先，從事稡薈，敢怯璅煩，冀延絕學。是用展翫敷言，省循立意，實孟、京之噴矢，亦馬、王之濫觴。”

武進張惠言《〈易義別録〉輯本序》曰：“《漢書·藝文志》《易》有韓氏二篇、丁氏八篇，而無駻臂子弓，則張璠之言不足信。丁寬受《易》田何，上及駻臂子弓，受之商瞿，非自子夏，則荀勗言丁寬亦非。劉向父子博學近古，以爲韓嬰，當必有據。《儒林傳》稱‘韓生亦以《易》授人，推《易》意而爲之傳’，不聞其所受，意者出於子夏，與商瞿之傳異耶？”

平湖孫堂《〈漢魏廿一家易注〉輯本序》曰：“《子夏易傳》，《隋志》已云殘缺。後人展轉依託，益爲十一卷，是爲今本。舊本之散見者，自唐人所引外，惟朱氏震、晁氏説之、趙氏汝楳、王氏應麟四家之書間取之，兹特輯其與今本異者，凡七十條。”

馬國翰玉函山房輯本敍曰：“《周易子夏傳》，《漢志》不著録。《唐會要》云：‘開元七年三月十七日詔：《子夏易傳》，近無習者，令儒官詳定。劉知幾、司馬貞議皆以爲不可。五月五日詔：《子夏傳》佚篇，令帖《易》者停。’孫坦《周易析蘊》以爲杜鄴，趙汝楳《周易輯聞》以爲鄧彭祖，二人皆字子夏。懸空臆度，迄非定論，獨洪邁信之。武威張太史澍輯此篇，刻入《張氏叢書》。今據校録，仍《隋》、《唐志》舊目，分爲二卷。薛虞字里無考，大抵爲漢魏間儒生。今就《釋文》、《正義》二書所引，得十一節，次《子夏傳》後。”

《孫祠書目》：《子夏易傳》一卷，孫馮翼集本。

　　按韓嬰傳《易》，史不言其所受。張氏惠言謂出於子夏，與商瞿别爲一派，可謂定論。然則漢人傳子夏《易》者，嬰之後有嬰孫博士商，商之後有待詔韓生、司録校尉蓋寬饒，而韓氏則家世傳業者也。

　　又按《經義考》引宋程迥曰：“子夏《易傳》，京房爲之箋。”未詳所據。

周易十卷　漢魏郡太守京房章句

《漢書》本傳：房字君明，東郡頓丘人也。治《易》，事梁人焦延壽。延壽字贛，爲小黄令。常曰：“得我道以亡身者，京生也。”其説長於災變，分六十四卦，更直日用事；以風雨寒温爲候，各有占驗。房用之尤精。初元四年，以孝廉爲郎。數召見，問得失。建昭時，出爲魏郡太守，去月餘，徵下獄，棄市。房本姓李，推律自定爲京氏，死時年四十一。

又《元帝本紀》：建昭二年冬十一月，淮陽王舅張博、魏郡太守京房坐窺道諸侯王以邪意,漏泄省中語,博要斬,房棄市。

又《儒林傳》:"京房受《易》梁人焦延壽,延壽云嘗從孟喜問《易》。會喜死,房以爲延壽即孟氏學,翟牧、白生不肯,皆曰非也。至成帝時,劉向校書,考《易》説,以爲諸《易》家説皆祖田何、楊叔、①丁將軍,大誼略同,唯京氏爲異。句。黨焦延壽獨得隱士之説,師古曰:"'黨'讀曰'儻'。"託之孟氏,不相與同。房以明災異得幸,爲石顯所譖誅,自有傳。房授東海殷嘉、河東姚平、河南乘弘,皆爲郎、博士。繇是《易》有京氏之學。"又傳贊曰:"至元帝世,復立京氏《易》。"

本志篇敍曰:"又有東郡京房,自云受《易》於梁國焦延壽,別爲京氏學。嘗立,後罷。後漢施、孟、梁丘、京氏凡四家並立,而傳者甚衆。"又曰:"梁丘、施氏亡於西晉,孟氏、京氏有書無師。"按此言"嘗立後罷"者,蓋房被誅之後,并罷其學。至平帝時,王莽秉政,諸學皆立,京氏亦復立如故,至後漢因之。

《釋文·敍録》:《京房章句》十二卷。《七録》云十卷,録一卷。目。按此似有奪誤。

《唐書·經籍志》:《周易》又十卷,京房章句。

《唐書·藝文志》:《周易》京房章句十卷。

嚴氏《鐵橋漫稿·京氏易輯本序》曰:"按《漢志》著録《孟氏京房》十一篇、《災異孟氏京房》六十六篇、《京氏段嘉》十二篇。不先言孟氏説若干篇者,漢時孟氏《易》説無專行本,僅京氏《易》中有之,至梁、陳而《孟喜章句》、《京房章句》各著於録,不知何時何人從《京氏易》中取出分編之,蓋在魏晉之後矣。"按此説非是,《漢志》本有《孟氏章句》二篇。

又曰:"許叔重稱《易》孟氏爲古文,京氏將毋同。《京氏章句》

---

① 清光緒王氏刻本《漢書補注》王先謙謂"叔"下脱"元",是。

十卷,録一卷;或作十二卷,或作十卷。亡於唐末。假令遺文散見尚多,異義異字亦古文矣。今輯章句僅寥寥五十五事,余生也晚,所爲望古而悵然者也。"《孫氏祠堂書目》:《京氏易章句災異》八卷。王保訓集本,即此嚴氏本也。

按元和惠棟《易漢學》、武進張惠言《易義別録》、平湖孫堂《漢魏廿一家易注》、金谿王謨《漢魏遺書鈔》、歷城馬國翰玉函山房並有《京氏易章句》輯本。

周易八卷　漢曲臺長孟喜章句。殘缺。梁十卷。

《漢書·儒林傳》:"孟喜字長卿,東海蘭陵人也。從田王孫受《易》。喜好自稱譽,得《易》家候陰陽災變書,詐言師田生且死時枕喜膝,獨傳喜,諸儒以此耀之。同門梁丘賀疏通證明之,曰:'田生絶於施讎手中,時喜歸東海,安得此事?'喜舉孝廉爲郎,曲臺署長,病免,爲丞相掾。博士缺,衆人薦喜。上聞喜改師法,遂不用喜。喜授同郡白光少子、沛翟牧子兄,師古曰:"兄,讀曰況。"皆爲博士。繇是翟、孟、白之學。"錢氏大昕《三史拾遺》曰:"當云'孟家有白、翟之學',文有脱誤爾。"又傳贊曰:"初,唯有《易》楊,至孝宣世,復立施、孟、梁丘《易》。"

又《藝文志》易家"章句,施、孟、梁丘氏各二篇"。又曰:"漢興,田何傳之。訖於宣元,有施、孟、梁丘、京氏,列於學官。"

本志篇敍曰:"漢初傳《易》者有田何,何授丁寬,寬授田王孫,王孫授沛人施讎、東海孟喜、琅邪梁丘賀,由是有施、孟、梁丘之學。"又曰:"後漢施、孟、梁丘、京氏,凡四家並立,而傳者甚衆。"

《釋文·敍録》:"喜爲《易章句》,授同郡白光及沛翟牧。"又曰:"《孟喜章句》十卷,無上經。《七録》云:'又下經無《旅》至《節》,無《上繫》。'"

《唐書·經籍志》:《周易》十卷,孟喜章句。

《唐書・藝文志》：《周易》孟喜章句十卷。

王氏《漢志考證》曰："許氏《説文》稱《易》孟氏，其文多異。"

馬氏玉函山房輯本序曰："《孟氏章句》惟《釋文》及《正義》、《集解》間引之。唐《大衍曆議》云：'十二月卦出於《孟氏章句》，其説《易》本於氣，而後以人事明之。'亦引孟説《震》、《坎》、《離》、《兑》四卦義及六十卦用事配七十二候圖。又《説文序》'《易》用孟氏'，而所著《五經異義》引孟、京説。又虞翻自言五世傳孟氏《易》，則許、虞二家所引與今《易》異者，皆佚説也。並據輯録，釐爲二卷。"

王氏《漢魏遺書鈔》敍録曰："今抄出《説文》二十五條、《釋文》十一條、《集解》二條、《詩正義》一條、《禮記疏》二條。"

　按惠氏、張氏、孫氏亦各有輯本。《漢志》三家章句各二篇，皆不連經文。此十卷，後人合經、傳爲一帙也。嚴氏謂漢時孟氏《易》説無專行本，僅見京氏《易》中，後人從京《易》中取出編爲章句。是説也，蓋偶未檢《漢志》本有《孟氏章句》之一證。

梁又有漢單父長費直注《周易》四卷，亡。

《漢書・儒林傳》："費直字長翁，東萊人也。治《易》爲郎，至單父令。長於卦筮，亡章句，徒以《彖》、《象》、《系辭》十篇文言解説上、下經。按宋馮椅《厚齋易學》引作"十篇之言"，此"文"字似"之"字寫誤。琅邪王璜平中能傳之。"又曰："高相，沛人也。治《易》與費公同時，其學亦亡章句，專説陰陽災異，自言出於丁將軍。繇是《易》有高氏學。高、費皆未嘗立於學官。"

又《藝文志》曰："民間有費、高二家之説，劉向以中《古文易經》校施、孟、梁丘經，或脱去'無咎'、'悔亡'，唯費氏經與古文同。"

本志篇敍曰："漢初，又有東萊費直傳《易》，其本皆古字，號曰

《古文易》。以授琅邪王璜，璜授沛人高相，相以授子康及蘭陵毋將永。故有費氏之學，行於人間，而未得立。按《漢書》言高氏與費公同時，自言其學出於丁將軍。此所云云，則爲費氏再傳弟子，《釋文·敍錄》無是説，此似有傳譌。後漢陳元、鄭衆皆傳費氏之學，馬融又爲其傳，以授鄭玄，玄作《易注》，苟爽又作《易傳》。魏代王肅、王弼並爲之注。自是費氏大興，高氏遂衰。”

《釋文·敍錄》：《七錄》云：費直《易章句》四卷，殘缺。

《唐書·經籍志》：《周易》又四卷，費直章句。

《唐書·藝文志》：《周易》費直章句四卷。

宋晁公武《郡齋讀書志》曰：“費氏惟以《彖》、《象》、《文言》等十篇解上、下經，凡以《彖》、《象》、《文言》參入卦中者，皆祖費氏。”

王氏《漢志考證》：吕氏曰：“漢興，言《易》者六家，獨費氏傳《古文易》，而不立於學官。費氏《易》在漢諸家中最近古，最見排擯。千載之後，巋然獨存，豈非天哉？”

明朱睦㮮《授經圖》曰：“費直自爲《易》，以相授受，原無師傳。”

《經義考》：明錢一本曰：“《周易》漢費直本畫一全卦，繫以彖辭；再畫本卦，繫以爻辭；又畫覆卦，繫以用九、用六之辭，後以一‘傳’字加《彖傳》之首。鄭康成本省去費本六爻之畫，又省用九、用六、覆卦之畫云。”

張氏《易義別錄》曰：“費氏《古文易》無章句，《七錄》有《費氏章句》四卷，蓋僞託不足信。然陸德明以爲永嘉之亂，鄭注行世，而費氏之《易》無人傳者，豈以僞託之章句爲費氏邪？或者費氏本無訓説，諸儒斟酌各家以通之。”

馬氏玉函山房輯本序曰：“《隋志》云：‘梁有費直注《周易》四卷。’《新》、《舊唐志》、《釋文·敍錄》並作‘章句’，與本傳所稱

'亡章句'者不合，疑爲費學者附益之。今已佚亡。宋吳仁傑、晁説之考定古《易》，吳録費直《易·乾卦》以見例；晁合諸家，以訂古文，最爲明晰，茲據輯録。"

又費氏《周易分野》輯本序曰："案羅泌《路史》云：'費直《易》十二篇，以《易》卦配地域。'今其書佚，唯《晉書·天文志》引其十二次所起度數，稱費直《周易分野》。唐《開元占經》亦引之，稱名同。考《隋志》有《易林》二卷、《易内神筮》二卷，梁有《周易筮占林》五卷，俱費直撰，悉佚不傳。此未知當屬何書，姑以《晉志》所引，題《分野》，至其配卦之例，莫可稽考。《唐書·曆志》載一行論兩戒，間及《易》卦，或其遺法乎？"

按孔子繫《易》有"在天成象"、"在地成形"語，故費氏得援分野之説。《晉志》及《占經》所引即費氏《易傳》佚文。章句爲《易傳》而作，非有他異。馬氏謂《分野》不知當何屬，別編爲一帙，實則當并合爲卷，故彙録於此。

周易九卷　後漢大司農鄭玄注

《後漢書》本傳：玄字康成，北海高密人也。八世祖崇，哀帝時尚書僕射。玄少爲鄉嗇夫，不樂爲吏，遂造太學受業，師事京兆第五元先，始通京氏《易》、《公羊春秋》、《三統曆》、《九章算術》。又從東郡張恭祖受《周官》、《禮記》、《左氏春秋》、《韓詩》、《古文尚書》。以山東無足問者，乃西入關，因涿郡盧植，事扶風馬融。游學十餘年，乃歸鄉里。家貧，客耕東萊，學徒相隨已數百千人。及黨事起，乃與同郡孫嵩等四十餘人俱被禁錮，遂隱脩經業，杜門不出。初，中興之後，范升、陳元、李育、賈逵之徒爭論古今學，後馬融答北地太守劉瓌及玄答何休，義據通深，由是古學遂明。靈帝末，黨禁解，時年六十，弟子河内趙商等自遠方至者數千。後嘗疾篤，自慮，以書戒子益恩曰："吾坐黨禁錮十有四年，而蒙赦令，舉賢良方正有道，辟大將軍三司府。公車再召，比牒併名，早爲宰相。惟彼數公，懿德大雅，克堪王臣，故宜式序。吾自忖度，無任於此，但念述先聖之元意，思整百家之不齊，亦庶幾以竭吾才。"時大將軍袁紹總兵冀州，舉玄茂才，表爲左中郎將，皆不就。公車徵爲大司農，給安車一乘。玄迺以病自乞還家。建安五年春，寢疾。時袁、曹相距於官渡，紹令其子譚遣使逼玄隨軍，不得已，載病到元城縣，疾篤不進，其年六月卒，年七十四。所注：《周易》、《尚書》、《毛詩》、《儀禮》、《禮記》、《論語》、《孝經》、《尚書大傳》、《中候》、《乾象曆》。又著《天文七政論》、《魯禮禘祫義》、《六藝論》、《毛詩譜》、《駁許慎五經異義》、《答臨孝存周禮難》，凡百餘萬言。玄經傳洽熟，稱爲純儒，齊、魯間宗之。注：案謝承書載玄所注與此略同，不言注《孝經》，唯此書獨有也。宗按，史傳所載，總有遺漏，此書亦不載《周禮注》、七經緯注、《孟子注》及集二卷；又有《三禮目録》、《三禮圖》、《駁何氏漢議》、《春秋十二公名》。他如《喪服經傳注》、《喪服譜注》、《三禮音》、《九宮經注》、《日月交會圖注》，或後人從諸經注析出別行。

鄭氏自序佚文曰："遭黨錮之事，逃難注《禮》；黨錮事解，注《古文尚書》、《毛詩》、《論語》；爲袁譚所逼，來至元城，乃注《周易》。"

《後漢書·儒林傳》曰："陳元、鄭衆皆傳《費氏易》，其後馬融亦爲其傳，融授鄭玄，玄作《易注》。"

《魏志·高貴鄉公紀》：帝幸太學，問諸儒曰："孔子作《彖》、《象》，鄭玄作注，今《彖》、《象》不與經文相連，而注連之，何也？"《易》博士淳于俊對曰："鄭玄合《彖》、《象》於經，欲使學者尋省易了也。"

《釋文·敍録》：《周易》鄭玄注十卷，録一卷。《七録》云十二卷。

《唐書·經籍志》：《周易》九卷，鄭玄注。

《唐書·藝文志》：鄭玄注《周易》十卷。

《宋史·藝文志》：鄭玄《周易文言注義》一卷。

《崇文總目》：《周易》一卷，鄭康成注。今惟《文言》、《説卦》、《序卦》、《雜卦》合四篇，餘皆逸。指趣淵確，本去聖之未遠。

張惠言《易義別録》曰："鄭《易》之於馬，猶《詩》之於毛。今馬《傳》既亡，所見僅訓詁碎義。就其一隅而返之，大抵以《乾》、《坤》十二爻論消息，以人道政治議卦爻，此鄭所本於馬也。馬於象疏，鄭合之以爻辰；馬於人事雜，鄭約之以周禮，此鄭所以精於馬也。"

遵義鄭珍《鄭學録》曰："康成自敍'爲袁譚所逼，來至元城，乃著《周易》'。珍案'著'即'注'也。康成是年春已寢疾，至季夏遂卒，其在元城多不過四五月，而九卷《易注》成於病中。以知精力過人，臨死不衰如此。"

又《新編年譜》曰："建安五年，至元城，注《周易》，畢，知病不起，作自序。"

《孫祠書目》：《周易鄭注》十二卷，孔廣林集本。

> 按鄭氏《易》今存宋王應麟輯本一卷、明姚士粦補輯二十五條、國朝惠棟補輯本三卷，《四庫全書》並著於録。此外又有孫堂輯本一卷、臧鏞堂輯本九卷，還《隋志》之舊；丁杰、張惠言合輯十二卷，復《七録》之舊云。

梁又有漢南郡太守馬融注《周易》一卷，亡。

《後漢書》本傳：融字季長，扶風茂陵人也，將作大匠嚴之子。注：嚴，援兄余之子。從京兆摯恂游學。博通經籍。大將軍鄧騭召爲舍人。永初四年，拜校書郎中，詣東觀典校祕書，十年不得調。因兄子喪，自劾歸。鄧太后怒，令禁錮之。安帝親政，召還郎署，復在講部。出爲河間王廄長史，召拜郎中。及北鄉侯即位，移病去，爲郡功曹。陽嘉二年，詔舉敦樸，徵詣公車，對策,拜議郎。大將軍梁商表爲從事中郎,轉武都太守。三遷,桓帝時爲南郡太守。忤梁冀旨免官,髡徒朔方。自刺不殊,得赦還,復拜議郎,重在東觀著述。以病去官。融才高博洽,爲世通儒,教養諸生,嘗有千數。涿郡盧植、北海鄭玄,皆其徒也。嘗欲訓《左氏春秋》,及見賈逵、鄭衆注,乃曰:"賈君精而不博,鄭君博而不精。既精既博,吾何加焉?"但著《三傳異同説》。注《孝經》、《論語》、《詩》、《易》、三《禮》、《尚書》、《列女傳》、《老子》、《淮南子》、《離騷》。年八十八,延熹九年卒於家。

又《儒林傳》曰:"陳元、鄭衆皆傳《費氏易》,其後馬融亦爲其傳。"

後漢荀悦《漢紀》曰:"孝桓帝時,故南郡太守馬融著《易解》,頗生異説,頗行於世。"

《釋文·敘錄》:"扶風馬融爲《易傳》。"又曰:"馬融《傳》十卷。《七錄》云九卷。"按此引《七錄》作"九卷",本志此條亦引《七錄》,乃云一卷,似本志誤也。

《唐書·經籍志》:《周易》十卷,馬融章句。

《唐書·藝文志》:《周易》馬融章句十卷。

馬氏玉函山房輯本序曰:"《周易》馬氏傳,宋元以來無傳,茲就《釋文》、《正義》、《集解》三書所引,并他書間見者,輯録爲三卷。"

按馬輯之外又有張氏《易義別録》、孫氏《漢魏易注》輯本各一卷,《孫祠書目》有馬、王《易義》一卷,孫馮冀輯本。

周易五卷　漢荊州牧劉表章句

《後漢書》本傳:表字景升,山陽高平人,魯恭王之後也。黨禁解,辟大將軍何進掾。初平元年,長沙太守孫堅殺荊州刺史王叡,詔以表爲荊州刺史。表遂理兵襄陽,以觀時變。及李催入長安，表遣使奉貢，催以表爲鎮南將軍、荆州牧，封成武侯。《釋文》云：南城侯。建安十三年，曹操自將征表，未至，表疽發背卒。

《魏志》本傳注：謝承書曰：“表受學於同郡王暢。”《漢末英雄記》曰：“州界群寇既盡，乃開立學官，博求儒士，使綦毋闓、宋忠等撰立五經章句，謂之後定。”

《釋文·敍録》：“劉表章句五卷。《中經簿録》云注《易》十卷。《七録》云九卷，録一卷。”

《唐書·經籍志》：《周易》五卷，劉表注。

《唐書·藝文志》：《周易》劉表注五卷。

張氏《易義別録》輯本序曰：“景升章句，缺略難考。案其義，於鄭爲近，大要《費氏易》也。”

馬氏玉函山房輯本序曰：“《周易》劉氏章句在隋、唐時已非完帙，今更散佚無傳，惟就《釋文》及《正義》、李氏《集解》、晁氏、呂氏《古易》所引，録爲一卷。”

　　按張、馬二輯之外，又有孫氏《漢魏易注》輯本一卷。

梁有漢荆州五業從事宋忠注《周易》十卷，亡。

陸氏《經典釋文》曰：“宋衷字仲子，南陽章陵人，後漢荆州五等從事。”按“五等”似“五業”之譌。五業者，五經業也。

宋蕭常《續後漢書》曰：“宋忠者，字仲子，南陽人。其子與魏諷謀誅曹操，不克，父子俱遇害。”

《吳志·虞翻傳》注：翻又上奏曰：“若乃北海鄭玄、南陽宋忠，雖各立注，忠小差玄，而皆未得其門，難以示世。”

《釋文·敍録》：《周易》宋衷注，九卷。《七志》、《七録》云十卷。

《唐書·經籍志》：《周易》十卷，宋衷注。

《唐書·藝文志》：《周易》宋忠注十卷。

惠氏《易漢學》曰："忠注'見群龍'一節，獨勝諸儒。"

張氏《易義別録》輯本序曰："宋氏注，李鼎祚、史徵皆詳引之，則唐初未嘗亡者。今以殘文推之，仲子言《乾》升《坤》降、卦氣動靜，太抵出入荀氏。虞君以爲差勝康成者，或以此。大要《費氏易》也。"

馬氏玉函山房輯本序曰："《周易》宋氏注，唐時尚有傳本，今久亡，猶幸《釋文》、《集解》引有四十餘節，輯爲一卷。"

按宋衷，范《書》、陳《志》皆無傳，《蜀志·先主傳》注引孔衍《漢魏春秋》曰："劉琮乞降，不敢告備，備亦不知，久之乃覺，遣所親問琮，琮令宋衷詣備宣旨。是時，曹公在宛，備乃大驚駭，謂忠曰：'卿諸人作事如此，不早相語，今禍至方告我，不亦太劇乎？'引刀向忠曰：'今斷卿頭，不足以解忿，亦恥大丈夫臨別復殺卿輩！'遣忠去。"又《尹默傳》注云："宋仲子後在魏。《魏略》曰：'其子與魏諷謀反，伏誅。'魏太子答王朗書曰：'嗟乎！宋忠無石子先識之明，老罹此禍。今雖欲願行滅親之誅，立純臣之節，尚可得耶？'"按其時建安二十四年也。梓潼李仁、尹默並從衷受古學，王肅從衷讀《太玄》。所注五經章句、七緯注、《世本注》、《太玄》、《法言注》並見本志。衷之事蹟略可考見者如此。孫氏《漢魏易注》亦輯存此注一卷。

周易十一卷　漢司空荀爽注

《後漢書·荀淑傳》：淑，潁川潁陰人，荀卿十一世孫也。有子八人：儉、緄、靖、燾、汪、爽、肅、專，並有名稱，時人謂之"八龍"。爽字慈明，一名諝。幼而好學，耽思經書，慶弔不行，徵命不應，潁川爲之語曰："荀氏八龍，慈明無雙。"延熹九年，太常趙典舉爽至孝，拜郎中。對策陳便宜，奏聞，即棄官去。後遭黨錮，隱於海上，又南遁漢濱，積十餘年，以著述爲事，遂稱爲碩儒。黨禁解,五府並辟,司空袁逢舉有道,不應。獻帝即位,董卓復徵之。爽欲遁命,吏持之急,不得去,因復就拜平原相。行至宛陵,復追爲光禄勳。視事三日,進拜司空。爽自被徵命及登臺司,九十五日,因從遷都長安。爽見董卓忍暴滋甚,必危社稷。其所辟舉皆取才略之士,將共圖之,亦與司徒王允及卓長史何顒等爲内謀。會病薨,年六十三。著《禮》、《易傳》、《詩傳》、《尚書正經》、《春秋條例》,又集漢事成敗可爲鑒戒者,謂之《漢語》。又《獻帝本紀》:初平元年二月丁亥,遷都長安。三月乙巳,車駕入長安,幸未央宫。夏五月,司空荀爽薨。

又《儒林傳》:建武中,陳元、鄭衆皆傳《費氏易》,其後馬融亦爲其傳。融授鄭玄,玄作《易注》,荀爽又作《易傳》,自是費氏興而京氏遂衰。

荀悦《漢紀》曰:"臣悦叔父故司空爽著《易傳》,據爻、象承應陰陽變化之義,以十篇之文解説經意,由是兖、豫之言《易》者,咸傳荀氏學。"

《吳志·虞翻傳》注:翻上奏曰:"經之大者,莫過於《易》。自漢初以來,海内英才,其讀《易》者,解之率少。至孝靈之際,潁川荀諝號爲知《易》,臣得其注,有愈俗儒。至於説'西南得朋,東北喪朋',顛倒反逆,了不可知。孔子歎《易》曰:'知變化之道者,其知神之所爲乎!'以美大衍四象之作,而上爲章首,尤可怪笑。又南郡太守馬融,名有俊才,其所解説,復不及諝。"

《釋文·敍録》:"潁川荀爽,字慈明,官至司空,爲《易》言。"又曰:"荀爽注十卷,《七録》云十一卷。"

《唐書·經籍志》:《周易》十卷,荀爽章句。

《唐書·藝文志》:《周易》荀爽章句十卷。

王氏《漢志考證》曰：“秦漢之際，《易》亡《説卦》。宣帝時，河内女子發老屋得之。後漢《荀爽集解》又得八卦逸象三十有一。”

張氏《易義別録》曰：“荀爽亦注《費氏易》者，其義又特異。”

馬氏玉函山房輯本叙曰：“惠氏棟《易漢學》列荀慈明一家，而佚文不具載。張氏惠言輯荀氏九家，佚文具載而雜入九家中。今特別出爲三卷。鄒湛曰：‘《易》箕子之明夷，荀爽訓箕爲荄，詁子爲滋，漫衍無經，不可至詰。’程迥曰：‘荀爽於《説卦》添物象以足卦爻，查元章謂不須添，添亦不盡。不知箕子之義，取蜀趙賓傳孟喜之説也。八卦逸象，費氏古文有之，三家奪佚耳。荀傳費學，參用孟氏，正其篤古之深，非有所失。況陰陽升降，洞見本原，虞仲翔謂馬融解釋復不及之，亦何可訾訾耶？’”

　按孫氏《漢魏易注》又有輯本一卷。趙賓説《易》見《漢書·儒林·孟喜傳》。《説卦》、物象三十一，後人亦輯入《九家易解》中，見後。

周易十卷　魏衛將軍王肅注

《魏志·王朗傳》：朗，東海郡人也。錢大昕《廿二史考異》曰：“‘郡’當爲‘郯’。”明帝時司徒，封蘭陵侯。子肅嗣，字子雍。黄初中，爲散騎黄門侍郎。太和三年，拜散騎常侍。領祕書監、崇文館祭酒。正始元年，出爲廣平太守。徵拜議郎，累遷侍中、太常、光禄勳、河南尹、中領軍。甘露元年薨，贈衛將軍，謚曰景侯。初，肅善賈、馬之學，而不好鄭氏，采會同異，爲《尚書》、《詩》、《論語》、三《禮》、《左氏》解及撰定父朗所作《易傳》，皆列於學官。

《魏志·齊王紀》：正始六年十二月辛亥詔，故司徒王朗所作《易傳》，令學者得以課試。

《釋文·敍録》：《周易》王肅注十卷。字子邕，東海蘭陵人，魏衛將軍、太常、蘭陵景侯。

《唐書·經籍志》：《周易》十卷，王肅注。

《唐書·藝文志》：《周易》王肅注十卷。

《宋史·藝文志》：《周易》王肅傳十一卷。

《崇文總目》：《周易傳》十一卷，王肅傳。後人纂陸德明《釋文》所取者附益之，非肅本書。

張氏《易義別録》輯本序曰："肅著書務排鄭氏，其託於賈、馬，以抑鄭而已。故於《易》義，馬、鄭不同者，則從馬；馬與鄭同，則并背馬。然其訓詁大義，則出於馬、鄭十七。《易注》本其父朗所爲，肅更撰定。疑其出於馬、鄭者，朗之學也；其掊擊馬、鄭者，肅之學也。自馬、鄭注行而費氏《易》興，諸家皆廢。荀、宋雖費氏，而宗之者不及馬、鄭，以馬、鄭主於人事，而不及易家動變之説也。王朗父子竊取馬、鄭而棄其言禮、言卦氣、爻辰之精切者。"

馬氏玉函山房輯本序曰："肅注在魏立學，頗著盛名，文字解説雖與康成殊異，要皆有據。朱子《本義》每稱'王肅本'，蓋深有取也。今就《正義》、《釋文》、《集解》、《文選注》、《御覽》諸書所引，輯爲二卷。"

周易十卷　魏尚書郎王弼注《六十四卦》六卷，韓康伯注《繫辭》以下三卷，王弼又撰《易略例》一卷。

《魏志·鍾會附傳》："初，會弱冠，與山陽王弼並知名。弼好論儒道，辭才逸辯，注《易》及《老子》，爲尚書郎，年二十餘卒。"裴松之曰："弼字輔嗣。何劭爲其傳曰：弼少爲裴徽、傅嘏所知，於時曹爽專朝政，何晏爲吏部尚書。正始中，黃門侍郎累缺。晏議用弼，而爽用王黎、王沈，以弼補臺郎，遂不得在門下，晏爲之歎恨。弼通儻不治名高。在臺既淺，事功亦

雅非所長，益不留意。其注《易》往往有高麗言，太原王濟好
談《易》、《老》、《莊》，嘗云：'見弼《易注》，所悟者多。'然弼爲
人淺而不識物情，初與王黎、荀融善，後恨黎奪其黄門郎，與
融亦不終。正始十年，曹爽廢，以公事免，其秋遇癘疾亡，時
年二十四，無子，絶嗣。弼之卒也，晉景王聞之，嗟歎者累日，
其爲高識所惜如此。_{裴注又引《博物記》云：「王粲族兄凱，凱子業，業子宏。}
_{宏，弼之兄也。」是弼爲王粲之族孫。}

裴注又引孫盛曰：「《易》之爲書，窮神知化，非天下之至精，其
孰能與此？世之注解，殆皆妄也。況弼以附會之辨而欲籠統
玄旨者乎？故其敍浮義則麗辭溢目，造陰陽則妙賾無間，至
於六爻變化，群象所效，日時歲月，五氣相推，弼皆擯落，多所
不關。雖有可觀者焉，恐將泥夫大道。」

《南齊書·陸澄傳》：澄與王儉書曰：「弼於注經中已舉《繫
辭》，故不復別注。」

《釋文·敍録》：「王弼注七卷。字輔嗣，山陽高平人。魏尚書
郎，年二十四卒。注《易》上下經六卷，作《易略例》一卷。」又
曰：「永嘉之亂，唯鄭康成、王輔嗣所注行於世，而王氏爲世所
重。《繫辭》已下王不注，相承以韓康伯注續之。《七志》云注
《易》十卷。」_{按《七志》作「十卷」者，已并合韓氏《繫辭注》及《略例》爲一袠者也。}

《唐書·經籍志》：《周易》七卷，王弼注。又十卷，王弼、韓康
伯注。

《唐書·藝文志》：《周易》王弼注七卷。又曰王弼、韓康伯注
十卷。

《宋史·藝文志》：「《周易》上、下經六卷，《繫辭》、《説卦》、《序
卦》、《雜卦》三卷，韓康伯注。」又曰：「王弼《略例》一卷。」

宋陳振孫《直齋書録解題》曰：「魏尚書郎山陽王弼輔嗣注上、
下經六卷，撰《略例》一卷。晉太常潁川韓康伯注《繫辭》、《説

序》、《雜卦》三卷。"

《四庫提要》曰："弼之説《易》，源出費直。直《易》今不可見，然荀爽《易》即費氏學。李鼎祚書尚頗載其遺説，大抵究爻位之上下，辨卦德之剛柔，已與弼注略近。但弼全廢象數，又變本加厲耳。平心而論，闡明義理，使《易》不雜於術數者，弼深爲有功。祖尚虛無，使《易》竟入於老莊者，弼亦不能無過。瑕瑜不掩，是其定評。諸儒偏好偏惡，皆門户之見，不足據也。"又曰："《易》本卜筮之書，末派寖流於讖緯，王弼乘其極敝而攻之，遂能排擊漢儒，自標新學。"

　　按韓康伯《繫辭注》别有單行本，詳見於後。

梁有魏大司農卿董遇注《周易》十卷，亡。

《魏志·王肅附傳》："明帝時，大司農弘農董遇等亦歷注經傳，頗傳於世。"注引《魏略·儒宗傳》曰："遇字季直，性質訥而好學。建安初，郡舉孝廉，稍遷黄門侍郎。是時漢帝委政太祖，遇旦夕侍講，爲天子所愛信。至二十二年，許中百官矯制，遇雖不與謀，猶被録詣鄴，轉爲冗散。按其事詳見《魏志·武紀》建安二十三年及注。黄初中，出爲郡守，明帝時入爲侍中、大司農，數年，病亡。"

《釋文·敍録》：董遇章句十二卷。字季直，弘農華陰人，魏侍中、大司農。《七志》、《七録》並云十卷。

《唐書·經籍志》：《周易》十卷，董遇注。

《唐書·藝文志》：《周易》董遇注十卷。

張氏《易義别録》輯本序曰："考《集解》不引董遇，則遇書亡於唐初蓋可知。遇著書在王肅前，故無與肅合者。其於鄭、荀則多同，義雖不可考，要之爲費氏《易》也。"

馬氏玉函山房輯本序曰："《七志》、《七録》並十卷，陸德明《敍録》云十二卷，後之卷數反增於前，或篇有分合故歟？今其章句佚矣。《正義》引二節，《釋文》引二十餘節，輯爲一卷。”

　　按又有孫氏《漢魏易注》輯本一卷。裴注稱《魏略·儒宗傳》七人附見一人，以董氏爲之首云。

梁有魏散騎常侍荀煇注《周易》十卷，亡。

　　《魏志·荀彧傳》注：《零陵先賢傳》曰：“彧第四兄諶，諶子閎，閎從孫惲，按當爲“煇”。字景文，太子中庶子，亦知名，與賈充共定音律，又作《易集解》。”

　　《釋文·敍録》：張璠《集解》序云：“荀煇字景文，潁川潁陰人。晉太子中庶子，爲《易義》。《七志》云注《易》十卷。”

　　《唐書·經籍志》：《周易》十卷，荀暉注。

　　《唐書·藝文志》：《周易》荀輝注十卷。

　　番禺侯康《補三國藝文志》曰：“《釋文·敍録》引張璠《集解》序稱煇爲晉太子中庶子，而《隋志》稱魏散騎常侍，豈注《易》在仕魏時耶？今仍從《隋志》著録。”

　　按《經義考》引《魏志》：“煇官至虎賁中郎將。”乃彧子惲，非此煇也。“煇”與“暉”、“輝”並同。

周易十卷　吳太常姚信注

　　《唐書·宰相世系表》：至田豐，王莽封爲代睦侯，以奉舜後。子恢避莽亂，過江居吳郡，改姓爲媯。五世孫敷，復改姓姚，居吳興武康。敷生信，吳選曹尚書。

　　《釋文·敍録》：《周易》姚信注，十卷，字德祐。《七録》云十二卷，字元直，吳興人，吳太常卿。按晉虞喜《安天論》曰：“近見姚元道造《昕天論》。”“元道”、“元直”字形相近，未詳孰是。

　　《唐書·經籍志》：《周易》十卷，姚信注。

　　《唐書·藝文志》：《周易》姚信注十卷。

　　《經義考》曰：“阮孝緒云姚信字元直，陸德明云信字德祐。按《吳志·陸績傳》注引《姚信集》有表請賜績女鬱生以‘義姑’

之號。又《陸遜傳》：‘姚信以親附太子，枉見流徙。’又《孫和傳》：‘寶鼎二年十二月，遣守丞相孟仁、太常姚信等備官僚中軍步騎二千人，以靈輿法駕，東迎神於明陵。’又《晉書·范平傳》：‘平研覽墳索，遍該百氏，姚信、賀邵之徒皆從受業。’又《南史·姚察傳》察讓選部書曰‘臣九世祖信名高往代’云云。”按《陸遜傳》云：“遜外生顧譚、顧承、姚信，並以親附太子，枉見流徙。”蓋孫權時嘗爲太子和官屬，孫晧即位，諡父和爲文皇帝，改葬明陵時，信以太常奉使迎神云。

張氏《易義別錄》輯本序曰：“《吳興志》有德祐文集，輯《易注》一卷，明人爲之，甚疏略，今補而正之。其言乾坤致用、卦變旁通、九六上下，則與虞氏之注若應規矩，元直豈仲翔之徒與？抑孟氏之傳在吳，元直亦得有舊聞歟？”

馬氏玉函山房輯本序曰：“其說《易》與荀、虞相似，故《九家集解》有之。今佚。《釋文》、《正義》及李氏《集解》引四十餘節，輯爲一卷。”

按孫氏《漢魏易注》亦有輯本一卷。

周易四卷　晉儒林從事黃穎注。梁有十卷，今殘缺。

《釋文·敍錄》：黃穎注十卷，南海人，晉廣州儒林從事。

《唐書·經籍志》：《周易》十卷，黃穎注。

《唐書·藝文志》：《周易》黃穎注十卷。

馬氏玉函山房輯本序曰：“黃穎，《晉書》無傳。《隋志》題‘儒林從事’。《釋文》云：‘南海人，廣州儒林從事。’此其可考者。《隋志》載《易注》四卷，梁十卷。《唐志》及《釋文》並十卷。今佚無傳，他書亦不見徵引，唯《釋文》引其說九節而已。輯錄爲一卷，與晉人《易》注類列焉。”

周易九卷　吳侍御史虞翻注

《吳志》本傳：翻字仲翔，會稽餘姚人也。太守王朗及孫策並命爲功曹，出爲富春長。策薨後，州舉茂才，漢召爲侍御史，曹公爲司空，辟，皆不就。翻與少府孔融書，并示以所著《易注》，融答書曰：“聞延陵之理，樂覩吾子之治《易》，乃知東南之美者，非徒會稽之竹箭也。又觀象雲物，察應寒溫，原其禍福，與神合契，可謂探賾窮通者也。”孫權以爲騎都尉。翻數犯顏諫爭，權不能悦。又性不協俗，多見謗毀，坐徙丹陽涇縣。後得釋。又以性疏直，數有酒失。權積怒非一，遂徙翻交州。雖處罪放，而講學不倦。門徒常數百人。在南十餘年，年七十卒，歸葬舊墓，妻子得還。按傳注引《翻別傳》，孫權稱尊號，翻上書言“全宥九載”，則被放在魏文帝黄初二年。又言“臣年耳順”，至年七十，當卒於吴赤烏二年。在南凡十九年。

裴注引《翻別傳》曰：“翻初立《易注》，奏上曰：‘臣高祖父故零陵太守光，少治孟氏《易》；曾祖父故平輿令成，纘述其業；至臣祖父鳳爲之最密；臣先考故日南太守歆，受本於鳳，最有舊書。世傳其業，至臣五世。前人通講，多玩章句，雖有祕説，於經疏闊。臣生遇亂世，長於軍旅，習經於枹鼓之間，講論於戎馬之上，蒙先師之説，依經立注。又臣所覽諸家解不離流俗，義有不當實，輒悉改定，以就其正。孔子曰：乾元用九而天下治。聖人南面，蓋取諸《離》，斯誠天子所宜協陰陽致麟鳳之道矣。謹正書副上，惟不罪戾。’”按此奏引聖人稱天子，蓋上之漢朝，或即於斯時并示孔融。考孔融被殺在獻帝建安十三年，則奏上此書及奏論荀諝、馬融、鄭玄、宋忠《易注》得失，又奏鄭玄解《尚書》違失事，因及玄注五經違義，諸章奏皆在建安十三年之前歟？

《釋文·敍錄》：《周易》虞翻注，十卷。字仲翔，會稽餘姚人。後漢侍御史。按本志別集類亦題“後漢侍御史”，與陸氏同。其曰“吴侍御史”者，本傳不載，爲是官蓋非其實也。

《唐書·經籍志》：《周易》九卷，虞翻注。

《唐書·藝文志》：《周易》虞飜注十卷。

張氏《易義別録》曰：①"虞氏之學既世，又具見馬、鄭、荀、宋氏書，考其是否，故其義爲精。又古書亡，而漢魏師説可見者十餘家，惟鄭、荀、虞三家略有梗概可指説，而虞又較備。然則求七十子之微言，田何、楊叔、丁將軍之所傳者，舍虞氏之注，其何所自焉？故求其條貫，明其統例，釋其疑滯，信其亡缺，爲《虞氏義》九卷。"

孫堂《漢魏易注》輯本序曰："《三國志》本傳載其五世傳《易》，獻帝時作《易注》，奏上之。其書久佚。《集解》所録，以經文準之，殆不能半。然虞之大義至今未泯者，不可謂非李氏之功。今以《集解》爲主而更采他書附益之，釐爲十卷。"

周易十五卷　吳鬱林太守陸績注

《後漢書·陸康傳》：康，吳郡吳人也。少子績，仕吳爲鬱林太守。博學善政，見稱當時。幼年曾謁袁術，懷橘墮地者也。有名稱。

《吳志》本傳：績字公紀，博學多識，星曆、算數無不該覽。虞翻舊齒名盛，龐統荆州令士，年亦差長，皆與績友善。孫權統事，辟奏曹掾。以直道見憚，出爲鬱林太守，加偏將軍，給兵二千人。績既有躄疾，又意在儒雅，非其志也。雖有軍事，著述不廢，作《渾天圖》，注《易》，釋《玄》，皆傳於世。豫自知亡日，乃爲辭曰："有漢志士吳郡陸績，幼敦《詩》、《書》，長玩《禮》、《易》，受命南征，遘疾遇厄，遭命不幸，嗚呼悲隔！"年三十二卒。

《釋文·敍録》：陸績述，十三卷。《七志》云録一卷，後漢偏將軍、鬱林太守。按陸氏自稱"有漢志士"，其卒時當在建安中，孫權猶未稱尊號

---

①　按該引文實出張氏《周易虞氏義序》，姚著《三國藝文志》卷一"虞翻周易注十卷"條引不誤。

之前，故亦稱後漢。

《唐書·經籍志》：《周易》十三卷，陸績注。

《唐書·藝文志》：《周易》陸績注十三卷。

《四庫提要》曰："《陸氏易解》一卷，吳陸績撰。原本散佚，明姚士粦采《釋文》、《集解》及續《京氏易傳注》輯爲此本，凡一百五十條。昔宋王應麟輯鄭氏《易注》，爲學者所重。士粦此本雖不及應麟蒐討之勤博，而掇拾殘剩，存什一於千百，亦可以見陸氏《易注》之大略矣。"

張氏《易義別録》輯本序曰："明姚士粦采《釋文》、《集解》，合以《京氏易傳》之注，爲《陸氏易解》一卷，今《四庫》本是也。《易傳注》世有其書，又不宜入《易注》。其所采闕謬甚多，今正而補之，因論其義爲一卷。①公紀注《京氏易傳》，則其《易》京氏也。余嘗以爲京氏既爲《易章句》，又別爲《易傳》、《飛候》之書，以謂'易含萬象，不可執一隅'。然則積算之法，殆不用之章句。以《易傳》、《飛候》求《易》者，爲京氏者之末矢也。今觀公紀所述，凡納甲、六親、九族、四氣、刑德、生尅，未嘗一言及之；至言六爻發揮，旁通卦爻之變，有與孟氏相出入者。京氏自言其《易》即孟氏學，公紀儻得之耶？《京氏章句》既亡，由公紀之説，京氏之大恉庶幾見之。公紀以少年與仲翔爲友，觀其書，亦幾欲與荀、虞頡頏矣。"又曰："余嘗善陸績治《易》京氏，而其言純粹，與干寶絕不相類。"

按本傳云"注《易》釋《玄》"，謂其注《周易》、釋《太玄》也。

全氏祖望《讀易別録》云："吳鬱林太守吳郡陸績《易》釋《玄》注，云見《吳志》。"此誤讀傳文也。孫氏《漢魏易注》輯本一卷，馬氏玉函山房輯本三卷。

---

① 《皇清經解》本《易義別録》"義"後有"例"字。

周易十卷　晉散騎常侍干寶注

《晉書》本傳：寶字令升，新蔡人也。少以才器，召爲著作郎。平杜弢有功，賜爵關內侯。領國史，補山陰令，遷始安太守。王導請爲司徒右長史，遷散騎常侍。性好陰陽術數，留思京房、夏侯勝等傳。又爲《春秋左氏義外傳》，注《周易》、《周官》，凡數十篇。

《釋文·敍錄》：《周易》干寶注，十卷。字令升，新蔡人。東晉散騎常侍領著作。

《唐書·經籍志》：《周易》十卷，干寶注。

《唐書·藝文志》：《周易》干寶注十卷。

《宋史·藝文志》：干寶《易傳》十卷。

《經義考》：胡一桂曰：“干寶《周易傳》十卷，宣和四年，蔡攸上其書，曰：‘其學以卦爻配月，或以配日、時，傳諸人事，而以前世已然之迹證之，訓義頗有所據。’”

又曰：“干氏《易》已無傳，唯散見於陸氏《釋文》、李氏《集解》。近海鹽胡氏編《鹽邑志林》，乃鈔撮其僅存者刊行之。”

張氏《易義別錄》輯本序曰：“明姚士粦輯干常侍《易解》三卷，但取李氏《集解》之文，而又時有疏謬。丁教授杰補而正之，頗詳具。今依而錄之，因論其例爲二卷。史稱‘寶好陰陽術數，留心京房、夏侯勝之傳’，故其注《易》，盡用京氏占候之法以爲象，而援文、武、周公遭遇之期運，一一比附之。《易》道猥雜，自此始矣。”

　　按史言“留思京房、夏侯勝等傳”。京房有《易傳》，即《漢志》載《災異》六十六篇是。夏侯勝從夏侯始昌受《尚書》、《洪範五行傳》，説災異。《漢書·五行志》序云：“是以攟仲舒，別向、歆，傅載眭孟、夏侯勝、京房、谷永、李尋之徒所陳行事。”則東漢時有其書，干氏猶得見之歟？馬氏玉函山房

　　所輯據張氏《易義別錄》本，孫氏《漢魏易注》據雅雨堂輯
　　錄本。

周易三卷　晉驃騎將軍王廙注。殘缺。梁有十卷。

《晉書》本傳：廙字世將，丞相導從弟，而元帝姨弟也。辟太傅
掾，轉參軍。豫迎大駕，封武陵縣侯。拜尚書郎。出爲濮陽
太守。元帝作鎮江左，廙棄郡過江，帝見之大悦，以爲司馬，
數遷至左衛將軍。及王敦構禍，帝遣廙喻敦，既不能諫其悖
逆，乃爲敦所留，受任助亂。敦得志，以廙爲平南將軍、荊州
刺史，尋病卒。帝猶以親故，深痛愍之。贈侍中、驃騎將軍，
諡曰康。

《釋文·敍錄》：王廙注十二卷，琅邪臨沂人。《七志》、《七錄》
云十卷。

《唐書·經籍志》：《周易》十卷，王廙注。

《唐書·藝文志》：《周易》王廙注十卷。

張氏《易義別錄》輯本序曰：“東晉以後，言《易》者大率以王弼
爲本，而附之以玄言。其用鄭、宋諸家，小有去取而已，非能
通其説如王廙者是也。”

馬氏玉函山房輯本序曰：“王儉《七志》、阮孝緒《七錄》並云王
廙《周易》注十卷。《隋志》：三卷，殘闕。《唐志》：十卷。《釋
文》：十二卷。今其書不傳，兹從《正義》、《釋文》、《集解》、《世
説》注、《御覽》等書采輯爲一卷。”

　　按孫氏《漢魏易注》亦輯存一卷。

周易八卷　晉著作郎張璠注。殘缺。梁有十卷。

《釋文·敍錄》：張璠《集解》十二卷。安定人，東晉祕書郎，參
著作。集二十二家解，序云依向秀本。

鍾會字士季，潁川人，魏鎮西將軍。爲《易無互體論》。

向秀字子期，河內人，晉散騎常侍。爲《易義》。

庾運字玄度，新野人，官至尚書。爲《易義》，一云《易注》。

應貞字吉甫，汝南人，晉散騎常侍。爲《明易論》。

荀煇字景文，潁川潁陰人，晉太子中庶子。爲《易義》。《七志》云注《易》十卷。

張輝字義元，梁國人，晉侍中、平陵亭侯。爲《易義》。

王宏字正宗，弼之兄，晉大司農、贈太常。爲《易義》。

阮咸字仲容，①籍之兄子，晉散騎常侍、始平太守。爲《易義》。

阮渾字長成，籍之子，晉太子中庶子、馮翊太守。爲《易義》。

楊乂字玄舒，汝南人，晉司徒左長史。爲《易卦序論》。

王濟字武子，太原人，晉河南尹。爲《易義》。

衛瓘字伯玉，河東人，晉太保、蘭陵成侯。爲《易義》。

欒肇字永初，太山人，晉太保掾、尚書郎。爲《易論》。

鄒湛字潤甫，南陽新野人，晉國子祭酒。爲《易統略》。

杜育字方叔，襄城人，國子祭酒。爲《易義》。

楊瓚，不知何許人，晉司徒右長史。爲《易義》。

張軌字士彥，安定人，涼州刺史，謚武公。爲《易義》。

宣舒字幼驥，陳郡人，晉宜城令。爲《通知來藏往論》。

邢融、裴藻、許適、楊藻四人，不詳何人，並爲《易義》。《七錄》云集二十八家，《七志》云十卷。

《唐日本國見在書目》：《周易》十二卷，東晉祕書郎張播集廿二家解。“播”當爲“璠”。

《唐書·經籍志》：《周易》十卷，張璠集解。《周易略論》一卷，張璠撰。

《唐書·藝文志》：《周易》張璠集解十卷，又《略論》一卷。

馬氏玉函山房輯本序曰：“古來集合諸家之《易》以成一家者，

---

① 《通志堂經解》本《經典釋文》“仲容”後有“陳留人”三字。

《荀爽九家集解》、李鼎祚《集解》及此書，號爲大作。今惟李書尚存，《九家易》與此罕有傳本。茲取《釋文》所引及《正義》、《集解》、《文選注》輯爲一卷。又序稱依向秀爲本，故凡向氏説悉采入；其楊乂、鄒湛、張軌佚説並附著之。惜他家泯絶，無從徵述耳。"

按《釋文·敍録》引張璠云"《子夏易傳》或馯臂子弓所作"，似出是書。孫氏《漢魏易注》亦輯存一本。

周易馬鄭二王四家集解十卷

不著撰人。

《唐書·經籍志》：《周易》十卷，馬、鄭、二王集解。

《唐書·藝文志》：《周易》馬、鄭、二王集解十卷。

按此不知何人集馬融、鄭康成、王弼、王肅四家之説爲一書，其後又云："梁有集馬、鄭、二王解十卷，亡。"蓋即是書。

周易荀爽九家注十卷

不著撰人。

《釋文·敍録》：《荀爽九家集注》十卷，不知何人所集。稱荀爽者，以爲主故也。其序有荀爽、京房、馬融、鄭玄、宋衷、虞翻、陸績、姚信、翟子玄，子玄不詳何人，爲《易義》。注内又有張氏、朱氏，並不詳何人。

又《音義·説卦傳》末曰："《荀爽九家集解》本，'乾'後更有四：爲龍，爲直，爲衣，爲言。'坤'後有八：爲牝，爲迷，爲方，爲囊，爲裳，爲黄，爲帛，爲漿。'震'後有三：爲王，爲鵠，爲鼓。'巽'後有二：爲楊，爲鸛。'坎'後有八：爲宫，爲律，爲可，爲棟，爲叢棘，爲狐，爲蒺藜，爲桎梏。'離'後有一：爲牝牛。'艮'後有三：爲鼻，爲虎，爲狐。'兑'後有二：爲常，爲輔頰。注云：'常，西方神也。'"

《唐書·經籍志》：《周易》十卷，荀氏九家集解。

《唐書・藝文志》：《荀氏九家集解》十卷。

孫堂《漢魏易注》輯本序曰：“《九家易注》乃後人集荀爽等九家之說。陳振孫《書録解題》謂荀爽所集，非也。《釋文・序録》列九家姓名，皆漢魏人，則此書當出自魏晉人手。至八卦逸象三十一，查元章疑爲後人所增，但秦漢之際《易》亡《説卦》，孝宣時河內女子得《説卦》，安知此三十一象非即古經佚文歟？”

　按王氏謨《漢魏遺書鈔》亦輯存一本。其敍録云：“《九家易解》，恐當如陳氏《書録》之說。漢淮南王所聘明《易》者九人，荀爽爲之集解，非如陸氏《釋文》云即京房九家也。”其說謬矣。陸氏目見其書，又引其序，反以爲不足據耶？

周易楊氏集二王注五卷

楊氏始末未詳。

《唐書・經籍志》：《周易》十卷，二王集注。

《唐書・藝文志》：《周易》二王集解十卷。

梁有《集馬鄭二王解》十卷，亡。

不著撰人。

　按此即前之十卷，實未亡也。本志類此者甚多也。

周易十卷　蜀才注

晉常璩《華陽國志》：李雄克成都，迎范賢爲丞相，尊爲天地太師，封西山侯。賢名長生，一名延久，又名九重；一曰友，字元壽。涪陵丹興人。

《十六國春秋》：長生善天文，有術數，民奉之如神。

隋顏之推《家訓・書證篇》：《易》有蜀才注，江南學士，遂不知爲何人。王儉《四部目録》不言姓名，題曰“王弼後人”。謝炅、夏侯該並讀數千卷書，皆疑是譙周；而《李蜀書》一名《漢之書》，云：“姓范名長生，自稱蜀才。”南方以晉家渡江後北間傳記,皆名爲僞書,不貴省讀,故不見也。

《釋文・敍録》:蜀才注十卷。《七録》云不詳何人。《七志》云是王弼後人。案《蜀李書》云:"姓范名長生,一名賢,隱居青城山,自號'蜀才',李雄以爲丞相。"

《唐書・經籍志》:《周易》十卷,蜀才注。

《唐書・藝文志》:《周易》蜀才注十卷。

張氏《易義別録》輯本序曰:"長生隱居青城山,李雄即成都王位,長生乘素輿詣雄,即日拜爲丞相,尊之曰'范賢'。故又名'賢'。《釋文》、《隋》、《唐志》皆云蜀才《易注》十卷。蜀才之《易》大約用鄭、虞之義爲多,卦變全取虞氏。"

馬氏玉函山房輯本序曰:"武威張太史澍嘗從《釋文》及《集解》所引輯爲一卷,載入《蜀典》。今據校録,偶有遺漏,悉爲補之。"

　　按孫氏《漢魏易注》中亦輯録一本。

梁有齊安參軍費元珪注《周易》九卷,亡。

《釋文・敍録》:費元珪注,九卷。蜀人,齊安西參軍。

　　按陸氏《敍録》,本志此條"安"下敓"西"字,爲南齊安西將軍府參軍者也。

梁有謝氏注《周易》八卷,亡。

謝氏始末未詳。

梁有尹濤注《周易》六卷,亡。

《釋文・敍録》:《周易》尹濤注六卷。不詳何人。

周易十卷　後魏司徒崔浩注

《北史・崔宏傳》:宏,清河東武城人也。仕至天部大人,進爵白馬公。子浩襲。浩字伯深。《魏書》本傳作"伯淵"。明元初,拜博士祭酒,賜爵武城子,常授帝經書。明元好陰陽術數,聞浩説《易》及《洪範》五行,善之。浩上《五寅元曆表》,有曰:"太宗即位元年，敕臣解《孝經》、《論語》、《詩》、《尚書》、《春秋》、《禮記》、《周易》，三年成訖。"按此似所作講疏，成於太宗明元帝永興三年，時爲南朝晉安帝義熙七年也。始光中，進爵東郡公，歷太常卿、侍中、特進、撫軍大將軍、左光禄大夫、司徒。太武帝真君十一年六月，誅浩。清河崔氏無遠近，及范陽盧氏、太原郭氏、河東柳氏，皆浩之姻親，盡夷其族。其祕書郎史以下盡死。自宰司之被戮辱，未有如浩者。

《魏書·高允傳》：是時，著作令史閔湛、郄標性巧佞，爲浩信待。見浩所注《詩》、《論語》、《尚書》、《易》，遂上疏，言馬、鄭、王、賈雖注述六經，並多疏謬，不如浩之精微。乞收境内諸書，藏之祕府。班浩所注，命天下習業。并求敕浩注《禮傳》，令後生得觀正義。浩亦表薦湛有著述之才。既而勸浩刊所撰國史於石，用垂不朽，以彰浩直筆之跡。允聞之，謂著作郎宗欽曰："閔湛所營，分寸之間，恐爲崔門萬世之禍。吾徒無類矣。"未幾而難作。

《史通·正史篇》：元魏史，道武時，始令鄧淵著國記，爲十卷，而條例未成。暨乎明元，廢而不述。太武神䴥二年，又詔集諸文士崔浩、浩弟覽、高讜、鄧穎、晁繼、范亨、黃輔等撰國書，爲三十卷。又特命浩總監史任，務從實録。復以中書郎高允、散騎侍郎張偉並參著作，續成前書。叙述國事，無隱所惡，而刊石寫之，以示行路。浩坐此夷三族，同作死者百二十八人。

《魏書·張湛傳》：浩注《易》，序曰："國家西平河右，涼州沮渠氏也。敦煌張湛、金城宗欽、武威段承根三人，皆儒者，並有儁才，見稱於西州。每與余論《易》，余以《左氏傳》卦解之，遂相勸爲注。故因退朝之餘暇，而爲之解焉。"按此序所云，蓋作於魏太武帝平北涼之後，在太平真君之時，爲南朝宋文帝元嘉中。與前明元初，敕撰之《易解》，合《孝經》、《論語》等七經，三年成訖者，已將三十年。是崔氏《易》有前後兩本，而魏收載其序文，知此十卷，其後一本也。

《顏氏家訓·勉學篇》：洛陽亦聞崔浩、張偉、劉芳，鄴下又見邢子才。此四儒者，雖好經術，亦以才博擅名。

《唐書·經籍志》：《周易》十卷，崔浩注。

《唐書·藝文志》：《周易》崔浩注十卷。

周易十卷　梁處士何胤注

《梁書·處士傳》：何點，廬江灊人也。弟胤，字子季，師事沛國劉瓛，受《易》及《禮記》、《毛詩》。起家齊祕書郎，遷太子舍人、建安太守、司徒主簿。注《易》，又解《禮記》，於卷背書之，謂爲《隱義》。累遷左民尚書、領驍騎、中書令，領臨海、巴陵王師。建武初，拜表辭職，居會稽若耶山云門寺。初，胤二兄求、點並棲遁，求先卒，至是胤又隱，世號點爲“大山”；胤爲“小山”，亦曰“東山”。永元中，徵太常、詹事，並不就。高祖霸府建，引爲軍謀祭酒，不至。及踐阼，詔爲特進、右光祿大夫。敕給白衣尚書祿，不受。又敕遣何子朗、孔壽等六人於東山受學。中大通三年，卒，年八十六。注《周易》十卷。

又《儒林傳》序：高祖有天下，詔求碩學，招內後進，又選遣學生如會稽云門山，受業於廬江何胤。

《唐書·經籍志》：《周易》十卷，何胤注。

《唐書·藝文志》：《周易》何胤注十卷。

梁有臨海令伏曼容注《周易》八卷，亡。

《梁書·儒林傳》：伏曼容字公儀，平昌安丘人。曾祖滔，晉著作郎。曼容少篤學，善《老》、《易》，倜儻好大言，常云：“何晏疑《易》中九事，以吾觀之，晏了不學也。故知平叔有所短。”聚徒教授以自業。仕宋，至輔國長史、南海太守。入齊，爲武昌太守、中散大夫。梁台建，召拜司馬，出爲臨海太守。天監

元年，卒官，年八十二。爲《周易》、《毛詩》、《喪服集解》，
《老》、《莊》、《論語義》。

馬氏玉函山房輯本序曰：“曼容官至臨海太守，見《南史》、《梁
書·儒林傳》。其撰述《周易》、《毛詩》、《喪服》，史並稱‘集
解’；《老子》、《論語》，並稱‘義’。《隋志》：梁有臨海令伏曼
容注《周易》八卷，亡。太守云令，集解云注，皆與舊史不合，
當依本傳。今惟《釋文》及《集解》各引一則，此外別無徵述。
其説《蠱卦》一節，引《尚書大傳》，今本無之。知當日引喻鴻
通，不同叩寂，其他論説，當更有精義微言出人意表者，惜無
從考證之矣。

梁有侍中朱异集注《周易》一百卷，又《周易集注》三十卷，亡。

《梁書》本傳：异字彦和，吳郡錢唐人也。折節從師，遍治五
經，尤明《禮》、《易》。五經博士明山賓表薦，高祖召見，使説
《孝經》、《周易》義，甚悦之。召直西省，俄兼太學博士。皇太
子召异於玄圃講《易》，累爲鴻臚卿、散騎常侍、左右衛將軍、
侍中、中領軍。自周捨卒後，异代掌機謀。居權要三十餘年，
特被寵任。侯景以壽春反，討异爲名。初，景謀反，合州、司
州刺史累有啟聞。异以景孤立寄命，必不應爾，並抑而不
奏。故朝廷不爲之備。及寇至，城內文武咸尤之，皇太子又
制《圍城賦》，其末章云云，蓋以指异。异慙憤，發病卒，年六
十七。所撰《禮》、《易》講疏及儀注、文集百餘篇，亂中多
亡逸。

按《梁書·儒林·孔子袪傳》：“續朱异集注《周易》一百
卷。”似此即孔子袪所續。子袪卒於中大同元年，時朱异爲
右衛侍中，及見其書。而其後三十卷，似朱氏原書，本志編
次之例，往往以後出撰録之本冠本書之前也。

周易七卷　姚規撰[1]

馬氏玉函山房輯本序曰："姚規，不詳何人。《隋志》有'《周易》七卷，姚規注'。不著何代，蓋隋時已無考。但系於梁何胤、伏曼容、朱異之下，當是齊、梁間人。《唐志》不著録，亡佚已久。李鼎祚《集解》引一節，説言互體，蓋亦治鄭、虞學者。"

周易十三卷　崔覲注

《北史·儒林傳》序：自魏末，大儒徐遵明門下講鄭玄所注《周易》，遵明以傳盧景裕及清河崔瑾。

《唐書·經籍志》：《周易》十三卷，崔瑾注。

《唐書·藝文志》：《周易》崔瑾注十三卷。

周易十三卷　傅氏注

《唐書·經籍志》：《周易》十四卷，傅氏注。

《唐書·藝文志》：《周易》傅氏注十四卷。

《經義考》曰："按雙湖胡氏《易啟蒙翼傳》作十四卷。《釋文》《泰》初九、《賁》卦辭、《萃》初六並引傅氏注。"

馬氏玉函山房輯本序曰："《隋志》有'《周易》十三卷，傅氏注'。《唐志》：十四卷。胡氏《啟蒙易傳》亦云十四卷。皆言傅氏不知何代人。《隋志》在盧氏上，《唐志》在何胤、盧氏下，殆亦齊、梁間作者，今佚。《釋文》引三節，音訓皆與今《易》異。録存之，備一解云。"

按姚氏規及傅氏，馬竹吾皆以爲齊、梁間人。竊以謂姚氏以下四家，次梁人之後，皆後魏、北齊人也。本志編次別集一類，亦以梁後次北魏、北齊、後周，以迄陳、隋。又每於北朝人書，多不著其時代、爵里，此其例之略可尋究者。

---

[1] "撰"，殿本《隋書》作"注"。

周易一帙十卷　盧氏注

《唐書·經籍志》：《周易》十卷，盧氏注。

《唐書·藝文志》：《周易》盧氏注十卷。

後魏楊衒之《洛陽伽藍記》曰：“盧白頭，一字景裕，范陽人也。性愛恬靜，丘園放敖，學極六經，疏通百氏。普泰初，起家爲國子博士。雖在朱門，以注述爲事。注《周易》，行之於世也。”

馬氏玉函山房輯本序曰：“《隋》、《唐志》均有盧氏注《周易》十卷，不載其名。今惟《正義》及《集解》引之，凡二十節。考《後魏書·盧景裕傳》：‘景裕字仲孺，小字白頭，范陽涿人也，專精爲學。’[1]又云：‘先是，景裕注《周易》，注《尚書》、《孝經》、《論語》、《禮記》、《老子》，其《毛詩》、《左氏傳》未訖。齊文襄王入相，於第開講，招延時雋，令景裕解所注《易》。景裕義理精微，吐發閑雅。時有問難，或相詆訶，大聲厲色，言至不遜，而景裕神采儼然，諷誦如一，從容往復，無隙可尋。由是士君子嗟美之。普泰初，復除國子博士。興和中，補齊王開府屬。卒於晉陽。景裕雖不聚徒教授，所注《易》大行於世。’由此觀之，則盧氏注《易》，審爲景裕矣。《隋》、《唐志》佚其名者，蓋由蕭梁之代，南北分疆，故《七録》所記，詳南而略北。《隋志》本《七録》，《唐志》因之，故多缺亡耳。今仍題‘盧氏’，闕疑也。其説《易》，爻用升降，與蜀才略相似，大抵宗荀氏之學者。”

　　按先載帙數，後記卷數，此《七録》例也。本志削帙數存卷數，得事要矣。此題云一帙，蓋沿阮氏舊例而删除不盡者。

　　又按本志依《漢·藝文》之體，一篇之中各分以類，自《歸

---

[1]　“精”，清光緒九年長沙刻本《玉函山房輯佚書》及殿本《魏書》皆作“經”。

藏》至此爲第一類，皆傳注之屬。舊本當有限斷乙於其間，
傳久失之歟？

周易繫辭二卷　　晉桓玄注

《晉書·叛逆傳》：桓玄字敬道，一名靈寶，大司馬溫之孼子也。
晉安帝元興元年十一月壬午篡位，改元永始。後敗逃益州，督
護馮遷斬之枚回洲。年三十六。自篡盜至敗，時凡八旬。

《釋文·敍錄》：桓玄字敬道，譙國龍亢人，僞楚皇帝。注《繫
辭》。

《唐書·經籍志》：《周易繫辭》二卷，桓玄注。

《唐書·藝術志》：桓玄注《繫辭》二卷。

馬氏玉函山房輯本序曰："陸德明采注《繫辭》者十人，尚引有
桓玄三節。夫僭竊之徒，何足稱述？然其所本，亦有可資考
訂者，不以人廢言也。"

周易繫辭二卷　　晉西中郎將謝萬等注 按"等"字似衍。

《晉書·謝安附傳》：安弟萬，字萬石，簡文帝作相，召爲撫軍
從事中郎。再遷豫州刺史、領淮南太守、監司、豫、冀、并四州
軍事、假節。軍潰，狼狽單歸，廢爲庶人。後復以爲散騎常
侍，會卒，年四十二。

《釋文·敍錄》：謝万字万石，陳郡人，東晉豫州刺史。注《繫
辭》。

《唐書·經籍志》：《周易繫辭》二卷，謝萬注。

《唐書·藝文志》：謝萬注《繫辭》二卷。

周易繫辭二卷　　晉太常韓康伯注

《晉書》列傳：韓伯字康伯，潁川長社人也。舉秀才，徵佐著作
郎，並不就。簡文帝居藩，引爲談客，自司徒左西屬轉撫軍
掾、中書郎、散騎常侍、豫章太守、侍中、丹陽尹、吏部尚書、領
軍將軍。改授太常，未拜，卒。年四十九。

《釋文·敍録》：韓伯字康伯，潁川人，東晉太常卿，注《繫辭》。

《經義考》曰："按陸氏《釋文·序録》，注《繫辭》者十人，今之存者，惟韓氏而已。"

常熟丁國鈞《補晉書藝文志》曰："《繫辭》正義以康伯爲王弼門人。晁公武《讀書志》亦沿其説，不知弼魏末人，康伯東晉人，時代固遠，不相及也。誤不足據。"

　　按韓康伯注《繫辭》、《説卦》、《序卦》、《雜卦》三卷，前已合王弼注爲一書。此但二卷，其單行本。兩《唐志》不别出。

周易繫辭二卷　　梁太中大夫宋褰注

宋褰始末未詳。

《唐書·經籍志》：《周易繫辭》二卷，宋褰注。

《唐書·藝文志》：宋褰注《繫辭》二卷。

《册府元龜·學校部·注釋門》：宋褰爲太中大夫，注《繫辭》二卷。

梁又有宋東陽太守卞伯玉注《繫辭》二卷。[①]

《釋文·敍録》：卞伯玉，濟陰人，宋東陽太守、黄門郎。注《繫辭》。

烏程嚴可均《全宋文編》曰："卞伯玉，濟陰人，仕晉，官爵未詳，入宋爲東陽太守、黄門郎，有《繫辭注》二卷。"

周易繫辭二卷　　荀柔之注

《釋文·敍録》："荀柔之，潁川潁陰人，宋奉朝請。注《繫辭》。"

《唐書·藝文志》：荀柔之注《繫辭》，二卷。

《册府元龜·注釋門》：荀柔之注《周易·繫辭》，并爲《易音》。

《經義考》曰："按《釋文》，'議之而後動'，荀本作'儀之'"。

馬氏玉函山房輯本序曰："《南史》、《宋書》皆無荀柔之傳，其

----

① 殿本《隋書》本句後有"亡"字。

字亦佚。《隋》、《唐志》並有柔之《繫辭注》二卷。今佚。唯
《釋文》引三節，如‘議之而後動’作‘儀之’，與鄭康成、姚信
同，較王弼本作‘議之’者，理實深長有味。”

　按《舊唐志》有荀諺注《繫辭》二卷，無荀柔之。《新唐志》荀
　諺、荀柔之並出，疑荀諺即荀柔之。《册府元龜》云柔之并
　爲《易音》，未詳所據。

周易集注繫辭二卷

不著撰人。按《經義考》以徐爰注即爲此《集注》，似未然。

梁有宋太中大夫徐爰注《繫辭》二卷。

《宋書》、《南史·恩倖傳》：徐爰字長玉，南琅邪開陽人也。本
名瑗。初爲晉琅邪王大司馬府中典軍，爲宋武帝所知。文帝
又見親任，至殿中侍御史。孝武時，數遷。明帝即位，除太中
大夫。泰始三年，徙交州。久之聽還，除南康郡丞。明帝崩，
還都，以爲南濟陰太守，復除中散大夫。元徽三年卒，年八
十二。

《釋文·敍錄》：徐爰字季玉，琅邪人，宋太中大夫。注《繫辭》。

　按自桓玄至此，皆注《繫辭》自爲一編者，別爲第二類。

周易音一卷　東晉太子前率徐邈撰

《晉書·儒林傳》：徐邈，東莞姑幕人也。祖澄之。永嘉之亂，
南渡江，家於京口。邈姿性端雅，孝武帝時補中書舍人，遷散騎
常侍、祠部郎、中書侍郎、太子前衛率，授太子經。安帝即位，拜
驍騎將軍。隆安元年，遭父憂，哀毀而卒，年五十四。

《宋書·徐廣傳》：廣兄邈，太子前衛率。家世好學。

《釋文·敍錄》：徐邈，字仙民，東莞人。東晉中書侍郎、太子
前衛率。爲《易音》。

《唐日本國見在書目》：《周易音》一卷，徐仙民撰。

《經義考》曰：“徐氏於諸經皆有音，《顏氏家訓·書證》、《音辭

篇》屢引之。”

馬氏玉函山房輯本序曰:“徐氏《周易音》,《唐志》不著録,佚已久。《釋文》云爲《易音》者三人:王肅、徐邈、李軌。而引徐音尚百餘條。采爲一卷。”

　　按此即後論語類所載《五經音》十卷之一。

周易音一卷　東晉尚書郎李軌弘範撰

《釋文·叙録》:李軌,字弘範,江夏人。東晉祠部郎中、都亭侯。

馬氏玉函房輯本序曰:“《晉書》無李軌傳,唐釋玄應《一切經音義》引‘李洪範’,‘弘’又作‘洪’,未知孰是。按此似無可疑。《隋志》載其《周易音》一卷,《唐志》不著録,蓋在唐時已佚,故《釋文》引止七節,不及徐音十之一。並輯合存之。”

周易音一卷　范氏撰

范氏始末未詳。

南康謝啟昆《小學考·音義類》:范氏《周易音》,《隋志》一卷,佚。

周易并注音七卷　祕書學士陸德明撰

《唐書·儒學傳》:陸德明,蘇州吳人。初受學於周弘正。仕陳,爲國子助教。陳亡,歸鄉里。隋煬帝嗣位,以爲祕書學士,授國子助教。太宗徵爲秦府文學館學士。貞觀初,拜國子博士,封吳縣男,尋卒。撰《老子疏》十五卷、《易疏》二十卷,並行於世。

《新唐書·儒學傳》:陸元朗,字德明,以字行。又《徐曠傳》云:“世稱《左氏》有徐文遠,《禮》有褚徽,《詩》有魯達,《易》有陸德明,皆一時冠。”

《釋文·叙録》:王氏爲世所重,今以王爲主,其《繫辭》以下王不注,相承以韓康伯注續之,今亦用韓本。

陳氏《書録解題》曰:“《周易釋文》一卷,唐國子博士吳郡陸德明撰。多援漢魏以前諸家説，蓋唐初諸書皆在也。卦首注某宮某世，用京房説。"

《四庫·術數類·京房易傳》提要曰："陸德明《經典釋文》於《周易》六十四卦之下，悉注某宮一世、二世、三世、四世、游魂、歸魂諸名，引而附合於經義，誤之甚矣。"

按此七卷當是合《經》、《注》、《音義》爲一帙。兩《唐志》不載，陸氏有《經典釋文》三十卷，唯《周易音義》一卷，本志著録於此，餘皆不見。又本志凡隋人書皆不著朝代，此其初哉首基也。

又按自徐邈《周易音》至此，皆音義之屬，別爲第三類。

周易盡神論一卷　魏司空鍾會撰。梁有《周易無互體論》三卷，鍾會撰，亡。

《魏志》本傳：會，字士季，潁川長社人，太傅繇小子也。少敏惠夙成。及壯，有才數技藝，而博學精練名理，以夜續書，由是獲聲譽。正始中，以爲祕書郎，遷尚書中書侍郎。高貴鄉公即尊位，賜爵關內侯。司馬文王爲大將軍、輔政，封東武亭侯。以中郎在大將軍府管記室事，爲腹心之任。文王欲大舉圖蜀。景元三年冬，以會爲鎮西將軍、假節都督關中諸軍事。及蜀平，五年正月十八日，以謀反，爲胡烈等所殺，時年四十。會嘗論《易》無互體。初，會弱冠，與山陽王弼並知名。

《晉書·荀顗傳》：顗理思周密，難鍾會《易》無互體，見稱於世。

《釋文·敍録》張璠《集解》序云："鍾會，字士季，潁川人。魏鎮西將軍。爲《易無互體論》。"

《唐書·經籍志》：《周易》四卷，鍾會撰。按"易"下敓"論"字。

《唐書·藝文志》：鍾會《周易論》四卷。

周易象論三卷　晉尚書郎欒肇撰

《釋文·敍録》：張璠《易解》序云："欒肇，字永初，太山人。

晉太保掾、尚書郎。爲《易論》。"

《唐書·經籍志》:《通易象論》一卷,欒永初撰。按此作"永初",
《經義考》又作"太初"。

《唐書·藝文志》:欒肇《通易象論》一卷。

周易卦序論一卷　晉司徒右長史楊乂撰

《釋文·敍録》:張璠《集解》序曰:"楊乂,字玄舒,汝南人。
晉司徒左長史,爲《易卦序論》。"

《唐書·經籍志》:《周易卦序論》一卷,楊乂撰。

《唐書·藝文志》:楊乂《卦序論》一卷。

《經義考》:王應麟曰:"楊乂《周易卦序論》,《御覽》常引之。"
按徐堅《初學記》亦引乂《易卦序論》。

嚴氏《全晉文編》曰:"楊乂,字玄舒,汝南人。爲給事中,遷司
徒左長史,有《易卦序論》一卷。"

周易統略五卷　晉少府鄒湛撰①

《晉書·文苑傳》:鄒湛,字潤甫,南陽新野人也。仕魏,歷通
事郎、太學博士。泰康中,累遷散騎常侍、渤海太守、國子祭
酒,轉少府。元康末卒。

《釋文·敍録》:張璠《集解》敍云:"鄒湛,字潤甫,晉國子祭
酒。爲《易統略》。"

《唐書·經籍志》:《周易統略論》三卷,鄒湛撰。

《唐書·藝文志》:鄒湛《統略論》三卷。

周易論二卷　晉馮翊太守阮渾撰

《晉書·阮籍傳》:籍,陳留尉氏人也。子渾,字長成,有父風。
少慕通達,不飾小節。籍謂曰:"仲容已豫吾此流,汝不得復
爾。"太康中,爲太子庶子。"

----

① 殿本《隋書》"府"後有"卿"。

《魏志·王粲附傳》注：籍子渾，字長成。《世語》曰："渾以閑
澹寡欲知名京邑。爲太子庶子。早卒。"

《釋文·敍録》：張璠《集解》序曰："阮咸，字仲容，籍之兄子。
晉散騎常侍、始平太守。爲《易義》。阮渾，字長成，籍之子，
晉太子中庶子、馮翊太守。爲《易義》。"

《唐日本國見在書目》：《周易論》二卷，晉馮翊太守阮渾撰。

《唐書·經籍志》：《周易論》二卷，曁長成難，曁仲容答。^{"曁"當}
^{爲"阮"。}

《唐書·藝文志》：阮長成、阮仲容《難答論》二卷。

《通志·藝文略》：二阮《難答論》二卷，阮長成、阮仲容。

　　按《經義考》別出阮咸《周易難答論》二卷，其實二阮難答止
　　一書也。

周易論一卷　晉荆州刺史宋岱撰

《晉書·惠帝本紀》："太安二年三月，李特攻陷益州。荆州刺
史宋岱擊特，斬之，傳首京師。"又《華陽國志·大同志》："荆
州刺史宋岱水軍三萬助尚，次墊江。"^{時襄陽羅尚爲益州刺史也。}又
曰："太安二年五月，宋岱病卒墊江。"

宋晁載之《續談助》鈔《殷芸小説》曰："《雜記》云，宋岱爲青州
刺史，禁淫祀。著《無鬼論》，人莫能屈。鄰州化之。"

梁劉勰《文心雕龍·論説篇》"宋岱、郭象，鋭思於幾神之區"，
北平黄叔琳注曰："《通志》：晉荆州刺史宋岱《通易論》
一卷。"

《唐書·經籍志》：《易論》一卷，宋睿宗撰。

《唐書·藝文志》：宋處宗《通易論》一卷。

　　按《金樓子·雜記篇》殘文有云："宋岱之難，猶解談説。"似
　　即此宋岱。岱，《晉書》無傳，或作"宗岱"。當趙王倫篡位、
　　齊王同起義之時，宗岱爲襄陽太守。見《晉書·孫旂傳》。

又本志總集類“《明真論》一卷，晉兗州刺史宗岱撰”，是岱嘗爲襄陽太守，青州、兗州、荆州刺史。自將荆州軍府兵，助羅尚討李特等，卒於軍。宋岱始末如此。“處宗”，其字也。別有文集若干卷，見集部別集類中。

梁有《擬周易説》八卷，范氏撰，亡。

嚴氏《全晉文編》曰：“范宣，字宣子，陳留人。徙居豫章。咸和初，太尉郗鑒引爲主簿，詔徵太學博士、員外郎，並不就。太元中，卒。有《擬周易説》八卷。”

常熟丁國鈞《補晉書藝文志》曰：“《七録》但題范氏撰，次干寶書上，蓋范宣書也。”

按《晉書·儒林傳》，宣“家於豫章，雖閑居屢空，常以讀誦爲業，譙國戴逵等皆聞風宗仰。太元中，順陽范寧爲豫章太守，在郡立鄉校，教授恒數百人。由是江州人士並好經學，化二范之風也。宣年五十四，卒。著《禮》、《易論難》，皆行於世。子輯，歷郡守、國子博士、大將軍從事中郎。自免歸，亦以講授爲事。義熙中，連徵不至”。此《擬周易説》在《禮》、《易論難》之内者歟？抑或有范寧、范輯之説在内，非一人之作，故《七録》總題“范氏也”。

梁有《周易宗塗》四卷，干寶撰，亡。

干寶有《易注》，見前。

《經義考》曰：“干氏寶《周易宗塗》，《隋志》四卷。佚。”

梁有《周易問難》二卷，王氏撰，亡。

王氏始末未詳。

按《册府元龜》云：“晉干寶爲散騎常侍，領著作，撰《周易問難》二卷。”此誤讀本志此一條注文也。明項皐謨跋《干氏易》輯本云：“干令升有《周易宗塗》四卷、《爻義》一卷、《問難》二卷。”亦誤讀本志。《經義考》曰：“干氏寶《周易問難》

二卷。又按《隋志》有王氏《周易問難》二卷，疑訛‘干’爲‘王’也。”則又因《册府》、項氏兩説而誤著於録，誤致其疑也。本志注文牽連上下文，易致誤會。然如此一條，前後皆有可證明，尚不甚難辯。此實王氏書，非干氏書。

梁有《周易問答》一卷，揚州從事徐伯珍撰。亡。

《南齊書·高逸傳》：徐伯珍，字文楚，東陽太末人。究尋經史，游學者多依之。太守琅邪王曇生、吳郡張淹並加禮辟，伯珍應召便退，如此者凡十二焉。永明二年，刺史豫章王辟議曹從事，不就。家甚貧窶，兄弟四人，皆白首相對，時人呼爲“四皓”。建武四年，卒，年八十四。受業生凡千餘人。

梁有《周易難王輔嗣義》一卷，晉揚州刺史顧夷等撰，亡。

梁劉峻《世説·文學篇》注：《顧氏譜》曰：“夷，字君齊，吳郡人。祖歆，孝廉。父霸，少府卿。夷辟州主簿，不就。”按本志子部儒家“梁有《顧子》十卷，晉揚州主簿顧夷撰”，與顧氏譜合。此稱“揚州刺史”，當爲“主簿”。

《宋書·隱逸傳》：“關康之，字伯愉，河東楊人。世居京口，少而篤學，晉陵顧悦之難王弼《易》義四十餘條，康之申王難顧，遠有情理。”又《齊書·高隱·臧榮緒傳》云：“康之與榮緒，俱隱在京口，世號‘二隱’。”

按《關康之傳》，則是書亦有。顧悦之《難義》及關氏難顧義並録在其中，故題曰“顧夷等”，明非一人之作也。顧悦之，字君叔，晉陵無錫人。初爲揚州刺史，殷浩故吏，後爲州別駕，歷尚書右丞，顧愷之之父也。《晉書》附見《殷浩傳》後。

梁有《周易雜論》十四卷。亡。

不著撰人。

周易義一卷　宋陳令范歆撰

范歆始末未詳。

《册府元龜・注釋門》：宋范歆爲陳令，撰《周易義》二卷。

周易玄品二卷[①]

不著撰人。

《册府元龜・注釋門》：干寶又撰《周易玄品》二卷。

《經義考》：干氏寶《周易玄品》二卷，佚。

又曰："項皋謨跋云：干令升《周易注》十卷、《周易宗塗》四卷、《爻義》一卷、《問難》二卷、《玄品》二卷，有其名無其書。"_按項氏跋爲《干氏易》輯本作也。

又曰："按《隋志》《周易玄品》二卷，不注撰人姓名，當即干氏之書。"

鄞縣全祖望《讀易别録》曰："《周易玄品》二卷，《隋志》誤入經部。"

　按《册府元龜》以爲干氏，豈宋初傳本此條下有撰人，今本佚敚耶？本志子部五行家亦有《周易玄品》二卷，亦不著撰人，疑即一書，故全氏謂"誤入經部"。

周易論十卷　齊中書郎周顒撰。梁有三十卷，亡。

《南齊書》本傳：顒，字彦倫，汝南安成人。晉左光禄大夫顗七世孫也。宋元徽中，仕歷邵陵王南中郎、三府參軍。太祖輔政，轉齊臺殿中郎。建元中，爲山陰令。歷太子僕、中書郎、國子博士兼著作。卒官。顒兼善《老》、《易》，與張融相遇，輒以玄言相滯，彌日不解。子捨。

周易論四卷　范氏撰

《唐書・經籍志》：《周易論》四卷，范氏撰。

《唐書・藝文志》：范氏《周易論》四卷。

常熟丁國鈞《補晉書藝文志》曰："《隋志》但題范氏。按本書

《范宣傳》言宣著《禮》、《易論難》，皆行於世。此書《隋志》既次在晉代，其爲宣撰無疑。"按范宣有《擬周易説》八卷，見前。

周易統例十卷　崔覲撰

崔覲有《易注》十三卷，見前。

馬氏玉函山房輯本序曰："崔覲，不詳何人。時代、爵字、里居並佚。《隋志》有'《周易》十三卷，崔覲注'，又有'《周易統例》十卷，崔覲撰'，亦僅題崔覲而已。考《北史·儒林傳》有清河崔瑾與范陽盧景裕，同爲徐遵明弟子。'覲'、'瑾'音同，或一人而傳寫各異歟？今其書并不傳，孔氏《正義》、李鼎祚《集解》各引一節，録出，存《隋志》一家云。"

按自鍾會《周易盡神論》至此，皆論難之屬，別爲第四類。

周易爻義一卷　干寶撰

干寶有《易注》，見前。

《唐書·經籍志》：《周易文義》一卷，干寶撰。按"文"當爲"爻"。

《唐書·藝文志》：干寶注十卷，又《爻義》一卷。

《經義考》：胡一桂曰："干寶《周易傳》十卷，復別出《爻義》一卷。宣和四年，蔡攸上其書。"

周易乾坤義一卷　齊步兵校尉劉瓛撰

《南齊書》本傳：瓛，字子珪，沛國相人。晉丹陽尹惔六世孫也。少篤學，博通五經。聚徒教授，常有數十人。仕宋，除邵陵王郡主簿、安陸王國常侍、安成王撫軍行參軍。公事免。瓛素無宦情，自此不復仕。太祖踐祚，欲以爲中書郎，不就。後以母老闕養，重拜彭城郡丞。武陵王曄爲會稽太守，上欲令瓛爲曄講，除會稽郡丞。學徒從之轉衆。除步兵校尉，不拜。卒，年五十六。今上天監元年下詔爲瓛立碑，謚曰貞簡先生。史臣曰："江左儒門，參差互出，雖於時不絶，而罕復專家。晉世以玄言方道，宋氏以文章間業，二代以來，爲教衰矣。劉瓛承馬、鄭之後，一時學徒以爲師範。”

《南史》本傳：瓛儒業冠於當時，都下士子貴游，莫不下席受業，當世推爲大儒，以比古曹、鄭。性謙率，不以高明自居。

梁元帝《金樓子・興王篇》：沛國劉瓛，當時馬、鄭，上每析疑義，雅相推揖。

《唐書・經籍志》：《周易乾坤義疏》一卷，劉瓛撰。

《唐書・藝文志》：劉瓛《乾坤義疏》一卷。按兩《唐志》“義”下加以“疏”字，似非是。

梁又有齊臨沂令李玉之、梁釋法通等《乾坤義》各一卷，亡。

《南齊書・崔慧景傳》：“東昏侯時，慧景奉江夏王寶玄向京師。臨沂令李玉之發橋斷路，慧景收殺之。慧景敗死，追贈玉之給事中。”

梁釋慧皎《高僧傳》：釋法通，本姓褚氏，河南陽翟人。晉安東將軍翌之八世孫也。家世衣冠禮義相襲，年十二出家，後踐迹京師，止定林上寺，晦迹鍾阜三十餘載。天監十一年九月卒，春秋七十。

周易大義二十一卷　梁武帝撰

《梁書・本紀》：高祖武皇帝諱衍，字叔達，南蘭陵中都里人。文思欽明，能事畢究，少而篤學，洞達儒玄。雖萬機多務，猶卷不輟手，燃獨側光，常至戊夜。造《制旨孝經義》、《周易講疏》，及六十四卦、二《繫》、《文言》、《序卦》等義，《樂社義》，《毛詩答問》，《春秋答問》，《尚書大義》，《中庸講疏》，《孔子正言》，《老子講疏》，凡二百餘卷。並正先儒之迷，開古聖之旨。王侯朝臣皆奉表質疑，高祖皆爲解釋。立五館，置五經博士。天監初，則何佟之、賀瑒、嚴植之、明山賓等覆述制旨。四方郡國趨學向風，雲集京師。

《藝文類聚・雜文部》梁簡文帝表曰：“臣以庸蔽，竊尚名理，鑽仰幾深，伏惟舞蹈，冒欲請侍中右衛將軍臣朱异，於玄圃宣猷堂，奉述制旨《易》義，弘闡聖作，垂裕蒙求。"《南史·朱异傳》：皇太子又召异於玄圃講《易》。

《南史·儒林·顧越傳》：及武帝撰制旨新義，選諸儒在所流通，遣越還吳，敷揚講說。

《唐書·經籍志》：《周易大義》二十卷，梁武帝撰。本作"本義"。

《唐書·藝文志》：梁武帝《大義》二十卷。

按《梁書·賀瑒傳》"天監四年，以瑒兼五經博士，別詔為皇太子定禮，撰《五經義》"，似武帝撰《五經義》，瑒得與其事。

周易幾義一卷　梁南平王撰

《梁書·太祖五王傳》：南平元襄王偉，字文達，太祖第八子也。天監元年，封建安郡王。七年①，改封南平郡王。位侍中、中書令、大司馬。中大通五年薨，時年五十八。謚曰元襄。偉少好學，篤誠通恕，趨賢重士，常如不及。由是，四方游士，當世知名者，莫不畢至。晚年崇信佛理，尤精玄學，著《二旨義》，別為新通。又製《性情》、《幾神》等論，其義，僧寵及周捨、殷鈞、陸倕並名精解，而不能屈。"按《南史》本傳云："著《二暗義》，製《性情》、《幾神》等論義。""二暗"似"二諦"之誤，"幾神義"即此《幾義》一卷。

《唐書·經籍志》：《周易發題義》一卷、《周易幾義》一卷，蕭偉撰。

《唐書·藝文志》：蕭偉《發義》一卷，又《幾義》一卷。

梁有《周易疑通》五卷，宋中散大夫何諲之撰，亡。

嚴氏《全齊文編》曰："何諲之，永明中為太常丞。"

按何諲之，《宋》、《齊書》皆無傳，唯《南齊書·輿服志》有永明六年太常丞何諲之議服章事。又《禮志》有《籍田議》、

---

① 據《梁書》，蕭偉改封在天監十七年。

《祭用鮮槁魚議》、《功臣配饗議》,並云"太常丞"。嚴氏所據本此。然則何仕宋爲中散大夫;入齊,至武帝時,爲太常丞。餘並未詳。

梁有《周易四德例》一卷,劉瓛撰,亡。

劉瓛有《乾坤義》,見前。

周易大義一卷

不著撰人。

梁有《周易錯》八卷,京房撰,亡。

京房有《周易章句》,見前。

按本志子部五行家著録《周易錯卦》七卷,蓋即是書。

梁有《周易日月變例》六卷,虞翻、陸績撰,亡。

虞翻、陸績有《易注》,並見前。

張氏《易義別録》曰:"《隋・經籍志》陸績又與虞翻撰《日月變例》六卷,亡。"

全氏《讀易別録》曰:"虞翻《周易日月變例》六卷,《隋志》誤入經部。"

梁有《周易卦象數旨》六卷,東晉樂安亭侯李顒撰,亡。

《晉書・文苑・李充傳》:充,字弘度,江夏人。注《尚書》及《周易旨》六篇,行於世。子顒,亦有文義,多所述作,郡舉孝廉。

《釋文・敍録》:李顒,字長林,江夏人。東晉本郡太守。

按《晉書》言李充撰《尚書》、《周易旨》。本志易、書兩類唯有李顒,無李充。而此《卦象數旨》六卷,與史所載篇數合,疑皆屬顒書,非充書。或顒緒成父作,如王肅重定王朗《易傳》歟?

梁有《周易爻》一卷,馬楷撰,亡。

馬楷始末未詳。

周易大義二卷　陸德明撰

陸德明有《周易并注音》，見前。

《唐書·經籍志》：《周易文外大義》二卷，陸德明撰。

《唐書·藝文志》：陸德明《文外大義》二卷。

周易釋序義三卷

不著撰人。

《唐書·經籍志》：《周易釋序義》三卷，梁蕃撰。

《唐書·藝文志》：梁蕃《釋序義》三卷。

周易開題義十卷　梁蕃撰

梁蕃始末未詳。疑即梁代諸王，如南平、湘東之類。

《唐書·經籍志》：《周易開題論序》十卷。

《唐書·藝文志》：梁蕃《開題論序疏》十卷。

周易問二十卷

不著撰人。

《唐書·經籍志》：《周易大義疑問》二十卷，梁武帝撰。一本“大義”作“本義”。

《唐書·藝文志》：梁武帝《大義》二十卷，又《大義疑問》二十卷。

按《梁武帝本紀》云“王侯朝臣皆奉表質疑，高祖皆爲解釋”，故有此類問答之書。《陳書·周弘正傳》：“弘正啟武帝《周易疑義》五十條，詔答曰：‘近縉紳之學，咸有稽疑，隨答所問，已具別解。’”似即是書中之一事，或當時臣下所錄，不名一家，故本志不注姓名。

又按《經義攷》云：“《周易問》，《隋志》二十卷，《唐志》十卷。”今攷兩《唐志》，《易》家別無“《周易問》十卷”之目。全氏《讀易別錄》云：“《周易問》二十卷，《隋志》誤入經部，《唐志》入五行家。”今攷《新唐志》，五行有《周易問》十卷。《通志略》作《周易問卜》，蓋敓一"卜"字，別爲術數家之書。此二十卷即兩《唐志》《大義疑問》題梁武帝撰者，則唐人續考得之。朱氏、全氏皆誤會也。本志與兩《唐志》對勘，其書名、撰人互有異同者，不一而足，多賴以攷見本末，此書其一也。

又按自干寶《爻義》至此，皆雜義之屬，別爲第五類。雜義與義疏、講疏不同。義疏、講疏皆根據經注節次而下，雜義則不循章句，各抒所見而已。其體亦近雜論，故次於論難一類之後。

周易義疏十九卷　宋明帝集群臣講

《宋書·本紀》：太宗明皇帝諱彧，字休炳，文帝第十一子也。好讀書，愛文藝，嘗於華林園芳堂講《周易》，常自臨聽。

又《袁粲傳》：泰始六年，上於華林園茅堂講《周易》，粲爲執經。按"茅堂"當是"芳堂"之誤。

《梁書·儒林·伏曼容傳》：宋明帝好《周易》，集朝臣於清暑殿講，詔曼容執經。

《唐書·經籍志》：《周易義疏》二十卷，宋明帝注。

《唐書·藝文志》：宋明帝注《義疏》二十卷。按兩《唐志》稱宋明帝注，皆非也。

梁又有《國子講易議》六卷，亡。

不著撰人。

按此似宋國學所講也，與下齊國學講相類。

梁又有《宋明帝集群臣講易義疏》二十卷，亡。

《唐書·經籍志》：《宋群臣講易疏》二十卷，張該等注。

《唐書·藝文志》：張該等《群臣講易疏》二十卷。

按張該始末未詳。宋、齊、梁，張氏惟吳人張裕及裕弟邵兩家爲盛。《南史》据其家傳，勒成兩卷。該，其裕、邵之後歟？

梁又有《齊永明國學講周易講疏》二十六卷，亡。

《南齊書·武帝本紀》：永明三年春正月，詔曰："《春秋國語》云：'生民之有學斅，猶樹木之有枝葉。'果行育德，咸必由茲。宜高選學官，廣延冑子。"

又《禮志》：永明三年正月，詔立學，創立堂宇，召公卿子弟，下及員外郎之胤，凡置生二百人，其年秋中，悉集。

按永明中，先後遞爲國子祭酒者爲張緒、王儉。儉長禮學，多所論述。緒則長於《周易》，言精理奧，見宗一時。常云"何平叔所不解《易》中七事"，諸卦中所有時義，是其一也。緒於高帝建元四年初立國學，領祭酒。武帝永明三年，王儉代之。及七年，儉卒，緒復領祭酒。此永明國學講，儉與緒當職，必預其事也。

梁又有《周易義》三卷，沈林撰，亡。

沈林始末未詳。疑"沈洙"之誤，洙見《南史·儒林傳》。

周易講疏三十五卷　梁武帝撰

梁武帝有《周易大義》，見前。

《南史·儒林·孔子袪傳》：梁武帝撰《五經講疏》，專使子袪檢閱群書，以爲義證。

又《沈洙傳》：朱异、賀琛於士林館講制旨義，常使洙爲都講。

《梁書·簡文帝本紀》：高祖所製《五經講疏》，嘗於玄圃奉述，聽者傾朝野。

《唐書·經籍志》：《周易講疏》三十五卷，梁武帝撰。《新志》不著錄。

馬氏玉函山房輯本序曰："《隋志》有《周易大義》二十一卷、《周易講疏》三十五卷，《唐·藝文志》又有《大義疑問》二十卷，今並亡佚。《釋文》引梁武帝凡四節，不言何書。今并采《武帝集》引《易》附之，以攷異同。"

按梁元帝《金樓子·著書篇》："《周易義疏》三秩，三十卷。"
金樓奉述制義，私小小措意也。則又因此疏觸類而長者。

周易講疏十六卷　梁五經博士褚仲都撰

《梁書·孝行傳》：褚脩，吳郡錢唐人也。父仲都，善《周易》，
爲當時最。天監中，歷官五經博士。脩少傳父業。

《陳書·儒林·全緩傳》：緩初受《易》於褚仲都，篤志研翫，得
其精微。

《唐書·經籍志》：《周易講疏》十六卷，褚仲都撰。

《唐書·藝文志》：褚仲都《講疏》十六卷。

《經義考》曰："按褚氏《易》，錢塘全緩受之。《正義》每引其
説。其云'雷資風而益遠，風假雷而增威'，頗與《子夏傳》'地
得水而柔，水得地而流'辭義相近。"

馬氏玉函山房輯本序曰："褚仲都《講疏》，《隋》、《唐志》俱十
六卷。其書佚矣。孔穎達《正義》序稱：'江南義疏有十餘家，
辭尚虛誕，皆所不取。'褚氏故亡散之餘而見《正義》者，猶得
十五節。《釋文》亦間稱引，茲並輯録。"

周易義疏十四卷　梁都官尚書蕭子政撰
周易繫辭義疏三卷　蕭子政撰

《顏氏家訓·勉學篇》：梁朝冠冕，則有何胤、_{按即何胤。}劉瓛、
明山賓、周捨、朱异、周弘正、賀琛、賀革、蕭子政、劉緝等，兼
通文史，不徒講説也。

《唐書·經籍志》：《周易義疏》十四卷，蕭子政撰。

《唐書·藝文志》：蕭子政《義疏》十四卷，又《繫辭義》二卷。

按蕭子政始末未詳。《齊》、《梁》、《陳》三史中，亦無述焉。
其遺文、軼事湮没不傳。《顏氏·勉學》而外，亦罕見記載。
《南史·蕭子恪傳》云："子恪兄弟十六人，並入梁。有文學
者，子恪、子質、子顯、子雲、子暉。"意子政其群從歟？

周易講疏三十卷　陳諮議參軍張機撰 "機"當爲"譏"。

《陳書·儒林傳》：張譏，字直言，清河武城人也。受學於汝南周弘正。梁大同中，召補國子正言生。梁武帝嘗於文德殿釋《乾》、《坤》、《文言》，譏與陳郡袁憲預焉。遷士林館學士。陳天嘉中，爲國子助教。後主嗣位，領南平王諮議參軍、東宮學士，尋遷國子博士。禎明三年入隋，終於長安，時年七十六。譏性恬靜，不求榮利，嘗慕閒逸，所居宅營山池，植花果。講《周易》、《老》、《莊》而教授焉。吳郡陸元朗、朱孟博等，皆傳其業。所撰《周易義》三十卷、《尚書義》十五卷、《毛詩義》二十卷、《孝經義》八卷、《論語義》二十卷。後主嘗敕人就其家寫入祕閣。

《唐日本國見在書目》：《周易講疏》十卷，陳諮議參軍張機撰。

《唐書·經籍志》：《周易講疏》三十卷，張譏注。

《唐書·藝文志》：張譏《講疏》三十卷。

馬氏玉函山房輯本序曰："《正義》引張氏，每與何氏、褚氏並稱。又陸德明《釋文》每稱'師讀'、'師説'，《經義考》謂當即九師，臧氏鏞謂陸氏之師也。本傳云陸元朗、朱孟博等皆傳其業，然則陸氏之師即譏也。茲並取《釋文》所引，合輯一卷。"

周易文句義二十卷

不著撰人。

《唐書·經籍志》：《周易開題論序》十卷，《周易文句義疏》二十卷。注云"已上卷梁武撰"。按《新志》"武"，當爲"蕃"。

《唐書·藝文志》：梁蕃《文句義疏》二十卷，又《開題論序疏》十卷、《釋序義》三卷。按《開題論序疏》亦曰《開題義》，見前。《釋序義》三卷，亦見前。

《經義考》曰："《周易文句義》，《隋志》二十卷。按此疑即梁蕃書。"按朱氏亦證以兩《唐志》，故疑爲梁蕃書也。

梁有《擬周易義疏》十三卷

不著撰人。

按《七録》有《擬周易説》八卷，范氏撰。嚴鐵橋先生謂即范宣，見前。此《擬周易義疏》似即疏范氏之義歟？又疑是《太玄經義疏》見異名。

周易義疏十六卷　陳尚書左僕射周弘正撰

《陳書》本傳：弦正，字思行，汝南安成人。祖顒，齊中書侍郎，領著作。按顒有《周易論》，見前。弘正幼孤，及弟弘讓、弘直俱爲叔父侍中護軍捨所養。年十歲，通《老子》、《周易》。十五，召補國子生，仍於國學講《周易》，諸生傳習其義。起家梁太學博士，累遷國子博士。時於城西立士林館，弘正居以講授，聽者傾朝野焉。陳太建五年，授尚書右僕射，領國子祭酒。六年，卒官，年七十九。贈侍中、中書監，謚曰簡子。所著《周易講疏》十六卷，《論語疏》、《莊子疏》、《老子疏》、《孝經疏》，各若干卷，行於世。

《顏氏家訓·勉學篇》：梁世《莊》、《老》、《周易》，總謂‘三玄’。武帝、簡文，躬自講論；周弘正奉贊大猷，化行郡邑，學徒千餘，實爲盛美。

《釋文·敍録》：近代梁褚仲都、陳周弘正並作《易義》，此其知名者。

馬氏玉函山房輯本序曰：“本傳云《講疏》十六卷，《隋志》作《義疏》，《唐志》不著録。今佚。《釋文》引止四節，孔穎達《正義》亟引周氏，不標其名，以序稱‘簡子’斷之，知爲弘正説。兹并合輯爲一卷。”

周易私記二十卷

不著撰人。

《唐日本國見在書目》：《周易私記》十四卷，无名先生撰。

按本志有《孝經私記》四卷,無名先生撰。據《日本書目》,則撰是書者,亦即其人也。後周武帝時,有沙門釋亡名者,本姓宋,名闕,南郡人。逮事梁元帝,梁亡出家。多所著述,有集十卷,見本志別集類,疑即其人。本曰亡名,蓋欲與名俱亡也,後轉寫爲"無名"歟?

又按《册府元龜》云"何晏撰《周易私記》二十卷、《周易講疏》十三卷","何晏"爲"何妥"之誤。蓋以本志《私記》在何妥《講疏》之前,又以不注撰人,遂皆以爲何氏之書。馬竹吾已言之,見後。

周易講疏十卷　國子祭酒何妥撰

《隋書·儒林傳》:何妥,字棲鳳,西城人也。父細胡,通商入蜀,遂家郫縣。妥年十七,以技巧事梁湘東王。後知其聰明,召爲誦書左右。江陵陷,周武帝尤重之,授太學博士。宣帝封爲襄城縣伯。高祖受禪,除國子博士,加通直散騎常侍,進爵爲公。出爲龍州刺史。時有負笈游學者,妥皆爲講説教授之。爲刺史三年,以疾請還,詔許之。復知學事。按"學"似當爲"樂"。尋爲國子祭酒。卒官。謚曰肅。撰《周易講疏》十三卷,及《孝經》、《莊子義疏》,並行於代。

《北史·藝術·楊伯醜傳》:國子祭酒何妥嘗詣之論《易》,聞妥之言,悠爾而笑曰:"何用鄭玄、王弼之言乎?"久之,微有辯答,所説辭義,皆異先儒之旨而思理玄妙。故論者以爲天然獨得,非常人所及也。

《唐書·經籍志》:《周易講疏》十三卷,何晏注。按"晏"爲"妥"之寫誤。

《唐書·藝文志》:何安《講疏》十三卷。按"安"亦爲"妥"之寫誤。

馬氏玉函山房輯本序曰:"宋《國史·志》尚有何氏《講疏》十三卷,今佚。《正義》、《集解》引之尚數十節。《集解》明標何妥,《正義》稱何氏。其説每與張氏、周氏、褚氏並引。周爲周弘正，張爲張譏，褚爲褚仲都，何即何妥，皆唐近代爲講疏者也。”
又《隋志》有“《周易私記》二十卷，不著撰人”，下次《周易講
疏》十卷，注云“國子祭酒何晏撰”。《志》偶誤“妥”爲“晏”，而
《册府元龜》遂云何晏撰《周易私記》二十卷、《周易講疏》十三
卷。朱太史信之，載入《經義考》。又《玉海》稱何襄城爲《六
象論》云云。襄城，妥在周時所封男爵也。《經義考》於何妥
《講疏》外，別出《正義》之何氏；又出何氏《六象論》，云失名。
一人凡三見，皆失於深考。

周易繫辭義疏二卷　　劉瓛撰

劉瓛有《乾坤義》、《四德例》，並見前。

《釋文·敍録》曰：劉瓛，字子珪，沛國人。齊步兵校尉，不拜。
謚貞簡先生。《七録》云作《繫辭義疏》。

《唐書·經籍志》：《周易繫辭義》二卷，劉向撰。按“向”當爲“瓛”。

《唐書·藝文志》：劉瓛《繫辭義疏》二卷。

張氏《易義別録》輯本序曰：“《隋志》有劉瓛《繫辭義疏》二卷，
又《周易乾坤義》一卷。又云‘梁有《周易四德例》一卷，亡’。
《文選注》所引，或云《易注》，即其疏義之文，非別有注也。而
《册府元龜》有劉瓛《義》九卷，董真卿《周易會通》引劉瓛《同
人》之注，皆不足信。齊代鄭義甚行，史稱：‘子珪承馬、鄭之
後，一時學徒以爲師範。’其於《易》，或宜宗鄭黜王。殘缺之
餘，無聞焉耳。”

馬氏玉函山房輯本序曰：“《釋文》及《一切經音義》、《文選注》
引數節，皆《繫辭》疏。《正義》及《集解》亦引其説。《乾》、
《坤》二卦，則《乾坤義》之佚文也，合輯一卷。至《四德例》，泯
不可見。”孫堂《漢魏廿一家易注》中亦輯存一本。

周易繫辭義疏一卷　　梁武帝撰

梁武帝有《周易大義》及《大義疑問》、《講疏》三書，並見前。

《陳書·周弘正傳》：弘正啓梁武帝《周易疑義》五十條。又請《乾》、[①]《坤》、二《繫》曰：“自制旨降談，按《藝文類聚》此下有“象爻”二字。裁成《易》道，析至微于秋毫，渙曾冰于幽谷。臣親承音旨，職司宣授，後進詵詵，不無傳業。但《乾》、《坤》之蘊未剖，《繫》表之妙莫詮，使一經深致，尚多所惑。臣謹與受業諸生清河張譏等三百一十二人，於《乾》、《坤》、二《繫》、《象》、爻未啓，伏願聽覽之閒，曲垂提訓。”詔答曰：“近縉紳之學，咸有稽疑，隨答所問，已具別解。知與張譏等三百一十二人須釋《乾》、《坤》、《文言》及二《繫》，萬機小暇，試當討論。”

《陳書·儒林·張譏傳》：譏受學於汝南周弘正。梁大同中，召補國子正言生。梁武帝嘗於文德殿釋《乾》、《坤》、《文言》，譏與陳郡袁憲等預焉。

周易繫辭義疏二卷　蕭子政撰

蕭子政有《周易義疏》十四卷、《繫辭義疏》三卷，並見前。

　按前三卷或連《説》、《序》、《雜卦》等傳，此二卷但上、下《繫》。然既見於前，實重複也。簿録家舊有分篇著録之例，不嫌一再互見，故又取此書入《繫辭》義疏類中。《七録》舊例或亦如此。

　又按自宋明帝至此，皆義疏講疏之屬，爲第六類。

梁有《周易乾坤三象》、《周易新圖》各一卷。

不著撰人。

　全氏《讀易別録》曰：“《周易新圖》一卷，《隋志》誤入經部。案《新圖序》入五行家，則《新圖》不當爲章句之書。”

　按本志五行家有《易新圖序》一卷，亦不著撰人。全氏以爲即此《新圖》之序，故其言如此。《唐·藝文志》五行家作“《周易雜圖

序》"，又疑"新"爲"雜"之誤。

梁又有《周易普玄圖》八卷，薛景和撰。

薛景和始末未詳。

全氏《讀易別録》曰："薛景和《周易普玄圖》八卷，《隋志》誤入
經部。"

梁又有《周易大演通統》一卷，顏氏撰。

顏氏不知何人。

全氏《讀易別録》曰："顏氏《周易大衍通統》一卷，《隋志》誤入
經部。"

按《易緯》中有《通統圖》，本志五行家有《易通統卦驗玄圖》
一卷、《易通統圖》二卷，又一卷。蓋起於讖緯，流爲術數之
書，故全氏云爾。五行家有顏氏《周易立成占》三卷，疑是北魏顏惡頭，詳
見子部，此顏氏或即其人。

周易譜一卷

不著撰人。

按《唐·經籍志》有《周易略譜》一卷，沈熊撰。又《周易譜》
一卷，袁宏撰。《藝文志》云袁宏《略譜》一卷、沈熊《周易
譜》一卷，書名與《舊志》互易。此大抵非沈氏書即袁氏書。
沈見《梁書·儒林·沈峻傳》，袁見《晉書·文苑傳》。

又按自《乾坤三象》至此，皆圖譜之屬，別爲第七類，終焉。

右六十九部，五百五十一卷。通計亡書，合九十四部，八百二十
九卷。實著録七十部，附注亡書三十五部，通計一百五部，卷數不計。

按顏監注《漢書·藝文志》曰："其每略所條家及篇數，有與
總凡不同者。轉寫脱誤，年代久遠，無以詳知。"《漢志》如
是，本志亦如是也。然其所載部居，則條分縷析，有數可
稽，尚不難於釐訂。今附注如右，其卷數則脱誤彌甚，無從
核實，置不復論焉。

卷二

經部二

書類　類中分類凡五。

古文尚書十三卷　漢臨淮太守孔安國傳
今字尚書十四卷　孔安國傳

《史記·孔子世家》：安國爲今皇帝博士，至臨淮太守，蚤卒。

《漢書·儒林傳》：安國爲諫大夫。又《孔光傳》：安國以治《尚書》爲武帝博士，至臨淮太守。

《釋文·敍録》曰：“江左中興，元帝時豫章内史枚賾奏上孔傳《古文尚書》。亡《舜典》一篇，購不能得，乃取王肅注《堯典》從‘眘徽五典’以下，分爲《舜典篇》以續之，學徒遂盛。齊明帝建武中，吳興姚方興采馬、王之注，造孔傳《舜典》一篇，云於大航頭買得，上之。時不行用。”

又《音義》曰：“《舜典》‘曰若稽古帝舜曰重華協於帝’，此十二字是姚方興所上，孔氏《傳》本無。阮孝緒《七録》亦云然。方興本或此下更有‘濬哲文明温恭允塞玄德升聞乃命以位’，凡二十八字異，聊出之，於王注無施也。”又曰：“傳即注也，以傳述爲義。舊説漢以前稱傳。”

《敍録》又曰：“孔安國《古文尚書傳》十三卷。”又曰：“《尚書》之字，本爲隸古，既是隸寫古文，則不全爲古字。今宋、齊舊本及徐、李等《音》所有古字，蓋亦無幾。穿鑿之徒，務欲立異，依傍字部，改變經文，疑惑後生，不可承用。”

本志篇敍曰："至東晉，豫章內史梅賾始得安國之傳，奏之。時又闕《舜典》一篇，齊建武中，吳姚方興於大桁市得其書，奏上。比馬、鄭所注多二十八字，於是始立國學。"

《唐書·經籍志》：《古文尚書》十三卷，孔安國撰。

《唐書·藝文志》：《古文尚書》孔安國傳十三卷。

《宋史·藝文志》：《尚書》十二卷，漢孔安國傳。

晁氏《讀書志》：《古文尚書》十三卷，漢孔安國以隸古定五十九篇之書。蓋以隸寫籀，故謂之隸古。皇朝呂大防得本於宋次道、王仲至家，以校陸氏《釋文》，雖小有異同而大體相類。觀其作字奇古，非字書傅會穿鑿者所能到，學者考之，可以知制字之本也。按此又宋時古文之僞本，非傳自梅賾者。阮文達《校勘記》言之詳矣。

陳氏《書錄》曰："皇甫謐得《古文尚書》於外弟梁柳，作《帝王世紀》，往往載之。蓋自太保鄭沖授蘇愉，愉授梁柳，柳授臧曹，曹授梅賾，賾爲豫章內史，奏上其書。夫以孔注歷漢末無傳，晉初猶得存者，雖不列學官而散在民間故耶？然終有可疑者，余嘗辨之。"按此言孔傳授受，蓋據孔疏序引《晉書·皇甫謐傳》。今本《晉書》無其文，《四庫提要》謂臧榮緒《晉書》中語。

《四庫提要》曰："《史記》、《漢書》但有安國上《古文尚書》之說，並無受詔作傳之事。此僞本鑿空之顯證。"

又曰："《古文尚書》東晉初始出，乃增多二十五篇。初，猶與今文並立，自陸德明據以作《釋文》，孔穎達據以作《正義》，遂與伏生二十九篇混合爲一。唐以來，雖疑經惑古如劉知幾之流，亦以《尚書》一家列之《史通》，未言古文之僞。自吳棫始有異議，朱子亦稍稍疑之。吳澄諸人本朱子之說，相繼抉摘，其僞益彰，然亦未能條分縷析，以抉其罅漏。明梅鷟始參考諸書，證其剿剟，而見聞較狹，蒐采未周，至國朝閻若璩乃引經據古，一一陳其矛盾之故，凡一百二十八條。古文之僞，乃大明。"

又曰："梅賾之書行世已久，其文本采掇逸經，排比聯貫，故其旨不悖於聖人，斷無可廢之理，而確非孔氏之原本，則證驗多端。近惠棟、王懋竑等續加考證，其説益明。"

儀徵阮元《尚書注疏校勘記》：[1]自梅賾獻孔傳，而漢之真古文與今文皆亡。乃梅本又有今文、古文之別，《隋志》有《古文尚書》十三兑、《今字尚書》十四卷。蓋變古文爲今文，實自范寧始。寧自爲集注，成一家言，後之傳寫孔傳者，從而效之，此所以有今文也。

　按此即今本《尚書傳》也。自隋劉炫合以姚方興《舜典篇》文，唐代《正義》用以爲本，今遂與姚本混合爲一。或以姚本《舜典》二十八字爲孔穎達所增入，似不然也。孔安國所上真古文經，見《漢書·藝文志》。

尚書十一卷　馬融注

馬融有《周易注》，見前易類。

《後漢書·儒林傳》：扶風杜林傳《古文尚書》，林同郡賈逵爲之作訓，馬融作傳。

《釋文·叙録》：《古文尚書》馬融注，十一卷。

《唐書·經籍志》：《古文尚書》十卷，馬融注。

《唐書·藝文志》：《古文尚書》馬融傳十卷。

《經義考》曰："馬氏《尚書注》，本於杜林漆書，故多與今文異。其書唐初尚存，陸氏《釋文》采之。"

馬氏玉函山房輯本序曰："《尚書》馬氏傳，今佚。茲從《釋文》、《正義》、《史記集解》等采輯，分爲三卷。《正義》謂馬、鄭

---

[1]　按該引文實出阮氏《校勘記》序。

之徒百篇之序爲一篇，《隋志》較《唐志》多一卷者，即《書序》也。更別輯録，合爲四卷。”

侯氏《補後漢藝文志》曰：“馬氏傳，金谿王謨有輯本一卷，然尚多遺漏。”

《孫祠書目》：《古文尚書馬鄭注》十卷，附表及逸文三篇，星衍集刊本。

尚書九卷　鄭玄注

鄭玄有《易注》，見前易類。

《後漢書》本傳：又從張恭祖受《古文尚書》。

又《儒林傳》：扶風杜林傳《古文尚書》，林同郡賈逵爲之作訓，馬融作傳，鄭玄注解。由是《古文尚書》遂顯於世。

《釋文·敍録》：《古文尚書》鄭玄注九卷。

《唐書·經籍志》：《古文尚書》九卷，鄭玄注。

《唐書·藝文志》：鄭玄注《古文尚書》九卷。

《鄭學録》曰：“唐陸元朗撰《釋文》，孔沖遠撰《正義》，皆以僞孔傳爲主，鄭注由是寖亡，宋王應麟采輯爲一卷。”

侯氏《補後漢藝文志》曰：“《書·堯典》正義云：‘鄭氏於伏生二十九篇之内，分出《盤庚》二篇、《康王之誥》，又《泰誓》三篇，爲三十四篇；更增僞書二十四篇，爲五十八。’按鄭所增益者，乃真古文，非張霸僞書，孔疏誤。鄭雖增此二十四篇，而作注則仍止三十四篇。馬季長所謂逸十六篇，絶無師説。故馬、鄭諸儒，皆不注之也。”

又曰：“虞翻奏鄭注《尚書》違失四事，近王鳴盛、江聲、孫星衍、汪家禧、方觀旭、方廷瑚、趙坦皆申鄭難虞。”按虞氏奏見《吳志》本傳注引《翻別傳》。

又曰：“《經義考》有康成《書贊》。考《書序》正義云‘鄭玄避序名，故謂之贊’，則《書贊》非別一書。《書》疏又引康成《書論》，蓋皆在《書》注九卷之中。又王氏鄭注輯本，孫頤谷疑惠定宇託名，非深寧氏所輯。”

曲阜孔廣林輯本序録曰：“王氏所采遺漏，因用其本爲主，而别取經疏、史注、《水經注》諸書，蒐羅補綴，依鄭氏所訂三十四篇舊第，并《書序》爲九卷。而以《書贊》數條别爲一卷，附於後。”

《孫祠書目》：《尚書鄭注》十一卷，宋王應麟集本。又十卷，孔廣林集本。

尚書十一卷　王肅注

王肅有《易注》，見前易類。

《魏志·高貴鄉公紀》，“甘露元年夏四月丙辰，帝幸太學，講《尚書》。帝問曰：‘鄭玄云稽古同天，言堯同於天也，王肅云堯順考古道而行之。二義不同，何者爲是？’博士庾峻對曰：‘賈、馬及肅皆以爲順考古道，肅義爲長。’”錢大昕《考異》曰：“按肅卒於是年，而其説已爲博士所習，進講人主之前，蓋肅兼通諸經，強辯求勝，又以三公之子早登顯要，易爲人所信從也。”

《釋文·敍録》：“肅又注《尚書》。”又曰：“王肅亦注今文，而解大與古文相類。或肅私見孔《傳》而祕之乎？”又曰：“王肅《注》十卷。”

《唐日本國見在書目》：《今文尚書》十卷，王肅注。

《唐書·經籍志》：《古文尚書》又十卷，王肅注。

《唐書·藝文志》：《古文尚書》王肅注十卷。

馬氏玉函山房輯本序曰：“肅之學專與鄭爲難。鄭《贊》謂：‘孔子撰《書》，乃尊而命之《尚書》。尚者，上也。’肅序謂：‘上所言，史所書，故曰《尚書》也。’開卷已自立異。王氏鳴盛《尚書後案》云：‘王注之存於今者，按之皆與馬融及僞孔合。僞孔之出於肅,乃情事之所有者.'今輯録二卷,所注亦今文二十九篇,與馬、鄭本同。百篇之序亦有注,别輯一篇,附後。"

侯氏《補後漢志》曰:"陸德明云:'王肅解,大與古文相類,或肅私見孔傳而祕之。'惠棟、江聲皆疑僞孔即王肅撰。"

尚書十五卷　晉祠部郎謝沈撰

《晉書》本傳:沈,字行思,會稽山陰人也。博學多識,明練經史。郡命爲主簿、功曹,察孝廉,太尉辟,並不就。會稽内史何充引爲參軍,以母老去職。閒居養母,不受人事,耕耘之暇,研精墳籍。康帝即位,徵爲太學博士,除尚書度支郎,遷著作郎,卒,年五十二。

《釋文·敍録》:謝沈《注》十五卷,録一卷。字行思,會稽人。東晉尚書_{攽文}部郎,領著作。

《唐書·經籍志》:《尚書》十三卷,謝沈注。

《唐書·藝文志》:《尚書》謝沈注十三卷。

集解尚書十一卷　李顒注

李顒有《周易卦象數旨》,見前易類。

《釋文·敍録》:《尚書》李顒注十卷。

《唐書·經籍志》:《尚書》十卷,李顒集注。

《唐書·藝文志》:《尚書》李顒集注十卷。

《經義考》:孔穎達曰:"李顒集注《尚書》,於僞《泰誓篇》,每引'孔安國曰',計安國必不爲彼僞《書》作傳,不知顒何由爲此言。"

集釋尚書十一卷　宋給事中姜道盛注

《宋書·劉懷肅傳》:元嘉十八年,氐賊楊難當侵寇漢中。十九年,龍驤將軍裴方明大破之於濁水。詔曰:"故晉壽太守姜道盛,前討仇池,志輸誠力。即戎著效,臨財能清。近先登濁水，殞身鋒鏑。可贈給事中，賜錢千萬。"道盛著《古文尚書》，[①]行於世。

《釋文·敍錄》：《尚書》姜道盛集解十卷。天水人，宋給事中，字道盛。

《唐書·經籍志》：《尚書》十卷，姜道盛集注。

《唐書·藝文志》：《尚書》姜道盛集注十卷。

古文尚書舜典一卷　晉豫章太守范寧注。梁有《尚書》十卷，范寧注，亡。

《晉書》本傳：寧，字武子，南陽順陽人。少篤學，多所通覽。孝武帝時，始爲餘杭令，遷臨淮太守，封陽遂鄉侯。徵拜中書侍郎，出補豫章太守。免官，家於丹陽，猶勤經學，經年不輟，年六十三，卒於家。

《釋文·敍錄》：枚賾奏上孔傳《古文尚書》，亡《舜典》一篇，乃取王肅注《堯典》，從"眘徽五典"以下，分爲《舜典篇》以續之。後范寧變爲今文《集注》，俗間或取《舜典篇》以續孔氏。按"或取"之下，當有"寧注"二字。又曰：范寧《集解》十卷。

《唐書·經籍志》：《古文尚書》又十卷，孔安國傳，范寧注。

《唐書·藝文志》：《古文尚書》范寧注十卷。

《經義考》曰："范氏《尚書注》，《經典·敍錄》作《集解》。《七錄》：十卷。《隋志》止《古文尚書舜典注》一卷。"

餘姚盧文弨《釋文考證》曰："《隋志》：'《古文尚書舜典》一卷，范寧注。梁有《尚書》十卷，范寧注，亡。'蓋范書本十卷，因孔傳闕《舜典》，故取范所注《舜典》，以補孔傳之闕。後范所注本皆亡，而《舜典》一篇獨以傅合孔傳得存也。"

馬氏玉函山房輯本序曰："《隋志》有范注《舜典》一卷。唐復

---

① "著"，殿本《宋書》作"注"。

得其十卷之全,故《舜典注》不復著目。今並佚。從劉昭《後漢志注》、玄應《一切經音義》、《太平御覽》等書輯得十二節,大抵用馬、鄭舊文。"

尚書亡篇序一卷　梁五經博士劉叔嗣注。梁有《尚書》二十一卷,劉叔嗣注。又有《尚書新集序》一卷,亡。

劉叔嗣始末未詳。

《册府元龜·學較部·注釋門》:梁劉叔嗣爲五經博士,注《尚書亡篇序》。又注《尚書》二十一卷。

《經義考》:劉氏叔嗣《尚書新集序》,《七錄》一卷。佚。

尚書逸篇二卷

本志篇敍曰:"又有《尚書》逸篇出於齊、梁之間,考其篇目,似孔壁中書之殘缺者,故附《尚書》之末。"

《唐書·藝文志》:徐邈注逸篇三卷。

宋王應麟《困學紀聞》曰:"《書大傳·虞傳》有《九共篇》,《殷傳》有《帝告篇》,豈伏生亦見古文逸篇耶?《大傳》之序有《嘉禾》,有《揜誥》,今本闕焉。《隋志》有逸篇二卷,出齊、梁之間,唐有三卷,徐邈注。"

又《漢書藝文志考證》曰:"《左傳》、《孟子》、《史記》、《漢書》、《白虎通》、《孔叢子》皆引逸《書》文。吳氏曰:自漢而下,《書》之逸者,已不復見。雖間出,既所未讀,必不能知其爲《書》。如《漢書》所謂'先其算命',《孔叢子》所謂'高宗報上甲微',《孟子》所謂'不及貢,以政接於有庳'之類,先儒指以爲逸《書》,世方知之,不然孰知其爲《書》也?"

《經義考》:《尚書逸篇》,《新唐志》三卷。孫奭曰:"《尚書逸篇》,唐有三卷,徐邈爲之注焉。"按徐邈,晉、宋間人,而爲之注,則是書東晉時已有之,非出於齊、梁可知。

按此疑是《佚周書》之佚出者。《南史·劉顯傳》云:"任昉嘗得一篇缺簡，文字零落，示諸人，莫能識。顯見，云是《古文尚書》所刪逸篇。昉檢《周書》，果如其説。"疑昉所得之一篇，并入徐注二卷中。故本志云"出齊、梁間"，而《唐志》云"三卷"也。徐邈於五經皆有音義，見前易類。孫氏星衍有輯本二卷，見《岱南閣叢書》。以爲劉叔嗣注，非也。

又按自僞孔傳至此，皆傳注之屬，爲第一類。志序言逸篇附《尚書》之末，蓋附於諸家傳注之末，其類中分類之意，不言可知。

古文尚書音一卷　　徐邈撰

徐邈有《周易音》，見前易類。

陸氏《尚書音義》曰："相承云梅頤上孔氏傳《古文尚書》，云按當爲"亡"。《舜典》一篇。時以王肅注頗類孔氏，故取王注，從'慎徽五典'以下爲《舜典》，以續孔《傳》。徐仙民亦音此本。"按《敍録》作"枚賾"，此作"梅頤"。盧氏《考證》引段玉裁云當從後，作"頤"字是。古人名頤則字真，此枚頤字仲真，後《莊子注》李頤字景真。按梅頤，梅陶之兄。梅陶有《新論》，見子部儒家。

《唐日本國見在書目》：《尚書音》一卷，徐仙民撰。

梁有《尚書音》五卷　　孔安國、鄭玄、李軌、徐邈等撰

《釋文·敍録》曰："爲《尚書音》者四人，孔安國、鄭玄、李軌、徐邈。案漢人不作音，後人所託。"

今文尚書音一卷　　祕書學士顧彪撰

《北史·儒林傳》：顧彪，字仲文，餘杭人。明《尚書》、《春秋》。煬帝時，爲祕書學士。

《唐書·經籍志》：《古文尚書音義》五卷，顧彪撰。

《唐書·藝文志》：顧彪《古文音義》五卷。

按以上音義之屬，爲第二類。

尚書大傳三卷　　鄭玄注

鄭玄有《易注》，見前易類。

《漢書·藝文志》：“《傳》四十一篇。”鄭康成《序》曰：“蓋自伏生也。伏生爲秦博士，至孝文時，年且百歲。張生、歐陽生從其學而受之，音聲猶有譌誤，先後猶有差舛，重以篆隸之殊，不能無失。生終後，數子各論所聞，以己意彌縫其闕，而又特撰其大義，因經屬指，名之曰傳。劉向校書，得而上之，凡四十一篇。至康成，始詮次爲八十三篇。”按此據《玉海·藝文》所載，蓋即《中興書目》摘録舊序之文，而後人移而爲今本之序。

《晉書·五行志》序：漢文帝時，伏生創紀《大傳》，其言五行庶證備矣。

《釋文·敍録》：《尚書大傳》三卷，伏生作。

《唐書·經籍志》：《尚書暢訓》三卷，伏勝注。

《唐書·藝文志》：伏勝注《大傳》三卷，又《暢訓》一卷。

《宋史·藝文志》：伏勝《大傳》三卷，鄭玄注。

《崇文總目》：《尚書大傳》三卷，漢濟南伏勝撰。後漢大司農鄭玄注。伏生本秦博士，以章句授諸儒，故博引異言，授受援經而申證云。[①]

晁氏《讀書志》曰：“今本四卷，首尾不倫。”

陳氏《書録解題》曰：“凡八十三篇，未必當時本書也。”

《四庫提要》曰：“《尚書大傳》四卷，補遺一卷。舊本題漢伏勝撰，實則張生、歐陽生等所述。特源出於勝爾，非勝自撰也。其文或説《尚書》，或不説《尚書》，大抵如《詩外傳》、《春秋繁露》，與經義在離合之間。而古訓舊典，往往而在。第三卷爲《洪範五行傳》，首尾完具。漢代緯候之説，實由是起。第四

---

① 《後知不足齋叢書》本《崇文總目輯釋》無“受”。

卷題曰《略説》，王應麟《玉海》別爲一書。然如《周禮·大行人》疏引‘孟侯’一條，《玉藻》疏引‘祀上帝於南郊’一條，今皆在卷中，是《大傳》爲大名，《略説》爲小目。應麟析而二之，非也。惟所傳二十八篇無《泰誓》，而此有《泰誓傳》。又《九共》、《帝告》、《歸禾》、《掉誥》皆逸《書》，而此書亦皆有傳。蓋伏生畢世業書，不容二十八篇之外全不記憶，特舉其完篇者傳於世。其零章斷句，則偶然附記於傳中，亦事理所有，固不足以爲異矣。”

王謨《漢魏遺書鈔》曰：“近德州盧氏《雅雨堂叢書》有《大傳》四卷，仁和盧學士文弨爲撰《考異》一卷、《補遺》二卷於後。今惟就盧本，更加蒐采，凡鈔出《注疏》八條、《白虎通》二條、《風俗通》二條、《群輔録》一條、《山海經注》二條、《水經注》一條、《史記》注二條、《後漢書傳》一條、《文選注》二條、《通典》一條、《書鈔》五條、《御覽》二條、《廣韻》一條、《路史》一條、《困學紀聞》一條。”

《孫祠書目》：《尚書大傳》四卷，孔廣林集本。

光緒元年四川學政南皮張之洞《書目答問》：《尚書大傳》定本八卷，陳壽祺校注。廣州原刻本，《古經解彙函》重刻陳本。

大傳音二卷　顧彪撰

顧彪有《今文尚書音》，見前。

尚書洪範五行傳論十一卷　漢光禄大夫劉向撰

《漢書·楚元王附傳》：“向字子政，本名更生。年十二，以父德任爲輦郎。弱冠，擢爲諫大夫、給事。元帝即位，爲散騎宗正給事中。中廢十餘年。成帝即位，更生乃復進用，更名向。以故九卿召拜爲中郎，使領護三輔都水。遷光禄大夫。上方進於《詩》、《書》，觀古文，詔向領校中五經祕書。向見《尚

書‧洪範》，箕子爲武王陳五行陰陽休咎之應。向乃集合上
古以來歷春秋、六國至秦、漢符瑞災異之記，推迹行事，連傳_按
_{似"傅"字之譌}。禍福，著其占驗，比類相從，各有條目，凡十一篇，
號曰《洪範五行傳論》，奏之。天子心知向忠精，故爲王鳳兄
弟起此論也，然終不能奪王氏權。以向爲中壘校尉，上數欲
用向爲九卿，輒不爲王氏居位者及丞相、御史所持，故終不
遷。居列大夫官前後三十餘年，年七十二卒。卒後十三歲而
王氏代漢。"又傳贊曰："仲尼稱'才難，不其然歟'。自孔子
後，綴文之士衆矣，惟孟軻、孫況、董仲舒、司馬遷、劉向、揚
雄。此數公者，皆博物洽聞，通達古今，其言有補於世。傳曰
'聖人不出，其間必有命世者焉'，豈近是乎？劉氏《洪範論》
發明《大傳》，著天人之應。"

又《五行志》曰："孝武時，夏侯始昌通五經，善推《五行傳》。
以傳族子夏侯勝，下及許商，皆以教所賢弟子。其傳與劉
向同。"

又《藝文志》："劉向《五行傳記》十一卷。"又篇末班氏自注曰：
"入劉向《稽疑》一篇。"_{按班氏所入《稽疑》一篇，篇中不見著錄，疑《五行傳》}
_{十卷，其一卷即《稽疑論》也。}

《宋書‧五行志》序曰："九疇陳其義於前，《春秋》列其效於
後。逮至伏生胤紀《大傳》，五行之體始詳；劉向廣演《洪範》，
休咎之文益備。"

《晉書‧五行志》序曰："班固據《大傳》，采仲舒、劉向、劉歆，
著《五行志》。綜而爲言，凡有三術。其一曰：君治以道，臣輔
克忠，萬物咸遂其性，則和氣應，休徵效，國以安。二曰：君違
其道，小人在位，衆庶失常，則乖氣應，咎徵效，國以亡。三
曰：人君大臣見災異，退而自省，責躬修德，共禦補過，則消禍
而福至。此其大略也。"

《隋書·五行志》曰："漢時有伏生、董仲舒、京房、劉向之倫，能言災異，顧眄六經，有足觀者。劉向曰：'君道得則和氣應，休徵生。君道違則乖氣應，咎徵發。'夫天有七曜，地有五行。五事愆違則天地見異，況於日月星辰乎？況於水、火、金、木、土乎？"

又本志篇敍曰："濟南伏生之傳，唯劉向父子所著《五行傳》是其本法，而又多乖戾。"

《唐日本國見在書目》：《尚書鴻範五行傳論》十二卷。漢光祿大夫劉向傳。按此十二卷，或別出《稽疑論》一卷在内。

《唐書·經籍志》：《尚書洪範五行傳》十一卷，劉向撰。

《唐書·藝文志》：劉向《洪範五行傳論》十一卷。

《經義考》：葉適曰："劉向爲王氏考災異，著《五行傳》，歸於切劘當世，而學者以是爲格王正事。"又趙樞生曰："自大、小夏侯明五行之後，劉向遂著爲《洪範五行傳論》。其書不可見，而見於班固《漢書·五行志》。"

王氏《漢魏遺書鈔》曰："《漢書·五行志》原本伏生《尚書大傳》，兼采董仲舒、劉向、向子歆及眭孟、夏侯勝、京房、谷永、李尋諸家之説。今從本志抄出向説百四十一條，益以《類聚》、《初學記》、《書鈔》、《御覽》，凡若干條，分爲上、下二卷。"

按《玉海》卷五引《唐志》云："向爲《五行傳》，取五事、皇極、庶徵附於五行，以爲八事皆屬五行。則八政、五紀、三德、稽疑、福、極之類，又不能附。俾《洪範》之書，失其倫理。然自漢以來，未有非之者。"宗按劉氏此書，專取五行比附以爲之説，故曰《洪範五行傳論》。伏生已先有其書，劉氏推而廣之，欲以感動人主耳。其書本不爲《洪範》全經而作，後世又何從而非之乎？其他如五紀、稽疑，各有所論，見《漢書·曆志》、《藝文志》。與八政、三德、福、極諸篇亦不相涉，皆非爲全經作也。

又按《大傳》、《五行傳》皆漢儒自爲一家之學，別爲第三類。

尚書駁義五卷① 　王肅撰

王肅有《易注》，見前易類。

《唐書·經籍志》：《尚書釋駁》五卷，王肅撰。

《唐書·藝文志》：《尚書》王肅注十卷，又《釋駁》五卷。

梁有《尚書義問》三卷，鄭玄、王肅及晉五經博士孔晁撰，亡。

鄭玄、王肅並見易類。

嚴氏《全晉文編》曰：“孔晁，泰始初爲五經博士。”

《唐書·經籍志》：《尚書答問》三卷，王肅注。

《唐書·藝文志》：王肅、孔安國《問答》三卷。“孔安國”當爲“孔晁”。

《經義考》曰：“按《唐志》有《尚書問答》三卷，當即《隋志》之《義問》。孔晁采鄭康成及肅，參以己見者也。”

侯氏《補後漢志》曰：“《唐志》又有王肅、孔安國《問答》三卷。《經義考》謂當即《隋志》《義問》，是也。蓋‘孔晁’訛爲‘孔安國’耳。”

按王肅《聖證論》中附馬昭駁、孔晁答、張融評，晁朋於王，蓋王之及門弟子也。王之弟子有孔猛者，孔子二十二世孫。晁不知其世系，孔繼汾《闕里文獻考》亦不載其人。所撰有《逸周書注》，見《唐志》雜史類。

梁有《尚書釋問》四卷，魏侍中王粲撰。

《魏志》本傳：粲字仲宣，山陽高平人也。曾祖父龔、祖父暢，皆爲漢三公。父謙，爲大將軍何進長史。獻帝西遷，粲徙長安。年十七，司徒辟，詔除黃門侍郎，以西京擾亂，皆不就。乃之荆州，依劉表，表以粲貌寢而體弱通侻，不甚重也。表卒，粲勸表子琮，令歸太祖。太祖辟爲丞相掾，賜爵關內侯。

---

① “義”，殿本《隋書》作“議”。

遷軍謀祭酒。魏國既建，拜侍中。建安二十一年，從征吳。二十二年春，道病卒，時年四十一。《文選·王仲宣誄》云："建安二十二年正月二十四日戊申，魏故侍中、關內侯王君卒。"

《舊唐書·元行沖傳》：行沖著《釋義論》曰："王粲稱伊雒以東，淮海以北，康成一人而已，莫不宗焉。咸云先儒多闕，鄭氏道備，粲竊歎怪，因求其學。得《尚書注》，退而思之，以盡其意，意皆盡矣。所疑之者，猶未諭焉。凡有二卷，列於其集。"

《唐書·經籍志》：《尚書釋問》四卷。王粲問，田瓊、韓益正，鄭玄注。

《唐書·藝文志》：鄭玄又注《釋問》四卷。王粲問，田瓊、韓益正。

嚴氏《全三國文編》曰："田瓊，鄭康成弟子。建安、黃初間爲博士。韓益，或作韓蓋，建安末博士。"

侯氏《補後漢藝文志》曰："按王粲《尚書問》二篇，載粲集中。後田瓊、韓益答其義，因成《釋問》四卷。《隋志》但稱王粲撰，似未合。田瓊者，康成弟子，見《鄭志》。韓益，魏大長秋，見《隋志》春秋類。"

梁有《尚書王氏傳問》二卷。《尚書義》二卷，范順問，吳太尉劉毅答，亡。

《吳志·孫登傳》："黃龍元年，權稱尊號，立登爲皇太子。以范慎爲賓客。"《吳錄》曰："慎字孝敬，廣陵人。後爲侍中，出補武昌左部督。孫晧移都武昌，以爲太尉，鳳皇三年卒。"

侯氏《補後漢志》曰："《隋志》當云'吳太尉范順問，劉毅答'。《吳志·孫晧傳》有太尉范慎，又見《孫登傳》注，即其人也。順、慎古通。"

　按《冊府元龜》云"劉毅爲太尉，譔《尚書答》"，蓋亦據《隋志》之誤，以太尉屬劉毅也。劉毅始末未詳。

尚書新釋二卷　李顒撰

李顒有《卦象數旨》，見前易類。

《唐書·經籍志》：《尚書新釋》二卷，李顒撰。

《唐書·藝文志》：李顒《集注》十卷，又《新釋》二卷。

尚書百問一卷　齊太學博士顧歡撰

《南史·隱逸傳》：顧歡，字景怡，一字玄平，吳興鹽官人也。父祖並爲農夫，歡獨好學，篤志不倦，從吳興邵玄之受五經，更從豫章雷次宗諮玄儒諸義。母亡，廬於墓次，遂隱不仕。於剡天台山開館聚徒，受業者常近百人。齊高帝輔政，徵爲揚州主簿。永明中，詔徵爲太學博士，不就。卒於剡山，年六十四。

又《徐伯珍傳》：吳郡顧歡摘出《尚書》滯義，伯珍訓答，甚有條理，儒者宗之。

《唐書·經籍志》：《尚書百問》一卷，顧歡撰。

《唐書·藝文志》：顧歡《百問》一卷。

尚書大義二十卷　梁武帝撰

梁武帝有《周易大義》，見前易類。

《南史·劉之遴傳》：是時，《周易》、《尚書》並有武帝義疏。

《玉海·藝文》類“《隋志》《尚書大義》二十卷，梁武帝撰”，注云：“梁主言：‘本有兩《泰誓》，兼而存之，古文伐紂，今文觀兵時事。’”

　　按《釋文·敍錄》云：“齊明帝建武中，吳興姚方興采馬、王之注，造孔傳《舜典》一篇，云於大航頭買得，上之。梁武時，爲博士議曰：‘孔序稱伏生誤合五篇，皆文相承接，所以致誤。《舜典》首有曰若稽古，伏生雖昏耄，何容合之？’遂不行用。”是梁武於《舜典篇》不取姚方興本可知。

尚書百釋三卷　梁國子助教巢猗撰

巢猗始末未詳。

《唐書·經籍志》：《尚書百釋》三卷，巢猗撰。

《唐書·藝文志》：巢猗《百釋》三卷。

按此《百釋》，《新唐志》類從於顧氏《百問》之次，似即釋顧氏之書。當時所釋不止徐伯珍一家歟？

又按自《尚書駁議》至此，皆駁難、問答、雜義之屬，爲第四類。

尚書義三卷　巢猗撰

巢猗見前。

《唐書·經籍志》：《尚書義疏》十卷，巢猗撰。

《唐書·藝文志》：巢猗《百釋》三卷，又《義疏》十卷。

尚書義疏十卷　梁國子助教費甝撰

《北史·儒林傳》序：齊時，儒士罕傳《尚書》之業。下里諸生，略不見孔氏注解。武平末，劉光伯、劉士元始得費甝《義疏》，乃留意焉。

《釋文·敍錄》曰：“梁國子助教江夏費甝作《義疏》，行於世。”

《唐書·經籍志》：《尚書義疏》十卷，費甝撰。

《唐書·藝文志》：費甝《義疏》十卷。

梁有《尚書義疏》四卷，晉樂安王友伊說撰，亡。

《唐書·經籍志》：《尚書釋義》四卷，伊說撰。

《唐書·藝文志》：伊說《釋義》四卷。

按伊說始末未詳。《晉書·文六王傳》：“樂安平王鑒，武帝踐祚，封樂安王。帝爲鑒及燕王機高選師友，下詔曰：‘樂安王鑒、燕王機並以長大，宜得輔導師友，取明經儒學，有行義節儉，使足嚴憚。昔韓起與田蘇游而好善，宜必得其人’。”蓋晉初，與燕王師王戀約撰《周官》、《禮記寧朔新書》

者,同時爲二王師友者也。说所撰又有《周官禮注》十二卷,見後三禮類。據《開元姓纂》,伊氏大抵是山陽郡人,與蜀伊籍同族。

尚書義疏三十卷　蕭詧司徒蔡大寶撰

《周書·蕭詧附傳》:蔡大寶字敬位,濟陽考城人。博覽群書,學無不綜。詧於江陵稱帝,爲侍中、尚書令,封安豐縣侯。歸嗣位,册授司空、中書監、中權大將軍,領吏部尚書。固讓司空,許之。加特進。歸之三年,<small>按後梁明帝天保三年,爲南朝陳文帝天嘉五年。</small>卒。贈司徒,進爵爲公。諡曰文凱。大寶有智謀,詧推心委任,以爲謀主。時人以詧之有大寶,猶劉先主之有孔明焉。所著《尚書義疏》行於世。

《唐書·經籍志》:《尚書義疏》三十卷,蔡大寶撰。

《唐書·藝文志》:蔡大寶《義疏》三十卷。

尚書義注三卷　呂文優撰

呂文優始末未詳。

《唐書·經籍志》:《尚書義注》三卷,呂文優撰。

《唐書·藝文志》:呂文優《義注》三卷。

尚書義疏七卷

不著撰人。

按兩《唐志》蔡大寶之後、劉炫之前,有劉焯《義疏》二十卷。此七卷似即劉焯之殘本。

尚書述義二十卷　國子助教劉炫撰

《北史·儒林傳》:劉炫字光伯,河間景城人也。少聰敏,與信都劉焯閉户讀書,十年不出。炫強記默識,莫與爲儔。隋開皇中,奉敕與著作郎王劭同修國史,俄直門下省,待顧問。又詔諸術者修天文、律曆,兼於內史省考定群言。除殿内將軍。坐事除名,歸家教授。後召至京師,與諸儒修定五禮,授旅騎尉。煬帝時，除太學博士。歲餘，以品卑去任。還河間時，盜賊蜂起，教授不行。炫爲賊所將，未幾，賊爲官軍所破，炫飢餓無所依，時夜冰寒，因此凍餒而死。《隋書·儒林傳》云年六十八。其後門人諡曰宣德先生。著《尚書述議》二十卷，《論語》、《孝經》、《毛詩》、《春秋》諸《述議》各若干卷，《算術》一卷，并文集，並行於世。

又《劉焯傳》云："劉炫聰明博學，名亞於焯，時人稱'二劉'焉。"

《隋書·儒林傳》序曰："煬帝即位，復開庠序，於時舊儒，多已凋亡。'二劉'拔萃出類，學通南北，博極古今，後生鑽仰，莫之能測。所製諸經義疏，搢紳咸師宗之。"

《史通·古今正史篇》：齊建武中，吳興人姚方興采馬、王之義，以造孔傳《舜典》，云大舫購得，詣闕以獻。舉朝集議，咸以爲非。及江陵板蕩，其文入北，中原學者得而異之。隋學士劉炫遂取此一篇，列諸本第。故今人所習《尚書·舜典》，元出於姚氏者焉。

唐孔穎達《尚書正義序》曰："古文經傳，晚始得行，其辭富而備，其義弘而雅。故復而不厭，久而愈亮。江左學者，咸悉祖焉。近至隋初，始流河朔。其爲正義者，蔡大寶、巢猗、費甝、顧彪、劉焯、劉炫等。其諸公旨趣，多或因循帖釋注文，義皆淺略，惟劉焯、劉炫最爲詳雅。"又曰："炫嫌焯之煩雜，就而刪焉。"

《唐書·經籍志》：《尚書述義》二十卷，劉炫撰。

《唐書·藝文志》：劉炫《述義》二十卷。

馬氏玉函山房輯本序曰："炫本傳敍其著作有《尚書述議》二十卷。《隋》、《唐志》並作《述義》，卷同。今佚。孔氏《正義》引之，或稱'二劉'，或稱'小劉'，或稱'劉君'。今以稱'大劉'者歸焯，稱'小劉'及'劉君'者歸炫，稱'二劉'者，各著之。"按

《北史·儒林傳》，劉焯亦著《五經述議》，二劉書名相同。

尚書疏二十卷　　顧彪撰

顧彪有《今文尚書音》，見前。

馬氏玉函山房輯本序曰："《隋志》有《尚書疏》二十卷。《唐志》不著録。今佚。從《正義》輯録爲帙。《疏》衍孔《傳》而時參用鄭康成説。蓋顧嘗爲《今文尚書音》、《大傳音》，留心舊學，不墨守一家也。"

王氏《漢魏遺書鈔》曰："從《正義》鈔出四十二條。"

尚書閏義一卷

不著撰人。

尚書義三卷　　劉先生撰

《經義考》曰："《隋志》載劉先生《尚書義》三卷，不詳其名。度非劉光伯，即劉士元所著也。"

　按劉炫字光伯，劉焯字士元。《經義考》曰："《通志·藝文略》載劉炫《尚書百篇義》一卷、《尚書孔傳目》一卷、《尚書略義》三卷。此三書，紹興《四庫續到闕書目》俱有之。"宗按《尚書略義》或即此《尚書義》，以其卷數相同爾，別無碻證。而劉士元《義疏》二十卷，本志不見。疑此與前七卷，皆士元書之散佚者。

尚書釋問一卷　　虞氏撰

虞氏不詳何人。

尚書文外義一卷　　顧彪撰

顧彪有《尚書音》、《大傳音》、《尚書疏》，並見前。

《唐書·經籍志》：《尚書文外義》三十卷，顧彪撰。

《唐書·藝文志》：顧彪《文外義》一卷。一本作五卷。

《册府元龜·學較部·注釋門》：顧彪爲祕書學士，爲《古文尚書疏》二十卷、《今文尚書音》一卷、《尚書大傳音》一卷、《尚書文外義》一卷。

按顧氏《音義》，兩《唐志》並作五卷，見前。《文外義》或云一卷，或作五卷。《舊唐志》作三十卷，似并合《疏義》、《音義》、《文外義》爲一帙也。

又按自巢猗《義疏》至此，皆講義、疏義之屬；《閏義》以下四家，亦其支流，是爲第五類，終焉。

右三十二部，二百四十七卷。通計亡書，合四十一部，共二百九十六卷。實著録三十二部，附注亡書八部，通計四十部。

卷三

經部三

詩類　類中分類凡六。

韓詩二十二卷　漢常山太傅韓嬰，薛氏章句。

《漢書·儒林傳》：韓嬰，燕人也。孝文時爲博士，景帝時至常山太傅。嬰推詩人之意，而作《内》、《外傳》數萬言，其語頗與齊、魯閒殊，然歸一也。淮南賁生受之。師古曰："賁音肥。"燕、趙閒言《詩》者由韓生。

又《藝文志》："《詩經》二十八卷，魯、齊、韓三家。"又曰："三家皆立於學官。"又曰："《韓故》三十六卷，《韓内傳》四卷，《韓説》四十一卷。"

《後漢書·儒林傳》：薛漢，字公子，淮陽人也。世習韓《詩》。父子以章句著名。漢少傳父業，教授常數百人。建武初，爲博士。當世言《詩》者，推漢爲長。永平中，爲千乘太守。後坐楚事辭相連，下獄死。弟子犍爲杜撫、會稽澹臺敬伯、鉅鹿韓伯高最知名。

《唐書·宰相世系表》：薛廣德，字廣德，御史大夫。生饒，長沙太守。饒生愿，爲淮陽太守。因徙居焉。生方丘，字夫子。方丘生漢，字公子，後漢千乘太守。

《釋文·敍録》：《齊詩》久亡，《魯詩》不過江東，《韓詩》雖在，人無傳者。

《唐書·經籍志》：《韓詩》二十卷，卜商序，韓嬰撰。

《唐書·藝文志》：《韓詩》卜商序，韓嬰注，二十二卷。

惠氏《後漢書補注》：《唐·世系》：薛廣德生饒，饒生愿，愿生方丘，字夫子。方丘生漢。《經籍志》曰“《韓詩》二十二卷，薛氏章句”。棟案唐人所引《韓詩》，其稱“薛君”者，漢也；稱“薛夫子”者，乃方丘也。故《馮衍傳》注有《薛夫子章句》，是也。傳不載漢父名字，後人以章句專屬諸漢，失之。侯氏《補志》曰：“《馮衍傳》注引《薛夫子章句》，亦見《明帝本紀》注，而引作‘薛君’。則凡稱‘薛君’者，亦有薛夫子説矣。”

王氏《漢魏遺書鈔》曰：“《韓詩内傳》至宋已亡。朱子嘗欲寫出《文選注》中《韓詩章句》，未果。王應麟因更爲《韓詩考》，猶多遺漏。謨已別撰《韓拾遺》十六卷，網羅《内》、《外傳》放失。茲不具録。祇仍據《毛詩》篇目，略爲詮次，凡鈔出《釋文》一百五十八條、《詩正義》九條、《周禮正義》五條、《禮記正義》七條、《公羊傳注》二條、《孟子音義》一條、《爾雅注疏》四條、《史記》注五條、《漢書注》五條、《後漢書注》十六條、《文選注》九十三條、《水經注》一條、《説文》一條、《玉篇》三條、《廣韻》一條、《白虎通》二條、《類聚》二條、《初學記》六條、《書鈔》一條、《御覽》十一條、《玉海》四條、朱子《詩傳》一條、董氏《詩故》六條。”

馬氏玉函山房輯存《韓詩故》二卷、《韓内傳》一卷。序曰：“薛君章句久佚，宋王應麟《詩考》輯附《韓詩》，而尚多漏略。茲更補輯，別爲二卷。”

《孫祠書目》：《韓詩内傳徵》四卷，宋緜初撰。

張氏《書目答問》：嚴可均輯《韓詩》二十一卷，附《魯詩》、《齊詩》、漢人《詩》説，未刊。

　按《漢書》：“薛廣德以《魯詩》教授，爲博士，論石渠，至御史大夫。”《儒林傳》亦載廣德事王式受《魯詩》。明區大任《百越先賢志》云：“澹臺敬伯受韋氏《詩》於淮陽薛漢。”韋氏《詩》者，丞相韋賢治《魯詩》，爲韋氏學。是薛氏家世《魯詩》而兼習《韓詩》，至方丘父子乃以《韓詩》名其家。范書謂世習《韓詩》，似未詳盡。

又按范書《儒林杜撫傳》云：“撫少有高才，受業於薛漢，定《韓詩章句》。”則當時薛氏之書，又有杜氏重定之本。馬竹吾謂薛氏《章句》爲杜撫所定，似未然。

韓詩翼要十卷　漢侯芑傳　一本作“苞”。

《漢書·揚雄傳》：雄家素貧，耆酒，人希至其門。時有好事者載酒肴從游學，而鉅鹿侯芑常從雄居，受其《太玄》、《法言》焉。天鳳五年卒。侯芑爲起墳，喪之三年。服虔曰：“芑音葩。”

《藝文類聚·冢墓門》：《揚雄家諜》曰：“子雲以天鳳五年卒，葬安陵阪上，所厚沛郡桓君山、平陵如子禮、弟子鉅鹿侯芑，共爲治喪，諸公遣世子、朝臣、郎吏行事者會送。桓君山爲斂賵，起祠塋。侯芑負土作墳，號曰玄冢。”

《唐書·經籍志》：《韓詩翼要》十卷，卜商撰。

《唐書·藝文志》：《韓詩卜商集序》二卷，又《翼要》十卷。按兩志所載如此，甚謬。

王應麟《困學紀聞》曰：“董氏舉侯包言，衛武公作《抑》詩，使人日誦於其側’，朱子謂不知出在何處。愚考侯包之説，見於《詩正義》。《隋·經籍志》‘《韓詩翼要》十卷，侯包撰’，然則包學《韓詩》者也。”

王謨《漢魏遺書鈔》曰：“《隋志》《韓詩翼要》十卷，漢侯包傳。《唐志》卷同，不言何人撰。謨案包當屬後漢人，出處無考。今本《隋志》誤作‘侯芑’。揚雄弟子，載酒問奇字者也。若《詩正義》本作‘侯包’。今並鈔出《詩正義》三條、《隋書·樂志》一條。”

馬國翰玉函出房輯本序曰："侯苞，不詳何人。今惟從《正義》及陳暘《樂書》輯録四節。其説'衣裯'、'弄瓦'，與《毛傳》合。意其以毛通韓，摘論節訓，故以《翼要》爲名歟？"

侯康《補後漢藝文志》曰："侯氏説見於《正義》者，《斯干》詩、《白華》詩、《江漢》詩、《抑》詩。又《隋書·樂志》牛弘修皇后樂，引一事。"

按苞、芭字形相近，義亦相通，故自來傳寫不一。其稱侯包者，則又因"苞"之誤也。《論衡·案書篇》有云："子雲作《太玄》，侯鋪子隨而宣之。"則其字鋪子。唐王涯《説玄》稱"鉅鹿侯芭子常"，則又字子常。由是知《揚雄傳》"芭"下敚"子"字，其原文則云"而鉅鹿侯芭子常，從雄居"。下文王邑、嚴尤謂桓譚曰："子常稱揚雄書，豈能傳於後世乎？"此稱子常，即謂侯芭，非稱桓譚。芭不知卒於何時，或亦與桓君山至光武世。所著又有《法言注》，見本志子部儒家；又有《太玄注》，見王涯《説玄》。今所傳《太玄釋文》出自侯芭云。

韓詩外傳十卷

《漢書·藝文志》："《韓外傳》六卷。"又曰："漢興，魯申公爲《詩》訓故，而齊轅固、燕韓生皆爲之傳，或取《春秋》，采雜説，咸非其本義。"

《唐書·經籍志》：《韓詩外傳》十卷，韓嬰撰。

《唐書·藝文志》：《韓詩》二十二卷，又《外傳》十卷。

《宋史·藝文志》：《韓詩外傳》十卷，漢韓嬰傳。

宋洪邁《容齋隨筆》曰："《韓外傳》第二章載孔子南遊適楚，見處子佩瑱而浣，乃令子貢以微詞挑之，以是説《詩·漢廣》游女之章，其謬戾甚矣。他亦無足言。"

晁氏《讀書志》曰："此書稱《外傳》，雖非其解經之深者，然文辭清婉，有先秦風。”

陳氏《書録》曰：“今所存惟《外傳》，而卷多於舊。舊六卷，今十卷。蓋多雜説，不專解《詩》，不知果當時本書否也。”

《經義考》：王應麟曰：“申、毛之《詩》皆出荀卿子，[①]而《韓詩外傳》多引荀書。”又曰：“荀卿《非十二子》，《韓詩外傳》引之，止云十子，而無子思、孟子。愚謂荀卿非子思、孟子，蓋其門人如韓非、李斯之流，托其師以毁聖賢，當以《韓詩》爲正。”

又王世貞曰：“《韓詩外傳》雜記夫子之緒言，與諸春秋、戰國之説大抵引《詩》以證事，而非引事以明《詩》。故多浮泛不切、牽合可笑之語。蓋馳騁勝而説《詩》之旨微矣。”

又董斯張曰：“世所傳《韓詩外傳》亦非全書，《文選注》、《藝文類聚》、《太平御覽》、佛典引《外傳》文，今本皆無之。”

《四庫提要》曰：“自《隋志》以後，即較《漢志》多四卷。蓋後人所分也。其書雜引古事、古語，證以《詩》詞，與經義不相比附，故曰《外傳》。所采多與周秦諸子相出入。中間阿谷處女之類，皆非事實。又先後重見，失於簡汰。然其引荀卿《非十二子》，删去子思、孟子，惟存十子，其去取特爲有識。又繭絲、雞卵之喻，董仲舒取之爲《繁露》；‘君，群’、‘王，往’之訓，班固取之爲《白虎通》。精理名言，往往而有，不必盡以訓詁繩也。是書之例，每條必引《詩》詞，而未引《詩》者二十八條。又‘吾語汝’一條，起無所因，均疑有闕文。《文選注》二事，今本皆無之，并疑有脱簡。”

嚴氏《鐵橋漫稿》曰：“《韓詩外傳》引荀子以説《詩》者四十餘事，是韓嬰亦荀子私淑弟子也。”

---

① “出”，原脱，據清乾隆盧氏雅雨堂刻本《經義考》及《師石山房叢書》本《漢書藝文志條理》卷一“韓外傳六卷”條引《經義考》補。

《孫祠書目》：《韓詩外傳》十卷，趙懷玉校刊本。又《補逸》一卷，盧文弨輯，趙懷玉刊。

　　按阿谷處女一事，後人多以爲口實。《困學紀聞》云：“江漢之女，不可犯以非禮，可以見周俗之美。”是説也，即毛《傳》、鄭《箋》亦無不相同者也。韓引舊文載此事，其意亦如此，而必托之孔子、子貢，此其所以爲《外傳》歟。

梁有《韓詩譜》二卷、《詩神泉》一卷，漢有道徵士趙曄撰，亡。

《後漢書·儒林傳》：趙曄字長君，會稽山陰人也。少嘗爲縣吏，奉檄迎督郵，曄恥於廝役，遂棄車馬去。到犍爲資中，詣杜撫受《韓詩》，究竟其術。積二十年，絶問不還，家爲發喪制服。撫卒乃歸。川召補從事，不就。舉有道。卒於家。曄著《詩細歷神淵》。蔡邕至會稽，讀《詩細》而歎息，以爲長於《論衡》。邕還京師，傳之，學者咸誦習焉。按王充《論衡》亦蔡中郎至會稽所得，傳之京師。故其言如此。

惠氏《後漢書補注》：《會稽典録》曰：“撫嘉其精力，盡以其道授之。撫卒，曄經營葬之，然後歸。”

《册府元龜·學較部》：趙曄撰《詩道微》十一篇。按其書又名《詩道微》。凡十一篇，惟見於此，不詳其所据。《册府》寫刊之誤觸目皆是，此甚可疑也。

《經義考》：趙氏曄《詩細》，《七録》作《詩譜》二卷，佚。

惠氏《後漢書補注》：《經籍志》曰梁有《詩神泉》一卷，本傳作《歷神淵》。以歷言《詩》，猶《詩緯》之《汎歷樞》也。

錢氏《隋書考異》曰：“《詩神泉》本名‘神淵’，見《後漢書·趙長君傳》。唐人避諱改。”

嘉興沈濤《銅熨斗齋隨筆》曰：“趙曄著《詩細歷神淵》，此與杜撫之《詩題約義通》，皆五字書名也。《隋·經籍志》‘梁有《詩神泉》一卷，漢有道徵士趙曄撰’，即此書，避唐諱，改爲‘泉’耳。或疑《詩細》爲一書，《歷神淵》爲一書，非。傳又云‘蔡邕至會稽,讀《詩細》而歎息',‘細'下疑脱‘歷'字。"

　　按本志引《七録》有《韓詩譜》、《詩神泉》二書,似當如朱氏、惠氏之説爲是。沈氏云云,似未可從。

　　以上韓詩爲第一類。

毛詩二十卷　漢河間太守毛萇傳,鄭氏箋。

《漢書·景十三王傳》:河間獻王德修學好古,實事求是,其學舉六藝,立毛氏《詩》博士。

又《藝文志》:"魯、齊、韓三家皆立於學官。又有毛公之學,自謂子夏所傳,而河間獻王好之。未得立。"又曰:"《毛詩》二十九卷,《毛詩故訓傳》三十卷。"

又《儒林傳》:"毛公,趙人也。治《詩》,爲河間獻王博士。"又傳贊曰:"平帝時,又立《左氏春秋》、《毛詩》、《逸禮》、《古文尚書》。"按《孔安國傳》云"王莽時諸學皆立",是也。時爲平帝元始五年,亦見《平帝本紀》、《王莽傳》。蓋至是,漢朝始立《毛詩》博士也。

鄭氏《六藝論》曰:"河間獻王好學,其博士毛公善説《詩》,獻王號之曰《毛詩》。"

又《詩譜》曰:"魯人大毛公爲《詁訓傳》於其家。河間獻王得而獻之,以小毛公爲博士。"

吳陸璣《詩疏》曰:"孔子删《詩》,授卜商,商爲之序,以授魯人曾申,申授魏人李克,克授魯人孟仲子,仲子授根牟子,根牟子授趙人荀卿,荀卿授魯國毛亨,亨作《詁訓傳》,以授趙國毛萇。時人謂亨爲大毛公,萇爲小毛公。以其所傳,故名其《詩》曰《毛詩》。萇爲河間獻王博士。"按《釋文叙録》引吳徐整云"子夏授高行子"云云,與此異,同是吳人而所言各不同。蓋各有所據,今莫得而詳矣。

《後漢書·儒林傳》:"中興後,鄭衆、賈逵傳《毛詩》。後馬融作《毛詩傳》,鄭玄作《毛詩箋》。"

《釋文·叙録》:"《毛詩故訓傳》二十卷,鄭氏箋。"又曰:"鄭玄作《毛詩箋》，申明毛義，難三家，於是三家遂廢矣。”

《唐日本國見在書目》：《毛詩》二十卷，漢河間太傅毛萇傳，鄭氏箋。按此稱“太傅”，足訂本志題“太守”之誤。

《唐書·經籍志》：《毛詩》十卷，毛萇撰。《毛詩詁訓》二十卷，鄭玄箋。

《唐書·藝文志》：毛萇《傳》十卷，鄭玄箋。《毛詩詁訓》二十卷。

《宋史·藝文志》：《毛詩》二十卷，毛萇爲《詁訓傳》，鄭玄箋。

《四庫提要》曰：“今參稽衆説，定作傳者爲毛亨。《隋志》題毛萇，誤也。《漢志》：《毛詩》二十九卷。《隋志》附以鄭箋，作二十卷，疑爲康成所併。康成發明毛義，自命曰箋。按《説文》‘箋，表識書也’，《六藝論》云：‘注《詩》宗毛爲主，毛義若隱略，則更表明；如有不同，即下己意，使可識別。’然則康成特因《毛傳》而表識其傍，如今人之簽記，積而成帙，故謂之箋。無庸別曲説也。”

鄭珍《鄭學録》曰：“《釋文》、《隋》、《唐志》：二十卷。唐孔沖遠撰《傳箋正義》，分爲四十卷。今列於學官。”

梁有《毛詩》十卷，馬融注。亡。

馬融有《周易注》，見前易類。

《後漢書·儒林傳》：中興後，鄭衆、賈逵傳《毛詩》，後馬融作《毛詩傳》。

《釋文·敍録》：“《毛詩》馬融注十卷，無下帙。

餘姚盧文弨《釋文考證》曰：“《隋志》云梁有《毛詩》十卷，亡。蓋馬所注本二十卷，至六朝時殘缺，止存十卷。陸氏尚見及之，故標其目。至唐人修《隋書》，并十卷亦亡也。故《唐志》不著録。”

馬氏玉函山房輯本序曰：“《毛詩》馬氏傳，《唐志》以下不復著

録。唯《正義》及《釋文》引十一節，《水經·溱水注》引一節，
佚説之存者僅此。按鄭康成受業於融，箋《诗》應本師説。
《正義》及《釋文》所引，特著其與鄭義異者耳。"

毛詩二十卷　王肅注

王肅有《易注》，见前易類。

《釋文·敍録》："鄭玄作《毛詩箋》，申明毛義，難三家，於是三
家遂廢。魏太常王肅更述毛非鄭。"又曰："王肅《注》二十卷。"

《唐書·經籍志》：《毛詩》二十卷，王肅注。

《唐書·藝文志》：《毛詩》王肅注二十卷。

侯康《補三國藝文志》曰："《釋文·敍録》云：'魏太常王肅述
毛非鄭。'按肅雖述毛，然亦有不得毛旨者，如《正義》摘出《召
南·采蘋》、《邶風·擊鼓》諸條；亦有改毛以濟其私者，如《經
義雜記》摘出'以慰我心'、'古之人無斁'、'維此文王'、'每懷
靡及'諸條。"

馬氏玉函山房輯本序曰："《毛詩》王肅注，《隋》、《唐志》並二
十卷，今佚。輯録四卷，其説申述毛旨，往往與鄭不同。按鄭
箋《毛詩》而時參三家舊説，故《傳》、《箋》互異者多。《正義》
於毛、鄭皆分釋之，凡毛之所略而不可以鄭通之者，即取王
《注》以爲傳意，間有申非其旨而什得六七。歐陽修《本義》引
其釋《邶風·擊鼓》五章，謂鄭不如王，亦持平之論也。"

梁有《毛詩》二十卷，鄭玄、王肅合注，亡。

不著撰録人姓名。

馬國翰王注輯本序曰："《隋志》云'梁有《毛詩》二十卷，鄭玄、
王肅合注'。蓋魏晉人取肅注次鄭箋後，以便觀覽，非肅別有
注也。今併亡。"

梁有《毛詩》二十卷，謝沈注，亡。

謝沈有《尚書注》，见前書類。

《釋文·敍録》：《毛詩》謝沈注二十卷。

梁有《毛詩》二十卷，晉袞州別駕江熙注，亡。

《釋文·敍録》：江熙字太和，濟陽人，東晉兗州別駕。《注》二十卷。

集注毛詩二十四卷　梁桂州刺史崔靈恩注

《梁書·儒林傳》：崔靈恩，清河東武城人也。少篤學，從師，徧通五經。先在北仕爲太常博士，天監十三年歸國。高祖以其儒術，擢拜員外散騎侍郎，遷步兵校尉，兼國子博士。靈恩聚徒講授，聽者常數百人，解經析理，甚有精致。京師舊儒咸稱重之，助教孔僉尤好其學。出爲長沙内史，還除國子博士，講衆尤盛。又出爲明威將軍、桂州刺史，卒官。集注《毛詩》二十二卷。

《釋文·敍録》曰："梁有桂州刺史清河崔靈恩，集衆解爲《毛詩集注》二十四卷。"又《玉海》引《釋文》云："靈恩《集注》，采三家之本。"

《唐書·經籍志》：《集注毛詩》二十四卷，崔靈恩集注。

《唐書·藝文志》：崔靈恩《集注》二十四卷。

馬氏玉函山房輯本序曰："其引鄭《箋》多與今本不同，而往往勝於今本。則知由俗儒訛傳，猶賴此以存其舊。又其書雖以毛爲主，間取三家。蓋其時《韓詩》尚在，《魯》、《齊》之義則從古籍中引述得之，尤足以資學者考訂云。"

梁有《毛詩序》一卷，梁隱居先生陶弘景注，亡。

《南史·隱逸傳》：陶弘景字通明，丹陽秣陵人也。幼有異操，年十歲得葛洪《神仙傳》，晝夜研求，便有養生之志。父爲妾所害，遂終身不娶。讀書萬餘卷，一事不知，以爲深恥。齊高帝作相，引爲諸王侍讀，除奉朝請。永明十年，上表辭禄，止於句容之句曲山，自號華陽陶隱居。人間書札，即以"隱居"

代名。性好著述，老而彌篤。梁武帝既早與之游，及即位後，恩禮愈篤，書問不絕。大同二年卒，年八十五，詔贈太中大夫，諡曰貞白先生。所著《學苑》百卷。

陶翽《華陽隱居陶先生本起録》曰："注《尚書》、《毛詩序》共一卷，《左傳》已有劉寳、賀道養注。《易略例》即是《易序》，不假復注。"翽，字木羽，隱居先生從子也。見宋張君房《雲笈七籤》中。其"《左傳》"以下云云，似即隱居《序》文中語。

以上《毛詩》家傳注之屬，爲第二類。

毛詩箋音證十卷　後魏太常卿劉芳撰

《魏書》本傳："芳字伯文，《北史》作"伯支"。彭城人。漢楚元王之後也。始爲主客郎，拜中書博士、中書侍郎、太子庶子、員外散騎常侍、國子祭酒、侍中、太常卿。芳才思深敏，特精經義，博聞強記，兼覽《倉》、《雅》，尤長音訓，辯析無疑。"又曰："芳音義明辯，疑者皆往詢訪，時人號爲'劉石經'。高祖尤器敬之，動相顧訪。延昌二年卒，年六十一，諡文貞。按魏宣武帝延昌二年，當南朝梁武帝天監十二年。芳撰鄭玄所注《周官》《儀禮音》、干寳所注《周官音》、王肅所注《尚書音》、何休所注《公羊音》、范寧所注《穀梁音》各一卷，《辯類》三卷，《毛詩箋音義證》十卷。"

《經義考》曰："按劉氏《詩箋音證》，其詮'彎'字義一條，詮'蟋蟀'一條，見《太平御覽》。"

馬氏玉函山房輯本序曰："《隋志》載劉芳《毛詩箋音證》十卷，《唐志》不著録，佚已久。考《文選注》引一節，標題《義證》；《太平御覽》引六節，或題劉芳《詩義疏》、劉芳《詩義箋》。意劉氏書本名《詩義證》，[①]別有《義疏》、《義箋》之稱，故引者隨

_____

① "詩"，清光緒九年長沙刻本《玉函山房輯佚書》作"音"。

意舉之耳，茲並輯録。”

梁有《毛詩音》十六卷，徐邈等撰。《毛詩音》二卷，徐邈撰，亡。

徐邈有《周易音》，見前易類。

《釋文·敍録》：“爲《詩音》者九人，鄭玄、徐邈、蔡氏、孔氏、阮侃、王肅、江惇、干寶、李軌。”又曰：“俗間又有徐爰《詩音》。”

《唐日本國見在書目》：《毛詩音義》一卷，徐仙民撰。

《唐書·經籍志》：《毛詩諸家音》十五卷。鄭玄等注。

《唐書·藝文志》：鄭玄諸家《音》十五卷。

馬氏玉函山房輯本序曰：“《隋志》云‘梁有《毛詩音》十六卷，徐邈等撰。《毛詩音》二卷，徐邈撰’。《唐志》不著目，而有鄭玄等《諸家音》十五卷，則邈音固統在十五卷中矣。今佚。從《顏氏家訓》、《經典釋文》、《匡謬正俗》、《六經正誤》、《類篇》、《集韻》所引，合輯爲卷。”

王氏《漢魏遺書鈔》曰：“今鈔出《顏氏家訓·書證篇》二條、《匡謬正俗》一條、《文選注》二條、《太平御覽》三條。”

梁有《毛詩音隱》一卷，于氏撰。亡。

于氏不詳何人。

按《釋文·敍録》載《詩》音九家中有干寶，此殆“干氏”之誤。

毛詩并注音八卷　祕書學士魯世達撰

《北史·儒林·劉炫附傳》：時儒學之士，又有褚暉、顧彪、魯世達、張沖、王孝籍，並知名。”又曰：“魯世達，餘杭人。煬帝時，爲國子助教。撰《毛詩章句義疏》四十二卷，[①]行於世。

《隋書·許善心傳》：大業元年，轉禮部尚書，奏薦儒者徐文遠爲國子博士，包愷、陸德明、褚徽、魯世達之輩並加品秩，授爲

---

① “四”，原脱，據本卷“毛詩章句義疏四十卷”條引《北史》及殿本《北史》補。

學官。

《唐書·經籍志》：《毛詩音義》二卷，魯達撰。按此因唐人舊文避諱，削去“世”字也。

《唐書·藝文志》：魯世達《音義》二卷。

以上音義之屬爲第三類。

毛詩譜三卷　吳太常卿徐整撰

《釋文·敍録》：“徐整字文操，豫章人。吳太常卿。”又曰：“鄭玄《詩譜》二卷，徐整暢。”

馬國翰曰：“吳射慈《喪服變除圖》與徐整答問爲多，整當是慈之門人。”

侯康《補三國藝文志》：“《釋文·敍録》引徐整云：‘子夏授高行子，高行子授薛倉子，薛倉子授帛妙子，帛妙子授河間人大毛公，大毛公爲《故訓傳》於家，以授趙人小毛公。’即此書中語也。”

《孫祠書目》：《鄭氏詩譜》一卷，孔廣林集本。

按《鄭氏詩譜》宋時有歐陽公重訂本。盧氏文弨《鍾山札記》云休寧戴氏震、海寧吳氏騫皆有《鄭氏詩譜》校本版行。

毛詩譜二卷　太叔求及劉炫注

太叔求，始末未詳。劉炫有《尚書述義》見前書類。

《釋文·敍録》：鄭玄《詩譜》二卷，徐整暢，太叔裘隱。

《唐日本國見在書目》：《毛詩譜序》一卷，鄭玄撰，太叔求撰。

《玉海·藝文類》：《國史·志》《詩譜》世傳太叔求注，不在祕府。《經典釋文·敍録》所稱徐整暢、太叔裘隱。蓋整既暢演而裘隱括之。“求”字譌也。歐陽修補注一卷。

盧氏《釋文考證》曰：“暢，謂暢明鄭旨。隱，謂詮發隱義。”

按徐整取鄭氏《詩譜》而暢言之，太叔裘更發其所隱而劉炫又爲之注。然則此本出自劉氏。太叔裘不知何代人。西晉有太叔廣，東平人，見《晉書·摯虞傳》，裘或其族歟？

謝氏毛詩譜鈔一卷

謝氏不詳何人。

以上詩譜之屬爲第四類。

梁有《毛詩雜議難》十卷，漢侍中賈逵撰，亡。

《後漢書》本傳：逵字景伯，扶風平陵人也。九世祖誼，文帝時
爲梁王太傅。父徽，從劉歆受《左氏春秋》，兼習《國語》、《周
官》，又受《古文尚書》於塗惲，學《毛詩》於謝曼卿。逵悉傳父
業，以大夏侯《尚書》教授。自爲兒童，常在太學，不通人間
事。永平中，顯宗使作《神雀頌》，拜爲郎，與班固並校祕書，
應對左右。肅宗立，降意儒術，特好《古文尚書》、《左氏傳》。
建初元年，詔逵入講北宮白虎觀、南宮雲臺。帝善逵説，使出
《左氏傳》大義長於二傳者，逵於是具條奏三十事。帝嘉之，
令逵自選《公羊》嚴、顏諸生高才者二十人，教以《左氏》，與簡
紙經、傳各一通。逵數爲帝言《古文尚書》與經傳《爾雅》詁訓
相應。詔令撰歐陽、大小夏侯《尚書》古文同異，逵集爲三卷。
帝善之。復令撰齊、魯、韓《詩》與毛氏異同。并作《周官解
故》。遷爲衛士令。八年，乃詔諸儒各選高才生受《左氏》、
《穀梁春秋》、《古文尚書》、《毛詩》，由是四經遂行於世。和帝
即位，永元三年，以逵爲左中郎將。八年，復爲侍中，領騎都
尉。内備帷幄，兼領祕書近署，甚見信用。所著經傳義詁及
論難百餘萬言，學者宗之，後世稱爲通儒。永元十三年卒，時
年七十二。

《唐書·經籍志》：《毛詩雜義難》十卷。

《唐書·藝文志》：《雜義難》十卷。按兩《唐志》皆不著撰人，列之魏晉人
之間，或非賈氏一家之書。

按范書本傳言"所著經傳義詁及論難百餘萬言"，此即論難

之一歟？

毛詩義問十卷　魏太子文學劉禎撰　"禎"當爲"楨"。

《後漢書・文苑・劉梁傳》："梁，東平寧陽人。宗室子孫，爲野王令。光和中卒。孫楨，亦以文才知名。"注：《魏志》云："楨字公幹，爲司空軍謀祭酒、五官郎將文學，與徐幹、陳琳、阮瑀、應瑒俱以文章知名。轉爲平原侯庶子。"按《魏志・王粲附傳》注引《文士傳》云楨父梁終於野王令，與范書稱孫者不合，未詳孰是。又章懷太子此注引《魏志》云云，似誤讀《王粲傳》文。據《王粲傳》，爲軍謀祭酒及五官將文學者乃徐幹，非劉楨；轉爲平原侯庶子者乃應瑒，亦非劉楨。或所引是《魏略》，非《魏志》。

《魏志・王粲傳》：始文帝爲五官將，及平原侯植皆好文學。粲與北海徐幹，廣陵陳琳、陳留阮瑀、汝南應瑒、東平劉楨並見友善。瑒、楨各被太祖辟爲丞相掾屬，楨以不敬被刑。刑竟署吏。瑀以十七年卒，幹、琳、瑒、楨二十二年卒。按並在漢建安時也。文帝書與元城令吳質曰："昔年疾疫，親故多離其災，徐、陳、應、劉一時俱逝。"注引《典略》曰："楨辭旨巧妙，特爲諸公子所親愛。其後太子嘗請諸文學，酒酣坐歡，命夫人甄氏出拜。坐中衆人咸伏，而楨獨平視。太祖聞之，乃收楨，減死輸作。"按所謂不敬被刑者；其事如此。"輸作"，"輸作尚方"，"輸作左校"，徒刑也。又按《魏志・武帝本紀》"建安二十二年冬十月，以五官中郎將丕爲魏太子"，而劉楨即於是年染疫而死。本志題魏太子文學，或終於是官，或從後追題。

《唐書・經籍志》：《毛詩義問》十卷，劉楨撰。

《唐書・藝文志》：劉楨《義問》十卷。

馬氏玉函山房輯本序曰："劉楨《毛詩義問》，《隋》、《唐志》並十卷。今佚。從《水經注》、《北堂書鈔》、《初學記》、《藝文類聚》、《太平御覽》輯得十二節，訓釋名物與陸璣《疏》相似。"

王氏《漢魏遺書鈔》曰："凡鈔出《詩正義》一條、《水經注》一條、《類聚》二條、《初學記》四條、《書鈔》二條、《御覽》五條。"

毛詩義駁八卷　王肅撰

王肅有《易注》,見易類。

《唐書·經籍志》:《毛詩雜義駁》,[1]王肅撰。

《唐書·藝文志》:王肅《雜義駁》八卷。

馬氏玉函山房輯本序曰:"肅注《毛詩》,以鄭《箋》有不合於毛者,因復爲此書。曰《義駁》者,駁鄭氏義也。今輯録凡十二節。鄭氏訓義優洽,未易顛撲。自有此《駁》,而王基、孫毓、陳統之徒,反覆辯難,門户各爭,則景侯爲之倡也。"

毛詩奏事一卷　王肅撰

馬氏玉函山房輯本序曰:"肅既撰《毛詩義駁》專攻鄭氏,此則取鄭氏之違失,條奏於朝,故題《奏事》也。《隋志》以一卷著録,《唐志》不載,佚已久矣。今從《正義》輯得四節。康成大儒,先通魯、韓二家,後箋《毛詩》,其與毛不盡同者,意在兩存其是。肅必欲盡廢鄭説,駁之不已,復陳諸奏,何見疾之深乎!"

梁有《毛詩問難》二卷,王肅撰,亡。

《唐書·經籍志》:《毛詩問難》二卷,王肅撰。

《唐書·藝文志》:王肅《問難》二卷。

《四庫提要》曰:"自鄭《箋》既行,齊、魯、韓三家遂廢。然《箋》與《傳》義時有異同。魏王肅作《毛詩注》、《毛詩義駁》、《毛詩奏事》、《毛詩問難》諸書,以申毛難鄭。"

馬氏玉函山房輯本序曰:"肅於《毛詩注》外,有《義駁》,有《奏事》,皆攻擊鄭氏。此之《問難》,大抵亦申毛以難鄭也。《隋志》云'梁有,二卷,亡'。《唐志》復著録二卷,今佚。從《正義》輯録七節,與《注》及《駁》、《奏》相比次,王氏一家之學萃於茲矣。"

---

① 殿本《舊唐書》載是書八卷。

毛詩駁一卷　魏司空王基撰，殘缺。梁五卷。

《後漢書・鄭玄傳》"其門人山陽郗慮至御史大夫，東萊王基、清河崔琰著名於世"，注："基字伯興，魏鎮南將軍、安樂鄉侯。"

《魏志》本傳：基字伯興，東萊曲城人也。年十七，入琅邪界游學。黃初中，察孝廉，除郎中。大將軍司馬宣王辟基，擢爲中書侍郎。王肅著諸經傳解及論定朝儀，改易鄭玄舊説，基據持玄義，常與抗衡。數遷爲刑州刺史，賜爵關內侯。高貴鄉公即尊位，進封常樂亭侯。毋丘儉、文欽等平，遷鎮南將軍，都督豫州，領刺史，進封安樂鄉侯。平諸葛誕，進封東武侯。甘露四年，轉爲征南將軍，都督荆州諸軍事。景元二年薨，追贈司空，謚曰景侯。

《釋文・敍錄》：鄭玄作《毛詩箋》，王肅更述毛非鄭。荆州刺史王基駁王肅，申鄭義。

《唐書・經籍志》：《毛詩駁》五卷，王伯興撰。

《唐書・藝文志》：王基《毛詩駁》五卷。

《四庫提要》曰："王肅作《毛詩問難》諸書以申毛難鄭，王基又作《毛詩駁》以申鄭難王。"

馬氏玉函山房輯本序曰："基以策敵立功，掌統方任，而善爲撰述，常據持鄭義，與王肅抗衡。其書唐初尚有完帙，今佚。從《正義》、《釋文》輯錄十五節。其説依鄭駁王，具有根柢。"

侯氏《補三國藝文志》曰："按基説之載於孔疏者，如'采采芣苢'一條，駁王肅出於西戎之説；'充耳以素'一條，駁王肅玄紞無五色之説；'侵鎬及方'一條，駁王肅鎬京之説；'不自爲政'一條，駁王肅人臣不顯諫之説。皆極精當，惜全書久佚，可考見者無多也。"王氏《漢魏遺書鈔》從《正義》鈔出十條。

梁又有《毛詩答問》、《駁譜》合八卷，亡。

不著撰人。

　　按此似亦王司空書。

又《毛詩釋義》十卷，謝沈撰，亡。

　　謝沈有《尚書注》、《毛詩注》，並見前。

　　《唐書·經籍志》：《毛詩釋義》十卷，謝沈撰。

　　《唐書·藝文志》：謝沈《釋義》十卷。

又《毛詩義》四卷、《毛詩箋傳是非》二卷，並魏祕書郎劉璠撰，亡。

　　劉璠始末未詳。

又《毛詩答雜問》七卷，吳侍中韋昭、侍中朱育等撰，亡。

　　《吳志》：韋曜，字弘嗣，吳郡雲陽人也。注："曜本名昭，史爲晉諱，改之。"少好學，能屬文，從丞相掾，除西安令，還爲尚書郎，遷太子中庶子。太子和廢後，爲黄門侍郎。孫亮即位，爲太史令。孫休踐阼，爲中書郎、博士祭酒。孫晧即位，封高陵亭侯，遷中書僕射，職省，爲侍中，常領左國史。漸見責怒，遂積前後嫌忿，收曜付獄，是歲鳳皇二年也。華覈連上疏救曜，有曰："曜年已七十，餘數無幾，乞赦其一等之罪，爲終身徒，使成《吳書》，傳示百世。"晧不許，遂誅曜，徙其家零陵。

　　《吳志·虞翻傳》注：《會稽典録》曰："孫亮時，有山陰朱育，仕郡門下書佐。後仕朝，常在臺閣，爲東觀令，遥拜清河太守，加位侍中。推刺占射，文苑多通。"按育字嗣卿，有《異字苑》、《幼學篇》，詳見後小學類。"推刺占射"謂推逆刺占災異及射覆之術，詳見子部五行家。

　　《唐書·經籍》《藝文志》：《毛詩雜答問》五卷。並不著撰人，蓋即是書之殘本。

　　馬氏玉函山房輯本序曰："兹從《正義》及《藝文類聚》、《初學記》、《太平御覽》等書輯録十三節，内有《御覽》引韋輝光《毛詩問》一節，《正義》引薛綜答韋昭一節，與書名《答雜問》合，故並采入云。"

侯氏《補三國藝文志》曰："《御覽》八百十六引韋輝光《毛詩問》一條。考韋昭字弘嗣，不字輝光，然輝光與昭字義合，書名又同，或弘嗣有兩字乎？"

又《毛詩義注》四卷，亡。

不著撰人。

按兩《唐志》有《毛詩義注》五卷，不著撰人，似即是書。

毛詩異同評十卷　晉長沙太守孫毓撰

難孫氏毛詩評四卷　晉徐州從事陳統撰。梁有《毛詩表隱》二卷，陳統撰，亡。

《釋文·敍錄》："魏太常王肅述毛非鄭，荊州刺史王基駁王肅，申鄭義。晉豫州刺史孫毓字休朗，北海平昌人，長沙太守，爲《詩評》，評毛、鄭、王肅三家同異，朋於王。徐州從事陳統字元方，難孫申鄭。"又曰：孫毓《詩同異評》十卷。

《唐書·經籍志》：《毛詩異同評》十卷，孫毓撰。《難孫氏詩評》四卷，陳統撰。《毛詩表隱》二卷。失注撰人。

《唐書·藝文志》：孫毓《異同評》十卷，陳統《難孫氏詩評》四卷，又《表隱》二卷。

《經義考》曰："《隋志》：孫毓，晉長沙太守。陸德明曰晉豫州刺史。又《隋志》別集類有晉汝南太守《孫毓集》六卷。一孫毓也，一以爲長沙守，一以爲汝南守，一以爲豫州刺史，未審孰是。"

嚴可均《全晉文編》曰："孫毓字仲，泰山人。魏時，嗣父觀爵吕都亭侯，仕至青州刺史。一云字休朗，北海平昌人。入晉爲太常博士，歷長沙汝南太守。有《毛詩異同評》十卷"。按《魏志·臧霸傳》及注："孫觀字仲臺，泰山人。與霸俱起討黄巾，從征吕布，以功封吕都亭侯。至青州刺史。從討孫權，被創薨。子毓嗣，亦至青州刺史。"嚴氏以爲即此孫毓也。別有《孫氏成敗志》，見子部儒家。

《四庫提要》曰：“王肅作《毛詩義駁》諸書，以申毛難鄭。王基又作《毛詩駁》，以申鄭難王。晉孫毓作《毛詩異同評》，復申王說。陳統作《難孫氏毛詩評》，又明鄭義。祖分左右，垂數百年。至唐貞觀十六年，命孔穎達等因鄭《箋》爲《正義》，乃論歸一定，無復歧塗。”

馬氏玉函山房輯本《序》曰：“馬總《意林》云：‘孫毓字仲，其書評毛、鄭、王肅之異同，於《箋》義不没其長，而朋於王者亦復不少，所以有陳統之難也。’今從《正義》、《釋文》采輯，釐爲三卷。武威張太史澍《二酉堂叢書》載《異同評》，尚未付梓，無從取校也。”并輯陳氏《難義》一卷。王氏《漢魏遺書鈔》從《正義》鈔出六十七條。

毛詩拾遺一卷　郭璞撰。梁又有《毛詩略》四卷，亡。

《晉書》本傳：璞字景純，河東聞喜人也。好經術，博學有高才。惠、懷之際，河東先擾，璞結姻昵、交游數十家，避地東南。王導引爲參軍。元帝即位，以爲著作郎。頃之，遷尚書郎。母憂去職。未期，王敦起璞爲記室參軍。敦之謀逆也，溫嶠、庾亮使璞占吉凶，璞曰：“大吉。”於是勸帝討敦。敦將舉兵，又使璞筮，璞曰：“無成。”敦固疑璞之勸。嶠、亮又聞卦凶，乃曰：“卿更筮吾壽幾何？”答曰：“明公起事，必禍不久。若往武昌，壽不可測。”敦大怒曰：“卿壽幾何？”曰：“命盡今日日中。”敦怒，收璞斬之。時年四十九。及王敦平，追增弘農太守。

馬氏玉函山房輯本序曰：“《隋志》載郭璞《毛詩拾遺》一卷，梁又有《毛詩略》四卷。《唐志》不著録，佚已久。《北堂書鈔》、《初學記》、《藝文類聚》各引一節，《釋文》引三節，《正義》引一節，或稱郭璞，或止稱郭，亦是此書佚文，並據輯補。至《釋文》、《正義》引郭璞爲《爾雅音注》者,皆不敢攔入也。"

毛詩辯異三卷　晉給事郎楊乂撰

楊乂有《周易卦序論》,見易類。

《唐書·經籍志》:《毛詩辨》三卷,楊乂撰。

《唐書·藝文志》:楊乂《毛詩辨》三卷。

梁有《毛詩背隱義》二卷,宋中散大夫徐廣撰,亡。

《晉書》本傳:廣字野民,東莞姑幕人。侍中邈之弟也。世好
學,至廣尤爲精純,百家術數,無不研覽。孝武世,除祕書郎,
典校祕書省,數遷。至義熙初,封樂成侯。歷大司農、祕書
監。及劉裕受禪,恭帝遜位,廣獨哀感,因辭衰老,乞歸桑梓。
性好讀書,老猶不倦。年七十四,卒於家。

《宋書》本傳:義熙初,高祖除鎮軍咨議參軍,領記室,封樂成
縣五等侯。高祖受禪。永初元年詔曰:"祕書監徐廣,學優行
謹,歷位恭肅,可中散大夫。"廣上表乞歸桑梓,許之。元嘉二
年卒,時年七十四。

《南史》本傳:永初元年,詔除中散大夫。廣言墳墓在晉陵丹
徒,又生長京口,息道玄忝宰此邑,乞相隨之官,歸終桑梓。
許之,贈賜甚厚。性好讀書,年過八十,猶歲讀五經一遍。元
嘉二年卒。按《南史》謂廣年過八十,不取《宋》、《晉書》卒年七十四之説,蓋別有
所据也。

按齊、梁時隱士何胤注書,於卷背書之,謂爲隱義。背隱義
之義,蓋如此。由是推尋,則凡稱"音隱"、"音義隱"之類,
大抵皆從卷背録出,皆是前人隱而未發之義。當時別無書
名,故即就本書加"隱"字以名之。又按此并以悟漢人經注各自爲書
之所以然。

梁有《毛詩引辯》一卷,宋奉朝請孫暢之撰,亡。

孫暢之始末未詳。宋郭若虛《圖畫見聞誌》載後魏孫暢之撰《述畫記》,疑即

其人。

梁有《毛詩釋》一卷，宋金紫光禄大夫何偃撰，亡。

《宋書》本傳：偃字仲弘，廬江灊人，司徒尚之中子也。舉秀才，除中軍參軍。世祖時，歷吏部尚書、侍中。顏竣與偃俱在門下，以文義賞會，相得甚歡。素好談玄，注《莊子·消搖篇》，傳於世。大明二年，卒官，年四十六。贈散騎常侍、金紫光禄大夫，謚曰靖。

梁有《毛詩檢漏義》二卷，梁給事郎謝曇濟撰，亡。

《南齊書·周顒傳》：顒卒官時，會王儉講《孝經》未畢，舉曇濟自代，學者榮之，官爲給事中。按《齊書》本附謝曇濟於《周顒傳》後，今本敚去其前數語，故不見其姓字、里籍。《南史》更不載此事，今遂無從考見。按《南史·文惠太子傳》："永明三年講《孝經》，少傅王儉以摘句令太子僕周顒撰爲《義疏》。"據此則"顒舉以自代"者，代其所撰《孝經義疏》，得與於太子講席，故儒者榮之也。

嚴可均《全齊文編》曰："謝曇濟，永明末爲國子助教。"按此見《南齊書·禮志》。《志》有鬱林王隆昌元年國子助教謝曇濟議明堂配饗事，又有明帝建武二年，給事中、領國子助教謝墨濟議泄哀之儀。"墨濟"即"曇濟"之誤。

梁有《毛詩總集》六卷，《毛詩隱義》十卷，並梁處士何胤撰，亡。

何胤有《周易注》，見前易類。

《梁書·處士傳》：胤注《易》，解《禮記》，於卷背書之，謂爲隱義。注《毛詩總集》六卷，《毛詩隱義》十卷。

馬氏《玉函山房》從《釋文》輯存《隱義》二十餘條。

毛詩異義二卷　楊乂撰。梁有《毛詩雜義》五卷，揚乂撰，亡。

楊乂有《卦序論》及《毛詩辯異》，並見前。

梁有《毛詩義疏》十卷，謝沈撰，亡。

謝沈有《尚書注》，見前書類；又有《毛詩注》二十卷，見前。

梁有《毛詩雜義》四卷，晉江州刺史殷仲堪撰，亡。

《晉書》本傳：殷仲堪，陳郡人也。能清言談理，與韓康伯齊名。補佐著作郎，謝玄鎮京口，以爲長史。孝武帝召爲太子

中庶子，甚相親愛。復領黃門郎，寵任轉隆。以會稽王非社
稷之臣，擢所親幸以爲藩捍，乃授爲都督荆、益、寧三州軍事、
振威將軍、荆州刺史、假節，鎮江陵。安帝初，與桓玄等結盟，
舉兵後互相疑阻，爲玄所獲，逼令自殺，死於柞溪。

　　按《晉書》，仲堪但由荆州黜爲廣州，旋即敗死，實未嘗爲江
　　州。此引《七錄》題江州刺史，誤。別集類則題《荆州刺史
　　殷仲堪集》十二卷也。

梁有《毛詩義疏》五卷，張氏撰。

張氏不詳何人。

《唐書·經籍志》：《毛詩義疏》五卷，張氏撰。

《唐書·藝文志》：張氏《義疏》五卷。

毛詩集解敍義一卷　　顧歡等撰

顧歡有《尚書問》，見前書類。

毛詩序義二卷　　宋通直郎雷次宗撰，梁有《毛詩義》一卷，雷次宗撰，亡。

《南史·隱逸傳》，雷次宗字仲倫，豫章南昌人也。少入廬山，
事沙門釋慧遠，篤志好學，尤明《三禮》、《毛詩》。隱退不受徵
辟。宋元嘉十五年，徵至都，開館於雞籠山，聚徒教授，置生
百餘人。會稽朱膺之、潁川庾蔚之並以儒學總監諸生。時國
子學未立，上留意藝文，使丹陽尹何尚之立玄學，太子率更令
何承天立史學，司徒參軍謝元立文學，凡四學並建。車駕數
至次宗館，資給甚厚。久之，還廬山。後又徵詣都，爲築室於
鍾山，謂之招隱館。二十五年，卒於鍾山。

《釋文·敍錄》：豫章雷次宗，字仲倫。宋通直郎。徵不起。
爲《詩序義》。

梁有《毛詩序注》一卷，宋交州刺史阮珍之撰。

阮珍之始末未詳。

梁有《毛詩序義》七卷，孫暢之撰，亡。

孫暢之有《毛詩引辯》，見前。

毛詩集小序一卷　劉炫注

劉炫有《尚書述義》，見前書類。

《隋書》、《北史·儒林傳》：炫注《詩序》一卷。

毛詩序義疏一卷　劉瓛等撰，殘缺。梁三卷。梁有《毛詩篇次義》一卷，劉瓛撰，亡。

劉瓛有《周易乾坤義》，見前易類。

《釋文·敍錄》：宋徵士鴈門周續之、豫章雷次宗、齊沛國劉瓛並爲《詩敍義》。按本志題劉瓛等者，或合周、雷二家之書在内，爲陸氏所見者歟？

《唐書·經籍志》：《毛詩序義》一卷，劉氏志撰。按"志"當是"等"字之誤。

《唐書·藝文志》：劉氏《序義》一卷。

馬氏玉函山房輯本序曰："《隋志》載《毛詩序義疏》一卷，劉瓛撰，殘闕。梁三卷。《唐志》有劉氏《序義》一卷，即《隋志》之《序義疏》也。今佚。從《正義》、《釋文》所引得二節。梁又有《篇次義》一卷，今併佚。"

梁有《毛詩雜義注》三卷，亡。

不著撰人。

毛詩發題序義一卷　梁武帝撰

梁武帝有《易大義》，見前易類。

馬國翰曰："《毛詩題綱》，《隋》、《唐志》皆不載。《太平御覽》引《蠡斯》、《葛藟》、《南山有臺》、《白華》凡四節，皆即篇義參合《序》說，發明比興之旨。考《隋志》有《毛詩發題序義》一卷，梁武帝撰，疑即是書也。"

按南北朝講書有"發題"、"開題"名目，蓋首發其端，此與下《大義》實爲一書，而相承分著其目也。

毛詩大義十一卷　梁武帝撰

《南史·劉之遴傳》：時《周易》、《尚書》、《毛詩》並有武帝義疏。

《藝文類聚·雜文部》：梁簡文帝《請尚書左丞賀琛奉述制旨毛詩義表》曰："臣聞樂由陽來，性情之本；詩以言志，政教之基。故能使天地咸亨，人倫敦序，故東魯夢周，窮茲刪采；西河邵魏，著彼纘述，叶星辰而建詩，觀斗儀而命禮。以爲陳徐雅頌，膏肓匪一；燕韓篇什，痼疾多端。北海鄭君，徒逢箋釋；南郡太守，空爲異序。庶令中和永播，碩學知宗，大胥負師，國子咸紹。孝敬之德，化洽天下；多識之風，道行比屋。"按類書引文多刪節不完，"庶令"上有敓文。

梁有《毛詩十五國風義》二十卷，梁簡文撰。

《梁書》、《南史·本紀》：太宗簡文皇帝諱綱，字世纘。高祖第三子，昭明太子母弟也。天監五年，封晉安王。中大通三年四月，昭明太子薨，五月立爲皇太子。太清三年五月丙辰，武帝崩，辛巳即皇帝位，明年改元大寶。大寶二年八月，侯景廢帝爲晉安王，禪位於豫章王棟。幽帝於永福省，王偉苦勸行殺。冬十月壬寅崩，時年四十九。所著《昭明太子傳》五卷、《諸王傳》三十卷、《禮大義》二十卷、《法寶連璧》三百卷、《謝客文涇渭》三卷、《玉簡》五十卷、《易林》十七卷、《沐浴經》三卷、《棊品》五卷、《彈棊譜》一卷、《新增白澤圖》五卷及《長春義記》、《光明符竈經》、《馬槊譜》、《如意方》、《老子義》、《莊子義》、文集各若干卷，並行於世。《長春義記》以下等書並見本志。

馬氏玉函山房輯本序曰："唐成伯璵《毛詩指説》引梁簡文帝《毛詩十五國風·陳風義》一條。"

　　按梁簡文是書及《春秋》、《孝經》諸義不著於《本紀》者，大抵皆編入《長春殿義記》一百卷中，見後論語五經總義類中。

毛詩大義十三卷

不著撰人。

毛詩草木蟲魚疏二卷　烏程令吳郡陸璣撰

《釋文·敍録》：陸璣《毛詩草木鳥獸蟲魚疏》二卷。字元恪，吳郡人。吳太子中庶子、烏程令。

《唐書·經籍志》：《毛詩草木鳥獸魚蟲疏》二卷，陸璣撰。

《唐書·藝文志》：陸璣《草木鳥獸魚蟲疏》二卷。《宋志》同。

《崇文總目》：《毛詩草木鳥獸蟲魚疏》二卷，吳太子中庶子、烏程令陸璣撰。世或以“璣”爲“機”，非也。機自爲晉人，本不治《詩》，今應以“璣”爲正。然書但附《詩》釋誼，窘於采獲，似非通儒所爲者，將後世失傳，不得其真歟。

陳氏《書録解題》曰：“其名從玉，固非晉之士衡。而其書引郭璞注《爾雅》，則當在郭之後，亦未必爲吳時人也。孔《疏》、吕《記》多引之。”

《四庫提要》曰：“毛晉《津逮祕書》所刻，援陳振孫之言，謂其書引《爾雅》郭璞注，當在郭後，未必吳人，因而題曰唐陸璣。夫唐代之書，《隋志》烏能著録？且書中所引《爾雅注》，僅及漢犍爲文學、樊光，實無一字涉郭璞，不知陳氏何以云然。原本久佚。此本不知何人所輯，大抵從《詩正義》中録出。末附四家《詩》源流四篇，而《毛詩》特詳。蟲魚草木，今昔異名，年代迢遥，傳疑彌甚。璣去古未遠，所言猶不甚失真。《詩正義》全用其説，陳啟源作《毛詩稽古編》，其駁正諸家，亦多以璣説爲據。講多識之學者，固當以此爲最古焉。”

又《簡明目録》曰：“璣生於三國，去古未遠，於詩人所咏諸物今昔異名者，尚能得其梗概。故孔穎達《詩正義》全據此書。陳啟源《毛詩稽古編》亦多據以考正諸説。”

以上問難、評論、雜義、雜疏之屬爲第五類。

毛詩義疏二十卷　舒援撰

舒援始末未詳。

唐孔穎達《正義》序曰："近代爲義疏者，有全緩、何胤、舒援。"
馬氏玉函山房輯本序曰："《隋志》有《毛詩義疏》二十卷，僅題
舒援撰，不著時代。《唐志》不著録，佚已久。惟《正義》及《禮記
正義》引，凡三節，一作舒瑗，一作舒璦，一作舒緩，疑不能定。"

毛詩誼府三卷　後魏安豐王元延明撰

《魏書·文成五王傳》：安豐王猛，太和五年封。薨，子延明
襲。累遷給事、黃門侍郎、侍中。延明既博極群書，兼有文
藻，與中山王熙及弟臨淮王彧等，並以才學令望有名於世。
莊帝時，爲尚書令、大司馬。及元顥入洛，延明受顥委寄，顥
敗，遂將妻子奔蕭衍，死於江南。莊帝末，喪還。出帝初，贈
太保，王如故，謚曰文宣。所著詩賦贊頌銘誄三百餘篇。又
撰《五經宗略》、《詩禮別義》，注《帝王世紀》及《列仙傳》。按元
顥奔梁，在武帝中大通二三年間。亦見《梁武本紀》，而延明之事不具。

《唐書·經籍志》：《毛詩誼府》三卷，元延明撰。

《唐書·藝文志》：元延明《誼府》三卷。

毛詩義疏二十八卷　蕭巋散騎常侍沈重撰

《北史·儒林傳》：沈重字子厚，吳興武康人也。性聰悟，專心
儒學，尤明《詩》及《左氏春秋》。梁武帝中大通四年，補國子
助教，後除五經博士。梁元帝即位，迎重西上。魏平江陵，重
乃留事蕭詧。周武帝以重經明行修，聘至京師，令討論五經，
并校定鍾律。授驃騎大將軍、開府儀同三司、露門博士，仍於
露門館爲皇太子講《論語》。建德末，表請還梁，梁主蕭巋拜
重散騎常侍、太常卿。隋開皇三年卒，年八十四。重學業該
博，爲當世儒宗，陰陽圖緯、道經、釋典，無不通涉。著《毛詩
義》二十八卷、《毛詩音》二卷。按隋文帝開皇三年，爲後梁明帝巋天保二

十二年，陳後主至德元年。

《釋文·敍錄》曰：“近吳興沈重亦撰《詩音義》。”

馬氏玉函山房輯本序曰：“《北史》本傳載其著《毛詩音》二卷。《隋志》不載，而有《毛詩義疏》二十八卷，似二卷之《音》亦併入《義疏》二十八卷之内。《唐志》《義疏》不著録，而有鄭玄等《諸家音》十五卷，似沈《音》亦在其中，故陸氏《釋文》及引之。今佚。采音、釋，合訂二卷。”

王氏《漢魏遺書鈔》曰：“今鈔出《釋文》四十九條，有音無義者不録。《初學記》十三條，《史記正義》一條。”

毛詩義疏二十卷

毛詩義疏二十九卷

毛詩義疏十卷

毛詩義疏十一卷

毛詩義疏二十八卷

並不著撰人。

馬國翰曰：“《藝文類聚》諸書有引《毛詩義疏》而不著名氏者。朱氏《經義考》併以爲沈重。考《隋志》於舒援、沈重《義疏》外，題《毛詩義疏》者凡五部，皆不著名氏。諸家引述當在五部，故未敢采入沈氏書。”

按此五家大抵皆北朝人。《北史·儒林傳》云：“通《毛詩》者多出於魏朝劉獻之。獻之傳李周仁，周仁傳董令度、程歸則，歸則傳劉敬和、張思伯、劉軌思。其後能言《詩》者，多出二劉之門。”孔氏《正義》序有曰：“近代爲義疏者，有全緩、何胤、舒瑗、劉軌思、劉醜、劉焯、劉炫等。”本志惟有何胤、舒援、劉炫三家，餘皆不見。

毛詩述義四十卷　　國子助教劉炫撰

劉炫有《尚書述義》，見前書類。

《北史·儒林·劉焯傳》："焯少與河間劉炫結盟爲友，同受《詩》於同郡劉軌思。"又《劉炫傳》云："炫著《毛詩述議》四十卷。"

《唐日本國見在書目》：《毛詩述議》三十卷，劉炫撰。

《唐書·經籍志》：《毛詩述義》三十卷，劉炫撰。

《唐書·藝文志》：劉炫《述義》三十卷。

孔穎達《正義》序曰："近代爲義疏者，有劉焯、劉炫等。然焯、炫並聰穎特達，文而又儒，擢秀幹於一時，騁絶轡於千里。因諸儒之揖讓，日下之無雙，於其所作《疏》内，特爲殊絶。今奉敕删定，故據以爲本。然焯、炫等負恃才氣，輕鄙先達，同其所異，異其所同，或應略而反詳，或宜詳而更略。準其繩墨，差忒未免，勘其會同，時有顛躓。"

馬氏玉函山房輯本序曰："《北史》稱《述議》，《隋》、《唐志》並作《述義》。《隋》'四十卷'，《唐》'三十卷'。今佚。《正義》引二節，二劉並稱，蓋與兄焯説義同也。鄭樵《六經奥論》引一節，並據録之。《正義》序謂'奉敕删定，據以爲本'云云，然則劉氏之説，其醇者固皆具於《正義》，特晦其名，未由區别耳。"

<small>按劉焯，信都昌亭人。劉炫，河間景城人。焯少與炫結盟爲友，但同姓非弟昆。馬氏以焯爲炫之兄，意度之詞耳。</small>

毛詩章句義疏四十卷　魯世達撰

魯世達有《毛詩並注音》，見前。

《北史·儒林傳》：世達撰《毛詩章句義疏》四十二卷，行於世。

　　按兩《唐志》唯有魯世達《毛詩音義》二卷，並此《義疏》四十卷，正合本傳四十二卷之數。

毛詩釋疑一卷

不著撰人。

梁有《毛詩圖》三卷,《毛詩孔子經圖》十二卷,《毛詩古聖賢圖》二卷,亡。

並不著撰人。

《通志・藝文略》曰:"《毛詩圖》三卷,《毛詩孔子圖經》十二卷,《毛詩古聖賢圖》二卷,三書並蕭梁人作,已亡。"

按《困學紀聞》云:"晉明帝朝,衛協畫《毛詩圖》草木鳥獸、古賢君臣之像。"張彥遠《名畫記》載古來祕畫珍圖,有《韓詩圖》十四卷。彥遠曾見晉明帝《毛詩圖》二卷,子敬題字。又有《豳詩七月圖》一卷。又曰:"漢桓帝時,劉襃畫《雲漢圖》、《北風圖》。"《詩》之有圖,由來久矣。鄭氏以本志題梁有,遂以爲蕭梁人,不足据也。

業詩二十卷　宋奉朝請葉遵注

《釋文・敍錄》:業遵字長儒,燕人。宋奉朝請。注《禮記》十二卷。

本志篇敍曰:"又有《業詩》,奉朝請業遵所注,立義多異,世所不行。"

《唐書・經籍志》:《業詩》二十卷,業遵注。一本並作"葉"。

《唐書・藝文志》:葉遵注二十卷,號《葉詩》。一本又並作"業"。

按"業"、"葉"傳寫不一,考《廣韻》及《氏族略》有鄴姓,無業姓。唯宋鄧名世《古今姓氏書辨證》載業姓,援《釋文・敍錄》此一條以爲之證。蓋率爾記載,非真得古氏族世系者,不足爲据。似當從"葉"爲是。

以上皆義疏之屬,附以《詩圖》、《葉詩》爲第六類。

右三十九部,四百四十二卷。通計亡書,合七十六部,六百八十三卷。實著錄四十部,附注亡書三十一部,通計七十一部。

卷四

經部四

禮類　類中分類一十八。

周官禮十二卷　馬融注

馬融有《周易注》，見前易類。

《漢書·王莽傳》：“元始四年，是歲，徵天下通一藝及有逸《禮》、古《書》、《毛詩》、《周官》、《爾雅》，通知其意者，皆詣公車。”又《藝文志》：“《周官經》六篇，王莽時，劉歆置博士。”

荀悦《漢紀》：“劉歆以《周官》十六篇爲《周禮》。王莽時，歆奏以爲經，置博士。”

馬融《周官傳》序曰：“秦自孝公已下，用商君之法，其政酷烈，與《周官》相反。故始皇禁挾書，特疾惡，欲絶滅之，搜求焚燒之獨悉，是以隱藏百年。孝武帝始除挾書之律，開獻書之路，既出於山巖屋壁，復入於祕府，五家之儒，莫得見焉。至孝成皇帝，達才通人劉向子歆校理祕書，始得列序，著於《録》、《略》。然亡其《冬官》一篇，以《考工記》足之。時衆儒並出共排，以爲非是。唯歆獨識，其年尚幼，務在廣覽博觀，又多銳精於《春秋》。末年乃知其周公致太平之迹，迹具在斯。奈遭天下倉卒，兵革並起，疾疫荒喪，弟子死喪。徒有里人河南緱氏杜子春尚在，永平之初，年且九十，家於南山，能通其讀，頗識其説，鄭衆、賈逵往受業焉。衆、逵洪雅博聞，又以經書記傳相證明爲解，逵解行於世，衆解不行。兼攬二家，爲備多所遺闕。然衆時所解說，近得其實，獨以《書序》言‘成王既黜殷命，還歸在豐，作《周官》’，則此《周官》也。失之矣。遂以爲六鄉大夫，則冢宰以下及六遂，爲十五萬家，絪千里之地，甚謬焉。此比多多，吾甚閔之久矣。至六十爲武都守，郡小少事，乃述平生之志，著《易》、《尚書》、《詩》、《禮傳》，皆訖。惟念前業未畢者，唯《周官》。年六十有六，目瞑意倦，自力補之，謂之《周官傳》也。”惠氏《後漢書補注》：《商芸小說》曰：“融在武都七年，南郡四年。”

《後漢書·儒林傳》：《周官經》六篇，前世傳其書，未有名家。中興之後，鄭衆傳《周官經》，後馬融作《周官傳》。

孔穎達《毛詩正義》曰：“漢初爲傳訓者，皆與經別行。及馬融爲《周禮》之注，乃云欲省學者兩讀，故具載本文。然則後漢以來，始就經爲注。”

本志篇敍曰：“漢時有李氏得《周官》。《周官》蓋周公所制官政之法，上於河間獻王，獨闕《冬官》一篇。獻王購以千金，不得，遂取《考工記》以補其處，合成六篇，奏之。至王莽時，劉歆始置博士，以行於世。河南緱氏及杜子春受業於歆，因以教授。是後馬融作《周官傳》。”

《釋文·敍錄》：馬融注《周官》十二卷。

《唐書·經籍志》：《周官》十二卷，馬融傳。

《唐書·藝文志》：馬融《周官傳》十二卷。

馬國翰輯本序曰：“融爲鄭康成之師，而康成《注》用杜子春及鄭大夫父子三家。《疏》引融說，又往往爲鄭君所不取。則馬《傳》未能精醇，而鄭之不阿所好，均可見已。今輯録一卷。”王氏輯存五十五條。

周官禮十二卷　鄭玄注

鄭玄有《易注》，見前易類。

序曰:"世祖以來,通人達士大中大夫鄭少贛,名興,及子大司農仲師,名衆,故議郎衛次仲,侍中賈君景伯,南郡太守馬季長,皆作《周禮解詁》。玄竊觀二三君子之文章,顧省竹帛之浮辭,其所變易,灼然如晦之見明;其所彌縫,奄然如合符復析,斯可謂雅達廣攬者也。然猶有參錯,同事相違,則就其原文字之聲類,考訓詁,捃祕逸。謂二鄭者,同宗之大儒,明理於典籍,牏識皇祖大經《周官》之義,存古字,發疑正讀,亦信多善者;徒寡且約,用不顯傳於世。今讚而辨之,庶成此家世所訓也。"

《後漢書》本傳:"又從東郡張恭祖受《周官》、《禮記》。"又《儒林傳》曰:"馬融作《周官傳》,授鄭玄,玄作《周官注》。"

唐賈公彥《序周禮廢興》曰:"《周禮》起於劉歆,而成於鄭玄。附離之者大半,故林孝存以爲武帝知《周官》末世瀆亂不驗之書,故作《十論》、《七難》以排棄之。何休亦以爲六國陰謀之書。唯有鄭玄徧覽群經,知《周禮》者,乃周公致太平之迹,故能答林碩之《論》、《難》,使《周禮》義得條通。"

《釋文·敘錄》:鄭玄注《周官》十二卷。

《唐書·經籍志》:《周官禮》十三卷,鄭玄注。

《唐書·藝文志》:鄭玄注《周官》十三卷。

《宋史·藝文志》:鄭玄《周禮注》十二卷。

《四庫提要》曰:"玄於三《禮》之學,本爲專門,故所釋特精。惟好引緯書,是其一短。《歐陽修集》有《請校正五經劄子》,欲刪削其書。然緯書不盡可據,亦非盡不可據,在審別其是非而已,不必竄易古書也。又好改經字,亦其一失。然所注但曰'當作某'耳,尚不似北宋以後連篇累牘,動稱錯簡,則亦不必苟責於玄矣。"

《鄭學錄》曰:"《周官禮注》唐賈公彥撰疏五十卷。今列於學官。"

張氏《書目答問》:"重刻嘉靖本《周禮鄭注》十二卷,附《札記》一卷。顧廣圻校。黃丕烈刻《士禮居叢書》本。"又曰:"福禮堂《周禮注》十二卷,鄭注附釋文。周氏刻本,張青選清芬閣重刻本。"

周官禮十二卷　王肅注

王肅有《周易注》,見前易類。

《釋文·敍録》:王肅注《周官》十二卷。

《唐書·經籍志》:《周官禮》又十二卷,王肅注。

《唐書·藝文志》:王肅注《周官》十二卷。

吳縣余蕭客《古經解鉤沉》曰:"《通典》五十五引王肅注二條。"

　　按肅父朗亦有《周官傳》行於世。此殆因父書而增損成編,亦如《易注》之例者。《魏志》本傳肅上疏陳政本曰:"六卿亦典事者也。《周官》則備矣:五日視朝,公卿大夫並進,而司士辨其位焉。其《記》曰:'坐而論道,謂之三公;①作而行之,謂之士大夫。'"此肅引記以釋經,亦其遺説之僅見者。

周官禮十二卷　伊説注

伊説有《尚書義疏》,見前書類。

《唐書·經籍志》:《周官禮》十卷,伊説撰。

《唐書·藝文志》:伊説注《周官》十卷。

周官禮十二卷　干寶注

干寶有《易注》,見前易類。

《釋文·敍録》:干寶注《周官》十三卷。

---

①　"三",殿本《三國志》作"王"。

《唐書·經籍志》：《周官禮》又十二卷，干寶注。

《唐書·藝文志》：干寶注《周官》十二卷。

王氏《漢魏遺書鈔》：《經典釋文》曰：“宮正以下，鄭總列六十職序，干《注》則各於其職前列之。”如所言，則陸氏必猶見干《注》全書，而賈《疏》絕不稱引。今鈔出《周禮》釋文二十六條、《毛詩》釋文一條、《禮記疏》一條、《後漢書注》十五條、《通典》二條、《初學記》一條、《隋》《唐·音樂志》一條。

馬氏玉函山房輯本序曰：“《隋》、《唐志》有干氏《周官禮注》十二卷，今佚。據《釋文》、《正義》、《後漢·禮儀》《百官》《祭禮》《輿服志》、《初學記》、《御覽》等書輯錄。注本字如‘挾日’作‘帀日’、‘有握’作‘有幄’、‘智鳴’作‘骨鳴’之類，與鄭本異。蓋參用賈、馬之本也。後周平蜀，得錞于，斛斯徵依干《注》，以繩縣之，去地尺餘。又以芒筒捋之，其聲極振。史載其事云。”按此見《周書》及《北史·斛斯徵傳》。

梁又有《周官寧朔新書》八卷，晉燕王師王懋約撰，亡。

《唐書·經籍志》：《周官寧朔新書》八卷，司馬伷序，王懋約注。

《唐書·藝文志》：司馬伷《周官寧朔新書》八卷，王懋約注。

《晉書·宣五王傳》：琅琊武王伷，字子將。正始初，魏明帝年號。封南安亭侯。早有才望，起家爲寧朔將軍。武帝踐祚，封東莞郡王，改封琅琊王。平吳之役，率衆數萬出涂中，孫晧奉箋送璽綬，詣伷降。太康四年薨，年五十七。《傳》又云：“子恭王覲立，太熙元年薨。子睿立，是爲元帝。”

《經義考》曰：“按《隋志》‘梁有《周官寧朔新書》八卷，晉燕王師王懋約撰’，《唐志》作司馬伷撰，王懋約注。案《晉書》，伷起家爲寧朔將軍，書以寧朔名，當從《唐志》。”

按王懋約始末未詳。其爲燕王師者，蓋燕王機，文帝子也。

戀約與安樂王友，伊説同時，略見伊氏《尚書義疏》條下。又《晉書·儒林·陳邵傳》云："邵於泰始中爲燕王師。"則又與邵同時同官。陳邵有《周官禮異同評》，見後。

集注周官禮二十卷　崔靈恩注

崔靈恩有《集注毛詩》，見前詩類。

《梁書》、《北史·儒林傳》：靈恩尤精三《禮》，集注《周禮》四十卷。

《唐書·藝文志》：崔靈恩《周官集注》二十卷。

禮音三卷　劉昌宗撰

劉昌宗始末未詳。

《顏氏家訓·音辭篇》：古今言語，時俗不同。著述之人，楚、夏各異。劉昌宗《周官音》讀"乘"若"承"，此例甚廣，必須考校。

《釋文·敍錄》：劉昌宗《周禮》、《儀禮音》各一卷，《禮記音》五卷。

馬國翰輯本序曰："劉昌宗不詳何人。顏之推《家訓》稱之，當是齊、梁間儒者。《隋志》載《禮音》三卷，《唐志》不著錄，而陸德明《釋文》引述獨多。知唐有其書，《志》偶失載也。今佚。從《釋文》、《集韻》輯爲二卷。"

周官禮異同評十二卷　晉司空長史陳劭撰

《晉書·儒林傳》：陳邵字節良，東海襄賁人也。郡察孝廉，不就。以儒學徵爲陳留內史，累遷燕王師。撰《周禮評》，甚有條貫，行於世。泰始中，詔曰："燕王師陳邵清貞潔靜，行著邦族，篤志好古，博通六籍，耽悦典誥，老而不倦，宜在左右，以篤儒教。可爲給事中。"卒於官。

《釋文·敍錄》：陳劭字節良，下邳人，晉司空長史。

《唐書·經籍志》：《周官論評》十二卷，陳邵駁，傅玄評。

《唐書·藝文志》：傅玄《周官論評》十二卷，陳邵駁。

　　按《晉書》“劭”作“邵”，不著“司空長史”官。《釋文·敍録》
　　引邵《周禮論序》，但節取其言《大》、《小戴記》一事，無一語
　　涉及是書者。据兩《唐志》，則是書似與傅玄同撰。傅仕魏
　　入晉，卒於泰始五年，則與邵同時。

**周官禮駁難四卷　孫略撰。梁有《周官駁難》三卷，孫琦問，干
寶駁，晉散騎常侍虞喜撰。**

《太平御覽·逸民部》：《晉中興書》曰：“孫略字文度，吳人。
少佃於野，人有刈其稻者，略避之。既而刈一擔，自送與之，
鄉人感愧。終日屢空，怡然自足。辟命皆不就。妻，虞預女
也。少稟伯喜風，共安儉約。”

《晉書·儒林傳》：虞喜字仲寧，會稽餘姚人。光禄潭之族也。
<small>按《吳志·虞翻傳》注，翻子忠，忠子潭。</small>少博學好古，郡察孝廉，州舉秀
才，司徒辟。泰寧、咸康間，詔以博士、散騎常侍徵，並不起。
專心經傳，釋《毛詩略》，注《孝經》。凡所著述數十萬言，行於
世。年七十六卒，無子。弟豫別有傳。<small>按“豫”當爲“預”，撰《晉書》者。
彼豫，濟陽外黃皇元敬皇后父，見《外戚傳》。</small>

《唐書·經籍志》：《周官駁難》五卷，孫略問，干寶答。

《唐書·藝文志》：干寶答《周官駁難》五卷，孫略問。

嚴氏《全晉文編》曰：“孫略爵里未詳。《通典》九十一引孫略
‘大功降服議’一條。又九十八引‘生不及祖父母不税服議’
一條。”

章氏《隋書經籍志考證》曰：“《北堂書鈔》引《孫略別傳》。”

　　按干寶有《周禮注》，見前。孫略爲虞預之壻，與預兄喜同
　　志，隱居不仕者。孫琦始末未詳，殆亦同志友善者。是書
　　蓋干寶、孫略、孫琦、虞喜四家問難，合爲一編。本志及《七
　　録》所載共七卷。至唐存五卷，或虞喜所撰定也。

周官禮義疏四十卷　沈重撰

沈重有《毛詩義疏》，見前詩類。

《北史·儒林傳》："魏平江陵，重乃留事梁主蕭詧，累遷都官尚書，領羽林監。詧又令重於合歡殿講《周禮》。"又曰："著《周禮義》三十一卷、《周禮音》一卷。"

《釋文·敍録》曰："近有沈重撰《問禮》、《禮記音》。"_{按"問禮"蓋"周禮"之誤。}

《唐日本國書目》：《周官禮義疏》四十卷，沈重撰。

《唐書·經籍志》：《周禮義疏》四十卷，沈重撰。

《唐書·藝文志》：沈重《周禮義疏》四十卷。

馬氏玉函山房輯本序曰："沈重《義疏》，《隋》、《唐志》並四十卷，今佚。從陸德明《釋文》參《集韻》輯爲一帙。董逌謂賈公彥《疏》據陳邵《異同評》及沈重義爲之。則其疏義固散見賈《疏》，特無從區別，爲可憾也。"

周官禮義疏十九卷
周官禮義疏十卷
周官禮義疏九卷

並不著撰人。

《唐日本國書目》：《周官禮義疏》十卷，《周官禮義疏》十九卷，《周官禮義疏》九卷。

按北朝自沈重外無以《周禮》名家者，南朝梁、陳間則吳興沈峻父子爲最著。《南史·儒林傳》"吏部尚書陸倕與僕射徐勉書，薦峻曰：'凡聖賢所講之書，必以《周官》立義，則《周官》一書，實爲群經源本。此學不傳，多歷年世。北人孫詳、蔣顯亦經聽習，而音隔楚、夏，故學徒不至。唯助教沈峻特精此書，比日時開講肆，群儒劉訏、沈宏、沈熊之徒，並執經下坐，北面受業，莫不歡服，人無間言。弟謂宜即用

此人,令其專此一學,周而復始,使聖人正典廢而更興。'勉
從之,奏峻兼五經博士,於館講授,聽者常數百人。傳峻業
者,又有吳郡張及、會稽孔子雲,官皆至五經博士。峻子文
阿,少習父業,研精章句。又博采先儒異同,自爲義疏"云
云。按沈重與峻同族,皆吳興武康人。梁武帝時亦與峻同
爲五經博士。此義疏三家,大抵出沈氏之門爲多。

周官分職四卷

不著撰人。

周官禮圖十四卷　梁有《郊祀圖》二卷,亡。

唐張彥遠《歷代名畫記》曰:"古之祕畫珍圖,則有《周禮圖》十
四卷。"

《唐日本國書目》:《周禮圖》十五卷,又十卷。

　以上周禮之屬。《通志・藝文略》曰:"漢曰《周官》,江左曰
《周官禮》,唐曰《周禮》。推本而言,《周官》則是。"

儀禮十七卷　鄭玄注

鄭玄有《周易注》,見前易類。

《漢書・儒林傳》:"漢興言《禮》,則魯高堂生。"又曰:"漢興,
魯高堂生傳《士禮》十七篇。"

又《藝文志》:"《禮》古經五十六卷,經七十篇,后氏、戴氏。"劉
敞曰:"此'七十'與後'七十',皆當作'十七'。"又曰:"漢興,魯高堂生傳
《士禮》十七篇。訖孝宣世,后倉最明。戴德、戴聖、慶普皆其
弟子,三家立於學官。《禮》古經者,出於魯淹中及孔氏,蘇林
曰:"淹中,里名也。"學七十篇文相似,多三十九篇。"劉敞曰:"'學七十
篇'當作'與十七篇文相似'。五十六卷除十七,正多三十九也。"

鄭氏《六藝論》曰:"漢興,高堂生得《禮》十七篇。後得孔氏壁
中古文《禮》,凡五十六篇。其十七篇與高堂生所傳同,而字
多異。其十七篇外,則逸《禮》是也。"

又《三禮目録》曰："《特牲》、《少牢》、《有司徹》於五禮屬吉禮，《喪服》、《士喪》、《既夕》、《士虞》屬凶禮，《士相見》、《聘禮》、《覲禮》屬賓禮，《冠》、《昏》、《鄉飲》、《鄉射》、《燕禮》、《公食大夫》、《大射》屬嘉禮。"

《後漢書·儒林傳》：玄本習《小戴禮》。後以古經校之，取其義長者，故爲鄭氏學。《釋文·敍録》引文云："取其於義長者、順者，故爲鄭氏學。"

唐賈公彥《疏》序曰："《周禮》爲末，《儀禮》爲本，本則難明，末便易曉。是以《周禮》注者，則有多門。《儀禮》所注，後鄭而已。"

《釋文·敍録》：鄭玄注《儀禮》十七卷。

《唐書·經籍志》：《儀禮》十七卷，鄭玄注。

《唐書·藝文志》：鄭玄注《儀禮》十七卷。

《宋史·藝文志》：鄭玄《古禮注》十七卷。

《四庫提要》曰："《儀禮》出殘闕之餘，漢代所傳，凡有三本，一曰戴德本，一曰戴聖本，一曰劉向《別録》本，即鄭氏所注。賈《疏》謂：'《別録》尊卑吉凶，次第倫序，故鄭用之；二戴尊卑吉凶雜亂，故鄭不從之也。'其經文亦有二本，高堂生所傳者，謂之今文；魯恭王壞孔子宅得古《儀禮》五十六篇，謂之古文。玄經參用二本。其從今文而不從古文者，則今文大書，古文附注；從古文而不從今文者，則古文大書，今文附注。其書自玄以前，絕無注本。"

又《簡明目録》曰："《儀禮注疏》十七卷，漢鄭玄注，唐賈公彥疏。三《禮》以鄭氏爲宗，《儀禮》尤以鄭氏爲絕學。注文古奧，得疏乃明。數百年來議禮者鑽研不盡。後來著述，皆此書之支流而已。"

《鄭學録》曰："《儀禮注》十七卷，唐賈公彥撰《疏》五十卷，今列於學官。"

張氏《書目答問》：影宋嚴州單注本《儀禮》十七卷，附校録一卷。士禮居校本，武昌局繙黄本。

儀禮十七卷　王肅注

王肅有《周易注》，見前易類。

《唐書·經籍志》：《儀禮》又十七卷，王肅注。

《唐書·藝文志》：王肅注《儀禮》十七卷。

《四庫提要》曰："《儀禮》自鄭玄以前，絕無注本。玄後有王肅《注》十七卷，見於《隋志》。然賈公彦《序》稱《周禮》注者多門，《儀禮》所注，後鄭而已。則唐初肅書已佚也。"

按《釋文·敍録》及賈《疏》皆不言王肅有是書，知是書爲陸氏、賈氏所未見。迨二家成書之後，其本復出，故《舊》、《新唐志》復著於録。

梁有李軌、劉昌宗音各一卷，亡。

李軌有《周易音》，劉昌宗有《禮音》，並見前。

《釋文·敍録》：李軌《周禮》、《儀禮音》各一卷，劉昌宗《周禮》、《儀禮音》各一卷。

梁有鄭玄音二卷，亡。

《釋文·敍録》：鄭玄三禮《音》各一卷。

按《魏書·劉芳傳》"芳尤長音訓，撰鄭玄所注《周官》、《儀禮》音各一卷"，此二卷或即出於劉芳，未可知也。

儀禮義疏見二卷
儀禮義疏六卷

並不著撰人。

《四庫提要》曰："《儀禮》爲之義疏者，有吴興沈重，見於《北史》；又有無名氏二家，見於《隋志》，然皆不傳。故賈公彦僅據齊黄慶、隋李孟悊二家之疏，定爲今本。"

按自鄭氏《注》至此，皆爲《儀禮》全書而作者。以下喪服一類，多於此且十倍，亦統屬於儀禮。

喪服經傳一卷　馬融注

馬融有《周易注》，見前易類。

《晉書・禮志》曰：“《喪服》本文省略，必待注解，事義迺彰，其傳説差詳，世稱子夏所作。”

本志篇敍曰：“其《喪服》一篇，子夏先傳之，諸儒多爲注解，今又別行。”

《儀禮疏》曰：“其傳内更云‘傳’者，是子夏引他舊傳以證己義。《儀禮》見在一十七篇，餘不爲傳，獨爲《喪服》作傳者，但《喪服》一篇總包天子已下五服差降，六術精麤，變除之數，既繁出入，正殤交互，恐讀者不能悉解其義，是以特爲傳解。”

王應麟《漢志考證》曰：“《喪服傳》子夏所爲，《白虎通》謂之《禮服傳》。”

《釋文・敍録》曰：“《喪服》一篇，又別行於世。”又曰：馬融注《喪服》。

《唐書・經籍志》：《喪服紀》一卷，馬融注。

《唐書・藝文志》：馬融注《喪服紀》一卷。

馬國翰輯本序曰：“《喪服經傳》馬氏注一卷。《儀禮疏》引數條。杜佑《通典》所引最多，缺者無幾矣。”

侯康《補後漢藝文志》曰：“王謨、孫馮翼俱有輯本一卷。”

喪服經傳一卷　鄭玄注

鄭玄見前。

《唐書・經籍志》：《喪服紀》一卷，鄭玄注。

《唐書・藝文志》：鄭玄注《喪服紀》一卷。

馬國翰輯《鄭氏喪服變除》序曰：“《隋志》復有《喪服經傳注》，即注《儀禮・喪服篇》也。晉、宋諸儒好治喪禮，於是鄭注《喪服》別有單行之本。故《隋》、《唐志》亦別著於錄。"

鄭珍《鄭學錄》曰："《釋文·敍錄》云鄭注《周禮》、《儀禮》、《禮記》並列學官，而《喪服》一篇又別行於世，即謂此也。"

喪服經傳一卷　王肅注

王肅有《周易注》，見易類。

《晉書·禮志》：太康初，尚書郎摯虞表新禮所宜損增曰："《喪服》一卷，卷不盈握，而爭說紛然。三年之喪，鄭云二十七月，王云二十五月。改葬之服，鄭云服緦三月，王云葬訖而除。繼母出嫁，鄭云皆服，王云從乎繼寄育乃爲之服。無服之殤，鄭云子生一月哭之一日，王云以哭之日易服之月。如此者甚衆。鄭、王祖《經》宗《傳》而各有異同，天下並疑，莫知所定。臣以爲今宜依準王景侯所撰《喪服變除》，使類統明正，以斷疑爭。"

《宋書·王淮之傳》：永初二年奏曰："鄭玄注《禮》，三年之喪，二十七月而吉，古今學者多謂得禮之宜。晉初用王肅議，祥禫共月，故二十五月而除，遂以爲制。江左以來，唯晉朝施用，縉紳之家多遵玄義。夫先王制禮，以大順人心。今大宋開泰，品物遂理。愚謂宜同即物情，以玄義爲制，朝野一體，則家無殊俗。"從之。

《釋文·敍錄》曰："肅又注《禮容服》。"又曰："馬融、王肅並注《喪服》。"

《唐書·藝文志》：王肅注《喪服紀》一卷。

馬國翰輯本序曰："肅有《儀禮注》。《隋志》別出《喪服經傳》一卷，《唐志》作《喪服紀》。今久佚。從賈公彥《疏》、陸德明《釋文》、杜佑《通典》所引，輯錄一卷。賈《疏》於馬、鄭所不言者，依王義以釋經。"

《孫祠書目》：《喪服傳》馬、王注，一卷。孫馮翼輯本。

喪服經傳一卷　晉給事中袁準注

《魏志·袁渙傳》：“渙字曜卿，陳郡扶樂人。魏國初建，爲郎中令，行御史大夫事，卒官。”注引《袁氏世紀》曰：“渙第四子準，字孝尼，爲《易》、《周官》、《詩傳》，及論五經滯義，聖人之微言，以傳於世。”荀綽《九州記》曰：“準有儁才，泰始中爲給事中。”

《晉書·袁環附傳》：從祖準，字孝尼，以儒學知名。注《喪服經》。官至給事中。

《唐書·經籍志》：《喪服紀》又一卷，袁準注。

《唐書·藝文志》：袁準注《儀禮》一卷。

嚴氏《全晉文編》曰：“袁準有《儀禮喪服經注》一卷。”又《袁子正論》輯本序曰：“其所注《喪服經》，《隋志》作《喪服經傳》，《舊唐志》作《喪服紀》，《新唐志》作《儀禮注》，皆一卷。今僅存一條，見《通典》卷十九。”

馬氏玉函山房輯本序曰：“《禮記·檀弓》正義引其説‘父卒爲嫁母服’一事，《通典》亦載之，而互有詳略。《通典》又引其説‘長中下殤’及‘乳母服’二事，皆此注之佚文。又引解説《喪服》凡六事，或稱《袁準正論》，或稱《袁準論》。準別著《袁子正論》，在儒家。雖非本注之文，而發明《喪服》義，實出一人之手。並据輯録。”

集注喪服經傳一卷　晉廬陵太守孔倫撰

《晉書·孔愉傳》：愉，會稽山陰人也。其先世居梁國，曾祖潛，太子少傅。漢末避地會稽，因家焉。愉從子嚴，嚴父倫，黃門郎。

《釋文·敍録》：孔倫字敬序，會稽人。東晉廬陵太守，集衆家注《喪服》。

《唐書·經籍志》：《喪服紀》又一卷。失注撰人。

《唐書·藝文志》：孔倫注《儀禮》一卷。

曲阜孔繼汾《闕里文獻考》："子孫著聞者，晉全椒令奕，先聖二十四代孫。奕子倫、群，倫官黃門郎，嘗注《儀禮》。群別有傳。"又《孔氏著述》類云："二十五代孫晉黃門郎倫，集注《喪服經傳》一卷，今亡不可見。"

馬氏玉函山房輯本序曰："孔氏《集注》，《隋》、《唐志》並著錄一卷，今佚。杜佑《通典》引四事，《釋文》引一事而已。"

喪服經傳一卷　陳銓注

《釋文·敍錄》曰：陳銓不詳何人。注《喪服》。

《唐書·經籍志》：《喪服紀》又一卷，陳銓注。

《唐書·藝文志》：陳銓注《儀禮》一卷。

馬氏玉函山房輯本序曰："陳銓不詳何人。觀《隋志》敍次在孔倫下、裴松之前，當爲晉、宋間人。《隋》、《唐志》並一卷。今佚。從杜佑《通典》所引二十餘條，輯錄爲卷。注於《期服》章，喜攻康成，其人大抵爲王學之徒歟？"

集注喪服經傳一卷　宋太中大夫裴松之撰

《宋書》本傳：松之字世期，河東聞喜人也。晉義熙中至尚書祠部郎。高祖北伐，領司州，以爲州主簿、治中從事史、世子洗馬。歷零陵內史、國子博士、中書侍郎、永嘉太守、通直常侍、南琅琊太守。元嘉十四年致仕，拜中散太夫，尋領國子博士，進太中大夫。二十八年卒，年八十。所著文論並行於世。子駰。

《釋文·敍錄》：裴松之字士期，河東人。宋太中大夫、西鄉侯。注《喪服》。按《宋書》、《南史》皆不言封西鄉侯爵。

馬氏玉函山房輯本序曰："此書《唐志》不著錄，佚已久。杜佑《通典》引裴松之二節，一爲答宋江氏問，一爲答何承天書，皆言《喪服》，故輯以備一家。"

略注喪服經傳一卷　雷次宗注

雷次宗有《毛詩序義》，見前詩類。

《宋書·隱逸傳》：元嘉中，次宗還廬山。後又徵詣京邑，爲築室於鍾山，謂之招隱館，使爲皇太子諸王講《喪服經》。次宗不入公門，乃使自華林東門入延賢堂就業。

梁釋慧皎《高僧傳》：慧遠內通佛理，外善群書。時講《喪服經》，雷次宗、宗炳等，並執卷承旨。次宗後別著義疏，首稱雷氏，宗炳因寄書嘲之曰："昔與足下共於釋和尚間面受此義，今便卷首稱雷氏乎？"

《釋文·敍錄》曰：雷次宗注《喪服》。

王氏《漢魏遺書鈔》曰："《新》、《舊書志》俱不載雷氏，此書則唐時已散佚矣。今共鈔出《儀禮疏》七條，《通典》二十四條。"

馬氏玉函山房輯本序曰："《喪服》雷次宗注，佚已久。賈《疏》、《通典》引之，茲據輯錄。注於經傳書法以及名義極多發明，文筆亦雋逸。據《高僧傳》，次宗此注受於慧遠，而遠法師以象教之徒，能研窮乎儒經之義，不涉玄虛，力抉微奧，宜乎名高蓮社，而爲淵明所欽企也。"

集注喪服經傳二卷　宋丞相諮議參軍蔡超宗注 按當爲"蔡超"，衍"宗"字。

《宋書·南郡王義宣傳》：蔡超，濟陽考城人。父茂之，始興太守。超少有才學，初爲兗州主簿，時令百官舉才，超與前始寧令同郡江淳之、前征南參軍會稽賀道養，並爲興安侯義賓所表薦。義宣爲都督、丞相、荊湘二州刺史，超爲諮議參軍，專掌書記，並參謀。世祖即位，除尚書吏部郎，仍爲丞相諮議參軍，南郡內史，封汝南縣侯，食邑千戶。後義宣與江州刺史臧質起兵反，爲朱修之所殺，超等並伏誅。又《張暢傳》云："義宣既有異圖，蔡超等以暢民望，勸義宣留之。"

《釋文·敍錄》：蔡超字希遠，濟陽人。宋丞相諮議參軍。注《喪服》。

《唐書·經籍志》:《喪服紀》又二卷,蔡超宗注。

《唐書·藝文志》:蔡超宗注《儀禮》二卷。

梁又有《喪服經傳》一卷,宋徵士劉道拔注,亡。

《釋文·敍錄》:劉道拔,彭城人。宋海豐令。注《喪服》。

集解喪服經傳二卷　齊東平太守田僧紹解

《釋文·敍錄》:田儁之字僧紹,馮翊人。齊東平太守。注《喪服》。

《唐書·經籍志》:《喪服紀》又二卷,田僧紹注。

《唐書·藝文志》:田僧紹注《儀禮》二卷。

按自馬融至此,凡十一家,皆《喪服經傳》之注、解、集解者也。自爲一類。

喪服義疏二卷　梁步兵校尉五經博士賀瑒撰

《梁書·儒林傳》:賀瑒字德璉,會稽山陰人也。祖道力,善三《禮》,仕宋爲尚書三公郎,建康令。瑒少傳家業。齊時,沛國劉瓛爲會稽府丞,見瑒深器之。瓛還,薦爲國子生。舉明經、揚州祭酒,俄兼國子助教。歷奉朝請、太學博士、太常丞。天監初,有司舉治賓禮,召見說《禮》義,高祖異之,詔朝朔望,預華林講。四年初,開五館,以瑒兼五經博士。七年,拜步兵校尉,領五經博士。九年,卒於館,年五十九。所著《禮》、《易》、《老莊講疏》、《朝廷博議》數百篇,《賓禮儀注》一百四十五卷。瑒於《禮》尤精,館中生徒常百數,弟子明經對策至數十人。

《南史》本傳又云:"晉司空循之玄孫也。伯祖道,養工卜筮。祖道力,善三《禮》,有盛名。父損,亦傳家業。瑒二子革、季,弟子琛,並傳瑒業。"

梁又有《喪服經傳義疏》五卷,齊散騎郎司馬瓛撰,亡。"瓛"當爲"憲",因下文"劉瓛"而寫誤也。

《南史·文學·丘巨源附傳》:司馬憲字景思,河內溫人。待詔東觀，爲學士，至殿中郎。口辯有才地，使魏，見稱於北。_按東觀，即總明觀也。

《梁書·儒林·伏曼容傳》：齊永明初，衞將軍王儉令與河内司馬憲、吳郡陸澄共撰《喪服義》，既成，又欲與之定禮樂，會儉薨。

按王儉有《喪服古今集記》三卷，爲其少時所撰。詳見於後。此五卷名《義疏》，乃永明初令伏曼容、陸澄及憲三人所撰定者也。

梁又有《喪服經傳義疏》二卷，齊給事中樓幼瑜撰，亡。

《齊書·高逸·徐伯珍傳》：伯珍，東陽人。同郡樓幼瑜亦儒學。著《禮捃遺》三十卷。官至給事中。《南史·劉瓛附傳》云：“又東陽婁幼瑜，字季玉，著《禮捃拾》三十卷。”

《南史·隱逸·徐伯珍附傳》：伯珍同郡婁幼瑜字季，亦聚徒教授，不應徵辟，彌爲臨川王暎所賞異，著《禮捃拾》三十卷。

梁又有《喪服經傳義疏》一卷，劉瓛撰，亡。

劉瓛有《周易乾坤義》，見前易類。

梁又有《喪服經傳義疏》一卷，齊徵士沈麟士撰，亡。

《南史·隱逸傳》：沈麟士字雲禎，吳興武康人也。幼而俊敏，及長，博通經史，有高尚之心。隱居餘干吳差山，講經教授，從學士數十百人，各營屋宇，依止其側，時爲之語云：“吳差山中有賢士，開門教授居成市。”著《周易兩繫》、《莊子内篇訓》、注《易經》、《禮記》、《春秋》、《尚書》、《論語》、《孝經》、《喪服》、《老子要略》數十卷。永明中，中書郎沈約表薦之；梁天監元年與何點同徵，皆不就。二年，卒於家，年八十五。

喪服經傳義疏一卷　梁尚書左丞何佟之撰。亡。　_{按“亡”字衍。}

《南史·儒林傳》：何佟之字士威，廬江灊人。少好三《禮》，師心獨學，強力專精，手不輟卷。太尉王儉雅相推重，起家揚州從事，爲總明館學士。齊初，爲國子助教，爲諸王講《喪服》，結草爲經，屈手巾爲冠，諸生有未曉者，委曲誘誨。建武中，爲鎮北記室參軍、侍皇太子講。時劉瓛、吳苞皆已卒，都下碩儒，唯佟之而已。東昏即位，謝病不涉其流。梁武帝踐阼，以爲尚書左丞。天監二年卒官，所著文章禮議百許篇。

喪服傳一卷　梁通直郎裴子野撰

《梁書》本傳：子野字幾原，河東聞喜人。兄黎、弟楷、綽並有盛名，所謂“四裴”也。曾祖松之，祖駰，父昭明。子野少好學。仕齊入梁，歷鴻臚卿、領步兵校尉、知著作郎兼中書通事舍人。中大通二年卒官，年六十二，諡曰貞子。子野少時，《集注喪服》、《續裴氏家傳》各二卷，鈔合後漢事四十餘卷。又敕撰《附益諡法》一卷、《方國使圖》一卷，並行於世。

喪服文句義疏十卷　陳國子助教皇侃撰　按“陳”當爲“梁”。

《梁書·儒林傳》：皇侃，吳郡人，青州刺史皇象九世孫也。侃少好學，師事賀瑒，精力專門，盡通其業。起家兼國子助教，於學講說，聽者數百人。高祖拜員外散騎侍郎，兼助教如故。丁母憂，解職還鄉里。平西邵陵王厚禮迎之，既至，因感心疾，大同十一年卒於夏首，年五十八。

《釋文·叙錄》：梁國子助教皇侃撰《禮記義疏》，又傳《喪服義疏》，並行於世。

《唐書·經籍志》：《喪服文句義》十卷，皇侃撰。

《唐書·藝文志》：皇侃《喪服文句義》十卷。

喪服義十卷　陳國子祭酒謝嶠撰

《陳書·謝岐傳》：岐，會稽山陰人也。仕梁入陳。至天嘉二年，爲給事、黃門侍郎、中書舍人。卒。岐弟嶠篤學，爲世通儒。

喪服義鈔三卷　梁有《喪服經傳隱義》一卷，亡。

並不著撰人。

按自賀瑒至此，凡十一家，皆《喪服經傳》之義疏、講疏者也。又別爲一類。

喪服要記一卷　王肅注

王肅有《喪服經傳注》，見前。

《唐書・經籍志》：《喪服要紀》一卷，王肅注。

《唐書・藝文志》：王肅《喪服要記》一卷。

《經義考》曰：“王氏《喪服要記》，孔氏《正義》、杜氏《通典》多引之。其《魯哀公葬父》一篇，酈善長《水經注》謂肅此證近於誣。”

馬氏玉函山房輯本序曰：“肅注《喪服經傳》，又引伸《喪服》之義作《要記》。《隋》、《唐志》並以一卷著録。今佚。《水經注》、《藝文類聚》、《太平御覽》諸書皆引‘魯哀公祖載其父孔子問以設表門菰廬’等，《繹史》删合爲一節；又《通典》引十三節。合録一卷。”

按《魏志》本傳有云“其所論駁朝廷典制以及喪紀輕重，凡百餘篇”，此一卷，其即百餘篇中之一類者歟？

喪服要記一卷　蜀丞相蔣琬撰

《蜀志》本傳：琬字公琰，零陵湘鄉人也。以州書佐隨先主入蜀。除廣都長，免爲什邡令。先主爲漢中王，琬入爲尚書郎。後主建興元年，丞相開府，辟爲東曹掾，舉茂才，遷參軍長史，加撫軍將軍、統留府事。亮卒，爲尚書令。俄而加行都護，假節，領益州刺史，遷大將軍，録尚書事，封安陽亭侯，開府，加大司馬。延熙九年卒，謚曰恭。”

梁有《喪服變除圖》五卷，吳齊王傅射慈撰，亡。

《吳志・吳主孫休傳》：休年十三，從中書郎射慈受學。

又齊王《孫奮傳》：“及諸葛恪誅，奮下住蕪湖，欲至建業觀變。傅相謝慈等諫奮，奮殺之，坐廢爲庶人。”裴松之曰：“慈字孝

宗，彭城人。見《禮論》。撰《喪服圖》及《變除》，行於世。"按裴注
稱"見《禮論》"者，即何承天《禮論》，詳見於後。《廣韻》射字注：射又姓。《三輔決録》
曰："漢末大鴻臚射咸，本姓謝名服，天子以謝將軍出征，姓謝名服不祥，改之爲謝氏名
咸。"今按《吳志》一作射慈，一作謝慈。自來傳寫，莫衷一是，而射出於謝，從可知矣。

《唐書・經籍志》：《喪服天子諸侯圖》二卷，謝慈撰。

《唐書・藝文志》：射慈《喪服天子諸侯圖》一卷。

嚴氏《全三國文編》曰："射慈字孝宗，彭城人。一作謝慈。爲
中書郎，領齊王奮傅，以諫被殺。有《喪服圖》及《變除》五
卷。"又曰："《喪服變除》今見於《通典》者，凡二十條。"

王氏《漢魏遺書鈔》曰："書中載徐整與慈問答，整蓋亦爲禮服
之學者。凡共鈔出《通典》三十一條，内一條見《御覽》。"

馬氏玉函山房輯本序曰："裴松之注云'撰《喪服圖》及《變除》
行於世'，蓋二書也。《七録》合之云《喪服變除圖》五卷。
《唐・藝文志》有《喪服天子諸侯圖》一卷，已非梁時之舊本。
今佚，從杜佑《通典》采得二十七節。又從《御覽》、《南史》、
《禮記正義》各采一節，合而録之。與徐整答問爲多，整當是
慈之門人，其書體例亦似《鄭志》之類。"

按《喪服變除》之書，始於西漢大戴氏。《禮記・檀弓》、《雜
記》、《閒傳》正義稱戴德《喪服變除》禮文，兩《唐志》有戴德
《喪服變除》一卷。本志不載，疑在戴氏五家圖譜中，見後。

喪服要集二卷　晉征南將軍杜預撰　"征"當爲"鎮"。

《晉書》本傳：預字元凱，京兆杜陵人也。祖畿，魏尚書僕射。
父恕，幽州刺史。文帝嗣立，預尚帝妹高陸公主，起家拜尚書
郎，襲祖爵豐樂亭侯。太康初，代羊祜爲鎮南大將軍，都督荆
州諸軍事。孫晧既平，以功進爵當陽縣侯，增邑並前九千六
百户。其後徵爲司隷校尉，加位特進，行次鄧縣而卒，年六十
三，諡曰成。又《武帝本紀》：太康五年閏十二月，鎮南大將軍、當陽侯杜預卒。

《唐書·經籍志》：《喪服要集議》三卷，杜預撰。

《唐書·藝文志》：杜預《喪服要集議》三卷。

馬氏玉函山房輯本序曰："泰始十年，武元楊皇后崩，朝議皇太子釋服月日。預主二十五月除服，於時外内怪其違禮以合時。預使博士段暢采典籍爲之證據，此《喪服要集》之所緣作乎？《隋志》二卷，《唐志》作《要集議》三卷。今佚。從《北堂書鈔》、《初學記》、《通典》輯得《宗譜》一篇，佚文十二節，合録爲帙。史臣於短喪之議，謂之徇以苟合，不求其正。又謂《檀弓》習於變禮，微詞以譏之。"

梁又有《喪服要記》二卷，晉侍中劉逵撰，亡。

《晉書·文苑·左思傳》：陳留衛瓘又爲思賦作《略解》，序曰："著作郎安平張載、中書郎濟南劉逵並以經學洽博，才章美茂，咸皆悦玩，爲之訓詁。"

錢氏《十駕齋養新餘録》曰："左思《三都賦》，爲之注者，劉逵、張載也。《趙王倫傳》有黃門侍郎劉逵，未審即其人否。"

嚴氏《全晉文編》曰："劉逵字淵林，濟南人。元康中，爲尚書郎，歷黃門侍郎，累遷侍中。有《喪服要記》二卷。"

喪服儀一卷　晉太保衛瓘撰

《晉書》本傳：瓘字伯玉，河東安邑人也。父覬，魏尚書。瓘襲父爵閿鄉侯，爲魏尚書郎，至侍中。持節監鄧艾、鍾會軍。蜀既平，增封菑陽侯。泰始初，進爵爲公。太康時，累遷司空、侍中、尚書令，告老遜位。進太保，以公就第。惠帝即位，以瓘録尚書事，與汝南王亮共輔朝政。賈后素怨瓘，且忌其方直，不得逞己淫虐，遂謗瓘與亮欲行伊、霍之事。啟帝作手詔，免瓘官，使楚王瑋、清河王遐收瓘。瓘與子恒、嶽、裔及孫等九人同被害，時年七十二。恒二子璪、玠時在醫家，得免。後以瓘舉門無辜受禍，追封蘭陵郡公，謚曰成。又《惠帝本紀》：元

康元年三月，徵大司馬、汝南王亮爲太宰，與太保衛瓘輔政。六月，賈后矯詔，使楚王
瑋殺太宰汝南王亮、太保菑陽公衛瓘。乙丑，以瑋擅害亮、瓘，殺之，曲赦洛陽。

梁有《喪服要》六卷，晉司空賀循撰，亡。　　"要"下敓"記"字。

《晉書》本傳：循字彦先，會稽山陰人也。其先慶普，漢世傳
《禮》，世所謂慶氏學。族高祖純，博學有重名，漢安帝時爲侍
中，避安帝父諱，改爲賀氏。曾祖齊，仕吳爲名將。父邵，中
書令，爲孫晧所殺，徙家屬邊郡。循少嬰家難，流放海隅，吳
平，乃還本郡。舉秀才，爲陽羨、武康令。久之，召補太子舍
人。元帝建武初，拜太常、行太子太傅。以疾改授左光禄大
夫、開府儀同三司。太興二年卒，年六十，贈司空，謚曰穆。

《吳志·賀邵傳》注：虞預《晉書》曰："循好學博聞，尤善三
《禮》。元皇帝時，朝廷初建，動有疑議，宗廟制度，皆循所定。
朝野諮詢，爲一時儒宗。諸所著論，並傳於世。"

《唐書·經籍志》：《喪服要紀》五卷，賀循撰，謝微注。

《唐書·藝文志》：賀循《喪服要紀》五卷，謝微注。

馬氏玉函山房謝氏注輯本序曰："謝徽不詳何人，注賀循《喪
服要記》。《隋志》不載，《新》、《舊唐書志》皆五卷。今佚。杜
佑《通典》引之，據輯。注博引經傳，並即賀與人答問之語，反
覆推究，亦留心典故者矣。"

　　按此六卷似即《唐志》之謝微注五卷。馬氏以爲謝徽，或所
　　見《唐志》及《通典》皆作"徽"字歟？

梁有《喪服要問》六卷，劉德明撰，亡。

劉德明始末未詳。按《南史·劉虯傳》："虯，一字德明。"不知即此劉德明否
也？有集二十四卷，見後集部。

梁有《喪服》三十一卷，宋員外郎散騎庾蔚之撰，亡。　　"散騎"下敓
"常侍"二字。

《宋書·隱逸·雷次宗傳》：元嘉十五年，徵次宗至京師，開館

於雞籠山，聚徒教授，置生百餘人。會稽朱膺之、潁川庾蔚之，並以儒學監總諸生。

又《臧燾徐廣傅隆傳》論曰：“潁川庾蔚之、雁門周野王、汝南周王子、河内向琰、會稽賀道養，皆託志經書，見稱於後學。”

嚴氏《全宋文編》曰：“庾蔚之字季隨，潁川人。孝建中爲太常丞，歷員外郎、散騎常侍。有《喪服》三十一卷、《喪服世要》一卷、《喪服要記注》十卷、《禮記略解》十卷、《禮論抄》二十卷。”

又曰：“庾亮之，孝建中爲太常丞。官位、時代與庾蔚之相值，未知是一人是二人也。”

梁有《喪服要問》二卷，張耀撰，亡。

張耀始末未詳。

梁有《喪服難問》六卷，崔凱撰，亡。

崔凱始末未詳。

嚴氏《全宋文編》曰：“崔凱一作崔元凱，有《喪服難問》六卷。《通典》引見凡一十二條。”

馬氏玉函山房輯本序曰：“崔凱不詳何人。《隋志》載此書六卷，於庾蔚之下，當後於庾。《通典》引或作‘宋凱’，當是‘宋崔凱’，偶脱‘崔’字。以此定爲宋人。《唐志》不著録，佚已久。從《通典》所引輯十七節，或作《喪服駁》，或作《喪儀》，或作《喪服儀節》，或僅題崔凱，要是一書。佚文不同者，當是篇目也。其書委曲發明，與劉智《釋疑》相伯仲云。”

梁有《喪服雜記》二十卷，伊氏撰，亡。

伊氏不詳何人。

梁有《喪服釋疑》二十卷，孔智撰，亡。　“孔”當爲“劉”。

《晉書·劉寶傳》：寶字子真，平原高唐人也。弟智，字子房，貞素有兄風。讀誦不輟，竟以儒行稱。歷中書、黄門吏部郎，出爲潁川太守。平原管輅嘗謂人曰：“吾與劉潁川兄弟語，使人神思清發，昏不假寐。自此之外，殆白日欲寢矣。"入爲祕書監，領南陽王師，加散騎常侍，遷侍中、尚書、太常。著《喪服釋疑論》，多所辯明。太康末卒，謚曰成。

嚴氏《全晉文編》曰："劉智有《喪服釋疑論》二十卷。今見於《通典》者凡十五條。"

王氏《漢魏遺書鈔》曰："《隋志》：孔智撰《喪服釋疑》二十卷，亡。《唐志》不載。謨案此本劉智撰，乃晉太保劉寔之弟，見《晉書·寔本傳》。後《通典》引作劉智是也。《隋志》誤作孔智。今從《通典》鈔出一十六條。"

馬氏玉函山房輯本序曰："余氏蕭客云：'《通典》引數處，並云晉劉智，無孔智。'按《禮記正義》亦引劉智，以此合本傳證之，知《隋志》誤'劉'爲'孔'也。兹從孔《疏》、《通典》輯録，凡十七節。"又曰："《通典》卷九十五、九十八引虞喜《通疑》五節，皆論劉智《喪服釋疑》，故以《通疑》名，意其因劉書而作也。"

　　按自王肅至此，凡一十三家，皆《喪服》雜記、故事及問難、論辨之屬，非爲經傳而作，猶《詩》之有外傳也。又別爲一類。

漢荆州刺史劉表新定禮一卷

劉表有《周易章句》，見前易類。

《通志·藝文略》禮類喪服儀注門：《新定喪禮》一卷，漢劉表撰。

嚴氏《全後漢文編》曰："表與綦毋闓、宋忠等撰。五經章句，謂之後定，此即其一。《通典》八十三、八十四、八十九引凡四條。"

馬氏玉函山房輯本序曰："《隋志》有劉表《新定禮》一卷。'新定'即'後定'，題小異耳。《唐志》不著，佚已久。杜佑《通典》

引六節，或僅題劉表，或稱《後定喪服》。"

喪服要略一卷　晉太學博士環濟撰

唐林寶《元和姓纂》曰："環氏，楚有環列之尹，子孫氏焉。楚有環泉，按本作"淵"，避諱改。漢有太守環饒，晉環濟撰《要略》。"

嚴氏《全晉文編》曰："環濟，太興中爲太學博士，有《喪服要略》一卷。"

按環氏著書似總名《要略》，此名《喪服要略》，其後雜史類名《帝王要略》，當時或合爲一編，此亦見《帝王要略》中。

喪服要略二卷

不著撰人。

按此似環氏別本。又《南史·隱逸·沈麟士傳》"麟士著《喪服》、《老子要略》"，亦近似之。

喪服制要一卷　徐氏撰

徐氏不詳何人。

按此大抵言喪服制度之要者。

又按自劉表至此四家，又似別爲一類。

喪服譜一卷　鄭玄注

鄭氏有《喪服經傳注》，見前。

馬氏玉函山房輯《鄭氏變除》序曰："《隋志》復有《喪服譜》一卷。《唐·藝文志》無《喪服譜》，而有《喪服變除》一卷。《隋志》之《譜》疑即《唐志》之《變除》。蓋因大戴之書而申明之，或其書中衍爲圖譜，故《隋志》取以標目歟？"

孫氏《書目》：《鄭氏喪服變除》一卷，孔廣林集本。

喪服譜一卷　晉開府儀同三司蔡謨撰

《晉書》本傳：謨字道明，陳留考城人也。避亂渡江。康帝時，歷左光祿大夫，領司徒、揚州刺史，録尚書事。遷侍中、司徒，累年不拜。穆帝臨軒，遣侍中、黃門郎徵謨，不至。於是公卿奏謨無復人臣之禮，免爲庶人。謨既被廢，杜門不出，終日講誦，教授子弟。數年，皇太后詔以爲光禄大夫、開府儀同三司。十二年卒，年七十六，贈侍中、司空，諡曰文穆。謨博學於禮儀，宗廟制度，多所議定。"

《唐書·經籍志》：《喪服普》一卷，蔡謨撰。

《唐書·藝文志》：蔡謨《喪服譜》一卷。

馬氏玉函山房輯本序曰："蔡氏《喪服譜》，《隋》、《唐志》並以一卷著録。今佚。《晉書·禮志》引其説凶門一節，《通典》亦載之。又引蔡説喪服凡十二節，皆問難禮中疑義，書以'譜'名，宜有圖格。今不可見，佚説皆引經斷制，間有駁斥鄭義者，亦言之成理云。"

喪服譜一卷　賀循撰

賀循有《喪服要記》，見前。

《唐書·經籍志》：《喪服譜》一卷，賀循撰。

《唐書·藝文志》：賀循《喪服譜》一卷。

馬氏玉函山房輯本序曰："賀氏《喪服譜》，《隋》、《唐志》並一卷，今佚。杜佑《通典》引賀循宗義二節、祫祭圖一節，服必以宗起例，以圖表明，均爲《譜》之佚文，據以輯録。"

喪服變除一卷　晉散騎常侍葛洪撰

《晉書》本傳：洪字稚川，丹陽句容人也。少好學，以儒學知名，究覽典籍，凡所著撰，皆精覈是非，而才章富贍。太安中，石冰作亂，吳興太守顧祕爲義軍都督，檄洪爲將兵都尉。元帝時，以平賊功，賜爵關内侯。干寶薦洪才堪國史，選爲散騎常侍，領大著作，洪固辭不就。以年老，欲煉丹以祈遐壽。聞交阯出丹，求爲句漏令，許之，遂將子姪俱行至廣州。刺史鄧嶽留，不聽，去。洪乃止羅浮山煉丹，在山積年，優游閒養，著述不輟。卒年八十一。

馬氏玉函山房輯本序曰："葛氏《喪服變除》,《隋志》載一卷,今佚。陸德明《釋文》引一事,杜佑《通典》引二節而已。其説盧楷制度甚詳。洪以博淹擅名,引述古法,必有依据也。"

凶禮一卷　晉廣陵相孔衍撰

《晉書·儒林傳》:孔衍字舒元,魯國人,孔子二十二世孫也。少好學,避地江東。元帝引爲安東參軍,專掌記室。中興初,與庾亮俱補中書舍人。明帝在東宮,領太子中庶子。時庶事草創,衍經學深博,又練識舊典,朝儀軌制,多取正焉。由是元、明二帝並親愛之。王敦專權,出衍爲廣陵郡,視職期月,以太興三年卒於官,年五十三。衍雖不以文才著稱,而博覽過於賀循,凡所撰述百餘萬言。

曲阜孔繼汾《闕里文獻考》:先聖二十二代孫、晉廣陵太守衍有《凶禮》一卷,今亡不可見。

馬氏玉函山房輯本序曰："《隋志》載《凶禮》一卷,《唐志》不著録,佚已久。《通典》引《宗廟藏主室議》、《乖離論》、《禁招魂葬論》凡三篇,皆言喪葬事,《凶禮》之遺文也,據而録之。"

喪服要記十卷　賀循撰。梁有《喪服要記》,宋員外常侍庾蔚之注。

賀循有《喪服要記》六卷、《喪服譜》一卷。庾蔚之有《喪服》三十一卷,並見前。

《宋書·臧燾徐廣傅隆傳》論曰："潁川庾蔚之略解《禮記》,並注賀循《喪服》行於世。"

《唐書·經籍志》:《喪服要記》十卷,賀循撰,庾蔚之注。

《唐書·藝文志》:庾蔚之又注《喪服要記》五卷。

馬氏玉函山房輯本序曰："鄭康成作《喪服譜》,賀循亦作《譜》;王蕭作《喪服要記》,循亦作《要記》。其書似參用鄭、王而酌其中。《隋志》十卷,《唐志》五卷。今佚。從《禮記正義》、《通典》、《太平御覽》所引輯錄。史稱:'朝廷疑滯,皆諮之於循,循輒依經禮而對,爲當世儒宗。'觀庾蔚之、謝徵於《要記》皆有注,史册言禮者多引之,則當日皆奉爲圭臬矣。又《通典》、《御覽》引賀循《要記》外,又引賀循《葬禮》。《隋》、《唐志》無《葬禮》之目。今别輯,排比於後。"

按此著録十卷,據《唐·經籍志》,即《七録》所載庾蔚之注本。修《隋志》者以隋時舊目不著庾蔚之注,故復引《七録》注於其下,卷數相同,故不復注。

梁又有《喪服世要》一卷,庾蔚之撰,亡。

庾蔚之見前。

按《喪服世要》者,殆即所謂世行要記,爲世俗行用之要者。

梁又有《喪服集議》十卷,宋撫軍司馬費沈撰,亡。

《宋書·孝武帝本紀》:元嘉三十年,元凶殺逆,上率衆入討。四月己巳即皇帝位。八月丁亥,以撫軍司馬費沈爲梁、南秦二州刺史。

又《南夷·林邑國傳》:廣州諸山並俚獠,種類繁熾,前後屢爲侵暴,歷世患苦之。世祖大明中,合浦大帥陳檀歸順,拜龍驤將軍。四年,檀表乞官軍征討未附,乃以檀爲高興太守,將軍如故。遣前朱提太守費沈、龍驤將軍武期率衆南伐,並通朱崖道,並無功,輒殺檀而反,沈下獄死。

喪服古今集記三卷　齊太尉王儉撰

《齊書》、《南史》本傳:儉字仲寶,琅琊臨沂人也。數歲,襲父僧綽豫章侯爵。專心篤學,手不釋卷。尚宋陽羨公主,拜駙馬都尉。解褐祕書郎,太子舍人。歷黄門、吏部郎。齊太祖爲太尉,引爲右長史,爲齊佐命。建元元年,改封南昌縣公。先是,宋孝武好文章,天下悉以文采相尚,莫以專經爲業。儉弱年便留意三《禮》,尤善《春秋》,發言吐論,造次必於儒教,由是衣冠翕然，並尚經學。累遷侍中、中書令、太子少傅、國子祭酒、衛軍將軍、開府儀同三司。永明七年，以疾薨，年三十八，贈太尉，諡文憲。少撰《古今喪服集記》，行於世。又《齊武帝本紀》："永明七年五月乙巳，尚書令、衛將軍、開府儀同三司王儉薨。"

《唐書・經籍志》：《喪服古今集記》三卷，王儉撰。

《唐書・藝文志》：王儉《喪服古今集記》三卷。

馬氏玉函山房輯本序曰："南齊王儉撰《喪服古今集記》，《隋》、《唐志》並三卷。今佚。《齊書・禮志》引儉議喪服七篇，《文惠太子傳》載一篇，《隋書・禮儀志》引二節，《春秋釋文》亦引儉説苴屮一事。皆《集記》之遺文，並據輯補。"

　　按《文選》任彦昇《王文憲集序》末云"所撰《古今集記》、《今書七志》，爲一家言，不列於集"，是文憲諸所撰述，總名《古今集記》，本志所載《禮答問》、《禮義答問》、《禮論抄》、《弔答儀》、《吉書儀》、《百家集譜》之類，多不見於本傳者，兩《唐志》又有《尚書音義》四卷、《公羊音》二卷。或皆編入《集記》中，是書亦其一歟？

喪服世行要記十卷　齊光禄大夫王逸撰　"王逸"當是"王逡"轉寫之誤。

《齊書・文學傳》：王逡之字宣約，琅琊臨沂人也。少禮學博聞。仕宋，至著作郎兼尚書左丞。初，右僕射王儉撰《古今喪服集記》，逡之難儉十一條。更撰《世行》五卷。轉國子博士，歷太中光禄大夫，加侍中。建武二年卒。

《唐書・經籍志》：《喪服五代行要記》十卷，王逡之志。

《唐書・藝文志》：王逡之注《喪服五代行要記》十卷。

《經義考》曰："王氏逸《喪服世行要記》，《隋志》十卷，《舊唐書》'逸'作'逡之'。"

馬氏玉函山房輯本序曰："《隋志》有《喪服世行要記》十卷，齊光禄大夫王逸撰。《舊唐書》'逸'作'逡之'，與《南齊書》合。

則作‘逸’者,傳寫誤也。《南齊・禮志》載其與王儉問答一篇,《禮志》稱‘王逡’,脱‘之’字,誤‘逡’爲‘逸’,有由然矣。”

按此書次王儉之後,以《齊書・文學傳》考之,實是王逡之撰。兩《唐志》題名不誤。其云《五代行要記》,“五”或衍文,或“五”下脱“服”字,仍唐人舊文,以“世”爲“代”。《舊唐志》每以注爲志,似音聲之譌,六朝人名或連之字,或不連之字,類是者甚多。馬氏謂誤“逡”爲“逸”,得其實矣。本傳云五卷,此作十卷者,或并王文憲原書及難義十一條合爲一帙歟?

喪服答要難一卷　袁祈撰

袁祈始末未詳。

《唐書・經籍志》:《喪服要難》一卷,趙成問,仇祈答。

《唐書・藝文志》:《喪服要難》一卷,趙成問,袁祈答。

喪服記十卷　王氏撰

喪服五要一卷　嚴氏撰

駁喪服經傳一卷　卜氏撰

王氏、嚴氏、卜氏皆不詳何人。

按此三家次北周樊文深之前,則皆似北朝人。

喪服疑問一卷　樊氏撰

錢氏《隋唐考異》曰:“按《周書・樊深傳》,《喪服問疑》一卷,蓋即此書。”

按樊深有《五經大義》,詳見後論語類。

又按自鄭氏《喪服譜》至此,凡一十五家。又似別爲一類。

喪服圖一卷　王儉撰

王儉有《喪服古今集記》,見前。

喪服圖一卷　賀遊撰

賀遊始末未詳。

按此似晉崔遊書也。《晉書·儒林傳》：“崔遊字子相，上黨人。少好儒術，魏末察孝廉，除相府舍人，出爲氏池長，以病免。泰始初，武帝録敍文帝故府僚屬，就家拜郎中。年七十餘，猶敦學不倦。撰《喪服圖》，行於世，及劉元海僭位，命爲御史太夫，固辭不就。卒於家，年九十三。”《舊》、《新唐志》並載崔遊《喪服圖》一卷。

喪服圖一卷　崔逸撰

按魏有崔逸，博陵安平人。好古博涉，以經明行修，徵爲中書博士，數遷至廷尉少卿。孝文帝太和十六年，受敕接齊使蕭琛、范雲，時爲齊武帝永明十年，不知即此崔逸否也。

梁有《喪服祥禫雜議》二十九卷、《喪服雜議故事》二十一卷，亡。

並不著撰人。

又《戴氏喪服五家要記圖譜》五卷、《喪服君臣圖儀》一卷，亡。

按此稱“戴氏喪服五家”者，《漢書·儒林傳》云：“后倉説《禮》數萬言，號曰《后氏曲臺記》。授沛聞人通漢子方、梁戴德延君、戴聖次君、沛慶普孝公也。”此或出於戴德，《舊》、《新唐志》有戴德《喪服變除》一卷，即是書之佚存者。

《孫祠書目》有戴德《喪服變除》一卷，洪頤煊集本。

五服圖一卷

五服圖儀一卷

喪服禮圖一卷

五服略例一卷

喪服要問一卷

並不著撰人。

喪服問答目十三卷　皇侃撰

皇侃有《喪服文句義疏》，見前。

喪服假寧制三卷

不著撰人。

按此言假寧制者，《史記・漢高祖本紀》："高祖爲亭長時，嘗告歸之田。"《御覽・治道部・急假篇》引李裴注曰："告，請也，言請休謁也。寧，安也，吉曰告，凶曰寧也。"又引《後漢書》曰："光武皇帝紀告寧之典。"又引晉《假寧令》四條。《南齊書・文學・丘巨源傳》云："寧喪還家。"《唐六典・吏部》云："內外官吏，則有假寧之節。"注謂"給假五服內親：齊衰周，給假三十日；葬，三日；除服，二日。小功五月，給假十五日；葬，二日；除服，一日。緦麻三月，給假七日；葬及除服皆一日"云云。是書蓋彙次朝廷令典焉。

喪禮五服七卷　大將軍袁憲撰

《陳書》本傳：憲字德章，陳郡陽夏人也。幼聰敏好學，梁武帝開五館，其一館在憲宅西。憲常招諸生談論，每有新議，出人意表，同輩咸嗟服焉。大同八年，年十四，被召爲國子《正言》生。祭酒到溉、博士周弘正愛其神采，授以麈尾，令樹義論辨。尋舉高第，選尚簡文女南沙公主。歷太子舍人、尚書殿中郎。高祖永定元年，授中書侍郎兼散騎常侍，累遷。後主時，封建安縣伯，爲尚書僕射。陳亡入隋，授使持節、昌州諸軍事、開府儀同三司、昌州刺史。開皇十四年，詔授晉王府長史。十八年卒，年七十。贈大將軍，安城郡公，謚曰簡。

論喪服決一卷

不著撰人。

喪禮鈔三卷　王隆伯撰

按《宋書・廬江王褘傳》："褘，文帝第八子也。泰始五年，河東柳欣慰謀反，欲立褘，褘與相諧和。欣慰要結征北諮議參軍杜幼文、左軍參軍宋祖珍、前都令王隆伯等。褘以金合一枚餉幼文，銅鉢二枚餉祖珍、隆伯。幼文具奏其事。”似即此王隆伯。宋季時人，嘗爲都令，不知其所終。

又按自王儉《喪服圖》至此，凡一十七家，又似別爲一類。大凡喪服一門，分爲六類七十一家。

以上儀禮之屬。

大戴禮記十三卷　漢信都王太傅戴德撰

《漢書·藝文志》：“漢興，魯高堂生傳《士禮》十七篇。訖孝宣世，后倉最明，戴德、戴聖、慶普皆其弟子。”又《儒林傳》云：“后倉授梁戴德延君，德號大戴，爲信都太傅。”又曰：“大戴授瑯琊徐良斿卿，爲博士、州牧、郡守，家世傳業，由是大戴有徐氏之學。”按《漢書·諸侯王表》：“信都王景，宣帝子，楚孝王囂之孫也。成帝綏和元年立爲定陶王，哀帝建平二年，徙封信都。王莽簒位，貶爲公，明年廢。”是景在哀、平之世，王信都凡十三年，戴氏爲傅，即在其時。戴氏卒年不可考，其爲太傅之時，已在劉向卒後數年矣。

鄭氏《六藝論》曰：“今《禮》行於世者，戴德、戴聖之學也。戴德傳記八十五篇，則《大戴禮》是也。”

《釋文·敘錄》：陳邵《周禮論序》云：“戴德刪古《禮》二百四篇爲八十五篇，謂之《大戴禮》。”

本志篇敘曰：“漢初，河間獻王得仲尼弟子及後學者所記一百三十一篇，獻之，時亦無傳之者。至劉向考校經籍，檢得一百三十篇，按仍當云“百三十一篇”。向因第而敘之。而又得《明堂陰陽記》三十三篇、《孔子三朝記》七篇、《王氏史氏記》二十一篇、①《樂記》二十三篇，凡五種，合二百十四篇。按此五種並見《漢書·藝文志》禮類、樂類、論語類，實有二百十五篇。戴德刪其煩重，合而記之，爲八十五篇，謂之《大戴記》。”

---

① 清錢大昕《廿二史考異》謂“王氏”之“氏”字當衍，是。

《唐書·經籍志》：大戴《禮記》十三卷，戴德撰。

《唐書·藝文志》：大戴德《禮記》十三卷。

《宋史·藝文志》：大戴《禮記》十三卷，戴德纂。

《崇文總目》：大戴《禮記》十卷，三十五篇。又一本三十三篇。

晁氏《讀書志》曰："《大戴禮記》今書止四十篇，其篇目自三十九篇始，無四十三、四十四、四十五、六十一四篇，有兩七十四。蓋因舊闕錄之，每卷稱今卷第幾，題曰九江太守戴德撰。按九江太守，聖也，蓋後人誤題。"

陳氏《書錄》曰："大戴之書自《隋》、《唐志》所載，卷數皆與今本同。而篇第乃自三十九而下止於八十一。其前缺三十八篇，末缺四篇，所存當四十三，而於中又缺四篇，第七十二復出一篇，實存四十篇。"

王氏《困學紀聞》曰："《大戴禮·哀公問》、《投壺》二篇與小戴無甚異，《禮察篇》首與《經解》同，《曾子大孝篇》與《祭義》相似，而《曾子書》十篇皆在焉。《勸學》、《禮三本》見於《荀子》。《保傅篇》則《賈誼書》之《保傅傳》、《弟子職》、①《胎教》、《容經》四篇也，《漢書》謂之《保傅傳》。"又曰："《易本命篇》與《家語》同，疑此篇子夏所著，而大戴取以爲記。"又曰："《公冠篇》載孝昭冠辭，其后氏曲臺所記歟。迎日辭，亦見《尚書大傳》。"

《四庫提要》曰："大戴《禮記》十三卷，漢戴德撰。原書八十五篇，今缺四十六篇，存三十九篇。書中《夏小正篇》最古。其《諸侯遷廟》、《諸侯釁廟》、《投壺》、《公冠》皆《禮》古經遺文。又《藝文志》《曾子》十八篇，久逸。是書猶存其十篇，自《立事》至《天圓篇》，題上悉冠以‘曾子’者是也。史繩祖《學齋佔

---

① "弟子職"，清乾隆馬氏叢書樓刻本《困學紀聞》作"傅職"，是。

畢》言《大戴記》列之十四經中，其説今不可考。然先王舊制，時有徵焉，固亦《禮經》之羽翼爾。"

梁有《謚法》三卷，後漢安南太守劉熙注，亡。

明區大任《百越先賢志》：劉熙字成國，交州人，先北海人也。博覽多識，名重一時，薦辟不就，避地交州，人謂之徵士。往來蒼梧、南海，客授生徒數百人。著《謚法》三卷行於世。建安末卒於交州，崇山下有劉熙墓云。_{注云據《交廣春秋》、《文獻通考》}參修。

嚴氏《全後漢文編》曰："劉熙字成國，北海人。官位未詳。"又曰："今所見《釋名》舊刻本，或題安南太守，或題徵士。《隋志》注'梁有《謚法》三卷，後漢安南太守劉熙注'，則舊刻本亦有所據。然恐不確。唐調露元年，始改交州總管府爲安南都護府，前此交阯並無安南之稱。考劉熙久居交州，陳壽言之再四。《蜀志·許慈傳》'師事劉熙，建安中自交州入蜀'，《吳志·韋曜傳》'見劉熙所作《釋名》，信多佳者'，《程秉傳》'避亂交州，與劉熙考論大義，遂博通五經'，《薛綜傳》'少避地交州，從劉熙學'。計熙在交州，值獻帝初年，或先士燮爲太守，殆未可知。然不當稱安南，其爲徵士亦不見於史，故皆不從。"又《鐵橋漫稿》有云："《世説·言語篇》注引伏滔《論青楚人物》，稱劉成國爲青士有才德者。"

陽湖洪亮吉《曉讀書齋初録》曰："《釋名》舊本題安南太守劉熙譔。考據家並云漢無安南郡。今考《晉書·循吏傳》'魯芝當魏時，行安南太守'，又《吳志·薛綜傳》'避地交州，從劉熙學'。安南郡正屬交州，則舊本所言不誤。"

《唐書·經籍志》經緯家七經雜解類：《謚法》三卷，荀顗演，劉熙注。

《唐書·藝文志》經解類：《謚法》三卷，荀覬演，劉熙注。"覬"當爲“顗”。

《唐六典》卷十四注：舊有《周官‧謚法》、《大戴禮‧謚法》。又漢劉熙注《謚法》一卷。<small>按《周官‧謚法》似即《周書‧謚法》，亦稱《周公謚法》。</small>

《玉海‧藝文‧承詔撰述篇》：沈約《謚例》序曰：“劉熙注《謚法》，唯有七十六名，所闕甚多。或有異名殊號，近世所不用耶？”又曰：“劉熙既有注解，時或有所發明，今以熙所撰爲本云。”

常熟丁國鈞《補晉書藝文志》曰：“《謚法》三卷，荀顗演，劉熙注。兩《唐志》、《隋志》作劉熙撰，當有脫誤。本書《禮志》載太尉荀顗上《謚法》事，當即此書。”

按沈休文言劉熙注本止有七十六名，《唐六典》注云一卷，近得其實。此三卷，據兩《唐志》乃荀顗增演，劉注本也。顗爲彧之子，《晉書》有傳，亦見《魏志》。<small>《孫祠書目》有《謚法》三卷，注云星衍集本。今未見。</small>

夏小正一卷　戴德撰

《史記‧夏本紀》：“太史公曰：孔子正夏時，學者多傳《夏小正》云。”裴駰《集解》曰：“《禮運》稱孔子曰：‘我欲觀夏道，是故之杞，而不足徵也，吾得夏時焉。’鄭玄曰：‘得夏四時之書，其存者有《小正》。’”

戴德《夏小正傳》曰：“何以謂之《小正》？以小著名也。曷以小之？掌故失其傳，太史遺其籍，宗國墜其徵，儒宿荒其訓，小之云者，弗詳之云爾，非其微之云也。”<small>按此猶義疏家之開題義、發題義也。</small>

宋傅崧卿校注序曰：“崧卿少時讀《禮記》著孔子得夏時於杞，鄭氏注曰：‘夏四時之書也，其存者有《小正》。’而鄭注《月令》引《小正》者，其辭大抵約嚴，不類秦漢以來文章，信其爲有夏氏之遺書，而王政、民事繫焉。蓋夏之月令也。"

《四庫提要》曰："《夏小正》本《大戴記》之一篇。《隋志》始於《大戴禮記》外，別出《夏小正》一卷，注云戴德撰。傅崧卿謂：'隋懸重賞以求逸書，進書者遂多以邀賞帛，故離析篇目而爲此。有司受此，又不加辨，而作志者亦不復考。'是於理亦或然。然吳陸璣《詩疏》曰：'《大戴禮·夏小正傳》云：縶，游湖。游湖，旁勃也。'則三國時已有'傳'名。疑《大戴禮記》舊本但有《夏小正》之文，而無其《傳》。戴德爲之作《傳》別行，遂自爲一卷，故《隋志》分著於錄。後盧辯作《大戴禮注》，始采其《傳》編入書中，故《唐志》遂不著錄耳。又《隋志》根據《七錄》，最爲精核，不容不知《夏小正》爲三代之書，漫題戴德撰。疑《夏小正》下當有'傳'字，或'戴德撰'字當作'戴德傳'字。今本譌脱一字，亦未可定。觀《小爾雅》亦《孔叢》之一篇，因有李軌之注，遂別著錄。是亦旁證矣。崧卿以爲隋代誤分，似不然也。"

鎮洋畢沅《夏小正考注》序曰："《夏小正》本在《大戴禮記》内，爲第四十七篇。其書古亦專行，故《隋志》別題其目。沅所見各家，自今所行《大戴禮記》外，其專本有宋朱子本，有關澮本，有傅崧卿本，有王應麟本，有元金履祥本，本朝有故尚書大興黃叔琳本，有故尚書無錫秦蕙田本，有今學士錢塘盧文弨本，有故編修休寧戴震本，有今主事曲阜孔繼涵本，皆分《經》、《傳》，亦並有異同。"

張氏《書目答問》：《夏小正考注》一卷，畢沅校，經訓堂本。《夏小正傳》二卷，孫星衍校，岱南閣別刻巾箱本。《夏小正疏義》四卷，附《釋音》、《異字記》，洪震煊撰，傳經堂本。《夏小正四卷》，校錄一卷，集解四卷，顧鳳藻撰，士禮居本。又王筠《夏小正正義》一卷，鄂宰四種本。又孔廣森《大戴記補注》

本，王聘珍《大戴記解詁》本。按又有武進莊述祖《夏小正經傳考釋》十卷，《珍藝宧遺書》本。

　　以上大戴禮記之屬。

禮記十卷　漢北中郎將盧植注

《後漢書》本傳：植字子幹，涿郡涿人也。少與鄭玄俱事馬融，能通古今，學好研精而不守章句。學終辭歸，闔門教授。建寧中，徵爲博士。熹平四年，九江蠻反，四府選植才兼文武，拜九江太守。蠻寇賓服，以疾去官。作《尚書章句》、《三禮解詁》。時始立太學石經，以正五經文字。植乃上書曰："臣少從通儒故南郡太守馬融受古學，頗知今之《禮記》特多回冗。臣前以《周禮》諸經，發起粃謬，敢率愚淺，爲之解詁，而家乏，無力供繕寫上。願得將能書生二人，共詣東觀，就官財糧，專心研精，合《尚書》章句，考《禮記》失得，庶裁定聖典，刊正碑文。"會南夷反叛，拜爲盧江太守。歲餘，復徵拜議郎，與諫議大夫馬日磾、議郎蔡邕、楊彪、韓說等並在東觀，校中書五經記傳，補續《漢記》。轉侍中，遷尚書。中平元年，黃巾賊起，四府舉植，拜北中郎將，持節，將北軍五校士，發天下諸郡兵征之。連戰破賊帥張角，斬獲萬餘人。以小黃門左豐言，遂檻車徵植，減死罪一等。及車騎將軍皇甫嵩討平黃巾，盛稱植行師方略，嵩皆資用規謀，濟成其功。以其年復爲尚書。後董卓議廢立，植獨抗議不同。卓怒，免植官，遂隱於上谷，不交人事。冀州牧袁紹請爲軍師。初平三年卒，子毓，知名。司馬彪《續漢書》曰："植以老病去位，隱於上谷軍都山。少事馬融，與鄭玄同門相友。作《尚書章句》、《禮記解詁》。"

《釋文·敍録》：盧植注《禮記》二十卷。

《唐書·經籍志》：《禮記》二十卷，盧植注。

《唐書·藝文志》：盧植注《小戴禮記》二十卷。

《舊唐書・元行沖傳》：行沖著《釋疑論》曰："小戴之《禮》行於漢末，馬融注之，時所未覿。盧植分合二十九篇，而爲説解，代不傳習。"

馬氏玉函山房輯本序曰："《禮記正義》謂'鄭亦依盧、馬之本而爲之注'。本傳載刊正碑文之奏，未經允行。而植所自爲《禮注》，推本師説，訂改紕繆，當必獨成善本，故鄭氏用之也。今就群書所引輯録一卷。"

王氏《漢魏遺書鈔》曰："今鈔出《正義》三十三條、《詩正義》一條、《釋文》四條、《詩釋文》一條、《後漢書》注十三條、《北史》五條、《隋書》一條。又鈔出《周禮疏》、《通典》、《魏書》、《南齊書》、《舊唐書》爲補遺四十九條。"

《孫祠書目》：盧植《禮記解詁》一卷，臧鏞堂集本。

按元行沖言盧植分合二十九篇而爲説解，是盧氏於四十九篇之中又分合重定二十九篇。如馬氏重定《明堂位》、《月令》、《樂記》三篇。師弟傳習各有所得，故各有其本，不盡從小戴一家之録也。本志作十卷，《釋文》、《唐志》皆二十卷，疑本志脱"二"字。

禮記二十卷　漢九江太守戴聖撰，鄭玄注。

《漢書・儒林傳》：后倉授梁戴德延君、戴聖次君。聖號小戴，以博士論石渠，至九江太守。由是《禮》有大戴、小戴之學。小戴授梁人橋仁季卿、楊榮子孫。仁爲大鴻臚，家世傳業。榮，琅邪太守。由是小戴有橋、楊氏之學。《正義》云："聖，德從子。"又《漢書・何武傳》載戴聖事。

鄭氏《六藝論》曰："戴聖傳《禮》四十九篇，則此《禮記》是也。"

《後漢書・儒林傳》：馬融作《周官傳》授鄭玄，玄作《周官注》。玄本習小戴《禮》，後以古經校之，取其義長者，故爲鄭氏學。玄又注小戴所傳《禮記》四十九篇，通爲三禮焉。

《釋文·敍錄》:"陳邵《周禮論序》云:戴聖刪大戴《禮》爲四十九篇,是爲小戴《禮》。後漢馬融、盧植考諸家同異,附戴聖篇章,去其繁重及所敍略而行於世,即今之《禮記》是也。鄭玄亦依盧、馬之本而注焉。"又曰:"今大戴無傳學者,唯鄭注《周禮》、《儀禮》、《禮記》,並列學官。"又曰:鄭玄注《禮記》二十卷。

《唐書·經籍志》:小戴《禮記》二十卷,戴勝撰,鄭玄注。按是志"聖"皆作"勝"。

《唐書·藝文志》:鄭玄注小戴聖《禮記》二十卷。

《宋史·藝文志》:鄭玄《禮記注》二十卷。

鄭珍《鄭學錄》曰:"《禮記注》二十卷,唐孔沖遠撰《正義》七十卷,今列於學官。"

張氏《書目答問》:影宋撫州單注本《禮記》二十卷,附《考異》二卷,張敦仁校刻本,武昌局繙張本。

禮記三十卷　王肅注

王肅有《周易注》,見易類。

《釋文·敍錄》:王肅注《禮記》三十卷。

《唐日本國見在書目》:《禮記》二十卷,魏衛軍王肅注。

《唐書·經籍志》:《禮記》又三十卷,王肅注。

《唐書·藝文志》:王肅注《小戴禮記》三十卷。

《經義考》曰:"朱子謂:'王肅議《禮》,必反鄭玄。'按肅注《禮》,以《月令》爲周公所作。"

馬氏玉函山房輯本序曰:"肅説《詩》好與鄭異,注《禮》亦然。而其所用之《禮》本,又往往與鄭本不同。不知所據何本。《隋》、《唐志》並三十卷。今輯爲二卷。"

梁有《禮記》十二卷,業遵注,亡。

業遵有《業詩》,見詩類。

《舊唐書》元行沖《釋疑論》曰："鄭學之徒有孫炎者，雖扶鄭義，乃易前編。自後條例支分，箋石間起。馬伷增革，向踰百篇。葉遵删修，僅全十二。"

《釋文·敘錄》：業遵注《禮記》十二卷。

《唐書·經籍志》：《禮記》又十二卷，葉遵注。

《唐書·藝文志》：葉遵注《禮記》十二卷。

禮記寧朔新書八卷　王懋約注。梁有二十卷。

王懋約有《周官寧朔新書注》，見前。

《唐書·經籍志》：《禮記寧朔新書》二十卷，司馬伷序，王懋約注。

《唐書·藝文志》：司馬伷《禮記寧朔新書》二十卷，王懋約注。

按唐元行沖《釋疑論》云"馬伷增革，向踰百篇"，則其書猶在百篇以上，不從大、小戴篇數，與孫炎、葉遵同爲《禮記》之別本。古書往往以"尚"爲"向"，以"向"爲"尚"。此"向"字亦"尚"字也。向子平，人姓名，而亦有作"尚子平"者。

月令章句十二卷　漢左中郎將蔡邕撰

《後漢書》本傳：邕字伯喈，陳留圉人也。性篤孝，與叔父、從弟同居，三世不分財。鄉黨高其義。少博學，師事太傅胡廣。好辭章、數術、天文，妙操音律。閒居翫古，不交當世。建寧三年，辟司徒橋玄府，出補河平長。召拜郎中，校書東觀。遷議郎。下洛陽獄，與家屬髡鉗徙朔方。居五原安陽縣。邕前在東觀，與盧植、韓説等撰補《後漢記》，會遭事流離，不及得成，因上書自陳，奏其所著十意，分別首目，連置章左。帝嘉其才高，會明年大赦，乃宥邕還本郡。邕慮卒不免，乃亡命江海，遠跡吳會。往來依太山羊氏，積十二年。中平六年，靈帝崩，董卓爲司空，辟之，不得已，到署祭酒，甚見敬重。舉高弟，補侍御史，又轉侍書御史，遷尚書。三日之間，周歷三臺。

遷巴郡太守,復留爲侍中。初平元年,拜左中郎將,從獻帝遷都長安,封高陽鄉侯。及卓被誅,司徒王允收付廷尉治罪。邕陳辭謝,乞黥首刖足,繼成漢史。士大夫多矜救之,不能得,遂死獄中,時年六十一。搢紳諸儒莫不流涕。北海鄭玄聞而歎曰:"漢世之事,誰與正之!"其撰集漢事,未見録以繼後史。適作《靈紀》及十意,又補列傳四十二篇,因李傕之亂,湮没多不存。按桓帝諱"志",故邕稱十志曰十意。

鄭氏《三禮目録》曰:"《禮記·月令第六》:名曰'月令'者,以其紀十二月政之所行也。本《吕氏春秋》十二月紀之首章。以禮家好事抄合,後人因題之名曰《禮記》,言周公所作。其中官名、時、事多不合周法。此於《别録》屬明堂陰陽。"按《漢書·藝文志》禮家《明堂陰陽》三十三篇。古明堂之遺事,即本於《七略》、《别録》也。《月令》舊在三十三篇中,故亦稱《明堂月令》。

蔡邕《月令問答》:問者曰:"子何爲著《月令》説也?"曰:"幼讀《記》,以爲《月令》體大經同,不宜與記書雜録並行。而記家記之又略,及前儒特爲章句者,皆用其意傳,非其本旨。又不知《月令》徵驗,布在諸經,《周官》、《左傳》皆實與《禮記》通,他議横生,紛紛久矣。光和元年,予被謗章,罹重罪,徙朔方,危險凜凜,死亡無日。過被學者聞,家就而考之,亦自有所覺悟,庶幾頗得事情,而訖未有記著於文字也。竊誠思之,書有陰陽升降,天文曆數,事物制度,可假以爲本。敦辭託説,審求曆象,其要者莫大於《月令》。故遂於憂怖之中,晝夜密勿,昧死成之。旁貫五经,參互群書,至及國家律令制度,遂定曆數,盡天地三光之情。辭繁多而曼衍,非所謂理約而達也。道長日短,危殆兢惕,取其心盡而已,故不復加删省,蓋所以探頤辨物,庶幾多識前言往行之流也。苟使學者以爲可覽,則余死而不朽也。"

又《月令篇名》曰：“因天時制人事，天子發號施令，祀神受職，每月異禮，故謂之《月令》。所以順陰陽，奉四時，效氣物，行王政也。成法具備，各從時月，藏之明堂，故以‘明堂’冠《月令》，以名其篇。聖帝明君，世有紹襲，以裁成大業，非一代之事也。《大戴禮·夏小正》則夏之《月令》也。殷人無文，及周而備，文義所説，博衍深遠，宜周公之所著也。官號、職司與《周官》合。《周書》七十二篇，而《月令》第五十三。秦相呂不韋著書，取《月令》爲紀號，淮南王安亦取以爲第四篇，改名《時則》。故偏見之徒，或云《月令》呂不韋作，或云淮南，皆非也。”

《唐書·經籍志》：《月令章句》十二卷，戴顒撰。

《唐書·藝文志》：戴顒《月令章句》十二卷。按《舊志》因後一條有戴顒《中庸傳》二卷，遂以聲近而誤。《新志》沿譌，失於刊正，此實蔡氏書也。

《宋史·藝文志》子部農家：蔡邕《月令章句》一卷。

嚴氏《全後漢文編》曰：“蔡邕本集及《説郛》有《月令問答》、《明堂論》、《月令篇名》等三篇，皆《月令章句》之文。”

侯氏《補後漢藝文志》曰：“此書王謨有輯本，不及蔡雲輯本之詳。”按今新彫《古逸叢書》中有《玉燭寶典》、《原本玉篇》，及外藩傳來《大藏音義》百卷，引此書特多，皆諸家所未覩。

《孫祠書目》：蔡邕《月令章句》一卷，陸堯春集本。

張氏《書目答問》：蔡邕《月令章句》二卷，馬瑞辰輯注本。

按自盧植至此，凡六家，別爲一類。考《唐·經籍志》於此數家之書，首爲小戴氏鄭注本，次盧植，次王肅，次孫炎，次葉遵，次司馬伷《寧朔新書》，又次則《月令章句》、《中庸傳》。其中，惟葉遵遠在司馬伷、王懋約之後，而列於其前，爲失當，餘皆部署井井。本志既冠小戴名位於鄭注本之上，則當首列其目，而次於盧植之下。葉遵、王懋約兩家既前後失次，又不與下孫炎相類從，《月令章句》亦不與下《中庸傳》相比附，不及毋煛等所條之善。斯則《四庫提要》所謂編次無法之一端歟？

禮記音義隱一卷　謝氏撰

王氏《困學紀聞》曰：“《曲禮》、《禮器》、《內則》疏引‘《隱義》云’，①按《隋志》：《禮記音義隱》一卷，射氏撰。”閻若璩箋云：“今本《隋志》射作謝。”

侯氏《補三國藝文志》曰：“謝氏《音義隱》，《困學紀聞》引作射氏。《通志略》及《經義考》皆以《音義隱》爲謝慈書，其果爲一書與否，則無以證之矣。”

禮記音二卷　宋中散大夫徐爰撰

徐爰有《集注繫辭》，見易類。

《釋文·敍錄》：徐爰《禮記音》三卷。

《唐書·經籍志》：《禮記音》又二卷，徐爰撰。

《唐書·藝文志》：徐爰小戴《禮記音》二卷。

梁有鄭玄《禮記音》一卷，亡。

鄭玄見前。

《釋文·敍錄》：“鄭玄三禮《音》各一卷。”又曰：“漢人不作音，後人所託。”

按此與後曹躭所撰者，似別爲一本。

梁有王肅《禮記音》一卷，亡。

王肅亦見前。

《釋文·敍錄》：王肅三禮《音》各一卷。《七錄》唯云撰《禮記音》。

---

①　“云”後原衍“云”，據本卷後“禮記音義隱七卷”條引《困學紀聞》及清乾隆馬氏叢書樓刻本《困學紀聞》刪。

梁有射慈《禮記音》一卷,亡。

射慈即謝慈,有《喪服變除圖》,見前。

《釋文·敍録》:射慈《禮記音》一卷。

《唐書·經籍志》:《禮記音》又二卷,謝慈撰。

《唐書·藝文志》:射慈《小戴禮記音》二卷。

王氏《漢魏遺書鈔》曰:"《經典·敍録》《禮記音》十三家内有射慈《禮記音》,無'義隱'字。《隋志》有謝氏《禮記音義隱》一卷。又梁有射慈《音》一卷。則謝氏與射慈當爲二人。其爲《禮記音》與《音義隱》亦當爲二書也。《經義考》竟作射慈《音義隱》。今從之,而以《正義》、《釋文》所引《隱義》並鈔入焉。凡二十八條。"

馬氏玉函山房輯本序曰:"唐時射《音》尚在,故《正義》及引之。然引稱謝兹,謝兹即射慈。其所説下室之饋,音兼乎義。此又謝氏即射慈之一證也。《唐志》二卷之《音》即《隋志》一卷之《音義隱》。《唐志》標題書目多與《隋志》不合,幸存射慈之名,猶可尋繹而參考之也。今從《釋文》、《正義》輯録爲卷。"

梁有射貞《禮記音》一卷,亡。

《釋文·敍録》:"謝楨,不詳何人。《禮記音》一卷。"

盧氏《釋文考證》曰:"《隋志》'梁有射貞《禮記音》一卷',蓋即謝楨也。"

按《吳志·妃嬪傳》:"吳主權謝夫人,會稽山陰人也。父煚,漢尚書郎、徐令。"裴松之曰:"煚子承撰《後漢書》,稱煚幼以仁孝爲行,明達有令才。煚弟貞,履蹈法度,篤學尚義,舉孝廉,建昌長,卒官。"疑即此射貞,謝承之叔父也。

梁有孫毓《禮記音》一卷,亡。

孫毓有《毛詩異同評》,見前詩類。

《釋文·敍錄》：孫毓《禮記音》一卷。

梁有繆炳《禮記音》一卷，亡。

繆炳始末未詳。

《釋文·敍錄》：繆炳《禮記音》一卷。

梁有蔡謨《禮記音》二卷，亡。

蔡謨有《喪服譜》，見前。

《釋文·敍錄》：蔡謨《禮記音》二卷。

梁有東晉安北諮議參軍曹躭《禮記音》二卷，亡。

《釋文·敍錄》："曹躭字愛道，譙國人，東晉安人諮議參軍。《禮記音》二卷。"盧文弨《考證》曰："安北，舊誤作'安人'，今據《隋志》正。"

《唐書·經籍志》：《禮記音》二卷，鄭玄注，曹躭解。

《唐書·藝文志》：鄭玄注《小戴禮記》二十卷。又《禮記音》三卷，曹躭解。

嚴氏《全晉文編》曰："曹躭永和中爲太學博士，升平中，遷尚書郎。後爲安北諮議參軍，有《禮記音》二卷。"

梁有國子助教尹毅《禮記音》二卷，亡。

《釋文·敍錄》：尹毅，天水人，東晉國子助教。《禮記音》一卷。

《唐書·經籍志》：《禮記音》又二卷，尹毅撰。

《唐書·藝文志》：尹毅《小戴禮記音》二卷。

梁有李軌《禮記音》二卷，亡。

李軌有《周易》、《尚書》、《毛詩》、《周禮》、《儀禮》音，並見前。

《釋文·敍錄》：李軌《禮記音》二卷。

《唐書·經籍志》：《禮記音》又二卷，李軌撰。

《唐書·藝文志》：李軌《小戴禮記音》二卷。

梁有員外郎范宣《禮記音》二卷，亡。

范宣有《擬周易説》，見易類。

《釋文·敍録》：范宣字宣子，濟陽人。東晉員外郎，不就。

《禮記音》二卷。按《晉書·儒林傳》云：「陳留人，博綜羣書，尤善三《禮》。」

馬氏玉函山房輯本序曰：「范氏《禮記音》，《隋志》注云二卷，《唐志》不著録。陸氏《釋文》及《集韻》引之，據輯爲卷。」

梁有徐邈《禮記音》三卷，亡。

徐邈有《周易》、《尚書》、《毛詩》音，並見前。

《釋文·敍録》：徐邈《周禮音》一卷，《七録》無。句。《禮記音》三卷。

《唐書·經籍志》：《禮記音》又三卷，徐邈撰。一本誤作徐遜。

《唐書·藝文志》：徐邈《小戴禮記音》三卷。

馬氏玉函山房輯本序曰：「徐氏《禮記音》，《釋文》引之，較諸家爲多，據以輯録，仍釐爲三卷。」

梁有劉昌宗《禮記音》五卷，亡。

劉昌宗有《禮音》，見前周禮類。

《釋文·敍録》：劉昌宗《禮記音》五卷。

馬氏玉函山房輯本序曰：「劉氏《禮記音》，隋、唐時書已佚矣。陸氏《釋文》及《集韻》引之，蓋從前儒所承用者，轉相稱述也。據以輯録。」

禮記音義隱七卷

不著撰人。

王應麟《困學紀聞》曰：「《典禮》、《禮器》、《内則》疏引‘《隱義》云’。按《隋志》《禮記音義隱》一卷，射氏撰。又《音義隱》七卷。」方樸山箋云：「古有《五經隱義》一書。」

按自謝氏《禮記音義隱》至此，凡十六家，皆音義之屬。別爲一類。

禮記三十卷　魏祕書監孫炎注

《魏志·王肅附傳》：「樂安孫叔然授學鄭玄之門，人稱東州大儒，徵爲祕書監，不就。作《周易》、《春稱例》，《毛詩》、《禮記》、《春秋》三傳、《國語》、《爾雅》諸注。又著書十餘篇。"臣松之案："叔然與晉武帝同名，故稱其字。"《經義考》曰："案《訪碑錄》載淄州長山縣西南三十里，長白山東有孫炎碑，碑陰有門徒姓名，係甘露五年立，惜今不可得見矣。"

《釋文·敍錄》：孫炎注《禮記》二十九卷。

《唐書·經籍志》：《禮記》三十卷，孫炎注。

《唐書·藝文志》：孫炎注《禮記》三十卷。

《舊唐書·元行沖傳》：尚書左丞相張説奏曰："《禮記》是前漢戴德、戴聖所編録，至魏孫炎始改舊本，以類相比，有同抄書，先儒所非，竟不行用。貞觀中魏徵因孫炎所修，更加整比，兼爲之注。"又行沖撰《釋疑論》，曰："鄭學之徒有孫炎者，雖挾玄義，乃易前編。"

《經義考》曰："按唐張燕公駁魏鄭公《類禮》云：‘《禮記》傳習，已向千載。至魏孫炎，始改舊本，以類相比。’則炎所注《禮記》不用小戴原本可知。"

馬氏玉函山房輯本序曰："《禮記》孫氏注，佚説寥寥，僅從《釋文》、《正義》、《大戴禮》注、《史記·樂書》集解、索隱、《通典》諸書采得三十餘節，録爲一卷。"

禮略二卷

不著撰人。

《經義考》曰："景氏鸞《禮略》，《隋志》二卷，不著姓名。"

侯氏《補後漢藝文志》曰："《隋志》有《禮略》二卷，不著名氏，以《景鸞傳》考之，則鸞撰也。"

按范書《儒林傳》："詩家景鸞，字漢伯，廣漢梓潼人也。少隨師學經，涉七州之地，能理《齊詩》、施氏《易》，兼受《河》、《洛》圖緯，作《易説》及《詩解》。文句兼取《河》、《洛》，以類

相從，名爲《交集》。又撰《禮內外記》，號曰《禮略》。又抄
風角雜書，列其占驗，作《興道》一篇。及作《月令章句》。
凡所著述五十餘萬言，數上書陳救災變之術。州郡辟命不
就。以壽終。"亦見《華陽國志》。似東漢初人。其云撰《禮
內外記》者，東漢以讖緯爲內學，取《禮緯·含文嘉》、《稽命
徵》、《斗威儀》及《禮記默房》之類相比附也。

禮記要鈔十卷　緱氏撰

《唐書·經籍志》：《禮記要鈔》六卷，緱氏撰。

《唐書·藝文志》：緱氏《要鈔》六卷。

按賈公彥《序周禮廢興》引馬融《傳》云："劉歆末年，天下倉
卒，兵革並起，疾疫喪荒，弟子死喪，徒有里人河南緱氏、杜
子春尚在。"本志篇敍曰："《周官》至王莽時，劉歆始置博
士，以行於世。河南緱氏及杜子春受業於歆，因以教授。"
蓋馬《序》敓"及"字。知緱氏與杜子春爲兩人。考兩漢禮
家別無緱氏，此緱氏其即劉歆弟子、與杜子春同門、東漢初
尚存、佚其名字者歟？氏姓諸書有陳留緱氏、河南緱氏二
族，此緱氏則河南人也。緱氏亦西漢縣，屬河南郡，或以爲
河南緱氏是杜子春籍隸郡縣。今考《廣韻》杜字注云："漢
有御史大夫杜周，以南陽豪族徙茂陵，始居京兆。"是漢之
杜氏，武帝之前爲南陽人，其後爲京兆茂陵人，皆非河南人
也。又馬《傳》云"徒有里人者"，里居不仕之人，猶言下里諸生，與杜子春俱家於
南山者歟？

梁有《禮義》四卷，魏侍中鄭小同撰，亡。

《後漢書·鄭玄傳》："玄惟有一子益恩。孔融在北海舉孝廉，
及融爲黃巾所圍，益恩赴難隕身，有遺腹子，玄以其手文似
己，名之曰小同。"《魏氏春秋》曰："小同，高貴鄉公時爲侍中，
嘗詣司馬文王。文王有密疏，未之屏也，如廁還，問之曰：'卿

見吾疏乎?'答曰:'不見。'文王曰:'寧我負卿,卿無負我。'
遂酖之。"

《魏志·高貴鄉公紀》:正元二年九月庚子,講《尚書》。業終,
賜執經親授者司空鄭沖、侍中鄭小同等各有差。甘露三年秋
八月丙寅,詔曰:"關內侯王祥,履仁秉義,雅志淳固。關內侯
鄭小同,温恭孝友,帥禮不忒。其以祥爲三老,小同爲五更。"
車駕親率群司,躬行古禮焉。<small>按蔡中郎以"五更"爲"五叟"之誤,最足深長
思也。</small>

裴松之曰:"小同,鄭玄孫也。《玄别傳》曰:'玄有子,爲孔融
吏,舉孝廉。融之被圍,往赴,爲賊所害。有遺腹子,以丁卯
日生,而玄以丁卯歲生,故名曰小同。'《魏名臣奏》載太尉華
歆表曰:'臣伏見故漢大司農北海鄭玄,當時之學,名冠華夏,
爲世儒宗。文皇帝旌録先賢,拜玄嫡孫小同以爲郎中,長假
在家,小同年踰三十,少有令質,學綜六經,行著鄉邑,海、岱
之人莫不嘉其自然,美其氣量。迹其所履,有質直不渝之性,
然而恪恭靜默,色養其親,不治可見之美,不競人間之名,斯
誠清時所宜式敍,前後明詔所斟酌而求也。臣老病委頓,無
益視聽,謹具以聞。'"

《唐書·經籍志》:《禮記義記》四卷,鄭小同撰。

梁有《禮記義疏》三卷,宋豫章郡丞雷肅之撰,亡。

《宋書·隱逸·雷次宗傳》:次宗篤志好學,尤明三《禮》、《毛
詩》。子肅之頗傳其業,官至豫章郡丞。

梁有《摭遺别記》一卷,樓幼瑜撰,亡。

樓幼瑜有《喪服經傳義疏》,見前。

按《南齊書·徐伯珍附傳》"幼瑜著《禮捃遺》三十卷",此一
卷名《摭遺别記》,蓋其三十卷之餘。

又按自孫炎至此五家,又别爲一類。繆氏、孫炎兩家當與

前王懋約、葉遵爲類，餘三家亦可移後梁武帝《大義》之前。

禮記新義疏二十卷　賀瑒撰

賀瑒有《喪服義疏》，見前。

馬氏玉函山房輯本序曰：“《唐志》無《新義疏》，佚已久矣。從《正義》、《釋文》輯爲一卷。”

禮記義疏九十九卷　皇侃撰　"義"當爲"講"。

禮記講疏四十八卷　皇侃撰　"講"當爲"義"。

皇侃有《喪服文句義疏》，見前。

《梁書·武帝本紀》：大同四年冬十二月丁亥，兼國子助教皇侃表上所撰《禮記義疏》五十卷。

《梁書》、《南史·儒林傳》：“侃尤明三《禮》，撰《禮記講疏》五十卷。按當從《本紀》作《義疏》。書成奏上，詔付祕閣。頃之，召入壽光殿説《禮記》義。武帝善之。”又曰：“所撰《禮記義》見重於世，學者傳焉。”

《釋文·敍録》曰：“梁國子助教皇侃撰《禮記義疏》五十卷，又傳《喪服義疏》，並行於世。”

《唐書·經籍志》：《禮記講疏》一百卷，皇侃撰。《禮記義疏》五十卷，皇侃撰。

《唐書·藝文志》：皇侃《禮記講疏》一百卷。又《義疏》五十卷。

孔穎達《正義》序曰：“皇氏雖章句詳正，微稍繇廣。又既遵鄭氏，乃時乖鄭義，此是木落不歸其本，狐死不首其丘，未爲得也。”

《經義考》曰：“按《隋》、《唐志》，二書卷數懸殊。蓋《隋志》以‘義’爲‘講’，以‘講’爲‘義’也。”

馬氏玉函山房輯本序曰：“皇氏《義疏》，孔氏《正義》據以爲本，故《正義》多引之。今就所引輯録四卷。”

禮記義疏四十卷　　沈重撰

沈重有《毛詩》、《周官義疏》，並見前。

《北史·儒林傳》：重著《儀禮義》三十五卷，《儀禮音》一卷，《禮記義》三十卷，《禮記音》二卷。

《唐書·經籍志》：《禮記義疏》四十卷，沈重撰。一本作皇侃，誤。

《唐書·藝文志》：沈重《禮記義疏》四十卷。

馬氏玉函山房輯本序曰：“沈氏《義疏》久佚，今從《釋文》、《正義》采輯爲一卷。”

　　按沈氏《儀禮疏》，本志不著録。《周官疏》、《禮記疏》，本志皆四十卷。《周書》、《北史·儒林傳》則三十一卷、三十卷。志、傳不合，錢氏《考異》已舉之，類此者甚多也。

禮記義十卷　　何氏撰

《唐書·經籍志》：《禮記義》十卷，何佟之撰。

《唐書·藝文志》：何佟之《禮記義》十卷。

《經義考》曰：“《隋志》：何氏《禮記義》十卷。案孔氏《禮記疏》每引何胤之説，疑即胤書。”

　　按何佟之有《喪服經傳義疏》，見前。朱氏以爲何胤。按《梁書·處士傳》：“胤解《禮記》，於卷背書之，謂爲隱義。”又云：“注《禮記隱義》二十卷。”是其書名《隱義》。本志不載，此見《舊》、《新唐志》，書名、卷數相同，實何佟之書也。

禮記義疏三十八卷

禮記疏十一卷

並不著撰人。

　　按孔穎達《正義》序曰：“爰從晉、宋，逮於周、隋，其傳禮業者，江左尤盛。其爲義疏，南人有賀循、賀瑒、庾蔚、崔靈恩、沈重、宣、皇甫侃等，按庾蔚即庾蔚之。沈重、宣，阮氏《校勘記》云即沈重、范宣。皇甫侃即皇侃。北人有徐道明、李業興、李寶鼎、侯聰、熊安等。按徐道明,當爲徐遵明。李寶鼎,李鉉字。熊安即熊安生。並見《北史·儒林傳》。唯侯聰未詳。其見於世者,惟皇、熊二家而已。"按庾蔚之有《略解》,崔靈恩有《三禮義宗》,並見後。范宣唯見《音》二卷,賀瑒、皇侃、沈重三家《義疏》並見前。熊安生《義疏》四十卷,本志不載,兩《唐志》有之。此二家大抵是北朝人爲多。

又按自賀瑒至此七家,皆《禮記》義疏、講疏之屬,別爲一類。

禮記大義十卷　梁武帝撰

梁武帝有《周易大義》,見易類。

《梁書·劉之遴傳》:是時,《周易》、《尚書》、《禮記》、《毛詩》並有高祖《義疏》。

《梁書·張緬傳》:緬出爲豫章内史,在郡述制旨《禮記》、《正言》義。四姓衣冠士子,聽者常數百人。《正言》即《孔子正言》,見後論語類。

《唐書·經籍志》:《禮大義》十卷,梁武帝撰。

《唐書·藝文志》:梁武帝《禮大義》十卷。

禮記文外大義二卷　祕書學士褚暉撰

《隋唐·儒林傳》:吳郡褚輝《北史》作"暉"。字高明,以三《禮》學稱於江南。煬帝時,徵天下儒術之士,悉集内史省,相次講論。輝博辨無能屈者,由是擢爲太學博士。撰《禮疏》一百卷。

錢氏《隋書考異》曰:"《經籍志》:《禮記文外大義》二卷。按《儒林傳》'撰《禮疏》一百卷',與此互異。"

禮大義十卷

不著撰人。

按《梁書·簡文帝本紀》有《禮大義》二十卷,疑此其佚存者。

禮記義證十卷　劉芳撰

劉芳有《毛詩箋音證》，見前詩類。

《北史》本傳：芳撰《周官》、《儀禮義證》各五卷，《禮記義證》十卷。

《唐書·經籍志》：《禮記義證》十卷，劉芳撰。一本誤作"劉方"。

《唐書·藝文志》：劉芳《義證》十卷。

馬氏玉函山房輯本序曰："後魏劉芳《禮記義證》十卷，《唐志》不著録，佚已久。《正義》引劉氏者凡六節，據而録之。"按此謂《唐志》不著録，非也。

禮大義章七卷

不著撰人。

按《北史·儒林傳》"華陰徐遵明撰《春秋義章》三十卷"，蓋講疏之類也。此或當云《大義義章》，敓"義"字；或是《大義章句》，爲梁武、簡文而作，敓"句"字。

喪禮雜義三卷

不著撰人。

按此或雜論《禮記》中之言喪禮者，故不列於前喪服類中，而次之于此。

禮記中庸傳二卷　宋散騎常侍戴顒撰

《宋書·隱逸傳》：戴顒字仲若，譙郡銍人也。父逵、兄勃並隱遁，有高名。以會稽縣多名山，故世居剡下。顒又隨兄共遊桐廬，因留居止。兄勃卒乃出，居吳下。吳下士人共爲築室，聚石引水，植林開澗。少時，繁密有若自然，乃述莊周大旨，著《逍遙論》，注《禮記·中庸篇》。元嘉十五年，累以太子中庶子、散騎常侍徵，不就。十八年卒，年六十四。

鄭氏《三禮目録》曰："《禮記·中庸第三十一》：名曰'中庸'者，以其記中和之爲用也。庸，用也。孔子之孫子思作之，以昭明聖祖之德也。此於《別録》屬通論。"

《唐書·經籍志》:《禮記中庸傳》二卷,戴顒撰。

《唐書·藝文志》:戴顒《中庸傳》二卷。

中庸講疏一卷　梁武帝撰

梁武帝有《禮大義》,見前。

《梁書·張緬傳》:大同十年,是時城西開士林館,聚學者,緬與右衞朱异、太府卿賀琛,遞述制旨《禮記·中庸》義。

《南史·朱异傳》:時城西又開士林館,以延學士,异與左丞賀琛,遞日述武帝《禮記·中庸》義。

《經義考》:陸深曰:"《中庸》雜出戴《記》,至二程始尊信而表章之。今獨行,與六經並。然晉戴顒嘗傳《中庸》,梁武帝爲《中庸講疏》,已知重《中庸》矣。非但始於宋也。"

《四庫》四書類提要曰:"《中庸説》二篇,見《漢書·藝文志》;戴顒《中庸傳》二卷、梁武帝《中庸講疏》一卷,見《隋書·經籍志》,均不自洛、閩諸儒始爲表章。特其論説之詳,自二程始。定著《四書》之名,則自朱子始耳。"

私記制旨中庸義五卷

不著撰人。

按梁簡文帝有《謝敕賚中庸講疏啟》,見嚴氏《全梁文編》。又《南史·孝義·謝藺傳》:"藺奉詔令製宣城王《奉述中庸》頌。"知當時奉述制旨諸義者不一其人,此不知何人所作。蓋講疏之屬也。宣城王者,即哀太子大器,武帝孫,簡文帝嫡長子。初封宣城郡王,簡文即位,立爲皇太子,後爲侯景所害。

禮記略解十卷　庾氏撰

《釋文·敍録》:庾蔚之《略解》十卷。字季隨,潁川人,宋員外常侍。

《唐書·經籍志》:《禮記略解》十卷,庾蔚之撰。

《唐書·藝文志》:庾蔚之《禮記略解》十卷。

馬氏玉函山房輯本序曰:"蔚之字季隨,官至員外散騎常侍。《宋書》無傳。見《册府元龜》。其注《禮記》,名《略解》。《隋志》題庾氏,《唐志》題庾蔚之,孔氏《正義》序又稱庾蔚,並是一人,言者互異耳。今其書佚,從《正義》、《釋文》、《史記·樂書》正義輯録爲卷。"

按庾蔚之有《喪服》三十一卷,見前儀禮類中。孔氏《正義》序稱爲《義疏》,蓋即是書。

禮記評十一卷　劉儁撰

劉儁始末未詳。

《唐書·經籍志》:《禮記評》十卷,劉儁撰。

《唐書·藝文志》:劉儁《禮記評》十卷。

按自梁武帝至此十一家,皆略述大義,不循章句者,及篇義、雜義、評論之屬。別爲一類。

以上小戴禮記之屬。此類編次雜亂,與易、書、詩、周禮、儀禮章法不同。

石渠禮論四卷　戴聖撰

戴聖見前禮記類。

《漢書·宣帝本紀》:甘露三年三月,詔諸儒講五經同異,太子太傅蕭望之等平奏其義,上親稱制臨決焉。迺立梁丘《易》,大、小夏侯《尚書》,《穀梁春秋》博士。

又《儒林傳》:"易家梁丘賀傳子臨,爲黃門郎。甘露中,奉使問諸儒於石渠。"師古曰:"《三輔故事》云:石渠閣在未央殿北,以藏祕書也。"

又《儒林傳》:"詩家韋賢治《詩》又治《禮》,至丞相,傳子玄成。以淮陽中尉論石渠,後亦至丞相。"又《列傳》云:"玄成受詔,與太子太傅蕭望之及五經諸儒雜論同異於石渠閣，條奏其對。"

又《儒林傳》：禮家后倉授沛聞人通漢子方、梁戴聖次君。聖號小戴，以博士論石渠。通漢以太子舍人論石渠。

又《藝文志》禮類"《議奏》三十八篇"，注云石渠。_{按石渠下脱"論"字。}

《經義考》曰："案孔氏《詩》、《禮正義》及《後漢書志》注每引《石渠禮議》，然多係節文。惟杜氏《通典》差具本末。"又曰："后氏之《禮》，分爲四家，聞人通漢雖未立於學官，而《石渠禮論》，其議奏獨多。"

王謨《漢魏遺書鈔》曰："《隋志》漢戴聖撰《石渠禮論》四卷，今鈔出《通典》十三條，《詩》、《禮正義》三條，《漢志注》一條。"_{按王氏輯本第二條"宣帝甘露三年三月黄門侍郎臨"，注云失其名。按此即梁丘臨奉使問諸儒于石渠者也。臨即其名，非姓也。}

馬氏玉函山房輯本序曰："《漢·藝文志》：《議奏》三十八篇。《隋志》載《石渠禮論》四卷戴聖撰者，即《漢志》之《議奏》。蓋論出諸儒，而近君_{當文次君。}一人所手定也。《唐志》不著録，時已散佚。《詩》、《禮正義》及《後漢書補志》注引之，多係節文。杜佑《通典》引十九節，差具本末，排次於前，其他佚句附後。"

《孫祠書目》：《石渠禮論》一卷，洪頤煊集本。

按當時論石渠可考見者凡二十三人，別詳後劉向《五經雜義》條，而禮家唯有韋玄成、聞人通漢、戴聖三人，與奉使問難之梁丘臨、條奏對狀之蕭望之五人而已。故唯載此五人如右，他家不概列焉。此四卷是否即《漢志》之三十八篇，則無從而知之矣。

梁有《群儒疑義》十二卷，戴聖撰

《唐書·經籍志》：《禮義》二十卷，戴勝等撰。_{按是志"聖"皆作"勝"。}

《唐書·藝文志》：鄭玄注小戴聖《禮記》二十卷。又《禮議》二十卷。

《經義考》:戴氏聖《禮記群儒疑義》,《七録》十二卷,佚。

馬國翰《石渠禮論》輯本序曰:"《隋志》此書下注云'梁有《群儒疑義》十二卷,戴聖撰,亡'。唐以前書傳無引述者,固無從采輯之也。"

按兩《唐志》皆二十卷,似本志此條轉寫誤倒其文。《舊志》云戴勝等撰,似其中附有鄭氏注文。《新志》類從於鄭注《禮記》之後,所以矯《舊志》之略歟?

禮論三百卷　宋御史丞何承天撰

《宋書》本傳:何承天,東海郯人也。五歲喪父。母,徐氏廣之姊也,聰明博學,故承天幼漸訓義,儒史百家,莫不該覽。時殷仲堪、桓玄等互舉兵向朝廷。義旗初,高祖以爲太尉,行參軍。宋臺建,召爲尚書祠部郎,累遷。至元嘉十九年,爲御史中丞,二十四年坐免官,卒於家,年七十八。先是,《禮論》有八百卷,承天删減并合,以類相從,凡爲三百卷,傳於世。

《唐書·經籍志》:《禮論》三百七卷,何承天撰。

《唐書·藝文志》:何承天《禮論》三百七卷。

《經義考》:王方慶曰:"晉末禮樂掃地,無復舊章,軍國所資,臨事議定。宋何承天纂集其文爲《禮論》。"

馬氏玉函山房輯本序曰:"《唐志》云三百七卷者,或并目言之。《禮記疏》及《初學記》、《御覽》等書顯引《禮論》者十節,《通典》引何承天駁難問答五篇,文皆完具,雖不標書名,亦《禮論》之佚篇也。合録一卷。"

禮論條牒十卷　宋太尉參軍任預撰
禮論帖三卷　任預撰。梁四卷。

任預始末未詳。

《文心雕龍·書記篇》：牒者，葉也。短簡編牒，如葉在枝，温舒截蒲，即其事也。議政未定，故短牒咨謀。

《唐日本國見在書目》：《禮論條牒》二卷，第四、第七，任預撰。

《唐書·經籍志》：《禮論條牒》十卷，任預撰。《禮論帖》三卷，任預撰。

《唐書·藝文志》：任預《禮論條牒》十卷，又《禮論帖》三卷。

馬氏玉函山房輯本序曰："任預字里無考，所撰《禮論條牒》，《隋》、《唐志》並十卷。今佚，《禮疏》引兩節，一論帝王之改樂，一論稷壇。預別有《禮論帖》三卷，或即因《條牒》而删取要義，故卷數較少，諸書無引及者，固無從采録矣。"

按慧皎《高僧·釋慧嚴傳》云："東海何承天問嚴佛國將用何曆，嚴言其法甚詳，承天無所厝難。後，婆利國人來，果同嚴説。帝敕任預受焉。"是任預與承天並善曆事者，所撰別有《益州記》，疑是蜀人。其爲太尉參軍，或當在晉義熙中，宋武帝爲太尉時，時何承天亦爲宋武太尉，行參軍，與之同官。

又按《南史·傅隆傳》："元嘉十四年，文帝以新撰《禮論》付隆，使下意，隆表上五十二事。"是書蓋亦其類。《梁書》徐勉上《五禮表》有云："若有疑義，各言同異，條牒啓聞，決之制旨。"其例亦猶是也。

禮論鈔二十卷　庾蔚之撰

庾蔚之有《喪服》三十一卷，見前。

《唐書·經籍志》：《禮論鈔》二十卷，庾蔚之撰。

《唐書·藝文志》：庾蔚之《禮論鈔》二十卷。

張氏《書目答問》：《禮論鈔》三卷，宋庾蔚之撰。玉函山房輯本。

禮論要鈔十卷　王儉撰。梁三卷。

王儉有《喪服古今集記》、《喪服圖》，並見前。

《南史》本傳：何承天《禮論》三百卷，儉鈔爲八帙，又別鈔條目爲十三卷。朝儀舊典，晉宋來施行故事，撰次諳憶，無遺漏者。所以當朝理事，斷決如流，每博議引證，先儒罕有其例。"王氏《困學紀聞》曰："宋何承天删減《禮論》爲三百卷。王儉別鈔條目爲十三卷。梁孔子袪續一百五十卷。隋《江都集禮》，亦撮《禮論》爲之。朱文公謂：'六朝人多精於禮，當時專門名家有此學，朝廷有禮事，用此等人議之。唐時猶有此意。'"又曰："杜之松從王無功借王儉《禮論》，則謂往於處士程融處曾見此書，觀其制作，動多自我周、孔規模，十不存一。"

按《本傳》云鈔爲八帙，當爲八十卷。六朝人多以十卷爲一帙，其不盈十卷自爲一書者，亦稱一帙。見《金樓子·著書篇》。本志不載，此云十卷、梁三卷者，當是十三卷之誤。《舊》、《新唐志》有《禮論要鈔》十三卷，不著撰人，似即此書。《南史》所謂條目十三卷者歟？

禮論要鈔一百卷　賀瑒撰

賀瑒有《喪服義疏》，見前。

《唐書·經籍志》：《禮論要鈔》一百卷。

《唐書·藝文志》：賀瑒《禮論要鈔》一百卷。

禮論鈔六十九卷

不著撰人。

《唐書·經籍志》：《禮論鈔》六十六卷，任預撰。

《唐書·藝文志》：任預《禮論條牒》十卷，又《禮論帖》三卷，《禮論鈔》六十六卷。

按《唐志》，任預所鈔六十六卷，此殆即任氏書，而云六十九卷者，疑有《禮論帖》三卷在內。

禮論要鈔十卷

不著撰人。

梁有齊御史中丞荀萬秋《鈔略》二卷,亡。

《宋書·荀伯子傳》：伯子,潁川潁陰人也。族弟昶。元嘉初,以文義至中書郎。昶子萬秋,字元寶,亦用才學自顯。世祖初,爲晉陵太守。坐於郡立華林閣,置主書、主衣,下獄免。前廢帝末,爲御史中丞,卒官。

《唐書·經籍志》：《禮雜鈔略》二卷,荀萬秋撰。

《唐書·藝文志》：荀萬秋《禮雜鈔略》二卷。

馬氏玉函山房輯本序曰："荀氏《禮雜鈔略》,今佚。杜佑《通典》引其在宋孝武時爲殿中曹郎議郊廟、樂制二篇。"

梁有齊尚書儀曹郎丘季彬論五十八卷、議一百三十卷、統六卷,亡。

丘季彬始末未詳。

按《石渠禮論》、《群儒疑義》,皆漢儒説禮之文,是禮論之最古者,故以冠禮論之首。任預以下,大抵皆因何承天之書而轉輾鈔録者,別爲一類。

禮論答問八卷　宋中散大夫徐廣撰

禮論答問十三卷　徐廣撰

禮答問二卷　徐廣撰,殘缺。梁十一卷。

徐廣有《毛詩背隱義》,見前詩類。

《晉書》本傳：廣《答禮問》行於世。

《宋書》本傳：《答禮問》百餘條,用於今世。

《南史》本傳：廣所撰又有《答禮問》百餘條,行於世。

《唐書·經籍志》：《禮論問答》九卷,徐廣撰。一本不著卷數。

《唐書·藝文志》：徐廣《禮論問答》九卷。

馬氏玉函山房輯本序曰："徐野民《禮論答問》,《隋》、《唐志》傳本不同,標題互異,實一書也。今佚。杜佑《通典》引八節,輯録爲卷。"

按《本傳》，所撰《答問》止於百餘條，本志乃出三部。其後引《七録》又有《答問》四卷，徐廣撰。并此爲四部，皆別本也。又三史皆云《答禮問》，無“論”字，與其甥何承天《禮論》不相涉。此與《唐志》題《禮論》，“論”字誤衍；《七録》題曰《禮答問》，亦無“論”字。

禮答問六卷　庾蔚之撰

庾蔚之有《喪服》，見前。

禮答問三卷　王儉撰

王儉有《喪服古今集記》，見前。

按王儉又有《禮義答問》八卷，別詳於後。

梁有晉益壽令吳商《禮難》十二卷、《雜義》十二卷，又《禮議雜記故事》十三卷、《喪雜事》二十卷，亡。

錢氏《隋書考異》曰：“《經籍志》禮類晉益壽令吳商《禮難》十二卷，別集類益陽令《吳商集》五卷。益陽，縣名，屬衡陽郡，作益壽者，誤也。”

嚴氏《全晉文編》曰：“吳商仕魏，入晉爲國子博士。惠帝初，遷助教，出爲益壽令。有《禮難》十二卷、《雜議》十二卷、《禮議雜記故事》十三卷、《喪雜事》二十卷。《通典》引《禮議》、《禮論答問》凡六篇，《續漢·祭祀志》注引《禋祀六宗説》一篇。”

《唐書·經籍志》：《雜禮義》十一卷，吳商等撰。《禮義雜記故事》十一卷，不注撰人。

《唐書·藝文志》：吳商《雜禮義》十一卷，《禮儀雜記故事》十一卷，不著撰人。按《新志》第二部次六朝人之末無名氏類中，不以爲吳商書，因《舊志》不注撰人也。其他兩書俱不著録。

馬氏玉函山房輯本序曰：“吳商字里未詳，據《隋志》知爲晉益壽令。《晉書·禮志》稱博士吳商，《通典》八十八稱國子博士吳商答劉實議。蓋又嘗爲此官也。今從《通典》輯得議六篇。”

梁有宋光禄大夫傅隆議二卷、《祭法》五卷，亡。

《宋書》、《南史》本傳：“隆字伯祚，北地靈州人也。高祖咸，晉司隸校尉。隆家在上虞，單貧有學行。義熙初年，四十始爲孟昶建威參軍，坐事免，東歸。元嘉中，累遷御史中丞、義興太守、左民尚書，轉太常。十四年，文帝以新撰《禮論》付隆，使更下意，隆表上管穴所見五十二事。後致仕，拜光禄大夫，歸老於家，手不釋卷，博學多通，特精三《禮》，年八十三卒。”

《唐書·經籍志》：《禮議》一卷，傅伯祚撰。一本作《禮儀》，誤。

《唐書·藝文志》：傅隆《禮議》一卷。

　按《祭法》五卷，與後引《七録》王肅所撰者，卷數相同，似即一書。然以前條吳商之例例之，亦頗似傅隆書。

禮答問十二卷

不著撰人。

禮雜問十卷　范寧撰

范寧有《古文尚書注》，見前書類。

《晉書》本傳：寧崇儒抑俗，始解褐，爲餘杭令，在縣興學校，養生徒，絜己修禮。志行之士，莫不宗之。期年之後，風化大行。自中興已來，崇學敦教，未有如寧者也。徵拜中書侍郎，在職多所獻替。時更營新廟，博求辟雍明堂之制，寧據經傳奏上，皆有典證。孝武帝雅好文學。甚被親愛，朝廷疑議，輒諮訪之。

《唐書·經籍志》：《禮問》九卷，范寧撰。《禮論答問》九卷，范寧撰。

《唐書·藝文志》：范寧《禮問》九卷，又《禮論答問》九卷。按此亦與何氏《禮論》不涉。

馬氏玉函山房輯本序曰：“此記其與當代名流問答禮制之語

也。《隋志》十卷，《唐志》九卷，又一部九卷。今佚。從《通
典》輯録九節。別有答徐邈書三篇，答謝安、戴逵書各一篇，
亦論禮服，論皆稟經協理，不愧儒家。”①

禮答問十卷　何佟之撰。梁二十卷。

何佟之有《喪服經傳義疏》，見前。

《南史·儒林傳》：佟之少好三《禮》，讀《禮》論三百餘篇，略皆
上口。建武中，都下碩儒唯佟之，國家吉凶禮則皆取決。永
元末，兵亂，佟之常集諸生，孜孜不怠。梁武踐阼，百度草創，
佟之依禮定議，多所裨益。所著文章、禮議百許篇。

《唐書·經籍志》：《禮答問》十卷，何佟之撰。

《唐書·藝文志》：何佟之《禮答問》十卷。

禮雜問十卷

禮雜答問八卷

禮雜答問六卷

並不著撰人。

禮雜問答鈔一卷　何佟之撰

何佟之見前。

按此及前三書，似皆是何氏《答問》之别本。

問禮俗十卷　董勛撰

嚴氏《全晉文編》曰：“董勛仕魏，入晉爲議郎。《北齊書·魏
收傳》：‘魏帝宴百僚，問何故名人日，皆莫能知。收對曰：晉
議郎董勛《答問禮俗》云正月一日爲雞，二日爲狗，三日爲豬，
四日爲羊，五日爲牛，六日爲馬，七日爲人。’”

《唐書·經籍志》：《問禮俗》十卷，董勛撰。

《唐書·藝文志》：“董勛《問禮俗》十卷。”

---

① “家”，清光緒九年長沙刻本《玉函山房輯佚書》作“宗”。

王氏《漢魏遺書鈔》曰："今鈔出《荆楚歲時記》一條、《歲華紀麗》二條、《史記索隱》一條、《初學記》一條、《御覽》六條、《通典》一條、《匡謬正俗》一條。"馬氏玉函山房亦輯存一本，凡十五條。

問禮俗九卷　董子弘撰

董子弘始末未詳。

按此似即董勛之別本。子弘亦頗似其字。

答問雜儀二卷　任預撰

任預有《禮論條牒》、《禮論帖》、《禮論鈔》，並見前。

《册府元龜·學校部·注釋門》：任預撰《禮條牒》十卷，《答問雜儀》二卷。

禮義答問八卷　王儉撰

王儉有《禮答問》三卷，見前。

《唐書·經籍志》：《禮儀問答》十卷，王儉撰。《禮儀答問》十卷，王儉撰。

《唐書·藝文志》：王儉《禮儀答問》十卷，又《禮雜答問》十卷。馬氏玉函山房輯本序曰："《隋志》載王儉《禮答問》三卷，又《禮義答問》八卷。《唐志》作《禮儀答問》、《禮雜答問》並十卷。今佚。從《南齊書·禮志》、《輿服志》輯録六篇。"

按此與前《禮答問》三卷同爲一家，一類之書不知何以分爲兩處，而於宋、齊人之中雜出魏晉時之吳商、董勛，東晉時之范寧。此等處，本志編次實爲無法。似皆從諸家書目節節抄入者。

禮疑義五十二卷　梁護軍周捨撰

《梁書》本傳：捨字昇逸，汝南安成人。父顒，齊中書侍郎，有名於時。周顒有《周易論見》，前易類。捨博學多通，尤精義理，起家太學博士，至太常丞。高祖即位，召拜尚書祠部郎。時天下草創，禮儀損益，多自捨出。歷侍中、護軍將軍、散騎常侍、太子詹事。普通五年卒,年五十六,謚曰簡子。

又《孔休源傳》:休源遷尚書左丞,彈肅禮闥,雅允朝望。時太子詹事周捨撰《禮疑義》,自漢魏至於齊梁,並皆搜采,休源所有奏議,咸預編録。

《唐書·經籍志》:《禮疑義》五十卷,周捨撰。

《唐書·藝文志》:周捨《禮疑義》五十卷。

馬氏玉函山房輯本序曰:"此書記《禮》之疑義,亦禮論之類也。《隋志》五十三卷,《唐志》五十卷。今佚。輯録四條。史稱'武帝禮儀損益,多自捨出',則其説之隱於《梁書·禮志》者固不少也。"

制旨革牲大義三卷　　梁武帝撰

梁武帝有《周易大義》,見前易類。

《梁書·武帝本紀》:天監十六年夏四月甲子初,去宗廟牲。冬十月,去宗廟薦脩,始用蔬果。

《隋書·禮志》:天監十六年四月詔曰:"夫神無常饗,饗於克誠。所以西鄰礿祭,實受其福。宗廟祭祀,猶有牲牢,無益至誠,有累冥道。自今四時烝嘗外,可量代。"八座議:"以大脯代一元大武。"八座又奏:"既停宰殺,無復省牲之事,請立省饌儀。其衆官陪列,並同省牲。"從之。十月,詔曰:"今雖無復牲腥,猶有脯脩之類,即之幽明,義爲未盡。可更詳定,悉薦時蔬。"左丞司馬筠等參議:"大餅代大脯,餘悉用蔬菜。"帝從之。於是起至敬殿、景陽臺,立七廟座。月中再設淨饌。自是訖於臺城破,諸廟遂不血食。

《梁書·文學·劉勰傳》:時七廟饗薦已用蔬果,而二郊農社猶有犧牲。勰乃表言二郊宜與七廟同改。詔付尚書議,依勰所陳。

又《蕭子雲傳》:大同二年,子雲爲國子祭酒。梁初,郊廟未革牲牷，樂辭皆沈約撰，至是承用，子雲始建言宜改。啓云："臣比兼職齊官，見伶人所歌，猶用未革牲前之曲。圜丘昧燎，尚言'式備牲牷'；北郊《誠雅》，亦奏'牲云孔備'；清廟登歌，而稱'我牲以潔'；三朝食舉，猶詠'朱尾碧鱗'。聲被鼓鍾，未符盛制。"敕答曰："此是主者守株，宜急改也。"仍使子雲撰定。

禮樂義十卷
禮祕義三卷

並不著撰人。

按自徐廣《禮論答問》至此，皆晉以來諸儒論議、問答之屬，《革牲義》以下三家附之。又別爲一類。

三禮目録一卷　鄭玄撰

鄭玄有《周禮》、《儀禮》、《禮記》注，並見前。

《唐書·經籍志》：《三禮目録》一卷，鄭玄注。

《唐書·藝文志》：鄭玄《三禮目録》一卷。

曲阜孔廣林輯本序曰："《目録》及《禮序》，《正義》並引之。《隋·經籍志》、《唐·藝文志》皆云《三禮目録》一卷，而不著《禮序》。竊思録者，録經題之義例；序者，序經旨之指歸。録在目下，序則弁端。《史記·自序》、《前漢書·敍傳》，其前篇序也。《本紀》已下敍傳即録也。《釋文》首卷名爲《序録》。知《三禮目録》七十二篇，前冠《禮序》以總會之。序與録固毗連焉，特以'目録'爲題耳。《釋文·序録》引《禮序》亦稱'目録'，尤其明證。茲依前人成式，録爲一卷。雖未知鄭君之舊其然與否，以意揆之，或不爽云。"

武進臧鏞堂輯本序曰："據陸德明、孔穎達、賈公彥三家，參之單注、《兼義》，宋、明舊板及李如圭《儀禮集釋》、朱子《儀禮經傳通解》、黃氏幹《通解續録》定此本，就質吳縣袁又愷。凡一字之去取，莫不有本云。"

餘姚盧文弨《鍾山札記》曰："康成有《三禮目録》，唐人作疏引之，各冠當篇之首，於題下系以'鄭《目録》云'四字。今本集爲一編，理無不可。"

梁有陶弘景注《三禮目録》一卷，亡。

陶弘景有《毛詩序注》，見前詩類。

陶翊撰《華陽隱居本起録》云："《三禮序》共一卷，并自注。"

三禮義宗三十卷　崔靈恩撰

崔靈恩有集注《毛詩》、《周官禮》，並見前。

《梁書·儒林傳》："靈恩徧通五經，尤精三《禮》，制《三禮義宗》四十七卷。"《南史·儒林傳》云三十卷。

《唐書·經籍志》：《三禮義宗》三十卷，崔靈恩撰。

《唐書·藝文志》：崔靈恩《三禮義宗》三十卷。《宋史·志》同。

《崇文總目》：《三禮義宗》三十卷，梁明威將軍崔靈恩撰。其書合《周禮》、《儀禮》、二戴之學，敷述貫串，該悉其義，合一百五十六篇，推演閎深，有名前世云。

晁氏《讀書志》："此書在唐一百五十篇。今存者一百二十七篇。凡兩戴、王、鄭異同，皆援引古誼，商略其可否，爲禮學之最。"又袁州本《讀書志》云："《三禮義宗》凡一百五十二篇。今此本頗殘缺。"

陳氏《書録解題》曰："凡一百四十九條，其説推本三《禮》，參取諸儒之論，博而核矣。本傳'四十七卷'，《中興書目》'一百五十六篇'，皆與今篇卷數不同。"

《玉海·藝文類》："《三禮義宗》始於明天地以下歲祭，終於《周禮》、《儀禮》、《禮記》興廢義。慶曆中，高陽許聞誨爲之序。"賈《疏》首載《周禮》廢興，蓋本於此。

王謨《漢魏遺書鈔》曰："此書在宋元之際尚未散佚，至朱氏《經義考》則已佚之矣。今從《禮記正義》鈔出四十條，《通典》

三條,《御覽》二十條,《玉海》四十二條,《尚書》、《毛詩疏》各一條,《後漢書注》、《三禮圖》、《困學紀聞》各一條。"

馬國翰輯本序曰:"《禮記正義》多引其説,《周禮》、《儀禮》二疏不見徵引。兹從群書采輯,釐爲《周禮》一卷、《儀禮》一卷、《禮記》二卷。"

三禮宗略二十卷　元延明撰

元延明有《毛詩誼府》,見前詩類。

《唐書·經籍志》:《三禮宗略》二十卷,元延明撰。

《唐書·藝文志》:元延明《三禮宗略》二十卷。

按安豐王所撰有《五經宗略》,見後論語類中,此殆其中之一編。

三禮大義十三卷

不著撰人。

按《唐日本國書目》有《三禮大義》三十卷,梁武帝撰。疑此即梁武帝書,十三卷當爲三十卷,誤倒其文歟?

三禮大義四卷

不著撰人。

《經義考》曰:"劉氏獻之《三禮大義》。《隋志》四卷,不著姓名。"

按朱氏以是書爲劉獻之撰。《北史·儒林傳》:"獻之博陵饒陽人。與中山張吾貴齊名,四海稱儒宗焉。本郡逼舉孝廉,孝文詔徵典内校書,固以疾辭。魏承喪亂之後,五經大義雖有師説,而海内諸生多有疑滯,咸決於獻之。六藝之文,雖不悉注,所標宗旨,頗異舊義。撰《三禮大義》四卷,《三傳略例》三卷,注《毛詩序義》一卷,行於世。"朱氏所據本此。

三禮雜大義三卷

不著撰人。

梁有《司馬法》三卷，亡。

《司馬法》別見子部兵家。

按《漢書·藝文志》，班氏以《司馬法》爲五禮之一，從《七略》兵家移入禮類。此三卷，本志著録兵家，實未亡也。

梁有《李氏訓記》三卷，亡。

李氏，不詳何人。

按此似與集部總集類《李氏家書》八卷同出漢中李氏之家。又似西涼武昭王李暠訓誡諸子之書。

梁又有《郊丘議》三卷，魏太尉蔣濟撰，亡。

《魏志》本傳：“濟字子通，楚國平阿人也。建安中，仕郡計吏，州別駕。太祖辟爲丞相主簿、西曹屬。文帝踐阼，至尚書。明帝即位，賜爵關内侯。齊王時，進爵昌陵亭侯，遷太尉。以隨太傅司馬宣王屯洛水浮橋，誅曹爽，進封都鄉侯。是歲薨，諡曰景侯。初，侍中高堂隆論郊祀事，以魏爲舜後，推舜配天。濟以爲舜本姓嬀，其苗曰田，非曹之先，著文以追詰隆。”臣松之案：“蔣濟立郊議，稱曹騰碑文云‘曹氏族出自邾’；魏武作家傳，自云曹叔振鐸之後。及至景初，明帝從高堂隆議，謂魏爲舜後，尋濟難隆，及與尚書繆襲往反，並有理據，文多不載。

《唐書·經籍志》史部儀注類：魏氏《郊丘》三卷。不注撰人，《新志》同。

侯康《補三國藝文志》曰：“本傳又引濟難鄭康成《祭法》注，似出此書。又《齊書·禮志》云：‘魏高堂隆議以舜配天，蔣濟云漢時奏議謂堯已禪舜，不得爲漢祖；舜亦已禪禹，不得爲魏之祖。今宜以武皇帝配天。’此即濟難隆之語也。”

梁有《祭法》五卷，又《明堂議》三卷，王肅撰，亡。

王肅有《周易注》，見易類。

侯氏《補三國藝文志》曰：“肅議《明堂》不以祖宗爲配食之祭，

不以上帝爲五精帝，皆與鄭殊。"

按蕭注《家語》序有曰："是以撰經禮申明其義，及朝論制度，皆據所見而言。""朝論制度"即謂是類之書。本傳云其所論駮朝廷典制、郊祀、宗廟百餘篇，此兩書當在其中。《太平御覽》、《經史圖書綱目》有王肅《議禮》，亦是類之書。又按兩《唐志》史部儀注類《晉明堂郊社議》三卷，孔晁等撰。晁爲王氏學，嘗答馬昭詰問《聖證論》者也。入晉爲五經博士，有《逸周書注》，見史部雜史類。隋代亡書，唐時復出，往往見於舊、新二《志》。此題王肅撰，實則爲其徒孔晁等所裒録耳。

梁又有《雜祭法》六卷，晉司空中郎盧諶撰。亡。

《晉書·盧欽傳》：欽字子若，范陽涿人也。祖植，漢侍中。父毓，魏司空。欽子志，志子諶，字子諒，州舉秀才，辟太尉掾。洛陽没，隨志北依劉琨，父母兄弟在平陽者，悉爲劉聰所害。琨以諶爲主簿，轉從事、中郎，諶流離世故且二十載，後爲石季龍中書侍郎、國子祭酒、中書監。屬冉閔誅石氏，諶隨閔軍於襄國，遇害。年六十七。是歲永和六年也。諶名家子，早有聲譽，才高行潔，爲一時所推。值中原喪亂，與清河崔悦、潁川荀綽、河東裴憲、北地傅暢並淪陷非所，雖俱顯於石氏，恒以爲辱。諶每謂諸子曰："吾身没之後，但稱晉司空從事中郎爾。"撰《祭法》行於世。

《唐書·藝文志》儀注類：盧諶《雜祭法》六卷。<small>一本"法"作"注"。</small>

嚴氏《全晉文編》曰："盧諶有《雜祭法》六卷。今見於《北堂書鈔》、《太平御覽》者凡六條。"

馬氏玉函山房輯本序曰："盧氏《雜祭法》，《隋志》禮類注云亡。《唐志》儀注類復以六卷著目。今佚。唯《藝文類聚》、《北堂書鈔》、《初學記》、《御覽》等書引之。"

梁又有《祭典》三卷，晉安北將軍范汪撰，亡。

《晉書》本傳：汪字玄平，南陽順陽人。博學多通，善談名理，解褐參護軍事。蘇峻平，賜爵都鄉侯。爲庾亮平西參軍，從討郭默，進爵亭侯。後爲桓溫安西長史。溫西平蜀，委以留府，進爵武興縣侯。還京，頻遷中領軍、安北將軍、徐兗二州刺史。桓溫北伐，令汪率文武出梁國，以失期，免爲庶人。汪屏居吳郡，從容講肄。年六十五卒於家。贈散騎常侍，謚曰穆。長子康嗣，康弟寧，最知名。

《唐書·藝文志》儀注類：范汪《雜府州郡儀》十卷。又《祭典》三卷。

馬氏玉函山房輯本序曰：“范氏《祭典》，《隋志》禮類注云亡。《唐志》復著録，移入史部儀注類。今佚。從《北堂書鈔》、《初學記》、《通典》、《御覽》諸書輯爲一卷。引或作范汪《祀制》，[①]蓋篇目也。論‘小宗可廢大宗不可廢’內，有與子寧辨難一節，引經決斷，析理極精，家學淵源，媲美乎炎漢向、歆父子矣。”

梁有《七廟議》一卷，又《後養議》五卷，干寶撰。

干寶有《周易注》，見易類。

《唐書·經籍志》儀注類：《雜議》五卷，干寶撰。

《唐書·藝文志》儀注類：干寶《雜議》五卷。

馬氏玉函山房輯本序曰：“《隋志》《七廟議》一卷，又《後養議》五卷，並以爲亡。《唐志》不著録。《後養議》者，論列爲人後者養親、喪祭之禮，集諸儒之議以成書也。《晉書·禮志》載其論王昌父毖與前妻隔絶，更娶昌母，喪服歷敍謝衡等十餘人之議，而終以干寶論爲斷。五卷中佚篇之一也。據録爲卷。”

　按《舊》、《新唐志》史部儀注類有晉《七廟議》三卷，蔡謨撰。

---

① “祀”，清光緒九年長沙刻本《玉函山房輯佚書》作“祠”。

　　疑此一卷，即蔡本三卷之佚存者。

梁有《雜鄉射等議》三卷，晉太尉庾亮撰，亡。

　　《晉書》本傳：亮字元規，潁川鄢陵人。明穆皇后之兄也。元帝時，爲丞相參軍。預討華軼，功封都亭侯。王敦事平，封永昌縣開國公。歷征西將軍，都督六州，領江、荊、豫三州刺史。咸康六年薨，年五十二，贈太尉，諡曰文康。

　　《宋書・禮志・學校篇》：征西將軍庾亮在武昌開置學校，繕造禮器、俎豆之屬，將行大射之禮，亮尋薨，遂廢。

梁有《逆降義》三卷，宋特進顏延之撰，亡。

　　《宋書》本傳：延之字延年，琅邪臨沂人也。少孤貧，居負郭室。好讀書，無所不覽，飲酒不護細行。高祖受命，補太子舍人。元嘉中，爲祕書監、光祿勳、太常。世祖登阼，以爲金紫光祿大夫。孝建三年卒，年七十三，贈散騎常侍、特進，諡曰憲子。子竣。

　　《唐書・經籍志》：《禮論降議》三卷，顏延之撰。

　　《唐書・藝文志》：顏延之《禮逆降議》三卷。

　　馬氏玉函山房輯本序曰：“書名《逆降義》者，蓋明禮制升降之義。《通典》引顏延之問答一節，辨姪甥之名義，亦關禮服，當是此書佚文。”

梁有《逆降義》一卷，田僧紹撰，亡。

　　田僧紹即田儁之，有《集解喪服經傳》，見前儀禮門。

梁有《分明土制》三卷，何承天撰，亡。

　　何承天有《禮論》三百卷，見前。

　　按此不知何書，疑是説《周禮・地官・司徒》之義。前人無説，莫能詳也。

梁有《釋疑》二卷，郭鴻撰，亡。

　　郭鴻始末未詳。

梁有《答問》四卷，徐廣撰，亡。

徐廣有《禮答問》三部，見前。

梁有《答問》五十卷，何胤撰，又《答問》十卷，亡。

何胤有《周易注》，見前易類。

《梁書·處士傳》：胤著《禮記隱義》二十卷、《禮答問》五十五卷。

以上三禮之屬。《司馬法》以下與三《禮》在離合之間者，故附著於其後歟。又其前有答問疑義一類，此復出郭鴻《釋疑》，徐廣、何胤《答問》不附於前而附於此，是所未喻也。

三禮圖九卷　鄭玄及後漢侍中阮諶等撰

鄭玄有《三禮注》及《目錄》，並見前。

《魏志·杜恕傳》注：《阮氏譜》曰：“諶字士信，徵辟無所就，造《三禮圖》傳於世。”

《宋史·儒林·聶崇義傳》：隋梁正《三禮圖》題識曰：“陳留阮士信，受《禮》學於潁川綦毋君，取其説爲圖三卷。多不按《禮》文而引漢事，與鄭君之文違錯。”

《後魏書·禮志·輿服篇》：太學博士王延業曰：“阮諶《禮圖》并載秦漢以來輿服。”

《唐日本國見在書目》：《周禮圖》十卷，鄭玄、阮諶等撰。按《三禮圖》首《周禮》，故佐世遂以爲《周禮圖》。

唐張彥遠《歷代名畫記》：古之祕畫珍圖有《三禮圖》十卷，阮諶等撰。

《宋史·聶崇義傳》：吏部尚書張昭等奏曰：“《四部書目》內有《三禮圖》十三卷，是隋開皇中敕禮部修撰。其圖第一、第二題曰梁氏，第十後題曰鄭氏。”

宋竇儼序聶氏《三禮圖》曰：“崇義博采舊圖，凡得六本，其一本是鄭圖。”

《四庫全書》聶氏《三禮圖》提要曰：“《隋志》列鄭玄及阮諶等《三禮圖》九卷。然勘驗《鄭志》，玄實未嘗爲圖。考書中宮室、車服等圖，與鄭《注》多相違異。殆習鄭氏學者作圖，歸之鄭氏歟？”

王謨《漢魏遺書鈔》曰：“《經義考》云阮氏《三禮圖》祇有牛鼎一條，見《初學記》。今檢諸書及聶《注》，多引阮《圖》，故推爲此書主名，以聶氏篇目爲次，凡從聶《注》鈔出七十條。又鈔出注疏九條，《後漢書注》六條，《隋志》六條，《後魏志》二條，《通典》、《文選注》各一條，《初學記》五條，《書鈔》六條，《類聚》二條，《御覽》五十七條，《玉海》六條。”

馬國翰玉函山房輯本序曰：“《隋志》：《三禮圖》九卷，鄭玄及後漢侍中阮諶等撰。蓋鄭注《三禮》，遂爲之圖。阮復因鄭《圖》而修之，故世只稱阮諶《三禮圖》，而《隋志》推本題之也。今佚。考聶崇義《三禮圖》引鄭氏《圖》、阮氏《圖》，又引舊《圖》，皆一書之文。復從他書蒐采，輯爲一卷，即就聶《圖》次第編之。”

周室王城明堂宗廟圖一卷　祁諶撰　“祁”當爲“阮”。

《隋書·宇文愷傳》：愷奏《明堂圖儀表》曰：[1]“自古明堂圖惟有二本，一是宗周，劉熙、阮諶、劉昌宗等作，三圖略同。一是後漢建武三十年作，《禮圖》有本，不詳撰人。”按劉熙有《謚法注》，劉昌宗有《周禮音》，並見前。

張彥遠《歷代名畫記》曰：“古之祕畫珍圖，有周室王城《明堂宗廟圖》一卷。”

　　按張氏《名畫記》及《日本書目》並載鄭、阮等《三禮圖》十卷，似此一卷在其内。

---

[1]　殿本《隋書》無“圖”，“儀”作“議”。

梁又有《冠服圖》一卷、《五宗圖》一卷、《月令圖》一卷，亡。

　　並不著撰人。

　　　按《吴志·薛綜傳》：“綜又定《五宗圖》傳於世。”《通典》七十

　　　三引薛綜述鄭氏《禮》。《五宗圖》蓋亦本鄭氏之説以爲圖。

　　　綜少避地交州，從劉熙學問者也。此一卷或即其書歟？

　　　又按自《三禮圖》至此，又自爲一類。

右一百三十六部，一千六百二十二卷。通計亡書，合二百一十一部，二千一百八十六卷。實著録一百三十七部，附注亡書七十一部，通計二百八部。

卷五

經部五

樂類　類中分類凡六。

樂社大義十卷　梁武帝撰
樂論三卷　梁武帝撰

梁武帝有《周易大義》，見前易類。

《隋書·音樂志》：梁武帝本自諸生，博通前載，未及下車，意先風雅，爰詔凡百，各陳所聞。帝又自糾摘前違，裁成一代。

又曰："帝既素善鍾律，詳悉舊事，遂自制定禮樂。又立爲四器，名之爲通。每通皆施三絃。一曰玄英通：應鍾、黃鍾、大呂。二曰青陽通：太簇、夾鍾、姑洗。三曰朱明通：中呂、蕤賓、林鍾。四曰白藏通：夷則、南呂、無射。因以通聲，轉推月氣，悉無差違，而還得相中。[①] 又制爲十二笛，用笛以寫通聲，飲古鍾玉律并周代古鍾，並皆不差。於是被以八音，施以七聲，莫不和韻。其樂歌、詩辭並沈約所製。普通中，薦蔬之後，改諸雅歌，敕蕭子雲制辭。"

《唐書·經籍志》：《樂社大義》十卷，梁武帝撰。《樂論》三卷，梁武帝撰。

《唐書·藝文志》：梁武帝《樂社大義》十卷，又《樂論》十卷。

馬氏玉函山房輯本序曰："此書名《樂社》者，案《周禮·夏

---

① 殿本《隋書》"相"在"得"前。

官·大司馬》'先凱樂於社'，帝以武功得天下，功成作樂。觀
其樂舞，先武後文。樂社之義，或取諸此也。《隋》、《唐志》並
十卷。今佚。考《梁書·樂志》云：'帝素善音律，自製四器，
名之爲通，以定雅樂，備載所定郊禋、宗廟、三朝之樂。二舞、
十二雅各著沿革及取名之義。'又《隋書·音樂志》沈約奏言：
'帝所作四通十二笛，尺寸詳悉。'皆引述本書之文也。據以
輯錄。"按馬氏周捨《禮疑義》輯本序稱《梁書·禮志》，以爲偶爾筆誤，毋庸致詰。
今觀此序乃以《梁書·樂志》與《隋書·音樂志》並相稱引，則斷非筆誤矣。《梁書》有
志，已爲眩惑，并有《禮志》、《樂志》，且引其文，更駭聽聞。《隋志》載四通十二笛尺
寸，亦非沈約奏言。以其支離太甚，恐不免疑誤。後學故附糾於此。

梁有《樂義》十一卷，武帝集朝臣撰，亡。

《隋書·音樂志》：梁氏之初，樂緣齊舊。武帝思弘古樂，天監
元年，遂下詔訪百寮，陳其所見。於是尚書僕射沈約奏答曰：
"竊以秦代滅樂，《樂經》殘亡。劉向《別錄》所載，已復亡逸。
晉《中經簿》，無復樂書。宜選諸生，分令尋討經、史百家，凡
樂事無大小，皆別纂錄。乃委一舊學，撰爲樂書。"是時對樂
者七十八家，咸多引流略，浩蕩其詞，皆言樂之宜改，不言改
樂之法。

又曰："天監四年，賀瑒、明山賓、嚴植之及徐勉等議定皇太子
樂爲《元貞》，奏《大壯》、《大觀》二舞。是時，禮樂制度，粲然
有序。"《梁書·賀瑒傳》：天監四年，以瑒兼五經博士。時武帝方創定禮樂，瑒所
建議，多見施行。

樂論一卷　衛尉少卿蕭吉撰

《北史·藝術傳》：蕭吉字文休，梁武帝兄長。沙宣王懿之孫
也。博學多通，尤精陰陽、算術。江陵覆亡，歸於魏，爲儀同。
周宣帝時，爲太常。隋受禪，進上儀同，每被顧問。煬帝嗣位，
拜太府少卿，加位開府。後歲餘，卒官。著《宅經》八卷，《葬經》

六卷,《樂譜》二十卷,《相手版要訣》一卷,《太一立成》一卷。

古今樂録十二卷　陳沙門智匠撰

《唐書·經籍志》:《古今樂録》十三卷,釋智匠撰。

《唐書·藝文志》:釋智匠《古今樂録》十三卷。

《宋史·藝文志》:陳僧智匠《古今樂録》十三卷。

《玉海·藝文類》:《中興書目》曰:"陳光大二年,僧智匠撰《古今樂録》,起漢訖陳。"

王謨《漢魏遺書鈔》曰:"此書宋時尚存。宋人郭茂倩所編《樂府詩集》大率據此書及吳兢《樂府解題》爲多。而此書又多引張永、王僧虔二家《技録》。今並鈔出郭氏《樂府》百三十二條,《御覽》十三條,《初學記》七條,《書鈔》、《白帖》各一條,《事類賦注》六條,《後漢書注》一條。"

馬國翰玉函山房輯本序曰:"《太平御覽》引作'智象',以聲近轉訛也。《隋志》:十二卷。《唐志》:十三卷。今佚。采輯遺說,以類排次爲卷。其書頗見重於當時。"

樂書七卷　後魏丞相士曹行參軍信都芳撰

《北史·藝術傳》:信都芳字玉琳,河間人也。少明算術,兼有巧思,每精研究,[①]或墜坑坎。常語人云:"算曆玄妙,機巧精微,我每一沈思,不聞雷霆聲也。"其用心如此。後爲安豐王延明召入賓館。延明家有群書,欲鈔集古今樂事爲《樂書》,令芳算之。會延明南奔,芳乃自撰注。後隱於樂平之東山。齊神武召爲館客,授中外府田曹參軍。後又撰《靈憲曆》,書未成而卒。《魏書》云武定中卒。

《魏書·安豐王延明傳》:又以河間人信都芳工算術,引之在

---

① 　殿本《北史》"精"後有"心"。

館,共撰古今樂事。①

《魏書·樂志》:正光中,侍中安豐王延明受詔監修金石,博探古今樂事,令其門生河間信都芳考算之。屬天下多難,終無制造。芳乃撰延明所集《樂説》而注之,不得在樂署考正聲律也。

《北齊書·方技傳》:芳以術數干高祖,爲館客,授參軍、丞相倉曹,著《樂書》。

《唐書·經籍志》:《樂書》九卷,信都芳删注。

《唐書·藝文志》:信都芳删注《樂書》九卷。

馬氏玉函山房輯本序曰:"信都芳《樂書》,《隋志》七卷,《唐志》云删注《樂書》九卷。今佚。從《御覽》輯得十節。説古樂器形製最詳。"

樂雜書三卷

不著撰人。

樂元一卷　魏僧撰

按兩《唐志》有桓譚《樂元起》二卷,又《琴操》二卷。此《樂雜書》三卷、《樂元》一卷,似即《唐志》之《樂元起》及《琴操》也。本志此篇分合不一,推尋《唐志》,約略可知。桓譚,兩漢間人,有《新論》,見子部儒家。《唐志》載此兩書,莫詳其所。自觀於此,乃知魏僧所傳録也。魏僧其名不傳,亦不知爲曹魏、元魏。後文有《當管七聲》二卷,魏僧撰,殆即其人。

管絃記十卷　凌秀撰

《唐書·經籍志》:《管絃記》十二卷,留進録,凌秀注。

《唐書·藝文志》:留進《管絃記》十二卷,凌秀《管絃志》十卷。

---

① "共",殿本《魏書》作"其"。

按留進、淩秀始末並未詳。據《新唐志》，二人各有其本。

樂要一卷　何妥撰

何妥有《周易講疏》，見易類。

《北史·儒林傳》："隋文帝令妥考定鍾律，妥上表言：'梁代所行樂事，猶皆傳古。三雍四始，實稱大盛。及侯景篡逆，樂師分散。臣少好音律，留意管絃，年雖耆老，頗皆記憶。及東土克定，樂人悉反，問其逗留，果云是梁人所教。今三調四舞，並皆有手，雖不能精熟，亦頗具雅聲。謹具錄三調四舞曲名，又製歌辭如別。其有聲曲流蕩，不可以陳於殿庭者，亦悉附之於後。'書奏，別敕太常，取妥節度。於是作清、平、瑟三調聲，又作八佾《鞞》、《鐸》、《巾》、《拂》四舞。先是，太常所傳宗廟雅樂，歷數十年，唯作大呂，廢黃鍾。妥又以深乖古意，乃奏請用黃鍾。詔下公卿議，從之。"又曰："撰《樂要》一卷，行於世。"

樂部一卷

不著撰人。

馬國翰輯本序曰："《樂部》一卷，撰人闕。《隋志》著錄，《唐志》不載，佚已久。惟《太平御覽》引之，記龜茲、天竺、康國、疏勒、安國、高麗等樂甚詳。書中或言唐制，當是隋季人所作，及見唐初制作，故能言之歟？"

春官樂部五卷

不著撰人。

按宇文氏仿《周禮》建六官，此曰《春官樂部》，或後周之樂書。

梁有《宋元嘉正聲伎錄》一卷，張解撰，亡。

張解始末未詳。

《宋書·隱逸·戴顒傳》：文帝以其好音，長給正聲伎一部。

《齊書·武帝本紀》:永明十一年七月,上不豫,力疾召樂府奏正聲伎。

唐張彦遠《歷代名畫記》:宋袁倩畫《正聲伎圖》。

按此似宋張永撰也。《樂府詩集》載《古今樂録》數引張永《元嘉正聲伎録》,或省文作張永《元嘉伎録》、張永《伎録》。此曰張解,疑下有敚文。永有集,見集部別集類。

又按《樂府詩集》云:"凡諸調歌辭,並以一章爲一解。王僧虔啓云:'古曰章,今曰解。解有多少,當時先詩而後聲,詩敍事,聲成文,是以作詩有豐約,制解有多少。猶《詩·君子陽陽》兩解、《南山有臺》五解之類也。'"則此又甚似"張永"撰"解"之誤也。

樂府聲調六卷　岐州刺史沛國公鄭譯撰

樂府聲調三卷　鄭譯撰

《北史·鄭羲附傳》:譯字文義,滎陽開封人。幼聰敏,涉獵群書。工騎射,尤善音樂,有名於世。少爲周文所親。周宣帝時,至開府儀同大將軍、内史中大夫,封歸昌縣公。委以朝政。遷内史上大夫,進封沛國公。隋文爲大冢宰,進上柱國。帝受禪,以上柱國歸第。未幾,詔譯參撰律令,又詔參議樂事。譯以周代七聲廢缺,自大隋受命,禮樂宜新。更修七始之議,名曰《樂府聲調》,凡八篇。奏之,帝嘉美焉。俄拜岐州刺史。歲餘,復奉詔定樂於太常。帝勞之曰:"律令則公定之,音樂則公正之。禮、樂、律、令,公居其三,良足美也。"尋還岐州。開皇十一年卒,年五十二。謚曰達。

又《藝術·萬寶常傳》:開皇初,沛國公鄭譯等定樂。初爲黄鍾調,寶常雖爲伶人,譯等每召與議,然言多不用。後譯樂成,奏之。上召寶常問其可不。寶常曰:"此亡國之音,豈陛下所宜聞?"上不悦,寶常因極言樂聲哀怨淫放,非雅正之音,請以水尺爲律，以調樂器，其聲率下鄭譯調二律。

《唐書·經籍志》：《樂府聲調》六卷，鄭譯撰。

《唐書·藝文志》：鄭譯《樂府歌辭》八卷，又《樂府聲調》六卷。

　　按其後三卷，或從岐州召還，定樂太常時所作。

樂經四卷

不著撰人。

《漢書·王莽傳》：元始四年立《樂經》。益博士員，經各五人。
按《樂經》博士亦五人也。揚雄《劇秦美新》曰："制成六經洪業也。"李善曰："《漢書》：莽奏立《樂經》。經有五而又立《樂》，故云六經也。"《三輔黃圖》曰："五博士領弟子員三百六十六，經三十博士，弟子萬八百人。"

桓譚《新論》曰："陽城子張名衡，蜀郡人。王翁時，與吾俱爲講學祭酒。及寢疾，預買棺槨，多下錦繡，立被發冢。"又一引云"陽城子姓張名衡"，似不然。又云："吾俱爲典樂大夫。"似兼官也。王翁者，即王莽也。

王充《論衡·超奇篇》："陽城子長作《樂經》，極窅冥之深，非庶幾之才不能成也。"又《對作篇》云："陽城子張作《樂經》，卓絶驚耳。"

應劭《風俗通·氏姓篇》"漢有諫議大夫陽成公衡。"武威張澍輯注曰："陽成，一作陽城。桓譚《新論》：'陽城子張名衡，爲講學祭酒。蜀人。'即陽成公衡也。"

王應麟《困學紀聞》曰："《考工記》'磬氏'疏引《樂》云云。朱文公問蔡季通，不知所謂《樂》云者是何書。今考《三禮圖》，以爲《樂經》。《尚書大傳》亦引'《樂》曰'云云。漢元始四年立《樂經》。《續漢志》鮑鄴引《樂經》。今其書無傳。"

全祖望《困學紀聞箋》曰："《樂經》王莽所立，作《尚書大傳》者豈及見之？其即河間獻王所輯之雅樂。伏生爲博士時，嘗見而引之耳。河間之樂，存肄樂官而不御。成帝時，王禹、宋曄等世傳其學，能説其義，則必有其書矣。王莽時，乃遂輯以爲經。"按伏生爲秦博士，孝文時年九十餘，亦不及見河間雅樂。全氏之意蓋謂先河間見而引之耳。

《四庫提要》樂類小序曰："沈約稱《樂經》亡於秦。考諸書均不云有《樂經》。《隋志》：《樂經》四卷。蓋王莽元始三年所立，賈公彥《考工記》磬氏，疏所稱'《樂》曰'當即莽書，非古《樂經》也。"

王謨《漢魏遺書鈔》曰："《隋志》《樂經》四卷，不著撰人姓名。今姑據《論衡》作陽城子長撰。鈔出《書大傳》一條、《周禮疏》二條、《續漢書志》二條、《白虎通》二條。"

馬國翰玉函山房輯本序曰："莽時所立即陽城衡所著之《樂經》。《周官·考工記》疏引《樂》與《三禮圖》引《樂經》同。又《尚書大傳》引《樂》一節、《補漢志注》引《樂經》一節，王應麟《玉海》述之，並據輯補。"

按武威張澍《蜀典·著作類》亦輯存陽城衡《樂經》七條。衡在漢末嘗與揚雄、劉歆、褚少孫、史孝山諸人續《太史公書》，綴集太初已後時事。見《後漢書·班彪傳》注。《史通·外篇》作"衛衡"，似有舛誤。《漢志》儒家"揚雄所序三十八篇：《太玄》十九、《法言》十三、《樂》四、《箴》二"，《樂》四疑即是書。

又按唐初史官或以此爲王莽之書，不足比數，故附於諸家樂書之後。自《樂社大義》至此爲一類。

琴操三卷　晉廣陵相孔衍撰

孔衍有《凶禮》一卷，見前禮類儀禮門。

《唐書·經籍志》：《琴操》三卷，孔衍撰。

《唐書·藝文志》：孔衍《琴操》一卷。

《宋史·藝文志》：孔衍《琴操引》三卷。

《崇文總目》：《琴操》三卷。晉廣陵相孔衍撰述。詩曲之所從，總五十九章。

陳氏《書錄》曰："《琴操》一卷，不著名氏。《中興書目》云：
'晉廣陵守孔衍以琴調《周詩》五篇、古操、引共五十篇，述所
以命題之意。'今《周詩》篇同而操、引財二十一篇，似非全
書也。"

王謨《漢魏遺書鈔》曰："此書宋世猶存，今未見傳本。惟《初
學記》載有詩歌五曲、十二操、九引，與陳氏'《周詩》五篇、操、
引二十一篇'篇數悉合。今一據以爲本，而以他書所引《琴
操》事辭，逐條編次。許由以下二十九條，亦當在古操引五十
篇中。此於孔氏原書體例，雖不必合，然其大概亦有可采。
今並鈔出，凡五十七條。"

琴操鈔二卷
琴操鈔一卷

並不著撰人。

琴譜四卷　戴氏撰

《宋書》、《南史·隱逸·戴顒傳》："顒父逵、兄勃，並隱遁，有
高名。以父不仕，復修其業。父善琴書，顒並傳之。凡諸音
律，皆能揮手。"又曰："顒及兄勃並受琴於父。父沒，所傳
之聲不忍復奏，各造新弄。勃製五部，顒製十五部。又製長
弄一部，並傳於世。勃卒。顒後游止黃鵠山，爲衡陽王義季
鼓琴，並新聲變曲；其三調《游弦》、《廣陵》、《止息》之流，皆
與世異。文帝以其好音，長給正聲伎一部。顒合《何嘗》、
《白鵠》二聲以爲一調，號爲清曠。"《南史·柳惲傳》：宋時有嵇元榮、
羊蓋者，並善琴。云傳戴安道法，惲從之學，特窮其妙。常以今聲轉棄古法，乃著
《清調論》，具有條流。

　按晉、宋、齊、梁傳琴學者，惟戴氏父子爲最著。故知此戴
　氏即其人也。《舊》、《新唐志》有劉氏、周氏《琴譜》四卷，似

即此書爲此二人所撰録者。

琴經一卷

不著撰人。

按《唐日本國書目》有《琴經》一卷,蔡伯喈撰。似即此書。阮文達《揅經室外集》曰:"《琴操》二卷,蔡邕撰。從徵士惠棟手鈔本過録,上卷詩歌五曲、一十二操、九引,下卷雜歌二十一章。《文選·演連珠》、《歸田賦》注引蔡邕《琴操》云云,其詩歌操引篇數與王氏所輯孔衍《琴操》同。特惠氏歸之蔡伯喈耳。又《書録解題》云《琴經》一卷,托名諸葛,淺俚之甚,似非此書。"《孫祠書目》:《琴操》三卷,蔡邕撰。一讀畫齋刊本,一星衍校本。

琴説一卷

不著撰人。

琴曆頭簿一卷

不著撰人。

《唐書·經籍志》:《琴集曆頭拍簿》一卷。《新志》同。

馬國翰玉函山房輯本序曰:"《隋志》有《琴曆頭簿》一卷,《唐志》作《琴集曆頭拍簿》,均不著撰人姓名。《初學記》、《太平御覽》引《琴曆》即此書也。所引互有同異,參校訂輯,凡琴曲三十有八,如《中揮清》、《暢志清》、《蟹行清》、《看客清》、《便僻清》、《婉轉清》六目,他書所未見,足資該聞焉。"

以上琴操、琴譜之屬,別爲一類。

新雜漆調絃譜一卷。

不著撰人。

按《隋書·音樂志》:"高祖既受命,定令,宮懸簨簴,金五博山,飾以旒蘇樹羽。其樂器應漆者,天地之神皆朱,宗廟加五色漆畫。"又曰"皇帝宮懸應漆者皆五色漆畫"云云。似即此書之大略，然則此譜乃隋時太樂署典守樂器之程式也。

樂譜四卷

不著撰人。

按《隋書》、《北史·藝術傳》："萬寶常，不知何許人也。北齊時，以父罪被配爲樂户。妙達鍾律，遍工八音。開皇初，鄭譯樂成，上召寶常問其可不。寶常言：'樂聲哀怨，非雅正之音。請以水尺爲律，以調樂音。'上從之。寶常奉詔，遂造諸樂器，并撰《樂譜》六十四卷。且論八音旋相爲宮之法，改絃移柱之變，爲八十四調，一百四十律，變化終於一千八百聲。時人以《周禮》有旋宮之義，自漢魏以來知音者皆不能通見。寶常特創其事，皆哂之。至是，試令爲之，應手成曲，無所疑滯。見者莫不嗟異。於是損益樂器，不可勝紀。其聲雅淡，不爲時人所好。太常善聲者多排毁之。又爲蘇夔、蘇威所忌，其事竟寢。寶常貧而無子，其妻因其臥病，竊資物而逃。寶常竟餓死。將死，取其所著書焚之，曰：'何用此爲？'見者於火中探得數卷，見行於世。"按所謂"見行於世"者，隋唐時所有也。此四卷實近似之。

樂譜集二十卷　蕭吉撰

蕭吉有《樂論》一卷，見前。

《隋書·藝術傳》：吉著《樂譜》十二卷。《北史》云二十卷。

《隋書》、《北史·萬寶常傳》：開皇中，鄭譯、何妥、盧賁、蘇夔、蕭吉並討論墳籍，撰著樂書，皆爲當時所用。至於天然識樂，不及寶常遠矣。

《唐書·經籍志》：《樂譜集解》二十卷，蕭吉撰。

《唐書·藝文志》：蕭吉《樂譜集解》二十卷。

按其前《樂論》一卷，本傳不載，似即此書之序論，或亦在此

二十卷中。<small>馬氏據《隋書·律曆志》輯存四條。</small>

樂略四卷

不著撰人。

《唐書·經籍志》：《樂略》四卷,《聲律指歸》一卷,元懃撰。

《唐書·藝文志》：元懃《樂略》四卷,又《聲律指歸》一卷。

按兩《唐志》別有《聲律指歸》一卷,皆以爲元懃撰。元懃始末未詳。大抵是元魏時人。

樂律義四卷　沈重撰
鍾律義一卷

沈重有《毛詩義疏》,見前詩類。

《北史·儒林傳》：重事梁主蕭詧。周武帝以重經明行修,乃遣使致書禮聘。保定末,至於京師,詔令討論五經,并校定鍾律。

《隋書·律曆志》：宋錢樂之衍京房六十律,更增爲三百六十。梁博士沈重述其名數。

《周書·儒林傳》贊曰：“史臣每聞故老稱沈重所學,非止六經而已。至於天官、律曆、陰陽、緯候,流略所載,釋、老之典,靡不博綜,窮其幽蹟。故能馳聲海内,爲一代儒宗。雖前世徐廣、何承天之儔,不足過也。”

《唐書·經籍志》：《鍾律》五卷,沈重撰。

《唐書·藝文志》：沈重《鍾律》五卷。

馬國翰輯本序曰：“《隋志》：《樂律義》四卷。《唐志》作《鍾律》五卷。原書久逸。《隋·律曆志》載其《鍾律義》一篇及三百六十律名目。”

按本志《樂律》、《鍾律》分別著録,兩《唐志》合并爲一。知本志《鍾律義》一卷下失著撰人也。

樂簿十卷

不著撰人。

按《唐經籍志》有《樂志》十卷，蘇夔撰。《藝文志》作《樂府志》，疑即是書。蘇夔見後。

齊朝曲簿一卷

不著撰人。

大隋總典簿一卷

不著撰人。

按《通志·藝文略》云《齊朝曲簿》一卷，《隋總曲簿》一卷。則此"典"字爲"曲"字之誤。未詳孰是。

推七音二卷并尺法

不著撰人。

《唐書·經籍志》："《推七音》一卷。"《新志》同。

按《隋書·音樂志》："鄭譯曰：'周有七音之律。黃鍾、林鍾、太簇爲天、地、人，是爲三始。姑洗、蕤賓、南呂、應鍾爲春、夏、秋、冬，是爲四時。四時、三始，是以爲七。先是周武帝時，有龜茲人蘇祇婆，從突厥皇后入國，善胡琵琶。聽其所奏，一均之中間有七聲。因而問之，答：父在西域，稱爲知音。代相傳習，調有七種。以其七調，勘校七聲，冥若合符。一曰娑陁力，華言平聲，即宮聲也。二曰雞識，華言長聲，即南呂聲也。三曰沙識，華言質直聲，即角聲也。四曰沙侯加濫，華言應聲，即變徵聲也。五曰沙臘，華言應和聲，即徵聲也。六曰般贍，華言五聲，即羽聲也。七曰俟利建，華言斛牛聲，即變宮聲也。'譯因習而彈之，始得七聲之正。譯因作書二十餘篇，以明其指。"按二十餘篇者，或即此及前之《樂府聲調》諸篇歟？

樂論事一卷
樂事一卷

並不著撰人。

《唐書·經籍志》:《論樂事》二卷。《新志》同。

按《隋書·蘇威傳》:"威子夔。少有盛名於天下,引致賓客,士大夫多歸之。尤以鍾律自命。後議樂事,夔與國子博士何妥各有所持,於是夔、妥俱爲一議,使百僚署其所同。朝廷多附威,同夔者十八九。妥恚曰:'吾席間函丈四十餘年,反爲昨暮兒之所屈也。'遂奏威等朋黨,威坐免官爵。知名之士坐是得罪者百餘人,爲當時一大公案。"此二卷本志分别著録,《唐志》合并爲一。似即蘇、何。二人與夫鄭譯、牛弘諸家之議見於《隋書·樂志》者,或皆出於是書。自《新雜漆調絃譜》至此,又似别爲一類。

正聲伎雜等曲簿一卷

不著撰人。

按此似即前所注"梁有《宋元嘉正聲伎録》一卷"也。又似其别本。其名《雜等曲簿》,則又似張永原書所有而佚出者。

太常寺曲名一卷
太常寺曲簿十一卷

並不著撰人。

按《魏書·樂志》云:"初,侍中崔光臨、淮王彧並爲郊廟歌詞,而迄不施用。樂人傳習舊曲,加以訛失,了無章句。後太樂令崔九龍言於太常卿祖瑩曰:'聲有七聲,調有七調,以今七調合之七律,起於黄鍾,終於中吕。今古雜曲,隨調舉之,將五百曲。恐諸曲名,後致亡失,今輒條記,存之於樂府。'瑩依而上之。九龍所録,或雅或鄭。至於淫俗、四夷雜歌,但記其聲折而已,不能知其本意。又名多謬舛,莫識所由,隨其淫正而取之。樂署今見傳習,其中復有所遺。至於古雅,尤多亡矣。"按《魏志》此一條所言,頗與此二書相會，似即爲崔九龍所録、祖瑩所上者。祖瑩爲太常，在東魏之初。其言樂府今見傳習，謂高齊時也。其後歷周至隋，皆爲太常所職掌，故本志著於録。太常稱寺，亦始於高齊而隋因之。其曲名一卷，即曲簿之總最歟？

歌曲名五卷

歷代樂名一卷

並不著撰人。

按《舊》、《新唐志》有《外國伎曲》三卷、《外國伎曲名》二卷，亦不著撰人。列在隋代諸書中，似即此《歌典名》五卷。又有《歷代曲名》一卷，似即此《歷代樂名》。《隋書・音樂志》云“始開皇初定令，置《七部樂》：一曰《國伎》，二曰《清商伎》，三曰《高麗伎》，四曰《天竺伎》，五曰《安國伎》，六曰《龜茲伎》，七曰《文康伎》。又雜有疏勒、扶南、康國、百濟、突厥、新羅、倭國等伎。大業中，煬帝乃定《九部樂》。又有魚龍爛漫、俳優、朱儒、山車、巨象、拔井、種瓜、殺馬、剥驢等，奇怪異端，百有餘物，名爲百戲。千變萬化，皆於太常教習”云云。此兩書大抵亦隋時太常所掌。自《正聲伎雜》等曲簿至此，又似區爲一類。

鍾磬志二卷　公孫崇撰

《魏書・劉芳傳》：先是，高祖於代都詔中書監高閭、太常少卿陸琇並公孫崇等十餘人修理金石及八音之器。後崇爲太樂令，乃上請尚書僕射高肇，更共營理。世宗詔芳共主之。又《樂志》曰：“先是，中書監高閭引給事中公孫崇共考音律。景明中，崇乃上言樂事。正始元年秋，詔曰：‘太樂令公孫崇更調金石，變理音準，其書二卷并表，悉付尚書。可依其請，八座已下，四門博士集太樂署，考論同異，博采古今，以成一代之典。’”按此則是書作於宣武帝景明正始之際。當南朝梁武帝天監之初。正始元年,則天監三年也。

又曰:"普泰中,前廢帝詔録尚書長孫稚、太常卿祖瑩營理金石。永熙二年春,稚、瑩表曰:'太和中,命故中書監高閭草刱古樂,閭尋去世,未就其功。閭亡之後,故太樂令公孫崇續修遺事,十有餘載,崇敷奏其功。時太常卿劉芳以崇所作體制差舛,不合古義,請更修營,被旨聽許。'"亦見《濟南王匡傳》。

《唐書·經籍志》:《鍾磬志》二卷,公孫崇撰。

《唐書·藝文志》:公孫崇《鍾磬志》二卷。

樂懸一卷　何晏等撰議
樂懸圖一卷

《周禮·春官·小胥》注:樂懸,謂鍾磬之屬懸於筍簴者。

按《藝文略·樂類·鍾磬門》"《樂懸》一卷",注云《隋·藝文志》。以《經籍志》爲《藝文志》,自是誤記;其不注'何晏等撰議'字,豈所見本無此注耶?何晏,曹魏時人。其撰此書無可考。疑是何妥,庶或近之。《隋書·樂志》云:"高祖時,宮懸樂器,唯有一部,殿庭饗宴用之。平陳所獲,又有二部,宗廟郊丘分用之。"何妥本以太學博士知樂事,或與諸人撰爲是書。《隋志》又云:"開皇雅樂合二十器,今列之如左:金之屬二:曰鎛鍾,曰編鍾。石之屬一:曰磬。絲之屬四:曰琴,曰瑟,曰筑,曰箏。竹之屬三:曰簫,曰篪,曰笛。匏之屬二:曰笙,曰竽。土之屬一:曰塤。革之屬五:曰建鼓、曰靈鼓、靈鼗,曰雷鼓、雷鼗,曰路鼓、路鼗,曰節鼓。木之屬二:曰柷,曰敔。"各約略言其名數。又載簨簴懸鍾磬之制,及宮懸陳布之法,或即取資於是書。自《鍾磬志》至此,又似分爲一類。

鍾律緯辨宗見一卷

不著撰人。

按梁武帝有《鍾律緯》六卷。見後。此似辨梁武書。

當管七聲二卷　魏僧撰

魏僧有《樂元》，見前。

黃鍾律一卷

不著撰人。

《隋書·律志·和聲篇》：開皇九年平陳後，牛弘、辛彥之、鄭譯、何妥等，參考古律度，各依時代，制其黃鍾之管，俱徑三分，長九寸。度有損益，故聲有高下，圓徑長短，與度而差，故容黍不同。今列其數云。”

按志所載，有晉前尺、梁法尺、梁表尺、漢官尺、古銀錯題、宋氏尺、後魏前尺、後周玉尺、後魏中尺、後魏後尺、東魏尺、萬寶常水尺、梁表鐵尺，凡十三條，大抵取於是書。而是書作於開皇九年之後，爲牛弘諸人同撰者歟？

梁有《鍾律緯》六卷，梁武帝撰，亡。

梁武帝有《樂社大義》、《樂論》、《樂義》，並見前。

《隋書·律志·和聲篇》：“梁初，因晉、宋及齊，無所改制。其後武帝作《鍾律緯》，論前代得失。其略云：‘案京房六十，準依法推，迺自無差。但律呂所得，或五或六。房妙盡陰陽，其當有以，若非深理難求，便是傳者不習。比敕詳求，莫能辨正。聊以餘日，試推其旨。’”又曰：“夫驗聲改政，則五音六律，非可差舛。工守其音，儒執其文，歷年永久，隔而不通。無論樂奏，求之多缺，假使具存，亦不可用。周頌漢歌，各敍功德，豈復施後王，以濫名實？今率詳論，以言所見，并詔百司，以求厥中。”又《審度篇》：梁武《鍾律緯》云：“宋武平中原，送渾天儀土圭，云是張衡所作。驗渾儀銘題，是光初四年鑄，土圭是光初八年作。並是劉曜所制，非張衡也。”《太平御覽·天部·渾儀類》：《義熙起居注》曰：“十四年，相國表曰：‘間者平長安，獲張衡所作渾儀土圭、歷代寶器，謹遣奉送歸之天府。'"《晉書·安帝本紀》、《宋書·武帝本紀》及《天文志》並載其事。

《梁書·蕭子雲傳》：敕使子雲改撰沈約郊廟歌辭。子雲答敕曰："沈約所撰，了不序皇朝制作事。伏以聖旨所定《樂論》、《鍾律緯緒》，文思深微，命世一出，方懸日月，不刊之典。禮樂之教，致治所成。謹一二采綴，各隨事顯義，以明制作之美。"按此言《鍾律緯緒》，或當時有此名，或衍文。"一二采綴"，似"一一采綴"之誤。

《宋史·藝文志》：梁武帝《鍾律緯》一卷。

嚴可均《全梁文編》曰："武帝《鍾律緯》，《隋書·律曆志》上引凡四條。"

馬國翰玉函山房輯本序曰："《隋書·律志》引四節，較驗古尺律最爲明悉。梁時表律猶存崖略焉。"

按自《鍾律緯辨宗見》至此，似皆言律呂者。又分爲一類。

右四十二部，一百四十二卷。通計亡書，合四十六部，二百六十三卷。實著錄四十四部。附注亡書三部，通計四十七部。

按《七錄序目·經典錄》樂部五種，五秩二十五卷，所載僅此。本志廣收博采，并取太常寺樂署所有簿籍以充數，多且十倍。蓋據隋代書目所載也。其間雖不著撰人，而證以北朝諸史志及《唐書·經籍》、《藝文志》，類皆可考。今一一分疏如右，未敢信以爲必是也。

卷六

經部六

春秋類　類中分類一十二。

春秋經十三卷　吳衞將軍士燮注

《吳志》本傳：燮字威彥，蒼梧廣信人也。少游學京師，事潁川劉子奇，治《左氏春秋》。察孝廉，補尚書郎，公事免官。後舉茂才，除巫令，遷交趾太守。燮謙虛下士，中國士人往依避難者以百數。耽玩《春秋》，爲之注解。陳國袁徽與尚書令荀彧書曰："交趾士府君既學問優博，又達於從政，處大亂之中，保全一郡，二十餘年，疆場無事，民不失業，羈旅之徒，皆蒙其慶，雖竇融保河西，曷以加之？ 官事小閡，輒玩習書傳，《春秋左氏傳》尤簡練精微，吾數以咨問傳中諸疑，皆有師說，意思甚密。又《尚書》兼通古今，大義詳備。聞京師古今之學，是非忿爭，今欲條《左氏》、《尚書》長義上之。"其見稱如此。 燮兄弟並爲列郡，雄長一州，威尊無上。 當時貴重，震服百蠻，尉他不足踰也。漢以燮爲綏南中郎將，董督七郡，領交趾太守如故。後以燮不廢貢職，復下詔拜安遠將軍，封龍度亭侯。建安十五年，孫權加燮爲左將軍。建安末年，遷衞將軍，封龍編侯。燮在郡四十餘歲，黃武五年，年九十卒。

《釋文·敍錄》左氏家：士燮注《春秋經》十一卷。

《唐書·經籍志》：《春秋經》十一卷，士燮撰。

《唐書·藝文志》：士燮注《春秋經》十一卷。

侯康《補三國藝文志》曰:"按《漢志》《春秋古經》十二篇,《左氏》經也;經十一卷,《公》、《穀》經也。士燮集《左氏春秋》注經,何以同《公》、《穀》卷數,豈一字誤耶?然《文獻通考》引眉山李氏《古經後序》云十卷者,本公羊、穀梁二家所傳,吳士燮始爲之注,《隋志》載焉。則所見《隋志》已作十一卷矣。疑不能明,闕之以俟知者。"

　　按眉山李氏之序,勘驗其文,類皆誤會武斷,不足爲據。今條舉於後,非敢自以爲知者,特就尋繹所至,釋其疑滯耳。序云:"《漢藝文志》有《春秋古經》十二篇,經十一卷。《隋》、《唐志》同。"今考《隋》、《唐志》所載,皆經注,非經本,實無此二條與《漢志》相同者。其誤會一也。序又曰:"《古經》十二篇十一卷者,本公羊、穀梁二家所傳。"按此謂十二篇即是十一卷,皆公、穀二家所傳,則誤讀《漢志》兩條爲一條。又不知古經十二篇者,爲《左氏》古文經;十一卷者,爲《公》、《穀》今文經。是於《春秋》古今之學未嘗詳考,其誤會二也。序又云:"吳士燮始爲之注,隋氏載焉。"按此既誤以《左氏》經爲《公》、《穀》所傳,并以士燮所注亦是《公》、《穀》所傳之本,其説無據,誤會三也。其"隋氏載焉"一語,但泛言《隋志》載士燮之書耳,於十三卷、十一卷,未嘗辨説及之,而其文一似所見《隋志》亦十一卷者,是則疑誤後學,使後之人亦不免於誤會者矣。序又云:"士燮書今不存。"則其非目見可知。又云:"《公羊》立學官最先,《穀梁》次之,《左氏》最後。故士燮但注二家,不及《左氏》。"斯言也,一若目見其書,確有可憑,申明士燮所以注二家,不及《左氏》之故,則武斷實甚矣。按士燮於桓、靈時,師劉陶治《左氏春秋》。本傳言之甚詳,《釋文》亦載是書於左氏學家。其事本甚分明,毋庸疑惑。其書本志十三卷,《釋文》、《唐志》、《通志略》皆十一卷,篇卷分合不一,故著録亦互有不同,斯常有之事,亦毋庸深究,特不必拘墼《漢志》。疑此十一卷爲《公》、《穀》之經也。

春秋左氏長經二十卷　漢侍中賈逵章句

賈逵有《毛詩雜議難》,見前詩類。

《唐書·經籍志》:《春秋左氏長經章句》三十卷,賈逵撰。

《唐書·藝文志》:賈逵《春秋左氏長經章句》二十卷。

侯康《補後漢書藝文志》曰:"《南齊書·陸澄傳》澄與王儉書曰:'《左氏》泰元晉孝武帝年號。取服虔,而兼取賈逵經,服傳無經,雖在注中,而傳又有無經者故也。今留服而去賈,則經有所闕。'按此知服虔注傳不注經,賈逵則兼注經傳。《左傳·襄三十一年》疏亦云'賈逵注經'。今考賈本經文,有與杜異者。如莊九年'公伐齊納子糾',賈本無'子'字;宣十二年'宋師伐陳',賈無此句;昭十一年'齊國弱',賈本作'國酌',是也。"

按賈侍中於章帝建初元年,奉詔摘出《左氏》大義三十事,以抵《公羊》、《穀梁》。又建初四年,博士李育以《公羊》義四十一事難賈逵。逵於是又作《左氏長義》四十一事,云《公羊》理短,《左氏》理長。此截然兩書,而《三輔決録》、《釋文·敍録》、《左傳序》疏、《公羊序》疏,類皆以《大義》爲《長義》,以三十條爲四十條。侯氏《補志》亦誤以《大義》、《長義》爲一書。往輯《後漢藝文志》已分別著録,證明其事。而其書本志不載,唯有此《長經章句》。侯氏以爲即是《長義》,未有碻證。馬氏取本傳《大義》奏,及本傳注文《公羊》疏所引《大義》佚文共九條,題爲《長經章句》,亦似是而非。長經二字之義與夫此書源委,竟不得而詳。

春秋左氏解詁三十卷　　賈逵撰　三傳撰人，別詳於《漢志條理》，此不具載，唯以注解傳述人爲主。

《後漢書》本傳：“逵父徽，從劉歆受《左氏春秋》，兼習《國語》，作《左氏條例》二十一篇。逵悉傳父業，弱冠能誦《左氏傳》及五經本文。雖爲古學，兼通五家《穀梁》之説。五家謂尹更始、劉向、周慶、丁姓、王彦等，皆爲《穀梁》。見前書也。按見《前書·儒林傳》，“王彦”作“王亥”。尤明《左氏傳》、《國語》，爲之《解詁》五十一篇。永平中，上疏獻之，顯宗重其書，寫藏祕館。”章懷太子注曰：《左氏》三十篇、《國語》二十一篇也。”

又曰：“肅宗特好《古文尚書》、《左氏傳》。建初元年，詔逵入講。帝善逵説，使出《左氏傳》大義長於二傳者。逵於是具條奏之，曰：‘建平中，侍中劉歆欲立《左氏》，不先暴論大義而輕移太常，恃其義長，詆挫諸儒。諸儒内懷不服，相與排之。孝哀皇帝重逆衆心，故出歆爲河内太守。從是攻擊《左氏》，遂爲重讎。至光武皇帝，奮獨見之明，興立《左氏》、《穀梁》。會二家先師不曉圖讖，故令中道而廢。臣以永平中上言《左氏》與圖讖合者，先帝不遺芻蕘，省納臣言，寫其傳詁，藏之祕書。’”

《釋文·敍録》：“左丘明作《傳》以授曾申，申傳衛人吳起，起傳其子期，期傳楚人鐸椒，椒傳趙人虞卿，卿傳同郡荀卿名況，況傳武威張倉，倉傳洛陽賈誼，誼傳至其孫嘉，嘉傳趙人貫公，《漢書》云：“賈誼授貫公，爲河間獻王博士。”貫公傳其少子長卿，長卿傳京兆尹張敞及侍御史張禹，禹傳尹更始，更始傳其子咸及翟方進、胡常，常授黎陽賈護，護授蒼梧陳欽。欽以《左氏》授王莽，至將軍。始劉歆從尹咸及翟方進受《左氏》，由是言《左氏》者本之賈護、劉歆。歆授扶風賈徽，徽傳子逵。逵受詔列《公羊》、《穀梁》不如《左氏》四十事奏之，名曰《左氏長義》。章帝善之。按此言四十事，當爲"三十事"；"長義"當爲"大義"。逵又作《左氏訓詁》。"又曰賈逵《左氏解詁》三十卷。[1]

《唐書·經籍志》：《春秋左氏傳解詁》三十卷。

《唐書·藝文志》：賈逵《春秋左氏長經章句》二十卷，又《解詁》三十卷。

王謨《漢魏遺書鈔》曰："《文獻通考》已不著録，故《經義考》入佚書。今鈔出《左氏釋文》二條、《左傳》疏一百三十條、《尚書》疏一條、《毛詩》疏五條、《周禮疏》二條、《禮記》疏一條、《史記》注一百八十八條，都爲一卷。"

馬國翰玉函山房輯本序曰："宋王應麟輯古文《春秋左傳》十二卷中載賈逵佚説，而疏漏者尚三之一。茲更補綴，合舊輯爲二卷。《正義》病其雜，取《公羊》、《穀梁》以釋《左氏》，謂之'以冠雙屨，將絲綜麻'。然《長經》固別標殊旨。茲取三傳之同者通釋之，亦何有鑿枘之不相入耶？"

春秋左氏傳解誼三十一卷　漢九江太守服虔注

《後漢書·儒林傳》：虔字子慎，初名重，又名祇，後改爲虔，河南滎陽人也。少以清苦建志，入太學受業。有雅才，作《春秋左氏傳解》，行之至今。舉孝廉，稍遷。中平末，拜九江太守，免。遭亂行客，病卒。

《世説·文學篇》：鄭玄欲注《春秋傳》，尚未成。時行，與服子慎遇，宿客舍，先未相識。服在外車上，與人説己注《傳》意。玄聽之良久，多與己同。玄就車與語曰："吾久欲注，尚未了。聽君向言，多與吾同，今當盡以所注與君。"遂爲服氏注。惠氏《後漢書補注》曰："棟案服氏《解誼》，僖十五年'遇《歸妹》之《睽》'，文十二年'在

---

[1]　"卷"，原作"事"，據《抱經堂叢書》本《經典釋文》及《適園叢書》本姚振宗《後漢藝文志》卷一"賈逵春秋左氏傳解詁三十卷"條引《釋文·敍録》改。

《師》之《臨》’，皆以互體説《易》，與鄭氏合。《世説》所稱爲不謬矣。”

《北史·儒林傳》序曰：“河北諸儒能通《春秋》者，並服子慎所注，亦出魏末大儒徐遵明之門。張買奴、馬敬德、邢峙、張思伯、張奉禮、張彫、劉晝、鮑長宣、王元則並得服氏之精微。”

本志敍曰：“諸儒傳《左氏》者甚衆。永平中，能爲《左氏》者，擢高第爲講郎。賈逵、服虔並爲訓解。至魏，遂行於世。晉時，服虔、杜預注俱立國學。後唯傳服義。至隋杜氏盛行，服義浸微。”

《釋文·敍録》：“九江太守服虔注解《左氏傳》。江左中興，立《左氏傳》杜氏、服氏博士。”又曰服虔《解誼》三十卷。

《唐書·經籍志》：“《春秋左氏傳解誼》三十卷，服虔注。”

《唐書·藝文志》：服虔《左氏解誼》三十卷。

王謨《漢魏遺書鈔》曰：“今從諸經正義、《史記集解》鈔出七百八十餘條，分爲四卷。”

馬國翰玉函山房輯本序曰：“今從王應麟所輯古文《春秋左傳》所引服説，更補缺漏，釐爲四卷。”

春秋左氏傳三十卷　王肅注

王肅有《易注》，見前易類。

《釋氏·敍録》左氏家：王肅注三十卷。

《唐書·經籍志》：《春秋左氏傳》三十卷，王肅注。

《唐書·藝文志》：王肅注《左氏經傳》三十卷。

馬國翰玉函山房輯本序曰：“肅於《易》、《書》、《詩》、《禮》皆有注。其注《春秋左氏傳》，《隋》、《唐志》並三十卷。今佚。輯録一帙。肅父朗，有《傳注》十二卷，《隋志》別載之，似肅因父書增多十八卷，故兩注並行於代。其本字往往與杜氏殊異，杜集解非一家，則異字或緣杜而改。哀六年，引《夏書》‘惟彼陶唐’六句，以爲太康時，與孔《傳》合。《正義》疑肅見古文，匿之而不言，良是也。”

春秋左氏傳三十卷　　董遇章句

董遇有《周易注》，見前易類。

《魏志·王肅附傳》注：《魏略·儒宗傳》曰：“初，遇善治《老子》，爲《老子》作訓注。又善《左氏傳》，更爲作《朱墨別異》。人有從學者，遇不肯教，而云必當先讀百徧，言讀書百徧而義自見。從學者云苦渴無日，遇言當以三餘。或問，‘三餘’之義，遇言‘冬者歲之餘，夜者日之餘，陰雨者時之餘也’。由是諸生少從遇學。無傳其《朱墨》者。”

《釋文·敍錄》：“魏大司農董遇注解《左氏傳》。”又曰董遇《章句》三十卷。

《唐書·經籍志》：《春秋左氏經傳章句》三十卷，董遇注。

《唐書·藝文志》：董遇《左氏經傳章句》三十卷。

馬氏玉函山房輯本序曰：“魏董遇《左氏經傳章句》，《隋》、《唐志》並三十卷。今佚。輯得十節，其本字多與杜異，而同於賈、服、王肅。”

春秋左氏傳義注十八卷　　孫毓注

孫毓有《毛詩異同評》，見前詩類。

《釋文·敍錄》：孫毓《左氏注》二十八卷。

《唐書·經籍志》：《春秋左氏傳義注》三十卷，孫毓注。

《唐書·藝文志》：孫毓《左氏傳義注》三十卷。

馬氏玉函山房輯本序曰：“《隋》、《唐志》有孫氏《左氏傳義注》，又有賈服《異同略》。今皆佚。輯録八節，如‘周之宗盟’，據‘宗伯盟詛之辭’，以服氏‘同宗’解爲不然。‘王室之不壞’。服本作‘懷’，孫依賈作‘壞’，亦不取服氏。似《義注》及《異同略》二書大旨申賈而駁服。蓋服虔注受於鄭康成，而王肅説多主賈逵。孫朋於王，猶評《詩》之見也。”

按此十八卷據《釋文》，似敚"二"字。

春秋左氏傳十二卷　魏司徒王朗撰

《魏志》本傳：朗字景興，東海郡人也。錢大昕《廿二史考異》曰"郡"當爲"郯"。師太尉楊賜。以通經拜郎中，除菑丘長。時漢帝在長安，拜朗會稽太守。孫策渡江略地，朗與戰，敗績，乃詣策。策以儒雅，詰讓而不害。太祖表徵之，積年，乃至拜諫議大夫，參司空軍事。魏國初建，以軍祭酒領魏郡太守，遷少府、奉常、大理。文帝即位，由御史大夫、安陵亭侯爲司空，進封樂平鄉侯。明帝即位，進封蘭陵侯，轉爲司徒。太和二年薨，謚曰成侯。子肅嗣。朗著《易》、《春秋》、《孝經》、《周官傳》，咸傳於世。注引《魏略》曰："朗本名嚴。"

《釋文·敍録》：司徒王朗字景興，肅之父。注解《左氏傳》。

《唐書·經籍志》：《春秋傳》十卷，王朗撰。

《唐書·藝文志》：王朗注《左氏》十卷。

春秋左氏經傳集解三十卷　杜預撰

杜預有《喪服要集》二卷，見前禮類。

預自序有曰："古今言《左氏春秋》者多矣。今其遺文可見者十數家，大體轉相祖述，進不成爲錯綜經文以盡其變，退不守丘明之傳。於丘明之傳有所不通，皆没而不説，而更膚引《公羊》、《穀梁》，適足自亂。預今所以爲異，專修丘明之傳以釋經。經之條貫，必出於傳。傳之義例，總歸諸凡。推變例以正襃貶，簡二傳而去異端，蓋丘明之志也。其有疑錯，則備論而闕之，以俟後賢。然劉子駿創通大義，賈景伯父子、[①]許惠卿，皆先儒之美者也。末有穎子嚴者，雖淺近，亦復名家。故

---

① "景"，原作"京"，據本卷"春秋釋例十卷"條引《集解》序及清阮元校刊《十三經注疏》本《春秋左傳正義》改。

特舉劉、賈、許、穎之違以見同異。分經之年，與傳之年相附。比其義類，各隨而解之，名曰《經傳集解》。"

《晉書》本傳：預既立功之後，從容無事，乃耽思經籍，爲《春秋左氏經傳集解》。《北史・儒林傳》序云："晉世杜預注《左氏》。預玄孫坦、坦弟驤於宋朝並爲青州刺史，傳其家業。故齊地多習之。"按二杜，《宋書》有傳；《南史》列之《循吏傳》，皆不言此事。

孔穎達《正義》序曰："前漢傳《左氏》者，有張倉、賈誼、尹咸、劉歆。後漢有鄭衆、賈逵、服虔、許惠卿之等，各爲詁訓，然雜取《公羊》、《穀梁》以釋《左氏》，此乃以冠雙屨，將絲綜麻，方鑿圓枘，其可入乎？晉世杜元凱又爲《左氏集解》，專取丘明之傳，以釋孔氏之經。所謂子應乎母，以膠投漆，雖欲勿合，其可離乎？今校先儒優劣，杜爲甲矣。故晉宋傳授，以至於今。今奉敕刪定，據以爲本。"

《釋文・敍錄》：杜預《經傳集解》三十卷。又《音義》曰："舊夫子之經與丘明之傳各異，杜氏合而釋之，故曰《經傳集解》。"

《唐書・經籍志》：《春秋左氏傳》三十卷，杜預注。

《唐書・藝文志》：杜預《左氏經傳集解》三十卷。

《宋史・藝文志》：杜預《春秋左氏傳經傳集解》三十卷。

《四庫提要》曰："言《左傳》者，孔奇、孔嘉之説，久佚不傳；賈逵、服虔之説，亦僅偶見他書。今世所傳唯杜注、孔疏爲最古。杜注多強經以就傳，是篤信專門之過，不能不謂之一失。"

《春秋》杜氏、服氏注《春秋左傳》十卷，殘缺。

不著撰人。

　按"春秋"二字一條再見，史駁文。自士燮至此，皆《左氏》經注、傳注之屬，是爲一類。

春秋左氏傳音三卷　魏中散大夫嵇康撰

《魏志·王粲附傳》：時又有譙郡嵇康，文辭壯麗，好言《老》、《莊》，而尚奇任俠。至景元中，坐事誅。

《晉書》本傳：康字叔夜，譙國銍人也。其先姓奚，會稽上虞人。以避怨徙焉。銍有嵇山，家於其側，因而命氏。康學不師受。博覽無不通，與魏宗室婚，拜中散大夫。東平吕安服康高致，康友而善之。後安爲兄所枉訴，繫獄，辭相證引，遂復收康。初，康居貧，與向秀共鍛於大樹之下，以自贍給。潁川鍾會往造焉，康不爲之禮，會憾之，及是，言於文帝，遂并害之。時年四十。

《釋文·敍録》：嵇康《音》三卷。字叔夜，譙國人，晉中散大夫。按稱晉，非也。

馬國翰玉函山房輯本序曰："嵇氏《音》，《唐志》不著録，佚已久。陸德明《釋文》引五節，《史記索隱》引一節，并據采輯。如'劉音留'；鸛音權，從《公羊》作'鸛'。今雖不用，而古調獨彈，比於《廣陵散》云。"

梁有服虔、杜預音三卷，亡。

服虔、杜預，並見前。

《釋文·敍録》：服虔《音》一卷。

《唐書·經籍志》：《春秋左氏音隱》一卷，服虔撰。

《唐書·藝文志》：服虔《音隱》一卷。

《釋文·敍録》：杜預《音》三卷。《唐書·經籍志》：《春秋左氏傳音》三卷，杜預注。《唐書·藝文志》：杜預《音》三卷。

按《七録》合服、杜兩家《音》爲一帙三卷。《釋文》、《唐志》各爲一本。

梁有魏高貴鄉公《春秋左氏傳音》三卷，亡。

《魏志·本紀》：高貴卿公諱髦，字彦士，文帝孫，東海定王霖子也。正始五年，封郊縣高貴鄉公。少好學夙成。齊王廢，公卿議迎立公。嘉平六年十月庚寅，即皇帝位，改元正元。正元三年夏六月丙午，改元甘露。甘露五年夏五月己丑卒，年二十。

裴注引《漢晉春秋》、《晉紀》、《魏氏春秋》、《魏末傳》諸書略曰："帝見威權日去，不勝其忿，乃自出討司馬昭。中護軍賈充逆帝戰於南闕下，令帳下督成濟、成倅抽戈犯蹕，刃出於背，帝倒車下崩。文王聞大驚，自投於地曰：'天下其謂我何！'"

《釋文·敍錄》：高貴鄉公《音》三卷。注云："曹髦，字士彥，魏廢帝。"

《唐書·經籍志》：《春秋左氏傳音》三卷，高貴鄉公撰。

《唐書·藝文志》：高貴鄉公《左氏音》三卷。

梁有曹躭《音》、尚書左人郎荀訥等《音》四卷，亡。

曹躭有《禮記音》，見前禮類。

《釋文·敍錄》：荀訥《音》四卷。字世言，新蔡人，東晉尚書左民郎。

嚴可均《全晉文編》曰："荀訥爲庾亮征西掾。穆帝時，爲太常博士，領國子祭酒。"

《唐書·經籍志》：《春秋左氏音》四卷，曹耽、荀訥撰。

《唐書·藝文志》：曹耽、荀訥《左氏音》四卷。

按此合兩家《音》爲一帙四卷，與《唐志》同。《釋文》不及曹耽者，似有所略也。兩人同在穆帝時。

春秋左氏傳音三卷　李軌撰

李軌有《周易音》，見前易類。

《釋文·敍錄》：李軌《音》三卷。

《唐書·經籍志》：《春秋左氏傳音》又三卷，李弘範撰。

《唐書·藝文志》：李軌《左氏音》三卷。

春秋左氏傳音三卷　徐邈撰

徐邈有《周易音》,見前易類。

《釋文·敍録》:徐邈《音》三卷。

《唐書·經籍志》:《春秋左氏傳音》又三卷,徐邈撰。一本"徐"誤作"孫",有"杜預注"三字。

《唐書·藝文志》:孫邈《左氏音》三卷。孫邈沿《舊志》之誤。

馬氏玉函山房輯本序曰:"徐氏《春秋音》,《隋志》三卷。今佚。從《釋文》參《集韻》輯爲一卷。"

按自嵇康至此,皆《左氏》音義之屬,又爲一類。

春秋釋訓一卷　賈逵撰

賈逵有《左氏長經章句》及《解詁》,並見前。此《釋訓》疑《釋例》之誤。

春秋左氏經傳朱墨列一卷　賈逵撰

按弘農董遇善《左氏傳》,爲作《朱墨別異》。似本之賈氏。

春秋釋例十卷　漢公車徵士穎容撰

《後漢書·儒林傳》:穎容字子嚴,陳國長平人也。博學多通,善《春秋左氏》,師事太尉楊賜。郡舉孝廉、州辟、公車徵,皆不就。初平中,避亂荆州,聚徒千餘人。劉表以爲武陵太守,不肯起。著《左氏條例》五萬餘言。建安中卒。

杜預《集解》序曰:"劉子駿創通大義,賈景伯父子、許惠卿皆先儒之美者也。末有穎子嚴者,雖淺近,亦復名家。故特舉劉、賈、許、穎之違,以見同異。"《疏》曰:"杜以爲先儒之內,四家差長。故特舉其違,以見同異。自餘棄而不論也。"

《釋文·敍録》:陳郡穎容字子嚴,後漢公車徵,不就。作《春秋條例》。

《唐書·經籍志》:《春秋左氏傳例》七卷。失注撰人。

《唐書·藝文志》:穎容《釋例》七卷。

侯康《補後漢書藝文志》曰："按穎氏之例多與劉子駿、賈景伯同。其書王謨有輯本。然杜預《釋例》所載，蕭吉《五行大義》所引者，尚未采也。"

馬國翰玉函山房輯本序曰："《後漢·儒林傳》稱《左氏條例》，《隋》、《唐志》作《釋例》，書名與杜氏同。今佚。輯録二十七節，其全書體例不能詳考。"

梁有《春秋左氏傳條例》九卷，漢大司農鄭衆撰。

《後漢書·鄭興傳》：興字少贛，河南開封人。少學《公羊春秋》，晚喜《左氏傳》。積精深思，通達其旨，同學者皆師之。天鳳中，將門人從劉歆講正大義，歆美興才，使撰條例、章句、訓詁及校《三統曆》。子衆，字仲師，年十二從父受《左氏春秋》，精力於學。明《三統曆》，作《春秋難記》、《條例》，兼通《易》、《詩》，知名於世。永平初，辟司空府，以明經給事中，再遷越騎司馬，持節使匈奴。後召爲軍司馬，拜中郎將。使護西域，遷武威太守、左馮翊。建初六年，代鄧彪爲大司農。其後受詔作《春秋刪》十九篇。八年卒官。子安世，亦傳家業。"

荀悦《漢紀》論曰：中興之後，大司農鄭衆、侍中賈逵各爲《春秋左氏傳》作解注。

《釋文·敍録》：大司農鄭衆作《左氏條例章句》。

《唐書·經籍志》：《春秋左氏傳條例章句》九卷，鄭衆撰。一本誤作"音句"。

《唐書·藝文志》：鄭衆《牒例章句》九卷。

按本傳云作《難記》、《條例》。《難記》記問難之事，別爲一書；《條例》即是書也。又有《春秋刪》十九篇，見本傳；《左氏長義》十九條，見《公羊序》疏。本志皆不載。

春秋左氏膏肓釋痾十卷　服虔撰

服虔有《左氏解誼》、《左氏音》，並見前。

《唐書・經籍志》：《春秋左氏膏肓釋痾》五卷。一本作三卷，不注撰人。

《唐書・藝文志》：服虔《膏肓釋痾》五卷。

馬國翰曰："又考服氏有《春秋左氏膏肓釋痾》。《隋志》十卷，《唐志》五卷。今惟於《後漢續志》注得一條，附著《解誼》後。"

侯康《補後漢書藝文志》曰："劉昭注《續漢書・禮儀志上》引《春秋釋痾》，《初學記》二十六引《春秋釋痾》。"

　　按任城何休作《膏肓》以短《左氏》，別詳於後。故服氏有是釋，猶鄭氏之箴也。

梁有《春秋漢議駁》二卷，服虔撰，亡。

《後漢書・儒林傳》又以《左傳》駁何休之所駁漢事六十條。"

《唐書・經籍志》：《何氏春秋漢記》十一卷，服虔撰。記當爲"議"。

《唐書・藝文志》：服虔《駁何氏春秋漢議》十一卷。

馬國翰曰："又考服氏有《春秋漢議駁》。《隋志》梁有二卷，《唐志》十一卷。今散亡。"

　　按何氏《漢議》十三卷，別見後公羊家。

駁何氏漢議二卷　鄭玄撰

鄭玄有《周易注》，見前易類。

《唐日本國見在書目》：《駁何氏漢議》九卷，鄭玄撰。

《唐書・經籍志》：何氏《春秋漢議》十一卷。何休撰，鄭玄駁，糜信注。

《唐書・藝文志》：何休《春秋漢議》十卷。糜信注，鄭玄駁。按此誤倒其文。

鄭珍《鄭學錄》曰："按《漢議》即《後漢書・儒林傳》何休以《春秋》駁漢事六百餘條，妙得《公羊》本意者也。康成之駁久亡。唐已前書，亦無一稱引者。"

按本志二卷，或是鄭氏本書。《唐日本書目》及《舊》、《新唐志》九卷、十卷、十一卷者，或連何氏本文，又附以糜信之注，似即糜氏本也。糜信別見於後。

春秋成長説九卷　服虔撰

服虔見前。

《唐書·經籍志》：《春秋成長説》七卷，服虔撰。

《唐書·藝文志》：服虔《春秋成長説》七卷。

馬國翰曰：“服氏又有《春秋成長説》。《隋志》九卷，《唐志》七卷。今惟於《正義》得一條，附著《解誼》後。”

侯康《補後漢書藝文志》曰：“《公羊·昭三十一年》疏引服虔《成長義》云：‘邾婁本附庸三十里耳，而言五分之，爲六里國也。’”

按《周禮·占夢》疏引服氏《左傳説》，末云“成長以爲誤也”。似成長，人姓名，有《春秋説》，服氏集而論之。其書撰集於服氏，故此題云服虔撰歟？

梁有《春秋左氏達義》一卷，漢司徒掾王玢撰，亡。

王玢始末未詳。洪亮吉《通經表》曰：“玢或作珍。”按《通志·藝文略》又作“蚡”。

《唐書·經籍志》：《春秋達長義》一卷，王玢撰。一本作“王盼”。

《唐書·藝文志》：王玢《達成義》一卷。

按《唐志》所載，則所謂“達義”者，達長義未達之義也。玢之前有鄭司農《長義》十九條、賈侍中《長義》四十一條，皆左氏學也。

春秋塞難三卷　服虔撰

服虔有《解誼》、《左氏音》、《膏肓釋痾》、《漢議駮》、《成長説》，並見前。

《唐書·經籍志》：《春秋塞難》三卷，服虔撰。

《唐書・藝文志》：服虔《春秋塞難》三卷。

馬國翰曰："又考服氏有《春秋塞難》。《隋志》三卷。今散亡。"

梁有《春秋雜議難》五卷，少府孔融撰，[①]亡。

《後漢書》本傳："融字文舉，魯國人，孔子二十世孫也。父伷，太山都尉。融幼有異才，好學，博涉多覽，辟司徒楊賜府。大將軍何進辟舉高第，爲侍御史。數遷爲虎賁中郎將。忤董卓旨，轉議郎，爲北海相。及獻帝都許，徵爲將作大匠，遷少府。忤曹操，免官。歲餘，復拜太中大夫，下獄，棄市。時年五十六。"又《獻帝本紀》："建安十三年八月壬子，曹操殺太中大夫孔融，夷其族。"

按《舊》、《新唐志》有《春秋雜義》五卷，不著撰人。疑即是書。

梁有《春秋左氏釋駮》一卷，王朗撰，亡。

王朗有《左氏傳》，見前。

春秋説要十卷　魏樂平太守糜信撰

《釋文・敍録》：糜信字南山，東海人，魏樂平太守。

《唐書・經籍志》：《春秋左氏傳説要》十卷，糜信撰。

《唐書・藝文志》：糜信《左氏傳説要》十卷。

按糜信不見於史，似即糜竺、糜芳之同族，東海胊人也。所撰又有《何氏漢議注》、《穀梁傳注》。蓋深於三《傳》之學者。《册府元龜》云："糜信撰《春秋要》一卷，舛誤彌甚。"

春秋釋例十五卷　杜預撰

杜預有《經傳集解》、《左氏音》，並見前。

預《集解》自序有曰："又別集諸例及地名、譜第、曆數，相與爲

---

① 殿本《隋書》"少"前有"漢"。

部，凡四十部，十五卷，皆顯其異同，從而釋之，名曰《釋例》。將令學者觀其所聚異同之説，《釋例》詳之也。"

《晉書》本傳：又參考衆家譜第，謂之《釋例》。又作《盟會圖》、《春秋長曆》，備成一家之學。比老乃成。當時論者謂預文義質直，世人未之重。唯祕書監摯虞賞之，曰："左丘明本爲《春秋》作傳，而《左傳》遂自孤行。《釋例》本爲傳説，而所發明，何但《左傳》，故亦孤行。"按文"而《左傳》"下當有"發明，何但《春秋》"之語，觀下文可知也。

《釋文·敍録》：杜預《春秋釋例》十五卷，四十篇。

《唐書·經籍志》：《春秋左氏傳例》又十五卷。杜預撰。

《唐書·藝文志》：杜預《左氏經傳集解》三十卷，又《釋例》十五卷。

《宋史·藝文志》：杜預《春秋釋例》十五卷。

《崇文總目》：《春秋釋例》十五卷，杜預撰。凡五十三例。

《四庫提要》曰："《盟會圖》、《長曆》皆書中之一篇，非別爲一書。觀預所作《集解序》，可見其書自《隋志》而後，並著於録。自明以來，久佚。惟《永樂大典》中尚存三十篇，並有唐劉賁《序》。其六篇有《釋例》而無經、傳，餘亦多有脱文。謹隨篇掇拾，取《正義》及諸書所引《釋例》之文補之。校其譌謬，釐爲四十七篇。仍分十五卷，以還其舊。考預書雖有曲從《左氏》之失，而用心周密，後人無以復加。其例亦皆參考經文，得其體要，非公、穀二家穿鑿月日者比。摯虞謂'所發明者，何但《左傳》'，良非虛美。"

《孫祠書目》：《春秋釋例》十五卷。《四庫全書》所録，莊述祖同星衍校刊本。

梁有《春秋釋例引序》一卷，齊正員郎杜乾光撰，亡。

杜乾光始末未詳。似即杜鎮南玄孫坦及驥之後，《北史·儒林傳序》所謂"傳其家業，齊地多習之"者也。

春秋左氏傳評二卷　杜預撰

《唐書・經籍志》：《左氏杜預評》二卷。《藝文志》同。

　　按《通志・藝文略》據本志、《唐志》兩列其目，恐祇是一
　　書也。

春秋條例十一卷　晉太尉劉寔撰。梁有《春秋公羊達義》三卷，劉寔撰，亡。

《晉書》本傳：寔字子真，平原高唐人。漢濟北惠王壽之後也。
少好學，博通古今。以計吏入洛，調爲河南尹丞、尚書郎、廷
尉正、吏部郎，參文帝相國軍事，封循陽子。泰始初，進爵爲
伯。咸寧中，爲太常、尚書。杜預之伐吳也，寔以本官行鎮
南軍司。元康初，進爵爲侯，累遷。九年。拜司空，遷太保，
轉太傅。太安初遜位，以侯就第。懷帝即位，授太尉。歲餘
薨，年九十一，謚曰元。寔少及老，篤學不倦，尤精三《傳》，
辨正《公羊》，以爲衛輒不應辭以王父命，祭仲失爲臣之節，
舉此二端以明臣子之體，遂行於世。又撰《春秋條例》二
十卷。

《唐書・經籍志》：《春秋左氏條例》十卷，劉寔撰。《春秋公羊
達義》三卷，劉寔撰，劉晏注。又別出一部亦三卷，注云劉晏注。

《唐書・藝文志》：劉寔《條例》十卷。又曰劉寔《左氏牒例》二
十卷。又《公羊達義》三卷，劉晏注。

　　按此《公羊達義》或當從《唐志》作《違義》爲是。劉晏，或
　　唐人。

春秋經例十二卷　晉方範撰

方範始末未詳。

《唐書・經籍志》：《春秋左氏經例》十卷，方範撰。

《唐書・藝文志》：方範《經例》六卷。

梁有《春秋釋滯》十卷，晉尚書左丞殷興撰，亡。

嚴可均《全晉文編》曰：“殷興一作殷基。雲陽人。吳零陵太守，殷禮子。仕吳，爲無難督。入晉，遷尚書左丞。有《春秋釋滯》十卷、《通語》十卷。”

《唐書·經籍志》：《春秋左氏釋滯》十卷，殷興撰。

《唐書·藝文志》：殷興《左氏釋滯》十卷。

梁有《春秋釋難》三卷，晉護軍范堅撰，亡。

《晉書·范汪附傳》：汪，南陽順陽人。汪叔堅，字子常。博學善屬文。永嘉中，避亂江東，拜佐著作郎、撫軍參軍。討蘇峻，賜爵都亭侯。累遷尚書右丞、護軍長史，卒官。

春秋左氏傳條例二十五卷

春秋義例十卷

並不著撰人。

春秋左傳例苑十九卷

不著撰人。

《唐書·經籍志》：《春秋左氏傳例苑》十八卷，梁簡文帝撰。

《唐書·藝文志》：梁簡文帝《左氏傳例苑》十八卷。

按是書本志不著名氏，《舊》、《新唐志》皆云梁簡文帝撰，《通志·藝文略》亦同。考《梁書》、《南史·本紀》俱不載帝有是書。唯《齊書·武十七王傳》：“晉安王子懋字雲昌，世祖第七子。永明八年，爲鎮南將軍，撰《春秋例苑》三十卷。奏之，世祖嘉之，敕祕閣。”又考梁簡文帝初亦封晉安王，後以昭明太子薨，立爲皇太子。此書實爲齊晉安王子懋所撰。至隋僅存十九卷。唐開元時，又闕其一卷，毋煚等修《四部書目》，殆以首署晉安王，遂以爲梁簡文帝，其後修志者更不及考，仍其舊而錄之。《經義考》兩存其目，恐止是一書也。子懋後鎮尋陽，海陵王時，明帝輔政，鄱陽、隨郡二王見殺，起兵赴難，事敗被殺。時年二十三。又《文惠太子傳》：“初，高帝好《左氏春秋》，太子承旨諷誦，以爲口實。”子懋，其六弟也。

梁有《春秋經傳説例疑隱》一卷，吳略撰，亡。

吳略始末未詳。

《唐書·經籍志》：《春秋經傳詭例疑隱》一卷，吳略撰。

《唐書·藝文志》：吳略《春秋經傳詭例疑隱》一卷。

《通志·藝文略》：《春秋經傳説例疑隱》一卷，梁吳略撰。按此稱梁吳略者，果是梁人歟，抑以其見於梁《七録》也？

梁有《春秋左氏分野》一卷。

不著撰人。

　按錢氏大昕《三史拾遺》曰：“劉歆説春秋日食三十七，各占其分野之國。蓋本《左氏》去魯地如衛地之旨而推衍之，則分野亦左氏學家之一例也。此與十二公名相類從，或亦是鄭氏遺書。”

梁有《春秋十二公名》一卷，鄭玄撰，亡。

鄭玄有《駮何氏漢議》二卷，見前。

春秋左氏經傳通解四卷　王述之撰

王述之始末未詳。

　按王述之別有《春秋旨通》十卷。兩《唐志》並題王延之撰。《經義考》兩書皆題王氏延之。延之字希季，琅邪臨沂人。仕宋，入齊至尚書左僕射，領竟陵王師，特進、右光禄大夫。永明二年卒，謚簡子。《齊書》、《南史》本傳皆不言其有著述，不能無疑，而此書與後《春秋旨通》十卷，亦似一書兩出。竟陵王即蕭子良。

春秋左氏傳賈服異同略五卷　孫毓撰

孫毓有《左氏傳義注》，見前。

《唐書·經籍志》：《春秋左氏傳賈服異同略》五卷，孫毓撰。

《唐書·藝文志》：孫毓《賈服異同略》五卷。

春秋左氏函傳義十五卷　干寶撰

干寶有《周易注》，見前易類。

《唐書·經籍志》：《春秋義函傳》十六卷，干寶撰。

《唐書·藝文志》：干寶《春秋義函傳》十六卷。

馬氏玉函山房輯本序曰："干氏是書，今惟孔氏《正義》引一節，杜氏《通典》引一節。《晉書·禮志》謂'寶留思京房、夏侯勝等傳其説'，'伐鼓於社，以爲厭勝'。蓋二子緒論也。"

　按《晉書》本傳云寶又爲《春秋左氏義外傳》，與《隋》、《唐志》題《函傳》者異，未詳孰是。

春秋左氏區別三十卷　宋尚書功論郎何賀真撰　<small>"賀真"當爲"始真"。</small>

《宋書·蔡興宗傳》：泰始三年春，興宗出爲使持節、都督郢州諸軍事、安西將軍、郢州刺史。坐詣尚書切論以何始真爲諮議參軍，初不被許，後又重陳，上怒，貶號平西將軍。<small>按此"詣尚書切論以"六字當是"請尚書功論郎"之誤。</small>

又《沈文秀傳》：泰始五年正月，青州爲虜所陷，文秀被執送桑乾，其餘爲亂兵所殺，死者甚衆。太宗先遣尚書功論郎何如真選青州文武，亦爲虜所殺。<small>按此作"何如真"亦當是"何始真"之誤。</small>

《唐書·經籍志》：《春秋左氏區分》十二卷，何始真撰。

《唐書·藝文志》：何始真《春秋左氏區別》十二卷。

　按何始真《宋書》無傳。唯蔡興宗、沈文秀兩《傳》中略及之。蓋明帝時人，所撰又有《晉起居注抄》五十一卷，見史部。

春秋文苑六卷

《唐書·經籍志》：《春秋經解》六卷，沈宏撰。《春秋文苑》六卷，沈宏撰。

《唐書·藝文志》：沈宏《經傳解》六卷，又《文苑》六卷。

嚴可均《全梁文編》曰:"沈宏,吳興武康人。天監初五經博士,有《春秋經解》六卷、《春秋文苑》六卷、《春秋嘉語》六卷、《春秋五辯》二卷。"

按《梁書》、《南史·儒林傳》:"沈峻,吳興武康人。博通五經,尤長三《禮》。吏部郎陸倕與僕射徐勉書曰:助教沈峻特精《周官》。比日,時開講肆,群儒劉嵒、沈宏、沈熊之徒並執經下坐,北面受業。"則沈宏爲沈峻弟子,從峻受《周官》而又同鄉里同族者也。"《唐志》別有《春秋經解》,亦云《經傳解》,本志不著録。《嘉語》及《五辯》二書,別見於後。

春秋叢林十二卷

《魏書·逸士傳》:李謐字永和,涿郡人。相州刺史安世之子。少好學,博通諸經,周覽百氏,初師事小學博士孔璠。數年後,璠還就謐請業。同門生爲之語曰:"青成藍,藍謝青。師何常,在明經。"謐以公子徵拜著作郎,辭以授弟郁,詔許之。州再舉秀才、公府二辟,並不就。惟以琴書爲業,有絶世之心。延昌四年卒,年三十二,遐邇悼惜之。其年,四門小學博士孔璠等學官四十五人上書曰"竊見故處士趙郡李謐,通《孝經》、《論語》、《毛詩》、《尚書》,曆數之術尤盡其長。年十八,詣學受業,時博士即孔璠也。覽始要終,論端究緒,授者無不欣其言矣。於是鳩集諸經,廣校同異,比三《傳》事例,名《春秋叢林》十有二卷。爲璠等判析隱伏,垂盈百條。滯無常滯,纖毫必舉。通不長通,有枉斯屈。不苟言以違經,弗飾辭而背理;辭氣磊落,觀者忘疲"云云。事奏,詔賜謐曰貞靜處士。遣謁者奉册,表其門曰文德,里曰孝義云。

《唐書·經籍志》:《春秋叢林》十二卷,李謐撰。

《唐書·藝文志》:李謐《叢林》十二卷。

春秋義林一卷

不著撰人。

春秋大夫辭三卷

不著撰人。

按兩《唐志》有《春秋辭苑》五卷，疑即是書。殆以天子、諸侯、卿士、大夫分篇纂録，此僅存三卷，則大夫之辭也。

春秋嘉語六卷

《唐書·經籍志》：《春秋嘉語》六卷，沈宏撰。

《唐書·藝文志》：沈宏《經傳解》六卷，又《文苑》六卷、《嘉語》六卷。

按沈宏有《春秋文苑》，見前。

春秋左氏諸大夫世譜十三卷

《唐書·經籍志》：《春秋大夫譜》十一卷，顧啓期撰。

《唐書·藝文志》：顧啓期《大夫譜》十一卷。

《崇文總目》：《春秋世譜》七卷，不著撰人名氏。起黃帝至周，見於春秋諸國世系。傳久稍失其次矣。按《隋》、《唐書》《春秋大夫世族譜》十三卷，[①]顧啓期撰。而杜預《釋例》自有《世族譜》一卷。今書與《釋例》所載不同，而本或題云杜預撰者，非也。

晁氏《讀書志》：《春秋世譜》一卷，不著撰人姓名。譜《左氏》諸國君臣世系，獨秦無世臣。

《通志·校讎略》曰："有杜預《春秋公子譜》，無顧啓期《大夫譜》可也。"

《經義考》曰："顧氏啓期《大夫譜》，《唐志》十一卷。《隋志》有

---

① 《後知不足齋叢書》本《崇文總目輯釋》及《適園叢書》本姚振宗《三國藝文志》卷二引《崇文總目》"書"後皆有"目"，於義較勝。

《春秋左氏諸大夫世譜》十三卷，疑即是書。"

按顧啓期始末未詳。本志地理類有所撰《婁地記》一卷，注云吳顧啓期撰。則孫吳時人也。

春秋五辯二卷　梁五經博士沈宏撰

沈宏有《春秋文苑》、《春秋嘉語》，並見前。

按本志於《文苑》、《嘉語》兩書皆不著撰人。至是始題沈氏官位、姓名。蓋當時不知爲一家之書也。《唐志》不著録。

春秋辯證六卷

不著撰人。

《唐書·經籍志》：《春秋辯證明經論》六卷。《藝文志》同。

春秋旨通十卷　王述之撰

《唐書·經籍志》：《春秋旨通》十卷，王延之撰。

《唐書·藝文志》：王延之《旨通》十卷。

按王述之，《唐志》作王延之，別有《經傳通解》四卷，見前。疑此即《通解》之別本。

春秋經傳解六卷　崔靈恩撰
春秋申先儒傳論十卷　崔靈恩撰
春秋左氏傳立義十卷　崔靈恩撰

崔靈恩有《集注毛詩》，見前詩類。

《梁書》、《南史·儒林傳》：靈恩遍通五經，尤精三《禮》、三《傳》。先在北習《左傳》服解，不爲江東所行，及改說杜義，每申服以難杜，遂著《左氏條義》以明之。時有助教虞僧誕又精杜學，因作申杜難服，以報靈恩，世並行焉。靈恩制《左氏經傳義》二十二卷、《左氏條例》十卷、《公羊穀梁文句義》十卷。

《唐書·經籍志》：《春秋立義》十卷，崔靈恩撰。《春秋申先儒傳例》十卷，崔靈恩撰。

《唐書·藝文志》：崔靈恩《立義》十卷，《申先儒傳例》十卷。

按自賈逵《釋訓》至此，皆左氏條例、難義、雜説、評論、抄撮、譜系之屬。別爲一類。

劉實等　集解春秋序一卷

劉實有《春秋條例》、《公羊違義》，並見前。

按此不知何人集劉實等諸家所解爲是書，亦或取其《條例》、《違義》之序而集解之。

春秋序論二卷　干寶撰

干寶有《左氏函傳》，見前。

《唐書·經籍志》：《春秋序論》一卷，干寶撰。

《唐書·藝文志》：干寶《春秋義函傳》十六卷，《序論》一卷。

按此似即《春秋義函傳》之序論。

春秋序一卷　賀道養注

《宋書·列傳第十五》論曰："臧燾、徐廣、傅隆、裴松之、何承天、雷次宗並服膺聖哲，不爲雅俗推移，立名于世，宜矣。潁川庾蔚之、雁門周野王、汝南周王子、河内向琰、會稽賀道養，皆託志經書，見稱於後學。"

《宋書·南郡王義宣傳》：義宣記室蔡超，濟陽考城人，與前始寧令同郡江淳之、前征南參軍會稽賀道養並爲興安侯義賓所表薦。

《南史·賀瑒傳》：瑒，會稽山陰人。晉司空循之玄孫也，世以儒術顯。伯祖道養，工卜筮經，遇工歌女人病死，爲筮之，曰："此非死也，天帝召之歌耳。"乃以土塊加其心上，俄頃而蘇。按道養事蹟豈竟堙没無聞歟？此既附見其人，何以不載其字及仕履、撰著，而乃記此一事，如小説家言耶？

嚴可均《全宋文編》曰："賀道期，會稽山陰人。晉司空循孫。元嘉初太學博士，弟道養亦爲太學博士。"

按賀道養有《賀子述言》十卷，見子部道家。又有集十卷，見集部別集類。嘗爲太學博士、征南參軍。

春秋序一卷　崔靈恩撰

崔靈恩有《經傳解》等三書，見前。

春秋序一卷　田元休注

田元休始末未詳。按《北史·儒林傳》，徐遵明弟子有田元鳳，或其昆季行。

春秋左傳杜預序集解一卷　劉炫撰

劉炫有《尚書述義》，見前書類。

按自劉寔等至此皆《左氏》序論、注解之屬，似多從本書析出以充數。舊有此例，遂類從爲一門。

春秋左氏經傳義略二十五卷　陳國子博士沈文阿撰

《梁書·儒林·沈峻傳》：峻，吳興武康人。博通五經，尤長三《禮》。峻子文阿，傳父業，尤明《左氏傳》。太清中，自國子助教爲五經博士。

《陳書》、《南史·儒林·沈峻傳》：峻子文阿，字國衛。少習父業，研精章句，祖舅太史叔明、舅王慧興並通經術，而文阿頗傳之。又博采先儒異同，自爲義疏。通三《禮》、三《傳》，位五經博士。梁簡文引爲東宮學士。入陳，累遷通直、散騎常侍兼國子博士，領羽林監。天嘉四年卒，年六十一。所撰《儀禮》八十餘條、《春秋》、《禮記》、《孝經》、《論語》義記七十餘卷，並行於時。諸儒多傳其學。

孔穎達《正義》序曰：“其爲義疏者則有沈文阿、劉炫。然沈於義例麤可，於經傳極疏。今以劉爲本，其疏漏以沈氏補焉。”

《唐書·經籍志》：《春秋義略》二十七卷，沈文阿撰。

《唐書·藝文志》：沈文阿《義略》二十七卷。

馬氏玉函山房輯本序曰：“《唐志》卷數多於《隋志》，或合王元規所續歟？今並佚。唯《正義》及《釋文》、《集韻》引之，輯錄六十一節。至襄公而止。”

王元規　續沈文阿春秋左氏傳義略十卷

《南史·儒林傳》：王元規字正範，太原晉陽人也。少從吳興沈文阿受業，十八通《春秋左氏》、《孝經》、《論語》、《喪服》。仕梁，位中軍、宣城王記室參軍。陳天嘉中，爲國子助教。後主在東宮，引爲學士，就受《禮記》、《左傳》、《喪服》等義。俄除尚書祠部郎。自梁代，諸儒相傳爲《左氏》學者，皆以賈逵、服虔之義難杜預，凡一百八十條。元規引證通析，無復疑滯。陳亡入隋，卒於秦王府東閣祭酒。著《春秋發題辭》及《義記》十一卷、《續經典大義》十四卷<small>按此亦續沈文阿之書。沈書見後論語類。</small>《孝經義記》兩卷、《左傳音》三卷、《禮記音》兩卷。

《釋文·敍錄》：梁東宮學士沈文阿撰《春秋義疏》，闕下袟。陳東宮學士王元規續成之。元規又撰《春秋音》。

馬氏玉函山房輯本序曰："《陳書》本傳云著《發題辭》及《義記》。《隋志》作《義略》，《釋文》作《義疏》，似《義記》、《義疏》即《義略》也。今佚。《釋文》引三節，其一辨士匃名字，其二皆音也。"

春秋義略三十卷　陳右軍將軍張沖撰

《隋書》《北史·儒林傳》：張沖字叔玄，吳郡人。仕陳，爲左中郎將。非其好也，乃覃思經典，撰《春秋義略》，異於杜氏七十餘事。《喪服義》三卷、《孝經義》三卷、《前漢音義》十二卷。官至漢王侍讀。

《唐書·經籍志》：《春秋左氏義略》三十卷，張沖撰。

《唐書·藝文志》：張沖《左氏義略》三十卷。

按《隋書》、《北史·儒林傳》皆不載其仕陳爲右軍將軍。史略之也。

春秋左氏義略八卷

不著撰人。

春秋五十凡義疏二卷

不著撰人。

王應麟《困學紀聞》曰："《釋例》終篇云：'《左傳》稱凡者五十，其別四十有九。'蓋以母、弟二凡，其義不異故也。《隋志》有《春秋五十凡義疏》二卷。"

春秋左氏傳述義四十卷　東京太學博士劉炫撰

劉炫有《左傳杜預序集解》一卷，見前。

《北史·儒林·劉焯傳》："焯少與劉炫結盟爲友，同受《左傳》於廣平郭懋。"又《劉炫傳》云著《春秋攻昧》十卷、《春秋述議》四十卷。

孔穎達《正義》序曰："其爲疏者，則有沈文阿、蘇寬、劉炫。炫于數君之内，實爲翹楚。然聰慧辨博，固亦罕儔；而探賾鉤深，未能致遠。其經注易者，必具飾以文辭；其理致難者，乃不入其根節。又意在矜伐，性好非毁。規杜之失凡一百五十餘條，習杜義而攻杜氏，猶蠹生於木而還食其木，非其理也。雖規杜過，義又淺近，所謂捕鳴蟬於前，不知黃雀在其後。然比諸義疏，猶有可觀。今奉敕删定，據以爲本。"

《唐書·經籍志》：《春秋攻昧》十二卷，劉炫撰。《春秋規過》三卷，劉炫撰。《春秋述議》三十七卷，劉炫撰。

《唐書·藝文志》：劉炫《攻昧》十二卷，又《規過》三卷、《述議》三十七卷。

《宋史·藝文志》：劉炫《春秋述議略》一卷，又《春秋義囊》二卷。

《崇文總目》：《春秋述義》一卷，隋東京太學博士劉炫撰。本四十篇，唐孔穎達《正義》蓋據以爲説而增損之。今三十九篇，亡。

王謨《漢魏遺書鈔》曰："《唐志》載劉炫《攻昧》十二卷、《規過》

三卷、《述議》三十七卷。今共鈔出《述議》一卷一百三十四條。《規過》乃規杜注之失。《攻昧》文無可考，未詳所指。今各散見《正義》，其中有旁攻賈、服及何休語，疑即屬《攻昧》文，非《規過》也。凡共鈔出一百七十二條。”

馬國翰玉函山房輯本序曰：“《北史》、《隋志》，《述議》並四十卷。《唐志》《述議》三十七卷、《規過》三卷。知《北史》、《隋志》皆以《規過》附四十卷內。唐始分之也。今從《正義》采録《述議》二卷、《規過》二卷。《規過》一百五十餘條，而《正義》所引乃有百七十餘條，或有一條內連及數事，《正義》分載各注下歟。”

又曰：“《正義》引炫難賈逵、何休、服虔及或説，反覆掊擊，《攻昧》之佚文。輯録九節。史稱‘炫強記默識，莫與爲儔’，又謂‘多自矜伐，好輕侮當世書’，適肖其人矣。”

　按本傳載《攻昧》，不載《規過》，是《規過》即在《攻昧》十卷中，乃其中之一篇，非別爲一書。《唐日本國書目》載《述議》止三十卷，近得其實。疑本志四十卷并《攻昧》在其間也。

春秋序義疏一卷

　不著撰人。

梁有《春秋發題》一卷

　不著撰人。

　《唐日本國見在書目》：《春秋發題》二卷。亦不著撰人。

　　按隋王元規著《春秋發題辭》，見《陳書》、《南史·儒林傳》，即此之類。然此見載《七録》，猶在其前也。

梁有梁簡文帝撰《春秋左氏圖》十卷。

　梁簡文帝有《毛詩十五國風義》，見前詩類。

　《通志·藝文略》：《春秋左氏圖》十卷，梁簡文帝撰。

　　按梁簡文帝是圖，《梁書》、《南史·本紀》皆不見，或亦編入
　　《長春義記》一百卷中。自沈文阿至此，皆《左氏》義疏之
　　屬，而附以圖，別爲一類。

　　以上《左氏》學。

梁有漢太子太傅嚴彭祖撰《古今春秋盟會地圖》一卷，亡。

　　嚴彭祖別見後公羊傳。

　　唐張彥遠《歷代名畫記》曰：“古之祕畫珍圖，則有《春秋圖》
　　一卷。”

　　《唐書·經籍志》：《春秋圖》七卷，嚴彭祖撰。

　　《唐書·藝文志》：嚴彭祖《春秋圖》七卷。

　　《通志·藝文略》：《春秋圖》七卷，漢嚴彭祖撰。《春秋盟會地
　　圖》一卷，漢嚴彭祖撰。按此兩載其目，一在圖類，一在地理類。蓋一據《唐
　　志》，一據《隋志》。

　　朱彝尊《曝書亭集·春秋地名考序》曰：“如嚴彭祖之圖，專紀
　　會盟，則圍、伐、滅、取土地之見遺者多矣。”

　　王謨《漢魏遺書鈔》曰：“羅泌《路史·國名紀》引《盟會圖》十
　　五，引《盟會圖疏》八，引《春秋圖》四。内惟‘平丘’與‘清’二
　　條涉盟會，餘皆地名、國名。又多唐以後州名，或即嚴氏本
　　書，而唐以後人疏之也。今仍其目，鈔出二十七條。”按此輯於嚴
　　氏書，不過存其名目耳。

春秋公羊傳十二卷　　嚴彭祖撰

　　《漢書·儒林傳》：“漢興，言《春秋》，於齊則胡母生，於趙則董
　　仲舒。”又曰：“胡母生治《公羊春秋》，與董仲舒同業。弟子唯
　　東平嬴公守學不失師法，授東海孟卿、魯眭孟。”又曰：“嚴彭
　　祖字公子，東海下邳人也。與顏安樂俱事眭孟。孟弟子百餘
　　人，惟彭祖、安樂爲明。質問疑誼，各持所見。孟曰：‘《春秋》
　　之意，在二子矣。’孟死，彭祖、安樂各顓門教授。由是《公羊

春秋》有顏、嚴之學。彭祖爲宣帝博士，至河南東郡太守，以高第入爲左馮翊，遷太子太傅，廉直不事權貴。或説曰：'天時不勝人事。君以不修小禮曲意，亡貴人左右之助，經誼雖高，不至宰相。願少自勉彊。'彭祖曰：'凡通經術，固當修行先王之道，何可委曲從俗，苟求富貴乎？'彭祖竟以太傅官終。授琅邪王中，家世傳業。"

又曰："甘露元年，迺召五經名儒、太子太傅蕭望之等大議殿中，平《公羊》、《穀梁》同異，各以經處是非。時公羊博士嚴彭祖、侍郎申輓、伊推、宋顯、許廣並論。"

荀悦《漢紀》：宣帝神雀四年十有一月，河南太守嚴延年有罪棄市。延年兄弟五人，皆有吏才，至二千石大官。次弟彭祖有才藝，學《春秋》。明傳經注記，即名嚴氏《春秋》也。官至太子太傅，不求當世，爲儒者宗。

鄭氏《六藝論》曰："治《公羊》者，胡母生、董仲舒。董仲舒弟子嬴公，嬴公弟子眭孟，眭孟弟子莊彭祖及顏安樂。"

本志篇敍曰："初，齊人胡母子都傳《公羊春秋》，授東平嬴公。嬴公授東海孟卿，孟卿授魯人眭孟，眭孟授東海嚴彭祖、魯人顏安樂。故後漢《公羊》有嚴氏、顏氏之學。"按此本范書《儒林傳》，其言授受與《漢書》及《六藝論》異。《眭弘傳》云從嬴公受《春秋》，則非受之孟卿。蓋眭孟與孟卿同師嬴公者也。又嬴公爲董仲舒弟子。《眭弘傳》自言先師董仲舒，而嬴公爲胡母生弟子。《漢書》亦無明文，當從《六藝論》。

《唐日本國見在書目》：《春秋公羊傳》十二卷，嚴彭祖注。

《唐書・經籍志》：《春秋公羊傳》五卷，公羊高撰，嚴彭祖述。

《唐書・藝文志》：《春秋公羊傳》五卷，嚴彭祖述。

馬氏玉函山房輯本序曰："公羊嚴氏《春秋》，唯孔穎達《左傳正義》、徐彥《公羊疏》各引一節。杜佑《通典》兼引馮君《嚴氏春秋章句》。合輯并附錄本傳爲卷。"按洪氏《隸釋》漢嚴訢碑政和中，出於下邳,云:"訢字少通,治嚴氏《春秋》馮君章句。"蓋後漢安、順時人,或即嚴太傅之後歟?

　按嚴、顏同時以《公羊》名家,而顏家有泠任之學,又有筦冥之學。《藝文志》亦載《公羊顏氏記》十一篇。嚴惟授琅邪王中,中授同郡公孫文、東門雲,皆未名家。當時傳業弟子不及顏氏之盛。《藝文志》亦不載其書。至後漢,嚴氏、顏氏並立博士,而嚴氏尤盛行於世。范書《儒林傳》、《經義考·承師篇》、洪氏《傳經表》載之詳矣。

　又按《公羊序》疏引《六藝論》言顏安樂弟子有劉向,爲《漢書》所未言。嘗以爲疑,今觀《七略》載顏氏書,不及嚴氏,可以知其故矣。似初事顏氏爲公羊學,後以宣帝詔,受《穀梁》,議石渠,遂以《穀梁》名家。史略其前事歟?惠棟《九經古義》云:"劉子政封事多用《公羊》說。"

春秋公羊解詁十一卷　漢諫議大夫何休注

《後漢書·儒林傳》:何休字邵公,任城樊人也。父豹,少府。休爲人質樸訥口,而雅有心思,精研六經,世儒無及者。以列卿子詔拜郎中,非其好也,辭病而去。不仕州郡,進退必以禮。太傅陳蕃辟之,與參政事。蕃敗,休坐廢錮,乃作《春秋公羊解詁》,覃思不闚門十有七年。又注訓《孝經》、《論語》、風角七分,皆經緯典謨,不與守文同說。黨禁解,又辟司徒。群公表休道術深明,宜侍幃幄。倖臣不悅之,乃拜議郎,屢陳忠言。再遷諫議大夫,年五十四,光和五年卒。按何氏與鄭氏同被禁錮,亦同志杜門著書。年少於鄭氏二歲,先鄭氏十八年而卒。

又傳注:《博物志》曰:"何休注《公羊》,云'何氏學'。有不解者,或答曰:'休謙辭,受學於師,乃宣此義不出於己。'"此言爲允也。

《釋文·敍錄》:何休注《公羊》十二卷。

《唐日本國書目》:《春秋公羊集詁》十二卷,漢諫議大夫何休學。

《唐書·經籍志》：《春秋公羊經傳》十三卷，何休注。

《唐書·藝文志》：何休《公羊解詁》十三卷。

《宋史·藝文志》：何休《公羊傳》十二卷。

晁氏《讀書志》：《春秋公羊傳》十二卷。戴宏序云：“子夏傳之公羊高，高傳其子平，平傳其子地，地傳其子敢，敢傳其子壽。至漢景帝時，壽乃與弟子胡母子都著以竹帛。其後，傳董仲舒，以《公羊》顯於朝。又四傳至何休，爲《經傳集詁》，其書遂大傳。”鄭玄曰：“《公羊》善於讖。”休之注引讖最多。按董仲舒一傳嬴公，再傳眭孟，三傳嚴彭祖，四傳王中，五傳公孫文、東門雲。其後傳授無可考。此云董仲舒四傳至何休，不知何謂。阮文達《公羊傳校勘記序》亦用其說，所未喻也。又何休注傳不注經，此云《經傳集詁》亦非是。

陳氏《書錄解題》曰：“其書多引讖緯，其所謂黜周王魯，變周文從殷質之類，《公羊》皆無明文，蓋爲其學者相承有此說也。三科九旨，詳具疏中。”

《四庫提要》曰：“三《傳》與經文，《漢志》皆各爲卷帙。《左傳》附經，始於杜預；《公羊傳》附經，則不知始自何人。觀何休《解詁》但釋傳而不釋經，與杜異例，知漢末猶自別行。今所傳蔡邕石經殘字《公羊傳》，亦無經文，足以互證。今本以傳附經，或徐彥作《疏》之時所合併歟？”

惠棟《九經古義》曰：“《公羊》有嚴、顏二家。何邵公所注者，顏氏《春秋》也。顏氏說經，以襄公廿一年之後孔子生，即爲所見之世。又以爲十四日日食、周王爲天囚之類，倍經違戾者，皆何邵公所不取。”

阮元《公羊注疏校勘記》序曰：“漢武帝好《公羊》，治其學者，胡母子都、董膠西爲最著。何休爲膠西四傳弟子。本子都條例以作注。著《公羊墨守》、《公羊文謚例》、《公羊傳條例》，尤遂於陰陽五行之學。間以緯説釋傳疏，不詳其所據。《漢志》有《公羊外傳》五十篇，徵引或出此也。"

張氏《書目答問》：影宋單注本《公羊傳》十一卷，汪士鍾刻本。

春秋公羊經傳十三卷　晉散騎常侍王愆期注

《晉書·王接傳》：接，河東猗氏人。特精《禮》、《傳》，常謂《左氏》辭義贍富，自是一家書，不主爲經發。《公羊》附經立傳，經所不書，傳不妄起，於文爲儉，通經爲長。任城何休訓釋甚詳，而黜周王魯，大體乖硋，且志通《公羊》而往往還爲《公羊》疾病。接乃更注《公羊春秋》，多有新義。又撰《列女後傳》七十二人，喪亂盡失。長子愆期，流寓江南，緣父本意，更注《公羊》，又集《列女後傳》云。

《晉書·陶侃傳》：咸和七年六月，疾篤。上表遜位，以後事付右司馬王愆期，加督護統，領文武。

《宋書·良吏傳》：王歆之，河東人也。曾祖愆期，有名晉世，官至南蠻校尉。亦見《南史·循吏·阮長之附傳》。

嚴可均《全晉文編》曰："王愆期字門于，王接子。咸和初，爲溫嶠江州督護。咸康初，爲庾亮征西司馬。補南郡太守，封辰陽伯，入爲散騎常侍。"

《釋文·敍録》：王愆期注《公羊》十二卷。字門子，河東人。東晉散騎常侍、辰陽伯。

《唐書·經籍志》：《春秋公羊》十二卷，王愆期撰。

《唐書·藝文志》：王愆期《公羊》十二卷。

梁有《春秋公羊傳》十二卷，晉河南太守高龍注。

《釋文·敍録》：高龍注《公羊》十二卷。字文，范陽人，東晉河南太守。

《唐書·經籍志》：《春秋公羊傳記》十二卷，高襲注。

《唐書·藝文志》：高襲《傳記》十二卷。

《經義考》曰："高氏龍《公羊傳注》,《新》、《舊唐志》'龍'作'襲','傳注'作'傳記'。"

梁有《春秋公羊傳》十四卷,孔衍集解。

孔衍有《凶禮》一卷,見前禮類。

《釋文・敍錄》:孔衍《公羊集解》十四卷。

《唐書・經籍志》:《春秋公羊經傳集解》十四卷,孔氏注。

《唐書・藝文志》:孔氏《公羊集解》十四卷。

梁有《春秋公羊音》一卷,李軌撰。

李軌有《左氏傳音》三卷,見前。

《釋文・敍錄》:李軌《公羊音》一卷。

梁有《春秋公羊音》一卷,晉徵士汪淳撰。"汪淳"當爲"江淳"。

《晉書・江統傳》:統,陳留圉人也。子淳,字思俊,性好學,儒、玄並綜。徵拜博士、著作郎,皆不就。養志二十餘年,永和九年卒,年四十九。

《世説・識鑒篇》注:徐廣《晉紀》曰:"惇,僕射彪弟也。性篤學,手不釋書,博覽墳典,儒道兼綜。徵聘無所就,年四十九而卒。"

《釋文・敍錄》:"江淳《公羊音》一卷。"又曰:"江淳爲《詩音》。字思俊,河内人,東晉徵士。"

按自嚴彭祖至此,皆公羊家傳注及音義之類。

春秋繁露十七卷　漢膠西相董仲舒撰

《史記・儒林傳》:董仲舒,廣川人也。以治《春秋》,孝景時爲博士。今上即位,爲江都相。中廢爲中大夫,居舍,著災異之記。下吏,當死,詔赦之。于是董仲舒竟不敢復言災異。使相膠西王,恐久獲罪,疾免居家。至卒,以修學著書爲事。故漢興至於五世之間,唯董仲舒名爲明於《春秋》,其傳公羊氏也。弟子通者,至於命大夫。爲郎謁者、掌故者以百數,而董仲舒子及孫皆以學至大官。《後漢書・班彪傳》:彪論前史得失曰:"遷書至廣博也。一人之精，文重思煩，多不齊一。若序司馬相如、蕭、曹、陳平之屬，及董仲舒並時之人，不記其字或縣而不郡者，蓋不暇也。”

《漢書》本傳：武帝即位，舉賢良文學之士前後百數，而仲舒以賢良對策，推明孔氏，抑黜百家，立學校之官，州郡舉茂材、孝廉，皆自仲舒發之。年老以壽終於家，家徙茂陵。所著皆明經術之意，及上疏條教，凡百二十三篇。而説《春秋》事得失，_{聞按此疑“聞”字之誤。}舉《玉杯》、《蕃露》、《清明》、《竹林》之屬復數十篇，十餘萬言，皆傳於後世。

《唐書·經籍志》：《春秋繁露》十七卷，董仲舒撰。

《唐書·藝文志》：董仲舒《春秋繁露》十七卷。《宋史·藝文志》同。

《崇文總目》：《春秋繁露》十七卷，董仲舒撰。其盡八十二篇，義或宏博，[①]非出近世。然其間篇第亡舛，無以是正。又即用《玉栖》、《竹林》題篇，疑後人取而附著云。

晁氏《讀書志》：史稱舉《玉杯》、[②]《繁露》、《清明》之屬數十篇，今溢而爲八十二篇，又通名《繁露》，皆未詳。《隋》、《唐》卷目與今同。但多訛舛。

陳氏《書録解題》曰：“今乃樓攻媿得潘景憲本，篇、卷皆與前志合，然亦非當時本書也。先儒疑辨詳矣。其最可疑者，總名曰《繁露》，而《玉杯》、《竹林》則皆其篇名，此决非其本真。況《通典》、《御覽》所引，皆今書所無者，尤可疑也。”又曰：“雖八十二篇，而闕文者三，實七十九篇也。”

《四庫提要》曰：“繁或作蕃，古字相通。其立名之義不可解。其書發揮《春秋》之旨多主《公羊》，而往往及陰陽五行。考本傳，《蕃露》、《玉杯》、《竹林》皆所著書名，而今本《玉杯》、《竹

---

① “或”，原作“引”，據《後知不足齋叢書》本《崇文總目輯釋》及《師石山房叢書》本姚振宗《漢書藝文志拾補卷一“董仲舒春秋繁露數十篇”條引《崇文總目》改。

② 清嘉慶汪氏刻本《郡齋讀書志》“舉”前有“聞”。

林》乃在此書之中，故《崇文總目》頗疑之，而程大昌攻之尤力。今觀其文，雖未必全出仲舒，然中多根極理要之言，非後人所能依託也。是書宋代已有四本，多寡不同。至樓鑰所校，乃爲定本。鑰本原缺三篇，明人重刻，又缺誤不可讀。今以《永樂大典》所存鑰本詳爲勘訂。"又案語曰："《春秋繁露》雖頗本《春秋》以立論，而無關經義者多，實《尚書大傳》、《詩外傳》之類。"

嘉慶二十年江都淩曙注書序曰："董子著述甚夥，今不概見，唯《春秋繁露》十有七卷。原書亦皆失次，然就其完善者讀之，識禮義之宗，達經權之用，行仁爲本，正名爲先，測陰陽五行之變，明制禮作樂之原，體大思精，推見至隱，可謂善發微言大義者矣。今其書流傳既久，魚魯雜揉，篇第襍落，致難卒讀。淺嘗之夫，橫生訾義。經心聖符，不絕如線，心竊傷之，遂乃搆求善本，重加釐正。又復采列代之舊聞，集先儒之成說，爲之注釋。及隋唐以後，諸書之引《繁露》者，莫不考其異同，校其詳略。"又新安洪梧爲之序曰："《繁露》一書，未有箋釋，不熟《公羊》者，則不能讀《繁露》，而妄臆爲贋作，業幾廢矣。盧抱經先生僅以《公羊》釋《繁露》，已令讀者稍見眉目。淩子曉樓從游阮侍郎之門，佐集經籍，乃能以諸書疏證，俾無疑義，可謂有功於董子者。"

按本傳言所著百二十三篇者，見《漢志》儒家。本志不著錄。此書《漢志》不載，而春秋家有《公羊外傳》五十篇、《公羊雜記》八十三篇，以其非一人之作，故皆不著撰人，疑劉中壘典校經籍，取此書編入其中，未可知也。

春秋決事十卷　董仲舒撰

《史記·儒林傳》：董仲舒弟子遂者：蘭陵褚大、廣川殷忠、溫呂步舒。步舒至長史,持節使決淮南獄,於諸侯擅專斷,不報,以《春秋》之義正之,天子皆以爲是。

《漢書》本傳:仲舒在家,朝廷如有大議,使使者及廷尉張湯就其家而問之,其對皆有明法。

又《藝文志》曰:《公羊董仲舒治獄》十六篇。

《後漢書・應劭傳》:删定律令爲《漢儀》。建安元年,乃奏之曰:"故膠東相董仲舒老病致仕,朝廷每有政議,數遣廷尉張湯親至陋巷問其得失,于是作《春秋決獄》二百三十二事,動以經對,言之詳矣。"

《唐日本國見在書目》:《春秋斷獄事》十卷。

《唐書・經籍志》法家:《春秋決獄》十卷,董仲舒撰。

《唐書・藝文志》法家:董仲舒《春秋決獄》十卷,黄氏正。

《崇文總目》:《春秋決事比》十卷,漢董仲舒撰,丁氏平,黄氏正。初,仲舒既老病致仕,朝廷每有政議,武帝數遣廷尉張湯問其得失,于是作《春秋決疑》二百三十二事,動以經對。至吴太史令吴、按此下似敚一字,或是"範"字。汝南丁季按"季"或是"孚"之誤。江夏黄復平正得失。頗殘缺,止有七十八事。

《宋史・藝文志》法家:董仲舒《春秋決事》作獄。十卷,丁氏主,黄氏正。按此注"作獄"二字者,校語也;"主"爲"平"字之誤。此即《崇文總目》七十八事之本也。

《經義考》曰:"《漢志》《公羊治獄》,《隋志》作《春秋決事》,《七錄》作《春秋斷獄》,《新》、《舊唐書》作《春秋決獄》,《崇文總目》作《春秋決事比》。《漢志》十六篇,《七錄》五卷,《隋》、《唐志》、《崇文目》十卷。王充曰:'仲舒表《春秋》之義,稽合於律,無乖異者。'桓寬曰:'《春秋治獄》論心定罪,志善而違於法者免,志惡而合於法者誅。'王應麟曰:'仲舒《春秋決獄》今不可見,《太平御覽》載二事。其一引《春秋》許止進藥,其一引夫人歸於齊。《通典》載一事，引春秋之義父爲子隱。'應劭謂：'二百三十二事，今僅見三事而已。'按《藝文類聚》有引《決獄》君獵得麑一事。"

王謨《漢魏遺書鈔》曰："《經義考》云《藝文類聚》引《決獄》君獵得麑一事。今徧檢全書，未見此條，而別有《白帖》一條；《野客叢書》二條，其一即《通典》所載父爲子隱一事。因並鈔錄，凡六條云。"

馬國翰玉函山房輯本序曰："董氏傳《春秋》公羊學，既撰《繁露》，悉究天人之奧；復撰此書，引經斷獄，當代取式焉。今佚。從《禮記正義》、《通典》、《白帖》、《藝文類聚》、《御覽》諸書輯得八節。其論衡情準理，頗持其平。妻甲見夫乙毆母而殺乙，比於武王誅紂。雖康成議其過，大誼要自可通也。"

《孫祠書目》：《春秋決獄》一卷，洪頤煊集本。

春秋決疑論一卷

不著撰人。

按此似即吳太史令吳某、丁氏、黃氏平正得失之序論。

春秋左氏膏肓十卷　何休撰

何休有《公羊解詁》，見前。

《後漢書·儒林傳》：休與其師博士羊弼追述李育意，以難二《傳》，作《公羊墨守》、《左氏膏肓》、《穀梁廢疾》。按此言追述李育意者，《儒林·李育傳》"作難《左氏》義四十一事。建初四年，詔與諸儒論五經于白虎觀，育以《公羊》義難賈逵，往返皆有理證"，即其事也。

《後漢書·鄭玄傳》：及黨事起，被禁錮，遂隱修經業，杜門不出。時任城何休好公羊學，遂著《公羊墨守》、《左氏膏肓》、《穀梁廢疾》。玄乃發《墨守》，鍼《膏肓》，起《廢疾》。休見而嘆曰："康成入吾室，操吾矛以伐我乎！"注："《說文》曰：'肓，隔也。心下爲膏。'喻《左氏》之疾不可爲也。"按《左氏傳》本文有是語,何氏即取以名書。

《釋文·敍録》:又何休作《左氏膏肓》、《公羊墨守》、《穀梁廢疾》。鄭康成鍼《膏肓》,發《墨守》,起《廢疾》。自是《左氏》大興。

《公羊序》疏曰:"何氏爲《膏肓》以短《左氏》,及作《墨守》、《廢疾》,蓋在注傳之前,猶鄭君先作《六藝論》訖,然後注書。"

《唐書·經籍志》:《春秋左氏膏肓》十卷,何休撰,鄭玄箋。

《唐書·藝文志》:何休《左氏膏肓》十卷,鄭玄箋。

《宋史·藝文志》:何休《公羊傳》十二卷,又《左氏膏肓》十卷。

《崇文總目》:《左氏膏肓》九卷,漢司空掾何休始撰答賈逵事,因記《左氏》所短,遂頗流布,學者稱之。後更删補爲定。今每事左方輒附鄭康成之學,因引鄭説竄寄何書云。今殘逸,第七卷亡。按此謂始撰答賈逵事者,即所作《公羊墨守》也,別見于後。

晁氏《讀書志》:《左氏膏肓》九卷,漢何休撰。休始答賈逵事,因記《左氏》之短。鄭康成嘗著《箋膏肓》,後人附之逐章之下。

陳氏《書録》"《左氏膏肓》十卷"解題曰:"何休著《公羊墨守》等三書,鄭康成作《鍼膏肓》、《起廢疾》、《發墨守》以排之。今其書多不存,此書並存二家之言,意亦後人所録。《館閣書目》闕第七卷,今本亦正闕宣公;而於第六卷分文十六年以後爲第七卷,當并合之;其十卷止於昭公,亦闕定、哀,固非全書也。而錯誤殆未可讀,未有他本可正。"

按此三書,《四庫提要》著録輯本各一卷。此外如《問經堂》、《藝海珠塵》、《高密遺書》、《漢魏遺書鈔》諸叢書亦各有輯本。本志著録三書先後隔越,不相比附。今綜其大要於此。

春秋穀梁廢疾三卷　何休撰

《公羊序》疏曰:"何氏爲《廢疾》,以難《穀梁》。"

按三傳類中又有一本，別見於後。

春秋漢議十三卷　何休撰

《後漢書·儒林傳》：又以《春秋》駁漢事六百餘條，妙得《公羊》本意。

《唐書·經籍志》：《何氏春秋漢議》十一卷，何休撰，鄭玄駁，糜信注。

《唐書·藝文志》：何休《春秋漢議》十卷，糜信注，鄭玄駁。

侯康《補後漢書藝文志》曰：“《通典》卷八十：漢安帝崩，立北鄉侯，未踰年薨，以王禮葬，于《春秋》何義也？何休答曰：‘《春秋》：未踰年魯君子野卒，降君稱子，從大夫禮可也。’當即出此書。”

按范書《蘇不韋傳》載何休一事，亦似此書中語。何氏《墨守》等三書及《漢議》，唐時行本多附以鄭氏《駁義》。此據《唐志》，則又是糜信注本。糜信有《春秋説要》，見前左氏學家。

駁何氏漢議二卷　鄭玄撰。梁有《漢議駁》二卷，服虔撰，亡。

按此兩書已見於前，此複出。又似梁時合兩書爲一袠者，至隋，亡其後二卷歟？

駁何氏漢議序一卷

不著撰人。

春秋公羊墨守十四卷　何休撰

何休有《左氏膏肓》、《穀梁廢疾》及《漢議》、《解詁》，並見前。

《後漢書·儒林傳》注：“言《公羊》之義不可攻，如墨翟之守城也。”又《鄭玄傳》注：“言《公羊》義理深遠，不可駁難，如墨翟之守城也。”

《公羊序》疏曰：“何氏作《墨守》，以距敵《長義》。”阮氏《校勘記》曰：“龔麗正云，此言‘距敵《長義》’，言與賈逵《長義》相距敵也。"

《唐書·經籍志》：《春秋公羊墨守》二本，何休撰，鄭玄發。按
此云二本，不著卷數，亦甚有法。蓋謂何氏一本，鄭氏一本也。今本從《新志》改爲
二卷。

《唐書·藝文志》：何休《公羊墨守》二卷，鄭玄發。

按三書本末已詳於前。《左氏膏肓》條下此十四卷，或何氏
本書。《唐志》二卷，則鄭氏駁義本。

春秋公羊例序五卷　刁氏撰

刁氏始末未詳。

按《北史·儒林傳》，徐遵明傳業弟子有渤海李鉉，鉉傳刁
柔，東魏末爲國子博士。不知即此刁氏否也。

春秋公羊謚例一卷　何休撰

何休始末見前。

徐彦《公羊疏》曰："《文謚例》：《春秋》有五始、三科、九旨、七
等、六輔、二類、七缺之義。"

侯康《補後漢書藝文志》曰："《公羊疏》作《文謚例》，《隋志》無
'文'字。疏稱此書有《春秋》五始、三科、九旨等義，其目具載
解中。"

馬國翰玉函山房輯本序曰："此書翼《公羊解詁》而作。《隋
志》一卷，《唐志》不載。佚已久。徐彦《疏》引其略，茲據録
補。晁説之謂何休特負於公羊之學，五始、三科、九旨、七等、
六輔、二類、七缺之設，何其紛紛耶。"

梁有《春秋公羊傳條例》一卷，何休撰。亡。

休《解詁自序》有曰："往者略依胡母生《條例》，多得其正。"徐
彦解云："胡母生本雖以《公羊》經傳傳授董氏，猶自別作《條
例》。故何氏取之以通《公羊》也。"

《唐書·經籍志》：《春秋公羊條傳》一卷，何休注。

《唐書·藝文志》：何休《公羊條傳》一卷。按兩志皆作"條傳"，或"條例"之誤，或別有義。

梁有《春秋公羊傳問答》五卷，苟爽問，魏安平太守徐欽答。亡。

苟爽有《周易傳》，見前易類。徐欽始末未詳。

《後漢書·苟淑附傳》：爽又作《公羊問》及《辯讖》，并它所論敘，題爲《新書》，凡百餘篇。今多所亡缺。按《公羊問》及《辯讖》當時編入苟氏《新書》百餘篇中。《六藝論》云："《公羊》善於讖。"晁《志》云："何休之注引讖最多。"此《辯讖》殆亦因《公羊》而作，與《公羊問》相輔而行者。苟悦《申鑒·俗嫌篇》言《辯讖》即此。

《唐書·經籍志》：《春秋公羊答問》五卷，苟爽問，徐欽答。

《唐書·藝文志》：苟爽、徐欽《答問》五卷。

按《魏志·徐宣傳》："宣，廣陵海西人。見器於太守陳登，與登並心於太祖。太祖辟爲司空掾屬，歷仕。至明帝時，爲尚書左僕射、侍中、光禄大夫，封津陽亭侯。青龍四年卒，謚曰貞侯。子欽嗣。"疑即此徐欽，以嗣侯爲安平太守歟？大抵後苟氏三四十年。《册府元龜》作徐凱，誤。又以下文庾、王《問答》之二卷爲徐氏書，尤誤。

梁有《春秋公羊論》二卷，晉車騎將軍庾翼問，王愆期答。亡。

王愆期有《公羊傳注》，見前。

《晉書·庾亮傳》：亮弟翼，字稚恭，少有經綸大略。始辟太尉、陶侃府參軍，累遷南蠻校尉，領南郡太守、輔國將軍，賜爵都亭侯。及亮卒，授都督江、荆、司、雍、梁、益六州諸軍事、安西將軍、荆州刺史，代亮鎮武昌。永和元年，疽發背，卒，年四十一。贈車騎將軍，謚曰肅。

《唐書·經籍志》：《春秋公羊論》二卷，翼康難，王彦期答。"翼康"爲"庾翼"之誤，"彦期"又"愆期"之誤。一本作"愆"，不誤。

《唐書·藝文志》：王愆期注《公羊》十二卷，又《難答論》二卷，庾翼難。

按陶侃鎮荆州,庾翼爲參軍,從事中郎,鄱陽、西陽太守。王愆期爲右司馬加督護,付以後事。及庾亮代侃,遷鎮武昌。翼以南蠻校尉,領南郡太守,鎮江陵。愆期爲亮征西府司馬。至翼代亮鎮武昌,愆期亦代翼爲南蠻校尉、南郡太守。二人蓋相處最久者,此《問難》之作,當在其時。

春秋公羊解序一卷　　鮮于公撰

鮮于公始末未詳。

按《北史·儒林傳序》曰:"服虔《左氏春秋》、何休《公羊傳》人行於河北。""人"或"大"字之寫誤,或"盛"字之音誤。又《李鉉傳》:"鉉從漁陽鮮于靈馥受《左氏春秋》。以鄉里無可師者,遂詣大儒徐遵明受業。"又《李業興傳》云:"業興師事徐遵明于趙、魏之間。時有漁陽鮮于靈馥,亦聚徒教授,而遵明聲譽未高,著録尚寡。業興乃詣靈馥黌舍,類受業者。靈馥乃謂曰:'李生久逐羌博士,何所得也?'業興默爾不言。及靈馥説《左傳》,業興問其大義數條,靈馥不能對。於是振衣而起曰:'羌弟子正如此耳!'遂便徑還。自此,靈馥生徒傾學而就遵明。學徒大盛,業興之爲也。"似即此鮮于公,先徐遵明而得名,亦魏末大儒也。後儒尊之,故稱公。此一卷亦似下文《公羊疏》十二卷之序。

春秋公羊疏十二卷

不著撰人。

《北史·儒林傳》:徐遵明,字子判,華陰人也。幼孤,好學,年十七,師屯留王聰,受《毛詩》、《尚書》、《禮記》。又師中山張吾貴、范陽孫賈德。最後詣平原唐遷,居於黌舍,讀《孝經》、《論語》、《毛詩》、《尚書》、三《禮》。不出門院,凡六年。時彈箏吹笛,以自娛慰。又知陽平館陶趙世業家有服氏《春秋》,是晉世永嘉舊寫。遵明乃往讀之,復經數載。因手撰《春秋義章》，爲三十卷。是後教授門徒，每臨講坐，先持經執疏，然後敷陳。其學徒至今，浸以成俗。遵明講學於外二十餘年，海內莫不宗仰。頗好聚斂，與劉獻之、張吾貴皆河北聚徒教授，懸納絲粟，留衣物以待之，名曰影質，有損儒者之風。元顥入洛，任城太守李湛將舉義兵，遵明同其事。夜至人間，爲亂兵所害。永熙二年，遵明弟子通直散騎侍郎李業興求加策命，卒無贈謚。《魏書》云年五十五。業興表有云：“信以稱大儒于海內。束修受業，編錄將踰萬人。”

又《儒林傳》序曰：“自魏末，大儒徐遵明門下講鄭玄所注《周易》。遵明以傳盧景裕及清河崔瑾。”又曰：“齊時，儒士罕傳《尚書》之業，徐遵明兼通之。遵明受業於屯留王聰，傳授浮陽李周仁及渤海張文敬、李鉉、河間權會，並鄭康成所注，非古文也。”又曰：“三《禮》並出遵明之門。徐傳業於李鉉、祖儁、田元鳳、馮偉、紀顯敬、呂黃龍、夏懷敬。”又曰：“河北諸儒能通《春秋》者，並服子慎所注，亦出徐生之門。張買奴、馬敬德、邢峙、張思伯、張奉禮、張彫、劉晝、鮑長宣、王元則並得服氏之精微。”又《李業興傳》亦載徐氏事，見前一條。

《崇文總目》：《春秋公羊疏》三十卷，不著撰人名氏。援證淺局，出於近世。或云徐彥撰，皇朝邢昺等奉詔是正，始令太學傳授，以備《春秋》三家之旨。

晁氏《讀書志》：《春秋公羊傳疏》三十卷，不著撰人。李獻民云徐彥撰，亦不詳何代人也。《崇文總目》謂其‘援證淺局，出于近世’。以何氏三科九旨爲宗，本其説曰：“何氏之意，三科九旨，正是一事耳。總而言之，謂之三科。析而言之，謂之九旨。新周、故宋、以《春秋》當新王，此一科三旨也。所見異辭，所聞異辭，所傳聞異辭，此二科六旨也。內其國而外諸夏，內諸夏而外夷狄，此三科九旨也。”

陳氏《書録解題》:《春秋公羊傳疏》三十卷,不著撰者名氏。
《唐志》亦不載。《廣川藏書志》云世傳徐彦撰,不知何據。然
亦不能知其定出何代,意其在貞元、長慶後也。景德中侍講
邢昺校定傳之。

《宋史・藝文志》:“《公羊疏》三十卷。”又曰:“徐彦《公羊疏》
三十卷。”

《四庫提要》曰:“徐彦《疏》,《文獻通考》作三十卷。今本乃止
二十八卷。或彦本以經文併爲二卷,別冠于前。後人又散入
傳中,故少此二卷,亦未可知。彦《疏》,《唐志》不載。《崇文
總目》始著録,稱不著撰人名氏,或云徐彦。董逌《廣川藏書
志》亦稱世傳徐彦,不知時代,意其在貞元、長慶之後。考
《疏》中‘邲之戰’一條,猶及見孫炎《爾雅注》完本,知在宋以
前。又‘葬桓王’一條,全襲用楊士勛《穀梁傳疏》,按此疑是楊
《疏》襲徐《疏》,故其文亦互異。知在貞觀以後。中多自設問答,文緐
語複,與丘光庭《兼明書》相近,亦唐末之文體。董逌所云,不
爲無理,故今從逌之説,定爲唐人焉。”

烏程嚴可均《鐵橋漫稿・書公羊疏後》曰:“《公羊疏》無譔人
名。《崇文總目》:或云徐彦。《郡齋讀書志》引李獻民説同,
不知何據,即徐彦亦不知何代人。東晉有徐彦,與徐衆同時,
見《通典》九十五。又九十九有武昌太守徐彦與征西將軍桓
溫牋。而《疏》中引及劉宋庾蔚之,則非東晉人。今世皆云唐
徐彦,尤無所據。蓋涉徐彦伯而訛耳。《疏》先設問答,與蔡
邕《月令章句》相似。唐疏無此體例,所引書百三十許種,最
晚者郭璞、庾蔚之,餘皆先秦、漢、魏。開卷疏‘司空掾’,云
‘若今三府掾是也’。齊、梁、陳、隋、唐無此官制,惟北齊有
之,則此疏北齊人譔也。《隋志》有失名《疏》十二卷,唐不著
録。北宋復出,以卷太大,分爲三十卷。又分爲二十八卷,即

今本也。"

儀徵阮元《公羊傳注疏校勘記》序曰："徐彥《疏》,《唐志》不載,《崇文總目》始著錄,亦無撰人名氏。宋董逌云世傳徐彥所作,其時代里居不可得而詳矣。光禄寺卿王鳴盛云即《北史》之徐遵明,不爲無見也。蓋其文章似六朝人,不似唐人所爲者。《郡齋讀書志》、《書錄解題》並作三十卷。世所傳本乃止二十八卷,其參差之由,亦無可考也。"

按《北齊書·儒林傳》序云："凡是經學諸生,多出自魏末大儒徐遵明門下。"《傳》稱:"撰《義章》三十卷。臨講持經執疏。"則亦名之爲疏矣。義章亦即義疏之謂也。《傳》又云:"其學至今,浸以成俗。"則北齊時,其書盛行於河北,其本流傳甚夥,講學者莫不家置一編。故自東魏歷北齊、後周、隋、唐五代迄於北宋,猶行於民間,亦三十卷,與本傳合。此十二卷,或合併或佚存,無以詳知。本志列在鮮于公之後,部居次第,亦頗近似。宋人稱徐彥,《爾雅·釋訓》曰:"美士爲彥。"《説文》:"彥,美士有文,人所言也。"蓋猶靈馥之稱鮮於公,皆其徒尊之之辭。既嚴氏謂今本即《隋志》之十二卷,王光禄、阮太傅皆以爲徐遵明,因即從而證明之。

又按自董仲舒《春秋繁露》至此,皆公羊家雜説、論議、序例、問難、義疏之類。

以上公羊學。

春秋穀梁傳十三卷　吳僕射唐固注

《吳志·闞澤附傳》:"澤州里先輩丹陽唐固亦修身積學,稱爲儒者,著《國語》、《公羊》、《穀梁》傳注,講授常數十人。權爲吳王,拜固議郎,自陸遜、張温、駱統等皆拜之。黄武四年爲尚書僕射,卒。"《吳錄》曰:"固字子正,卒時年七十餘矣。"

《唐書·宰相世系表》:唐瞱七世至漢中郎將蒙,蒙生臨邛令都,都孫尚書令林,王莽時封建德侯。林六世至翔,爲丹陽太守,因家焉。翔二子固、澇。固,吳尚書僕射。<small>按固弟澇著子書曰《唐子》,見子部道家。</small>

《釋文‧敍錄》:唐固《穀梁注》十二卷。

《唐書‧經籍志》:《春秋穀梁傳》十二卷,唐固注。

《唐書‧藝文志》:唐固注《穀梁》十二卷。

梁有《春秋穀梁傳》十五卷,漢諫議大夫尹更始撰。亡。

《漢書‧儒林傳》:"瑕丘江公,授《穀梁春秋》及《詩》於魯申公,<small>按"授"當爲"受"。</small>傳子至孫爲博士。武帝時,江公與董仲舒並。仲舒通五經,能持論,善屬文。江公吶於口,上使與仲舒議,不如仲舒。而丞相公孫弘本爲《公羊》學,比輯其議,卒用董生。于是上因尊《公羊》家,詔太子受《公羊春秋》,由是《公羊》大興。太子既通,復私問《穀梁》而善之。其後浸微,唯魯榮廣、皓星公二人受焉。廣盡能傳其《詩》、《春秋》,高才捷敏,與《公羊》大師眭孟等論,數困之,故好學者頗復受《穀梁》。沛蔡千秋、梁周慶、丁姓皆從廣受。宣帝即位,聞衛太子好《穀梁春秋》,以問丞相韋賢、長信少府夏侯勝及侍中樂陵侯史高,皆魯人也,言穀梁子本魯學,公羊氏迺齊學也,宜興《穀梁》。時千秋爲郎,召見,與《公羊》家並説,上善《穀梁》説,愍其學且絶,選郎十人從受。汝南尹更始翁君本自事千秋,能説矣,劉向以故諫大夫通達待詔,受《穀梁》,欲令助之。積十餘歲。至甘露元年,迺召五經名儒蕭望之等大議殿中,平《公羊》、《穀梁》同異,各以經處是非。時,公羊博士嚴彭祖、侍郎申輓、伊推、宋顯、許廣,《穀梁》議郎尹更始、待詔劉向、周慶、丁姓、中郎王亥,各五人,議三十餘事。<small>按此即《藝文志》春秋家所載之"《議奏》三十九篇《石渠論》"也。</small>多從《穀梁》。由是穀梁之學大盛。慶、姓皆爲博士。姓授楚申章昌。尹更始爲諫大夫、長樂戶將，按《蓋寬饒傳》注師古曰：“《百官公卿表》郎中令屬官有郎中車、戶、騎三將，蓋各以所主爲名也。戶將者，主戶衛也。”又受《左氏傳》，取其變理合者以爲章句，傳子咸及翟方進、琅邪房鳳。”按此稱以爲章句者，即《穀梁章句》，言取《左氏》相合者，傳著于其中。《玉海》四十二引《儒林傳》云“尹更始《左氏章句》”，非也。又曰：“始江博士授胡常，由是《穀梁春秋》有尹、胡、申章、房氏之學。”按江博士者，即上文瑕丘江公，傳子至孫爲博士是也。宣帝時，徵爲博士。祖孫名字不傳，故但云江公、江博士。

又曰：“漢興，北平侯張蒼及梁太傅賈誼、京兆尹張敞、大中大夫劉公子皆修《春秋左氏傳》。誼爲《左氏傳訓故》，授趙人貫公，爲河間獻王博士。子長卿，授清河張禹，禹授尹更始。更始傳子咸及翟方進、胡常。而劉歆從尹咸及翟方進受。”按尹氏兼通《左氏》，故於左氏學家亦載其授受如此。

《玉海・藝文》曰：“漢儒兼通《穀梁》、《左氏》者，胡常、尹更始。”按尚有尹咸、翟方進、房鳳，皆受之尹更始。

《釋文・敍錄》：“尹更始，字翁君，汝南邵陵人。議郎、諫大夫、長樂戶將。”又曰：“漢更始《穀梁章句》，十五卷。”“漢”當爲“尹”。

《唐書・經籍志》：《春秋穀梁傳章句》十五卷，穀梁俶解，尹更始注。

《唐書・藝文志》：《春秋穀梁傳》十五卷，尹更始注。

馬氏玉函山房輯本序曰：“尹更始《穀梁章句》，楊士勛引一節，《禮記正義》、《周禮疏》、《文選注》各引一節。又《注疏》引《穀梁》說五節，舊說五節。《大戴禮注》引《春秋穀梁》說一節。案漢儒傳《穀梁》學者，惟尹及劉向有書，范注於劉說皆明標劉向。‘隕石於宋五’注引劉說，疏引舊說云與劉向合，明非劉氏說矣。且尹在漢爲《穀梁》博士，按史不言爲博士。名在周慶、丁姓之上，又獨有著書，則凡引《穀梁》說及舊說者，

皆尹氏《章句》無疑也。並據合輯。漢《穀梁》學自榮廣、皓
星公開之，尹得其宗，鳴於當代。存此殘佚，少而彌珍已。"

　　按漢初傳《穀梁》者，始於魯申公。《穀梁》有章句見於《漢
書》者，唯尹氏此書。而《藝文志》亦有《穀梁章句》三十三
篇，不著名氏。據《穀梁序》疏云："景帝好《公羊》，胡母之
學興，仲舒之義立。按景帝當爲武帝。宣帝善《穀梁》，而千秋之
道起，劉向之意存。"此數語，當有所受千秋事。榮廣、皓星
公爲學最篤，當時莫及。宣帝善其説，選郎十人從受，卒於
甘露之前，亦爲劉向前輩。是《漢志》之《章句》出於蔡千
秋、劉向兩人爲多。尹氏此書，兼取《左氏》，不爲《穀梁》
顓門之業，與所謂尹、胡、申章、房氏之學，別自行世
者歟。"

春秋穀梁傳十二卷　魏平樂太守麋信注　"平樂"當爲"樂平"。

　　麋信有《春秋説要》，見前左氏學家。

　　《南齊書·陸澄傳》：永明元年，澄領國子博士。時國學置鄭、
王《易》，杜、服《春秋》，何氏《公羊》，麋氏《穀梁》。澄謂尚書
令王儉曰："晉泰元舊有麋信注，逮顏延之爲祭酒，益以范寧，
麋猶如故，恐不足兩立，必謂范善，便當除麋。"儉答曰："《穀
梁》小書，無俟兩注，存麋略范，率由舊式。"

　　《釋文·敘錄》：麋信注《穀梁》十二卷。

　　《唐書·經籍志》：《春秋穀梁傳》十二卷，麋信注。

　　《唐書·藝文志》：麋信注《穀梁》十二卷。

　　王謨《漢魏遺書鈔》曰："麋信於《禮記》並無注，而《月令》正義
於'反舌無聲'注下引麋信説。《太平御覽》又引作'麋信難
曰'，文亦互異，不知其何所據也。今並無考，唯從《穀梁傳
疏》鈔出麋氏注本二十二條，《釋文》七條，《史記注》一條。"

　　馬國翰玉函山房輯本序曰："楊士勛《疏》引或作麋信。《禮記

正義》引其説'反舌'事,又作糜信。當依《釋文》、《隋志》作糜信。《册府元龜》糜信外,復出康信。《太平御覽》引《穀梁注》作庾信,並誤也。從楊《疏》、《釋文》及《御覽》輯録爲卷。如'討'作'糾','蒐'作'搜','射'作'亦','鍾'作'童','宮'作'官',本多異字。五麾、五兵、五鼓説同徐邈。皆必有所承受,惜不可考已。"

侯氏《補三國藝文志》曰:"按《穀梁疏》於范注之略者,每引糜信補之,其文當校范爲詳,故晉泰元立《穀梁》博士用糜注,至齊猶然。今考其書之異於范氏者,凡四條;經傳文之異於范氏者,凡五條。"

余蕭客《古經解鉤沉·敍録》曰:"糜信《穀梁音》見《釋文》引。"按此音陸氏不明著于録,似附入本注,不别爲編。

穀梁傳十卷　晉堂邑太守張靖注

梁沈約《謚例》序有曰:"今《謚法》二篇,卷後有靖案云云。約按靖應是張靖,晉江左人也。"

嚴可均《全晉文編》曰:"張靖,泰始末太常博士。"

又曰:"《通典》八十二'泰始十年,武元楊皇后崩,博士張靖議皇太子服'一事。又九十三'咸寧二年,安平穆王薨,嗣子上繼獻王後,移問太常應何服,博士張靖答'一事。"按此二事皆在太康混一之前,是張靖爲晉初人也,非江左人也。

《唐書·經籍志》:《春秋穀梁傳》十一卷,張靖集解。

《唐書·藝文志》:張靖《集解》十一卷。

梁有《春秋穀梁傳》十三卷,晉給事郎徐乾注。亡。

《釋文·敍録》:徐乾《穀梁注》十三卷。字文祚,東莞人,東晉給事中。

《唐書·經籍志》:《春秋穀梁傳》又十三卷,徐乾注。

《唐書·藝文志》:徐乾注十三卷。

嚴可均《全晉文編》曰："徐乾，太元中太學博士。安帝時，進給事中，有《穀梁傳注》十二卷。"

馬國翰玉函山房輯本序曰："范《注》引六節，楊《疏》引一節，據輯。研究書法日與不日之例，全書之旨，概可知矣。"

梁有《春秋穀梁傳》十卷，胡訥集解。亡。

嚴可均《全晉文編》曰："胡訥，永和末太學博士。"

又曰："《通典》五十九'升平元年八月，符問迎皇后大駕，應作樂不？博士胡訥議婚不舉樂'。又七十四'升平元年議陳留王廢疾，求立後事'。"按晉穆帝永和之末，改元升平。符問者，尚書符太常。符其長官，以公牘詢問也。

《釋文・敍錄》：胡訥《穀梁集解》十卷。不著字、里、官位。

按胡訥別有《三傳評》等書三部，詳見於後。是書《釋文》載之穀梁家之末。《唐志》不著錄。其人蓋與徐邈、徐乾、范寧同時。

春秋穀梁傳十六卷　程闡撰

程闡始末未詳。

《唐書・經籍志》：《春秋穀梁經傳》十六卷，程闡集注。

《唐書・藝文志》：程闡《經傳集注》十六卷。

春秋穀梁傳十四卷　孔衍注

孔衍有《公羊集解》，見前。

《釋文・敍錄》：穀梁家孔衍集解十四卷。

《唐書・經籍志》：《春秋穀梁傳》十三卷，孔衍訓注。

《唐書・藝文志》：孔衍《訓注》十三卷。

孔繼汾《闕里文獻考》：先聖二十代孫，晉廣陵太守衍有《左氏訓注》十三卷、《公羊集解》十四卷、《穀梁訓注》十四卷。《唐志》十三卷。按此云《左氏訓注》十三卷，本志及《釋文》、《唐志》皆不載，或其家傳中有之。

春秋穀梁傳十二卷　徐邈撰

徐邈有《左氏音》，見前。

《晉書·儒林傳》：邈所注《穀梁傳》，見重於時。

又《范寧傳》：初，寧爲《穀梁集解》，爲世所重。既而徐邈復爲之注，世亦稱之。

《釋文·敍錄》穀梁家：徐邈注十二卷。

《唐書·經籍志》：“《春秋穀梁》十二卷，徐邈注。”

《唐書·藝文志》：徐邈注十二卷。

《四庫》著錄《穀梁注疏》提要曰：“《晉書·范寧傳》稱寧此書爲世所重，既而徐邈復爲之注，世亦稱之。今考書中乃多引邈注，未詳其故。”

阮元《穀梁注疏校勘記序》曰：“《晉書·范傳》云徐邈復爲之注，世亦稱之。似徐在范後，而書中乃引邈注一十有七，可知邈成書於前，范寧得以捃拾也。讀《釋文·注解傳述人》亦可得其後先矣。”

春秋穀梁傳十四卷　段肅注。疑漢人。

《釋文·敍錄》穀梁家：段肅注十二卷。不詳何人。

《唐書·經籍志》：《春秋穀梁傳》十三卷，段氏注。

《唐書·藝文志》：《春秋穀梁傳》段肅注十三卷。

惠棟《九經古義》曰：“《經典·序錄》云《穀梁》有段肅注，不詳何人。《隋志》云疑漢人。棟案《後漢·班固傳》固奏記東平王云：‘弘農功曹史殷肅，達學洽聞，才能絕倫，誦《詩》三百，奉使專對。’章懷注云：‘固集殷作段，然則殷肅即段肅也。’劉氏《史通》言肅與京兆祭酒晉馮嘗撰《史記》，以續史遷之書。”

按《史通·正史篇》云：“《史記》所書，年止漢武。太初已後，闕而不錄。其後劉向、向子歆及諸好事者，若馮商、衛衡、揚雄、史岑、梁審、肆仁、晉馮、段肅、金丹、馮衍、韋融、蕭奮、劉恂等，相次撰續，迄于哀、平間。"肅蓋兩漢間人，當哀、平、王莽之世，嘗居史職，續《太史公書》。時劉歆爲國師，領五經，典儒林史卜之官，肅從事於其間歟。班氏奏記稱'弘農功曹史'，則明帝初所居郡職，似即弘農人。

春秋穀梁傳五卷　孔君指訓。殘缺。梁十四卷。一本作《措訓》，又作《揩訓》。

嚴可均《全宋文編》曰："孔默之，魯國魯人。元嘉初，爲尚書右丞兼散騎常侍，轉左丞，尋出爲廣州刺史，以贓免。有《春秋穀梁傳注》。《隋志》有孔君措訓《穀梁傳》五卷，殘闕，梁十四卷。未知即此否。"按孔默之附見《宋書·隱逸·孔淳之傳》。

吳縣余蕭客《古經解鈎沈·敍錄》曰："孔晁《穀梁傳指訓》五卷，《隋書》、《通志》俱作孔君，不言名。而程端學《春秋本義》十四卷引孔晁《指訓》。"按孔晁有《尚書義問》，見前書類。

常熟丁國鈞《補晉書藝文志》曰："孔君不詳何人。余蕭客《古經解鈎沉》二十三引孔晁《指訓》言：'陽氣伏於陰下，見迫於陰，故不升，以至地動。'云出《春秋本義》，是則孔君爲晁無疑。"

春秋穀梁傳十二卷　范寧集解

范寧有《古文尚書注》，見前書類。

寧自序略曰："升平之末，歲次大梁，先君北蕃迴軫，頓駕於吳，乃帥門生故吏、我兄弟子姪，研講六籍，次及三《傳》。《左氏》則有服、杜之注，《公羊》則有何、嚴之訓。釋《穀梁》者雖近十家，皆膚淺末學，不經師匠，辭理典據，既無可觀，又引《左氏》、《公羊》以解此傳，文義違反，斯害也已。於是乃商略名例，敷陳疑滯，博示諸儒同異之説。昊天不弔，大山其頹，匍匐墓次，死亡無日。日月逾邁，跂及視息。乃與二三學士及諸子弟各記所識，并言其意。業未及終，嚴霜夏墜。從弟彫落，二子泯没。天實喪予，何痛如之！今撰諸子之言，各記其姓名，曰《春秋穀梁傳集解》。”

《晉書・范汪傳》：汪爲安北將軍，徐、兗二州刺史。桓温北伐，以失期，免爲庶人。屏居吳郡，從容講肆。子寧最知名。初，寧以《春秋》穀梁氏未有善釋，遂沉思積年，爲之集解。其義精審，爲世所重。

《釋文・叙録》穀梁家：范寧《集注》十二卷。

《唐書・經籍志》：《春秋穀梁傳》又十二卷，范寧集注。

《唐書・藝文志》：范寧《集注》十二卷。

《宋史・藝文志》：范寧《穀梁傳》十二卷。

晁氏《讀書志》：《穀梁》自漢、魏以來，爲之注解者，有尹更始、唐固、糜信、孔演、按即孔衍。江熙等十數家，而范寧以爲膚淺，於是帥其長子參、按當爲泰。中子雍、小子凱、從弟邵及門生故吏，商略名例，博采諸儒同異之説，成其父汪之志。嘗謂三《傳》之學，《穀梁》所得最多，諸家之解，范寧之論最善。

陳氏《書録解題》曰：“寧《序》云‘升平之末，先君税駕於吳’云云者，蓋寧父汪爲徐、兗二州北伐失利，屏居吳郡時也。汪没之後，始成此書。所集諸家之説，皆記姓名，其稱‘何休曰’及‘鄭君釋之’者，即所謂《發墨守》、起《廢疾》也；稱‘邵曰’者，寧從弟也；稱‘泰曰’、‘雍曰’、‘凱曰’者，其諸子也。汪，范晷之孫。晷在《良吏傳》。自晷之泰，五世皆顯於時。寧父子、祖孫同訓釋經傳行於後世，可謂盛矣！泰之子蔚宗，亦著《後漢書》，以不軌誅死，其家始亡。”

《四庫提要》曰：“《漢書・藝文志》載《公羊》、《穀梁》二家經十一卷，傳亦各十一卷。則經、傳初亦別編。范寧《集解》乃併經傳注之，疑即寧之所合。”又《簡明目録》曰：“《穀梁》與《公羊》同師而傳，義之精者，《公羊》或弗能及。寧注矜慎，亦密於何休。"

光緒十年,日本使者遵義黎庶昌《刻古逸叢書敍録》曰:"影宋紹熙本《穀梁傳》十二卷,范寧集解。此與揚州汪氏問禮堂繙刻《公羊傳》,同爲建安余氏家塾本,有'余氏萬卷堂藏書記'。此次橅刻俱精云。"

梁有《穀梁音》一卷。

不著撰人。

> 按《魏書·劉芳傳》:"芳著何休所注《公羊》音、范寧所注《穀梁》音各一卷。"似即此書。

春秋穀梁傳四卷,殘缺。張、程、孫、劉四家集解。

《經義考》曰:"按四家集解當是張靖、程闡、孫毓、劉瑶。"按《公羊序》疏作劉瑶,或作劉珧,似皆是劉兆之誤。

> 按《舊》、《新唐志》徐邈之後,有沈仲義《穀梁集解》十卷,似即此書。沈仲義不知何人。自唐固、尹更始至此,皆《穀梁》傳注之屬。音義止一家,故附於范注之次。尹更始附注於唐固書後,編次實爲無法。

糜信理何氏漢議二卷　魏人撰

糜信有《春秋説要》、《穀梁傳注》,並見前。

> 按《唐·經籍志》有何氏《春秋漢議》十一卷,何休撰,鄭玄駁,糜信注。《唐·藝文志》十卷,亦云糜信注。本志唯載鄭氏駁二卷,見前左氏學家。此大抵魏人所編糜注之别本,假糜氏之説以申理何氏者,然列之穀梁家中,所未喻也。

春秋穀梁傳義十卷　徐邈撰

徐邈有《左氏傳音》、《穀梁傳注》,並見前。

《唐書·經籍志》:《春秋穀梁傳義》十二卷,徐邈注。《春秋穀梁音》一卷,徐邈撰。按《新志》此《傳義》十二卷,似因"傳注"而譌。音一卷,本志及《釋文‧敍録》皆不載。

《唐書‧藝文志》：徐邈注十二卷，又《傳義》十卷，《音》一卷。馬氏輯本序曰："《隋志》有《春秋穀梁傳》十二卷，《穀梁傳義》十卷，並題徐邈撰。又別有徐邈《答穀梁義》三卷，《唐志》又有《音》一卷。今並佚。《注疏》引九十一節，《北堂書鈔》引二節，《初學記》引一節，並據輯録。《注》、《義》二書，不能區分，總以《注義》題之。本傳稱所注《穀梁傳》，見重於時，范爲集解，引述獨多，則以其書辭理典據，實有可觀，亦以爲豫章時采求風教。邈與寧書，極論其事，心折有素，序所謂二三學士者，徐當其選。乃楊《疏》於范氏門生故吏指謂江、徐。又以所譏近十家膚淺末學，列徐仙民名於七，失於深考矣。"按邈與寧書見《晉書‧儒林傳》。又云："初，范寧與邈皆爲孝武帝所任使，共補朝廷之闕。"蓋徐、范本同官，范所謂近十家者，意固不在徐仙民也。楊《疏》稱爲"江徐"者，江即江熙，有《公穀二傳評》，見後。江在門生故吏之列，亦非在十家膚淺之中也。馬氏所考良是。

　按傳義似義疏、講疏之類，後又有徐邈《答穀梁義》。蓋答蕭邕之問。《唐志》亦作《傳義》，疑即在此十卷中也。

春秋議十卷　何休撰

何休有《公羊解詁》及《謚例》、《條例》、《墨守》等書，並見前公羊家。

《唐日本國見在書目》：《春秋漢議》十卷，何休撰。

　按何氏《春秋漢議》十三卷，本志已著録於前。此十卷殆其別本。《漢議》爲《公羊》之學，不知何以列在穀梁家之內。又不與前糜信《理何氏漢議》之書爲伍，而雜廁於徐氏諸書之中，豈轉寫之失耶？何雜出不倫，至於如此也。

徐邈答春秋穀梁義三卷

　按《唐‧藝文志》有蕭邕《問傳義》三卷，似即此書。《唐‧經籍志》云："《穀梁傳義》三卷，蕭邕注。"與徐邈《傳義》相

類從，則又甚似此書矣。然則此書爲蕭邕所譔録。邕不知
何人。

薄叔玄　問穀梁義二卷。梁四卷。

馬國翰曰："薄叔玄《問穀梁義》，晉范寧撰。范作《集解》，叔
玄有所駁問，范隨問，逐條答之，仿鄭氏《釋廢疾》之體例也。
今佚。楊士勛《疏》引十二節，全載問答者四節，内有一節明
載薄氏駁，隱括范答，其八節皆載范答薄氏語。大指論辯義
例。叔玄，未詳何人，與范同時，治《穀梁》之學者也。"王氏《漢魏
遺書鈔》亦輯存一本。

春秋穀梁傳例一卷　范寧撰

范寧有《穀梁傳注》，見前。

寧《穀梁集解》序有曰："於是商略名例，敷陳疑滯，博示諸儒
同異之説。"楊士勛釋曰："商略名例者，即范氏别爲《略例》百
餘條是也。"

《四庫》著録《穀梁注疏》提要曰："又寧自序有'商略名例'之
句，《疏》稱寧别有《略例》百餘條。此本不載，然注中時有'傳
例曰'字，或士勛割裂其文，散入注疏中歟？"

王謨《漢魏遺書鈔》曰："謨按范氏傳例，凡已見《集解》者，無容
贅録。今唯鈔出楊氏《疏》中所引《略例》别例，共二十四條。"

　按自糜信至此六部，爲穀梁家雜義、問答、條例之類。其雜
入何氏《漢議》兩部，最無倫類。

以上穀梁學。

春秋公羊穀梁傳十二卷　晉博士劉兆撰

《晉書·儒林傳》：劉兆字延世，濟南東平人。漢廣川惠王之
後也。博學洽聞，温篤善誘，從受業者數千人。武帝時，五辟
公府，三徵博士，皆不就。安貧樂道，潛心著述，不出門庭數
十年。以《春秋》一經，三家殊塗，諸儒是非之議紛然，互爲讎

敵，乃思三家之異，合而通之。《周禮》有調人之官，作《春秋調人》七萬餘言，皆論其首尾，使大義無乖。時有不合者，舉其長短以通之。又爲《春秋左氏》解，名曰《全綜》，《公羊》、《穀梁》解詁皆納經傳中，朱書以別之。又撰《周易訓注》，以正動二體互通其文。凡所讚述百餘萬言。年六十六卒。

《唐書·經籍志》：《春秋公羊穀梁左氏集解》十一卷，劉兆撰。

《唐書·藝文志》：劉兆《三家集解》十一卷。

王氏《漢魏遺書鈔》曰："《經義考》並載劉兆《公穀解詁》、《三家集解》、《左氏全綜》、《春秋調人》四書，均佚，亦別無考證。今僅從《經典釋文》鈔出《集解》五條，又《文選注》二條。"

馬國翰曰："本傳載兆所著有《春秋調人》、《春秋全綜》，《唐志》作《三傳集解》十一卷。蓋合《全綜》爲一書，而復少一卷也。今佚。輯録十節，皆訓《公》《穀》之義，與今本文異者，足資考證。其《調人》則泯絕不可復覩矣。"

春秋穀梁廢疾三卷　　何休撰，鄭玄釋，張靖箋。

何休、鄭玄、張靖及《穀梁廢疾》，並見前。

《唐書·經籍志》：《春秋穀梁廢疾》三卷，何休作，鄭玄釋，張靖箋。

《唐書·藝文志》：何休《穀梁廢疾》三卷，鄭玄釋，張靖成。

按此爲張靖箋釋本，不知何以列之於此。豈以此書亦關涉公、穀二家歟？本志作"箋"，《舊唐志》作"箴"，《新志》作"成"。三《志》不同，未詳孰是。似"成"爲"箴"字之誤，"箴"又爲"箋"字之誤也。

春秋公羊穀梁二傳評三卷

不著撰人。

《唐書·經籍志》：《春秋公羊穀梁二傳評》三卷，江熙撰。

《唐書·藝文志》：江熙《公羊穀梁二傳評》三卷。

馬國翰曰：“《隋志》此書不著名氏，《唐志》題江熙。今佚。范
寧注引十九節，據輯。按范《序》云：‘先君北蕃迴軫，頓駕於
吳，乃率門生故吏、我兄弟子姪，研講六籍，次及三《傳》。’又
云：‘釋《穀梁》者近十家，皆膚淺末學，不經師匠。’楊士勛
《疏》門生、同門、後生、故吏，謂昔日君臣江、徐之屬是也。又
解十家有江熙，熙評二《傳》，非專釋《穀梁》。且范解亟取其
説，而無所斥駁。所謂與二三學士及諸子弟各記所識，并言
其意，當不在十家之内也。”按楊《疏》以徐邈爲故吏，[①]則不然。以江熙爲
故吏，則誠有之。蓋范汪爲徐、兗二州刺史，江爲兗州別駕，是故吏也。

按江熙有《毛詩注》，見前詩類。自劉兆至此三家，似又以
言二《傳》者爲一類，然以劉兆書爲二《傳》，實非也。

春秋三家經本訓詁十二卷　賈逵撰

賈逵有《左氏長經章句》、《左氏解詁》、《釋訓朱墨列》，並
見前。

《漢書·藝文志》：《春秋古經》十二篇，《經》十一卷。公羊、穀
梁二家。按此即三家經本，《左氏經》十二篇，《公》、《穀》二家《經》各十一卷也。
《古經》者，古文經也。下文但言經不言古者，爲今文可知也。

《毛詩正義》曰：“漢初，爲傳訓者，皆與經別行。三《傳》之文，
不與經連，故石經書《公羊傳》，皆無經文。”

陸氏《春秋左氏音義》曰：“舊夫子之經與丘明之傳各卷。”又
曰：“孔子作《春秋》，終於獲麟之一句，《公羊》、《穀梁》經是
也。弟子欲記聖師之卒，故采魯史記以續夫子之經，而終於
魯哀十六年。”又曰：“《左氏經》五千二百三字。《公羊經》五
千六百三字。《穀梁經》五千三百八十三字。”

《唐書·經籍志》：《春秋三家經訓詁》十二卷，賈逵撰。

---

① “楊”，原作“徐”，據上下文意改。

《唐書·藝文志》：賈逵《春秋三家訓詁》十二卷。

侯康《補後漢書藝文志》曰：“康按《公羊》莊十一年‘宋萬弒其君接’。《疏》引賈氏云：‘《公羊》、《穀梁》曰接。’<small>按《左氏》經作</small>“捷”。昭四年‘大雨雹’，《疏》引賈氏云：‘《穀梁》作大雨雪。’<small>按《左氏》經亦作“雹”。</small>五年，《疏》引賈氏云：‘秦伯螢。’《穀梁傳》云‘秦伯偃’。<small>按賈氏此條本在文十八年‘秦伯罃卒’之下，徐《疏》取證於此。</small>定十年‘宋樂世心出奔趙’，《疏》云：‘世字亦有作泄字者，故賈氏言焉。’<small>按《左氏》經作“樂大心”。</small>哀四年‘亳社災’，《疏》引賈氏云：‘《公羊》曰薄社。’<small>按《左氏》經作“亳社”。</small>皆此書中語也。又定十年‘叔孫州仇、仲孫何忌帥師圍費’，《疏》云：‘《左氏》、《穀梁》此費字皆爲郈。賈氏不云。《公羊》曰：費者，蓋文不備，或所見異也。’‘齊侯、衛侯、鄭游遫，會於牽’，《疏》云：‘《左氏》、《穀梁》作安甫。賈氏不云。《公羊》曰：牽者，亦是文不備。’十五年‘齊侯、衛侯次於籧篨’，《疏》云：‘《左氏》作籧挐<small>按今本《左氏》經作渠蒢字。</small>賈氏無説，文不備也。’據此數條知此書體例於《左氏》經文之異《公》、《穀》者，必釋之曰《公》、《穀》作某。故偶有未言，徐彦即以爲不備也。”<small>按不備，謂有所略也。</small>

　按范《書》本傳云：“雖爲古學，兼通五家《穀梁》之説。”此言其通《春秋》古今之學也。又云“肅宗詔令撰歐陽、大小夏侯《尚書》古文同異。逵集爲三卷，帝善之，復令撰齊、魯、韓《詩》與毛氏異同”云云。此與《書》、《詩》異同相類，或亦承詔撰述，史略其事歟？五家《穀梁》説，即宣帝時，大議殿中之尹更始等五人。

宋有《三家經》二卷，亡。

　按此言宋有者，謂王儉《七志》也。本志引《七志》唯見此條，亦疑仍是“梁”字之誤。然所見諸本皆云“宋有”，知非傳譌矣。三家經本，唯《漢·藝文志》著録。凡《左氏》經十二卷，《公》、《穀》二家十一卷。此二卷，大都《左氏》一卷、《公》《穀》一卷，莫詳其所由來。

春秋三傳論十卷　魏大長秋韓益撰

韓益與田瓊同撰《尚書釋問》，見前書類。

《唐書·經籍志》：《春秋三傳論》十卷，韓益撰。一本作"楊益"，誤。

《唐書·藝文志》：韓益《三傳論》十卷。

春秋經合三傳十卷　潘叔度撰

春秋成奪十卷　潘叔度撰

《北齊書·儒林傳》：河北諸儒能通《春秋》者，並服子慎所注，亦出徐生之門。謂徐遵明也。張買奴等八人，並得服氏之精微。又有衛覬、陳達、潘叔度，雖不傳徐氏之門，亦爲通解。

錢大昕《北史儒林傳考異》曰："又有衛覬、陳達、潘叔度，此三人皆傳服氏《春秋》者。"按《北史》作"叔虔"，隋、唐三志皆作"叔度"。

《唐書·經籍志》：《春秋合三傳通論》十卷，潘叔度注。《春秋成集》十卷，潘叔度注。

《唐書·藝文志》：潘叔度《春秋成集》十卷，又《合三傳通論》十卷。

　按《唐志》作"成集"。《通志·藝文略》引作"成奪"，與本志同。

春秋三傳評十卷　胡訥撰。梁有《春秋集三師難》三卷、《春秋集三傳經解》十卷，胡訥撰。今亡。　《三傳評》一本作《二傳評》。

胡訥有《穀梁集解》，見前。

《唐書·經籍志》：《春秋三傳經解》十一卷，胡訥集解。《春秋三傳評》十卷，胡訥撰。

《唐書·藝文志》：胡訥集撰《三傳經解》十一卷，又《三傳評》十卷。

按《集三師難》三卷，兩《唐志》不載。

春秋土地名三卷　　晉裴秀客京相璠等撰

《通志・氏族略》：京相氏，不知其詳。本見《英賢傳》，望出濟南。晉京相璠作《春秋土地名》三卷。

《水經・穀水注》：京相璠與裴司空彥季修《晉輿地圖》，作《春秋土地名》。按《晉書・裴秀傳》："秀爲司空，作《禹貢地域圖》十八篇奏之。"璠等是書蓋作於其時，晉武帝泰始中也。

《唐書・經籍志》：《春秋土地名》三卷，不著撰人。

《唐書・藝文志》：京相璠《春秋土地名》三卷。

《通志・校讎略》曰："書有名亡而實不亡者，京相璠《春秋土地名》可見於杜預《地名譜》、桑欽《水經》。"

王謨《漢魏遺書鈔》曰："《左傳正義》所引《土地名》乃杜預《釋例》中篇目，與京相璠《土地名》自有詳略，非一書也。今故分別注釋。凡鈔出《水經注》共九十條、《史記》注二條、《路史・國名紀》二條。"

馬國翰輯本序曰："《隋志》云'京相璠等'，則非出一人之手。《水經注》引百餘則，《初學記》亦引之，裒録爲帙。"

《孫祠書目》：京相璠《春秋土地名》一卷，洪頤煊集本。

　　按自賈逵至此九部，皆三《傳》之屬。附以《土地名》，爲一類。

　　以上二傳、三傳總義。

春秋外傳國語二十卷　　賈逵注

賈逵有《三家經本訓詁》等書，凡五部，並見前。

《後漢書》本傳："逵父徽從劉歆受《左氏春秋》，兼習《國語》。逵悉傳父業，尤明《左氏傳》、《國語》，爲之解詁五十一篇。永平中，上疏獻之。顯宗重其書，寫藏祕館。"章懷太子曰："《左氏》三十篇，《國語》二十一篇也。"

《漢書·司馬遷傳》贊曰:"及孔子因魯史記而作《春秋》,而左丘明論輯其本事以爲之傳,又纂異同爲《國語》。故司馬遷據《左氏》、《國語》。"

又《藝文志》:"春秋家《國語》二十一篇,左丘明著。"

吳韋昭《國語解》序曰:"昔孔子發憤於舊史,垂法於素王,左丘明因聖言以攄意,託王義以流藻,其淵原深大,沈懿雅麗,可謂命世之才,博物善作者也。其明識高遠,雅思未盡,故復采録前世穆王以來,下訖魯悼、智伯之誅,邦國成敗,嘉言善語,陰陽律吕,天時人事逆順之數,以爲《國語》。其文不主於經,故號曰'外傳'。所以包羅天地,探測禍福,發起幽微,章表善惡者,昭然甚明,實與經藝並陳,非特諸子之倫也。遭秦之亂,幽而復光,賈生、史遷頗綜述焉。及劉光禄於漢成世始更考校,是正疑謬。至於章帝,鄭大司農爲之訓注,解疑釋滯,昭晰可觀,至於細碎,有所闕略。侍中賈君,敷而衍之,其所發明,大義略舉,爲已憭矣。然於文間,時有遺忘。"

《史通·六家篇》:《國語》家者,其先亦出於左丘明。既爲《春秋内傳》,又稽其佚文,纂其别説,分周、魯、齊、晉、鄭、楚、吳、越八國事,起自周穆王,終於魯悼公,别爲《春秋外傳國語》,合爲二十一篇。其文以方《内傳》,或重出而小異。然自古名儒賈逵、王肅、虞翻、韋曜之徒,並申以注釋,治其章句。此亦六經之流、三《傳》之亞也。

《唐書·經籍志》:《春秋外傳國語》二十卷,左丘明撰。按本志載《國語》注釋者凡六家,兩《唐志》並著於録。此卷數與本志同,蓋即賈氏《解詁》漏未注明者,《新志》因之。宋庠《補音序》謂賈注唐已亡。由此而誤。

《唐書·藝文志》:左邱明《春秋外傳國語》二十卷。

《四庫提要》曰:"《國語》出自何人,説者不一,然終以漢人所説左邱明爲近;所記之事與《左傳》俱迄智伯之亡,時代亦復相合。中有與《左傳》未符者，猶《新序》、《説苑》同出劉向而時復牴牾。蓋古人著書，各據所見之舊文，疑以存疑，不似後人輕改也。《漢志》：二十一篇。其諸家注本，《隋志》賈逵本二十卷。今韋昭注中引賈、唐二家援據駁正者爲多。”

又曰：“案《國語》二十一篇，《漢志》雖載《春秋》後，然無《春秋外傳》之名也。《漢書·律曆志》始稱《春秋外傳》。王充《論衡》云：‘《國語》，《左氏》之外傳也。《左氏》傳經，詞語尚略，故復選録《國語》之詞以實之。’劉熙《釋名》亦云：‘《國語》亦曰《外傳》。《春秋》以魯爲内，以諸國爲外，外國所傳之事也。’考《國語》上包周穆王，下暨魯悼公，與《春秋》時代首尾皆不相應，其事亦多與《春秋》無關。係之《春秋》，殊爲不類。至書中明有《魯語》，而劉熙以爲外國所傳，尤爲舛迕。附之於經，於義未允。《史通》六家，《國語》居一，實古左史之遺。今改隸之雜史類焉。”

王謨《漢魏遺書鈔》曰：“謨案宋庠《國語補注序録》云：‘今惟韋氏《解》傳於世，諸家章句遂無存者。’然當唐世賈書實自别行，故李善注《文選》，每並引賈逵、韋昭《國語注》，而韋解多即賈注。其稱賈、唐二君，蓋兼唐固；或稱三君，則兼虞翻也。今從韋《解》内鈔出八十一條，又《文選注》九十條、《史記集解》十二條、《後漢書注》三條、《經典釋文》三條、《藝文類聚》一條、《書鈔》七條、《初學記》二條。”馬氏玉函山房輯存二卷二百五十九條。又輯存鄭衆章句五條。

張氏《書目答問》：《國語三君注輯存》四卷，汪遠孫自刻本。

按近時有人從東洋傳來唐釋慧琳《大藏音義》一百卷、元釋希麟《續音義》十卷、唐本《玉篇》三卷半。此三書引賈氏《國語注》至多。皆諸家輯録所未見，必有人起而增續之也。

春秋外傳國語二十一卷　　虞翻注

虞翻有《周易注》，見前易類。

《吳志》本傳：翻徙交州，雖處罪放而講學不倦，門徒常數百人。又爲《老子》、《國語》訓注，皆傳於世。

《唐書·經籍志》：《春秋外傳國語》二十一卷，虞翻撰。

《唐書·藝文志》：虞翻注《國語》二十一卷。

侯康《補三國藝文志》曰：“按韋昭《解》内時稱賈、唐二君，或稱三君，則兼虞仲翔也。”

馬國翰曰：“按韋昭《國語解序》云‘因賈君之精實，采唐、虞之信善’，則凡稱三君者，賈、唐、虞也。從韋《解》、《左傳正義》、《史記集解》、《水經注》、《後漢書注》、《初學記》輯録，凡三十七節。”

春秋外傳章句一卷　　王肅撰。梁二十一卷。

王肅有《左傳注》，見前。

《唐書·經籍志》：《春秋外傳國語章句》二十二卷，王肅注。

《唐書·藝文志》：王肅注《國語章句》二十二卷。

宋庠《國語補音序》曰：“王肅《國語章句》，梁有二十二卷。《唐志》亦云。”按此則今本作梁有二十一卷者，後人所改也。《四庫提要》亦云：“《隋志》王肅本二十二卷。”

按韋弘嗣注書與王子雍同時，而稍稍在其後。今考韋《序》，但述鄭、賈、虞、唐四家，知其時王氏《章句》尚不傳於江表。

春秋外傳國語二十二卷　　韋昭注

韋昭有《毛詩答雜問》，見前詩類。

昭自序略曰：“鄭大司農有所闕略，侍中賈君時有遺忘，會稽虞君、丹陽唐君猶有異同。昭以末學，階數君之成訓，思事義之是非，愚心頗有所覺。今諸家並行，是非相貿，雖聰明疏達識機之士知所去就，然淺聞初學猶或未能袪過，切不自料，復爲之解。因賈君之精實，采虞、唐之信善，亦以所覺，增潤補綴，參之以五經，檢之以《內傳》，以《世本》考其流，以《爾雅》齊其訓，去非要，存事實，凡所發正三百七事。又諸家紛錯，載述爲煩，是以時有所見，庶幾頗近事情，裁有補益。猶恐人之多言，未詳其故，欲世覽者，必察之也。"

《唐書·經籍志》：《春秋外傳國語》又二十一卷，韋昭注。

《唐書·藝文志》：韋昭注《國語》二十一卷。

《宋史·藝文志》：左丘明《春秋外傳國語》二十一卷，韋昭注。

《崇文總目》：《春秋外傳國語》二十一卷，吳侍中、領左國史、亭陵侯韋昭解。昭參引鄭衆、賈逵、虞翻、唐固合凡五家爲注，自所發正者三百十事。按《自序》云三百七事。

宋庠《國語補音》序曰："當漢出《左傳》，不立學官，故此書亦勿顯。逮東漢，《左傳》漸布，《國語》亦從而大行。先儒自鄭衆、賈逵、王肅、虞翻、唐固、韋昭之徒，並治其章句，申之以注釋。今惟韋氏所解傳於世，韋氏以鄭、賈、虞、唐爲主而增損之，故其注備而有體，可謂一家之名學。"

宋黃震《日鈔》曰：《國語》宏衍精潔，韋昭注文亦簡切稱之。

《四庫》史部雜史類提要曰："《國語》，《漢志》作二十一篇。其諸家所注，《隋志》虞翻、唐固本皆二十一卷，王肅本二十二卷，賈逵本二十卷，互有增減。蓋偶然分併，非有異同。惟昭所注本，《隋志》作二十二卷。而此本首尾完具，實二十一卷。諸家所傳南北宋版，無不相同。知《隋志》誤也。昭自序稱凡所發正三百七事。今考注文之中，昭自立義者，不過六十七事。合以所正譌字、衍文、錯簡，亦不足三百七事之數。其傳寫有誤，以六十爲三百歟？《崇文總目》作三百十事，又'七事'轉譌也。自鄭衆《解詁》以下，諸書並亡。《國語》注存於

今者,惟昭爲最古。黄震《日鈔》嘗稱其簡潔,而先儒舊訓亦
往往散見其中。"

春秋外傳國語二十卷　晉五經博士孔晁注

孔晁有《尚書義問》,見前書類。

《唐書·經籍志》:《春秋外傳國語》又二十一卷。不著注解人姓
名,知爲孔氏是書。

《唐書·藝文志》:孔鼂解《國語》二十一卷。

馬氏玉函山房從《左傳正義》、宋庠《補注》輯存《周語》五條,
《魯語》六條,《晉語》十九條,《鄭語》三條,《楚語》、《吳語》、
《越語》各一條。

春秋外傳國語二十一卷　唐固注

唐固有《穀梁傳注》,見前。

韋昭《國語注》序曰:"建安、黄武之間,故侍御史會稽虞君、
尚書僕射丹陽唐君,皆英才碩儒、洽聞之士也,采摭所見,因
賈爲主而損益之。觀其辭義,信多善者,然所理釋,猶有
異同。"

《唐書·經籍志》:《春秋外傳國語》又二十一卷,唐固注。

《唐書·藝文志》:唐固注《國語》二十一卷。

侯康《補三國藝文志》:《經義考》曰:"固注《國語》'農祥晨
正'云:'農祥,房星也。晨正,晨見南方,謂三春之日。'《初學
記》引之,餘見韋注者多。按《史記集解》亦屢引唐《注》。"按近
傳唐本《玉燭寶典》引唐固《注》甚多,皆諸家所未及見。

王謨輯賈氏《解詁》序録曰:"内附唐固注三十餘條,不別
爲卷。"

馬國翰玉函山房輯存《周禮》二十二條、《魯語》十三條、《齊
語》六條、《晉語》二十六條、《鄭語》七條、《楚語》六條、《吳語》
八條、《越語》四條。

梁有《春秋古今盟會地圖》一卷，亡。

　　不著撰人。

　　常熟丁國鈞《補晉書藝文志》曰："《七録》是書不載撰人名，實即杜氏書也。本在《釋例》中，蓋當時別出單行者。觀《預傳》言'又作《盟會圖》'云云，知是篇孤行久矣。"

　　以上外傳。

右九十七部，九百八十三卷。通計亡書，合一百三十部，一千一百九十卷。實著録一百四部，附注亡書三十二部，通計一百三十六部。

卷七

經部七

孝經類　類中分類凡二。

古文孝經一卷　孔安國傳。梁末亡逸。今疑非古本。

孔安國有《古文尚書傳》，見前書類。

《漢書·藝文志·孝經》："經文唯孔氏壁中古文爲異。'父母生之，續莫大焉'、'故親生之膝下'，諸家説不安處，古文字讀皆異。"瓚曰："《孝經》云'續莫大焉'，而諸家之説各不安處之也。"師古曰："桓譚《新論》云《古孝經》千八百七十二字，今異者四百餘字。"

又曰："《孝經古孔氏》一篇，二十二章。"師古曰："劉向云古文字也。《庶人章》分爲二也，《曾子敢問章》爲三，又多一章，凡二十二章。"

《釋文·敍録》曰："《孝經》古文出於孔氏壁中，別有《閨門》一章，分析十八章，總爲二十二章。孔安國作傳。"又曰："孔安國注《孝經》。"

本志篇敍曰："又有《古文孝經》，與《古文尚書》同出，而長孫氏有《閨門》一章，其餘經文，大較相似，篇簡缺解，又有衍出三章，并前合爲二十二章，孔安國爲之傳。梁代，安國及鄭氏二家，並立國學，而安國之本，亡於梁亂。至隋，祕書監王邵於京師訪得孔《傳》，送至河間劉炫。炫因講於人間，漸聞朝廷，後遂著令，與鄭氏並立。儒者諠諠，皆云炫自作之，非孔舊本，而祕府又先無其書。”

《唐書·經籍志》：《古文孝經》一卷，孔子説，曾參受，孔安國傳。

《唐書·藝文志》：《古文孝經孔安國傳》一卷。

《宋史·藝文志》：《古文孝經》一卷，凡二十二章。

《崇文總目》：《古文孝經》一卷，漢侍中孔安國注。班固《藝文志》有《孝經古文孔氏》一篇，二十二章。本出屋壁中，前世與鄭康成注並行。今孔注不存，而隸古文與章數存焉。按此則隋時所得孔氏《傳》又亡。

陳氏《書錄解題》：“《古文孝經》一卷，凡二十二章。比今文多《閨門》一章，餘三章分出，本亦出孔壁中。”又曰：“古文有孔安國《傳》，不行於世。劉炫爲作《稽疑》一篇，序所謂劉炫明安國之本者也。”又曰：“孔《傳》不可復見。”按此則南、北宋但存古文經本，無孔氏傳，甚明。

《四庫提要》：“《古文孝經孔氏傳》一卷，附宋本《古文孝經》一卷。舊本題‘漢孔安國傳，日本信陽太宰純音’。卷末乾隆丙申歙縣鮑廷博新刊跋，稱其友汪翼滄附市舶至日本，得於彼國之長崎澳。核其紀歲干支，乃康熙十一年所刊。前有太宰純序，稱‘古書亡於中夏，存於日本者頗多，而孔傳《古文孝經》全然尚存’云云。考世傳海外之本，別有所謂《七經孟子考文》者，亦日本人所刊。稱‘西條掌書記山井鼎輯，東都講官物觀補遺’。中有《古文孝經》一卷，亦云古文孔《傳》，中華所不傳，而其邦獨存。又云‘其真偽不可辨，末學微淺，不敢輕議’云云。則日本相傳，原有是書。此本核其文句，與山井鼎等所考大抵相應。惟山井鼎稱每章題下有劉炫《直解》。又有引及邢昺《正義》者，爲後人附録。此本無之，爲少異耳。其傳文雖證以《論衡》、《經典釋文》、《唐會要》所引，亦頗相

合。然淺陋冗漫，不類漢儒釋經之體，并不類唐、宋、元以前
人語，殆出自宋、元以後。觀山井鼎亦疑之，則其事固可知
矣。特以海外祕文，人所樂覬。使不實見其書，終不知所謂
《古文孝經孔傳》不過如此，轉爲好古者之所惜。故特録存
之，而具列其始末如右。”

阮元《孝經注疏校勘記》序曰：“《孝經》有古文，有今文，有鄭
注，有孔注，今不傳。近出於日本國者，誕妄不可據。要之孔
注即存，不過如《尚書》之僞傳，決非真也。”

　　按鮑氏《知不足齋叢書》所刊，附《宋本古文孝經》一卷，即
　　《崇文總目》、陳氏《書録》、《宋·藝文志》所載者是也。雖
　　非《漢志》之舊，猶是唐以來，相傳較孔傳爲近實。

孝經一卷　鄭氏注

鄭氏有《周易注》，見前易類。

《漢書·藝文志》：《孝經》一篇，十八章。

《後漢書·鄭玄傳》：“凡玄所注《周易》、《尚書》、《毛詩》、《儀
禮》、《禮記》、《論語》、《孝經》。”章懷太子曰：“案謝承書載玄
所注，與此略同。不言注《孝經》，唯此書獨有也。”

《釋文·敘録》：“世所行鄭注，相承以爲鄭玄。案《鄭志》及
《中經簿》無，唯中朝穆帝集講《孝經》，云以鄭玄爲主。檢《孝
經》注與康成注五經不同。未詳是非。江左中興，《孝經》、
《論語》共立鄭氏博士一人。《古文孝經》世既不行，今隨俗用
鄭注十八章本。”

本志篇敘曰：“又有鄭氏注，相傳或云鄭玄，其立義與玄所注
餘書不同，故疑之。”

《唐日本國見在書目》：《孝經》一卷，鄭玄注。

《唐書·經籍志》：《孝經》又一卷，鄭玄注。

《唐書·藝文志》：《孝經》鄭玄注一卷。

《宋史·藝文志》：鄭氏注《孝經》一卷。

《崇文總目》：《孝經》一卷，鄭康成注。先儒多疑其書，唯晉孫
炅《集解》以此注爲優，請與孔注並行，奏可。按孫炅即荀昶，見後。
集解即集議。今太學所立，陸德明《釋文》與此相應。五代兵興，
中原久逸其書。咸平中，日本僧以此書來獻，議藏祕府。

陳氏《書録解題》曰：“《孝經注》一卷，漢鄭康成撰。世傳秦火
之後，河間人顏芝得《孝經》，藏之以獻河間王，今十八章是
也。相承云康成作注，而《鄭志》目録不載，故先儒並疑之。
及唐開元中，詔議孔、鄭二家，劉知幾以爲宜行孔廢鄭，諸儒
非之，卒行鄭學。按《三朝志》，五代以來，孔、鄭注皆亡。周
顯德中，新羅獻別序《孝經》即鄭注者。而《崇文總目》以爲咸
平中日本國僧奝然所獻。未詳孰是。世少有其本，乾道中，
熊克子復從袁樞機仲得之，刻於京口。”

嚴氏《鐵橋漫稿·孝經鄭氏注敍》曰：“鄭氏注《孝經》，始見
《晉中經簿》。嘉慶初，我鄉鄭氏於海舶得日本所刊魏徵《群
書治要》，其中有《孝經》十七章，則鄭氏注也。兼得彼國所刊
鄭氏注專行本，與《治要》同。《治要》於經注有删節，又無《喪
親章》，非全本。余觀陸德明《經典釋文》，《孝經》用鄭氏注
本。明皇御注，亦用鄭氏注甚多。元行沖等《正義》逐條舉
出，云此依鄭注。又徧觀孔穎達《詩》、《禮記》正義，賈公彥
《儀禮》、《周禮》疏，失名《公羊疏》，裴駰《史記集解》，劉昭《續
漢志注補》，沈約《宋書》，蕭子顯《齊書》，劉肅《大唐新語》，王
溥《唐會要》，甄鸞《五經算術》，虞世南原本《北堂書鈔》，李善
《文選注》，徐堅《初學記》，釋慧苑《華嚴音義》，《白孔六帖》，
李昉《太平御覽》，樂史《太平寰宇記》，王應麟《玉海》，都引
《孝經》鄭氏注，彙而録之，以補《治要》之闕，注明出處，以備
覆查。考覈異同，酌加按語，不敢臆定。尚闕數十百字，無從

據補。蓋至是而《孝經》鄭氏注亡而復存，非劉炫古文所可同日而道矣。宜登之祕府，頒學官刊行，以傳百世。或問曰：'陸澄與王儉書云《孝經》題爲鄭玄注，觀其用詞，不與注書相類。玄自序所注衆書，亦無《孝經》。陸德明亦云，檢《孝經》注，與注五經不同。如二陸説，注或可疑。'答曰：'不然。鄭氏著書百餘萬言，非旦夕可就，先後不類，非所致疑，即如五經注，亦或不類。《坊記》正義引《鄭志》答炅模云：爲記注時，就盧君先師亦然，後乃得毛公傳記。古書義又且然，記注已行，不復改之。《禮器》正義亦引《鄭志》云：後得《毛詩傳》，故與記不同。若然，詞不相類，《詩》《禮》亦有之，何至《孝經》？至謂自序所注衆書無《孝經》，尤爲偏據。劉炫《述義》引鄭《六藝論》云：孔子以六藝題目不同，指意殊別，恐道離散，後世莫知根源，故作《孝經》以總會之。宋均《孝經緯注》引鄭《六藝論》，敍《孝經》云：玄又爲之注。此二事並見《孝經》正義。明是自序遺漏。鄭氏又別爲《孝經序》，《禮記·緇衣》正義、《大唐新語》、《寰宇記》、《玉海》各引一事。余既采列本經注篇端，茲故不載。就余所聞，《鄭志》及謝承、薛瑩、司馬彪、袁山松等書載鄭氏所注無《孝經》。范書有《孝經》無《周禮》，皆是遺漏。正義云《晉中經簿》稱鄭氏解；《經典·序録》云《中經簿》無，則所據本異也。'按《中經簿》有鄭氏，無鄭玄。故後儒疑之，蓋不以鄭氏爲鄭玄也。或又問曰：'近人疑《孝經》鄭小同注，何據乎？'答曰：'此説始於《太平寰宇記》，謂今《孝經序》蓋康成徹孫所作。蓋者疑詞，徹孫必誤，近刻改爲胤孫，近似矣。然而舊無此説。《經典·序録》云：世所行鄭注，相承以爲鄭玄。引晉穆帝集講《孝經》云以鄭玄爲主。陸澄所見宋、齊本題鄭玄注。《舊唐志》、《新唐志》稱鄭玄注，未有題鄭小同者也。'"

又《全後漢文編》曰："《孝經》注，或言鄭小同作。今據《唐會要》七十七引鄭玄《六藝論》敍《孝經》云：‘玄又爲之注。’明非小同作也。”

《孫祠書目》：《孝經鄭注》一卷。一陳鱣集本，一孔廣林集本。又一卷，日本國傳本，洪頤煊補證，鮑氏知不足齋刊本。

張氏《書目答問》：《孝經鄭氏解》輯一卷，臧庸輯，知不足齋本。《孝經鄭氏注》一卷，嚴可均輯，自著《四録堂類集》本。

按鄭氏注《孝經》，自《南齊書·陸澄傳》、《釋文·敍録》、《王制》疏、《困學紀聞》諸書，皆疑鄭氏非鄭玄。《唐會要》載劉知幾奏議，設十二驗，請廢鄭立孔，其言甚辨，然皆嚴鐵橋先生所謂偏據，非會通之談也。其他諸説紛然，有謂此鄭氏爲小同者，又有謂是鄭儵者，諸所記載，雖千萬言不能盡。要以嚴氏之説爲定。嚴氏彙聚群言，悉心考訂，最爲詳審，非他家單文孤證、莫衷壹是者所能奪。今故詳録其序及《文編》附記之，文如右，餘皆從略焉。

又按阮文達《孝經注疏校勘記》序云：“近日本國又撰鄭注一本流入中國，此僞中之僞，尤不可據。”侯氏康《補後漢藝文志》亦沿其説云：“日本國僞本不足信。”不知其本即魏鄭公《群書治要》所載，猶是唐初相傳魏晉六朝以來之舊笈，與陸氏《釋文》所用之本同時不相上下，最可憑信，亦唯嚴氏能別白而表出之。故余以爲嚴氏之説，不易之論也。

梁有馬融注《孝經》一卷，亡。

馬融有《周易注》，見前易類。

《釋文·敍録》曰：“後漢馬融亦作《古文孝經傳》，而世不傳。”又曰：“孔安國、馬融並注《孝經》。”

黃震《日鈔》曰：“《孝經》鄭康成諸儒主今文，孔安國、馬融主古文。”

侯康《補後漢書藝文志》："《通鑑》'漢平帝元始四年，宗祀孝文以配上帝'，胡三省注引馬融曰：'上帝，泰一之神，在紫微宮，天之最尊者。'康按《隋志》已列馬注於亡書內，胡身之無緣得見。據《書釋文》，則此乃'肆類於上帝'注。或注《孝經》亦與之同，而胡身之從他書轉引耶？"按余氏《古經解鉤沈》采此條入《孝經》。故侯氏有此言，謂當從《釋文》入《尚書》注也。

梁有鄭眾注《孝經》一卷，亡。

鄭眾有《左氏傳條例》，見前春秋類。

《釋文·敍録》：馬融、鄭眾、鄭玄並注《孝經》。

本志篇敍曰："鄭眾、馬融並爲之注。"

孝經一卷　王肅解

王肅有《易注》，見前易類。

《釋文·敍録》：孔安國、馬融、鄭眾、鄭玄、王肅並注《孝經》。

《唐會要》：開元七年，左庶子劉知幾議曰："王肅《孝經傳》首有司馬宣王之奏，云奉詔令諸儒注述《孝經》，以肅說爲長。"

《唐書·經籍志》：《孝經》一卷，王肅注。

《唐書·藝文志》：《孝經》王肅注一卷。

馬國翰輯本序曰："王肅注《孝經》一卷。今佚。從《注疏》、《釋文》、《史記集解》、《通鑑注》輯録二十二節。子雍好攻鄭氏學，此解不見有駁難之語。蓋唐明皇帝作注時，悉汰去之。"按侯氏《補後漢藝文志》云："劉知幾十二驗中，謂王肅好發揚鄭短，而無言攻擊《孝經注》。然考《郊特牲》疏引王肅難鄭《孝經》注'社，后土也'之文，是肅未嘗無言，此一事亦不足疑也。"

梁有魏散騎常侍蘇林注《孝經》一卷，亡。

《魏志·劉劭傳》："劭同時東海繆襲，襲友人山陽仲長統、散騎常侍蘇林等，亦有才學，多所述敍，頗傳於世。"《魏略》曰："林字孝友，博學，多通古今字指，凡諸書傳文間危疑，林皆釋之。建安中，爲五官將文學，甚見禮待。黃初中，爲博士給事中。文帝作《典論》所稱蘇林者是也。以老歸第，國家每遣人就問之，數加賜遺。年八十餘卒。”

又《高堂隆傳》：始，景初中，帝以蘇林、秦靜等並老，恐無能傳業者。乃詔科郎吏高才解經義者三十人，從光禄勳隆、散騎常侍林、博士靜，分受四經三《禮》，主者具爲設科試之法。數年，隆等皆卒，學者遂廢。

顏師古《漢書敍例》曰：“蘇林字孝友，一云彥友。陳留外黃人。魏給事中，領祕書監、散騎常侍、永安衛尉、太中大夫。黃初中，遷博士，封安成亭侯。”

《釋文·敍録》：王肅、蘇林並註《孝經》。

《唐書·經籍志》：《孝經》又一卷，蘇林注。

《唐書·藝文志》：《孝經》蘇林注一卷。

梁有魏吏部尚書何晏注《孝經》一卷，亡。

《魏志·曹爽附傳》：南陽何晏有聲名，進趣於時。明帝以其浮華，抑黜之。及爽秉政，乃復進敍，任爲腹心。以晏爲尚書，典選舉。正始十年，太傅司馬宣王收爽，晏等皆伏誅。晏，何進孫也。母尹氏，爲太祖夫人。晏長於宮省，又尚公主，以才秀知名，好老、莊言。

又《曹爽傳》注：《魏略》曰：“太祖爲司空時，納晏母，并收養晏。而晏尚主，又好色，故黃初時，無所事任。及明帝立，頗爲冗官。至正始初，曲合於曹爽，亦以才能，故爽用爲散騎侍郎，遷侍中、尚書。又前以尚主得賜爵，爲列侯。”按《論語集解》上奏署“尚書、駙馬都尉、關内侯”，蓋終於是官也。

《世説·言語篇》注：《魏略》曰：“何晏字平叔，南陽宛人。漢大將軍進孫也，或曰何苗孫也。爲司馬宣王所誅。”按何苗，何進弟也，見《後漢書·何進傳》。又邢昺《序疏》曰：“何進之孫，咸之子也。”

《釋文·敍録》：蘇林、何晏並注《孝經》。

梁有光禄大夫劉邵注《孝經》一卷，亡。

《魏志》本傳：邵字孔才，廣平邯鄲人也。建安中，爲計吏，詣許，拜太子舍人，遷祕書郎。黄初中，爲尚書郎、散騎侍郎。明帝即位，出爲陳留太守，徵拜騎都尉，遷散騎常侍。正始中，執經講學，賜爵關内侯。凡所撰述《法論》、《人物志》之類百餘篇。卒，追贈光禄勳。

唐玄宗御注序曰：“韋昭、王肅，先儒之領袖；虞翻、劉邵，抑又次焉。”

《釋文·敍録》：劉邵字孔才，廣平人。魏光禄勳，注《孝經》。一云劉熙。

《唐書·經籍志》：《古文孝經》一卷，劉邵注。

《唐書·藝文志》：《古文孝經》劉邵注一卷。

　按劉邵所注爲古文，惟兩《唐志》別出之。

梁有孫氏注《孝經》一卷，亡。

《釋文·敍録》：孫氏不詳何人，注《孝經》。

《唐書·經籍志》：《孝經》一卷，孫熙注。

《唐書·藝文志》：《孝經》孫熙注一卷。

《經義考》曰：“按《七録》有孫氏注《孝經》一卷，《釋文·敍録》云不詳何人，當即熙也。”

侯康《補三國藝文志》曰：“孫氏朝代不可考。《隋志》列於蘇林、何晏、劉邵之後，《唐志》列於韋昭之後、蘇林之前，當爲三國時人。”

　按《吴志·宗室·孫靜傳》：“靜，堅季弟也。次子瑜，好樂墳典，雖在戎旅，誦聲不絶。”瑜次子熙，附見《孫賁傳》後。云歷列位，而不著爲何官。蓋孫堅之孫，孫權之從子，不知即此孫熙否也。

孝經解讚一卷　韋昭解

韋昭有《毛詩答雜問》，見前詩類。

《釋文·敍録》：劉邵、韋昭並注《孝經》。

《唐書·經籍志》：《孝經》一卷，韋昭注。

《唐書·藝文志》：《孝經》韋昭注一卷。

馬國翰輯本序曰："韋氏《解讚》，《隋》、《唐志》著録。今佚。從《正義》所引得十節。又《儀禮經傳通解》引一節，《正義》脱文也。並據輯録。其説'衣美不安，食旨不甘'，訓義切實，與鄭康成箋《詩》相似。至'郊祀后稷以配天'，全用鄭義，然則書名《解讚》，或讚鄭解也歟？"

孝經嘿注一卷　徐整注

徐整有《詩譜》，見前詩類。

《釋文·敍録》：韋昭、徐整並注《孝經》。

《唐書·經籍志》：《孝經默注》二卷，徐整撰。

《唐書·藝文志》：《孝經》徐整默注，二卷。

集解孝經一卷　謝萬集

謝萬有《周易繫辭注》，見前易類。

《唐日本國見在書目》：《孝經》一卷，謝萬集解。

《唐書·經籍志》：《孝經》一卷，謝萬注。

《唐書·藝文志》：《孝經》謝萬注一卷。

馬國翰輯本序曰："萬爲安之弟，其書久佚。今從邢昺《正義》輯録四節。又得謝安説'五刑之屬'一節，亦併附録。"

集議孝經一卷　晉中書郎荀勗撰。亡。"晉"當爲"宋"。"勗"當爲"昶"。"亡"字衍。

《宋書·荀伯子傳》：伯子，潁川潁陰人也。族弟昶，字茂祖，與伯子絶服五世。元嘉初，以文義至中書郎。昶子萬秋，亦用才學顯。

《釋文·敍録》：荀昶字茂祖，潁川人。宋中書郎，注《孝經》。

《唐會要》：左庶子劉知幾議曰：“晉穆帝永和十一年，及孝武帝太元元年，再聚群臣共論經義。有荀茂祖者，撰集《孝經》諸説，始以鄭氏爲宗。”

又國子祭酒司馬貞議曰：“荀昶集解《孝經》，具載鄭注，而其序以鄭爲主。”又曰：“荀昶集解之時，尚有孔《傳》。”

《唐日本國見在書目》：《孝經集議》二卷，荀茂祖撰。

《唐書·經籍志》：《講孝經集解》一卷，荀勗撰。

《唐書·藝文志》：荀勗《講孝經集解》一卷。按兩《志》皆誤爲荀勗。

按荀茂祖是書前一卷爲集議及自序，後一卷爲集解。集議者，集晉永和、太元兩朝之議，此所著録一卷是也。劉知幾、司馬貞所言即本諸此。集解則集孔《傳》以下諸家之解，以鄭氏爲宗，隋時亡矣，而《七録》及《日本國書目》皆有之。本志下文注云：“梁有荀勗注《孝經》二卷。”即其全書。

《日本書目》云集議二卷，則據前一卷之名以統之也。

集議孝經一卷　晉東陽太守袁敬仲集　袁敬仲當爲袁彦伯，此殆因漢衛宏字敬仲而誤。

《晉書·文苑傳》：袁宏字彦伯，陳留陽夏人。謝尚爲豫州刺史，引宏參軍事，累遷大司馬、桓温府記室，與伏滔同在温府。府中呼爲袁、伏。後自吏部郎出爲東陽郡。太元初，卒於東陽，時年四十九。

《釋文·敍録》：袁宏字彦伯，陳郡人。東晉東陽太守，注《孝經》。

按《經義考》：“袁敬仲、袁宏兩出其目，蓋失之不考。”

梁有《孝經皇義》一卷，宋均撰，亡。

本志讖緯篇注曰：“魏博士宋均。”

《唐會要》：左庶子劉知幾議曰：“宋均於《詩緯》序云‘我先師

北海鄭司農'，則均是玄之傳業弟子也。"

《册府元龜·學較部·注釋門》：宋均撰《孝經皇義》一卷，後爲河內太守。<small>按後漢明帝時，南陽宋均爲河內太守。范書有傳，非此宋均，《册府》誤也。</small>

 按此《孝經皇義》舊在《孝經緯》中，《經義考》亦互見於毖緯類。

梁又存晉給事中楊泓注《孝經》一卷，亡。<small>"存"當爲"有"字之誤。別本皆作"有"。</small>

《釋文·敍錄》：楊泓，天水人，東晉給事中。注《孝經》。

嚴可均《全晉文編》曰："楊泓爵里未詳，《宋書·樂志》一有泓《拂舞序》。"

梁又有處士虞槃佐注《孝經》一卷，亡。

《釋文·敍錄》："虞槃佑字弘猷，高平人。東晉處士，注《孝經》。"

《唐書·經籍志》：《孝經》又一卷，虞槃佐注。

《唐書·藝文志》：《孝經》虞槃佐注一卷。

 按陸氏《敍錄》作"槃佑"，未詳孰是。

梁又有孫氏注《孝經》一卷，亡。

侯康《補三國藝文志》曰："《隋志》又別有晉孫氏《孝經注》一卷，未知是重出，抑別爲一人。邢疏《序》述注《孝經》諸人，以孫氏列於東晉時。蓋據《隋志》後一人而言。"

 按《釋文·敍錄》列於謝萬、楊泓之間，亦似指後一人。

梁又有東陽太守殷仲文注《孝經》一卷，亡。

《晉書·叛逆傳》：殷仲文，南蠻校尉覬之弟也。少有才藻，從兄仲堪薦之於會稽王道子。桓玄之姊，仲文之妻。及玄篡位，以佐命親貴。玄爲劉裕所敗，隨玄西走。至巴陵，因奉二后投義軍，爲鎮軍長史，轉尚書。帝初反正，爲東陽太守。義熙三年,以謀反伏誅。

《釋文·敍錄》:殷仲文,陳郡人,東晉東陽太守。注《孝經》。

《唐書·經籍志》:《孝經》又一卷,殷仲文注。

《唐書·藝文志》:《孝經》殷仲文注一卷。

馬氏玉函山房輯本序曰:"《孝經》殷仲文註。今惟邢昺《正義》引三節,《文選注》引檀道鸞《晉書》云:'仲文字仲文,陳郡人。'"

梁又有晉陵太守殷叔道注《孝經》一卷,亡。

《晉書·安帝本紀》:義熙三年春二月己酉,車騎將軍劉裕來朝,誅東陽太守殷仲文、南蠻校尉殷叔文、晉陵太守殷道叔、永嘉太守駱球。按此作殷道叔,未詳孰是。

《宋書·武帝本紀》:義熙三年二月,高祖還京師。初,桓玄之敗,以桓沖忠貞,署其孫胤。至是,府將駱冰謀以胤爲主,與東陽太守殷仲文潛相連結,乃誅仲文及仲文二弟、冰父永嘉太守球。凡桓玄餘黨,至是皆誅夷。"

《唐書·經籍志》:《孝經》又一卷,殷叔道注。

《唐書·藝文志》:《孝經》殷叔道注一卷。

梁又有丹陽尹車胤注《孝經》一卷,亡。

《晉書》本傳:胤字武子,南平人也。恭勤不倦,博學多通。桓溫在荆州,辟爲從事,累遷主簿、別駕、征西長史,遂顯於朝廷。寧康初,爲中書侍郎、關内侯。孝武帝嘗講《孝經》,僕射謝安侍坐,尚書陸納侍講,侍中卞耽執讀,黃門侍郎謝石、吏部郎袁宏執經,胤與丹陽尹王混摘句。時論榮之,累遷侍中、國子博士、太常,進爵臨湘侯。隆安中,加輔國將軍、丹陽尹,遷吏部尚書,卒。

《釋文·敍錄》:車胤字武子,南平人,東晉丹陽尹。注《孝經》。

梁又有孔光注《孝經》一卷，亡。

《釋文·敍錄》：孔光字文泰，東莞人。注《孝經》。

《唐書·經籍志》：《孝經》又一卷，孔光注。

《唐書·藝文志》：《孝經》孔光注一卷。

按此孔光，據《釋文》及兩《唐志》敍次，蓋晉、宋間人。《册府元龜》云："孔光注《孝經》一卷，至太傅，卒。"《闕里文獻考》云："十四代孫漢太師博山侯光作《孝經注》一卷。"皆以爲漢之孔光，誤也。

梁又有荀勗注《孝經》二卷，亡。勗當爲昶。

荀昶有《集議孝經》一卷，見前。

按此二卷即荀茂祖原書，前一卷爲集議，後一卷爲集解，亦詳具於前。

梁又有宋何承天注《孝經》一卷，亡。

何承天有《禮論》，見前禮類。

《宋書》本傳：元嘉十九年，立國子學，以本官領國子博士。皇太子講《孝經》，承天與中庶子顏延之同爲執經。

《釋文·敍錄》：何承天，東海人，宋廷尉卿。注《孝經》。

按《宋書·禮志》："文帝元嘉二十二年四月，皇太子講《孝經》通，釋奠國子學，如晉故事。"按此皇太子即元凶劭也。《南史·周弘正傳》："梁大通中，稍遷國子博士。學中有宋元凶講《孝經》碑，歷代不改，弘正始到官，即表刊除。"此一卷，蓋何氏自爲之注，故得傳至唐初猶存。若爲元凶講義，亦必早經刊除，與碑文滅迹矣。

梁又有費沈注《孝經》一卷，亡。

費沈有《喪服集議》，見前禮類。

梁又有齊光禄大夫王玄載注《孝經》一卷，亡。

《南齊書》本傳：玄載字彥休，下邳人也。仕宋，至益州刺史、後軍將軍,封鄂縣子。入齊,爲左民尚書、光禄大夫、兗州刺史。永明六年卒,時年七十六,謚烈子。

《釋文‧敍録》:"王玄戴字彦連,大□人,齊光禄大夫。注《孝經》。"

盧文弨《釋文考證》曰:"王玄戴,下邳人。舊'下'字誤爲'大','邳'字空闕,今補正。《隋志》'戴'作'載'。《老子》有王玄載注,《釋文》亦作'載',此'戴'字誤也。"

梁又有國子博士明僧紹注《孝經》一卷,亡。

《南齊書‧高逸傳》:明僧紹字承烈,平原鬲人也。明經,有儒術。永明元年,世祖敕召,稱疾不肯見。詔徵國子博士,不就。卒。"

《梁書‧明山賓傳》:山賓父僧紹,隱居不仕。宋末徵國子博士,不就。《南史‧列傳》云:"僧紹子元琳、仲璋、山賓,並傳家業,山賓最知名。"

《釋文‧敍録》:明僧紹字承烈,平原人。國子博士徵,不起。注《繫辭》,注《孝經》。

梁又有梁五經博士嚴植之注《孝經》一卷,亡。

《梁書‧儒林傳》:嚴植之字孝源,建平秭歸人也。少善《莊》、《老》,能玄言,精解《喪服》、《孝經》、《論語》。及長,徧習鄭氏《禮》、《周易》、《毛詩》、《左氏春秋》。仕齊,爲廣漢王國右常侍。梁天監四年初,置五經博士,各開館教授,以植之爲五經博士。植之館在潮溝,生徒常百數,講說有區段次第,析理分明。每當登講,五館生畢至,聽者千餘人。遷中撫記室參軍,猶兼博士。卒於館。

馬氏玉函山房輯本序曰:"嚴植之《孝經注》,《唐志》不著録。佚已久。邢昺《正義》引三節,又引先儒之說二條,則嚴亦在内。合輯録之,史稱植之習鄭氏《禮》,則注《孝經》亦必以康成爲宗。"

梁又有尚書功論郎曹思文注《孝經》一卷，亡。

嚴可均《全梁文編》曰："曹思文，齊永泰時，領國子助教。梁受禪，爲尚書論功郎。有《孝經注》一卷。"

梁又有羽林監江系之注《孝經》一卷。亡。

江系之始末未詳。

梁又有江遜注《孝經》一卷，亡。

江遜始末未詳。

按《梁書·文學·何遜傳》："濟陽江避爲南平王大司馬府記室，避博學有思理，更注《論語》、《孝經》。"此江遜疑即江避之譌。

梁又有釋慧始注《孝經》一卷，亡。

梁釋慧皎《高僧傳·僞秦蒲坂釋法羽》：十五出家，爲慧始弟子，始立行精，苦修頭陀之業，羽深達其道云。

梁又有陶弘景《集注孝經》一卷。亡。

陶弘景有《毛詩序注》，見前詩類。

《南史·隱逸傳》：弘景所著有《孝經》、《論語》集注。

陶翊撰《華陽隱居本起錄》曰："《孝經》、《論語》集注，并自立意，共一帙十二卷。"按十二卷者，當是《論語》十卷、《孝經》二卷也。

梁又有諸葛循《孝經序》一卷，亡。

諸葛循始末未詳。

孝經一卷　釋慧琳注

《宋書·天竺迦毗黎國附傳》：沙門慧琳者，秦郡秦縣人。姓劉氏，少出家，住冶城寺。有才章，兼外内之學，爲廬陵王義真所知。嘗著《均善論》行於世。舊僧謂其貶黜釋氏，欲加擯斥，太祖見《論》，賞之。元嘉中，遂參權要，朝廷大事皆與議焉。賓客輻輳，門車常有數十兩，四方贈賻相係，勢傾一時。注《孝經》及《莊子·消遙篇》，文論傳於世。

《南史·顏延之傳》：延之爲太常時，沙門釋慧琳以才學爲文帝所賞。朝廷政事多與之謀，遂士庶歸仰。上每引見，常升獨榻，延之甚疾焉，因醉白上曰："昔同子驂乘，袁絲正色。此三台之座，豈可使刑餘居之。"上變色。

《釋文·敍錄》：釋慧琳，秦郡人，宋世沙門。注《孝經》。

以上爲傳注之屬。

梁有晉穆帝時《晉孝經》一卷，武帝時送總明館《孝經講》、《議》各一卷，亡。

《晉書》本紀：穆帝永和十二年二月辛丑，帝講《孝經》。升平元年三月，帝講《孝經》，_{按此下當有"通"字或"畢"字。}親釋奠於中堂。又孝武帝寧康三年九月，帝講《孝經》。十二月癸巳，帝釋奠於中堂，祠孔子，以顏回配。

又《禮志》：穆帝升平元年三月，帝講《孝經》通。孝武寧康三年七月，帝講《孝經》通，並釋奠如故事。穆帝、孝武並權以中堂爲太學云。

《釋文·敍錄》曰："中朝穆帝集講《孝經》，以鄭玄爲主。"

《世說·言語篇》："孝武將講《孝經》，謝公兄弟與諸人私庭講習。車武子難苦問謝，謂袁羊曰：'不問則德音有遺，多問則重勞二謝。'袁曰：'必無此嫌。'車曰：'何以知爾?'袁曰：'何嘗見明鏡疲於屢照，清流憚於惠風?'"注："《續晉陽秋》曰：'寧康三年九月九日，帝講《孝經》，僕射謝安侍坐，吏部尚書陸納兼侍中卞耽讀，_{《晉書》作"卞耽執讀"。}黃門侍郎謝石、吏部袁宏兼執經，中書郎車胤、丹陽尹王混摘句。'"_{按此引《續晉陽秋》與《晉書·車胤傳》詳略互見。二謝謂謝安、謝石。袁羊，袁喬小字也。}

按總明館始於宋明帝泰始六年，至齊武帝永明三年省。就王儉宅開學士館，以總明四部書充之。見《宋書》本紀、《齊書·王儉傳》。此條敚誤，殆不可曉。以下文之例推之，當是晉穆帝時講、晉孝武帝時講《孝經講》、《議》各一卷。或宋明帝、齊武帝敕送總明館者歟？

梁有宋大明中《東宮講孝經義疏》一卷，亡。

《宋書·前廢帝本紀》：帝諱子業，孝武帝長子也。孝武帝踐阼，立爲皇太子。大明二年，出東宮。四年，講《孝經》於崇正殿。

《唐書·經籍志》：大明中《皇太子講孝經義疏》一卷，何約之執經。

《唐書·藝文志》：何約之大明中《皇太子講孝經義疏》一卷。

何約之始末未詳。是書或即所編定者。

梁有齊永明三年《東宮講孝經義疏》一卷，亡。

《南齊書》本紀：武帝永明三年八月戊午，以尚書令王儉領太子少傅。冬十月壬戌詔曰：“皇太子長懋講畢，當釋奠，王公以下可悉往觀禮。”《南史·豫章文獻王嶷傳》：“永明元年，領太子太傅。三年，文惠太子講《孝經》畢，嶷求解，太傅不許。”豫章王，高帝第二子，武帝弟，文惠太子叔父也。講《孝經》時，嶷爲太傅，王儉爲少傅云。

又《禮志》：永明三年冬，皇太子講《孝經》，親臨釋奠，車駕幸聽。

《齊書》、《南史·列傳》：文惠皇太子長懋，字雲喬，武帝長子也。引接朝士會稽虞炎、濟陽范岫、汝南周顒、陳郡袁廓，並以學行才能應對左右。永明三年，於崇正殿講《孝經》，少傅王儉以摘句令太子僕周顒撰爲義疏。

《齊書·周顒傳》：顒卒官時，會王儉講《孝經》未畢，舉曇濟自代，學者榮之。

按《周顒傳》云“舉曇濟自代”者，代其所撰未畢之義疏也。然則是書始作於周顒，成於謝曇濟。謝有《毛詩檢漏義》，見前詩類。

梁有齊永明中《諸王講孝經義疏》一卷，亡。

馬國翰輯本序曰：“《隋志》載齊永明中《諸王講孝經義疏》一卷。《唐志》不著目，佚已久。考《南齊書·文惠太子傳》，永

明五年冬,太子臨國學,親臨策試諸生,下載太子問王儉、張
緒及竟陵王子良、臨川王暎問答凡十四節。《傳》言永明五年
與《隋志》所稱永明中諸王講正合。茲據輯補。太子以長年
臨學,與諸王一堂諮論,皆前代所未有。録列一家,《東宮講
義》大旨亦於此見其略云。"

　　按馬氏以《文惠太子傳》所載問答謂即諸王講,不知是否
也。又《齊書·本紀》云:"永明四年三月辛亥,國子講《孝
經》,車駕幸學,賜國子祭酒、博士、助教絹各有差。"此題諸
王講,不云國學講,亦不知是否即此事。

梁有賀瑒講、議《孝經義疏》各一卷,亡。

　　賀瑒有《喪服義疏》,見前禮類。

梁有齊臨沂令李玉之爲始興王講《孝經義疏》二卷,亡。

　　李玉之有《周易乾坤義》,見前易類。

　　《南史·齊高帝諸子傳》:始興簡王鑑字宣徹,高帝第十子也。
年十四,爲益州刺史,好學善屬文,不重華飾、器服,清素有高士
風。王儉常歎云:"始興王雖尊貴,而行履都是素士。"

孝經義疏十八卷　梁武帝撰

　　梁武帝有《易》、《書》、《詩》、《禮》大義,並見前。

　　《梁書·朱异傳》:武帝召見,使説《孝經》、《周易》義,甚悦之。
其年,帝自講《孝經》,使异執讀。《南史》同。

　　又《武帝本紀》:中大通四年三月庚午,侍中、領國子博士蕭子
顯上表,置《制旨孝經》助教一人,生十人,專通高祖所釋《孝
經義》。《陳書·文學·岑之敬傳》:之敬年十六,策《春秋左氏》、《制旨孝經》義,
擢爲高第。

　　《唐書·經籍志》:《孝經疏》十八卷,梁武帝撰。

　　《唐書·藝文志》:梁武帝《孝經疏》十八卷。

　　馬氏玉函山房輯本序曰:"《隋》、《唐志》並載梁武帝《義疏》十

八卷。今佚。邢昺《正義》引三節，又從《武帝集》得説明堂一節合輯爲帙。其訓'仲尼'云'丘爲聚，尼爲和'，説太迂曲，宜爲邢氏所不取。其説《天子》、《士》二章之義，辨化辨情，固自入理也。"

按《魏書・儒林・李業興傳》："天平四年，與李諧、盧元明使蕭衍，衍散騎常侍朱异曰：'明堂圓方之説，經典無文。'業興曰：'圓方之言，出處甚明，卿自不見。見卿所録梁主《孝經義》亦云上圓下方。'"則是書爲朱异所録。异有《集注周易》，見易類。

梁有皇太子講《孝經義》三卷，天監八年皇太子講《孝經義》一卷，亡。

《梁書》、《南史・梁武帝諸子傳》：昭明太子統字德施，小字維摩，武帝長子也。天監元年十一月，立爲皇太子。時年幼，依舊於內拜東宮官屬，文武皆入直永福省。五年五月，出居東宮。太子生而聰叡，三歲受《孝經》、《論語》，五歲徧讀五經，悉通諷誦。八年九月，於壽安殿講《孝經》，盡通大義。講畢，親臨釋奠於國學。

又《徐勉傳》：天監六年，領太子中庶子，侍東宮。昭明太子尚幼，敕知宮事。太子嘗於殿內講《孝經》，臨川靜惠王、尚書令沈約備二傅，勉與國子祭酒張充爲執經，王瑩、張稷、柳憕、王暕爲侍講。時選極親賢，妙盡時譽。

按前三卷是三歲時保傅所進之講章，其後一卷，則天監八年壽安殿所講之大義也。

梁有梁簡文《孝經義疏》五卷，亡。

梁簡文帝有《毛詩十五國風義》，見前詩類。

《陳書・儒林・張譏傳》：譏遷士林館學士，簡文在東宮，出士林館，發《孝經》題，譏論議往復，甚見嗟賞。自是每有講集，必遣使召讖。張讖有《周易講疏》，見易類。疑此爲讖所譔録。《陳書》載讖有《孝經義》八卷，此五卷疑在其中。

按《梁書》、《南史·本紀》皆不載帝有此書，或亦編入《長春義記》一百卷中。

梁有蕭子顯《孝經義疏》一卷，亡。

孝經敬愛義一卷　梁吏部尚書蕭子顯撰

《梁書·蕭子恪傳》：子恪，蘭陵人，齊豫章文獻王嶷第二子也。恪兄弟十六人。子顯字景陽，子恪第八弟。七歲，封寧都縣侯。天監初，降爵爲子。大通三年，領國子博士。高祖所製經義，按本紀當云《孝經義》。未列學官。子顯在職，表置助教一人，生十人。其年，遷國子祭酒，加侍中。於學，遞述高祖《五經義》。五年，選吏部尚書。子顯性凝簡，頗負其才氣。及掌選，見九流賓客，不與交言，但舉扇一撝而已，衣冠竊恨之。大同三年，出爲仁威將軍、吳興太守。至郡，未幾卒，時年四十九。及葬，請謚，手詔“恃才傲物，宜謚曰驕”。

按《七録》所有《義疏》一卷，當作於爲博士祭酒之時。《敬愛義》，邢昺云：“愛之與敬，解者衆多，此乃專爲一書，以明其義。”《金樓子·興王篇》云：“武帝於鍾山起大愛敬寺，以奉太祖。”又《立言篇》云：“竊尋《孝經》所説，必稱先王。蓋是先王之行，不敢以不行也。伏見臺內別造至敬殿，甘旨百品，月祭日祀。又爲寢室，昏定晨省，如平生焉。”此《敬愛義》所由作歟？

孝經私記四卷　無名先生撰

按此無名先生，似即撰《周易私記》者，詳見易類。

孝經義一卷

不著撰人。

孝經義疏一卷　趙景韶撰

趙景韶始末未詳。

孝經義疏三卷　皇侃撰

皇侃有《喪服文句義》，見前禮類。

《南史·儒林傳》："侃尤明三《禮》、《孝經》。"又曰："侃性至孝，常日限誦《孝經》二十徧，以擬《觀世音經》。"

《釋文·敍錄》曰："皇侃撰《孝經義疏》。"按《釋文》載注《孝經》者，自孔安國以下凡二十四家，爲義疏者唯皇氏一家。

《唐書·經籍志》：《孝經義疏》三卷，皇侃撰。

《唐書·藝文志》：《孝經》皇侃義疏三卷。

馬氏玉函山房輯本序曰："皇氏《義疏》，《隋》、《唐志》並三卷。今佚。從邢昺《正義》輯録一十八節，孫奭《序》譏其義疏辭多紕繆，理昧精研。然就邢氏所引，固皆摭拾菁華矣。"

孝經私記二卷　周弘正撰

周弘正有《周易義疏》，見前易類。

《陳書》本傳："太建五年，授尚書右僕射，祭酒，中正如故。尋敕侍東宮，講《論語》、《孝經》，太子以弘正朝廷舊臣，德望素重，於是降情屈禮，橫經請益，有師資之敬焉。"又曰："所著《論語疏》十一卷、《孝經疏》兩卷，行於代。"

《唐日本國見在書目》：《孝經私記》二卷，周弘正撰。

千文孝經述義五卷　劉炫撰　"千文"當是"古文"之誤。

劉炫有《尚書述義》，見前書類。

《北史·儒林傳》：炫著《孝經述議》五卷。

本志篇敍曰："至隋祕書監王劭，於京師訪得孔《傳》，送至河間劉炫。炫因序其得喪，述其議疏，講於人間，漸聞朝廷，後遂著令，與鄭氏並立。"

《唐會要》：劉知幾議曰："隋開皇十四年，祕書學士王孝逸於

京市陳人處買得一本，送與著作郎王劭。劭以示河間劉炫，
仍令校定。而此書更無兼本，難可依憑，炫輒以所見，率意刊
改，因著《古文孝經稽疑》一篇。”

《唐日本書目》：《孝經述議》五卷，劉炫撰。又有《孝經去惑》
一卷。按《去惑》似即劉知幾所謂《稽疑》一篇也。

《唐書·經籍志》：《孝經述義》五卷，劉炫撰。

《唐書·藝文志》：劉炫《孝經述義》五卷。

王謨《漢魏遺書鈔》曰：“邢昺《孝經疏》中引劉炫義，獨有本
末。今鈔出凡十一條。”

馬國翰輯本序曰：“《隋》、《唐志》並載《述義》五卷，今佚。邢
昺《正義》引之。其《稽疑》一篇附著《孝經序》正義，據輯爲
卷。至《閨門》一章，世儒或疑炫僞作，然漢初長孫氏傳今文
即有之，豈後人所僞爲？孫本固嘗辨論之矣。”

孝經講疏六卷　徐孝克撰

《陳書·徐陵傳》：陵字孝穆，東海郯人。孝克，陵之第三弟
也。少爲《周易》生，有口辯，能談玄理。既長，遍通五經。梁
太清初，起家爲太學博士。陳太建中，爲通直散騎常侍、國子
祭酒。至德中，皇太子入學釋奠，百司陪列，孝克發《孝經》題，
後主詔皇太子北面致敬。陳亡，隨例入關。開皇十年，隋文帝
授國子博士，侍東宮講《禮傳》。十九年，以疾卒，年七十三。

又《後主本紀》：至德三年十二月，皇太子出太學，講《孝經》，
講畢，釋奠於先師。禮畢，設金石之樂，會宴王公卿士。

又《後主十一子傳》：吳興王胤，後主長子也。後主即位，立爲
皇太子。胤性聰敏好學，執經肄業，終日不倦，博通大義，兼
善屬文。至德二年，躬出太學，講《孝經》，講畢，又釋奠于先
聖、先師。其日，設金石之樂於太學，王公卿士及太樂生並預
宴。禎明二年廢爲吳興王，仍加侍中、中衛將軍。三年入關，

卒於長安。

《册府元龜・學較部・注釋門》：徐孝克爲散騎常侍，入隋爲國子博士。撰《孝經講疏》六卷。

孝經義一卷　梁揚州文學從事太史叔明撰

《梁書》、《南史・儒林・沈峻傳》：峻好學，與舅太史叔明師事宗人沈麟士。叔明，吳興烏程人，吳太史慈後也。少善莊、老，兼通《孝經》、《論語》、《禮記》，尤精三玄，爲國子助教。邵陵王綸好其學，及出爲江州，攜叔明之鎮。王遷郢州，又隨府，所至輒講授，故江州人士皆傳其學。大同十三年卒，年七十三。按《梁書》：“邵陵攜王綸，高祖第六子也。普通元年，爲江州刺史。中大通四年，爲揚州刺史。”此題揚州文學從事，或其書作於是時。

《唐書・經籍志》：《孝經發題》四卷，太史叔明撰。

《唐書・藝文志》：太史叔明《孝經發題》四卷。

梁有《孝經玄》一卷，亡。

不著撰人。

《唐日本國見在書目》：《孝經玄》一卷。

按此殆以玄義解釋《孝經》者。

梁有《孝經圖》一卷，亡。

不著撰人。

按唐張彦遠《歷代名畫記》引《貞觀公私畫史》曰：“謝稚，陳郡陽夏人。初爲晉司徒主簿，入宋爲寧朔將軍、西陽太守。有《孝經圖》一卷。”似即此書。又兩《唐志》有《孝經瑞應圖》一卷，亦似此書。

梁有《孝經孔子圖》二卷，亡。

不著撰人。

按本志讖緯類云：“梁有《孝經內事星宿講堂七十二弟子圖》一卷，又《口授圖》一卷。”似即此書。

國語孝經一卷

本志敍曰："魏氏遷洛，未達華語，孝文帝命侯伏侯可悉陵，以夷言譯《孝經》之旨，教於國人，謂之《國語孝經》。今取以附此篇之末。"

按本志小學家有《國語物名》四卷、《國語雜物名》三卷，亦云後魏侯伏侯可悉陵撰。似與此書同時所作，其人始末不可考。《周書》武帝建德元年《紀》及《宇文護傳》有"柱國侯伏侯龍恩"，疑侯伏侯爲封爵名，又似北魏三字姓。然《魏書·官氏志》及氏姓諸書，皆不載此爵，亦無此氏。魏太武帝時，有可悉陵，見《魏書·常山王遵傳》"遵之孫，官都幢將，封暨陽子"，不云侯伏侯，亦遠在孝文之前，蓋別是一人。鄧名世《古今姓氏書辨證》據以爲可悉氏。若是，則侯伏侯其官爵，可悉其氏，陵其名。孝文帝太和時人，然亦不知是否也。

自晉穆帝至此，爲講疏、義疏之屬，附以圖及《國語孝經》，別爲一類。

右十八部，合六十三卷，通計亡書合五十九部，一百一十四卷。

實著錄二十部，附注亡書四十部，通計六十部。

卷八

經部八

論語類　<small>類中分類凡七。</small>

論語十卷　鄭玄注

鄭玄有《易注》，見前易類。

魏何晏《論語集解敍》曰："漢中壘校尉劉向言《魯論語》二十篇，皆孔子弟子記諸善言也。《齊論語》二十二篇，有《問王》、《知道》，多於《魯論》二篇。《古論》有兩《子張》，凡二十一篇，篇次不與《齊》、《魯論》同。安昌侯張禹，本受《魯論》，兼講齊説，善者從之，號曰《張侯論》，爲世所重，包氏、周氏章句出焉。《古論》惟博士孔安國爲之訓解，而世不傳。至順帝時，南郡太守馬融亦爲之訓釋。漢末大司農鄭玄就《魯論》篇章，考之《齊》、《古》，爲之注。"

《釋文·敍録》曰："《論語》者，鄭康成云仲弓、子夏等所撰定。漢興，傳者有三家。《魯論語》者，魯人所傳，即今所行篇次是也。《齊論語》者，齊人所傳，別有《問王》、《知道》二篇，凡二十二篇。《古論語》者，出自孔氏壁中，凡二十一篇，有兩《子張》。安昌侯張禹受《魯論》、《齊論》擇善而從，號曰《張侯論》，最後而行於漢世。後漢包咸、周氏並爲章句，列於學官。鄭玄就《魯論》、張、包、周之篇章，考之《齊》、《古》爲之注焉。"又曰："鄭玄注十卷。"又《音義》曰："鄭校周之本，以《齊》、《古》讀正凡五十事。"

本志篇序曰："漢末，鄭玄以《張侯論》爲本，參考《齊論》、《古論》而爲之注。梁、陳之時，唯鄭玄、何晏立於國學，而鄭氏甚微。周、齊，鄭學獨立。至隋，何、鄭並行，鄭氏盛於人間。"

《唐書·經籍志》：《論語》十卷，鄭玄注。

《唐書·藝文志》：《論語》鄭玄注十卷。

王謨《漢魏遺書鈔》曰："鄭注《論語》，至趙宋始不入志，意五代之際，其書已亡。頃得元和惠定宇先生輯本二卷，據盧抱經序言，原本亦深寧所輯，但以愚所鈔輯群書校之，猶多遺漏，因就惠本，更加補訂。凡共鈔出三百四十一條。"

馬國翰輯本序曰："近有集鄭注《論語》二卷，託名王應麟者，所收有未盡。海寧陳鱣《論語古訓》搜采詳備，茲據録之，仍其十卷之舊云。"

鄭珍《鄭學録》曰："《論語注》，《釋文》、《隋》、《唐志》皆十卷，後亡。宋王應麟掇拾群書，輯爲一卷。嘉慶初，宋教授翔鳳復補輯爲二卷。"

德清俞樾《論語鄭義録要》曰："鄭康成注《論語》不傳，何晏《集解》所采外，散佚多矣。余讀《詩箋》、《禮注》，往往有及《論語》者，始知何氏所采鄭注如'盍徹乎'，則非其全文。'吾未見好德如好色'章，則實是鄭注而不言鄭。至'季氏富於周公'章，則與今本并有異同。故一一蒐輯，以存鄭學。"

《孫祠書目》：《論語鄭注》二卷，宋王應麟撰。又十卷，孔廣林集本。

張氏《書目答問》：《論語鄭注》十卷，宋翔鳳輯，浮溪精舍本。

梁有《古文論語》十卷，鄭玄注，亡。

侯康《補後漢書藝文志》曰："康按諸書皆但言康成以《齊》、《古》校正《魯論》，未聞別撰古文注，且古文與《魯論》不同者，亦不過兩《子張》及四百餘字之異。按桓譚《新論》曰："《古論語》二十一篇，文異者四百餘字。"既注《魯論》，亦無容別注古文也。然《七録》所有，姑存疑。"

　　按《舊唐志》有《論語釋義》十卷，鄭玄注。《新志》云《論語》鄭玄注十卷。又注《論語釋義》一卷，《論語篇目弟子》一卷。《釋義》本志不載，疑即是書，不知釋何人之義。考馬氏嘗注《古文論語》，或爲馬氏而作，原本一卷。《篇目弟子》在其後，後人編爲十卷。至隋僅存《篇目弟子》，故下文有《論語孔子弟子目録》一卷也。

梁又有王肅注《論語》十卷，亡。

　　王肅有《易注》，見前易類。

　　《釋文·敍録》：《論語》王肅注十卷。

　　《唐書·經籍志》：《論語》十卷，王肅注。

　　《唐書·藝文志》：王肅注《論語》十卷。

　　馬國翰輯本序曰："王肅《論語注》，今佚不可見。惟何晏《集解》引凡三十九節，皇侃《義疏》、邢昺《疏》、韓愈《筆解》引肅説，而非何氏所采者，又得七节，裒輯一卷。肅好攻駁康成，往往強詞求勝，前儒多非之。然其説管仲不死子糾之難，以爲君臣之義未正成，實有特識。又皇《疏》引王朗説四節。考《魏志》本傳，不言朗著《論語》。《七録》、《隋》、《唐志》亦均不載。或者肅傳父業，如續《易傳》之類，朗説見肅書，侃及見而稱之歟？"

梁又有虞翻注《論語》十卷，亡。

　　虞翻有《周易注》，見前易類。

　　《吳志》本傳：翻又爲《老子》、《論語》、《國語》訓注，皆傳於世。

　　《釋文·敍録》：《論語》虞翻注十卷。

梁又有譙周注《論語》十卷，亡。

　　《蜀志》本傳：周字允南，巴西西充國人也。耽古篤學，誦讀典籍，研精六經。建興中，丞相亮領益州牧，命周爲講學從事。

亮卒，大將軍蔣琬領刺史，徙爲典學從事，總州之學者。後主
立太子，以周爲僕，轉家令，徙中散大夫，遷光禄大夫。景耀
六年冬，魏鄧艾克江由，長驅而前，後主從周策，降。時晉文
王爲魏相國，以周有全國之功，封陽城亭侯。下書辟周，周發
至漢中，困疾不進。晉室踐阼，累下詔所在發遣周。周遂輿
疾詣洛，泰始三年至。以疾不起，就拜騎都尉，周乃自陳無功
而封，求還爵土，皆不聽許。六年秋，爲散騎常侍，疾篤不拜，
至冬卒。時年七十一。

《釋文·敍録》：《論語》譙周注十卷。字允南，巴西人，晉散騎
常侍，不拜，陽城亭侯。

錢大昕《十駕齋養新録》曰：“譙周《論語注》十卷，梁時尚存。
劉昭注《續漢書》曾一引之，‘鄉人儺’注：‘儺，卻之也。以葦
矢射之。’”

馬國翰玉函山房輯本序曰：“《七録》有譙周《論語注》十卷，
《唐志》不著録，而《釋文·敍録》有之。今佚。惟《釋文》引一
節，《續漢書·禮儀志》劉昭注引一節。”

論語九卷　鄭玄注晉散騎常侍虞喜讚

虞喜有《周官駮難》，見前禮類。

《唐書·經籍志》：《論語》又十卷，鄭玄注，虞喜讚。

《唐書·藝文志》：虞喜讚鄭玄《論語注》十卷。

馬氏玉函山房輯本序曰：“虞氏贊注久佚，猶幸皇侃《義疏》載
其二節，亟録存之。考鄭《注》‘子桑伯子爲秦大夫’，王肅曰：
‘伯子，書傳無見焉。’茲取《説苑》孔子見伯子事隱規鄭説，且
以補子雍之缺也。使得覯其全書，當必有蒐羅古今，而折衷
微妙者。”

　按下文注云梁又有《新書對張論》十卷，虞喜撰。疑即
是書。

集解論語十卷　何晏集

何晏有《孝經注》，見前。

敍曰：“前世傳授師説，雖有異同，不爲訓解。中間爲之訓解，至於今多矣，所見不同，互有得失。今集諸家之善，記其姓名；有不安者，頗爲改易，名曰《論語集解》。光禄大夫關内侯臣孫邕、光禄大夫臣鄭沖、散騎常侍中領軍安郷亭侯臣曹羲、侍中臣荀顗、尚書附馬都尉關内侯臣何晏等上。”邢昺《疏》曰：“正始中，此五人共上此《論語集解》也。”

《晉書·鄭沖傳》：初，沖與孫邕、曹羲、荀顗、何晏共集《論語》諸家訓注之善者，記其姓名，因從其義；有不安者，輒改易之，名曰《論語集解》。成，奏之魏朝，於今傳焉。

《釋文·敍錄》：魏吏部尚書何晏集孔安國、包咸、周氏、馬融、鄭玄、陳群、王肅、周生烈之説，并下己意，爲《集解》十卷。正始中上之，盛行於世，今以爲主。

《唐書·經籍志》：《論語》十卷，何晏集解。

《唐書·藝文志》：《論語》何晏集解十卷。

《宋史·藝文志》：《論語》十卷，何晏等集解。

《四庫提要》曰：“皇侃《義疏》書前有《奏進論語集解序》，題孫邕等五人之名，《晉書》亦兼稱五人。今本乃獨稱何晏者，殆晏以親貴總領其事歟？晏，何進之孫，何咸之子也。”

遵義黎庶昌《古逸叢書敍目》曰：“覆正平本《論語集解》十卷。此書根源隋、唐舊鈔，字句與今本異同甚夥，往往合於陸氏《釋文》，字畫亦奇古，卷末題‘堺浦道祐居士重新命工鏤梓，正平甲辰五月吉日謹誌’。正平甲辰，當元順帝至正二十四年。其云‘重新鏤梓’，則以前有刻本可知，然時代無考矣。”

集注論語六卷　晉八卷晉太保衛瓘注。梁有《論語補闕》二卷，宋明帝補衛瓘闕，亡。

衛瓘有《喪服儀》，見前禮類。宋明帝有《周易講疏》，見前易類。

《宋書·明帝本紀》：帝好讀書，愛文義。在藩時，續衛瓘所注《論語》二卷，行於世。

《釋文·敍録》：《論語》衛瓘八卷，少二卷，宋明帝補闕。

《唐書·經籍志》：《論語》又十卷，宋明帝撰，衛瓘注。按撰當爲“補”。

《唐書·藝文志》：宋明帝補衛瓘《論語注》十卷。

《經義考》曰：“按《釋文》‘必有忠信如丘者焉’引衛氏《集注》：‘焉，於虔反，爲下句首。’”

馬國翰輯本序曰：“張璠《周易集解》二十八家，有衛瓘《易義》，其書泯絶不可見。其《論語集注》，今亦無傳。《釋文》、《正義》間引一二。茲采皇侃《義疏》及裴駰《史記集解》共得十五節，合爲一卷。其説‘焉不如丘之好學也’，訓‘焉’爲‘安’，句屬下讀，頗得神吻。昔宋明補綴遺編，蓋必有心折於其論説者。惜乎全豹之無從得窺也。”

論語集義八卷　晉尚書左中兵郎崔豹集。梁十卷。

《世説·言語篇》注：晉百官名曰崔豹，字正熊，燕國人。惠帝時官至太府丞。陳氏《書録》載《古今注解》題云太傅丞。

《釋文·敍録》：《論語》崔豹注十卷。字正熊，燕國人，晉尚書左中兵郎。或引作“正能”，未詳孰是。

《唐書·經籍志》：《論語大義解》十卷，崔豹撰。

《唐書·藝文志》：《論語》崔豹大義解十卷。

論語十卷　晉著作郎李充注

《晉書·文苑傳》：李充字弘度，江夏人。辟丞相王導掾，轉記室參軍、征北將軍。褚裒又引爲參軍,除剡縣令,爲大著作郎。于時,典籍混亂,充刪除煩重,以類相從,分作四部,甚有條貫,祕閣以爲永制,累遷中書侍郎,卒官。充注《尚書》及《周易旨》六篇、《釋莊論》上下二篇,行於世。子顒,多所述作。

《釋文‧敍録》:《論語》李充集注十卷,東晉人。

《唐書‧經籍志》:《論語》又十卷,李充注。

《唐書‧藝文志》:李充注《論語》十卷。

馬氏玉函山房輯本序曰:"阮孝緒《七録》載李充《論語釋》一卷,至隋已亡。《隋志》別有充注《論語》十卷,《宋‧藝文志》不及載。則全書已佚,猶幸皇侃《義疏》引有五十節。《正義》、《釋文》所引,皆本皇《疏》。又裴駰《史記集解》引一節,輯爲二卷。"按李充別有《論語釋》一卷,見後。

集解論語十卷　晉廷尉孫綽解

《晉書‧孫楚傳》:楚,太原中都人也。楚子纂,纂子統。幼與弟綽及從弟盛過江。綽字興公,博學善屬文。少與高陽許詢俱有高尚之志,居於會稽,游放山水十有餘年。除著作佐郎,襲爵長樂侯、征西將軍。庾亮請爲參軍,補章安令,徵拜太學博士,遷尚書郎、揚州刺史。殷浩以爲建威長史、會稽内史。王羲之引爲右軍長史,累遷廷尉卿,領著作。年五十八。

《釋文‧敍録》:《論語》孫綽集注十卷。字興公,太原人,東晉廷尉卿,長樂亭侯。

《唐書‧經籍志》:《論語》十卷,孫綽集解。

《唐書‧藝文志》:《論語》孫綽集解十卷。

馬國翰輯本序曰:"《釋文》引'不至於穀'一事,茲采皇侃《義疏》尚得三十一節,合爲一卷。綽以文章鳴於典午,此注蘊味宏深,而詞饒清麗,晉人吐屬,別有一種風韻。"

梁有盈氏注《論語》十卷,亡。

《釋文·敘録》:《論語》盈氏注十卷。不詳何人。

《唐書·經籍志》:《論語集義》十卷,盈氏注。

《唐書·藝文志》:《論語》盈氏集義十卷。

《通志·氏族略》:以名爲氏者,有盈氏,姬姓,晉欒盈之後。

梁有孟釐注《論語》十卷。"孟釐"爲"孟整"之誤,"孟釐"亦即"孟陋"。**亡。**

《晉書·隱逸傳》:"孟陋字少孤,武昌人。吴司空宗之曾孫
也。兄嘉,桓温征西長史。陋少而貞立,清操絶倫,布衣蔬
食,以文籍自娱。簡文帝輔政,命爲參軍,稱疾不起,桓温躬
往造焉。博學多通,長於三《禮》,注《論語》行於世,卒以
壽終。"

《釋文·敘録》:《論語》孟整注十卷。一云孟陋,陋字少孤,江
夏人。東晉撫軍參軍,不就。

《唐書·經籍志》:《論語》九卷,孟釐注。

《唐書·藝文志》:《論語》孟釐注九卷。

集解論語十卷　晉兖州別駕江熙解

江熙有《毛詩注》,見前詩類。

《釋文·敘録》:《論語》江熙集解十二卷。

《唐書·經籍志》:《論語》十卷,江熙集解。

《唐書·藝文志》:《論語》江熙集解十卷。

《玉海·藝文類》:《中興書目》曰:"梁國子助教皇侃列晉衛
瓘、繆播、欒肇、郭象、蔡謨、袁宏、江淳、蔡系、李充、孫綽、周
懷、范寧、王珉等十三人爵里於前,云此十三家是江熙所集。"
按"袁宏"當是"袁喬"之誤。

馬氏玉函山房輯本序曰:"皇侃《義疏序》列《論語》十三家,爲
晉江熙字太和所集取衆説以成書,故以集解名也。今邢昺
《疏》引二節,皇《疏》所引頗多,其明標江熙者,尚得九十餘

節。侃言若江集中諸人有可采者,亦附而申之,則衞、繆、欒、郭等説,侃皆從江集采之。既已輯録,別自爲書,故不複載。此編雖殘缺不完,然合衞、繆諸家以參觀之,有晉一代之説《論語》者,得失同異,備於茲矣。"

論語七卷　盧氏注

盧氏不詳何人。

> 按此亦似盧景裕注也。《北史》本傳言景裕注《周易》、《尚書》、《孝經》、《論語》、《禮記》、《老子》。別見易類。本志著録《論語》諸家之注,至此已畢。下文《論語難鄭》別分爲類,與易家所條章法略同,故知此盧氏似即易家之盧氏。

梁有晉國子博士梁覬注《論語》十卷,亡。

《釋文・敘録》:《論語》梁覬注十卷。天水人,東晉國子博士。

《唐書・經籍志》:《論語》十卷,梁覬注。一本誤作"顗"。

《唐書・藝文志》:《論語》梁覬注十卷。

馬國翰輯本序曰:"其書絶少徵引,皇侃《義疏》于'子禽問于子貢'章引其二説而已。原標梁冀。案"冀"與"覬"音相同,義亦相近,故通用之,非漢之跋扈將軍也。"

梁有晉益州刺史袁喬注《論語》十卷,亡。

《晉書・袁瓌傳》:瓌字山甫,陳郡陽夏人。以平蘇峻功,封長合鄉侯。子喬嗣,字彥叔。初,拜佐著作郎,桓温引爲司馬。尋爲建武將軍、江夏相,與温平蜀,進號龍驤將軍,封湘西伯。卒年三十六,贈益州刺史,謚曰簡。喬博學有文才,注《論語》,行於世。子方平,方平子山松。

《釋文・敘録》:袁喬《論語注》十卷。字彥叔,陳國人。東晉益州刺史、湘西簡侯。

《唐書・經籍志》:《論語》十卷,袁喬注。

《唐書・藝文志》:《論語》袁喬注十卷。

馬國翰輯本序:"此注亡佚已久,惟見皇侃《義疏》引凡一十九節,皇《疏》序稱江熙集《論語》十三家,有晉江夏太守袁宏字叔度。蓋即袁喬,輾轉傳譌也。"

梁有尹毅注《論語》十卷,亡。

尹毅有《禮記音》,見前禮類。

《釋文·敍録》:《論語》尹毅注十卷。

《唐書·經籍志》:《論語》又十卷,尹毅注。

《唐書·藝文志》:《論語》尹毅注十卷。

梁有司徒左長史張馮注《論語》十卷,亡。

《晉書·劉惔附傳》:張憑字長宗,吳郡人。舉孝廉,丹陽尹劉惔薦之於簡文帝。帝召與語,歎曰:"張憑勃窣爲理窟。"官至吏部郎、御史中丞。

《釋文·敍録》:《論語》張馮注十卷。字長宗,吳人,東晉司徒左長史。

《唐書·藝文志》:《論語》張氏注十卷。按《舊唐志》有《論語》十卷,孫氏注。似即此張氏,而譌爲孫也。

馬國翰輯本序曰:"皇侃《義疏》引十二節,輯爲一卷。其説'民可使由之,不可使知之',以經詁經,能得聖人言外之旨。其他粹義,多類是。史稱憑爲理窟,即此。斷簡殘編,猶想見研覃力索時也。"

梁有陽惠明注《論語》十卷,亡。"陽"當爲"暢"。

《通志·氏族略》:陳留《風俗傳》有暢氏,不詳所出。齊有暢惠明,撰《論語義》十卷。

鄧名世《古今姓氏書辯證》:《風俗通》云暢氏出姜姓,齊之後。有暢惠明,著《論語義注》十卷。

《唐書·經籍志》:《論語義注》十卷,暢惠明撰。

《唐書·藝文志》:《論語》暢惠明義注十卷。

梁有宋新安太守孔澄之注《論語》十卷,亡。

《釋文·敍録》:《論語》孔澄之注十卷。字仲淵,會稽人,宋新
安太守。

梁有齊員外郎虞遬注《論語》十卷,亡。

《釋文·敍録》:《論語》虞遬注十卷。會稽人,齊員外郎。

梁有許容注《論語》十卷,亡。

許容始末未詳。

梁有曹思文注《論語》十卷,亡。

曹思文有《孝經注》,見前孝經類。

梁有釋僧智略解《論語》十卷,亡。

梁釋慧皎《高僧傳》:慧次大明中出都,止於謝寺。齊永明八
年,坐化。時謝寺又有僧寶、僧智等並一代英哲,爲時論
所宗。

　按《經義考》題"釋智略《論語解》",以"僧智"爲"智略",蓋
誤讀本志注文也。

梁有太史叔明集解《論語》十卷,亡。

太史叔明有《孝經義》,見前孝經類。

《梁書·儒林·沈峻附傳》:少善莊、老,兼通《孝經》、《論語》、
《禮記》。

馬國翰輯本序曰:"太史氏《集解》,《隋·經籍志》云梁有十卷,
亡。今其佚説,諸書罕引,惟皇侃《義疏》引二節,語涉沖虛,出
入釋氏,與王弼、郭象二家相近。聽從者眾,亦當代風趨然也。"

梁有陶弘景集注《論語》十卷,亡。

陶弘景有《毛詩序注》,見前詩類。

《南史·隱逸傳》:弘景所著有《孝經》、《論語》集注。

梁又有《論語音》二卷,徐邈等撰,亡。

徐邈有《周易音》,見前易類。

《釋文·敍録》：《論語》徐邈音一卷。

《唐書·經籍志》：《論語音》二卷，徐邈撰。

《唐書·藝文志》：《論語》徐邈音二卷。

　　按以上皆自漢魏以來諸家注釋及音義之屬，爲一類。

論語難鄭一卷

不著撰人。

梁有《古論語義注譜》一卷，徐氏撰，亡。

徐氏不詳何人。

《唐書·經籍志》：《古論語義注譜》一卷，徐氏撰。

《唐書·藝文志》：徐氏《古論語義注譜》一卷。

常熟丁國鈞《補晉書藝文志》曰：“《舊唐志》次是書於徐邈《論語音》之下，蓋徐氏即邈也。”

梁有《論語隱義注》三卷，亡。

不著撰人。

《唐書·經籍志》：《論語義注隱》三卷。《唐·藝文志》同。

《經義考》曰：“亡名氏《論語隱義》，《隋志》不載，但有其注，載《七録》，未審即是郭象《論語隱》否。《太平御覽》載《隱義》文一條、《隱義注》一條。”按郭象有《論語隱》一卷，見後。

馬國翰輯本序曰：“《隋志》有《論語隱》一卷，郭象撰。朱太史《經義考》於《論語隱》、《論語隱義注》外別出《隱義》，云未審即郭象《論語隱》否。案郭書以‘隱’名，茲云‘隱義注’者，疑是後人衍象義而注之。《唐·藝文志》稱‘義注隱’，誤倒其文也。《注疏》不見稱述，惟《白帖》、《太平御覽》引凡三節，或題‘隱義’，或題‘隱義注’。其語鄙俚似小説，與郭氏《體略》不類，應皆是注者以異聞附益之也。”按《體略》亦見後。

梁有《論語義注》三卷，亡。

不著撰人。

論語難鄭一卷

不著撰人。

按前已有《論語難鄭》一卷，此蓋別爲一家歟？

論語標指一卷　　司馬氏撰

司馬氏不詳何人。

論語雜問一卷

不著撰人。

論語孔子弟子目録一卷　　鄭玄撰

鄭玄有《論語注》，見前。

《唐日本國見在書目》：《論語弟子録名》一卷。失注撰人。

《唐書·經籍志》：《論語篇目弟子》一卷，鄭玄注。

《唐書·藝文志》：《論語》鄭玄注十卷。又注《論語釋義》一卷，《論語篇目弟子》一卷。

《經義考》：“《孔子徒人圖法》，《漢志》二卷，佚。案《徒人圖法》，《藝文志》在論語部，殆即《家語》所云《弟子解》、《史記》所云《弟子籍》也。”又《承師篇》云：“《藝文志》有《孔子徒人圖法》，《隋志》有鄭康成《論語孔子弟子目録》，《唐志》作《論語篇目弟子》。惜俱失傳。”

嘉定王鳴盛《十七史商榷》曰：“《仲尼弟子列傳》裴駰注引鄭玄注如‘冉季字子産’，鄭玄曰魯人；‘秦祖字子南’，鄭玄曰秦人之類。既非《論語》注，鄭又不注《史記》，《家語》王肅私定，鄭亦不見，竟不知此爲鄭何書之注。太史公曰‘《弟子籍》出孔氏古文’，然則亦是孔安國所得魯共王壞宅壁中取出者也，蓋鄭康成曾注之。壁中書如《逸書》、《逸禮》，康成皆不注，而《弟子籍》則有注。”按王氏言鄭氏注《弟子籍》，是矣。猶未參考《隋》、《唐志》，果有《弟子籍注》，明著於録也。

王謨《漢魏遺書鈔》曰：“是書之亡已久，故其名次無得而考。

獨賴裴駰《集解》於列傳下時引《目錄》，證諸弟子籍里，如魯人、衛人。可考見者三十有八人。竊意裴氏必見原書與《史記》大略相同，故采其異者注本傳下，其同者不復注也。今仍依《史記·列傳》名次采録，而以《家語》別出三人附載於後，凡七十九人。"

馬國翰輯本序曰："是書久佚。海寧陳氏鱣從《史記·弟子傳》集解輯出，附刊《古訓》後。凡弟子四十人，顏淵、曾參、子路、子貢、子游、公冶長、南容、子賤、澹臺滅明諸見《論語》之賢，書中自宜詳紀，而裴駰引不之及，意其與史傳不殊也。茲依陳録稽古者，合《史記》、《家語》，參證七十子之名數，灼然可考，固無煩於補綴也。"按陳仲漁有《論語古注集本》十卷，《孫祠書目》載之。

《孫祠書目》：《論語篇目弟子》一卷，孔廣林集本。

按《史記·仲尼弟子列傳》贊曰："《弟子籍》出孔氏古文，近是。"余以弟子名姓文字，悉取《論語》弟子問，并次爲篇。其書自漢以來，附於孔氏《古文論語》篇目之後。故《唐志》云《論語篇目弟子》。鄭氏此注，据《唐·藝文志》，似附《釋義》之後。《釋義》又似《七録》所載鄭注《古文論語》十卷也。至隋，《釋義》亡，僅存此帙。故別出其目。

論語體略二卷　晉太傅主簿郭象撰

《晉書》本傳：象字子玄，少有才理，好老、莊，能清言。辟司徒掾，稍至黃門侍郎。東海王越引爲太傅主簿。永嘉末，病卒。

又《庾敳傳》曰：豫州牧、長史河南郭象善老、莊，時人以爲王弼之亞。敳甚知之，每曰："郭子玄何必減庾子嵩？"象後爲太傅主簿，任事專勢。敳謂象曰："卿自是當世大才，我疇昔之意，都已盡矣。"

《唐書·經籍志》：《論語體略》三卷，郭象撰。

《唐書·藝文志》：《論語》郭象體略二卷。

馬國翰輯本序曰："皇侃《義疏》引凡九節，輯爲一卷。其佚説不離玄宗，而尚自暢達。"

論語旨序三卷　　晉衛尉繆播撰

《魏志·劉劭傳》："劭同時東海繆襲，官至尚書、光禄勳。"《文章志》曰："襲子悦，晉光禄大夫。襲孫紹、播、徵、胤等，並皆顯達。"

《晉書》本傳：播字宣則，蘭陵人也。才思清辯，有意義。惠帝時，爲司空、祭酒。懷帝以爲給事、黃門侍、郎侍中、中書令。爲東海王越所害，及越薨，贈衛尉。

又《懷帝本紀》：永嘉三年三月丁巳，東海王越歸京師。乙丑，勒兵入宮於帝側，收近臣中書令繆播、帝舅王延等十餘人，並害之。

《唐書·經籍志》：《論語旨序》二卷，繆播撰。

《唐書·藝文志》：《論語》繆播旨序二卷。

馬國翰輯本序曰："繆播《論語旨序》，《隋志》三卷，《唐志》云二卷，《宋志》不著録。佚已久。陸德明《經典釋文》引一則，皇侃《義疏》引尚有一十四節，合訂一卷。皇《疏》又引繆協説，凡二十七節。協不詳何人，《隋》、《唐志》及《經典釋文》皆不載。江熙集解十三家中亦但有繆播無繆協。茲別録一卷，附繆播之後。"按本志三卷，其後一卷，或附繆協説，未可知也。

　按自《論語難鄭》至此，皆難義、雜義、雜注、序目之屬，又別爲一類。

論語釋疑三卷　　王弼撰

王弼有《周易注》，見前易類。

《釋文·敍録》：《論語》王弼釋疑三卷。

《唐書·經籍志》：《論語釋疑》二卷，王弼撰。

《唐書・藝文志》:《論語》王弼釋疑二卷。

余蕭客《古經解鈎沈・敍録》曰:"《釋文》引王弼《論語音》。"

馬國翰輯本序曰:"王弼《釋疑》,今間見於《釋文》、《正義》。茲更從皇侃《義疏》采輯,共得四十節,合爲一卷。其説'志於道'、'性相近',浮虛惝悦,老、莊緒言,與注《易》等。然如釋'老彭'爲老耼、彭祖;'廐焚'爲公廐;'賜不受命'爲不受爵;'作者七人'爲伯夷、叔齊、虞仲、夷逸、朱張、柳下惠、少連。皆與諸家殊別。雖非確訓,頗廣異聞,考古之儒可所不廢也。"

論語釋一卷　張憑撰

張憑有《論語注》,見前。

馬國翰曰:"《論語》張氏注,《隋・經籍志》注'梁有十卷,亡'。而志別有《論語釋》一卷,云張憑撰。或者裒輯散佚,什存其一歟?"

按馬氏以此爲裒輯散佚,亦或近似。然考李充於注本十卷之外,又有《論語釋》一卷見於《七録》,則又似不盡然。

論語釋疑十卷　晉尚書郎欒肇撰

欒肇有《周易象論》,見前易類。

《釋文・敍録》:《論語》欒肇釋疑十卷。

《唐書・經籍志》:《論語釋》十卷,欒肇撰。

《唐書・藝文志》:欒肇《論語釋》十卷。

馬國翰輯本序曰:"江熙所集十三家有欒肇,今已佚亡。就皇《疏》及《史記集解》所引,尚輯得一十六節。"

梁有《論語釋駁》三卷,王肅撰,亡。

王肅有《論語注》,見前。

按《舊唐志》有《論語釋義》十卷,鄭玄注。《新志》云鄭玄又注《論語釋義》一卷。此或駁鄭氏《釋義》之書,或當時馬昭諸儒駁其《論語》注者,肅從而釋之。

梁有《論語駁序》二卷,欒肇撰,亡。

欒肇有《論語釋疑》見前。

《唐書·經籍志》:《論語駁》二卷,欒肇撰。

《唐書·藝文志》:欒肇《論語釋》十卷,又《駁》二卷。

馬國翰曰:"《隋志》載欒肇《釋疑》十卷,又云梁有《論語駁序》二卷,亡。《唐志》作《論語駁》。皇《疏》所引'君子無所爭'、'瑚璉也'、'子路請禱'三條,辯論鋒起,似《駁序》之文。至如'文莫吾猶人也'一節,楊慎《丹鉛總録》引欒肇《論語駁》云:'燕、齊謂勉強爲文莫。'則顯稱欒氏《駁》矣。"

梁有《論語隱》一卷,郭象撰,亡。

郭象有《論語體略》,見前。

梁有《論語藏集解》一卷,應琛撰,亡。

應琛始末未詳。

按《論語藏》之名不可解,似有敓文,疑是"行藏集解",落"行"字,集"用之則行,舍之則藏"之解説歟?

梁有《論語釋》一卷,曹毗撰,亡。

《晉書·文苑傳》:曹毗字輔佐,譙國人也。高祖休,魏大司馬。毗少好文籍,郡察孝廉,除郎中、佐著作郎、句章令,徵爲太學博士,累遷尚書郎、鎮軍從事中郎、下邳太守,至光禄勳卒。所著文筆十五卷,傳於世。

梁有《論語君子無所爭》一卷,庾亮撰,亡。

庾亮有《雜鄉射等議》三卷,見前禮類。

按此似即從《鄉射雜議》三卷中析出。又按《晉書》本傳云:"中興初,拜中書侍郎,領著作,侍講東宮。其所論釋,多見稱述。"則又似侍東宮時講義。

梁有《論語釋》一卷,李充撰,亡。

李充有《論語注》,見前。

梁有《論語釋》一卷，庾翼撰，亡。

庾翼有《春秋公羊論》，見前春秋類。

馬國翰輯本序曰："阮孝緒《七錄》有庾翼《論語釋》一卷，皇侃
《義疏》引其釋'子畏於匡'一節，文筆秀整，大似論體，豈其摘
取發揮，似後世制義耶。"

梁有《論語義》一卷，王濛撰，亡。

《晉書·外戚傳》：王濛字仲祖，哀靖皇后父也。克己勵行，有風
流美譽，與沛國劉惔齊名友善。凡稱風流者，舉濛、惔爲宗焉。
司徒王導辟爲掾，補長山令，徙中書郎。濛性和暢，能言理，辭簡
而有會。簡文帝輔政，與惔號爲入室之賓。轉司徒左長史，年三
十九卒。謝安常云："王長史語甚不多，可謂有令音。"

梁又有蔡系《論語釋》一卷，亡。

《晉書·蔡謨傳》：謨，陳留考城人也，穆帝時司徒。諡文穆。
長子劭，永嘉太守。少子系，有才學，位至撫軍長史。時簡文帝
輔政，爲撫軍將軍也。

皇侃《義疏》序：江熙所集十三家，有晉撫軍長史濟陽蔡系字
子叔。

《世說·雅量篇》注：蔡系字子叔，濟陽人，司徒謨第二子，有
文理，仕至撫軍長史。

梁有張隱《論語釋》一卷，亡。

張隱始末未詳。

按《晉書·陶侃傳》"侃命廬江太守張夔子隱爲參軍"，不知
即此張隱否也。

梁有郄原《通鄭》一卷，亡。

郄原始末未詳。

按鄭氏弟子有山陽郄慮，建安中至御史大夫，或即其後歟？
今本《後漢書·鄭玄傳》有作郗慮者，誤也。晉有郄鑒，慮之玄孫，其同

族也。

梁有王氏《修鄭錯》一卷，亡。

王氏不詳何人。

按江熙集解十三家，其最後一家爲晉中書令琅琊王珉字季
瑛，疑即此王氏也。珉，王導之孫，字季琰，非季瑛，嘗以著
作郎、國子博士代王獻之爲長兼中書令。二人齊名，世謂
獻之爲大令，珉爲小令。見《晉書·王導附傳》。

梁有姜處道《論釋》一卷，亡。 按"論"下似敚"語"字。

姜處道始末未詳。

按《唐·經籍志》，郭象《論語體略》之後，有《論語雜義》十
三卷，不著撰人。《新志》亦載之十三卷者，似即前張憑、郭
象、應琛、曹毗、庾亮、李充、庾翼、王濛、蔡系、張隱、郄原、
王氏、姜處道十三家。隋時唯存張憑一家，餘十二家見於
《七錄》。唐代合并爲帙，題曰《雜義》，以綜括之。疑梁時
亦如此，阮氏特分別著錄耳。又《雜義》十三卷，本志不見，
而此十三家亦不見於《唐志》，故知此十三家即《唐志》之
《雜義》也。

又按自王弼《釋疑》至此，皆雜釋、雜義之屬，又別爲一類。

論語別義十卷　范廙撰

余蕭客《古經解鉤沈·敍録》曰："晁公武《讀書後志》曰'皇侃
《論語疏》引范寧說'，則《隋志》范廙《論語別義》十卷，或是范
寧之誤。"

馬國翰曰："江熙集解十三家，有范寧。《釋文》引止二節，皇
侃《義疏》亟引之，裴駰《史記集解》亦間稱引。茲並采録，共
得四十八節，合爲一卷。考《隋志》有《論語別義》十卷，范廙
撰，或是范寧之誤云。"

按兩《唐志》於《論語雜義》十三卷之後，又有《論語剟義》十

卷,皆不著撰人。本志亦載是書於《雜義》之後,敍次相同。

自姜處道以上十三家,即是《雜義》十三卷,詳見於前。知《剟義》即《別義》,特未詳剟與別爲孰是耳。

梁有《論語疏》八卷,宋司空法曹張略等撰,亡。

張略始末未詳。

按《陳書·張種傳》:"種字士苗,吳郡人。祖辯,宋司空、右長史、廣州刺史。父略,梁太子中庶子、臨海太守。"不知即此張略否也。其稱張略等,則非一人之作。

梁有《新書對張論》十卷,虞喜撰,亡。

虞喜有《論語鄭注贊》九卷,見前。

《册府元龜·學較部·注釋類》:"晉虞喜累徵博士,不就。釋《毛詩略》,注《孝經》,撰《周官駁難》,又注《論語》九卷,《新書討張論語》十卷。"

按本志子部儒家《志林新書》三十卷,虞喜撰。梁有《廣林》二十四卷,《後林》十卷,虞喜撰。《唐志》稱《後林新書》,則《廣林》亦稱新書可知,三書凡六十四卷。此蓋從六十四卷析出,故冠以'新書'之名。《對張論》,《册府元龜》作《討張論語》。《册府》所據,亦《隋志》,似此'論'下敓'語'字。對張、討張,未詳孰是,其名義亦莫得而詳已。

論語義疏十卷　褚仲都撰

褚仲都有《周易講疏》,見前易類。

《唐日本國見在書目》:《論語疏》十卷,褚仲都撰。

《唐書·經籍志》:《論語講疏》十卷,褚仲都撰。

《唐書·藝文志》:《論語》褚仲都講疏十卷。

馬國翰曰:"考蕭梁之代作《義疏》者,褚、皇二家。皇《疏》今得日本人傳之,晦而復顯。褚《疏》則湮絶無聞,猶幸皇《疏》引其一節,吉光片羽,益以罕而見珍。倘有搜自遐方,探諸石室,使全書繼皇本而復出也,是所望於世之好古者。"

論語義疏十卷　皇侃撰

皇侃有《喪服文句義疏》,見前三禮類。

侃自序略曰:"魏吏部尚書何晏,因《魯論》集馬季長等七家,又采《古論》孔注,又自下己意,即世所重者,今日所講,即是《魯論》,爲張侯所學,何晏所集者也。又有江熙所集十三家,侃今之講,先通何集,若江集中諸人有可采者,亦附而申之。其又別有通儒解釋於何集無妨者,亦引取爲説,以示廣聞也。然《論語》之書,包於五代,二帝、三王,自堯至周,凡一百四十人。而孔子弟子不在其數,孔子弟子有二十七人見於《論語》也。而《古史考》則云三十人,謂林放、澹臺滅明、陽虎亦是弟子數也。"

《南史·儒林傳》:"侃尤明三《禮》、《孝經》、《論語》。"又曰:"所撰《論語義》、《禮記》,見重於世,學者傳焉。"

《釋文·敍録》論語類:皇侃撰《義疏》行於世。

《唐日本國見在書目》:《論語義疏》十卷,皇侃撰。

《唐書·經籍志》:《論語疏》十卷,皇侃撰。

《唐書·藝文志》:《論語》皇侃疏十卷。

《宋史·藝文志》:皇侃《論語疏》十卷。

晁氏《讀書志》曰:"古今《論語》之注多矣。何晏集八家,復采古《論語注》爲《集解》,行於世。侃又引江熙所集十三家之説,成此書。世謂其引事雖時近詭異,而援證精博,爲後學所宗云。"

《玉海·藝文類》:《國史·志》曰:"皇侃《疏》雖時有鄙近,然博極群書,補諸家之未至,爲後學所宗。咸平中,詔邢昺刊定《正義》。"

《四庫簡明目録》曰:"《論語集解義疏》十卷,魏何晏等注,梁皇侃疏。自南宋後，其書久佚，此本得於東洋市舶，猶唐以來相傳舊笈。經文、注文多與今本不同，雖長短互見，而頗足以資考證。侃《疏》即邢《疏》之藍本，然多存古義，實勝邢《疏》。”

按皇《疏》所引，爲《七錄》、《隋志》所不載者，除范寧本志誤爲范廙外，餘則有漢孔安國説、後漢包咸説、周氏説、馬融説、魏陳群説、王朗説、周生烈説、晉繆協説、蔡謨説、殷仲堪説、宋顔延之説、釋慧琳説、齊沈驎士説、顧歡説、梁武帝説、沈峭説、似即沈峻。熊理説，凡一十七家。馬氏玉函山房皆輯存之。

論語述義十卷　劉炫撰

劉炫有《尚書述義》，見前書類。

《北史·儒林傳》：“炫自爲狀曰：‘《周禮》、《禮記》、《毛詩》、《尚書》、《公羊》、《左傳》、《孝經》、《論語》孔、鄭、王、何、服、杜等注，凡十三家，雖義有精粗，並堪講授。’”又曰：“著《論語述義》十卷，行於世。”

《唐書·經籍志》：《論語章句》二十卷，劉炫撰。

《唐書·藝文志》：《論語》劉炫章句二十卷。

論語義疏八卷

不著撰人。

按此八卷合以後張沖《義疏》二卷，正符《隨書》、《北史·儒林傳》所載十卷之數，疑即張沖書也。

論語講疏文句義五卷　徐孝克撰。殘缺。

徐孝克有《孝經講疏》，見前孝經類。

《册府元龜·學較部·注釋類》：徐孝克撰《論語注義》五卷。

按五卷者，本志注云殘缺，非其全也。《册府》從本志采録，故亦云五卷。

論語義疏二卷　張沖撰

張沖有《春秋義略》，見前春秋類。

《隋唐》、《北史·儒林傳》：沖撰《論語義》十卷。

　　按前八卷不著撰人，疑即此二卷之佚出者。

梁有《論語義注圖》十二卷，亡。

　　不者撰人。

　　張彥遠《歷代名畫記》曰："古之祕畫珍圖，則有《論語圖》二卷。"按《義注》十卷，《圖》二卷，其數相合，疑即張氏所見者。

　　按《崇文總目》有《論語井田義圖》一卷，云不著撰人名氏，疑即是圖之遺。

　　又按自范寧《別義》至此，皆義疏、講疏之屬，而附以圖，又區爲一類。

孔叢七卷　陳勝博士孔鮒撰

《史記·孔子世家》：子慎年五十七，嘗爲魏相。生鮒，年五十七，爲陳王涉博士，死於陳下。

又《儒林傳》曰："陳涉之王也，魯諸儒持孔氏之禮器往歸之，於是孔甲爲陳涉博士，卒與涉俱死。"徐廣曰："孔子八世孫，名鮒，字甲也。"

孔繼汾《闕里文獻考》：鮒一名鮒甲，字子魚，或謂之子鮒，或稱孔甲，爲博士。凡六旬，言既不用，託目疾，老於陳，年五十七卒。

《唐書·經籍志》：《孔叢子》七卷，孔鮒撰。

《唐書·藝文志》：《孔叢》七卷。

《宋史·藝文志》子部儒家：《孔叢子》七卷，漢孔鮒撰。朱熹曰偽書也。又經部小學類別出孔鮒《小爾雅》一卷。

《朱子語類》曰："《家語》雖記得不純，都是當時書。《孔叢子》是後來自撰出。"又曰："《孔叢子》乃其所注之人偽作。讀其首幾章，皆法《左傳》句，已疑之。及讀其《後序》，乃謂渠好《左傳》，便可見。"又曰："《孔叢子》鄙陋之甚，理既無足取，而詞亦不足觀。有一處載'其君曰必然'云云,是何言語。"

陳氏《書録》儒家:《孔叢子》七卷,孔氏子孫雜記其先世,系言
行之書也。《小爾雅》一篇,亦出於此。《中興書目》稱漢孔鮒
撰。案《孔光傳》"夫子八世孫鮒,魏相順之子,爲陳涉博士,
死陳下",則固不得爲漢人。而其書記鮒之没,第七卷號《連
叢子》者,又記太常臧,而下數世,迄於延光三年季彦之卒,則
又安得以爲鮒撰耶?

《四庫》子部儒家:《孔叢子》舊題孔鮒撰。所載仲尼而下子
上、子高、子順之言行,凡二十一篇。又以孔臧所著賦與書
上、下二篇附綴於末,别名曰《連叢》。臧,漢高祖功臣孔聚之
子,武帝時官太常。《朱子語類》謂《孔叢子》文氣軟弱,不似
西漢文字,蓋其後人集先世遺文而成之者。今按其書説《舜
典》"六宗"與僞《孔傳》、僞《家語》並同,是亦晚出之明證也。
朱子所疑,蓋非無見。

又《簡明目録》:《孔叢子》三卷,舊本題陳勝博士孔鮒撰。凡
二十一篇,末爲《連叢子》上下二篇,題漢孔臧撰,皆依託也。
然《隋志》著録,其來已久,且亦綴合孔氏之遺文,故相沿,莫
之廢也。

張氏《書目答問》:周秦諸子類《孔叢子》七卷,浙江新刻影宋
巾箱本,《漢魏叢書》三卷本。有依託,不盡僞。

梁有《孔志》十卷,梁太尉參軍劉被撰,亡。

劉被始末未詳。

《册府元龜·學較部·注釋類》:"漢孔鮒爲陳勝博士,撰《論
語義疏》三卷。"又曰:"劉被爲太尉參軍,撰《論語孔志》十卷,
述孔鮒《義疏》。"

　按孔鮒《論語義疏》三卷,前史不載,《册府》此兩條云云,不
　知所据何書。楚漢之際,未有義疏名目,大抵劉被從《孔

叢》及他書編爲孔鮒《義疏》；又引而申之，爲此十卷，名曰
《論語孔志》歟？故《七錄》次《孔叢》之後也。

孔子家語二十一卷　　王肅解

王肅有《論語注》十卷、《論語釋駁》三卷，並見前。

《漢志》論語家：《孔子家語》二十七卷。顏氏《集注》曰：“非
今所有《家語》。”按今所有《家語》，即此二十一卷，四十四篇也。《漢志》二十七
卷之篇數，亦無從而知之矣。

王肅自序略曰：“鄭氏學行五十載矣。尋文責實，考其上下，
義理不安，違錯者多，是以奪而易之。孔子二十二世孫有孔
猛者，家有其先人之書，昔相從學，頃還家，方取以來，與予所
論有若重規疊矩，而恐其將絕，故特爲解，以貽好事之君子。”

《禮‧樂記》正義：魏博士馬昭曰：“《家語》，王肅所增加，非
鄭所見。”又曰：“肅私定，以難鄭玄。”

《釋文‧敍錄》曰：“肅又注《尚書》、《禮容服》、《論語》、《孔子
家語》。”

《唐日本國見在書目》：《孔子家語》廿一卷，王肅撰。

《唐書‧經籍志》：《孔子家語》十卷，王肅撰。一本“撰”作“注”。

《唐書‧藝文志》：王肅注《論語》十卷，又注《孔子家語》十卷。

《宋史‧藝文志》：《孔子家語》十卷，魏王肅注。

晁氏《讀書志》：《孔子家語》十卷，魏王肅序注，凡四十四篇。
劉向校錄止二十七篇，後肅得此於孔子二十四世孫猛家。

陳氏《書錄》儒家：《孔子家語》十卷，孔子二十二世孫猛所傳，
魏散騎常侍王肅爲之注。肅闢鄭學，猛嘗受學於肅，肅從猛
得此書，與肅所論多合，從而證之，遂行於世。云博士安國所
得壁中書也。亦未必然，其間所載，多已見《左氏傳》、《大戴
禮》諸書云。

《經義考》：《孔子家語》，《漢志》二十七卷，佚，別本存。

郎瑛曰:"王文憲公柏《家語考》一編,以四十四篇之《家語》,乃王肅自取《左傳》、《國語》、《荀》、《孟》、二戴《記》,割裂織成之。孔衍之序,亦王肅自爲也。"按孔安國《家語後序》亦後人僞撰。

《四庫》子部儒家《簡明目録》曰:"《孔子家語》十卷,魏王肅注。《家語》雖名見《漢志》,而書則久佚。今本蓋即王肅所依託,以攻駁鄭學。馬昭諸儒,已論之詳矣。然肅雖作僞,實亦割裂諸書所載孔子逸事綴輯成篇,大義微言,亦往往而在。故編儒家之書者,終以爲首焉。"

梁有《當家語》二卷,魏博士張融撰,亡。

張融始末未詳。

《經義考·擬經篇》:張氏融《當家語》,《七録》二卷,佚。阮孝緒曰魏博士張融撰。

按唐元行沖《釋疑論》曰:"子雍規玄數十百件,守鄭學者,時有中郎馬昭,上書以爲肅謬,詔王學之輩,占答以聞,又遣博士張融案經論詰,融登召集,分別推處,理之是非,具《聖證論》。"按《聖證論》今輯本有馬昭駁,孔晁答,張融評。評者,平其得失也。融蓋與馬昭同時爲博士,此其事蹟之可見者。此《當家語》或亦爲王肅《家語》而作。《日本書目》有《家語鈔》一卷,不著撰人,次王肅《家語》之後,似即此書;或亦如《聖證論》,平議《家語》之是非者。

孔子正言二十卷　梁武帝撰

梁武帝有《周易大義》,見前易類。

《蕭梁文苑》:帝撰《孔子正言竟述懷詩》曰:"志學恥傳習,弱冠闕師友。愛悦夫子道,正言思善誘。删次起實沈,殺青在建酉。孤陋乏多聞,獨學少擊叩。仲冬寒氣嚴,霜風折細柳。白水凝潤谿,黄落散堆阜。康哉信股肱,惟聖歸元首。獨欺予一人，端然無四友。"

《南史·江總傳》：總仕梁，爲尚書殿中郎。武帝撰《正言》，始畢，製《述懷詩》。總預同此作，帝覽總詩，深見嗟賞。

又《儒林·孔子祛傳》：梁武帝撰《五經講疏》及《孔子正言》，專使子祛檢閱群書，以爲義證。事竟，敕子祛與右衛朱异、左丞賀琛于士林館遞日執經。

《隋書·百官志》：舊國子學生限以貴賤，帝欲招来後進，五館生皆引寒門儁才，不限人數。大同七年，國子祭酒到溉等又表立《正言》博士一人，位視國子博士，置助教二人。

《南史·到溉傳》：溉爲侍中、國子祭酒，表求列武帝所撰《正言》於學，請置《正言》助教二人，學生二十人。尚書左丞賀琛又請加置博士一人。

《陳書·袁憲傳》：大同八年，武帝撰《孔子正言章句》，詔下國學，宣制旨義，憲時年十四，被召爲國子《正言》生。

《梁書·張縉傳》：大同中，出爲豫章内史，縉在郡述《制旨禮記》、《正言》義，四姓衣冠士子，聽者常數百人。

《南史·儒林·張譏傳》：大同中，召補國子《正言》生。

又《戚袞傳》：年十九，梁武敕策《孔子正言》并《周禮》、《禮記》義，袞對高第。除揚州祭酒、從事史。

《唐日本國見在書目》：《孔子正言》廿卷，梁武帝撰。

《唐書·經籍志》經解類：《孔子正言》二十卷，梁武帝撰。

《唐書·藝文志》經解類：梁武帝《孔子正言》二十卷。

　　按梁武《述懷詩》云"删次起實沈，殺青在建酉"，考《天官書》正義，觜三星，參三星，外四星爲實沈。於辰在申，是删次起於大同六年，庚申之歲，至明年辛酉殺青，遂有到溉、賀琛表立博士。至八年，又爲《章句》，下國學官講，當時與制旨《孝經》義並重，皆立學，置博士生徒。終武帝之世，爲是學得選舉因而起家者,不知若干人。張譏、袁憲、戚衮其最著也。

又《史通·雜記篇》云:"劉敬叔《異苑》稱晉武庫火,漢高祖斬蛇劍穿屋而飛,其言不經。故梁武帝令殷芸編諸小説,及蕭方等撰《三十國史》,乃刊爲正言。"按此謂《古三十國春秋》以斯事列爲正文也。《經義考·擬經篇》載之。《孔子正言》條下,别無他證,以此正言謂爲《孔子正言》,謬誤實甚。竹垞先生何至於此,其門弟子所爲歟?

自《孔叢子》至此,又别爲一類。本志篇敘曰:"其《孔叢》、《家語》,並孔氏所傳仲尼之旨。附於此篇。"

爾雅三卷　漢中散大夫樊光注

《釋文·敘録》:《爾雅》樊光注六卷。京兆人,後漢中散大夫。沈旋疑非光注。

《唐書·經籍志》小學類:《爾雅》六卷,樊光注。

《唐書·藝文志》小學類:《爾雅》樊光注六卷。

馬氏玉函山房輯本序曰:"孔氏《正義》、《釋文》、邢《疏》所引樊光,又或引作某氏。臧庸《拜經日記》云唐人義疏引某氏《爾雅》注,即樊光也。其言確不可易。茲據合輯爲卷。其引《詩》,臧氏謂與《毛》、《韓》不同,蓋本《魯詩》云。"

按臧拜經輯《爾雅漢注》三卷,孫氏《問經堂叢書》刻之。又甘泉黄奭輯《爾雅古義》十二卷,自刻《漢學堂叢書》本。又《書目答問》云嚴可均輯《爾雅一切注音》十卷,未刊。凡此皆《爾雅》輯本之善者也。

梁有漢劉歆《爾雅注》三卷,亡。

《漢書·楚元王附傳》:"劉向少子歆,字子駿,少以通《詩》、《書》,能屬文,召見成帝,待詔宦者署,爲黄門郎。河平中,受詔與父向領校祕書。向死後,歆復爲中壘校尉。哀帝初即位，爲侍中太中大夫，遷騎都尉，奉車光禄大夫，貴幸。復領五經，卒父前業。歆乃集六藝群書，種別爲《七略》。歆欲建立《左氏春秋》及《毛詩》、《逸禮》、《古文尚書》，皆列於學官。哀帝令歆與五經博士講論其義，諸博士或不肯置對，歆因移書太常博士責讓之。其言甚切，由是忤執政大臣，爲衆儒所訕，懼誅，求出補吏，從守五原，轉涿郡，歷三郡守。數年，以病免官，起家復爲安定屬國都尉。會哀帝崩，王莽持政，莽少與歆俱爲黄門郎，重之，白太后。留歆爲右曹太中大夫，遷中壘校尉、羲和、京兆尹，使治明堂辟雍，封紅休侯。典儒林史卜之官，考定律曆，著《三統曆譜》。初，歆以建平元年改名秀，字穎叔。及王莽篡位，歆爲國師。”又《翟義傳》：“居攝二年九月，羲和紅休侯劉歆爲揚武將軍，屯宛。三年正月，歸故官。”又《王莽傳》：“始建國元年，莽案金匱輔臣皆封拜。以少阿、羲和、京兆尹、紅休侯劉歆爲國師。嘉新公後，改爲心，又改爲信，與王舜、平晏、哀章爲四輔。地皇四年七月，時漢兵起，王邑、嚴尤等已敗於昆陽，衛將軍王涉、大司馬董忠與歆謀，共劫持莽，東降南陽天子，歆亦怨莽殺其三子，又畏大禍且至，遂與涉、忠謀，欲發。事泄，格殺。忠、歆、涉皆自殺。”按《漢書·王子侯表》：“休侯富，楚元王子。孝景元年封。三年，以兄子楚王戊反，免。更封紅侯。傳國至曾孫，亡後，絕。”又《楚元王附傳》：“富子辟彊，辟彊子德，德子向，向子歆。”歆當爲富之玄孫，封紅休侯者，蓋取其先世初封休侯，更封紅侯而一之。又歆怨莽殺其三子者，歆仲子棻、棻弟泳，始建國二年十二月，以甄豐子尋事被殺，歆女愔爲莽太子臨妻。地皇二年正月，莽殺臨，事連愔，愔自殺。並見《莽傳》。

《西京雜記》：劉歆曰：“郭威字文偉，茂陵人也。好讀書，以謂《爾雅》周公所制。而《爾雅》有‘張仲孝友’，張仲，宣王時人，非周公之制，明矣。余嘗以問揚子雲，子雲曰：‘孔子門徒游、夏之儔所記，以解釋六藝者也。’家君以爲《外戚傳》史佚教其子以《爾雅》。《爾雅》，小學也。又《記》言孔子教魯哀公學《爾雅》，則《爾雅》之出遠矣。舊傳學者皆云周公所記也。'張仲孝友'之類，後人所足耳。"按此稱家君，謂劉向也。向言《外戚傳》，非《史記·外戚世家》，蓋别爲一書，今不可考。

《釋文·叙録》：劉歆《爾雅》三卷，與李巡注正同，疑非歆注。

馬氏玉函房輯本序曰："《爾雅》劉氏注，《唐志》不著目。佚已久。惟陸氏《釋文》及唐徐景安《樂書》、陸璣《詩疏》、許慎《説文》各引其説，輯録爲卷。《釋文·叙録》云：'與李巡正同，疑非歆注。'考李氏本劉爲注，大指不殊，其間亦不無少異。"臧氏、黄氏亦各有輯本。

按《漢書·王莽傳》："平帝元始四年，莽奏徵天下通一藝教授十一人以上，及有《逸禮》、《古書》、《毛詩》、《周官》、《爾雅》、天文、圖讖、鍾律、月令、兵法、《史篇》文字，通知其意者，皆詣公車。網羅天下異能之士，至者千數，皆令記説廷中，將令正乖謬，壹異説云。"《論衡·效力篇》曰："王莽之時，省五經章句，皆爲二十萬言。"按其時，劉歆爲羲和，典領其事。《爾雅》爲五經之支流，歆之注當在其時。時所徵通小學者以百數。揚雄取其有用者，以作《訓纂篇》。通鍾律者亦百餘，劉歆條奏，以爲《鍾律書》，並見《藝文》、《律曆志》。其通知《爾雅》者，不知若干人。歆又用以爲是書之注，雖無明文，其事固可想見也。《西京雜記》所載，其即注是書時之所記。茂陵郭威，豈亦以知《爾雅》徵來者歟？近刻《古佚叢書》有《玉燭寶典》、《原本玉篇》及高麗傳來《大藏音義》，並引劉歆《爾雅注》，爲輯録家所未見，可補者頗多也。

梁有漢犍爲文學《爾雅注》三卷，亡。

《史記·滑稽列傳》褚先生曰："武帝時，有所幸倡郭舍人者，發言陳辭，雖不合大道，然令人主和説。"

《漢書·東方朔傳》："時有幸倡郭舍人，滑稽不窮，常侍左右。"又曰："朔後嘗爲郎，與枚皋、郭舍人俱在左右，詼啁而已。"

《西京雜記》曰："武帝時，郭舍人善投壺，以竹爲矢，不用棘也。古之投壺，取中而不求還，故實小豆於中，惡其矢躍而出也。郭舍人則激矢令還，一矢百餘反，謂之爲驍。言如博之擊梟於掌中，爲驍傑也。每爲武帝投壺，輒賜金帛。"

《釋文·敍錄》：《爾雅犍爲文學注》三卷，一云犍爲郡文學，卒史臣舍人，漢武帝時待詔。

《經義考》曰："按舍人待詔在漢武時，此釋經之最古者，其書雖不傳，間采於邢氏之《疏》，《疏》所未載，字義可考者，猶若干條，見之陸氏《釋文》。"

錢大昕《隋書考異》曰："犍爲文學即舍人也。陸德明云：'犍爲郡文學，卒史臣舍人，漢武帝時待詔。'蓋其人姓舍，名人。"

張澍《蜀典》輯本序曰："按犍爲文學，即與東方朔同時待詔，詔爲隱語，被榜呼譽之郭舍人也。按見《東方朔傳》。《西京雜記》言其善投壺，犍爲郡文學，卒史臣舍人，當是初爲郡文學，後補太守卒史。以能詼諧、善投壺入爲待詔舍人也。陸德明言所注《爾雅》闕中卷，故自《釋訓》以下，《釋草》以上，並無一語。見《釋文》及諸《疏》，惟《齊民要術》引《釋器》一條，《水經注》引《釋水》二條。賈、酈二人著書在前，必見全本也。"

馬氏玉函山房輯本序曰："《七録》有《犍爲文學爾雅注》三卷，《釋文》云闕中卷。故自《釋官》至《釋水》不及引舍人注，而《齊民要術》、《水經注》、《太平御覽》諸書所引，猶足摭拾成卷。今仍釐爲三卷，以補陸氏之闕。舍人在漢武時，釋經之最古者。本多異字，尤可與後改者參校而得《爾雅》之初義焉。"

王謨《漢魏遺書鈔》曰："《文選·羽獵賦》注一引《爾雅》犍爲舍人注，一引《釋詁》郭舍人注，舍人姓郭，亦惟見此，別無考證。今並鈔出邢《疏》八十四條，《釋文》四十三條、《毛詩》釋文二條、《尚書疏》五條、《毛詩疏》十六條、《禮記疏》一條、《左傳疏》七條、《公羊疏》一條、《齊民要術》二條、《水經注》三條、陸璣《詩疏》二條、《文選注》二條，又《補遺》四十七條。"臧氏、黄氏亦各有輯本。

按《藝文類聚·雜文部》載漢武帝《柏梁臺》詩，末二人曰郭舍人、東方朔。蓋在當時，亦能爲七言詩者。《大藏音義》、唐本《玉篇》、《玉燭寶典》亦皆引之。舍人姓郭，此又一證也。

梁有漢中黄門李巡《爾雅注》三卷，亡。

《後漢書·宦者·吕强傳》：時宦者汝陽李巡、北海趙祐等五人，稱爲清忠，皆在里巷，不爭威權。巡以爲諸博士試甲乙科，爭第高下，更相告言，至有行賂定蘭臺漆書經字，以合其私文者，迺白帝，與諸儒共刻五經文於石，於是詔蔡邕等正其文字。自後五經一定，爭者用息。趙祐博學多覽，著作校書，諸儒稱之。

《釋文·敍録》：《爾雅》李巡注三卷。汝南人，後漢中黄門。

《唐書·經籍志》小學類：《爾雅》三卷，李巡注。

《唐書·藝文志》小學類：《爾雅》李巡注三卷。

馬國翰輯本序曰："《爾雅》李氏注，《隋志》云亡，《唐志》復出。今佚。從諸書裒輯，仍釐爲三卷。《經典·敍録》於劉歆注下云與李巡正同，然則巡蓋師宗劉氏者也。據范史云云，知熹平立石，巡實發端倡議，則其有功於五經獨大，固不知天地、山川、草木、蟲魚之淹博已也。"

爾雅七卷　孫炎注

孫炎有《禮記注》，見前禮類。

《釋文・敍録》：《爾雅》孫炎注三卷。

《唐書・經籍志》小學類：《爾雅》又六卷，孫炎注。

《唐書・藝文志》小學類：《爾雅》孫炎注六卷。

邢昺《疏》序曰："其爲注者，則有犍爲文學、劉歆、樊光、李巡、孫炎，雖各名家，猶未詳備。其爲義疏者，則俗間有孫炎、高璉，皆淺近俗儒，不經師匠。"

馬氏玉函山房輯本序曰："《爾雅》孫炎注，《隋志》七卷，《唐志》六卷，《釋文・敍録》三卷。今佚。輯爲上、中、下三卷。叔然受學鄭玄之門，人稱東州大儒，其訓義之優洽可知。郭景純注，多用孫氏，其改舊説者，往往遜之，亦以所取法者上也。邢《疏》序於魏孫炎外，又云俗間有孫炎《義疏》，則《宋志》稱孫炎《疏》十卷者是也。蓋唐、宋間人，與叔然同名。"<small>黃氏漢學堂亦輯存一卷。</small>

按本志七卷者，有音一卷在其內，而又引《七録》別出音一卷，見後。

爾雅五卷　郭璞注

郭璞有《毛詩拾遺》，見前詩類。

璞自序略曰："《爾雅》蓋興於中古，隆於漢氏，豹鼠既辯，其業亦顯。英儒贍聞之士，洪筆麗藻之客，靡不欽玩耽味，爲之義訓。璞不揆檮昧，少而習焉，沈研鑽極，二九載矣。雖注者十餘，然猶未詳備，並多紛謬，有所漏略。是以復綴集異聞，會萃舊説，考方國之語，采謠俗之志，錯綜樊、孫，博關群言，剟其瑕礫，搴其蕭稂。事有隱滯，援據徵之；於其易了，闕而不論。"

《釋文・敍録》曰："前漢終軍，始受豹鼠之賜。自茲迄今，斯文盛矣。先儒多爲億必之説，乖蓋闕之義。唯郭景純洽聞強識，詳悉古今，作《爾雅注》，爲世所重。今依郭本爲正。"又曰：“郭璞注二卷，字景純，河東人。東晉弘農太守、著作郎。”

《唐書·經籍志》小學類：《爾雅》三卷，郭璞注。

《唐書·藝文志》小學類：《爾雅》郭璞注三卷。

《宋史·藝文志》小學類：《爾雅》三卷，郭璞注。

陳氏《書録解題》曰：“《爾雅》舊有劉歆、樊光、李巡、孫炎之學，今惟郭氏行於世。”

《四庫》小學類提要曰：“璞時去漢未遠，所見尚多古本，故所注多可據。後人雖迭爲補正，然宏綱大旨，終不出其範圍。”

王鳴盛《蛾術編·説録》曰：“《漢書·藝文志》：《爾雅》三卷，二十篇。三卷者，分爲上、中、下。二十篇者，自《釋詁》至《釋畜》，凡十九篇。別有《序篇》一篇。顧廣圻云：‘《毛詩疏》引《爾雅·序篇》云：《釋詁》、《釋言》通古今之字，古與今異言也。《釋訓》言形貌也。’郭璞既作注，則《序篇》亦當有注，而今亡之。”

日本國森立之《經籍訪古志》：“《爾雅》三卷，晉郭璞注。首載璞《序》。每半板八行，行十六字，注雙行，二十一字。文字豐肥，楷法端勁，卷末有‘經凡一萬八百九言’、‘注凡一萬七千六百二十八言’，及‘將仕郎、守國子四門博士臣李鶚書’三行。”按《五代會要》云：“後唐長興三年，中書門下奏請依石經文字刻《九經》印板，召能書人端楷寫出，旋付匠人雕刻，每日五紙。”宋王明清《揮麈録》云：“後唐平蜀，明宗命太學博士李鍔書五經，仿其製作，刊板於國子監，中印書之始。按當云“是爲刊板印書之始”。今則盛行於天下，蜀中爲最。明清家有鍔書五經印本存焉，後題長興二年也。”據此，則是本卷末題李鶚名銜者，蓋即後唐蜀本面目之僅存者。

遵義黎庶昌《古佚叢書·敍目》曰：“影宋蜀大字本《爾雅》三卷，此書末有‘將仕郎、守國子四門博士臣李鄂書’一行，爲蜀本真面目,最可貴。宋諱闕'慎'字,其爲孝宗後繙刻無疑,日本再繙之。今又從再繙本影雕,展轉撫摹,僅存郛廓而已。"

集注爾雅十卷　梁黃門郎沈旋注

《梁書‧沈約傳》:約子旋,及約時已歷中書侍郎、永嘉太守、司徒從事中郎、司徒右長史,免約喪。爲太子僕,復以母憂去官。服除,爲給事黃門侍郎、中撫軍長史。出爲招遠將軍、南康內史,卒官,謚曰恭侯。

《南史‧沈約傳》:約子旋,字士規,襲爵,位司徒右長史、太子僕,終於南康內史。集注《邇言》,行於世。按旋父約著《邇言》十卷,然此似《爾雅》之傳譌,黃氏已言之。

《釋文‧敘錄》:《爾雅》梁有沈旋,約之子,集衆家之注。

《唐書‧經籍志》小學類:《集注爾雅》十卷,沈璇注。

《唐書‧藝文志》小學類:《爾雅》沈旋注十卷。

馬國翰輯本序曰:"今從《釋文》及邢《疏》、《集韻》、《一切經音義》所引輯錄。注不多見,惟略存字音。"

甘泉黃奭漢學堂輯本序曰:"《梁書》不言有所著述,《南史》云集注《邇言》行於世,亦不言有《集注爾雅》。謝氏《小學考》誤以《南史》爲《梁書》,並誤以《邇言》爲《爾雅》,自必謂'雅'、'言'兩字傳譌,'邇'與'爾'亦近似。《邇言》無可集之注耳,既云集注,所集無非二郭與夫劉、李、樊、孫、何。以今爲邢《疏》、《釋文》、《詩》釋文、《類篇》所引者,其説往往與六家不類,當是所集衆家,有出於六家外者。"

爾雅音八卷　祕書學士江灌撰

《陳書‧江總傳》:總,濟陽考城人也。仕梁,入陳至尚書令,入隋爲上開府。開皇十四年,卒於江都。長子溢,字深源,陳太子中庶子,入隋爲秦王文學。第七子灌,駙馬都尉,祕書郎,隋給事郎,直祕書省學士。

張彦遠《歷代名畫記》曰:"《爾雅圖》上、下兩卷,陳尚書令江
灌字德源,至武德中爲隨州司馬,并著《爾雅贊》二卷,《音》六
卷。"按此云尚書令者,或因其父官而傳譌,或"江"下敓"總子"二字。

《唐書·經籍志》:《爾雅圖贊》二卷,江灌注。《爾雅音》六卷,
江灌注。

《唐書·藝文志》:《爾雅》江灌圖贊一卷,又音六卷。

　　按本志作江灌,不誤。《經義考》及翁氏方綱《補正》引丁杰
　　説,皆据《名畫記》駁文作江灌,非是。由未得《陳書·江總
　　傳》之一證故也。

梁有《爾雅音》一卷,孫炎撰亡。

孫炎有《爾雅注》七卷,見前。

《顏氏家訓·音辭篇》:逮鄭玄注六經,高誘解《吕覽》、《淮
南》,許慎造《説文》,劉熹製《釋名》,始有譬況假借以證音字。
而古語與今殊別,其間輕重清濁,猶未可曉。加以内言、外
言、急言、徐言、讀若之類,益使人疑。孫叔然創《爾雅音義》,
是漢末人獨知反語,至於魏世,此事大行。高貴鄉公不解反
語,以爲怪異。自兹厥後,音韻鋒出,各有土風,遞相非笑,指
馬之諭,未知孰是。

《釋文·敍録》曰:"古人音書,止爲譬況之説。孫炎始爲翻
語,魏朝以降,漸繁。"又曰:"《爾雅》孫炎注三卷,《音》一卷。"
唐張守節《史記正義序》曰:"先儒音字,比方爲音,魏祕書孫
炎始作翻音。"

《玉海·藝文·小學類》曰:"世謂倉頡制字,孫炎作音,沈約
撰韻,同爲椎輪之始。"

馬國翰輯本序曰:"炎既注《爾雅》,又爲之音。隋有《音》二
卷,孫炎、郭璞撰,亡。《唐志》有郭氏《音》一卷,孫《音》不著
録。佚已久。兹既輯録孫注,別輯其《音》爲卷。"

梁有《爾雅音》一卷，郭璞撰，亡。

郭璞有《爾雅注》五卷，見前。

《釋文·敍録》：《爾雅》郭璞注三卷，音一卷。

《唐書·經籍志》：《爾雅音義》一卷，郭璞注。

《唐書·藝文志》：《爾雅》郭璞注一卷，又《音義》一卷。

馬氏玉函山房輯本序曰："《釋文》引述郭音獨多，又邢《疏》、《詩正義》、《公羊疏》等引郭《音》，爲《釋文》所不載者，並據合輯。其音有兩讀、三讀者，並收兼采，以備參考。陸氏《釋文》循其例，自毋昭裔删存一音，古法浸失。兹編雖殘缺，猶存先儒之舊範焉。"

黄氏漢學堂輯本序曰："《御覽》載《爾雅音》極多，外此如邢《疏》、《釋文》、《詩》釋文、《詩》《書》《儀禮》《禮記》《公羊》各疏、《説文繫傳》、《匡謬正俗》、《埤雅》、《集韻》、《史記索隱》、《後漢書注》、《水經注》、《寰宇記》、《齊民要術》、《續博物志》、《初學記》、《藝文類聚》、《一切經音義》、《華嚴音義》、《文選注》皆引及郭《音》，並《山海經注》即出景純之手，亦自引其音，更堪互證。"

爾雅圖十卷　郭璞撰

璞注《爾雅》序有曰："別爲音圖，用祛未寤。"邢昺曰："謂注解之外，別爲《音》一卷，《圖贊》二卷。字形難識者，則審音以知之，物狀難辩者，則披圖以别之。用此音圖，以祛除未曉寤者。"

《晉書》本傳：注釋《爾雅》，別爲《音義》、《圖譜》傳於世。

《唐日本國見在書目》：《爾雅圖》十卷，郭璞撰。

《唐書·經籍志》：《爾雅圖》一卷，郭璞撰。

《唐書·藝文志》：《爾雅》郭璞注一卷，又圖一卷。

梁有《爾雅圖讚》二卷，郭璞撰，亡。

《文心雕龍·頌贊篇》曰："景純注《雅》，動植必贊，義兼美惡，亦猶頌之變耳。"

《釋文·敍録》:《爾雅》郭璞注三卷,《音》一卷,《圖贊》二卷。

嚴可均輯本序曰:"《隋志》注:梁有《爾雅圖贊》二卷,郭璞撰,亡。《舊唐志》復有之。按《舊唐志》所載爲江灌撰,《新志》同,非郭氏《圖贊》也。宋已後不著録。近惟余蕭客《古經解鈎沈》、邵晉涵《爾雅正義》略采數事,漏落者十八九。張溥本則與《山海經圖贊》間雜,絶不區分。今從《藝文類聚》、《初學記》、《御覽》寫出四十八篇,依《爾雅》經文先後編次之。凡《釋器》四條,《釋天》二條,《釋地》四條,《釋山》、《釋水》各一條,《釋草》八條,《釋木》四條,《釋蟲》六條,《釋魚》五條,《釋鳥》三條,《釋獸》八條,《釋畜》二條。"

馬國翰輯本序曰:"裒輯諸書,得贊五十有三,外有稱圖者二,則其贊皆韻語古奥。詞寓箴規,雒誦一過,猶想見江魚吞墨,二九載鑽極之功力焉。"王氏、黄氏亦各有輯本。

廣雅三卷　魏博士張揖撰。梁有四卷。

顏師古《漢書敍例》曰:"張揖字稚讓,清河人,一云河間人。魏太和中爲博士,解《司馬相如傳》一卷。"

嚴可均《全三國文編》曰:"張揖字稚讓,清河人,一云河間人。魏初博士,一云太和中爲博士。有《廣雅》四卷。"

揖《進表》曰:"昔在周公,纘述唐虞,宗翼文武,克定四海,勤相成王,六年制禮,以導天下,著《爾雅》一篇,以釋其意義,傳於後孠。今俗所傳三篇,或言仲尼所增,或言子夏所益,或言叔孫通所補,或言沛郡梁文所考,皆解家所説。先師口傳,疑莫能明也。夫《爾雅》之爲書也,文約而義固;其厥道也,精研而無誤。真七經之檢度,學問之階路,儒林之楷素也。若其包羅天地,綱紀人事,權揆制度,發百家之訓詁,未能悉備也。臣揖竊以所識,擇撣群藝。文同義異,音轉失讀,八方殊語,庶物易名，不在《爾雅》者，詳録品覈，以著於篇，凡萬八千一百五十文，分爲上、中、下，以頴方徠俊哲、洪秀偉彦之倫，扣其兩端，摘其過謬，令得用諝，亦所企想也。”

《唐書・經籍志》小學類：《廣雅》四卷，張揖撰。

《唐書・藝文志》小學類：張揖《廣雅》四卷。

《四庫》小學類提要曰：“《廣雅》十卷，魏張揖撰。其書因《爾雅》舊目，博采漢儒箋注，及三倉、《説文》諸書，以增廣之，於揚雄《方言》，亦備載無遺。前有揖《進表》稱分爲上、中、下，《隋志》三卷，與表所言合。《七録》作四卷，由後來傳寫析其篇目，後人又析爲十卷。”

廣雅音四卷　祕書學士曹憲撰

《唐書・儒學傳》：曹憲，揚州江都人也。仕隋爲祕書學士，每聚徒教授，諸生數百人，當時公卿已下，亦多從之受業。憲又精諸家文字之書，自漢代杜林、衛宏之後，古文泯絶，由憲此學復興。憲訓注張揖所撰《博雅》，分爲十卷，煬帝令藏於祕閣。貞觀中，徵爲弘文館學士，以年老不仕，乃遣使就家，拜爲朝散大夫，年一百五歲卒。

《唐日本國見在書目》：《廣雅》三卷，張揖撰。《博雅》十卷，曹憲撰。

《唐書・經籍志》：《廣雅》四卷，張揖撰。《博雅》十卷，曹憲撰。

《唐書・藝文志》：張揖《廣雅》四卷，曹憲《博雅》十卷。

《宋史・藝文志》：張揖《廣雅音》三卷，曹憲《博雅》十卷。此以《音》爲揖所撰，非也。

晁氏《讀書志》：《博雅》十卷，隋曹憲撰。魏張揖嘗采《倉雅》遺文爲書，名曰《廣雅》。憲因揖之説，附以音解，避煬帝諱，更之爲博云。後有張揖《表》。憲後事唐，太宗嘗讀書，有難奇字，輒遣使問憲，憲具爲音注，援驗詳復，帝歎賞之。

陳氏《書録解題》曰：“《廣雅》十卷，魏博士張揖撰。凡不在《爾雅》者，著於篇仍用《爾雅》舊目。《館閣書目》云今佚，但存《音》三卷。今書十卷，而音附逐篇句下，不别行。《隋志》稱《博雅》，避逆煬名也。又隨齋批注《博雅》乃隋曹憲撰，憲因揖之説，附以音解，避煬帝名，更之以爲博焉。”

《四庫提要》曰：“《廣雅》十卷，魏張揖撰。隋曹憲爲之音釋，避煬帝諱，改名《博雅》。故至今二名並稱，實一書也。揖書三卷，《館閣書目》云今佚，但存《音》三卷。憲所注本，《隋志》作四卷，《唐志》作十卷，卷數參錯不同，蓋揖書本三卷。《七録》作四卷者，由後來傳寫，析其篇目。憲注四卷，即因梁代之本。後以文句稍繁，析爲十卷。又嫌十卷煩碎，復併爲三卷。觀諸家所引《廣雅》之文皆具在，今本無所佚脱，知卷數異而書不異矣。然則《館閣書目》所謂佚者，乃逸其無注之本。所謂存《音》三卷者，即憲所注之本。揖原文實附注以存，未嘗佚，亦未嘗缺。惟今本仍爲十卷者，則又後人析之以合《唐志》耳。考唐玄度《九經字樣序》，稱音字改反爲切，實始於唐開成間。憲雖自隋入唐，至貞觀時尚在，然遠在開成以前。今本乃往往云某字某切，頗爲疑竇。殆傳刻臆改，又非憲本之舊歟？”

張氏《書目答問》：《博雅音》十卷，魏張揖撰，隋曹憲音。高郵王氏刻本，明畢效欽原刻本，小學彙函校本，即《廣雅》。又《廣雅疏證》十卷，王念孫疏證。家刻本，學海堂本。

小爾雅一卷　李軌略解

李軌有《周易音》，見前易類。

《漢書·藝文志》：“《小雅》一篇。”宋祁曰：“‘小’字下，邵本有‘爾’字。”

《唐書·經籍志》小學類:《小爾雅》一卷,李軌撰。

《唐書·藝文志》:李軌解《小爾雅》一卷。

《宋史·藝文志》小學類:孔鮒《小爾雅》一卷。

晁氏《讀書志》:《小爾雅》一卷,孔氏古文也。見於孔鮒書。

陳氏《書錄解題》曰:"《漢志》有此書,亦不著名氏。《唐志》有李軌《解》一卷。今《館閣書目》云孔鮒撰,蓋即《孔叢子》第十一篇也。曰《廣詁》、《廣言》、《廣訓》、《廣義》、《廣名》、《廣服》、《廣器》、《廣物》、《廣鳥》、《廣獸》,凡十章。又《度》、《量》、《衡》爲十三章,當是好事者鈔出別行。"

王應麟《漢志考證》曰:"《小爾雅》一篇,孔鮒撰,十三章。申衍詁訓,見《孔叢子》。李軌《解》一卷。"

又《困學紀聞》曰:"《大戴記》之《夏小正》,《管子》之《弟子職》,《孔叢子》之《小爾雅》,古書之存者,三子之力也。"

《四庫存目提要》曰:"《漢書·藝文志》有《小雅》一篇,無撰人名氏。《隋》、《唐志》並載李軌注《小爾雅》一卷,其書久佚。今所傳本,則《孔叢子》第十一篇鈔出別行者也,分十三章,頗可以資考據。然亦時有舛迕,非《漢志》所稱之舊本。"

錢大昕《三史拾遺》曰:"李善《文選注》引《小爾雅》皆作《小雅》,此書依附《爾雅》而作,本名《小雅》。後人僞造《孔叢》,以此篇竄入,因有《小爾雅》之名,失其舊矣。宋景文所引邵本,亦俗儒增入,不可据。"按此謂《小爾雅》,後人竄入《孔叢子》,最爲切理厭心之論。猶《夏小正》、《三朝記》,《大戴》竄入八十五篇中也。特是否爲孔鮒所撰,則無由考見矣。

謝啓昆《小學考》曰:"《小爾雅》非《漢志》之《小雅》,戴氏震論之詳矣。錢君東垣頗信其書,爲校證之,其所校乃宋咸注本也。"

上虞王煦《小爾雅疏》曰:"謂之小者,蓋廣《爾雅》之未備,附

《爾雅》以行，故稱名小也。《漢書·藝文志》《小爾雅》一篇，不著撰人名氏。《館閣書目》云孔鮒撰，蓋即《孔叢子》第十一篇也。”

又曰：“《小爾雅》爲先秦古書，漢成、哀間，劉向、劉歆編入《録》、《略》。後漢班固列於《藝文志》。自漢迄唐，傳注家皆取以訓釋經義，罔有異詞，而近世東原戴震從而訾之曰：‘《小爾雅》乃後人皮傅掇拾而成，非古小學遺書。’今按《小爾雅》本文，證以漢魏諸儒傳注之義，知東原之説非也。今悉爲辯正，大恉曉然，其有餘義，各詳本疏，庶後之讀是書者，不詿誤於不根之説也。”

又曰：“漢、唐諸儒釋經，凡引《小爾雅》之文，多通稱《爾雅》，亦有稱《小雅》者。一見於陸氏《周頌·潛》釋文。至李善注《文選》，則統稱《小雅》，蓋省文也。亦有《小爾雅》所無而見引於他書者，如《易》釋文、《考工記》、《莊子》釋文、玄應《一切經音義》、酈道元《水經注》，或本書佚文，或傳寫之誤。”

張氏《書目答問》：“《小爾雅疏》八卷，舊題漢孔鮒撰，晉李軌解，王煦疏。鑿翠山房本。非《漢藝文志》元書。”又曰：“《小爾雅訓纂》六卷，宋翔鳳撰。浮溪精舍本。”又曰：“《小爾雅義證》十三卷，胡承珙撰。《墨莊遺書》本。錢東垣《小爾雅校證》二卷，未刊。”

方言十三卷　漢揚雄撰　郭璞注

郭璞有《爾雅注》、《爾雅音》及《圖》、《贊》等，凡四部，並見前。《漢書·列傳》：揚雄字子雲，蜀郡成都人也。年四十餘，來游京師。大司馬王音奇其文雅，召爲門下史，薦雄待詔。歲餘，奏《羽獵賦》，除爲郎，給事黃門，與王莽、劉歆並。哀帝之初，又與董賢同官。當成、哀、平間，莽、賢皆爲三公，而雄三世不徙官。及莽篡位，談説之士，用符命稱功德獲封爵者甚衆，雄復不侯，以耆老久次轉爲大夫，恬於埶利迺如是。實好古而樂道，其意欲求文章成名於後世，用心於內，不求於外，於時人皆曶之，唯劉歆及范逡敬焉，而桓譚以爲絕倫。鉅鹿侯芭常從雄居，<small>按此“芭”下敓“子”字，子常，芭字也。別詳前《韓詩翼要》條。</small>受其《太玄》、《法言》焉。年七十一，天鳳五年卒，侯芭爲起墳，喪之三年。

劉歆《與揚雄從取〈方言〉書》略曰：“屬聞子雲獨采集先代絕言，異國殊語，以爲十五卷，其所解略多矣，而不知其目，非子雲澹雅之才，沉鬱之思，不能經年銳積，以成此書。良爲勤矣。今聖朝留心典誥，適子雲攘意之秋也。今謹使密人奉手書，願頗與其最目，得使入錄云云。”<small>按此云得使入錄者，欲以錄上於朝，並欲以錄入《七略》也，其事固略可考見也。</small>

《西京雜記》劉歆曰：“揚子雲好事，常懷鉛提槧，從諸計吏訪殊方絕域四方之語，以爲裨補輶軒所載，亦洪意也。”

後漢應劭《風俗通義序》曰：“周秦常以歲八月遣輶軒之使，求異代方言，還奏籍之，藏於祕室。及嬴氏之亡，遺脫漏棄，無見之者。蜀人嚴君平有千餘言，林閭翁孺才有梗概之法。揚雄好之，天下孝廉衛卒交會，周章質問，以次注續，二十七年，爾乃治正，凡九千字。其所發明，猶未若《爾雅》之閎麗也。張竦以爲‘縣諸日月不刊之書’。”<small>按應氏此序，本劉歆、揚雄往還遺書，見《方言》卷末。張竦字伯松，茂陵張敞之孫，張吉之子，深於小學，同縣杜林師之，亦林之中表父友也。王莽時，至丹陽太守，封淑德侯，免官，以列侯歸長安。莽敗，客於池陽，爲賊兵所殺。見《漢書·張敞杜鄴傳》及《游俠·陳遵傳》。竦博雅文學，過於敞。親見《方言》之書，而稱之如此。</small>

《華陽國志》曰：“雄以典莫正於《爾雅》，故作《方言》。”又曰：“林閭字公孺，臨邛人也，<small>休寧戴震《方言》校語云：“案《廣韻》，林閭氏出自嬴姓。《華陽國志》云林閭字公孺，誤也。”按常璩誤以爲姓林名閭字公孺也。</small>善古學。古者天了有輶車之使，自漢興以來，劉向之徒但聞其官，不詳其職。職惟閎與嚴君平知之，^①曰：‘此使考八方之風雅，通九州之異同，主海内之音韻，使人主居高堂，知天下風俗也。’揚雄聞而師之，因此作《方言》。”又《梁益寧三州士女目録》云：“高尚：逸民林閭字公孺，臨邛人。揚雄師之。見《方言》。”又《蜀志》云：“林公孺訓詁玄遠。”其即謂《方言》梗概之法歟？

《唐日本國見在書目》論語家：《方言》十卷，漢揚雄撰，郭璞注。

《唐書·經籍志》小學類：《別國方言》十三卷。不著撰人。

《唐書·藝文志》小學類：揚雄《別國方言》十三卷。

《宋史·藝文志》小學類：揚雄《方言》十四卷。

《崇文總目》：《方言》十三卷，漢揚雄子雲撰，晉郭璞注。今世所傳文或繆缺，與先儒所引，時有差云。

晁氏《讀書志》：《方言》十三卷，漢揚雄撰，晉郭璞注。雄齎油素，問上計孝廉，異語悉集之，題其首曰《輶軒使者絶代語釋別國方言》。

陳氏《書録》：《方言》十四卷，漢黄門郎成都揚雄子雲撰，晉郭璞注。首題‘輶軒使者絶代語’，末載答劉歆書，具詳著書本末。其略云：“天下上計孝廉，及内郡衛卒會者，雄常抱三寸弱翰，齎油素四尺，以問其異語，歸即以鉛摘次之於槧。”葛洪《西京雜記》言子雲好事云云。蓋本雄書所述也。

《四庫提要》曰：“《漢書·揚雄傳》備列所著之書，不及《方言》。《藝文志》亦無《方言》。東漢一百九十年中，亦無稱雄作《方言》者。至漢末，應劭《風俗通序》始稱雄作《方言》，劭注《漢書》，亦引揚雄《方言》一條。按見《司馬遷傳》。魏孫炎注《爾雅》，晉杜預注《左傳》，遞相徵引，沿及東晉，郭璞遂注其書，

---

① 《四部叢刊》影印明刻本《華陽國志》無“職”。

然劭序稱《方言》九千字,而今本乃一萬一千九百餘字,字數較原本幾溢三千。雄與劉歆往返書,皆稱《方言》十五卷,郭璞《序》亦稱三五之篇,而《隋》、《唐志》乃並載十三卷,與今本同。則卷數較原本闕其二,或傳其學者輾轉附益,故字多於前,又并爲十三卷,故卷減於昔歟?雄及劉歆二書,據李善《文選注》引'懸諸日月不刊之書'句,已稱《方言》。則自隋、唐以來,原附卷末。"

張氏《書目答問》:"《方言注》十三卷,漢揚雄撰,晉郭璞注,丁杰校。抱經堂本,《聚珍》本,福本,《小學彙函》本。"又曰:"《方言疏證注》十三卷,[①]戴震撰。《戴氏遺書》本。又錢繹《方言箋疏》十三卷,錢侗《方言義證》六卷,未刊。"又有杭世駿《續方言》二卷,程際盛《補正》一卷。

釋名八卷　劉熙撰

劉熙有《謚法注》,見前禮類。

熙《自序》略曰:"夫名之於實,各有義類,百姓日用而不知其所以之意,故撰天地、陰陽、四時、邦國、都鄙、車服、喪紀,下及民庶應用之器,論敍指歸,謂之《釋名》。凡二十七篇,至於事類,未能究備。凡所不載,亦欲智者,以類求之博物君子。"

明區大任《百越先賢志》:熙博覽多識,乃即名物以釋義,推揆事源,致意精微,作《釋名》二十七篇,自爲之序。又著《謚法》三卷,皆行於世。

《唐書・經籍志》小學類:《釋名》八卷,劉熙撰。

《唐書・藝文志》小學類:劉熙《釋名》八卷。《宋史志》同。

《崇文總目》:《釋名》八卷,劉熙即物名以釋義,凡二十七目。

《四庫提要》曰:"其書二十篇。以同聲相諧,推論稱名辯物之

---

① 按戴氏書名無"注"。

意,中間頗傷於穿鑿,然可因以考見古音。又去古未遠,所釋器物,亦可因以推求古人制度之遺。其有資考證,不一而足。別本或題曰《逸雅》,蓋明郎奎金取是書與《爾雅》、《小爾雅》、《廣雅》、《埤雅》合刻,名曰'五雅'。以四書皆有'雅'名,遂改題《逸雅》以從類。非其本目,今不從之。又《後漢書·劉珍傳》稱珍撰《釋名》五十篇,以辨萬物之稱號。謹按"五十篇"當爲"三十篇"。劉珍有《東觀漢記》,詳見史部正史類。其書名相同,姓又相同。鄭明選作《秕言》,頗以爲疑。然歷代相傳,無引劉珍《釋名》者,則珍書久佚,不得以此書當之也。明選又稱此書爲二十七篇,與今本不合。明選,萬曆中人,不應別見古本。殆一時失記,誤以二十爲二十七歟?謹按今本實有二十七篇,與《自序》所言合。《提要》所据二十篇,不知何本。

又《簡明目録》曰:"《釋名》八卷,凡二十篇。從音求義,多以同聲相諧,不免牽合。然可以推見古音,所釋器物,亦可以推見古制。"

嚴可均《全後漢文編》曰:"劉熙有《釋名》八卷。《吳志·韋曜傳》:'見劉熙所作《釋名》,信多佳者。'《文苑·劉珍傳》:'撰《釋名》三十篇。'蓋別有一書,或珍創始而劉熙踵成之也。"

張氏《書目答問》:"《釋名疏證》八卷,《補遺》一卷。漢劉熙撰,江聲疏補。經訓堂篆書、正書兩本。"又《續釋名》一卷,江聲撰。經訓堂本。

按湖廣舊志云劉珍撰《釋名》三十篇,以辨萬物之稱號,劉熙序之。然考熙《自序》,止二十七篇,亦絕不言前人有是作。豈今本劉序非全文,佚其本末歟?序末有云:"其於答難解惑,王父幼孫,朝夕侍問,以塞可謂之士,卿可省諸。"其語不甚明白,豈劉熙爲劉珍之孫,幼時嘗質問其義,後踵成其王父之書,如嚴氏所説歟?疑不能明也。

辨釋名一卷　韋昭撰

韋昭有《毛詩答雜問》,見前詩類。

《吳志》本傳:鳳皇二年,曜因獄吏上辭曰:"又見劉熙所作《釋名》,信多佳者。然物類衆多,難得詳究,故時有得失;而爵位之事,又有非是。愚以官爵今之所急,不宜乖誤。因自忘至微,又作《官職訓》及《辯釋名》各一卷,欲表上之。新寫始畢,會以無狀,幽囚待命,泯沒之日,恨不上聞,謹以先死列狀,乞上言祕府,於外料取,呈内以進。懼淺蔽不合天聽,抱怖雀息,乞垂哀省。"曜冀以此求免,而晧更怪其書之垢,故又以詰曜。曜對曰:"囚撰此書,實欲表上,懼有誤謬,數數省讀,不覺點污。被問寒戰,形氣呐吃。謹追辭叩頭五百下,兩手自搏。"

《唐書・藝文志》小學類:韋昭《辯釋名》一卷。

《崇文總目》小學類:《辨釋名》一卷,韋昭撰。

《宋史・藝文志》小學類:韋昭《辯釋名》一卷。

鎮洋畢沅《辯釋名補遺序》曰:"韋昭《官職訓》及《辯釋名》,據昭自序言各一卷,則挩然成帙。今雖亡失,其引見唐、宋人書者,當不止於是,而予之所見,僅此而已。"

馬氏玉函山房輯本序曰:"韋昭《辨釋名》,今輯録二十五節,其二十三節皆論辨官制。先列《釋名》原文,後加'辨曰'以別之;其無者,引文脱也。今《釋名》内無《釋官篇》,當是後人緣昭辨而删之。而劉熙之説,亦借此以存其缺佚。"興化任大椿《小學鈎沈》中亦輯存一本。《官職訓》一卷,别見史部職官類中。

　按自《爾雅》至此,又别爲一類。本志篇敍又云:"《爾雅》諸書,解古今之意,附於此篇。"

五經音十卷　徐邈撰

徐邈有《周易音》,見前易類。

《晉書·儒林傳》：孝武帝時，邈在西省侍帝，雖不口傳章句，然開釋文義，標明指趣，撰正《五經音訓》，學者宗之。

按徐氏《五經音》，本志分著於錄者，有《周易音》一卷、《古文尚書音》一卷、《毛詩音》二卷、《三禮音》三卷、《左氏音》三卷、《論語音》二卷，凡十二卷，並見於前，此其合并爲帙者。

五經正名十二卷　劉炫撰

劉炫有《尚書》、《論語述義》，並見前。

《隋書》、《北史·儒林·劉焯傳》："開皇六年，運洛陽石經至京師，文字磨滅，莫能知者。奉敕與劉炫二人考定論義，深挫諸儒，咸懷妬恨。遂爲飛章所謗，除名爲民。"又《劉炫傳》云："著《五經正名》十二卷。"按此則是書即開皇六年奉敕考定石經而作。《劉炫傳》不載其事，而見於《劉焯傳》，非參稽互考，不得其詳也。

《唐書·經籍志》經解類：《五經正名》十五卷，劉炫撰。當是"十二卷"之寫誤。

《唐書·藝文志》經解類：劉炫《五經正名》十二卷。

按《周官》"外史掌達書名於四方"，注："古曰名，今曰字。"又本志小學類敍曰："孔子曰：'必也正名乎。'名謂書字。"此曰正名，即正字之謂也。錢氏《考異》言之甚詳。

白虎通六卷

不著撰人。

《後漢書·章帝本紀》："建初四年冬十一月壬戌，詔曰：'蓋三代導人，教學爲本。漢承暴秦，褒顯儒術，建立五經，爲置博士。其後學者精進，雖曰承師，亦別名家。孝宣皇帝以爲去聖久遠，學不厭博，故遂立大、小夏侯《尚書》，後又立京氏《易》。至建武中，復置顏氏、嚴氏《春秋》，大、小戴《禮》博士。此皆所以扶進微學，尊廣道藝也。中元元年詔書，五經章句

煩多，議欲減省。至永平元年，長水校尉儵_{樊儵也}。奏言，先帝
大業，當以時行。欲使諸儒共正經義，頗令學者得以自助。
孔子曰學之不講，是吾憂也。又曰：博學而篤志，切問而近
思，仁在其中矣。於戲，其勉之哉。’於是下太常，將大夫、博
士、議郎、郎官及諸生諸儒會白虎觀，講議五經同異，使五官
中郎將魏應承制問，侍中淳于恭奏，帝親稱制臨決，如孝宣甘
露石渠故事，作《白虎議奏》。”章懷太子注曰：“今《白虎通》。”
按《白虎議奏》非《白虎通》。章懷此注誤也。莊氏述祖考之甚詳，見抱經堂校刊本
卷首。

又《儒林傳》序曰：“建初中，大會諸儒於白虎觀，考詳同異，連
月乃罷，肅宗親臨稱制，如石渠故事。顧命史臣著爲《通
義》。”章懷注曰：“即《白虎通義》是。”按章懷此注是也。

又《楊終傳》：終又言：“宣帝博徵群儒，論定五經於石渠閣。
方今天下少事，學者得成其業，而章句之徒，破壞大體。宜如
石渠故事，永爲後世則。”於是詔諸儒於白虎觀，論考同異焉。
會終坐事繫獄，博士趙博、校書郎班固、賈逵等，以終深曉《春
秋》，學多異聞，表請之，即日貰出，乃得與於白虎觀焉。

又《丁鴻傳》：“建初四年，肅宗詔鴻與廣平王羨及諸儒樓望、
成封、桓郁、賈逵等，論定五經同異於北宮白虎觀，使五官中
郎將魏應主承制問難，侍中淳于恭奏上，帝親稱制臨決。鴻
以才高，論難最明，諸儒稱之，帝數嗟美焉。”章懷注曰：“廣平
王羨，明帝子也。白虎，門名。於門立觀，因以名之焉。”

又《班固傳》：固遷玄武司馬，天子會諸儒講論五經，作《白虎
通德論》，令固撰集其事。

《唐書·經籍志》經解類：《白虎通》六卷，漢章帝撰。

《唐書·藝文志》經解類：班固等《白虎通議》六卷。

《宋史·藝文志》經解類：班固《白虎通》十卷。

《崇文總目》：《白虎通德論》十卷，後漢班固等撰。章帝建初四年，詔諸儒會白虎觀，講議五經同異，詔集其事。凡十四篇。按當是"四十四篇"之誤。此始稱《白虎通德論》，似是而非。周氏廣業嘗辨之，見抱經堂校刊本卷首。

晁氏《讀書志》：《白虎通德論》十卷。後漢章帝會群臣於白虎殿，講論五經同異，班固奉詔纂修。

陳氏《書録》：《白虎通》十卷，漢尚書郎班固撰。章帝建初四年，作《白虎議奏》，蓋用宣帝石渠故事也。《石渠議奏》今不傳矣。《班固傳》稱作《白虎通德論》，令固撰集其事云。凡四十四門。

《玉海·藝文類》：今本自《爵號》至《嫁娶》，凡四十三篇。

《四庫》雜家雜考類提要曰："《白虎通義》四卷，漢班固撰。白虎觀諸儒可考者十有餘人，其議奏統名《白虎通德論》，固撰集後，乃名其書曰《通議》。《唐志》所載，蓋其本名。《崇文總目》稱《白虎通德論》，失其實矣。《隋志》删去'義'字，蓋流俗省略，有此一名。故唐劉知幾《史通》序引《白虎通》、《風俗通》爲説，實則遞相祖襲，忘其本始者也。書中徵引六經傳記，而外涉及緯讖，乃東漢習尚使然。又有《王度記》、《三正記》、《別名記》、《親屬記》，則《禮》之逸篇。方漢時崇尚經學，咸兢兢守其師承，古義舊聞，多存乎是，洵治經者所宜從事也。"按此以《白虎通德論》謂即《議奏》，周氏廣業以爲別是一篇，如《功德論》之類，皆近似，莫能詳。

陽湖莊述祖《白虎通義考》曰："《議奏》，隋、唐時亡佚，非今之《通義》。今本四十四篇，自《爵號》以至《嫁娶》，皆後人編類，非其本真。"

　　按白虎觀會議諸儒，《提要》云可考者十餘人。今按范書所載，有廣平王羨、魏應、淳于恭、班固、賈逵、桓郁、李育、魯

恭、樓望、成封、丁鴻、張酺、召馴、趙博，其發端者長水校尉
樊儵、校書郎楊終也。儵前卒，不與其事。

五經異義十卷　後漢太尉祭酒許慎撰

《後漢書・儒林傳》：許慎字叔重，汝南召陵人也。性淳篤，少
博學經籍，馬融常推敬之，時人爲之語曰"五經無雙許叔重"。
爲郡功曹，舉孝廉，再遷，除洨長，卒於家。慎以五經傳說臧
否不同，於是撰爲《五經異義》，傳於世。<small>唐張懷瓘《書斷》曰："官至太
尉、南閣祭酒，安帝末年卒。"</small>

嚴可均《全後漢文編》曰："許慎字叔重，汝南召陵人，爲郡功
曹。永元中，舉孝廉，爲太尉、南閣祭酒，後除洨長。有《孝經
古文說》一卷、《五經異義》十卷、《說文》十五卷、《淮南子注》
二十一卷。"

《唐日本國見在書目》：《五經異義》十卷，後漢太尉、祭酒許
慎撰。

《唐書・經籍志》：《五經異義》十卷，許慎撰，鄭玄駁。

《唐書・藝文志》：許慎《五經異義》十卷，鄭玄駁。

《經義考》曰："許氏《異義》，唐以後無傳，僅散見於《初學記》、
《通典》、《御覽》諸書所引。至於鄭康成駁義，三《禮》正義而
外，僅存數條。"

惠棟《後漢書補注》曰："其書所載有《易》孟京說、施讎說，《下
邳傳》甘容說，古《尚書》說，賈逵說，今《尚書》歐陽、夏侯說，
古《毛詩》說，今《詩》齊、魯、韓說，治《魯詩》丞相韋玄成說、匡
衡說，古《春秋》左氏說、奉德侯陳欽說、侍中騎都尉賈逵說，
今《春秋》公羊、穀梁說，《公羊》董仲舒說、大鴻臚時眭說，古
《周禮》說，今戴《禮》說，今大戴《禮》說，《禮・王度記》、《盛德
記》、《明堂月令》，講學大夫淳于登說，古《孝經》說，今《論語》
說，魯郊禮，叔孫通禮，《古山海經》、《鄒書》。<small>按原引云："謹案《古</small>

山海經》、《鄒書》云騶虞獸説，與《毛詩》同。"此《鄒書》，疑"騶虞"之譌。公議郎尹更始、待詔劉更生議石渠，博存衆説，蔽以己意，或從古，或從今。"

《四庫提要》曰："《駁五經異義》一卷，山西巡撫采進本。此本從諸書采綴而成，或題宋王應麟編，然無確據。其間有單詞隻句，駁存而義闕者，原本錯雜相參，頗失條理。今詳加釐正，以義、駁兩全者彙列於前，其僅存駁、義者，則附錄以備參考。又近時朱彝尊《經義考》内亦嘗旁引鄭駁數條，而長洲惠氏所輯則蒐羅益爲廣備，往往多此本所未及。今以二家所采，參互考證，除其重複，定著五十七條，別爲《補遺》一卷，附之於後。"

鄭珍《鄭學録》曰："《駁許慎五經異義》，《隋》、《唐志》十卷，至宋亡。不知何人輯爲一卷，乾隆間有王復、武億、莊葆琛、孔廣林、錢大昭諸本，皆因原輯增補，以意分合，唯孔本仍作十卷。嘉慶間，陳編修壽祺取諸本參訂，以類相從，分爲三卷，作《疏證》以明之。雖非康成完書，典禮、名物大端賅舉。"

《孫祠書目》：《駁五經異義》一卷，《補遺》一卷，漢許慎撰，鄭玄駁。一武億校刊本，一莊述祖集本，一錢大昭集本，一孔廣林集本。

張氏《書目答問》：《五經異義並駁義》一卷，《補遺》一卷，漢許慎撰，鄭玄駁，王復輯。問經堂本、《藝海珠塵》本。又《疏證》三卷，陳壽祺撰。家刻本，學海堂本。

　　按本志及附注、《七録》皆無鄭氏《駁義》之目，知此十卷，即附鄭氏《駁義》於其中，與兩《唐志》同，特漏注"鄭玄駁"三字耳。諸家所輯，又有王氏《漢魏遺書鈔》，二卷。

五經然否論五卷　晉散騎常侍譙周撰

　　譙周有《論語注》，見前。

《蜀志》本傳：周誦讀典籍，研精六經、諸子文章。非心所存，不悉徧視。凡所著述，撰定《五經論》。

又《秦宓傳》：初，宓見帝系之文，五帝皆同一族，宓辯其不然之本。又論皇帝王霸養龍之說，甚有通理。譙允南少時數往諮訪，記錄其言於《春秋然否論》，文多故不載。_{按《春秋然否論》即《五經然否論》之一。}

《唐書·經籍志》：《五經然否論》五卷，譙周撰。

《唐書·藝文志》：譙周《五經然否論》五卷。

王氏《漢魏遺書鈔》曰："周書已久亡，群書稱引絕少。《御覽》亦不載其目，《經義考》鈔出《後漢書注》、《通典》三條。今從《穀梁傳注》鈔出一條，《詩正義》一條，《禮記正義》二條，其他引譙周說，俱當屬《五經然否論》，悉附錄之。"

馬氏玉函山房輯本序曰："此書《隋》、《唐志》皆五卷，今佚。《穀梁傳疏》引一節，《通典》引二十餘節，內有明標《五經然否論》者三節。參以《後漢補志》注、劉恕《通鑑外紀》所引，並同。又引譙周《禮祭集志》二節，《縗服圖》、《集圖》各一節，說祭禮、喪服，似是論之篇目。餘只標蜀譙周，省文也。合輯一帙。以明言書名者列前，其標集志、集圖及止稱名者附後。周經說長於禮服，宜陳壽以'潛識內敏'稱之也。"

五經拘沈十卷　晉高涼太守楊方撰　"拘"讀爲"鉤"。

《晉書·賀循傳》：循，會稽山陰人也。雅有知人之鑒，拔同郡楊方於卑陋，卒成名於世。方字公回，少好學，有異才。初爲郡鈴下威儀，公事之暇，輒讀五經，鄉邑未之知。內史諸葛恢見而奇之，待以門人之禮，由是始得周旋貴人間。賀循稱方於京師，司徒王導辟爲掾，轉東安太守，遷司徒參軍事。方在都邑，搢紳之士咸厚遇之，自以地寒，不願久留京華，求補遠

郡，欲閒居著述。導從之，上補高梁太守。在郡積年，著《五
經鉤沈》行於世，以年老，棄郡歸。導將進之臺閣，固辭。還
鄉里，終於家。

《唐書·經籍志》：《五經鉤深》十卷，楊方撰。

《唐書·藝文志》：楊方《五經鉤沈》十卷。

《宋史·藝文志》：晉楊方《五經鉤沈》五卷。

《崇文總目》：《五經鉤沈》五卷，晉楊芳撰。答難申暢，自爲鉤
取五經之沈義。篇第亡缺，今缺五篇。

《玉海·藝文類》：《中興書目》：《五經鉤沈》十卷，晉高涼一作
“梁”。太守楊方撰。《自序》云：“晉太寧元年撰，鉤經傳之沈
義，著論難以起滯。”

《經義考》曰：“楊氏方《五經鉤沈》，《隋志》十卷，《崇文總目》
‘方’作‘芳’，《舊唐志》‘鉤沈’作‘鉤深’。”

馬氏玉函山房輯本序曰：“《隋志》作‘拘沈’，《唐志》作‘鉤
沈’，並十卷。今佚。從《初學記》、《太平御覽》所引，輯得五
節。其説生知元照，稍涉道家談，而文筆議論與葛洪《抱樸
子》相近。”

五經大義三卷　戴逵撰

《晉書·隱逸傳》：戴逵字安道，譙國人也。少博學，性不樂當
世，常以琴書自娛，師事術士范宣於豫章，宣異之，以兄女妻
焉。後徙居會稽之剡縣，性高潔，常以禮度自處。孝武帝時，累
以國子博士、祭酒、加散騎常侍徵，不起。太元中卒。

馬氏玉函山房輯本序曰：“戴逵撰《五經大義》，《隋志》三卷，
《唐志》不著録，佚已久。《通典》引其説喪服二篇，《北堂書
鈔》引雜義一條，並據輯録。”

梁有《通五經》五卷，王氏撰，亡。

王氏不詳何人。

梁有《五經咨疑》八卷，周楊撰，亡。

《唐書·經籍志》：《五經咨疑》八卷，楊思撰。

《唐書·藝文志》：楊思《五經咨疑》八卷。

《經義考》曰："周氏楊《五經咨疑》，《七錄》八卷，《唐志》'周楊'作'楊思'。"

　　按《日本書目》有《五經問答》八卷，不著撰人，似即此書。本志引《七錄》作周楊，疑是周氏、楊氏二人相問答。楊名思，兩《唐志》有明文，周不知其名。

梁有《五經異同評》一卷，賀瑒撰，亡。

賀瑒有《喪服義疏》，見前禮類。

《南史》本傳：天監四年初，開五館，以瑒兼五經博士，別詔爲皇太子定禮，撰五經義。《梁書·儒林傳》同。

　　按史言撰五經義者，或爲梁武帝及皇太子所作講義。此《異同評》一卷，其僅存者。《晉書·儒林·徐苗傳》："苗就博士濟南宋鈞受業，遂爲儒者宗，作《五經同異評》。"則自魏、晉以來，評五經同異者，不止一家矣。《玉海》又載北史張鳳著《五經異同評》十卷。

梁有《五經祕表要》三卷，亡。

不著撰人。

　　按《五經祕》或是讖緯家之說，此表明其要歟？又或是"祕義要"之誤，錄祕義之要者，爲是書。讖緯類有《書、易、詩、孝經、春秋、河洛緯祕要》一卷。

五經大義十卷　後周縣伯中大夫樊文深撰

《北史·儒林傳》：樊深字文深，河東猗氏人。弱冠好學，負書從師於河西，講習五經，晝夜不倦。魏永安中，隨軍征討，以功累遷中散大夫。孝武西遷，樊、王二姓舉義，爲東魏所誅。深避難逃去。及周文平河東，于謹引爲府參軍，周文置學東觀，教諸將子弟，以深爲博士。深經學通贍，每解書，多引漢魏以來諸家義而説之。儒者推其博物。後除國子博士，賜姓萬鈕於氏。天平二年，遷縣伯中大夫，加開府儀同三司。建德元年，表乞骸骨，許之。朝廷有疑議，常召問焉。後以疾卒。

經典大義十二卷　沈文阿撰

沈文阿有《春秋左氏經傳義略》，見前春秋類。

《南史·儒林傳》：文阿撰《經典大義》十八卷，行於世。

《唐日本國見在書目》：《經典大義》十二卷，沈文阿撰。

《唐書·經籍志》：《經典大義》十卷，沈文阿撰。

《唐書·藝文志》：沈文阿《經典玄儒大義序録》十卷。

　　按此與後《經典玄儒大義序録》二卷本爲一書。其原本當是十八卷，至隋存十四卷，而分爲兩書。至唐開元時存十卷。又《南史·儒林·王元規傳》：“元規少從沈文阿受業，續《經典大義》十四卷。”本志不著録。

五經大義五卷　何妥撰

何妥有《周易講疏》，見前易類。

五經通義八卷梁九卷

不著撰人。

《唐書·經籍志》：《五經通義》九卷，劉向撰。

《唐書·藝文志》：劉向《五經通義》九卷。

王應麟擬序曰：“劉向辨章舊聞，則有《五經通義》。通義者，漢五經課試之學也。雖漢以文立治，以經選士，鴻生傳業，支繁葉滋，闡繹道真，探索聖蘊，決科射策，則有通義之目。以《孟子》明事，則有博文之名。趙岐《題辭》，觕述大概，謹稽合史傳而爲之説，曰：聖人作經載道，學者因經明道，學博而不詳説，無以發群獻之眇旨。説詳而不反約，無以折衆言之殽亂。故必泝正學之源，而後能通乎聖人之海。粵自木鐸聲寢，經與道榛塞，孟子闢邪距詖，羽翼孔道，七篇垂訓，法嚴義精。知性知天，《易》之奧也；以意逆志，《詩》之綱也；言稱堯舜，《書》之要也。井田爵禄之制，可以知《禮》；王霸義利之辯，可以知《春秋》。儒者稱之曰通五經。噫！若孟氏，斯謂之通矣。媺哉，漢之尊經乎！儒五十三家，莫非賢傳也，而《孟子》首置博士；九流百八十三家，莫非諸子也，而《通義》得述孟子。斯文之統紀以一，多士之趨向以純，非徒綴訓故、誦佔畢而已。若稽前載，建元五年春，五經始立博士。元朔五禩，通一藝者試之。孝元好儒，通一經者復之。博士十四，昉於建武；選受四經，俶於建初。科有甲乙，試有家法。或試經於太常，或試誦説於博士。永元十四年，司空徐防建言，開五十難，解釋多者爲上第，演文明者爲高説。所謂博文明事，雖軼不傳，然建武中太子諸王欲爲通義，而聘鄭衆。建初四年，會諸儒白虎觀，命史臣著《通義》。曹褒傳慶氏《禮》，亦纂《通義》十二篇。觀其名，可求其略矣。還觀有漢之盛，鉅儒碩師，開門授徒，著録至萬六千人。經數家，家數説，章句多者百餘萬言，歷禩緜邈，湮没居多。嘗即《詩》《禮》訓注考之，《小弁》述親親之言，《王制》述貢助徹之法。爵德齒釋於《太宰》，經界釋於《小司徒》，圭田、市廛、關譏釋於《載師》、《廛人》、《司關》。助有公田，國中什一。及函矢之説，又詳列於《考工記》。珠貫絲組，上下洽通，蓋傳得其宗，無越鄒孟；求觀聖道，必自兹始。否則續以華藻，汨以緯候，荄兹詭辯，稽古曼辭，燕説郢書，吾道莠矣，焉得而通諸？雖然，經學至於通而止。漢儒之説，何其紛紛也。《五經通義》，劉向輯之；《五經通論》，沛獻著之。程會《通難》，洼丹《易通》，專己黨同，轍殊牖異，君子已不能無憾，況課試之學，以明經爲禄利之塗,則《通義》乃諸經之筌蹄也。其不傳於今有以夫。吁！師異道,人異論,漢儒之説,猶得以考同異,折是非也。暨唐貞觀十二年,會稡章句,爲《正義》百七十卷,由是舉天下宗一説,而無深造自得之功。若明經又變爲帖誦,而口義墨義興焉,君子又惜《通義》之不傳於今也。"

《經義考》曰:"《五經通義》,《唐志》尚存,觀王伯厚《擬序》,宋季已無傳矣。今就羣書所引者,次於後,餘見《正義》者,不具録。"

王氏《漢魏遺書鈔》曰:"《隋志》《五經通義》不言何人所撰,諸書俱引作劉向。《唐志》因之,《經義考》云'見《正義》者不具録',實則《正義》中,並未嘗引《通議》也。今共鈔出《後漢書注》三條、《北史》一條、《隋志》一條、《文選注》二條、《類聚》十條、《初學記》六條、《書鈔》八條、《通典》七條、《白帖》二條、《御覽》十三條、《事類賦注》一條、《玉海》二條、《説郛》一條。"

馬氏玉函山房輯本序曰:"朱氏《經義考》以前漢無緯説,因取諸書引《通義》載緯説者,屬之曹褒,餘皆屬之劉向,固其特識。然《隋》、《唐志》不言曹褒,未若依《唐志》並入劉向書爲有據也。"按曹褒所撰《通義》十二卷,見范書本傳。其書似爲慶氏《禮記》而作,朱氏以爲《五經通義》,似未然。

《孫祠書目》:《五經通義》一卷,洪頤煊集本。

五經義六卷梁七卷

不著撰人。

《漢書·劉向傳》:"講論五經於石渠。"又《藝文志》孝經類:"《五經雜議》十八篇。石渠論。"按《漢志》,《孝經》居六藝之末,故凡六藝流亞如《五經雜議》《爾雅》之類,皆附於其後。

《唐書·經籍志》:《五經雜義》七卷,劉向撰。

《唐書·藝文志》:劉向《五經雜義》七卷。

按此證以兩《唐志》所載卷數與《七錄》同，蓋即《漢志》之《五經雜議》。本志敓"雜"字，"議"、"義"本相通。特不知此七卷，猶是《漢志》之十八篇否也。

又按《漢書·藝文志》：《書議奏》四十二篇。注云：宣帝時，石渠論。又《禮議奏》三十八篇、《春秋議奏》三十九篇、《論語議奏》十八篇，亦皆注云石渠論。唯五經不曰議奏，曰雜議，亦注云石渠論。豈其體製與議奏微有不同者歟？又《易》、《詩》、《孝經》無議奏，殆以所議不多，彙於《五經雜議》中。

又按石渠群儒，《經義考》據《西漢會要》載十五人，《玉海》載十六人，皆各有所遺。今詳考《儒林傳》、列傳，綜彙於此：易家有施讎、梁丘臨，尚書家有歐陽地餘、林尊、周堪、張山拊、假倉，詩家有韋玄成、張長安、薛廣德，禮家則戴聖、聞人通漢，春秋公羊家則嚴彭祖、申輓、伊推、宋顯、許廣，穀梁家則尹更始、劉向、周慶、丁姓、王亥。而蕭望之以五經名家，與韋玄成條奏其議，梁丘臨奉使問難。可考見者凡二十有三人。《玉海》以蕭望之專屬穀梁家，非是。《會要》有戴德，朱氏以謂誤讀《孟卿傳》。又有孔霸，朱氏不言。今參考《孔光傳》，不言霸論石渠，亦似誤讀《儒林·周堪傳》也。王亥，鄭氏《六藝論》作王彥。

梁又有《五經義略》一卷，亡。

不著撰人。

按此似即《五經雜義》之節略本。

五經要義五卷

不著撰人。

《唐書·經籍志》：《五經雜義》七卷，劉向撰。《五經通義》九卷，劉向撰。《五經要義》五卷，劉向撰。

《唐書·藝文志》：劉向《五經雜義》七卷，又《五經通義》九卷，《五經要義》五卷。

《玉海·藝文》曰：“《文選注》引《五經要義》，《北史·劉芳》引《要義》，《世說注》、《隋·禮儀志》引《要義》。”

《經義考》曰：“按《藝文類聚》、《初學記》、杜氏《通典》、《太平御覽》並引《要義》文。”

《孫祠書目》：《五經要義》一卷，洪頤煊集本。

按本志不知《雜義》、《通義》、《要義》爲劉氏書，故皆不著撰人，類從於陳、隋人之後。三書之中，《雜義》見於《漢志》，自當居首。而本志敓去“雜”字，列《通義》後，編次亦失當。兩《唐志》則著録甚分明也。又本志此條云《五經要義》五卷，梁十七卷，雷氏撰。一似此五卷即雷氏佚存者。《唐志》則分析甚明，知五卷者爲劉氏書；十七卷者，雷氏書也。

梁有《五經要義》十七卷，雷氏撰，亡。

雷氏不詳何人。

王氏《漢魏遺書鈔》曰：“諸書引《要義》，皆不著撰人姓名。如《蓮社高賢傳》云：‘次宗著書，自稱雷氏。’則此《要義》之雷氏，爲次宗無疑。今故定爲雷次宗撰。並鈔出《後漢書注》一條、《北史》一條、《隋志》一條、《世說新語注》一條、《文選注》二條、《類聚》六條、《初學記》七條、《書鈔》二條、《通典》一條、《御覽》三條。”

馬氏玉函山房輯本序曰：“雷氏不詳何人。今其書佚。采輯二十餘節，説‘褊襞’、‘彤管’，皆詳晰有古致，蓋承漢人遺説也。”

五經析疑二十八卷　邯鄲綽撰

《元和姓纂》：邯鄲氏，晉趙襄側室子趙穿食采邯鄲，因氏焉。漢有陳留人綽，魏有涼州刺史邯鄲商，支孫邯鄲淳爲平原侯植文學。按邯鄲綽始末未詳，据《姓纂》則猶爲漢人，所未喻也。

《唐日本國見在書目》論語家：《五經析疑》三十卷，邯鄲綽撰。

《唐書·經籍志》子部法家：《五經析疑》三十卷，邯鄲綽撰。

《唐書·藝文志》法家：邯鄲綽《五經析疑》三十卷。

《玉海·藝文類》：《唐志》法家邯鄲綽《五經析疑》三十卷，《初學記》引之。

《經義考》：邯鄲氏綽《五經析疑》，《隋志》二十八卷，《唐志》三十卷，入法家。按《析疑》文見於《初學記》所引者，凡四條。

王謨《漢魏遺書鈔》曰："《唐志》以此書入法家，今其書已亡。前人亦未有論説，故無可考，但如《書鈔》所引一條云：甲女子欲入門，爲乙門所笮死，以爲當坐殺人棄市。意此書亦當如《春秋決事》，設爲甲乙以科罪耳，故宜入法家。今僅鈔出《初學記》四條，《書鈔》、《御覽》各一條。"

五經宗略二十三卷　　元延明撰

元延明有《毛詩誼府》，見前詩類。

《魏書》本傳："又撰《五經宗略》。"又《術藝·孫僧化傳》："時有河間信都芳，好學，善天文、算數，甚爲安豐王延明所知。延明家有群書，欲鈔集五經算事爲《五經宗》及鈔集古今樂事，令芳算之。會延明南奔，芳乃自撰注。"按芳算注《樂書》，見前樂類。此《五經宗略》，或亦芳注而傳之也。

《唐書·經籍志》：《五經宗略》四十卷，元延明撰。

《唐書·藝文志》：元延明《五經宗略》四十卷。

五經雜義六卷　　孫暢之撰

孫暢之有《毛詩引辯》，見前詩類。

長春義記一百卷　　梁簡文帝撰

梁簡文帝有《毛詩十五國風義》，見前詩類。

《梁書》本紀：帝博綜儒書，善言玄理。高祖所製五經講疏，嘗於玄圃奉述,聽者傾朝野。所著《長春義記》一百卷,行於世。

《南史·儒林·沈文阿傳》:梁簡文引爲東宮學士,深相禮遇,及撰《長春義記》,多使文阿撮異聞以廣之。

又《許懋列傳》:懋爲天門太守。中大通三年,皇太子召與諸儒録《長春義記》。

又《徐陵列傳》:梁簡文在東宮,撰《長春殿義記》,使陵爲序。

《唐書·經籍志》:《長春秋義記》一百卷,梁簡文撰。按"秋"當爲"殿"字之誤。

《唐書·藝文志》:梁簡文帝《長春義記》一百卷。

大義九卷

不著撰人。

按此次《長春義記》之後,或即《義記》之節録本,或其上敓"五經"字。

遊玄桂林九卷　張機撰　"機"當爲"譏"。

張譏有《周易講疏》,見前易類。

《南史·儒林傳》:譏篤好玄言,所撰《玄部通義》十二卷、《遊玄桂林》二十四卷,陳後主敕就其家寫入祕閣。

《唐書·經籍志》:《遊玄桂林》二十卷,張譏撰。

《唐書·藝文志》:張譏《遊玄桂林》二十卷。

按本志子部道家有《遊玄桂林》二十一卷,目一卷。此九卷,或節録其中之關涉五經者。

六經通數十卷　梁舍人鮑泉撰

《南史·列傳》:鮑泉字潤岳,東海人也。性警悟,博涉史傳,兼有文筆。少事元帝,爲國常侍、通直侍郎。及元帝承制,累遷至信州刺史。後元帝以世子方諸爲郢州刺史,泉爲長史,侯景遣將宋子仙、任約襲之,執方諸及泉。景殺泉於江夏,沈其屍於黃鶴磯。

七經義綱二十九卷　樊文深撰

七經論三卷　樊文深撰

質疑五卷　樊文深撰

樊文深有《五經大義》，見前。

《周書・儒林傳》：深所撰《孝經》、《喪服問疑》各一卷，撰《七經異同説》三卷、《義經略論》并目録三十一卷，並行於世。按《義經》，《册府元龜》引作《義綱》。《北史・儒林傳》云："撰《孝經》、《喪服問疑》各一卷，又撰《七經異同》三卷。子義綱。"按《周書》不附見其子，"義綱"乃其書名，此必有脱誤。

《唐書・經籍志》：《七經義綱略論》三十卷，樊文深撰。《質疑》五卷，樊文深撰。

《唐書・藝文志》：樊文深《七經義綱略論》三十卷。又《質疑》五卷。

《經義考》曰："樊氏《義綱》，見於類書所引者凡三條。"

錢大昕《隋志考異》曰："按《周書・儒林傳》所載，與此志名目互異。"

馬國翰輯本序曰："《太平御覽》之三十九引樊文深《七經義綱・格論》，《格論》者，書中篇目之一也。徐堅《初學記》卷九，又二十七，亦各引樊文深《七經義》，輯録三節。"

按《周書》、《北史》本傳皆不載文深有《質疑》。考《北齊書・李公緒傳》："公緒雅好著書，撰《質疑》五卷。"《北史》作《禮質疑》，"禮"或誤衍。書名、卷數並相同，似此五卷爲李公緒書。本志因上文而寫誤，兩《唐志》遞相沿襲歟？李公緒有《趙記》十卷，別見史部地理類。

經典玄儒大義序録二卷　沈文阿撰

沈文阿有《經典大義》，見前。

《册府元龜・學較部・目録類》：陳沈文阿爲散騎常侍兼國子

博士,撰《經典玄儒大義序録》二卷。

按《宋書·隱佚·雷次宗傳》:"元嘉十五年,徵次宗至京師,聚徒教授,與朱膺之、庾蔚之並以儒學總監諸生。使何尚之立玄學,何承天立史學,謝元立文學,凡四學並建。"又《南史·王儉傳》:"宋明帝泰始六年,置總明館,以集學士,或謂之東觀,置儒、玄、文、史四科,科置學士十人。"又《儒林·戚袞傳》云:"簡文在東宮,嘗集玄儒之士,互相質難,令中庶子徐摛馳騁大義。"所謂玄儒大義者如此。《金樓子·聚書篇》云:"還石城爲戍軍時,寫得玄儒衆家義疏。"即是類之書。此與前《經典大義》十卷本合爲一書,志誤分爲二。

玄義問答二卷

不著撰人。

《顏氏家訓·勉學篇》曰:"梁世,《莊》、《老》、《周易》,總謂'三玄',武帝、簡文躬自講論。周弘正奉贊大猷,化行都邑,學徒千餘,實爲盛美。元帝在江、荆間,復所愛習,召置學生,親爲教授,廢寢忘食,以夜繼朝,至乃倦劇悲憤,輒以講自釋。吾時頗預末筵,親承音旨,性既頑魯,亦所不好云。"

按以玄義釋經者,自魏王弼注《易》始,歷晉、宋、齊、梁,是類之書,不知凡幾。至隋、唐之際,五經家猶存此,及張譏、沈文阿三家。他如《周易玄品》、《周易普玄圖》、《孝經玄》,大抵亦其類也。

六藝論一卷 鄭玄撰

鄭玄有《周易注》,見前易類。

徐彥《公羊序》疏曰:"鄭君先作《六藝論》,訖,然後注書。"

《唐日本國人見在書目》:《六藝論》一卷,鄭玄撰,方叔機注。

《唐書·經籍志》:《六藝論》一卷,鄭玄注。

《唐書·藝文志》:鄭玄《六藝論》一卷。

《經義考》曰：“孔穎達《疏》引方叔機注《六藝論》。叔機，未詳何時人。”

馬氏玉函山房輯本序曰：“今從諸經疏及《北堂書鈔》、《御覽》、《路史》等書輯得二十三節，《禮》正義引方叔機注一則，并附著之。”王氏《漢魏遺書鈔》輯存二十條，方氏注一條。嚴氏《後漢文編》輯存三十八條。

《孫祠書目》：《六藝論》一卷，一孔廣林集本，一洪頤煊集本，一臧鏞堂集本。

張氏《書目答問》：《六藝論》一卷，陳鱣輯。別下齋刻本。又黃奭刻漢學堂《高密遺書》本。

聖證論十二卷　王肅撰

王肅有《周易注》，見前易類。

《魏志》本傳：初，肅善賈、馬之學，而不好鄭氏。時樂安孫叔然受學鄭玄之門，人稱東州大儒。肅集《聖證論》，以譏短玄，叔然駁而釋之。

《舊唐書·元行沖傳》：行沖著《釋疑論》曰：“子雍規玄數十百件。守鄭學者，時有中郎馬昭，上書以爲肅謬。詔王學之輩，佔答以聞。又遣博士張融案經論詰，融等一作“登”。召集，分別推處，理之是非，具《聖證論》。王肅酬對，疲於歲時。”又曰：“王肅改鄭六十八條，張融覈之，將定臧否。融稱玄注泉深唐諱淵，故改爲泉。廣博，西漢四百餘年，未有偉於玄者。然二郊之祭，殊天之祀，此玄誤也。其如皇天祖所自出之帝，亦玄慮之失也。”

《釋文·敍錄》曰：肅又作《聖證論》，難鄭玄。

《唐日本國見在書目》五經家：《聖證論》十二卷，王肅撰。又小學家別出《聖證論》十一卷。

《唐書·經籍志》：《聖證論》十一卷。不注撰人。

《唐書·藝文志》：王肅《聖證論》十一卷。

王應麟《困學紀聞》曰："王肅《聖證論》譏短鄭康成，謂天體無二，郊丘爲一；禘是五年大祭先祖，非圜丘及郊；祖功宗德，是不毀之名，非配食明堂。皆有功於禮學，先儒疑之。《聖證論》今不傳，正義僅見一二。"

錢大昕《三國志考異》曰："《高貴鄉公紀》有博士馬照。按《毛詩正義》往往載馬昭説，即其人也。昭説經主鄭氏，與王肅多異。"

侯康《三國藝文志》曰："諸經疏引《聖證論》者，往往兼引馬昭、張融説。《高貴鄉公紀》有博士馬照，《錢氏考異》謂即馬昭也。張融亦魏博士，見《隋志》論語類。"

又曰："王肅經解，平易近人，故晉宋以下多從之。近世崇尚鄭學，攻肅者，幾於身無完膚。平心而論，肅經解豈無一得？其立異於鄭，猶鄭之立異於賈、馬。此得彼失本，可並存，特其專事掊擊，且僞造《家語》以自實其言，此則誠不免爲小人儒耳。"

馬國翰輯本序曰："《聖證論》一卷，魏王肅撰，馬昭駁，孔晁答，張融評。《舊唐書·元行沖傳》云：'詔王學之輩，佔答以聞。'今以諸引馬昭、張融多參以孔晁説而黨於王，則晁固王學輩之首選也。《隋志》十二卷，《唐志》十一卷。今佚。采輯四十餘條，依經編次爲卷。"

張氏《書目答問》：《聖證論》一卷，馬國翰輯玉函山房本。王謨輯《漢魏遺書鈔》本。

　　按王氏之論，大抵如元行沖所説，凡六十八條。其本書篇卷無考。《隋》、《唐志》十二卷，十一卷者，皆附馬、張等駁義、答義、平議在内，乃後人重編也。

鄭志十一卷　魏侍中鄭小同撰

鄭小同有《禮義》四卷，見前。

《後漢書·鄭玄傳》：建安五年六月卒，年七十四。遺令薄葬。自郡守以下嘗受業者，縗絰赴會千餘人。門生相與撰《玄答諸弟子問五經》，依《論語》作《鄭志》八篇。

《舊唐書·元行沖傳》：行沖作《釋疑論》曰：“鄭因子幹，師於季長。屬黨錮獄起，師門道喪，康成於竄伏之中，理紛挈之典，志存探究，靡所咨謀。而猶緝述忘疲，聞義能徙，具於《鄭志》，向有百科。章句之徒，曾不窺覽，猶遵覆轍，頗類刻舟。王肅因之，重茲開釋，或多改駁，仍按本篇。”

《唐會要》：左庶子劉知幾議曰：“鄭玄卒後，其弟子追論師所著述及應對時人，謂之《鄭志》。”

《唐書·經籍志》：《鄭志》九卷。不注撰人，《藝文志》同。

《經義考》曰：“《鄭志》載於正義及《通典》者，大抵張逸、趙商、冷剛、田瓊、炅模問，而康成答之。又有焦喬、王權、鮑遺、陳鏗、崇精弟子互相問答之辭。”

《四庫提要》曰：“案鄭玄本傳稱‘門人依《論語》作《鄭志》八篇’。《隋·經籍志》作十一卷，鄭小同撰。則非諸弟子之舊本也。《新》、《舊唐書》作九卷，已佚其二。至《崇文總目》始不著錄，則全佚於北宋初矣。此本三卷，莫考其出自誰氏。觀書中博采群籍，有今日所不盡見者，知爲舊人所輯，非近時新編也。間有蒐采未盡，如諸經正義，及《魏書·禮志》、《南齊書·禮志》、《續漢書·郡國志》注、《藝文類聚》諸書所引，尚有三十六條，爲《補遺》一卷。

侯康《補三國藝文志》：錢東垣曰：“《鄭志》當是鄭君晚年定論。何以知之？本傳言趙商等自遠方來就學，在何進辟召之後，時年六十。茲則商所問者，十居其四，是在六十歲以後也。又諸弟子所問，引《易注》者二，是在《易注》已成之後也。引《書贊》者一、《書注》者四，是在《書贊》、《書注》已成之後也。引《詩箋》者十二，是在《詩箋》已成之後也。引《周禮注》者十七、《禮記注》者七、《儀禮注》者一，是在《三禮注》已成之後也。引《論語注》者一、《禘祫志》者一、《駁五經異義》者三，是在《論語》、《禘祫志》、《駁異義》已成之後也。答劉炎問《關雎》，則云《論語注》人間行已久。答炅模問'匪革其猶'，則辨《詩箋》與《禮》注不同之故。可知晚年定論，猶足模楷百世矣。"

鄭珍《鄭學録》曰："《鄭志》本傳云八篇，《隋志》十一卷，《唐志》九卷。後亡。國朝祕府有一本，分上、中、下三卷，不知何人輯録。乾隆間，王復、武億爲注明原書出處，更加訂正，又輯《補遺》一卷。按本傳此書明是鄭門弟子所記，而《隋志》獨云鄭小同撰。考康成卒時，小同僅四、五歲，安能記述祖時師弟問答。必是康成殁未久，諸弟子即各出所記，分五經類而萃之，爲《志》八卷。後來小同更有所得，增編爲十一卷，自題己名，故《隋志》歸之小同撰耳。"

《孫祠書目》：《鄭志》三卷，魏鄭小同撰。一孔廣林集本；一武億校本，《補遺》一卷；一錢東垣集本，附録一卷。

張氏《書目答問》：《鄭志》三卷，附録一卷。錢東垣等校。秦鑒刻《汗筠齋叢書》本、粵雅堂本。又聚珍本、福本、問經堂本、《古經解彙函》重刻孫本、漢學堂本。

鄭記六卷　鄭玄弟子撰

《唐會要》：左庶子劉知幾議曰："鄭之弟子，分授門徒，各述師言，更相問答，編録其語，謂之《鄭記》。"

《唐書·經籍志》：《鄭記》六卷。不著撰人，《藝文志》同。

《四庫提要》曰："《通典》所引《鄭志》，皆玄與門人問答之詞，所引《鄭記》，皆其門人互相問答之詞。知《志》與《記》其別在此。《曲禮》正義引《鄭志》，有崇精之問，焦氏之答。《月令》

正義引《鄭志》，有王權之問，焦喬之答；焦氏之問，張逸之答。疑本《鄭記》之文，校刊者誤爲《鄭志》歟？"又曰："《鄭記》一書，亦久散佚。今可以考見者，尚有《初學記》、《通典》、《太平御覽》所引三條，併附錄於《鄭志》之後。"

張氏《書目答問》：《鄭志》、《鄭記》，黃奭輯《高密遺書》十四種本。

謚法三卷　劉熙撰

劉熙有《釋名》，見前爾雅類中。

按本志禮類《大戴禮記》條下注云："梁有《謚法》三卷，後漢安南太守劉熙注，亡。"既云亡矣，而此類復著於錄。蓋前注因《七錄》所有，此又据隋代書目所載，前後不復對勘也。

謚法十卷　特進中軍將軍沈約撰　按"特進"上當有"梁"字。

《梁書》本傳：約字休文，吳興武康人也。宋時爲尚書度支郎。仕齊，歷南清河太守。高祖受禪，爲尚書僕射，封建昌縣侯，邑千户，累遷侍中、中書令、尚書令、太子少傅、左光禄大夫，加特進。天監十二年卒官，年七十三，謚曰隱。所著《謚例》十卷。

《玉海·藝文類》：沈約《謚例》序云："《周書·謚法一》第五十六，《謚法二》第五十七。約案《謚法》上篇卷前云《禮》大戴記，後云《周書》。《謚法》第四十二又云凡有一百四十五謚。案《大戴禮》及《世本》舊並有《謚法》，今檢十許本，皆無《周書·謚法一》第五十六、《謚法二》第五十七。上篇有十餘謚，下篇唯有第目，無謚名，與前所云第四十二又不同矣。今《謚法》二篇，有一百四十八名，卷後又云靖案謚有一百九十四。又云高、光、明、章、和、順、沖七謚，《謚法》無也，而漢家用之。"約又檢二篇，唯無'光'耳，其餘並有而又多不同。約又案靖應是張靖，晉江左人也。劉熙注《謚法》，唯有七十六名，所闕甚多，或有異名殊號，近世所不用耶。又有《廣謚》一篇，七十八謚，與舊文多同，時有異耳。約以爲同時一謚而互出，諸篇不相比次，難爲尋覽。劉熙既有注解，時或有所發明。今以熙所撰爲本，又舊文二篇、《廣謚》一卷，悉少拔次第，令名相隨，各以其下注本文所出。又自周以來迄於宋末，帝王、名臣凡有謚者，並列其人名號於所謚之左方。吳興人乘奧撰《帝王世紀》，其一篇是《謚法》，今代所異者。"按此文不完，未有別本校。

《唐書·經籍志》：《謚例》十卷，沈約撰。

《唐書·藝文志》：沈約《謚例》十卷。

《宋史·藝文志》：沈約《謚法》十卷。

《崇文總目》禮類：《謚例》十卷，宋沈約撰。上采周秦，下至晉宋君臣謚號，而以周公《謚法》爲本。按此言周公者，即《周書》，亦即劉熙所注者是也。

晁氏《讀書志》禮類：梁沈約撰《謚法》，凡七百九十四條。

《玉海·藝文類》：《唐六典》注舊有《周書·謚法》、《大戴禮·謚法》。又漢劉熙注一卷，張靖撰兩卷。又有《廣謚》一卷，至梁沈約總集，凡有一百六十五條。《南史》裴子野《附益謚法》一卷。按裴、沈同時，其書不傳，或已在沈書十卷中矣。

又曰："《中興書目》沈約《謚法》十卷。案約《序》，《大戴禮》及《世本》，舊並有《謚法》，而二書傳至約時已亡。其篇唯取《周書》及劉熙《謚法》、《廣謚》舊文，仍采乘奧《謚法篇》之異者，以爲此書。首列《周書》二篇，後即以熙爲本，敍次舊文，《廣謚》及乘奧《謚法》各於其下注本文所出。自周迄宋，帝王、名臣有謚者，各列其名號於左方。今本卷數存文多舛。"

又曰："蘇洵編定《六家謚法總論》曰：'《謚法》有周公、《春秋》、《廣謚》、沈約、賀琛、扈蒙六家之書。六書之中，稍近古而可據者，莫如沈約。然亦非古之《諡法》。約言之詳矣。'"
又曰："沈約爲《諡例》，記周以來帝王公卿之諡，至宋而止。"
李壁曰："名周公者，即《周書·諡法篇》。名《春秋》者，即杜預《釋例·諡法篇》。
《廣諡》不著名氏。"

諡法五卷　梁太府賀瑒撰 按"太府"下敓"卿"字，"賀瑒"當作"賀琛"。

《南史·賀瑒附傳》：琛字國寶，幼孤，伯父瑒授其經業，一聞
便通義理，尤精三《禮》。初，瑒於鄉里聚徒教授，四方受業者
三千餘人。瑒天監中亡，至是復集，琛築室講授。既世習禮
學，究其精微。普通中，太尉臨川王宏召補祭酒從事。武帝
聞其有學術，召見文德殿，與語，悦之，累遷尚書左丞，詔琛撰
《新諡法》，便即施用。太清二年，爲中軍宣城王長史。侯景
陷城，以爲金紫光禄大夫。卒。所撰《三禮講疏》、《五經滯
義》及諸儀注，凡百餘篇。

《梁書》本傳：詔琛撰《新諡法》，至今施用，後遷太府卿。按云
"至今"，謂唐時也。

《唐書·經籍志》：《諡法》三卷，賀琛撰。

《唐書·藝文志》：賀琛《諡法》三卷。《宋史·藝文志》同。

《崇文總目》：《諡法》四卷，梁賀琛撰。初，沈約本周公之《諡
法》。至琛，又分君臣、美惡、婦人之諡，各以其類標其目，曰
舊諡者，周公之《諡法》；曰《廣諡》者，約所撰也；曰《新諡》
者，琛所增也。按周公之《諡法》下，當有"曰春秋者，杜預之《諡法篇》；曰《廣
諡》者，不著撰人；曰《諡例》者，約所撰也。"或賀氏目沈書，亦曰《廣諡》歟？

晁氏《讀書志》曰："沈、賀《諡法》四卷，梁沈約撰。凡七百九
十四條，賀琛又加《婦人諡》二百三十八條。"

《玉海·藝文》：《中興書目》曰："梁賀琛《諡法》三卷，采舊
《諡法》及《廣諡》，又益以己所撰《新諡》，分君、臣、婦人三卷，
卷各分美、平、惡三等。其條比沈約《諡例》頗多，亦有約載而

琛不取者。"

《玉海》又曰:"賀琛之法,有君謚、臣謚、婦人謚,離而爲三。婦人有謚,自周景王之穆后始;匹夫有謚,自東漢之隱者始;宦者有謚自東漢之孫程始;蠻夷有謚,自東漢之莎車始。"

江都集禮一百二十六卷

不著撰人。

《隋書·文學傳》:潘徽字伯彥,吳郡人也。晉王廣引爲揚州博士,令與諸儒撰《江都集禮》一部。復令徽作《序》,凡十二帙,一百二十卷。

《唐日本國見在書目》禮家:《江都集禮》百廿六卷。

《唐書·經籍志》禮類:《江都集禮》一百二十卷,潘徽等撰。

《唐書·藝文志》儀注類:牛弘、潘徽《隋江都集禮》一百二十卷。按本志史部儀注類别有《隋朝儀禮》一百卷,牛弘撰。其書成於文帝開皇五年。此書作於煬帝爲晉王鎮江都時,在開皇八年平陳之後。《牛弘傳》無隨晉王至江都撰是書事。潘徽序此書,亦絶不及牛弘,疑此"牛弘"下敓"《隋朝儀禮》一百卷"七字。

《崇文總目》禮類:《江都集禮》一百四卷,隋諸儒撰。初,煬帝以晉王爲揚州總管,鎮江都,令諸儒集周漢以來禮制因襲,下逮江左,先儒論議,命潘徽爲之序,凡一百二十卷。今亡缺,僅存一百四卷。

王應麟《困學紀聞》曰:"宋何承天刪減《禮論》爲三百卷,梁孔子袪續一百五十卷。《隋江都集禮》亦撮《禮論》爲之。朱文公謂六朝人多精於禮,當時專門名家有此學,朝廷有禮事,用此等人議之。唐時猶有此意。"

錢大昕《隋書考異》曰:"按潘徽序此書云凡十二帙,一百二十卷,此衍六字。凡此書本爲議禮而作,乃不入禮家,又不入儀注,而附於論語之末,亦失其倫。"

按《宋史·藝文志》禮類:《江都集禮圖》五十卷。注云不知作者。似即此書之佚存本。

又按自《五經音》至此，又別爲一類。本志篇敍云："《孔叢》、《家語》、《爾雅》諸書，并五經總義，附於此篇。"蓋本《漢·藝文志》附此類之書於論語、孝經之例，而小變之者也。《四庫提要》立五經總義一類，取證於此。

右七十三部七百八十一卷，通計亡書合一百一十六部，一千二十七卷。實著録七十四部，附注亡書五十四部，通計一百二十三部。

卷九

經部九
異説類

河圖二十卷　梁《河圖洛書》二十四卷，目録一卷，亡。

本志篇敍曰："説者又云，孔子既敍六經，以明天人之道，知後世不能稽同其意，故別立緯及讖，以遺來世。其書出於前漢，有《河圖》九篇、《洛書》六篇，云自黃帝至周文王所受本文。又別有三十篇，云自初起至於孔子，九聖之所增演，以廣其意。"

桓譚《新論》曰："讖出《河圖》、《洛書》，但有兆朕而不可知，後人妄復加增依托，稱是孔丘，誤之甚也。"

《水經·河水注》：《春秋命曆序》曰："《河圖》，帝王之階，圖載江河、山川、州界之分野。"

唐張彥遠《歷代名畫記》曰："古之祕畫珍圖，則有《河圖》十三卷，又八卷。《河圖括地象圖》十一卷。"

《唐日本國見在書目》："《河圖》一卷。"

明孫瑴《古微書》曰："緯候之興，其生於'河出圖'一語乎。自前漢世有《河圖》九篇、《洛書》六篇，蓋《七緯》之祖本也。顧《漢志》，馬、鄭皆不道及，惟《隋·經籍志》有二十卷。今讀其文，淵且豔焉。其録則曰《括地象》、曰《絳象》、曰《始開圖》，皆以鉤山河之賾；曰《帝覽嬉》、曰《稽耀鉤》，皆以抉星象之玄；曰《挺佐輔》、曰《握矩紀》，皆以闡運曆之要；而又有《帝通紀》、《真紀鉤》、《著命》、《祕徵》、《要元篇》、《考靈耀》，殘篇半牘，錯海希珍，殆視諸緯爲富云。”

《經義考·毖緯篇》：蔡邕曰：“《洛書》皆言存亡之事，覽之以驗禍福也。”又曰：“諸書所引，有《洛書甄曜度》、《洛書靈準聽》、《洛書寶號命》、《洛書録運期》、《洛書稽命曜》、《洛書摘六辟》，有鄭玄注。”

按《經義考·毖緯篇》輯《河圖》篇目之散見諸書者，凡三十有二，曰《括地象》、曰《録運法》、曰《赤伏符》、曰《挺佐輔》、曰《帝覽嬉》、曰《握矩起》、曰《稽命曜》、或作《稽命徵》。曰《稽耀鉤》、曰《會昌符》、曰《記命符》、曰《説徵示》、曰《帝視萌》、曰《期運授》、曰《帝紀通》、或作《帝通紀》。曰《皇參持》、曰《闓苞受》、曰《考曜文》、曰《内元經》、曰《龍魚河圖》、曰《河圖龍文》、曰《河圖八文》、曰《河圖提劉》、曰《河圖真鉤》、或作《真紀鉤》。曰《河圖著命》、曰《河圖天靈》、曰《河圖緯象》、或作《絳象》。曰《河圖玉版》、曰《河圖叶光圖》、曰《祕微圖》、“微”一作“徵”。曰《合古篇》、曰《始開篇》、曰《要元篇》，似已略具於斯矣。而《開元占經》又有《河圖舍占篇》，汪氏《文選注》引書目又有《河圖考鉤》。

河圖龍文一卷

《水經·河水注》：《春秋命曆序》曰：“《河圖》帝王之階，圖載江河、山川、州界之分野。後堯壇於河，受《龍圖》，作《握河紀》，逮虞、舜、夏、商，亦咸受焉。”李尤《孟津銘》：“洋洋河水，朝宗於海，徑自中州，《龍圖》所在。”按所云云，則《河圖龍文》亦名《握河紀》。然《尚書中候》中，亦有《握河紀》篇名，不知是一是二。

唐張彦遠《歷代名畫記》曰：“古之祕畫珍圖，則有《龍魚河圖》。”

《唐日本國見在書目》：《河圖龍文》一卷。

《經義考·毖緯類》：“《河圖龍文》，《隋志》一卷。王應麟曰《文選注》引之。”

錢塘汪師韓《文選理學權輿》曰：“《選注》所引群書，有《河圖龍文》。”

按此一卷似即梁有《河圖洛書》二十四卷之佚存者。

易緯八卷　鄭玄注。梁有九卷。

鄭玄有《周易注》，見前易類。

本志篇敘曰：“又有《七經緯》三十六篇，並云孔子所作。”

《後漢書·樊英傳》注曰：“《七經緯》者，《易》：《稽覽圖》、《乾鑿度》、《坤靈圖》、《通卦驗》、《是類謀》、《辯終備》也。”

《後漢書·鄭玄傳》玄以書戒子益恩，有曰：“吾去厮役之吏，游學周、秦之都，往來幽、并、兗、豫之域，獲覲乎在位通人，處逸大儒，得意者咸從捧手，有所授焉。遂博稽六藝，粗覽傳記，時覩祕書緯術之奧。”

《唐日本國見在書目》：《易緯》十卷，鄭玄注。

《宋史·藝文志》易類：《易乾鑿度》三卷，《易緯》七卷，《易緯·稽覽圖》一卷，《易通卦驗》二卷，並鄭玄注。

宋馮椅《厚齋易學》曰：“《崇文總目》云《周易緯》九卷，漢鄭康成注。”

《玉海·藝文類》：《易緯》鄭玄注，梁九卷。今篇次具存。李淑《書目》云：“凡《乾鑿度》、《稽覽圖》、《通卦驗》各二，《辨終備》、《是類謀》、《坤靈圖》各一。今三館所藏，止有鄭氏注七卷。”

《四庫提要》曰：“《七經緯》皆佚於唐，存者獨《易》。逮宋末而盡失其傳。今《永樂大典》所載，《易緯》具存，多宋以後諸儒所未見。”又曰：“《隋志》鄭康成注《易緯》八卷，《唐志》宋均注《易緯》九卷，皆不詳其篇目。今《永樂大典》有《乾坤鑿度》二卷、《周易乾鑿度》二卷、《易緯·稽覽圖》二卷、《易緯·辨終備》一卷、《易緯·通卦驗》二卷、《易緯·乾元序制記》一卷、《易緯·是類謀》一卷。"

按《經義考·毖緯篇》所載《易緯》篇目，又有《垂皇策》、《萬形經》、《乾文緯》、《考靈緯》、《制靈圖》、《含文嘉》、《稽命圖》、《含靈孕》、《八墳文》、《九厄讖》、《通統圖》、《卦氣圖》、《元命苞》、《萌氣樞》、《易歷》、《易運期》、《易內戒》、《易狀圖》、《太初篇》。其中蓋亦有讖文，不盡是緯文也。下並同。

尚書緯三卷　鄭玄注

《後漢書·樊英傳》注：《書緯》：《璇璣鈐》、《考靈曜》、《刑德放》、《帝命驗》、《運期授》也。

《唐書·經籍志》：《書緯》三卷，鄭玄注。

《唐書·藝文志》：鄭玄注《書緯》三卷。

鄭珍《鄭學錄》曰："經疏諸書，唯引《考靈曜》最夥。朱彝尊曰：'《考靈曜》之文，大都推步之説，其言無悖於理。隋燔緯書，若此與《括地象》，雖置不燔可也。《禮記》、《爾雅》疏引鄭注，言天體特詳。'"

侯康《補後漢書藝文志》曰："趙在翰纂《七緯》，無《運期授》注。今考其所引《詩·文王》序正義一條，亦出鄭注無疑。"

按《經義考·毖緯類》載《書緯》篇目，又有《帝驗期》、"驗"或作"命"。《鉤命決》、《洛罪級》三篇。孫氏《古微書》、馬氏玉函山房並輯存五篇。《書目答問》曰："《七緯》三十八卷，趙在翰輯。福州小積石山房刻本，今未見。"

尚書中候五卷　鄭玄注。梁有八卷，今殘缺。

《書緯·璇璣鈐》曰："孔子求書，得黃帝玄孫帝魁之書，迄於秦穆公，凡三千二百四十篇。斷遠取近，定可以爲世法者百二十篇。以百二篇爲《尚書》，十八篇爲《中候》。”

《後漢書·方術傳》序曰“緯候之部”，注云：“緯，《七經緯》也；候，《尚書中候》也。”

《經義考》曰：“按《中候》專言符命，當是新莽時所出之書。”

曲阜孔廣林輯本序曰：“《中候》者，緯之流也，凡十八篇。今亡。賴《詩》、《禮正義》，猶得備識其篇名。而《中候》文及鄭君注，散見群籍，亦尚可闚其大略。唯是篇次先後不可復考；每篇之中，文亦不能次第，聊取殘文賸句薈萃錄之。以《宋書·符瑞志》參校，略爲比次其文。蓋《宋志》說堯、舜、禹、湯、文、武符命，皆取諸《中候》也。其篇次則以時代序焉，曰：《敕省圖》、曰《握河紀》、《運衡》、曰《考河命》、曰《題期》、《立象》、曰《義明》、曰《苗興》、曰《契握》、曰《洛予命》、曰《稷起》、曰《我應》、曰《雒師謀》、曰《合符后》、曰《摘雒戒》、曰《霸免》、曰《準纖哲》、曰《覬期》。”《書目答問》“《尚書中候》鄭注五卷，學津輯本”，即此也。

按《經義考·毖緯類》又有《中候·儀明篇》，云《南齊·符瑞志》引之。按當爲《祥瑞志》。《北史·李業興傳》引《中候·運行篇》，蓋《儀明》即《義明》，《運行》即《運衡》，十八篇之外佚出者，竟無所見也。孫氏《古微書》輯存五篇，馬氏玉函山房輯存十八篇，王氏《漢魏遺書鈔》輯存一卷。

詩緯十八卷　魏博士宋均注。梁十卷。

宋均有《孝經皇義注》，詳見孝經類。

《後漢書·樊英傳》注：《詩緯》：《推度災》、《記曆樞》、《含神霧》也。

張彥遠《歷代名畫記》曰：“古之祕畫珍圖，則有《詩緯圖》一卷。”

《唐日本國見在書目》：《詩緯》十卷，魏博士宋均注。

《唐書·經籍志》：《詩緯》十卷，宋均注。

《唐書·藝文志》：宋均《詩緯注》十卷。

侯康《補三國藝文志》曰："趙在翰《七緯》中有宋注《詩緯·推度災》、《氾歷樞》、《含神霧》三種。"

　按孫氏《古微書》、馬氏玉函山房亦各輯三篇。本志篇敘云："又有《尚書中候》，《詩推度災》、《氾歷樞》、《含神霧》。"蓋緯書之外，又有此三篇之讖書也。

禮緯三卷　鄭玄注，亡。　按此"亡"字衍。

《後漢書·樊英傳》注曰："《禮緯》：《含文嘉》、《稽命徵》、《斗威儀》也。"

《唐日本國見在書目》：《禮緯》三卷，鄭玄注。

《經義考·毖緯篇》曰："《禮緯·含文嘉》，今所見凡二本，一本畫雲氣星煇之象，而附以占詞；一本分天鏡、地鏡、人鏡。皆非原書。"

侯康《補後漢書藝文志》曰："趙在翰纂《七緯》，祇載《含文嘉》、《斗威儀》二注，然所采《詩·烈祖》序正義一條，以正義下文考之，即鄭注《稽命徵》也。"

　按《經義考·毖緯篇》又有《禮稽命曜》、《禮元命包》、《禮瑞命記》三篇。《稽命曜》似即《稽命徵》，《元命包》、《瑞命記》，似皆讖記，非緯書。故章懷太子於《七經緯》不數及之。孫氏《古微書》、馬氏玉函山房亦各有輯本。朱氏所見《含文嘉》，詳見《四庫提要》子部術數類五行家存目，非古緯書也。

禮記默房二卷　宋均注

　按此似即《禮緯》中佚出者。梁代有鄭氏注三卷，此二卷似非其全。舊、新《唐志》有宋均《禮緯注》三卷，似即此書。

梁有《禮記默房》三卷，鄭玄注，亡。

　按本志篇敘云《七經緯》二十六篇。張衡上事，亦云六藝四

九,謂四九三十六篇也。而范書《方術傳》注言《七緯》篇目
止於三十有五,尚缺其一,疑即此《默房》也。蓋《七緯》之
中,《禮緯》實有四種,故鄭、宋兩家並有注。

又按《舊》、《新唐志》有鄭注《詩緯》三卷,諸書引見。又有
鄭氏《洛書注》、《樂緯注》、《春秋緯注》、《孝經緯注》,本志
皆不載。

樂緯三卷　宋均注

《後漢書·樊英傳》注:《樂緯》:《動聲儀》、《稽耀嘉》、《叶圖
徵》也。

《唐書·經籍志》:《樂緯》三卷,宋均注。

《唐書·藝文志》:宋均《樂緯注》三卷。

侯康《補三國藝文志》曰:"趙在翰《七緯》中,有宋均注《樂
緯·動聲儀》、《稽耀嘉》、《叶圖徵》三種。"

按孫氏、馬氏亦各有輯本三篇。

梁有《樂五鳥圖》一卷,亡。

《經義考·愆緯篇》曰:"《續漢·五行志》引《叶圖徵》,文曰:
'五鳳皆五色,爲瑞者一,爲孽者四。一曰鸑鷟,至則旱疫之
感也。二曰發明,至則喪之感也。三曰焦明,至則水之感也。
四曰幽昌,至則旱之感也。'考《樂緯》別有《五鳥圖》,此一條
疑即《五鳥圖》文。"

按汪氏師韓《文選注引書目》云《選注》所引有《樂錄圖》,似
即《樂緯·五鳥圖》之類。

春秋災異十五卷　郗萌撰

本志篇敍曰:"漢末,郎中郗萌集圖緯讖雜占爲五十篇,謂之
《春秋災異》。"又子部五行家云:"梁有《秦災異》一卷,後漢中
郎郗萌撰。"

《隋書·天文志》曰:"漢祕書郎郗萌記先師相傳宣夜之説。"

阮元《疇人傳》曰：“郗萌，祕書郎也。記先師相傳宣夜之説，謂七曜不綴附天體。夫既不附天體，則七曜各自有其高下可知。今西人言日月、五星各居一天，俱在恒星天之下，即不綴附天體之謂，意其説或出於宣夜歟？劉昭注《補續漢·天文志》引郗萌占甚多，萌蓋天文家也。”

按《文選·班孟堅典引》序云：“永平十七年，臣與賈逵、傅毅、杜矩、展隆、郗萌等召詣雲龍門。”是萌在明帝時與賈景伯諸人同官。《開元占經》引郤萌占尤多，而書爲“郤”。郤與郗傳寫不一，鄭氏弟子山陽郗慮，爲晉郗鑒之高祖。鑒，高平金鄉人，是確爲郗氏矣。而范書《鄭玄傳》亦誤作“郤”。《廣韻·六脂》郗字注：“郗，邑名，又姓，出高平。”又《二十陌》郤字注：“郤，姓，出濟陰、河南二望。《左傳》晉有大夫郤獻子。俗從𨜶。”是郤與郗同。高平，東漢侯國，屬山陽郡。則郗、郤二姓，亦同出山陽之高平，無所區別。此不知爲郗爲郤也。

梁有《春秋緯》三十卷，宋均注

《後漢書·樊英傳》注：《春秋緯》：《演孔圖》、《元命包》、《文耀鉤》、《運斗樞》、《感精符》、《合誠圖》、《考異郵》、《保乾圖》、《漢含孳》、《佑助期》、《握誠圖》、《潛潭巴》、《説題辭》。

《唐日本國見在書目》：《春秋緯》四十卷，宋均注。

《唐書·經籍志》：《春秋緯》三十八卷，宋均注。

《唐書·藝文志》：宋均注《春秋緯》三十八卷。

侯康《補三國藝文志》曰：“《樊英傳》注載《春秋緯》十三篇，有《握誠圖》而無《命曆序》。宋注可考見者，亦適十三篇，有《命曆序》而無《握誠圖》。朱彝尊疑《握誠圖》即《合誠圖》，然則正宜以《命曆序》補其缺。趙氏《七緯》無《命曆序》。今按蕭吉《五行大義·論諸神篇》、《後漢書·楊厚傳》注、《初學記》

卷九、《御覽》七十八,並引宋均《命曆序》注,確有明文。"

　　按《經義考》又有《孔録法》、《考曜文》、《玉版讖》、《句命決》、《含文嘉》、《括地象》、《春秋文義》、《春秋録圖》、《春秋少陽篇》、《撰命篇》,凡十目。大抵皆讖文,非緯文。孫氏《古微書》、馬氏玉函山房各輯存十四篇。汪氏《文選注引書目》有《春秋河圖揆命篇》,蓋即朱氏所記之《撰命篇》。

梁有《春秋内事》四卷,亡。

　　孫毅《古微書》曰:"《春秋》、《孝經》各有《内事》,俱有宋均注。"

　　《經義考·讖緯類》:《春秋内事》,《七録》四卷,《通志》六卷。

　　按枚乘《七發》"歸神日母",李善注引《内事》文云:"日者,陽德之母。"又"天有十二次,日月之所躔也。地有十二分,王侯之所居也",亦《内事》文。

　　　　按《後漢書·方術傳》注:"内學,謂圖讖之書也。其事祕密,故稱内。"按内事,即内學之一事也。

梁有《春秋包命》二卷,亡。

　　《經義考·讖緯篇》曰:"《春秋包》,《七録》二卷,疑即《元命包》。"

梁有《春秋祕事》十一卷,亡。

　　《經義考·讖緯篇》曰:"《春秋祕事》,《七録》十一卷,佚。"

梁有《書易詩孝經春秋河洛緯祕要》一卷,亡。

　　按此不知何人雜録讖緯家言爲一書。前論語家有《五經祕表要》三卷,似與此相類。

梁有《五帝鉤命決圖》一卷,亡。

　　張彦遠《歷代名畫記》曰:"古之祕畫珍圖,則有《五帝鉤命決圖》一卷。"

　　《經義考·讖緯類》:張彦遠《名畫記》有《句命決圖》一卷,不知何經之緯。

孝經句命決六卷　宋均注

《唐日本國見在書目》：《孝經勾命決》六卷，宋均注。

孫毅《古微書》輯本序曰："參其奧以示人，故以'決'名。"

《經義考·毖緯篇》曰："按《尚書》、《春秋》、《孝經》俱有《勾命決》。《白虎通》引其文，《續漢·天文志》注引宋均《勾命決注》。"

按趙氏《七緯》及馬氏玉函山房各有輯本。

孝經援神契七卷　宋均注

《後漢書·樊英傳》注："《孝經緯》：《援神契》、《鉤命決》也。"

《唐日本國見在書目》：《孝經援神契》七卷，宋均注。又有《孝經援神契音隱》一卷，不著撰人。

孫毅《古微書》輯本序曰："此言孝道之至，行乎陰陽，通乎鬼神，上下古今，若合符契也。"

按本志篇敍云："又有《尚書中候》，《詩推度災》、《氾歷樞》、《含神務》，《孝經勾命決》、《授神契》等書。"是《七經緯》三十六篇之外，別有此兩篇，似讖記之文，與《詩緯》別本同。先宋均爲之注者，有廣漢翟酺，後漢順帝時人，著《援神鉤命解詁》十二篇，見范書本傳。

孝經內事一卷

《唐日本國見在書目》：《孝經內事》一卷。

孫毅《古微書》曰："《春秋》、《孝經》各有《內事》，雖不繫讖緯名目，而其文詞殊甚龐噩，又俱有宋均之注。"

《經義考·毖緯篇》：《孝經內事》，《隋志》一卷，佚。按此係借經說災祥之書。

侯康《補三國藝文志》曰："《太平御覽》八百七十二引宋均《孝經內事》注。"

按《孝經内事》疑即在《孝經雜緯》十卷中，故有宋均注。隋時
所存，唯此一卷耳。此條"梁有"之上似敓"宋均注"三字。

梁有《孝經雜緯》十卷，宋均注

《唐書·經籍志》：《六經緯》五卷，宋均注。按"六經"當爲"孝經"。

《唐書·藝文志》：宋均注《孝經緯》五卷。

《經義考·毖緯篇》：《孝經雜緯》，《七録》宋均注十卷。《唐
志》五卷，佚。按應劭《風俗通》引《孝經》云："聖不獨立，智不
獨治。"《王制》正義引《孝經》云："德不倍者，不異其爵。功不
倍者，不異其土。"今《孝經》無此文，當亦緯書中語也。又《風俗
通》、《禮記正義》、《廣弘明集》及《公羊疏》並引《孝經説》云云。

梁有《孝經元命包》一卷，亡。

《經義考·毖緯篇》：《孝經元命包》，《七録》一卷，佚。

按本志子部五行家有《孝經元辰》二卷，似與此書略同。蓋
元辰，禄命之言也。《禮緯》、《春秋緯》亦各有《元命包》。

梁有《孝經古祕援神》二卷，《孝經古祕圖》一卷，亡。

張彦遠《歷代名畫記》曰："古之祕畫珍圖，則有《孝經祕圖》。"

《經義考·毖緯篇》：《孝經古祕援神》，《七録》二卷，佚。《孝
經古祕圖》，《七録》一卷，佚。

馬國翰輯本序曰："《隋志》注有《古祕援神》二卷、《孝經古祕
圖》一卷。今從《開元占經》所引，輯録十一節，附《孝經河圖》
一節、《孝經識》三節，合爲一卷。考《後漢書》傳注稱《孝經
緯》只《援神契》、《鉤命訣》二種，此題《古祕援神》，或亦緯之
類，而其目不見稱述者，當時蓋別行也。"

梁有《孝經左右握》二卷，亡。

《經義考·毖緯篇》：《孝經左右握》，《七録》二卷，佚。

梁有《孝經左右契圖》一卷，亡。

張彦遠《歷代名畫記》曰："古之祕畫珍圖，有《孝經左契圖》。"

《經義考·毖緯篇》曰："按《孝經緯》有《左右契》，亦有《中契》。其曰：'元氣混沌，孝在其中。天序日月星辰以自光，人序孝悌忠信以自彰。務一德也。'此《左契》之文也。其曰：'內深藏不足爲神，外博觀不足爲明。惟孝者爲能法天之神，麗日之明。'此《右契》之文也。其曰：'《孝經》文成，玄雲涌北極，紫宫開北門。'此《中契》之文也。"

按馬氏玉函山房從《廣韻》、《開元占經》、《初學記》、《藝文類聚》、《太平御覽》諸書輯錄《中契》、《左契》、《右契》殘文各一篇，並宋均注。

梁有《孝經雌雄圖》三卷，《孝經異本雌雄圖》二卷，亡。

張彥遠《歷代名畫記》曰："古之祕畫珍圖，有《孝經雌雄圖》。"

唐瞿曇悉達《開元占經·妖星占》曰："《孝經雌雄圖》三十五妖星，天垣至天社。"

《唐日本國見在書目》：《孝經雄圖》三卷，《孝經雌圖》三卷，上、中、下。《孝經雄雌圖》一卷。按此則《雄圖》、《雌圖》各有上、中、下三卷，與《七錄》所載異，其後一卷，似即異本二卷。

《五代會要》：周顯德六年八月，高麗遣使進《孝經雌雄圖》三卷、《皇靈孝經》一卷。《雌圖》者，止說月之環暈，星之彗孛，災異之應，乃讖緯之書也。

《高麗史》：光宗光德十年秋，遣使如周，進《皇靈孝經》一卷、《孝經雌雄圖》三卷。

宋洪邁《容齋三筆》曰："予家有故書一種，曰《孝經雌雄圖》，云出京房《易傳》，亦日星占相書也。"

馬氏玉函山房輯本序曰："龐元英《文昌雜錄》：'周顯德六年，高麗遣使獻《別敍孝經》一卷、《越王孝經新義》八卷、《皇靈孝經》一卷、《孝經雌圖三卷》。'又云：'《雌圖》者，止說日之環暈，星之彗孛，亦非奇書。'案古人每以雌雄代陰陽，字圖究

陰陽,故以爲號。高麗本只稱《雌圖》,當是傳者據上卷題稱
也。今佚。從《開元占經》所引輯録。《占經》每稱《雌雄圖》、
《三光占》,蓋圖中篇名,據録於卷首,圖中記載如龐《録》所
言云。"

梁有《孝經分野圖》一卷,亡。

《經義考・毖緯篇》:《孝經分野圖》,《七録》一卷,佚。

梁有《孝經內事圖》二卷,亡。

孫毅《古微書》曰:"緯書之有圖,惟《易》,次則《春秋》,蓋皆有
儀物可記列耳。《孝經》無儀物,安得有圖? 蓋天象玄隱,非
圖莫著,而終以其言隱也,名之內事云。"

又曰:"緯之亡佚多矣,惟《左契》、《右契》、《內事圖》一二
見焉。"

馬氏玉函山房輯本曰:"《孝經內事圖》魏宋均注。今從《太平
御覽》、《開元占經》輯録八十餘節。或稱《內記》,或稱《內記
圖》。"

梁有《孝經內事星宿講堂七十二弟子圖》一卷,又《口授圖》一卷,亡。

馬國翰曰:"《開占古經》引《孝經章句》三十餘節,其書大指言
五星及列宿占驗事,亦讖緯之屬也。案《隋》、《唐志》均無《孝
經章句》之目,惟云梁有《孝經內事星宿講堂七十二弟子圖》
一卷,又《口授圖》一卷,亡。意者即此二書之佚文歟?"

按廣漢楊統善圖讖學,作家法章句及《內讖》二卷解説,見
范書《楊厚傳》。又惠棟《後漢書・張衡傳》補注云:"《郊祀
志》曰:'上使梁松等案《河》、《洛》讖文,以章句細微相況八
十一卷,明者爲驗;又其十卷,皆不昭晳。'是當日《河》、
《洛》讖文八十一卷,皆有章句云云。《占經》所引《孝經章
句》,蓋本諸此。楊統所作《內讖》二卷解説,今不可考,意

即《春秋內事》、《孝經內事》之類。"

又按《孝經援神契》云："孔子作《春秋》，制《孝經》，既成，使七十二弟子向北辰罄折而立，使曾子抱《河》、《洛》事北向，孔子齋戒，簪縹筆衣，絳單衣向北辰而拜，告備於天，曰：'《孝經》四卷、《河》、《洛》凡八十一卷，謹已備。'"云云。此所圖，殆即此事歟。

又按《歷代名畫記》有《孝經讖圖》十二卷。今按《七錄》所載有《古祕圖》一卷、《左右契圖》一卷、《雌雄圖》三卷、《異本雌雄圖》二卷、《分野圖》一卷、《內事圖》二卷、《內事星宿講堂七十二弟子圖》一卷、《口授圖》一卷，亦正一十二卷，如其數，似即張氏所載者是也。

又按《經義考・毖緯篇》所載篇目，又有《孝經威嬉拒》、《孝經中契》、《皇靈孝經》、《孝經應瑞圖》、《孝經河圖》、《孝經內記星圖》、似即《孝經內事圖》。《孝經元辰》、《孝經中黃讖》，凡八目。《開元占經・霧占篇》又引《孝經洞寶丹》。

梁有《論語讖》八卷，宋均注，亡。

《後漢書・張純傳》：注七經讖，《詩》、《書》、《禮》、《樂》、《易》、《春秋》及《論語》也。按章懷太子言《七經緯》有《孝經》，無《論語》。言《七經讖》反是。而《七錄》及諸書引《孝經》讖者獨多，似《孝經》、《論語》並合而為七經也。

《唐書・經籍志》：《論語緯》十卷，宋均注。

《唐書・藝文志》：宋均注《論語緯》十卷。

陳氏《書錄解題》曰："《唐志》有《論語緯》十卷，《七緯》無之。《太平御覽》有《論語摘輔象》、《撰考讖》者，意其是也。"

孫瑴《古微書》曰："《論語摘輔象》，陶淵明《聖賢群輔錄》本之。"

侯康《補三國藝文志》曰："宋注《論語讖》有《摘輔象》、《摘衰聖》、《比考讖》、《陰嬉讖》、《撰考讖》五種。《古微書》並載之。"

汪師韓《文選理學權輿》曰：“《選注》引群書有《論語比考讖》、《撰考讖》、《陰嬉讖》、《糺滑讖》、《摘輔象讖》、《素王受命讖》、《崇爵讖》、《摘衰聖承進讖》，凡八種。”

馬國翰輯本序曰：“《七錄》有《論語讖》八卷，《隋志》云亡。《唐志》有《論語緯》十卷，卷多於前，復題讖曰緯，似非舊本。宋元以來不著錄。明華容孫穀搜輯逸文，載入《古微書》，僅有五篇，其中復有舛錯遺漏。茲詳加補訂，各著所出，又從《文選注》采得《素王受命讖》、《糾滑讖》、《崇爵讖》三篇。雖佚文散句，寥寥無多，而八卷之目，於斯可考。又諸書引《論語讖》不著篇目者，錄之卷末。書中言五老人化爲流星，上入昴。又言孔子欲居夷，從鳳嬉，頗近荒怪。然如燧人四佐、伏羲六佐，陶潛取之；黃帝九牧，《周禮》、《禮記》序並取之。古之通儒於此書未嘗廢置，其醇其駁，分別觀之可已。”

梁有《孔老讖》十二卷，亡。

嘉興沈濤《銅熨斗齋隨筆》曰：“《隋書·經籍志》梁有《孔老讖》十二卷。濤案《孔老讖》當作《孔子讖》，下文另有《老子河洛讖》一卷，不應并爲一談也。《南齊書·祥瑞志》引《孔氏世錄》、《魏書·高祖紀》稱《孔子閉房記》，蓋即其類。”又曰：“《孔老讖》蓋即桓譚所謂‘矯稱孔某爲讖記’。”又曰：“濤案《閉房記》當作《祕記》。李匡文《資暇錄》引孔氏《祕記》，《史記·留侯世家》索隱作孔安國《祕記》，一本作孔父《祕記》。蓋古‘祕’字作‘閟’，後乃誤爲‘閉’字。又妄增‘房’字耳。閉房二字，見《毛詩·巷伯》傳‘男子不六十不閉房’，非此之用。”又曰：“今本《毛詩》閉房作閑居，誤。”宗按《閉房記》亦有引作《閑房記》者。孔安國《祕記》、《抱樸子·內篇》亦引之。蓋讖記家既托孔子，又托孔安國，不可究詰也。

按《宋書·符瑞志》引孔子有《雜讖》，言晉當禪宋。其文則七言歌訣四句。《南史·齊高帝紀》末數引孔子《河雒讖》，知“有雒”乃“河雒”之誤。其皆出於是書，與《孔子閉房記》、《孔氏世錄》、孔安國《祕記》、孔父《秘記》，皆是書之篇目歟？

梁有《老子河洛讖》一卷,亡。

《經義考·緯篇》:《老子河洛讖》,蕭子顯《南齊書·符瑞志》引之,類皆韻語。

按《隸釋》載後漢邊韶《老子銘序》有云"《老子》二篇之書,有'浴神不死,是謂玄牝'之言。由是,世之好道者觸類而長之,以老子離合於混沌之氣,與三光爲終始,觀天作讖"云云,是即此《老子河洛讖》之所由來,後漢桓、靈時已有之。

梁有《尹公讖》四卷,亡。

尹公不詳何人。

按此次於《老子讖》之後,大抵托之關令尹喜。又宋張君房《雲笈七籤》云"太和真人尹軌,字公度,太原人也。乃文始先生之從弟,少學天文,兼通讖緯,來事先生"云云。文始先生者,關令尹喜也。此又似其從弟尹軌所作。又尹敏爲《光武校圖讖》,見范書。

梁有《劉向讖》二卷,亡。

劉向有《洪範五行傳論》,見前尚書家。

《後漢書·張衡傳》:衡以圖緯虛妄,乃上疏曰:"劉向父子領校祕書,閱定九流,並無讖録。"

《文選·干令升晉紀總論》曰:"劉向之讖云:'滅亡之後,有少如水名者得之,起事者據秦川,西南乃得其朋。'案愍帝蓋秦王之子也,得位於長安。長安,固秦地也。而西以南陽王爲右丞相,東以琅邪王爲左丞相。上諱業,故改鄴爲臨漳。漳,水名也。由此推之,亦有徵祥。"

《宋書·符瑞志》:晉既禪宋,太史令駱達奏陳天文符讖:"《劉向讖》曰:'上五盡寄致太平,草付合成集群英。'前句則陛下小諱，後句則太子諱也。”按宋武帝小字“寄奴”，少帝諱“義符”，符與符同，然少帝不得其死，不知所謂集群英者，果何在乎？此與干寶所引言愍帝事有驗有不驗。彼所謂得朋者，亦渺不可憑也。

按本志篇敍言《河》、《洛》、《七經緯》八十一篇之外，又有《尚書中候》、《洛罪級》、《五行傳》，此殆讖記家以劉氏有《五行傳論》，因並附託以爲《劉向讖》。

梁有《雜讖書》二十九卷，亡。

本志篇敍曰：“《河》、《洛》、《七經緯》，合爲八十一篇。又有《尚書中候》、《洛罪級》、《五行傳》、《詩推度災》、《氾曆樞》、《含神務》、《孝經鉤命決》、《援神契》、《雜讖》等書。漢代有郗氏、袁氏説。宋均、鄭玄並爲讖律之注。”按“讖律”似“讖緯”之譌。郗氏似即郗萌之，先世袁氏，無可考。

汪師韓《文選理學權輿》曰：“《選注》所引群書，有宋均《雜讖注》。”

按圖讖盛於漢哀、平之際。此《雜讖書》，大抵裒録諸家讖記之文。考范書《張純傳》：“純議建辟雍，案《七經讖》具奏其事。”又《儒林·尹敏傳》：“光武令校圖讖，使蠲去崔發爲王莽著録者，比次其文。”又《續漢書·祭祀志》載光武東封，刻石記言，別有《河》、《洛》讖文不昭晰者十卷。又《華陽國志·楊統贊傳》言建武時求通内讖二卷者，不得。凡此皆在《河》、《洛》四十五篇之外。本志《七録》皆不載，其殆薈萃於此書歟？

又按《文選注》引宋均《雜讖注》，蓋即此書。宋氏注讖緯甚多，大抵兩漢相傳者無不有注。《唐志》有《易緯注》九卷，諸書所引有《河圖注》、《洛書注》、《春秋》、《孝經内事注》、《孝經中契》、《左右契》注及此《雜讖書》注。本志、《七録》皆不載。

梁有《堯戒舜禹》一卷，亡。

梁有《孔子王明經》一卷，亡。

按此二書《古微書》、《經義考》皆不載。

梁有郭文《金雄記》一卷，亡。

《晉書·隱逸傳》：郭文字文舉，河内軹人也。少愛山水，尚嘉遯。辭家游名山，歷華陰之崖，以觀石室之石函。洛陽陷，乃步擔入吳興餘杭大滌山中。餘杭令顧颺與葛洪共造之，王導聞其名，遣人迎置西園中，七年未嘗出入。一旦求還山，結盧舍於臨安山中，以病終。臨安令萬寵葬之於所居之處而祭哭之。葛洪、庾闡並爲作傳，贊頌其美云。

《太平廣記·神仙類》：郭文後歸隱鱉亭山，得道而去。後人於其臥牀席下得蒻葉書《金雄詩》、《金雌記》，其言皆當時讖詞。

按《宋書·符瑞志》太史令駱達奏陳符讖。兩引《金雌詩》，皆七言歌訣，言宋武滅桓玄，膺天命之意。《南齊書·祥瑞志》引《金雄記》亦七言歌訣，言齊世事。《南史·齊高帝紀》末亦引郭文舉《金雄記》。

梁有《王子年歌》一卷，亡。

《晉書·藝術傳》：“王嘉字子年，隴西安陽人也。清虛服氣，不與世人交游。隱於東陽谷，弟子受業者數百人。符堅累徵，不起。公侯已下，咸躬往參詣。言未來之事，辭如讖記，當時尠能曉之。後爲姚興所殺，符登聞嘉死，設壇哭之，贈太師，諡曰文。其所造《牽三歌讖》，事過皆驗，累世猶傳之。”

按《南齊書·祥瑞志》引《王子年歌》三條，皆七言韻語。《南史·齊高帝紀》末引《王子年歌》二條。

梁有《嵩高道士歌》一卷，亡。

按嵩高道士不知是否即魏嵩山道士寇謙之也。謙之事迹，詳見《魏書・釋老志》。本志道經録亦載之。又《金樓子・志怪篇》稱前嵩高道士多遊名山云云，殆即其人。

右十三部，合九十二卷。通計亡書，合三十二部，共一百三十二卷。

按本志篇敍有曰："宋大明中，始禁圖讖，梁天監以後，又重其制。及高祖受禪，禁之踰切。煬帝即位，乃發使四出，搜天下書籍與讖緯相涉者，皆焚之，爲吏所糾者至死。自是無復其學，祕府之内，亦多散亡。今録其見存，列於六經之下，以備異説。"然"異説"名篇，不若《七録》緯讖二字之明顯該括，故唐以來，多不承用。《唐六典》注曰圖緯，《唐・經籍志》曰經緯，《藝文志》曰讖緯。惟《日本書目》遵用其例，謂之異説家。自宋懸禁令以迄於隋，僅存十三部，而《選注》所引，有宋衷《易緯》、《樂緯》、《春秋緯》、《孝經緯》注，知宋仲子亦有七經緯注。本志及《七録》皆不載，亡佚多矣。今惟著録十三部，梁有三十二部，止於四十五部而已。

又按《南史・隱佚・阮孝緒傳》："梁武帝禁畜讖緯，孝緒兼有其書，乃焚之。"按《七録序目》緯讖部三十二種四十七袠二百五十四卷，在第五篇《術伎録》中，其第一篇《經典録》唯載易、書、詩、禮、樂、春秋、論語、孝經、小學，與《七略》六藝篇目同，其編入經部，則以緯書解經。本志從別家書目之例也。

卷十

經部十

小學類 <small>類中分類凡七。</small>

三倉三卷　郭璞注。秦相李斯作《倉頡篇》，漢揚雄作《訓纂篇》，後漢郎中賈魴作《滂喜篇》，故曰《三倉》。<small>一本"魴"作"訪"。</small>

《漢書‧藝文志》："《倉頡》七章者，秦丞相李斯所作也。《爰歷》六章者，車府令趙高所作也。《博學》七章者，太史令胡母敬所作也。文字多取《史籀篇》，而篆體復頗異，所謂秦篆者也。漢興，閭里書師合《倉頡》、《爰歷》、《博學》三篇，斷六十字以爲一章，凡五十五章，并爲《倉頡篇》。至元始中，徵天下通小學者以百數，各令記字於庭中。揚雄取其有用者，以作《訓纂篇》，順續《倉頡》，又易《倉頡》中重複之字，凡八十九章。臣復續揚雄，作十三章，凡一百三章，無復字。"韋昭曰："臣，班固自謂也。"

又揚雄本傳曰："傳莫大於《論語》，作《法言》。史篇莫善於《倉頡》，作《訓纂》。"又《藝文志》曰："《訓纂》一篇，揚雄作。"

唐張懷瓘《書斷》曰："揚雄作《訓纂篇》二十四章，<small>按"二"當爲"三"。</small>以纂續《倉頡》。孟堅乃復續十三章。和帝永初中，賈魴又撰《異字》，取固所續章而廣之爲三十四章，用《訓纂》之末字以爲篇目，故曰《滂熹篇》，言滂沱大盛，凡百二十三章，文字備矣。"

又曰："和帝時，賈魴撰《滂熹篇》，以《倉頡》爲上篇，《訓纂》爲中篇，《滂熹》爲下篇，所爲《三倉》也。皆用隸字寫之，隸法由茲而廣。”

梁庾元威《論書》曰：“李斯破大篆爲小篆，造《倉頡》七章，趙高造《爰歷》六章，胡母敬造《博學》七章。後人分五十五章，爲《三倉》上卷。至哀帝元嘉中，<small>當是平帝元始中之譌。</small>揚子雲作《訓纂》記，《滂熹》爲中卷。<small>記當爲訖，下同。</small>和帝永元中，賈升郎更續記，《彥均》爲下卷，<small>“彥”，盤音。</small>故人稱爲《三倉》也。夫倉雅之學，儒博所宗，自景純注解，轉加敦尚。”<small>侯康曰：“魴，和帝時郎中，事迹無考。《法書要録》引王愔《文字志》中卷有魴名。庾元威《論書》稱賈升卿，或即魴之字。”宗按升卿或作升郎，又作叔郎，未詳孰是。疑賈景伯之子姓。又班固卒於永元四年，年六十一，賈蓋與班氏同時。</small>

《晉書·郭璞傳》：璞好古文奇字，注釋《爾雅》。又著《三倉》、《方言》，皆傳於世。

《唐書·經籍志》：《三倉》三卷，李軌等撰，郭璞解。<small>“李軌”乃“李斯”寫誤。一本又作“李期”。</small>

《唐書·藝文志》：李斯等《三倉》三卷，郭璞解。

宋徐鉉《説文韻譜序》曰：“賈訪以《三倉》之書皆爲隸字，隸字始廣，而篆籀轉微。”

謝啓昆《小學考》曰：“按郭璞注《三倉》，亦稱解詁。原書已亡於宋，其見於傳注字部類書。内典所引者，近孫氏星衍輯爲一書，凡三卷。所采張揖《訓詁》、郭璞《解詁》，皆存揖、璞之名，惜無可别尚多。”

馬國翰輯本序曰：“《隋志》有郭璞《三倉解詁》，《唐志》有張揖《三倉訓詁》，並三卷。今佚。既據諸書所引，輯録《倉頡訓纂》二篇，其有渾引《三倉》而不能區分者，別輯爲卷。注亦不能區分，故總題張揖、郭璞於前。其有引稱姓氏書名者，詳書各字之下。張著《廣雅》、《埤倉》、《字詁》，郭注《爾雅》、《方言》，小學之書，皆爲專門。則許叔重《説文》之後，二家其最著也。"

《孫祠書目》：《倉頡篇》三卷，星衍集刊本。又《倉頡篇》、《三倉》，任大椿集，《小學鉤沈》本。

按《三倉》之名，據張懷瓘、徐鉉二家之説，實自賈魴隸寫始。孫氏輯《倉頡篇序》謂《三倉》晉張軌所合。《晉書·軌傳》無其事，未詳所據。考陸璣《詩疏》數引《三倉》説，遠在張軌之前。以是知《三倉》實始於賈魴。

梁有《倉頡》二卷，後漢司空杜林注，亡。

《漢書·杜鄴傳》：鄴少孤，其母張敞女。鄴壯，從敞子吉學，得其家書。吉子竦又幼孤，從鄴學問，亦著於世，尤長小學。鄴子林，清靜好古，亦有雅材。建武中，歷位列卿，至大司空。其正文字過於鄴、竦，故世言小學者由杜公。

又《藝文志》：杜林《倉頡訓纂》一篇。杜林《倉頡故》一篇。又曰："《倉頡》多古字，俗師失其讀。宣帝時，徵齊人能正讀者，張敞從受之，傳至外孫之子杜林，爲作訓，故並列焉。"言并此二篇列入《藝文志》也。

《後漢書》本傳：林字伯山，扶風茂陵人也。父鄴，成、哀間涼州刺史。林少好學沈深，家既多書，又外氏張竦父子喜文采，林從竦受學，博洽多聞，時稱通儒。初，爲郡史。王莽敗，盜賊起，林與弟成及同郡范逡、孟冀等，將細弱俱客河西。建武六年，還三輔。光武徵拜侍御史，京師士大夫咸推其博洽。河南鄭興、東海衛宏等皆長於古學。興嘗師事劉歆，林既遇之，欣然言曰："林得興等固諧矣，使宏得林，且有以益之。"及宏見林，闇然而服。濟南徐巡，始師事宏，後皆更受林學。林前於西州得漆書《古文尚書》一卷，常寶愛之，雖遭艱困，握持不離身。出以示宏等曰："林流離兵亂，常恐斯經將絶。何意東海衛子、濟南徐生復能傳之，是道竟不墜於地也。古文雖不合時務，然願諸生無悔所學。”宏、巡益重之，於是古文遂行。後爲大司徒司直、光禄勳、東海王傅、少府。二十二年，代朱浮爲大司空。博雅多通，稱爲任職相。明年薨。

《唐書·經籍志》：《倉頡訓詁》二卷，杜林撰。

《唐書·藝文志》：杜林《倉頡訓詁》二卷。

謝啓昆《小學考》曰：“按《説文解字》艸部、巢部、而部、水部、耳部、女部、屮部、黽部、斗部引杜林説。《史記索隱》引杜林云：‘豺，似貙，白色。’皆《倉頡訓故》之文也。”

馬國翰輯本序曰：“杜伯山《倉頡訓詁》，今惟許氏《説文》引其説，他書亦兼有引者，合輯爲帙。”

按《漢志》載揚雄、杜林各有《倉頡訓纂》一篇。訓纂者，似取《倉頡》之字，別爲纂次成文而附以舊時之訓，文字同而章句不同，如後人重編《千字文》之類歟？杜氏既爲《訓纂》，又別爲解，故《漢志》分別著録，《七録》合之，通謂之注。《唐志》亦合而爲一，曰《訓詁》。又光武詔二府去大，在建武二十七年，杜氏卒於二十三年。《七録》題“司空”，去“大”字，非也。

埤倉三卷　張揖撰

張揖有《廣雅》，見前論語類。

北魏江式《論書表》曰：“魏博士清河張揖著《埤倉》、《廣雅》，綴拾遺漏，增長事類，抑亦於文爲益者也。”

《唐書·經籍志》：《埤倉》三卷，張挹撰。

《唐書·藝文志》：張揖《埤倉》三卷。

《唐日本國見在書目》：《埤倉》二卷，張揖撰。

《册府元龜·學較部》：張揖《埤倉》二卷。

《通志·藝文略》：“《埤倉》三卷，張揖撰。”注云：“《隋志》二卷。”

《玉海·藝文類》：《隋志》：《埤倉》二卷。

謝氏《小學考》：張氏揖《埤倉》，《隋志》二卷。

馬國翰輯本序曰："張氏《埤倉》，《隋》、《唐志》並三卷，今佚。從諸書所引蒐采成帙，不能考原書體例，依許氏《説文》部居編次。"

海寧陳鱣輯本敍録曰："揖與陳留邯鄲淳齊名，所著別有《廣雅》三卷、《古今字詁》三卷、《雜字》一卷，又《三倉解詁》三卷、《解司馬相如傳》一卷。而陳壽《三國志》不爲立傳，良可惜也。揖之書，《隋》、《唐志》並載其目，今惟《廣雅》獨存，餘皆亡佚。鱣少時從群書中集爲二卷，用《説文》部分編次，使讀者易於尋求。《三倉》之字，具在《説文》，此所謂埤，蓋雜取漢魏間俗字，方之許書，或得或失云。"按"方之許篇，或得或失"，此江式謂其《古今字詁》之書，非謂其《埤倉》也。任氏《小學鉤沈》中亦有輯本，上、下二卷。

按《日本書目》、《册府元龜》、《通志略》、《玉海》皆云《埤倉》二卷，知舊本《隋志》實二卷。今本作三卷者，乃宋以後人据《唐志》所改也。其譌二卷爲三卷，自《舊唐志》始。又《玉海·藝文》引《隋志》云《三倉訓詁》三卷，《埤倉》二卷，魏博士張揖撰。似今本《隋志》此條之上敚"《三倉訓詁》三卷"六字，惜無宋槧而勘定之。

又按唐本《玉篇·言部》說字注引曰《埤倉頡》，《大藏音義》五十三礓石字下亦引云《埤倉頡》，又七十八滿舶字下引曰"《埤倉篇》"，埤或作鞞，或作俾，又作裨。按《説文》："裨，接益也。"《玉篇》："埤，附也，助也，補也，增也。"《詩》云："政事一埤益我。"埤，厚也。《詩》"瞻洛"釋文："鞞琫之鞞又作琕。"《禮·月令》疏引《釋名》："鞞，助也。"蓋並與"埤"通。倉、蒼，古今字。漢碑及六朝人皆書作"倉"，知"倉"其本字。作"蒼"者，後人爲之也。諸書引《埤倉》佚文，今可考見者，凡六百餘條，皆訓詁之言，無一條引《埤倉》章句，

如《倉頡篇》之“考妣延年”、“漢兼天下”云云者。而其中所
詁之字同《倉頡》、《急就篇》百十有餘；同《三倉》者，二十有
餘。或曰：稚讓別有《三倉訓詁》三卷，則凡《三倉》所有之
字，已盡詁之矣。今復見於《埤倉》，何也？曰：《埤倉》所采
異體之字，不無與《三倉》相同，故所注不無互見之處，此百
數十條，或其注文中語歟？其書大抵無章句，與《古今字
詁》相似。梁、唐人稱《埤倉頡》，或其篇目。

梁有《廣倉》一卷，樊恭撰，亡。

樊恭始末未詳。

本志篇敍録曰：“其字義訓讀，有《倉頡篇》、《三倉》、《埤倉》、
《廣倉》等諸篇章訓詁。”

《唐書·經籍志》：《廣倉》一卷，樊恭撰。

《唐書·藝文志》：樊恭《廣倉》一卷。

海寧陳鱣輯本敍曰：“樊恭撰《廣倉》一卷，魏江式《論書表》所
謂‘《埤廣》綴拾遺漏，增長事類’，封演《聞見記》所謂‘《埤
倉》、《廣倉》之類，互相祖述，名目漸多’者也。魏徵等稱其書
已亡，然唐初著述家往往引之，大約與《廣雅》相似，暇日輯爲
一編，次之《埤倉》之後。”按江式云究諸《埤廣》者，謂張揖之《埤倉》、《廣
雅》，非謂樊恭《廣倉》也。仲魚氏此引又誤。

馬國翰輯本序曰：“樊恭，不詳何人。今輯得一十八節，如‘悇
懚欤欤’之類，皆非習見。則當日搜羅於九千字外，亦大費苦
心矣。”任氏《小學鉤沈》中亦輯存十九條。按《説文》九千餘字，《埤倉》已盡收之
矣。此蓋搜羅於九千字之外者，故馬氏云爾。

按樊恭，不知何時人，其書亦極少徵引。任氏、陳氏、馬氏
所輯，皆不足二十條。昔年陶孝邈學使從新出唐本《玉
篇》、《大藏音義》增輯，合爲四十七條，亦皆訓詁之文。其
所詁之字，見於《倉頡》、《三倉》、《埤倉》者，凡十餘。《大藏

音義》卷十"種"字注引作《廣倉頡》。唐本《玉篇·欠部》"歟"字注引《埤倉》："欯歟，笑意也。"《廣倉》："氣越，息也。"又"吷"字注引《埤倉》："張口也。"《廣倉》："大笑也。"同此三字而兩書詁訓各不相同，是《廣倉》者廣《埤倉》未盡之訓詁，亦廣《埤倉》未收之文字歟。

急就章一卷　漢黃門史游撰

《漢書·藝文志》："《急就》一篇，元帝時黃門令史游作。"又曰："元帝時黃門令史游作《急就篇》，皆《倉頡》中正字也。"

《後漢書·宦者列傳》敍曰："至元帝之世，史游爲黃門令，勤心納忠，有所補益。"注："《前書》曰：'《急就》一篇，元帝黃門令史游作。'董巴《輿服志》曰：'禁門曰黃闥，中人主之，故曰黃門也。'"

唐張懷瓘《書斷》曰："章草者，漢黃門令史游所作也。王愔云'史游作《急就章》，解散隸體麤書之。漢俗簡惰，漸以行之'是也。此乃存字之梗概，損隸之規矩。縱任奔逸，赴俗急就，因草創之義，謂之草書。惟君長告令臣下則可。"

顏師古注本序曰："司馬相如作《凡將篇》，史游景慕，擬而廣之，元、成之間列於祕府，雖復文非清靡，義闕經綸。至於包括品類，錯綜古今，詳其意趣，實有可觀者也。"

宋黃伯思跋曰："《倉頡》、《爰歷》、《博學》、《凡將》不可復見，特《急就》存焉者，以昔賢多喜書之故也。其文雖出小學家而亦西京文氣未衰之際，詞致雅馴，故顏籀賞其清靡。"

《唐日本國見在書目》：《急就篇》一卷，史游撰。

《唐書·經籍志》：《急就章》一卷，史游傳。

《唐書·藝文志》：史游《急就章》一卷。《宋史志》同。

晁氏《讀書志》：《急就章》一卷，漢史游撰，唐顏師古注。書凡三十二章，雜記姓名、諸物、五官等字，以教童蒙。急就者，謂字之難知者,緩急可就而求焉。自昔善小學者多書此,故有皇象、鍾繇、衛夫人、王羲之所書傳於世。

陳氏《書録解題》曰:"其文多古語、古字、古韻,有足觀者。"

王應麟《漢志考證》曰:"《隋》、《唐志》謂之《急就章》,國朝太宗皇帝嘗書此篇,又於顔本外,多《齊國》、《山陽》兩章,凡爲章三十有四。此兩章蓋起於東漢。按《急就篇》末説長安中涇渭街術,故此篇亦言洛陽人物之盛以相當。而鄗縣以世祖即位之地,升其名爲高邑,與先漢所改真定常山並列,此爲後漢人所續不疑。"《四庫提要》曰:"其説此二章起於東漢,最爲精確。"

《四庫提要》曰:"史游始末不可考。其書自始之終,無一複字;文詞奧雅,亦非蒙求諸書所可及。舊有曹壽、崔浩、劉芳、顔之推注,今皆不傳。惟顔師古注一卷存,王應麟又補注之,釐爲四卷。"

孫星衍《急就篇考異》序曰:"歷代傳摹《急就》,漢有張芝、崔瑗,魏有鍾繇,吳有皇象,晉有衛夫人、王羲之、索靖,後魏有崔浩,唐有陸柬之。時人又多臨本。宋有太宗御書,黄庭堅、李仁甫、朱文公皆有刻本。元有鄧文原,明有仲温俞和。注之者,後漢有曹壽,魏劉芳,周豆盧氏,齊顔之推。今所見法帖,有紹聖三年勒石本。所存注解惟顔師古及王應麟本,餘無存焉。或疑史游以元帝時爲《急就章》,而史稱元帝善史書,即爲見其書而善之,是以帝能爲章草,亦或然也。"按《小學考》又有元戴表元《注釋補遺》、明李孝謙《解》、國朝萬光泰《補注》三家。又乾嘉時,江都陳本禮有《急就篇探奇》四卷,訂爲《姓名》八章、《諸物》十八章、《五官》六章、《續編》二章。

急就章二卷　崔浩撰

崔浩有《周易注》,見易類。

《魏書》、《北史》本傳:"浩上《五寅元曆》表曰:'太宗即位元年,敕臣解《急就章》、《孝經》、《論語》、《詩》、《尚書》、《春秋》、

《禮記》、《周易》，三年成訖。'”又曰：“浩既工書，人多託寫《急就章》，從少至老，初不憚勞。所書蓋以百數，必稱‘馮代彊’，^{疑。}以示不敢犯國諱。其謹也如此。浩書體勢及其先人，而巧妙不如也。世寶其迹，多裁割綴連，以爲摹楷。”

又曰：“浩父宏，宏祖悦，與范陽盧諶並以博藝著名。諶法鍾繇，悦法衛瓘，而俱習索靖之草，皆盡其妙。諶傳子偃，偃傳子邈，悦傳子潛，潛傳子宏。世不替業，故魏初重崔、盧之書。尤善草隸，爲世模楷。行押特盡精巧，而不見遺迹。”

崑山顧炎武《日知録》曰：“史於‘馮代彊’下注曰‘疑’。按《急就篇》有馮漢彊，魏起漠北，以漢彊爲諱，故改曰代彊。魏初國號曰代故也。顏師古《急就篇》序曰：‘避諱改易，漸就蕪舛。’正指此。酈道元《水經注》以廣漢並作廣魏，即其例也。”_{按此則休寧戴氏以“廣魏”二字定《水經》撰人爲三國時人，失之矣。}

急就章三卷　豆盧氏撰

豆盧氏，不詳何人。_{隋有內史舍人豆盧威勃，與崔祖濬等撰《區宇圖志》，見《大業拾遺》。疑即其人。}

《小學考》：《北史・豆盧寧傳》曰：‘寧’昌黎徒河人。其先本姓慕容氏，燕北地王精之後也。高祖勝以燕王始初歸魏，授長樂郡守，賜姓豆盧氏。’或云北人謂歸義爲豆盧，因氏焉。又云避難改焉，未詳孰是。按豆盧氏《急就章》，《隋志》不載其名。今述《北史》，以著其得姓之由云。

　按後魏《官氏志》無豆盧氏。《氏族略》云：“代北複姓有豆盧氏，本姓慕容，燕主廆弟，西平王慕容運孫，北地王精之後人。後魏北人謂歸義爲豆盧，道武因賜姓豆盧氏。”其得姓蓋始於此，爲晉孝武太元時也。注是書者，當在斯時之後。

吳章二卷　陸機撰

《晉書》本傳：機字士衡，吳郡人也。祖遜，吳丞相。父抗，吳大司馬。機少有異才，文章冠世，伏膺儒術，非禮不動。抗卒，領父兵爲牙門將。年二十而吳滅，退居舊里，閉門勤學，積十年。太康末，與弟雲俱入洛，太常張華薦之諸公。太傅楊駿辟爲祭酒，累遷太子洗馬。吳王晏出鎮淮南，以機爲郎中令，遷尚書中兵部，轉殿中郎。趙王倫輔政，引爲相國參軍。豫誅賈謐功，賜爵關中侯。倫將篡位，以爲中書郎。倫誅，齊王冏收機付廷尉，減死徙邊，遇赦而止。時成都王穎以機參大將軍軍事，表爲平原内史。太安初，穎與河間王顒起兵討長沙王乂，假機後將軍、河北大都督。兵敗，或言其有異志，穎大怒，使牽秀害於軍中，時年四十三。二子蔚、夏，亦同被害。機既死非其罪，士卒痛之，莫不流涕。

《唐日本國見在書目》：《吳章》一卷，陸機撰。

按《惠帝本紀》：“太安二年八月，河間王顒、成都王穎舉兵討長沙王乂，帝以乂爲大都督，率軍禦之。顒遣其將張方，穎遣其將陸機、牽秀、石超等來偪京師。冬十月丁未，破牽秀於東陽門外。戊申，破陸機於建春門。石超走，斬其大將賈崇等十六人，懸首銅駝街。”即其事也。是書本傳不載，或在文集中。《七錄》有與他家書合編爲一帙八卷者。別詳於後。

小學篇一卷　晉下邳内史王羲撰

《顔氏家訓·書證篇》曰：“太公《六韜》，有天陳、地陳、人陳、雲鳥之陳。《論語》：‘衛靈公問陳於孔子。’《左傳》：‘爲魚麗之陳。’俗本皆作‘阜’傍車乘之‘車’。《倉》、《雅》及近世字書皆無，惟王羲《小學章》獨‘阜’傍作‘車’，縱復俗行，不宜追改《六韜》、《論語》、《左傳》也。”

《唐日本國見在書目》：《小學篇》一卷，王羲之撰。

《唐書·經籍志》：《小學篇》一卷，王羲之作。一本云“撰”。

《唐書·藝文志》：王羲之《小學篇》一卷。

《小學考》曰："按王羲，《唐志》作'王羲之'，誤也。考《晉書·王羲之傳》載羲之爲右軍將軍、會稽內史。此云下邳內史，知其別爲一人，非王羲之矣。《顏氏家訓》所謂王羲《小學章》者，即《小學篇》。而郭忠恕《佩觿序》云：'軍陳爲陣，始於逸少。'竟作王羲之，則承誤已久。蓋羲之工書，遂以《小學篇》屬之。又《一切經音義》引《小學篇》云：'箆，刷也。籖作楝，同。'大抵皆俗字，正與'陳作陣'相合。又《七錄》有王羲《文字要記》，益可知羲不當作羲之矣。"

仁和孫志祖《讀書脞錄》曰："《顏氏家訓·書證篇》云'陳'字，唯王羲之《小學章》獨'𣇃'旁作'車'。近江陰趙曦明注本，王羲之改作王羲，云：'《隋志》《小學篇》一卷，晉下邳內史王羲撰。諸本皆作王羲之，乃妄人謬改，而《佩觿》及《唐志》皆從之，失考之甚。'志祖案王羲之爲會稽內史，非下邳，故注以爲誤。然王羲之《小學篇》亦見《北史·任城王雲傳》，安知非《隋志》誤邪？恐當仍以舊本爲是。"按《北史》："任城王雲子澄，澄子順，年九歲，初書王羲之《小學篇》數千言，晝夜誦之，旬有五日一皆通。"徹是北朝人，亦稱爲王羲之《小學篇》，或嘗爲右軍所書，因而傳譌歟？孫氏以此證《隋志》之誤，然王羲別有《文字要記》之書，當以謝氏之言爲得。

任大椿《小學鉤沈》曰："《顏氏家訓》、《北戶錄》、《一切經音義》引《小學篇》字，凡五條。"

少學九卷　楊方撰

楊方有《五經鉤沈》，見前論語家。

《唐書·經籍志》：《小學集》十卷，楊方撰。

《唐書·藝文志》：楊方《少學集》十卷。

始學一卷

不著撰人。

按《七録》有吳郎中項峻《始學篇》十二卷。《太平御覽》引作《始學篇注》。蓋別有注本十二卷,此其無注本歟?

勸學一卷　蔡邕撰

蔡邕有《月令章句》,見前禮類。

《後漢書》本傳:"所著詩賦論議、《獨斷》、《勸學》並傳於世。"

《世說·紕漏篇》注:"《大戴禮·勸學篇》:'蟹二螯八足,非蛇蟺之穴無所寄託者,用心躁也。'故蔡邕爲《勸學章》取義焉。"

《唐書·經籍志》:《勸學篇》一卷,蔡邕撰。

《唐書·藝文志》:蔡邕《勸學篇》一卷。

嚴可均《全後漢文編》曰:"《文選注》、《御覽》、《北史·劉芳傳》、《書斷》、《墨池編》諸書引《勸學篇》文凡十三條。又《爾雅·釋獸》、《釋文》、《一切經音義》引《勸學篇注》。"

馬國翰輯本序曰:"《勸學篇》皆勗學之言,編爲韻語,取便諷誦。'人無貴賤,道在則尊',實篇中名言也。"

按此據范書本傳亦編入本集一百四篇中,任氏《小學鉤沈》輯存十一條。

梁有司馬相如《凡將篇》一卷,亡。

《史》、《漢》列傳:"司馬相如字長卿,蜀郡成都人也。以訾爲郎。事孝景帝,爲武騎常侍,非其好也。病免,客游梁,數歲歸。久之,得召問,奏《上林賦》,天子以爲郎。奉使巴蜀,拜中郎將。後失官,居歲餘,復召爲郎,拜爲孝文園令。病免,家居茂陵,死。"又曰:"相如它所著,若《遺平陵侯書》、《與五公子相難》、《草木書篇》,不采,采其尤著公卿者云。"按史不言有《凡將篇》。《草木書篇》前人罕見徵引,疑即是書。

《漢書·藝文志》:"《凡將》一篇,司馬相如作。"又曰:"武帝時,司馬相如作《凡將篇》,無復字。元帝時,黃門令史游作

《急就篇》。成帝時，將作大匠李長《元尚篇》，皆《倉頡》中正字也。_{宋祁曰：“‘李長’下當有‘作’字。”}《凡將》則頗有出矣。”_{謂《凡將篇》之字，有出於《倉頡》五十五章三千三百字之外者。}

《唐書·經籍志》：《凡將篇》一卷，司馬相如撰。

《唐書·藝文志》：司馬相如《凡將篇》一卷。

宋程大昌《演繁露》曰：“漢小學家司馬相如作《凡將篇》，其後史游又作《急就篇》，《凡將》今不可見。《藝文類聚》載《凡將篇》一語曰‘鍾磬竽笙筑坎侯’，與《急就》記樂之言，所謂‘竽瑟箜篌琴筑筝’者，其語度、規制全同，率皆立語總事，以便小學。《急就》也者，正規模《凡將》也。”

王應麟《漢志考證》曰：“《文選·蜀都賦》注、《藝文類聚》並引司馬相如《凡將篇》文，《説文》引相如説，《唐志》猶有此書。”

張澍《蜀典》曰：“王愔《文字志》云：‘司馬相如采日蟲之禽，屈伸其體，升降其勢，以象四時之氣，爲《氣候值時書》。’按《書史》云：‘相如作《凡將篇》，妙辨六律，測尋二氣，采日蟲之禽，屈伸其體，升伏其勢，象四時之氣，爲之興降，曰《氣候值時書》。’《酉陽雜俎》云：‘南中有蟲，名避役，一曰十二辰蟲，狀似蛇醫，脚長，色青赤，肉鬣，暑月常見於籬壁間。俗云見者多稱意，其首倏忽更變，爲十二辰狀。’是相如之《氣候值時書》，即取十二辰蟲之善變也。許慎《説文》於干支諸字，必有曲説陰陽之氣。可見當時好立此義，久矣。”_{梁庾元威論書云：“《鼠書》、《牛書》、《虎書》、《兔書》、《龍草書》、《蚰草書》、《馬書》、《羊書》、《猴書》、《雞書》、《犬書》、《豕書》，此《十二時書》。”}

《小學考》曰：“按《説文·口部》、《文選·蜀都賦》注、《藝文類聚·樂部》、陸羽《茶經》並引《凡將篇》，文皆以六字或七字爲句，體同《急就》。惟《茶經》所云‘白斂、白芷’與班《志》云《凡將篇》無復字不合。至《説文·禾部》稟字引‘司馬相如曰：

橐，一莖六穗'，乃其《封禪書》文也。"

馬國翰輯本序曰："《凡將篇》，《文選注》、《藝文類聚》、陸羽《茶經》、段公路《北戶録》皆引之，許氏《説文》亦引其説，並據輯録。詳載《説文》及《集韻》於各字之下，以備參考，且代訓釋焉。凡十五條。"張氏《蜀典》、任氏《小學鉤沈》並輯存《凡將篇》佚文四五條。

梁有班固《太甲篇》一卷，《在昔篇》一卷，亡。

《後漢書》本傳：固字孟堅，扶風安陵人也。顯宗召詣校書部，除蘭臺令史，遷爲郎。肅宗以爲玄武司馬。永元初，大將軍竇憲出征匈奴，以爲中護軍，行中郎將事。及憲敗，固先坐免官。及竇氏賓客皆逮考，洛陽令种兢心銜固，因此捕繫固，遂死獄中。時年六十一。按其時永元四年也。詔以譴責兢，抵主者吏罪。

《漢書·藝文志》曰："漢興，閭里書師合《倉頡》、《爰歷》、《博學》三篇，斷六十字以爲一章，凡五十五章，并爲《倉頡篇》。至元始中，揚雄作《訓纂篇》，順續《倉頡》，又易《倉頡》中重復之字，凡八十九章。臣復續揚雄，作十三章。"韋昭曰："臣，班固自謂也。作十三章，後人不别，疑在《倉頡》下篇三十四章中。"按《倉頡》下篇，當爲《三倉》下篇。張懷瓘《書斷》曰："賈魴取固所續章而廣之，爲三十四章，曰《滂熹篇》。"又曰："固工篆字，李斯、曹喜之法，悉能究之。"

《唐書·經籍志》：《在昔篇》一卷，班固撰。《太甲篇》一卷，班固撰。

《唐書·藝文志》：班固《在昔篇》一卷，《太甲篇》一卷。

按此二篇似即班氏續揚雄《訓纂》十三章之篇名，每章六十字，凡七百八十字也。與班氏同時，有郎中賈魴者，廣爲《滂喜篇》，遂并入《三倉》下篇中。諸書絕少稱引，不知是否即十三章全文，抑在十三篇之外别有此二篇，前人無説，莫能詳也。《説文・阜部》陛字注引班固説，當出是書。

梁有崔援《飛龍篇》一卷，亡。"援"當爲"瑗"。

《後漢書・崔駰傳》："駰，涿郡安平人也。中子瑗，字子玉，早孤。鋭志好學，年十八至京師，從侍中賈逵質正大義。逵善待之，瑗因留游學，後歸家。順帝初，舉茂才，遷汲令。漢安初，爲濟北相。卒年六十六。"張懷瓘《書斷》云："以順帝漢安二年卒。"

《唐書・經籍志》：《飛龍篇》、《篆草勢》合三卷，崔瑗撰。

《唐書・藝文志》：崔瑗《飛龍篇》、《篆草勢》合三卷。

按范書本傳言瑗所著有《草書勢》。張懷瓘《書斷》引《草書勢》文。又云："子玉章草入神，小篆入妙。"《篆書勢》及是書本傳不載，今亦不傳。

梁有蔡邕《聖皇篇》一卷，亡。

蔡邕有《勸學篇》，見前。

張懷瓘《書斷》曰："漢靈帝熹平年，詔蔡邕作《聖皇篇》。篇成，詣鴻都門。上時方修飾鴻都門，伯喈待詔門下，見役人以堊帚成字，心有悦焉，歸而爲飛白之書。"又引《聖皇篇》文曰："程邈删古立隸文。"

《唐書・經籍志》：《聖草章》一卷，蔡邕撰。

《唐書・藝文志》：蔡邕《聖草章》一卷。

按兩《唐志》作《聖草章》，或唐人書寫有此名，然如唐玄度《論十體書》及宋朱長文《墨池編》皆云《聖皇篇》，則又似《舊志》寫誤，而《新志》仍之也。鴻都篇賦，蔡中郎嘗受詔於盛化門，差次録第。熹平四年五月，靈帝自造《皇羲篇》五十章，其詔撰爲是篇，當亦在其時。

梁有《黄初篇》一卷，亡。

不著撰人。

《唐書・經籍志》：《黄初章》一卷。

《唐書·藝文志》:《黃初篇》一卷。

《小學考》曰:"無名氏《黃初篇》,《七録》一卷。按篇首有'黃初'句,作者當在魏時。"

梁有《吳章篇》一卷,亡。

不著撰人。

《唐書·經籍志》:《吳章》一卷。

《唐書·藝文志》:《吳章篇》一卷。

《小學考》曰:"無名氏《吳章篇》,《七録》一卷,佚。按《吳章篇》,與陸機之《吳章》當是二書。《唐志》但列《吳章篇》一卷,而不列陸機《吳章》,蓋誤爲一書。"

　按此似即陸機之《吳章》,不知何人取《凡將篇》以下八種合爲一帙八卷。本志既載原本二卷於前,又附載《七録》合編之本於此。此亦非爲重複,例得互見也。謝氏以爲別是一家,恐未然。

梁有蔡邕《女史篇》一卷,亡。

蔡邕有《勸學篇》、《聖皇篇》,並見前。

《後漢書》本傳:所著有《獨斷》、《勸學》、《釋誨》、《敍樂》、《女訓》、《篆勢》,凡若干篇,傳於世。

《小學考》曰:"蔡氏《女史篇》,《七録》一卷,此篇當以四字或三字爲句,便於女子初學成誦者。首有'女史'句,故以名篇。後世《女千字文》所由昉也。"

嚴氏《全後漢文編》曰:"《太平御覽》、《北堂書鈔》引蔡邕《女訓》。《文選·女史箴》注及《書鈔》、《御覽》引蔡邕《女誡》。"

　按本志此條云有司馬相如《凡將篇》,班固《太甲篇》、《在昔篇》,崔援《飛龍篇》,蔡邕《聖皇篇》,《黃初篇》,《吳章篇》,蔡邕《女史篇》,合八卷。蓋合此六家八種之書爲一帙者也。"有"上敓"梁"字,此猶陸澄、任昉集合雜傳、地記之書，叢書家之濫觴歟？

梁又有《幼學》二卷，朱育撰，亡。

朱育有《毛詩答雜問》，見前詩類。

《唐書·經籍志》：《初學篇》一卷，朱嗣卿撰。

《唐書·藝文志》：朱嗣卿《幼學篇》一卷。

《小學考》曰：“《隋志》云朱育，《唐志》云朱嗣卿。嗣卿蓋育字也。”

梁又有《始學》十二卷，吳郎中項峻撰。

《吳志·薛綜傳》：右國史華覈上疏曰：“臣聞五帝、三王皆立史官，敍録功美，垂之無窮。大吳受命，建國南土。大皇帝末年，命太史令丁孚、郎中項峻始撰《吳書》。孚、峻俱非史才，其所撰作，不足紀録。”

《唐書·經籍志》：《始學篇》十二卷，項峻撰。

《唐書·藝文志》：項峻《始學篇》十二卷。

馬國翰輯本序曰：“峻於《吳志》無傳，僅見《薛綜傳》華覈上疏數語，此外無可考見。今從《初學記》、《太平御覽》等書輯得六節。”

侯康《補三國藝文志》曰：“《初學記》卷九、《藝文類聚》卷十一引顏峻《始學篇》。按‘顏’當作‘項’。《御覽》七十八引文相同，正作‘項’。又《御覽》三百八十八引項氏《始學篇》注，其爲項氏自注、爲他人注，則不可考矣。”

按前已著録《始學篇》一卷，不著撰人。此十二卷，據《御覽》所引，似是前一卷之注本。

梁又有《月儀》十二卷，亡。

不著撰人。

《小學考》曰：“無名氏《月儀》，《七録》十二卷，佚。按《月儀》，《隋志》已亡。今所傳法帖，晉索靖《月儀章》云‘正月具書君白，大旗布氣，景風微發’云云。‘二月具書君白，俠鍾應氣，融風扇物’云云。凡十二月皆有‘某月具書君白’句，似後人作禮通語。按當爲"候人作札"。後、禮二字似寫誤。未知即《七錄》所載《月儀》否。此索靖所書用章草體，又有唐无名書《月儀》‘正月孟春，二月仲春’云云，並刻入金壇王氏《鬱岡齋帖》。”

按嚴氏可均重編《王羲之集》有《月儀》，見《御覽》二十九。又梁《昭明太子集》有《錦帶書十二月啓》。而《書錄解題》云：“《錦帶書》一卷，梁元帝撰。比事儷語，若法帖中章草《月儀》之類也。”則又以爲梁元帝撰，未詳孰是。《南史·任昉傳》：“昉幼而聰敏，八歲能屬文，自製《月儀》，辭義甚美。”是六朝文士製《月儀》者不一家，雖帝冑王者，亦爲之。此十二卷，大抵彙合諸家所作，以爲一編者歟？

發蒙記一卷　晉著作郎束晳撰

《晉書》本傳：束晳字廣微，陽平元城人。漢太子太傅疏廣之後也。王莽末，廣曾孫孟達避難，自東海徙居沙鹿山南，因去“疏”之“足”，遂改姓焉。晳博學多聞，司空張華召爲賊曹屬，轉著作佐郎，遷博士、尚書郎。趙王倫爲相國，請爲記室。晳辭疾罷歸，教授門徒。年四十卒。晳才學博通，所著《三魏人士傳》、《七代通紀》、《晉書·紀》、《志》，遇亂亡失；其《五經通論》、《發蒙記》行於世。

《齊書·文學傳序》曰：“王褒《僮約》、束晳《發蒙》，滑稽之流，亦可奇瑋。”

嚴可均《全晉文編》曰：“束晳有《發蒙記》一卷，《通典》引《發蒙記·總論王肅聖證論》二條，其一論春夏封諸侯；其一論嫁娶時月。”

馬國翰輯本序曰：“《隋志》小學有《發蒙記》一卷，晉著作郎束晳撰。地理記又有《發蒙記》一卷，束晳撰。兩書同名而分著之歟？抑一書兩載，失於釐定歟？疑不能明。書佚已久，陶

宗儀《説郛》輯録凡十五條，内一條爲《啓蒙記》，九條未詳所
據。姑依録之。復蒐采十一條，補録於後。”

　　按地理類亦載束晳《發蒙記》，注云記物産之異。不知與此
是一是二。蕭子顯與《僮約》並稱爲滑稽之流者，亦不知所
指爲是書、爲彼書也。

啓蒙記三卷　晉散騎常侍顧愷之撰

《晉書·文苑傳》：顧愷之字長康，晉陵無錫人也。父悦之，尚
書左丞。悦之與顧夷及關康之有《周易難王輔嗣義》，見前易類。愷之博學
有才氣，桓温引爲大司馬參軍，後爲殷仲堪參軍。義熙初，爲
散騎常侍。愷之有三絶，才絶、書絶、癡絶。年六十二卒於
官，所著文集及《啓矇記》行於世。

《唐日本國書目》：《啓蒙記》三卷，晉散騎常侍顧愷之撰。

汪師韓《文選理學權輿》曰：“《選注》所引群書，有顧愷之《啓
蒙記》。”

啓疑記三卷　顧愷之撰

《唐書·經籍志》：《啓疑》三卷，顧凱之撰。

《唐書·藝文志》：顧凱之《啓疑》三卷。

《册府元龜·學較部》：顧愷之爲散騎常侍，撰《啓疑》三卷。

馬國翰輯本序曰：“《隋志》《啓蒙記》三卷、《啓疑記》三卷，並
題顧愷之撰。《唐志》有《啓疑》三卷、《啓蒙記》不著録。今併
佚。從裴松之《魏志注》、《北堂書鈔》、《太平御覽》等書輯得
十節。其説亦涉神怪，非訓蒙之正體。姑依《隋志》編入小學
類焉。”

　　按《啓疑記》，《晉書》本傳不載，似即《啓蒙》之異名。

千字文一卷　梁給事郎周興嗣撰

《梁書·文學傳》：周興嗣字思纂，陳郡項人。漢太子太傅周
堪後也。世居姑孰，年十三游學京師，積十餘載，遂博通記

傳，善屬文。本州舉秀才，除桂陽郡丞。高祖革命，拜安成王國侍郎，直華林省，擢員外散騎侍郎，進直文德、壽光省。時高祖以三橋舊宅爲光宅寺，敕興嗣爲寺碑。自是《銅表銘》及《次韻王羲之書千字》，並使興嗣爲文。每奏，高祖輒稱善，加賜金帛，累遷給事中，直西省，左衛率。普通二年卒。

《太平御覽・文部・著書篇》：《梁書》曰：“武帝取鍾、王真迹授周興嗣，令選不復者千字韻而文之，興嗣一宿而上，鬢髮皆白，被賞遇。後興嗣目疾，武帝親爲之合藥。”

張彦遠《法書要録》：唐武平一《徐氏法書記》曰：“梁大同中，武帝敕周興嗣撰《千字文》，使殷鐵石模次羲之之迹，以賜八王。”

《唐書・經籍志》：《千字文》又一卷，周興嗣撰。

《唐書・藝文志》：周興嗣《次韻千字文》一卷。

《宋史・藝文志》：《千字文》一卷，梁周興嗣次韻。

顧炎武《日知録》曰：“《宋史・李至傳》言《千字文》乃梁武帝得鍾繇書破碑千餘字，命周興嗣次韻而成。《山堂考索》同本傳，以爲王羲之，而此以爲鍾繇，則異矣。”

閻若璩《潛邱劄記》曰：“《千字文》，周興嗣次韻。《梁書》以爲羲之，《宋史》以爲鍾繇。要《梁書》近而得其真。或曰興嗣當梁武帝朝初敕撰，文能不染佛氏一語，信有勁骨者。”按本傳，興嗣固先撰光宅寺碑文矣。

　　按《法書要録》載武平一之《記》，蓋其始因鍾繇之殘碑，而　　次韻其後，復取右軍手迹以成文。當時原有鍾、王二本也。

千字文一卷　梁國子祭酒蕭子雲注

《梁書・蕭子恪傳》：子恪，蘭陵人，齊豫章文獻王嶷第二子也。子雲字景喬，子恪第九弟。齊建武四年，封新浦縣侯。天監初，降爵爲子。起家祕書郎，累遷。太清元年，爲侍中、國子祭酒。三年三月,宮城失守,東奔晉陵。餒,卒於顯靈寺僧房,年六十二。

《唐日本國見在書目》:《千字文》一卷,梁國子祭酒蕭子雲注。顧炎武《日知錄》曰:"《千字文》元有二本。《梁書·蕭子範傳》曰:'子範除大司馬南平王戶曹,屬從事中郎。使製《千字文》,其辭甚美,命記室蔡薳注釋之。'《舊唐書·經籍志》曰:《千字文》一卷,蕭子範撰;又一卷,周興嗣撰。是興嗣所次者,一《千字文》;而子範所製者,又一《千字文》也。乃《隋書·經籍志》云:《千字文》一卷,梁給事中周興嗣譔;《千字文》一卷,梁國子祭酒蕭子雲注。《梁書》謂子範作之,而蔡薳爲之注釋。今以爲子雲注,子雲乃子範之弟,則異矣。《陳書·沈衆傳》:'是時梁武帝製《千字詩》,衆爲之注解。'是又不獨興嗣、子範二人矣。"

《小學考》曰:"按蕭子雲兄弟一作《千文》,一注《千文》,自是兩事。《隋志》遺子範《千文》一卷,故顧氏疑之,然非有錯誤也。"

按張彥遠《法書要錄》云:"蕭子雲自云善效鍾元常、王逸少而微變字體。常答敕云:'臣子雲奉敕,使臣寫《千字文》,今已上呈'云云。"其語亦略見《梁書》本傳,末署"侍中、國子祭酒、南徐州太守臣子雲啓上"。本傳唯云領南徐州大中正,不云太守。又云其書迹雅,爲高祖所重。嘗論子雲書曰:"筆力勁駿,心手相應,巧踰杜度,美過崔寔,當與元常並驅爭先。"其見賞如此,是子雲嘗奉敕書《千字文》矣。書中或亦有注文,則當時所注亦不止蔡薳、胡蕭二家也。

千字文一卷　胡肅注

胡肅始末未詳。

《小學考》曰:"胡氏蕭注《千字文》,《隋志》一卷,佚。"按以爲"胡蕭",自是寫誤。

篆書千字文一卷

不著篆者姓名。

《唐書·經籍》、《藝文志》:《篆書千字文》一卷。

《小學考》曰:"亡名氏《篆書千字文》,《隋志》一卷,佚。"

演千字文五卷

不著撰人。

《唐書·經籍》、《藝文志》:《演千字文》五卷。

《小學考》曰:"無名氏《演千字文》,《隋志》一卷,佚。"按以爲一卷,亦寫誤也。

　　按錢塘梁玉繩《瞥記》曰:"《隋書·文苑傳》:潘徽爲《萬字文》。《唐·藝文志》有《演千字文》五卷。"按梁氏之意,疑此即潘徽《萬字文》之異名,亦近似也。

草書千字文一卷

不著撰人。

《小學考》曰:"無名氏《草書千字文》,《隋志》一卷,佚。"

古今字詁三卷　　張揖撰

張揖有《埤倉》,見前。

《太平御覽·文部》:王隱《晉書》曰:"魏太和六年,博士河間張揖上《古今字詁》。其巾部曰:'紙,今昏也。其字從巾。古以縑白,依書長短,隨事截絹,數重沓,即名幡紙,字從糸,此形聲也。後和帝元興中,中常侍蔡倫以故布擣剉作紙,故字從巾。'是其聲雖同,糸、巾爲殊,不得言古之紙爲今紙。'"按此即其所詁紙、昏古今字之一則也。

《魏書·江式傳》:式上論書表曰:"魏初,博士清河張揖著《埤倉》、《廣雅》、《古今字詁》。究諸《埤》、《廣》,綴拾遺漏,增長事類,抑亦於文爲益者也。然其《字詁》,方之許篇,古今體用,或得或失矣。陳留邯鄲淳亦與揖同時,有名於揖。"

《顏氏家訓・勉學篇》：吾初讀《莊子》"螝二首"，《韓非子》曰：
"蟲有螝者，一身兩口，爭食相齕，遂相殺也。"茫然不識此字
何音，後見《古今字詁》，此亦古之"虺"字也。積年凝滯，豁然
霧解。

《唐書・經籍志》：《古文字詁》二卷，張挹撰。<small>一本改正作"揖"。</small>

《唐書・藝文志》：張揖《古文字訓》二卷。

侯康《補三國藝文志》曰："《古今字詁》見於《匡謬正俗》、《釋
文》、兩《漢書》注、《史記索隱》、《文選注》、《一切經音義》者甚
多。任大椿《小學鉤沈》備載之，獨《汗簡》屢引張揖《集古
文》。當即由《唐志》《古文字訓》之名而省，任氏未采。"<small>按郭忠恕
《汗簡》引張揖《集古文》九條，《通志・藝文略》亦載《集古文》，張揖撰，而不著卷數。
似即《古今字詁》之殘本，而宋時僅存者。</small>

馬國翰輯本序曰："揖既作《廣雅》，以綴《爾雅》之遺；作《埤
倉》，以補《三倉》之缺；復以古今字體不同，因取而詁之。《隋
志》三卷，《唐志》作《古文字訓》二卷，今佚。輯録爲卷，據江
式所云，似其全書有與許氏《説文》相戾者，要其勤於小學，叔
重後當首屈一指也。凡六十一條。"

　按《漢書・藝文志》孝經類有《古今字》一卷，不著撰人。稚
　讓或取其書而詁之，故曰《古今字詁》，亦或益以後出孳生
　之字。王隱言其書有巾部，江式云"方之許篇"，則依準《説
　文》爲部分從可知已。太和六年表上之，或亦與《廣雅》同
　時所進者。

梁有《難字》一卷，張揖撰，亡。

《唐書・藝文志》：張揖《雜字》一卷。

沈濤《銅熨斗齋隨筆》曰："《隋志》云梁有《難字》一卷、《錯誤
字》一卷，並張揖撰，亡。而《一切經音義》卷十四、卷二十並
云：'疷，張揖《雜字》作瘑。'則張揖所著爲《雜字》而非《難

字》。難、雜字形相近，觀《隋志》與《錯誤字》並列，以別於
《古今字詁》，則揖之所著，當爲《難字》而非《雜字》。若《雜
字》即在《字詁》中矣。玄應書‘雜’字，恐‘難’字傳寫之誤。”
又曰：“《唐‧藝文志》有張揖《雜字》一卷，恐亦‘《難字》’傳
寫之誤。”

任大椿《小學鉤沈》曰：“《爾雅》、《釋文》、《文選注》、《一切經
音義》並引張揖《雜字》，凡七條。”

馬國翰輯本序曰：“《隋志》作《難字》，《唐志》云《雜字》。今
佚。陸氏《釋文》引張揖《雜字》，玄應《一切經音義》亦引張揖
《雜字》，或止標張揖。《史記索隱》及《集韻》亦引張揖説，皆
此書佚文。並據輯録其中。如‘詁’字云：‘詁者，古今之異語
也。’‘訓’字云：‘訓者，謂字有意義也。’皆非難字。則《唐志》
題《雜字》爲是也。揖注《三倉》外，自作《廣雅》、《埤倉》、《古
今字詁》，於字學形聲，可稱詳備。又復爲此書以《雜字》名
者，雜采成編，不復類次，要是補三書所缺遺也。”

按沈氏以爲《難字》，馬氏以爲《雜字》，然馬説近得其似。
考稚讓之前，有郭訓《雜字指》一卷，疑此爲郭氏書而作。
又按《册府元龜‧學較部》：“張揖撰《埤倉》二卷、《古今字
詁》三卷。”又云揖“撰《三倉難字》一卷、《詁訓》三卷”。此
當是“《三倉詁訓》三卷、《難字》一卷”之寫誤。《册府》所
據，即《隋志》其所謂“又云”者，亦即《隋志》所注之《七録》，
而本志無《三倉訓詁》之目。據《玉海》引《隋志》，似佚敊在
《埤倉》之前；據《册府》，則又似佚敊在此條《難字》之上也。

梁有《錯誤字》一卷，張揖撰，亡。

《册府元龜‧學較部》：張揖撰《諟字》一卷。

按《廣韻》引《字諟》凡四條，不著姓名。任氏《小學鉤沈》備
録之，證以《册府元龜》所載，蓋即張揖《字諟》也。《册府》

此條，亦据《隋志》所注之《七録》有《字詆》無《錯誤字》。按
《廣韻》“詆，正也。與‘是’通”，《陳書·姚察傳》“詆正文
字”，作此詆。此書因《錯誤字》而詆正之，其名當是《錯誤
字詆》，《廣韻》省文作《字詆》。今本《隋志》敓“詆”字，《册
府元龜》譌敓，作《詆字》。

又按稚讓之書今雖不可概見，然就其名書之意而尋繹之，
則猶有可言者。《廣雅》，廣《爾雅》之遺；《埤倉》，埤《三倉》
之字。以賈叔郎隸寫之。《三倉》或未盡其説，及前漢相傳
之《古今字》，或無所發明也，於是又從而訓詁之。又爲《雜
字》，以補所缺遺。爲《字詆》，以揭其錯誤。若《汗簡》所引
之《集古文》，則甚似《古今字詁》之別本。殆後人所録，不
在所著之内。洪氏《曉讀書齋四録》曰：“六書至漢末，揖實
集其大成，非吕忱、吕靜等所能及。不其然歟？”揖與蘇林
同爲魏初博士，並及見服子慎。子慎著《通俗文序》稱之，
見《顔氏家訓·書證篇》。而《魏志》於蘇林，則附見《劉邵
傳》。惟揖則《志》與注皆不之及。

梁有《異字》一卷，朱育撰，亡。

朱育有《幼學》二卷，見前。

《吳志·虞翻傳》注：《會稽典録》曰：“孫亮時，有山陰朱育，
少好奇字，凡所特達，依體像類，造作異字千名以上。”

任大椿《小學鉤沈》曰：“《玉篇》、《廣韻》引《異字苑》，凡五條。
《廣韻》十一‘模’：‘箍’字注：《異字苑》曰：‘箍，以篾束物
也。’”按此字今俗通用，三國時以爲異字。

馬國翰輯本序曰：“郭忠恕《汗簡》引朱育《集字》、朱育《集古
字》、朱育《集奇字》、朱育《字略》凡二十一條。《玉篇》、《廣
韻》引《異字苑》七條、《異字音》二條，要是一書，而引者意爲
標題，故互有參差也。今並輯，各依所引録之。”

按《玉篇》、《廣韻》所引,則其書本名《異字苑》。本志似敓"苑"字。奇字爲六體之一,即古文而異者也,似亦可云異字。特達猶言創獲。似以奇字爲本,而小變其體類,附以訓詁,凡千餘字。《吳志》載孫休爲四子造作名字,下詔普告天下,或亦當時時尚,而爲是書歟?

梁有《字屬》一卷,賈魴撰,亡。

賈魴有《滂熹篇》,見前。

《唐書·經籍志》:《字屬篇》一卷,賈魴撰。

《唐書·藝文志》:賈魴《字屬篇》一卷。

按《説文》:"屬,連也。"此似下文李彤《字偶》之類。

雜字解詁四卷　魏掖庭右丞周氏撰

錢大昕《十駕齋養新録》曰:"《隋志》小學類《雜字解詁》四卷,魏掖庭右丞周氏撰。掖庭左右丞,漢制,皆宦者爲之。魏承漢制,則周氏亦必宦者,如注《爾雅》之李巡,亦中黄門也。"

任大椿《小學鉤沈》曰:"《廣韻》、《選注》、《史記索隱》、《漢書注》、《書鈔》、《藝文》、《御覽》、《北户録》引《雜字解詁》凡一十四條,《一切經音義》引周成《難字》七條。"

侯康《補三國藝文志》曰:"康按《史記·高祖功臣表》索隱引周成《雜字解詁》。此外諸書有但稱周成《雜字》者,有但稱《雜字解詁》者,有稱《雜字》、稱《周成》、稱周成《難字》者,皆即一書;而或少省其文,或小易其名。《雜字》之爲《難字》,正與張揖書同。未知本有二名,抑後人傳寫之誤,但必非兩書明矣。《小學鉤沈》分録之,殆非也。"

馬國翰輯本序曰:"《類聚》、《御覽》諸書並題周成《雜字解詁》,或作周成《雜字》,則周氏即周成,明矣。玄應《一切經音義》引作周成《難字》。'難字'或'雜字'之譌,抑或篇中有難字之目。今輯二十餘節,凡引作難字者,詳注於下。"

按此"周氏"當爲"周成"之寫誤，故下文不具其官而直稱周成也。《雜字解詁》四卷，亦似《七録》《解文字》七卷之殘本。玄應《音義》所稱周成《難字》，其中如"帤"字、"媰"字、"輇"字、"羍"字，皆見於《三倉》、《説文》諸字書，何得謂之《難字》？知"難字"實"雜字"之譌。

又按後漢郭顯卿有《雜字指》，魏初張揖亦有《雜字》，此其類也，或取兩家書而增長附益之。

梁有《解文字》七卷，周成撰，亡。

《唐書・經籍志》：《解字文》七卷，周成撰。

《唐書・藝文志》：周成《解文字》七卷。

汪師韓《文選理學權輿》曰："《選注》所引群書，有周成《雜字》，或稱《解字文》。"

錢大昕《十駕齋養新録》曰："《隋志》有《雜字解詁》四卷，魏掖庭右丞周氏撰。又云梁有《解文字》七卷，周成撰，亡。似周氏與周成非即一人。《唐・藝文志》有周成《解文字》七卷，而無周氏書，且兩志所載周成書俱無《雜字》之名，未知即此書否。"

沈濤《銅熨斗齋隨筆》曰："《一切經音義》屢引周成《難字》。《隋志》小學類云：梁有《解文字》七卷，周成撰，亡。《唐・藝文志》同，無所謂周成《難字》者。周成《難字》，疑《解文字》七卷中之子目。"

按此《解文字》七卷，似其總名，七卷之中有《雜字解詁》四卷，至隋僅存，而其餘三卷亡矣。唐時全書復出，故兩《唐志》著録《解字文》七卷，不復重出《雜字解詁》四卷也。《選注》引《解字文》與《舊唐志》合，似其本名。本志及《新唐志》似誤倒其文。諸書明引周成《雜字》、周成《解字文》，則周氏實爲周成無疑。

梁有《字義訓音》六卷,《古今字苑》十卷,曹侯彥撰,亡。

《魏志・曹真傳》:"真,太祖族子也。明帝時,至大司馬,進封邵陵侯,謚曰元侯。子爽嗣,帝追思真功,詔悉封真五子羲、訓、則、彥、皚皆爲列侯。彥爲散騎常侍、侍講。"又《齊王本紀》:"嘉平元年春正月,太傅司馬宣王奏,免大將軍爽、爽弟中領軍羲、武衛將軍訓、散騎常侍彥官,以侯就第。"

《太平御覽・刑法部》:《三十國春秋》曰:"魏帝謁陵,曹爽及弟羲、訓、彥皆從。高祖命授兵,召公卿於廟堂,奏皇太后廢爽。丁酉,斬爽、羲、訓、彥,夷三族。"

《小學考》曰:"按《字義訓音》,《七録》稱曹侯彥撰者,蓋以彥嘗爲列侯也。"

《法書要録》:梁庾元威《論書》曰:"許慎穿鑿賈氏,乃奏《説文》;曹産開拓許侯,爰成《字苑》。《説文》則形聲具舉,《字苑》則品類周悉。追悟典墳,字弗全體。《周禮》以雞斯爲笄纚,《禮記》以相近爲禳祈。致令衆議叢殘,音辭舛互。蓋緜程邈變隸,流傳未一。鄭公《詩譜》頗顯其源,且書文一反草木相從,凡五百六十七部,合一萬五千九百一十五字,即曰世中所行,十分裁一,而今點畫失體,深成怪也。"

按曹侯彥,謝氏謂即是曹彥,證以庾氏曹産作《字苑》之言,則所考良信。"彥"蓋"産"字之寫誤也。《太平御覽》六百四十八載曹彥《議復肉刑》一篇,餘無所見。其書廣《説文》之字,故云開拓許侯。其後葛稚川作《要用字苑》,似即刪存是書而爲之者。

雜字指一卷　後漢太子中庶子郭顯卿撰

郭顯卿始末未詳。

《唐書・經籍志》:《字旨篇》一卷,郭玄撰。

《唐書・藝文志》:郭訓《字旨篇》一卷。

《小學考》曰："《唐志》作郭訓，《隋志》別有《古文奇字》一卷，俱作郭顯卿。疑訓字顯卿也。"按《古今奇字》一卷別見於後。

侯康《補後漢書藝文志》："郭訓《雜字指》一卷、《古文奇字》二卷，《隋志》作郭顯卿，《唐志》作郭訓。而書名正同，則一人也。郭忠恕《汗簡》屢引郭顯卿《字指》。"

馬國翰輯本序曰："郭顯卿，里居不詳。據《隋志》知仕爲太子中庶子。據《唐志》知本名訓，而以字行也。《汗簡》引二十九條。《廣韻》引一條，作郭調《字指》。調爲訓字之誤。"

　按《舊唐志》又作郭玄，《文選注》傳寫又誤郭爲鄭，以爲鄭玄《字指》。汪氏輯《選注群書目録》遂以"鄭康成《字指》"列目。孫氏志祖《校正》以爲誤，是也。侯氏《補志》亦載鄭康成《字指》，注曰存疑。

字指二卷　晉朝議大夫李彤撰

李彤始末未詳。一本作肜，別有《聖賢冢墓記》一卷，詳見史部地理類。

《小學考》曰："李善《文選注》引《字指》云：'倏爚，電光也。''礚，大聲也。''鰡，鯊屬。'《一切經音義》引《字指》云：'礚砐，雷大聲也。''鷦鴣，其鳴自呼，飛但南不北，形如雌雉。''翡翠，南方取之，因其生子，漸下其巢頂，可取之，皆取其羽也。'俱李彤《字指》而非郭顯卿《雜字指》也。《史記·惠景間侯表》索隱引李彤。"

任大椿《小學鉤沈》曰："《廣韻》、《爾雅》、《釋文》、《文選注》、《一切經音義》引《字指》，凡十一條。"

梁有《單行字》四卷，李彤撰，亡。

《小學考》曰："李氏彤《單行字》，《七録》四卷，佚。"

汪師韓《文選理學權輿》曰："《選注》所引群書，有李彤《單行字》。"

梁又有《字偶》五卷，亡。

《册府元龜·學較部》："李彤撰《字指》二卷、《單行字》二卷、

《字偶》五卷，位至朝議大夫。"

《小學考》曰："李氏彤《字偶》，《七録》五卷，佚。按《字偶》者，猶後人所謂雙字、駢字也。"

馬國翰輯本序曰："李彤字里未詳。據《隋志》知其官朝議大夫而已。《隋志》載《字指》二卷，梁有《單行字》四卷，又《字偶》五卷。《唐志》皆不著録，佚已久。《文選注》引《字指》四條，又引李彤《字説》及字説者數條，《汗簡》引三條，或作李彤《集字》，或作李彤《字略》，他書引有止稱李彤者。並此書之佚文，合輯一帙。又《文選注》引《單行字》二條，《御覽》引李彤四部一條，附著於後。"

　　以上自《三倉》至此，皆古今字書及解詁、訓釋之屬。其中如蔡邕《勸學篇》、《女史篇》，朱育《幼學篇》，無名氏《月議》，束皙《發蒙記》，顧愷之《啓蒙記》，不皆爲字書。楊方《少學》九卷，其體制不可考，亦似非字書。

説文十五卷　許慎撰

許慎有《五經異義》，見前論語類。

慎子召陵萬歲里公乘沖上書有曰："先帝詔侍中騎都尉賈逵，修理舊文，殊藝異術，王教一崇，苟有可以加於國者，靡不悉集。臣父故太尉南閣祭酒慎，本從逵受古學。博問通人，考之於逵，作《説文解字》。六藝群言之詁，皆通其意。而天地鬼神，山川草木，鳥獸蚰蟲，雜物奇怪，王制禮儀，世間人事，莫不畢載。凡十五卷，十三萬三千四百四十一字。慎前以詔書校書東觀，教小黃門孟生、李喜等，以文字未定，未奏上。今慎已病，遣臣齎詣闕云云。建光元年九月已亥朔二十日戊午上。"召上書者汝南許沖，詣左掖門外會，令并齎所上書。十月十九日，中黃門饒喜以詔書賜召陵公乘許沖布四十匹，即日受詔朱雀掖門，敕勿謝。

《後漢書・儒林傳》：慎撰《五經異義》，又作《説文解字》十四篇，皆傳於世。按此言十四篇，不數其《序目》一篇也。

唐封演《聞見記》曰："後漢和帝時，始獲七千三百八十四字。安帝時，許慎特加搜采，九千之文始備，著爲《説文》。凡五百四十部，皆從古爲證，備論字體，詳舉音訓。其鄙俗所傳涉於妄者，皆許字之所不取，故《説文》至今爲字學之宗。"

《唐書・經籍志》：《説文解字》十五卷，許慎撰。

《唐書・藝文志》：許慎《説文解字》十五卷。《宋史・藝文志》同。

《四庫提要》曰："是書成於和帝永元十二年。凡十四篇，合《目録》一篇，爲十五篇。分五百四十部，爲文九千三百五十三，重文一千一百六十三，注十三萬三千四百四十字。推究六書之義，分部類從，至爲精密。而訓詁簡質，猝不易通。又音韻改移，古今異讀，諧聲諸字，亦每難明。故傳本往往譌異。宋雍熙三年，詔徐鉉、葛湍、王惟恭、句中正等重加刊定。凡字爲《説文》注義序例所載而諸部不見者，悉爲補録。又有經典相承、時俗要用而《説文》不載者，亦皆增加，別題之曰'新附字'。其本有正體而俗書譌變者，則辨於注中。其違戾六書者，則別列卷末。或注義未備，更爲補釋，亦題'臣鉉等案'以別之。音切則一以孫愐《唐韻》爲定。以篇帙繁重，每卷各分上、下，即今所行毛晉刊本是也。"

又《簡明目録》：《説文解字》三十卷，漢許慎撰。宋徐鉉等補注、補音，併增加新附字。原本合《目録》爲十五篇，鉉等重校，乃每卷各分爲二。其書爲小篆之祖，作小篆而不從其偏旁，是爲價規錯矩。至於八分、隸、行、草書，則各自爲體，或相沿，或不相沿，不能盡繩以小篆。或據小篆以改隸，至於怪不可識，則非可行之道也。

嘉慶十四年陽湖孫星衍重刊宋本《説文》序曰："毛晉初印本，

依宋大字本翻刊。後以《繫傳》刓補，反多紕繆。朱學士筠視學安徽，閔文人之不能識字，因刊舊本《説文》，廣布江左右。其學由是大行。按其本亦同毛氏。近有刻小字宋本者，改大其字，又依毛本校定，無復舊觀。吾友錢明經坫、姚修撰文田、嚴孝廉可均、鈕居士樹玉，及予手校本，皆檢録書傳所引《説文》異字、異義，參考本文。至嚴孝廉爲《説文校議》，引證最備。今刊宋本，依其舊式，即有譌字不敢妄改，庶存闕疑之意。古人云誤書思之，更是一適。思其致誤之由，有足證古本者。舊本既附以孫愐音切，雖不合漢人聲讀，傳之既久，亦姑仍之。以傳記所引文字異同別爲條記，附書而行，又屬顧文學廣圻，手摹篆文，辯白然否，校勘付梓。"《書目答問·姓名略》云《説文》之學，嚴氏、段氏、鈕氏爲最。

張氏《書目答問》：《説文解字》十五卷，宋徐鉉校定附字。平津館小字本，《小學彙函》重刻孫本，蘇州浦氏重刻孫本，廣州新刻陳昌治編録一篆一行本。孫本最善，陳本最便。

按惠氏《後漢書補注》引楊慎《六書索隱》曰："《説文》有孔子説、楚莊王説、左氏説、韓非説、淮南子説、司馬相如説、董仲舒説、京房説、衞宏説、揚雄説、劉歆説、桑欽説、杜林説、賈逵説、傅毅説、譚長説、王育説、尹彤説、張林説、黄顥説、周盛説、逯安説、歐陽喬説、寧嚴説、爰禮説、徐巡説、莊都説、張徹説。"以上皆惠氏引楊氏所考。或云歐陽喬即歐陽高。莊爲漢明帝諱，當是嚴都，爲後人所改。徹爲武帝諱，當是張敞之誤。今覆檢本書，又有天老説、伊尹説、史籀説、老子説、墨翟説、師曠説、孟子説、公羊説、穀梁説、甘氏説、呂不韋説、劉向説、宋弘説、班固説、官溥説、司農説、博士説。又有引復説者，不著其姓。又"對"字下引漢文帝説，"疊"字引亡新，即甄豐及王莽説。又《三國志》注引《魏略》諸書,數稱許氏《字指》,蓋當時有此名,亦可證郭訓《雜字指》、李彤《字指》皆取字之指意指趣,以名其書。

又按許沖上書言"先帝詔侍中"云云,至"靡不悉集",此一段皆言賈侍中在和帝時修理舊文之大略。陶宗儀《書史會要》云:"賈逵和帝時修理倉頡舊史。""史"疑"文"字之誤,與許沖言相會。是賈侍中有修理倉頡舊文之書,亦當時承詔所作,而本傳不載。或總括於所著經傳義詁百餘萬言之中。許沖既言賈逵修理舊文,又言"臣父慎本從逵受古學,博采通人,考之於逵,作《説文解字》"。梁庾元威論書亦云"許慎穿鑿賈氏,乃奏《説文》"。是《説文》據賈氏書爲藍本,從可知已。《封氏聞見記》謂和帝時始獲七千三百八十四字,似即指賈侍中所定字數。《説文》諸部中,凡十七引賈侍中説,當即其書。此一説也。又賈魴《三倉》之作亦在和帝之時,《三倉》百二十三章,章六十字,凡七千三百八十字。視封氏所舉,僅多出四字耳,亦頗似《三倉》之字數。《三倉》之首爲《倉頡篇》,故云倉頡舊文,豈《三倉》之書定於賈侍中歟?侍中定本,皆篆文、古籀,爲許氏所依據。初亦不名爲《三倉》,自賈魴隸寫其書,乃有《三倉》之目,是許氏廣《三倉》之字爲《説文》歟?此又一説也。考范書《賈逵傳》和帝永元十三年卒,年七十二。朝廷愍惜,除兩子爲太子舍人,而不著其名。賈魴非其子姓,即其族人,與許君同爲門弟子者歟?今并附識其疑於此。

梁有《演説文》一卷,庾儼默注,亡。

庾儼始末未詳。

《册府元龜·學較部》:梁有《演説文》一卷,庾儼撰。此作"儼"又作"撰",未詳孰是。

《小學考》曰:"按《隋志》《説文》十五卷下云:'梁有《演説文》

一卷，庾儼墨注，亡。'焦竑《經籍志》云：'梁有《演説文》一卷。'誤以'梁有'爲姓名。黃虞稷《書目》及近人補宋、元《藝文志》，皆沿其誤。"按近人謂盧氏文弨也。

馬國翰輯本序曰："郭忠恕《汗簡》引二十五條，作庾儼《演説文》，或作庾儼《字書》。儼下誤敚"默"字，稱《字書》仍謂《演説文》也。據輯録之。文收異體，皆許書之所未備。《隋志》以注名其解説，當必博綜，惜不得窺其全豹也。"

按《唐日本國書目》載《説文解字》十六卷，似并此一卷在内。吳徐整有《孝經默注》，與此稱默注者同。《汗簡》稱"庾儼"，不誤。馬氏反以爲敚"默"字，非也。《論語集注》："默識，謂不言而存諸心也。"默注即默識，猶言心得。

説文音隱四卷

不著撰人。

《唐書·經籍》志：《説文音隱》四卷。

《唐書·藝文志》：《音隱》四卷。按此節去"説文"二字，又不次於《説文》之後，列之《黃初篇》、《吳章篇》下，謬甚。

沈濤《銅熨斗齋隨筆》曰："《顏氏家訓·書證篇》引《説文》云：'菨，牛藻也。讀若威。'《音隱》：'塢瑰反。'濤案《音隱》，書名。《隋志》有《説文音隱》四卷，之推蓋引是書。"

鎮洋畢沅輯本序曰："唐以前傳注家多稱《説文解字音》，《隋志》有《説文音隱》，疑即是也。因摭録之，以資考證。許君之書，今所存者，有徐鉉等校定音，並《唐韻》也；有徐鍇《繫傳音》，朱翱所加也；有《五音韻譜音》，則鍇所加也。皆唐以後所改更，於古音無涉。是編所輯雖寡，要爲探本之誼云。"

《小學考》曰："按《隋志》以是編列於吕忱《字林》之下，按當云"上"。但云四卷，而不詳撰著姓名、時代。近畢尚書作《説文解字舊音》，云唐以前傳注引《説文解字音》，疑即此《音隱》也。"

字林七卷　晉弦令呂忱撰

《魏書·江式傳》：式上表曰："晉世義陽王典祠令仕城_{按當是}_{"任城"}。呂忱表上《字林》六卷，尋其況趣，附託許慎《説文》，而按偶章句，隱別古籒奇惑之字，文得正隷，不差篆意也。"_{按《晉}_{書·宗室傳》："安平獻王孚，孚子義陽成王望，武帝受禪封，泰始七年薨。孫奇襲}_{爵，泰康九年貶爲三縱亭侯。"又《職官志》："王置典書、典祠、典衛令各一人。"是忱}_{爲義陽王典祠令，在太康九年以前。魏晉時人也。}

張懷瓘《書斷》曰："晉呂忱字伯雍，博識文字，撰《字林》五篇，萬二千八百餘字。《字林》則《説文》之流，小篆之工，亦叔重之亞也。"

《封氏聞見記》曰："後漢許慎爲《説文》凡五百四十部。晉有呂忱，更按群典，搜求異字，復撰《字林》七卷，亦五百四十部，凡一萬二千八百二十四字，諸部皆依《説文》。《説文》所無者，是忱所益。"

張參《五經文字序例》曰："後有呂忱又集《説文》之所漏略，著《字林》五篇以補之。今制國子監置書學博士，立《説文》、石經、《字林》之學，舉其文義，歲登下之，亦古之小學也。《説文》體包古今，先得六書之要，有不備者，求之《字林》。"

《唐日本國見在書目》：《字林》二卷，呂忱撰。

《唐書·經籍志》：《字林》十卷，呂忱撰。

《唐書·藝文志》：呂忱《字林》七卷。

《宋史·藝文志》：呂忱《字林》五卷。

陳氏《書録》曰："《字林》五卷，晉嵫令呂忱撰。太乙山僧雲勝注。案《隋》、《唐志》皆七卷，《三朝國史志》惟一卷，董氏《藏書志》三卷。其書集《説文》之漏略者，凡五篇。然雜糅錯亂，未必完書也。"

任大椿《字林考逸》自序曰："《唐六典》載書學博士以石經、

《説文》、《字林》教士。《字林》之學，閱魏、晉、陳、隋，至唐極盛，故張懷瓘以爲‘《説文》之亞’。今字書傳世者，莫古於《説文》、《玉篇》，而《字林》實承《説文》之緒，開《玉篇》之先。《字林》不傳，則許氏以後、顧氏以前，六書相傳之脈中闕弗續。余爲是編，蒐羅散佚，忱書體例略見於茲，諸家異説多所考鏡云。"

字林音義五卷　宋揚州督護吳恭撰

吳恭始末未詳。

《册府元龜·學較部》：吳恭爲揚州督護，撰《字林音義》五卷。

宋李燾《五音韻譜序》曰："《隋志》又有宋揚州督護吳恭《字林音義》五卷。忱書今間有音，獨無吳恭姓名。"

汪師韓《文選理學權輿》曰："《選注》所引群書，有吳恭《字林音義》。"

古今字書十卷

字書三卷

字書十卷

皆不著撰人。

《唐日本國見在書目》：《字書》廿卷，冷泉院。謂其國之冷泉院本也。冷泉院蓋合并爲廿卷。唐時冷泉院火，圖籍蕩然，其後國人佐世在奥，故有此《見在書目》之作。其時爲唐僖宗乾符二年云。

《唐書·經籍》、《藝文志》：《字書》十卷。

海寧陳鱣輯本敍録曰："《隋志》列《字書》之目，凡三。一曰《古今字書》十卷，二曰《字書》三卷，三曰《字書》十卷，不言何人《字書》，亦不知何時《字書》也。嘗考《顏氏家訓》引《字書》云云，知六朝間人固所常用，今一無所存。唯見於群籍所引，而陸氏《釋文》、李氏《文選注》、釋氏《一切經音義》引之尤多。鱣於暇日集爲是編，用資考據，各書所引語有不同，知其不出於一家矣。"任氏《小學鉤沈》輯存上、下二卷，凡二百九十餘條。

按此大抵鈔諸家字學之書，以便日用，猶漢時間里書師并合《倉頡》、《爰歷》、《博學》三篇章爲一帙也。諸家字學遞有所出，故其本亦各有所存，以其薈粹一編。又所據皆有原本，故撰述家亦喜用之。近所傳《大藏音義》、唐本《玉篇》、《玉燭寶典》其中引《字書》至多，皆爲任氏、陳氏所未見。輯之，猶可數卷。此數種書傳入內地已閱十年，必有人起而爲之者。

又按《南史·范岫傳》："岫字懋賓，濟陽考城人。梁天監中爲祠部尚書，卒官。所著《字訓》行於世。"又《劉沓傳》："沓博綜群書，范岫撰《字書音訓》，往訪於沓。"疑此三書之中，或有范岫書在其間焉。

字統二十一卷　楊承慶撰　按"楊"當爲"陽"。

《魏書·陽尼傳》：尼字景文，北平無終人。爲國子祭酒，有書數千卷，所造《字釋》數十篇，未就而卒。其從孫太學博士承慶，遂撰爲《字統》二十卷，行於世。

《封氏聞見記》曰："後魏楊承慶者，復撰《字統》二十卷，凡一萬三千七百三十四字。亦憑《說文》爲本，其論字體，時復有異。"

《唐書·經籍志》：《字統》二十卷，楊承慶撰。

《唐書·藝文志》：楊承慶《字統》二十卷。

《小學考》曰："按《一切經音義》引《字統》，引承慶云云，其說支離已甚，實開王安石《字說》之先聲。"

馬國翰輯本序曰："承慶不詳何人，顧氏《玉篇》引之，當是齊、梁時人。今佚。輯得三十七節，不知原書體例，姑依《說文》部居編次。詮解字義，新而不詭於理。王荊公《字說》藍本於此，然不及其確當也。"

任大椿《小學鉤沈》曰：“《字統》，後魏楊承慶撰。《玉篇》、《廣韻》、《九經字樣》、《集韻》、《龍龕手鑑》、《列子》、《釋文》、《御覽》引凡三十一條。”

沈濤《銅熨斗齋隨筆》曰：“《經籍志》：《字統》二十一卷，楊承慶撰。案《魏書·陽尼傳》，承慶爲尼從孫，乃姓陽，非姓楊也。諸書引楊承慶《字統》，皆承《隋志》之誤。”

玉篇三十一卷　陳左將軍顧野王撰 按本志別集類題“左衛將軍”，此左下敓“衛”字。

《陳書》本傳：野王字希馮，吳郡吳人也。徧觀經史，精記嘿識，天文地理、蓍龜占候、蟲篆奇字，無所不通。梁大同四年，除太學博士。高祖作宰，爲諮議參軍。天嘉元年，補撰史學士。太建六年，領大著作，掌國史，知梁史事，兼東宮通事舍人。時宮僚有濟陽江總、吳國陸瓊、北地傅縡、吳興姚察，並以才學顯著，論者推重焉。遷黃門侍郎、光禄卿。十三年卒，時年六十三。贈右衛將軍。野王少以篤學知名，所撰著《玉篇》三十卷行於世。

《南史·蕭子顯傳》：子顯子序、愷，愷才學譽望，時論以方其父。先是，太學博士顧野王奉令撰《玉篇》，簡文嫌其書詳略未當，以愷博學，於文字尤善，使更與學士删改。

《封氏聞見記》曰：“梁朝顧野王撰《玉篇》三十卷，凡一萬六千九百一十六字。”

《唐書·經籍志》：《玉篇》三十卷，顧野王撰。

《唐書·藝文志》：顧野王《玉篇》三十卷。《宋史·藝文志》同。

朱彝尊《玉篇重刊本序》曰：“顧氏《玉篇》，本諸許氏，稍有升降損益。迨唐上元之末，處士孫強稍增多其字。既而釋慧力撰《象文》，道士趙利正撰《解疑》。至宋陳彭年、吳銳、丘雍輩又重修之。於是廣益者衆，而《玉篇》非顧氏之舊矣。”

《四庫提要》曰：“重修《玉篇》三十卷，梁大同九年黃門侍郎兼太學博士顧野王譔。唐上元元年，富春孫強增加字。宋大中祥符六年，陳彭年、吳銳、丘雍等重修。凡五百四十二部。”

光緒十年出使日本大臣遵義黎庶昌《古逸叢書敍目》曰：“影舊鈔卷子原本《玉篇》零本三卷半，此真顧黃門原帙，逸千三百年而幸存。注文之詳，奚翅溢出大廣益會本十倍？雖僅僅十分之一，足可視爲瓌寶。”按此稱三卷半者，其後又得系部前半卷增刊之，實四卷也。

日本國人森立之等《經籍訪古志》曰：“此本之傳，遠在孫強增加字已前，真爲顧氏原帙。每注中有野王按語，與慧琳《經音》按即《大藏音義》，亦云《一切經音義》，凡百卷。唐元和十二年撰爲《中國佚書》。所引合。其爲可貴珍品，非宋本可得而比肩也。”

日本使署隨員楊守敬跋曰：“右《玉篇》卷子，本四卷，皆千年以上物也。所載義訓，皆博引經傳，其自下己意者，則加‘野王按’三字。按顧氏《玉篇》經蕭愷等刪改行世，至唐上元間，有孫強增加之本。又有《玉篇鈔》十三卷，見《日本國見在書目》。是則增損顧氏之書，在唐代已有數家，然就此四卷核之，則爲顧氏原本無疑。今孫強本已無傳，僅存陳彭年大廣益本。據廣益本於《祥符牒》後雙行夾注云‘注四十萬七千五百有三十字’，余以其本合大字注文并計之，實只二十萬有奇，絕無注文四十萬之事。今見此本，始悟其所云注四十萬者爲顧氏原本之數，故盈三十卷云云。”

影舊鈔卷子原本《玉篇》零卷見存目錄：《古逸叢書》之十一。

　言部至幸部爲一卷，即本書第九卷。

　放部至方部爲一卷，即本書第十八之後分。

　水部首尾缺爲一卷，即本書第十九卷。

　系部至索部爲一卷，即本書第二十七卷。

凡存部四十三,存字一千三百七十。

字類敍評三卷　侯洪泊撰

侯洪泊始末未詳。

《通志·藝文略》:《字類敍評》三卷,侯洪伯撰。按此又作"洪伯",未詳孰是。

《小學考》曰:"侯氏洪泊《字類敍評》,《隋志》三卷,佚。"

　　按任氏《小學鉤沈》從《文選·詠懷詩》注及《廣韻》輯存《字類》各一條,似非此書。

要字苑一卷　宋豫章太守謝康樂撰

《小學考》曰:"《隋志》《要字苑》一卷,稱宋豫章太守謝康樂撰。考《宋書·謝靈運傳》不言其爲豫章太守。又靈運襲封康樂公,後降爲侯,此疑別是一人名。康樂非即靈運也。"

任大椿《小學鉤沈》曰:"《爾雅釋文》、《廣韻》、《顏氏家訓》、《史記索隱》、《南史·劉沓傳》、《北户録注》、《一切經音義》引《字苑》三十六條。"

　　按兩《唐志》有葛洪《要用字苑》一卷,《顏氏家訓·書證篇》、《本證篇》、《音辭篇》數引之,疑此是葛稚川書。本志此條似有敓誤。《册府元龜》云:"謝靈運爲臨川内史,撰《要字》一卷。"《册府》所据皆正史,蓋即本志此條而附會其説,不可信也。

梁有《常用字訓》一卷,殷仲堪撰。

殷仲堪有《毛詩雜義》,見前詩類。

《册府元龜·學較部》:殷仲堪爲荆州刺史,撰《常用字訓》一卷。

《顏氏家訓·書證篇》:殷仲堪《常用字訓》,亦引服虔俗説。

梁有《要用字對誤》四卷,梁輕車參軍鄒誕生撰。

鄒誕生,始末未詳。

《小學考》曰：“按《隋志》史部《史記音》三卷，梁輕車録事参軍鄒誕生撰，即其人也。”

按《日本書目》有《周字對語》二卷，蓋即此書。而“用”譌爲“周”。此“對誤”實“對語”之譌。

《要用雜字》三卷，鄒里撰，亡。

《小學考》曰：“鄒氏里《要用雜字》，《隋志》三卷，佚。”

按鄒里始末未詳。疑即鄒誕生之名，《要用雜字》亦疑與《要用字對語》爲一書而佚出者。蓋既爲《對語》，又集其非對語者爲《雜字》。皆取時俗要用之字，其體亦類推可知也。

梁有《文字要記》三卷，王義撰，亡。

王義《小學篇》，見前。

《唐書·經籍志》：《文字要説》一卷，王氏注。

《唐書·藝文志》：王氏《文字要説》一卷。

《小學考》曰：“按《唐志》有王氏《文字要説》，即此書。《通志·藝文略》分爲二，亦謬。”按鄭漁仲類此謬者甚多，皆未細覈《隋》、《唐》三志之故也。

汪師韓《文選理學權輿》曰：“《選注》所引群書，有《字説》，疑即王氏《文字要説》之書。”

俗語難字一卷　祕書少監王劭撰

《隋唐》本傳：劭字君懋，太原晉陽人也。少沈默好讀書。仕齊，累遷太子舍人，待詔文林館中書舍人。齊滅入周，不得調。高祖受禪，爲員外散騎侍郎，拜著作郎。煬帝嗣位，遷祕書少監，數載卒官。其採摘經史謬誤，爲《讀書記》三十卷，時人服其精博。

《册府元龜·學較部》：隋王劭爲祕書少監，撰《難字》三卷。

《小學考》曰：“王氏劭《俗語雜字》，《隋志》一卷，佚。”

按《史通·雜說篇》："或問曰：'王劭《齊志》多記當時鄙言，爲是乎？爲非乎？'對曰：'古往今來，名目各異。區分壤隔，稱謂不同。所以晉、楚方言，齊、魯俗語，六經諸子，載之多矣。如今之所謂者，若中州名漢，關右稱羌，易臣以奴，呼母云姊。主上有大家之號，師人致兒郎之説。凡如此例，其流甚多。必尋其本源，莫詳所出。閱諸《齊志》，則了然可知。由斯而言，劭之所錄，其爲弘益多矣。足以開後進之蒙蔽，廣來者之耳目。微君懋，吾幾面牆於近事矣。而子奈何妄加譏誚者哉！'"按此疑後人從《齊志》二十卷及《齊書》紀傳一百卷中鈔出別行者，亦或從《讀書志》三十卷中析出者。《齊志》中有自注，故疑此録其注文爲是書也。

又按兩《唐志》有李少通《俗語難字》一卷，或書名相同，或即是書而誤題撰人。又《日本書目》：《要略》一卷，王劭撰。《要略》或即後人鈔節是書之異名。

雜字要三卷　　密州行參軍李少通撰

《北史·李公緒傳》：公緒字穆叔，趙郡平棘人。魏末，爲冀州司馬。齊天保初，以侍御史徵，不就。誓心不仕，雅好著書。子少通，有學行。按北齊天保之末至隋開皇之初，凡二十三年。蓋即此李少通，李概兄子也。李概有《音韻決疑》，見後。

《唐書·宰相世系表》：趙郡李氏東祖房公緒，字穆叔，後魏冀州司馬。子少連，劭州司戶參軍。按"少連"當爲"少通"，《北史》有明文。蓋終於邵州司户參軍也。

《通志·藝文略》：《雜字要》三卷，隋李少通撰。

按兩《唐志》有《難要字》三卷，不著撰人，似即此書而誤"雜"爲"難"也。又《隋書·房彥謙傳》云："初，開皇中，平陳之後，天下一統，論者咸云將致太平。彥謙私謂所親趙郡李少通曰：'主上性多忌剋，不納諫諍。太子卑弱，諸王

擅威，天下雖安，方憂危亂。'少通初不謂然，及仁壽、大業
之際，其言皆驗。"按彥謙，玄齡之父。李少通，玄齡父友
也，別有《今字辨疑》見後。

文字整疑一卷

不著撰人。

《小學考》曰："無名氏《文字整疑》，《隋志》一卷，佚。"

按《文字整疑》者，不知何人作《文字整》之書，因從而舉
其疑。

正名一卷

不著撰人。

本志小學類敘曰："孔子曰：'必也正名乎！'名謂書字。'名
不正則言不順，言不順則事不成。'"錢大昕《考異》曰："鄭康
成《論語注》云：'正名謂正書字也。古者曰名，今世曰字。'
《禮記》曰：'百名以上則書之於策。'孔子見時教不行，故欲正
其文字之誤。後《魏書》：世祖始光二年初，造新字千餘，詔書
引孔子'名不正則事不成'之語。江式《論書表》亦引'孔子曰
必也正名乎'。此漢儒相承之詁訓，許氏《說文序》云：'於其
所不知，蓋闕如也。'則亦以正名爲正文字矣。許君在鄭之
前，知其說不始於鄭氏也。"

按劉向《別錄》於諸子名家者流，亦引孔子"必也正名"之
言，亦漢人之詁訓，故朱子從其說，以爲名實之名。此之正
名，實爲文字。篇敘之言，亦不爲此一卷而發。《日本書
目》有《正名要錄》二卷，司馬知羊撰。頗似此書。亦似錄
劉炫《五經正名》之要，又或是北魏新字千餘之本，詳見《魏
書・太武本紀》。

文字集略六卷　梁文貞處士阮孝緒撰

《梁書・處士傳》："阮孝緒字士宗，陳留尉氏人也。年十三，

徧通五經,屏居一室,家人莫見其面,親友因呼爲居士。天監
十二年,與吳郡范元琰俱徵,並不到。大同二年卒,時年五十
八。門徒諡其德行,謚曰文貞處士。所著《七録》等書二百五
十卷,行於世。"《南史·隱逸傳》同。

《七録序目·附録》曰:"《文字集略》一帙三卷,《序録》一卷。"

梁庾元威《論書》曰:"近有居士阮孝緒撰《古今文字》三卷,窮
搜正典。次丹陽五官丘陵撰《文字指要》二卷,精加擿發。惟
此兩書可稱要用。"

唐釋玄應《一切經·四分律音義》曰:"'醍',經史所無,未詳
何出。近世梁時處士阮孝緒作《文字集略》,有'醍醐'二字,
此書甚淺俗,音體並無所據也。"

《唐日本見在書目》:《文字集略》六卷,阮孝緒撰。

《唐書·經籍志》:《文字集略》一卷,阮孝緒撰。

《唐書·藝文志》:阮孝緒《文字集略》一卷。

馬國翰輯本序曰:"《文字集略》,《隋志》六卷,《唐志》一卷,今
佚。輯録四十餘條。引者或省文作《字略》。釋玄應於'醍
醐'注謂其書'甚淺俗,並無所據'。蓋所集字有出《倉》、《雅》
之外者,故用貶詞,猶昌黎推尊石鼓,遂以羲之爲俗書也。"

任大椿《小學鉤沈》曰:"《一切經音義》、《文選注》、《爾雅》釋
文、《晉書音義》引《文字集略》三十五條,又引《字略》一十
八條。"

今字辯疑三卷　李少通撰

李少通有《雜字要》,見前。

《唐日本書目》:《今字弁疑》三卷,李少通撰。"弁"當爲"辨"。

　　按此知少通所作字學之書不止一種,此與《雜字要》當先後
　　類從,如李彤《字指》與《單行字》、《字偶》爲一家言。本志
　　分兩處著録,雜亂無緒。

異字同音一卷

不著撰人。

《唐日本國見在書目》：《異體同音議字》一卷。不著撰人。

《小學考》曰："無名氏《異字同音》，《隋志》一卷，佚。"

任大椿《小學鉤沈》曰："《廣韻》引《異字音》二條。"

梁有《釋字同音》三卷，宋散騎常侍吉文甫撰。

吉文甫始末未詳。

《唐·世系》：吉氏出自姞姓，黃帝裔孫伯儵封於南燕，賜姓曰姞。其地東郡燕縣是也。後改爲吉。

《小學考》曰："吉氏文甫《釋字同音》，《隋志》三卷，佚。"

　按《日本書目》有《異形同字》一卷、《同音異訓》一卷、《釋字》一卷，皆不著撰人，似即此書。又《册府元龜》云："吉文甫爲散騎常侍，撰《釋字同音》三卷。又有《異字同音》一卷。"是此兩書，《册府》皆以爲吉文甫撰，亦近似之。

字宗三卷　薛立撰

薛立始末未詳。

《小學考》曰："薛氏立《字宗》，《隋志》三卷，佚。"

文字譜一卷

不著撰人。

《小學考》曰："無名氏《文字譜》，《隋志》一卷，佚。"

梁有《古今文字序》一卷，劉訏撰，亡。

《梁書·處士傳》：劉訏字彥度，平原人也。善玄言，精釋典。曾與族兄劉歊聽講於鍾山諸寺，因共卜築，卒於歊舍。歊字士光，博學有文才，不娶不仕，與族弟訏並隱居求志，遨遊林澤，以山水書籍相娛而已。嘗隨兄霽沓從宦，天監十八年疾卒，時年三十二。親故誄其行迹，諡曰貞節處士。

　按二劉並與文貞處士同志友善，此《序》一卷或亦因《文字集略》而作。《册府元龜》云："劉歆著《古今文字》二卷，位至安定屬國都尉。"以爲漢之劉歆，謬誤實甚。

梁有《文字通略》一卷，焦子明撰，亡。

焦子明始末未詳。

《册府元龜·學較部》：焦子明撰《文字略統》一卷。

文字辯嫌一卷　彭立撰

彭立始末未詳。

《唐書·經籍志》：《文字辨嫌》一卷，彭立撰。

《唐書·藝文志》：彭立《文字辨嫌》一卷。

辨字一卷　戴規撰

戴規始末未詳。

《唐書·經籍志》：《辯字》一卷，戴規撰。

《唐書·藝文志》：戴規《辨字》一卷。

按《日本書目》"《韻林》二卷，戴規撰"，則所作又有《韻林》，本志不載。又有《字樣》一卷，戴行方撰。行方頗似戴規之字，《字樣》亦似此書之異名。

雜字音一卷

不著撰人。

《小學考》曰："無名氏《雜字音》，《隋志》一卷，佚。"

借音字一卷

不著撰人。

《小學考》曰："無名氏《借音字》，《隋志》一卷，佚。"

按《日本書目》："《借音》三卷，不著撰人。"又曰："《借音》一卷，釋道高撰。"此一卷或即道高之書。道高亦不知何時人也。

音書考源一卷

不著撰人。

《小學考》曰："無名氏《音書考源》,《隋志》一卷,佚。"

以上自《説文》至《玉篇》,皆依仿許氏增長附益者。《字類敍評》以下,則雜字書而略及音聲,是爲一類。

聲韻四十一卷　周研撰

周研始末未詳。

《小學考》曰："周氏研《聲韻》,《隋志》四十一卷,佚。"按陸法言《切韻序》稱周思言《音韻》。思言疑即研之字。

按南齊時,有汝南周顒撰《四聲切韻》行於時,見《南史》本傳。《封氏聞見記》云："周顒好爲體語,因此切字皆有紐。紐有平、上、去、入之異。"考顒與沈約同爲京朝官,而稍在約前。顒子捨,捨子弘正,字思行。弟弘直,字思方,與陸法言稱周思言者相會。似研爲顒之從孫,與思行、思方爲昆季行。此或祖述其先世遺書,即《南史》所謂《四聲切韻》之書歟?

又按《玉篇》卷末附沙門神珙《五音聲論》及《四聲五音九弄反紐圖》,爲言等韻者所祖,疑出是書。按韻學之書,當以李登《聲類》、呂靜《韻集》爲之首,而本志以是書列於其前者,豈以此總彙五音、四聲,爲韻學之綱領歟? 抑周研本漢魏間人,猶在李、呂之前歟?

聲類十卷　魏左校令李登撰

《隋書·潘徽傳》:徽撰《韻纂》序曰："李登《聲類》、李靜《韻集》,始判清濁,纔分宮羽,而全無引據,過傷淺局,詩賦所須,卒難爲用。"

《封氏聞見記》:魏時有李登者,撰《聲類》十卷,凡一萬一千五百二十字,以五聲命字,不立諸部。

《唐書·經籍志》:《聲類》十卷,李登撰。

《唐書·藝文志》:李登《聲類》十卷。

侯康《補三國藝文志》曰:"《魏書·江式傳》云:'吕靜放李登《聲類》之法作《韻集》,宫、商、緑、徵、羽,各爲一篇。'據此則《聲類》亦分五音,故《潘徽傳》云然也。"

馬國翰輯本序曰:"登字里未詳,官左校令,見《北史·江式傳》。其書發明聲韻,配合宫、商,吕靜《韻集》本之。《隋》、《唐志》並十卷,今佚。輯録二百餘條,隱依今韻排次。案音韻之學,萌芽漢代。鄭康成注六經,始有譬況假借以證音字,至魏孫炎爲鄭學之徒,注《爾雅》用反切音,益加詳而未有專書。登與炎同時,作爲此編,其韻書之權輿乎。"

陳鱣輯本敍録曰:"《聲類》唐已後失傳,鱣從群書所引,采集得二百一十條。因元本部分不可考見,姑依陸法言書次第,録爲一卷。漢儒説經皆云讀若某,自孫炎變讀若之例而反音興。李與孫同時,故聲多用反音。其書以五音命字,封演云凡一萬一千五百二十字,較《説文》增多二千一百六十七字。故《説文》本一'唈'字,而此别出'吼'、'吽'、'响'三字,皆訓爲'喂'。《説文》本一'挺'字,而此别出'珽'字。蓋佛書盛行,僞體雜見,是其證矣。所集雖不及原書五十分之一,然吉光片羽,要可珍重。"

按任氏《小學鉤沈》中亦輯存一卷,凡二百四十餘條。《大藏音義》、《續音義》、《原本玉篇》、《玉燭寶典》引《聲類》文尤多。昔年陶孝逸學使嘗寫出數百條,未及編訂而卒。

韻集十卷

不著撰人。

馬國翰輯吕靜《韻集》序曰:"《隋志》吕氏《韻集》之上,復出《韻集》十卷,不著姓名,今無可考。"

韻集六卷　晉安復令吕靜撰

《魏書·藝術傳》:江式上表曰:"晉世任城吕忱表上《字林》

六卷，忱弟靜別放故左校令李登《聲類》之法，作《韻集》五卷，使宮、商、角、徵、羽，各爲一篇。而文字與兄便是魯、衛，音讀楚、夏，時有不同。”

《顏氏家訓·音辭篇》：《韻集》以成、仍、宏、登，合成兩韻；爲、奇、益、石，分作四章。不可依信。

《唐日本國見在書目》：《韻集》五卷，呂靜撰。<small>《唐·經籍志》同。</small>

《唐書·藝文志》：呂靜《韻集》五卷。

陳鱣輯本敍録曰：“靜書今不傳，其部次不可考。惟《顏氏家訓》指其‘成、仍、宏、登，合成兩韻；爲、奇、益、石，分作四章’。段氏若膺云：‘今《廣韻》本於《唐韻》，《唐韻》本於陸法言《切韻》，法言《切韻》，顏之推同撰。然則顏氏所執，略同今《廣韻》。成在十四清，仍在十六蒸，別爲二韻；宏在十三耕，登在十七登，亦別爲二韻。而呂靜《韻集》成、仍爲一韻，宏、登爲一韻，故曰合成兩韻。今《廣韻》爲、奇同在五支，益、石同在二十二昔。而《韻集》爲、奇別爲二韻；益、石別爲二韻，故曰分作四章。皆與顏氏説不合，故以爲不可依信。今按宏、登爲一韻，與古韻合，此《韻集》之勝於顏、陸輩也。’鱣按《韻集》以五音命字，尚無所謂四聲者。顏氏以當日之韻繩之，宜乎不相合矣。諸書所引，多魏、晉間俗字，大約與其兄《字林》相表裏也。采録成編，次之《聲類》之後。”

馬國翰輯本序曰：“呂靜《韻集》，《隋志》六卷，與江式言五卷者異，或併序目數之歟？《唐志》五卷，與江表合。今佚。輯得七十餘條，録爲一帙。”<small>任氏《小學鉤沈》輯存六十五條。</small>

四聲韻林二十八卷　張諒撰

張諒始末未詳。

《唐書·經籍志》：《四聲部》三十卷，張諒撰。

《唐書·藝文志》：張諒《四聲部》三十卷。

按四聲起於齊永明之時,此蓋齊、梁時編韻之書。本志二十八卷,視《唐志》尚缺二卷。考《日本書目》"《韻林》二卷,戴規撰",疑即從此書佚出,或張諒與戴規同撰者。

韻集八卷　段弘撰

段弘始末未詳。

陳鱣《韻集》輯本敍錄曰:"《隋·經籍志》《韻集》十卷,又有《韻集》八卷,段弘撰。知當時作《韻集》者不止呂靜一人也。"馬國翰曰:"《隋志》於呂靜《韻集》上復出《韻集》十卷,不著姓名。下別有《韻集》八卷,段弘撰,皆無可考。"

按《宋書·符瑞志》:"元嘉十一年五月,齊郡獲白雀,青州刺史段宏以獻。十三年七月,濟南獲白兔,青州刺史段宏以獻。"又《文帝本紀》:"元嘉十年春正月甲寅,淮南太守段宏爲青州刺史。夏四月戊戌,青州刺史段宏加冀州刺史,封陽縣侯。"不知即此段弘否也?亦見《廬陵王義真傳》,云鮮卑人。

群玉典韻五卷

不著撰人。

《小學考》曰:"無名氏《群玉韻典》,《隋志》五卷,佚。"按此作"韻典",似寫誤。

按此蓋韻書中之數典者也。隋潘徽爲《韻纂序》,謂李登《聲類》"全無引據,詩賦所須,卒難爲用"。蓋《聲類》唯載音聲,附以訓詁,故潘徽有是言。實則李書乃韻學之正軌也。此則專爲詩賦所須,與前《韻林》相似,亦如顏真卿《韻海鏡源》之類。或謂排韻隸事,始於《韻海》。竊謂始於是書,及張諒《韻林》、潘徽《韻纂》,皆在唐以前。顏氏特以廣博勝前人耳。元陰時夫《韻府群玉》,其名或本諸此。

梁有《文章音韻》二卷，王該撰。

王該始末未詳。

宋王觀國《學林》曰：“《南史・陸厥傳》曰：‘齊永明時，盛爲文章，沈約、謝朓、王融以氣類相推轂，周顒善識聲韻。約等文皆用宮商，以平上去入爲四聲，有平頭、上尾、蠭腰、鶴膝。五字之中，音韻悉異；兩句之內，角徵不同。不可增減，世呼爲永明體。’《庾肩吾傳》曰：‘齊永明中，王融、謝朓、沈約文章始用四聲，以爲新變。至是轉拘聲韻，彌爲麗靡，復踰往時。’觀國案四聲切韻，始自齊梁，雖云麗靡，而江左文章拘於聲調，氣格卑弱，間有作者，大抵類俳。陸法言論聲韻曰：‘吳楚則時傷輕淺，燕趙則多傷重濁，秦隴則去聲爲入，梁益則平聲似去。’或參宮參羽，或半徵半商。以此觀之，則理致頗深，實難遽曉。”

宋沈括《夢溪筆談》曰：“古人文章，自應律度，未以音韻爲主。自沈約增崇韻學，其論文則曰：‘欲使宮羽相變，低昂殊節，若前有浮聲，則後須切響。一簡之內，音韻盡殊；兩句之中，輕重悉異。妙達此旨，可以言文。’自後浮巧之語，體製漸多，如傍犯、蹉對、假對、雙聲、疊韻之類。詩又有正格、偏格，類例極多，故有三十四格、十九圖、四聲、八病之類。”

按此明是王該撰，而《小學考》題曰無名氏《文章音韻》，似誤讀志文也。《日本書目》有《文章四聲譜》、《文章儀式》、《文章要決》，近於是類之書凡數十家，此二卷當亦在其間。

梁有《五音韻》五卷，亡。

《小學考》曰：“王氏該《五音韻》，《七錄》五卷，佚。”

按本志此條注云梁有《文章音韻》二卷，王該撰。又《五音韻》五卷，亡。則不著撰人也。謝氏以爲王該撰，亦或近似。

韻略一卷　楊休之撰　"楊"當爲"陽"。

《北齊書・列傳》：陽休之字子烈，右北平無終人也。少勤學。魏莊帝立，解褐員外散騎侍郎，累遷太常少卿。元象初，録荆州軍功，封新泰縣開國伯。齊受禪，別封始平縣開國男。天統初，爲光禄卿、吏部尚書，除儀同三司，加開府、特進。三領中書監，封燕郡王。周武平齊，除納言中大夫、太子少保，進位上開府。隋開皇二年罷任，終於洛陽，年七十四。所著文集，又撰《幽州人物志》，並行於世。

《顏氏家訓・音辭篇》：陽休之造《切韻》，殊爲疏野。

《唐書・經籍志》：《韻略》一卷，楊休之撰。

《唐書・藝文志》：陽休之《韻略》一卷。按兩志又有陽休之《辯嫌音》二卷，本志不載。

《小學考》曰："陸法言《切韻序》亦稱陽休之《韻略》。"

沈濤《銅熨斗齋隨筆》曰："《顏氏家訓》'陽休之撰《切韻》，殊爲疏野'。世但知陸法言撰《切韻》，不知陽休之亦有《切韻》也。《隋・經籍志》：《韻略》一卷，陽休之撰。'楊'當作'陽'。蓋即《切韻》之一名耳。"

任大椿《小學鉤沈》曰："《廣韻》、《文選注》、《一切經音義》、《御覽》引《韻略》凡十條。"馬氏玉函山房輯本同。

續修音韻決疑十四卷　李槩撰

《北史・李靈傳》：靈，趙郡平棘人也。族裔孫公緒，公緒弟槩，字季節。少好學，性倨傲，每對諸兄弟，露髻披服，略無少長之禮。爲齊文襄大將軍府行參軍，閒緩不任事，每被譏訶。除殿中侍御史，修國史，後爲太子舍人，爲副使，聘於江南。江南多以僧寺停客，出入常袒露。還，坐事解。後卒於并州功曹參軍。撰《戰國春秋》及《音譜》，並行於世。又自簡詩賦二十四首，謂之《達生丈人集》。《音譜》四卷見後。

《顏氏家訓·書證篇》：“趙郡士族有李穆叔、季節兄弟，李善濟，亦爲學問。”又《音辭篇》曰：“李季節著《音韻決疑》，時有錯失。”《唐日本國見在書目》：“《音譜決疑》十卷，齊太子舍人李節撰。”<small>按敓“季”字。</small>又曰：“《音譜決疑》二卷，李槩撰。”

沈濤《銅熨斗齋隨筆》曰：“《顏氏家訓·音辭篇》云：‘北人以舉、莒爲矩，唯李季節云：齊桓公與管仲於臺上謀伐莒，東郭牙望見桓公，口開而不閉，故知所言者莒也。然則莒、矩必不同呼。① 此爲知音矣。’案季節語當在《音韻決疑》中，《隋·經籍志》云《修續音韻決疑》十四卷，李槩撰。季節即李槩之字。”

按此似即所修所續《音譜》之識疑，故《日本書目》亦儷《音譜決疑》，猶今之考異也。舊本附於《音譜》之後，合爲一家言。本志雜置於此，殊爲不倫。

纂韻鈔十卷

不著撰人。

《小學考》曰：“無名氏《纂韻鈔》，《隋志》十卷，佚。”

按此不知何人撰。《纂韻》若干卷，此鈔節其書，亦疑是《韻纂》之寫誤。《隋書·文學·潘徽傳》：“徽撰集字書爲《韻纂》三十卷。”此列在劉善經之前，亦頗似鈔節潘氏書。

四聲指歸一卷　劉善經撰

《隋書·文學傳》：河間劉善經，博物洽聞，尤善詞筆。歷仕著作佐郎、太子舍人，著《酬德傳》三十卷、《諸劉譜》三十卷、《四聲指歸》一卷，行於世。

《唐日本國見在書目》：《四聲指歸》一卷，劉善經撰。

---

① “矩”，原作“舉”，據《式訓堂叢書》本《銅熨斗齋隨筆》、《抱經堂叢書》本《顏氏家訓》及上下文意改。

四聲一卷　梁太子少傅沈約撰

沈約有《諡法》,見前論語類。

《梁書》本傳:約又譔《四聲譜》,以爲在昔詞人,累千載而不寤,而獨得胸衿,窮其妙旨,自謂入神。高祖雅不好焉,帝問周捨曰:"何謂四聲?"捨曰:"天子聖哲是也。"然帝竟不遵用。

《南齊書·陸厥傳》:沈約答厥書曰:"宮商之聲有五,文字之別累萬。以累萬之繁,配五聲之約,高下低昂,非思力所舉,又非止若斯而已也。十字之文,顚倒相配,字不過十,巧歷已不能盡,何況復過於此者乎? 靈均以來,未經用之於懷抱,固無從得其髣髴矣。若斯之妙,而聖人不尚耶? 此蓋曲折聲韻之巧,無當於訓義,非聖哲立言之所急也。是以子雲譬之'雕蟲篆刻',云'壯夫不爲'。自古辭人,豈不知宮羽之殊,商徵之別? 雖知五音之異,而其中參差變動,所昧實多,故鄙意所謂'此祕未覩'者也。"

《南史·陸厥傳》曰:"沈約等文皆用宮商,將平、上、去、入四聲制韻,世呼爲'永明體'。沈約《宋書·謝靈運傳》後又論其事。"又曰:"約論四聲,妙有詮辨,而諸賦亦往往與聲韻乖。時有王斌者,不知何許人,著《四聲論》行於時。"

《封氏聞見記》曰:"周顒好爲體語,因此切字皆有紐,紐有平、上、去、入之異。永明中,沈約文詞精拔,盛解音律,遂撰《四聲譜》。文章'八病',有平頭、上尾、蜂腰、鶴膝。以爲自靈均以來,此祕未覩。時王融、劉繪、范雲之徒皆稱才子,慕而扇之,由是遠近文學,轉相祖述,而聲韻之道大行。古之爲詩,取其宣達情致,激揚政化,含徵韻商,意非急切,故能包含氣骨,元氣大全,《詩》、《騷》以降是也。自聲病之興,動有拘制,文章之體格壞矣。"

《玉海·藝文》曰:"世謂倉頡制字,孫炎作音,沈約撰韻,同爲椎輪之始。"

《四庫存目提要》曰："案《梁書》、《南史·沈約傳》並載約撰《四聲譜》。《隋志》載其書一卷,而《唐志》已不著錄。觀陸法言《切韻序》歷述呂靜、夏侯該、陽休之、周思言、李季節、杜臺卿六家之韻,獨不及約書。是隋開皇時其書已不顯。李涪作《刊誤》,但詆陸韻而不及沈書,則僖宗時已佚矣。"

四聲韻略十三卷　夏侯詠撰

夏侯詠始末未詳。

隋陸法言《切韻序》曰："呂靜《韻集》、夏侯該《韻略》、陽休之《韻略》、周思言《音韻》、李季節《音譜》、杜臺卿《韻略》等,各有乖互。"

《唐書·經籍志》:《四聲韻略》十三卷,夏侯詠撰。

《唐書·藝文志》:夏侯詠《四聲韻略》十三卷。

《小學考》曰："李涪《刊誤》曰:'梁夏侯詠撰《四聲韻略》十二卷。'《隋志》十三卷。陸法言《切韻序》偁夏侯該《韻略》。'該'字疑即詠之誤。"

按《顏氏家訓·書證篇》云："謝炅疑是"謝昊"之誤。、夏侯該,並讀數千卷書。"舊注云:"一本作諺,又作詠。"按作"該"者,與陸法言同,近而可證,自當從陸氏爲得其實。該別有《漢書音》二卷,見史部。

音譜四卷　李槩撰

李槩有《續修音韻決疑》,見前。

《小學考》曰："陸法言《切韻敍》偁李季節《音譜》,即此書。"

任大椿《小學鉤沈》曰："《音譜》,宋李槩撰。《廣韻》引見凡十四條,又引《聲譜》十一條。"按此偁宋者,非也。《聲譜》或即《音譜》。

韻英三卷　釋靜洪撰

靜洪始末未詳。

《小學考》曰："釋靜洪《韻英》,《隋志》三卷,佚。"

按唐釋慧琳《大藏音義》引《韻英》文。《唐·藝文志》云："玄宗《韻英》五卷,天寶十四載撰。詔集賢院寫付諸道采訪使,傳布天下。"疑因此《韻英》而重修之。

以上自周研《聲韻》至此,皆韻書之屬。別爲一類。

通俗文一卷　服虔撰

服虔有《左氏傳解誼》,見前春秋類。

《顏氏家訓·書證篇》："《通俗文》,世間題曰'河南服虔字子慎造'。虔既是漢人,其敍乃引蘇林、張揖,蘇、張皆是魏人,且鄭玄以前,全不解反語,《通俗》反音,甚會近俗。阮孝緒又云李虔所造。河北此書,家藏一本,遂無作李虔者。《晉中經簿》及《七志》並無其目,竟不得知誰制。然其文義允愜,實是高才。殷仲堪《常用字訓》亦引服虔《俗說》,今復無此書,未知即是《通俗文》爲當有異近代,或更有服虔乎? 不能明也。"按蘇林、張揖並在魏初。林建安中爲五官將文學,揖太和中爲博士。揖卒年無考,林年八十餘,景初末卒。當建安之初,林年將四十矣,揖年當相去不遠。此二人必及見服子慎,服《序》引蘇、張,不足疑也。

《唐日本國見在書目》："《通俗章》一卷,服虔撰。"又曰："《通俗文》一卷,不著撰人。"

《唐書·經籍志》:《續通俗文》二卷,李虔撰。

《唐書·藝文志》:李虔《續通俗文》二卷。

武進臧玉林《經義雜記》曰："《隋志》:《通俗文》一卷,服虔撰。敍次在梁沈約《四聲》、李概《音譜》、釋靜洪《韻英》之下,則《隋志》亦不以爲漢之服子慎也。"按此所云猶未達。本志類中分類之例,此在韻書之後,別爲一類,以是書爲之首,未嘗不以爲漢之服子慎也。

陽湖洪亮吉《更生齋文甲集·復臧鏞堂問通俗文書》曰："前人疑此書出李虔,不過因《晉中經簿》所無,《唐志》明標李虔

《續通俗文》。言續，則非始自李虔可知。君家先人《經義雜記》又以《隋志》次此書於沈約《四聲》等書之後，而證其爲李虔，不知《隋志》亦唐人所修，與徐堅、玄應相距不遠。今《初學記》所引則次於《說文》；《一切經音義》所引，則皆在《三倉》、《釋名》以上，則唐人亦皆以此書爲服虔所造也。至若反音，不妨爲後人所入，或專系李虔續書中語，與《通俗文》之爲服虔書無礙也。此書自劉昭《續漢志注》後，徵引者不下十餘家，惟《文選注》及《太平御覽》所采最夥。"按洪氏駁《經義雜記》，但取證於徐堅、玄應，以爲之說，亦未悟本志類中分類之例。

馬氏玉函山房輯本序曰："《唐志》無服書，有李虔，當是子慎作此書一卷，李虔續之爲二卷。服與鄭玄同時，鄭之徒孫炎正用反切，則服書反語不足爲異。又考《晉書・孝友傳》，李密一名虔，字令伯，則李虔即李密也。"

《孫祠書目》："服虔《通俗文》一卷，臧鏞堂集本。又任大椿《小學鉤沈》本。"

訓俗文字略一卷　後齊黃門侍郎顏之推撰
證俗音字略六卷

《北齊書・文苑傳》：顏之推字介，琅邪臨沂人也。世善《周官》、左氏學，之推習禮傳，博覽群書，無不該洽，爲湘東王繹左常侍。繹自立，以爲散騎侍郎，奏舍人事。後爲周軍所破，將妻子來奔顯祖，除爲奉朝請，累遷黃門侍郎。齊亡入周，大象末，爲御史上士。隋開皇中，太子召爲學士，尋以疾終。有文三十卷、《家訓》二十篇，並行於世。

又曰："之推曾撰《觀我生賦》，文致清遠，其詞有曰：'予一生而三化，備荼苦而蓼辛，向使潛於草茅之下，甘爲畎畝之人，毋讀書而學劍，莫抵掌以膏身，委明珠而樂賤，辭白璧以安貧，堯、舜不能榮其樸素，桀、紂無以汙其清塵，此窮何由而至,茲辱安所自臻?而今而後,不敢怨天而泣麟也。'自注云:'在陽都值侯景殺簡文而篡位,於江陵逢孝元覆滅,至此齊滅而三爲亡國之人。'"按此賦蓋作於北周時,故云三爲亡國之人。其後入隋,且四爲亡國之人矣。

又曰:"之推在齊有二子,長曰思魯,次曰愍楚,不忘本也。"《唐六典》尚書省主事注:"隋煬帝二年去令史名,每十令史置一主事,雜用才術之士。顏愍楚以文學名家,爲内史主事。"又《北史·藝術·張冑玄傳》云:"内史通事顏愍楚。"按取名愍楚者,愍江陵之陷也。或作敏楚,非也。《顏氏家訓》及家廟碑,亦並作愍楚。

《唐日本國見在書目》:《證俗音字略》一卷,顏敏楚撰。

《唐書·經籍志》:《證俗音略》二卷,顏愍楚撰。《筆墨法》一卷。不著撰人。

《唐書·藝文志》:"顏之推《筆墨法》一卷,張推《證俗音》三卷,顏愍楚《證俗音略》一卷。"按《筆墨法》疑是此兩書中篇名。"張推"當是"顏之推"之寫誤。

《宋史·藝文志》:顏之推《證俗音字》四卷,又《字始》三卷。《字始》亦疑是篇名。

《崇文總目》:《正俗音字》四卷,齊黃門侍郎顏之推撰。正時俗文字之謬,援諸書爲據,凡三十五目。

任大椿《小學鉤沈》曰:"《北户録》注引《證俗音》凡十二條,又《廣韻》引《證俗文》凡四條。"

　　按是書諸史記載不一。考顏魯公《家廟碑》,之推撰《證俗音字》五卷,則其書實五卷,此六卷;又《訓俗文字略》一卷。

　　大抵有《敍録》及愍楚所撰節略本在其中,其後或亦刪存入《家訓》。《家訓》中《書證》、《音辭》兩篇,似即此書之大略。

梁有《詁幼》二卷,顏延之撰。《廣詁幼》一卷,宋給事中荀楷撰,亡。

　　顏延之有《逆降義》,見前三禮類,荀楷始末未詳。

《宋書》本傳：延之閒居無事，爲《庭誥》之文。今删其繇辭，存其正，著於篇，曰"《庭誥》者，施於閨庭之内，謂不遠也。吾年居秋方，慮先草木，故遽以未聞，誥爾在庭。若立履之方，規鑒之明，已列通人之規，不復續論。今所載咸其素畜"云云。

《唐書·經籍志》：《詰幼文》三卷，顏延之撰。

《唐書·藝文志》：顏延之《詰幼文》三卷。

嚴可均《全宋文編》曰："顏延之《庭誥》見本傳。又略見《藝文類聚》、《太平御覽》、《弘明集》，凡六條。"

馬氏玉函山房輯本序曰："《七録》有《詰幼》二卷，顏延之撰；《廣詰幼》一卷，荀楷撰。《唐志》復有《詰幼文》三卷，而皆無《庭誥》之目。《藝文類聚》、《初學記》、《太平御覽》均引顏延之《庭誥》，言心性、學品及《詩》、《易》、《春秋》之要，與顏之推《家訓》相似，亦其誥誡子弟之書也。又從《釋文》、《後漢書注》、《廣韻》輯得《詰幼文》四條，内一條，顏延之、荀楷並引《廣詰幼》之佚説。可見者僅此，不能成卷，亦附著之。"

　按兩《唐志》《詰幼文》三卷，其後一卷似即荀楷所廣者。本
　志作《詰幼》，《唐志》作《詰幼》，似皆《誥幼》之誤。《誥幼》
　亦似《庭誥》異名。

文字音七卷　晉蕩昌長王延撰

王延始末未詳。

《唐書·經籍志》：《雜文字音》七卷，王延撰。

《唐書·藝文志》：王延《雜文字音》七卷。

《小學考》曰："王氏延《文字音》，《隋志》七卷，佚。"

汪師韓曰："《文選注》引群書，有王延《文字音》。"

梁有《纂文》三卷，亡。

不著撰人。

《宋書·何承天傳》：承天删減《禮論》，並《前傳》、《雜論》、《纂

文》，並傳於世。《前傳》、《雜論》並見史部雜史類。

《唐書·經籍志》：《纂文》三卷，何承天撰。

《唐書·藝文志》：何承天《纂文》三卷。

馬國翰輯本序曰："此書括綜《倉》、《雅》，纂取异訓，張揖《廣雅》類也。今佚。搜輯散句，以類排比，琳琅滿紙，古香盎然，宜沈約與劉沓舉論張仲師及長頸王事，而歎其奇博也。"按馬氏並《姓苑》佚文，亦輯入之。《姓苑》別見史部譜系類。任氏《小學鉤沈》亦輯存一卷，凡八十餘條。

翻真語一卷　王延撰

王延有《文字音》，見前。

按此大抵從佛書中翻出，猶《翻譯名義》之類。謝氏《小學考》失載。

真言鑒誡一卷

不著撰人。

按釋家以佛氏語爲真言，此殆譯其可爲鑒誡者。本志子部雜家有《真言要集》十卷，蓋即其類。《小學考》亦不載。

字書音同異一卷

不著撰人。

《小學考》曰："無名氏《字書音同異》，《隋志》一卷，佚。"

敘同音義三卷

不著撰人。

《唐書·經籍志》：《敘同音》三卷。《藝文志》同。

《小學考》曰："無名氏《敘同音義》，《隋志》三卷，佚。"

河洛語音一卷　王長孫撰

王長孫始末未詳。

《小學考》曰："王氏長孫《河洛語音》，《隋志》一卷，佚。"

《魏書·咸陽王禧傳》曰：孝文引見朝臣，詔斷北語，一從正音。禧贊成其事。於是詔："年三十已上，習性已久，容或不可卒革；三十已下，見在朝廷之人，語音不聽仍舊。若有故爲，當降爵黜官。若仍舊俗，恐數世之後，伊雒之下，復成披髮之人。朕嘗與李沖論此，沖言：'四方之語，竟知誰是？帝者言之，即爲正矣，何必改舊從新。'沖之此言，應合死罪。乃謂沖曰：'卿實負社稷。'沖免冠陳謝。"

　　按謝氏綴以此文者，意謂此書作於北魏孝文時，其或然歟？《魏書·文帝本紀》："太和十九年六月己亥詔，不得以北俗之語言於朝廷，若有違者，免所居官。"文帝銳意用夏變夷，其見於《本紀》者又如此。

　　以上自《通俗文》至此，皆字書兼音韻者，韻書之支流也。

　　別爲一類。

國語十五卷

國語十卷

鮮卑語五卷

國語物名四卷　後魏侯伏侯可悉陵撰

國語真歌十卷

國語雜物名三卷　侯伏侯可悉陵撰

國語十八傳一卷

國語御歌十一卷

鮮卑語十卷

國語號令四卷

國語雜文　五卷

鮮卑號令一卷　周武帝撰

雜號令一卷

　　侯伏侯可悉陵有《國語孝經》，見前孝經類。

　　《周書·本紀》：高祖武皇帝諱邕，字禰羅突，太祖第四子也。

武成二年夏四月壬寅即皇帝位，在位十九年，年三十六。

《魏書·孟威傳》：威字能重，河南洛陽人。尤曉北土風俗，明解北人之語。高祖敕在著作，以備推訪。

《北齊書·祖珽傳》：珽字孝徵，范陽狄道人也。陳元康薦珽才學，并解鮮卑語。乃給筆札，就禁所具草。二日內成，其文甚麗。神武以其工而且速，散參相府。珽天性聰明，事無難學，文章之外，又善音律，解四夷語云云。

又《高乾傳》：高祖每申令三軍，常鮮卑語。

又《孫搴傳》：搴字彥舉，樂安人也。高祖署爲相府主簿，專文筆。能通鮮卑語，兼宣傳號令，當煩劇之任，大見賞重。

《隋書·李德林傳》：周武帝嘗於雲陽宮作鮮卑語謂群臣曰："我常日唯聞李德林名，及見其與齊朝作詔書移檄，我正謂其是天上人。豈言今日得其驅使，復爲我作文書，極爲大異。"

本志篇敍曰："後魏初定中原，軍容號令，皆本國語。後染華俗，多不能通，故錄其本言，相傳教習，謂之'國語'，今取以附音韻之末。"

按《顏氏家訓·教子篇》云："齊朝有一士大夫嘗謂吾曰：'我有一兒，年已十七，頗曉書疏，教其鮮卑語，稍欲通解。'"又《省事篇》云："近世有兩人，朗悟士也，天文、繪畫、棊博、鮮卑語，略得梗概。"蓋當北齊、後周時，士人學鮮卑語者不少矣。

又按宋洪邁《容齋隨筆》曰"古樂府有《敕勒歌》，以爲齊高歡攻周玉壁而敗，恚憤疾發，使斛律金唱《敕勒歌》，歡自和之。其歌本鮮卑語"云云。按《敕勒歌》當在此《國語真歌》、《國語御歌》兩書中，兩書所載，皆是類焉。

以上國語十三部，除可悉陵、周武帝兩家三部外，餘皆不著撰人。今并錄於此，不復分析。《志》序言"附諸音韻之末”，則別爲一類，從可知矣。

古文官書一卷　後漢議郎衛敬仲撰

《後漢書·儒林傳》：衛宏字敬仲，東海人也。少與河南鄭興俱好古學，從九江謝曼卿受《毛詩》，因作《毛詩序》，善得風雅之旨，于今傳於世。後從大司空杜林，更受《古文尚書》，作《訓旨》。時濟南徐巡師事宏，後從林受學，亦以儒術顯。由是古學大興，光武以爲議郎。

《唐書·經籍志》：《詔定古文官書》一卷，衛宏撰。

《唐書·藝文志》：衛宏《詔定古文字書》一卷。

金檀段玉裁《經韻樓集》曰：“韓退之言李少温子服之以科斗書衛宏《官書》相贈，見於《隋·經籍志》曰‘《古文官書》一卷’，《唐·藝文志》‘《古文字書》一卷’。‘字’者，‘官’之譌字也。唐初玄應《衆經音義》引衛宏《詔定古文官書》三條：曰曻、得同體，曰袍、桴同體，曰圖、啚同體。《史記正義》曰：‘衛宏《官書》數體，呂忱或字多奇。’然則其書體製蓋同張揖《古文字詁》，而字體爲古文籀文。唐人以爲難得，至唐季，其書亡矣。郭忠恕多假託，易稱衛宏字説，非真宏説也。《漢書·儒林傳》注引衛宏《詔定古文官書序》‘秦既焚書’云云。《尚書正義》、《藝文類聚》引此文略同，乃系之衛宏《古文奇字序》。“奇字”者，‘官書’二字之誤也。《儒林傳》注又引衛宏《古文官書序》‘伏生老不能正言’云云，[①]《經典釋文·序録》、《史記·袁盎鼌錯列傳》正義亦引此文，而今本《漢書》譌爲衛宏定《古文尚書》，今本《史記》譌爲衛宏《詔定古文尚書》，今本《釋文》譌爲《古文尚書》。‘尚’字皆‘官’字之誤也。”

侯康《補後漢書藝文志》曰：“段氏定當作‘官書’，洪氏頤煊

---

① 清段氏家刻本《經韻樓集》卷七《衛宏官書考》“宏”後有“定”，於義較勝。

《讀書叢録》定當作‘尚書’。竊謂衛宏有《古文尚書訓旨》，見於本傳。而《古文官書》韓文公時尚存，則作《隋志》者必目覩其書，列之小學，決非無據。按作《志》者未必一一目覩其書，而後著録，特目覩當時書目以爲援据耳。似宜分‘尚書’、‘官書’爲二種。若《史記正義》、《漢書·儒林傳》注、《釋文·序録》所引，皆事涉《尚書》，則其出《古文尚書》無疑。段氏必欲盡改爲‘官書’，未免武斷。至如‘尋、得同體’諸條及《汗簡》所引衛宏字説，與《集韻》云：‘馴，衛宏通作䮧。㠯，古國名，衛宏説與杞同。’此明爲小學之書，則還以系之《官書》可也。又如《藝文類聚》四十九引衛宏《古文官書》曰‘太常主導贊助祭者’云云，此與《釋名》體例旁及官制者略同，而與《尚書》絕無涉，亦斷不能系之《古文尚書》者也。至於或稱《古文奇字》，或稱《古文字書》，或稱《古文字説》，殆即《官書》之異名歟？”

馬國翰輯本序曰：“此書辨定古文以爲官式，《説文》引三節，《集韻》引一節，《書正義》、《史記正義》、《漢書注》、《御覽》引其《序》，互有同異。玄應《一切經音義》引三節，而引古文者二百餘節，與所引《詔定古文官書》體例不異，知皆引自一書，省字稱《古文》也。並據合録。每字下反音甚詳，則東漢初已有切字。鄭氏經音所本，世謂始於孫炎，非篤論也。”

　　按《後漢書·馬援傳》注：《東觀記》曰：“援上書：‘臣所假伏波將軍印，書伏字，犬外嚮。城臯令，臯字爲白下羊；丞印四下羊；尉印白下人，人下羊。即一縣長吏，印文不同，恐天下不正者多。符印所以爲信也，所宜齊同。’薦曉古文字者，事下大司空，正郡國印章。奏可。”按其時竇融爲大司空，此事頗與《詔定官書》相會。衛敬仲從杜伯山學漆書古文，本曉古文字，其即馬伏波所薦者歟？是書緣起或由於此。本志列是書於諸家體勢之首。體勢者，如書勢、書法字樣、字形之類。後史以爲藝術之屬，此蓋備以作符印、幡信之程式，猶先漢六體中之繆篆、蟲書。馬竹吾云辨定古文以爲官式，斯則得之；末後言反音云云，則轉非篤論，不可信也。

古今奇字一卷　　郭顯卿撰

郭顯卿有《雜字旨》，見前。

《唐書·經籍志》：《古文奇字》二卷，郭訓撰。

《唐書·藝文志》：郭訓《字旨篇》一卷，《古文奇字》二卷。

任氏《小學鉤沈》曰：“《一切經音義》引《古文奇字》二條，云‘櫨，初狡反。鎯，下瓜反。犂，刃也。’又《道行般若經音義》云：‘豐，《三倉》音帝。’郭訓《古文奇字》以爲古文‘逝’字。”

　　按《漢書·藝文志》曰：“六體者，古文、奇字。”注：古文謂孔子壁中書，奇字即古文而異者也。《揚雄傳》云：“劉歆子棻，嘗從雄學作奇字。”《文心雕龍·練字篇》云：“揚雄以奇字纂訓。”《吳志·虞翻傳》注：“山陰朱育少好奇字。奇字者，蓋漢小學六體之一也。”《唐志》及玄應引並云《古文奇字》，與本志作“古今”者異，未詳孰是。而本志列之於此，則亦體勢之一種。

六文書一卷

不著撰人。

《唐日本國見在書目》：《六文字》一卷。

　　按《周書·藝術·趙文深傳》：“文深字德本，南陽宛人也。少學楷、隸，太祖以隸書紕繆，命文深與黎季明、沈遐等依《説文》及《字林》刊定六體，成一萬餘言，行於世。”頗似此書，若是，則此《六文書》大抵如唐張懷瓘《六體論》所謂大篆、小篆、八分、隸書、行書、草書，非漢之六體也。

四體書勢一卷　晉長水校尉衛恒撰

《晉書·衛瓘傳》：瓘字伯玉，河東安邑人也。子恒，字巨山，少辟司空齊王府，轉太子舍人、尚書郎、祕書丞、太子庶子、黃門郎。恒善草隸書，爲《四禮書勢》。及瓘爲楚王瑋所搆，恒聞變，以何劭嫂之父也，從牆孔中詣之，以問消息。劭知而不告。恒還經廚下，收人正食，因而遇害。贈長水校尉，謚蘭陵貞世子。

《唐書·經籍志》：《四體書勢》一卷，衛恒撰。

《唐書·藝文志》：衛恒《四體書勢》一卷。

嚴可均《全後漢文編》曰："蔡邕《篆勢》，《晉書·衛恒傳》、《藝文類聚》、《初學記》、《太平御覽》並引之，今見本集。《隸勢》，或是衛恒作。本集有之，姑不刪。"按蔡中郎《隸書勢》，嚴氏亦未考定，失之眉睫。

馬國翰録本序曰："《晉書》本傳無多敍述，惟稱恒作《四體書勢》，並載其辭。案《隋》、《唐志》小學類並著一卷之目，今少行本。據本傳，參校裴松之《三國志注》、《藝文類聚》、《初學記》、《太平御覽》等書所引，凡字句異同，悉注於下。恒於四體，自作古、隸二勢，篆述蔡邕，草述崔瑗，合而諷誦，如出一手。"按此謂自作古、隸二勢，非也。

按《晉書》本傳載《四體書勢》全文，以唐張懷瓘《書斷》參考之，惟首一篇汲冢古文，以前人無作古文書勢者，故恒自作之，謂之《字勢》。其他篆、隸二體，皆取蔡邕《篆勢》、《隸勢》之文章。草一體，則取崔瑗《草書勢》，故其序曰："愧不足廁前賢之作，冀以存古人之象。古無別名，謂之《字勢》。"其下"邕作《篆勢》曰"云云，又其下"作《隸勢》曰"云云。此"作"字上或敓去"邕"字，或蒙上文省去"邕"字。要皆邕所作，非恒作也。考舊本《蔡中郎集》有《隸書勢》。

《書斷》上篇亦明引蔡邕《隸勢》，其文與《晉書》同，特有所刪節耳。或以范書本傳不載《隸勢》，遂以《隸勢》爲衛恒作，疑本集誤收，非也。又《四體書勢》，《書斷》咸附著於篇，曰衛恒《古文贊》，曰蔡邕大、小《篆贊》，曰蔡邕《隸書勢》，曰崔瑗《草書勢》，其文並略，與《晉書》同，此尤足證明者也。

雜體書九卷　釋正度撰

梁釋慧皎《高僧傳》：釋僧祐世居建業，凡獲信施，悉以治定林、建初及修繕諸寺，并建無遮大集捨生齋等。及造立經藏，搜校卷軸，使夫寺廟廣開，法言無墜，咸其力也。天監十七年五月二十六日卒於建初寺，弟子正度立碑頌德，東莞劉勰製文。按劉勰即撰《文心彫龍》者。《梁書·文學傳》云：“勰早孤，家貧，不婚娶，依沙門僧祐居處。”今定林寺經藏，勰所定也。

《唐書·經籍志》：《雜字書》八卷，釋正度作。

《唐書·藝文志》：僧正度《雜字書》八卷。

按任氏《小學鉤沈》從《一切經音義》輯存《字體》四條，《字體》或即是書。正度，殆即僧祐之弟子，始末未詳。

古今八體六文書法一卷

不著撰人。

《唐書·經籍志》：《古今八體六文書法》一卷。《藝文志》同。

按《北史·江式傳》：“式六世祖瓊，字孟琚。晉馮翊太守，善蟲篆、詁訓。永嘉大亂，棄官居涼土，世傳家業。祖強，字文威，涼州平，內徙代京。上書三十餘法，各有體例。”又式上《古今文字》表云：臣六世祖瓊，家世陳留。往晉之初，與從父兄俱受學於衛覬，古篆之法，《倉》、《雅》、《方言》、《説文》之誼，當時並收善譽。而祖遇洛陽之亂，避地河西，數世傳習。太延中，牧犍內附，臣亡祖文威杖策歸國，奉獻五世傳掌之書,古篆八體之法。時蒙褒録,敍列於儒林,官班文省,家號世業"云云。即上文所謂"上書三十餘法,各有體例"者也,頗似此書。

又按《南史·文學·顏協傳》:"時又有會稽謝善勛,能爲八體六文,方寸千言,爲梁湘東王府録事參軍。"亦似此書。《漢書·藝文志》注:韋昭曰:"八體,一曰大篆,二曰小篆,三曰刻符,四曰蟲書,五曰摹印,六曰署書,七曰殳書,八曰隸書。"班固曰:"六體者,古文、奇字、篆書、隸書、繆篆、蟲書。"

古今篆隸雜字體一卷　蕭子政撰

蕭子政有《周易義疏》,見前。

按《日本書目》載《古今篆隸文體》一卷,蕭子良撰。《文選·北山移文》注亦引蕭子良《古今篆隸文體》,疑此是蕭子良書。《封氏聞見記》云:"南齊蕭子良撰古文之書五十二種,鵠頭蚊脚,懸針垂露,龍爪仙人,芝英倒薤,蛇書、蟲書,偃波、飛白之屬,皆狀其體勢而爲之名。雖義涉浮淺,亦書家之前流也。近代小篆、八分、草書、行書等並見施用,餘多不行。"又兩《唐志》有蕭子雲《五十二體書》一卷,蓋古今體勢之書,能書者類多摩寫,故相傳不一家焉。

古今文等書一卷

不著撰人。

按《日本書目》有《古今字》一卷,不著撰人,似即此書。

篆隸雜體書二卷

不著撰人。

文字圖二卷

不著撰人。

按梁庾元威《論書》云"齊末王融,圖古今雜體有六十四書。少年崇傲,家藏紙貴。湘東王遣沮陽令韋仲定爲九十一種，次功曹謝善勛增其九法，合成百體。余經爲正階侯書十牒屏風，[①]作百體，間以采墨。當時衆所驚異，自爾絶筆，惟留草本而已。其百體者，懸針書至小科隸五十種，皆純墨；璽文書至十二時書五十種，皆采色。其外復有大篆、小篆、銘鼎、摹印、刻府、石經、象形、篇章、震書、倒書、反左書等，及宋中庶宗炳出九體書，所謂縑素書、簡奏書、牋表書、弔記書、行狎書、檄書、藁書、半草書、全草書，此九法極真草書之次第焉。删捨之外，所存猶一百二十體”云云。按此則宋、齊、梁之時，圖古今文字者，有宗炳、王融、韋仲、謝善勛、庾元威凡五家。此二卷，蓋即其類，不知何人作也。

庾元威始末未詳，所撰有《字府》；又依宗炳法畫《瑞應圖》。《南齊書·祥瑞志》云永明中，庾溫撰《瑞應圖》，疑元威即溫之子。溫於諸庾列傳中亦未見。

古今字圖雜録一卷　　祕書學士曹憲撰

曹憲有《廣雅音》，見前論語類。

按此似即去取《文字圖》雜録成編者，兩《唐志》有曹憲《文字指歸》四卷，或即《指歸》之佚本。

婆羅門書一卷

不著撰人。

本志篇敍曰：“自後漢佛法行於中國，又得西域胡書，能以十四字貫一切音，文省而義廣，謂之婆羅門書，與八體六文之義殊別，今取以附體勢之下。”

《梁書·林邑國傳》：其大姓號婆羅門。

唐釋道世《法苑珠林·傳記篇》曰：“婆羅門是高行人。”

梁釋慧皎《高僧傳》：釋慧叡，冀州人。少出家，篤學音譯、訓

---

① “階”，原作“陽”，據本書卷三十二“座右方八卷”條引《論書》及《津逮祕書》本《法書要録》載《論書》改。

詁，殊方異義，無不必曉。陳郡謝靈運篤好佛理，殊俗之音，多所達解。迺諮叡以經中諸字，并衆音異旨。於是著《十四音訓敍》，條例梵漢，昭然可了，使文字有據焉。

唐釋智昇《開元釋教錄》云：“優婆塞支謙，三國魏時人，學《婆羅門書》，譯出經八十八部。”

鄭樵《通志·七音略》曰：[1]“切韻之學，起自西域。舊所傳十四字，貫一切音，文省而音博，謂之婆羅門書。然猶未也。其後又得三十六字母，而音韻之道始備。”又《藝文略》曰：“《婆羅門書》四卷，《隋志》一卷。”按此四卷，即似慧叡《十四音訓》之書。

錢大昕《隋書考異》曰：“《經籍志》《婆羅門書》一卷，按華嚴字母之法，蓋濫觴於此。其初本十四音，後乃益爲四十二也。”

梁有《扶南胡書》一卷。

不著撰人。

《梁書·諸夷傳》：扶南國在日南郡之南，海西大灣中，去日南可七千里，在林邑西南三千餘里。又有毘騫國，去扶南八千里，傳其王身長丈二，頭長三尺，自古來不死，莫知其年。王神聖，國中人善惡及將來事王皆知之，是以無敢欺者。南方號曰“長頸王”。按《梁書·劉杳傳》，杳與沈約言何承天《纂文》載長頸王事，即此。王亦能作天竺書，書可三千言，説其宿命所由，與佛經相似，並論善事。按其書似爲何承天所見，故記其事於《纂文》中。

　按此不知是否即長頸王所作。《顏氏家訓·省事篇》云：“近世有兩人，朗悟士也，鮮卑語、胡書，略得梗概，皆不通熟。”是北朝人亦多有習胡書者，胡書似不止此扶南一種。《日本書目》有《翻胡語》七卷，注云冷善院。蓋其院之所翻者，亦此類之書也。

---

① 按該引文實出《通志·藝文略》。

外國書四卷

不著撰人。

　　按慧皎《高僧傳·竺曇摩羅刹此》云：“法護世居敦煌郡，年八歲出家，事外國沙門竺高座，隨師至西域，游歷諸國。外國異言三十六種書，護皆遍學貫綜，訓詁、音義、字體，無不備識。惠帝時卒。後孫綽製《道賢論》，以天竺七僧方竹林七賢。以護匹山巨源，論云：‘護公德居物宗，巨源位登論道，二公風德高遠，足爲流輩矣。’”其見美後代如此。疑此即法護從外國傳録三十六種書也。

　　以上自《古文官書》至此，皆體勢之屬，附以《婆羅門書》、《胡書》、《外國書》。《志》敍言之甚明。別爲一類。

秦皇東巡會稽刻石文一卷

《史記·秦始皇本紀》：二十八年，始皇東行郡縣，上鄒嶧山。立石，與魯諸生議，刻石頌秦德，乃上泰山，立石，封，祠祀。禪梁父。刻所立石，登之罘，立石頌秦德。南登琅琊，作琅琊臺，立石刻，頌秦德。二十九年，東游，登之罘，刻石。三十二年，之碣石，刻碣石門。三十七年，出游錢唐，臨浙江，上會稽，祭大禹，望於南海，而立石刻頌秦德。二世皇帝元年春，東行郡縣。到碣石，並海，南至會稽，而盡刻始皇所立刻石，石旁著大臣從者名，以章先帝成功盛德焉。

《漢書·藝文志》春秋家：《奏事》二十篇，秦時大臣奏事及刻石名山文也。

《南史·范雲傳》：秦望山上有秦始皇刻石，此文三句一韻，人多作兩句，讀之並不得韻。又皆大篆，人多不識。雲取《史記》，讀之如流。

　　按秦皇刻石文附著《奏事》二十篇中，此一卷乃會稽石刻搨本一種，非其全也。本志集部總集類梁有《秦帝刻石文》一卷，不知是否即是此書。

一字石經周易一卷　梁有三卷。　《唐書·經籍》、《藝文志》《今字石經易篆》三卷，"篆"字似誤。

一字石經尚書六卷　《唐志》云"《今字石經尚書》五卷"，《新志》"尚書"下有"本"字，疑"十"字之誤。

一字石經魯詩六卷　《唐志》不著錄。

一字石經儀禮九卷　《唐志》云："《今字石經儀禮》四卷。"

一字石經春秋一卷　梁有一卷。　《唐志》云："《今字石經左傳經》十卷"，此梁有"一卷"，似"十卷"之誤。

一字石經公羊傳九卷　惠棟《九經古義》曰："《春秋公羊》有嚴、顏二家。蔡邕石經所定，嚴氏《春秋》也。兩《唐志》同。"

一字石經論語一卷　梁有二卷。《唐·經籍志》云蔡邕注。《藝文志》雜出兩部。

《後漢書·靈帝本紀》：熹平四年春三月，詔諸儒正五經文字，刻石立於太學門外。

又《宦者·呂強傳》：時，宦者汝陽李巡等五人稱爲清忠，皆在里巷，不爭威權。巡以爲諸博士試甲乙科，爭第高下，更相告言，至有行賂定蘭臺漆書經字，以合其私文者。乃白帝，與諸儒共刻五經文於石，於是詔蔡邕等正其文字。自後五經一定，爭者用息。

又《儒林傳序》曰："熹平四年，靈帝乃詔諸儒正定五經，刊於石碑，爲古文、篆、隸三體書法以相參檢，樹之學門，使天下咸取則焉。"注：謝承書曰："碑立太學門外，瓦屋覆之，四面欄障，開門於南，河南郡設吏卒視之。"楊龍驤《洛陽記》載朱超石與兄書云："石經文都似碑，高一丈許，廣四尺，駢羅相接。"按此謂古文、篆、隸三體，甚繆。錢氏《養新錄》已糾之，見後。

又《盧植傳》：熹平四年，拜九江太守，以疾去官。作《尚書章句》、《三禮解詁》。時，始立太學石經，以正五經文字。植乃上書曰：“臣少從通儒故南郡太守馬融受古學，頗知今之《禮記》，特多回宂。臣前以《周禮》諸經，發起粃謬，敢率愚淺，爲之解詁，而家乏，無力供繕寫上。願得將能書生二人，共詣東觀，就官財糧，專心研精，合《尚書》章句，考《禮記》失得，庶裁定聖典，刊正碑文。”按其事殆未許可。《禮記》馬、盧之本，與小戴各不同時。馬本初行，未必遵用石刻，所據殆猶是小戴之本歟？

又《蔡邕傳》：建寧中，召拜郎中，校書東觀，遷議郎。邕以經籍去聖久遠，文字多謬，俗儒穿鑿，疑誤後學。熹平四年，乃與五官中郎將堂谿典、光禄大夫楊賜、諫議大夫馬日磾、議郎張馴、韓説，太史令單颺等奏，求定六經文字，靈帝許之。邕乃自書册於碑，一本“册”作“丹”。使工鐫刻，立於太學門外，於是後儒晚學咸取正焉。及碑始立，其觀視及摹寫者，車乘日千餘兩，填塞街陌。注引《洛陽記》曰：“太學在洛城南，開陽門外。講堂長十丈，廣二丈，堂前石經四部。本碑凡四十六版，西行《尚書》、《周易》、《公羊傳》，十六碑存，十二碑毀。南行《禮記》，十五碑悉崩壞。東行《論語》二碑毀，《禮記》碑上有諫議大夫馬日磾、議郎蔡邕名。”

又《儒林·張馴傳》：馴字子儁，濟陰定陶人也。少游太學，辟公府，舉高第，拜議郎。與蔡邕共奏定六經文字。

本志篇敍曰：“又後漢鐫刻七經，著於石碑，皆蔡邕所書。相承以爲七經正字。”

長洲顧藹吉《隸辨》曰：“石經之傳，疑有五經、六經、七經之不同。《後漢書·靈帝紀》、《儒林傳》、《宦者傳》皆云五經，而《蔡邕傳》、《張馴傳》云六經，《隋志》又云七經。其目有《周易》、《尚書》、《魯詩》、《儀禮》、《春秋》、《公羊》、《論語》，而《蔡邕傳》注所引《洛陽記》，則又有《禮記》。按《禮記》本自有碑，《洛陽伽藍記》云《禮記》十五碑，悉毀壞。豈當時無傳揭之本，故不得列於目耶？以愚論之，《靈帝紀》、《儒林》、《宦者》、

《盧植傳》所云五經者，以《儀禮》、《禮記》爲一經，《春秋》、《公羊》爲一經，與《周易》、《尚書》、《魯詩》爲五經，實則七經也。《蔡邕》、《張馴傳》所云六經者，益之以《論語》而爲六也。按《唐書·經籍志》有《今字石經論語》二卷，蔡邕注。隸書，唐謂之今字。《隸釋》載《論語》殘碑，有盍、毛、包、周，有無不同之説。此即邕所注者，蓋當時詔定者五經。邕乃奏定六經，益之以《論語》。張馴與邕共奏定六經，故其傳亦曰六經也。然則漢碑乃有八經。”

侯康《補後漢書藝文志》曰：“康按石經經數，諸家互有論辨，惟顏氏《隸辨》之文較確。至一字之爲漢立，三字之爲魏立。自趙明誠、洪景伯以來，久有定論，故不復及云。”

張氏《書目答問》：漢熹平石經，殘字六百七十五字。翁方綱重摹南昌府學石本，紹興府再摹石本。《漢石經殘字考》，翁方綱撰。《復初齋集》本。又馮登府《補考》，自刻本。

梁有《今字石經鄭氏尚書》八卷，亡。

梁有《毛詩》二卷，亡。

《唐書·經籍》、《藝文志》：《今字石經鄭玄尚書》八卷，《今字石經毛詩》三卷。

侯康《補三國藝文志》曰：“《唐志》所云‘今字’者，皆一字。蓋指隸書一體也。一字本漢時所建，而《毛詩》、鄭氏《尚書》，後漢不立學官，必無刊石之理。全祖望謂是黃初時邯鄲淳補修，引魚豢《魏略·儒宗傳序》曰‘黃初元年之後，新王乃始掃除太學灰炭，補舊石碑之闕壞’云云爲證。按見《魏志·王肅傳》注。謂是時，淳方以博士給事中，是補正熹平隸字舊刻者，淳也。且謂《隋志》以正始石經爲一字，其誤即原於此。全氏并欲以《隋志》之《魯詩》、《儀禮》、《春秋》石經盡歸之邯鄲淳，則未敢從。蓋漢碑本有八種也。”

又曰："全氏之意，以熹平黃初所立石經皆一字，正始所立乃是三字，諸家但知有熹平、正始二刻，全氏細繹史注，乃知復有黃初補刻也。"

一字石經典論一卷

《魏志·明帝本紀》：太和四年春二月戊子，詔太傅三公以文帝《典論》刻石，立於廟門之外。

又《齊王本紀》："景初三年二月，西域重譯獻火浣布，詔大將軍、太尉臨試以示百僚。"注引《搜神記》曰："漢世西域獻火浣布，中間久絕。至魏初，時人疑其無有。文帝以爲火性酷烈，無含生之氣，著之《典論》，明其不然之事，絕智者之聽。及明帝立詔，三公曰：'先帝昔著《典論》，不朽之格言，其刊石於廟門之外及太學，與石經並，以永示來世。'至是西域使至，而獻火浣布焉。於是刊滅此論，而天下笑之。"臣松之昔從征西至洛陽，歷觀舊物，見《典論》石在太學者尚存，而廟門外無之。按征西即宋武時，在晉義熙中。

《太平御覽·文部》：《西征記》曰："太學堂前石碑四十版，表裏隸書，《尚書》、《周易》、《公羊傳》、《禮記》四部，石壤相連，多崩敗。又有魏文《典論》六碑，今四存二敗。"按此《西征記》，或謂即戴延之撰。時亦在晉安帝義熙十二年也。

後魏羊衒之《洛陽伽藍記》曰："魏文帝作《典論》六碑，至太和十七年猶有四存。"按太和十七年，當齊武帝永明十七年。

本志子部儒家：《典論》五卷，魏文帝撰。

侯康《補三國藝文志》曰："裴松之既偁'刊滅此論'，又云'《典論》石在太學者尚存'。《伽藍記》亦云'猶有四存'。《隋志》亦有《一字石經典論》一卷，意當時所謂刊滅者，第刊去火浣布一條。至於六碑，則仍立於太學，故裴松之、羊衒之等並得見焉。"

三字石經尚書九卷　**梁有十三卷。**　　兩《唐志》不載。

三字石經尚書五卷　兩《唐志》:《三字石經尚書古篆》三卷。

三字石經春秋三卷　**梁有十二卷。**　兩《唐志》:《三字石經左傳古篆書》十三卷。

《晉書·衛恒傳》:恒作《四體書勢》曰:"魏初傳古文者,出於邯鄲淳。恒祖敬侯覬寫淳《尚書》,後以示淳,而淳不別。至正始中,立三字石經,轉失淳法,因科斗之名,遂效其形。"

《太平御覽·文部》:《西征記》曰:"國子堂前有列碑,南北行三十五版,刻之表裏,書《春秋》經、《尚書》二部,大篆、隸、科斗三種字,碑長八尺。今有十八版存,餘皆崩。"

本志篇敍曰:"後漢鐫刻七經,著於石碑,皆蔡邕所書。魏正始中,又立一字石經,相承以爲七經正字。後魏之末,齊神武執政,自洛陽徙於鄴都,行至河陽,值岸崩,遂没於水。其得至鄴者,不盈太半。至隋開皇六年,又自鄴京載入長安,置於祕書内省,議欲補緝,立於國學。尋屬隋亂,事遂寢廢,營造之司,因用爲柱礎。貞觀初,祕書監臣魏徵始收聚之,十不存一。其相承傳拓之本,猶在祕府,并秦帝刻石,附於此篇云。"

《經義考》曰:"魏石經,本屬三字,惟《典論》一卷,乃一字爾。世傳經爲邯鄲淳所書,而《晉書·衛恒傳》謂'正始中立三字石經,轉失淳法',其非淳書,明矣。《趙至傳》云'年十四詣洛陽,游太學,遇嵇康於學,寫石經,徘徊不能去'。嵇紹亦曰:'至入太學,覩先君在學寫石經古文。'然則正始石經,實康等所書也。"

錢大昕《十駕齋養新録》曰:"《經籍志》稱'一字石經'者凡七部。三字石經者,三部。其編次一字在三字之前,是一字爲漢刻,三字爲魏刻也。其序説云'後漢鐫刻七經,皆蔡邕所書。魏正始中，又立一字石經'。此'一字'當爲'三字'之誤。蓋蔡中郎所書祇有隸體，魏刻乃有古文、篆、隸三體。漢刻本無一字之名，魏晉而下，稱漢刻爲一字，取別於魏之三字耳。其誤始於范蔚宗，而《隋志》因之。"

孫星衍《魏三體石經遺字考》序曰："《隸續》所載三字石經，蓋魏正始中立石。宋皇祐時，蘇望得搨本摹刻於洛陽，古文三百七，篆文二百十七，隸書二百九十五，凡八百一十九，爲《尚書·大誥》、《吕刑》、《文侯之命》。《春秋左氏》桓、莊、宣、襄四公經文，亦有傳。蘇氏又以《尚書》、《春秋左氏》錯雜成文，命爲《左傳》，不加分別。蒙就《隸續》所載，理而董之。"

張氏《書目答問》：《魏三體石經殘字考》二卷，孫星衍撰。《平津館叢書》本，又馮登府補考本。

以上自《秦王東巡刻石文》至此，皆漢魏石經，附以《典論》，別爲一類。《志》序亦言之甚明也。

右一百八部，四百四十七卷。通計亡書，合一百三十五部，五百六十九卷。實著録一百十一部，附著録亡書三十七部，通計一百四十八部。

凡六藝經緯六百二十七部，五千三百七十一卷。通計亡書，合九百五十部，七千二百九十卷。實在著録六百四十五部，附著録亡書三百四十三部，通計九百八十八部。

按經部總敍有曰："至後漢好圖讖，晉世重玄言，穿鑿妄作，日以滋生。先王正典，雜之以祅妄；大雅之論，汩之以放誕。陵夷至於近代，去正轉疏，無復師資之法。學不心解，專以浮華相尚，豫造雜難，擬爲讎對，遂有芝角、反對、互從等諸翻競之説。馳騁煩言，以紊彝敍，讀讀成俗而不知變。

此學者之蔽也。"按所謂"豫造雜難,擬爲儲對"者,似即諸
經雜疑、難雜、答問之屬。《易》、《書》、《詩》、《禮》、《春秋》、
《論語》五經,諸家皆有之,唯禮家此類尤多。"芟角、反對、
互從等諸翻競之説"則不知何謂。先儒亦罕見有是説,大
抵説經家之名目,猶漢人通論,援孟子明事,謂之博文;唐
人科試,掩兩端開一行,謂之帖經之類者歟?

二十五史藝文經籍志

考補萃編

第十五卷

隋書經籍志考證

（第二冊）

王承略　劉心明　主編

〔清〕姚振宗　撰
劉克東　董建國
尹承　整理

清華大學出版社　北京

卷十一

史部一
正史類

史記一百三十卷目録一卷　漢中書令司馬遷撰

《太史公自序》曰：“太史公有子曰遷，遷生龍門，仕爲郎中，奉使西征巴、蜀以南，略邛、筰、昆明，還報命。是歲天子始建漢家之封，而太史公留滯周南，不得與從事，發憤且卒。執遷手而泣曰：‘余先周室之太史也，自上世常顯功名於虞夏，典天官事。今史記放絶，余爲太史而弗論載，廢天下之史文，余甚懼焉，汝其念哉！’遷俯首流涕曰：‘小子不敏，請悉論先人所次舊聞，弗敢闕。’卒三歲而遷爲太史令，紬史記石室金匱之書，五年而當太初元年，十一月朔旦冬至，天曆始改，建於明堂，諸神受紀。於是論次其文。七年而遭李陵之禍，幽於縲紲。乃喟然而歎曰：‘是余之罪也夫！是余之罪也夫！身毀不用矣。’退而深惟曰：‘夫《詩》、《書》隱約者，欲遂其志之思也。’卒述陶唐以來，至於麟止，自黃帝始。”張守節曰：“字子長，左馮翊人也。”徐廣曰：“龍門在馮翊夏陽縣。”

《西京雜記》曰：“漢承周史官，至武帝置太史公。太史公司馬談世爲太史，談死，子遷以世官復爲太史公，作《景帝本紀》，極言其短及武帝之過，帝怒而削去之。後坐舉李陵，陵降匈奴，故下遷蠶室，有怨言，下獄死。宣帝以其官爲令，行太史公文書事而已，不復用其子孫。”

《漢書》本傳：“罔羅天下放失舊聞，著十二本紀，作十表、八書、三十世家、七十列傳，凡百三十篇，五十二萬六千五百字，爲《太史公書》，藏之名山，副在京師。遷之自序云爾。而十篇缺，有録無書。遷既被刑之後爲中書令，尊寵任職。遷既死後，其書稍出。宣帝時，遷外孫平通侯楊惲祖述其書，遂宣布焉。至王莽時，求封遷後爲史通子。”又贊曰：“劉向、揚雄博極群書，皆稱遷有良史之才，服其善敍事理，辯而不華，質而不俚，其文直，其事核，不虛美，不隱善，故謂之實録。”

《漢書·藝文志》六藝春秋家：《太史公》百三十篇，十篇有録無書。

《後漢書·班彪傳》：彪既才高而好述作，遂專心史籍之間。武帝時，司馬遷著《史記》，自太初以後，闕而不録，後好事者頗或綴集時事，然多鄙俗，不足以踵繼其書。彪乃繼采前世遺事，傍貫異聞，作後傳數十篇，因斟酌前史而譏正其得失。其略論曰：“唐虞三代，《詩》、《書》所及，世有史官，以司典籍；暨於諸侯，國自有史，故孟子曰：‘楚之《檮杌》，晉之《乘》，魯之《春秋》，其事一也。’定、哀之間，魯君子左丘明論集其文，作《左氏傳》三十篇，又撰異同，號曰《國語》二十篇。由是《乘》、《檮杌》之事遂闇，而《左氏》、《國語》獨章。又有記録黃帝以來至春秋時帝王公侯卿大夫，號《世本》十五篇。春秋之後，七國並爭，秦并諸侯，則有《戰國策》三十三篇。漢興定天下，太中大夫陸賈記録時功，作《楚漢春秋》九篇。孝武之世，太史令司馬遷采《左氏》、《國語》，删《世本》、《戰國策》，據楚、漢列國時事，上自黃帝，下訖獲麟，作本紀、世家、列傳、書、表，凡百三十篇，而十篇缺焉。遷之所記，從漢元至武以絶，則其功也。至於采經摭傳，分散百家之事，甚多疏略，不如其本，務欲以多聞廣載爲功，論議淺而不篤。其論術學，則崇黃老而薄五經；序貨殖，則輕仁義而羞貧窮；道游俠，則賤守節而貴俗功：此其大敝傷道，所以遇極刑之咎也。然善述序事理，辯而不華，質而不俚，文質相稱，蓋良史之才也。誠令遷依五經之法言，同聖人之是非，意亦庶幾矣。夫百家之書，猶可法也。若《左氏》、《國語》、《世本》、《戰國策》、《楚漢春秋》、《太史公書》，今之所以知古，後之所由觀前，聖人之耳目也。司馬遷序帝王則曰本紀，公侯傳國則曰世家，卿士特起則曰列傳。又進項羽、陳涉而黜淮南、衡山，細意委曲，條例不經。若遷之著作，采獲古今，貫穿經傳，至廣博也。一人之精，文重思煩，故其書刊落不盡，尚有盈辭，多不齊一。若序司馬相如，舉郡縣，著其字；蕭、曹、陳平之屬，及董仲舒並時之人，不記其字，或縣而不郡者，蓋不暇也。”

張晏《漢書》注曰：“遷没之後，亡《景紀》、《武紀》、《禮書》、《樂書》、《兵書》、《漢興已來將相年表》、《日者列傳》、《三王世家》、《龜策列傳》、《傅靳列傳》。元、成之間，褚先生補闕，作《武紀》、《三王世家》、《龜策》、《日者傳》，言辭鄙陋，非遷之本也。”師古曰：“序目本無‘兵書’，張云亡失，此説非也。”

《史通·六家篇》：“史記家者，其先出於司馬遷。自五經間行，百家競列，事跡錯糅，前後乖舛，至遷乃鳩集國史，采訪家人，上起黄帝，下窮漢武，紀傳以統君臣，書表以譜年爵。合百三十卷。因魯史舊名，目之曰《史記》。自是漢世史官所續，皆以‘史記’爲名。”又《正史篇》云：“孝武之世，太史公司馬談欲錯綜古今，勒成一史。其意未就而卒。子遷乃述父遺志，作十二本紀、十表、八書、三十世家、七十列傳，凡百三十篇。而十篇未成，有録而已。張晏《漢書》注曰：‘十篇遷殁後亡失。’此説非也。”

《唐書·經籍志》：《史記》一百三十卷，司馬遷作。

《唐書·藝文志》：司馬遷《史記》一百三十卷。

《玉海·藝文類》東萊呂氏曰："以張晏所列亡篇之目校之《史記》，或其篇具在，或草具而未成，非皆無書也。唯《武紀》終不見。"

殿本《史記》考證：尚書臣張照曰："班固作史時，十篇雖亡，而或後人得之。若河內女子《舜典》二十八字之類，亦屬事之所有。至《孝武本紀》，更與餘篇不同，《自敍》目內並不云《孝武本紀》也。遷死於武帝之前，安得有孝武之稱？目云作《今上本紀》，夫既曰《今上本紀》，則自當有目無書。且遷作本紀，自黃帝以至武帝，則自當無書而有其目。班固云十篇缺，並不載何十篇缺，則固意數《今上本紀》與否，尚未可知。後人奮起補之，補之而又全錄《封禪書》，以爲《孝武本紀》，愚陋妄謬極矣！恐褚先生亦不至於此。張晏所謂'褚先生補'者，亦臆説也。"

王鳴盛《十七史商推》曰："《漢書》所謂十篇有錄無書者，今惟《武紀》灼然全亡，《三王世家》、《日者》、《龜策傳》爲未成之筆，但可云缺，不可云亡，其餘皆不見所亡何篇。"

錢大昕《十駕齋養新錄》曰："古人書，目錄皆在篇末，太史公之《自序》，班孟堅之《敍傳》，即目錄也。今《史》、《漢》目錄出於後人增加，考《隋書·經籍志》'《史記》一百三十卷'之下注云'目錄一卷'，則《史記》之有目錄，隋時已然。"

按《史記·三王世家》褚先生曰："臣幸得以文學爲侍郎，好覽觀太史公之列傳。"又《龜策傳》曰："臣以通經術，受業博士，治《春秋》，以高第爲郎，得宿衛，出入殿中十有餘年，竊好太史公傳。"又《漢書·儒林·詩家王式傳》："沛褚少孫亦來事式，應博士弟子選。"又曰："褚生爲博士，由是《魯詩》有褚氏學。"又《武帝本紀》《索隱》引張晏云："褚先生，潁川人，仕元、成間。"韋稜云："《褚顗家傳》：褚少孫，梁相褚大弟之孫，宣帝時爲博士，寓居沛，事大儒王式，故號'先生'，續《太史公書》。"褚少孫事跡見於《史》、《漢》傳注者，大略如此。蓋在漢時以《魯詩》名家，兼習《春秋》者也。今本《史記》固非史公原本，亦非褚少孫所補之原本。十篇之內有史公原文，不盡出少孫所補，而少孫所補有見於十篇之外者，少孫之外亦有後人竄入者。陽湖趙翼《廿二史劄記》言之詳矣。

又按少孫及後人所補，今可考見者，爲《武帝本紀》、《三代世表》贊、《建元以來侯者年表》、《禮書》、《樂書》、《曆書》、《陳涉世家》贊、《外戚世家》、《梁孝王世家》、《三王世家》、《張丞相列傳》、《田叔列傳》、《滑稽列傳》、《日者列傳》、《龜策列傳》，凡十有五篇。又《匈奴傳》末張晏云："自狐鹿姑單于以下，皆劉向、褚先生所錄。班彪又撰而次之，所以《漢書·匈奴傳》有上、下兩卷。"則褚所補，且有在《漢書》者，蓋褚既補史公書之外，又有所續焉。

史記八十卷　宋南中郎外兵參軍裴駰注

《宋書·裴松之傳》：松之，河東聞喜人也。子駰，南中郎參軍，注司馬遷《史記》，行於世。

駰自序曰："故中散大夫徐廣爲作《音義》，具列異同。聊以愚管，增演徐氏。采經傳百家並先儒之說，豫是有益，悉皆抄內。刪其游辭，取其要實，或義在可疑，則數家兼列。以徐爲本，號曰《集解》。"《正義》曰："徐廣《音義》，辨諸家異同，故以徐爲本也。"

唐司馬貞《索隱》序曰："逮至晉末，有中散大夫東莞徐廣始考異同，作《音義》十三卷。宋外兵參軍裴駰又取經傳訓釋作《集解》，合爲八十卷。雖粗見微意，而未窮討論。"

又《索隱後序》曰："中兵郎裴駰，亦名家之子也，作《集解》注本，合爲八十卷，見行於代。仍云亦有《音義》，前代久已散亡。"唐張守節《正義·論注例》曰："徐中散作《音義》，校集諸本異同，或義理可通者，稱'一本云'、'又一本云'，自是別記異文，裴氏亦引之爲注也。"

《唐書·經籍志》：《史記》八十卷，裴駰集解。

《唐書·藝文志》：裴駰集解《史記》八十卷。

《宋史·藝文志》：司馬遷《史記》一百三十卷，裴駰等集注。

《四庫提要》曰："《史記集解》一百三十卷，宋裴駰撰。駰以徐廣《史記音義》粗有發明，殊恨省略，乃采九經諸史并《漢書音義》及衆書之目，別撰此書。其所引證，多先儒舊説，張守節《正義》嘗備述所引書目次。然如《國語》多引虞翻注、《孟子》多引劉熙注，《韓詩》多引薛君注，而守節未著於目，知當日援據浩博，守節不能徧數也。原本八十卷，《隋》、《唐志》著録並同。此本爲毛晉汲古閣所刊，析爲一百三十卷，原第遂不可考，然注文猶仍舊本。自明代監本以《索隱》、《正義》附入，其後又妄加删削，訛舛遂多。至坊本流傳，脱誤尤甚。此本總勝明人監本也。"

會稽章宗源《隋書經籍志考證》曰："今本一百三十卷，非裴氏之舊，陳振孫所見已然。"按章氏《考證》十三卷，唯有史部一種，已詳見于卷首《敍録》第五篇。

史記音義十二卷　宋中散大夫徐野民撰

徐野民名廣，有《毛詩背隱義》，見經部詩類。

裴駰《集解序》曰："考校此書，文句不同，有多有少，莫辨其實。而世之惑者，定彼從此，是非相貿，真僞舛雜。故中散大夫東莞徐廣研核衆本，爲作《音義》，具列異同，兼述訓解，粗有所發明，而殊恨省略。"《正義》曰："徐作《音義》十三卷，裴駰爲注,散入百三十篇。"

《索隱後序》曰:"宋中散大夫徐廣作《音義》一十卷,唯諸記同異,於義少有解釋。"

《唐書·經籍志》:《史記音義》十三卷,徐廣撰。

《唐書·藝文志》:徐廣《史記音義》十三卷。

錢大昕《養新録》曰:"《史記》諸年表皆不記干支,注干支出於徐廣。《六國表》周元王元年,徐廣曰乙丑;《秦楚之際月表》秦二世元年,徐廣曰壬辰是也。《十二諸侯年表》共和元年亦當有'徐廣曰庚申'字,今刊本乃於最上添一格書干支,而删去徐廣注,讀者遂疑爲史公本文,曾不檢照後二篇,亦太疏矣!考徐注之例,唯於每王之元年紀干支,此表每十年輒書甲戌、甲申、甲午、甲辰、甲寅、甲子字,不特非史公正文,并非徐氏之例。其爲後人羼入,鑿鑿可據。且史公以太陰紀年,故命太初之元爲閼逢攝提格。依此上推,共和必不值庚申,則庚申爲徐注,又何疑焉?"

《小學考》曰:"按隋世諱'廣',故《隋志》以字著。廣爲邈之弟,邈爲群經音甚精,而廣特作《史記音義》,此列傳所以稱爲家世好學者歟?《索隱序》、《集解序》、《正義》俱作十三卷,《索隱後序》又作一十卷,未知孰是。"

史記音三卷　梁輕車録事參軍鄒誕生撰

鄒誕生有《要用字對語》,見經部小學類。

司馬貞《索隱》序曰:"南齊輕車録事鄒誕生亦作《音義》三卷,音則微殊,義乃更略。"又《後序》曰:"音則尚奇,義則罕説。"

《唐書·經籍志》:《史記音義》三卷,邵鄒生撰。此作"邵鄒生",寫誤也。

《唐書·藝文志》:鄒誕生《史記音》三卷。

古史考二十五卷　晉義陽亭侯譙周撰

譙周有《論語注》，見經部論語類。

《蜀志》本傳：凡所著述，撰定《五經論》、《古史考》書之屬百餘篇。

《晉書·司馬彪傳》：初，譙周以司馬遷《史記》書周秦以上，或采俗語百家之言，不專據正經。周於是作《古史考》二十五篇，皆憑舊典以糾遷之謬誤。彪復以周爲未盡善也，條《古史考》中凡百二十二事爲不當，多據《汲冢紀年》之義，亦行於世。按《蜀志》本傳，周卒於泰始六年之冬。後十一年，爲太康二年，汲冢竹書始出，是《汲冢紀年》爲周所不及見，然《晉書》引司馬彪之言，則甚可信。而陳壽記其師卒之歲，亦不當有誤。豈今本《蜀志》泰始當爲太康，周卒於太康六年，得見汲冢紀年，因据以爲是考歟？

《史通·正史篇》：晉散騎常侍巴西譙周，以遷書周秦以上，或采家人諸子，不專據正經，於是作《古史考》二十五篇，皆憑舊典，以糾其繆。今則與《史記》並行於代焉。

又《模擬篇》曰：“當秦有天下，地廣殷、周，變諸侯爲帝王，目宰輔爲丞相。而譙周撰《古史考》，思欲擯抑馬記，師放孔經。其書李斯之弃市也，乃云‘秦殺其大夫李斯’。以諸侯之大夫名天子之丞相，以此而擬《春秋》，所謂貌同而心異也。”

《唐書·經籍志》雜史類：《古史考》二十五卷，譙周撰。

《唐書·藝文志》雜史類：譙周《古史考》二十五卷。

宋高似孫《史略》曰：“古書有《周考》七十六篇，顔師古曰：‘考周事也。’按見《漢志》小説家，此是班氏自注，非顔師古説。譙之名書，蓋取此。考中載呂不韋爲秦子楚行千金貨於華陽夫人，請立子楚爲嗣。及子楚立，封不韋洛陽十萬户，號文信侯。以詐獲爵，故曰竊也。其所紀往往如此。”《史略》見近刻《古逸叢書》，亦從日本國傳刻者也。

章宗源輯本序曰：“《史通·外篇》稱《古史考》與《史記》並行於代。觀知幾所言，雖與《史記》並論，證以《史考》之名，檢其逸篇體例，實異正史。《唐志》列於雜史者，是也。《文選》王元長《曲水詩》注引公孫述竊位，蜀人任永記目盲一事，蔚宗書亦載之。是又兼及後漢事，不獨糾遷書矣。《史記集解》諸書所引，或祇稱譙周，或稱《史考》，或稱《考古史》，今以本傳爲正。《晉書》司馬彪復條《古史考》中凡百二十二事，《隋》、《唐志》俱不著録，其軼文亦無引之者。”

又《隋志考證》曰：“《毛詩正義》引‘伏羲作瑟’，杜佑《通典》注引‘無句作磬’諸語。既與《世本·作篇》相類。至《史記索隱》所引《周紀》不窋，《秦紀》處父等事，詞意多主辨駁，體裁實異正史。《唐志》列諸雜史類，得之。”

孫氏《平津館叢書校刊序》曰：“故友章孝廉所輯《古史考》一册，略爲整理，付之剞劂，此其手定稿之一也。”

按是書專爲考《史記》百三十篇而作，每篇皆有所考，就所存佚文觀之，其體例略可想見。蜀人任永一事，或其論辨中語所引《世本·作篇》，則其考補之辭。本志列《史記》一類之末，正得體裁。章氏一再言《唐志》入雜史爲得，實未得也。

漢書一百一十五卷　漢護軍班固撰　太山太守應劭集解　“應劭”當爲“蔡謨”。

班固有《太甲篇》、《在昔篇》，見經部小學類。應劭別見後條。《太平御覽·文部·史傳類》：《後漢書》曰：“班彪續司馬遷《後傳》數十篇，未成而卒。明帝命其子固續之，固以史遷所記乃以漢氏繼百王之末，非其義也。大漢當可獨立一史，故上自高祖，下終王莽，爲紀、表、傳、志九十九篇。”按此文與范書異，不知誰家《後漢書》。今輯本《東觀漢記》及《七家後漢書》皆無之。

范書本傳：固以彪所續前史未詳，乃潛精研思，欲就其業。既而有人上書顯宗，告固私改作國史者，有詔下郡，收固繫京兆獄，盡取其家書。先是，扶風人蘇朗僞言圖讖事，下獄死。固弟超恐固爲郡所覈考，不能自明，乃馳詣闕上書，得召見，具言固所著述意，而郡亦上其書。顯宗甚奇之，召詣校書部，除蘭臺令史，與陳宗、尹敏、孟異共成《世祖本紀》。遷爲郎，典校祕書。固又撰功臣列傳、載記二十八篇，奏之。帝乃復使終成前所著書。固以爲漢紹堯運，以建帝業，至於六世，史臣乃追述功德，私作本紀，編於百王之末，廁於秦、項之列，太初以後，闕而不錄，故探撰前記，綴集所聞，以爲《漢書》。起元高祖，終於孝平王莽之誅，十有二世，二百三十年，綜其行事，傍貫五經，上下洽通，爲《春秋》考紀、表、志、傳凡百篇。固自永平中始受詔，潛精積思二十餘年，至建初中乃成。當世甚重其書，學者莫不諷誦焉。

又《列女·班昭傳》：兄固著《漢書》，其八表及《天文志》未及竟而卒。和帝詔昭就東觀藏書閣踵而成之。及書始出，多未能通者。同郡馬融伏於閣下，從昭受讀，後又詔融兄續繼昭成之。按《馬援傳》“援兄子嚴，嚴七子，唯續、融知名。續字季則，博觀群籍，通《論語》，明《尚書》，治《詩》，善《九章算術》。順帝時，至護羌校尉，遷度遼將軍。融自有傳”云。

《史通·六家篇》：“《漢書》家者，其先出於班固。馬遷撰《史記》，終於‘今上’，自太初已下，闕而不錄。班彪因之，演成《後記》，以續前篇。至子固，乃斷自高祖，盡於王莽，爲十二紀、八表、七十列傳，勒成一史，目爲《漢書》。尋其創造，皆準子長，但不爲‘世家’、改‘書’曰‘志’而已。自東漢以後，作者相仍，皆襲其名號，無所變革。歷觀自古史之所載也，《尚書》記周事，終秦穆；《春秋》述魯史，止哀公；《紀年》不逮於魏亡;《史記》唯論於漢始。如《漢書》者,究西都之首末,窮劉氏之廢興,包舉一代,撰成一書,言皆精練,事甚該密。故學者尋討,易爲其功,自爾迄今,無改斯道。"

又《正史篇》曰:"《史記》所書,年止漢武。太初已後,闕而不錄。其後劉向、向子歆及諸好事者,若馮商、衛衡、揚雄、史岑、梁審、肆仁、晉馮、段肅、金丹、馮衍、韋融、蕭奮、劉恂等,相次撰續,迄於哀、平間,猶名《史記》。至建武中,司徒掾班彪以爲其言鄙俗,不足以踵前史。又雄、歆褒美僞新,誤後惑衆,不當垂之後代。於是采其舊事,旁觀異聞,作《後傳》六十五篇。其子固以父所撰未盡一家,乃起元高皇,終乎王莽,爲《漢書》百篇。固後坐竇氏事,卒於洛陽獄。書頗散亂,莫能綜理。其妹曹大家博學能屬文,奉詔校敍。又選高才郎馬融等十人,從大家受讀。其八表及《天文志》等,猶未克成,多是待詔東觀馬續所作。而《古今人表》尤不類本書。始自漢末,迄乎陳世,爲其注解者,凡二十五家,至於專門受業,遂與五經相亞。"按此所載漢人續《史記》者,凡十五家。又有褚少孫,見《匈奴傳》注。

《玉海·藝文》曰:"劉昭《補志序》云續志昭表,以是推之,八表其班昭所補,《天文志》其馬續所成歟?"按《續漢書·天文志》有明文云:"孝明帝使班固敍《漢書》,而馬續制述《天文志》。"

《晉書·蔡謨傳》:謨博學於禮儀、宗廟制度,多所議定,總應劭以來注班固《漢書》者,爲之集解。蔡謨有《喪服譜》,見經部禮類。

顏師古《漢書敍例》曰:"《漢書》舊無注解,唯服虔、應劭各爲音義,自別施行。至典午中朝,晉灼集爲一部,凡十四卷。有臣瓚者,又總集諸家音義,凡二十四卷。蔡謨全取臣瓚一部,散入《漢書》。自此以來,始有注本。但意浮功淺,不加隱括,屬輯乖舛,錯亂實多;或乃離析本文,隔其辭句,穿鑿妄起。職此之由,與未注之前大不同矣。謨亦有兩三處錯意,然於學者竟無弘益。"按《漢書》注本自蔡謨始，顏氏云云，即指本志此書而言，《史記索隱序》云蔡謨集注之時，已有二十四家之說，亦謂此本也。

《唐日本國見在書目》：《漢書》一百一十五卷，漢護軍班固撰，太山太守應劭集解。按所錄多本《隋志》，故亦云"應劭集解"。

《唐書·經籍志》：《漢書》一百十五卷，班固作；又一百二十卷，顏師古注。

《唐書·藝文志》：班固《漢書》一百一十五卷，顏師古注《漢書》一百二十卷。

《宋史·藝文志》：班固《漢書》一百卷，顏師古注。

《四庫簡明目錄》曰："《漢書》一百二十卷，漢班固撰，其妹昭續成之。唐顏師古注。然《地理志》、《藝文志》中有固自注，或併引爲師古，非也。固原書次第備見於《敍傳》之中，而《南史·劉之遴傳》別有《漢書》真本之說，顛倒其篇目，竄亂其字句，實爲謬妄。故今所傳本，悉不從之遴說焉。"

章氏《考證》："今存顏師古注本，較應劭本多五卷。《唐志》兩本並存，而脫'應劭集解'四字。"按章氏以此爲應劭本，不知實蔡謨本也。

漢書集解音義二十四卷　應劭撰 按"應劭"當爲"臣瓚"。

《後漢書·應奉傳》：奉，汝南南頓人也。仕至司隸校尉。子劭，字仲遠，少篤學，博覽多聞。靈帝時舉孝廉，辟車騎將軍何苗掾。中平三年，舉高第，再遷，六年，拜太山太守。興平元年，前太尉曹嵩及子德從琅邪入太山，劭遣兵迎之，未到，而徐州牧陶謙素怨嵩子操數擊之，乃使輕騎追嵩、德，並殺之於郡界。劭畏操誅，棄郡奔冀州牧袁紹。爲駁議三十篇，又刪定律令爲《漢儀》，建安元年奏上，獻帝善之。二年，詔拜劭爲袁紹軍謀校尉。時始遷都於許，舊章堙沒，乃綴集所聞，著《漢官禮儀故事》。初，父奉爲司隸時，並下諸官府郡國，各上前人像贊，劭乃連綴其名，錄爲《狀人紀》，又論當時行事，著

《中漢輯序》，撰《風俗通》。凡所著述百三十六篇。又集解《漢書》，皆傳於時。後卒於鄴。弟子瑒、璩，並以文才稱。按《風俗通》佚文曰：“余爲營陵令，在事五月，遷太山太守。”《魏志·武紀》興平元年注：郭頒《魏晉世語》曰：“嵩在泰山華縣，太祖令泰山太守應劭送家詣兗州，劭兵未至，陶謙密遣騎掩捕嵩家，闔門皆死，劭懼，棄官赴袁紹。後太祖定冀州，劭時已死。”按曹操入鄴定冀州在建安九年八月，劭卒當在是年八月之前。

顏師古《漢書敍例》曰：“《漢書》舊無注解，唯服虔、應劭等各爲音義，自別施行。有臣瓚者，莫知氏族，考其時代，則在晉初。又總集諸家音義，稍以己之所見續廁其末，舉駁前説，喜引《竹書》，自謂甄明，非無差爽，凡二十四卷，分爲兩帙。今之《集解音義》，則是其書，而後人見者，不知臣瓚所作，乃謂之應劭等集解。王氏《七志》、阮氏《七録》並題云然，斯不審耳。”

又諸家注釋名氏爵里曰：“應劭字仲瑗，一字仲援，一字仲遠，汝南南頓人。後漢蕭令、御史、營令、泰山太守。”按“蕭令御史”，范書本傳略去。“營令”當是“營陵令”，此敚“陵”字。范書亦節去，但云再遷也。

《唐書·經籍志》：《漢書集解音義》二十四卷，應劭撰。

《唐書·藝文志》：應劭《漢書集解音義》二十四卷。按兩志相承，題爲應劭，實非也。

錢大昕《養新録》曰：“《隋·經籍志》：《漢書集解音義》二十四卷，應劭撰。按顏氏《漢書敍例》云云，知《隋志》所載即臣瓚所集，非出於應劭一人。《隋志》多承阮《録》舊文，則應劭下當有‘等’字，傳寫失之也。”按應劭原本當亡於永嘉之亂，其卷數亦莫得而詳，此二十四卷，實臣瓚書，特相承題爲應劭耳。

《小學考》曰：“按《集解》，《隋志》已與本書並著，仍別出此書者，當如今《索隱》已附《史記》而別有單行本歟？抑《集解》附本書而此更有《音義》歟？其連稱《集解音義》，或併將《集解》文字而音訓之，不特爲史文作音訓歟？”按本志應劭兩書，實蔡謨、臣瓚本也。顏監發之甚詳，謝氏又何疑而爲是説乎？

侯康《補後漢書藝文志》曰:"《隋志》有應劭書,無臣瓚書。据顏氏《序例》,蓋誤以瓚書爲應書也。"按諸書引應劭《地理風俗記》,似即劭《音義》中之語。

漢書音訓一卷　　服虔撰

服虔有《左氏傳解誼》,見經部春秋家。

《唐書·經籍志》:《漢書音訓》一卷,服虔撰。

《唐書·藝文志》:服虔《漢書音訓》一卷。

元李冶《敬齋古今黈》曰:"《霍去病傳》'爲票姚校尉',服虔曰音'飄搖',此二字《集韻》皆收入去聲,杜詩悉作平聲,則實用服注也。"

又曰:"《漢書·陳涉傳》曰:'藉弟令無斬,而戍死者固什六七。'注引服虔曰:'藉,猶借也。弟,使也。'與《史記》服注不同。《史記》服注曰:'藉,假也。弟,次第也。'冶曰:服説'次第',非也。'第'本訓'但',云亦'且'意。此言'藉第令無斬',猶云假且使不殺。"

王鳴盛《十七史商榷》曰:"裴駰《史記集解》於《左氏傳》引服虔注,亦襲取服虔《漢書》注。"

漢書音義七卷　　韋昭撰

韋昭有《毛詩答雜問》,見經部詩類。

《唐書·經籍志》:《漢書音義》七卷,韓韋撰。

《唐書·藝文志》:韋昭《漢書音義》七卷。

李冶《古今黈》曰:"《漢書·刑法志》'中刑用刀、鋸,其次用鑽、鑿',韋昭曰:'鑽,臏刑也。鑿,黥刑也。'韋以鑿爲黥刑,誤矣。黥復何事於鑿?"

章氏《考證》曰:"韋昭,《舊唐志》訛作'韓韋'。"

漢書音二卷　　梁潯陽太守劉顯撰

《梁書》本傳:顯字嗣芳,沛國相人。好學,博涉多通。天監初，舉秀才，累遷尚書儀曹侍郎兼中書舍人、步兵校尉，與河東裴子野、南陽劉之遴、吳郡顧協，連職禁中，遞相師友，時人莫不慕之。顯博聞強記，過於裴、顧，遷尚書左丞、國子博士、雲麾邵陵王長史、尋陽太守。大同九年卒，年六十三。第三子臻，早著名。

《顏氏家訓・書證篇》：《漢書》"田肎賀上"，江南本皆作"宵"字。沛國劉顯，博覽經籍，徧精班《漢》，梁代謂之《漢》聖。顯子臻，不墜家業。讀班史，呼爲"田肎"。梁元帝嘗問之，答曰："此無義可求，但臣家舊本，以雌黃改'宵'爲'肎'。"元帝無以難之。《北史・文苑・劉臻傳》："精於兩《漢書》，時人稱爲《漢》聖。"

漢書音二卷　夏侯詠撰

夏侯詠有《四聲韻略》，見經部小學類。

《唐書・經籍志》：《漢書音義》二卷，夏侯泳撰。一本無"音義"二字；"詠"作"俅"，"俅"蓋"泳"之寫誤。

《唐書・藝文志》：夏侯泳《漢書音》二卷。兩志皆作"泳"，亦似"詠"之誤。

《小學考》曰："夏侯詠，無考。"

章氏《考證》曰："愚按應劭已下四書，劭與服虔、韋昭，《漢書》師古注皆引其語，惟夏侯詠未見。"按應劭至此有五家，章氏漏劉顯一家，遂以爲四書。

漢書音義十二卷　國子博士蕭該撰

《北史・儒林傳》：蕭該，蘭陵人。梁鄱陽王恢之孫，少封攸侯。荆州平，與何妥同至長安。性篤學，《詩》、《書》、《春秋》、《禮記》並通大義，尤精《漢書》，甚爲貴游所禮。開皇初，賜爵山陰縣公，拜國子博士。奉詔與妥正定經史。然各執所見，遞相是非，久而不能就。上譴而罷之。該後撰《漢書音義》，爲當時所貴。

《唐日本國見在書目》:《漢書音義》十二卷,隋國子博士蕭該撰。

《唐書·經籍志》:《漢書音義》十二卷,蕭該撰。

《唐書·藝文志》:蕭該《漢書音》十二卷。

《宋史·藝文志》經部小學類:蕭該《漢書音義》三卷。

宋宋祁《筆記》曰:"余曾見蕭該《漢書音義》若干篇,時有異議。然本書十二篇,今無全本,顏監集諸家《漢書》注,獨遺此不收。疑顏當時不見此書,今略紀於後云。"

章氏《考證》曰:"《隋書·蕭該傳》'該撰《漢書音義》,爲當時所貴'。章懷《後漢書·隗囂傳》、《劉伯升傳》引之。"

按《史記》、兩《漢》注所引蕭該《音義》,皆宋景文校《漢書》時所采入,實不止章氏所舉兩條。往曾見有輯本一卷,不記誰所録也。

漢書音十二卷　廢太子勇命包愷等撰

《北史·儒林傳》:包愷字和樂,東海人。其兄愉,明五經,愷悉傳其業。及從王仲通受《史記》、《漢書》,尤稱精究。大業中,爲國子助教。於時《漢書》學者以蕭、包二人爲宗,遠近聚徒教授者數千人。卒,門人起墳立碣焉。

本志篇敍曰:"《史記》、《漢書》,師法相傳,並有解釋。梁時,明《漢書》有劉顯、韋稜,陳時有姚察,隋代有包愷、蕭該,並爲名家。《史記》傳者甚微。"

《唐書·經籍志》:《漢書音義》十二卷,包愷撰。

《唐書·藝文志》:包愷《漢書音》十二卷。

《小學考》曰:"按《隋志》注曰廢太子勇命愷等爲之,非一人手也。"

漢書集注十三卷　晉灼撰

顏師古《漢書序例》曰:"《漢書》舊無注解,唯服虔、應劭等各爲音義，自别施行。至典午中朝，爰有晉灼集爲一部，凡十四卷；又頗以意增益，時辨前人當否，號曰《漢書集注》。屬永嘉喪亂，金行播遷，此書雖存，不至江左。自東晉迄於梁、陳，南方學者皆弗之見。"又曰："晉灼，河南人，晉尚書郎。

《唐書·經籍志》：《漢書集注》十四卷，晉灼注。

《唐書·藝文志》：晉灼《漢書集注》十四卷，又《音義》十七卷。

《小學考》曰："按《隋志》但載其《集注》，《唐志》並載《音義》十七卷。"

章氏《考證》曰："釋慧遠《華嚴音義》引有《漢書集注》，而不題晉灼名，未知即灼書否。《唐志》十四卷，又《音義》十七卷，《隋志》不著録。"

　按錢大昕《十駕齋養新録》曰："晉灼《集解》十四卷不載於《隋志》，則師古所謂東晉迄於梁、陳，南方學者皆未之見，王、阮既未著録，故《隋志》遺之也。"又《養新餘録》云："《隋書·經籍志》遺漏晉灼《漢書集解》十四卷、宋孝王《關東風俗傳》。"按《風俗傳》誠如所云，若晉灼《集解》，明明著録十三卷，唯缺其一卷耳。錢氏一再言遺漏，未詳其旨，豈此十三卷非晉灼書歟？兩《唐志》何以又著録相同耶？至顏氏謂此書雖存，南方弗見，則其書行於北方。至隋，南北混壹，故《隋志》始著於録，其事本無可疑，不知錢氏何以云爾。《新唐志》別出《音義》十七卷，據顏氏説，集諸家音義爲集注，即此書之別本，非集注之外，別有音義也。

漢書注一卷　齊金紫光禄大夫陸澄撰

《南齊書》本傳："澄字彦淵，吳郡吳人也。少好學博覽，無所不知，行坐眠食，手不釋卷。仕宋，至御史中丞。入齊，累遷國子祭酒。隆昌元年，以老疾，轉光禄大夫，加散騎常侍，未拜，卒，年七十。謚靖子。當世稱爲碩學。

《唐書·經籍志》:《漢書新注》一卷,陸澄撰。

《唐書·藝文志》:陸澄《漢書新注》一卷。

按其後又云"梁有陸澄注《漢書》一百二卷,亡",此殆從百二卷中抄出者歟?抑百二卷之外,別有此雜注一卷,兩《唐志》誤"雜注"爲"新注"歟?

漢書續訓三卷　梁北平諮議參軍韋稜撰

《梁書·韋叡傳》:叡,京兆杜陵人。自漢丞相賢以後,世爲三輔著姓。叡弟三子稜,字威直,性恬素,以書史爲業,博物彊記,當世之士,咸就質疑。起家安成王府行參軍,稍遷治書侍御史、太子僕、光禄卿。著《漢書續訓》三卷。《南史·韋叡附傳》云位終光禄卿,著《漢書續訓》二卷。

《唐書·經籍志》:《漢書續訓》二卷,韋稜撰。

《唐書·藝文志》:韋稜《漢書續訓》二卷。

錢大昕《隋書考異》曰:"《經籍志》:《漢書續訓》三卷,梁北平諮議參軍韋稜撰。北平當作平北。"

漢書訓纂三十卷　陳吏部尚書姚察撰

《陳書》本傳:察字伯審,吳興武康人也。梁簡文時,仕至尚書駕部郎,元帝授察原鄉令。陳太建中,以通直散騎常侍報聘於周。使還,累遷吏部尚書。陳滅入隋,開皇十三年,襲封北絳郡公。按察父僧坦,《北史·藝術傳》作僧垣,精醫術。仕梁,爲太醫正。西魏克江陵,隨于謹入長安。入周,至隋封北絳郡公。至是卒,故察襲其封。察往歲聘周,因得與父僧坦相見,至是承襲,愈更悲感。年七十四,大業二年終於東都。察於墳籍無所不覩,專志著書,白首不倦,手自抄撰,無時或輟,尤好研覈古今,誼正文字。所著《漢書訓纂》三十卷,《説林》十卷,《西聘》、《玉璽》、《建康三鍾》等記各一卷,並行於世。

《新唐書·姚思廉傳》:思廉孫璹,璹弟班,班曾祖察,嘗撰《漢書訓纂》。而後之注《漢書》者，多竊取其義爲己説。班著《紹訓》，以發明舊義云。按《唐·藝文志》有姚珽《漢書紹訓》四十卷。

《唐書·經籍志》：《漢書訓纂》三十卷，姚察撰。

《唐書·藝文志》：姚察《漢書訓纂》三十卷。

章氏《考證》曰：“《華嚴經》、《一切經音義》、杜佑《通典·州郡門》、《太平寰宇記·河南道》並引《訓纂》文，《史記音義》亦引之。”

漢書集解一卷　姚察撰

按此一卷，本傳及兩《唐志》俱不載，或集諸家違義，本附《訓纂》之後者歟？又《訓纂》似即《集解》之異名，或是前書之録本。

論前漢事一卷　蜀丞相諸葛亮撰

《蜀志》本傳：亮字孔明，琅邪陽都人。漢司隸校尉諸葛豐後也。豐，《漢書》有列傳。父珪，字君貢，漢末爲泰山郡丞。亮早孤，從父玄爲袁術所署豫章太守，玄將亮及亮弟均之官。會漢朝更選朱皓代玄。玄素與荆州牧劉表有舊，往依之。玄卒，亮躬耕隴畝。時先主屯新野。潁川徐庶曰：“諸葛孔明者，臥龍也。將軍宜往駕顧之。”先生乃詣亮，凡三往，乃見。於是情好日密，及曹公敗於赤壁，先主收江南，以亮爲軍師中郎將。成都平，爲軍師將軍，署左將軍府事。先主即帝位，策爲丞相，録尚書事，假節領司隸校尉。後主建興元年，封武鄉侯，開府治事，領益州牧，政事無巨細，咸決於亮。十二年八月，卒於軍，時年五十四，遺命葬漢中定軍山，謚忠武侯。

《唐書·藝文志》：諸葛亮《論前漢事》一卷，又音一卷。

武威張澍輯《諸葛集》目録曰：“澍按陳壽《進集表》有云‘删除複重，以類相從’，知二十四篇者，乃是總目。其詔表、疏議、書教、戒令、論記、碑箋，各以事類相附，不以文體次比也。

《梁甫吟》、《論前漢事》等文,宜在雜言篇。"又曰:"《論前漢事》,《隋志》一卷,亦見《唐志》。今存《論光武》一篇。"又云:"澍按《隋書·經籍志》,《漢書音》一卷,蜀丞相諸葛亮撰。亦見《唐志》。"今按《漢書音》一卷,唯見《新唐志》,本志實無此文。

按本傳《出師表》有曰:"親賢臣,遠小人,此先漢所以興隆也。親小人,遠賢臣,此後漢所以傾頹也。先帝在時,每與臣論此事,未嘗不歎息痛恨於桓、靈也。"此數語,似即此一書之大旨,其殆與昭烈所論者歟?

漢書駁議二卷　晉安北將軍劉寶撰

顏師古《漢書敍例》:"劉寶,字道真,晉中書郎、河内太守、御史中丞、太子中庶子、吏部郎、安北將軍,侍皇太子講《漢書》,別有《駁義》。"宋祁曰:"景祐余靖校本云:劉寶字道宇,高平人,晉吏部侍郎。餘無説。"

《唐書·經籍志》:《漢書駁義》二卷,劉寶注。

《唐書·藝文志》:劉寶《漢書駁義》二卷。

定漢書疑二卷　姚察撰

姚察有《漢書訓纂》及《集解》,並見前。

按《陳書》本傳:"陳太建初,補宣明殿學士,除散騎侍郎、左通直。尋兼通直散騎常侍,報聘於周。江左耆舊先在關右者,咸相傾慕,沛國劉臻竊於公館訪《漢書》疑事十餘條,並爲剖析,皆有經據。臻謂所親曰:'名下定無虛士。'"此二卷,疑即劉臻所訪之十餘條歟?臻即劉顯之子,顯有《漢書音》,見前。

漢書敍傳五卷　項岱撰

項岱始末未詳。顏氏《漢書敍例》云項昭不詳何郡縣人。敍次在魏孟康之後,吳韋昭之前。疑即項昭。因避晉諱,而改爲岱。顏氏仍題其舊名,與韋昭一例者歟?

《唐書·經籍志》:《漢書敍傳》五卷,項岱撰。

《唐書‧藝文志》：項岱《漢書敍傳》八卷。

章氏《考證》曰："劉昭《續漢‧祭祀志》注引項威《漢書》注，威、岱相似，易訛。《舊唐志》五卷，《新唐志》八卷。"

按項岱別有《幽通賦注》，見本志總集類，題曰項氏。兩《唐志》作"項岱"。按班氏《幽通賦》亦在《漢書敍傳》中，項氏所注本在此五卷、八卷中，後人析出別行者也。然則項但注《序傳》，不注全書。章氏舉"項威"，恐轉爲"岱"字之誤。《文選‧史述贊》注引項岱五條，即此書。

漢疏四卷

不著撰人。

梁有《漢書孟康音》九卷，亡。

《魏志‧杜恕傳》注：《魏略》曰："孟康字公休，安平人。黃初中，康以於郭后有外屬，并受九親賜拜，遂轉爲散騎侍郎。是時，散騎皆以高才英儒充其選，而康獨緣妃嬙雜在其間，故於時皆共輕之，號爲阿九。康既無才敏，因在冗官，博讀書傳，後遂有所彈駁，其文義雅而切要，衆人乃更加意。正始中，代杜恕爲弘農太守。康之始拜，衆人雖知其有志量，以其未嘗宰牧，不保其能也。而康恩澤治能，吏民稱歌焉。嘉平末，徙渤海太守，徵入爲中書令，後轉爲監。

顏師古《漢書敍例》：孟康字公林，安平廣宗人。魏散騎侍郎、弘農太守、領典農校尉、渤海太守、給事中、散騎常侍、中書令，後轉爲監。封廣陵亭侯。

《史記集解序》正義曰："《漢書音義》中，有全無姓名者。裴氏注《史記》，直云《漢書音義》。按大顏以爲無名義，今有六卷，題云孟康，或云服虔。蓋後所加，皆非其實，未詳指歸也。"

《唐書‧經籍志》：《漢書音義》九卷，孟康撰。

《唐書‧藝文志》：孟康《漢書音義》九卷。

《小學考》曰："孟康《漢書音》,《隋志》注云已亡,而《新》、《舊唐志》俱著録,顔氏注亦多采用之。"

梁有劉孝標注《漢書》一百四十卷,亡。

《梁書·文學傳》:"劉峻字孝標,平原平原人。天監初,召入西省,與學士賀蹤典校祕書,坐事免官。高祖招文學之士有高才者,多被引進,擢以不次。峻率性而動,不能隨衆浮沈,高祖頗嫌之,故不任用。游東陽紫巖山,築室居焉。"又曰:"峻居東陽,吳會人士多從其學。普通二年卒,時年六十,門人諡曰玄靖先生。"

按《史通·補注篇》云:"孝標善於攻繆,博而且精,固以察及泉魚,辨窮河豕。嗟乎!以峻之才識,足堪遠大,而不能探賾彪、嶠,網羅班、馬,方復留情於委巷小説,鋭思於流俗短書,可謂勞而無功,費而無當者矣。"是劉知幾但知其注《世説新語》,不知其於班書已有注本百四十卷,見載《七録》者也。

梁有陸澄注《漢書》一百二卷,亡。

陸澄有《漢書注》一卷,見前。

《史通·補注篇》曰:"掇衆史之異同,補前書之所闕。若裴松之《三國志》,陸澄、劉昭《兩漢書》之類是也。"又曰:"陸澄所注班史,多引司馬遷之書,若此缺一言,彼增半句,皆采摘成注,標爲異説,有昏耳目,難爲披覽。"

梁有梁元帝注《漢書》一百一十五卷,亡。

《梁書》本紀:世祖孝元皇帝諱繹,字世誠,小字七符,高祖第七子也。大監七年生,十三年,封湘東郡王。太清元年,徙爲使持節,都督荆、雍、湘、司、郢、寧、梁、南北秦九州諸軍事,鎮西將軍、荆州刺史。三年三月,侯景寇没京師。四月,太子舍人蕭歆至江陵宣密詔,以世祖爲侍中、假黄鉞、大都督中外諸

軍事、司徒承制,餘如故。簡文大寶三年三月,王僧辨等平侯
景,傳其首於江陵。承聖元年冬十一月丙子,世祖即皇帝位
於江陵。三年九月,魏遣其柱國萬紐于謹率大衆來寇,至襄
陽,蕭詧率衆會之。十一月辛卯,江陵城陷於西魏。世祖見
執,如蕭詧營。十二月辛未,西魏害世祖,遂崩,時年四十七。
明年四月,追尊爲孝元皇帝,廟曰世祖。世祖聰悟俊朗,天才
英發。博綜群書,下筆成章,出言爲論,才辨敏速,冠絶一時。
所著《孝德傳》、《忠臣傳》、《丹陽尹傳》、《周易講疏》、《内典博
要》、《連山》、《洞林》、《玉韜》、《補闕子》、《老子講疏》、《全德
志》、《懷舊志》、《荊南志》、《江州記》、《職貢圖》、《古今同姓名
錄》、《筮經》、《式贊》、文集各若干卷,注《漢書》一百一十
五卷。

《金樓子·著書篇》:注《前漢書》十二帙,一百一十五卷。

　　按《廣弘明集》二十七載梁簡文《答湘東王書》有云"注《漢》
　　工夫,轉有次第,思見此書,有甚飢怒",即謂此《漢書》
　　注也。

東觀漢記一百四十三卷　起光武記注至靈帝長水校尉劉珍等撰

《後漢書·文苑傳》:劉珍字秋孫,一名寶,南陽蔡陽人也。少
好學。永初中,爲謁者僕射。鄧太后詔,使與校書劉騊駼、馬
融及五經博士校定東觀五經、諸子傳記、百家藝術,整齊脱
誤,是正文字。永寧元年,太后又詔珍與騊駼作建武已來名
臣傳,遷侍中、越騎校尉。延光四年,拜宗正。明年,轉衛尉,
卒官。

又《李尤傳》:安帝時,爲諫議大夫,受詔與謁者僕射劉珍等俱
撰《漢記》。

《史通·正史篇》:在漢中興,明帝始詔班固與睢陽令陳宗、長

陵令尹敏、司隸從事孟異作《世祖本記》，并撰功臣及新市、平林、公孫述事，作列傳、載記二十八篇。自是以來，春秋考記亦已煥炳，而忠臣義士莫之撰勒。於是又詔史官謁者僕射劉珍及諫議大夫李尤，雜作紀、表，名臣、節士、儒林、外戚諸傳，起自建武，訖乎永初。事業垂竟，而珍、尤繼卒。復命侍中伏無忌與諫議大夫黃景作《諸王》、《王子》、《功臣》、《恩澤侯表》、《南單于》、《西羌傳》、《地理志》。至元嘉元年，復令太中大夫邊韶，大軍營司馬崔寔，議郎朱穆、曹壽雜作《孝穆》、《崇》二皇及《順烈皇后傳》，又增《外戚傳》入安思等后，《儒林傳》入崔篆諸人。寔、壽又與議郎延篤雜作《百官表》，順帝功臣《孫程》、《郭願》及《鄭衆》、《蔡倫》等傳，凡百十有四篇，號曰《漢記》。熹平中，光祿大夫馬日磾，議郎蔡邕、楊彪、盧植，著作東觀，接續紀傳之可成者，而邕別作《朝會》、《車服》二志。後坐事徙朔方，上書求還，續成十志。會董卓作亂，大駕西遷，史臣廢棄，舊文散佚。及在許都，楊彪頗存注記。至於名賢君子，自永初已下闕續。魏黃初中，唯著《先賢表》，故《漢記》殘闕，至晉無成。

又《史官篇》：漢氏中興，明帝以班固爲蘭臺令史，詔撰《光武本紀》及諸列傳、載記。又楊子山爲郡上計吏，獻所作《哀牢傳》，爲帝所異，徵詣蘭臺。斯則蘭臺之職，蓋當時著述之所也。自章、和已後，圖籍盛于東觀。凡撰漢記，相繼在乎其中。

又曰：“漢、魏已降，史官多竊虛號，有聲無實。案劉、曹二史，皆當代所撰，能成其事者，蓋唯劉珍、蔡邕、王沈、魚豢之徒耳。而舊史載其同作，非止一家。如王逸、阮籍亦預其列。且叔師研尋章句，儒生之腐者也；嗣宗沈湎麴蘖，酒徒之狂者也。斯豈能錯綜時事，裁成國典乎？”

《唐日本國見在書目》曰：“而件《漢記》，吉備大臣所將來也。”
其目録注云：“此書凡二本，一本百廿七卷，與集賢院見在書
合。一本百四十一卷，與見書不合。又得零落四卷，又與兩
本目録不合。真備在唐國多處營求，竟不得其具本。今本朝
見在百四十二卷，《隋·經籍志》所載數百四十三卷。”按“而件”
猶華言“此件”、“前件”。

《唐書·經籍志》：《東觀漢記》一百二十七卷，劉珍撰。

《唐書·藝文志》：劉珍等《東觀漢記》一百二十六卷，又録
一卷。

《宋史·藝文志》別史類：劉珍等《東觀漢記》八卷。

《書録解題》傳記類：《東觀漢紀》十卷，漢謁者僕射劉珍、校書
郎劉騊駼等撰。其後盧植、蔡邕、馬日磾等，皆嘗補續。《唐·
藝文志》著録者一百二十七卷，今所存，惟吳漢、賈復、耿弇、
寇恂、馮異、祭遵、傅俊、景丹、蓋延九人列傳而已。其卷第凡
十，而缺第七、八兩卷。

四庫館輯本提要曰：“劉昭補注司馬書，引袁山松書曰：‘劉
洪與蔡邕共述《律曆記》。’又引謝承書云：‘胡廣博綜舊儀，蔡
邕引以爲志。’又引謝沈書云：‘蔡邕因中興以來所修者爲《祭
祀志》。’謹按此三志爲《史通》所未言。《隋志》稱是書訖靈帝。今按
列傳之文，間及獻帝時事，蓋楊彪所補也。晉時以此書與《史
記》、《漢書》爲三史，人多習之。故六朝及唐初人隸事釋書，
類多徵引。自唐章懷太子集諸儒注范書，盛行於代，此書遂
微。北宋時尚有殘本四十三卷。趙希弁《讀書附志》、邵博
《聞見後録》並稱其書乃高麗所獻，蓋已罕得。南宋《中興書
目》則止存鄧禹、吳漢、賈復、耿弇、寇恂、馮異、祭遵、景丹、蓋
延九傳，共八卷。明初即已不存。本朝姚之駰撰《後漢書補
逸》，曾蒐集遺文，析爲八卷。隨文抄録，謬戾百出。今僅據

《永樂大典》各韻所載，參考諸書，補其缺逸，所增者幾十之六，分爲帝紀三卷、年表一卷、志一卷、列傳十七卷、載記一卷。其篇第無可考者，別爲佚文一卷。而以《漢紀》與范書異同附録於末。雖殘珪斷璧，零落不完，而古澤斑斕，罔非瓊寶。”

章氏《考證》：《唐志》一百二十六卷，《書録解題》八卷，《宋志》十卷，其書以新市、平林諸人列爲載記。房喬修《晉書》，劉淵等載記蓋仿其例。今四庫緝本二十四卷，有《天文志》、《地理志》。

後漢書一百三十卷無帝紀　吳武陵太守謝承撰

《吳志·妃嬪傳》：吳主權謝夫人，會稽山陰人也。父煚，漢尚書郎、徐令。弟承，拜五官郎中，稍遷長沙東部都尉、武陵太守。撰《後漢書》百餘卷。

《會稽典録》曰：“承字偉平。博學洽聞，嘗所知見，終身不忘。”

《史通·書志篇》曰：“《百官》、《輿服》，謝拾孟堅之遺。”《煩省篇》云：“謝承尤悉江左，京洛事缺於三吳。”《雜説篇》云：“謝承《漢書》，偏黨吳越。”又云：“姜詩、趙壹，身止計吏，而謝書有傳。”

《唐書·經籍志》：《後漢書》一百三十卷，謝承撰。

《唐書·藝文志》：謝承《後漢書》一百三十三卷，又録一卷。

錢塘姚之駰輯本序曰：“謝偉平之書，東漢第一良史也。凡所載忠義名卿及通賢逸士，其芳言懿矩，半爲范書所遺。惟六朝詞人，多誦説之，故其軼事時見他書。輒采掇彙鈔，分爲四卷云。”

仁和孫志祖《讀書脞録》曰：“鄉先輩姚荃園之駰撰《後漢書補逸》，中有謝承書，予憾其闕略，廣爲蒐輯，得五卷，視姚本幾倍之矣。"又有黟縣汪文臺南士補輯本八卷。

侯康《補三國藝文志》曰："《匡謬正俗》卷五謂承書失實。洪亮吉亦云'承書最有名，又最先出，而其紕謬非一端'云云，于謝書力加譏彈。然遷、固著史，尚多舛誤，不能摘其一二事遽毀全書。況謝書久亡，他書轉引，不免魯魚之訛，尤未可以是定謝、范二家優劣也。姚之駰謂謝書極博，蔚宗過爲刪除，其説甚當。蓋謝之勝范在此，而其不及范之精嚴，亦即在此矣。"

章氏《考證》曰："史無帝紀，惟聞此書。《北堂書鈔·設官部》引承書有《風教傳》，亦創見也。《史通·論贊篇》'謝承曰詮'。愚按《文選·顏延年北使洛詩》注、《永明九年策秀才文》注、阮嗣宗《勸進表》注、《後漢二十八將論》注、張景陽《七命》注引承書俱稱'序曰'，蓋其敍傳中語。"按本志云無帝紀，似謂其亡佚。《新唐志》多出三卷，似其帝紀之佚存者。

後漢記六十五卷本一百卷，梁有，今殘缺。**晉散騎常侍薛瑩撰。**

《吳志·薛綜傳》：綜，沛郡竹邑人也。子瑩，字道言。初，爲祕府中書郎。孫休即位，爲散騎中常侍。孫晧初，爲左執法、選曹尚書，領太子少傅，武昌左都督，還爲左國史、光禄勳。天紀四年入晉，爲散騎常侍。太康三年卒。

《唐書·經籍志》：《後漢記》一百卷，薛瑩作。

《唐書·藝文志》：薛瑩《後漢記》一百卷。

姚之駰輯本序曰："瑩所著《漢書》，《吳志》本傳不載。余靖表云瑩作《漢後記》百卷，今他本直云《後漢書》也。瑩書大半弗存，未經拂耳瞥目，然讀世祖、顯宗二論，波屬雲委，灝瀚蒼鬱，洵良史手，他稱是矣。袁彦伯竟未采及，何耶？"黟縣汪氏輯本亦止十餘條。

章氏《考證》曰："《唐志》一百卷，今存姚氏輯本一卷。《太平御覽・皇王部》引光武、明帝、章帝、安帝、桓帝、靈帝六贊。"

續漢書八十三卷　晉祕書監司馬彪撰

《晉書》本傳：彪字紹統，高陽王睦之長子也。出後宣帝弟敏。
少篤學不倦，然好色薄行，爲睦所責，故不得爲嗣，雖名出繼，
實廢之也。彪由此不交人事，而專精學習，故得博覽群籍，終
其綴集之務。初拜騎都尉。泰始中，爲祕書郎，轉丞。以爲
漢氏中興，訖於建安，忠臣義士亦以昭著，而時無良史，記述
煩雜，譙周雖已刪除，然猶未盡；安、順以下，亡缺者多。彪乃
討論衆書，綴其所聞，起於世祖，終於孝獻，編年二百，錄世十
二，通綜上下，旁觀庶事，爲紀、志、傳凡八十篇，號曰《續漢
書》。後拜散騎侍郎。惠帝末年卒，時年六十餘。

《史通・正史篇》：《東觀漢記》至晉無成。泰始中，祕書丞司
馬彪始討論衆書，綴其所聞，起元光武，終於孝獻。爲紀、志、
傳凡八十篇，號曰《續漢書》。

《唐書・經籍志》：《後漢書》八十三卷，司馬彪撰。

《唐書・藝文志》：司馬彪《續漢書》八十三卷，又《錄》一卷。

章氏《考證》：今存姚氏緝本一卷，《魏志・武紀》注、《司馬朗
傳》注引有司馬彪《序傳》，當是《續漢書》分篇。今有汪氏輯本。

後漢書十七卷本九十七卷，今殘缺。晉少府卿華嶠撰

《晉書・華表傳》：表，平原高唐人。父歆，爲魏太尉。表六
子：廙、岑、嶠、鑒、澹、簡。嶠字叔駿，才學深博，少有令聞。
文帝爲大將軍，辟爲掾屬，歷車騎從事中郎。泰始初，賜爵關
內侯。元康初，封宜昌亭侯。誅楊駿，改封樂鄉侯，遷尚書。
後以嶠博聞多識，屬書典，實有良史之志，轉祕書監，爲内臺
中書、散騎、著作及治禮音律，天文數術，南省文章，門下撰
集，皆典統之。初，嶠以《漢記》煩穢，慨然有改作之意。會爲
臺郎，典官制事，由是得徧觀祕籍，遂就其緒，起於光武，終於

孝獻，一百九十五年，爲帝紀十二卷、皇后紀二卷、十典十卷、傳七十卷，及三譜、序傳、目録，凡九十七卷。嶠以皇后配天作合，前史作《外戚傳》以繼末編，非其義也，故易爲《皇后紀》，以次帝紀。又改志爲典，以有《堯典》故也。而改名《漢後書》奏之。詔朝臣會議。時中書監荀勗、令和嶠、太常張華、侍中王濟咸以嶠文質事核，有遷、固之規，實録之風，藏以祕府。後太尉汝南王亮、司空衛瓘爲東宮傅，列上通講，事遂施行。元康三年卒，追贈少府，謚曰簡。所撰書十典未成，祕書監何劭奏嶠中子徹爲佐著作郎，使踵成之，未竟而卒。後監繆徵又奏嶠少子暢爲佐著作，克成十典。永嘉喪亂，經籍遺没，嶠書存者五十餘卷。按此則江左相傳，亦不過五十餘卷而已。

《魏書》①：魏收等上十志啓曰：“昔子長、孟堅裁勒墳史，紀傳之間，申以書志，叔駿删緝後劉，紹統削撰季漢。十志實範遷、固，表蓋闕焉。”

《文心雕龍·史傳篇》：至於後漢紀傳，發源東觀。袁、張所製，偏駮不倫。薛、謝之作，疏謬少信。若司馬彪之詳實，華嶠之準當，則其冠也。按袁、張、薛、謝，謂袁山松、張瑩、薛瑩、謝承也。

《史通·序例篇》：華嶠《後漢》，多同班氏。如《劉平》、《江革》等傳，其序先言孝道，次述毛義養親。此則《前漢·王貢傳》體，其篇以四皓爲始也。嶠言辭簡質，敍致温雅，味其宗旨，亦孟堅之亞歟。

又《正史篇》曰：“《漢記》殘闕，至晉無成。泰始中，司馬彪始爲《續漢書》。又散騎常侍華嶠，删定《東觀記》爲《漢後書》，帝紀十二、皇后紀二、典十、列傳七十、譜三，總九十七篇。其

---

① “魏書”，原誤作“北齊書”。按《北齊書·魏收傳》未收録魏收等《上十志啓》，此啓始見于《魏書》。今據改。

十典竟不成而卒。自斯已往,作者相繼,爲編年者四族,創紀傳者五家。推其所長,華氏居最。而遭晉室東徙,三唯一存。"按編年四族,今惟見袁宏、張璠《後漢紀》各三十卷,餘二族未詳。紀傳五家,大抵是謝沈、張瑩、袁山松、范蔚宗、蕭子顯也。並詳見於後。亦或是劉義慶,非張瑩。

《唐書·經籍志》:《後漢書》三十一卷,華嶠作。

《唐書·藝文志》:華嶠《後漢書》三十一卷。

章氏《考證》曰:"《晉書》本傳名《漢後書》,《隋》、《唐志》作《後漢書》,刊誤也。范蔚宗撰史,實本華嶠,故亦易《外戚》爲《后紀》,而《肅宗紀論》、《二十八將論》、《桓譚馮衍傳論》、《袁安傳論》、《劉趙淳于江劉周趙傳》序、《班彪傳論》,章懷並注爲華嶠之辭。《王允傳論》,章懷漏注,以《魏志·董卓傳》注參校,知亦嶠辭。至《魏志·華歆傳》注、《世説·德行》、《方正篇》注並引嶠《譜敍》,其言皆華氏事。蓋即班、馬自敍之例。"

《孫祠書目》:華嶠《後漢書》一卷,章宗源集本。

後漢書八十五卷本一百二十二卷　晉祠部郎謝沈撰

謝沈有《尚書注》,見經部書類。

《晉書》本傳:沈除尚書度支郎,何充、庾冰並稱沈有史才。遷著作郎,撰《晉書》三十餘卷,會卒。沈先著《後漢書》百卷,及《毛詩》、《漢書外傳》,其才學在虞預之右云。"按袁宏《後漢記》序稱"謝忱書",以"沈"爲"忱",與他記載異。

《唐書·經籍志》:《後漢書》一百二卷,謝沈撰。《後漢書外傳》十卷,謝沈撰。

《唐書·藝文志》:謝沈《後漢書》一百二卷,又《外傳》十卷。

章氏《考證》曰:"今存姚氏緝本一卷。"又曰:"沈之《外傳》無佚篇可引,以《隋志》注本一百二十二卷,合《唐志》卷數計之,或《外傳》二十卷。梁《七録》所載之本,《外傳》固附本書,至隋而《外傳》軼。唐時,《外傳》出而缺十卷。"

後漢南記四十五卷　本五十五卷,今殘缺,晉江州從事張瑩撰。

張瑩始末未詳。

《唐書·經籍志》:《漢南紀》五十八卷,張瑩撰。

《唐書·藝文志》:張瑩《漢南紀》五十八卷。

章氏《考證》曰:"《世説·言語篇》、《文學篇》注,《初學記·地部》、《人事部》、《武功部》、《居處部》、《文選·干寶晉紀總論》注,《北堂書鈔·后妃部》、《政術部》,《太平御覽·地部》、《職官部》、《兵部》、《宗親部》、《珍寶部》引共十五事,並題張瑩《漢南記》。《續漢·郡國志》注、《史記集解》並引'張瑩曰'。《唐志》五十八卷。"

按諸書所引及《舊》、《新唐志》並云《漢南紀》,本志"後"字似誤衍,然不知何意以《漢南紀》名書也。

後漢書九十五卷　本一百卷,晉祕書監袁山松撰。

《晉書·袁瓌傳》:瓌字山甫,陳郡陽夏人。以討蘇峻功,封長合鄉侯。子喬嗣。喬佐桓温伐蜀,封湘西伯。子方平嗣。方平卒,子山松嗣。山松少有才名,博學有文章,著《後漢書》百篇。歷顯位爲吳郡太守。孫恩作亂,山松守滬瀆城,城陷被害。

又《安帝本紀》:隆安五年夏五月,孫恩寇,吳國内史袁山松死之。按《紀》、《傳》書官位不同。然考其時,無封國於吳者,似當以《傳》所云吳郡太守爲正。

梁劉昭注補《續漢書》八志序曰:"沈、松因循,尤解功創,時改見句,非更搜求,加藝文以矯前棄,流書品采自近録。初平、永嘉,圖籍焚喪,塵消煙滅,焉識其限,借南晉之新虛,爲東漢之故實,是以學者亦無取焉。"按此則袁氏《後漢·藝文志》取資於魏晉時之簿録,大抵以魏《中經》、晉《新簿》爲依据,其意蓋以爲魏、晉故府之所存,東漢書林所必有,雖不爲典要,亦不盡虛無,故昔人亦莫不深惜其書之亡佚也。

梁阮孝緒《七録敍目》曰:"袁山松《後漢·藝文志》此下敓文。

八十七家,亡。"《通志·校讐略》曰:"阮孝緒作《七録》,已條劉氏《七略》及班固《漢志》、袁山松《後漢志》所亡之書,爲一録。"即指此也。

《唐書·經籍志》:《後漢書》一百二卷,袁山松作。

《唐書·藝文志》:袁山松《後漢書》一百一卷,又録一卷。

章氏《考證》:"今存姚氏輯本一卷。愚按沈約《宋書·禮志》引山松《漢百官志》,《水經注》引山松《郡國志》,《史通·書志篇》言山松有《天文志》,《通志·校讐略》言有《藝文志》。"

後漢書九十七卷　宋太子詹事范曄撰

《宋書》本傳:曄字蔚宗,順陽人。車騎將軍泰少子也。出繼從伯弘之,襲封武興縣五等侯。少游學,博涉經史,善爲文章,能隸書,曉音律。始爲高祖相國掾,彭城王義康冠軍參軍,歷尚書吏部郎。元嘉元年,左遷宣城太守。不得志,删衆家《後漢書》爲一家之作。累遷左衛將軍、太子詹事。二十二年,與孔熙先、謝綜等謀反,欲尊立彭城王義康。十一月,徐湛之表上其事,並伏誅。曄時年四十八。曄于獄中自敍有曰:"既造《後漢》,轉得統緒,詳觀古今著述及評論,殆少可意者。班氏最有高名,既任情無例,不可甲乙辨。後贊於理近無所得,唯志可推耳。博贍可不及之,整理未必愧也。吾雜傳論,皆有精意深旨,既有裁味,故約其辭句。至於《循吏》以下,及《六夷》諸序論,筆勢縱放,實天下之奇作。其中合者,往往不減《過秦篇》。嘗共比方班氏所作,非但不愧之而已。欲徧作諸志,前漢所有者悉令備。雖事不必多,且使見文得盡。又欲因事就卷内發論,以正一代得失,意復未果。贊自吾文之傑思,殆無一字空設,奇變不窮,同含異體,乃自不知所以稱之。此書行,故應有賞音者。紀、傳例爲舉其大略耳,

諸細意甚多。自古體大而思精，未有此也。恐世人不能盡
之，多貴古賤今，所以稱情狂言耳。”

又《文帝本紀》：元嘉二十二年十二月乙未，太子詹事范曄謀
反，及黨與皆伏誅。丁酉，免大將軍彭城王義康爲庶人。

《史通·書事篇》：范曄博采衆書，裁成漢典。觀其所取，頗有
奇工。至於《方術》篇及諸蠻夷傳，乃録王喬、左慈、虞君、樊
瑛，言唯迂誕，事多詭越。可謂美玉之瑕、白圭之玷。惜哉！
無是可也。

《册府元龜·國史部·采撰門》：曄所撰十志，一皆託謝儼。
搜撰垂畢，遇曄敗，悉蠟以覆車。宋文帝令丹陽尹徐湛之就
儼尋求，已不復得，一代以爲恨。其志今闕。

《唐書·經籍志》：《後漢書》九十二卷，范曄撰。又一百卷，皇
太子賢注。<small>此不稱其謚，但云皇太子，非是。</small>

《唐書·藝文志》：范曄《後漢書》九十二卷。又章懷太子賢注
《後漢書》一百卷，賢命劉訥言、格希玄等注。

《宋史·藝文志》：范曄《後漢書》九十卷，章懷太子李賢注。

《書録解題》曰：“按《唐·藝文志》，爲後漢史者，有謝承、薛
瑩、司馬彪、劉義慶、華嶠、謝沈、袁山松七家，其前又有劉珍
等《東觀記》。至蔚宗乃删取衆書，爲一家之作，其自視甚不
薄，謂諸傳、序、論，精意深旨，實天下之奇作。然頗有略取前
人舊文者。至於論後有贊，尤自以爲傑思，殆無一字虛設。
自今觀之，幾於贅矣。蔚宗父泰、祖寧，皆爲時名臣，蔚宗乃
以怨望反逆至於滅族，其與遷、固之人禍天刑不侔矣。然則
豈作史之罪哉！”

《四庫提要》曰：“《隋志》載范書九十七卷，《新》、《舊唐志》作
九十二卷，互有不同。惟《宋志》作九十卷，與今本合。然此
書歷代相傳，無所亡佚。考《唐志》又載章懷太子注《後漢書》

一百卷。今本九十卷中,分子卷者凡十,是章懷作注之時始
併爲九十卷,以就成數。《唐志》析其子卷數之,故云一百。
《宋志》合其子卷數之,故仍九十,其實一也。"

章氏《考證》:蔚宗所撰十志,沈約言宋時已闕。其篇名可見
者,《百官志》見《後妃傳》,《禮樂》、《輿服志》見《東平王蒼
傳》,《天文》、《五行志》見《蔡邕傳》。

後漢書一百二十五卷　范曄本。梁剡令劉昭注

《梁書·文學傳》:劉昭字宣卿,平原高唐人。晉太尉寔九世
孫也。昭幼清警,七歲通《老》、《莊》義。既長,勤學善屬文,
外兄江淹早相稱賞。天監初,起家奉朝請,歷爲宣惠豫章王
參軍、臨川王記室。初,昭伯父肜集衆家《晉書》注干寶《晉
記》爲四十卷,至昭又集《後漢》同異以注范曄書,世稱博悉。
遷通直郎,出爲剡令,卒官。集注《後漢》一百八十卷。

昭注補《續漢書》八志序略曰:"司馬續書,總爲八志,王教之
要,國典之源,粲然略備,可得而知矣。"又曰:"范曄《後漢》良
史,誠跨衆氏,序或未周,志遂全闕。曄遺書自序,應徧作諸
志,《前漢》有者,悉欲備製,卷中發論,以正得失,書雖未明,
其大旨也。曾臺雲構,所闕過乎榱桷;爲山霞高,不終踰乎一
壈。鬱絶斯作,吁可痛哉!徒懷續緝,理慚鉤遠,迺借舊志,
注以補之。分爲三十卷,以合范史。求于齊工,孰云文類;比
茲闕恨,庶賢乎已。昔褚先生補子長之削少,馬氏接孟堅之
不畢,相成之義,古有之矣。引彼先志,又何猜焉!"

《史通·補注篇》:竊惟范曄之删《後漢》也,簡而且周,疎而不
漏,亦云備矣。而劉昭采其所捐,以爲補注,言盡非要,事皆
不急。譬夫人有吐果之核,棄藥之滓,而愚者乃重加捃拾,潔
以登薦,持此爲工,多見其無識也。按此但爲史家精嚴之法而言,若其
書傳至今日,則徵文考憲,必與八志注並重。

《唐書·經籍志》：《後漢書》五十八卷，劉昭補注。

《唐書·藝文志》：劉昭補注《後漢書》五十八卷，劉熙注范曄《後漢書》一百二十二卷。章氏《考證》曰："熙乃昭字之訛。"又曰："以《唐志》卷數計之，紀傳九十二卷，合《續志》三十卷，恰符一百二十二卷之數。"宗按兩《唐志》所載五十八卷者，似即所注。司馬八志百二十二卷者，爲所注范氏紀傳。兩書合計正合本傳一百八十卷之數。其卷數分合，不可知已。

《書錄解題》曰："《後漢志》三十卷，晉司馬彪撰，梁劉昭補注。蔚宗本書，《隋》、《唐志》皆九十七卷。今書紀傳共九十卷，蓋未嘗有志也。劉昭所注乃司馬彪《續漢書》之八志爾，序文固云范志今闕，乃借舊志注以補之，其與范氏紀傳自別爲一書，其後紀傳孤行而志不顯。至本朝乾興初，判國子監孫奭始建議校刊，但云補亡補缺，而不著其爲彪書也。《館閣書目》乃直以百二十卷併稱蔚宗撰，益非是。今考章懷注所引稱《續漢》者，文與今志同，信其爲彪書不疑。"

《四庫提要》曰："《後漢書》本紀十卷、列傳八十卷，宋范蔚宗撰，唐章懷太子賢注。其八志三十卷，別題梁剡令劉昭注。據《書錄解題》，乃宋孫奭建議校勘，以昭所注司馬彪《續漢書志》與范書合爲一編。案《隋志》載司馬彪《續漢書》八十三卷，《唐書》亦同。《宋志》唯載劉昭《補注後漢志》三十卷，而彪書不著錄。是至宋僅存其志，故移以補《後漢書》之缺。其不曰《續漢志》而曰《後漢志》，是已併入范書之稱矣。"

錢氏《養新錄》曰："昭本注范史紀、傳，又取司馬氏《續漢志》兼注之，以補蔚宗之闕。厥後，章懷太子別注范史，而劉注遂廢。惟志三十卷，則章懷以非范氏書，故注不及焉。其併於范史，實始于宋孫奭之請，而司馬、劉二家之書，幸得傳留至今，與范史並列學官。"

按八志合于范書，自劉昭注本始。八志劉注，合于范書章

懷注,則自宋孫奭始。或者不察,往往混稱《後漢志》,不知
與注爲四家之作,故諸家別白而申明之。

後漢書音一卷　　後魏太常劉芳撰

劉芳有《毛詩箋音證》,見經部詩類。

《魏書》本傳:芳撰韋昭所注《國語音》、范曄《後漢書音》各
一卷。

《唐書·藝文志》:劉芳《後漢書音》一卷。

　　按《小學考》云:"《隋志》于劉芳之音,但稱'後漢',不知所
音果范書與否,不可考矣!"蓋未考《魏書》本傳也。

范漢音訓三卷　　陳宗道先生臧競撰

臧競始末未詳。

《唐書·經籍志》:《後漢書音》三卷,臧競撰。<small>一本作"兢"。</small>

《唐書·藝文志》:臧兢《後漢書音》三卷。

《小學考》曰:"按宗道先生,《陳書》無傳。"

　　按宋張君房《雲笈七籤》載《唐茅山昇真王先傳》云:'琅邪
　　王遠知,年十五入華陽,事貞白先生授三洞法。又從宗道
　　先生臧矜傳諸祕訣。'是宗道先生,神仙家流也,與梁陶弘
　　景同輩。"競"當爲"矜"。范書《光武本紀》更始二年注引
　　是書,亦云臧矜。

范漢音三卷　　蕭該撰

蕭該有《漢書音義》,見前。

《唐書·經籍志》:《後漢書音》三卷,蕭該作。

《唐書·藝文志》:蕭該《後漢書音》三卷。

《小學考》曰:"臧氏、蕭氏二家《後漢音義》,《隋志》皆著范漢,
所以別于二謝、華嶠、袁山松諸家之書,至《唐志》皆標以《後
漢》矣。意當日命名,原無'范漢'之目。《隋志》改題以識別
《唐志》,則據本名以著録耳。"又曰:"隋、唐之間,諸家《後漢

書》俱在，而攻治《後漢》作音注者，皆據范書。是當日范書已高出諸家，諸家漸就湮没，非無故矣。"

後漢書讚論四卷　范曄撰

《唐書·經籍志》：《後漢書論讚》五卷，范曄撰。

《唐書·藝文志》：范曄《後漢書》九十二卷，又《論讚》五卷。

《四庫提要》曰："《隋》、《唐志》均別有蔚宗《後漢書論讚》五卷，《宋志》始不著録，疑唐以前《論讚》與本書別行。然《史通·論讚篇》曰'馬遷《自序》傳後，歷寫諸篇，各敍其意。既而班固變爲詩體，號之曰述。蔚宗改彼述名，呼之以讚。固之總述合在一篇，使其條貫有序。蔚宗《後書》，乃各附本事，書于卷末，篇目相離，斷絕失序。夫每卷立論，其煩已多，而嗣論以讚，爲黷彌甚。亦猶文士製碑，序終而續以銘曰，釋氏演法，義盡而宣以偈言'云云。則唐代范書論讚已綴卷末矣。史志別出一目，所未詳也。"

漢書纘十八卷　范曄撰

《唐書·經籍志》雜史類：《後漢書纘》十三卷，范曄撰。

《唐書·藝文志》雜史類：范曄《後漢書纘》十三卷。

按兩《唐志》作《後漢書纘》，則本志敚"後"字。又本志十八卷，《唐志》皆十三卷，似有《前論讚》五卷在其中，此纘爲一編者歟？范自言其論讚度越班書，故有纘緝其文，別爲一書者，亦或有注如項岱注《漢書·敍傳》之類。《光武本紀》王莽地皇三年注："《例》曰：多所誅殺曰屠。"建武五年注："臣賢案范曄《序例》云：帝紀略依《春秋》，唯字彗、日食、地震書，餘悉備于志。"按范曄《序例》今本不見，章懷所引或出此書。

梁有蕭子顯《後漢書》一百卷。亡。

蕭子顯有《孝經義疏》，見經部。

《梁書》本傳："子顯采衆家《後漢書》,考正同異,爲一家之
書。"又曰："子顯所著《後漢書》一百卷。"

梁有王韶《後漢林》二百卷,亡。

王韶,始末未詳。

　　按《梁書・王規傳》："規集《後漢》衆家異同,注《續漢書》二
百卷。"疑即是書。蓋以司馬紹統之書爲本,而廣集諸家以
爲之注。其文如林,故曰《後漢林》;《志》譌"規"爲"韶"歟?
又按規卒於梁大同二年,阮孝緒亦于是年十月卒,是規與
阮同時人,或及見其書,而附著于《七録》,未可知也。又似據
梁人別家書目,詳子部從橫家末。

梁有韋闡《後漢音》二卷,亡。

《梁書・韋叡傳》：叡,京兆杜陵人也。兄纂、闡,並早知名。
纂、叡皆好學,闡有清操。

《南史・韋叡傳》：叡兄闡爲建寧令,所得俸祿百餘萬,還家悉
委伯父處分,鄉里宗事之。位通直郎。

魏書四十八卷　晉司空王沈撰

《魏志・王昶傳》：昶,太原晉陽人也。其爲兄子及子作名字,
皆依謙實,以見其意,故兄子默字處靜,沈字處道。

《晉書》本傳：沈少孤,養于從叔司徒昶,事昶如父。好書,善
屬文。大將軍曹爽辟爲掾,累遷中書黃門侍郎、治書侍御史、
祕書監。正元中,遷散騎常侍、侍中,典著作。與荀顗、阮籍
共撰《魏書》,多爲時諱,未若陳壽之實録也。時魏高貴鄉公
好學有文才,引沈及裴秀數于東堂講讌屬文,及高貴鄉公將
攻文帝,召沈及王業告之,沈、業馳白帝,以功封安平侯。沈
既不忠于主,甚爲衆論所非。武帝受禪,以佐命之勳,轉驃騎
將軍、録尚書事,加散騎常侍,統城外諸軍事。封博陵縣公。
泰始二年薨,謚曰元,贈司空。

《太平御覽・職官部》：王隱《晉書》曰：“王沈爲祕書監，著《魏書》，多爲時諱，而善敍事。”

《宋書・五行志》序：“王沈《魏書》志篇缺如，凡厥災異，但編帝紀而已。”又《律曆志》序曰：“自楊偉改創景初，而《魏書》闕志。”

《史通・正史篇》：“魏史，黃初、太和中，始命尚書衛覬、繆襲草創紀傳，累載不成。又命侍中韋誕、應璩、祕書監王沈、大將軍從事中郎阮籍、司徒右長史孫該、司隸校尉傅玄等，復共撰定。其後王沈獨就其業，勒成《魏書》四十四卷。其書多爲時諱，殊非實錄。”又《載文篇》曰：“歷選衆作，求其穢累，王沈、魚豢，是其甚焉。”又《直書篇》曰：“王沈《魏書》，假回邪以竊位。”又《曲筆篇》曰：“王沈《魏録》，濫述貶甄之詔。”

《唐書・經籍志》：《魏書》四十四卷，王沈撰。

《唐書・藝文志》：王沈《魏書》四十七卷。

章氏《考證》：《宋書・五行志》、《律曆志》言王沈《魏書》缺志。愚按《水經・渠水》、《遼水》、《淮水》注並引《魏書・國志》，《潁水》注復引《魏書・郡國志》。疑沈書固有志篇，特闕《五行》、《律曆》也。裴松之《魏志・武紀》注所引，多述操令，若庚申、庚戌、丙戌、丁亥令，皆以日紀。又有褒賞令，載祀橋玄文，裴注不言《魏令書》，[①]以類推之，當亦是耳。按此當是陳群、劉邵所撰《魏令》百八十餘篇中之文，見《晉書・刑法志》、《唐六典・刑部》注。《鄧哀王傳》注、[②]《諸葛傳》注各引一事，《后妃傳》注引六事，《太平御覽・皇親部》引卞后、甄后、毛后、郭后各一事，而貶甄詔

---

① 《二十五史補編》本章宗源《隋書經籍志考證》無“令”。

② “哀”，原作“克”，據《二十五史補編》本章宗源《隋書經籍志考證》及殿本《三國志》改。

未見。"

吴書二十五卷　韋昭撰。本五十五卷,梁有,今殘缺。

韋昭有《漢書音義》,見前。

《吴志》本傳:孫亮即位,諸葛恪輔政,表曜爲太史令,撰《吴書》,華覈、薛瑩等皆與參同。孫晧即位,以侍中,常領左國史。晧欲爲父和作紀,曜執以和不登帝位,宜名爲傳。鳳皇二年,晧積前後嫌忿,收曜付獄。華覈連上疏救曜曰:"曜以儒學,得與史官,《吴書》雖已有頭角,銓贊未述。如臣頑蔽,誠非其人。曜年已七十,餘數無幾,乞赦其一等之罪,爲終身徒,使成書業,永足傳示,垂之百世。"晧不許,遂誅曜。

《吴志·薛瑩傳》:晧下瑩獄,徙廣州。右國史華覈上疏曰:"大吴受命,建國南土。大皇帝末年,命太史令丁孚、郎中項峻始撰《吴書》。孚、峻俱非史才,其所撰作,不足紀録。至少帝時,更差韋曜、周昭、薛瑩、梁廣及臣五人,訪求往事,所共撰立,備有本末。昭、廣先亡,曜負恩蹈罪,瑩出爲將,復以過徙,其言遂委滯,迄今未撰奏。臣愚淺才劣,適可爲瑩等記注而已,若使撰合,必襲孚、峻之跡,懼墜大皇帝之元功,損當世之盛美。瑩涉學既博,文章尤妙,同僚之中,瑩爲冠首。今者見吏,雖多經學記述之才,如瑩者少,是以懃懃爲國惜之。實欲使卒垂成之功,編於前史之末。奏上之後,退填溝壑,無所復恨。"晧遂召瑩,還爲左國史。

《史通·正史篇》:吴大帝之季年,始命太史令丁孚、郎中項峻撰《吴書》。孚、峻俱非史才,其文不足紀録。至少帝時,更勅韋曜、周昭、薛瑩、梁廣、華覈訪求往事,相與記述。並作之中,曜、瑩爲首。當歸命侯時,昭、廣先亡,曜、瑩徙黜,史官久缺,書遂無聞。覈表請召曜、瑩續成前史,其後曜獨終其書,定爲五十五卷。按此知華覈疏救凡兩次,本傳合并記載,故曰連上疏。其初被罪黜，得覈疏救而解，召還史館，得以續成前書。其事當在鳳皇二年之前，至是年收付獄，覈又疏救。以《吳書》未述序贊爲言，而事不可解矣。以是知《吳書序贊》終未底于成焉。

《唐書·經籍志》僞史類：《吳書》五十五卷，韋昭撰。

《唐書·藝文志》正史類：韋昭《吳書》五十五卷。

侯康《補三國藝文志》曰："康按《吳志》注引此書甚多。《薛瑩傳》稱韋書承丁孚、項峻而作，孚、峻俱非史才。茲考《吳主傳》'黃武四年，丞相孫邵卒'，注引《志林》曰：'吳之創基，邵爲首相，史無其事，竊嘗怪之。劉聲叔，博物君子也，云：推其名位，自應立傳。項峻、丁孚時已有紀注，與張惠恕不相能。後韋氏作史，蓋惠恕之黨故不見書。'則韋書亦未必盡勝丁、項二人耳。又考《齊書·禮志》序云：'吳則太史令丁孚拾遺漢事。'是丁氏《吳書》有《禮志》也。韋昭因之，亦當有志。"按《唐·藝文志》職官類丁孚《漢官儀式選用》一卷，蓋別爲一書，與所撰《吳書》無涉。此與王沈《魏書》皆非二國全史，雖紀傳亦不及備具，又何有於志？然諸書引《三吳郡國志》，亦頗似出是書。

章氏《考證》曰："昭書名吳，自以吳爲主。裴松之注所引，稱魏爲帝，堅、策、權、晧稱名。《文選注》、《後漢書注》皆然，惟《通典·禮門》注稱權爲'上'。《藝文類聚·服飾部》，《太平御覽·服章部》、《布帛部》、《人事部》皆稱吳主爲'上'。竊疑稱名非昭原本。《舊唐志》誤入編年類。"按稱堅、策、權、晧之名者，自是後人所改。韋書原本安得有此，此毋庸議也。《舊唐志》以編年與僞史合爲一篇。此編入僞史，非編年。

吳紀九卷　晉太學博士環濟撰

環濟有《喪服要略》，見經部禮類。

《唐書·經籍志》編年類：《吳紀》十卷，環濟撰。

《唐書·藝文志》編年類：環濟《吳紀》十卷。

《通志·校讎略》曰："環濟《吳紀》九卷，《唐志》類于編年，是。

《隋志》類于正史,非。"

章氏《考證》:《宋書·禮志》引環氏《吳紀》,《吳志·張紘傳》注,《世説·政事篇》注、《雅量篇》注、《品藻篇》注、《規箴篇》注、《排調篇》注,《初學記·地部》、《居處部》,《太平御覽·兵部》、《人事部》、《布帛部》、《羽族部》並引,題環濟《吳紀》。孫權、和、休、晧皆稱名,惟《御覽》所引稱大帝、皇太子、嗣主。《唐志》十卷,入編年類。

梁有張勃《吳録》三十卷,亡。

《史記·伍子胥傳》集解引張勃,索隱曰:"張勃,晉人。吳鴻臚儼之子,作《吳録》,故裴氏引之。"按張儼有《默記》,見子部雜家。《晉書·文苑傳》:"張翰字季鷹,吳郡吳人。父儼,吳大鴻臚。"則勃爲翰之兄弟也。

《唐書·經籍志》雜史類:《吳録》三十卷,張勃撰。

《唐書·藝文志》雜史類:張勃《吳録》三十卷。

章氏《考證》:《唐志》入雜史類,《史通·書志篇》"張勃曰録"。愚按《水經·淏水注》,《左傳·宣公》正義,《文選·笙賦》注、謝靈運《登臨海嶠》詩注、張衡《七命》注,《初學記·獸部》引文,並題《吳録·地理志》。《藝文類聚》、《太平御覽》、《寰宇記》所引題《地理志》者尤夥。是知《史通》之言,誤以《吳録》總名相混,不知録内分篇,實仍名志也。《世説·賞譽篇》注引《吳録·士林》曰:"吳郡有顧、陸、朱、張,三國之間,四姓盛焉。"士林二字未詳,或其列傳標目,如《魏略·儒宗》。稱有志、有傳,其體不似編年類。按當云雜史類。

三國志六十五卷敍録一卷　晉太子中庶子陳壽撰　宋太中大夫裴松之注

裴松之有《集注喪服經傳》,見經部禮類。

《晉書·陳壽傳》:壽字承祚,巴西安漢人也。少好學,師事同郡譙周。仕蜀,爲觀閣令史。及蜀平,司空張華舉爲孝廉,除佐著作郎,出補平陽令。撰《蜀相諸葛亮集》奏之,除著作郎,領本郡中正。撰魏、吴、蜀《三國志》,凡六十五篇。時人稱其善敍事,有良史之才。夏侯湛時著《魏書》,見壽所作,便壞己書而罷。張華深善之,謂壽曰:"當以《晉書》相付耳。"其爲時所重如此。授御史治書,以母憂去職。後數歲,起爲太子中庶子,未拜。元康七年病卒,年六十五。梁州大中正尚書郎范頵等上表曰:"故治書侍御史陳壽作《三國志》,辭多勸戒,明乎得失,有益風化,願垂采錄。"于是詔下河南尹、洛陽令就家寫其書。

《宋書·裴松之傳》:元嘉三年,松之奉使湘州,還,轉中書侍郎,司、冀二州大中正。上使注陳壽《三國志》。松之鳩集傳記,增廣異聞。既成,奏上,上善之曰:"此爲不朽矣!"上表題"元嘉六年七月二十四日中書侍郎西鄉侯臣裴松之上"。

《文心雕龍·史傳篇》:及魏代三雄,記傳互出。《陽秋》、《魏略》之屬,《江表》、《吴錄》之類,或激抗難徵,或疏闊寡要。唯陳壽《三志》,文質辨洽,荀、張比之於遷、固,非妄譽也。

本志篇敍曰:"三國鼎峙,魏氏及吴並有史官。按蜀何嘗無史官?《蜀志》景耀元年,史官言景星見,于是大赦改年。東觀郎王崇著《蜀書》,與陳壽頗不同,見《華陽國志·後賢志》。晉時,巴西陳壽删集三國之事,唯魏帝爲紀,其功臣及吴、蜀之主,並皆爲傳,仍各依其國,部類相從,謂之《三國志》。自是世有著述,皆擬班、馬以爲正史,作者尤廣。一代之史,至數十家。"

《史通·正史篇》:魏史王沈就其業,吴則韋曜終其書。至晉受命,海内大同,著作陳壽,乃集三國史撰爲《國志》,凡六十五篇。先是,魏時京兆魚豢,私撰《魏略》。其後孫盛撰《魏氏春秋》,王隱撰《蜀記》,張勃撰《吴錄》,異聞錯出,其流最多。宋文帝以《國志》載事傷於簡略,乃命中書郎裴松之兼采衆書,補注其闕。由是世言《三國志》,以裴注爲本焉。

又《補注篇》曰:"少期集注《國志》,以廣承祚所遺,而喜聚異同,不加刊定,恣其擊難,坐長煩蕪。觀其書成表獻,自比蜜蜂兼采,但甘苦不分,難以味同萍實者矣。"

《唐書·經籍志》正史類:"《魏國志》三十卷,陳壽撰,裴松之注。"又僞史類:"《蜀國志》十五卷,《吳國志》二十一卷,陳壽撰,裴松之注。"章氏《考證》曰:"《舊唐志》分著,《魏志》入正史,吳、蜀二《志》入編年,甚可解也。"按《舊志》以此二志列僞史之首,與編年合爲一篇,實非在編年之内,章氏考之不審耳。

《唐書·藝文志》正史類:陳壽《魏國志》三十卷,《蜀國志》十五卷,《吳國志》二十一卷,並裴松之注。

《宋史·藝文志》:陳壽《三國志》六十五卷,裴松之注。

晁氏《讀書志》:魏四紀、二十六列傳,蜀十五列傳,吳二十列傳。宋文帝嫌其略,命裴松之補注,博采群說,分入書中,其多過本書數倍。王通數稱壽書,今細觀之,實高簡有法。如不言曹操本生,而載夏侯惇及淵于諸曹傳中,則見嵩本夏侯氏之子也。高貴鄉公書"卒",而載司馬昭之奏,則見公之不得其死也。他皆類是。但以魏爲紀,而稱漢、吳曰傳,又改漢曰蜀,世頗譏其失。至於謂其銜諸葛孔明甍父而爲貶辭,求丁氏之米不獲,不立儀、廙傳之類,亦未必然也。

《書錄解題》曰:"大抵本書固率略,而注又緐蕪,要當會通裁定,以成一家,而未有奮然以爲己任者。豐、祐間南豐呂南公、紹興間吳興鄭知幾嘗爲之,皆不傳。"

《四庫提要》曰:"宋元嘉中,裴松之受詔爲注,所注雜引諸書,亦時下己意。綜其大旨,約有六端:一曰引諸家之論以辨是非,一曰參諸書之説以核譌異,一曰傳所有之事詳其委曲,一曰傳所無之事補其缺佚,一曰傳所有之人詳其生平,一曰傳所無之人附以同類。其中往往嗜奇愛博，頗傷蕪雜。取《搜神記》、《列異傳》、《異林》鑿空語怪，凡十餘處，悉與本事無關，而深于史法有礙，殊爲瑕纇。然網羅緜富，凡六朝舊籍今所不傳者，尚一一見其大略；又多首尾完具，不似《水經注》、《文選注》皆剪裁割裂之文。故考證之家，取材不竭，轉相引據者，反多于陳壽本書焉。"

又《簡明目録》曰："壽不以正統予蜀，爲後儒之論端。然晉承魏祚，壽爲晉臣，偽魏是偽晉也，未免于不論其世矣。裴松之注引據博洽，至今爲考證之資，中多補正事迹而不及音義與故實，然亦間注數篇，疑欲爲之而未竟也。"

魏志音義一卷　盧宗道撰

盧宗道始末未詳。

《小學考》曰：盧氏宗道《魏志音義》，《隋志》一卷，佚。

按《北史·盧玄傳》，玄字子真，范陽涿人。玄孫思道，思道族弟恭道，恭道弟懷道，懷道弟宗道，性麤率，動作狂俠，位南營州刺史。後坐酷濫，除名。不言其有著述，未知即此宗道否也。兩《唐志》不載。又但爲《魏志音義》而不及吳、蜀，其書亦似不全。

論三國志九卷　何常侍撰

《晉書·孝友傳》：何琦字萬倫，廬江灊人。司空充之從兄也。好古博學，居于宣城陽穀縣，事母孜孜，朝夕色養，常患甘鮮不贍，乃爲郡主簿察孝廉，除郎中，補涇縣令。及丁母憂後，養志衡門，不交人事，耽翫典籍，以琴書自娛。累辭徵命，公車再徵通直散騎常侍，不行。琦善養性，以述作爲事。著《三國評論》，凡所撰録百許篇，皆行于世。年八十二卒。

三國志評三卷　徐爰撰　一本作《三國評志》，蓋寫誤。"徐爰"當爲"徐衆"。

嚴可均《全晉文編》曰："徐衆咸康中爲黃門郎。建元初，進侍

中，有《三國志評》三卷。《魏志》、《蜀志》、《吳志》傳注引《三
國評》凡九條。"

《唐書·經籍志》雜史類：《三國評》三卷，徐衆撰。

《唐書·藝文志》雜史類：徐衆《三國評》三卷。

章氏《考證》：裴松之注《臧洪傳》、《程昱傳》、《黄權傳》、《顧雍
傳》、《全綜傳》、《周魴傳》、《鍾離牧傳》、《是儀傳》並引徐衆
《三國評》。《唐志》有徐衆《三國評》三卷，"爰"疑"衆"字
之誤。

梁有《三國志序評》三卷，晉著作郎王濤撰，亡。

《晉書·王鑒傳》：鑒字茂高，堂邑人。元帝初，爲駙馬都尉，
奉朝請。弟濤，字茂略，有才筆，歷著作郎、無錫令，卒。

《唐書·藝文志》雜史類：王濤《三國志序評》三卷。

晉書八十六卷，本九十三卷，今殘缺，晉著作郎王隱撰。

《晉書》本傳：隱字處叔，陳郡陳人也。世寒素。父銓，歷陽
令，少好學，有著述之志，每私録晉事及功臣行狀，未就而卒。
隱以儒素自守，不交勢援，博學多聞，受父遺業，西都舊事多
所諳究。建興中，過江。太興初，召隱及郭璞俱爲著作郎，令
撰晉史。預平王敦功，賜爵平陵鄉侯。後以著作郎虞預謗
免，歸于家，貧無資用，書遂不就，乃依征西將軍庾亮于武昌。
亮供其紙筆，書乃得成，詣闕上之。隱雖好著述，而文辭鄙
拙，蕪舛不倫。其書次第可觀者，皆其父所撰。文體混漫義
不可解者，隱之作也。年七十餘，卒于家。

《史通·正史篇》：王隱受詔撰晉史，爲其同僚虞預所訴，坐事
免官，乃依庾亮于武昌鎮。亮給其紙墨，由是獲成，凡爲《晉
書》八十九卷。咸康六年，始詣闕奏上。按《史通》所載卷數往往與本
志不符，恐皆是後人依《唐志》妄改，如此書云八十九卷，王沈《魏書》云四十四卷，皆
有可疑。

又《書事篇》曰：“王隱、何法盛之徒所撰晉史，乃專訪州閭細事、委巷瑣言，聚而編之，目爲鬼神傳錄，其事非要，其言不經。”又《論贊篇》曰：“王隱曰‘議’。”《書志篇》曰：“王隱後來，加以《瑞異》。”《稱謂篇》曰：“時采新名，列成篇題，原注：“音第。”若王《晉》之《十士》、《寒雋》是也。”

《史記・外戚世家》索隱曰：“外戚紀后妃也。后族亦代有封爵故也。《漢書》則編之列傳中，王隱則謂之紀，而在列傳之首。”

《唐日本國見在書目》：《晉書》七十六卷，王隱撰。

《唐書・經籍志》：《晉書》八十九卷，王隱撰。

《唐書・藝文志》：王隱《晉書》八十九卷。

章氏《考證》曰：“《北堂書鈔・設官部》引有《石瑞記》，當即《史通》所謂《瑞異》。其時，《張掖玄石圖》，指爲晉受魏祚之祥，故因以題篇。沈約《州郡志》、酈氏《水經注》引隱書《地道記》，是知其易志爲記。《太平御覽・人事部》引劉升龍一事，題名《寒雋傳》；《文學部》引王褒一事，題名《處士傳》。《藝文類聚・靈異部》王矩見京兆社靈，《太平廣記》載蘇韶、夏侯愷亡後見鬼事，自是《鬼神傳》中語。其他佚篇，徵引眾家晉史，以王隱爲最多。又《北齊書・宋顯傳》：‘顯從祖弟繪，依準裴松之注《國志》體，注王隱及《中興書》。’二注皆不見前志著錄。”

晉書二十六卷，本四十四卷，訖明帝。今殘缺。晉散騎常侍虞預撰。

《晉書》本傳：預字叔寧，會稽餘姚人。徵士喜之弟也。本名茂。歷官祕書丞、著作郎。從平王含，賜爵西鄉侯。平蘇峻，進平康縣侯，遷散騎侍郎，除常侍，仍領著作。以年老歸，卒於家。預雅好經史，憎疾玄虛，其論阮籍裸袒，比之伊川披髮,所以胡虜遍于中國,以爲過衰周之時。著《晉書》四十餘卷。

又《王隱傳》:時著作郎虞預私撰《晉書》,而生長東南,不知中朝事,數訪于隱,並借隱所著書竊寫之,所聞漸廣。是後更疾隱,形于言色。預既豪族,交結權貴,共爲朋黨,以斥隱,隱竟以謗免,黜歸于家。

《唐書·經籍志》:《晉書》五十八卷,虞預撰。

《唐書·藝文志》:虞預《晉書》五十八卷。

章氏《考證》:《魏志·王粲傳》注引預書嵇康事,《太平御覽·皇王部》引預書"上雖服膺文藝,而雅有雄霸之量"數語,乃《宣帝紀》論;其論阮籍裸祖,則《籍傳》論也。今《晉書》皆不取。《初學記》、《北堂書鈔·設官部》並引《何楨傳》,《史通·人物篇》言王隱書無何楨,是知王隱所不編,預固有傳。"

晉書十卷。未成,本十四卷,今殘缺。**晉中書郎朱鳳撰,訖元帝。**

《晉書·華譚傳》:元帝時,譚爲丞相、軍謀祭酒,薦干寶、范珧于朝。太興初,爲祕書監,時晉陵朱鳳、吳郡吳震並學行清修,老而未調,譚皆薦爲著作佐郎。

《北堂書鈔·設官部》:何法盛《中興書》曰:"華譚爲祕書監時,晉陵朱鳳、吳郡吳震二人並有史才,譚薦補著作佐郎。"

《唐書·經籍志》:《晉書》十四卷,朱鳳撰。

《唐書·藝文志》:朱鳳《晉書》十四卷。

章氏《考證》:《世說·德行篇》注、《言語篇》注、《汰侈篇》注,《文選·關中詩》注、《安陸王碑》注,《北堂書鈔·車部》,《太平御覽·職官部》共引鳳書九事。

晉中興書七十八卷。起東晉。**宋湘東太守何法盛撰。**

《宋書》沈約自序:伯玉字德潤,虔子子也。世祖時,宋孝武帝廟號世祖。爲江夏王義恭太宰行參軍,與奉朝請謝超宗、何法盛校書東宮。按何法盛，《宋書》無傳，其在孝武時爲奉朝請，爲湘東太守不知在何時，大抵宋中晚時人。

《南史·徐廣傳》：時有高平郗紹，亦作《晉中興書》，數以示何法盛。法盛有意圖之，謂紹曰：“卿名位貴達，不復俟此延譽。我寒士，無聞於時，如袁宏、干寶之徒，賴有著述，流聲於後。宜以爲惠。”紹不與。至書成，在齋內廚中，法盛詣紹，紹不在，直入竊其書。紹還失之，無復兼本，于是遂行何書。按《晉書》、《宋書·徐廣傳》，皆不附是事，惟《南史》有之，不知是否實錄。

《陳書·文學傳》：何之元《梁典》序曰：“《尚書》述唐帝爲《堯典》，虞帝爲《舜典》。馬《史》、班《漢》，述帝稱紀。自茲厥後，因相祖習。惟何法盛《晉書》變帝紀爲帝典，既云師古，在理爲優。”

《史通·正史篇》：晉江左史，自鄧粲、孫盛、檀道鸞、王韶之已下，相次繼作，遠則偏記兩帝，近則唯敘八朝。至宋湘東太守何法盛始勒成一家，首尾該備。

又《雜説篇》曰：“東晉之史，作者多門，何氏《中興》實居其最，而爲晉學者曾未之知，儻湮没不行，良可惜也。”

又《表曆篇》曰：“法盛書載《中興》，改表爲注，名目雖巧，蕪累亦多。”《書志篇》云：“原夫司馬遷曰書，班固曰志，華嶠曰典，張勃曰録，何法盛曰説，名目雖異，體統不殊。”《題目篇》云：“何氏《中興》易志爲記。”章宗源曰：“記乃説字之誤。”《論贊篇》云：“《史記》云太史公，班固曰贊，荀悦曰論，《東觀》。曰序，謝承曰詮，陳壽曰評，王隱曰議，何法盛曰述，其名萬殊，其義一揆。”

又《因習篇》曰：“《中興書·劉隗録》稱其議獄事具《刑法志》，依檢志内，了無其説。”《鑒識篇》云：“法盛《中興》，荒拙少氣。”章宗源曰：“《刑法志》當作《刑法説》。”

《唐書·經籍志》:《晉中興書》八十卷,何法盛撰。

《唐書·藝文志》:何法盛《晉中興書》八十卷。

章氏《考證》曰:"《藝文類聚》、《初學記》諸書多引法盛《徵祥》説,《開元占經》引《懸象説》,《北堂書鈔·設官部》引《百官公卿注》,《文選注》引《桓玄録》、《劉聰録》、《陳郡謝録》、《潁川庾録》、《濟陰卜録》,《書鈔·設官部》所引有《會稽賀録》、《琅邪王録》、《濟陽江録》、《陳郡袁録》、《太原王録》、《順陽王録》。《史通》所稱,又有《劉隗録》、《鬼神録》,蓋典、注、説、録四體,以易紀、表、志、傳也。"

晉書三十六卷　宋臨川内史謝靈運撰

《南史》本傳:靈運,陳郡陽夏人。祖玄,晉車騎將軍。靈運襲封康樂公。宋受命,降公爲侯。文帝徵爲祕書監,令撰《晉書》,粗立條流,書竟不就。後爲臨川内史,憤惋有逆志,徙廣州。後又事露,有司奏收之,文帝詔于廣州棄市。時元嘉十年,年四十九。

《宋書》本傳:太祖登祚,以晉氏一代,自始至終竟無一家之史,令靈運撰《晉書》,粗立條流,書竟不就。

《梁書·止足傳》序曰:"靈運《晉書·止足傳》先論晉世文士之避亂者,殆非其人。惟阮思曠遺榮好遁,遠殆辱矣。"

《史通·論贊篇》:若靈運之虛張高論,玉卮無當,曾何足云。

《唐書·經籍志》:《晉書》三十五卷,謝靈運撰。

《唐書·藝文志》:謝靈運《晉書》三十五卷,又録一卷。

章氏《考證》:《文選·蕭揚州薦士表》注引序曰:"上品無寒門,下品無貴族。"干寶《論武帝革命》注引《禪位表》。《初學記·職官部》引"志曰"者凡五事,《器物部》、《果木部》各引一事。《太平御覽·皇王部》引世祖論,《人事部》引愍懷妃義不受辱事。

晉書一百一十卷　齊徐州主簿臧榮緒撰

《南齊書·高逸傳》：臧榮緒，東莞莒人也。純篤好學，括東西晉爲一書，紀、録、志、傳一百一十卷。隱居京口教授。南徐州辟西曹，舉秀才，不就。太祖爲揚州，徵榮緒爲主簿，不到。建元中。司徒褚淵啓太祖曰：“榮緒，朱方隱者。昔臧質在宋，以國戚出牧彭岱，引爲行佐，非其所好，謝疾求免。蓬廬守志，與友關康之沈深典素，追古著書，撰《晉史》十袠，贊論雖無逸才，亦足彌綸一代。臣歲時往京口，早與之遇。近報其取書，始方送出，庶得備録渠閣，采異甄善。”上答曰：“公所道臧榮緒者，吾甚志之。其有史翰，欲令入天禄，甚佳。”榮緒自號被褐先生，永明六年卒，年七十四。初，榮緒與關康之俱隱在京口，世號爲二隱。

《南史·隱逸·諸葛璩傳》：璩世居京口，幼事徵士關康之，博涉經史。復師徵士臧榮緒，榮緒著《晉書》，稱璩有發摘之功，方之壺遂。

《舊唐書·房玄齡傳》：貞觀十八年，玄齡與褚遂良受詔重撰《晉書》，于是奏請以臧榮緒《晉書》爲主，參考詳洽。

《唐書·經籍志》：《晉書》一百一十卷，臧榮緒撰。

《唐書·藝文志》：臧榮緒《晉書》一百一十卷。

章氏《考證》：《史通·書志篇》稱臧榮緒志五行，《太平寰宇記·山南西道》引榮緒《地理志》，《北堂書鈔·刑法部》引《刑德志》，此其志篇可見者。又按今《晉書·李重傳》稱重議官階，見《百官志》；《司馬彪傳》稱彪議南郊，見《郊祀志》；《張亢傳》稱亢述曆贊，見《律曆志》；《摯虞傳》虞表論封禪，見《禮志》；議玉輅、兩社，見《輿服志》。依檢志内，俱無其文。錢宮詹《晉書考異》嘗辨之，據《唐會要》言貞觀修《晉書》以臧榮緒爲本，則《百官》、《郊祀》諸志，當是臧氏之志也。《書鈔·設官部》,《文選·籍田賦》注、《北山移文》注,《御覽·皇親部》、《時序部》,《初學記·歲時部》並引之,志、紀、傳之體,其詞易見,惟錄體未詳。

晉書十一卷。 本一百二卷,梁有,今殘缺。蕭子雲撰。

蕭子雲有《千字文注》,見經部小學類。

《梁書》本傳:"子雲以晉代竟無全書,弱冠便留心撰著,至年二十六,書成,表奏之,詔付祕閣。"又答敕云:"臣年二十六著《晉史》,至《二王列傳》,欲作論草隸法,言不盡意,遂不能成,略指論飛白一勢而已。"又曰:"所著《晉書》一百一十卷。"

《顏氏家訓·雜藝篇》:蕭子雲每歎曰:"吾著《齊書》,趙氏注曰:"子雲著《晉書》,無著《齊書》事,此蓋誤記也。"勒成一典,文章宏義,自謂可觀;唯以筆跡得名,亦異事也。"

《唐書·經籍志》:《晉書》九卷,蕭子雲撰。

《唐書·藝文志》:蕭子雲《晉書》九卷。

章氏《考證》:《太平御覽·人事部》"明帝以太常桓榮爲五更,躬軾其閒,親行養老之禮",乃後漢事,而題蕭子雲《晉書》。又貞觀修書詔曰:"子雲學埋涸流。"按貞觀時所存僅十一卷、九卷而已,故詔言如此。

晉史草三十卷　梁蕭子顯撰

蕭子顯有《孝經義疏》,見經部孝經類。

《唐書·經籍志》編年類:《晉史草》三十卷,蕭景暢撰。

《唐書·藝文志》編年類:蕭景暢《晉史草》三十卷。

章氏《考證》:《唐志》編年類有蕭景暢《晉史草》三十卷。子顯字景陽,"暢"乃"陽"字之訛。《太平御覽·兵部》引《晉史草》一事,題稱蕭子雲,與《隋志》不合。

按蕭氏此書,《梁書》、《南史》本傳皆不載,蓋其未成之作,史略之也。

梁有鄭忠《晉書》七卷，亡。

鄭忠始末未詳。

梁有沈約《晉書》一百一十一卷，亡。

沈約有《謚法》，見經部論語類。

《宋書》自序曰：“史臣少頗好學，常以晉氏一代竟無全書，年二十許便有撰述之意。泰始初，征西將軍蔡興宗爲啓明帝，有敕賜許，自此迄今，年逾二十，所撰之書，凡一百二十卷。條流雖舉，而采掇未周。永明初，遇盜失第五帙。建元四年未終，按“四年”下當有敚文。被敕撰國史。永明二年，又奏兼著作郎，撰次起居注。自茲王役，無暇搜撰。”

又表上《宋書》曰：“桓玄、譙縱、盧循、馬、魯之徒，身爲晉賊，非關後代。吳隱、謝混、郗僧施，義止前朝，不宜濫入宋典。劉毅、何無忌、魏詠之、檀憑之、孟昶、諸葛長民，志在興復，情非造宋，今並刊除，歸之晉籍。”

《梁書》本傳：約所著《晉書》一百一十卷。按《自序》言百二十卷，失第五帙。則此稱一百一十卷者，非其全也。《南史》云百餘卷。

《史通·采撰篇》曰：“沈氏著書，好誣先代，于晉則故造奇說。”又《雜說篇》云：“近者沈約《晉書》，喜造奇說。稱元帝牛金之子，以應牛繼馬後之徵。而魏收深嫉南國，幸書其短，著《司馬叡傳》，遂具錄休文所言。”

章氏《考證》：《世說·文學篇》注、《品藻篇》注，《初學記·器物部》，《北堂書鈔·設官部》，《太平御覽·皇親部》並引之。

梁有庾銑《東晉新書》七卷，亡。

《南齊書·文學·王智深傳》：先是，陳郡袁炳，字叔明，有文學，爲宋司徒袁粲所知，著《晉書》未成，卒。潁川庾銑善屬文，見賞豫章王，引至大司馬記室參軍，卒。按此當有敚文，意蓋謂袁炳著《晉書》未成，銑續之也。齊豫章文獻王嶷嘗爲大司馬，銑爲其記室參軍。又此爲潁川庾銑卒于齊代。章氏《考證》題梁庾銑，非也。

梁江淹《傷友人賦》序曰：“僕之神交者，有陳郡之袁炳焉。有逸才，有妙賞，博學多聞，才明敏而識奇異。僕以爲天下絕倫，黯與秋草同折，今不復見矣！”又《袁友人傳》曰：“友人袁炳，字叔明，陳郡陽夏人。其人天下之士，仕歷國常侍、員外郎、府功曹、臨湘令，數百年未有此人焉。好妙賞文，獨絕于世，又撰晉史，奇功未遂，不幸卒官，春秋二十有八。”

宋書六十五卷　　宋中散大夫徐爰撰

徐爰有《集注繫辭》，見經部易類。

《宋書》本傳：先是元嘉中，使著作郎何承天草創國史。世祖初，又使奉朝請山謙之、南臺御史蘇寶生踵成之。六年，又以爰領著作郎，使終其業。爰雖因前作，而專爲一家之書。上表：“宜起元義熙，爲王業之始；載序宣力，爲功臣之斷。其僞玄篡竊，同于新莽，雖靈武克殄，自詳之晉録；及犯命干紀，受戮霸朝，雖揖禪之前，皆著之宋策。國典體大，方垂不朽。請外詳議，伏須遵承。”于是内外博議，太宰江夏王義恭等三十五人同爰議，宜以義熙元年爲斷。散騎常侍巴陵王休若、尚書金部郎檀道鸞二人謂宜以元興三年爲始。太學博士虞龢謂宜以開國爲宋公元年。詔曰：“項籍、聖公，編録二漢，前史已有成例。《桓玄傳》宜在宋典，餘如爰議。”

《宋書》沈約自序曰：“徐爰因何、蘇所述，勒爲一史，起自義熙之初，訖于大明之末。”

《史通·正史篇》：宋史，元嘉中，何承天草創紀傳。自此以外，悉委山謙之補承天殘缺。後又命裴松之續成國史。松之尋卒，史佐孫沖之表求別自創立。孝建初，又勑蘇寶生續造諸傳，元嘉名臣，皆其所撰。寶生被誅，按見《宋書·王僧達傳》後。大明六年，又命徐爰踵成前作。爰因何、孫、山、蘇所述，勒爲一書,其臧質、魯爽、王僧達諸傳,又皆孝武自造。而序事多虛,難以取信。

《唐書·經籍志》:《宋書》四十二卷,徐爰撰。

《唐書·藝文志》:徐爰《宋書》四十二卷。

章氏《考證》:《開元占經》引徐爰書,元嘉十三年詔錢樂之作渾天儀一事。今見沈約《天文志》。而《州郡志》所稱何志、徐志甚多,《律曆志》序曰:"天文、五行,徐肇義熙之元。"《南齊書·百官志》引何、徐《宋志》。《太平御覽·服章部》、《偏霸部》、《人事部》,《初學記·人事部》,《藝文類聚·帝王部》,《符命部》,《北堂書鈔·帝王部》亦並引之。"

宋書六十五卷　齊冠軍錄事參軍孫嚴撰

孫嚴始末未詳。

《唐書·經籍志》:《宋書》四十六卷,孫嚴撰。

《唐書·藝文志》:孫嚴《宋書》五十八卷。

章氏《考證》曰:"《文選·袁陽源傚白馬篇詩》注引一事作孫巖。《宋書》、《初學記·地部》引二事並同《選注》,作孫巖。又《禮部》及《御覽·兵部》、《人事部》、《宗親部》共引十三事,並同《隋志》,作孫嚴。"

按《史通·正史篇》云:"宋史,元嘉中,又命裴松之續成國史。松之尋卒,史佐孫沖之表求別自創立,爲一家之書。"《史通》于列朝修史諸人,備彙其全,此云"史佐孫沖之表求,爲一家之書",似即此孫嚴《宋書》,沖之其字歟?《宋書·臧質傳》:"孫沖之,太原中都人,晉祕書監孫盛曾孫也。官至右軍將軍、巴東太守。後事在《劉琬傳》。"按劉琬當爲鄧琬,《鄧琬傳》云:"大明八年,琬爲晉安王子勛鎮軍長史,前廢帝遣使齎藥,賜子勛死。琬乃佐子勛,起兵尋陽,巴東、建平二郡太守孫沖之之郡,始至孤石,琬以沖之爲子勛諮議參軍,領中兵,加輔國將軍,與陶亮並統前軍。子勛即偽位,加左衛將軍,後敗還,不知所終。"豈即此孫沖之? 沖之有集十一卷,見本志別集類中。又爲孫盛曾孫,史學是其世業,殆即其人或當時未及于難,入齊爲冠軍將軍録事,未可知也。

宋書一百卷　梁尚書僕射沈約撰

沈約有《晉書》,見前。

《宋書》自序曰:"史臣於永明五年春,又被敕撰《宋書》。六年二月畢功,表上之曰:'宋故著作郎何承天始撰《宋書》,草立紀傳,止于武帝功臣,篇牘未廣。其所撰志,唯《天文》、《律曆》,自此外,悉委奉朝請山謙之。謙之,孝建初又被詔撰述,尋值病亡,仍使南臺侍御史蘇寶生續造諸傳,元嘉名臣,皆其所撰。寶生被誅,大明中,又命著作郎徐爰踵成前作。爰因何、蘇所述,勒爲一史,起自義熙之初,迄于大明之末。自永光以來,至于禪讓,十餘年内,闕而不續,一代典文,始末未舉。且事屬當時,多非實録;又立傳之方,取捨乖衷。進由時旨,退傍世情,垂之方來,難以取信。臣今謹更創立,製成新史,始自義熙肇號,終于昇明三年。本紀、列傳,繕寫已畢,合志、表七十卷,臣今謹奏呈。所撰諸志,須成續上。謹條目録,詣省拜表奉書以聞。'"

《南史·文學·王智深傳》:齊武帝使太子家令沈約撰《宋書》,疑立《袁粲傳》,以審武帝。帝曰:"袁粲自是宋家忠臣。"約又多載孝武、明帝諸褻黷事,上遣左右語約曰:"孝武事迹不容頓爾。我昔經事宋明帝,卿可思諱惡之義。"於是多所省除。

《史通·正史篇》:宋史,至齊著作郎沈約更補綴所遺,製成新史,爲紀十、志三十、列傳六十,合百卷,名曰《宋書》。

《唐書·經籍》、《藝文志》：“沈約《宋書》一百卷。”《宋史·志》同。

《崇文總目》：其書雖諸志失於限斷，然有博洽多聞之益。今世所傳，文多舛失，參補未獲。《趙倫之傳》一卷，今缺。《謝靈運傳》，文注譌駮。

晁氏《讀書志》：約奉詔爲是書，本何承天、徐爰之説，頗爲精詳，但本志兼載魏、晉，失于限斷，又王劭謂其喜造奇説，以誣前代，如琅琊王妃通小吏，牛氏生中宗，孝武于路太后處寢息，時人多有異議之類是也。後梁武帝知而不以爲非。

《書録解題》曰：“本紀、列傳七十卷，志三十卷，獨缺《到彥之傳》，《館閣書目》謂其志兼載魏、晉，失于限斷，揆以班、馬史例，未足爲疵。至其所創《符瑞》一志，不經且無益，其贅甚矣！”

《四庫提要》曰：“約表上其書，謂紀、傳合志、表七十卷。今書無表，《史通》亦不言其有表。《隋志》作一百卷，與今本合，或唐以前其表早佚，今本卷帙出後人編次歟？考志序，稱損益前史諸志爲八門，曰律曆，曰禮，曰樂，曰天文，曰五行，曰符瑞，曰州郡，曰百官。是律曆未嘗分兩門。今本每卷細目，作‘志第一律志序，志第二曆上，志第三曆下’，則後人強爲分割，非約原本之舊，此其明證矣。謹按今本所題“律志序”乃八志之總序，非爲《律志》作。其書至北宋已多散失，《崇文總目》謂缺《趙倫之傳》。陳振孫謂獨缺《到彥之傳》。今本卷四十六有《趙倫之王懿張劭傳》，惟《到彥之傳》缺，與振孫所見同。後有臣穆附記，謂此卷體同《南史》，傳末無論，疑非約書。其言良是。蓋宋初已缺此一卷，後人雜取《高氏小史》及《南史》以補之，然《南史》有《到彥之傳》，獨舍而不取。又《張劭傳》附見其兄子暢，直用《南史》之文，而不知本書卷五十九已有《張暢傳》，忘其重出,則補綴者之疏矣。"

梁有宋文明中所撰《宋書》六十一卷,亡。

不著撰人。

按宋無"文明"年號,自是"大明"之誤。而大明中所撰《宋書》,即與徐爰同時,或當時修史諸臣中別有此一本歟?

又按《梁書·止足傳》序云:"《宋書》有羊欣、王微,咸其流亞。"今考沈約《宋書》,羊欣、張敷、王微合爲一傳,不立《止足傳》,似在當代所修國史中,或即在徐爰、孫嚴及此三家之書。

齊書六十卷　梁吏部尚書蕭子顯撰

蕭子顯有《後漢書》、《晉史草》,並見前。

《梁書》本傳:"子顯又啓撰齊史,書成,表奏之,詔付祕閣。"又曰:"子顯所著《齊書》六十卷。"

《史通·正史篇》:《齊史》,江淹始受詔著述,先著十志,沈約復著《齊紀》。梁天監中,太尉録事蕭子顯啓撰齊史,書成,表奏之,詔付祕閣。起昇明之年,盡永元之代,爲紀八、志十一、列傳四十,合成五十九篇。

又《序例篇》曰:"若沈《宋》之《志序》,蕭《齊》之《敘録》,雖皆以序爲名,其實例也。必定其臧否,徵其善惡,子顯雖文傷蹇蹐,而義甚優長,斯亦序例之美者。"又《斷限篇》曰:"夫能明彼斷限,定其折中,歷選自古,唯蕭子顯近諸。"

《唐書·經籍志》:《齊書》五十九卷,蕭子顯撰。

《唐書·藝文志》:蕭子顯《齊書》六十卷。

《宋史·藝文志》:蕭子顯《南齊書》五十九卷。

晁氏《讀書志》:初,江淹已作十志,沈約又有紀,子顯自表別修。然《天文》但紀災祥,《州郡》不著户口,《祥瑞》多載圖讖。表云:"天文事祕,户口不知,不敢私載。"曾子固謂子顯于斯

史，喜自馳騁，其更改破析、刻彫藻繢之變尤多，而文比七史
最下云。晁氏云，嘉祐中以《宋》、《齊》、《梁》、《陳》、《魏》、《北齊》、《周書》詔館職
校正，頒學官。治平中，曾鞏校定《南齊》、《梁》、《陳》三書。所謂七史者如此。

《四庫提要》曰：“原本六十卷，至唐已佚一卷。北宋本載有
《進書表》，見晁氏《讀書志》，今其表已佚。又《文學傳》無序，
《州郡志》及《桂陽王傳》均有缺文，無從校補。蓋《南》、《北
史》行，而八書俱微，世多不甚檢閱，故愈久愈佚也。”

齊紀十卷　劉陟撰

《南史·文學·杜之偉傳》：梁武帝時，之偉補東宮學士，與學
士劉陟鈔撰群書，各爲題目。

《史通·史官篇》：齊、梁二代，又置修史學士，陳氏因循，無所
變革，若劉陟、謝昊、顧野王、許善心之類是也。

《唐書·經籍志》：《齊書》八卷，劉陟撰。

《唐書·藝文志》：劉陟《齊書》十三卷。

齊紀二十卷　沈約撰

沈約有《晉書》、《宋書》，並見前。

《宋書》自序曰：“建元四年，被勑撰國史。永明二年，又奏兼
著作郎，撰次起居注。”

《梁書》本傳：“約遷太子家令，後以本官兼著作郎。”又曰：
“所著《齊紀》二十卷。”

《唐日本國見在書目》：《齊書》廿卷，沈約撰。

《唐書·經籍志》編年類：《齊紀》二十卷，沈約撰。

《唐書·藝文志》編年類：沈約《齊紀》二十卷。

章氏《考證》：“《文選·奏彈劉整》注引約《紀》一事，《通鑑考
異》引五事，又二事。《太平御覽·學部》、《菜部》各引一事。”

　按本傳又有《梁武帝本紀》十四卷，是則于晉、宋、齊、梁四
代之史，皆有所論著矣。古來史臣記述之富，當無出其

右者。

梁有江淹《齊史》十三卷,亡。

《梁書》本傳:"淹字文通,濟陽考城人也。仕宋,入齊。建元初,參掌詔册,並典國史。永明初,遷驃騎將軍,掌國史,至吏部尚書。梁天監元年,爲散騎常侍、左衛將軍,封臨沮縣開國伯,以疾遷金紫光禄大夫,改封醴陵侯。四年卒,年六十二,謚曰憲伯,所著《齊史》十志行於世。

《南史》本傳:建元二年,始置史官,淹與司徒左長史檀超共掌其任,所爲條例,並爲王儉所駁,其言不行。淹任性文雅,不以著述在懷,所撰十三篇,竟無次序。

又《文學·檀超傳》:建元二年初,置史官,以超與驃騎記室江淹掌史職。上表立條例:開元紀號,不取宋年;封爵各詳本傳,無假年表。又制著十志,多爲左僕射王儉所不同。既與物多忤,史功未就,徙交州,于路見殺。江淹撰成之,猶不備也。按超所上史例,《南齊書·文學傳》備載之,不知是否與江淹同上者。文繁不録。

《史通·正史篇》:齊史,江淹始受詔著述,以爲史之所難,無出于志,故先著十志,以見其才。

梁書四十九卷　梁中書郎謝昊撰。本一百卷。

謝昊始末未詳。

《史通·正史篇》:梁史,武帝時,沈約與給事中周興嗣、步兵校尉鮑行卿、祕書監謝昊相承撰録,已有百篇。值承聖淪没,並從焚蕩。按《沈約傳》,約撰《梁武紀》十四卷,其書不傳。周興嗣、謝昊各有《梁皇帝實録》,見後雜史類。鮑行卿似即鮑衛卿,有《乘輿龍飛記》二卷,見《唐志》雜史類。凡此之流,似皆其史稿更名別行者。承聖,梁元帝年號。

《唐書·經籍志》:《梁書》三十四卷,謝昊、姚察等撰。

《唐書·藝文志》:謝昊、姚察《梁書》三十四卷。

錢大昕《十駕齋養新録》曰:"昊與昊字形相涉,未知孰是。"又

曰：“《謝宣城集》有與謝洗馬吳聯句。”_{按日本國舊傳高似孫《史略》又}
作“謝炅”。

嚴可均《全梁文編》曰：“案梁中書郎謝昊有《梁書》一百卷。
《隋志》僅存四十九卷。《御覽》三百四十二引王希聃事，蓋謝
昊本也。”_{按《御覽》此卷連引《梁書》者，凡三條，則皆是謝昊本。}

章氏《考證》：《唐志》有謝昊、姚察《梁書》三十四卷。昊與姚
察合著，恐《唐志》有誤。《通志·藝文略》訛謝作林。

按姚察有《梁書帝紀》七卷，別見於後。兩《唐志》三十四
卷，題此兩家姓名者，殆後人合爲一帙也。《唐·藝文志》
編年類有謝昊《梁典》三十九卷，似其史料或史稿。

梁史五十三卷　陳領軍大著作郎許亨撰

《陳書·文學傳》：許亨字亨道，高陽新城人。博通群書，多識
前代舊事。仕梁，入陳，高祖授中散大夫，領羽林監，遷太中
大夫，領大著作，知梁史事。高宗即位，拜衛尉卿。太建二年
卒，時年五十四。初撰《齊書》並志五十卷，遇亂亡失。後撰
《梁史》，成者五十八卷。子善心，早知名，官至尚書度支侍
郎。_{亦見《梁書·許懋附傳》。}

《隋書·許善心傳》：初，善心父亨撰著《梁史》，未就而歿。善
心述成父志，修續家書。其《敍傳》末，述制作之意曰：“先君
昔在前代，早懷述作，《梁書》紀傳，隨事勒成。及闕而未就
者，《目錄》注爲一百八卷。梁室交喪，墳籍銷盡。所撰之書，
一時亡散。有陳初建，詔爲史官，補闕拾遺，心識口誦。依舊
目錄，更加修撰，且成百卷，已有六帙五十八卷，上祕閣訖。
善心至德之初，蒙授史任。方願采訪、記錄，仰成先志。忝職
郎署，兼撰《陳史》，致此書延時，未即成績。禎明二年，以臺
郎入聘，值本邑淪覆，_{謂陳亡也。}家史舊書，在後焚蕩。今止有
六十八卷在，又並缺落失次。自入京邑以來，隨見補葺，略成

七十卷。《四帝紀》八卷，《后妃》一卷，《三太子録》一卷，爲一帙十卷。《宗室王侯列傳》一帙十卷。《具臣列傳》二帙二十卷。《外戚傳》一卷，《孝德傳》一卷，《誠臣傳》一卷，《文苑傳》二卷，《儒林傳》二卷，《逸民傳》一卷，《數術傳》一卷，《藩臣傳》一卷，合一帙十卷。《止足傳》一卷，《列女傳》一卷，《權幸傳》一卷，《羯賊傳》二卷，《逆臣傳》二卷，《叛臣傳》二卷，《敍傳論述》一卷，合一帙十卷。<small>按此止六十卷，與前所云七十卷不合，或其中有子卷。</small>凡稱史臣者，皆先君所言；下稱名案者，並善心補缺。別爲《敍論》一篇，託于《敍傳》之末。"善心字務本，仕陳，歷隋，爲給事郎，後爲宇文化及所害，年六十一。及越王稱制，贈左光禄大夫、高陽縣公，謚曰節。

錢氏《隋書考異》曰："今以《許善心傳》考之，此書目録凡百卷，撰成上祕閣者，僅六帙五十八卷，蓋未成之書，然卷數亦不合。"

按許亨所撰已成者，凡五十八卷；善心所續成者，合爲七十卷。據善心言書中稱史臣云云，則其本亦題其父名，此五十三卷不知爲亨書、爲善心書，大抵皆殘本也。

梁書帝紀七卷　姚察撰

姚察有《漢書訓纂》及《集解》、《定疑》，並見前。

《陳書》本傳："太建中，爲戎昭將軍，知撰梁史事。後主纂業，敕兼東宫通事舍人、將軍，知撰史事如故。陳滅入隋，開皇九年，詔授祕書丞，別敕成梁、陳二代史。"又曰："察所撰梁、陳史雖未畢功，隋文帝開皇之時，遣内史舍人虞世基索本，具進上，今在内殿。梁、陳二史本多是察之所撰，其中序論及紀、傳有所闕者，臨亡之時，仍以體例誡子思廉，博訪撰續，思廉涕泣奉行。大業初，内史侍郎虞世基奏思廉踵成梁、陳二代史，自爾以來，稍就補續。"

《史通·正史篇》：梁史，紀傳之書，未有其作。陳祠部郎中姚察有志撰勒，施功未周。但既當朝務，兼知國史，至于陳亡，其書不就。隋文帝嘗索梁、陳事跡，察具以所成每篇續奏，而依違荏苒，竟未絕筆。皇家貞觀中，其子思廉定爲《梁書》五十卷，今行于世焉。

　　按此《帝紀》七卷，蓋即姚思廉藍本之僅存者。本志雜史類有《梁帝紀》七卷，不著撰人，似即此書。

通史四百八十卷　梁武帝撰。起三皇，訖梁。

梁武帝有《周易大義》，見經部易類。

《梁書·蕭子顯傳》：高祖嘗從容謂子顯曰：“我造《通史》，此書若成，衆史可廢。”子顯對曰：“仲尼贊《易》道，黜《八索》；述職方，除《九丘》，聖製符同，復在茲日。”時以爲名對。

又《文學·吳均傳》：均除奉朝請，撰《齊春秋》不實，坐免職。尋有詔召見，使撰《通史》，起三皇，訖齊代，均草本紀、世家，功已畢，唯列傳未就。普通元年卒。

又《武帝本紀》：又造《通史》，躬製贊序，凡六百卷。

《史通·六家篇》：梁武帝敕其群臣，上自太初，下終齊室，撰成《通史》六百二十卷。其書自秦以上，皆以《史記》爲本，而別采他説，以廣異聞。至兩漢已還，則全錄當時紀傳，而上下通達，臭味相依。又吳、蜀二主皆入世家，五胡及拓拔氏列于《夷狄傳》，大抵其體皆如《史記》，其所爲異者，唯無表而已。又《世家篇》云：“及魏有天下，而揚吳。益蜀。不賓，終亦受屈中朝，見稱僞主，爲史者必題之以紀，則上通帝王；牓之以傳，則下同臣妾。梁主敕撰《通史》，定爲吳、蜀世家。持彼僭君，比諸列國，去太去甚，其得折中之規乎。”

《唐書·經籍志》：《通史》六百二卷，梁武帝撰。

《唐書·藝文志》：梁武帝《通史》六百二卷。

宋高似孫《史略》曰：“梁武帝《通史》，上自三皇，迄梁，全用編年法。”

《四庫提要》曰：“通史之例，肇于司馬遷。故劉知幾《史通》述二體，則以《史記》、《漢書》共爲一體；述六家，則以《史記》、《漢書》別爲兩家，以一述一代之事，一總歷代之事也。其例總括千古，歸一家言。非學問足以該通，文章足以鎔鑄，則難以成書。梁武帝作《通史》六百二十卷，不久即已散佚。故後有作者，率莫敢措意于斯。”見別史類《通志》條。

章氏《考證》：《史通·因習篇》曰：“何法盛《劉隗録》稱其議獄事具《刑法志》，依檢志内，了無其説。既而臧氏《晉書》、梁朝《通史》，于大連之傳，並有斯言，志亦無文，傳仍虛述。”愚按《後漢書·禰衡傳》注引《通史·志》曰：“岑牟，鼓角士胄也。”《史記·五帝紀》正義引《通史》曰“瞽瞍使舜滌廩，舜告堯二女”一事，《金樓子·興王篇》亦載之，當即襲用《通史》。

《唐志》一百七卷。按《唐志》一百七卷，不知所見何本。

後魏書一百三十卷　後齊僕射魏收撰

《晉書》本紀：孝武帝太元十一年夏四月，代王拓拔珪始改稱魏。安帝隆安二年十二月己丑，魏王珪即尊位，年號天興。

《北齊書·列傳》：魏收字伯起，鉅鹿下曲陽人也。與濟陰溫子昇、河間邢子才齊譽，世稱三才。仕魏，入齊，天保元年，除中書令兼著作郎，封富平縣子。二年，詔撰魏史。四年，又詔平原王高隆總監之，署名而已。始魏初鄧彥海撰《代記》十餘卷，其後崔浩典史，游允、程駿、李彪、崔光、李琰之徒世修其業。浩爲編年體，彪始分作紀、表、志、傳，書猶未出。宣武時，命邢巒追述《孝文起居注》，書至太和十四年。句又命崔鴻、王遵業補續焉。下訖孝明，事甚委悉。濟陰王暉業撰《辨宗室録》三十卷。收于是與通直常侍房延祐、司空司馬辛元植、國子博士刁柔、裴昂之、尚書郎高孝幹專總斟酌，以定《魏書》。辨定名稱，隨條甄舉，又搜采亡遺，綴續後事，備一代史籍，表上之。凡十二紀、九十二列傳，合一百一十卷。五年三月奏上。十一月，復上十志：《天象》四卷、《地形》三卷、《律曆》二卷、《禮樂》四卷、《食貨》一卷、《刑罰》一卷、《靈徵》二卷、《官氏》二卷、《釋老》一卷，凡二十卷，續于紀傳，合一百三十卷，分为十二帙。其史三十五例，二十五序，九十四論，前後二表一啓焉。武平三年薨，贈司空尚書、左僕射，謚文貞。既緣史筆，多憾於人，齊亡之歲，收家被發，棄其骨于外。

《魏書·山偉傳》：國史自鄧淵、崔琛、崔浩、高允、李彪、崔光以還，諸人相繼撰録。綦儁及偉等謟説上黨王天穆及爾朱世隆，以爲國書正應代人修緝，不宜委之餘人，是以儁、偉等更主大籍。守舊而已，初無述著。故自崔鴻死後，迄終偉身，二十許年，時事蕩然，萬不記一，後人執筆，無所憑據。史之遺闕，偉之由也。按此二十許年，幸有温子昇《孝莊紀》及列朝起居注不絕，故猶得以藉手。又有百家譜狀，斟酌以成其書。

《史通·正史篇》：齊天保二年，救祕書監魏收博采舊聞，勒成一史。又命刁柔、辛元植、房延祐、睦仲讓、裴昂之、高孝幹等助其編次。收所取史官，懼相凌忽，故刁、辛諸子，並乏史才，唯以髣髴學流，憑附得進。于是大徵百家譜狀，斟酌以成《魏書》。上自道武，下終孝靜，紀、傳與志，凡百三十卷。收誀齊氏，于魏室多不平。既黨北朝，又厚誣江左。性憎勝己，喜念舊惡，甲門盛德與之有怨者，莫不被以醜言，没其善事。遷怒所至，毀及高曾。書成始奏，詔收于尚書省與諸家論討。前後列訴者百有餘人。時尚書令楊遵彦，一代貴臣，勢傾朝野，收撰其家傳甚美，是以深被黨援。諸訟史者皆護重罰，或有斃于獄中者，群怨謗聲不息。孝昭世，救收更加研審，然後宣布于外。武成嘗訪諸群臣,猶云不實,又令治改,其所變易甚多。由是世薄其書,號爲穢史。然今世稱魏史者,猶以收本爲主焉。

又《稱謂篇》曰:"元氏起於邊朔,其君乃一部之酋長耳。道武追崇所及,凡二十八君,自開闢已來,未之有也。而《魏書·序紀》襲其虛號,生則謂之帝,死則謂之崩,何異沐猴而冠,腐鼠稱璞者矣!"又曰:"魏收遠不師古,近非因俗,自我作古,無所憲章。其撰《魏書》也,乃以平陽王爲出帝,<small>魏孝武西入關,依宇文故。</small>司馬氏爲僭晉,桓、劉已下,通曰島夷。夫其詘齊則輕抑關右,黨魏則深誣江外,愛憎出於方寸,與奪由其筆端,語必不經,名惟駭物。事非允當,難以遵行。如收之苟立詭名,不依故實,雖復刊諸竹帛,終罕傳于諷誦也。"又《書志篇》云:"如休文宋籍,廣以《符瑞》;伯起魏篇,加之《釋老》。徒以不急爲務,曾何足云?"

《唐書·經籍》、《藝文志》:魏收《後魏書》一百三十卷。<small>《宋史志》同。</small>

《崇文總目》曰:"收詘于齊氏,言魏室多所不平。至隋開皇中,敕魏澹更作《魏史》,唐李延壽作《北史》,並行于世,與收史相亂,因而卷第殊舛。今所存僅九十餘篇。"

《書録解題》曰:"今紀闕二卷,傳闕二十二卷,又三卷不全,志闕《天象》二卷。隋文帝命魏澹等更撰《魏書》九十二卷,《唐志》又有張太素《後魏書》一百卷,今皆不傳,而收書獨行。《中興書目》謂所闕《太宗紀》,以澹書補之,闕志以太素書補之。"

《四庫提要》曰:"收以是書爲世所訾謗,號爲'穢史'。今以《收傳》考之,如云收受爾朱榮子金,故減其惡。其實榮之凶悖,收未嘗不書于册。至論中所云,若'修德義之風,則韓、

彭、伊、霍，夫何足數'，反言見意，正史家之微詞。指以虛褒，
似未達其文義。又云楊愔、高德正勢傾朝野，收遂爲其家作
傳；其預修國史，得陽休之之助，因爲休之父固作佳傳。案愔
之先世爲楊椿、楊津，德正之先世爲高允、高祐。椿、津之孝
友亮節，允之名德，祐之好學，實爲魏代聞人。寧能以其門祚
方昌，遂引嫌不錄？又云盧同位至儀同，功業顯著，不爲立
傳；崔綽位止功曹，本無事跡，乃爲首傳。夫盧同希元乂之
旨，多所誅戮，後以乂黨罷官，不得云功業顯著；綽以卑秩見
重於高允，稱其道德，固當爲傳獨行者所不遺。觀盧文訴辭，
徒以父位儀同，綽僅功曹，較量官秩之崇卑，爭專傳、附傳之
榮辱，《魏書》初定本盧同附見《盧元傳》，《崔綽》自有傳，後奉敕更審，同立專傳，綽
改入附傳。亦未足服收也。蓋收恃才輕薄，有驚蛺蝶之稱，其德
望本不足以服衆。又魏、齊世近，著名史籍者並有子孫，孰不
欲顯榮其祖父？既不能一一如志，遂譁然群起而攻。平心而
論，人非南、董，豈信其一字無私？但互考諸書，證其所著，亦
未甚遠于是非。'穢史'之説，無乃已甚之詞乎？李延壽修
《北史》，多見館中墜簡，參核異同，每以收書爲據。其爲《收
傳》論云：'勒成魏籍，婉而有章，綜而不蕪，志存實録。'其必
有所見矣。"

又《簡明目録》曰："《魏書》一百十四卷，宋劉恕等校定。稱其
亡佚不完者二十九篇。《書録解題》又稱'《太宗紀》，補以魏
澹書；《天文志》，補以張太素書'。今本又闕卷十二《孝靜帝
紀》、卷十三《皇后傳》，不知以何書補亡，以《太平御覽》所引
魏澹書校之，疑亦取澹書也。"

後魏書一百卷　著作郎魏彥深撰

《隋書》列傳："魏澹字彥深，鉅鹿下曲陽人也。仕齊，歷周入
隋，爲著作郎、太子學士。高祖以魏收所撰書褒貶失實，平繪

爲《中興書》事不倫序，詔澹別成《魏史》。澹自道武下及恭帝，爲十二紀，七十八傳，別爲史論及例一卷，並目録合九十二卷，澹之義例與魏收多所不同。"又曰："澹所著《魏書》甚簡要，大矯收、繪之失，上覽而善之，未幾卒，時年六十五。"

《史通·正史篇》：隋開皇時，敕著作郎魏澹與顏之推、辛德源更撰《魏書》，矯正得失。澹以西魏爲真，東魏爲僞，故文恭列紀，孝靖稱傳，合紀、傳、論、例，總九十二篇。

又《本紀篇》云："紀者，既以編年爲主，唯敍天子一人。有大事可書者，則見之於年月。其書事委曲，付之列傳，此其義也。如近代述者，魏著作、李安平之徒，其撰《魏》、《齊》二史，于諸帝篇，或雜載臣下，或兼言他事，巨細畢書，洪纖備録。全爲傳體，有異紀文，迷而不悟，無乃太甚！世之讀者，幸爲詳焉。"按《隋書》本傳載其《序例》第五條，有云司馬遷之意紀、傳之體，出自《尚書》，不學《春秋》云云。故其紀仿《尚書》，與他家別爲一例。

又《雜説篇》曰："夫以暴易暴，故人以爲嗤，如彦淵之改魏收也。以非易非，彌見其失矣！而撰隋史者，稱澹大矯收失者，何哉？"

《唐日本國見在書目》：《後魏書》百卷，隋著作郎魏彦撰。敓"深"字。

《唐書·經籍志》：《魏書》一百七卷，魏澹撰。一本誤作張太素撰。

《唐書·藝文志》：魏澹《後魏書》一百七卷。

《宋史·藝文志》：魏澹《後魏書紀》一卷，本七卷。章氏《考證》曰："本七卷，語未詳。澹《帝紀》本十二卷。"按本七卷者，謂本一百七卷，敓"一百"字耳。

《崇文總目》：《後魏紀》一卷，隋魏澹撰。澹退東魏孝靜帝爲傳，矯正收、繪之失。收天子名則書，太子名則諱；澹諱皇帝名，書太子字。收諱太武獻文之殺，使同善終天年；澹顯書之，以懲逆。收書敵國皆曰死，澹曰卒。體裁簡正，帝甚善之。然世以收史爲主，故澹書亡闕，今纔紀一卷存。

《四庫提要》曰："《太平御覽·皇王部》所載《後魏書·帝紀》多取魏收書，而芟其字句重複。《太宗紀》亦與今本首尾符合，其中轉增多數語。夫《御覽》引諸史之文，有刪無增，而此紀獨異，其爲收書之原本歟？抑補綴者取魏澹書歟？《御覽》所引《後魏書》，不專取一家。如此書卷十二《孝靜帝紀》亡，後人所補，而《御覽》所載《孝靜紀》與此書體例絕殊。又有西魏《孝武紀》、《文帝紀》、《廢帝紀》、《恭帝紀》，則疑其取諸魏澹書。又此書卷十三《皇后傳》亡，亦後人所補。今以《御覽》相校，則字句多同，惟中有刪節。而末附西魏五后，當亦取澹書以足成之。"

　　按《南史·梁武帝本紀》："中大通六年，是歲魏孝武帝迫于其相高歡，出居關中。歡又別奉清河王世子善見爲主，是爲孝靜帝。魏于是始分爲兩孝武，既至關中，又與丞相宇文泰不平，未幾遇鴆而死。"按魏收仕東魏，入北齊。北齊承東魏之後，故據其統系，以東魏爲主。魏澹仕周，入隋。隋承周，周承西魏，故亦據其遞嬗，以西魏爲主，斯皆因時世而各爲其是焉。

陳書四十二卷。訖宣帝。陳吏部尚書陸瓊撰

《陳書》本傳：瓊字伯玉，吳郡吳人也。博學善屬文，永定中，州舉秀才。太建中，累遷太子中庶子，領大著作，撰國史，遷吏部尚書。至德四年卒，年五十。別詳後雜傳類《嘉瑞記》條。

《史通·正史篇》：陳史，初有吳郡顧野王、北地傅縡各爲撰史學士，其武、文二帝紀，即顧、傅所修。太建初，中書郎陸瓊續撰諸篇，事傷煩雜。姚察就加刪改，粗有條貫。"

　　按兩《唐志》載顧野王、傅縡《陳書》各三卷，而是書不著録。

周史十八卷　未成吏部尚書牛弘撰

《隋書》本傳：弘字里仁，安定鶉觚人也。本姓尞氏，父允，魏侍中、工部尚書、臨涇公，賜姓爲牛氏。弘仕周，襲爵。隋開皇初，授散騎常侍、祕書監，進爵奇章郡公，授大將軍，拜吏部尚書。煬帝嗣位，進位上大將軍、右光禄大夫。大業六年，從幸江都，十一月卒于江都郡，年六十六，贈文安侯，謚曰憲。

《史通·正史篇》："宇文周史，大統年有祕書丞柳虯兼領著作，直辭正色，事有可稱。至隋開皇中，祕書監牛弘追撰《周紀》十有八篇，略敍紀綱，仍皆抵忤。"又《世家篇》云："子顯《齊書》，北編魏虜；牛弘《周史》，南紀蕭詧。考其傳體，宜曰世家。但近古著書，通無此稱。用使馬遷之目，湮没不行。班固之名，相傳靡易。"又《浮詞篇》云："若乃心挾愛憎，詞多出没，則魏收、牛弘是也。"原注："《周史》載元行恭等，此本牛弘所撰也。"

右六十七部，三千八十三卷。通計亡書，合八十部，四千三十卷。實在著録六十七部，附著亡書十四部，通計八十一部。

　　按是類劉顯《漢書音》二卷、姚察《漢書集解》一卷、《定漢書疑》二卷、無名氏《漢疏》四卷、盧宗道《魏志音義》一卷，又梁有劉孝標《注漢書》一百四十卷、王韶《後漢林》二百卷、韋闡《後漢音》二卷、鄭忠《晉書》七卷、宋文明中所撰《宋書》六十一卷，凡十部，章氏《考證》皆不載。

卷十二

史部二
古史類

《紀年》十二卷，《汲冢書》並《竹書同異》一卷。

《晉書·武帝本紀》：咸寧五年冬十月，汲郡人不準掘魏襄王冢，得竹簡小篆古書十餘萬言，藏於祕府。

又《束晳傳》：初，太康二年，汲郡人不準盜發魏襄王墓，或言安釐王冢，得竹書數十車。大凡七十五篇，七篇簡書折壞，不識名題。漆書皆科斗字。初發冢者燒策照取寶物，及官收之，多燼簡斷札，文既殘缺，不復詮次。武帝以其書付祕書校綴次第，尋考指歸，而以今文寫之。晳在著作，得觀竹書，隨疑分釋，皆有義證。其《紀年》十三篇，記夏以來至周幽王爲犬戎所滅，以事接之，三家分，仍述魏事至安釐王之二十年。蓋魏國之史書，大略與《春秋》皆多相應。其中經傳大異，則云夏年多殷；益干啓位，啓殺之；太甲殺伊尹，文丁殺季歷；自周受命，至穆王百年，非穆王壽百歲也；幽王既亡，有共伯和者攝行天子事，非二相共和也。”

杜預《春秋左氏經傳集解後序》曰：“太康元年三月，吳寇始平，余自江陵還襄陽，解甲休兵，乃申抒舊意，修成《春秋釋例》及《經傳集解》。始訖，會汲郡汲縣有發其界內舊冢者，大得古書，皆簡編科斗文字。發冢者不以爲意，往往散亂。科斗書久廢，推尋不能盡通。始者藏在祕府，余晚得見之，所記大凡七十五卷,多雜碎怪妄,不可訓知。《周易》及《紀年》最爲分了,其《紀年篇》起自夏、殷、周,皆三代王事,無諸國別也。唯特紀晉國,起自殤叔,次文侯、昭侯,以至曲沃莊伯。莊伯之十一年十一月,魯隱公之元年正月,皆用夏正建寅之月爲歲首,編年相次。晉國滅,獨記魏事。下至魏哀王之二十年,蓋魏國之史記也。推校哀王二十年是周赧王之十六年,上去孔丘卒百八十一歲;下去今太康三年,五百八十一歲。哀王二十三年乃卒,故特不稱諡,謂之今王。其書文意大似《春秋》經,推此足見古者國史策書之常也。諸所記多與《左傳》符同,異於《公羊》、《穀梁》,知此二書近世穿鑿,非《春秋》本意審矣!雖不皆與《史記》、《尚書》同,然參而求之,可以端正學者。《紀年》又稱殷仲壬即位,居亳,其卿士伊尹。仲壬崩,伊尹放太甲於桐,乃自立也。伊尹即位,放太甲。七年,太甲潛出自桐,殺伊尹,乃立其子伊陟、伊奮,命復其父之田宅而中分之。《左氏傳》伊尹放太甲而相之,卒無怨色。然則太甲雖見放,還殺伊尹,而猶以其子爲相也。此爲大與《尚書敍》說太甲事乖異,不知老叟之伏生,或致昬忘,將此古書亦當時雜記,未足以取審也。爲其粗有益於《左氏》,故略記之。"本志篇敍曰:"晉太康元年,汲郡人發魏襄王冢,得古竹簡書,字皆科斗。帝命中書監荀勗、令和嶠,撰次爲十五部,八十七卷,唯《周易》、《紀年》最爲分了。"

《唐書·經籍志》:《紀年》十四卷,汲冢書。《唐·藝文志》同。

《宋史·文藝志》:《竹書》三卷,荀勗、和嶠編。

《玉海·藝文》曰:"《竹書紀年》,《崇文目》不著錄。《中興書目》止有第四、第六及雜事三卷,下皆標云荀氏敍錄,一紀年,二紀令應,三雜事,皆殘缺。"按此所載,唯第一卷是一書,餘皆非。

《四庫提要》曰:"《竹書紀年》二卷,題沈約注,反覆推勘,似非束皙、杜預、郭璞及隋時所見本。又非酈道原、劉知幾、李善、瞿曇悉達、司馬貞、楊士勛、王存、羅泌、羅苹、鮑彪、董逌所見本。豈亦明人鈔合諸書爲之歟？沈約注外，又有小字夾行之注，不知誰作。約注唯五帝三王最詳，而皆全鈔《宋書·符瑞志》語。約不應既著於史，又不易一字移而爲此本之注，然則此注亦依托耳。自明以來，流傳已久，姑録之以備一説，其僞則終不可掩也。"按今通行廣東刊本《提要》云："汲冢古書七十五篇中，有《竹書紀年》十三篇，今世所行題沈約注，亦與《隋志》相符。"又《簡明目録》云："是書由汲郡人發冢而得，《晉書》具載其事。沈約作注，《隋志》亦載其名。"按《隋志》實無沈約作注之文，《提要》及《簡明目録》此數語，皆與下文辨駁之語不合，必有敚誤。

錢大昕《養新録》曰："今本《竹書紀年》乃宋以後人僞托，非晉時所得之本。"又曰："《水經注》引《竹書紀年》之文，其於春秋時，皆紀晉君之年。三家分晉以後，則紀魏君之年，未有用周王年者。蓋古者列國，皆有史官紀年之體，各用其國之年。孔子修《春秋》，亦用其法。今俗本《紀年》改用周王之年，分注晉、魏於下，此例起於紫陽《綱目》，唐以前無此式也，況在秦漢以上乎？唯明代人空疏無學而好講書法，乃有此等迂謬之識，故愚以爲是書必明人所茸。宋鼂氏、陳氏、馬氏書目皆無此書，知非宋人僞撰也。"又曰："此書蓋采摭諸書所引補湊成之，如《水經注》所引無年月者，則注云不知是何年。《漢書》臣瓚注所引無年月者，則注云此年未的。如系古本如此，則《紀年》歷歷，何云未的，又云不知何年耶？"又曰："相傳附注出於沈約，而《梁書》、《南史·沈約傳》俱不言曾注《紀年》，《隋》、《唐志》載《紀年》亦不言沈約有附注，則《紀年》未嘗有注也。"又曰："附注多采《宋書·符瑞志》，《宋書》約所撰，故注亦托名休文，作僞者之用心如此。"又曰："《紀年》實始於夏后，今本乃始於黃帝，亦後人僞托之一證。"又曰："《史記正

義》:《括地志》引《竹書》云昔堯德衰,爲舜所囚也。又曰:舜
囚堯,復偃塞丹朱,使不與父相見也。今《紀年》爲宋以後人
所撰,故不取囚堯偃朱之説。"按錢氏證明今本《紀年》之妄,凡六條,見
《養新録》卷十三,今約略録存於此。

　　按《竹書紀年》宋時僅存殘雜本三卷。《中興書目》及《宋
志》所載者是也。晁《志》、陳《録》、馬《考》皆無其目,錢氏
已言之。此外,如明《文淵閣書目》、《世善堂書目》亦無此
書,是明代並此三卷,亦亡矣。而獨見於范氏《天一閣書
目》,云《竹書紀年》二卷,梁沈約附注,明司馬公訂,刊板藏
閣中。司馬公者,謂其遠祖范欽。欽字堯卿,嘉靖十一年
進士,官兵部右侍郎,即天一閣主人也。乃知今本二卷稱
沈約注者,爲欽所輯録,其小字夾行之注,亦欽所爲也。欽
嘗刊入《二十種奇書》,吳琯、趙標輩紛紛傳刻,世遂有此一
本。《提要》及《養新録》皆證爲明人作僞,不知作僞者乃鄞
人范欽也。其後孫之騄之《考定》,徐文靖之《統箋》,洪頤
煊之《校正》,林春溥之《補證》,陳詩之《集注》,雷學淇之
《考訂》,張宗泰、趙紹祖之《校補》,韓怡之《辨正》,陳逢衡
之《集證》,鄭環之《考證》,遞相纂述,皆未嘗以爲汲冢原
書,亦未嘗不取范本而勘訂之,而不知即出范氏也。范與
鄞人豐坊同時,坊僞作石經《大學》、子貢《詩傳》、申培《詩
説》,詭言古本以欺世。范亦僞作此書,以自欺欺人,其附
沈約之注,別無他據,唯欲以奇書炫俗耳。

漢紀三十卷　　魏祕書監荀悦撰　按"魏"當爲"漢"。

　　《後漢書・荀淑傳》:淑,潁川潁陰人也。子儉,早卒。儉子
悦,字仲豫,年十二能説《春秋》。初,辟鎮東將軍曹操府,遷
黄門侍郎。獻帝頗好文學,悦與從弟彧及少府孔融侍講禁
中,旦夕談論。累遷祕書監、侍中。帝好典籍,常以班固《漢

書》文繇難省，乃令悅依《左氏傳》體以爲《漢紀》三十篇，詔尚書給筆札。辭約事詳，論辨多美。年六十二，建安十四年卒。悅自敍略曰："先王以光演大業，肆於時夏，亦唯翼翼，以監厥後，永世作典。夫立典有五志焉：一曰達道義，二曰彰式法，三曰通古今，四曰著功勳，五曰表賢能。于是天人之際，事物之宜，粲然顯著，罔不備矣！臣悅職監祕書，攝官承乏，祇奉明詔，竊惟其宜，謹約撰舊書，通而敍之，總爲帝紀，列其年月，比其時事，撮要舉凡，存其大體。旨少所闕，務從省約，以副本書，以爲要結。"

《漢紀·目錄》曰："凡《漢紀》十二世十一帝，通王莽二百四十二年。建安元年，上巡省，幸許昌，以鎮萬國。外命元輔征討不庭，內齊七政，允亮聖業，綜練典籍，兼覽傳記，其三年詔給事中祕書監荀悅鈔撰《漢書》，假以不直，尚書給紙筆，虎賁給書吏。悅于是約集舊書，撮序表、志，總爲帝紀。凡在《漢書》者，大略粗舉，其紀、傳所遺闕者差少，而表志勢有所不能盡，凡爲三十卷，數十餘萬言。省約易習，無妨本書，有便于用，其旨云爾，會悅遷爲侍中，其五年書成，乃奏記云。"按此見《漢紀》卷末《目錄》之後，不知何人所作。其文凡七百餘言，其體大似劉向《別錄》，疑王儉《七志》之文，後人錄入卷後者歟？王氏鳴盛《十七史商榷》云："篇首當言十一世十二帝，通王莽二百三十年，今云云者誤。又自序是書成于建安五年，袁宏《後漢紀》乃系之建安十年，亦誤。"

張璠《後漢紀》曰："悅清虛沈靜，善于著述。建安初，被詔删《漢書》，作《漢紀》三十卷，因事以明臧否，致有典要，其書大行于世。"

《史通·六家·左傳篇》曰："當漢代史書，以遷、固爲主，而紀傳互出，表志相重，于文爲煩，頗難周覽。至孝獻帝，始命荀悅撮其書爲編年體，依《左傳》著《漢紀》三十篇。自是每代國史,皆有斯作,起自後漢,至于高齊,如張璠、孫盛、干寶、徐賈、當是徐廣。裴子野、吳均、何之元、王邵等,其所著書,或謂之春秋,或謂之紀,或謂之略,或謂之典,或謂之志。雖名各異,大抵皆依《左傳》以爲的準焉。"又《二體篇》曰:"荀悦依《左氏》成書,剪截班史,篇才三十,歷代褒之,有踰本傳。按"本傳"似當爲"本書",謂班書也。然則班、荀二體,角力爭先,欲廢其一,固亦難矣。後來作者,不出二途。故晉史有王、虞而副以干《紀》。《宋書》有徐、沈而分爲裴《略》。各有其美,並行於世。"按《竹書紀年》而外漢魏以來爲編年史者,荀《紀》爲之首,故《史通》論六家、二體,並詳著之。

《唐書·經籍志》:《漢紀》三十卷,荀悦撰。

《唐書·藝文志》:荀悦《漢紀》三十卷。《宋史·志》同。

晁氏《讀書志》:荀悦《漢紀》三十篇,凡八萬三千四百三十二字,辭約事該,時稱嘉史。

《四庫提要》曰:"《史通·六家篇》以悦書爲《左傳》家之首。《二體篇》又稱其歷代寶之,有逾本傳。其推之甚至,故唐人試士,以悦《紀》與《史》、《漢》爲一科。宋李燾跋曰:'悦爲此《紀》,固不出班書,亦時有所刪潤,而諫大夫王仁、侍中王閎諫疏,班書皆無之。'王銍作《兩漢紀後序》亦稱'荀、袁二《紀》,於朝廷紀綱、禮樂刑政、治亂成敗、忠邪是非之際,指陳論著,每致意焉。反復辨達,明白條暢,啓告當代,而垂訓無窮'。是宋人亦甚重其書也。其中若壺關三老茂,《漢書》無姓,悦書云姓令狐。朱雲請尚方劍,《漢書》作斬馬,悦《紀》乃作斷馬。證以唐張渭詩'願得上方斷馬劍,斬取朱門公子頭'句,知《漢書》字誤。資考證者亦不一。"

後漢紀三十卷　袁彦伯撰

袁彦伯名宏,有《集議孝經》,見經部孝經類。

宏《自序》略曰:"嘗讀《後漢書》,煩穢雜亂,聊以暇日,撰集爲

《後漢紀》。其所掇會《漢紀》、謝承書、司馬彪書、華嶠書、謝忱書、《漢山陽公紀》、《漢靈獻起居注》、《漢名臣奏》，旁及諸郡耆舊先賢傳，凡數百卷。前史闕略，多不次敍，錯謬同異，誰使正之？經營八年，疲而不能定。頗有傳者，始見張璠所傳書，其言漢末之事差詳，故復探而益之。"

《晉書・文苑傳》：撰《後漢紀》三十卷，傳于世。

《史通・正史篇》：晉東陽太守袁宏鈔撮漢氏後書，依荀悅體，著《後漢紀》三十篇，世言漢中興史者，唯袁、范二家而已。

《唐書・經籍志》：《後漢紀》三十卷，袁宏撰。

《唐書・藝文志》：袁宏《後漢紀》三十卷。《宋史・志》同。

晁氏《讀書志》：宏在晉末爲一時文宗，性強直，雖爲桓溫禮遇，每不阿屈。以東京史籍不倫，謝承、司馬彪之徒錯謬同異，無所取正，惟張璠《紀》差詳，因參攟紀傳，以損益之，比諸家號爲精密。

《四庫簡明目錄》曰："其體例全仿荀悅書，其取材則以張璠《漢紀》爲主，而以謝承以下諸家益之。今以《三國志》注、《後漢書》注所引璠書，互校其異同詳略之處，皆以此書爲長。知其翦裁點竄，具有史才，非苟作者矣。"又《提要》曰："荀悅書因班固舊文翦裁聯絡。此書則抉擇去取，自出鑒裁，抑又難于悅矣。劉知幾稱袁、范二家以配蔚宗，非溢美也。"

後漢紀三十卷　張璠撰

張璠有《周易集解》，見經部易類。

《魏志・三少帝紀》注：臣松之案張璠，晉之令史，出爲官長，撰《後漢紀》，雖以未成，辭藻可觀。

《史通・二體篇》曰："荀悅、張璠，丘明之黨也；班固、華嶠，子長之流也。惟此二家，各相矜尚。"

《唐書・經籍志》：《後漢紀》二十卷，張璠撰。

《唐書・藝文志》：張璠《後漢紀》三十卷。

《四庫提要》曰：“《隋志》載璠書三十卷，今已散佚，惟《三國志》注及《後漢志》注間引數條。”章氏《考證》云《世説》注亦引璠《紀》。

嚴可均《全晉文編》曰：“張璠，安定人，爲祕書郎，參著作。有《後漢紀》三十卷。《御覽》五百六十二、《蜀志・劉二牧傳》注並引《後漢紀》論各一條。”

《孫祠書目》：張璠《後漢紀》一卷，章宗源集本。

獻帝春秋十卷　　袁曄撰

《吳志・陸瑁傳》：“瑁，丞相遜弟也，少好學篤義。陳國陳融、廣陵袁迪等皆單貧有志，就瑁游處。”裴松之曰：“迪孫曄，字思光，作《獻帝春秋》。云迪與張紘等俱過江，迪父綏爲太傅掾，張超之討董卓，以綏領廣陵事。”

《唐書・經籍志》：《漢獻帝春秋》十卷，袁曄撰。

《唐書・藝文志》：袁曄《漢獻帝春秋》十卷。

侯康《補三國藝文志》曰：“裴松之注作袁暐，所引凡二十餘條，深不滿其書，如《袁紹傳》注云：‘樂資、袁暐之徒竟爲何人，未能識別然否，而輕弄翰墨，妄生異端，以行其書。正足以誣罔視聽，疑誤後生。實史籍之罪人，遠學之所不取者也。’《馬超傳》注云：‘袁暐、樂資等諸所記載，穢雜虛謬，殆不可勝言也。’及《荀彧傳》注斥其虛罔，《張紘傳》注譏其虛錯，皆毀訿之辭。”

章氏《考證》曰：“《續漢・五行志》注、《百官志》注，《水經・濁漳水注》，《文選・西征賦》注、《與陳伯之書》注，《三國志》注，《後漢書》注，《太平御覽》共引數十事。”

魏氏春秋二十卷　　孫盛撰

《晉書》本傳：盛字安國，太原中都人。避難渡江，起家佐著作郎。歷爲陶侃、庾亮、庾翼、桓温參軍，與温平蜀，賜爵安懷縣侯。又從入關平洛，以功進封吳昌縣侯，累遷祕書監、給事中。年七十二卒。盛篤學不倦，自少至老，手不釋卷，著《魏氏春秋》。

《史通·題目篇》曰：“孫盛有《魏氏春秋》，孔衍有《漢魏尚書》，此皆好奇厭俗，習舊捐新，雖得稽古之宜，未達從時之義。”

《唐書·經籍志》：《魏武春秋》二十卷，孫盛撰。

《唐書·藝文志》：孫盛《魏武春秋》二十卷。章宗源曰：“武字誤。”

錢大昕《三國志考異》曰：“裴松之注所引書有孫盛《異同評》，或作《異同雜語》，又作《異同記》，又作《雜記》，其實一書也。”

嚴可均《全晉文編》曰：“孫盛有《魏氏春秋》，《三國志》注引《魏氏春秋評》凡四十三條。又引《魏氏春秋異同評》十條。”

章氏《考證》：“《唐志》有《魏陽秋異同》八卷，孫壽撰，《隋志》不著錄。按諸書所引，或題孫盛《異同雜語》，孫盛《異同評》，孫盛《評》，或稱孫盛《雜語》，省‘異同’二字。《唐志》‘孫壽’，當是‘孫盛’之誤。”

沈濤《銅熨斗齋隨筆》曰：“《孫盛傳》‘著《魏氏春秋》、《晉陽秋》’。濤案盛避晉鄭太后諱，改‘春秋’爲‘陽秋’，則《魏氏春秋》亦當改爲‘陽秋’。今《隋志》仍作‘春秋’，當是後人追改。”

魏紀十二卷　左將軍陰澹撰 按本志之例，唯隋官則不書時代，此當有“晉”字。

《晉書·張軌傳》：“永寧初，軌出爲護羌校尉、涼州刺史，威著西州，化行河右。以宋配、陰充、氾瑗、陰澹爲股肱謀主。”又《隱逸傳》：“索襲，敦煌人也。虛靖好學，不應州郡之命。張茂時，敦煌太守陰澹奇而造焉。”

《北堂書鈔·設官部》：王隱《晉書》曰：“陰澹弱冠，州請爲治中從事。”

《唐書·經籍志》：《魏紀》十二卷，魏澹撰。

《唐書·藝文志》：魏澹《魏紀》十二卷。

章氏《考證》：《魏志·陳思王傳》注引植《銅雀臺賦》題陰澹《魏紀》。愚按澹晉代人，故所撰史見引于裴松之。兩《唐志》訛作"隋魏澹"，《通志·藝文略》同誤。然《隋志》題左將軍官，晉史亦未詳。

> 按陰氏有武威、敦煌二族，亦是涼州著姓。張軌時，陰充及澹既爲謀主，又有將軍陰濬。張寔時，有前鋒督護陰預。張茂時，有寧羌護軍陰鑒。張駿時，有從事陰據。陰氏仕西涼張氏，見於史者，凡六人。時中原淪没，江左隔絶，其爲左將軍、敦煌太守，皆張氏所授官也。

漢魏春秋九卷　孔舒元撰

孔舒元名衍，有《凶禮》一卷，見經部禮類。

《唐書·經籍志》雜史類：《漢春秋》十卷，《後漢春秋》六卷，《後魏春秋》九卷，孔衍撰。

《唐書·藝文志》雜史類：孔衍《漢春秋》十卷，《後漢春秋》六卷，《後魏春秋》九卷。

章氏《考證》：《後漢書·明帝紀》注、《太平御覽·兵部》引二事，並題《漢春秋》。《魏志·武紀》注、《三少帝紀》注、《楚王彪傳》注、《蜀志·先主傳》注、《黃權傳》注、《劉璋傳》注，《文選·三國名臣贊》注，《北堂書鈔·武功部》，《御覽·人事部》、《飲食部》共引十一事，題《漢魏春秋》。孔衍或作"演"。

> 按《漢魏春秋》，兩《唐志》作《後魏春秋》，"後"字似"漢"字之誤。孔氏既撰《漢春秋》、《後漢春秋》，而此更云漢魏者，殆以托始魏武在漢獻帝之世故歟？

晉紀四卷　陸機撰

陸機有《吳章篇》，見經部小學類。

《初學記·文部·史傳篇》：陸士衡《晉書限斷議》曰：“三祖實終爲臣，故書爲臣之事，不可如傳，此實録之謂也。而名同帝王，故自帝王之籍，不可以不稱紀，則追王之義。”

《文心雕龍·史傳篇》曰：“晉代之書，繁乎著作，陸機肇始而未備。”

《史通·正史篇》：“晉史，洛京時，著作郎陸機始撰《三祖紀》。”又《本紀篇》曰：“陸機《晉書》列紀三祖，直序其事，竟不編年。年既不編，何紀之有？”有《曲筆篇》曰：“亦有事每憑虛，詞多烏有，如陸機《晉史》，虛張拒葛之鋒。”

《唐書·經籍志》：《晉帝紀》四卷，陸機撰。

《唐書·藝文志》：陸機《晉帝紀》四卷。

章氏《考證》：《太平御覽·職官部》、《人事部》、《兵部》並引《武紀》；《初學記·帝王部》引《文紀》，《論文部》引陸機《限斷議》。”

晉紀二十三卷　干寶撰。訖愍帝。

干寶有《周易注》，見經部易類。

《晉書》本傳：中興草創，未置史官。中書監王導上疏，宜建立國史，撰集帝紀，備史官，敕佐著作郎干寶等漸就撰集，元帝納焉。寶於是始領國史，著《晉紀》。自宣帝訖于愍帝五十三年，凡二十卷，奏之，其書簡略，直而能婉，咸稱良史。

《文選·晉紀論武帝革命》注：何法盛《晉書》曰：“干寶撰《晉紀》，起宣帝，迄愍，五十三年，評論切中，咸稱善之。”

《史通·正史篇》：“尚書郎領國史干寶撰《晉紀》，自宣訖愍七帝，五十三年，凡二十三卷，其書簡略，直而能婉，甚爲當時所稱。”又《載言篇》曰：“昔干寶議撰晉史，以爲宜準丘明，其臣下委曲，仍爲補注。于時議者，莫不宗之。”又《二體篇》云：“干寶著書，盛譽丘明，而深抑子長。”又《序例篇》云：“唯令升先覺，遠述丘明，重立凡例，勒成《晉紀》。鄧、孫以下，遂躡其蹤。史例中興，于斯爲盛。"又《書事篇》曰："昔荀悦有云，立典有五志焉，而干寶之釋五志也，體國經野之言則書之，用兵征伐之權則書之；忠臣、烈士、孝子、貞婦之節則書之，文誥、專對之辭則書之，才力、技藝、殊異則書之。"

《唐書·經籍志》：《晉紀》二十二卷，干寶作。又六十卷，干寶撰，劉協注。<small>章宗源曰："《梁書·劉昭傳》"昭伯父彤，集衆家《晉書》注干寶《晉紀》四十卷。《史通》亦作劉彤，《唐志》作劉協，恐誤。</small>

《唐書·藝文志》：干寶《晉紀》二十二卷，劉協注干寶《晉紀》六十卷。又正史類：干寶《晉書》二十二卷。

章氏《考證》：干寶《論武帝革命》及《晉紀總論》，昭明列于《文選》。房喬修《晉書》，全取《總論》而微有删節。《魏志·三少帝紀》注、《曹爽傳》注、《陳泰傳》注，《世説·賢媛篇》注、《方正篇》注皆引之。《選注》所引，有《武紀》、《惠紀》、《懷紀》、《愍紀》。《北堂書鈔·設官部》引一事，題《晉總紀》。《唐志》正史類又有干寶《晉書》二十二卷，自是重出。

晉紀十卷　晉前軍諮議曹嘉之撰

《魏志·楚王彪傳》："彪，武皇帝子也。嘉平元年自殺，國除爲淮南郡。正光元年，詔封彪世子嘉爲常山真定王。"臣松之案："嘉入晉，封高邑公。元康中，與石崇俱爲國子博士。嘉後爲東莞太守，王隱《晉書》載吏部郎李重啓云：魏氏宗室屈滯，每聖恩所存。東莞太守曹嘉，才幹學義，不及志、翕，而良素修潔，性業踰之。又已歷二郡。臣以爲優先代之後，可以嘉爲員外散騎侍郎。"

《唐書·經籍志》：《晉紀》十卷，曹嘉之撰。

《唐書·藝文志》：曹嘉之《晉紀》十卷。

章氏《考證》：《魏志·楚王彪傳》注引王隱《晉書》作曹嘉，無

“之”字。《北堂書鈔・設官部》亦引此事,作曹嘉之。《世説・方正篇》注引曹嘉之。《晉紀・賞譽篇》注,《文選・思舊賦》注、顏延年《五君詠》注、阮嗣宗《勸進表》注、張華《女史箴》注,《初學記・職官部》,《書鈔・天部》、《設官部》,《藝文類聚・職官部》,《御覽・職官部》、《人事部》共引十一事,並作曹嘉之。

漢晉陽秋四十七卷。訖愍帝。晉滎陽太守習鑿齒撰。

《晉書》本傳:鑿齒字彥威,襄陽人也。宗族富盛,世爲鄉豪。鑿齒少有志氣,博學洽聞,荆州刺史桓温辟爲從事,轉西曹主簿,遷別駕。使至京師,忤温旨,左遷户曹參軍,出爲滎陽太守。是時,温覬覦非望。鑿齒在郡,著《漢晉春秋》以裁正之。起漢光武,終于晉愍帝。于三國之時,蜀以宗室爲正,魏武雖受漢禪晉,尚爲篡逆,至文帝平蜀,乃爲漢亡而晉始興焉。引世祖諱炎興而爲禪受,明天心不可以勢力强也。凡五十四卷。後以脚疾,廢于里巷。及襄陽陷于苻堅,與道安俱興而致焉。俄以疾歸,尋而襄鄧反正,朝廷欲征鑿齒,使典國史,會卒,不果。

《世説・文學篇》:“習鑿齒史才不常,宣武甚器之,未三十,便用爲荆州治中。鑿齒謝牋亦云:‘不遇明公,荆州老從事耳!’後至都見簡文,返命,宣武問:‘見相王何如?’答云:‘一生不曾見此人。’從此忤旨,出爲衡陽郡,性理遂錯。於病中猶作《漢晉春秋》,品評卓逸。”注引《續晉陽秋》曰:“鑿齒少而博學,才情秀逸,温甚奇之。自州從事,歲中三轉至治中,後以忤旨,左遷户曹參軍、衡陽太守。在郡著《漢晉春秋》,斥温覬覦之心也。”

《史通・探賾篇》:鑿齒以魏爲僞國者,蓋定邪正之途,明順逆之埋耳。而檀道鸞稱其當桓氏執政,故撰此書,欲以絶彼瞻

烏,防茲逐鹿。歷觀古之學士,爲文以諷其上者多矣。若齊
冏失德,《豪士》于焉作賦；賈后無道,《女史》由之獻箴。斯皆
短篇小什,可率爾而就也。安有變三國之體統,改五行之正
朔,勒成一史,傳諸千載,而藉以權濟物議,取誠當時？豈非
勞而無功,博而非要,與夫班彪《王命》,一何異乎？求之人
情,理不當爾。

又《直書篇》曰:"當宣、景開基之始,曹、馬搆紛之際,或列營
渭曲,見屈武侯,或發仗雲臺,取傷成濟。陳壽、王隱咸杜口
而無言；陸機、虞預各棲毫而靡述。至習鑿齒,乃申以死葛走
達之説、抽戈犯蹕之言。歷代厚誣,一朝如雪。考斯人之書
事,蓋近古之遺直歟？"又《論贊篇》云:"孫安國都無足采,習
鑿齒時有可觀。"

《唐書・經籍志》:《漢晉陽春秋》五十四卷,習鑿齒撰。按"春"
字衍。

《唐書・藝文志》:習鑿齒《漢晉春秋》五十四卷。

章氏《考證》:《魏志・三少帝紀》注、《劉表傳》注、《蜀志・先
主傳》注、《諸葛亮傳》注、《劉璋傳》注、《二主妃子傳》注,《類
聚・祥瑞部》,《御覽・兵部》、《人事部》並引之。"春秋"作
"陽秋"者,晉避簡文太后諱也。《經義考・擬經篇》周密曰:"簡文鄭后諱
阿春,故以春秋爲陽秋。"

晉紀十一卷。訖明帝。晉荆州別駕鄧粲撰

《晉書》列傳:鄧粲,長沙人,少以高潔著名,與南陽劉驎之、南
郡劉尚公同志友善,並不應州郡辟命。荆州刺史桓沖卑辭厚
禮,請粲爲別駕,粲嘉其好賢,乃起應召。後患足疾,不能朝
拜,求去職,不聽,令臥視事。後以病篤,乞骸骨,許之,粲以
父騫有忠信言而世無知者,乃著《元明紀》十篇,注《老子》,並
行於世。

《文心雕龍·史傳篇》：案《春秋》經傳，舉例發凡，自《史》、《漢》以下，莫有準的。至鄧璨《晉紀》，始立條例。又擺落漢魏，憲章殷周，雖湘川曲學，亦有心曲典。及安國立例，乃鄧氏之規焉。

《史通·序例篇》曰："唯令升遠述丘明，重立凡例，鄧、孫已下，遂躡其蹤。史例中興，於斯爲盛。必定其臧否，徵其善惡，干寶、范曄理切而多功，鄧璨、道鸞詞煩而寡要。"又《正史篇》曰："晉江左史，自鄧璨以下，相次繼作，遠則偏記兩帝。"浦起龍《通釋》曰："按東晉凡十一帝，鄧璨止撰元、明紀，是遠兩帝也。"

《唐書·經籍志》：《晉紀》十一卷，鄧璨撰。

《唐書·藝文志》：鄭璨《晉紀》十一卷。

章氏《考證》：《世說》注引鄧璨《紀》二十餘事，其《賞譽篇》注："咸和中，貴游子弟慕王平子、謝幼輿爲達，卞壺欲奏治之。"按咸和，成帝年號，是璨所紀，不止訖于明帝。《御覽·人事部》："張華多鬚，以帛纏之，陸雲見之，笑不能止。"華、雲皆卒於惠帝時，元、明紀中不宜載之。《唐志》璨《記》十一卷之外，又有璨《晉陽秋》三十二卷。《舊唐志》二十二卷。璨不聞撰《晉陽秋》，當是誤增。按《唐志》載《晉陽秋》實孫盛之誤，詳見於後。又干令升《史例》有云："臣下委曲，仍爲補注。"《史通·載言篇》言之已詳。則凡爲編年史者，皆有附注。章氏所舉《御覽·人事部》引始興太守尹虞手劍功曹一事，原注云："尹虞字任卿，長沙人也。"章氏謂此注未審撰人，蓋與成帝、惠帝時事，皆鄧氏本書原注。《史通·補注篇》所謂"除煩則意有所恡，畢載則言有所妨，遂乃定彼榛楛，列爲子注"者是也。

晉陽秋三十二卷。訖哀帝。孫盛撰

孫盛有《魏氏春秋》，見前。

《晉書》本傳：盛著《晉陽秋》，詞直而理正，咸稱良史。既而桓溫見之，怒謂盛子曰："枋頭誠爲失利，何至乃如尊君所說？

若此史遂行,自是關君門户事。"其子遽拜謝,謂請删改之。
時盛年老還家,性方嚴有軌憲,雖子孫班白,而庭訓愈峻。至
此,諸子乃共號泣稽顙,請爲百口切計。盛大怒,諸子遂竊改
之。盛寫定兩本,寄于慕容儁。太元中,孝武帝博求異聞,始
于遼東得之,以相考校,多有不同,書遂兩存。子潛、放。潛,
豫章太守;放,長沙相。按所謂竊改一本者,大抵皆潛及放所爲也。

《文心雕龍·史傳篇》曰:"孫盛《陽秋》,以約舉爲能。"又曰:
"安國立例,乃鄧氏之規焉。"

《史通·直書篇》曰:"夫爲于可爲之時則從,爲于不可爲之時
則凶。如董狐之書法不隱,趙盾之爲法受屈,彼我無忤,行之
不疑,然後能成其良直,擅名今古。至若齊史之書崔殺,馬遷
之述漢非,韋昭仗正于吳朝,崔浩犯諱于魏國,或身膏斧鉞,
取笑當時,或書填坑窖,無聞後代。夫世事如此,而責史臣不
能申其強項之風,勵其匪躬之節,蓋亦難矣。是以張儼發憤,
私存《嘿記》之文;孫盛不平,竊撰遼東之本。以兹避禍,幸獲
兩全。足以驗世途之多隘,知實録之難遇耳。"

又《模擬篇》曰:"孫盛魏、晉二《陽秋》,每書年首,必云'某年
春帝正月'。夫年既編帝紀,而月又列帝名。以此而擬《春
秋》,所謂貌同而心異也。"

《唐日本國見在書目》:《晉陽秋》三十卷,訖哀帝,孫盛撰。

《唐書·經籍志》:《晉陽春秋》二十二卷,鄧粲撰。按此以孫盛誤
爲鄧粲。又誤衍"春"字。又三十二卷,誤爲二十二卷。

《唐書·藝文志》:"鄧粲《晉陽秋》三十二卷。"按此亦沿誤作鄧粲,
唯書名卷數不誤。又曰:"孫盛《晉陽秋》二十二卷。"按此亦傳譌,作二
十二卷。

《宋史·藝文志》:孫盛《晉陽春秋》三十卷。亦衍"春"字。

《玉海·藝文類》:《中興書目》:《晉陽秋》,孫盛撰。《隋志》

本三十二卷,今止存宣帝一卷,懷帝下一卷,唐人所書康帝一卷,餘亡。

章氏《考證》:《世說·方正篇》注引諸葛亮遺高祖巾幗,欲以激怒,冀獲曹咎之利。《史通·浮辭篇》止稱王隱讜言,而不及孫盛,自是所考未精。按此見《敍事篇》,非《浮辭篇》也。且王書在前,孫書在後,《史通》據始見,何得云未精?《御覽·皇王部》引玄石圖有牛繼馬後,恭妃通小吏牛金而生元帝。孫盛先有是言,《史通》獨譏沈約,誤也。按此見《雜說篇》,因魏收據沈約《晉書》,載之《魏書·司馬叡傳》,故《史通》並言之,謂沈約不當書此不經之說也,亦不得謂之誤。《蜀志·譙周傳》注、《吳志·孫晧傳》注、《水經·河水注》、《通典·禮門》、《文選·求爲諸孫置守冢表》注皆引之。《初學記·職官部》引《中興書》稱盛著《三國陽秋》,三國二字未詳。按《三國陽秋》似即《魏陽秋》之別名。

晉紀二十三卷　宋中散大夫劉謙之撰

《宋書·劉康祖傳》:康祖,彭城呂人。世居京口,伯父簡之,簡之弟謙之,好學,撰《晉紀》二十卷。義熙末,爲始興相。東海人徐道期流寓廣州,率群不逞作亂,攻没州城,出攻始興,謙之討平之,即以爲振威將軍、廣州刺史。後爲太中大夫。

《唐書·經籍志》:《晉紀》二十卷,劉兼之撰。

《唐書·藝文志》:"劉謙之《晉紀》二十卷。"

章氏《考證》:《世說·政事》、《文學》、《方正》、《賞譽》、《汰侈》、《言語》諸篇注,《文選·干寶晉紀總論》注,《書鈔·藝文部》、《設官部》、《御覽·飲食部》其十事,並引劉謙之《晉紀》。"

晉紀十卷　宋吳興太守王韶之撰

《宋書》本傳:"韶之字休泰,琅邪臨沂人。曾祖廙,晉驃騎將軍。韶之家貧,父偉之,爲烏程令,因居縣境。好史籍,博涉多聞。初,爲衛將軍謝琰行參軍。偉之少有志尚,當世詔命表奏,輒自書寫泰元、隆安時事,小大悉撰録之,韶之因此撰《晉安帝陽秋》。既成,時人謂宜居史職,即除著作佐郎,使續後事,訖義熙九年。善敍事,辭論可觀,爲後代佳史。"又曰:"韶之爲晉史,敍王珣貨殖,王廞作亂。珣子弘,廞子華,並貴顯,韶之懼爲所陷,深結徐羨之、傅亮等。元嘉十二年,由祠部尚書、給事中,爲吳興太守。其卒年五十六。"

又曰:"荀伯子,潁川潁陰人也。少好學,博覽經傳,著作郎徐度重其才學,舉伯子及王韶之並爲佐郎,助撰晉史及著桓玄等傳。"按此稱徐度,似徐廣之誤。

《南史‧蕭韶傳》:湘東王曰:"昔王韶之爲《隆安紀》十卷,説晉末之亂離。"

《文心雕龍‧史傳篇》:至於晉代之書,緜乎著作,陸機肇始而未備,王韶續末而不終。按《史通》言陸《紀》列紀三祖,或未及于武帝,故云肇始未備。又義熙盡十四年,其後又有恭帝元熙二年始禪位于宋,此紀止于義熙九年,故云續末不終。

《唐書‧經籍志》:《崇安記》十卷,王韶之撰。

《唐書‧藝文志》雜史類:王韶之《崇安記》十卷。

章氏《考證》:按《世説》注、《初學記》所引,並題韶之《晉安帝紀》,新、舊《唐志》則稱韶之《崇安記》。他書徵引,大抵皆安帝事,故題《晉安帝紀》。義熙改元隆安,當云安帝改元隆安,此誤。《唐志》諱"隆",故作"崇"。《類聚‧人部》,《御覽‧職官部》、《獸部》、《竹部》、《香部》引四事,題《續晉安帝紀》。《獸部》一事,吳淑《事類賦》注亦引之,題《續書林晉安帝紀》,書林二字未詳。兩《唐志》又有周祇撰《崇安記》二卷。

晉紀四十五卷　　宋中散大夫徐廣撰

徐廣有《毛詩背隱義》,見經部詩類。

《宋書》、《晉書》本傳：義熙初，轉員外散騎常侍，領著作郎。二年，尚書奏："自皇代有造，中興晉祀，有造《中興記》者，道風帝典，煥乎史册。而太和以降，世歷三朝，臣等參詳，宜敕著作郎徐廣撰成國史。"詔曰："先朝至德光被，未著方策，宜流風緬代，永貽將來者也，便敕撰集。"十二年，《晉紀》成，凡四十六卷，表上之。因乞解史任，不許，遷祕書監。按《晉書》本傳稱有造《中興記》者，或即劉謙之《晉紀》，亦訖于哀帝者歟？

《唐書・經籍志》：《晉紀》四十五卷，徐廣撰。

《唐書・藝文志》：徐廣《晉紀》四十五卷。

章氏《考證》：《世説・政事篇》注引一事，題徐廣《歷記》，"歷"乃"晉"字之誤。《雅量篇》注、《水經・河水注》引廣《記》，《初學記・服食部》引一事，題徐廣《晉志》，《御覽・飲食部》引作紀。又云《晉書・徐廣傳》"廣字行思"，引貞觀修書詔云"行思勞而少功"，一若碻有可據者。今考《晉書》實云"廣字野民"，唐詔稱行思，蓋指謝沈。沈撰《晉書》三十餘卷，見本傳。行思，沈字也。

按史言"太和以降，世歷三朝"者，乃海西公五年，簡文帝二年，孝武帝二十五年，此三朝總三十二年。其前爲哀帝，有孫盛《晉陽秋》。其後爲安帝，有王韶之《隆安紀》及檀道鸞《續晉陽秋》、郭季產《續晉紀》。兩晉編年之史，本志所錄，猶完備無缺焉。

續晉陽秋二十卷　　宋永嘉太守檀道鸞撰

《南史・文學・檀超傳》：超，高平金鄉人也。超叔父道鸞，字萬安，位國子博士、永嘉太守，亦有文學，撰《續晉陽秋》二十卷。

《史通・雜説篇》：王、檀著書，是晉史之尤劣者。方諸前代，其陸賈、褚先生之比歟？道鸞不揆淺才，好出奇語，所謂欲益反損，求妍更媸者歟？

《唐書·經籍志》：《晉陽秋》二十卷，檀道鸞注。

《唐書·藝文志》：檀道鸞《晉春秋》二十卷。

章氏《考證》：《史通·外篇》云："劉遺民、曹纘皆於檀氏《春秋》有傳，至於今《晉書》則了無其人。"愚按道鸞編年書，不宜言有傳。按此亦膠柱之言。劉遺民即劉驎之。今《晉書》列《隱逸傳》。《史通》誤也。《世説·德行篇》注：陳仲弓造荀淑，太史奏德星聚。事在炎漢，而稱道鸞晉史，未詳其義。此亦刻舟之見。《開元占經》所引，則皆日蝕星移之徵。《舊唐志》作"注"，"注"當爲"續"。《新志》作《晉陽秋》，脱"續"字。

續晉紀五卷　宋新興太守郭季産撰

《唐書·經籍志》：《晉續記》五卷，郭秀彦撰。

《唐書·藝文志》：郭季産《晉續紀》五卷。

章氏《考證》：《舊唐志》作郭秀彦《晉續紀》，《新志》作季産。

按郭季産始末未詳，唯《宋書·蔡興宗傳》前廢帝時，領軍王玄謨有所親故吏郭季産，殆即其人。又地理類有郭仲産《湘州記》一卷，《新唐志》又有郭仲産《荆州記》二卷。仲産，江陵人，或即其兄。季産是書，殆即續徐廣之《紀》者歟？

宋略二十卷　梁通直郎裴子野撰

裴子野有《喪服傳》，見經部禮類。

《梁書》本傳：初，子野曾祖松之，宋元嘉中受詔續修何承天《宋史》，未及成而卒。子野常欲繼成先業。及齊永明末，沈約所撰《宋書》既行，子野更删撰爲《宋略》二十卷。其敍事評論多善，約見而歎曰："吾弗逮也。"蘭陵蕭琛、北地傅昭、汝南周捨，咸稱重之。時中書范縝上表曰："伏見前冠軍府録事參軍河東裴子野家傳素業，世習儒史，苑囿經籍，游息文藝，著《宋略》二十卷，彌綸首尾，勒成一代，屬辭比事，有足觀者。"

《南史·裴松之附傳》：沈約所撰《宋書》稱“松之已後無聞焉”。子野更撰爲《宋略》，其敍事評論多善，而云“戮淮南太守沈璞，以其不從義師故也”。約懼，徒跣謝之，請兩釋焉。歎其述作曰：“吾弗逮也。”蘭陵蕭琛言其評論可與《過秦》、《王命》分路揚鑣。於是吏部尚書徐勉言之於武帝，以爲著作郎。

《史通·正史篇》曰：“世之言宋史者，以裴《略》爲上，沈書次之。”又《論贊篇》云：“大抵史論，皆華多於實，理少於文，必擇其善者，則干寶、范曄、裴子野是其最也。”

又《雜說篇》曰：“裴幾原删略宋史，定爲二十篇。艽煩撮要，實有其力。而所錄文章，頗傷蕪穢。如文帝《除徐傅官詔》、徐羨之、傅亮也。顏延之《元后哀册文》、顏峻《討二凶檄》、孝武《擬李夫人賦》、裴松之上《注國志表》、孔熙先《罪許曜詞》，凡此諸文，是尤不宜載者。向若除此數文，別存他說，則宋年美事，遺略蓋寡。何乃應取而不取，宜除而不除乎？但近代國史，通多此累。若裴氏者，衆作之中，所可與言史者，故偏舉其事，以申掎摭云。”

《唐書·經籍志》：《宋略》二十卷，裴子野撰。

《唐書·藝文志》：裴子野《宋略》二十卷。《宋史·藝文志》同。按是書見載《宋志》，而《崇文目》、晁《志》、陳《錄》、《通考》皆不著錄。唯尤袤《遂初堂書目》有其目，而無卷數。《玉海》引《中興書目》云卷數同。蓋同是二十卷也。宋已後亡。

《四庫》別史類《建康實錄》提要曰：“裴子野《宋略》，當時所稱良史，沈約自以爲不及者，今已不傳。《資治通鑑》載有論贊數條，亦多首尾不具。而是書於劉宋一代，全據爲藍本，並子野論贊之嗣，尚存什一，是亦好古者所宜參證矣。”

章氏《考證》：《史通·論贊篇》云：“袁宏、裴子野自顯姓名。”

愚按《通典·選舉門》引鴻臚卿裴子野論,是其論贊既自顯姓名,並書官爵。《文苑英華》有《雕蟲論》,又有《總論》。究詳宋代始終,至二千四百餘言,其體蓋仿干寶《晉記總論》。《御覽·樂部》引《先王作樂崇德以格神人論》。[1]《資治通鑑》取子野論十一事,《考異》中亦多取《宋略》。《史通》所譏不宜載之文,今逸篇中,皆未之見。按《提要》所舉《建康實錄》中佚文,章氏失載。

宋春秋二十卷　梁吳興令王琰撰

王琰始末未詳。

《唐書·藝文志》:王琰《宋春秋》二十卷。

章氏《考證》:《初學記·器物部》,《御覽·兵部》、《木部》引三事,並稱王琰《宋春秋》。

按梁釋慧皎《高僧傳》序云"太原王琰撰《冥詳記》"云云,則爲太原王氏,與王玄謨、王懿同族。別詳下傳記類《冥祥記》條。

齊春秋三十卷　梁奉朝請吳均撰

《南史·文學傳》:"吳均字叔庠,吳興故鄣人也。好學有俊才。梁武帝召爲待詔著作,累遷奉朝請。先是,均將著史以自名,欲撰《齊書》,求借齊起居注及群臣行狀,武帝不許,遂私撰《齊春秋》奏之。書稱帝爲齊明帝佐命,帝惡其實錄,以其書不實,使中書舍人劉之遴詰問數十條,竟支離無對。敕付省焚之,坐免職。尋有敕召見,使撰《通史》,未就,卒。"《梁書》本傳曰:"普通元年卒,年五十二。注范曄《後漢書》九十卷,著《齊春秋》三十卷。"《南史》作二十卷。

《史通·正史篇》:梁天監中,蕭子顯啓撰齊史,書成表奏之。時吳均亦表請撰齊史,乞給起居注並群臣行狀。有詔:"齊氏

---

[1]　"神人",原誤倒,據清光緒崇文書局本《隋書經籍志考證》改。

故事，布在流俗，聞見既多。可自搜訪也。"均遂撰《齊春秋》三十篇。其書稱梁帝爲齊明佐命，帝惡其實，詔燔之。然其私本竟能與蕭氏所撰，並傳於後。

又《模擬篇》曰："三《傳》並興，各釋經義。如《公羊傳》屢云：'何以書？記某事也。'此則先引經語，而繼以釋辭，勢使之然，非史體也。如吳均《齊春秋》，每書災變，亦曰：'何以書？記異也。'夫事無他議，言從己出，輒自問而自答之，豈是敍事之理者耶？以此而擬《公羊》，所謂貌同而心異也。"

又《編次篇》曰："《春秋》嗣子諒闇，未踰年而廢者，既不成君，故不別加篇目。是以魯公十二，惡、視不預其流。及秦之子嬰，漢之昌邑，咸亦因胡亥而得記，附孝昭而獲聞。而吳均《齊春秋》乃以鬱林爲紀，事不師古，何滋章之甚與！"

《唐書·經籍志》：《齊春秋》三卷，吳均撰。<small>敚"十"字。</small>

《唐書·藝文志》：吳均《春秋》三十卷。

章氏《考證》：《初學記》、《書鈔》各引一事，《文選注》引十二事，《御覽》二十四事。

齊典五卷　王逸撰

王逸當爲王逡之，有《喪服世行要記》，見經部禮類。

《唐書·經籍志》儀注類：《齊典》四卷，王逸撰。<small>一本云王逸志。</small>

《唐書·藝文志》儀注類：王逸《齊典》四卷。

齊典十卷

不著撰人。

《南齊書·文學·檀超傳》：時豫章熊襄著《齊典》，上起十代。其序云："《尚書·堯典》謂之《虞書》，則附所述，故通謂之齊，名爲《河洛金匱》。"<small>《南史·文學附傳》同。</small>

《唐書·經籍志》雜史類：《十代記》十卷，熊襄撰。

《唐書·藝文志》雜史類：熊襄《十代記》十卷。

章氏《考證》：《齊典》十卷，《隋志》無撰人名。愚按《南齊書·檀超傳》"豫章熊襄著《齊典》，上起十代"。未知《隋志》所載即襄所撰否。《唐志》雜史類有熊襄《十代記》十卷。

按此證以《齊書》、《南史·文學傳》及兩《唐志》所載書名、卷數，皆有可據，是爲熊襄書無可疑者。本志失注撰人耳。其書相傳有三名，曰：《河洛金匱》，曰《齊典》，曰《十代記》。又按《南齊書·祥瑞志》：宋泰始中，童謡云東陽出天子，蘇侃云："乃是上所居武進縣東城里也。"熊襄云："上舊鄉有大道，相傳云秦始皇所經，呼爲天子路，後遂爲帝鄉焉。"此所引熊襄，似即《齊典》中語，其所載多符瑞、讖記之類，故名《河洛金匱》歟？

三十國春秋三十一卷　梁湘東世子蕭萬等撰 按"萬"當爲"方"，因俗書"萬"爲"万"而誤。

《梁書》本傳："忠壯世子方等字實相，世祖長子也。少聰敏，有俊才，善騎射，尤長巧思。時河東王爲湘州刺史，不受督府之令，世祖拜爲都督，令南討。至麻溪，軍敗，溺死，時年二十二。謚曰忠壯世子。方等注范曄《後漢書》，未就。所撰《三十國春秋》及《靜住子》行於世。"《南史》本傳云："所撰《三十國春秋》及《篤靜子》行於世。元帝即位，改謚武烈世子。"

《史通·稱謂篇》：金行板蕩，戎羯稱制，各有國家，實同王者。晉世臣子黨附君親，嫉彼亂華，比諸群盜。此皆苟狗私忿，忘夫至公。自非坦懷愛憎，無以定其得失。至蕭方等始存諸國名謚，僭帝者皆稱之以王。變通其理，事在合宜，小道可觀，見於蕭氏者矣。

《唐書·經籍志》：《三十國春秋》三十卷，蕭方撰。

《唐書·藝文志》僞史類：蕭方《三十國春秋》三十卷。《宋史·志》同，並誤削"等"字。

《玉海·藝文類》：《中興書目》三十卷，方等采削諸史，以晉爲主，附列漢劉淵以下二十九國，又上取吳孫晧事，起宣帝，迄恭帝。

《經義考·擬經類》：王應麟曰："《通鑑》晉元興三年引方等論。《綱目》但云蕭方，誤削'等'字。"楊慎曰："佛氏有《方等經》，猶云平等世界也。故蕭氏取以爲名。"按今刊本《新》、《舊唐書》、《宋史》、《通志》皆削去等字矣。

章氏《考證》：《太平御覽·時序部》引燕王慕容熙，《兵部》引蜀王李雄、秦王堅、夏王勃勃、吳王晧。又《人事部》引一事，《兵部》引三事。《初學記·文部》、《居處部》各引一事，《隋志》刊本或誤作"萬等"，《唐志》誤削"等"字，《宋志》編年、霸史兩類重出。

戰國春秋二十卷　李槩撰

詳見下霸史類。

梁典三十卷　劉璠撰

《周書·列傳》：劉璠字寶義，沛國沛人也。六世祖敏，以永嘉喪亂，徙居廣陵。璠少好讀書，兼善文筆。仕梁，入周至内史中大夫，封平陽縣子。天和三年卒，時年五十九。著《梁典》三十卷，行於世。子祥嗣。祥字休徵，後以字行。初，璠所撰《梁典》始就，未及刊定而卒，臨終謂休徵曰："能成我志，其在此書乎！"休徵始定繕寫，勒成一家，行於世。

史臣曰："梁氏據有江東五十餘載，挾策紀事，勒成不朽者，非一家焉。劉璠學思通博，有著述之譽，雖傳疑傳信，頗有詳略，而屬辭比事，足爲清典。蓋近代之佳史歟？"

《唐書·經籍志》：《梁典》二十卷，劉璠撰。

《唐書·藝文志》：劉璠《梁典》三十卷。

章氏《考證》：《通典·邊防門》注，《御覽·兵部》、《人事部》、

《宗親部》各引一事。《文選注》引二十八事。《唐志》卷同。

梁典三十卷　陳始興王諮議何之元撰

《陳書·文學傳》：何之元，廬江灊人也。好學，有才思。梁天監末，解褐，歷仕武陵王王琳、蕭莊。琳敗，入齊，復還陳。太建八年，除始興王叔陵中衛府功曹參軍，尋遷諮議參軍。及叔陵誅，按叔陵殺逆伏誅，在太建十四年。之元乃屏絕人事，銳精著述。以爲梁氏肇自武皇，終於敬帝，其興亡之運，盛衰之迹，足以垂鑒戒，定褒貶。究其始終，起齊永元元年，迄於王琳遇獲，七十五年行事，草創爲三十卷，號曰《梁典》。其序略曰："梁有天下，自中大同以前，區寓寧晏；太清以後，寇盜交侵。首尾而言，未爲盡美，故開此一書，分爲六意。以高祖創基，因乎齊末，尋宗討本，起自永元，今以前如干卷爲《追述》。第一。高祖生自布衣，長於弊俗，知風教之臧否，識民黎之情僞。爰逮君臨，弘斯政術，四紀之內，實云殷阜。今以如干卷爲《太平》。第二。世不常夷，時無恒治，非自我後，仍屬橫流，今以如干卷爲《敍亂》。第三。洎高祖晏駕之年，太宗幽辱之歲，謳歌獄訟，向西陝不向東都。不庭之民，流逸之士，征伐禮樂，歸世祖不歸太宗。撥亂反正，治定功成。今以如干卷爲《世祖》。第四。至於四海困窮，五德升替，則敬皇紹立，仍以禪陳，今以如干卷爲《敬帝》。第五。驃騎王琳，崇立後嗣，雖不達天命，然是其忠節，今以如干卷爲《後嗣主》。第六。至在太宗，雖加美謚，而大寶之號，世所不遵，蓋以拘於賊景故也。承聖紀曆，自接太清，神筆詔書，非宜輕改，詳之後論，蓋有理焉。又編年而舉其歲次者，蓋取分明而易尋也。若夫獫狁孔熾，鯁我中原，始自一君，終爲二主，事有相涉，言成混漫。今以未分之前爲北魏，高氏所輔爲東魏，宇文所挾爲西魏，所以相分別也。重以蓋彰殊體，繁省異文，其間損益，頗有凡例。"禎明三年,京城陷,乃移居常州之晉陵縣。隋開皇十三年,卒于家。

《唐書·經籍志》:《梁典》三十卷,何之元撰。

《唐書·藝文志》:何之元《梁典》三十卷。

章氏《考證》:《文選·宣德皇后令》注、《百僚勸進今上箋》注、《石闕銘》注、《御覽·人事部》各引數事。《御覽·地部》、《宗親部》、《樂部》亦引《梁典》四事,而敓去撰名,未知爲劉爲何。

《文苑英華》載何之元《高祖革命論》一篇,文近二千言。《新唐志》又有謝昊《梁典》二十九卷。

按《史通·正史篇》云:"廬江何之元、沛國劉璠以所聞見,究其始末,合撰《梁典》三十篇。"浦起龍《通釋》云:"《隋》、《唐志》皆分載二典,而《史通》以爲二人合撰,則《梁典》祇是一書耳,足正二志之歧出。"今考劉璠卒於周武帝天和三年,其書未就,子休徵爲寫定之。休徵卒於周靜帝大象二年,是其書成於大象之前,行於北朝,或未及於江左。其父子皆終於周代,與南朝之何之元亦風馬牛不相及。之元之書始作於陳後主即位之歲,因始興王叔陵行殺伏誅,之元爲其官屬,幸而得免,故屏絕人事,一意著書,其時在周大象後三年。隋文帝開皇二年,劉璠《梁典》已早成書矣。實非合撰,《史通》"合"字當是"各"字之誤。浦氏云云,不足爲據。

梁撮要三十卷　陳征南諮議陰僧仁撰

陰僧仁始末未詳。

《唐書·經籍志》:《梁撮要》三十卷,陰僧仁撰。

《唐書·藝文志》雜史類:陰僧仁《梁撮要》三十卷。

梁後略十卷　姚最撰

《後周書·藝術傳》:姚僧垣,《北史》作僧坦。吳興武康人。吳太常信之八世孫也。僧垣長子察，次子最，字士會，博通經史，尤好著述。年十九，隨僧垣入關，時江陵陷于西魏，僧垣隨于謹入長安。隋文帝時，襲父爵北絳郡公。蜀王秀鎮益州，爲府司馬。平陳，察至。最自以非嫡，讓封於察，隋文帝許之。後秀陰有異謀，隋文帝令窮治其事。最竟坐誅，時年六十七。撰《梁後略》十卷，行于世。

《史通·雜述篇》："夫皇王受命，有始有卒，作者著述，詳略難均。有權記當時，不終一代，若王韶《晉隆安記》、姚最《梁後略》。此之謂偏記者也。"又《題目篇》曰："魚豢、姚最著魏、梁二史，巨細畢載，蕪累甚多，而俱牓之以略，考名責實，奚其爽歟！"

《唐日本國見在書目》：《梁後略》十卷，姚最撰。

《唐書·經籍志》：《梁昭後略》十卷，姚最撰。

《唐書·藝文志》：姚最《梁昭後略》十卷。

章氏《考證》：《史通·外篇》曰："姚最《梁後略》稱高祖曰：'得既在我，失亦在予。不及子孫，知復何恨！'"《太平御覽·兵部》陸納襲巴陵，乘水攻城，驍騎方食甘蔗，曾無遽色。又大寶元年，與西魏結盟送質，相約爲兄弟之親。又河東王譽禦蕭方等兵，方等溺于江中。共引《梁後略》七事。又《兵部》"君子曰普通之末"云云，此乃姚最論贊。《唐志》作《梁昭後略》。

　　按《史通》及《御覽》所引，似其書起于太清侯景之亂及元帝、王琳、蕭莊之事，不知迄于何時。《唐志》題《梁昭後略》，據《史通》及《日本書目》皆無"昭"字，疑《新志》沿舊史之駮文也。或如蔡允恭《後梁春秋》之類。後梁爲昭明太子之後，故題此名。

梁太清紀十卷　梁長沙藩王蕭韶撰

《南史·梁宗室傳》：長沙宣武王懿，武帝兄也。懿子猷，猷子韶,字德茂。初封上甲縣都鄉侯。太清初,爲舍人。城陷,奉詔西奔,及至江陵,人士多往尋覓,令韶説城内事,韶不能人人爲説,乃疏爲一卷,客問者便示之。湘東王聞而取看,謂曰:"昔王韶之爲《隆安記》十卷,説晉末之亂離。今之蕭韶亦可爲《太清紀》十卷矣。"韶乃更爲《太清紀》。其諸議論,多謝吳爲之。韶既承旨撰著,多非實録,湘東王德之,改超繼宣武王,封長沙王,遂至郢州刺史。

《史通·雜説篇》:"今俗所行周史,是令狐德棻等所撰。其書文而不實,真迹甚寡。"自注云:"王褒、庾信等事多見于蕭韶《太清紀》,而德棻等了不兼采,以廣其書。蓋以其中有鄙言,故致遺漏。"

《唐書·經籍志》:《梁太清紀》十卷,蕭韶撰。

《唐書·藝文志》:蕭韶《梁太清紀》十卷。《宋志》傳記類著録同。

《崇文總目》:《太清紀》十卷,梁王韶撰。王當爲蕭。起太清元年,盡六年。按梁武帝太清年號盡于三年,此稱盡六年者,按《元帝本紀》大寶三年,世祖猶稱太清六年,蓋亦本元帝旨也。大寶,簡文帝年號。何之元《梁典序》所謂大寶之號,世所不遵,蓋以拘于賊景故也。

章氏《考證》:《通鑑考異》多引《太清紀》,《太平御覽·宗親部》亦引之。

　按《隋書·百官志》載梁代有郡王、嗣王、蕃王諸官屬。《通典》云:梁、陳有郡王、嗣王、蕃王,迄關外侯,凡十五等之號。

淮海亂離志四卷　蕭世怡撰。敍梁末侯景之亂。

《周書》列傳:蕭世怡,梁武帝弟,鄱陽王恢之子也。以名犯太祖諱,故稱字也。按本名泰,見《北史》。幼而聰慧,頗涉經史。梁大同元年,封豐城縣侯。于謹平,江陵歸王琳,又奔于齊,旋又歸周,封義興郡公,授蔡州刺史。天和三年卒於周。

又曰:"蕭圓肅,字明恭,梁武帝之孫,武陵王紀之子也。風度淹雅,敏而好學,紀稱尊號,封宜都郡王。入周,封棘城郡公。大象末,進位大將軍。隋開皇初,授貝州刺史。以母老,請歸就養,隋文帝許之。四年卒,年四十六。撰《淮海亂離志》四卷,行于世。"

又曰:"蕭大圜,字仁顯,梁簡文之子也。幼而聰敏,神情俊悟。大寶元年,封樂梁郡王。元帝改封晉熙郡王。梁亡,入周,封始寧縣公。隋開皇初,拜內史侍郎,出爲西河郡守。尋卒。"按是書撰人記載不一,故並列三人始末于此。

《史通·補注篇》曰:"除煩則意有所恡,畢載則言有所妨,遂乃定彼榛楛,列爲子注。若蕭大圜《淮海亂離志》、王劭《齊志》之類是也。"又《雜說篇》自注云:"王褒、庾信等事多見于蕭韶《太清紀》、蕭大圜《淮海亂離志》,令狐德棻撰《周書》,了不兼采。"

《唐書·經籍志》:《淮海亂離志》四卷,蕭大圜撰。

《唐書·藝文志》雜史類:蕭大圓《淮海亂離志》四卷。

《通志·校讎略》曰:"《海宇亂離志》,《唐志》類于雜史,是。《隋志》類于編年,非。"按此以"淮海"爲"海宇",蓋其誤記,非別有磇據也。侯景叛于淮南,故曰淮海。

錢大昕《隋書考異》曰:"《淮海亂離志》四卷,蕭世怡撰。按《北史》蕭圓肅撰《淮海亂離志》,不云世怡所撰。劉知幾又以爲蕭大圜作,未審孰是。世怡本名泰,鄱陽王恢之子。圓肅者,武陵王紀之子;大圜,則簡文子也。"

章氏《考證》:《周書》、《北史·蕭世怡傳》皆不載其著書,惟《蕭圓肅傳》稱圓肅撰《淮海亂離志》四卷。《新唐志》入雜史類,而題名蕭大圜。劉知幾《史通》同,然大圜本傳亦不載。

按是書撰人相傳不一,竊以爲《史通》與兩《唐志》相合,則出于蕭大圜爲多。

齊紀三十卷。紀後齊事。崔子發撰。

《北史·儒林傳》序曰：齊氏國子學，生徒數十人耳。胄子以通經進仕者，唯博陵崔子發、廣平宋游卿而已。自外莫見其人。

《隋書·牛弘傳》：時高祖又令弘與楊素、蘇威、薛道衡、許善心、虞世基、崔子發等論新禮降殺輕重。

《史通·正史篇》：高齊史，天統初，太常少卿祖孝徵述獻武起居注，按齊神武帝，初謚曰獻武。名曰《黄初傳天録》。時中書侍郎陸元規常從文宣征討，著《皇帝實録》，唯記行師，不載它事。自武平後，史官陽休之、杜臺卿、祖崇儒、崔子發等相繼注記，逮于齊末。按《隋書·杜臺卿傳》云："撰《齊記》二十卷，行于世。"

章氏《考證》：《通鑑》隋高祖曰："朕近覽《齊書》。"胡三省《音注》曰："是時，李百藥所撰《齊書》未出，帝所覽者，乃崔子發《齊紀》也。"《文苑英華》蕭穎士《贈韋司業書》引崔子發《齊紀》。按《隋書·房陵王勇傳》曰："朕近覽《齊書》，見高歡縱其兒子，不勝忿憤，安可效尤耶！"《通鑑》所取，蓋本此。然開皇初，内史令李德林奉詔撰《齊史》三十八篇，不僅崔氏一家。

按本志總集類《樂府新歌》十卷，秦王記室崔子發撰。秦王者，秦孝王俊，隋文帝第三子，《隋書》有傳。子發入隋以後，或終于是官也。

齊志十卷　後齊事王劭撰

王劭有《俗語難字》，見經部小學類。

《隋唐》本傳：高祖受禪，授著作佐郎。母憂，去職在家。著《齊書》。時制禁私撰史，爲内史侍郎李元操所奏，上怒，遣使收其書，覽而悦之，於是起爲員外散騎侍郎，修起居注，拜著作郎。劭在著作將二十年，初撰《齊志》爲編年體二十卷，復爲《齊書紀傳》一百卷及《平賊記》三卷，或文詞鄙野，或不軌不物，駭人視聽，大爲有識所嗤鄙。

《史通·正史篇》：隋祕書監王劭，少仕鄴中，多識故事。乃憑述起居注，廣以異聞，造編年書，號曰《齊志》，十有六卷，其序云二十卷。今世間傳者，唯十六卷焉。

又《雜說篇》曰：“王劭論戰爭，述紛擾，賈其餘勇，彌見所長。至如敍文宣逼孝靜以受魏禪，二王殺楊燕以廢乾明，雖《左氏》載季氏逐昭公、秦伯納重耳、欒盈起於曲沃、楚靈敗於乾谿，殆可連類也。又敍高祖破宇文于邙山，周文自晉陽而平鄴，雖《左氏》書城濮之役、鄢陵之戰、齊敗于鞌、吳師入郢，亦不是過也。”又曰：“如彥淵之改魏收也，以非易非，彌見其失。而撰隋史者，稱澹大矯收失者，何哉？且以澹著書方之君懋，豈唯其間可容數人而已，史臣美澹而譏劭者，豈所謂通鑑乎？”

又《敍事篇》曰：“近有裴子野《宋略》、王劭《齊志》，並長於敍事，無愧古人。而世人議者皆雷同，譽裴共詆王氏。夫江左事雅，裴筆所以專工；中原跡穢，王文由其屢鄙。且幾原務飾虛詞，君懋志存實錄，此美惡所以爲異也。”又《忤時篇》云：“王劭直書，見讎貴族。”按《史通·雜說篇》有云：“《隋書·王劭傳》唯錄其詭詞妄說，遂盈一篇。尋又申以詆訶，尤其詭惑。夫載言示後者，貴於辭理可觀，既以無益而書，豈若遺而不載？”浦起龍《通釋》曰：“劭平生著述非一，《隋書》一槩抹煞，而獨揚其所醜，實于史體有乖。揚雄著書美新最穢，班史不錄，獨於《法言》、《玄經》，書之甚詳，是可識去取之則也。”按《隋書》于《王劭傳》可謂直書見讎之一證，當時情事，從可知矣。《史通·曲筆篇》又云：“君懋書法不隱，取咎當時。或有假手史臣，以復私門之恥。”

《唐書·經籍志》：《北齊志》十七卷，王劭撰。

《唐書·藝文志》：“王劭《北齊志》十七卷。”又正史類：“王劭《齊志》十七卷。”章宗源曰：“自是重出。”

嚴可均《全隋文編》曰："《廣弘明集》二引隋王劭《述佛志》，云出《齊書》。案今所見蕭子顯《齊書》_{按當云李百藥}無此篇。《隋志》古史類有王劭《齊志》十卷，蓋道宣所據也。"

章氏《考證》：《史通・論贊篇》、《題目篇》、《載文篇》、《補注篇》、《言語篇》、《敍事篇》、《曲筆篇》、《摸擬篇》、《正史篇》、《雜説篇》、《忤時篇》論王劭《齊志》，凡十五事，劭並爲邵。據本傳，劭所著紀傳名《齊書》，編年名《齊志》。其《齊書》一百卷，《隋志》不載。

右三十四部，六百六十六卷。_{此著録部數不誤，附著無。}

按袁彦伯《後漢紀》三十卷，章氏《考證》不載。

卷十三

史部三

雜史類 <small>類中分類凡二。</small>

周書十卷。汲冢書，似仲尼刪《書》之餘。

《漢書·蕭何傳》：“何曰：‘《周書》曰：天予不取，反受其咎。’”師古曰：《周書》者，本與《尚書》同類。蓋孔子所刪百篇之外，劉向所奏有七十一篇。”

《漢書·藝文志》尚書家：“《周書》七十一篇，周史記。”師古曰：“劉向云：‘周時誥誓號令也，蓋孔子所論百篇之餘也。’今之存者，四十五篇矣。”<small>按此引劉向云，即《別録》文；“今之存者”云云，則顔氏之語也。</small>

《史通·六家·尚書篇》曰：“又有《周書》者，與《尚書》相類，即孔子刊約百篇之外，凡爲七十一篇。上自文、武，下終靈、景，甚有明允篤誠，典雅高義。時亦有淺末恒説，滓穢相參，殆似後之好事者所增益也。至若《職方》之言，與《周官》無異；《時訓》之説，比《月令》多同。斯百王之正書，五經之別録者也。”

《唐日本國見在書目》：《周書》八卷，汲冢書。<small>按此亦孔晁注本。</small>

《唐書·經籍志》：《周書》八卷，孔晁注。<small>按此蓋孔注之不全者，故止八卷。</small>

《唐書·藝文志》：“《汲冢周書》十卷。”又曰：“孔晁注《周書》八卷。”

《宋史·藝文志》經部書類：“《汲冢周書》十卷，晉太康中於汲郡得之,孔晁注。"又別史類:"《汲冢周書》十卷。"

晁氏《讀書志》:《汲冢周書》十卷,晉太康中,汲郡與《穆天子傳》同得。晉孔晁注。蓋孔子刪采之餘,凡七十篇,然亦有記錄失實,以誤後世者。

陳氏《書錄解題》尚書家:《汲冢周書》十卷,晉五經博士孔晁注。太康中,汲郡發魏安釐王冢,所得竹簡書,此其一也。凡七十篇,序一篇,在其末。今京口刊本,以序散在諸篇,蓋以倣孔安國《尚書》。相傳以爲孔子刪書所餘者,未必然也。文體與古書不類,似戰國後人依仿爲之者。

宋黃震《日抄》曰:"《周書》自《度訓》至《小開解》,凡二十三篇,皆載文王遇紂事,多類兵書,而文澀難曉。自《文儆》至《五權》二十三篇,載文王薨,武王繼之代商。其文間有明白者,或類周誥。自《成開解》至《王會解》十三篇,載武王崩,周公相成王事,間亦有明白者,多類周誥。自是有《蔡公解》、《史記解》、《穆王警戒》之書也,《職方氏》繼之,與今《周禮》之《職方氏》相類。《芮良夫解》,訓王暨政臣之書也。《玉佩解》亦相類。自《周祝解》至《詮法解》,不知其所指,終之以《器服解》。而《器服解》之名,多不可句。"按篇名系以"解"字,蓋孔晁注本所加,猶《淮南子》篇目高誘注本,皆系以"訓"字。

《文獻·經籍考》:巽岩李氏曰:"《隋》、《唐志》皆稱此書得之汲冢,孔晁注解,或十卷,或八卷,大抵不殊。按劉向、班固所錄,並著《周書》七十一篇,且謂孔子刪削之餘,而司馬遷記武王克殷事與此合,必班、劉、司馬所見者也。繫之汲冢,失其本矣。書多駁辭,宜孔子所不取,抑戰國處士私相綴緝,託周爲名,孔子亦未必見。"又後村劉氏曰:"晁子止謂共記錄失實,李仁甫謂書多駁辭。按中間所載武王征四方,俘商寶玉云云,皆荒唐誇誕,不近人情,非止于駁而已。"

王應麟《漢志考證》：今本凡七十篇，始於《度訓》，終於《器服》，晉孔晁注。篇目比漢，但闕其一。唐《大衍曆議》曰："七十二候，原於周公《時訓》、《月令》，雖頗有增益，然先後之次則同。"《謚法》則此書第五十四篇也。

又《玉海·藝文》曰："按《晉書·束皙傳》及《左傳正義》引王隱《晉書》，並云《竹書》七十五篇，其篇目皆不言《周書》，則繫《周書》於汲冢，其誤明矣。"

《經義考》曰："鄭某曰：'古書自六籍外，傳者蓋少矣。劉向、班固所録，則有《周書》七十一篇，皆文、武、周公及穆、宣、幽、靈之事。《度訓》、《武稱》、《開武》、《祭公》、《芮良夫》、《玉佩》諸篇，即壁中書奚加焉？《謚法》則周公之所制。《時訓》、《明堂》，乃《禮記》所采。《王會》博於鳥獸、草木之名。《史記》明於治亂興亡之跡，卓有可觀。他篇蓋多誇詡詭譎，其書出春秋、戰國之前，抑周之野史歟？'"

又胡應麟曰："《周書》多論紀綱、制度，敘事之文極少。《克殷》數篇外，唯《王會》、《職方》二篇，皆典則有法，而《王會》雜以怪誕之文。《職方》敘述嚴整過《王會》，其規模、體制足以置之夏、商也。"又曰："《周書》卷首十數篇、後序，皆以爲文王作。而本解絶無明據，且語與書體不合，蓋戰國纂集此書者所作攙入之，冠於篇首也。"

《四庫》別史類提要曰："《逸周書》十卷，舊題《汲冢周書》。然考《漢書·藝文志》，先有《周書》七十一篇，司馬遷紀武王克商事，與此書相應。許慎作《説文》，引《周書》'大翰若翬雉'，又引《周書》'獮有爪而不敢以撅'。馬融注《論語》引《周書·月令》。鄭玄注《周禮》引《周書·王會》，注《儀禮》引《周書·比黨州閭》，皆在汲冢前，知爲漢代相傳之舊。郭璞注《爾雅》，稱《逸周書》。李善《文選注》所引，亦稱《逸周書》。知晉至唐初，舊本尚不題‘汲冢’。舊本載嘉定十五年丁黼跋，反覆考證，確以爲不出汲冢。斯定論矣！其載有太子晉事，則當成於靈王以後。所云文王受命稱王，武王、周公私計東伐，俘馘殷遺，暴殄原獸，輦括寶玉，動至億萬，三發下車，懸紂首太白，又用南郊，皆古人必無之事。陳振孫以爲戰國後人所爲，似非無見。然《左傳》引《周志》‘勇則害上，不登於明堂’，又引《書》‘慎始而敬終，終乃不困’，又引《書》‘居安思危’，又稱‘周作九刑’。其文皆在今書中。則春秋時已有，特戰國以後又輾轉附益，故其言駁雜耳。究厥本始，終爲三代之遺文，不可廢也。近代所行之本，皆闕《程寤》、《秦陰》、《九政》、《九開》、《劉法》、《文開》、《保開》、《八繇》、《箕子》、《耆德》、《月令》十一篇，餘亦文多佚脱。考《史記·楚世家》、《主父偃傳》、《貨殖傳》引《周書》文，及《漢書》、《唐六典》所引，今本皆無之。蓋皆所佚十一篇之文也。”

章氏《考證》曰：“《逸周書》稱汲冢書，其誤始於《隋志》。”按《隋志》亦據見存書目耳。

張氏《書目答問》：《逸周書》孔晁注十卷，盧文弨校，抱經堂本。《逸周書補注》二十四卷，陳逢衡撰，陳氏叢書本。《周書集訓校釋》十卷，逸文一卷，朱右曾撰，自刻本、武昌局本。《逸周書管箋》十六卷，丁宗洛撰，刻本。

按陳逢衡敍説有曰：“師古謂今之存者四十五篇，則在唐時已少二十六篇。今止亡十一篇，較之師古時，反多十五篇，豈《束晳傳》所謂雜書十九篇尚存於世，後人乃拾取以補之，因以有汲冢之目耶？”是説也，余向亦疑之，因十九篇中有《周食田法》、《周書》、《論楚事》。前人必以汲冢無《周書》之目，實不盡然也。十九篇之外，又有七篇，簡書折壞，不識名題，與雜書合計，正廿六篇。疑後人即以此廿六篇，補顏氏所云四十五篇之本。故書中亦頗有與序不相應,此之所疑與陳氏相印合。及讀朱氏右曾之序,乃恍然知其不然矣。朱序曰："其書存者五十九篇,並序爲六十篇。較《漢志》篇數,亡其十有一焉。注之者,晉五經博士孔晁。唐初,孔氏注本亡其二十五篇,師古據之以注《漢志》,故云'今其存者四十五篇'。師古之後,又亡其三,故今孔注祇有四十二篇也。然晉、唐之世,書有二本,劉知幾《史通》不言有所闕佚,與師古説殊。《唐·藝文志》:《汲冢周書》十卷,孔晁注;《周書》八卷。二本並列,尤明證也。其合四十二篇之注於七十一篇之本,而亡其十一篇者,未知何代,要在唐以後矣。"朱氏之言如此,其言顏監據孔晁注殘本爲説,及後人以無注本補孔本之亡,皆確不可易也。

又按汲冢本有《周書》,即雜書十九篇是。或亦合不識名題之七篇。嚴氏可均《全三代文編》曰："《古文周書》亦汲冢所得,今僅《文選·思玄賦》注、《赭白馬賦》注引有二條,或以《逸周書》當之,非也,此真汲冢《周書》也。"

古文璅語四卷。汲冢書。

《晉書·束晳傳》:竹書紋目:《璅語》十一篇,諸國卜夢妖怪相書也。

《史通·六家·春秋篇》曰："《汲冢璅語》記太丁時事,目爲《夏殷春秋》。《璅語》又有《晉春秋》,記獻公十七年事。"

又《惑經篇》云："案汲冢竹書《晉春秋》及《紀年》之載事也,如重耳出奔,惠公見獲,書其本國,皆無所隱。"又曰："《璅語·春秋》載魯國閔公時事,言之甚詳。"

又《申左篇》曰："晉太康年中,汲冢獲書,全同《左氏》。"原注云："汲冢所得,尋亦亡佚,亦惟《紀年》、《璅語》、《師春》在焉。案《紀年》、《璅語》載春秋時事,多與《左氏》同。《師春》多載春秋時筮者繇辭，將《左氏》相校，遂無一字差舛。"故束皙云：
若使此書出於漢世，劉歆不作五原太守矣。"按劉歆事見《漢書》本
傳，亦略見《儒林傳》。《藝文類聚》二十七引劉歆《遂初賦序》曰："歆好《左氏春秋》，
欲立於學官，時諸儒不聽，歆乃移書太常，責讓深切，爲朝廷大臣所非。求出補吏，後
徙五原太守。志意不得，經歷故晉之域，感今思古，遂作此賦云。"

《唐書·經籍》、《藝文志》：《古文瑣語》四卷。

嚴可均《全三代文編》曰："案《晉書·束皙傳》，太康二年，汲
郡人不準盜發魏襄王墓，得竹書數十車，其《瑣語》十一篇，諸
國卜夢妖怪相書也。《隋志》：《古文瑣語》四卷，汲冢書。
《舊》、《新唐志》同。宋以後不著錄。今輯群書引見，省併重
複，得二十五事，彙爲一篇，凡十九條。又附錄六條。"

馬國翰輯本序曰："《古文瑣語》見《晉書·束皙傳》，其書久
佚。搜輯爲卷。書中如仲壬崩，伊尹放太甲而自立四年，與
《尚書》、《孟子》皆牴牾不合。然其紀周、晉、齊、宋佚事，有足
備史考者，亦未可盡以荒誕概之也。"按所輯凡十五條。

章氏《考證》：《水經·澮水注》，《藝文類聚·后妃部》、《人
部》、《菓部》，《北堂書鈔·后妃部》、《政術部》，《太平御覽·
皇王部》、《人事部》、《刑法部》、《服章部》、《獸部》、《羽族部》
共引《瑣語》十三事。《唐志》卷同。

江都陳逢衡《竹書紀年集證敍説》曰："《瑣語》、《紀年》二書互
相出入，當時簡編散亂，輒以其言之相似者附入之。《御覽》
八十三引《瑣語》仲壬崩，伊尹放太甲，乃自立四年，則是殺尹
一事出《瑣語》不出《紀年》也。"又曰："今本《紀年》后啓殺益、
太甲誅伊尹、文丁殺季歷，皆出汲冢《瑣語》。當時又謂之《夏
殷春秋》。其敍及晉獻公至晉平公者，則又謂之《晉春秋》，
故朱熊窺屏一事，劉知幾謂是《晉春秋》，而《御覽》引此作
《瑣語》，可據也。"陳氏于《紀年》卷末，亦附存《瑣語》十餘條，亦各附以集

證云。

《孫祠書目》：《汲冢璅語》一卷，洪頤煊集本。

春秋前傳十卷　何承天撰
春秋前雜傳九卷　何承天撰　　當爲《前傳雜語》。

何承天有《禮論》，見經部禮類。

《南史》本傳：承天刪減《禮論》，凡三百卷，並《前傳雜語》，並傳於世。《宋書》本傳作"雜論"，似寫誤。

《唐書·經籍志》：《春秋前傳》十卷，何承天撰。《春秋前傳雜語》十卷，何承天撰。

《唐書·藝文志》：何承天《春秋前傳》十卷，又《春秋前傳雜語》十卷。

王謨《漢魏遺書鈔》曰："《隋》、《唐志》並載有何承天《春秋前傳》十卷、《春秋前雜傳》九卷，《唐志》作《前傳雜語》。唐人類書俱未見稱引，無憑鈔録。"

　按此蓋記春秋以前事，既仿《左氏》爲傳十卷，復仿《國語》爲雜語，合爲一家之言。《唐志》所題與《南史》本傳合，今從之。

春秋後傳三十一卷　晉著作郎樂資撰

樂資始末未詳。

《史通·六家·左傳篇》：逮孔子云没，經傳不作，於時史籍，唯有《戰國策》及《太史公書》而已。至晉著作郎魯國樂資，乃追采二史，撰爲《春秋後傳》，其書始以周貞王續前傳魯哀公後，至王赧入秦，又以秦文王之繼周，終於二世之滅，合成三十卷。

《唐書·經籍志》：《春秋後傳》三十卷，樂資撰。

《唐書·藝文志》：樂資《春秋後傳》三十卷。

浦起龍《史通通釋》曰："樂資《晉書》無傳，采《國策》、遷《史》

爲書，上接春秋，下迄漢初，亦名爲傳。"

章氏《考證》：《水經·渭水注》，《後漢書·襄楷傳》注，《史記·田敬仲世家》索隱，《初學記·天部》、《地部》，《御覽·地部》、《兵部》共引《春秋後傳》十事。朱氏《經義考》誤以孔衍《後語》入《後傳》。

王謨《漢魏遺書鈔》曰："何承天《春秋前傳》及《雜語》，唐、宋人類書俱未見稱引，即所引樂資《後傳》，亦甚寥寥。今祇從《水經注》鈔出一條，又《初學記》二條、《書鈔》二條、《御覽》六條。若《玉海》引《春秋後傳》五條，與記事文體不類，疑當即本書序例，故列卷首。而以《史記索隱》所引樂資説數條附焉。"

戰國策三十二卷　劉向録

《七略別録》：護左都水使者、光禄大夫臣向言.: 所校中《戰國策》書，中書餘卷，錯亂相糅莒。又有國別者八篇，少不足。臣向因國別者，略以時次之，分別不以序者以相補。除復重，得三十三篇。本字多誤脱爲半字，以"趙"爲"肖"，以"齊"爲"立"，如此類者多。中書本號，或曰《國筴》，或曰《國事》，或曰《短長》，或曰《事語》，或曰《長書》，或曰《修書》。臣向以爲戰國時游士輔所用之國，爲之筴謀，宜爲《戰國策》。其事繼春秋以後，訖楚漢之起，二百四十五年間之事，皆定，以殺青書，可繕寫。其下紋曰云云，皆言戰國時事，凡千餘言，具在本書，不録。

《漢書·藝文志》六藝春秋家："《戰國策》三十三篇，記春秋後。"又《司馬遷傳》贊云："春秋之後，七國並爭，秦兼諸侯，有《戰國策》，故司馬遷據《左氏》、《國語》，采《世本》、《戰國策》。"

《史通·六家·國語篇》：曁縱橫互起，力戰爭雄，秦兼天下，而著《戰國策》。其篇有東西二周、秦、齊、燕、楚、三晉、宋、衛、中山，合十二國，分爲三十三卷。夫謂之策者，蓋録而不

序，故即簡以爲名。或云漢代劉向以戰國游士爲之策謀，因
謂之《戰國策》。

《唐書·經籍志》：《戰國策》三十二卷，劉向撰。

《唐書·藝文志》：劉向《戰國策》三十二卷。

晁氏《讀書志》子部縱橫家《戰國策》：劉向校定三十三篇。
東、西周各一，秦五、齊六，楚、趙、魏各四，韓、燕各三，宋、衛、
中山各一。舊有五號，向以爲皆戰國時游士策謀，改定今名。
其事則上繼春秋，下訖楚漢之起，凡二百四五十年之間。《崇
文總目》多闕，至曾鞏校書，訪之士大夫家，其書始復完。歷
代以其紀諸國事，載於史類。予謂其紀事不皆實録，難盡信。
蓋出於學縱橫者所著，當附于此。

王應麟《漢志考證》：姚氏宏校定，綜四百八十六條。太史公
所采九十餘條，其事異者止五十條。《四庫提要》子部儒家陸賈《新語》
條云：“司馬遷作《史記》，取《戰國策》九十三條，皆與今文合。”

《四庫提要》曰：“劉向序稱‘中書餘卷，錯亂相糅莒’。原注云：
“莒字未詳。”據所云云，則向編此書，本裒合諸國之記，刪併重
復，排比成帙，所謂三十三篇者，實非其本來次第也。”又曰：
“《漢·藝文志》《戰國策》與《史記》爲一類，歷代史志因之。晁
公武《讀書志》始改入子部縱橫家，《文獻通考》因之。按班固
稱司馬遷作《史記》，據《左氏》、《國語》，采《世本》、《戰國策》，
則《戰國策》當爲史類，更無疑義。且子之爲名，本以稱人，因
以稱其所著，必爲一家之言，乃當此目。《戰國策》乃劉向裒
合諸記，并爲一編，作者既非一人，又均不得其主名，所謂子
者安指乎？公武改隸子部，是以記事之書爲立言之書，以雜
編之書爲一家之書，殊爲未允。今仍歸之史部雜史類中。”

戰國策二十一卷　高誘撰注

陳振孫《書録解題》曰：“誘注《淮南子》，自序言：‘自誘之少，

從同縣盧君受其句讀。'盧君者，植也，與之同縣。則誘乃涿郡涿人。又言建安十年，辟司空掾，東郡濮陽令，十七年遷監河東。則誘乃漢末人，其出處略可見。"

嚴可均《全後漢文編》曰："高誘，涿郡涿人。建安中，曹操辟爲司空掾，除東郡濮陽令，遷監河東。有《戰國策》注三十二卷、《呂氏春秋》注二十六卷、《淮南子》注二十一卷。"

《唐日本國見在書目》：《戰國策》三十三卷，劉向撰，高誘注。

《唐書·經籍志》：《戰國策》三十二卷，高誘注。

《唐書·藝文志》：高誘注《戰國策》三十二卷。

《宋史·藝文志》子部縱橫家：高誘注《戰國策》三十三卷。

《崇文總目》曰："又有高誘注本二十卷，今缺第一、第五、第十一至二十，止存八卷。"

曾鞏校定序曰："此書有高誘注者二十一篇，或曰二十二篇。《崇文總目》存者八卷，今存者十篇。"

《書錄解題》：《戰國策》三十卷，司馬遷《史記》所本，劉向所校者也。但無撰人名氏，後漢高誘注。自東周至中山十二國，凡三十三篇。

《四庫提要》曰："今本雖三十三卷皆題曰高誘注，而有誘注者僅二卷至四卷、六卷至十卷，與《崇文目》八篇數合。又最末三十二、三兩卷，合前八卷，與曾鞏序十篇數合，而其餘二十三卷，則皆宋姚宏所補注也。"

戰國策論一卷　漢京兆尹延篤撰

《後漢書》本傳：篤字叔堅，南陽犨人也。少從潁川堂溪典受《左氏傳》。又從馬融受業，博通經傳及百家之言。舉孝廉，爲平陽侯相。以師喪棄官奔赴。五府並辟不就。桓帝以博士徵拜議郎，與朱穆、邊韶共著作東觀。稍遷侍中、左馮翊、京兆尹，殺梁冀客，以病免歸。教授家巷，後遭黨事禁錮。永

康元年卒於家。篤論解經傳,多所駁正。後儒服虔等以爲折
中。謝承書曰:"延篤字叔固。"《釋文·敍録》:京兆尹延篤受《左氏》於賈逵之孫伯
升,因而注之。又司馬貞《史記索隱後序》曰:"太史公之書,古今爲注解者絶省,音
義亦稀。始後漢延篤,乃有《音義》一卷。"

《唐書·經籍志》:《戰國策論》一卷,延篤撰。

《唐書·藝文志》:延篤《戰國策論》一卷。

章氏《考證》:《史記·高祖紀》,又《魯鄒列傳》、《蘇秦列傳》、
《匈奴傳》索隱,《文選·求立太宰碑》注、《曹公與孫權書》注、
《檄吳將校部曲》注、阮籍《詠懷詩》注並引延篤《戰國策注》。

《顏氏家訓·書證篇》引稱延篤《戰國策音義》。

侯康《補後漢書藝文志》曰:"據諸書所引,全非論體。顏黄門
稱《戰國策音義》,其名似勝《隋》、《唐志》。"

楚漢春秋九卷　陸賈撰

《漢書·藝文志》:"《楚漢春秋》九篇,陸賈所記。"又《司馬遷
傳》贊曰:"漢興伐秦,定天下,有《楚漢春秋》,故司馬遷據《左
氏》、《國語》,采《世本》、《戰國策》,述《楚漢春秋》,接其後事,
迄於大漢。"按"大漢"當爲"天漢"之誤。

又列傳:"陸賈,楚人也。以客從高祖定天下,名有口辨,居左
右,常使諸侯。中國初定,尉佗平南越,因王之。高祖使賈賜
佗印爲南越王。賈卒拜佗爲王,令稱臣,奉漢約。歸報,高帝
大悦,拜賈爲太中大夫。孝惠時,吕太后用事,欲王諸吕,畏
大臣及有口者。賈自度不能爭之,迺病免。以好畤田地善,
往家焉。吕太后時,爲陳平畫吕氏數事。游漢廷公卿間,名
聲藉甚。及誅吕氏,立孝文,賈頗有力。孝文即位,欲使人之
南越,丞相平乃言賈爲太中大夫,往使尉佗,去黄屋稱制,令
比諸侯,皆如意指。陸生竟以壽終。"又傳贊曰:"陸賈位止大
夫,致仕諸吕,不受憂責,從容平、勃之間,附會將相以彊社

稷，身名俱榮，其最優乎！"

《後漢·班彪傳》：彪論前史得失，曰："漢興定天下，太中大夫陸賈記録時功，作《楚漢春秋》九篇。"

《史記集解序》索隱曰："《楚漢春秋》，漢太中大夫楚人陸賈所撰。記項氏與漢高祖初起及説惠文間事。"

《史通·六家·春秋篇》："晏子、虞卿、吕氏、陸賈，其書篇第，本無年月，而亦謂之春秋。"又《題目篇》曰："案吕、陸二氏，各著一書，唯次篇章，不繋時月。此乃子書雜記，而皆號曰春秋。考名責實，奚其爽歟？"

又《雜述篇》曰："史氏流别，殊途並鶩。權而爲論，其流有十：一曰偏記。夫皇王受命，有始有卒，作者著述，詳略難均。有權記當時，不終一代，若陸賈《楚漢春秋》。此之謂偏記者也。"

又《雜説篇》曰："案劉氏初興，書唯陸賈而已。子長述楚漢之事，專據此書。然觀遷之所載，往往與舊不同，如酈生之初謁沛公，高祖之長歌鴻鵠，非唯文句有别，遂乃事理皆殊。"

《唐書·經藉志》：《楚漢春秋》九卷，陸賈撰。

《唐書·藝文志》：陸賈《楚漢春秋》九卷。

王應麟《漢志考證》曰："洪氏曰：陸賈書記當時事，而所言多與史不合。顏師古屢辨之，若高祖之臣别有絳灌、南宮侯張耳、淮陰舍人謝公。"

《經義考》曰："按《楚漢春秋》顏師古《漢書注》、李善《文選注》皆引之，則唐時尚存。又《太平御覽》亦引之，則宋初猶未亡也。"

章氏《考證》：《文心雕龍·史傳篇》曰："漢滅嬴、項，武功積年。陸賈稽古，作《楚漢春秋》。"《史記序》索隱云："《高祖功臣侯者年表》，《楚漢春秋》與《史記》、《漢書》不同者，陸賈記事高祖、惠帝時，《漢書》是後定功臣等列。及陳平受呂后命而定，或已改邑號，故人名亦別。"愚按《水經・渭水》注，《藝文類聚・地部》，《史記・劉敬叔孫通傳》索隱，《太平御覽・兵部》、《人事部》、《刑法部》、《服章部》，凡十一事引《楚漢春秋》，多班、馬所不載。亞父、酈生、丁公事，詞義相殊。《困學紀聞》引四事，及《漢書注》引十事，《史記索隱》引十二事，《集解》一事，皆足考異。《文選・讓太常博士》注引云："漢定天下，論群臣，破敵禽將，活死不衰，絳灌、樊噲是也；功成名立，臣爲爪牙，百世無邪，世世相屬，絳侯周勃是也。"此可作高祖臣別有絳、灌之證。

高郵茆泮林輯本序曰："《楚漢春秋》今散佚不可復得，彙刻叢書中亦未見輯本。泮林因其書與《左傳》、《國語》、《世本》、《國策》均爲龍門作史屬稿所據。惟《世本》及陸書無傳，故既輯《世本》成帙，復於此書留意焉。"

《孫祠書目》：《楚漢春秋》一卷，洪頤煊集本。

古今注八卷　伏無忌撰

《後漢書・伏湛傳》："湛，琅琊東武人也。九世祖勝，字子賤，所謂濟南伏生者也。湛高祖父孺，武帝時，客授東武，因家焉。湛以建武三年代鄧禹爲大司徒，封陽都侯。六年，徙封不其侯。二子隆、翕。翕嗣爵，卒，子光嗣；光卒，子晨嗣；晨卒，子無忌嗣。無忌亦傳家學，博物多識。順帝時，爲侍中屯騎校尉。永和元年，詔無忌與議郎黃景校定中書五經、諸子百家、藝術。元嘉中，桓帝復詔無忌與黃景、崔寔等共撰《漢記》。又自采集古今，刪著事要，號曰伏侯注。無忌卒，子質嗣，官至大司農。質卒，子完嗣，尚桓帝女陽安長公主。女爲孝獻皇后。曹操殺后，誅伏氏，國除。初，自伏生已後，世傳經學，清靜無競，故東州號爲'伏不鬭'云。"章懷太子注曰：

“其書上自黃帝，下盡漢質帝，爲八卷，見行於今。”

《唐書·經籍志》：《古今注》八卷，伏無忌撰。

《唐書·藝文志》子部雜家：《伏侯古今注》三卷。

章氏《考證》：劉昭《續漢志》注多引《伏侯古今注》，《禮儀志》載光武、明、章、和、殤、安、順、沖、質諸帝山陵，《祭祀志》載後漢災異，《郡國志》載戶口、懇田之數，亦自光武迄質帝，又記後漢官制數事。又《後漢書》注，《初學記·服食部》、《鳥部》，《御覽·咎徵部》、《器物部》亦各引數事。《唐志》三卷，入子部雜家。

馬國翰玉函山房輯本序曰：“《伏侯古今注》，《隋志》著錄雜史類，八卷。《唐志》入雜家，三卷。今佚。從《後漢書》注、《北堂書鈔》、《藝文類聚》、《初學記》、《開元占經》、《白孔六帖》、《太平御覽》等書采輯成編，多言符瑞、災異，而於漢諸帝名諱、山陵爲詳。”

茆泮林輯本跋曰：“漢伏侯字無忌，濟南伏生之後也。其書八卷，《隋志》尚存，《唐志》僅存三卷，列之雜家。而《伏侯注》反在崔豹後，蓋失考也。今裒輯諸書，尠見周秦以上事，所見者惟孔子生一條及秦錢半兩、蒲脯鹿馬二事而已。”按茆氏以伏侯字無忌，不知所據，豈誤以伏侯爲名乎？其所輯分帝號、陵寢、祭祀、漢制、天文、郡國、災異、瑞應等目，又各分子目。

侯康《補後漢書藝文志》曰：“《後漢書》諸本紀注，又劉昭注《續漢志》屢引之，他列傳亦間引。或稱伏侯，或不稱伏侯，核其文義，皆出伏書，非出崔豹書也。《史記索隱》屢引《古今注》而不著名姓，其不見崔豹書者，當皆出此。然今世所行崔書，亦非原帙。《索隱》所引，終難定其爲崔爲伏耳。”

越絕記十六卷　子貢撰

本志篇敍曰：“又有《越絕》相承，以爲子貢所作。”

《唐書・經籍志》：《越絕書》十六卷，子貢撰。

《唐書・藝文志》：子貢《越絕書》十六卷。

《宋史・藝文志》霸史類：《越絕書》十五卷，或云子貢所作。

《崇文總目》：《越絕書》十五卷，子貢，或曰子胥。舊有内紀八，外傳十七。今文題闕舛，纔二十篇。又載春申君，疑後人竄定。世或傳二十篇者，非是。

宋趙希弁《讀書附志》：《越絕書》十五卷，越復讎之書也。或以爲子貢所作，或疑似子胥所作，皆無所據。故曰《越絕》誰所作？吳越賢者所作也。《隋・經籍志》十六卷，《崇文總目》十五卷。希弁考其所以，第一卷《荆平王内傳》；第二卷《外傳記吳地》；第三卷《吳内傳》；第四卷《計倪内經》；第五卷《請糴内傳》；第六卷《外傳策考》；第七卷《外傳記范伯》，《内傳陳成恒》；第八卷《外傳記地傳》；第九卷《外傳計倪》；第十卷《外傳記吳王占夢》；第十一卷《外傳記寶劍》；第十二卷《内經九術》，《外傳記軍氣》；第十三卷《外傳枕中》；第十四卷《外傳春申君德序外傳》；第十五卷《篇敍外傳》。此十五卷也。然第一卷有所謂《越絕外傳本事》一篇，此共爲十六卷歟。

《書録解題》曰：“《越絕書》十六卷，無撰人名氏。相傳以爲子貢者，非也。其書雜記吳越事，下及秦漢，直至建武二十八年。蓋戰國後人所爲，而漢人又附益之耳。越絕之義曰：聖人發一隅，辯士宣其辭；聖文絕于彼，辯士絕于此，故題曰越絕。雖則云然，而終未可曉也。”

又隋齋批注：“‘越者，國之氏也。絕者，絕也，謂句踐時也。絕者，絕也，絕惡反之於善。越專其功，故曰越絕。並見本書。’又文簡批編尾云：‘《越絕書》譌不可讀，如樂架之有啞鍾。漁父辭劍事，見于此書。’”沈濤《銅熨斗齋隨筆》曰：“新安程大昌譜文簡,卜居吳興之安吉。曾孫榮,字儀甫,號隨齋,與直齋同時同里。《書錄解題》間附隨齋批注,即程榮也,元時人。"

《四庫提要》載記類:"《越絕書》十五卷,不著撰人名氏。書中《吳地傳》稱句踐徙瑯琊,到建武二十八年,凡五百六十七年,則後漢初人也。書末《敍外傳記》以廋詞隱其姓名。其云'以去爲姓,得衣乃成',是袁字也;'厥名有米,覆之以庚',是康字也;'禹來東征,死葬其疆',是會稽人也。又云'文詞屬定,自於邦賢。以口爲姓,承之以天',是吳字也;'楚相屈原,與之同名',是平字也。然則此書爲會稽袁康所作,同郡吳平所定也。王充《論衡・按書篇》曰:'東番鄒伯奇,臨淮袁太伯、袁文術,會稽吳君高、周長生之輩,位雖不至公卿,誠能知之囊橐,文雅之英雄也。觀伯奇之《元思》,太伯之《易章句》,文術之《箴銘》,君高之《越紐錄》,長生之《洞歷》,劉子政、揚子雲不能過也。'所謂吳君高殆即平字,所謂《越紐錄》殆即此書歟?楊慎《丹鉛錄》、胡侍《珍珠船》、田藝蘅《留青日札》皆有是説。核其文義,一一脗合。《隋》、《唐志》皆云子貢作,非其實矣。其文縱橫曼衍,與《吳越春秋》相類,而博麗奧衍則過之。中如《計倪内經》軍氣之類,多雜術數家言。皆漢人專門之學,非後來所能依託。此本與《吳越春秋》皆大德丙午紹興路所刊。卷末一跋,諸本所無。惟申明復仇之義,不著姓名。詳其詞意,或南宋人所題。"

又《簡明目錄》曰:《越絕書》十五卷,漢袁康撰,其友吳平同定。《隋志》稱子貢作者,謬也。原本二十五篇,今佚五篇,其事與《吳越春秋》相出入,而文章博奧偉麗,則趙煜弗及也。"

吳越春秋十二卷　趙曄撰

趙曄有《韓詩譜》,見經部詩類。

《後漢書・儒林傳》:曄著《吳越春秋》。

本志篇敍曰："漢初,得《戰國策》。其後陸賈作《楚漢春秋》,又有《越絶》相承,以爲子貢所作。後漢趙曄又爲《吳越春秋》,其屬辭比事,皆不與《春秋》、《史記》、《漢書》相似,蓋率爾而作,非史策之正也。"

《唐書·經籍志》:《吳越春秋》十二卷,趙曄撰。

《唐書·藝文志》:趙曄《吳越春秋》十二卷。

《宋史·藝文志》別史類:趙曄《吳越春秋》十卷。又見霸史類。

晁氏《讀書志》:《吳越春秋》十二卷,後漢趙曄撰。吳起泰伯,盡夫差。越起無余,盡句踐。內吳外越,本末咸備。

《文獻·經籍考》:《中興書目》《吳越春秋》十卷,內吳外越,以紀其事。吳起泰伯,至闔廬。越起無余,止句踐。按十卷本止闔廬者,殆缺後句踐二卷也。

元國子監書庫官徐天祐《音注》序曰:"曄去古未遠,又山陰人,故其綜述,視他書所記二國事爲詳,然不類漢文。"

《經義考·擬經篇》錢福曰:"《吳越春秋》作於東漢趙曄,後世補亡之書耳。大抵本《國語》、《史記》,而附以所傳聞者爲之。其大旨,誇越之多賢,以矜其故都。而所編《傳》,乃內吳而外越,則又不可曉矣。所載孔子、子貢事不可據,而其謀則在當時游説之至高者也。若胥之忠,蠡之智,種之謀,包胥之論策,孫武之論兵,越女之論劍,陳音之論弩,句踐臣吳之別辭、伐吳之戒語,五大夫之自效,世亦何可少哉?"

《四庫》載記類提要曰:"是書前有舊序,稱《隋》、《唐志》皆十二卷,今存者十卷,殆非全書。又云《史記》注有徐廣所引《吳越春秋》語,而《索隱》以爲今無此語。他如《文選注》引季札見遺金事,《吳地記》載闔廬時夷亭事,及《水經注》嘗載越事數條,類皆援據《吳越春秋》。今煜本咸無其文云云。考證頗爲詳悉,煜所述雖稍傷曼衍,而詞頗豐蔚。其中有近于小説家言,自是漢、晉間稗官雜記之體。徐天祐以爲不類漢文,是以馬、班史法求之,非其倫也。"

又《簡明目錄》曰:"記吳、越二國興亡始末。中或參以小説家言,《隋志》十二卷,今佚二卷,《漢魏叢書》併爲六卷,彌失其真。"

吳越春秋削繁五卷　楊方撰

楊方有《五經鉤沈》,見經部論語類。

《晉書》本傳:方補高梁太守,在郡積年,著《五經鉤沈》,更撰《吳越春秋》,皆行於世。

《唐書‧經籍志》:《吳越春秋削煩》五卷,楊方撰。

《唐書‧藝文志》:楊方《吳越春秋削煩》五卷。

吳越春秋十卷　皇甫遵撰

皇甫遵始末未詳。

《唐書‧經籍志》:《吳越春秋傳》十卷,皇甫遵撰。

《唐書‧藝文志》:皇甫遵《吳越春秋傳》十卷。

《宋史‧藝文志》別史類:皇甫遵注《吳越春秋》十卷。

《崇文總目》:《吳越春秋傳》十卷,唐皇甫遵注。初,趙曄爲《吳越春秋》十卷。其後有楊方者,以曄所撰爲繁,又刊削之,爲五卷。遵乃合二家之書,考定而注之。

無名氏序趙氏《吳越春秋》曰:"楊方有《吳越春秋削繁》五卷,皇甫遵有《吳越春秋傳》十卷,此二書今人罕見。"

按皇甫遵,《崇文總目》以爲唐人,而本志載其書。《唐‧藝文志》列之褚無量、盧彥卿之間,則唐初人也。

吳越記六卷

不著撰人。

《唐日本國見在書目》:《吳越記》七卷。

《唐書‧經籍》、《藝文志》:《吳越記》六卷。

按《經義考》五經家:張氏遐《五經通義》,佚。又擬經類:

張氏遐《吳越春秋外紀》,佚。皆無卷數,亦不著張遐始末。
今考江寧顧櫰三所作《後漢藝文志》稿本云:"《饒州府志》:
張遐字子遠,江西餘干人。侍徐稺,過陳蕃,稺指之曰:'此
張遐也。'通易理,所著有《太極説》、《五經通義》。"又引《餘
干縣志》云:"遐試五經,補博士,撰《吳越春秋外紀》。"乃知
《經義考》所載,據《江西志》而遺漏其志文也。通義爲漢人
課試之學,遐因試五經,故有《五經通義》之書。劉向嘗裒
輯諸家通義爲一書,見經部論語類。後其《吳越春秋外
紀》,疑即此《吳越記》。其人在順、桓之世,蓋趙曄之後,又
有此一家。餘干,在兩漢曰餘汗,屬揚州豫章郡。

南越志八卷　　沈氏撰

《宋書・沈懷文傳》:懷文,吳興武康人也。弟懷遠,爲始興王
濬征北長流參軍,坐事徙廣州,終世祖世,不得還。前廢帝
世,流徙者並聽歸本。官至武康令,撰《南越志》,傳於世。

《唐書・經籍志》地理類:《南越志》五卷,沈懷遠撰。

《唐書・藝文志》地理類:沈懷遠《南越志》五卷。《宋史・志》同。
《崇文總目》七卷。

《玉海・地理類》:《中興書目》:《南越志》五卷,宋沈懷遠。
載三代至晉,南越疆域、事蹟。

《書録解題》地理類:《南越志》七卷,宋武康令吳興沈懷遠撰。
此五嶺諸書之最在前者也。

章氏《考證》:《水經・浪水注》,《文選・西京賦》、《吳都賦》注
所引《南越志》,多記異物。《太平御覽・羽族部》、《鱗介部》、
《木部》、《竹部》、《菜茹部》、《百卉部》所引亦同。若《地部》、
《州郡部》及《太平寰宇記》,則惟徵引疆域、事蹟,亦有足與正
史相證。又《寰宇記・嶺南道》引有《續南越志》一事,乃唐人
續撰。

嘉慶乙亥歲，嚴可均輯本序曰：“各書徵引稱《南越志》，或稱《南越記》、《南越書》，則《隋志》之志即記，沈氏即懷遠。然何以入雜史類，所未詳也。各書引《志》尚多，章孝廉宗源嘗從《水經注》等書寫出二百許事，余爲覆檢遺漏，又從《齊民要術》等書寫出數十事，省併複重，得百五十八事，定著二卷。以懷遠宋人，即依《宋書·州郡志》次第編錄，諸引草木鳥獸蟲魚有不著郡縣名者，分類別繫於後。別有鄧德明《南越記》、五代人《續南越志》，附載於後。”

小史八卷

不著撰人。

> 按宋晁載之伯宇《續談助》抄《殷芸小説》引《小史》一條，云：“陸士衡，河北都督，已遭閒搆，內懷憂懣，聞其鼓吹，謂司馬孫游曰：‘我今聞之，不如聞華亭鶴唳。’”當即此《小史》，爲殷芸所引，則其書猶在梁已前。唐殿中丞高峻抄節歷代爲《高氏小史》，書名與此相同，而冠以高氏，欲以別於此書歟。

漢靈獻二帝紀三卷　漢侍中劉芳撰。殘缺，梁有六卷。

劉芳當爲劉艾，始末未詳。

《唐書·經籍志》編年類：《漢靈獻二帝紀》六卷，劉艾撰。

《唐書·藝文志》編年類：劉艾《漢靈獻二帝紀》六卷。

侯康《補後漢書藝文志》曰：“艾官侍中，在獻帝興平年間，《獻帝本紀》‘興平元年，使侍中劉艾出讓有司’是也。據《三國志·董卓傳》注引《獻帝紀》知其曾爲陝令；據范《書·董卓傳》知其曾爲卓長史；據《魏武紀·建安元年》注引張璠《漢紀》，十九年注引《獻帝起居注》，知其又爲宗正；據廿一年注引《獻帝傳》，知其又以宗正使持節御史大夫。而《隋志》但稱侍中者，豈其著書在興平間耶？今考《後漢書·靈紀》、《獻紀》、

《董卓傳》注，《三國志·武紀》、董卓、張楊、賈詡、劉焉、孫堅諸《傳》注，屢引此書，皆興平及建安初年事。惟《賈詡傳》引一條云：‘後以段煨爲大鴻臚、光禄大夫。建安十四年，以壽終。’此或後來又有增益。艾官至行御史大夫，以後更不見其事蹟，蓋未嘗入魏，獻帝之名，當是後人追加耳。”按袁宏《後漢紀》：“建安元年八月，封彭城相劉艾等爲列侯，賞有功也。”亦見范書《董卓傳》注。是艾初爲陝令，後爲董卓長史，遷侍中，出爲彭城相，封列侯，又入爲宗正者也。其爲宗正，在建安元年。至二十一年，猶以宗正爲使持節，行御史大夫，奉使册封魏公爲魏王。

章氏《考證》：《唐志》六卷，入編年類。《魏志》董卓、張楊、劉焉、孫堅諸《傳》注各引《靈帝紀》，《後漢書·靈紀》注引三事，並稱劉艾《紀》。《魏志》諸紀傳注引《獻帝紀》，又諸書引《獻帝傳》，《初學記·鳥部》引一事，稱劉艾《漢帝傳》。《御覽·車部》引《獻帝傳》“董卓以地動問蔡邕”云云，與《魏志》注引《獻帝紀》同。

　　按《初學記》引稱《漢帝傳》，似是劉艾書之本名。至魏明帝青龍二年，山陽公薨之後，乃更名《獻帝傳》。殆入晉以後，與《靈帝紀》合爲一帙，乃定名曰《靈獻二帝紀》。本志篇敍有曰：“靈、獻之世，天下大亂，史官失其常守。博達之士，愍其廢絶，各記聞見，以備遺亡。是後群才景慕，作者甚衆。”即謂此以下諸書是也。《獻帝傳》載山陽公薨事，時已入魏十四年，或爲艾書所本有，或出後人增補，莫得而詳矣。

山陽公載記十卷　樂資撰

樂資有《春秋後傳》，見前。

《後漢書·獻帝本紀》：建安二十五年春正月，魏王曹操薨，子丕襲位。三月，改元延康。冬十月乙卯，皇帝遜位，魏王丕稱天子。奉帝爲山陽公，邑一萬户，位在諸侯王上，奏事不稱臣，受詔不拜，以天子車服郊祀天地，宗廟、祖、臘皆如漢制，都山陽之濁鹿城。四皇子封王者，皆降爲列侯。明年，劉備稱帝於蜀，孫權亦自王於吳，於是天下遂三分矣。魏青龍二年三月庚寅，山陽公薨。自遜位至薨，十有四年，年五十四，謚孝獻皇帝。八月壬申，以漢天子禮葬於禪陵，置園邑令丞。太子早卒，孫康立五十一年，晉太康六年薨。子瑾立四年，太康十年薨。子秋立二十年，永嘉中爲胡賊所殺，國除。

《魏志・文帝紀》：“建安二十二年，立爲魏太子。太祖崩，嗣位爲丞相、魏王。改建安二十五年爲延康元年。冬十月丙午，漢帝以衆望在魏，乃召群公卿士，告祠高廟。使兼御史大夫張音持節奉璽綬禪位。庚午，王升壇即祚，改延康爲黄初。黄初元年十一月癸酉，以河內之山陽邑萬戶奉漢帝爲山陽公，行漢正朔，以天子之禮郊祭，上書不稱臣，京都有事于太廟，致胙；封公之四子爲列侯。”又《明帝紀》：“青龍二年三月庚寅，山陽公薨。帝素服發哀，遣使持節典護喪事。夏四月丙寅，詔有司以太牢告祠文帝廟。追謚山陽公爲漢孝獻皇帝，葬以漢禮。”又《陳留王紀》：“景元元年夏六月己未，故漢獻帝夫人節薨，帝臨于華林園，使使持節追謚夫人爲獻穆皇后。及葬，車服、制度，皆如漢氏故事。”范書《后紀》：“獻穆曹皇后諱節，魏公曹操之中女也。建安十八年，操進三女憲、節、華爲夫人，小者待年于國。十九年，並拜爲貴人。及伏皇后被殺，明年，立節爲皇后。魏受禪，遣使求璽綬，后怒不與。如此數輩，乃呼使者入，親數讓之，以璽綬抵軒下，因涕泣橫流曰：‘天不祚爾！’左右皆莫能仰視。后在位七年。魏氏既立，以后爲山陽公夫人。自後四十一年，魏景初元年薨，合葬禪陵。”按景初當爲景元。陳留王，武帝孫，于后爲姑姪。其時，司馬氏專政，已一再行廢立，且殺高貴鄉公矣。“天不祚爾”之言，后親見之。

《晉書・武帝本紀》：“泰始元年冬十二月己巳，賜山陽公劉康子弟一人爲駙馬都尉。二年十一月罷山陽公國督軍，除其禁制。三年十二月，山陽公劉康來朝。四年二月庚子，增置山陽公國相、郎中令、陵令、雜工宰人、鼓吹車馬各有差。《宋書・

荀伯子傳》：“伯子上表有云：‘晉太始九年，詔賜山陽公劉康子弟一人爵關内侯。’”
此一事《晉書》不載。太康六年九月，景子山陽公劉康薨。十年六
月庚子，山陽公劉瑾薨。”又《懷帝本紀》：“永嘉元年复五月，
馬牧帥汲桑聚衆反，陷鄴城，燒鄴宫，火旬日不滅。入掠平
原，山陽公劉秋遇害。十二月戊寅，并州人田蘭、蒲盛等，斬
汲桑于樂陵。”

《蜀志·馬超傳》注：《山陽公載記》曰：“超與備言，常呼備
字。關羽怒，請殺之。”臣松之案超以窮歸，備受其爵位，何容
傲慢而呼備字。且備之入蜀，羽鎮荆州，未嘗在益土也。韋
暐、樂資等諸所記載，穢雜虛謬。若此之類，殆不可勝言也。

《唐書·經籍志》編年類：《山陽義記》樂資撰。不著卷數。

《唐書·藝文志》編年類：樂資《山陽公載記》十卷。

章氏《考證》：《魏志·袁紹傳》注、《蜀志·馬超傳》注，《後漢
書·靈紀》注、《獻紀》注、《董卓傳》注，《太平御覽·儀飾部》，
《文選·籍田賦》注、《恨賦》注並引《山陽公載記》。《新唐志》
十卷，入編年類。《舊唐志》作《山陽義記》，無卷數。

　　按載記之目，班氏始以繫平林、新市、公孫述、隗囂之流，即
後世霸史、僞史之類。山陽公乃亦被以此名，所未喻也。袁
宏《後漢紀》序稱《漢山陽公紀》，無載字。

漢末英雄記八卷　　王粲撰。殘缺，梁有十卷。

王粲有《尚書釋問》，見經部書類。

《唐書·經籍志》：《漢書英雄記》十卷，王粲等撰。

《唐書·藝文志》：王粲《漢書英雄記》十卷。

《四庫》傳記類存目：《漢末英雄記》一卷，舊題魏王粲撰。案
粲卒于建安中，其時黃星雖兆，玉步未更，不應名書以漢末，
似後人之所追題。然考粲《從軍詩》中已稱曹操爲聖君，則儼
以魏爲新朝，此名不足怪矣。《隋志》著録作八卷，注云殘缺。

其本久佚。此本乃王世貞雜抄諸書成之。凡四十四人，大抵取於《三國志注》爲多。如《水經》載白狼山曹操敲馬鞍作十片事，本習見之書，乃漏而不載。又如築易京本公孫瓚事，乃於瓚外別出一張瓚，以此事屬之，不知據何誤本，尤疏舛之甚矣。

按《續漢郡國志‧會稽郡》注引《英雄交爭記》，言初平三年事，似其書本名《英雄交爭記》。其中不盡王粲一人之作，故《舊唐志》題王粲等。

九州春秋十卷　司馬彪撰。記漢末事。

司馬彪有《續漢書》，見前正史類。

《晉書》本傳：泰始中，爲祕書郎轉丞，作《九州春秋》。

《史通‧六家‧國語篇》：當漢氏失馭，英雄角力，司馬彪又録其行事，因爲《九州春秋》。州爲一篇，合爲九卷。尋其體統，亦近代之《國語》也。

《唐書‧經籍志》：《九州春秋》九卷，司馬彪撰。

《唐書‧藝文志》：司馬彪《九州春秋》九卷。

《宋史‧藝文志》別史類：司馬彪《九州春秋》十卷。又霸史類十卷。

《書錄解題》曰：“《九州春秋》九卷，晉司馬彪紹統撰。漢末州部之亂，司、冀、徐、兗、青、荆、揚、涼、益、幽，凡盜賊僭叛，皆紀之。”

《經義考‧擬經篇》：《中興書目》曰：“紀漢末州郡之亂，司、冀、兗、青、徐、荆、揚、涼、幽，各一篇。”又云劉氏峻《九州春秋抄》一卷，佚。見胡元瑞《經籍會通》。

章氏《考證》：《魏志‧董卓》、《袁紹》、《賈詡》、《崔琰傳》注，《文選注》、《通鑑考異》、《白帖》多引之。《宋志》別史、霸史兩類重出。《通志略》有《九州春秋抄》一卷，劉孝標注。《太平御覽・兵部》引《九州春秋》二事，並有注文，未知即孝標撰否。

按范書《獻帝本紀》："建安十八年春正月庚寅，復《禹貢》九州。"注引《獻帝春秋》曰："時省幽、并州，以其郡國并於冀州。省司隸校尉及涼州，以其郡國并爲雍州。省兗州，并荆州、益州。於是有兗、豫、青、徐、荆、揚、冀、益、雍也。"九數雖同，而《禹貢》無益州有梁州，然梁、益亦一地也。《魏志・本紀》：十八年春正月，詔書并十四州，復爲九州。漢末九州之緣起如此。陳氏《書錄》言："九州復有司隸、涼、幽，無豫、雍，而其數凡十，豈本書果如是乎？而《中興書目》所言又異。莫衷壹是，要當以《獻帝春秋》所言爲近。"

明陳第《世善堂書目》猶有《九州春秋》九卷。

魏武本紀四卷。梁并曆五卷。

不著撰人。

《唐書・經籍志》編年類："《魏武本紀》三卷。"又雜史類："《魏武本紀年曆》五卷。"《新志》編年類《魏武本紀》四卷，雜史類同。

章氏《考證》："《藝文類聚・服飾部》："上儉，率茵縟取溫，無有緣飾。"《太平御覽・學部》："吾讀介推之避晉封，申包胥之逃楚賞，未嘗不廢書而歎。"二事並引《魏武本紀》。《唐志》雜史、編年兩類重出，然紀并曆爲五卷，與梁《七錄》合。"

按《史記・三代世表》："太史公讀諜記，黃帝以來，皆有年數。稽其曆譜諜終始五德之傳。"《南史・陶弘景傳》："梁武帝使造年曆，至已巳歲而加朱點，實太清三年也。"此云梁并曆五卷，其一爲年曆，其體亦猶是也。

魏尚書八卷　孔衍撰。梁十卷，成。 按此"成"字，史駁文。

孔衍有《凶禮》，見經部禮類。又有《漢魏春秋》，見前古史類。

《史通・六家・尚書篇》：自宗周既殞，《書》體遂廢，迄乎漢、

魏，無能繼者。至晉廣陵相魯國孔衍，以爲國史所以表言行，
昭法式，至于人理常事，不足備列。乃删漢、魏諸史，取其美
詞典言足爲龜鏡者，定以篇第，纂成一家。由是有《漢尚書》、
《後漢尚書》、《漢魏尚書》，凡爲二十六卷。

《唐書·經籍志》：《漢尚書》十卷，孔衍撰。《後漢尚書》六卷，
孔衍撰。《後魏尚書》十四卷，張溫撰。按《新志》此題張溫撰，誤也。
一本後魏又誤作後漢。

《唐書·藝文志》：孔衍《漢尚書》十卷，《後漢尚書》六卷，《後
魏尚書》十四卷。按此題後魏，沿《舊志》之誤，當爲“漢魏”，與前《漢魏春秋》之
名相同。《史通》亦云《漢魏尚書》。

章氏《考證》：“按《隋志》注云《魏尚書》，梁十卷。合兩漢十六
卷，與《史通》二十六卷正符。《新唐志》十四卷，‘四’字誤
增。”又曰：“孔衍《漢尚書》十卷、《後漢尚書》六卷，《隋志》不
著録。”

魏晉世語十卷　晉襄陽令郭頒撰

《魏志·三少帝紀》注：臣松之案張璠、虞溥、郭頒，皆晉之令
史。璠、頒出爲官長；溥，鄱陽内史。璠撰《後漢紀》，辭藻可
觀；溥著《江表傳》，亦粗有條貫。惟頒撰《魏晉世語》，蹇乏全
無宮商，量爲鄙劣。以時有異事，故頗行於世。干寶、孫盛等
多采其言以爲《晉書》，其中虛錯，往往有之。

《世説·方正篇》注：郭頒，西晉人。時世相近，爲《魏晉世
語》，事多詳覈，孫盛之徒皆采以著書。

《唐書·經籍志》：《魏晉代語》十卷，郭頒撰。

《唐書·藝文志》：郭頒《魏晉代説》十卷。

錢大昕《三國志考異》曰：“裴松之注所引書有郭頒《世語》。
頒一作班，晉襄陽令，《隋志》稱《魏晉世語》。”

章氏《考證》：《魏志·三少帝紀》注、《劉放傳》注、《諸葛誕傳》

注,《水經·湘水注》,《世説·方正篇》、《賢媛篇》注皆引之。
《舊唐志》作《魏晉代語》,避唐"世"字諱。《新唐志》作《代
説》,説字誤。

魏末傳二卷

不著撰人。

《魏志·曹爽傳》注:"臣松之案《魏末傳》云何晏取其同母妹
爲妻,此搢紳所不忍言,雖楚王之妻嫂,不是甚也已。設令此
言出於舊史,猶將莫之或信,況底下之書乎?"又《諸葛誕傳》
注:"臣松之案《魏末傳》所言,率皆鄙陋。"

章氏《考證》:《魏末傳》無撰名。《魏志·明紀》注、《曹爽傳》
注、《諸葛誕傳》注,《藝文類聚》,《初學記》,《太平御覽》多
引之。

　　按諸書所引,又有《漢末傳》,亦無撰人,疑與此同出一家。

梁又有《魏末傳》并《魏氏大事》,六卷,亡。一本作三卷。

不著撰人。

　　按此蓋梁代所有,與《魏大事》并合爲帙者。

吕布本事一卷　毛范撰

毛范始末未詳。

《册府元龜·國史部·采謫門》:毛范撰《吕布本事》一卷。

　　按吕布字奉先,五原九原人。建安三年三月,兵敗,曹操縊
　　殺之。范書與劉焉、袁術同卷,《三國·魏志》與張邈同卷,
　　布事多在《張邈傳》中。陳壽評曰:"吕布有虓虎之勇,而無
　　英奇之略,輕狡反覆,唯利是視,自古及今,未有若此不夷
　　滅也。"斯其定評矣。

晉諸公讚二十一卷　晉祕書監傅暢撰

《晉書·傅玄傳》:玄,北地泥陽人也。子咸,咸從父弟祗,祗
子暢,字世道。年未弱冠,有重名,以選入侍講東宮,爲祕書

丞。尋，没於石勒，勒以爲大將軍、右司馬，諳識朝儀，恒居機密，勒甚重之。作《晉諸公敍贊》二十二卷。咸和五年卒。按晉成帝咸和五年爲後趙石勒建平元年。子詠，過江爲交州刺史。

《魏志·傅嘏傳》注：《魏晉世語》曰：“暢字世道，祕書丞，没在胡中。著《晉諸公贊》。”

《唐書·經籍志》：《晉諸公贊》二十二卷，傅暢撰。

《唐書·藝文志》：傅暢《晉諸公贊》二十二卷。

章氏《考證》：《魏志·三少帝紀》注、《世説·賢媛篇》、《通典·職官門》注各引數事。《水經·榖水注》引一事，題傅暢。《晉書》、《左傳·莊公》正義引一事，題《晉語諸公贊》，“語”字誤增。他書徵引，或稱傅暢《晉贊》，省“諸公”二字。

　按本傳稱敍贊者，各爲敍傳於前，而系以贊，猶劉中壘《列女傳贊》之體。《世説》諸篇注引之甚多。

晉後略記五卷　晉下邳太守荀綽撰

《晉書·荀勖傳》：勖，潁川潁陰人。漢司空爽曾孫也。勖子輯，輯子綽，字彦舒，博學有才能，撰《晉後書》十五篇，傳於世。永嘉末爲司空從事中郎，没於石勒，爲勒參軍。

《唐書·經籍志》：《晉後略記》五卷，荀綽撰。

《唐書·藝文志》：荀綽《晉後略》五卷。

章氏《考證》：《世説·賞譽篇》注、《術解篇》注，《水經·榖水》注，《御覽·地部》、《皇親部》、《職官部》、《服用部》、《資産部》、《菜茹部》共引《晉後略》十一事。

　按《宋志》史鈔類有荀綽《晉略》九卷，不知是否即是此書。《崇文目》、《遂初堂》、晁《志》、陳《録》、《玉海》諸簿録家皆不載也。

晉書鈔三十卷　梁豫章内史張緬撰

《梁書》本傳：緬字元長，范陽方城人。車騎將軍弘策子也。

襲洮陽縣侯,召補國子生。起家祕書郎,累遷豫章内史、御史中丞。中大通三年卒,年四十二。緬少勤學,自課讀書,手不輟卷,尤明後漢及晉代衆家。客有執卷質緬者,隨問便對,略無遺失。性愛墳籍,聚書至萬餘卷。鈔《晉書》衆家異同,爲《晉鈔》三十卷。

《北齊書·宋顯傳》：顯弟繪,好撰述。魏時,張緬《晉書》未入國,繪依準裴松之注《國志》體,注王隱及《中興書》。按此謂其不見是書而別注兩家,其命意略相同也。

《史通·雜説篇》曰："臧氏《晉書》稱苻堅之竊號也,雖畺宇狹于石虎,至於人物則過之。案後石之時,張據瓜、涼,李專巴、蜀。自遼而左,人屬慕容；涉漢而南,地歸司馬。逮於苻氏,則兼而有之。《禹貢》九州,實得其八。而言地劣於趙,是何言歟？張緬抄撮晉史,不求異同,而備揭此言,不從沙汰,罪又甚矣。"

《唐書·經籍志》：《晉書鈔》三十卷,張緬撰。

《唐書·藝文志》：張緬《晉書鈔》三十卷。

晉書鴻烈六卷　　張氏撰

按高誘注《淮南子》云："鴻,大也；烈,明也,以爲大明道之言也。"疑此亦張緬所鈔,附於《晉鈔》之後者。

宋中興伐逆事二卷

不著撰人。

《唐書·經籍志》故事類：《中興伐逆事》二卷。《藝文志》同。

按此殆即宋孝武伐元凶劭之事蹟也。詳見《宋書·二凶傳》。

宋拾遺十卷　　梁少府卿謝綽撰

嚴可均《全梁文編》曰："謝綽,陳郡陽夏人。天監初廷尉卿,終少府卿,有《宋拾遺》十卷。"

《史通・雜述篇》：“國史之任，記事記言，視聽不該，必有遺逸。于是好奇之士，補其所亡，若顧協《璅語》、謝綽《拾遺》，此之謂逸事者也。”又《書事篇》云：“裴松補陳壽之闕，謝綽拾沈約之遺。”又《忤時篇》云：“休文所闕，謝綽裁其《拾遺》。”又《書志・五行篇》云：“近者宋氏，年惟五紀，地止江淮，書滿百篇，號爲緐富。作者猶廣之以《拾遺》，加之以《語録》。”按孔思尚有《宋齊語録》十卷，見《唐志》。

《唐書・經籍志》：《宋拾遺録》十卷，謝綽撰。

《唐書・藝文志》：謝綽《宋拾遺録》十卷。

章氏《考證》：《初學記・地部》、《職官部》、《禮部》、《器物部》、《服食部》、《北堂書鈔・武功部》、《御覽・人事部》、《禮儀部》、《疾病部》共引九事，作《宋拾遺記》。《唐六典》注引一事，作《宋拾遺録》。

左史六卷　李槩撰

李槩有《音韻決疑》，見經部小學類。

《唐書・藝文志》：李槩《左史》六卷。

按李槩以東魏末爲殿中侍御史，修國史。此殆其所作史稿，取“左史記言”之意歟？

魏國統二十卷　梁祚撰

《魏書・儒林傳》：梁祚，北地泥陽人。居趙郡，篤志好學，歷治諸經，尤善《公羊春秋》、鄭氏《易》，常以教授，有儒者風。著述不倦，辟祕書中散，稍遷祕書令，撰并陳壽《三國志》，名曰《國統》，行於世。年八十七，太和二年卒。

《唐書・經籍志》編年類：《國紀》十卷，梁祚撰。

《唐書・藝文志》編年類：梁祚《魏書國紀》十卷。

章氏《考證》：“《世説・容止篇》注，《初學記・人部》、《文部》，《御覽・兵部》、《人事部》、《四夷部》共引梁祚《魏國統》十三事。《新唐志》作《魏書國紀》，"書"字誤增，"紀"當爲"統"。《舊唐志》敓"魏"字。《通志略》誤認爲後魏，遂與《後魏紀》、《魏典》並列。

梁帝紀七卷

不著撰人。

《唐書·經籍志》編年類：《皇帝紀》七卷。《藝文志》編年類同。

章氏《考證》曰：《梁帝紀》七卷，無撰名。按正史類有姚察《梁帝紀》七卷，此恐重出。

梁太清録八卷

不著撰人。

《史通·雜説·周書篇》自注曰："其王褒、庾信等事，多見於蕭韶《太清記》、蕭大圜《淮海亂離志》、裴政《太清實録》、杜臺卿《齊記》，而令狐德棻了不兼采，以廣其書。蓋以其中有鄙言，故致遺略。"

又《諸史篇》自注云："案裴政《梁太清實録》稱元帝使王琛聘魏，長孫儉謂宇文曰：'王琛眼睛全不轉。'公曰：'瞎奴使癡人來，豈得怨我？'此真宇文之言，無愧實録矣。"

《唐書·經籍志》起居注類：《梁太清實録》八卷。

《唐書·藝文志》實録類：《梁太清實録》八卷。

章氏《考證》：《史通·雜説》注："王褒、庾信等事，多見於裴政《太清實録》。"《太平御覽·人事部》：《梁太清實録》曰："中宗諱繹，字世誠，聲若撞鍾，辨如河瀉。"《舊唐志》八卷，《新唐志》十卷，無撰名。

按《史通》一再言裴政《太清實録》，則是書裴政所撰也。《隋書·列傳》："裴政，字德表，河東聞喜人。仕梁元帝，歷周，入隋。至襄州總管。卒官，年八十九。著《承聖降録》十卷。"《北史》作《承聖實録》，亦十卷。不言有《太清實録》。按梁元帝承聖改元之前三年，猶稱太清年號。此《太清録》其即裴政之《承聖實録》歟？

梁承聖中興略十卷　劉仲威撰

《陳書》本傳：仲威，南陽涅陽人也。祖虯，父之遴。仲威少有志氣，頗涉文史。梁承聖中，爲中書侍郎，蕭莊僞署御史中丞。隨莊入齊，終於鄴中。按《南史·劉之亨傳》末云仲威爲之亨弟，之遴之子，與《陳書》異。之亨，之遴弟也。

按承聖，梁元帝即位改元也，止於三年。是書記元帝中興，當起於元帝，爲湘東王鎮江陵之時。而《陳書》、《南史》皆不載仲威撰是書。

梁末代記一卷

不著撰人。

《唐書·經籍志》編年類：《梁末代記》一卷。《藝文志》編年類同。

梁皇帝實録三卷　周興嗣撰。記武帝事。

周興嗣有《千字文》，見經部小學類。

《梁書·文學傳》：天監中，興嗣爲員外散騎侍郎，佐撰國史。十二年，遷給事中，撰史如故。普通二年卒。所撰《皇帝實録》、《皇德記》等百餘卷。

《唐書·經籍志》起居注類：《梁皇帝實録》三卷，周興嗣撰。

《唐書·藝文志》實録類：周興嗣《梁皇帝實録》二卷。

梁皇帝實録五卷　梁中書郎謝吳撰。記元帝事。

謝吳有《梁書》四十九卷，見前正史類。

《唐書·經籍志》起居注類：《梁皇帝實録》五卷。失注撰人。

《唐書·藝文志》實録類：謝吳《梁皇帝實録》五卷。

棲鳳春秋五卷　臧嚴撰

《梁書·文學傳》：臧嚴字彥威，東莞莒人也。孤貧勤學，行止書卷不離於手。侍湘東王讀，嚴於學多所諳記，尤精《漢書》，諷誦略皆上口。王遷江州,爲鎮南諮議參軍,卒官。按《元帝本紀》,大同六年爲使持節,都督江州諸軍事,鎮南將軍、江州刺史。太清元年,徙鎮荆州。首尾八年。臧蓋卒於斯時。

《唐書·經籍志》編年類:《棲鳳春秋》五卷,臧嚴撰。

《唐書·藝文志》編年類:臧嚴《棲鳳春秋》五卷。

《經義考·擬經類》胡應麟曰:"棲鳳蓋以配獲麟,可笑也。"

陳王業曆一卷　陳中書郎趙齊旦撰

《陳書》列傳:趙知禮字齊旦,天水隴西人也。涉獵文史,高祖引爲記室參軍,恒侍左右,深被委任,當時計畫,莫不預焉。高祖平侯景,梁元帝授爲中書侍郎,封始平縣子。天嘉元年,進爵爲伯,累遷右衛將軍,領前軍將軍。六年卒,時年四十七,謚曰忠。《南史》本傳同。

《唐書·經籍志》:《王業曆》二卷,趙弘禮撰。

《唐書·藝文志》:趙弘禮《王業曆》二卷。"弘"並當爲"知"。

　　按自《周書》至此,別分爲一類,是雜史之前半篇也。

史要十卷　漢桂陽太守衛颯撰。約《史記》要言,以類相從。

《後漢書·循吏傳》:衛颯字子產,河內修武人也。家貧好學問,隨師無糧,常傭以自給。王莽時,仕郡,歷州宰。建武二年,辟大司徒鄧禹府,舉能案劇,除侍御史、襄城令,政有名迹。遷桂陽太守,視事十年,郡內清理。二十五年,徵還。光武欲以爲少府,會颯被疾,不能拜。起敕以桂陽太守歸家,須後詔書。居二歲,載病詣闕。自陳困篤,乃收印綬,賜錢十萬。後卒於家。

《唐書·經籍志》:《史記要傳》十卷,衛颯撰。

《唐書·藝文志》:衛颯《史記要傳》十卷。

典略八十九卷　魏郎中魚豢撰

侯康《補三國藝文志》曰:魚豢,京兆人,魏郎中。

《史通・正史篇》：“魏時京兆魚豢私撰《魏略》，事止明帝。”又
《題目篇》云：“魚豢著魏史，巨細畢載，蕪累甚多，而牓之以
略。考名責實，奚其爽歟。”又《稱謂篇》曰：“魚豢没吴、蜀號
謚，呼權、備姓名。”

《唐書・經籍志》：“《典略》五十卷，魚豢撰。”又正史類：“《魏
略》三十八卷，魚豢撰。”

《唐書・藝文志》：魚豢《魏略》五十卷。《新志》《典略》不著録，此《魏
略》五十卷，即《舊志》之《典略》。

錢大昕《三國志考異》曰：“魚豢《魏略》今已不存，其諸傳標目
多與它史異。如東里袞，見《游説傳》；董遇、賈洪、邯鄲淳、薛
夏、隗禧、蘇林、樂詳七人爲《儒宗傳》；常林、吉茂、沐並、時苗
四人爲《清介傳》；脂習、王修、龐淯、文聘、成公英、郭憲、單固
七人爲《純固傳》；孫賓碩、祝公道、楊阿若、鮑出四人爲《勇俠
傳》；王思諸人爲《苛吏傳》；並見裴氏注。田疇、管寧、徐庶、胡
照諸人爲《知足傳》見《梁書》。是也。王粲、繇欽、阮瑀、陳琳、路
粹諸人合傳；焦先、扈累、寒貧諸人合傳，當亦有目，今不可考
矣。若秦朗、孔桂之爲《佞幸傳》，則沿遷、固之舊目也。”

章氏《考證》曰：“魚豢《魏略》，祇記曹魏，故以魏名。若《典
略》所載，惟裴松之《三國志注》、章懷《後漢書注》專引漢末及
三國事。至《史記・蘇秦傳》索隱，《初學記・地部》、《文部》、
《獸部》，《藝文類聚・禮部》、《職官部》、《雜文部》，《北堂書
鈔・帝王部》、《政術部》、《設官部》，《文選・魏都賦》注、《別
賦》注，《太平御覽・地部》、《兵部》、《人事部》、《禮儀部》、《樂
部》、《服章部》、《工藝部》、《布帛部》、《資産部》、《獸部》、《藥
部》皆春秋、戰國、秦漢時事，紀載既廣，體裁亦雜，與《魏略》
斷代爲書者，一爲正史，一爲雜史。《隋志》闕著《魏略》，《新
唐志》闕著《典略》，惟《舊唐志》兼載之。”

侯康《補三國藝文志》：杭世駿《諸史然疑》曰："《唐書·藝文志》稱魚豢《魏略》有五十卷，並不言有《典略》。《隋志》則並《魏略》亦無。《三國志》注引《魏略》，又引《典略》，即一書也。《太平御覽》直稱《魏典略》焉。"康按《隋志》無《魏略》而有《典略》，杭氏似並《典略》忘之，要其合二書爲一，則確論也。裴注及《御覽》引此書甚多。《史記索隱》，前、後《漢書》注皆屢引之，輯之尚可裒然成帙。

按此八十九卷，即《舊唐志》之《魏略》三十八卷，《典略》五十卷也。兩書合并，凡八十八卷。本志或有録一卷，故多出一卷耳。杭氏、侯氏所考良信。章氏謂《新唐志》缺著《典略》，誠然；謂本志缺著《魏略》，則考之未審也。

史漢要集二卷　晉祠部郎王蔑撰。抄《史記》入《春秋》者不録。

王蔑始末未詳。

《唐書·經籍志》：《史漢要集》二卷，王蔑撰。

《唐書·藝文志》：王蔑《史漢要集》二卷。

章氏《考證》曰："'史漢'，一本作'史記'。"

三史略二十九卷　吳太子太傅張溫撰

《吳志》本傳："溫字惠恕，吳郡人也。父允，以輕財重士，名顯州郡，爲孫權東曹掾，卒。溫少修節操，容貌奇偉，權徵拜議郎、選曹尚書，徙太子太傅，甚見信重。時年三十二，以輔義中郎將使蜀，蜀甚重其才。還，使入豫章部伍出兵，事業未究。權既陰銜溫稱美蜀政，又嫌其聲名太盛，衆庶炫惑，恐終不爲己用，思有以中傷之，會暨豔事起，遂因此發舉。幽之有司，下令斥還本郡，以給廝吏。將軍駱統表理溫，權終不納。後六年，溫病卒。二弟祗、白，亦有才名，與溫俱廢。"注引《會稽典録》曰："諸葛亮初聞溫敗，未知其故，思之數日，曰：'吾已得之矣。其人於清濁太明，善惡太分。'"

《唐書・經籍志》:《三史要略》三十卷,張温撰。

《唐書・藝文志》:張温《三史要略》三十卷。

　　按三史者,《史記》、《漢書》、《東觀漢記》也。蜀孟光尤鋭精
於三史。魏晉之時,三史之學盛行於世。

史記正傳九卷　　張瑩撰

張瑩有《後漢紀》,見前正史類。

《唐書・經籍志》:《史記正傳》九卷,張瑩撰。

《唐書・藝文志》:張瑩《史記正傳》九卷。

後漢略二十五卷　　張緬撰

張緬有《晉書鈔》,見前。

《梁書》本傳:緬尤明後漢及晉代衆家,抄後漢衆家異同,爲
《後漢紀》四十卷。

《唐書・經籍志》:《後漢書略》二十五卷,張緬撰。

《唐書・藝文志》:"張緬《後漢書略》二十五卷。"又編年類:
"張緬《後漢略》二十七卷。"

章氏《考證》:《唐志》作《後漢書略》二十五卷,編年類又有緬
《後漢略》二十七卷。自是重出。《太平御覽・州郡部》引一
事,題《後漢要略》;《人事部》引一事,題《後漢典略》,皆不著
張緬名。

漢皇德紀三十卷　　漢有道徵士侯瑾撰。起光武,至沖帝。

《後漢書・文苑傳》:侯瑾字子瑜,敦煌人也。少孤貧,依宗人
居。性篤學,恒傭作爲資,暮還輒然柴以讀書。然,古然字。州
郡屢召,公車有道徵,並稱疾不到。徙入山中,覃思著述。案
《漢記》撰中興以後行事,爲《皇德傳》三十篇,行於世。西河
人敬其才而不敢名之,皆稱爲侯君云。

《宋書・大且渠蒙遜傳》:元嘉十四年,河西王茂虔奉表獻方
物,並獻《漢皇德傳》二十五卷。

《唐書・經籍志》編年類：《漢皇德紀》三十卷，侯瑾撰。

《唐書・藝文志》編年類：侯瑾《漢皇德紀》三十卷。

章氏《考證》：《太平御覽・皇王部》、《人事部》、《禮儀部》、《獸部》引《漢皇德傳》四事。又《資産部》"侯瑾字子瑜"云云，其文同范書，稱《漢皇德頌》。《唐志》入編年類。

洞紀四卷　韋昭撰。記庖犧已來，至漢建安二十七年。

韋昭有《毛詩答雜問》，見經部詩類。

《吳志》本傳：鳳皇二年，曜因獄吏上辭曰："囚昔見世間有古曆注，其所紀載紀按此似"既"字之寫誤。多虛無，在書籍者，亦復錯謬。囚尋按傳記考合異同，采摭耳目所及，以作《洞紀》。起自庖羲，至於秦漢，凡爲三卷。當起黃武以來，別爲一卷，事尚示成。"

《史通・表曆篇》：如韋昭《洞紀》、陶弘景《帝代年曆》，皆因表而作，用成其書，非國史之流。

《唐書・經籍志》：《洞紀》九卷，韋昭撰。

《唐書・藝文志》：韋昭《洞紀》四卷。

章氏《考證》：陸德明《莊子・説劍篇》釋文、《初學記・樂部》、《北堂書鈔・樂部》、《太平御覽・皇王部》並引韋昭《洞紀》，又作《洞曆記》。《開元占經》引十八事，皆紀周漢日蝕星變事。

按建安盡於二十五年，此稱二十七年者，以接吳黃武改元之歲也。是歲於魏爲黃初三年，於蜀則章武二年。吳未改元之前，仍稱建安之號，故是書止於二十七年。

續洞紀一卷　臧榮緒撰

臧榮緒有《晉書》，見前正史類。

《玉海・藝文》雜史類：韋昭《洞紀》，記包羲以來，至漢建安二十七年。臧榮緒續一卷。

按是書《南齊書・高佚傳》及《南史・隱佚傳》皆略而不言。

其續韋氏書,則大抵訖於宋、齊之際。

帝王世紀十卷　皇甫謐撰。起三皇,盡漢魏。

《晉書》本傳:謐字士安,幼名靜,安定朝那人。漢太尉嵩之曾孫也。就鄉人席坦受書,勤力不怠,帶經而農,遂博綜典籍百家之言。始有高尚之志,以著述爲務,自號玄晏先生。後得風痹疾,猶手不輟卷。武帝頻下詔徵爲議郎、著作郎,並不起。太康三年卒,時年六十八。所著《帝王世紀》、《年曆》等並重於世。門人摯虞、張軌、牛綜、席純皆爲晉名臣。"

司馬貞《補三皇本紀序》曰:"近代皇甫謐作《帝王代紀》,徐整《三五曆記》皆論三皇以來事。"

《唐書・經籍志》:《帝王代紀》十卷,皇甫謐撰。

《唐書・藝文志》:皇甫謐《帝王代紀》十卷。

《宋史・藝文志》編年類:皇甫謐《帝王世紀》九卷。

《玉海・藝文》雜史類:"《中興書目》曰:'晉正始初,安定皇甫謐以《漢紀》殘闕,始博案經傳,旁觀百家,著《帝王世紀》并《年曆》,合十二篇。起太昊,迄漢獻帝。'"又曰:"《帝王世紀》,《中興書目》九卷,闕周中一卷。"按正始爲魏齊王芳年號,此稱晉正始者,猶《漢書敍例》稱魏建安也。或是"泰始"之誤。其謂《漢記》殘缺者,指《東觀漢記》也。

章氏《考證》:《尚書・堯典》正義曰:"《晉書・皇甫謐傳》云姑子外弟梁柳得《古文尚書》,故作《帝王世紀》,往往載孔傳五十八篇之書。"今《晉書・謐傳》無此語,當是逸《晉書》。又《周易・繫辭》正義引謐紀太皞、神農、黃帝、少皞、帝嚳、堯、舜事。《禮記正義》、《初學記》、《藝文類聚・帝王部》並引之。《御覽・皇王部》所引尤詳。又《御覽・州郡部》載謐所紀都邑,其書徵引《春秋傳》、《世本》、《戰國策》、《國語》、《秦本

注云：“田融《趙史》謂勒爲前石，虎爲後石。”

《唐書·經籍志》僞史類：《趙石記》二十卷，田融撰。《二石記》二十卷，田融撰。《二石僞事》六卷，王度、隋翩等撰。

《唐書·藝文志》僞史類：田融《趙石記》二十卷。又《二石記》二十卷。王度、隋翩《二石僞事》六卷。《二石書》十卷。按舊、新二志既著《趙石記》二十卷，又別出《二石記》二十卷，似是重復。新志《二石書》十卷，似即本志《二石傳》二卷。隋翩似陸翩之誤，蓋合陸氏《鄴中記》二卷爲一帙也。

章氏《考證》：《開元占經》、《北堂書鈔》、《太平御覽》並引《趙書》，皆稱前石、後石，亦有稱石勒、石虎者，當是徵引所改也。又《占經》、《御覽》引《二石僞事》六事，《書鈔·儀飾部》引《二石遺事》二事。

漢之書十卷　常璩撰

《晉書·叛逆傳》：桓温伐蜀，李勢降温，停蜀三旬，舉賢旌善，僞散騎常侍常璩等，皆蜀之良也，並以爲參軍。

《晉書·載記》：“李特字玄休，巴西宕渠人。其先廩君之苗裔也。”又曰：“始，李特以惠帝太安元年起兵，凡六世。特弟流，特子雄，雄子班，班弟期。又李氏諸子壽，壽子勢。四十六年，以穆帝永和三年滅。”

《史通·正史篇》：蜀初號曰成，後改稱漢。李勢散騎常侍常璩撰《漢書》十卷，後入晉祕閣，改爲《蜀李書》。

《顏氏家訓·書證篇》曰：“《蜀李書》，一名《漢之書》。”

《唐書·經籍志》：《蜀李書》九卷，常璩撰。

《唐書·藝文志》：常璩《漢之書》十卷，《蜀李書》九卷。

《四庫提要》載記類曰：“璩字道將，江原人。李勢時，官至散騎常侍。《晉書》載勸勢降桓温者即璩，蓋亦譙周之流也。《隋經籍志》霸史類中，載璩撰《漢之書》十卷。《唐志》尚著録，今已久佚。”

章氏《考證》：陸氏《經典·序錄》，《藝文類聚·鳥部》，《御覽·人事部》、《珍寶部》、《咎徵部》共引七事，皆稱《蜀李書》。《新唐志》、《蜀李書》九卷，又有《漢之書》十卷重出。

　　按《通志·藝文略》作《漢志書》，不詳所據，殆臆改也。

華陽國志十二卷　常璩撰

本書序志篇曰："司馬相如、嚴君平、揚子雲、陽成子元、鄭伯邑、尹彭城、譙常侍、任給事等各集傳記，以作本紀，略舉其隅。而陳君承祚，別爲《耆舊》，始漢及魏，煥乎可觀。迺考諸舊記先宿所傳並南裔志，驗以《漢書》，取其近是，及所自聞，以著斯篇。又略言公孫述《蜀書》、咸熙以來喪亂之事，_{咸熙，曹}_{魏末年號。}約取《耆舊》士女英彦，又肇自開闢，終乎永和三年，凡十篇，號曰《華陽國記》。"其序曰《巴志》第一，《漢中志》第二，《蜀志》第三，《南中志》第四，《公孫劉二牧志》第五，《劉先主志》第六，《劉後主志》第七，《大同志》第八，《李特雄期壽勢志》第九，《先賢士女總贊論》第十，《後賢志》第十一，《序志》第十二。

《唐書·經籍志》：《華陽國志》三卷，_{按敓十字。}常璩撰。

《唐書·藝文志》：常璩《華陽國志》十三卷。

《宋史·藝文志》：常璩《華陽國志》十二卷。

陳氏《書録》雜史類：《華陽國志》二十卷，_{蓋"十二"之誤。}晉散騎常侍蜀郡常璩道將撰。志巴蜀地理、風俗、人物及公孫述、劉焉、劉璋、先後主，以及李特等事迹，末卷爲《序志》，云肇自開闢，終於永和三年。

《玉海·藝文·記志篇》：《華陽國志》十二卷，記漢以來巴蜀人物。《後漢書》注："華陽黑水惟梁州"，孔安國注曰："北距華山之陽，故常璩敍蜀事，謂之《華陽國志》。"

《四庫簡明目録》曰：《華陽國志》十二卷，《附録》一卷，世所行

本十卷,中缺二子卷。今以影寫宋本補足,並附以張佳允所
補一卷,其書述巴蜀之事,始於開闢,終於晉永和三年。文詞
典雅,具有史裁。

梁有《蜀平記》十卷,《蜀漢僞官故事》一卷,亡。

並不著撰人。

常熟丁國鈞《補晉藝文志》曰:"此書當是記桓溫平李勢事。"

燕書二十卷。記慕容儁事。僞燕尚書范亨撰

范亨,始末未詳。按亨後入後魏,崔浩嘗引爲史佐,同撰《國書》三十卷,見《史
通·正史篇》,其後殆不免於難也。

《晉書·載記》:"慕容氏據遼東稱燕,僞始僭號。"又曰:"前
燕慕容廆,字奕洛,環昌黎棘城鮮卑人也。秦漢之際爲匈奴
所敗,分保鮮卑山,因以爲號。廆子皝,皝子儁,儁子暐,爲苻
堅所誅。始,廆以武帝太康六年稱公,至暐四世,凡八十五
年,以海西公太和五年滅。"

又曰:"慕容垂據鄴稱後燕,垂字道明,皝之第五子也。垂子
寶,寶子盛,寶弟熙,爲馮跋所殺。垂以孝武帝太元八年僭
立,至熙四世,凡二十四年,以安帝義熙二年滅。"

《史通·正史篇》:前燕有起居注,杜輔全錄以爲《燕紀》。後
燕建興元年,董統受詔草創後書,著本紀並佐命功臣、王公列
傳,合三十卷。慕容垂稱其敘事富贍,足成一家之言,但褒述
過美,有慙董、史之直。其後申秀、范亨各取前後二燕,合成
一史。

《唐書·經籍志》:《燕書》二十卷,范亨撰。

《唐書·藝文志》:范亨《燕書》二十卷。《宋史·藝文志》同。

章氏《考證》:《通鑑考異》所引《燕書》有《武宣記》、《文明記》、
《征虜仁傳》、《慕容翰傳》。《太平御覽·天部》所引有《烈祖
後記》,此其分篇之可見者。又《水經·河水注》、《濁漳水

注》、《灢水注》、《御覽·人事部》各引一事。《舊唐志》入編年類，誤。按《舊唐志》乙部史録十三家，編年類二，僞史類三，而書中合并爲一篇。篇末明著云編年五十五家，雜僞國史二十家，未嘗無分別，實不誤也。

南燕録五卷。記慕容德事。僞燕尚書郎張詮撰

張詮始末未詳。

《晉書·載記》：慕容德據滑臺稱南燕，德字玄明，皝之少子也。德兄子超，爲劉裕所滅，即宋武帝也。德以安帝隆安四年僭立，至超二世。凡十一年，以義熙六年滅。

《唐書·經籍志》：《南燕書》五卷，張銓撰。

《唐書·藝文志》：張銓《南燕書》十卷。

章氏《考證》：《北堂書鈔·地理部》、《太平寰宇記·河南道》引二事，並稱《南燕録》。《初學記·職官部》、《御覽·人事部》引二事，並作張詮《南燕書》。《新唐志》作張銓《南燕書》十卷。

南燕録六卷。記慕容德事。僞燕中書郎王景暉撰

《史通·正史篇》：南燕有趙郡王景暉，嘗事德、超，撰二主起居注。超亡，仕於馮氏，官至中書令，仍撰《南燕録》六卷。按本志起居注類末，尚有《南燕起居注》一卷。

《唐書·經籍志》：《南燕録》六卷，王景暄撰。“暄”蓋“暉”之寫誤。

《唐書·藝文志》：王景暉《南燕録》六卷。

章氏《考證》：《初學記·地部》引王景暉《南燕書》。

南燕書七卷　游覽先生撰

游覽先生，不詳何人。

燕志十卷。記馮跋事。魏侍中高閭撰

《魏書》本傳：閭字閻士，漁陽雍奴人。少好學，博綜經史。真君九年，徵拜中書博士。文明太后臨朝，賜爵安樂子。以功進爵爲侯。世宗踐阼，以光禄大夫致仕。景明三年卒於家，

謚曰文。

《晉書・載記》：馮跋殺離班，據和龍稱北燕。跋字文起，長樂信都人也。殺慕容熙，立高雲爲主。雲爲其幸臣離班、桃仁所殺。跋斬班、仁，以孝武太元二十年，僭號於昌黎。至宋元嘉七年死，弟弘殺跋子翼自立，後爲魏所伐，東奔高句驪。居二年，高句驪殺之，凡二世二十有八載。

《史通・正史篇》曰："韓顯宗記馮氏。"按《魏書・韓麒麟傳》："麒麟，昌黎棘城人。子顯宗，字茂親，仕爲鎮南廣陽王嘉諮議參軍，撰《馮氏燕志》、《孝友傳》各十卷，傳於世。"又高祖謂顯宗曰："見卿所撰《燕志》，大勝比來之文，然著述之功，我所不見，當更訪之監令云云。"是顯宗撰是書，高閭監其事，本志以監令者爲主，故歸之高閭。《史通》紀實，故稱顯宗。

《唐書・經籍志》：《燕志》十卷，不注撰人。

《唐書・藝文志》：高閭《燕志》十卷。

章氏《考證》：《初學記・居處部》，《御覽・天部》、《兵部》、《人事部》引高閭《燕志》三事。

秦書八卷　何仲熙撰。記苻健事。

何仲熙始末未詳。

《晉書・載記》：苻健據長安稱秦。又苻洪字廣世，略陽臨渭氐人也。其先蓋有扈氏之苗裔，世爲西戎酋長。晉永和六年，洪自稱大將軍、大單于，三秦王，爲石虎將麻秋鴆死。子健永和七年，僭稱天王、大單于，建元皇始，在位四年死。

秦記十一卷　宋殿中將軍裴景仁撰　梁雍州主簿席惠明注

《宋書・沈曇慶傳》：大明元年，曇慶爲徐州刺史。時殿中員外將軍裴景仁助戌彭城，本傖人，多悉戎荒事，曇慶使撰《秦記》十卷，敍苻氏僭僞本末，其書傳於世。

《晉書・載記》：苻健弟雄早卒。雄子堅，字永固，在位二十七年，爲姚萇縊死，時太元十年也。堅子丕，在位二年，爲晉揚威將軍馮該所斬。堅族孫登在位九年,爲姚興所敗,被殺。始健以晉穆帝永和七年僭立,至登五世,凡四十有四歲,以孝武帝太元十九年滅。史臣曰:"永固平燕定蜀,擒代吞涼,跨三分之二,居九州之七,雖五胡之盛,莫之比也。"

《史通·正史篇》:前秦史官,初有趙淵、車敬、梁熙、韋譚相繼著述。符堅嘗取而觀之,見苟太后幸李威事,怒而焚滅其本。後著作郎董誼追録舊語,十不一存。及宋武帝入關,曾訪秦國事,又命梁州刺史吉翰問諸仇池,並無所獲。先是,秦祕書郎趙整參撰國史,值秦滅,隱於商洛山,著書不輟,有馮翊車頻助其經費。整卒,翰乃啓頻纂成其書,以元嘉九年起,至二十八年方罷,定爲三卷。疑是"三十卷"之譌。而年月失次,首尾不倫。河東裴景仁又正其訛僻,删爲《秦紀》十一篇。

《唐書·經籍志》:《秦記》十一卷,裴景仁撰,杜惠明注。

《唐書·藝文志》:裴景仁《秦記》十一卷,杜惠明注。

章氏《考證》:《世説·排調篇》注、《御覽·人事部》引二事,題裴景仁《秦書》。《初學記》、《御覽·地部》引三事,題裴景仁《苻書》。《御覽·人事部》引一事,作景仁《前秦記》。《藝文類聚·人部》、《草部》、《木部》、《服飾部》並題《秦記》。《御覽·人事部》、《服章部》、《工藝部》共七事,亦引《秦記》,不著撰名。《舊唐志》席惠明作杜惠明。《新唐志》亦作杜。又諸書引車頻《秦書》數十事。

秦紀十卷。記姚萇事。魏左民尚書姚和都撰

《晉書·孝武帝本紀》:太元九年夏四月,苻堅將姚萇背堅起兵於北地,自立爲王,國號秦。十年八月,姚萇殺苻堅而僭即皇帝位。

又《載記》:後秦姚弋仲,南安赤亭羌人也。子襄,襄弟萇,萇子興,興子泓,泓降於劉裕。裕送泓於建康市斬之。萇以孝

武太元九年僭立，至泓三世，以安帝義熙十三年而滅，凡三十二年。

《史通·正史篇》：後秦扶風馬僧虔、河東衛隆景並著秦史。及姚氏之滅，殘缺者多。泓從弟和都仕魏爲左民尚書，又追撰《秦紀》十卷。

涼記八卷。記張軌事。僞燕右僕射張諮撰

張諮始末未詳。或作"張證"。

《晉書》列傳：張軌字士彥，安定烏氏人。漢常山景王耳十七代孫也。家世孝廉，以儒學顯。軌仕爲散騎常侍、征西軍司，以時方多難，陰圖據河西，於是求爲涼州。永寧初，出爲護羌校尉、涼州刺史。時鮮卑反叛，寇盜從橫，軌到官即討破之，斬首萬餘級，威著西州，化行河右，愍帝拜軌侍中太尉、涼州牧、西平公。在州十三年卒，諡曰武公。子寔在位六年卒，元帝賜諡曰元。子駿年幼，弟茂攝事，茂在位五年，無子。駿嗣位，太寧元年，駿猶稱建興十二年，駿雖稱臣於晉，而不行中興正朔。在位二十二年卒，穆帝追諡忠成公。子重華在位十一年卒，穆帝賜諡曰敬烈。子耀靈嗣，耀靈伯父祚害之。祚既立，始行革命之事，改建興四十二年爲和平元年。祚篡立三年，爲其下所殺。耀靈弟玄靚立，廢和平之號，復稱建興四十三年。在位九年，爲其叔父天錫所害。孝武帝諡曰敬悼公。天錫，駿少子也，即位凡十三年，降於苻堅。自軌爲涼州至天錫，凡九世七十六年，後苻堅敗於淮淝，天錫歸國，至桓玄時，以爲護羌校尉、涼州刺史，尋卒。又《孝武本紀》太元元年秋七月，苻堅將苟萇陷涼州，虜刺史張天錫，盡有其地。九年夏四月，封張天錫爲西平公。

《史通·正史篇》：前涼張駿十五年，命其西曹邊瀏集内外事，以付秀才索綏，作《涼國春秋》五十卷。又張重華護軍劉慶在東苑專修國史二十餘年，著《涼記》十二卷。

《唐書·經籍志》:《涼記》十卷,張諮撰。

《唐書·藝文志》:張諮《涼記》十卷。

章氏《考證》:《世說·言語篇》注引張天錫二事,作張資《涼州記》。愚按張諮《涼記》,《史通》亦缺載。

涼書十卷。記張軌事。僞涼大將軍從事中郎劉景撰

《魏書·劉昞傳》:昞字延明,敦煌人也。隱居酒泉,不應州郡之命。弟子受業者,五百餘人。李暠私署徵爲儒林祭酒、從事中郎,遷撫夷護軍,著《涼書》十卷,行於世。蒙遜平酒泉,拜祕書郎,號玄處先生,牧犍尊爲國師,世祖平涼州。_{太武帝也,}時爲宋元嘉十六年。拜樂平王從事中郎,年七十餘還鄉,至涼州遇疾而卒。

《史通·正史篇》:建康太守索暉、從事中郎劉昞又各著《涼書》。

《唐書·藝文志》:劉昞《涼書》十卷。

章氏《考證》曰:"劉昞《隋志》作劉景,避唐嫌名也。"

西河記二卷。記張重華事。晉侍御史喻歸撰

《晉書·張重華傳》:"重華以永和二年自稱使持節、大都督、太尉、護羌校尉、涼州牧、西平公、假涼王,赦其境内。尊其母嚴氏爲太王太后。所生母馬氏爲王太後。詔遣侍御史俞歸拜重華護羌校尉、涼州刺史、假節。重華上疏獻捷,又遣使進重華爲涼州牧。是時,御史俞歸至涼州,重華方謀爲涼王,不肯受詔,使親信人沈猛謂歸曰:"我家主公奕世忠於晉室,而不如鮮卑矣。臺加慕容皝燕王,今甫授州主大將軍,何以加勸有功忠義之臣乎!明臺今且移河右,共勸州主爲涼王。大夫出使,苟利社稷,專之可也。"歸對曰:"王者之制,異姓不得稱王;九州之内,重爵不得過公。漢高一時王異姓,尋皆誅滅,蓋權時之宜,非舊體也。至於夷狄,不從此例。春秋時吳

楚稱王,而諸侯不以爲非者,蓋蠻狄畜之也。假令齊、魯稱王,諸侯豈不伐之！故聖上以貴公忠賢,是以爵以上公,位以方伯,鮮卑北狄,豈足爲比哉！吾又聞之,有殊勳絕世者,亦有不世之賞,若今便以貴公爲王者,設貴公以河右之衆南平巴蜀,東掃趙魏,修復舊都,以迎天子。天子復以何爵何位可以加賞？幸三思之。"猛具宣歸言,重華遂止。

武威張澍輯本序曰:"《隋志》:'《西河記》二卷。'《元和姓纂》'東晉有喻歸撰《西河記》三卷',《廣韻》作二卷,喻作諭音。樹蓋記張重華事也。《十六國春秋》'晉遣侍御史喻歸拜重華護羌校尉、涼州刺史、假節。重華謀爲涼王,不肯受詔,使親信人與歸言,歸折之',《西河記》作於此時也。今存者祗數則,余撮而録之,以備佚簡,姑臧記二事,並附於末。"

　　按此蓋喻氏奉使時所記,兩《唐志》不載,別有段龜龍《西河記》二卷,疑即喻書,而誤屬之段氏。

涼記十卷。記吕光事。僞涼著作佐郎段龜龍撰

段龜龍,始末未詳。

《晉書・孝武帝本紀》:太元十年八月,姚萇殺苻堅而僭即皇帝位。九月,吕光據姑臧,自稱涼州刺史。十四年二月,吕光僭號三河王;二十一年六月,吕光僭即天王位。

又《載記》:"吕光據姑臧稱涼。"又曰:"後涼吕光字世明,略陽氏人。父婆樓,佐命苻堅,官至太尉。光以孝武太元十二年定涼州,十五年僭立。光子纂,纂從弟隆,降於姚興,後以謀反爲興所誅,凡十有三載,以安帝元興三年滅。"

《史通・正史篇》曰:"段龜龍記吕氏。"

《唐書・藝文志》:段龜龍《涼記》十卷。

張澍輯本序曰:"段龜龍《涼州記》乃記吕光事也。《藝文類聚》、《初學記》、《太平御覽》諸書引或作《西涼記》,或作《涼州

記》。余輯得二十餘事，内有張諮《涼州記》二則、赫連氏《涼書》三則、蒙遜《涼書》二則，亦附於末。"

涼書十卷　高道讓撰

《北史·高崇傳》：崇，渤海蓚人，襲父爵開陽男。子謙之，字道讓，專意經史，多所該涉，襲爵。釋褐奉朝請，除國子博士。與袁飜、常景、酈道元、温子昇之徒，咸申款舊。以父舅氏沮渠蒙遜曾據涼土，國書漏闕，謙之乃修《涼書》十卷，行於世。涼國盛事佛道，爲論貶之，因稱佛是九流之一家。當世名士，競以佛理來難，謙之還以佛義對之，竟不能屈。後坐事，靈太后詔於獄賜死。時年四十二。永安中，贈征虜將軍、營州刺史，諡曰康。

《晉書·載記》："段業據張掖稱北涼，後四年，沮渠蒙遜殺段業，自稱涼。"又曰："沮渠蒙遜，臨松盧水胡人也。其先世爲匈奴左沮渠，遂以官爲氏焉。以安帝隆安元年自稱州牧，義熙八年僭立，後八年而宋氏受禪，以元嘉十年死在僞位。三十三年，子茂虔立。六年，爲魏所擒，合三十九載而滅。"

《宋書·大沮渠蒙遜傳》：元嘉十六年閏八月，拓跋燾攻涼州，茂虔兄子萬年爲虜内應，茂虔見執。

涼書十卷。沮渠國史。

《北史·宗欽傳》："欽字景若，金城人。少好學，有儒者風。仕沮渠蒙遜，爲中書郎、世子洗馬。太武平涼州，入魏，賜爵臥樹男，拜著作郎，在河西撰《蒙遜記》十卷，無足可稱。"又《段承根傳》云："崔浩引承根、陰仲達俱爲著作，浩誅承根，與宗欽等俱死。"蓋與于崔浩史禍，同在死者百二十八人之内者也。

《史通·正史篇》：宗欽記沮渠氏。

　　按此即高謙之所謂國書漏闕，因據以重修，即高書之藍本也。《宋書·大且渠蒙遜傳》："元嘉十四年，河西王茂虔奉表獻方物，並獻《涼書》十卷。"不知是否即此，抑劉昺所作十卷也。

托跋涼録十卷

不著撰人。

《晉書·載記》曰："禿髮烏孤據廉川稱南涼。"又曰："南涼禿髮烏孤，河西鮮卑人也。其先與後魏同出。八世祖匹孤率其部，自塞北遷於河西，匹孤卒，子壽闐立。壽闐之母因寢而産於被中，鮮卑謂被爲禿髮，因而氏焉。"又曰："烏孤在位三年卒，弟利鹿孤立，在位三年死。弟傉檀嗣，傉檀在位十三年，降於乞伏熾槃。歲餘，爲熾槃鴆死。自烏孤以安帝隆安元年僭立，至傉檀三世，凡十九年，以安帝義熙十年滅。"

《史通·史官篇》曰："南涼主烏孤初定霸基，欲造國紀，以其參軍郎韶或作"郭韶"。爲國紀祭酒，使撰録時事。"又《正史篇》曰："失名記禿髮氏。"

《唐書·經籍》、《藝文志》：《拓跋涼録》十卷。

錢大昕《隋書考異》曰："《托跋涼録》十卷，不著撰人。當是記南涼事，禿髮即托跋，聲之轉也。"

錢塘梁玉繩《瞥記》曰："魏氏托跋，《魏書》言北俗謂土爲托，謂后爲跋，故以爲氏。《南齊書》言魏是李陵後，匈奴女名托跋，妻李陵，其俗以母名爲姓，二説不同，然皆非也。《御製全韻詩·魏太武》一篇注云：'拓跋氏居于北漠，當爲蒙古部落。拓跋自系蒙古語之圖卜，謂正及中也。'"

敦煌實録十卷　劉景撰

劉景即劉昺，有《涼書》十卷，見前。

《魏書》本傳：李暠徵爲儒林祭酒，著《涼書》十卷、《敦煌實録》二十卷，行於世。

《晉書·安帝本紀》："隆安四年，是歲，河右諸郡奉涼武昭王李玄盛爲秦、涼二州牧，涼公年號庚子。”又《載記》序曰：“李玄盛據敦煌稱西涼。”

又《涼武昭王列傳》：王諱暠，字玄盛，隴西成紀人。姓李氏，漢前將軍廣之十六世孫也。在位十三年，薨，子士業嗣，爲沮渠蒙遜所害。玄盛以安帝隆安四年立，至宋少帝景平元年滅，據河右，凡二十四年。

《北史·序傳》：昭王以緯世之量，爲群雄所奉，兵無血刃，遂啓霸業，乃修敦煌舊塞。薨，謚曰武昭王。後主諱歆，字士業，武昭王第二子。在位四年，爲沮渠蒙遜所敗，國亡。據河右，凡二世二十一年，世子重耳奔於江左，遂仕於宋。後歸魏，位弘農太守，即皇室七廟之始也。

《宋書·大沮渠蒙遜傳》：元嘉十四年，河西王茂虔奉表獻方物，並獻《敦煌實録》十卷。

《史通·雜說篇》：交阯遠居南裔，越裳之俗也。敦煌僻處西域，昆戎之鄉也。求諸人物，自古闕載，蓋由地居下國，路絶上京，史官注記所不能及也。既而士燮著録，劉昞裁書，則磊落英才，粲然盈矚者。向使兩賢不出，二郡無記，彼邊隅之君子，何以取聞於後世乎？是知著述之功，其力大矣！豈與夫詩賦小技，校其優劣者哉？

又《雜述篇》曰：“史氏流別，其類有十。其五曰郡書。郡書者，矜其鄉賢，美其邦族，施於本國，頗得流行，置於他方，罕聞愛異。其有如常璩之詳審，劉昞之該博，而能傳諸不朽，見美來裔者，蓋無幾焉。”

《唐書·經籍志》雜傳類：《敦煌實録》二十卷，劉延明撰。

《唐書·藝文志》僞史類：劉昞《敦煌實録》二十卷。又雜傳記類重出一部。

章氏《考證》：《續漢·五行志》注，《白帖》卷三十一，《太平寰宇記》、《御覽・兵部》、《人事部》、《宗親部》、《樂部》、《資産部》、《羽族部》、《太平廣記・夢類》共引《敦煌實錄》十二事。《唐志》二十卷，《舊唐志》入雜傳類。

十六國春秋一百卷　　魏崔鴻撰

《魏書・崔光傳》：光，東清河鄃人也。從子鴻，字彥鸞，少好讀書，博綜經史。孝昌初，拜給事黃門侍郎，尋加散騎常侍、齊州大中正，卒。鴻弱冠便有著述之志，見晉魏前史皆成一家，無所措意。以劉淵、石勒、慕容儁、苻健、慕容垂、姚萇、慕容德、赫連屈子、張軌、李雄、呂光、乞伏國仁、禿髮烏孤、李暠、沮渠蒙遜、馮跋等，並因世故，跨僭一方，各有國書，未有統一，鴻乃撰爲《十六國春秋》，勒成百卷，因其舊記，時有增損褒貶焉。其表又稱別作《序例》一卷，《年表》一卷。後永安中，鴻子子元爲祕書郎，乃奏其父書曰：“臣亡考鴻刊著趙、燕、秦、夏、涼、蜀等遺載，爲之贊序，褒貶評論。先朝之日，草構悉了，唯有李雄《蜀書》，搜索未獲，闕茲一國，遲留未成。去正光三年，購訪始得，討論適訖，而先臣棄世。凡十六國，名爲《春秋》，一百二卷。今繕寫一本，乞藏祕閣。”
《史通・正史篇》：十六國史，或當代所書，或他邦所錄。魏世黃門侍郎崔鴻，乃考覈衆家，辨其同異，除煩補缺，錯綜綱紀，易其國書曰錄，主紀曰傳，都謂之《十六國春秋》，勒爲一百二卷。鴻歿後，永安中，其子繕寫奏上，請藏諸祕閣。由是僞史宣布，大行於時。
又《探賾篇》曰：“自二京板蕩，五胡稱制，崔鴻鳩諸僞史，聚成《春秋》，其所列者，十有六家而已。魏收云：‘鴻世仕江左，故不錄司馬、劉、蕭之書，又恐識者尤之，未敢出行於外。’原注：以上並收語，見鴻本傳。案于時中原乏主，海内橫流，遜彼東南，更爲正朔。適使素王再出，南史重生，終不能別有異同，忤非其議。安得以僞書無録，而猶罪歸彦鸞者乎？觀鴻書之紀綱，皆以晉爲主，亦猶班書之載吳、項，必繫漢年；陳《志》之述孫、劉，皆宗魏世。何止獨遺其事，不取其書而已哉！"

又《表曆篇》曰："當晉氏播遷，南據揚、越；魏宗勃起，北雄燕、代，其間諸僞，十有六家，不附正朔，自相君長。崔鴻著表，頗有甄明，比于《史》、《漢》群篇，其要爲切者矣。"

《唐書·經籍志》：《十六國春秋》一百二十卷，崔鴻撰。

《唐書·藝文志》：崔鴻《十六國春秋》一百二十卷。兩志並衍"十"字。

《四庫》載記類《簡明目録》曰："《十六國春秋》一百卷，舊題魏崔鴻撰。考鴻書，自《崇文總目》已不箸録，此本乃明屠喬孫、項琳之所僞作，故以晉宋之號繫年，與《史通》合；而無表，則與《史通》不合；無贊，無序，亦與《魏書》不合。然皆摭諸書所引鴻書，聯貫排比而成，與他僞書究不同也。又有別本十六卷，載何鏜《漢魏叢書》中，十六國各爲一録。"

纂録一十卷

不著撰人。

> 按此繫《十六國春秋》之後，明是《纂録》，其書特不知出於何人耳。《崇文總目》有《十六國春秋略》二卷，《通鑑考異》所引書，又有《十六國春秋鈔》，疑皆出於是書。

戰國春秋二十卷　李概撰

李概有《續修音韻決疑》，見經部小學類。

《北史·李公緒附傳》：公緒弟概，著《戰國春秋》，行於世。

《唐書·經籍志》編年類：《戰國春秋》二十卷，李概撰。

《唐書·藝文志》僞史類：李概《戰國春秋》二十卷。

章氏《考證》："《元和姓纂》曰：'木，端木之後，避仇，改爲木氏，有木概著《戰國策春秋》。'"策"字誤增，《通志》同誤。見《七録》。

《通志·氏族略》依《姓纂》稱爲木氏，然他書皆稱李季節。《廣韻序》有李季節《音譜》。兩《唐志》並作李概。《隋志》古史類已見，此重出。”按氏姓之書有附會謬誤極可笑者，此以李概爲木概，既然矣，鄧名世《古今氏姓書辨證》有出就氏，引《漢藝文志》：“古有出就鞠，著書二十五篇，言兵要。”依檢《漢志》，乃是“出《蹵鞠》二十五篇”。班氏從諸子析出，入之兵技巧者也。以“出蹵”二字爲出就氏而去其“足”，以鞠爲出就氏之名，其謬尤甚於此。

按《魏書》崔鴻《十六國春秋表》曰：“晉自永寧以後，所在稱兵，建邦命氏者，成爲《戰國春秋》，十有六家。”《晉書·載記》亦云，大凡劉元海以惠帝永興元年據離石稱漢，爲之禍首，提封天下，十喪其八，其爲戰國者，一百三十六載，蓋始於惠帝是年，終於宋元嘉十六年，概之時已後百餘年矣。其所謂《戰國春秋》者，殆即記十六國之事。本志入霸史，次《十六國春秋》之後，自得部居。其古史類别出一條，失於删除。

漢趙記十卷　和苞撰

《晉書·劉曜載記》：曜命起酆明觀，立西宫，建淩霄臺，又將營壽陵。侍中和苞上書諫，曜大悦，封苞平輿子，領諫議大夫。

嚴可均《全晉文編》曰：“和苞仕劉曜爲侍中，封平輿子，領諫議大夫。”

《晉書·載記》序曰：“劉元海以惠帝永興元年據離石稱漢，爲之禍首。”又曰：“劉元海，新興匈奴人，冒頓之後也。名犯高祖廟諱，故稱其字焉。初，漢高祖以宗女爲公主，以妻冒頓，約爲兄弟，故其子孫遂冒姓劉氏。元海在位六年死。子和立。未幾，劉聰殺之。聰，元海第四子也。聰立九年死，子粲爲其大將軍靳準所殺。劉曜者，元海族子也。元帝大興元年，僭即皇帝位，國號曰趙。在位十年，爲石勒所執，後殺之。

始，元海以懷帝永嘉四年僭位，至曜三世，凡二十有七載，以成帝咸和四年滅。"

《史通·正史篇》：十六國史，前趙劉聰時，領左國史公師彧撰《高祖本紀》及功臣傳二十人，甚得良史之體。潛修譖其訕謗先帝，聰怒而誅之。劉曜時，平輿子和苞撰《漢趙記》十篇，事止當年，不終曜滅。

《唐書·經籍志》：《漢趙記》十卷，和苞撰。

《唐書·藝文志》：和苞《漢趙記》十四卷。

《宋史·藝文志》：和苞《漢趙記》一卷。

章氏《考證》：《初學記·居處部》、《御覽·兵部》、《人事部》、《禮儀部》共引和苞《漢趙記》七事。愚按苞稱劉聰名，稱曜為今上，粲為太子，是其史例。《新唐志》十四卷。

　　按是書為十六國之始，不置篇首而列於此，此亦《提要》所謂"編次無法"之一端焉。《宋志》一卷，殆後人輯録本。

吐谷渾記二卷　宋新亭侯段國撰

段國始末未詳。

《晉書·四夷傳》：吐谷渾，慕容廆之庶長兄也，其父涉歸分部落一千七百家以隸之。及涉歸卒，廆嗣位，而二部馬鬭，廆怒曰："先公分建有別，奈何不相遠離而令馬鬭耶?"吐谷渾曰："馬為畜耳，鬭其常性，何怒於人。乖別甚易，當去汝於萬里之外矣。"於是遂行。謂其部落曰："我兄弟俱當享國，廆及曾玄纔百餘年耳。我玄孫已後，庶其昌乎?"於是乃西附陰山。屬永嘉之亂，始度隴而西，其後子孫據有西零已西甘松之界，極乎白蘭數千里，逐水草廬帳而居。吐谷渾年七十二卒，子吐延嗣，吐延卒，子葉延嗣。葉延曰："《禮》云公孫之子得以王父字為氏，吾始祖自昌黎光宅於此，今以吐谷渾為氏，尊祖之義也。"其後世嗣不絶。

張澍《段氏沙州記》輯本序曰：“按《魏書》阿豺立自號沙州刺史，部内有黃沙，周回數百里不生草木，因號沙州。宋新亭侯段國所纂《沙州記》即《隋志》之《吐谷渾記》也。原二卷，今亡佚甚多，特就所見鈔之。又録《太平寰宇記》吐谷渾始末，以補其國。”

按《魏書·吐谷渾傳》阿豺者，其七世孫也。兼并羌氏地方數千里，遣使通宋，獻其方物，時當宋文帝元嘉之初，段國撰《記》，其亦在元嘉中歟？又按《寰宇記》云吐谷渾自晉永嘉之末，始西渡洮水，建國於群羌之故地，至唐龍朔三年爲土蕃所滅，凡三百五十年。

梁有《翟遼書》二卷，亡。

不著撰人。

《晉書·孝武帝本紀》：太元八年冬十月乙亥，諸將及苻堅戰於肥水，大破之，俘斬數萬計，獲堅輿輦及雲母車。十二月，前句町王翟遼背苻堅，舉兵於河南，慕容垂自鄴與遼合，遂攻堅子暉於洛陽。九年二月，慕容垂自洛陽與翟遼攻苻堅子丕於鄴。十一年春正月壬午，翟遼襲黎陽，執太守滕恬之。三月，太山太守張願以郡叛降於翟遼。秋八月，翟遼寇譙，龍驤將軍朱序擊走之。十二年春正月，翟遼遣子釗寇陳潁，朱序擊走之。夏四月，高平人翟暢執太守徐含遠，以郡降於翟遼。冬十一月，松滋太守王遐之討翟遼於洛口，敗之。十三年秋七月，翟遼將翟發寇洛陽，河南太守郭給距破之。十四年夏四月，翟遼寇滎陽，執太守張卓。十五年春正月，龍驤將軍劉牢之及翟遼、張願戰於太山，王師敗績。八月，龍驤將軍朱序攻翟遼於滑臺，大敗之，張願來降。十六年六月，慕容垂襲翟釗於黎陽，敗之，釗奔於慕容永。十八年三月，翟釗寇河南。

《北史·僭僞列傳》：“慕容永進據長子，僭稱帝號。”又曰：

"先是，丁零、翟遼叛垂，後遣使謝罪，垂不許，遼怒，遂自號大魏天王，屯滑臺，與垂相擊。死，子釗代之。垂攻釗於滑臺，釗敗，降永，永以釗爲車騎大將軍、東郡王。歲餘，謀殺永，永誅之。"

> 按《晉書》、《北史》載翟遼事如此。又《苻堅載記》云：護軍從事中郎丁零、翟斌反於河南，斌兄子真，真子遼。亦略見《慕容垂載記》。及《朱序傳》遼蓋羌人，故史亦稱丁零羌，與慕容垂、慕容泓、慕容沖、姚萇、呂光、乞伏國仁等並爲苻堅之叛臣，而遼死於垂，釗死於永。永於太元十九年爲垂所誅，釗死當在太元十八九年，父子作亂，首尾凡十一二年而滅。

梁有《諸國略記》二卷，亡。

梁有《永嘉後纂年記》二卷，亡。

> 並不著撰人。

梁有《段業傳》一卷，亡。

> 不著撰人。

《晉書·安帝本紀》：隆安元年三月，呂光建康太守段業自號涼州牧。三年二月，段業自稱涼王。五年夏五月，沮渠蒙遜殺段業，自號大都督、北涼州牧。

又《載記》序曰："段業據張掖稱北涼。"又《沮渠蒙遜載記》："段業，京兆人也。博涉史傳，爲杜進記室，從征塞表。後涼呂光署爲建康太守。蒙遜推爲使持節、大都督、龍驤大將軍、涼州牧建康公。改呂光龍飛二年爲神璽元年，僭稱涼王，後爲蒙遜所殺。業儒素長者，無他權略，威禁不行，群下擅命，尤信卜筮、讖記、巫覡、徵祥，故爲姦佞所誤云。"

天啓記十卷。記梁元帝子譆據湘州事。

> 不著撰人。

《南史·忠壯世子方等傳》：元帝即位，改諡武烈世子。封子莊爲永嘉王。及魏剋江陵，莊年甫七歲，爲人家所匿。後王琳迎送建鄴。及敬帝立，出質于齊。敬帝太平二年，陳武帝將受禪，王琳請莊於齊，以主梁嗣，自盆城濟江。二月，即帝位於郢州，年號天啓，置百官。王琳總其軍國。明年，莊爲陳人所敗，其御史中丞劉仲威奉以奔壽陽，遂入齊。齊武平元年，授特進、開府儀同三司，封梁王。齊朝許以興復，竟不果，而齊亡，莊在鄴飲氣而死。

《周書·蕭詧傳》：初，江陵滅。梁元帝將王琳據湘州，志圖匡復。及詧立，琳乃遣其將潘純陁、侯方兒來寇。詧出師禦之，純陁等退歸夏口。詧之四年，詧遣其大將軍王操率兵略取王琳之長沙、武陵、南平等郡。五年，王琳又遣其將雷文柔襲陷監利郡，太守蔡大有死之。尋而琳與陳人相持，稱藩乞師於詧。詧許之。師未出而琳軍敗，附於齊。

《陳書·武帝本紀》：永定二年三月，王琳立梁永嘉王蕭莊於郢州。文帝天嘉元年二月丙申，太尉侯瑱敗王琳于梁山，攻齊兵于博望，生擒齊將劉伯球，盡收其資儲、船艦，俘馘以萬計，王琳及其主蕭莊奔於齊。

《齊書·王琳傳》：琳字子珩，會稽山陰人也。本兵家，仕梁元帝，以功封建寧縣侯，爲湘州刺史。魏平江陵，長沙蕃王蕭韶及上游諸將推琳主盟。琳乃移湘州軍府就郢城，帶甲十萬，奉永嘉王莊纂梁祚于郢州，莊封琳安城郡公。後兵敗，與莊同降鄴都。孝昭帝封琳巴陵郡王，後爲陳將吳明徹殺於壽陽。贈十五州諸軍事、揚州刺史、侍中、特進、開府録尚書事，諡曰忠武王。琳輕財愛士，得將卒之心，少任將帥，屢經喪亂，雅有忠義之節，雖本圖不遂，鄴人亦以此重之，待遇甚厚。及敗，爲陳軍所執，吳明徹欲全之，而其下將領多琳故吏，爭來致請,並相資給,明徹由此忌之,故及於難。當時,田夫野老知與不知,莫不爲之歔欷流泣。觀其誠信感物,雖李將軍之恂恂善誘,殆無以加焉。琳十七子,長子敬,在齊襲王爵。"

《唐書·經籍志》編年類:《天啟記》十卷,守節先生撰。

《唐書·藝文志》僞史類:守節先生《天啓記》十卷。

　　按本志注梁元帝子謂,不知何謂。考蕭莊爲梁元帝之孫,豈"之孫"之誤歟?《唐志》作守節先生撰,亦不知何許人也。

右二十七部,三百三十五卷。通計亡書,合三十三部,三百四十六卷。敍曰:"自晉永嘉之亂,皇綱失馭,九州君長,據有中原者甚衆。或推奉正朔,或假名竊號,然其君臣忠義之節,經國字民之務,蓋亦勤矣。而當時臣子,亦各紀錄。後魏克平諸國,據有嵩、華,始命司徒崔浩,博采舊聞,綴述國史。諸國記注,盡集祕閣。爾朱之亂,並皆散亡。今舉其見在,謂之霸史。"無錫浦起龍《史通通釋》曰:"十六國史,《史通》所闕者,惟夏赫連勃勃、西涼李暠、西秦乞伏國仁也。而隋、唐二《志》亦此三國無書。"此著錄部數不誤,附著亡書六部,通計部數亦不誤。

　　按《七錄序目·記傳錄第七》曰:"僞史部凡二十六種,二十七秩,一百六十一卷。"本志著錄並亡書據云三十三部,三百四十六卷,視《七錄》增益七部一百八十五卷,則卷首《總序》所謂"舊錄所遺,辭義可采,有所弘益者,咸附入之"之類焉,亦皆據隋代見存書目纂入也。

　　按游覽先生《南燕書》七卷、何仲熙《秦書》八卷、無名氏《纂錄》十卷、段國《吐谷渾記》二卷,又梁有《蜀平記》十卷、《蜀漢僞官故事》一卷、《翟遼書》二卷、《諸國略記》二卷、《永嘉後纂年記》二卷、《段業傳》一卷,凡十部,章氏《考證》皆不載。

卷十五

史部五
起居注類

穆天子傳六卷。汲冢書。郭璞注

郭璞有《毛詩拾遺》，見經部詩類。

晉侍中、中書監、光禄大夫、濟北侯臣荀勖序曰："古文《穆天子傳》者，太康二年，汲縣民不準盗發古冢所得書也。皆竹簡素絲編，以臣勖前所考定古尺，度其簡，長二尺四寸，以墨書，一簡四十字。汲者，戰國時魏地也。案所得《紀年》，蓋魏惠成王子，今王之冢也，於《世本》蓋襄王也。案《史記・六國年表》，自今王二十一年至秦始皇三十四年燔書之歲，八十六年。及至太康二年初得此書，凡五百七十九年。其書言周穆王游行之事，《春秋左氏傳》曰：'穆王欲肆其心，周行于天下，將皆使有車轍馬跡焉。'此書所載，則其事也。王好巡守，得盗驪騄耳之乘，造父爲御，以觀四荒。北絶流沙，西登昆侖，見西王母，與太史公記同。汲郡收書不謹，多毁落殘缺。雖其言不典，皆是古書，頗可觀覽。謹以二尺黃紙寫上，請事平，以本簡書及所新寫，並付祕書繕寫，藏之中經，副在三閣。謹序。"

《春秋經傳集解後序》正義引王隱《晉書・束晳傳》曰："《周王遊行》五卷，説周穆王游行天下之事，今謂之《穆天子傳》。"

《晉書・束晳傳》：竹書《紀目》曰："《穆天子傳》五篇，言周穆王游行四海，見帝臺西王母。”

《晉書·郭璞傳》：璞又注《三倉》、《方言》、《穆天子傳》，並傳於世。

本志篇敍曰：“晉時，得汲冢書，有《穆天子傳》，體制與今起居注正同，蓋周時内史所記王命之副也。”

《唐書·經籍志》：《穆天子傳》六卷，郭璞注。一本“注”誤作“撰”。

《唐書·藝文志》：郭璞《穆天子傳》六卷。

《宋史·藝文志》別史類：郭璞注《穆天子傳》六卷。

晁氏《讀書志》傳記類：《穆天子傳》六卷，晉太康二年汲縣民盜發古冢所得，凡六卷八千五百一十四字。詔荀勗、和嶠等以隸字寫之，郭璞注本謂之《周王遊行記》。勗之時，古文已不能盡識，時有缺者，又轉寫益誤，殆不可讀。

陳氏《書録解題》：《穆天子傳》六卷，晉武帝時汲冢所得書。其體制與起居注正同，郭璞爲之注。

《玉海·藝文》傳記類《穆天子傳》：《中興書目》六卷。《拾遺記》曰：“穆王三十二年巡行天下，有書史十人記其所行之地。”

《四庫》小説家提要曰：“按《晉書·束晳傳》云《穆天子傳》五篇，又雜書十九篇，周食田法，周書論楚事，周穆王美人盛姬死事。按今盛姬載《穆天子傳》第六卷，蓋即束晳所謂雜書之一篇也。尋其文義，應歸此傳。《束晳傳》別出之，非也。此書紀事，有月日而無年，又文多斷缺，所紀雖多，夸言寡實。然所謂西王母者，不過西方一國君。所謂懸圃者，不過爲飛鳥百獸之所飲食，爲大荒之圃澤，無所謂神仙怪異之事。所謂河宗氏者，亦僅國名，無所謂魚龍變見之説，較《山海經》、《淮南子》猶爲近實。《列子·周穆王篇》所載與此傳相出入，蓋當時流俗，有此載記，如後世小説野乘之類，故列禦寇得摭

拾其文耳。世所傳汲冢書《師春》之類，久已亡佚。《逸周書》
又屬誤入紀年，僞妄顯然。其真存於今者，惟此傳矣。"

又《簡明目録》曰："《穆天子傳》六卷，汲冢古本，晉郭璞注。
所紀周穆王西行之事，爲經典所不載，而與《列子·周穆王
篇》互相出入，知當時委巷流傳，有此雜記。舊史以其編紀日
月，皆列起居注中，今改隸小説，以從其實。"

臨海洪頤煊校刊序曰："案《史記》，穆王在位五十五年，此書
所載，尋其甲子，不過四五年間事耳，雖殘編斷簡，其文字古
雅，信非周秦以下人所能作，尤足與經史相證。據晁《志》云
書凡六卷，八千五百一十四字，今本僅六千六百二十二字，則
又非晁氏所見之本矣。"

漢獻帝起居注五卷

不著撰人。

袁宏《後漢紀》序曰："聊以暇日，撰集爲《後漢紀》，其所掇會，
有漢《山陽公紀》，漢靈、獻起居注。"本志篇敍曰："起居注者，
録紀人君言行動止之事。《春秋傳》曰：'君舉必書，書而不
法，後嗣何觀？'《周官》：'內史掌王之命，遂書其副而藏之，是
其職也。'漢武帝有《禁中起居注》，後漢明德馬后撰《明帝起
居注》。然則漢時起居，似在宮中，爲女史之職。然皆零落，
不可復知。今之存者，有漢獻帝及晉代已來起居注，皆近侍
之臣所録。"

《唐書·經籍》、《藝文志》：《漢獻帝起居注》五卷。

章氏《考證》：《魏志·武紀》注、《文紀》注、《董卓傳》注、《邴原
傳》注、《蜀志·先主傳》注，《續漢·禮儀》、《祭祀》、《五行》、
《百官》、《輿服志》注，《後漢書·獻紀》、《董卓傳》注，《初學
記》、《太平御覽·職官部》、《通典·禮門》注，並引《獻帝起居
注》，共數十事。

侯康《補三國藝文志》曰：“《唐六典》：‘漢獻帝及西晉以後諸帝，皆有起居注，皆史官所録。’康按此書《隋志》不著撰人，《後漢書》及《續漢書志》、《三國志》諸注屢引之。《魏文帝紀》注引一條，云：‘建安十五年，爲司徒趙温所辟，太祖表温，辟臣子弟選舉，故不以實，使侍中守光禄勳郗慮持節奉策，免温官。’稱曹操爲太祖，則此書成於魏時也。”

按袁宏言靈、獻起居注，則晉時尚有《靈帝起居注》，至隋而僅存此帙。獻帝於少帝昭寧元年九月爲董卓所立，改元永漢。未幾，仍稱中平六年。<small>靈帝末年之號也。</small>明年，改元初平，初平盡四年，改元興平。興平盡二年，改元建安。建安盡二十四年，改元延康。延康元年之十月遜位，首尾凡三十二年。自遜位之後，自不得再有起居注。起居注所記，自不得連及山陽就封之後，故其記後事，别有《漢獻帝傳》、《山陽公記》諸書在焉。書中稱太祖書名題獻帝，碻爲魏人手筆。《史通·正史篇》云：“及在許都，楊彪頗存注記。”意即是彪所存。彪卒于魏文帝黄初六年，其改稱太祖，稱獻帝，則皆在魏明帝青龍二年之後矣。

晉泰始起居注二十卷　李軌撰

李軌有《周易音》，見經部易類。

《晉書·武帝本紀》泰始六年秋七月乙巳，詔曰：“自泰始以來，大事皆撰録，祕書寫副，後有其事，輒宜綴集以爲常。”

本志篇敍曰：“今之存者，有晉代已來起居注，皆近侍之臣所録。今依其先後，編而次之。”

《唐書·經籍志》：《晉太始起居注》二十卷，李軌撰。

《唐書·藝文志》：李軌《晉泰始起居注》二十卷。

章氏《考證》：《蜀志·諸葛瞻傳》注、《藝文類聚》、《太平御覽·果部》並引《晉泰始起居注》。

按晉武受魏禪，改元泰始，時蜀、漢亡已二年。吳孫晧甘露
元年，猶未混一也。泰始紀元，凡十年。

晉咸寧起居注十卷　李軌撰

《唐書‧藝文志》：李軌《咸寧起居注》二十二卷。

章氏《考證》：《藝文類聚‧服飾部》、《鳥部》引一事，題《晉咸
寧起居注》。《初學記‧服食部》、《北堂書鈔‧衣冠部》、《太
平御覽‧服章部》並引之。《唐志》二十二卷。

按武帝改元咸寧時，孫晧天冊元年也。咸寧紀元，凡五年。

晉泰康起居注二十一卷　李軌撰

《唐書‧經籍志》：《晉太康起居注》二十二卷，李軌撰。《藝文
志》同。

章氏《考證》：《初學記‧職官部》、《藝文類聚‧食物部》、《御
覽‧職官部》、《兵部》、《車部》、《器物部》、《飲食部》並引《太
康起居注》。《唐志》二十二卷，又《書鈔‧設官部》，《御覽‧
皇親部》、《職官部》並引《晉武帝起居注》。

按泰康元年三月平吳，天下一統，因而大赦，改元泰康。泰
康紀元，凡十年。後改元太熙，太熙元年四月，武帝崩。惠
帝立，武帝在位二十六年，改元四。

晉元康起居注一卷

不著撰人。

按惠帝元康紀元，凡九年，在永平之後。本志引《七錄》別
有《永平、元康、永寧起居注》六卷。此一卷，即《七錄》之佚
存者。

梁有《永平、元康、永寧起居注》六卷，亡。

《唐書‧經籍志》：《晉永平起居注》八卷，李軌撰。《藝文志》同。

按惠帝即位不踰年，改元永熙。明年正月，詔改永熙爲永
平元年。是年三月，以誅楊駿等，大赦，改元爲元康。元康

紀元，凡九年。明年正月，改元永康。永康二年正月，趙王
倫篡位，四月反正，大赦，改元爲永寧。永寧紀元，止於明
年十二月。其後又改太安、永安、建武、永興、光熙，惠帝在
位十七年，凡十改元。章氏《考證》云《初學記・服食部》引
《永安起居注》，記太康四年事，恐誤。

又按兩《唐志》八卷，似即此六卷及後《惠帝起居注》二卷合
并爲帙者，亦皆李軌所撰録歟？

梁又有《惠帝起居注》二卷，亡。

不著撰人。

《玉海・藝文》記注類：《魏志》注案陸機《惠帝起居注》，《宋
書》傅亮與蔡廓書，引陸士衡《起居注》。

章氏《考證》：《宋書・蔡廓傳》、《魏志・張燕傳》注各引一事，
題陸機《晉惠帝起居注》。又《魏志・趙儼傳》注，《世説・言
語篇》、《文學篇》、《賞譽篇》注，《北堂書鈔・儀飾部》、《武功
部》，《御覽・皇親部》、《服章部》、《服用部》共引《惠帝起居
注》十三事，不著撰人。

　按《陸機本傳》“元康中，累遷太子洗馬、著作郎”，其撰起居
　注當在斯時，然不知是否即此二卷也。

梁又有《永嘉建興起居注》十三卷，亡。

不著撰人。

《唐書・經籍志》：《晉愍帝起居》三十卷，李軌撰。

　按懷帝紀元永嘉，凡六年。愍帝紀元建興，凡四年，皆爲劉
　聰所殺。《舊唐書》作三十卷，似即此十三卷，又但稱愍帝，
　則又似別爲一本，爲李軌所撰録者。

晉建武大興永昌起居注九卷。梁有二十卷。

不著撰人。

《唐書・經籍志》：《晉建武、大興、永昌起居注》二十二卷。《藝

文志》同。

章氏《考證》：《太平御覽·服用部》引《建武起居注》一事，《職官部》引《大興起居注》二事，《儀飾部》引《永昌起居注》一事。

按《元帝本紀》：建武元年三月辛卯，即晉王位，改元建武。次年三月，愍帝崩，問至，景辰即皇帝位，改元大興。大興紀元，凡四年。明年，改元永昌。是年四月，王敦舉兵入京師，閏十一月己丑，帝崩，在位凡六年，改元三。

晉元康起居注一卷

不著撰人。

按其前已有《元康起居注》一卷，此重出其目。篇敍言晉代起居注，依其先後編而次之，則是篇部居最有條理。按元帝之後爲明帝，明帝在位三年，改元太寧，疑此即《太寧起居注》。

晉咸和起居注十六卷　李軌撰
晉咸康起居注二十二卷

李軌見前。

《唐書·經籍志》：《晉咸和起居注》十八卷，李軌撰。《晉咸康起居注》二十二卷，李軌撰。《藝文志》同。

章氏《考證》：《藝文類聚·果部》，《太平御覽·器物部》、《羽族部》並引《晉咸和起居注》。《唐志》十八卷，又《類聚·歲時部》、《布帛部》、《器物部》、《木部》並引《晉咸康起居注》。

按成帝咸和紀元，凡九年。改元咸康，凡八年。《咸康起居注》，本志不著撰人，據兩《唐志》，亦李軌所撰也。

晉建元起居注四卷

不著撰人。

《唐書·經籍志》：《晉建元起居注》四卷。《藝文志》同。

章氏《考證》：《北堂書鈔·設官部》、《太平御覽·職官部》並引《晉康帝起居注》。

按康帝在位二年，改元建元。

晉永和起居注十七卷。梁有二十四卷。

晉升平起居注十卷

並不著撰人。

《唐書·經籍志》：《晉永和起居注》二十四卷，《晉永平起居注》十卷。按"永平"爲"升平"之誤，章氏謂《舊唐志》缺《升平起居注》者，非也。《藝文志》作升平，不誤。

章氏《考證》：《初學記·樂部》、《寶器部》並引《晉永和起居注》，《白帖》、《御覽》亦引之。

按穆帝即位，年二歲，太后臨朝攝政，改元永和，凡十二年。

明年正月，帝加元服，始親萬幾，改元升平，凡五年，崩。

晉隆和興寧起居注五卷

不著撰人。

《唐書·經籍志》：《晉崇和、興寧起居注》五卷。

《唐書·藝文志》：《晉隆和、興寧起居注》五卷。

錢塘梁耆《庭立紀聞》曰：唐人避諱，改隆和爲崇和。

按哀帝即位，紀元隆和，凡一年。明年改元興寧，凡三年，崩。

晉泰和起居注六卷。梁十卷。

不著撰人。

《唐書·經籍志》：《晉太和起居注》六卷。《藝文志》同。

按海西公紀元太和，凡五年，明年十一月，桓溫宣崇德太后令，廢帝爲東海王。後降封爲海西公，徙居吳縣。勑吳國內史刁彝防衛，又遣御史顧允監察之。帝知天命不可再，深慮橫禍，乃杜塞聰明，無思無慮，終日酣暢，耽於內寵，有子不育，庶保天年。時人憐之，爲作歌焉。太元十一年十月甲申薨於吳，時年四十五。

又按本志以此六卷次《咸安起居注》之後，與志序言"依先後編次"之例不符，當是轉寫之誤，今移易之。

晉咸安起居注三卷

不著撰人。

《唐書·經籍志》：《晉咸安起居注》三卷。《藝文志》同。

按簡文帝以海西公太和六年十一月己酉，以會稽王爲桓溫所立元帝少子也，改元咸安，明年七月乙未崩。咸安紀元，凡二年，實止於九月也。

晉寧康起居注六卷
晉泰元起居注二十五卷。梁五十四卷。

並不著撰人。

《唐書·經籍志》：《晉寧康起居注》六卷，《晉太元起居注》五十二卷。《藝文志》同。

章氏《考證》："《世説·賞譽篇》注、《御覽·車部》並引《晉泰元起居注》。"又曰："《藝文類聚·儲宮部》、《御覽·皇親部》並引《晉孝武起居注》。"章氏既載《泰始》、《咸寧》、《泰康起居注》三部，又別出《晉武帝起居注》，既載《建元》、《寧康》、《泰元起居注》亦三部，又別出《康帝》、《孝武帝起居注》，皆注云不著録，此但以諸書稱引偶異，未嘗詳考歷朝年號，遂以爲別是一書，眩惑殊甚也。

按孝武帝即位，年十歲，崇德太后臨朝，紀元寧康，凡三年。明年正月，帝加元服，皇太后歸政，大赦，改元太元。太元二十一年秋九月崩。

晉隆安起居注十卷
晉元興起居注九卷
晉義熙起居注十七卷。梁三十四卷。

並不著撰人。

《唐書·經籍志》：《晉崇寧起居注》十卷，《晉元興起居注》九卷，《晉義熙起居注》三十四卷。《藝文志》同。按隆安作崇寧者，唐、宋人避諱改也。梁耆《庭立紀聞》嘗言之，章氏又別出《崇寧起居注》十卷，注云不著錄見《唐志》，豈不知晉代無崇寧之號乎？

章氏《考證》：《太平御覽·果部》引《晉隆安起居注》一事。《藝文類聚·舟車部》，《北堂書鈔·舟部》、《藝文部》、《儀飾部》，《太平御覽·天部》、《服章部》、《器物部》、《果部》、《菜茹部》、《香部》並引《晉義熙起居注》。

> 按安帝紀元隆安，凡五年，改元元興，凡三年。元興元年三月，桓玄反，入京師，明年十二月，玄篡位，以帝爲平固王。帝蒙塵於尋陽，次年又爲玄偪至江陵、南郡。及督護馮遷斬桓玄，又復蒙塵於桓振賊營。明年正月反正，大赦，改元義熙。、義熙十四年十二月崩，帝不惠，自少及長，口不能言，雖寒暑之變，無以辨也。凡所動止，皆非己出，故桓玄之篡，因此獲全。劉裕將爲禪代，密使王韶之縊帝而立恭帝。

晉元熙起居注二卷

不著撰人。

《唐書·經籍志》：《晉元熙起居注》二卷。《藝文志》同。

> 按《恭帝本紀》義熙，十四年十二月戊寅，安帝崩，劉裕矯詔立帝，是日即位，明年，改元元熙。元熙二年夏六月壬戌，劉裕至於京師，甲子遂禪位，遜於琅琊第，劉裕以帝爲零陵王，居於秣陵。宋永初二年九月丁丑殺帝於內房，年三十六，謚恭皇帝。

晉起居注三百一十七卷　宋北徐州主簿劉道會撰。梁有三百二十二卷。

劉道會始末未詳。“道會”亦作“道薈”，《唐書·藝文志》故事類有劉道薈《先朝故事》二十卷。

《唐書·經籍志》：《晉起居注》三百二十卷，劉道會撰。

《唐書·藝文志》：劉道薈《晉起居注》三百二十卷。

章氏《考證》曰：昔人徵引《晉代起居注》，其不著年號而統稱晉者，逸篇最多，證以《隋》、《唐志》所載，蓋原本卷數至三百二十二卷，宜徵引之多也。《北堂書鈔》、《太平御覽》尤多引之，其書自武帝至安帝，總記兩晉，當是合諸家而成一書，多《晉書》紀、志、列傳所不載者。章氏此輯本頗可觀，惜乎其不傳。

流別起居注三十七卷

不著撰人。

《金樓子·聚書篇》曰：“爲揚州刺史時，就吳中諸士大夫寫得起居注，又得徐勉《起居注》。”

《梁書·徐勉傳》：“勉勤著述，雖當機務，下筆不休，嘗以起居注煩雜，乃加刪撰爲《別起居注》六百卷。”爲下敚“流”字。《南史》本傳：“乃撰爲《流別起居注》六百六十卷。”

《唐書·藝文志》：《流別起居注》四十七卷。

　　按此及《唐·藝文志》所載，似皆徐勉之殘本。徐勉有《梁選部》，別見後職官類。

梁有《晉宋起居注鈔》五十一卷，《晉宋先朝起居注》二十卷，亡。

並不著撰人。

《唐書·藝文志》：何始真《晉起居鈔》敚“注”字。五十一卷，《晉起居注鈔》二十四卷。

章氏《考證》：《唐志》有何始真《晉起居鈔》、《晉起居注鈔》二書，俱不言宋。

　　按何始真，宋季時人，有《春秋左氏區別》，見經部春秋類。此大抵鈔合晉、宋兩朝記注。《梁書·孔休源傳》徐勉對武帝曰：“孔休源諳練故實，自晉、宋《起居注》誦略上口。”似即謂是書歟？若是，則梁代盛行其書，其後一部二十卷，

《唐志》作二十四卷者，疑别爲一家之書。

宋永初起居注十卷

不著撰人。

《唐書·經籍志》：《宋永初起居注》六卷。《藝文志》同。

按宋武帝以晉恭帝元熙二年六月受禪，改元熙二年爲永初元年，至三年五月崩。永初紀元，凡三年，實首尾二年。

宋景平起居注三卷

不著撰人。

《唐書·經籍志》：《宋景平起居注》三卷。《藝文志》同。

按少帝即位明年，改元景平，次年五月乙酉，司空徐羡之、中書監傅亮、江州刺史檀道濟、揚州刺史王弘、領軍謝晦，以皇太后令，廢爲營陽王，幽於吳郡。六月癸丑，徐羡之等使中書舍人邢安泰殺帝於錯亭，年十九。景平紀元，凡一年，實首尾二年。

宋元嘉起居注五十五卷。梁六十卷。

不著撰人

《文苑英華》：裴子野《宋略總論》：曾祖太中大夫、西鄉侯，以文帝之十二年受詔，撰《元嘉起居注》。按裴松之卒於元嘉二十八年，子野所云，蓋元嘉十二年以前之注記爲所撰定者，非盡出松之手也。

《唐書·經籍志》：《宋元嘉起居注》六十卷。

《唐書·藝文志》：《宋元嘉起居注》七十一卷。

章氏《考證》：《初學記》、《藝文類聚》、《北堂書鈔》、《太平御覽》並引《元嘉起居注》，或題《文帝元嘉起居注》，或題《元嘉十年起居注》、《二十九年起居注》。又引元嘉十三年、十八年事，題曰《宋起居注》。

按文帝以少帝景平二年八月丁酉即位，改景平二年爲元嘉元年。三十年二月甲子，爲元凶劭所殺崩。

宋孝建起居注十二卷

宋大明起居注十五卷。梁三十四卷。

並不著撰人。

《唐書・經籍志》：《宋大明起居注》八卷。

《唐書・藝文志》：《宋孝建起居注》十七卷，《宋大明起居注》十五卷。

章氏《考證》：《通典・樂門》引《孝建起居注》。又《太平御覽・四夷部》引孝建二年事兩條，題《宋起居注》。

按孝武帝，文帝第三子也，爲南中郎將、江州刺史、都督四郡軍事。元凶殺逆，率衆入討，是年四月戊辰，至於新亭。己巳，即皇帝位。五月丙申，克定京邑。劭及始興王濬諸同逆並伏誅。明年，改元孝建，凡三年，次年改元大明，大明八年閏五月庚申崩。

梁又有《景和起居注》四卷，亡。

不著撰人。

《宋書・前廢帝本紀》：帝諱子業，孝武帝長子也。大明八年閏五月庚申，世祖崩，即皇帝位。明年，改元永光。永光元年秋八月癸酉，帝自率宿衛兵誅太宰、江夏王義恭，尚書令、驃騎大將軍柳元景，尚書僕射顏師伯，廷尉劉德願，改元爲景和元年。帝凶悖日甚，誅殺相繼，內外百司，不保首領。十一月戊午夜，明帝與左右阮佃夫、王道隆、李道兒密結帝左右壽寂之、姜産之謀共廢帝，寂之懷刃直入，姜産之爲副。帝欲走，寂之追而殞之，時年十七。

按前廢帝在位，首尾凡十九月。景和之前爲永光，而是年十二月丙寅明帝即位，又改元泰始，一歲凡三改元。

梁又有《明帝在藩注》三卷，亡。

不著撰人。

《宋書·明帝本紀》：明皇帝諱彧，文帝第十一子也。元嘉二十五年，封淮陽王。二十九年，改封湘東王。廢帝永光元年，以衛將軍、南豫州刺史鎮姑熟。景和末，入朝，被留停都。廢帝誅害宰輔，殺戮大臣，疑畏諸父，並拘之殿内，遇上無禮，收付廷尉，一宿被原。將加禍害者，前後非一。既而害上意定，明旦便應就禍。上先已與腹心阮佃夫等密共合謀，殞廢帝於後堂，十一月二十九日夜也。

宋泰始起居注十九卷。梁二十三卷。

宋泰豫起居注四卷

並不著撰人。

《宋書·本紀》：明帝即位，詔曰改景和元年爲泰始元年。泰始八年，以疾患未瘥，改元泰豫。泰豫元年四月己亥崩。

章氏《考證》：《初學記》、《御覽·職官部》並引《宋泰始起居注》。又《初學記·寶器》、《服食部》，《御覽·兵部》引泰始二年事，題曰《宋起居注》。

梁有《宋成徽起居注》二十卷，亡。"成"當爲"元"。

《宋書·後廢帝本紀》：帝諱昱，明帝長子也。泰豫元年四月己亥，明帝崩，即皇帝位。明年，改元元徽。昱天性好殺，以此爲懽。一日無事，輒慘慘不樂，内外百司，人不自保，殿省憂惶，夕不及旦。齊王順天人之心，潛圖廢立，與直閣將軍王敬則謀，結昱左右楊玉夫、楊萬年、陳奉伯等二十五人謀共取昱。元徽五年七月七日夜，玉夫與萬年入内，以昱防身刀斬之。奉伯提昱首與敬則，敬則馳至領軍府，以首呈齊王。齊王奉太后令，奉迎安成王。皇太后令曰："昱窮凶極暴，自取灰滅，故密令蕭領軍潛運明略，廢昏立明。雖曰罪招，能無傷悼？棄同品庶，顧所不忍，可特追封蒼梧郡王。"

梁有《昇明起居注》六卷，亡。

不著撰人。

《宋書·順帝本紀》：帝諱準，明帝第三子也。泰始七年，封安成王。元徽五年七月戊子夜，廢帝殞，奉迎即皇帝位，改元昇明。昇明三年夏四月辛卯，天禄永終，禪位於齊，遷居丹陽宮。齊王踐阼，封帝爲汝陰王。建元元年五月己未殂於丹陽宮，時年十三，謚曰順帝。

梁又有《齊建元起居注》十二卷，亡。

《齊書·高帝本紀》：帝諱道成，字紹伯，姓蕭氏，南蘭陵人。漢相國蕭何二十四世孫也。受宋帝禪，夏四月甲午即皇帝位，改昇明三年爲建元元年，四年三月壬戌崩，武帝立。

按本志此條在《永明起居注》之後，其例蓋以亡書列見存書之次耳。然先後編次雜亂，與序言不符。今移列於此，以順時代。據《南史·沈約傳》及《宋書·自敘》，似沈約所撰次也。

齊永明起居注二十五卷。梁有三十四卷。

沈約《宋書》自序：永明二年，又奏兼著作郎，撰次《起居注》。

《齊書·文學·王逡之傳》："逡之以國子博士兼著作，撰《永明起居注》。"又《周顒傳》："顒侍文惠太子，轉太子僕兼著作，撰《起居注》。"

《唐書·藝文志》：《齊永明起居注》二十五卷。

按齊武帝以建元四年三月即位，明年，改元永明。永明十一年七月戊寅崩，鬱林王立。

梁有《隆昌、延興、建武起居注》四卷，亡。

《齊書》本紀："鬱林王昭業，文惠太子長子也。太子薨，立爲皇太孫。武帝崩，太孫即位，改元隆昌。隆昌元年七月二十二日，尚書令、西昌侯鸞使蕭諶等領兵入壽光閣，殺之。時年二十一,以王禮葬。"又曰:"海陵王昭文,文惠太子第二子也。立以爲帝,是年七月丁酉即位,改元延興。十月辛亥,以皇太后令,廢爲海陵王。十一月,乃殞之,年十五,謚曰恭王。"又曰:"明帝諱鸞,始安貞王道生子也。太后令入篡高帝第三子。是年冬十月癸亥即位,改元建武。"史臣曰:"隆昌、延興、建武,一歲三改年號也。"

　　按建武紀元,凡四年。明年四月,又改元永泰。是年七月崩,東昏侯立,改元永元,凡二年。永泰、永元記注不著録。

梁有《中興起居注》四卷,亡。

《齊書·本紀》:和帝諱寶融,明帝第八子也。永元元年封南康王,爲荆州刺史、東昏侯。永元三年三月乙巳即位於江陵,改元中興。次年三月,車駕東歸,至姑熟,丙辰禪位於梁。四月丁卯,梁王奉帝爲巴陵王,宮於姑熟,戊辰薨,年十五,尊爲齊和帝。

　　按本志及《七録》所載,起居注自晉武帝迄齊,約略備具,唯晉惠帝缺永熙、永康、太安、永安、建武、永興、光熙七年,齊明帝缺永泰一年,東昏侯缺永元兩年。

梁大同起居注十卷

《隋書·百官志》:梁武受命之初,官班多同宋、齊之舊,祕書省著作郎一人,佐郎八人,掌國史,集注起居。著作郎謂之大著作。梁初,周捨、裴子野皆以他官領之。

《唐書·藝文志》:《梁大同七年起居注》十卷。

章氏《考證》:《太平御覽·休徵部》、《寰宇記·江南西道》並引《梁大同起居注》,皆紀九年事。《御覽》又一事引《梁起居注》,爲大同六年事。又《御覽·地部》,《寰宇記·劍南西道》、《江南西道》、《嶺南道》引《天監起居注》。

　　按梁武帝紀元,凡天監十八年、普通七年、大通二年、中大

通六年、大同十一年、中大同一年、太清三年,其後簡文帝
大寶一年、豫章王天正一年、元帝承聖三年、敬帝紹泰一
年、太平二年。此十卷,《新唐志》明云大同七年,則大同十
一年之著紀尚不能全,其所亡佚者多矣。

後魏起居注三百三十六卷

《魏書·高祖孝文帝本紀》:太和十四年二月戊寅,初詔定起
居注制。十五年春正月,初分置左右史官。

又《李伯尚傳》:高祖時爲通直散騎侍郎,敕撰《太和起居注》。
亦見《北史·敍傳》。

又《房景先傳》:景先爲司徒祭酒、員外郎,侍中穆紹啓景先撰
《世宗起居注》。

又《崔鴻傳》:景明三年爲員外郎,敕撰起居注。正光元年,遷
司徒左長史,修《高祖、世宗起居注》。又曰:"鴻撰《十六國春秋》,世宗
詔使呈上,其書有與國初相涉,言多失體,且既未訖,迄不奏聞。鴻後典起居,乃妄載
其表曰云云。"

又《王遵業傳》:遵業爲著作佐郎,與司徒左長史崔鴻同撰起
居注,遷右軍將軍,慰勞蠕蠕,乃詣代京,采拾遺文,以補起居
所闕。

《北史·魏收傳》:宣武時,命邢巒追撰《孝文起居注》,書至太
和十四年。句又命崔鴻、王遵業補續焉。下訖孝明事,甚委
悉。按自太和十四年,始定起居注之制,故又命追撰。自孝文帝延興元年以來,迄
太和十四年,凡廿二年之記注,以補前所未具。

《北齊書·陽休之傳》:"莊帝時,李神儁監起居注,啓休之與
河東裴伯茂、范陽盧元明、河間邢子明等俱入撰次。"《魏書·文
苑·温子昇傳》:莊帝建義初,爲南主客郎中,修起居注。

《後周書·張軌傳》:魏孝武西遷,兼著作佐郎,修居注。

又《柳虯傳》:魏大統十六年,遷中書侍郎,修起居注。

又《薛寘傳》:魏廢帝元年,領著作佐郎,修國史,尋拜中書侍

郎，修起居注。

《史通·史官篇》：元魏置起居令史，每行幸、宴會，則在御左右，記録帝言及賓客酬對。後别置修起居注二人，多以餘官兼掌。

《唐書·經籍志》：《後魏起居注》二百七十六卷。《藝文志》同。

按後魏自東晉孝武帝太元十年丙戌，道武帝始建號改元，後爲明元帝、太武帝。太武帝之十五年，滅北涼沮渠氏，而後諸國皆亡，是爲北朝一統之始。時南朝宋文帝元嘉十六年也。太武帝之後，爲南安王、文成帝、獻文帝、孝文帝、宣武帝、孝明帝、孝莊帝、東海王、節閔帝、安定王、孝武帝。孝武帝之三年，始分爲東、西魏。東魏一世孝靜帝，孝靜之十六年，北齊高氏代之，時梁武帝太清三年也。西魏歷四世，孝武帝、文帝、廢帝、恭帝。恭帝三年，後周宇文氏代之，時爲陳武帝永定元年丁丑之歲，凡一百七十二年，其有起居注，則自孝文帝始，其書爲南朝所擯斥，至隋始著於録。

陳永定起居注八卷

《陳書·劉師知傳》：初，世祖敕師知撰起居注。自永定二年秋至天嘉元年冬，爲十卷。

按陳武帝於梁敬帝太平二年冬十月乙亥受禪即位，改梁太平二年爲永定元年。至三年六月丙午崩，文帝立。

陳天嘉起居注二十三卷
陳天康光大起居注十卷

《陳書》本紀：世祖文皇帝即位，明年，改永定四年爲天嘉元年。至七年二月，詔改天嘉七年爲天康元年。是年四月癸酉崩，太子立。明年，改天康二年爲光大元年。光大二年十一月甲寅，慈訓太后廢爲臨海郡王，出居别第。太建二年四月薨，時年十九。

陳太建起居注五十六卷

《陳書》本紀：光大二年十一月，慈訓太后令廢帝爲臨海王，以高宗宣皇帝入纂。高祖兄始興，昭烈王道談第二子，文帝弟也。明年正月甲午即位，改元太建。太建十四年春正月甲寅崩，皇太子叔寶立。

陳至德起居注四卷

《陳書·本紀》：後主即位明年，改太建十五年爲至德元年。至五年正月，改爲禎明元年。至三年正月甲申，隋總管賀若弼、韓擒虎入宮城，是夜，後主爲隋軍所執。丙戌，晉王廣入京城。三月己巳，後主與王公百司發自建業，入於長安。隋仁壽四年十一月壬子薨於洛陽，時年五十二，追贈大將軍，封長城縣公，謚曰煬。

按陳代注記，大抵略具，唯禎明一朝不著於錄。兩《唐志》唯有《陳起居注》四十一卷，不著年號，似殘佚所餘，裒爲一帙者。

後周太祖號令三卷

《周書·文帝本紀》：帝姓宇文氏，諱泰。魏孝武帝永熙三年七月丁未，魏帝從洛陽率輕騎入關。太祖乃奉帝都長安，披草萊，立朝廷，軍國之政，咸取太祖決焉。是年十二月，魏孝武帝崩，太祖與群公定策，尊立魏南陽王寶炬爲嗣，是爲文皇帝。文帝大統十七年三月崩，廢帝立，廢帝三年，太祖與公卿定議廢帝，尊立齊王廓，是爲恭帝。恭帝三年冬十月乙亥，太祖崩于雲陽宮，年五十二，謚曰文公。孝閔帝受禪，追尊爲文王。廟曰太祖。武成元年，追尊爲文皇帝。

章氏《考證》曰：此《號令》三卷，似宜列諸律令而入起居注類，未詳其義。

按經部小學家有《周武帝鮮卑號令》一卷、《雜號令》一卷，武帝爲文帝之子，其書以語言文字爲主，此非鮮卑語，以軍國大事爲主，雖曰後周，實則西魏之政令也。章氏謂宜入律令，則别有《大統式》，見後刑法類。此不盡屬於律令，有似起居注，故入此類歟？後周及北齊記注，本志皆不見，則隋時已盡亡矣。

隋開皇起居注六十卷

《唐六典》注曰：“漢獻帝及西晉以後諸帝，皆有起居注，並史官所録。自隋置爲職員，列爲侍臣，專掌其事，每季爲卷，送付史官。”《史通》云：“煬帝立起居，置起居舍人二員。”開皇時，尚未有專官也。

《史通·史官篇》曰：“又案《晉令》，著作郎掌起居集注，撰録諸言行勳伐舊載史籍者。至隋，以吏部散官及校書、正字閑于述注者修之，納言兼領其事。”又曰：“古者人君，外朝則有國史，内朝則有女史，内之與外，其任皆同。隋世王劭上疏，請依古法，復置女史之班，具録内儀，付于外省。文帝不許，遂不施行。”

《唐書·藝文志》：《隋開皇元年起居注》六卷。

按隋文帝以周大定元年二月甲子受禪即位，改大定爲開皇元年。至二十年十月，廢皇太子勇及太子諸子爲庶人，立晉王廣爲太子。明年，改元仁壽，仁壽四年七月丁未崩。此六十卷題曰開皇，則不及仁壽。《新唐書》僅存元年注記六卷。又按《王劭傳》：“劭在文帝時爲員外散騎侍郎，修起居注。”又云：“劭在著作將二十年，專典國史。”則出於劭爲多也。其後仁壽四年及煬帝大業十三年，恭帝義寧、皇泰首尾二年之注記，皆不著録，殆亡於江都之亂矣。

南燕起居注一卷

《史通·正史篇》：南燕有趙郡王景暉嘗事德超，撰《二主起居注》。

本志篇敍曰：“其僞國起居，唯《南燕》一卷，不可別出，附之
於此。”

右四十四部，一千一百八十九卷。實在著録四十二部，附著亡書十二部，通
計五十四部。

按此篇梁有亡書凡十二部，而不計其數。共後諸篇，亦或
計或不計，爲例不一，豈轉寫佚之歟？

又按《七録敍目》第二曰：“記傳録即史部也，所載無正史、
古史、雜史、起居注四類，唯有國史部二百一十六種，注歷
部五十九種。知本志於此四類，皆從隋代見存書目之例，
仍取《七録》。此兩部所有，附注於其間也。”又本志此四類著録，
並亡書合計少於《七録》。兩部所載，凡三十二部，而多出一千七卷。

又按本志所注梁有《永嘉、建興起居注》十三卷、《宋明帝在
藩注》三卷，《宋元徽起居注》二十卷、《昇明起居注》六卷、
《齊建元起居注》十二卷、《隆昌、延興、建武起居注》四卷、
《中興起居注》四卷，凡七部，章氏《考證》皆失載。

卷十六

史部六
舊事類

漢武帝故事二卷

不著撰人

晉葛洪《西京雜記》序曰："洪家復有《漢武帝禁中起居注》一卷、《漢武故事》二卷。世人希有之者，今并五卷爲一秩，庶免淪没焉。"并所鈔《西京雜記》二卷及《起居注》、《故事》三種爲一秩五卷也。

《唐書·經籍志》：《漢武故事》二卷。

《唐書·藝文志》：《漢武帝故事》二卷。

《宋史·藝文志》：班固《漢武故事》五卷。

《崇文總目》雜史類：《漢武故事》五卷，班固撰。本題二篇，今世誤析爲五卷。

宋晁載之《續談助鈔》：郭子橫《漢武洞冥記》跋曰："張柬之言昔葛洪造《漢武内傳》、《西京雜記》，王儉造《漢武故事》，並操觚鑿空，恣情迂誕，而學者就閱以廣聞見，亦各其志，庸何傷乎。"又曰："右鈔世所傳班固所撰《漢武故事》，其事與《漢書》時相出入而文不逮疑，非固所撰也。"

晁氏《讀書志》傳記類《漢武故事》一卷：世言班固撰，唐張柬之書。《洞冥記》後云《漢武故事》王儉造。

《四庫提要》小説家曰："《漢武故事》一卷，舊本題漢班固撰。然史不云固有此書。《隋志》著録傳記類中，按此偶誤爲傳記類也。

亦不云固作。晁公武引張柬之《洞冥記》跋謂出於王儉。唐初去齊、梁未遠，當有所考也。所言亦多與《史記》、《漢書》相出入，而雜以妖妄之語。然如《藝文類聚》、《三輔黄圖》、《太平御覽》諸書所引，甲帳珠簾、王母青雀、茂陵玉椀諸事稱出《漢武故事》者，乃皆無之。又《文選·西征賦》注引《漢武故事》二條，其一爲柏谷亭事，此本亦無之。其一爲衛子夫事，此本雖有之而文反略于李善之注。考《隋志》載此書二卷，諸家著録並同。錢曾《讀書敏求記》亦尚作二卷，稱所藏凡二本，一是錫山秦汝操繡石書堂本，一是陳文燭晦伯家本，又與秦本互異，今兩存之云云。今皆未見，此本爲明吳琯《古今逸史》所刻，併爲一卷，僅寥寥七八頁。蓋已刊削，非兩家之本矣。”

　　按此書爲葛稚川家所傳，而諸家著録，皆不考其所始。六朝人每喜鈔合古書，而王儉有《古今集記》，疑儉鈔入《集記》中，故張柬之以爲王儉造，殆亦不探其本意爲之説歟。兩《唐志》尚不云班固。稱班固者，自《崇文總目》始，則莫詳其所據矣。

西京雜記二卷

不著撰人。

晉葛洪序曰：“洪家世有劉子駿《漢書》一百卷，無首尾題目，但以甲、乙、丙、丁紀其卷數。先公傳云歆欲撰《漢書》，編録漢事，未得締構而亡，故書無宗本，止雜記而已，失前後之次，無事類之辨。後好事者以意次第之，始甲終癸，爲十秩，秩十卷，合爲百卷。洪家具有其書，試以此記考校班固所作，殆是全取劉書，有小異同耳。並固所不取，不過二萬許言。今鈔出爲二卷，名曰《西京雜記》，以裨《漢書》之闕。爾後洪家遭火，書籍都盡，此兩卷在洪巾箱中，常以自隨，故得猶在。劉

歆所記,世人希有,縱復有者多不備,足見其首尾參錯、前後
倒亂,亦不知何書;罕能全録。恐年代稍久,歆所撰遂没,並
洪家此書二卷,不知出所,故序之云爾。"

《唐書·經籍志》:《西京雜記》一卷,葛洪撰。又地理類重出一部。

《唐書·藝文志》:葛洪《西京雜記》二卷。又地理類重出一部,二卷。

《宋史·藝文志》傳記類:葛洪《西京雜記》六卷。

晁氏《讀書志》雜史類《西京雜記》二卷,晉葛洪撰。初序言:
洪家有劉子駿《漢書》百卷,乃當時欲撰史録事而未得締思,
無前後之次,雜記而已。後學者始甲乙之終癸爲十卷,以其
書校班史,殆全取劉書耳。所餘二萬許言,乃鈔撮之,析二
篇,以禈《漢書》之闕,猶存甲乙衰次。江左人或以吳均依託
爲之。

陳氏《書録解題》傳記類《西京雜記》六卷,晉句漏令丹陽葛洪
稚川撰。其卷末言:"洪家有劉子駿書百卷,先父傳之,歆欲
撰《漢書》,雜録漢事,未及而亡。試以此記考校班固所作,殆
是全取劉書,少有異同耳。固所不取,不過二萬餘言。今鈔
出爲二卷。"所謂"先父者",歆之於向也。而《館閣書目》以爲
洪父傳之,非是。按抱經堂校刊本作"先公傳云",且劉歆之時,未有《漢書》名
目,《館閣書目》所言是,陳氏之説非也。《唐·藝文志》亦只二卷,今六
卷者,後人分之也。按洪博聞深學,江左絶倫。所著書幾五
百卷,本傳具載其目,不聞有此書。而向、歆父子亦不聞其嘗
作史傳於世,使班固有所因述,亦不應全没不著也。殆有可
疑者,豈惟非向、歆所傳,亦未必洪之作也。

《四庫提要》小説家:"《西京雜記》六卷,舊題晉葛洪撰。黃伯
思《東觀餘論》稱此書中事皆劉歆所説,葛稚川采之,其稱余
者皆歆本文云云。今檢書後有洪跋,伯思所説蓋據其文。案
《隋志》載此書二卷,不著撰人名氏,指爲葛洪者,實起於唐,

故《唐·經籍志》注晉葛洪撰。段成式《酉陽雜俎·語資篇》云：'庾信作詩,用《西京雜記》事,旋自追改曰：此吴均語,恐不足用。'晁公武稱江左人或以爲吴均依託,蓋即據成式所載庾信語也。今考《晉書·葛洪傳》,載洪所著,並無《西京雜記》之名,則作洪撰者,自屬舛誤。特是向、歆父子作《漢書》,史無明文,是以陳振孫等皆深以爲疑,然庾信指爲吴均,别無他證。段成式所述信語,亦未見於他書。流傳既久,未可遽更,今姑從原跋,兼題劉歆、葛洪姓名,以存其舊。其中所述,雖多爲小説家言,而摭采緐富,取裁不竭。李善注《文選》、徐堅作《初學記》,已引其文；杜甫詩用事謹嚴,亦多采其語。詞人沿用數百年,久成故實,固有不可遽廢者焉。"

又《簡明目録》曰："舊本或題漢劉歆撰,或題晉葛洪撰,實則梁吴均撰,託言葛洪得劉歆《漢書》遺稿,録班固所不載者,爲此書也。"謹按此與《提要》所言吴均"未有他證"、"兼題劉歆、葛洪"之説不符,豈别有所據乎？然葛氏序末又附有《漢武禁中起居注》一卷、《漢武故事》二卷,與此雜記合爲一帙五卷,亦是吴均託言者歟？是必不然。

盧氏抱經堂校刊序曰："此書或以爲晉葛洪著,或以爲梁吴均撰,余則以此漢人所記無疑也。《説苑》、《新序》二書,皆在劉向前,向校而傳之後人,因名爲劉向撰。今此書之果出於劉歆,别無可考,即當以葛洪之言爲據。洪非不能自著書者,何必假名於歆？書中稱'成帝好蹴鞠,群臣以爲非至尊所宜。家君作彈棋以獻',此歆謂向家君也。洪奈何以一小書之故,至不憚父人之父,求以取信於世也耶。若吴均者,亦通人,其著書甚多,皆見於《梁書》本傳。知其亦必不屑託名於劉歆。且其文,即俊拔有古氣,要未可與漢西京埒,則其不出於均又明甚。《隋志》載此書於舊事,不著姓名。《新》、《舊唐書》始題葛洪,且入之地理類,似全未寓目也。夫冠以葛洪,以洪抄而傳之，猶《説苑》、《新序》之稱劉向，固亦無害。其文則非洪所自撰，凡虚文可以僞爲，實事難以空造，如梁王之集游士爲賦，廣川王之發冢藏所得，豈皆虚耶？至陳振孫疑向、歆父子不聞作史，此又不然。歷朝撰造哀然成編，所云百卷，特前史官之舊，向傳之歆，歆欲編録而未成。其見於洪之序者如此，本不謂其父子皆嘗作史也。洪以爲本之劉歆，則吾亦從而劉歆之耳。又何疑焉？"

按《書録解題》謂向、歆父子不聞作史，雖博雅如杭東里人者，亦信其説而不以爲非。按《史記·匈奴傳》末索隱引張晏云："自狐鹿孤單于已下，皆劉向、褚先生所録。班彪又撰而次之，所以《漢書·匈奴傳》有上、下二卷。"此劉向嘗續《匈奴傳》也。《漢書·地理志》云："成帝時，劉向略言其地分，丞相張禹使屬潁川朱贛條其風俗，猶未宣究。"此劉向撰《地理分野》，爲《地理志》之始基。《史通·史官篇》云："司馬遷既没，後之續《史記》者，若褚先生、劉向、馮商、揚雄之徒，並以別職來知史務。"則劉向亦嘗領史職，而馮商爲向弟子，頗著列傳，見《藝文志》春秋家。《史通·正史篇》又云："《史記》所書，年止漢武，太初以後，闕而不録。其後劉向、向子歆及馮商等，相次撰續，迄於哀、平間，猶名《史記》。至建武中，司徒掾班彪以爲不足踵前史。又雄、歆褒美僞新，誤後惑衆，不當垂之後代。"《後漢書·班彪傳》亦云："司馬遷之後，好事者頗或綴集時事。"章懷注曰："好事者，謂揚雄、劉歆之徒也。"此皆非向、歆父子作史之明證乎？陳氏謂不聞作史傳於世，特今不傳耳。若兩漢之際、二班之時，其史見在，即列朝相傳之國史，爲彪、固之所依據者也。歆本傳云"爲羲和京兆尹，典儒林史卜之官"，則凡褚少孫以下，《史通》所舉十五家之補續，至劉歆時，皆典領之。

葛稚川家所得，乃其草具未修之初稿，猶班彪有《別録》、蔡邕集漢事之類。稚川深於三史之學，有《史記》、《兩漢書鈔》七十餘卷，_{見前雜史類}。故能知其梗概。鈔班書之所無者，以爲此記，其中亦有數條，如趙飛燕女弟居昭陽殿之類；見班《書》而刊除不盡者，武帝欲殺乳母一事，亦見褚少孫所補《滑稽列傳》中。是實爲稚川所録，盧學士之序可爲定論，毋庸疑也。

漢魏吳蜀舊事八卷

不著撰人。

《唐書·經籍志》：《漢魏吳蜀舊事》八卷。_{《藝文志》同。}

章氏《考證》：《北堂書鈔·設官部》引《漢故事》，《衣冠部》引《魏舊事》。《太平御覽·職官部》引《魏故事》。《初學記·中宮部》、《書鈔·設官部》、《御覽·兵部》、《晉書·禮志》並引《漢魏故事》。又《水經·溫水注》引《江東舊事》。《魏志》紀傳諸注，引《魏武故事》。

按此不知何人集兩漢、三國舊事，以爲一編。《唐·藝文志》載《漢建武故事》三卷，《永平故事》二卷。本志不著録，似即此《漢舊事》之別本，或即此八卷中佚出者。

晉朝雜事二卷

不著撰人。

《唐書·經籍志》：《晉朝雜事》二卷。_{《藝文志》同。}

章氏《考證》：《北堂書鈔·天部》、《歲時部》，《初學記·政理部》，《御覽·天部》、《時序部》、《人事部》、《刑法部》、《舟部》、《獸部》共引《晉朝雜事》，凡十三事。

按《梁書·處士傳》："庾詵字彥寶，新野人也。幼聰警篤學，經史百家，無不該綜。高祖少與詵善，普通中，詔爲黃門侍郎，稱疾不赴。中大通四年卒，詔謚貞節處士。所撰《帝曆》二十卷、《晉朝雜事》五卷、《總鈔》八十卷，行於世。

子曼倩，曼倩子季才。"此二卷，似即庾詵之殘本歟？

晉宋舊事一百三十五卷

不著撰人。

《唐書·經籍志》：《晉宋舊事》一百三十卷。《藝文志》同。

章氏《考證》：《初學記·歲時部》、《服食部》，《御覽·時序部》、《服章部》並引《晉宋舊事》。

　按舊事即故事。故事自東漢以來，皆録在尚書。《宋書·張茂度傳》："茂度子永，爲尚書中兵郎。先是，尚書中條制緐雜。元嘉十八年，欲加治撰，徙永爲删定郎，掌其任。"是永嘗删定尚書故事，疑即是書。其稱晉宋者，殆起於晉以來之條制歟？

晉要事三卷

不著撰人。

《唐書·藝文志》：《晉要事》三卷。

章氏《考證》：《初學記·中宮部》，《書鈔·設官部》、《儀飾部》，《御覽·服章部》並引《晉氏要事》各一事。

　按《舊唐志》有《晉故事》三卷，亦無名氏，似即此書。《新唐志》又别有《晉氏故事》三卷，似重出。

晉故事四十三卷

不著撰人。

本志篇敍曰："漢時，蕭何定律令，張倉制章程，叔孫通定儀法，條流派别，制度漸廣。晉初，甲令已下，至九百餘卷，晉武帝命車騎將軍賈充，博引群儒，删采其要，增律十篇。其餘不足經遠者爲法令，施行制度者爲令，品式章程者爲故事，各還其官府。搢紳之士，撰而録之，遂成篇卷。"又刑法篇序云："晉初賈充、杜預删定，有律有令有故事。"

《晉書·刑法志》曰："賈充等撰律令，兼删定當時制詔之條，爲故事三十卷,與律令並行。"

《唐書·經籍志》:《晉故事》四十三卷。《藝文志》同。

章氏《考證》:"《初學記·寶器部》、《太平御覽·珍寶部》並引《晉故事》。"又曰:"《晉書·禮志》引咸寧三年武皇帝故事。"

　　按《晉書·刑法志》云:"其常事、品式、章程,各還其府,爲故事。"又曰:"凡律令六十卷、故事三十卷。泰始三年,事畢表上。"是晉初賈、杜所定者,止三十卷。此四十三卷,殆後續修增益,亦莫詳其爲完書否也。

晉建武故事一卷

不著撰人。

《唐書·經籍志》:《晉建武已來故事》三卷。《藝文志》同。

章氏《考證》:《初學記·武部》"王敦死,祕不發喪"云云,《御覽·兵部》同。《藝文類聚·菓部》、《獸部》引咸和六年合一事,《御覽·獸部》引咸和七年一事,並稱《晉建武故事》。愚按王敦死在太寧二年,餘三事皆在咸和,而入《建武故事》,未審其義。《唐志》三卷,無"晉"字。按《新唐志》三卷,無晉字者,乃漢之《建武故事》在應劭《漢朝駁》、《漢諸王奏事》之前,此《晉建武以來故事》三卷,在下文也。

　　按元帝爲晉王,改元建武。明帝即位,改元太寧。成帝改元咸和。兩《唐志》所載,並云《建武已來故事》三卷,蓋其書不止建武一年之事,故諸書所引,有太寧、咸和時事。此一卷題《建武故事》,非其全也。《成帝本紀》:"咸康六年秋七月乙卯,初依《中興故事》,朔望聽政於東堂。"《中興故事》即此書。

晉咸和咸康故事四卷　晉孔愉撰

《晉書》本傳:愉字敬康,會稽山陰人也。吳平,遷於洛,惠帝末,歸鄉里。建興初,始出,應元帝召,爲丞相掾,仍除附馬都尉，參丞相軍事。以討華軼功，封餘不亭侯。帝爲晉王，使長兼中書郎，累遷尚書僕射，後爲會稽內史。棄官，居山陰湖南侯山。年七十五，咸康八年卒，謚曰貞。三子誾、汪、安國。

《唐書·經籍志》：《晉建武、咸和、咸康故事》四卷，孔愉撰。一本誤作俞。

《唐書·藝文志》：孔愉《晉建武、咸和、咸康故事》四卷。

曲阜孔繼汾《闕里文獻考》曰："古者朝廷之政令，百司奉之，藏於官府，各修其職，守而弗忘。《春秋傳》曰'吾視諸故府'，則其事也。二十五代孫晉餘不亭侯愉，有《晉建武、咸和、咸康故事》四卷。"

　　按本志但題咸和、咸康，兩《唐志》則並題建武。蓋東晉元、明、成三朝之故事與前之《建武已來故事》三卷，大抵略同，惟此多一卷耳。本傳不載是書，當是官尚書時所集錄。

晉修復山陵故事五卷　　車灌撰

《晉書·穆帝本紀》：永和十二年三月，姚襄入於許昌，以太尉桓溫爲征討大都督，以討之。秋八月己亥，桓溫及姚襄戰於伊水，大敗之。襄走平陽，徙其餘衆三千餘家於江漢之間，執周成而歸。使揚武將軍毛穆之，督護陳午，輔國將軍、河南太守戴施鎮洛陽。十一月，遣兼司空散騎常侍車灌、龍驤將軍袁真等持節如洛陽，修五陵。十二月庚戌，以有事於五陵，告於太廟，帝及群臣皆服緦，於太極殿臨三日。

又《叛逆·桓溫傳》：溫欲修復園陵，移都洛陽，表疏十餘。上不許，進溫征討大都督，委以專征之任。溫自江陵北伐，師次伊水。姚襄屯水北，距水而戰。溫結陣而前，親被甲督弟沖及諸將奮擊，襄大敗，自相殺死者數千人。越北芒而西走，追之不及，遂奔平陽。溫屯故太極殿前，徙入金墉城，謁先帝諸陵，陵被侵毀者，皆繕復之，兼置陵令，遂旋軍。

《通鑑輯覽》：永和十二年秋八月，桓温敗姚襄於伊水，遂入洛陽，修謁諸陵，置戍而還。冬十一月，遣司空車灌如洛陽修五陵。注宣、景、文、武、惠五帝陵也。

《唐書·經籍志》：《修復山林故事》五卷，車灌撰。"林"當爲"陵"，一本誤作"東灌"。

《唐書·藝文志》：車灌《修復山陵故事》五卷。

章氏《考證》："《初學記·服食部》，《太平御覽·文部》、《服用部》、《器物部》、《布帛部》、《資産部》並引《修復山陵故事》。《唐志》卷同。

按晉五陵者，宣帝高原陵、景帝峻平陵、文帝崇陽陵、武帝峻陽陵、惠帝太陽陵也。其見於本紀者，元帝大興二年春正月丁卯，崇陽陵毀。五月癸丑，太陽陵毀。穆帝永和七年九月，峻陽、太陽二陵崩。八年二月，峻平、崇陽二陵崩。帝皆素服，哭臨三日，亦累詔遣使修復。至是，車灌以本官兼司空奉使，乃集爲故事。灌嘗爲豫章太守，有集五卷，見别集類，他始末未詳。

交州雜事九卷。 記士燮及陶璜事。

不著撰人。

士燮有《春秋左氏經注》，見經部春秋類。

《吳志》本傳：燮弟壹，領合浦太守，次弟䵋，領九真太守。䵋弟武，領海南太守。兄弟並爲列郡，雄長一州，偏在萬里，威尊無上。出入鳴鍾磬，備具威儀，笳簫鼓吹，車騎滿道，胡人夾轂焚燒香者常有數十。妻妾乘輜軿，子弟從兵騎，當時貴重，震服百蠻，尉佗不足論也。燮董督七郡，在郡四十餘歲。黄武五年卒，孫權以交阯縣遠，乃分合浦以北爲廣州，吕岱爲刺史。交阯以南爲交州，戴良爲刺史。又遣陳時代燮爲交阯太守，而燮子徽自署交阯太守，發宗兵拒良，吕岱被詔誅徽。

徽兄弟六人,皆伏誅。壹、鮨及壹子匡後出,權原其罪,及燮質子廞,皆免爲庶人。數歲,壹、鮨坐法誅。廞病卒,無子,妻寡居,詔在所月給俸米,賜錢四十萬。

《晉書·陶璜傳》:璜字世英,丹陽秣陵人也。父基,吳交州刺史。璜仕吳,歷顯位。孫晧時,爲使持節、都督交州諸軍事、前將軍、交州牧。武平、九德、新昌土地阻險,夷獠勁悍,歷世不賓,璜征討,開置三郡,及九真屬國三十餘縣。晧既降晉,手書遣璜息融勑璜歸順。璜流涕數日,遣使送印綬詣洛陽。帝詔復其本職,封宛陵侯,改爲冠軍將軍。在南三十年,威恩著於殊俗。及卒,舉州號哭,如喪慈親。後璜子蒼梧太守威領刺史,在職甚得百姓心。威弟淑,子綏,後並爲交州。自基至綏四世,爲交州者五人云。

《唐書·經籍志》:《交州雜故事》九卷。《藝文志》同。

章氏《考證》:《藝文類聚·雜器物部》、《初學記·政理部》、《太平御覽·器物部》並引《交州雜事》各一事。《唐志》作《雜故事》,卷同。按此所引皆太康四年刺史陶璜表送林邑王范熊所獻方物,連綴其文,實止一事也。

晉八王故事十卷

不著撰人。

《晉書·汝南王亮、楚王瑋、趙王倫、齊王冏、長沙王乂、成都王穎、河間王顒、東海王越列傳》序曰:"有晉諸王,或出擁旄節,蒞嶽牧之榮;或入踐台階,居端揆之重。然而付託失所,受任乖方,政令不恒,賞罰斯濫。或有才而不任,或無罪而見誅,朝爲伊、周,夕爲莽、卓。機權失於上,橫亂作於下。楚、趙諸王,相仍搆釁,徒興晉陽之甲,竟匡勤王之師。遂使昭陽興廢,有甚弈棊;乘輿幽縶,更同羑里。胡羯陵侮,宗廟丘墟,良可悲也! 向使八王之中,一藩繫賴,如梁王之禦大敵,若朱

虛之除大憝,則外寇焉敢憑陵,內難奚由竊發?縱令天子暗
劣,鼎臣奢放,雖或顛沛,未至土崩。"又曰:"西晉之政亂朝
危,雖由時主,然而煽其風、速其禍者,咎在八王。"又曰:"自
惠皇失政,難起蕭牆,骨肉相殘,黎元塗炭,胡塵驚而天地閉,
戎兵接而宗廟隳,支屬肇其禍端,戎羯乘其間隙,悲夫!《詩》
所謂'誰生厲階,至今爲梗',其八王之謂矣。"

又《武十三王列傳》贊曰:"重以八王繼亂,九服沸騰。嗚呼列
代之崇建維城,用藩王室;有晉之分封子弟,實樹亂階。"

《唐書·經籍志》:《晉八王故事》十二卷,盧綝撰。

《唐書·藝文志》:盧綝《晉八王故事》十二卷。

章氏《考證》:《世說·方正篇》、《雅量篇》、《言語篇》、《賞譽
篇》、《品藻篇》、《容止篇》、《賢媛篇》、《輕詆篇》、《尤悔篇》諸
注,《水經·河水注》,《史記·項羽紀》索隱,《文選·舞鶴賦》
注,《北堂書鈔·藝文部》,《設官部》,《元和郡縣志·河南
道》,《太平寰宇記》,《太平御覽·服章部》,《羽族部》並引《晉
八王故事》。《唐志》十二卷,題盧綝撰。

　　按汪師韓《文選注引書目》有《晉氏八王故事》,又有《八王
故事注》,則書中有注文。

晉四王起事四卷　晉廷尉盧綝撰

《晉書·盧欽傳》:欽,范陽涿人也。祖植,漢侍中。父毓,魏
司空。欽子珽,珽子志,志兄子綝,志長子諶。按綝當惠帝時,嘗與
志侍帝於蕩陰敗績之後者,史不言其何官。諶有集,見別集類。

《晉書·熊遠傳》:遠爲御史中丞,時尚書刁協用事,眾皆憚
之。尚書郎盧綝將入直,遇協於大司馬門外。協醉,使綝避
之,綝不迴。協令威儀牽捽墜馬,至協車前而後釋。遠奏免
協官。"

《唐書·經籍志》:《四王起居》四卷,盧綝撰。"居"當爲"事"。

《唐書·藝文志》：盧綝《晉八王故事》十二卷，又《晉四王起事》四卷。

章氏《考證》：《水經·蕩水注》，《北堂書鈔·衣冠部》、《酒食部》，《御覽·兵部》、《服章部》、《服用部》、《器物部》、《珍寶部》、《布帛部》、《飲食部》、《果部》並引《晉四王起事》。《御覽·兵部》又引一事，與《八王故事》同。

按諸書所引，多惠帝征成都王穎六車敗績於蕩陰之事，似所謂四王者，爲齊王冏、成都王穎、河間王顒、長沙王乂。惠帝永寧元年，趙王倫篡位，四王同起兵以討之者也。後皆自相吞滅，死於非命。又《晉書·八王傳》序曰"趙倫、齊冏之輩，河間東海之徒，家國俱亡，身名並滅"云云，豈又此四王歟？不得而詳矣。《晉書·八王傳》所載，殆即據此兩書。《唐志》謂兩書皆盧綝所撰，而《八王故事》多出二卷，則本志記載未審也。盧綝惟見盧《志》、《熊遠傳》各一事，此殆其爲廷尉時而作，他始末未詳。

大司馬陶公故事三卷

不著撰人。

《晉書·陶侃傳》：侃字士行，本鄱陽人也。吳平，徙家廬江之尋陽。成帝時，累官使持節、侍中、太尉、都督荊、江、雍、梁、交、廣、益、寧八州諸軍事，荊、江二州刺史，封長沙郡公。年七十六薨，贈大司馬，策謐曰桓。侃在軍四十一載，雄毅有權，明悟善決斷。自南陵迄於白帝數千里中，路不拾遺。時武昌號爲多士，殷浩、庾翼等皆爲佐吏。尚書梅陶曰："陶公機神明鑒似魏武；忠順勤勞似孔明，陸抗諸人不能及也。"謝安每言："陶公雖用法，而恒得法外意。"

又《成帝本紀》：咸和九年六月乙卯，太尉長沙公陶侃薨。辛未，加平西將軍庾亮都督江、荊、豫、益、梁、雍六州諸軍事。

《唐書・經籍志》：《大司馬陶公故事》三卷。《藝文志》同。

章氏《考證》：《北堂書鈔・酒食部》、《御覽・兵部》、《器物部》並引《陶公故事》。《書鈔》、《類聚》作陶侃。

郗太尉爲尚書令故事三卷　"郗"當爲"郄"。

不著撰人。

《晉書・郄鑒傳》：鑒字道徽，高平金鄉人。漢御史大夫慮之玄孫也。元帝初，鎮江左，承制假鑒龍驤將軍、兗州刺史。明帝初即位，王敦專制，表爲尚書令，鑒遂與帝謀滅敦，以尚書令領諸屯營，封高平侯，更封南昌縣公，進位太尉，年七十一薨，贈太宰，謚曰文成。

又《成帝本紀》：咸康五年八月辛酉，太尉南昌公郄鑒薨。

《唐書・經籍志》：《郄太尉爲尚書令故事》二卷。

《唐書・藝文志》：《郗太尉爲尚書令故事》二卷。"郗"亦當爲"郄"。

桓玄僞事三卷

不著撰人。

桓玄有《繫辭注》，見經部易類。

《晉書・安帝本紀》：隆安二年秋七月，兗州刺史王恭、豫州刺史庾楷、荊州刺史殷仲堪、廣州刺史桓玄、南蠻校尉楊佺期等舉兵反。八月，桓玄大敗王師於白石。九月，加太傅會稽王道子黃鉞，遣征虜將軍會稽王世子元顯等討桓玄，破庾楷於牛渚，斬王恭。於是遣太常殷茂喻仲堪及玄，玄等走於尋陽。冬十月壬午，仲堪等盟於尋陽，推桓玄爲盟主。三年十二月，桓玄襲江陵，殷仲堪、楊佺期並遇害。元興元年春正月，以後將軍元顯爲征討大都督，以討桓玄。二月丁卯，桓玄敗王師於姑孰。三月辛未，王師敗績於新亭，元顯等並遇害。壬申，桓玄自爲侍中、丞相、錄尚書事。俄，又自稱太尉、揚州牧，總百揆。二年秋八月，玄又自號相國、楚王。冬十一月壬午，玄遷帝於永安宮，癸未，移太廟神主於琅琊國。十二月壬辰，玄篡位，以帝爲平固王。辛亥，帝蒙塵於尋陽。三年春二月，建武將軍劉裕等舉義兵。三月乙未，玄衆潰而逃。五月癸酉，冠軍將軍劉毅及桓玄戰於崢嶸洲，又破之。壬午，督護馮遷斬玄於貊盤洲，乘輿反正於江陵。

《唐書·經籍志》：《桓公僞事》二卷，應德詹撰。一本云應德擔志。

《唐書·藝文志》僞史類：《桓玄僞事》二卷。

章氏《考證》：《初學記·文部》、《太平御覽·文部》並引《桓玄僞事》。

　　按《舊唐志》題應德詹，一云德擔。不詳何人。

晉東宮舊事十卷

不著撰人。

《宋書·張邵傳》：桓玄篡位，邵父敞先爲尚書，以答事微謬，降爲廷尉卿。及武帝討玄，邵白敞表獻誠款，帝大悦，命署其門曰：“有犯張廷尉者，以軍法論。”後以敞爲吳郡太守。

又《張茂度傳》：“茂度，吳郡吳人。張良後也。父敞，晉侍中、尚書、吳國内史。”《南史》云：“張裕字茂度，父敞，晉侍御史、度支尚書、吳國内史。”

《顏氏家訓·書證篇》：或問曰：“《東宮舊事》，何以呼鴟尾爲祠尾？”答曰：“張敞者，吳人，不甚稽古，隨宜記注，逐鄉俗訛謬，造作書字耳。吳人呼祠祀爲鴟祀，故以祀代鴟字，諸如此類，專輒不少。”又問“《東宮舊事》六色罽緂，是何等物？當作何音”云云。

《唐書·經籍志》：《東宮舊事》十一卷，張敞撰。

《唐書·藝文志》：張敞《東宮舊事》十卷。

章氏《考證》：《初學記》諸書引《東宮舊事》，多載皇太子初拜、太子納妃所用器物。其文甚瑣，不足具録。《顔氏家訓》所記諸字，今逸篇中俱未見，惟《藝文類聚·禮部》引太子正會儀、《御覽·皇親部》引太元二十八年皇太子納妃二事，可與《晉書·禮志》補缺。《後漢書·劉盆子傳》注引一事，作《東宮故事》。

秦漢已來舊事十卷

不著撰人。

《唐書·經籍志》：《秦漢已來舊事》八卷。《藝文志》同。

按《唐藝文志》以是書爲是類之首，大抵與《漢魏吳蜀舊事》皆六朝以來故府相傳之舊笈，疑賈、杜删削之餘，爲當時所不用者。章氏《考證》以《初學記·器物部》及《白帖》卷十四所引有王朗秦故事一條，或以爲秦故事出於是書，並疑是書爲王朗所撰。然考其文乃言"元日朝賀端門，及殿下設百華燈樹"之事，不必定是秦制。疑王朗奏故事之誤，非秦故事也。

尚書大事二十卷　　范汪撰

范汪有《祭典》，見經部三禮類。

《唐書·經籍志》：《尚書大義》二十一卷。不著撰人，又"大義"當爲"大事"。

《唐書·藝文志》：范汪《尚書大事》二十一卷。

章氏《考證》：《唐志》二十一卷，《北堂書鈔·儀飾部》引納后禮文。《太平御覽·禮儀部》尚書符太常問釋奠祀先聖，太常王彪之答，凡二事。

按范汪爲范寧之父。《晉書》本傳皆不載其所著。考汪由武陵内史徵拜中書侍郎。《初學記·職官》載中書之職出納帝命，掌尚書奏事。又引《宋志》云魏黄初間，中書置通事郎，次黄門郎。黄門郎已署過，通事乃署名，帝省讀書可。晉改通事郎爲中書侍郎，東晉又改爲通事郎，尋復爲

中書郎，以後因之。則大抵爲中書侍郎時記其事之大者，
爲是書也。

沔南故事三卷　應思遠撰

《晉書·應詹傳》："詹字思遠，汝南南頓人。魏侍中璩之孫。
鎮南大將軍劉弘，詹之祖舅也，請爲長史，謂之曰：'君器識弘
深，後當代老子於荊南矣。'仍委以軍政。弘著績漢南，詹之
力也。遷南平太守。假詹督南平、天門、武陵三郡軍事。及
洛陽傾覆，天門、武陵、溪蠻並反，詹討降之。時政令不一，諸
蠻怨望，並謀背叛。詹召蠻酋，破銅券與盟，由是懷詹，數郡
無虞。其後天下大亂，詹境獨全。百姓歌之曰：'亂離既普，
殆爲灰朽。僥倖之運，賴茲應后。歲寒不凋，孤境獨守。拯
我塗炭，惠隆丘阜。潤同江海，恩猶父母。'咸和六年卒，年五
十三，諡曰烈。"又《成帝本紀》："咸和元年秋七月癸丑，使持
節、都督江州諸軍事、江州刺史、平南將軍、觀陽伯。應詹卒，
八月，以給事中、前將軍、丹陽尹溫嶠爲平南將軍、假節、都
督，江州刺史。"

《唐書·經籍志》：《江南故事》三卷，不著撰人。

《唐書·藝文志》：應詹《江南故事》三卷。

章氏《考證》：《唐志》有應詹《江南故事》三卷，《通志略》兩載
之，"江南"作"征南"。

天正舊事三卷釋撰亡名　按當是"釋亡名撰"。

《梁書·簡文本紀》："大寶二年八月戊午，侯景遣衛尉卿彭
儁、廂公王僧貴率兵入殿，廢太宗爲晉安王，幽於永福省。矯
爲太宗詔，禪於豫章王棟，大赦，改年。"又《侯景傳》："景廢太
宗，迎豫章王棟即皇帝位，改元爲天正元年。"

《南史·梁武諸子傳》：昭明太子長子、華容公歡封豫章郡王，
薨，子棟嗣。棟字元吉，及簡文見廢，侯景奉以爲主，年號天

正。未幾,行禪讓禮。棟封淮陰王,及二弟橋、樛並鎖於密室。景敗走,兄弟相扶出。元帝別勅宣猛將軍朱買臣使行忍酷,並沈於水。

《梁書·武陵王紀傳》:紀字世詢,高祖第八子也。爲使持節、都督益、梁等十三州諸軍事、安西將軍、益州刺史。及太清中侯景亂,紀不赴援,高祖崩後,紀乃僭號於蜀,改年曰天正。永豐侯撝謂所親曰:"昔桓玄年號大亨,識者謂之二月了,而玄之敗實在仲春。今年曰天正,在文爲一止,其能久乎?"又曰:"紀年號天正,與蕭棟暗合,僉曰天字二人也,正字一止也。"棟紀僭號各一年而滅。

《唐書·藝文志》:僧亡名《天正舊事》三卷。

按梁代豫章、武陵二王皆改元曰天正,此大抵記其事跡。

本志別集類有《後周沙門釋亡名集》十卷,本姓宋,名闕,南郡人。嘗仕梁元帝,梁亡出家。此書蓋即其所作歟?

皇儲故事二卷

不著撰人。

按《藝文類聚·儲宮部》所載,疑皆出於是書。

梁舊事三十卷　內史侍郎蕭大環撰　錢氏《考異》曰:"環當作圜。"

蕭大圜有《淮海亂離志》,見前古史類。

《周書》本傳:大圜性好學,務於著述,撰《寓記》三卷、《士喪儀注》五卷、《要決》兩卷、《梁舊事》三十卷。

《唐書·藝文志》:蕭大圜《梁魏舊事》三十卷。

章氏《考證》:《唐志》作《梁魏舊事》,《太平寰宇記·江南道》引三事,並作《梁陳舊事》。

東宮典記七十卷　左庶子宇文愷撰

《隋書》本傳:愷字安樂,本朔方人,徙京兆杜國,公忻之弟也。在周以功臣子封安平郡公。好學博覽書記,解屬文,多伎藝。

入隋，拜太子左庶子。煬帝時，爲工部尚書，進位開府金紫光祿大夫，年五十八卒官，謚曰康。

又《陸爽傳》：爽字開明，魏郡臨漳人也。仕齊，入周，至高祖受禪，轉太子洗馬，與左庶子宇文愷等撰《東宮典記》七十卷。開皇十一年卒官，時年五十三。子法言，敏學，有家風。

《唐書·經籍志》：《東宮典記》七十卷，宇文愷等撰。一本作"宇文禮等志"，誤也。

《唐書·藝文志》儀注類：陸開明、宇文愷《東宮典記》七十卷。

開業平陳記二十卷

不著撰人。

《隋書·裴矩傳》：矩字弘大，河東聞喜人。仕齊，入周，參高祖相府記室事。及受禪，爲給事郎，奏舍人事。伐陳之役，領元帥記室，既破丹陽，晉王廣令矩與高熲收陳圖籍，賜爵聞喜縣公。後歸唐，授左庶子，轉詹事，民部尚書。

《舊唐書》本傳：矩年且八十而精爽不衰，以曉習故事，甚見推重。貞觀元年卒，謚曰敬。撰《開業平陳記》十一卷，行於代。

《唐書·經籍志》雜史類：《隋開業平陳記》十二卷，裴矩撰。

《唐書·藝文志》雜史類：裴矩《隋開業平陳記》十二卷。

《册府元龜·國史部·采申譔篇》：裴矩爲吏部尚書，撰《開皇平陳記》十二卷。

章氏《考證》：《唐志》十二卷，入雜史類。《通鑑·隋記考異》引平陳記一事。

右二十五部，四百四卷。此著錄部數不誤，附著無。

按《七錄序目·記傳錄第三》曰："舊事部凡八十七種，一百二十七帙，一千三十八卷。"本志據見存載二十五部，其中如《天正舊事》、《梁書事》、《東宮典記》、《開業平陳記》四種，必非《七錄》所有，其或見於《七錄》者，大抵不過二十一種耳,尚有六十六種,本篇無一部附出,據後《職官篇》所云,乃盡削之矣。

又按無名氏《皇儲故事》二卷,章氏《考證》失載。又是類,本志列史部第六,章氏乃改列第九。以下諸類,皆不從本志編次,未詳其旨,豈欲以此示別裁乎? 抑校刊之誤也?

卷十七

史部七

職官類　<small>類中分類凡三。</small>

漢官解詁三篇　漢新汲令王隆選　胡廣注

《後漢書·文苑傳》：王隆字文山，馮翊雲陽人也。王莽時，以父任爲郎，後避難河西，爲竇融左護軍。建武中，爲新汲令。

又《胡廣傳》：廣字仁始，南郡華容人也。爲郡散吏。安帝時，太守法雄舉爲孝廉，拜尚書郎，五遷尚書僕射，後以定策立桓帝，封育陽安樂鄉侯。廣自在公台三十餘年，歷事六帝，禮任甚優，每遜位辭病，及免退田里，未滿歲，輒復升進。凡一履司空，再作司徒，三登太尉，又爲太傅。其所辟命，皆天下名士。與故吏陳蕃、李咸並爲三司。時人榮之。年八十二，熹平元年薨，謚文恭侯。自終及葬，漢興以來，人臣之盛，未嘗有也。作《百官箴》四十八篇，其餘所著詩賦及諸解詁凡二十二篇。

《續漢·百官志》序：故新汲令王隆作《小學漢官篇》。劉昭曰："案胡廣注隆此篇，曰：'顧見新汲令王文山小學爲《漢官篇》，略道公卿内外之職，旁及四夷，博物條暢，多所發明，足以知舊制儀品，蓋法有成易，而道有因革，是以聊集所宜，爲作詁解，各隨其下，綴續後事，令世施行，庶明厥旨，增助來哲多聞之覽焉。'"

《唐書‧經籍志》：《漢官解故事》三卷。

《唐書‧藝文志》：王隆《漢官解詁》三卷，胡廣注。

陽湖孫星衍輯本序曰："《隋志》《漢官解詁》三篇，漢新汲令王隆撰，胡廣注。《唐志》作三卷，《後漢書‧胡廣傳》所著詩賦、銘頌、箴弔及諸解詁凡二十二篇，不言此書卷數。《續漢志補注》引廣注，述此書始末極詳。王隆《漢官篇》仿《凡將》、《急就》，四字一句，故在小學中。今以隆書爲正文，列廣注於下，末附胡廣漢制度十條。"又《孫祠書目》曰："胡廣《漢官解詁》一卷，星衍集刊本。"

按此即《胡廣傳》所謂諸解詁若干篇之一，當時編入本集二十二卷中。《御覽》二百廿一引《胡廣集》曰："給事中常侍從左右，無員位次，侍中常侍或名儒，或國親。"其文即《漢官解詁》也。

又按本志題《漢官解詁》，王隆撰，胡廣注。篇序亦云漢末王隆作《漢官解詁》，諸書引文多以謂廣注《漢官解詁》。《御覽》稱王隆《漢官解詁》，又稱胡廣注《漢官解詁》。汪氏師韓《文選注引書目》云："《漢官解故》王隆撰，《漢官解故注》，胡廣撰。"豈王隆本自有解詁，胡廣又從而詁解歟？竊疑其不然。

漢官五卷　應劭注

應劭有《漢書集解》，見前正史類。

《唐書‧藝文志》："應劭《漢官》五卷。"

宋高似孫《史略》曰："《漢官》，不知何人作，應劭所注，舊五卷，今存其一。"

《通志‧藝文略》：《漢官》五卷，應劭注，今存一卷。按今存一卷者，見《書錄解題》，乃應劭《漢官儀》，非《漢官注》也。

孫星衍輯本序曰："《隋志》《漢官》五卷，應劭注。《續漢志》劉昭補注引《漢官》，不標名應劭者，悉是目錄，不知何人所撰，別爲一卷，以存其舊。按《續漢志》注又引《漢官》名帙，當亦在是書，或以爲在《漢官儀》中。

侯康《補後漢藝文志》曰：“按《隋志》於《漢官》稱應劭注，《漢官儀》稱應劭撰，疑《漢官》即王隆《小學篇》，劭與胡廣皆有注也。本傳但指其自撰者，故祇有一書。”謂祇有《漢官禮儀故事》，即《漢官儀》也，見後。

按《初學記》十二引《漢官》應劭注，《御覽》二百廿九引應劭《漢官》注，一百六十四引應劭《漢官解詁》，似劭注胡廣書，故亦稱解詁，是注《漢官解詁》者應劭，非胡廣也。諸稱胡廣注解詁，或因是而傳譌歟？又《南齊書·禮志》序曰：“胡廣撰《舊儀》，應劭、蔡質咸綴識時事，此舊儀之一也。”

漢官儀十卷　應劭撰

《後漢書》本傳：建安二年，詔拜劭爲袁紹軍謀校尉。時始遷都於許，舊章堙没，書記罕存，劭慨然歎息，乃綴集所聞，著《漢官禮儀故事》，凡朝廷制度、百官典式，多劭所立，又爲《狀人紀》，著《中漢輯序》，撰《風俗通》，凡所著述，百三十六篇。

《續漢書》曰：“劭又著《中漢輯序》、《漢官儀》及《禮儀故事》，凡十一種，百三十六卷。朝廷制度、百官儀式所以不亡者，由劭記之。”按《漢官儀》蓋其十一種之一也。建安之初，劭在鄴依袁紹，不在許下。范書云：“制度典式多劭所立，一若身親其事者。”司馬彪書云：“所以不亡者，由劭記之。”則明顯多矣。十一種之書，今多不可考。

《南齊書·百官志》序：“胡廣《舊儀》事，惟簡撮；應劭官典，殆無遺憾。”又《禮志》序曰：“胡廣撰《舊儀》，應劭、蔡質咸綴識時事。”

《唐日本國見在書目》：“《漢官職》十卷，漢應劭撰。

《唐書·經籍志》：《漢官儀》十卷，應劭志。

《唐書·藝文志》：應劭《漢官》五卷，《漢官儀》十卷。

《宋史·藝文志》：應劭《漢官儀》一卷。《崇文總目》同。

陳氏《書錄解題》：《漢官儀》一卷，後漢軍謀校尉、汝南應劭仲遠撰。按《唐志》有《漢官》五卷，《漢官儀》十卷，今惟存此一卷，載三公官名及名姓、州里而已，其全書亡矣。李埴、季允嘗續補一卷。

《玉海·藝文類》：《漢官儀》十卷，《中興書目》云：“今存一卷，載光武以來三公百官名氏。”按此似即《續漢·百官志》注所引應劭《漢官名帙》也。

章氏《考證》：《續漢·禮儀志》注引應劭《漢官儀》所載馬第伯《封禪儀記》。《宋書·禮志》引應劭《漢官·鹵簿圖》。《唐六典》注數引《漢官儀·鹵簿篇》，此其分篇可見者。

侯康《補後漢書藝文志》：《續漢·百官志》注引應劭《漢官名帙》，亦此書子目。又《御覽》二百三十七引《漢官·宰尹下》，其文與《北堂書鈔》引《漢官儀》略同。則所引者，必應劭《漢官》，非王隆《漢官》。《宰尹》蓋亦其篇名，而又分上下也。

孫星衍輯本序曰：“《後漢書·應劭傳》云：‘初，劭父奉為司隸時，並下諸官府郡國，各上前人像贊，劭乃連綴其名，錄為《狀人紀》。’今諸書引《漢官儀》有諸人姓名狀人紀者，疑亦其書中篇名。陳氏《書錄》有《漢官儀》一卷，今不傳。諸書引有作應劭《漢官》、應劭《漢官儀》亦有彼此互舛，不可分別，今併錄為二卷。”又《孫祠書目》：“應劭《漢官儀》二卷，星衍集刊本。”

嚴可均《全後漢文編》輯本二卷，卷上凡二百十三條；卷下凡九十六條。

漢官典職儀式選用二卷　漢衛尉蔡質撰

《續漢書·律歷志》注：蔡邕戍邊，上章曰：“臣邕叔父、故衛尉質時為尚書，按時當熹平二年。質奉機密，趨走日下，遂由端

右,出相外藩。按《蔡邕傳》注:質嘗爲下邳相。還引輦轂,旬日之中,
登躡上列,父子一門兼受恩寵,一旦被章,父子家屬徙充邊
方,完全軀命,喘息相隨。"按事在光和元年,明年大赦,宥還本郡,質以後殆
不復出。

《蔡中郎集》邕與人書曰:"邕薄祐,早喪二親,年逾三十,鬢髮
二色,叔父親之,猶若幼童,陸則對坐,食則比豆。"

《後漢書·蔡邕傳》:"邕與叔父、從弟同居,三世不分財,鄉黨
高其義。"又曰:"邕叔父衛尉質。"章懷太子曰:"質字子文,
著《漢職儀》。"按從弟名谷,見本傳。

《晉書·蔡豹傳》:豹,陳留圉城人。高祖質,漢衛尉、左中郎
將,邕之叔父也。

《唐書·藝文志》:蔡質《漢官典儀》一卷。

《宋史·藝文志》儀注類:蔡質《漢官典儀》一卷。

陳氏《書録解題》:《漢官典儀》一卷,漢衛尉蔡質撰,雜記官制
及上書謁見禮式。《隋志》有《漢官典職儀式》二卷,今存一
卷,李埴亦補一卷,其續者皆出於史中采拾。

高似孫《史略》曰:"應劭有《漢官儀》,又有《漢官鹵簿圖》、《漢
官儀注》、《漢官名帙》。蔡質有《漢官典儀》,其言儀者,多涉
故事,往往如衛宏《漢舊儀》者也。"

孫星衍輯本序曰:"《隋志》《漢官典職儀式選用》二卷,《唐志》
作《漢官典儀》一卷。諸書所引,又有作蔡質《漢官典職》、《漢
官典職儀》者,皆後人省文也。陳氏《書録》《漢官典儀》一卷,
李埴續補一卷,俱不傳。今録成一卷,名從《隋志》。"又《孫祠
書目》:"蔡質《漢官典職》一卷,星衍集刊本。"

　按《續漢志》注屢引蔡質《漢儀》,而《禮儀志》注:臣昭曰:
"漢立皇后,國禮之大而志無其儀,良未可了。今取蔡質所
記靈帝立宋皇后儀以備闕。"《南齊書·禮志》亦云:"太尉

胡廣撰《舊儀》，應劭、蔡質咸綴識時事。"其書蓋亦博綜典儀，與胡廣、應劭兩家相同。此二卷則後人從蔡氏《漢儀》全書中録出，其曰選用，明是選録之本，取其合於時宜者而用之也。《唐·藝文志》又有丁孚《漢官儀式選用》一卷，與此相同。

梁有荀攸《魏官儀》一卷，亡。

《魏志·荀彧傳》："彧，潁川潁陰人也。從子攸，字公達。何進徵拜黄門侍郎，與何顒等謀刺董卓，事遂就而覺，收繫獄，顒憂懼自殺，攸言論飲食自若，會卓死得免。棄官歸，復辟公府，舉高第，攸以蜀漢險固，人民殷盛，乃求爲蜀郡太守，道絶不得至，駐荆州。太祖徵爲汝南太守，入爲尚書郎，又以爲軍師。冀州平，表封陵樹亭侯，轉爲中軍師。魏國初建，爲尚書令，從征孫權，道薨。正始中，追謚曰敬侯。"注引《魏書》曰："薨時建安十九年，年五十八。"

又《衛覬傳》：魏國既建，拜侍中，與王粲並典制度，受詔典著作，又爲《魏官儀》。

《南齊書·百官志》序曰："建官設職，備於歷代，先賢往學，以之雕篆者衆矣。若夫胡廣《舊儀》，事惟簡撮；應劭《官典》，殆無遺恨。王朗奏議，屬霸國之初基；陳矯增曹，由軍事而補闕。今則有《魏氏官儀》、魚豢《中外官》也。"按魚豢《中外官》當在《魏略》中。

《唐書·經籍志》：《魏官儀》一卷，荀攸撰。

《唐書·藝文志》：荀攸等《魏官儀》一卷。

《册府元龜·掌禮部·儀注篇》：魏荀攸，魏國初建爲尚書令，撰《魏官儀》一卷。一説衛覬爲尚書令，詔典著作，爲《魏官儀》。

章氏《考證》：《初學記·文部》、《太平御覽·服章部》並引《魏官議》。

> 按《魏志·武紀》："建安十八年五月丙申，天子使御史大夫
> 郗慮持節，策命公爲魏公，加九錫。秋七月，始建魏社稷宗
> 廟。十一月初，置尚書、侍中、六卿。"注引《魏氏春秋》曰：
> "以荀攸爲尚書令，涼茂爲僕射，毛玠、崔琰、常林、徐奕、何
> 夔爲尚書。王粲、杜襲、衛覬、和洽爲侍中。"《魏官儀》之
> 作，即在其時。時荀攸爲魏國尚書令，衛覬爲魏國侍中，其
> 明年荀攸卒，衛覬卒年未詳，大抵在明帝時，或魏文受禪之
> 後，覬復增損爲定，故史傳歸之於覬歟？

梁有韋昭《官儀職訓》一卷。

韋昭有《毛詩答雜問》及《辯釋名》，並見經部詩類、論語類。

《吳志》本傳：鳳皇二年，曜因獄吏上辭曰："又見劉熙所作
《釋名》，物類衆多，難得詳究，故時有得失，而爵位之事，又有
非是。愚以官爵，今之所急，不宜乖誤。因自忘至微，又作
《官職訓》及《辯釋名》各一卷。"按此本附於《辯釋名》之後，故諸書引《官
職訓》皆云《辨釋名》，本亦辨劉熙之乖誤也。

侯康《補三國藝文志》曰："康按《後漢書·曹節傳》、《北堂書
鈔》、《藝文類聚》、《太平御覽》俱引韋昭《辨釋名》，皆考論官
制，則《官儀職訓》疑即在《辨釋名》中，而本傳稱各一卷。《隋
志》亦分錄，豈當時本自別行耶。"

馬國翰《辯釋名》輯本序曰："韋昭《辯釋名》今輯錄二十五節，
其二十三節皆論辯官制，先列《釋名》原文，後加'辨曰'以別
之。今《釋名》內無《釋官篇》，當是後人緣昭辨而刪之歟？"

> 按是書兩《唐志》皆不著錄，《崇文總目》有《官職訓》一卷，不
> 著撰人，似即此書。兩書本合爲一帙，著錄家乃分別以歸類。

晉公卿禮秩故事九卷　傅暢撰

傅暢有《晉諸公讚》，見前雜史類。

《晉書·武帝本紀》：泰始三年九月甲申，詔曰："古者以德詔爵，以庸制祿，雖下士猶食上農，外足以奉公忘私，內足以養親施惠。今在位者祿不代耕，非所以崇化之本也。其議增吏俸。"賜王公以下帛各有差。太康四年六月，增九卿禮秩。

《魏志·傅嘏傳》注：《世語》曰："暢著《晉諸公讚》及《晉公卿禮秩故事》。"

《晉書·傅玄附傳》：暢諳識朝儀，作《晉諸公讚》二十二卷，又爲《公卿故事》九卷。

《唐書·經籍志》：《晉公卿禮秩》九卷，傅暢撰。

《唐書·藝文志》：傅暢《晉公卿禮秩故事》九卷。

章氏《考證》：《宋書·禮志》曰："傅暢《故事》：三公安車，駕三，特進駕二，卿一。"《續漢·輿服志》注："太傅、司空、司徒著進賢三梁冠；大司馬、將軍著武冠。"《文選·褚淵碑文》注：[1]"諸公給虎賁三十人持班劍焉。"《竟陵王行狀》注："汝南王亮、秦王柬、吳王晏、梁王彤皆劍履上殿，入朝不趨。"並引《晉公卿禮秩》，省故事二字。《藝文類聚》、《北堂書鈔》同。

晉新定儀注十四卷

不著撰人。

《魏志·三少帝紀》：陳留王咸熙元年夏五月庚申，相國、晉王奏復五等爵，甲戌改年。

《晉書·文帝本紀》：魏咸熙元年秋七月，帝奏尚書僕射裴秀議官制，太保鄭沖總而裁焉。始建五等爵。

又《裴秀傳》：魏咸熙初，釐革憲司，時荀顗定禮儀，賈充正法律，而秀改官制焉。秀議五等之爵，自騎督已上，六百餘人皆

---

① "注"，原作"志"，據清光緒崇文書局刻本《隋書經籍志考證》改。

封。于是秀封濟川侯，地方六十里，邑千四百户，以高苑縣、濟川墟爲侯國。

　　按章氏《考證》云："儀注類有傅瓛《晉新定儀注》四十卷，其意蓋以書名相同，疑此十四卷即四十卷而重出其目也。然彼四十卷是五禮之儀注，晉初爲荀顗所修。此則百官之儀注，乃裴秀所定，名雖同而實不同也。其是否爲裴秀原書，抑或出於東晉人之所補作，則無從而知之矣。"

梁有徐宣瑜，晉《晉官品》一卷，亡。

徐宣瑜，晉博士，見《通典》，始末未詳。

《通典·職官·官品》曰："魏秩次多因漢制，更制九品。晉、宋、齊並因之。"又曰："晉官品第一品至第九品，凡内外文武官六千八百三十六人，内八百九十四人，外五千九百四十二人，内外諸色職掌一十一萬一千八百三十六人。"

章氏《考證》：《文選·竟陵王行狀》注、《白帖》卷七十五並引《魏晉官品》各一事，云相國、丞相緑綟綬。又云中郎將冠如將軍。

汪師韓《文選注引書目》曰："《晉官屬名》疑即徐宣瑜《晉官品》。"按《晉官屬名》四卷，別見于後，非此書也。

梁有荀綽《百官表注》十六卷，亡。

荀綽有《晉後略記》，見前雜史類。

《晉書·荀勖傳》：時又議省州郡縣半吏，以赴農功。勖議以爲"省吏不如省官，省官不如省事，省事不如清心。昔蕭、曹相漢，載其清靜，致畫一之歌，此清心之本也。漢文垂拱致刑措，此省事也。光武并合吏員，縣官、國邑裁置十一，此省官也。魏太和中，遣王人四出，減天下吏員。正始中，亦并合郡縣，此省吏也"云云。《通典·職官》曰："泰元六年改制減費，損吏士職員，凡七百人。""泰元"當是"泰康"之誤。

《南齊書·百官志》序曰："荀勗欲去事煩，唯論并省。定制成文，本之《晉令》，後代承業，案爲前准，肇域官品，區別階資。"

按《齊書》志序及《通典》所云，則《百官表》泰康六年荀勗所上也。本傳但節錄其語，不載其全；後荀綽取以爲注歟？然綽傳不言注此書，疑仍是荀勗之誤，章氏《考證》云《續漢·百官》、《輿服志》注及《北堂書鈔·設官部》多引之。

梁有干寶《司徒儀》一卷，亡。

干寶有《周易注》，見經部易類。

《晉書》本傳：寶以家貧，求補山陰令，遷始安太守。王導請爲司徒右長史。

《南齊書·百官志》：司徒府領天下州郡名數、戶口、簿籍，置左右長史、左西掾屬、主簿、祭酒、令史以下。晉世王導爲司徒，右長史干寶撰立官府《職儀》已具。

《唐書·經籍志》儀注類：《司徒儀注》五卷，干寶撰。

《唐書·藝文志》職官類：干寶《司徒儀注》五卷。

嚴可均《全晉文編》曰："《太平御覽》二百九引干寶《司徒儀》三條。"

章氏《考證》：《北堂書鈔·設官部》引干寶《司徒儀》有從事中郎之職、掾屬之職、左長史之職、司馬之職、録事之職、録事參軍之職、記室之職、中兵參軍之職。《御覽·職官部》有右長史之職，行參軍之職，各舉其所掌。"

梁有《宋職官記》九卷，亡。

不著撰人。

《通典·職官》："宋官品第一至第九品，内外文武官六千一百七十二人，八百二十三人内，五千三百四十九人外。内職掌、門亭長、孝經師、月令律令師及書佐等一千四百六十一人，都計内外官及職掌人七千六百三十三人。"《宋書·百官志》："刺史官屬有孝經師一人，主試經；月令師一人，主時節祠祀；律令師一人，平律。"

梁有《晉百官儀服録》五卷，亡。

不著撰人。

梁有《大興二年定官品事》五卷，亡。

不著撰人。

《晉書·元帝本紀》：建武元年三月辛卯，即晉王位，諸參軍拜奉軍都尉，掾屬駙馬都尉。辟掾屬百餘人，時人謂之'百六掾'。乃備百官，立宗廟社稷於建康。明年三月癸丑，愍帝崩問至，景辰即皇帝位，改元大興。大興二年五月壬戌，詔曰："天下凋弊，加以災荒，百姓困窮，國用並匱，天生蒸黎而樹之以君，選建明哲以左右之，當深思以救其弊。昔吳起爲楚悼王明法審令，捐不急之官，除廢公族疏遠，以附益將士，而國富兵強，且當去非急之務，非軍事所須者皆省之。"六月，罷御府及諸郡丞，置博士員五人。

按此爲江左初定之官制，見於本紀者，大略如此。其書久亡，故杜佑《通典》亦不載東晉官品事。

梁有《百官品》九卷，亡。

不著撰人。

按此亦似東晉之官品，自魏陳群爲吏部尚書制九品官人之法，歷代因之，此殆以每品爲卷者歟？

百官階次一卷

不著撰人。

《南齊書·百官志》序曰："蔚宗選簿梗概。"

《唐書·經籍志》：《百官階次》一卷，范曄撰。一本作"沈曄"，誤也。

《唐書·藝文志》：范曄《百官階次》一卷。

按范曄有《後漢書》，見前正史類。《宋書》本傳不載有是書。《齊書·文學·檀超傳》："超與江淹掌史職，上表立條例,有云《百官》依范曄。"按范書志未及成而誅死,所謂依范曄者,即指此書。《齊志》云梗概者,謂其略而不詳具也。

齊職儀五十卷　齊長水校尉王珪之撰

《南齊書·文學·王逡之傳》:逡之,琅邪臨沂人也。從弟珪之,有史學,撰《齊職儀》。永明九年,其子中軍參軍顥上啓曰:"臣亡父故長水校尉珪之,以宋元徽二年,被敕使纂集古設官歷代分職,凡在墳策,必盡詳究,是以等級掌司,咸加編録。黜陟遷補,悉該研記。述章服之差,兼冠佩之飾。屬值啓運,軌度維新。故太宰臣淵奉宣敕旨,使速洗正。刊定未畢,臣私門凶禍。不揆庸微,謹冒啓上。凡五十卷,謂之《齊職儀》。"詔付祕閣。

又《百官志》曰:"諸臺府郎令史職吏以下,具見長水校尉王珪之《職儀》。"

《唐書·經籍志》:《齊職儀》五十卷,范曄撰。按范曄死於宋元嘉中,此不知何以題其名,豈王珪之據其遺稿而纂次成書歟?

《唐書·藝文志》:王珪之《齊職官儀》五十卷。

章氏《考證》:《陳書·袁樞傳》:《齊職儀》曰:"凡尚公主,必拜駙馬都尉,魏晉以來,因爲瞻準。"《唐六典》注、《太平御覽·職官部》皆引《齊職儀》。《初學記》、《藝文類聚》所引俱見《御覽》。《唐志》作《齊職官儀》。

梁有王珪之《齊儀》四十九卷,亡。

按此似即前書之別本。本志以《七録》所載書名卷數與前書微異,因而注出歟?《王逡之附傳》亦不言別有《齊儀》,《南史》及兩《唐志》亦俱不載。

齊職儀五卷

不著撰人。

按此似王珪之之節録本。珪之書上溯歷代,此大抵取其關於當代者録之。

梁選簿三卷　徐勉撰

《梁書》本傳："勉字修仁，東海郯人也。篤志好學，起家齊國
子生、太尉、文憲公。王儉時爲祭酒，每稱勉有宰輔之量。梁
天監二年，除尚書吏部郎，參掌大選。六年，遷吏部尚書，勉
居選官，彝倫有序。尋又除尚書僕射、中衛將軍。自小選迄
於此職，常參掌衡石，甚得士心。在選曹，撰《選品》五卷。大
同元年卒，時年七十，謚曰簡肅公。"又《本紀》："大同元年十
一月丁未，中衛將軍特進右光禄大夫徐勉卒。"

《南史》本傳："天監初，官名互有省置，勉撰立《選簿》奏之，有
詔施用其制，開九品，爲十八班。自是，貪冒苟進者，以財貨
取通；守道淪退者，以貧寒見没矣。"又曰："勉多識前載，齊
世王儉居職已後，莫有逮者。"又曰："在選曹，撰《選品》
三卷。"

《唐書·經籍志》：《梁選簿》三卷，徐勉撰。

《唐書·藝文志》：徐勉《梁選簿》三卷。

章氏《考證》：《太平御覽·職官部》引《梁選簿》。《唐六典》注
太祝令、衛尉寺、太市令、東宮食官丞、嗣王府行參軍，並引
《梁選簿》，簿或作部。《梁書》五卷，《唐志》三卷。

梁勳選格一卷

不著撰人。

《隋書·百官志》：天監七年，革選，徐勉爲吏部尚書，定爲十
八班。又著作正令史，集書正令史，尚書度支三公正令史，以
下至晉安練葛屯主，爲三品薀位。又門下集書主事通正令
史，中書正令史，以下至山陰獄官，爲三品勳位。

按此所載似即是書之大略，言以此類爲薀官、勳官之選格，
其中定爲三品歟。薀似廕字之轉音。《梁書·徐勉傳》云

"撰《選品》五卷"，疑此本在五卷中，而佚其《蘊官選格》一卷歟。按史文屢言革選，莫詳其事，大抵是更革、變革之意。《宋書·裴松之傳》："殿中將軍官直衛左右，晉孝武太元中革選名家以參顧問。"是更革其選法，變革其故事也。

職官要録三十卷　　陶藻撰

陶藻始末未詳。

《通典·職官·三署郎官篇》：梁陶藻《職官要録》以漢三署郎故事通爲尚書郎，循名失實，疑誤後代。

《唐日本國見在書目》：《職官要録》三十卷，陶勉撰。疑勉其名，彥藻其字。

《唐書·經籍志》：《職官要録》三十卷，陶藻撰。一本又作"操"。

《唐書·藝文志》：陶彥藻《職官要録》三十六卷。

《宋史·藝文志》：陶彥藻《職官要録》七卷，又《職官要録補遺》十八卷。《崇文總目》著録三十卷，又《職官要録抄》三卷。錢繹校勘曰："《隋志》作陶藻，古字同。"

《玉海·官制類》：《中興書目》梁陶彥藻撰《職官要録》，《隋》、《唐志》皆云三十卷。今殘闕，後求得七卷，又有《補遺》十八卷，與前七卷首尾互見。

章氏《考證》：《通典·職官門》引陶藻《職官要録》，《太平御覽·職官部》數引陶氏《職官要録》。《唐志》作"彥藻"，三十六卷。

梁官品格一卷

不著撰人。

按《梁書·裴子野傳》，子野又敕撰《百官九品》二卷，似即此書佚其一卷歟？

百官階次三卷

不著撰人。

《南齊書·百官志》序曰：“蔚宗選簿梗概，欽明階次詳悉，虞通、劉寅因荀氏之作，矯舊增新，今古相校。”

《唐書·經籍志》：《宋百官階次》三卷，荀欽明撰。

《唐書·藝文志》：荀欽明《宋百官階次》三卷。

章氏《考證》：《唐六典》注：“員外郎美遷爲尚書郎。又特進，江左皆兼官。晉傅咸奏，特進品第二，執皮帛坐侍臣之下。”二事並引《宋百官階次》。

　　按荀欽明始末未詳，據《齊志》則在范蔚宗之後，殆以范書太略，因別爲是編。虞通、劉寅所增演，當亦在此三卷中。虞通似即虞通之，有《妬記》，見後雜傳類。劉寅嘗爲齊安陸王子敬長史，見《南史·隱逸·宗測傳》。又爲魚復侯子響鎮軍長史，爲子響所殺，贈侍中，見《南齊書·子響傳》。

新定將軍名一卷

不著撰人。

《梁書·武帝本紀》：天監七年二月乙丑，增置鎮衛將軍，以下各有差。

《隋書·百官志》：天監七年，又詔以將軍之名，高卑舛雜，命更加釐定。於是有司奏置一百二十五號將軍。凡十品，二十四班，亦以班多爲貴。其制品十，取其盈數；二十四，以法氣序。制簿悉以大號居後，以爲選法自小選大也。前史所記，以位得從公，故將軍之名，次於台槐之下。至是備其班品，敍於百司之外。其不登二品，應須軍號者，凡十四號，別爲八班，以象八風。所施甚輕。又有武安等一百九號將軍，亦爲十品，二十四班。止施於外國。

又大通三年有司奏曰：“天監七年，改定將軍之名，有因有革。普通六年，又置百號將軍，更加刊正，雜號之中，微有移異。大通三年，又奏移諸班戎夷之號，亦加附擬，選序則依此承用。"遂以定制。轉則進一班,點則退一班,班即階也。凡二百四十號,爲四十四班,其將軍施於外國者,凡一百二十五號,二十八班。

按本志又有沈約《新定官品》二十卷。_{見後。}與此同時,故皆云新定。而此蓋大通三年第三次所更定者,《隋書·百官志》所載將軍名及班次當出是書,亦大抵略具矣。

吏部用人格一卷

不著撰人。

按此大抵故府所留遺者,《晉陽秋》曰:"魏陳群爲吏部尚書,制九格,登用皆由中正考之簿世,然後授任。"此頗近似。又《新唐書·柳沖傳》:"魏太和時,詔諸郡中正,各列本土姓族次第爲舉選格,名曰'方司格',人到於今稱之。"此尤近似。蓋本志通例,每以北朝人書爲一類之殿,此以上,皆歷朝官制、官儀之屬,以是書列之末簡焉。_{《唐·經籍志》譜牒類《後魏方司格》一卷,本志不載。}

官族傳十四卷　何晏撰

何晏有《論語集解》,見經部論語類。

《魏志·曹爽傳》:"爽秉政,以何晏爲尚書,典選舉。"注引《魏略》曰:"晏爲尚書,主選舉,其鳳與之有舊者,多被拔擢。"

《唐書·藝文志》譜牒類:《官族傳》十五卷,不著撰人。

按晏在正始中爲吏部尚書,凡十年,是書當作於其時,猶宋劉湛爲選曹,撰《百家譜》,以功銓序。齊王儉、梁徐勉任大選,各撰《百家集譜》、《百官譜》也。_{《唐·藝文志》譜牒類有徐勉《百官譜》,本志不載。}

百官春秋五十卷　王秀道撰

王秀道始末未詳。

《唐書·經籍志》:《百官春秋》十三卷,王秀道撰。

《唐書‧藝文志》：王道秀《百官春秋》十三卷。

《經義考‧擬經篇》：王氏道彥《百官春秋》，《隋志》五十卷，佚。或作王道秀。按此又以爲王道彥，未詳所據。

章氏《考證》：《唐志》作王道秀十三卷。《唐六典》注：初，晉中書置主書用武官，宋改用文吏，此引王道秀《百官春秋》。又《初學記‧武部》引《百官春秋》一事，云大駕，公卿奉引，太僕執轡，大將軍陪乘。光武東京郊祀法駕，則河南尹奉引，奉車都尉執轡，侍中參乘。此與《御覽‧兵部》所引《漢春秋》同。

百官春秋二十卷

不著撰人。

《唐書‧藝文志》：《宋百官春秋》六卷。

章氏《考證》：“《隋志》又有《百官春秋》二十卷，《唐志》有《宋百官春秋》六卷，俱無撰名。《初學記‧職官部》、《唐六典》注著作佐郎、太常丞並引《宋百官春秋》，亦不著撰名。”

魏晉百官名五卷
晉百官名三十卷

皆不著撰人。

《唐書‧經籍志》：《百官名》四十卷。

《唐書‧藝文志》：《百官名》十四卷。

錢大昕《三國志考異》曰：“裴松之所引書有《晉百官名》，裴云不知誰所撰也，皆有題目，亦作《百官名志》。”

章氏《考證》：《初學記‧武部》，《北堂書鈔‧武功部》，《太平御覽‧兵部》、《服章部》並引《魏百官名》。《魏志‧鍾會傳》注、《唐六典‧著作佐郎》注引《咸熙百官名》、常道鄉公《咸熙百官名》。

又《魏志‧蘇則傳》注、《任城王彰傳》注、《鍾會傳》注、《蜀志‧

諸葛亮傳》注，《世説・德行》、《言語》、《雅量》、《識鑒》、《賞譽》、《品藻》、《規箴》、《排調》、《簡傲》、《紕繆篇》諸注，《文選・贈蔡子篤詩》注、《贈馮文熊詩》注、《贈顧交阯詩》注、《謝平原内史表》注、《勸進表》注、《謝詢表》注、《竟陵王行狀》注並引《晉百官名》。

又《魏志・臧霸傳》注引《晉武帝百官名》。《御覽・職官部》引《晉武帝太始官名》、《晉懷帝永嘉官名》。《通典・職官門》、《唐六典・都水使者》注引《元康百官名》。又《唐志》有陸機《晉惠帝百官名》。

晉官屬名四卷

不著撰人。

《唐書・經籍志》：《晉官屬名》四卷。《藝文志》同。

章氏《考證》：《世説・雅量篇》注引《明帝東宮寮屬名》，又《任誕篇》注、《排調篇》注引《晉東宮官名》，又《言語篇》注、《排調篇》注引《征西寮屬名》，又《文學篇》注引《庾亮寮屬名》，《雅量篇》注引《庾亮啓參佐名》，又《方正篇》注引《齊王官屬名》，又《黜免篇》、《品藻篇》注引《大司馬寮屬名》、《官屬名》，《賞譽篇》注引伏滔《大司馬寮屬名》。

按諸書所引百官名及官屬名，大抵皆敍爵里人品，或取時君舉主褒美之詞，或録輿論鄉評中正之説，其體略如《山公啓事》，爲當時中正選曹之簿籍好事者裒録成編。其可考見者，惟陸機《惠帝百官名》、伏滔《大司馬寮屬名》二家而已。章氏於書名偶異，如《晉武帝百官名》、《晉明帝東宮官屬名》之類，皆別出其目，以爲《隋志》不著録。竊以謂此等皆在本志此三書中，特諸書稱引，互有不同耳，未必各爲一書。其別本單行者，惟陸機《惠帝百官名》三卷，見於《唐志》爾。

又按《庾亮寮屬名》、《參佐名》，即《征西寮屬名》。晉代爲征西將軍者，惟亮爲最著。爲大司馬者，惟陶侃、桓温爲最

著。唐余知古《渚宮舊事》曰："桓温在鎮三十年,參佐習鑿
齒、袁宏、謝安、王坦之、孫盛、孟嘉、王珣、羅友、郗超、伏
滔、謝奕、顧愷之、王子猷、謝玄、羅含、范汪、郝隆、車胤、韓
康等,皆海内奇士,當世伏其知人。"似亦本之《大司馬寮屬
名》者也。齊王則司馬攸及子冏也。

陳百官簿狀二卷

不著撰人。

《唐書·經籍志》:太建十一年,《百官簿狀》二卷。《藝文志》同。

> 按此亦如百官名之類,《通志·氏族略》曰:"魏立九品,置
> 中正、州大中正主簿、郡中正功曹各有簿狀,以備選舉。
> 晉、宋、齊、梁因之。"即此《百官簿狀》是也。據《唐志》,唯
> 存太建十一年一部耳。

陳將軍簿一卷

不著撰人。

《隋書·百官志》:陳承梁,皆循其制,有戎號擬官,自一品至
於九品,凡二百三十七。鎮衛、驃騎、車騎等三號將軍,擬官
品第一,秩中二千石。前鋒、武毅、開邊等十號將軍,擬官品
第九,秩四百石。其封爵亦爲九等之差,郡王第一品,秩萬
石。關中、關外侯第九品,視六百石。

《唐書·經籍志》:《陳將軍簿》一卷。《藝文志》同。

> 按《通典》、《玉海》諸書所載職官,以官制、官名分類,此自
> 《官族傳》以下,迄於是書,皆官名之屬,別爲一類。

新定官品二十卷　梁沈約撰

沈約有《謐法》,見經部論語類。

《隋書·百官志》:梁武受終,多循齊舊,然而定諸卿之位,各
配四時,置戎秩之官,百有餘號。

又曰:"天監七年,以太常卿、宗正卿、司農卿三卿是爲春卿。

太府卿、少府卿、太僕卿三卿是爲夏卿。衛尉卿、廷尉卿、大匠卿三卿是爲秋卿。光録卿、鴻臚卿、太舟卿三卿是爲冬卿。"

又曰："天監初，武帝命尚書刪定郎濟陽蔡法度，定令爲九品。秩定，帝於品下注一品秩爲萬石，第二、第三爲中二千石，第四、第五爲二千石。至七年，革選，徐勉爲吏部尚書，定爲十八班。位不登二品者，又爲七班。皆王國、郡縣、公侯國官屬也。又置三品蘊位、三品勳位，其州二十三，並列其高下，選擬略視內職。郡守及丞，各爲十班，縣制七班，用人各擬內職云。又改定將軍之名。"詳見前《新定將軍名》條下。

《唐書·藝文志》：沈約《梁新定官品》十六卷，《梁百官人名》十五卷。似《官品》與《百官人名》舊時連合爲秩者，隋代僅存此二十卷。

　按此與《新定將軍名》，皆天監七年事。故《新唐志》次徐勉《梁選簿》之後。《將軍名》當亦備載於此書，以普通六年、大通三年兩次釐定，遂別爲帙。見前。沈隱侯是書，《梁書》、《南史》本傳皆不載。

　又按梁代爲官制、官品者，不止一家。《梁書·儒林·沈峻傳》"時中書捨人賀琛奉敕撰《梁官》，乃啓峻及孔子祛補西省學士，助撰録。書成，入兼中書通事捨人。子祛兼司文侍郎"云云。考賀琛爲中書舍人在普通中，時沈約已卒，或重修約書，兼撰《百官人名》附於後，或沈約爲沈峻之誤，莫能詳也。

梁尚書職制儀注四十一卷

不著撰人。

《梁書·儒林·周興嗣傳》：所撰《皇帝實録》、《皇德記》、《起居注》、《職儀》等百餘篇。

又《良吏·丘仲孚傳》：仲孚爲尚書左丞，撰《尚書具事雜儀》，行於世。按仲孚爲左丞，當在天監中。

章氏《考證》:《酉陽雜俎續集·貶誤篇》:《梁職儀》曰:"八座尚書以紫紗裹手版,垂白絲於首如筆。"

按《通志·藝文略》:"《梁尚書職制儀注》四十一卷,郭衍撰。"考隋有郭衍,以材武得幸於煬帝,史不言其有著述,其後一條云《職令古今百官注》十卷,郭衍撰。蓋亦從本志寫錄,豈所見《隋志》果如是乎?疑因後一條而誤注撰人也。

職令古今百官注十卷　郭演撰

郭演亦作郭演之,始末未詳。

《魏書·高祖紀》:太和十五年十一月乙亥,大定官品。戊寅,考諸牧守。十七年六月乙巳,詔曰:"六職備於周經,九列炳於漢晉,務必有恒,人守其職。比百秩雖陳,事典未敍。自八元樹位,躬加省覽,遠依往籍,近采時宜,作《職員令》二十一卷。事迫戎期,未善周悉。雖不足綱範萬度,永垂不朽,且可釋滯目前,釐整時務。須待軍回,更論所闕,權可付外施行。其有當局所疑而令文不載者,隨事以聞,當更附之。"

又十八年九月壬申朔,詔曰:"三載考績,自古通經。朕今三載一考,各令當曹,考其優劣爲三等。六品以下,尚書重問。五品以上,朕將親與公卿論其善惡。上上者遷之,下下者黜之,中中者守其本任。"壬午,帝臨朝堂,親加黜陟。十九年冬十月壬戌,詔諸州牧精品屬官,考其得失,爲三等之科以聞,將親覽而升降焉。十二月乙未朔,引見群臣於光極堂,宣示品令,爲大選之始。

又《官氏志》曰:"自太祖至高祖初,其內外百官屢有減置,或事出當時,不爲常目,如萬騎、飛鴻、常忠、直意將軍之徒是也。舊令亡失,無所依據。太和中,高祖詔群僚議定百官,著於令。"

又曰:"太和二十三年,高祖復次《職令》,及帝崩,世宗初班行之,以爲永制。前世職次,皆無從品,魏氏始置之,亦一代之別制也。"按每品分正,從自此始。

《南齊書·魏虜傳》:王奐之誅,事見奐傳。子肅奔虜,宏以爲鎮南將軍、南豫州刺史。宏死,謚孝文帝。是年,王肅爲虜制官品百司,皆如中國。凡九品,品各有二。肅初奔虜,自説其家被誅事狀,宏爲之垂涕。以第六妹僞彭城公主妻之。封肅平原郡公,爲宅舍,以香塗壁,遂見信用。

《通典·職官》序曰:"後魏至孝文太和中,王肅來奔,爲制官品百司,位號皆準南朝。改次職令,以爲永制。"又《官品篇》曰:"後魏置九品,品各置從,凡十八品,自四品以下,每品分爲上、下階,凡三十階。"

《唐書·經籍志》:《職員令百官古今注》十卷,郭演之撰。一本删去"員"字。

《唐書·藝文志》:郭演《職令古今百官注》十卷。

《通志·藝文略》:《職令古今百官注》十卷,郭衍撰。此作郭衍,未詳所據。

高似孫《史略》曰:"《漢官》不知何人作,應劭所注。其後丁孚有《漢官儀式》,荀攸有《魏官儀》,王珪之有《齊職儀》,梁有《職制儀注》。視《漢官》簡繁殊不侔,唯郭演有《古今百官注》十卷,最爲嚴整。"

章氏《考證》:《太平御覽·職官部》:光録少卿第四品,用肅勤明敏兼識古典者;宗正少卿第四品,用懿清沖和識參教典者;廷尉少卿第四品,用思理平斷明刑職法者;鴻臚少卿第四品,用雅學詳明當樞達理者;司徒少卿第三品,用勤有能幹者;太府少卿第四品,用勤篤有幹細務無滯者。並引《後魏職令》。按章氏此條,録在刑法類之末。注云不著録,謂本志刑法篇無《後魏職令》之目也。按《後魏令》,唐李林甫注《六典》時已云無考,是其書唐時已亡,惟有《律令》二十篇在焉。《御覽》所引《職令》蓋即是書,今移列於此。

按《魏書·王肅傳》云：“父奐及兄弟並爲蕭賾所殺，肅自建業來奔，是歲太和十七年也。”按其時爲齊武帝永明十一年，《職員令》爲肅所撰定，蓋《魏令》中之一篇。《唐六典·禮部》注引《後魏職品令》，亦是其書。此十卷，乃郭演從《職品令》删取成編，故冠以“職令”字。郭演，《舊唐志》作郭演之，疑是太原郭祚之族。祚與王肅同時，亦與肅同參政令者也。

又按自沈約《新定官品》至此三家，又似別爲一類，而無名義之可言，亦似編類之後，續有所補入者，總之亦是編次無法之一端也。

右二十七部，三百三十六卷，通計亡書，合三十六部，四百三十三卷。 <small>實在著録二十七部，附著亡書十部，通計三十七部。</small>

按《七録序目·記傳録第四》曰：“職官部凡八十一種，一百四帙，八百一卷。”本志並亡書，據云三十六部，内《陳百官簿狀》二卷、《陳將軍名》一卷，非《七録》所有，止三十四部，尚有四十七部不見録。是篇篇敍有云：“宋、齊已後，其書益緐，而篇卷零疊，易爲亡散。又多瑣細，不足可紀，故删其見存可觀者，編爲職官篇。”是於見存之中，又復有所删存，即卷首總序所云“舊録所取文義淺俗、無益教理者，並删去之”之謂也。其於經部無所删，所删自史部始，史部之删可考見者，自前篇與是篇始。

又是篇無名氏《齊職儀》五卷、《梁勳選格》一卷、《梁官品格》一卷、《新定將軍名》一卷、《吏部用人格》一卷，又梁有《宋職官記》九卷、《晉百官儀服録》五卷、《大興二年定官品事》五卷、《百官品》九卷、王珪之《齊儀》四十九卷，凡十部，章氏《考證》皆不載，又是類本志列史部第七，章氏改爲第十。

卷十八

史部八

儀注類　_{類中分類凡三。}

漢舊儀四卷　衛敬仲撰

衛敬仲，名宏，有《古文官書》一卷，見經部小學類。

《後漢書·儒林傳》：宏作《漢舊儀》四篇，以載西京雜事。

《唐書·經籍志》：《漢書儀》四卷，衛宏撰。"書"當爲"舊"字之誤。

《唐書·藝文志》：衛宏《漢書舊儀》四卷。

《宋史·藝文志》：衛宏《漢舊儀》三卷。

陳氏《書録解題》：《漢官舊儀》三卷，漢議郎東海衛宏敬仲撰，或云胡廣。按宏本傳不名《漢官》，今此惟三卷，而又有《漢官》之目，未知果當時本書否。

《四庫提要》政書典禮類曰："案《永樂大典》載《漢官舊儀》一卷，不著撰人名氏。考衛宏《漢舊儀》，《隋》、《唐志》皆四卷，《宋志》三卷，《書録解題》始作《漢官舊儀》。今《永樂大典》此卷，雖以'漢官'標題，而篇目自皇帝起居、皇后親蠶以及璽綬之等、爵級之差，靡不條繫件舉，與《宏傳》所云西京雜事相合。又《前》、《後漢書》注中凡引用《漢舊儀》者，並與此卷所載相同。則其爲衛氏本書，更無疑義。或後人以其多載官制，增題'官'字歟？原本節目淆亂，字句舛譌，殆不可讀。茲綜覈參訂，其原有注者，仿劉昭注《百官志》之例，通爲大書，稱本注以别之。又考前後《漢書》紀志注中，别有徵引《舊儀》數條，並屬郊天、祫祭、耕籍、飲酎諸大典，此卷未採入。蓋流傳既久，脱佚者多。謹復蒐擇甄録，別爲一卷，附諸卷尾，以補本書之未備云。”

又《簡明目録》曰：“《漢官舊儀》一卷，《補遺》一卷，漢衛宏撰。原本久佚，今從《永樂大典》録出，所記皆西漢典禮。本曰《漢舊儀》，後來輾轉傳寫，與應劭《漢官儀》混淆爲一，遂妄增‘官’字於書名中，非其舊也。”

孫氏平津館輯本序曰：“《永樂大典》本作《漢官舊儀》，今以聚珍版二卷本爲定，依宏本傳作《漢舊儀》，以諸書所引校證於下，別爲《補遺》二卷。《漢舊儀》本有注，魏、晉、唐人引《漢儀注》，悉是此書，今不復分別，其原注仍爲小字云。”又《孫祠書目》：“《漢舊儀》二卷，《補遺》二卷，漢衛宏撰，星衍集刊本。”

梁有衛敬仲《漢中興儀》一卷，亡。

按衛氏既譔集西漢舊儀，復以當時所行典禮，別爲一卷，附於後。舊當與前四卷合爲一帙，至隋而此一卷佚矣。考范書《張純傳》云：“純在朝歷世，明習故事。建武初，舊章多闕，自郊廟婚冠喪紀禮儀，多所正定。”又《曹褒傳》：“褒父充，建武中爲博士，從巡狩岱宗，定封禪禮，還，受詔議七廟、三雍、大射、養老禮儀。”又《梁統傳》：“統子松明，習故事，與諸儒修明堂、辟雍、郊祀、封禪禮。又《東平王蒼傳》：“蒼與公卿共議南北郊冠冕車服制度，及光武廟登歌八佾舞數。”又《樊鯈傳》：“鯈與公卿雜定郊祀禮儀。”又《儒林·董鈞傳》：“鈞永平中爲博士，時草創五郊祭祀及宗廟、禮樂、威儀、章服，鈞參議多見從用。”凡此皆《中興儀》之大略，其皆在是書歟？後胡廣立漢制度亦曰：“舊儀此五卷，爲伯始之先聲。”

晉新定儀注四十卷　晉安成太守傅瑗撰

《宋書·傅亮傳》：亮，北地靈州人也。祖咸，司隸校尉。父瑗,以學業知名,位至安成太守,與郗超善云。

《世説·識鑒篇》注:傅氏譜曰:"瑗字叔玉,歷護軍長史、安成太守。"

《晉書·文帝本紀》:魏咸熙元年秋七月,帝奏司空荀顗定禮儀,尚書僕射裴秀議官制,太保鄭沖總而裁焉。

又《荀顗傳》:及蜀平,文帝命顗定禮儀,顗上請羊祜、任愷、庾峻、應貞、孔顥共删改舊文,撰定晉禮。

又《摯虞傳》:時荀顗撰新禮,使虞討論得失而後施行。

又《刁協傳》:中興建,拜尚書左僕射,於時朝廷草創,憲章未立,朝臣無習舊儀者,協久在中朝,諳練舊事,凡所制度,皆稟於協焉。深爲當時所稱許。

又《荀崧傳》:元帝踐阼,徵拜尚書僕射,使崧與刁協共定中興禮儀。

又《蔡謨傳》:謨博學,於禮儀、宗廟制度,多所議定。

又《禮志》序曰:"及晉國建,文帝又命荀顗因魏代前事,撰爲新禮,參考今古,更其節文。羊祜、任愷、庾峻、應貞並共刊定,成一百六十五篇,奏之。太康初,尚書僕射朱整奏付尚書郎摯虞討論,既訖。以元康元年,上之所陳,唯明堂、五帝、二社、六宗及吉凶王公制度,凡十五篇,有詔可其議,後虞與傅咸纘續其事,竟未成功。中原覆没,逮於江左,僕射刁協、太常荀崧補緝舊文。光禄大夫蔡謨又踵修其事云。"

《梁書·徐勉傳》勉上五禮表,有曰:"至乎晉氏,爰定新禮,荀顗制之於前,摯虞删之於後,既而中原喪亂,罕有所遺。江左草創,因循而已,釐革之風,是則未暇。"

《唐書·藝文志》:傅瑗《晉新定儀注》四十卷。

章氏《考證》:"《左傳·襄公》正義引《魏晉儀注》,《北堂書鈔·車部》引《晉儀注》各一事。"又曰:"《藝文類聚·禮部》,

《初學記·中宮部》、《禮部》並引《晉元康儀》。"又曰:"《宋書》,《後魏書·禮志》,《初學記》,《御覺·樂部》、《資産部》並引《晉先蠶儀注》。"

按晉代撰五禮者,有荀顗、羊祜、任愷、庾峻、應貞、孔顥、摯虞、傅咸、刁協、荀崧、蔡謨諸家,瑗爲咸之從子,其所撰四十卷,大抵在蔡謨之後矣,亦或非其全也。

晉雜儀注十一卷

不著撰人。

《唐書·經籍志》:《晉雜儀注》二十一卷。《藝文志》同。

按兩《唐志》皆二十一卷,似此敓二字。

晉尚書儀十卷

不著撰人。

按《新唐志》有徐廣《晉尚書儀曹新定儀注》四十一卷,又有無名氏《晉尚書儀曹吉禮儀注》三卷,《舊唐志》同。《新志》又有《晉尚書儀曹事》九卷,大抵與此十卷皆殘缺不全者。

甲辰儀五卷　江左撰

《唐書·經籍志》:《甲辰儀注》五卷。《藝文志》同。

章氏《考證》:《藝文類聚·儲宮部》、《北堂書鈔·禮儀部》、《太平御覽·皇親部》並引《甲辰儀》。《唐志》作《甲辰儀注》。《唐六典》注祕書令史品第八引《魏甲辰議》,輔國將軍品第三、游擊將軍品第四引《魏甲辰令》。

按《唐六典》注有《魏甲辰儀》,又有《甲辰令》。《魏志·武紀》注引魏武《庚申令》、《庚戌令》、《丙戌令》、《丁亥令》,皆以干支標目。此云江左撰,則大抵東晉人鈔録魏令中之涉於儀品者爲是書,首一卷從《甲辰令》中鈔出,故曰《甲辰儀》。其後數卷當以《庚申儀》、《庚戌儀》、《丙戌儀》、《丁亥儀》等爲目,未必五卷皆是《甲辰儀》也。

封禪儀六卷。

不著撰人。

按《唐書・藝文志》："令狐德棻《皇帝封禪儀》六卷。"《舊唐書》本傳："德棻，宜州華原人。隋鴻臚少卿熙之子也。博涉文史，早知名。由隋入唐，仕高祖、太宗、高宗，至國子祭酒兼崇賢館學士，賜爵彭城公，加金紫光禄大夫。乾封元年卒，年八十四，諡曰憲。"考《五代史志》上於顯慶元年，後十年改元乾封。此殆以其人尚存，故不著撰人，猶雜家著録《北堂書鈔》，五行家著録《龜上五兆決》，皆不書虞世南、孫思邈之例歟？章氏亦以此疑令狐德棻撰，然不知是否也。

宋儀注十卷

宋儀注二十卷

宋尚書雜注十八卷。本二十卷

皆不著撰人。

《宋書・何承天傳》：宋臺建，召爲尚書祠部郎，與傅亮共撰朝儀。

又《王淮之傳》：淮之曾祖彪之，位尚書令。祖臨之，父納之，並御史中丞。彪之博聞多識，練悉朝儀，自是家世相傳，並諳江左舊事，緘之青箱，世人謂之王氏青箱學。淮之兼明禮傳，贍於文辭。元嘉中，歷位侍中都官、尚書，領吏部，出爲丹陽尹。淮之究識舊儀，問無不對，時大將軍彭城王義康録尚書事，每歎曰："何須高論玄虛，正得如王淮之兩三人，天下便治矣！"撰《儀注》，朝廷至今遵用之，十年卒。《宋書》卷首目録作"王准之"，其本名也。書中因避諱改"淮之"。

又《張永傳》：永爲尚書中兵郎。先是，尚書中條制繁雜，元嘉十八年，欲加治撰，徙永爲删定郎，掌其任。

又《恩倖·徐爰傳》：“世祖至新亭，大將軍江夏王義恭南奔。爰時在殿內，誅劭追義恭，因得南走。時世祖將即大位，軍府造次，不曉朝章。爰素諳其事，既至，莫不喜悅，以兼太常丞，撰立儀注。”又曰：“爰頗涉書傳，尤悉朝儀。元嘉初，便入侍左右，預參顧問。既長於附會，又飾以典文，故為太祖所任遇。大明世，委寄尤重，朝廷大禮儀，非爰議不行。雖復當世碩學所解過人者，既不敢立異議，所言亦不見從。”

《唐書·經籍志》：《宋儀注》三十六卷，《宋儀注》二卷。

《唐書·藝文志》：《宋尚書儀注》三十六卷，《宋儀注》二卷。

章氏《考證》：《南齊書·輿服志》云：“宋明帝泰始四年，更制五輅，儀修五冕，朝會饗獵，各有所服，事見《宋注》。”又《通典·樂門》引《宋廢帝元徽二年儀注》，又引《元徽三年儀注》各一事。又《宋書·禮志》引《元嘉六年太廟蒸嘗儀注》，又大明四年尚書右丞荀萬秋奏《籍田儀注》。又有《奏南郊親奉儀注》。”凡此皆儀注中篇目，章氏皆別出其目，以謂本志不著錄，謬矣。若此者，每類之中時或有之，今悉約略彙附於各本書條下。

宋東宮儀記二十三卷　　宋新安太守張鏡撰

《宋書·張茂度傳》：茂度名裕，吳郡吳人。子演，太子中舍人。演弟鏡，新安太守，皆有盛名，並早卒。

《南齊書·張岱傳》：“岱字景山，吳郡人也。祖敞，晉度支尚書。父茂度，宋金紫光祿大夫。岱少與兄太子中舍人寅、新安太守鏡、征北將軍永、弟廣州刺史辯俱知名，謂之張氏五龍。鏡少與光祿顏延之鄰居，顏談議飲酒，喧呼不絕，而鏡靜嘿無言聲。後延之於籬邊聞其與客語，取胡床坐聽，辭義清玄，延之心服，謂賓客曰：‘彼有人焉。’由此不復酬叫。寅、鏡名最高，永、辯、岱不及也。”又《張融傳》：“張氏知名，前有敷、演、鏡、暢，後有充、融、卷、稷。”又《張緒傳》：“緒父寅,叔父鏡。"

《唐書·經籍志》故事類：《東宮儀記》二十二卷,張鏡撰。

《唐書·藝文志》儀注類：張鏡《宋東宮儀記》二十二卷。

章氏《考證》：《南齊書·輿服志》引《宋元嘉東宮儀記》,《通典·禮門》亦稱《元嘉中東宮儀記》,《初學記·服食部》引《宋東宮儀記》,《御覽·服章部》引張鏡《宋東宮儀》。按《梁書·昭明太子傳》亦引張鏡《東宮儀記》。

按張鏡祖敞,在晉末,撰《東宮舊事》十卷,見前舊事篇。古人當官涖職,每各有所記述,以考其職業,敞當爲東宮官屬,故有舊事之作。鏡兄岱爲太子中舍人,鏡在當時或亦同爲宮寮,故因其家學而爲此儀記,可謂克繩祖武者已。史稱其兄弟並早卒。殆卒於元嘉時,其時所謂東宮太子者,元凶劭也。

徐爰家儀一卷

徐爰有《集注繫辭》,見經部易類。

《唐書·藝文志》：《徐爰家儀》一卷。

章氏《考證》：《太平御覽·時序部》、《服用部》並引《徐爰家儀》各一事。

按此不與後《趙李家儀》爲類,而列於宋、梁二代《東宮儀》之間,殆不可解。疑是太子家儀,爲太子家令所有事。考《徐爰傳》："爰爲高祖所知,少帝在東宮,入侍左右。太祖又見親任,元嘉十二年,轉南臺侍御史、始興王濬後軍參軍,復侍太子於東宮。"此太子即元凶劭。劭時年十二,始出居東宮,爰或爲劭作是儀,其後或轉寫敚"太子"二字。或惡劭,猶稱太子,削去二字,俱未可知。不然本志雖編次不善,亦何至以私家之儀雜廁於皇室儲宮之列,揆以事理,自不當爾。

東宮新記二十卷　蕭子雲撰

蕭子雲有《千字文注》，見經部小學類。

《梁書》本傳：“子雲年三十方起家爲祕書郎，遷太子舍人，撰《東宮新記》，奏之。敕賜束帛。”又曰：“所著《東宮新記》二十卷。”

《唐書·藝文志》：蕭子雲《東宮雜事》二十卷。

章氏《考證》：《唐志》作《東宮雜事》。《文選·新漏銘》注：“天監六年，上造新漏，以臺舊漏給官，漏銘云：‘咸和七年，會稽山陰令魏丕造。’即會稽内史王舒所獻漏也。”此作蕭子雲《東宮雜記》。又《梁書·王僧孺傳》：“尚書僕射王晏使僧孺撰《東宮新記》。”按王僧孺所撰者，乃齊武帝永明中齊代之《東宮新記》，非此書也。

梁吉禮儀注十卷　明山賓撰
梁賓禮儀注九卷　賀瑒撰

本注曰：“案梁明山賓撰《吉儀注》二百六卷，録六卷。嚴植之撰《凶儀注》四百七十九卷，録四十五卷。陸璉撰《軍儀注》一百九十卷，録二卷。司馬褧諸本皆誤爲“聚”。撰《嘉儀注》一百一十二卷，録三卷，並亡。存者唯士吉及賓，合十九卷。”按此注遺漏賀瑒《賓儀注》卷目，似傳寫之失。其四禮卷數與《梁書》徐勉表上目録，亦各不相符，今無從而知之矣。《梁書·武帝本紀》：“高祖六藝備閑能，事畢究造，制旨諸經義請疏，立五館，置五經博士。天監初，則何佟之、賀瑒、嚴植之、明山賓等覆述制旨，並撰吉、凶、軍、賓、嘉五禮，凡一千餘卷，高祖稱制斷疑焉。”

又《徐勉傳》：“普通六年，上修五禮表，略曰：‘伏尋所定五禮，起齊永明三年，太子步兵校尉伏曼容表求制一代禮樂，於是參議置新舊學士十人，止修五禮，諮稟衛將軍丹陽尹王儉，學士亦分住郡中，製作歷年，猶未克就。及文憲薨殂，遺文散逸，後又以事付國子祭酒何胤，經涉九載，猶復未畢。建武四年，胤還東山，齊明帝勅委尚書令徐孝嗣。舊事本末，隨在南第。永元中，孝嗣于此遇禍，又多零落。當時鳩斂所餘，權付尚書左丞蔡仲熊、驍騎將軍何佟之，共掌其事。時修禮局住在國子學中門外，東昏之代，頻有軍火，其所散失，又逾太半，天監元年，佟之啓審省置之宜，勅使外詳。於是尚書僕射沈約等參議，請五禮各置舊學士一人，人各自舉學士二人，相助鈔撰。其中有疑者，依前漢石渠，後漢白虎，隨源以聞，請旨斷決。乃以舊學士右軍記室參軍明山賓掌吉禮，中軍騎兵參軍嚴植之掌凶禮，中軍田曹行參軍兼太常丞賀瑒掌賓禮，征虜記室參軍陸璉掌軍禮，右軍參軍司馬褧掌嘉禮，尚書左丞何佟之總參其事。佟之亡後，以鎮北諮議參軍伏暅代之。後又以暅代嚴植之掌凶禮。暅尋遷官，以五經博士繆昭掌凶禮。復以禮儀深廣，記載殘缺，宜須博論，共盡其致，更使鎮軍將軍丹陽尹沈約、太常卿張充及臣三人同參厥務。臣又奉別敕，總知其事。末又使中書侍郎周捨、庾于陵二人復豫參知。若有疑義，所掌學士當職先立議，通諮五禮舊學士及參知，各言同異，條牒啓聞，決之制旨。疑事既多，歲時又積，制旨裁斷，其數不少。莫不綱羅經誥，玉振金聲，義貫幽微，理入神契。前儒所不釋，後學所未聞。凡諸奏決，皆載篇首，具列聖旨，爲不刊之則。”又曰：“五禮之職，事有繁簡，及其列畢，不得同時。

《嘉禮儀注》以天監六年五月七日上尚書，合十有二秩，百一十六卷，五百三十六條。

《賓禮儀注》以天監六年五月二十日上尚書，合十有七秩，一百三十三卷，五百四十五條。

《軍禮儀注》以天監九年十月二十九日上尚書，合十有八秩，一百八十九卷，二百四十條。

《吉禮儀注》以天監十一年十一月十日上尚書，合二十有六秩，二百二十四卷，一千五條。

《凶禮儀注》以天監十一年十一月十七日上尚書，合四十有七秩，五百一十四卷，五千六百九十三條。

大凡一百二十秩，一千一百七十六卷，八千一十九條。又列副祕閣及五經典書各一通，繕寫校定，以普通五年二月始獲完畢。今春輿駕將親六師，搜尋軍禮，閲其條章，靡不該備。所謂郁郁文哉，煥乎洋溢，信可以頒之天下者矣。輒具載撰修始末，並職掌人、所成卷帙、條目之數，謹拜表以聞。詔曰：'經禮大備，政典載弘，今詔有司，案以行事也。'又詔曰：'勉表如此，因革允釐，憲章孔備，功成業定，於是乎在。可以光被八表，施諸百代，俾萬世之下，知斯文在斯。主者其按以遵行，勿有失墜。'"按五經典書似即五禮總序之文，列之卷首，分爲五篇者歟。

章氏《考證》曰："《隋志》所記梁五禮卷數與《梁書》明山賓等本傳及徐勉五禮表所載不盡合。《藝文類聚》、《初學記·禮部》引《梁五禮籍田儀注》、《先蠶儀注》"。

按《唐經籍志》載明山賓等儀注十二部，《藝文志》載十七部，皆是書之佚存者，文繁不録。

皇典二十卷　梁豫章太守丘仲孚撰

《南史·文學·丘靈鞠傳》：靈鞠，吳興烏程人也。仲孚，字公信，靈鞠從孫也。少好學，仕齊。入梁，爲山陰令衛尉卿，累遷豫章內史，卒。仲孚爲左丞，撰《皇典》二十卷、《南宮故事》百卷，又撰《尚書具事雜儀》，行於世。《梁書·良吏傳》序：山陰令丘仲孚治有異績，以爲長沙內史。

《唐書·經籍志》：《皇典》五卷，丘孝仲撰。當是以"仲孚"爲"孚仲"，而又誤"孚"爲"孝"也。

《唐書·藝文志》：丘仲孚《皇典》五卷。

雜凶禮四十二卷

不著撰人。

政禮十卷　何胤撰

何胤有《周易注》，見經部易類。

《南齊書·禮志》序：永明二年，太子步兵校尉伏曼容表定禮樂，於是詔尚書令王儉制定新禮，立治禮學士及職局，置舊學四人，新學六人，正書令史各一人，幹一人，祕書省差能書弟子二人。因集前代，撰治五禮，吉、凶、軍、賓、嘉也。

《梁書·處士傳》：尚書令王儉受詔撰新禮，未就而卒，又使特進張緒續成之。緒又卒，屬在司徒竟陵王子良，子良以讓胤，乃置學士二十人，佐胤撰録。

又《徐勉傳》：勉上五禮表有曰“及文憲薨殂，遺文散逸，後又以事付國子祭酒何胤，經涉九載，猶復未畢。建武四年，胤還東山，齊明帝勅委尚書令徐孝嗣”云云。

《唐書·藝文志》：何點《理禮儀注》九卷。

章氏《考證》曰：“《政典》十卷，何允撰。按此作“政典”，寫誤也。《唐志》有何點《理禮儀注》九卷。”

> 按章氏以《理禮儀注》謂即是書，而不言其所以然。今考是書本名，當是《治禮儀注》。唐人諱治，故曰理，而本志改治爲政。總集類李文博《治道集》改爲《政道集》，與此《治禮》改《政禮》相同。而又敚“儀注”二字也。微《唐志》，幾莫能詳其由來。然則是書，乃治禮館之儀注雜事，《齊志》所載，即是書之緣起。何胤本傳及徐勉五禮表所云，乃其事之本末也。《唐志》作何點，點爲胤之兄，栖隱不預是事。胤則身歷其事者，凡九年，是出於胤爲多也。

梁有何胤《士喪儀注》九卷，亡。

《唐書·藝文志》：何胤《喪服治禮儀》九卷。

按此或胤在齊時所修五禮之一篇,後人析出别行者。《唐
志》作《喪服治禮儀注》,則又似依《儀禮‧喪服傳》之制度,
以爲儀注,自爲一家之學,在五禮之外者。

雜儀注一百八十卷

不著撰人。

《唐書‧經籍志》:《雜儀注》一百八卷。

《唐書‧藝文志》:《雜儀注》一百卷。

按《南史‧范岫傳》:"岫博涉多通,尤悉魏、晋以来吉凶故
事。沈約尝称曰:'范公好事该博,胡廣無以加。'南鄉范雲
謂人曰:'諸君進止威儀,當問范長頭。'以岫多識前代舊事
也。岫字懋賓,濟陽考城人。仕齊,入梁,至祠部尚書、金
紫光禄大夫。卒官。所著《禮論雜儀》、《字訓》,行於世。"
《雜儀》即《雜儀注》,疑此書是范岫作也。

陳尚書雜儀注五百五十卷
陳吉禮一百七十一卷
陳賓禮六十五卷
陳軍禮六卷
陳嘉禮一百二卷

皆不著撰人。

《陳書‧儒林‧沈文阿傳》:紹泰元年,高祖以文阿爲國子博
士,尋領步兵校尉,兼掌儀禮。自泰清之亂,臺閣故事無有存
者,文阿父峻,梁武世嘗掌朝儀,頗有遺稿,于是斟酌裁撰,禮
度皆自之出,所撰《儀禮》八十餘卷,行於世。

又《沈洙傳》:高祖入輔,除國子博士,與沈文阿同掌儀禮。

又《張崖傳》:天嘉元年,爲尚書儀曹郎,廣沈文阿《儀注》撰
《五禮》。

又《沈不害傳》:天嘉中,爲尚書儀曹郎,遷國子博士,領羽林

監，敕治五禮，著《治五禮儀》一百卷。

又列傳：劉師知好學，有當世才，善儀體，工文筆，臺閣故事多所詳悉。紹泰初，高祖入輔，以師知爲中書舍人，掌詔誥。是時，兵亂之後，禮儀多闕，高祖爲丞相，及加九錫，並受禪，其儀注並師知所定也。

又《周弘正傳》：天嘉中，授金紫光禄大夫。廢帝嗣位，領都官尚書，總知五禮事。

《隋書·禮儀志》序：梁武始命群儒裁成大典，沈約、周捨、徐勉、何佟之等咸在參詳。陳武克平建業，多準梁舊，仍詔尚書左丞江德藻、員外散騎常侍沈洙、博士沈文阿、中書舍人劉師知等，或因行事，隨事取捨。《陳書》、《南史·江德藻傳》皆不載與知五禮事。

《唐書·經籍志》：《陳吉禮儀注》五十卷，雜撰。《陳賓禮儀注》六卷，張彥志。《陳尚書曹儀注》二十卷，雜志。《陳諸帝后崩儀注》五卷，《陳雜吉儀志》三十卷，"志"當爲"注"。《陳皇太子妃薨儀注》五卷，儀曹志。《陳雜儀注凶儀》十三卷，《陳皇太后崩儀注》四卷，儀曹撰。《陳雜儀注》六卷。又有《梁陳大行皇帝崩儀注》八卷。

《唐書·藝文志》：《陳吉禮儀注》五十卷，《陳雜吉儀注》三十卷，《陳雜儀注》六卷，《陳諸帝后崩儀注》五卷，《陳雜儀注凶儀》十三卷，《陳皇太后崩儀注》四卷，儀曹撰。《陳皇太子妃薨儀注》五卷，儀曹撰。《張彥陳賓禮儀注》六卷。

> 按陳代五體，皆因行事而臨時定儀，祇如故事之類，未嘗刊定爲全書。本志所載無凶禮，兩《唐志》無軍禮、嘉禮，大抵各據見存者録之。如《梁陳大行皇帝儀注》，則又出後人所鈔存者。

後魏儀注五十卷

不著撰人。

《魏書·禮志》序曰："自永嘉擾攘,神州蕪穢,禮壞樂崩,人神殲殄。太祖南定燕趙,日不暇給,仍世征伐,務恢疆宇。雖馬上治之,未遑制作,至於經國軌儀,互舉其大,但事多粗略,且兼闕遺。高祖稽古,率由舊則,斟酌前王,擇其令典,朝章國範,煥乎復振。早年僻世,叡慮未從,不爾,劉馬之迹夫何足數?"

又《崔辯傳》:辯長子景儁,好古博涉,高祖賜名爲逸,爲員外散騎侍郎,與著作郎韓興宗參定朝儀,雅爲高祖所知重。

《北史·王肅傳》:自晉氏喪亂,禮樂崩亡,孝文釐革制度,變更風俗,其間樸略,未能淳也。肅明練舊事,虛心受委,朝儀國典,咸自肅出。《陳書·徐陵傳》:陵答魏收曰:"昔王肅至此,爲魏始制禮儀。"

又《郭祚傳》:時孝文銳意典禮,兼銓鏡九流,又遷都草創,征討不息,内外規略,號爲多事,祚與黃門宋弁參謀帷幄,隨其才用,各有委寄。祚承稟注疏,特成勤劇。時議定新令,詔祚與侍中、黃門參議刊正。

又《邢祐附傳》:祐從子虯,字神彪,少爲三禮鄭氏學,爲尚書殿中郎。孝文因公事與語,問朝覲宴饗禮。虯以經對,大合上旨。帝崩,尚書令王肅多用新儀,虯往往折以五經正禮。爲尚書左丞,多所糾正,臺閣肅然。

《魏書·劉芳傳》:"世宗以朝儀多闕,其一切諸儀,悉委芳修正,於是朝廷吉凶大事,皆就諮訪焉。"又曰:"高祖自襲練暨於啓祖、山陵、練除,始末喪事,皆芳撰定。"又曰:"芳從子懋,聰敏好學,博綜經史,芳甚重之。凡所撰朝廷軌儀,皆與參量。詔懋與諸才學之士,撰成儀令。"

又《常景傳》:"景字永昌,河内人也。爲門下録事、太常博士。先是,太常劉芳與景等撰朝令,未及班行,别典儀注,多所草創,未成,芳卒。景纂成其事。及世宗崩,召景還修儀注,又勅撰太和之後朝儀已施行者,凡五十餘卷。時靈太后詔依漢世陰、鄧二后故事,親奉廟祀,與帝交獻。景乃據正以定儀注,朝廷是之。"又曰:"侍中崔光、安豐王延明受詔議定服章,勅景參修其事,仕至車騎將軍、右光禄大夫、祕書監、儀同三司,封濮陽縣子。武定八年薨。"

《唐書・經籍志》:《後魏儀注》三十二卷,常景撰。

《唐書・藝文志》:常景《後魏儀注》五十卷。

後齊儀注二百九十卷

不著撰人。

《隋書・禮儀志》:後齊則左僕射陽休之、度支尚書元修伯、鴻臚卿王晞、國子博士熊安生等,並習於儀禮者,平章國典,以爲時用。

《隋書・魏澹傳》:澹在齊時,與魏收、陽休之、熊安生同修五禮。

《北史・魏收傳》:齊後主即位,除尚書右僕射,總議監五禮事。收奏請趙彥深、和士開、徐之才共監。先以告士開,士開驚,辭以不學,收曰:"天下事皆由王,五禮非王不決。"士開謝而許之。多引文士令執筆,儒者馬敬德、熊安生、權會實主之。

《唐書・經籍志》:《北齊吉禮》七十二卷,趙彥琛撰。《北齊王太子喪禮》十卷,趙彥琛撰。

《唐書・藝文志》:趙彥深《北齊吉禮》七十二卷,《北齊皇太后喪禮》十卷。

　　按《唐志》載《吉禮》、《喪禮》兩種,皆此二百九十卷中佚出者。《舊志》云王太子,《新志》云皇太后,亦莫詳其孰是也。

　　趙隱,字彥深,南陽宛人。武平四年仕,至司徒,封宜陽王。

七年卒,年七十,《北齊書》有傳。

雜嘉禮三十八卷

不著撰人。

按此次後魏、北齊五禮之後,或是北朝人之書。

國親皇太子序親簿一卷

不著撰人。

《新唐書·儒學·柳沖傳》:晉太元中,散騎常侍、河東賈弼撰《姓氏簿狀》。弼傳子匪之,匪之傳子希鏡,希鏡傳子執,執更作《姓氏英賢》,又著《百家譜》傳其孫冠,冠撰《梁國親皇太子序親簿》四篇。

《唐書·經籍志》譜牒類:《國親皇太子親傳》四卷,賈冠撰。

《唐書·藝文志》譜牒類:賈冠《國親皇太子親傳》四卷。

按賈冠仕履未詳,其祖父執,爲梁太府卿,則大抵梁、陳時人。原書四卷,此一卷蓋其殘本,故並不知爲何人作。此實譜錄類之書而雜廁於此,殆不可解。

隋朝儀禮一百卷 牛弘撰

牛弘有《周史》,見前正史類。

《隋書·禮儀志》:高祖命牛弘、辛彥之等采梁及北齊儀注,以爲五禮。

又曰:"初,高祖思定典禮。太常卿牛弘奏曰:'聖教陵替,國章殘闕,漢、晉爲法,隨俗因時,未足經國庇人,弘風施化。且制禮作樂,事歸元首,江南王儉,偏隅一臣,私撰儀注,多違古法。就廬非東階之位,凶門豈設重之禮? 兩蕭累代,舉國遵行。後魏及齊,風牛本隔,殊不尋究,遥相師祖,故山東之人,浸以成俗。西魏以降,師旅弗遑,賓嘉之禮,盡未詳定。今休明啓運,憲章伊始,請據前經,革茲俗弊。'詔曰:'可。'弘因奏徵學者,撰《儀禮》百卷,悉用東齊儀注以爲準,亦微采王儉禮。修畢，上之，詔遂班天下，咸使遵用焉。其喪紀，上自王公，下逮庶人，著令皆爲定制，無相差越。”

又《裴矩傳》：其年，文獻皇后崩。太常舊無儀注，矩與牛弘據齊禮參定之。

又《明克讓傳》：詔與太常牛弘等修禮議樂，當朝典故，多所裁正焉。

又《辛彦之傳》：“彦之與天水牛弘同志好學。高祖受禪，歲餘，拜禮部尚書，與祕書監牛弘撰《新禮》。”又曰：“彦之撰《禮要》一部，《新禮》一部，行於世。”

又《牛弘傳》：開皇三年，拜禮部尚書，奉敕修撰五禮，勒成百卷，行於當世。”又曰：“高祖又令弘與楊素、蘇威、薛道衡、許善心、虞世基、崔子發等並詔諸儒論新禮，降殺輕重，弘所立議，衆咸推服之。

又《文帝本紀》：開皇五年春正月戊辰，詔行新禮。又仁壽二年閏十月己丑，詔尚書左僕射楊素、右僕射蘇威、吏部尚書牛弘、内史侍郎薛道衡、祕書丞許善心、内史舍人虞世基、著作郎王劭等修定五禮。

《唐書·經籍志》：《隋吉禮》五十四卷，高潁等撰。《隋書禮》七卷，高潁等撰。按此“書”字，當是“吉”字或“嘉”字之誤。

《唐書·藝文志》：高潁《隋吉禮》五十四卷，牛弘、潘徽《隋江都集禮》一百二十卷。按潘徽《江都集禮》乃別爲一書，見經部論語類末，實與牛弘無涉。此牛弘下當有敚文，今不可考見矣。

按高潁蓋與楊素等同爲領修者，而本傳不載其事。《唐志》所載，似即此一百卷之佚存本。

以上皆漢晉六朝以來，歷代之儀注，是爲一類。

大漢輿服志一卷　魏博士董巴撰

《魏志·文紀》注：《獻帝傳》載禪代衆事，有侍中辛毗、劉曄，散騎常侍傅巽、衛臻，尚書令桓階、尚書陳矯、陳群，給事中、博士、騎都尉蘇林、董巴等奏。

司馬彪《續漢·五行志》序曰："故泰山守應劭、給事中董巴、散騎常侍譙周，並撰建武以來災異。"

劉昭《補注續漢志》序曰："司馬續書，總爲八志，車服之本，即依董蔡所立。"謂《續漢書·輿服志》即依董巴及蔡邕之志也。

嚴可均《三國文編》曰："董巴，建安黃初間爲博士，有《大漢輿服志》一卷。《晉書·律曆志》引董巴《曆議》。"

侯康《補三國藝文志》曰："董巴，魏博士。《宋·百官志下》、《初學記·職官部》引董巴《漢書·輿服志》，文略同。《御覽》卷二百三十引董巴《中宮傳》。"按亦似《中官傳》之誤。董巴始末撰著，可考見者如右。

《唐書·經籍志》：《輿服志》一卷，董巴撰。

《唐書·藝文志》：董巴《大漢輿服志》一卷。

章氏《考證》：《左傳·桓公》正義，《文選·射雉賦》、《秋興賦》、《思玄賦》注、左太沖《詠史詩》、傅長虞《贈》、《何劭王濟》詩注，《後漢書·光武紀》、《明帝紀》注、《臧宮傳》、《宦者傳》注並引董巴《輿服志》。《初學記·服食部》、《御覽·儀飾》、《服章部》引巴《志》佩綬采組之制，最爲詳悉，有注文，徵引《漢官儀》。巴以魏人，及見胡廣、應劭之書。故秦御史服楚冠一事，巴稱太傅胡公説，知注文乃巴自撰也。

侯康《補志》又曰："康按《隋書·禮儀志》，《史記·李將軍傳》索隱，《初學記·器用部》，《北堂書鈔·衣冠部》，《藝文類聚·禮部》、《雜文部》，《御覽·車部》俱引此書。《後漢·宦者傳敍》注引云：'禁門曰黃闥，中人主之，故曰黃門。'索隱引云：'黃門丞至密近，使聽察天下，謂之中貴人使者。'其事皆與輿服無涉，蓋又有所旁及也。"按此蓋《中官傳》之文。

按董巴、譙周皆有《後漢書》，故其《五行》、《輿服》二志爲司馬彪所本。而又有《中官傳》見於《御覽》也。此蓋其殘缺之餘，與《中官傳》合爲一帙，故又有引《漢書》其文同《輿服志》者，亦有引《輿服志》其文似《中官傳》者。

魏晉謚議十三卷　何晏撰

何晏有《論語集注》，見經部論語類。

《唐書·經籍志》：《魏明帝謚議》二卷，何晏撰，《晉謚議》八卷，《晉簡文謚議》四卷。

《唐書·藝文志》：何晏《魏明帝謚議》二卷，《晉謚議》八卷，《晉簡文謚議》四卷。

按此十三卷之中，有三家之書，本志誤合爲一。《唐志》始分別著録，何晏死曹爽之難，安得有晉之謚議，此鄭漁仲所謂見前不見後之類。微《唐志》，幾莫辨其致誤之由矣。三書皆合諸家之議以成編，《世説·文學篇》云：“桓公見謝安石作《簡文謚議》，看竟，擲與坐上諸客曰：‘此是安石碎金。’”即此《簡文謚議》四卷中之一事。三書據《唐志》共十四卷，此云十三卷者，隋時尚缺其一卷也。

汝南君諱議二卷

不著撰人。

《吳志·張昭傳》：“昭字子布，彭城人也。少與東海王朗俱發名友善。弱冠，察孝廉，不就，與朗共論舊君諱事。州里才士陳琳等皆稱善之。”裴松之曰：“時汝南主簿應劭議宜爲舊君諱，論者皆互有異同，事在《風俗通》。劭著論曰：‘客有見大國之議，士君子之論，云起元建武已來，舊君名諱五十六人，以爲後生不得協也。取乎經論，譬諸行事，義高辭麗，甚可嘉羨。愚意褊淺，竊有疑焉。’云云。”

《春秋·成十年經》疏：漢末，有汝南應劭作《舊君諱議》，云昔

者周穆王名滿，晉厲公名州事滿。又有王孫滿，是同名不諱
云云。按此引應劭之言，是議其不當諱也。疑時人有是説，而應劭辨之，此正是
《風俗通》釋時俗嫌疑之一端。

錢大昕《隋書考異》曰："《經籍志》：《汝南君諱議》二卷。按
《三國志·張昭傳》注云：'汝南主簿應劭議宜爲舊君諱，論者
互有異同。'張昭著論非之，漢人以郡守爲君也。"

侯康《補後漢書藝文志》曰："康按應劭議既載《風俗通》，而
《隋志》別爲一書者，蓋諸家議論又自別行也。《左傳·成十
年》疏引應劭舊君諱議，今以《張昭傳》注覈之，則所引乃張昭
之言，非應劭之言，因其書朔於應劭，故以應劭統之。"按孔疏引
文見前，實與張昭所論不同，昭論中無"晉厲公名州滿"之語。

　　按《意林》引《風俗通》云：彭城孝廉張子矯議云：'若君臣
不得相襲作名。周穆王諱滿，至定王時，有王孫滿。厲王
諱胡，莊王之子名胡。'按此即張昭論中之語，而子布誤爲
子矯也。然則張昭之論，亦嘗編入《風俗通》。此二卷，疑
亦在《風俗通》中，故裴松之、馬總皆云然，而《唐志》不重出
其目也。

決疑要注一卷　摯虞撰

《晉書》本傳："虞字仲洽，當爲仲治。京兆長安人。舉賢良，拜
中郎，擢太子舍人。元康中，爲吳王友。時荀顗撰《新禮》，使
虞討論得失，而後施行。後歷光録勳、太常卿。懷帝時，洛京
荒亂，人饑相食，虞素清貧，遂以餒卒。"

《世説·文學篇》注："虞從惠帝至長安，遂流離鄂、杜間。永
嘉五年，洛中大饑，遂餓而死。"

《晉書·禮志》序曰："及晉國建，文帝命荀顗定《新禮》，成一
百六十五篇。太康初，尚書僕射朱整奏付尚書郎摯虞討論
之。虞表所宜增損，以元康元年上之，凡十五篇，有詔可其

議。後虞與傅咸纘續其事，竟未成功。中原覆没，虞之《決疑注》，是其遺事也。"亦見《南齊書·禮志》序。

《唐書·藝文志》：摯虞《決疑要注》一卷。

章氏《考證》：《文選·西京賦》注引"左城右平"語。

車服雜注一卷　　徐廣撰

徐廣有《毛詩背隱義》，見經部詩類。

《晉書》本傳：桓玄輔政，以爲大將軍、文學祭酒。義熙初，奉詔撰《車服儀注》。

《宋書》本傳：義熙初，高祖使撰《軍服儀注》。軍服當爲車服。《南史》本傳：宋武帝使撰《車服儀注》。

《唐書·經籍志》：《車服雜注》一卷，徐廣撰。

《唐書·藝文志》：徐廣《車服雜注》一卷。

章氏《考證》：《左傳·桓公》正義，《初學記·職官部》，《北堂書鈔·武功部》、《設官部》並引廣《軍服儀制》。《後漢書·明帝紀》注、《宋書·禮志》引作《車服注》。《儒林傳序》注、《書鈔·衣冠部》引作《輿服雜注》。《文選·東京賦》注、《書鈔·車部》引作《車服志》。

禮儀制度十三卷　　王逡之撰

王逡之即王逸，有《喪服世行要記》十卷，詳經部禮類。

《南齊書·文學傳》：昇明末，右僕射王儉重儒術，逡之以著作郎兼尚書左丞，參定齊國禮儀。

又《王儉傳》："昇明二年，太祖爲太尉引爲右長史。恩禮隆密，專見任用。時大典將行，儉爲佐命，禮儀、詔策，皆出於儉。齊臺建，遷右僕射，領吏部。時年二十八。"又曰："朝廷初基，制度草創，儉識舊事，問無不答。上歎曰：'《詩》云：維嶽降神，生甫及申。今亦天爲我生儉也。'"

按此蓋齊初建國時，王儉所定之禮儀制度也。《宋書·順帝本紀》：“昇明三年三月甲辰，崇太傅爲相國，總百揆，封十郡，爲齊公備九錫之禮。丁巳，以齊國初建，給錢五百萬，後未幾，爲齊王。又未幾，即受禪。”是書之作，即在其時。而王逡之以著作兼左丞得與其事。《隋書·禮儀志》牛弘奏曰：“江南王儉，偏隅一臣，私撰儀注，多違古法。”又曰：“弘亦微采王儉禮。”按儉後奉詔修五禮，未成。雖有存藁，亦悉在於館，無由別出。《隋志》所謂王儉禮者，意亦即是此書也。王逡之別有《齊典》，見前古史類。

古今輿服雜事二十卷　梁周遷撰

周遷始末未詳。

《唐書·經籍志》：《古今輿服雜事》十卷，周遷撰。

《唐書·藝文志》：周遷《古今輿服雜事》十卷。

章氏《考證》：《文選·閒居賦》注、《陸士衡挽歌》注，《初學記·武部》並作周遷《輿服雜事記》。又《初學記》、《藝文類聚·禮部》、《太平御覽·資産部》引作《古今輿服雜事》，餘書引多省“古今”二字。《唐志》十卷。

晉鹵簿圖一卷。鹵簿儀二卷。

陳鹵簿圖一卷

齊鹵簿儀一卷

諸衛左右廂旗圖樣十五卷

並不著撰人。

《唐書·經籍志》：《大駕鹵簿》一卷。《藝文志》同。

章氏《考證》：“《史記·司馬相如傳》索隱引《中朝鹵簿圖》。《隋書·禮儀志》，《太平御覽·車部》、《獸部》並引《晉中朝大駕鹵簿》。《隋禮儀志》又引《晉氏鹵簿》。”

按《唐志》惟有《大駕鹵簿》一卷。《續漢·輿服志》曰：“乘輿大駕，公卿奉引，太僕御，大將軍參乘。屬車八十一乘，備千乘萬騎。西都行祠天郊,甘泉備之。官有其注,曰《甘泉鹵簿》。"劉昭曰:"蔡邕表志曰:《甘泉鹵簿》,國家舊章而幽僻藏蔽,莫之得見。"此鹵簿之最古者,蔡中郎猶未得見其儀。唐張彦遠《歷代名畫記》曰:"古之祕畫珍圖,有《大駕鹵簿圖》三卷。"又曰:"諸鹵簿圖篇目至多,不備録。"其云三卷,疑即此類之書。

　　以上自《大漢輿服志》至此,皆禮儀之雜碎者,是爲一類。

内外書儀四卷　謝元撰

《宋書·隱逸·雷次宗傳》:元嘉十五年,徵次宗至京師,以儒學開館於雞籠山。聚徒教授,置生百餘人。時國子學未立,上留心藝術,使丹陽尹何尚之立玄學,太子率更令何承天立史學,司徒參軍謝元立文學,凡四學並建。

又《何承天傳》:承天與尚書左丞謝元素不相善,二人競伺二臺之違,累相糺奏。時承天爲御史中丞,故曰二臺。元嘉二十一年,元新除太尉諮議參軍,未拜,爲承天所糺。上大怒,遣元長歸田里,禁錮終身。元時又以事舉承天,承天坐白衣領職。元字有宗,陳郡陽夏人,臨川内史靈運從祖弟也。以才學見知,卒於禁錮。

《唐書·藝文志》:謝允《書儀》二卷。

章氏《考證》:《内外書儀》四卷,謝元撰。《唐志》有謝允《書儀》二卷。

　　按《唐志》作謝允,允字令度,亦陳郡陽夏人。位宣城内史。《南史》附見《謝裕傳》,裕子景仁,避宋武帝諱,以字行。允,其父也。允爲安之從子,其爲宣城,當在晉時,史不言其有著述。自是謝元之誤,而又佚其二卷歟?

書儀二卷　蔡超撰

蔡超有《集注喪服經傳》,見經部禮類。

書筆儀二十一卷　謝朏撰

《梁書》本傳：朏字敬沖，陳郡陽夏人也。祖弘微、父莊，並有名前代。朏仕宋，歷齊，入梁。天監五年，累授中書監、司徒、衛將軍。是冬薨，年六十六，謚曰靖孝。朏所著書及文章並行於世。按《南史·謝弘微附傳》云"謚曰靖。孝武初，朏爲吳興"云云，則"孝"字當屬下文，《梁書》誤也。

《唐日本國見在書目》：《書筆儀》二十一卷，謝朏撰。

《唐書·經籍志》：《書筆儀》二十卷，謝朓撰。按此作謝朓，未詳。

《唐書·藝文志》：謝朏《書筆儀》二十卷。

宋長沙檀太妃薨弔答書十二卷

《宋書·宗室傳》：長沙景王道憐，高祖中弟也。道憐六子，第二子義慶，出繼臨川烈武王道規。初，太祖少爲道規所養，及長沙太妃檀氏、臨川太妃曹氏薨，祭皆給鸞輅九旒，黃屋左纛，輼輬車，挽歌一部，前後部羽葆、鼓吹，虎賁班劍百人。

按《南齊書·王僧虔傳》："高平檀珪與僧虔書有曰：'檀珪祖姑嬪長沙景王。'"按檀珪爲檀道濟從孫。檀太妃者，道濟兄弟行也。太妃爲臨川嗣王義慶本生母，義慶好文義，爲宗室之表，招聚文學之士，近遠必至。此《弔答書》，大抵爲臨川王所選録，亦爲總集之屬，或當時好事者録以爲儀式，故入之此篇歟？

弔答儀十卷　王儉撰

王儉有《喪服古今集記》，見經部禮類。

《南齊書》本傳：儉手筆典裁，爲當時所重。

《唐書·經籍志》：《弔答書儀》十卷，王儉撰。

《唐書·藝文志》：王儉《弔答書儀》十卷。又有《皇室書儀》七卷。

書儀十卷　王弘撰

《宋書》本傳：弘字休元，琅琊臨沂人。曾祖導，晉丞相。弘少好學，以清恬知名，弱冠爲會稽王道子驃騎主簿。入宋，爲侍中、中書監、太保、録尚書事、揚州刺史，封華容縣公。元嘉九年薨，年五十八，謚曰文昭公。弘明敏有思致，既以民望所宗，造次必存禮法。凡動止施爲，及書翰儀體，後人皆依倣之，謂爲王太保家法。《南史·王僧孺傳》：宋太保王弘好賈弼十八州譜，日對千客，可不犯一人之諱。

章氏《考證》：《太平御覽·時序部》引之。

皇室儀十三卷　鮑行卿撰

《南史·鮑泉傳》：泉，東海人也。時又有鮑行卿，以博學大才稱位。後軍臨川王録事參軍兼中書舍人，遷步兵校尉。上《玉璧銘》，武帝發詔褒賞。好韻語，撰《皇室儀》十三卷、《乘輿龍飛記》二卷。

《唐書·經籍志》：《皇室書儀》十三卷，鮑行卿撰。

《唐書·藝文志》：鮑衡卿《皇室書儀》十三卷。

　按《舊唐志》編年類：《乘輿龍飛記》二卷，鮑衡卿撰。《新志》雜史類同。此書《舊志》作行卿，《新志》作衡卿，則行卿即衡卿，非兩人也。《唐志》編年類又有鮑卿《宋春秋》二十卷。《南史》附傳不載，本志亦不録。

吉書儀二卷　王儉撰

王儉有《弔答儀》，見前。

《唐書·藝文志》：王儉《吉儀》二卷。

書儀疏一卷　周捨撰

周捨有《禮疑義》，見經部禮類。

《梁書》本傳：捨常留省内，罕得休下，國史詔誥，儀體法律，軍旅謀謨，皆兼掌之。

新禮三十卷　鮑泉撰

鮑泉有《六經通數》，見經部論語類。

《梁書》本傳：“泉博涉史傳，兼有文筆，於《儀禮》尤明，撰《新儀》四十卷，行於世。”《南史》本傳云撰《新儀》三十卷。

《唐書·經籍志》：《雜儀》三十卷，鮑泉撰。雜當爲新，泉當爲泉。

《唐書·藝文志》：鮑泉《新儀》三十卷。

文儀二卷　梁修端撰

梁修端始末未詳。

趙李家儀十卷録一卷　李穆叔撰

《北史·李靈傳》：靈，趙郡平棘人也。裔孫公緒，字穆叔，性聰敏，博通經傳。魏末，爲冀州司馬屬，疾去官。齊天保初，以侍御史徵不就，沉冥樂道，誓心不仕，雅好著書，撰《禮質疑》五卷、《喪服章句》一卷、《古今略記》二十卷、《玄子》五卷及《典言》、《趙記》、《趙語》等書，並傳於世。

《唐·世系》：趙郡李氏東祖房下公緒，字穆叔，後魏冀州司馬，棄官，賜號潛居公。

按《唐·世系》：“趙郡李氏出自秦司徒曇次子璣，字伯衡，秦太傅，三子雲、牧、齊，牧爲趙相，封武安君，始居趙郡。”

又曰：“趙郡李氏定著六房，其一曰南祖，二曰東祖，三曰西祖，四曰遼東，五曰江夏，六曰漢中。其曰《趙李家儀》者，所以別於隴西李氏，自著其族望也。”

書儀十卷　唐瑾撰

《北史·唐永傳》：永，北海平壽人也。子瑾，字附璘，博涉經史，雅好屬文。周文召拜尚書員外郎、相府記室參軍，累遷户部尚書、開府儀同三司，賜姓宇文氏。時燕公于謹，勳高望重，朝野所屬。白周文，言瑾學行兼修，願與之同姓，結爲兄弟，庶子孫承其餘論，有益義方。周文歎異者久之，更賜瑾姓萬鈕于氏。謹乃深相結納，敘長幼之序；瑾亦廷羅子孫，行弟姪之敬。其爲朝望所宗如此。累以功封姑臧子、臨淄縣伯。

論平江陵功,進爵爲公。六官建,<small>周文帝于西魏恭帝三年依《周禮》建六官,以周文爲太師大冢宰。</small>數遷爲司宗中大夫兼内史。卒於官,贈小宗伯,謚曰方。瑾性方重,有風格,又好施與,朝野稱之,撰《新儀》十篇。

言語儀一卷

不著撰人。

嚴植之儀二卷

嚴植之有《孝經注》,見經部孝經類。

> 按《梁書》、《南史·儒林傳》惟云:"天監二年,詔求通儒治五禮,有司奏植之治凶禮,撰《凶禮儀注》四百七十九卷。"此外無聞焉。而《唐·藝文志》載嚴植之《南齊儀注》二十八卷及本志是書,皆本傳所未及。

邇儀四卷　馬樞撰

《陳書》本傳:樞字要理,扶風郿人也。博極經史,尤善佛經及《周易》、《老子》義。梁邵陵王綸爲南徐州刺史,引爲學士。侯景之亂,隱於茅山,有終焉之志。天嘉元年,文帝徵爲度支尚書,辭不應命。太建十三年卒,時年六十,撰《道覺論》二十卷,行於世。

婦人書儀八卷

不著撰人。

《唐書·經籍志》:《婦人書儀》八卷,唐瑾撰。

《唐書·藝文志》:唐瑾《婦人書儀》八卷。

章氏《考證》:《周書·唐瑾傳》:瑾撰《新儀》十篇。《唐志》有唐瑾《婦人書儀》八卷。案《隋志》別有無名氏《婦人書儀》八卷,疑《唐志》誤合。

> 按唐瑾有《書儀》十卷,見前。《唐志》題唐瑾,必非無因,或此即前十卷之殘本,或十卷之外,別有是書,均未可知也。

本志不知何人作，故不注姓名，唐毋煚等撰《四部書録》，因續考，知爲唐瑾撰耳。

僧家書儀五卷　釋曇瑗撰

明馮惟訥《詩紀》：《續高僧傳》曰："曇瑗，金陵人。以戒律處世、住持爲要。陳宣帝敕瑗通誨國僧，以爲僧正。"

嚴可均《全陳文編》曰："釋曇瑗，金陵人，住光宅寺，有集六卷。"

要典雜事五十卷

不著撰人。

按《舊》、《新唐志》有王景之《要典》三十九卷，似即此書之殘賸，則此書王景之撰也。景之，不知何許人。

以上自謝元《内外書儀》至此，皆宋以來諸名家文筆之儀式，附以方外及《要典雜事》爲一類。

右五十九部，二千二十九卷，通計亡書，合六十九部，三千九十四卷。按所載亡書僅六部，尚有四部不見，非數目寫誤，即有所佚敚。凡著録五十九部，附注六部，通計六十五部。

按《七録序目·記傳録第五》曰："儀典部，凡八十種，二百五十二帙，二千二百五十六卷。"本志著録並亡書據云六十九部，内陳、隋及後魏、後齊諸禮儀及陳、齊鹵簿圖儀，李穆叔、唐瑾、馬樞、曇瑗等儀，共十五部，知非《七録》所有。除此，則本志所著少於阮氏所載，約略尚有二十六部，皆削而不録也。

又按無名氏《晉雜儀注》十一卷、《雜凶禮》四十二卷、《陳尚書雜儀注》五百五十卷、《陳軍禮》六卷、《陳嘉禮》一百二卷、《後齊儀注》二百九十卷、《雜嘉禮》三十八卷，王逡之《禮儀制度》十三卷、《鹵簿儀》二卷、《陳鹵簿圖》一卷、《齊鹵簿儀》一卷、《諸衛左右廂旗圖樣》十五卷、《宋長沙檀太妃薨弔答書》十二卷、周捨《書儀疏》一卷、鮑泉《新儀》三十卷、《梁修端文儀》二卷、李穆叔《趙李家儀》十卷、無名氏《言語儀》一卷、嚴植之《儀》二卷,馬樞《遍儀》四卷,無名氏《婦人書儀》八卷、曇瑗《僧家書儀》五卷、無名氏《要典雜事》五十卷,梁有衛敬仲《漢中興儀》一卷,凡廿四部,章氏《考證》皆缺載。又是類本志在史部第八章,章氏乃改爲第十一。

卷十九

史部九

刑法類　類中分類凡二。

律本二十一卷　杜預撰

杜預有《喪服要集》，見經部禮類。

《晉書・文帝本紀》：魏咸熙元年秋七月，帝奏中護軍賈充正法律。案與司空荀顗定禮儀，僕射裴秀定官制同奏者也。

又《武帝本紀》：泰始四年春正月景戌，律令成，封爵賜帛各有差。戊子，詔："律令既就，班之天下，將以簡法務本，惠育海內。宜寬有罪，使得自新，其大赦天下。長吏、郡丞、長史各賜馬一匹。"

又《刑法志》：文帝爲晉王，患前代律令本注煩雜，陳群、劉劭雖經改革，而科網本密，又叔孫、郭、馬、杜諸儒章句，但取鄭氏，又爲偏黨，未可承用。於是令賈充定法律，令與太傅鄭沖、司徒荀顗、中書監荀勖、中軍將軍羊祜、中護軍王業、廷尉杜友守、河南尹杜預、散騎侍郎裴楷、潁川太守周權、齊相郭頎、都尉成公綏、尚書郎柳軌及吏部令史榮邵等十四人典其事，就漢九章，增十一篇，合二十篇，六百二十條，二萬七千六百五十七言。泰始三年表上，賞帛萬餘匹。武帝親自臨講，使裴楷執讀。四年正月，大赦天下，乃班新律。

又《杜預傳》：預與車騎將軍賈充等定律令，既成，預爲之注解，乃奏之，詔班於天下。

《唐六典》刑部郎中員外郎注：晉氏受命，命賈充等十四人增損漢魏律爲二十篇，一刑名，二法例，三盜律，四賊律，五詐僞，六請賕，七告劾，八捕律，九繫訊，十斷獄，十一雜律，十二戶律，十三擅興律，十四毀亡，十五衛宮，十六水火，十七廄律，十八關市，十九違制，二十諸侯，凡一千五百三十條。

《唐書・經籍志》：《刑法律本》二十一卷，賈充等撰。

《唐書・藝文志》：賈充、杜預《刑法律本》二十一卷。

案《晉志》言叔孫、郭、馬、杜諸儒章句者，爲叔孫宣、郭令卿、馬融、鄭玄及西漢之杜周，號大杜律；杜延年號小杜律。章句十有餘家，可考者惟此。後漢應劭撰具《律本》章句爲《漢議》，即此《律本》十餘家之章句也。漢、魏相傳之律本章句，大都亡於永嘉之亂，故此篇以晉代之《律本》章句爲首焉。

漢晉律序注一卷　　晉僮長張斐撰
雜律解二十一卷　　張斐撰

《晉書・刑法志》：泰始四年正月，班新律。其後，明法掾張斐又注律，表上之。

嚴可均《全晉文編》曰：“張斐，斐一作棐，一作裴，或作裵。泰始中，明法掾，後爲僮長。有《漢晉律序注》一卷，《雜律解》二十一卷。”

《南齊書・孔稚圭傳》：江左相承用晉世張、杜律二十卷。永明七年，尚書刪定郎王植撰定律章，表奏之，曰：“張斐、杜預同注一章，而生殺永殊。臣謹取張注七百三十一條，杜注七百九十一條。或二家兩釋，於義乃備者，又取一百七條。其注相同者，取一百三條。集爲一書。”

《唐書・經籍志》：《律解》二十一卷，張斐撰。

《唐書・藝文志》：張斐《律解》二十卷。

章氏《考證》:《史記·平準書》索隱、《北堂書鈔》、《藝文類聚》、《太平御覽·刑法部》並引張斐《律序》。又《書鈔》引《晉律》注。《御覽》引《晉律》,每句下皆爲注文,而不著張斐,未知是斐本注否。又《一切經音義》引張斐解《晉律》。

案《漢晉律序注》一卷,似即在斐所解《新律》二十篇之首,亦即在下文《律解》二十一卷之内。不知本志何以分而爲二。其曰漢晉者,殆以晉律就漢九章而成歟? 又《雜律解》,"雜"當是"新"字之誤。

梁有杜預《雜律》七卷,亡。

杜預見前。

案此似即前《律本》二十一卷之别本。又或如蔡法度條抄晉、宋、齊、梁律之體,以爲是書。"雜律"亦似"新律"之誤。

晉宋齊梁律二十卷　蔡法度撰

梁律二十卷　梁義興太守蔡法度撰

《梁書·武帝本紀》:天監元年八月丁未,詔中書監王瑩等八人參定律令。二年夏四月癸卯,尚書删定郎蔡法度上《梁律》二十卷。

《隋書·刑法志》:梁武帝承齊昏虐之餘,刑政多僻,既即位,時欲議定律令,得齊時舊郎濟陽蔡法度家傳律學,云齊武時,删定郎王植之集注張、杜舊律,合爲一書,凡一千五百三十條,事未施行,其文殆滅。法度能言之,於是以爲兼尚書删定郎,使損益植之舊本,以爲《梁律》。天監元年八月下詔,以尚書令王亮、侍中王瑩、尚書僕射沈約、吏部尚書范雲、長兼侍中柳惲、給事黄門侍郎傅昭、通直散騎常侍孔藹、御史中丞樂藹、太常丞許懋等,參議斷定,定爲二十篇。一曰刑名,二曰法例,三曰盜劫,四曰賊叛,五曰詐僞,六曰受賕,七曰告劾,八曰討捕,九曰繫訊,十曰斷獄,十一曰雜,十二曰户,十三曰擅興，十四曰毀亡，十五曰衛宮，十六曰水火，十七曰倉庫，十八曰廄，十九曰關市，二十曰違制，大凡定罪二千五百二十九條。二年四月癸卯，法度表上新律，乃以法度守廷尉卿，詔班律於天下。

《唐書·經籍志》：《梁律》二十卷，蔡法度撰。

《唐書·藝文志》：蔡法度《梁律》二十卷，又《條鈔晉、宋、齊、梁律》二十卷。案此加"條鈔"二字，則不待煩言而可知。其書是《梁律》二十卷，爲承詔所脩定。其前二十卷，乃其私家所撰述也。

案《唐六典·刑部》注云："宋及南齊律之篇目及刑名之制略同晉氏。"《南齊書·孔稚圭傳》亦云："江左相承用晉世張、杜律。"謂即用杜預、張斐之律本章句也。故《宋書》、《齊書》皆不立《刑法志》，而本志亦無此二代之律。《唐志》有齊宗躬《永明律》八卷，據《孔稚圭傳》即與王植之律相同，其篇目亦與晉律無異，似即蔡法度所據之藍本也。

後魏律二十卷

不著撰人。

《魏書·刑法志》：世祖即位，以刑禁重，神䴥中，詔司徒崔浩定律令。正平元年，詔少傅游雅與中書侍郎胡方回等，改定律制。高祖太和三年，詔中書令高閭集中祕官等，修改舊文，隨例增減。又敕群官，參議厥中，經御刊定。五年冬訖，凡八百三十二章，門房之誅十有六，大辟之罪二百三十五，刑三百七十七。《通鑑》：太和三年，使高允議定律令，拜中書監。時年九十餘，而據律評刑，志識無損。

又《崔鴻傳》：鴻稍遷尚書都兵郎中，詔太師、彭城王勰以下公卿朝士儒學才明者三十人，議定律令於尚書上省，鴻與光俱在其中，時論榮之。

後魏楊衒之《洛陽伽藍記》曰："中書舍人常景字永昌，河內人

也。敏學博通,知名海内。太和十九年,爲高祖所器,拔爲律
學博士。刑法疑獄,多訪於景。正始初,詔刊律令,永作通
式。敕景共治書侍御史高僧裕、羽林監王元龜、尚書郎祖瑩、
員外散騎常侍李琰之等撰集其事。又詔太師彭城王勰、青州
刺史劉芳入預其議。景討正科條,商榷古今,甚有倫序,見行
於世,今律二十篇是也。”

《唐六典・刑部》注:後魏初,置四部大人,坐庭決辭訟,以言
語約束,刻契記事,無刑名之制。至太武帝,始命崔浩定刑
名,於漢、魏以來律除髠鉗五歲、四歲刑,增二歲刑,大辟有
轘、腰斬、殊死、棄市四等,凡三百九十條,門房誅四條,大辟
一百四十條,五刑二百三十一條。始置枷拘罪人。文成時,
又增律條章。至孝文時,定律凡八百三十三章,門房之誅十
有六,大辟之罪二百三十,五刑三百七十七。

又曰:“後魏初,命崔浩定令,後命游雅等成之,史失篇目。”

案是書至唐開元時,祕府已無存,故《舊》、《新唐志》皆不著
錄。本志亦但有律而無令,李林甫注《六典》,其令之篇目
已不可知,則其時,律目亦無可考。故《六典》注亦略而不
具焉。

北齊律十二卷目一卷

不著撰人。

《北齊書・封述傳》:太寧元年,徵授大理卿。河清三年,勑與
錄尚書趙彦深、僕射魏收、尚書陽休之、國子祭酒馬敬德議定
律令,述久爲法官,明解律令,議斷平允,深爲時人所稱。

《隋書・刑法志》:“北齊文宣,始命群官議造《齊律》,積年不
成。其決獄猶依魏舊。武成即位,以律令不成,頻加催督。
河清三年,尚書令趙郡王叡等,奏上《齊律》十二篇:一曰名
例,二曰禁衛,三曰婚户,四曰擅興,五曰違制,六曰詐偽,七

曰鬭訟，八曰賊盜，九曰捕斷，十曰毀損，十一曰廐牧，十二曰雜。其定罪九百四十九條。其制刑名五：一曰死刑，二曰流刑，三曰刑罪即耐罪也，四曰鞭，五曰杖，大凡爲十五等。當加者上就次，當減者下就次。又列重罪十條：一曰反逆，二曰大逆，三曰叛，四曰降，五曰惡逆，六曰不道，七曰不敬，八曰不孝，九曰不義，十曰內亂，其犯此十惡者，不在八議論贖之限。是後法令明審，科條簡要，又勅仕門之子弟常講習之。齊人多曉法律，蓋由此也。

《唐書·經籍志》：《北齊律》二十卷，趙郡王獻撰。“二十”當爲“十二”，“獻”當爲“叡”。

《唐書·藝文志》：趙郡王叡《北齊律》二十卷。案此卷數亦沿《舊志》之誤。

案趙郡王叡，齊神武帝弟琛之子也。累以功加封浮陽郡公、潁川郡公、宣城郡公，仕至司空、攝錄尚書事、太尉。後主初，爲胡太后及和士開、陸媪、劉桃枝等所害，年三十六。《北齊書》有傳。

陳律九卷　范泉撰

《陳書·武帝本紀》：永定元年冬十月癸未，立刪定郎，治定律令。

《隋書·刑法志》：陳氏承梁季喪亂，刑典疏闊。及武帝即位，思革其弊，乃下詔搜舉良才，刪改科令，於是稍求得梁時明法吏，令與尚書刪定郎范泉參定律令。又勅尚書僕射沈欽、吏部尚書徐陵、兼尚書左丞宗元饒、賀朗參知其事，制律三十卷。其篇目條綱，輕重簡繁，一用梁法。

《唐書·藝文志》：“范泉等《陳律》九卷。”

周律二十五卷

不著撰人。

《周書·武帝本紀》:保定三年二月庚子,初頒新律。

《隋書·刑法志》:周文帝於大統十年之後,大統,西魏文帝年號。以河南趙肅爲廷尉卿,撰定法律。肅積思累年,遂感心疾而死,乃命司憲大夫拓拔迪掌之。至保定三年三月庚子乃就,謂之大律,凡二十五篇:一曰刑名,二曰法例,三曰祀享,四曰朝會,五曰婚姻,六曰户禁,七曰水火,八曰興繕,九曰衛宫,十曰市廛,十一曰鬥競,十二曰劫盗,十三曰賊叛,十四曰毁亡,十五曰違制,十六曰關津,十七曰諸侯,十八曰廏牧,十九曰雜犯,二十曰詐僞,二十一曰請求,二十二曰告言,二十三曰逃亡,二十四曰繫訊,二十五曰斷獄,大凡定罪一千五百三十七條,班之天下,其大略滋章,條流苛密,比於齊法,煩而不要。

《唐書·經籍志》:《周大律》二十五卷,趙肅等撰。

《唐書·藝文志》:趙肅等《周律》二十五卷。

周大統式三卷

不著撰人。

《周書·文帝紀》:魏大統元年三月,太祖以戎役屢興,民吏勞弊,乃命所司斟酌今古,參考變通,可以益國利民便時適治者,爲二十四條新制,奏魏帝行之。七年冬十一月,太祖又奏行十二條制,恐百官不勉於職事,又下令申明之。十年秋七月,魏帝以太祖前後以上二十四條及十二條新制,方爲中興永式,乃命尚書蘇綽更損益之,總爲五卷,頒於天下。於是搜簡賢才,以爲牧守令長,皆依新制而遣焉。數年之間,百姓便之。

《隋書·刑法志》:周文帝之有關中也,霸業初基,典章多闕。大統元年,命有司斟酌今古通變可以益時者,爲二十四條之制,奏之。七年,又下十二條制。十年,魏帝命尚書蘇綽總三十六條,更捐益爲五卷,班於天下。其後以河南趙肅爲廷尉卿，撰定法律云云。

《唐六典·刑部》曰：“凡文法之名有四：一曰律，二曰令，三曰格，四曰式。律以正刑定罪，令以設範立制，格以禁違正邪，式以軌物程事。”注曰：“後周文帝初輔魏政，大統十年，命尚書蘇綽總三十六條，更損益爲五卷，謂之《大統式》。”

《唐書·藝文志》：蘇綽《大統式》三卷。

隋律十二卷

不著撰人。

《隋書·刑法志》：高祖既受周禪，開皇元年，乃詔尚書左僕射、渤海公高熲，上柱國、沛公鄭譯，清河郡公楊素，大理前少卿、平源縣公常明，刑部侍郎、保城縣公韓濬，比部侍郎李諤，兼考功侍郎柳雄亮等，更定新律，奏上之。蠲除前代鞭刑及梟首、轘裂之法，置十惡之條，多採後齊之制，而頗有損益。一曰謀反，二曰謀大逆，三曰謀叛，四曰惡逆，五曰不道，六曰大不敬，七曰不孝，八曰不睦，九曰不義，十曰內亂。三年，因覽刑部奏，斷獄數猶至萬條。以爲律尚嚴密，故人多陷罪。又敕蘇威、牛弘等，更定新律。除死罪八十一條，流罪一百五十四條，徒杖等千餘條，定留唯五百條。凡十二卷：一曰名例，二曰衛禁，三曰職制，四曰戶婚，五曰廄庫，六曰擅興，七曰盜賊，八曰鬥訟，九曰詐僞，十曰雜律，十一曰捕亡，十二曰斷獄。自是刑網簡要，疏而不失。

又《李德林傳》：開皇元年，勑令與太尉任國公、于翼、高熲等，同修律令。事訖，奏聞，別賜金帶、駿馬，賞損益之多也。

《唐書·經籍志》：《隋律》十二卷，高熲等撰。

《唐書·藝文志》：高熲等《隋律》十二卷。

隋大業律十一卷

不著撰人。

《隋書·刑法志》：煬帝即位，以高祖禁網深刻，又勅修律令，除十惡之條。三年，新律成，凡五百條，爲十八篇。詔施行之，謂之《大業律》。一曰名例，二曰衛宮，三曰違制，四曰請求，五曰户，六曰婚，七曰擅興，八曰告劾，九曰賊，十曰盜，十一曰鬭，十二曰捕亡，十三曰倉庫，十四曰廄牧，十五曰關市，十六曰雜，十七曰詐僞，十八曰斷獄。

《北史·隋煬帝本紀》：大業三年夏四月甲申，頒律令，大赦天下。

《唐書·經籍志》：《隋大業律》十八卷。《藝文志》同。

晉令四十卷

不著撰人。

《晉書·刑法志》："文帝爲晉王，命賈充等定法律二十篇，六百二十條。蠲其苛穢，存其清約，事從中興，歸於益時，其餘未宜除者，若軍事、田農、酤酒，未得皆從人心，權設其法，太平當除，故不入律，悉以爲令。施行制度，以此設教，違令有罪則入律。其常事品式章程，各還其府，爲故事。凡律令合二千九百二十六條，六十卷，故事三十卷。泰始三年，事畢表上。"

《藝文類聚·刑法部》：杜預《律序》曰："律以正罪名，令以序時制，二者相須爲用也。"

《唐六典·刑部》注："令，教也，命也。晉命賈充等撰令四十篇：一户，二學，三貢士，四官品，五吏員，六俸廩，七服制，八祠，九户調，十佃，十一復除，十二關市，十三捕亡，十四獄官，十五鞭杖，十六醫藥疾病，十七喪葬，十八雜上，十九雜中，二十雜下，二十一門下散騎中書，二十二尚書，二十三三臺祕書，二十四王公侯，二十五軍吏員，二十六選吏，二十七選將，二十八選雜，二十九宮衛，三十贖，三十一軍戰，三十二軍水戰，三十三至三十八皆軍法，三十九、四十皆雜法。宋、齊略同晉氏。

《唐書·經籍志》：《晉令》四十卷，賈充等撰。

《唐書·藝文志》：賈充、杜預《刑法律本》二十一卷，又《晉令》四十卷。

嚴可均《全晉文編》：《宋書·禮志》、《初學記》、《北堂書鈔》、《太平御覽》諸書引《晉令》，凡四十二條。

梁令三十卷録一卷
梁科三十卷

不著撰人。

《梁書·武帝本紀》：天監二年夏四月癸卯，尚書刪定郎蔡法度上梁律二十卷，令三十卷，科四十卷。

《隋書·刑法志》：天監二年四月癸卯，法度表上新律，又上令三十卷，科三十卷。

《唐六典·刑部》注："梁初，命蔡法度等撰《梁令》三十篇：一户，二學，三貢士贈官，四官品，五吏員，六服制，七祠，八户調，九公田公用儀迎，十醫藥疾病，十一復除，十二關市，十三劫賊水火，十四捕亡，十五獄官，十六鞭杖，十七喪葬，十八雜上，十九雜中，二十雜下，二十一宮衛，二十二門下散騎中書，二十三尚書，二十四三臺祕書，二十五王公侯，二十六選吏，二十七選將，二十八選雜士，二十九軍吏，三十軍賞。"又曰："梁易故事爲《梁科》三十卷，蔡法度所刪定。"

本志篇絞曰："晉初，賈充、杜預刪而定之，有律、有令、有故事。梁時，又取故事之宜於時者，爲《梁科》。"

《唐書·經籍志》：《梁令》三十卷，蔡法度撰。《梁科》二卷，蔡法度撰。

《唐書·藝文志》：蔡法度《梁律》二十卷，又《梁令》三十卷，《梁科》二卷。

北齊令五十卷
北齊權令二卷

並不著撰人。

《隋書·刑法志》："河清三年,尚書令趙郡王叡上《齊律》十二篇。又上《新令》四十卷,大抵采魏晉故事。"又曰:"其不可爲定法者,別制《權令》二卷,與之並行。後平秦王高歸彥謀反,須有約罪,律無正條,於是遂有《別條權格》,與律並行。大理明法,上下比附,欲出則附依輕議,欲入則附從重法,姦吏因之,舞文出没。至於後主,權倖用事,不附之者,陰中以法。綱紀紊亂,卒至於亡。"

《唐六典·刑部》注:北齊令趙郡王叡等撰《令》五十卷,取尚書二十八曹爲其篇名,又撰《權令》二卷,兩令並行。

《唐書·經籍志》:《北齊令》八卷,趙郡王獻撰。"獻"當爲叡。

《唐書·藝文志》:趙郡王叡《北齊律》二十卷,《令》八卷。

案《唐六典》尚書省左司郎中、右司郎中注云:"尚書郎,北齊有吏部、考功、主爵、殿中、儀曹、三公、駕部、祠部、主客、虞曹、屯田、起部、左中兵、左外兵、右中兵、右外兵、都兵、都官、二千石、比部、水部、膳部、度支、倉部、左民、右民、金部、庫部,凡二十八曹郎。"此《令》五十卷之篇目,即取是以命名也。

陳令三十卷　范泉撰
陳科三十卷　范泉撰

《隋書·刑法志》:武帝即位,得梁時明法吏,令與尚書删定郎范泉參定律令。制《律》三十卷,《令》四十卷。采酌前代,條流冗雜,綱目雖多,博而非要。

《通典·刑制篇》:陳武帝令尚書删定郎范杲此"泉"字之誤。參定律令,又令徐陵等知其事,制《律》三十卷,《科》三十卷。《唐六典·刑部》注云:"《律》三十卷,《令》三十卷,《科》三十卷。"

《唐書·經籍志》:《陳令》三十卷,范泉等撰,《陳科》三十卷,范泉志。

《唐書·藝文志》:范泉等《陳律》九卷,又《陳令》三十卷,《陳科》三十卷。

隋開皇令三十卷目一卷

不著撰人。

《隋書·裴政傳》:政明習故事。開皇元年,詔與蘇威等修定律令。政采魏、晋刑典,下至齊、梁,沿革輕重,取其折衷,同撰著者十有餘人,凡疑滯不通,皆取決於政。

《唐六典·刑部》注:隋開皇命高熲等撰令三十卷,一官品上,二官品下,三諸省臺職員,四諸寺職員,五諸衛職員,六東宮職員,七行臺諸監職員,八諸州郡縣鎮戍職員,九命婦品員,十祠,十一户,十二學,十三選舉,十四封爵俸廪,十五考課,十六宮衛軍防,十七衣服,十八鹵簿上,十九鹵簿下,二十儀制,二十一公式上,二十二公式下,二十三田,二十四賦役,二十五倉庫廐牧,二十六關市,二十七假寧,二十八獄官,二十九喪葬,三十雜。

《唐書·經籍志》:《隋開皇令》三十卷,裴正等撰。

《唐書·藝文志》:牛弘等《隋開皇令》三十卷。

隋大業令三十卷

不著撰人。

《隋書·煬帝本紀》:大業三年四月甲申,頒律令,大赦天下,關内給復三年。

《唐六典·刑部》注:隋開皇定律,蠲除前代梟首、轘裂及鞭刑。又依北齊置十惡。煬帝以開皇律令猶重,除十惡之條,更制《大業律》。其五刑之内,降從輕典者二百餘條。末年嚴刻,生殺任情,不復依例。及楊玄感反,誅九族,復行轘裂、梟首,磔而射之。

《唐日本國見在書目》:《隋大業令》三十卷。

案《隋書·刑法志》:煬帝即位,又勅修律令,此《大業令》當時與《大業律》同上者,煬帝於十惡之條,一身備具,故惡其害己而去之。

以上自杜預《律本》至此,皆晉以來歷朝律、令、科、格之屬。

本志篇敍所謂“自律已下,世有改作,事在《刑法志》”是也。

而《刑法志》所載律令篇目,或具或不具。

漢朝議駮三十卷　應劭撰

應劭有《漢書集解》,見前正史類。

《後漢書》本傳:劭又刪定律令爲《漢儀》。《晉書·刑法志》引作《漢議》。建安元年奏之,又集駮議三十篇,以類相從,凡八十二事。其見《漢書》二十五,《漢記》四,即《東觀記》。皆刪敍潤色,以全本體。其二十六,博采古今瓌瑋之士,文章煥炳,德義可觀。其二十七,臣所創造。豈繁自謂必合道?衷心焉憤邑,聊以藉手。是用敢露頑才,廁於明哲之末。雖未足綱紀國體,宣洽時雍,庶幾觀察,增闡聖聽。惟因萬機之餘暇,游意省覽焉。獻帝善之。二年,詔拜劭爲袁紹軍謀校尉。案此蓋與《漢議》二百五十篇同上者,其取資於《漢書》者二十五事,《漢紀》四事,古今人文章可觀者二十六事,自造二十七事,合爲八十二事,凡三十卷云。

又曰:“初,安帝時河間人尹次、潁川人史玉皆坐殺人當死,次兄初及玉母軍並詣官曹求代其命,因縊而物故。尚書陳忠以罪疑從輕,議活次、玉。劭後追駮之,據正典刑,有可存者。其議曰:《尚書》稱‘天秩有禮,五服五章哉。天討有罪,五刑五用哉。’而孫卿亦云:‘凡制刑之本,將以禁暴惡,且懲其末也,凡爵列、官秩、賞慶、刑威,皆以類相從,使當其實也。’若德不副位，能不稱官，賞不酬功，刑不應罪，不祥莫大焉。殺人者死，傷人者刑，此百王之定制，有法之成科。高祖入關，雖尚約法，然殺人者死，亦無寬降，夫時化則刑重，時亂則刑輕。《書》曰‘刑罰時輕時重’，此之謂也。今次、玉公以清時釋其私憾，阻兵安忍，僵屍道路。朝恩在寬，幸至冬獄，而初、軍愚狷，妄自投斃。昔召忽親死子糾之難，而孔子曰：‘經於溝瀆，人莫之知。’朝氏之父非錯刻峻，遂能自隕其命，班固亦云‘不如趙母指括以全其宗’。傳曰：‘僕妾感慨而致死者，非能義勇，顧無慮耳。’夫刑罰威獄，以類天之震燿殺戮也，溫慈和惠，以放天之生殖長育也。是故春一草枯則爲災，秋一木華亦爲異。今殺無罪之初、軍，而活當死之次、玉，其爲枯華，不亦然乎，陳忠不詳制刑之本，而信一時之仁，遂廣引八議求生之端。夫親故賢能功貴勤賓，豈有玉、次當罪之科哉？若乃小大以情，原心定罪，此爲求生，非謂代死可以生也。敗法亂政，悔其可追。劭凡爲駁議三十篇，皆此類也。”_{案此即其自撰}二十七篇之一，范氏錄入本傳，以見大凡。

《文心雕龍·議對篇》曰：“迄至有漢，始立駁議。駁者，雜也。雜議不純，故曰駁也。漢世善駁，則應劭爲首。”又曰：“仲瑗博古而詮貫有敍。”

《唐書·經籍志》：《漢朝駁義》三十卷，應劭撰。

《唐書·藝文志》：“應劭《漢朝議駁》三十卷。”又故事類：“應劭《漢朝駁》三十卷。”

章氏《考證》：《唐志》故事類又有應劭《漢朝駁》三十卷，自是重出。

梁有《建武律令故事》一卷，亡。_{一本作二卷。}

不著撰人。

《唐六典·刑部》注：編錄當時制勑，永爲法則，以爲故事。漢建武有《律令故事》上、中、下三篇，皆刑法制度也。

《唐書·經籍志》：《漢建武律令故事》三卷。《藝文志》同。

梁有應劭《律略論》五卷，亡。

應劭當爲劉邵，有《孝經注》，見經部孝經類。

《魏志》本傳：明帝即位，出爲陳留太守，徵拜騎都尉，與議郎庾嶷、荀詵等定科令，作《新律》十八篇，著《律略論》。

《唐書·經籍志》：《律略論》五卷，劉邵撰。

《唐書·藝文志》：劉邵《律略論》五卷。

案《太平御覽·刑法部》引劉劭《律略》曰："删舊科，采漢律，爲魏律，懸之象魏。"嚴氏編《三國文》，以爲此十三字即是劉邵《新律序略》中語。《晉書·刑法志》及《通典》載劉邵《新律序略》，言《新律》增損篇目，及取去從違之故，皆出是書。然則是書，即所作《新律序論》也。《新律》即《魏律》，大抵與《漢律》皆亡於永嘉之亂，故本志著録，托始於杜預《晉律》。《晉志》自"李悝《法經》"以下云云，似皆本是書。

晉雜議十卷

不著撰人。

《唐書·藝文志》故事類：《晉雜議》十卷。

章氏《考證》：《晉雜議》十卷，《唐志》入故事類。

案晉代雜議略見於《晉書·刑法志》中，大抵議復肉刑爲多。《舊》、《新唐志》儀注類又有荀顗等《晉雜議》十卷，疑亦是書不盡專爲刑法，故或入故事，或入儀注也。

晉彈事十卷

不著撰人。

《唐書·經籍志》：《晉彈事》九卷。《藝文志》同。

案本志集部總集類梁有諸《彈事》等十四部，亡。此《晉代彈事》十卷，似即十四部之僅存者。

南臺奏事二十二卷

不著撰人。

《唐書·經籍志》：《南臺奏事》二十二卷。<small>《藝文志》同，又故事類九卷，似別曹之奏事。</small>

《玉海·藝文類》：《漢南臺奏事》，《唐志·刑法》二十二卷，《隋志》無"漢"字。順帝永建元年九月辛亥，初令三公、尚書入奏事。<small>案此云《隋志》無漢字者，蓋以《新唐志》蒙上漢字。又列於應劭《漢朝議駁》之前，明其爲漢代之書也。</small>

案《玉海》載此書，繫以《順帝本紀》一條，蓋著其朔而未明其故，似有所闕略也。三公尚書者，《續漢·百官志》注云："漢舊儀三公曹，主斷獄。"蔡質《漢儀》云："典天下歲盡集課事，五曹尚書之一也。東漢尚書曹在南宮。"《謝承書》云："條在南宮。"《鄭弘傳》云"著之南宮"是也。

《唐六典》注云："後漢尚書，亦稱臺閣。"故曰南臺，此《南臺奏事》即三公曹奏事，故入刑法。其書蓋昉於順帝初年。《桓焉傳》云："順帝即位，拜太傅，與太尉朱寵並錄尚書事，焉復入授經禁中，因讜見，建言宜引三公尚書入省事，帝從之。"省事，猶視事也。然則此事自焉發之也。

漢名臣奏事三十卷

不著撰人。

《文心雕龍·奏啓篇》："自漢以來，奏事或稱上疏，儒雅繼踵，殊采可觀。若夫賈誼之務農，鼂錯之兵事，匡衡之定郊，王吉之觀禮，温舒之緩獄，谷永之諫仙，理既切至，辭亦通暢，可謂識大體矣。後漢群賢，嘉言罔伏，楊秉耿介於災異，陳蕃憤懣於尺一，骨鯁得焉；張衡指摘於史職，蔡邕銓列於朝儀，博雅明焉。若乃案劾之奏，所以明憲清國。漢置中丞，總司按劾。觀孔光之奏董賢，則實其奸回；路粹之奏孔融，則誣其釁惡。

名儒之與險士，固殊心焉。"又《章表篇》云："左雄奏議，臺閣
爲式；胡廣章奏，天下第一，並當時之傑筆也。"

本志集部總集類注：梁有《漢名臣奏》三十卷，陳長壽撰。

《唐書·經籍志》：《漢名臣奏》三十卷，陳壽撰。又二十九卷。

《唐書·藝文志》：《漢名臣奏》二十九卷，不著撰人。陳壽《漢
名臣奏事》三十卷。案二十九卷者，別是一家，在陳壽之前。

《玉海·藝文類》：《中興書目》《漢名臣奏》二卷，一卷孔光元
壽二年八月奏，篇凡三；一卷唐林在新莽時奏，篇凡十。

陳氏《書録解題》章奏類：《漢名臣奏》一卷。案《漢名臣奏事》
三十卷。《中興書目》僅存其二，一爲孔光，一爲唐林。今惟
唐林而已，所言皆莽朝事，無足論者，姑以存古云爾。

章氏《考證》：《唐志》二十九卷，又有陳壽《漢名臣奏事》三十
卷。《史記·惠景侯者年表》集解引杜業奏，《漢書·揚雄傳》
注張衡奏，《初學記·天部》蔡邕奏，《政禮部》唐林奏，當爲"政
理"。《服食部》大司空朱游奏，《藝文類聚·祥瑞部》丞相薛宣
對，《北堂書鈔·設官部》張禹奏、翟方進奏，《後漢書·張衡
傳》注蔡邕言渾天，《蔡邕傳》注張文上疏，《文選·晉紀總論》
注陳風對問，《太平御覽·皇親部》杜業奏，《職官部》丞相薛
宣奏，又曹褒上書，又張禹奏禮，《儀部》黃瓊上言，《百穀部》
丞相薛宣奏，《資産部》太尉屬應劭、司農屬孫嵩、司空掾孔曲
等議，唐武后臣軌上，引並稱《漢名臣奏》。《隋志》總集類重
出，《玉海》引《中興書目》言孔光奏一卷，唐林奏一卷，今孔光
奏未見。

魏主奏事十卷

不著撰人。

章氏《考證》：《文選·古詩十九首》注："出不由里門面大道
者，名曰第。"《太平御覽·居處部》云："侯食邑不滿萬户，不

得作第。其舍在里中，不稱宅。”並引《魏王奏事》。《史記·韓信》、《盧綰傳》集解魏武帝奏事云：“今邊有小警，輒露檄插羽，飛羽檄之意也。”《漢書·高帝紀》注，《後漢書·光武紀》、《西羌傳》注，《文選·關中詩》注並引之。又《御覽·居處部》引《魏武制度奏》。

侯康《補三國藝文志》：《史記·陳豨傳》、《漢書·高祖紀》十年、《後漢書·光武紀》更始二年、《西羌傳論》諸注俱引《魏武奏事》。《御覽》一百八十一引《魏公奏事》。

魏名臣奏事四十卷　目一卷　陳壽撰

陳壽有《三國志》，見前正史類。

《文心雕龍·奏啓篇》：魏代名臣，文理迭興。若高堂天文，王觀教學，王朗節省，甄毅考課，亦盡節而知治矣。

本志總集類注：梁有《魏名臣奏》三十卷，陳長壽撰。

《唐書·藝文志》故事類：《魏名臣奏事》三十卷，不著撰人。

錢大昕《三國志考異》：裴松之注所引書有《魏名臣奏》，不詳撰人。

章氏《考證》：《唐志》入故事類，三十卷，脫陳壽名。《魏志·明紀》注引散騎常侍何曾表，《三少帝紀》注太尉華歆表，《公孫度傳》注中領軍夏侯獻表，《張魯傳》注董昭表，《王朗傳》注朗節省奏，《蘇則傳》注文帝令問雍州刺史張既答，《崔林傳》注安定太守孟達薦王雄表，又侍中辛毗奏，《高柔傳》注柔上殺鹿疏，《徐邈傳》注黃門侍郎杜恕表，《毋丘儉傳》注雍州刺史張既表，《初學記·歲時部》大司農董遇議，《藝文類聚·禮部》蔣濟奏，《樂部》王朗表，《北堂書鈔·儀飾部》中書監劉放奏，《太平御覽·時序部》太尉司馬懿奏，《地部》執金吾龐延奏，《職官部》黃門杜恕奏，《禮儀部》秦靜議、高堂隆議。《服用部》高堂隆奏，《獸部》郎中黃觀上疏，並引《魏名臣奏》。

《隋志》總集類又有陳長壽《魏名臣奏》三十卷,當是重出,"長"字誤增。

　　案《漢名臣奏》,《唐·藝文志》所載陳壽之前,別有二十九卷之本。《魏名臣奏》有正始中詔撰之本,亦在壽書之前,見《陳羣傳》注。其書不盡屬刑法。章氏所舉諸引證可見,故有入故事者,有入總集者。本志既從他書目著之此類,復從《七錄》附著於總集亡書中,實亡而未亡,前後失於釐訂也。

魏臺雜訪議三卷　　高堂隆撰

《魏志》本傳:高堂隆字升平,泰山平陽人。魯高尚生後也。建安十八年,太祖召爲丞相、軍議掾,後爲歷城侯相。黃初中,爲堂陽長,選爲平原王傅。王即尊位,是爲明帝,以隆爲給事中、博士、駙馬都尉、陳留太守、散騎常侍,賜爵關內侯、侍中、領太史令,遷光錄勳,卒。

《唐書·經籍志》儀注類:《魏臺雜訪儀》三卷,高崇撰。"儀"當爲"議",又以避諱改爲"崇",而誤敓"堂"字。

《唐書·藝文志》故事類:"《魏臺訪議》三卷,不著撰人。"又儀注類:"高堂隆《魏臺雜訪議》三卷。"

章氏《考證》:《唐志》儀注、故事兩類重出。《宋書·禮志》曰:"前後但見讀春、夏、秋、冬四時令,至於服黃之時,獨闕不讀,不解其故。"《文選》謝惠連《擣衣詩》注:"玉簪,以玉爲笄也。"《後漢書·牟長傳》注:"物故之義。高堂隆答曰:'物,無也。故,事也。'"《史記》索隱《匈奴傳》同。《藝文類聚·歲時部》:"王肅對用未社丑臘議。"《初學記·歲時部》:"高堂隆對用未祖丑臘議。"《御覽·時序部》同。《服食部》:"弁柸有笄,無緌。"《御覽·時序部》:"華歆常以臘日宴子弟,王郎慕之。"其法由來漸矣,並引《魏臺訪議》。

侯康《補三國藝文志》曰:"《宋書·禮志》、《隋書·禮儀志》及唐、宋人諸類書皆引之。"

魏廷尉決事十卷

不著撰人。

《唐書・藝文志》故事類：《魏廷尉決事》十卷。

章氏《考證》：《唐志》二十卷，又故事類重出。《北堂書鈔・酒食部》、《太平御覽・飲食部》、《文部》、《刑法部》、《器物部》並引《廷尉決事》。

侯康《補三國藝文志》：《御覽》七百六十三引《廷尉決事》曰："廷尉高文惠上民傅晦詣民籍牛場上盜黍，爲牛所覺，以斧擲折晦腳，物故。依律，牛應棄市。監棗超議：'晦既夜盜，牛本無殺意，宜減所死一等。'"必出此書也。文惠，高柔字也。黃初四年爲廷尉。又六百四十六亦引《廷尉決事》，然無以定其爲魏。

案決事亦稱決事比，始於前漢董仲舒。仲舒作《春秋斷獄》，《崇文總目》作《春秋決事比》是也。亦即決事比例，應劭作《漢議》，輒撰具《廷尉板令》、《決事比例》是也。范書《陳忠傳》："忠父寵，在廷尉上除漢法溢於《甫刑》者，未施行，忠略依寵意，奏上二十三條，爲《決事比》，以省請讞之敝。"《舊唐志》刑法家有《廷尉決事》二十卷，無"魏"字。《新志》列於漢代諸書中，是此二十卷者，爲漢人書。其故事類所載《魏廷尉決事》十卷，書名、卷數並相符合，即此書也。章氏以爲一書，又以爲故事類重出，非是。《魏志・鍾毓傳》："毓爲廷尉，聽君父已没，臣子得爲理謗，及士爲侯，其妻不復配嫁，毓所創也。"此二事，當在是書。

晉駁事四卷

不著撰人。

《唐書・經籍志》：《晉駁事》四卷。《藝文志》同。

案此蓋與應仲瑗《漢朝議駁》同一體類。《晉書·孫鑠傳》：
"鑠爲大司馬石苞掾，遷尚書郎，在職駁議十有餘事，爲當
時所稱。"當在是書。

晉雜制十六卷

不著撰人。

《晉書·刑法志》：至惠帝之世，政出群下，每有疑獄，各立私
情，刑法不定，獄訟繁滋。尚書裴頠表陳之，而曲議猶不止。
及於江左，元帝爲丞相時，朝廷草創，議斷不循法律，人立異
議，高下無狀。主簿熊遠奏曰："自軍興以來，臨事改制，朝作
夕改，至於主者不敢任法，每輒關諮，委之大官，非爲政之體。
若每隨物情，輒改法制，此爲以情壞法。愚謂宜令錄事更立
條制，諸立議者皆常引律令經傳，不得直以情言。"是時，帝以
權宜從事，尚未能從。而河東衛展爲晉王大理，考摘故事有
不合情者，又上書曰："今施行詔書，傷順破教者衆，不得不蕩
其穢匿，通其坑滯。今詔書宜除者多，有便於當今，著爲正
條，則法差簡易。"元帝令曰："自元康以來，事故荐臻，法禁滋
漫。大理所上，宜朝堂會議，蠲除詔書不可用者，此孤所虛心
者也。"

案《刑法志》所載，即此雜制之所由起。是蓋於晉令之外，
別有此權宜之制。大抵元帝爲晉王時，從大理衛展所請，
著爲此書。《晉書·衛恒傳》云："恒族弟展爲晉王大理，詔
有考子證父或鞭父母問子所在。展以爲恐傷正教，並奏除
之。中興建，爲廷尉。"此所云詔有，即詔書所有，亦即展所
謂詔書宜除者多，此其一也。

晉刺史六條制一卷

不著撰人。

《宋書·百官志》：刺史班行六條詔書，其一條曰，強宗豪右，

田宅踰制，以強凌弱，以眾暴寡。其二條曰，二千石不奉詔書，遵承典制，背公向私，旁詔守利，侵漁百姓，聚斂爲姦。其三條曰，二千石不卹疑獄，風厲殺人，怒則加罰，喜則任賞，煩擾苛暴，剝戮黎元，爲百姓所疾，山崩石裂，妖祥讖言。其四條曰，二千石選署不平，苟阿所愛，蔽賢寵頑。其五條曰，二千石子弟恃怙榮勢，請託所監。其六條曰，二千石違公下比，阿附豪彊，通行貨賂，割損正令。歲終則乘傳詣京師奏事。成帝綏和元年，改爲牧。哀帝建平二年，復爲刺史。前漢世，刺史乘傳周行郡國，無適所治。後漢世，所治始有定處，止八月行部，不復奏事京師。晉江左猶行郡縣詔，棗據《追遠詩》曰"先君爲鉅鹿太守，迄今三紀。忝私爲冀州刺史，班詔次於郡傳"是也。牧二千石，刺史六百石。

《通典·職官·州郡門》曰："晉制刺史三年一入奏，甲午詔書曰：'刺史銜命，國之外臺，其非所部而在境者，刺史並糾之。'"

　案《漢書·百官表》云："武帝元封五年初置部刺史，掌奉詔條察州。"師古曰《漢官典職儀》云：刺史班宣，周行郡國，省察治狀，黜陟能否，斷治冤獄，以六條問事，非條所問，即不省。一條，強宗豪右"云云，與《宋書·百官志》同。蓋其制始於漢武，歷後漢、魏、晉、宋猶承用之。故《通典》但載漢制，別無魏晉六條之制也。

齊五服制一卷

不著撰人。

《通志·藝文略》儀禮喪服類：《南齊五服制》一卷。

　案《通志略》云："南齊，未詳所據。"考《唐六典·刑部》注載《晉令》第七曰服制，《梁令》第六亦曰服制，疑此一卷爲齊代令篇之佚存者，鄭氏列之儀禮喪服，豈類例之謂歟？

陳新制六十卷

不著撰人。

案《唐六典·刑部》注曰："編録當時制勑,永爲法則,以爲故事。"此陳氏一代之制勑,猶故事之類也。

以上自應劭《漢朝議駁》至此,皆刑法之支流。篇敍所謂"故事駁議,又多零失。今録其見存可觀者,編爲刑法篇"是也。

右三十五部,七百一十二卷,通計亡書,合三十八部,七百三十六卷。著録部數不誤,附著亡書三部,通計部數亦不誤。

案《七録序目·記傳録第六》曰："法制部四十七種,九十五帙,八百八十六卷。"本志著録并亡書三十八部,內後魏律刊於正始之初,時爲梁武帝天監三年。北人著述,南朝多不齒數。北爲虜庭法令之書,雖當阮氏之世,恐亦未必存録。他如《北齊律》、《陳律》、《周律》、《大統式》、《隋律》、《大業律》、《北齊令》、《權令》、《陳令》、《陳科》、《隋開皇令》、《大業令》、《陳新制》,凡十三部,皆在梁普通之後,必非《七録》所及。除此,則本志所録少於《七録》,約略尚有二十三部。又《隋大業令》三十卷,《晉雜制》六十卷,《晉刺史》六條,《制》一卷,《齊五服制》一卷,《陳新制》六十卷,梁有杜預《雜律》七卷,凡六部,章氏《考證》並失載。又本志編次是類在史部第九,章氏乃改爲第十二。

卷二十

史部十

雜傳類　類中分類凡一十五。

三輔決録七卷　漢太僕趙岐撰　摯虞注

《後漢書》本傳：岐字邠卿，京兆長陵人也，初名嘉，字臺卿，娶扶風馬融兄女。仕州郡，辟司空掾，爲大將軍梁冀所辟，舉理劇，爲皮氏長。西歸，京兆尹延篤復以爲功曹。先是，中常侍唐衡兄玹爲京兆虎牙都尉，岐數爲貶議，玹深毒恨。延熹元年，玹爲京兆尹，收岐家屬宗親，陷以重法，盡殺之。岐遂逃難四方，北海孫賓石藏之複壁中數年，後諸唐死滅，因赦乃出。九年，應司徒胡廣之命，拜并州刺史，坐黨事免。靈帝初，復遭黨錮十餘歲。中平元年，徵拜議郎。及獻帝西都，稍遷太僕。李傕專政，使太傅馬日磾撫慰天下，以岐爲副。興平初，奉使荊州，督租糧，以老病，遂留荊州。曹操時爲司空，舉以自代，就拜爲太常，年九十餘，建安六年卒。岐多所述作，著《孟子章句》、《三輔決録》傳於時。

岐自序曰："三輔者，本雍州之地，世世徙公卿吏二千石及高資，皆以陪諸陵，五方之俗雜會，非一國之風，不但繫於《詩》秦、豳也。其士好高尚義，貴於名行，其俗失則趣勢進權，唯利是視。余以不才，生於西土，耳能聽而聞故老之言，目能視而見衣冠之疇，心能識而觀其賢愚。常以玄冬，夢黃髮之士，姓玄名明，字子真，與余寤言，言必有中，善否之間，無所依違,命操筆者書之。近從建武以來,暨於斯今,其人既亡,行乃可書,玉石朱紫,由此定矣,故謂之決録矣。"

《魏志·荀彧傳》注:《三輔決録》曰:"嚴象字文則,京兆人。少聰博有膽智,以督軍御史中丞詣揚州討袁術,會術病卒,因以爲揚州刺史。建安五年,爲孫策廬江太守李術所殺,時年三十八。象同郡趙岐作《三輔決録》,恐時人不盡其意,故隱其書,唯以云象。"案此似《三輔決録序注》摯仲治之辭也。

《晉書·摯虞傳》:虞,京兆長安人。少事皇甫謐,才學通博,著述不倦,注解《三輔決録》。有《決疑要注》,見前儀注篇。

《史通·書志篇》曰:"譜牒之作,盛於中古。漢有趙岐《三輔決録》,晉有摯虞《族姓記》,江左有兩王《百家譜》,中原有《方司殿格》。蓋氏族之事,盡在是矣。"又《補注篇》云:"若摯虞之《三輔決録》、陳壽之《季漢輔臣》、周處之《陽羨風土》、常璩之《華陽士女》,文言美辭,列於章句;委曲敍事,存於細書。"

《唐日本國見在書目》:《三輔決録》七卷,漢太僕趙岐撰,摯虞注。

《唐書·經籍志》:《三輔決録》七卷,趙岐撰,摯虞注。

《唐書·藝文志》:趙岐《三輔決録》十卷,摯虞注。

侯康《補後漢書藝文志》曰:"康案范書《隗囂傳》注引一條云:'平陵之王,惠孟鏘鏘,激昂囂述,困於東平。'則其書似有韻語作贊,然他不多見。今於諸書所引者,尚夥然,每與摯虞注相紊亂。"

張澍二酉堂輯本序曰:"案岐纂《決録》,據其自序並昔人徵引逸篇,其書不類譜牒。至摯虞之注,與陳壽等三書亦不相侔。《史通·書志》、《補注篇》所考,未爲精確,大抵簡者爲録,詳者爲注。又《決録》多作韻語,即《史通》所謂'文言美句'也。諸書徵引,録與注不盡分晰,余鈔撮特分別之。《隋志》七卷,《舊唐志》亦七卷,《新唐志》十卷,故多於前,今定爲二卷。"

茆泮林輯本題識曰:"《三輔決録》,惟陶宗儀《説郛》輯有一卷,僅得十五事而已。泮林隨遇輒録,摯仲治注一併輯之,計《決録》九十四事,注三十六事,而以邠卿事蹟録冠卷首。"

海内先賢傳四卷　魏明帝時撰

《唐書·經籍志》:《海内先賢傳》四卷,魏明帝撰。

《唐書·藝文志》:《海内先賢傳》五卷,魏明帝時撰。

章氏《考證》:《舊唐志》四卷,《新唐志》五卷。《世説·德行篇》注:"潁川先輩爲海内所師者,定陵陳稺叔、潁川荀淑、長社鍾皓。"《北堂書鈔·政術部》:"陳寔爲海内高名,在位之臣歸以公相位。"並引《海内先賢傳》。其書所紀,多東漢先賢。《太平御覽·職官部》引董卓議廢帝,盧植正色不順事,稱魏明帝《先賢傳》省"海内"二字。

侯康《補三國藝文志》曰:"《世説》注、《後漢書》注、《藝文》、《御覽》俱引之,其中記申屠蟠事,許劭事,足補史傳之闕。記王允死難事,與史不同。記李膺宗陳稺叔、荀淑、鍾皓三君,嘗言:荀君清識難尚,陳、鍾至德可師,比史傳多稺叔一人,皆足以備參考者也。"

案魏明帝有《甄表狀》,《聖賢群輔録》曰:"魏文帝初爲丞相魏王所旌表二十四賢,後明帝乃述撰其狀。見文帝《令》及《甄表狀》。侯氏《補志》曰:"魏文旌表二十四賢,備在《群輔録》,無公沙穆、陳寔父子,而《甄表狀》有之。蓋又有所推廣矣。宗案《甄表狀》所推廣者,不知若干人,此大抵因《甄表狀》而續增爲傳者,疑《群輔録》所載漢魏間諸賢,如三君八俊之類,皆是也。《新唐志》多出一卷,疑即後《海内名士傳》一卷,合爲一書。"

四海耆舊傳一卷

不著撰人。

《唐書·經籍志》：《四海耆舊傳》一卷，李氏撰。

《唐書·藝文志》：韋氏《四海耆舊傳》一卷。

章氏《考證》：《新唐志》題韋氏，《舊唐志》作李氏。《群輔録》注公沙孚事，引《北海耆舊傳》，"北"字疑誤。

案《群輔録》稱北海公沙穆，則公沙氏本北海人，稱北海不誤。此云四海，似以東、西、南、北分篇，北海爲其中之一篇。章氏又别舉《北堂書鈔·政術部》劉盛、《設官部》董政各一事，並引《南海先賢傳》，以謂本志不著録者，亦似此書之篇目也。

海内士品一卷

不著撰人。

《唐書·經籍志》：《海内士品録》二卷，魏文帝撰。

《唐書·藝文志》：魏文帝《海内士品録》三卷。

章氏《考證》：《海内士品》一卷，無撰名。《唐志》魏文帝，三卷。《藝文類聚·服飾部》、《北堂書鈔·儀飾部》、《太平御覽·服用部》並引《海内士品》曰："徐孺子嘗事江夏黄公，卒，孺子往會葬，無行資，賷磨鏡具，賃磨取資，然後得達，祭畢而還。"

案本志子部《名家士操》一卷，魏文帝撰。案魏武諱操，文帝不當以操名書，似即此"士品"之誤，衹是一書也。

先賢集三卷

不著撰人。

《唐書·經籍志》：《海内先賢行狀》三卷，李氏撰。

《唐書·藝文志》：李氏《海内先賢行狀》三卷。

章氏《考證》：《海内先賢行狀》，《唐志》著題李氏。《世説·德行篇》注引荀淑、鍾皓、陳紀三事，稱《先賢行狀》。他書所引，亦多省"海內"二字，惟《太平御覽・人事部》引王烈、戴良、徐孺子、仇覽四事，稱《海內先賢行狀》。《職官部》引故宗正南陽劉奉先爲督郵事，稱《漢魏先賢行狀》。

　　案此《先賢集》即《唐志》之《海內先賢行狀》。章氏依《唐志》之書名而無"不著錄"三字，蓋亦以爲即是此書，其不依本志作《先賢集》者，偶誤也。《史通・正史篇》言："《東觀漢記》殘缺無成，魏黃初中，唯著《先賢表》。"疑即此《先賢集》也。

　　以上五家爲總錄之類第一。

兖州先賢傳一卷

　　不著撰人。

　　唐林寶《元和姓纂・仲長氏》："見《纂要》。"又曰："山陽仲長氏，後漢尚書郎仲長統著《昌言》，代居高平。晉太宰參軍仲長轂著《山陽先賢傳》。"

　　《唐書・經籍志》：《兖州山陽先賢讚》一卷，仲長統撰。

　　《唐書・藝文志》：仲長統《山陽先賢傳》一卷。

　　章氏《考證》：《舊唐志》有仲長統《兖州山陽先賢讚》一卷。《新唐志》無"兖州"二字，据《元和姓纂》稱"晉太宰參軍長仲轂著《山陽先賢傳》"。則《唐志》作仲長統，誤。案此稱長仲轂，据《姓纂》孫輯本之寫誤。

　　案此《兖州先賢傳》即《山陽先賢傳》，非《舊唐志》明著"兖州"二字，必誤認二書。仲長轂，始末末詳。

徐州先賢傳一卷　徐州先賢傳讚九卷　劉義慶撰

《宋書・宗室傳》："臨川烈武王道規，高祖少弟也。仕晉，爲征西大將軍、荊州刺史，封南郡公。晉義熙八年，薨。高祖受命，追封臨川王。道規無子，以長沙景王第二子義慶爲嗣，義慶幼爲高祖所知。永初元年，襲封臨川王。元嘉八年，爲使持節,都督荆、雍等七州諸軍,平西將軍、荆州刺史,在州八年,爲西土所安。撰《徐州先賢傳》十卷,奏上之。性簡素,寡嗜欲,受任歷藩,無浮淫之過。二十一年,薨於京邑,時年四十二,謚曰康王。”又《文帝本紀》:“元嘉二十一年春正月戊午,衛將軍臨川王義慶薨。”

《唐書·經籍志》:《徐州先賢傳》一卷,《徐州先賢傳》九卷。

《唐書·藝文志》:王義度《徐州先賢傳》九卷,又一卷。劉義慶《徐州先賢傳贊》八卷。案此並有敚誤。

章氏《考證》:《新唐志》王義度《徐州先賢傳》九卷,又一卷。愚案王義度乃臨川王劉義慶,誤删“臨川劉”三字,又訛慶作度。《舊唐志》脱落撰名。《初學記·地部》:“范蠡扁舟浮五湖。”《文選》謝靈運《廬陵王墓詩》注云:“楚老者,彭城之隱人也。”並引《徐州先賢傳》。《太平御覽·人事部》:“徐盛,琅邪莒人也。客居吴,以敦直勇氣聞,孫權每選出戰者,盛常在前。”此引劉義慶《徐州先賢贊》。

　案宋氏,漢楚元王之後,世爲彭城人,後居京口彭城,屬徐州。京口亦曰南徐州,皆宋室之鄉國也。故臨川王爲是書。

海岱志二十卷　齊前將軍記室崔慰祖撰

《齊書》、《南史·文學傳》:崔慰祖字悦宗,清河東武城人也。好學,聚書萬卷,爲始安王遥光撫軍墨曹,行参軍,轉刑獄兼記室。遥光據東府反,慰祖詣闕自首,繫尚方,病卒。慰祖著《海岱志》,起太公,迄西晉人物,爲四十卷,半未成,臨卒,與從弟緯書云:“常欲更注遷、固二史,采《史》、《漢》所漏二百餘事,在廚簏,可檢寫之,以存大意。《海岱志》良未周悉,可寫數本付護軍諸從事人一通,及友人任昉、徐寅、劉洋、裴揆,令後世知吾微有素業也。”時年三十五。案本志題前將軍記室者,始安王遥光於明帝建武元年爲前將軍、揚州刺史。二年,進號撫軍將軍,見《齊書·宗室傳》。又《東昏侯本紀》：“永元元年八月丙午，揚州刺史始安王遥光據東府反，詔曲赦京邑，中外戒嚴。尚書令徐孝嗣以下屯衞宫城，遣領軍將軍蕭坦之率六軍討之。戊午，斬遥光傳首。”慰祖死當在是年。

《唐書·經籍志》：《海岱志》十卷，崔慰祖撰。

《唐書·藝文志》：崔慰祖《海岱志》十卷。

交州先賢傳三卷　晉范瑗撰

范瑗始末未詳。

《唐書·經籍志》：《交州先賢傳》四卷，范瑗撰。

《唐書·藝文志》：范瑗《交州先賢傳》四卷。

　案《史通·雜説篇》：“交阯遠居南裔，敦煌僻處西域，既而士燮著録，劉昞裁書。”則《交州人物志》自士燮，此殆續士之書，合爲一編者。

益部耆舊傳十四卷　陳長壽撰

陳長壽即陳壽，有《三國志》，見前正史類。

《晉書》本傳：壽又撰《古國志》五十篇，《益部耆舊傳》十篇，傳於世。

《華陽國志·後賢志》：“益部自建武後，蜀郡鄭伯邑、太尉趙彦信，及漢中陳申伯、祝元靈、廣漢王文表，皆以博學洽聞，作《巴蜀耆舊傳》。壽以爲不足經遠，乃并巴漢撰爲《益部耆舊傳》十篇。散騎常侍文立表呈其《傳》，武帝善之。”又《序志》曰：“陳君承祚，別爲《耆舊》，始漢及魏，煥乎可觀。

《唐書·經籍志》：《益部耆舊傳》十四卷，陳壽撰。

《唐書·藝文志》：陳壽《益部耆舊傳》十四卷。

章氏《考證》：愚案裴松之、顔師古注史，皆引陳壽《益部耆舊傳》，其書所載列女，見於《水經·江水注》，《初學記·服食部》，《御覽·地部》、《人事部》共引十二事，餘所載多漢、魏耆舊，不能具録。

案嘉興沈濤《銅熨斗齋隨筆》云：“《隋·經籍志》：《益部耆
舊傳》十四卷，陳長壽撰。長壽疑亦術之一字，以此書爲漢
中陳術字申伯所撰，殊不然也。”

續益部耆舊傳二卷

不著撰人。

《華陽國志·後賢志》：常寬字泰恭，蜀郡江原人也。治《毛
詩》、三《禮》、《春秋》、《尚書》，尤耽意大《易》，博涉《史》、
《漢》，彊識多聞。舉秀才，爲侍御史，除繁令，去官。以湘州
叛亂，南入交州，鳩合經籍，研精著述，依孟陽宗、盧師矩著
《典言》五篇，撰《蜀後志》及《後賢傳》，續陳壽《耆舊》作《梁益
篇》。元帝踐阼，嘉其德行，拜武平太守，在官三年，去職。卒
於交州。章氏《攷證》云：“《梓潼士女志》：‘常寬續陳壽《耆舊》作《梁益篇》。’今
攷《士女志》無此文，蓋《後賢志》也。”

《唐書·藝文志》：《益州耆舊雜傳記》二卷。

侯康《補三國藝文志》：《隋志》有《續益部耆舊傳》二卷，《唐
志》有《益州耆舊雜傳記》二卷，皆無撰人。考《蜀志·李譔
傳》稱：“時又有漢中陳術字申伯，博學多聞，著《益部耆舊傳》
及志。”《華陽國志》、《漢中侍女讚》亦同，則此書陳術撰也。
《隋志》“續”字疑衍。《楊戲傳》稱：“《益部耆舊雜記》載王嗣、常
播、衛繼三人，劉焉、先主、楊洪諸傳注，皆引《益部耆舊雜
記》，或稱《耆舊傳雜記》，雖不系以陳術，大約皆術書，則此書
又名《雜記》。《唐志》之名本於此。”

案《後賢志·陳壽傳》明云：“漢中陳申伯、祝元靈諸人皆撰
《耆舊傳》。壽以爲不足經遠。”則陳述在陳壽之前，壽撰
《蜀志》亦附其人於《李譔傳》後。術之書，爲壽藍本中之一
也。本志、《唐志》皆列此書於陳壽之後，名之曰續，與《後
賢志·常寬傳》合，是出於寬爲多，寬即常璩所稱“族祖武

平府君"者是也。所撰《蜀後志》見地理類,是書亦名《梁益篇》云。<small>章氏亦以此爲常寬書。</small>

又案沈氏《銅熨斗齋隨筆》云:"《隋志》《續益部耆舊傳》二卷,或即承祚之書。以此書爲陳壽撰,則失之愈遠。"

諸國清賢傳一卷

不著撰人。

《唐書·經籍志》:《諸國先賢傳》一卷。<small>《藝文志》同。</small>

章氏《考證》:《諸國清賢傳》一卷,《唐志》"清"作"先"。

魯國先賢傳二卷　晉大司農白褒撰

《通志·氏族略》:白氏羋姓,楚白公勝之後也。《漢書》:"白生,魯人,爲楚元王博士。"晉有白褒。

《晉書·劉頌傳》:咸寧中,詔頌與散騎郎白褒巡撫荆揚。

又《山濤傳》:咸寧初,濤以老疾,上表陳情,章表數十,上久不攝職,爲左丞白褎所奏。

《唐書·經籍志》:《魯國先賢志》十四卷,白褒撰。《魯國先賢志》二卷,白雜撰。<small>案"白雜"似"白褒"之誤,《舊唐志》載此二卷於雜傳類之末,蓋以爲別本重出者也。揚州岑氏刊本削去之。</small>

《唐書·藝文志》:白褒《魯國先賢傳》十四卷。

章氏《考證》:"兩《唐志》十四卷,《藝文類聚·職官部》、《雜文部》、《初學記·人事部》、《北堂書鈔·帝王部》、《設官部》,《太平御覽·封建部》、《職官部》、《兵部》、《人事部》、《珍寶部》並引《魯國先賢傳》,傳或作志。《太平寰宇記·河南道》引白褒《魯記》。"又曰:"《舊唐志》雜傳類總目稱《褒先賢耆舊》三十九家,乃因白褒而誤割裂爲書名也。"<small>案此乃褒嘉、褒異之褒,亦并非書名,與白褒無涉,章氏之説非也。</small>

楚國先賢傳讚十二卷　晉張方撰

張方亦作張方賢,始末未詳。

《唐書・經籍志》：《楚國先賢志》十二卷，楊方撰。

《唐書・藝文志》：張方《楚國先賢傳》十二卷。

章氏《考證》：《新唐志》無"贊"字。《舊唐志》作《先賢志》，題楊方撰。愚案《文選》應璩《百一詩》注、《藝文類聚・禮部》並引張方《楚國先賢傳》，無稱楊方者。《世說・德行篇》注引百里奚，《初學記・居處部》引熊宜僚，《太平御覽・鱗介部》引宋玉，此所記乃上及春秋、戰國。裴松之、章懷注史所引，則皆漢、魏、晉時事。

案《文選・百一詩》注"張方賢《楚國先賢傳》"，則此敚"賢"字。《書錄解題》地理類："唐吳從政刪鄒閎甫《楚國先賢傳》爲《襄沔記》三卷。"案魏晉時，有鄒湛字潤甫，志陽新野人，見《晉書・文苑傳》。閎甫或其昆季行。其《先賢傳》，《隋》、《唐志》皆不見，疑即在是書十二卷中。

汝南先賢傳五卷　魏周斐撰。

周斐始末未詳。宋晁載之《續談助鈔》、《殷芸小說》載汝南中正周裴表。裴當爲斐，蓋嘗爲本郡中正者。

《聖賢群輔錄》：重合令子興居宋里，櫟陽令子羽居東觀里，東海太守子仲居宜唐里，兗州刺史子明居西商里，潁陽令子良居遂興里。右郡決曹掾，南周燕少卿之五子，號曰五龍，各居一里。子孫並以儒素退讓爲業，天下著姓，見《周氏譜》及《汝南先賢傳》。案錄在西漢時王氏五侯之前，似即此周斐之遠祖也。

《唐書・經籍志》：《汝南先賢傳》三卷，周裴撰。"裴"乃"斐"之誤。

《唐書・藝文志》：周斐《汝南先賢傳》五卷。

章氏《考證》：《史通・外篇》注作《汝南先賢行狀》。《世說》注諸書所引，皆稱傳，唯《御覽・人事部》引胡定在喪雪覆其屋事，作"行狀"。

侯康《補三國藝文志》：諸書引者甚多，如周乘之器識，《世說・

賞譽篇》注。闞敞之貞廉，《藝文》卷六十六。黃浮、李宣之公正，《御覽》二百六十八、九。陳華、王恢之義烈，《御覽》二百六十八、四百二十一。李鴻、李先、殷煇之孝友，《御覽》四百十四。許嘉之志節，《御覽》三百四十三、六百四十九。郭亮之幼慧，《御覽》三百八十五。薛勤之知人，《御覽》四百四十四。史傳皆佚其事，且有不知姓名者，胥賴此書以傳。惟載及侯瑾、《藝文》八十。葛玄、《藝文》九十六。胡定、《御覽》四百廿六。劉巴《御覽》四百五十七。諸人事，皆非汝南人，疑引書者輾轉傳訛也。”

陳留耆舊傳二卷　漢議郎圈稱撰

應劭《風俗通·姓氏篇》：楚鬻熊之後有圈氏。圈，援也，從國，卷聲。今市語韋氏爲圈家，漢有圈稱纂《陳留風俗傳》。張澍二西堂輯本。

《通志·氏族略》：圈氏音倦，芈姓。《風俗通》：“楚鬻熊之後，望出陳留。漢有圈稱，撰《陳留風俗傳》。”

唐顏師古《匡謬正俗》曰：“圈稱《陳留風俗傳》自序云：‘圈公之後，圈公爲秦博士，避地南山。漢祖聘之，不就。惠太子即位，以圈公爲司徒。自圈公至稱，傳世十一。’案班書述四皓，但有園公，非圈公也。公當秦之時，避地而入商洛深山，則不爲博士明矣。又漢初不置司徒，安得以圈公爲之乎？且呼惠帝爲惠太子，無意義。孟舉之説，實爲鄙野。”

又《漢書·王貢兩龔鮑傳》注曰：“四皓更無姓名可稱，後代皇甫謐、圈稱之徒，竟爲四人施安姓氏，自相錯互，語又不經。”

《史通·雜述篇》曰：“若圈稱《陳留耆舊》、周斐《汝南先賢》，此之謂郡書者也。”

《唐書·藝文志》：圈稱《陳留風俗傳》三卷。又見地理類。

章氏《考證》：《元和姓纂》：“後漢末有圈稱，字幼舉，撰《陳留風俗傳》。”《廣韻》注同，稱字幼舉。顏師古《匡謬正俗》書爲孟堅,誤。

又曰:"《唐志》:圈稱《陳留風俗傳》三卷。地理類又見,無耆舊之目。《隋志》則地理類作《風俗傳》,此作《耆舊傳》。据《元和姓纂》及《廣韻》祇言圈稱著《風俗傳》也。《隋志》耆舊名,疑有誤。"案《隋志》分出《風俗傳》中之耆舊二卷入此類,非誤也。

侯康《補後漢書藝文志》曰:"案圈稱不知當漢何代,《水經注》卷八引《陳留風俗傳》曰:'孝安帝以建光元年封元舅宋俊爲侯國。'則稱安帝以後人也。"案《廣韻》、《姓纂》並云後漢末有圈稱,則大抵桓、靈時人。

案袁宏《後漢紀》:"桓帝永興元年十一月,太尉袁湯致仕,湯初爲陳留太守,襃善敍舊,以勸風俗。嘗曰:'不值仲尼,夷、齊西山餓夫,柳下東國黜臣,致聲名不泯者,篇籍使然也。'乃使户曹吏追録舊聞,以爲耆舊傳。"其時代與圈稱甚相近,似即是書之緣起,稱或嘗仕本郡,所謂户曹吏者,疑即是圈稱也。

陳留耆舊傳一卷　魏散騎侍郎蘇林撰

蘇林有《孝經注》,見經部。

《唐書·經籍志》:《陳留耆舊傳》三卷,蘇林撰。

《唐書·藝文志》:蘇林《陳留耆舊傳》三卷。

章氏《考證》:《唐志》三卷,《魏志·高柔傳》注引高靖、高祖父固、固子慎、慎子式事。《後漢書·吳祐傳》注引祐事。《初學記·居處部》范丹事,並引《陳留耆舊傳》,不著蘇林名。惟《御覽·職官部》引仇香事,稱蘇林《廣舊傳》,"廣舊"當是"耆舊"之訛,而不著陳留地名。

侯康《補三國藝文志》曰:"康案圈稱亦有此書,後人引《陳留耆舊傳》者甚多,未知爲圈書、爲蘇書矣。惟《御覽》卷二百六十九引蘇林《廣舊傳》,蓋廣圈稱之書而作,故以廣舊名。《玉海·藝文》亦云魏蘇林《廣舊傳》一卷。"

陳留先賢像贊一卷　陳英宗撰

陳英宗始末未詳。

《唐書·經籍志》：《陳留先賢像贊》一卷，陳英志。岑刊本改爲"陳
英宗"撰。

《唐書·藝文志》：陳英宗《陳留先賢傳像贊》一卷。

案《後漢書·蔡邕傳》："邕遂死獄中，搢紳諸儒莫不流涕，
兗州陳留聞，皆畫像而頌焉。"此書中之一事也。

陳留志十五卷　東晉剡令江敞撰

江敞一作江微，又作江徵，始末並未詳。

《唐書·經籍志》：《陳留志》十五卷，江徵撰。

《唐書·藝文志》：江敞《陳留人物志》十五卷。

章氏《考證》：《續漢·郡國志》注所引，皆記地理。《世説·賞
譽篇》注清河太守阮武、《賢媛篇》注衞尉卿阮共，《水經·渠
水注》開封令阮簡，《文選·求立太宰碑》注齊國內史阮略，
《史記·留侯世家》商山四皓，並引《陳留志》，多記人物。《初
學記·人部》引雍丘、婁望、平丘、李銓事，皆著江微名。《御
覽·人事部》同引之。

濟北先賢傳一卷

不著撰人。

《群輔録》曰："膠東令盧氾昭，字興先。樂城令剛戴祈，字子
陵。潁陰令剛徐晏，字孟平。涇令盧夏隱，字叔世。州別駕
蛇丘劉彬，字文曜。右濟北五龍，少並有異才，皆稱神童。當
桓、靈之世，時人號爲五龍，見《濟北英賢傳》。"案盧剛、蛇丘，皆濟
北縣也。

《唐書·經籍志》：《濟北先賢傳》一卷。《藝文志》同。

章氏《考證》：《後漢書·吳祐傳》注："戴宏爲郡督郵，府君異

其對，教署主簿。”此引《濟北先賢傳》。《群輔録》載濟北五龍，稱《英賢傳》。

廬江七賢傳二卷

不著撰人。

《唐書・經籍志》：《廬江七賢傳》一卷。《藝文志》同。

章氏《考證》：《藝文類聚・寶玉部》：“陳翼爲魯陽尉，號魯陽金尉。”《獸部》：“陳衆辟州從事，號白馬從事。”《太平御覽・兵部》：“陳翼對漢武，鄉名不覽，佩刀生毛。”《學部》：“文黨投斧高木，至長安受經。”並引《廬江七賢傳》。“七賢”二字未詳。案文黨即文翁。

　　案“七賢”當是“先賢”之誤，志敍有曰：“後漢光武，始詔南陽，撰作風俗，故沛、三輔有耆舊節士之序，魯、廬江有名德先賢之贊。郡國之書，由是而作。”又曰：“魯、沛、三輔序贊並亡。”則廬江先賢尚存此二卷，其即東漢相傳之舊歟？

東萊耆舊傳一卷　　王基撰

王基有《毛詩駁》，見經部詩類。

《唐書・藝文志》：王基《東萊耆舊傳》一卷。

襄陽耆舊記五卷　　習鑿齒撰

習鑿齒有《漢晉陽秋》，見前古史類。

《唐書・經籍志》：《襄陽耆舊傳》五卷，習鑿齒撰。

《唐書・藝文志》：習鑿齒《襄陽耆舊傳》五卷。

《宋史・藝文志》：習鑿齒《襄陽耆舊記》五卷。

晁氏《讀書志》：《襄陽耆舊記》五卷，晉習鑿齒撰。前載襄陽人物，中載其山川、城邑，後載其牧守。《隋・經籍志》曰《耆舊記》，《唐・藝文志》曰《耆舊傳》。觀其書紀録叢脞，非傳體也，名當從《經籍志》。

《玉海》地理類：《中興書目》《襄陽耆舊傳記》五卷，載先賢事迹及山川、地理，末有賀鑄題，疑記述無論貫，非全書云。

章氏《考證》：《續漢·郡國志》注引《襄陽耆舊傳》，《文選·南都賦》注引文同稱《耆舊記》。劉昭所見在《隋志》前，知稱傳之名，其來已久。《三國志注》多省文，稱《襄陽記》。《水經注》、《後漢書》注亦同省文。

會稽先賢傳七卷　謝承撰

謝承有《後漢書》，見前正史類。

《唐書·經籍志》：《會稽先賢傳》五卷，謝承撰。

《唐書·藝文志》：謝承《會稽先賢傳》七卷。

章氏《考證》："《初學記·人事部》陳業、《設官部》沈勳，《太平御覽·職官部》茅開、《人事部》闞澤、淳于長通。《服用部》董崑，凡六人，並引《會稽先賢傳》。

侯康《補三國藝文志》曰："《御覽》屢引之，所記凡闞澤、沈勳、茅開、淳于長、陳業、董崑、嚴遵諸人，事多史傳之佚文。嚴遵二條，足補《後漢書》本傳之闕。陳業二條，足以證《吳志·虞翻傳》注，吉光片羽，皆可寶也。"案"淳于長"下當有"通"字，疑即淳于叔通之兄。

會稽後賢傳記二卷　鍾離岫撰

《元和姓纂·鍾離氏》有鍾離岫撰《會稽後賢傳》。案漢有魯相鍾離意，會稽山陰人。范《書》有傳，意七世孫牧，《吳志》有傳。岫蓋牧之後，東晉時人，始末未詳。章氏引《通志·氏族略》以爲楚人，非也。蓋別一族也。

《元和郡縣志》：鍾離岫撰《會稽後賢傳》。

《唐書·經籍志》：《會稽後賢傳》三卷，鍾離岫撰。

《唐書·藝文志》：鍾離岫《會稽後賢傳》三卷。

章氏《考證》：《世説·方正篇》注、《品藻篇》注，《初學記·職官部》，《藝文類聚·鱗介部》，《太平御覽·人事部》、《服用部》引孔群、孔愉、孔怛、丁潭、謝貞女五人，並稱《會稽後賢傳》。

會稽典録二十四卷　虞預撰

虞預有《晉書》,見前正史類。

《晉書》本傳：預著《晉書》四十餘卷,《會稽典録》二十篇,《諸虞傳》十二篇,皆行於世。

《史通·采撰篇》曰：“郡國之記、譜牒之書,務欲矜其州里,誇其士族,如江東五儁,始自《會稽典録》。”

又《雜述篇》曰：“汝、潁奇士,江、漢英靈,人物所生,載光郡國。故鄉人學者,編而記之,若圈稱《陳留耆舊》、周斐《汝南先賢》、陳壽《益部耆舊》、虞預《會稽典録》。此之謂郡書者也。”

《唐書·經籍志》：《會稽典録》二十四卷,虞預撰。

《唐書·藝文志》：虞預《會稽典録》二十四卷。

章氏《考證》：《吳志·虞翻傳》注引《典録》,載山陰朱育對太守濮陽興言會稽人士最詳。《史通》言江東五儁,逸篇中未見徵引。

會稽先賢像贊五卷

不著撰人。

《唐書·經籍志》：《會稽先賢像傳贊》四卷,賀氏撰。《會稽太守像贊》二卷,賀氏撰。又見集部總集類。

《唐書·藝文志》：賀氏《會稽先賢傳像贊》四卷,賀氏《會稽太守像贊》二卷。

嚴可均《先唐文編》曰：“《會稽先賢像贊》,《隋志》有五卷,無名氏。《太平御覽》六百八十五引之。”

章氏《考證》：《唐志》並題賀氏撰。《北堂書鈔·設官部》三引《會稽先賢贊》,皆言董昆清貧守約署上計吏一事。

案本志地理類有《會稽記》一卷,賀循撰。似與此本爲一書,著録家分人物名、官之類入傳記,遂割裂而不相統攝。若是,則《唐志》題賀氏者,循也,循有《喪服要》,見經部禮類。

漢世要記一卷

不著撰人。

案《宋書》、《南史・江夏文獻王義恭傳》:"孝建二年,爲揚州刺史,撰《要記》五卷。起前漢,訖晉太元,表上之,詔付祕閣。"疑此唯存其前一卷,失去敍録,故不見撰人書名,唯云《漢世要記》。

吳先賢傳四卷　吳左丞相陸凱撰

《吳志》本傳:凱字敬風,吳郡吳人。丞相遜族子也。黃武初,爲永興諸暨長,歷仕孫亮、孫休、孫皓,至鎮西大將軍、都督巴丘,領荊州牧,進封嘉興侯。寶鼎元年,爲左丞相。建衡元年卒,時年七十二。

《唐書・經籍志》:"《吳國先賢贊》三卷。"又集部總集類:"《吳國先賢贊論》三卷。"

《唐書・藝文志》:陸凱《吳國先賢傳》五卷,《吳國先賢像贊》三卷。

嚴可均《三國文編》曰:"陸凱有《吳先賢傳》四卷,《初學記》十七引《先賢傳贊》,凡三條。"

侯康《補三國藝文志》:《初學記》十七引《吳先賢傳》,故揚州別駕從事戴矯贊、奮武將軍顧承贊、上虞令史胄贊,知是書每傳必有贊也。

東陽朝堂像贊一卷　晉南平太守留叔先撰

留叔先始末未詳。案《陳書》有留異,東陽長山人,殆叔先之後,長山郡治也。

《唐書・藝文志》:留叔先《東陽朝堂書贊》一卷。一本留作"劉","書贊"蓋"畫贊"之誤。

章氏《考證》:《東陽朝堂像贊》,《唐志》作"畫贊"。

案《續漢·郡國志》注:應劭《漢官》曰:"郡府聽事壁諸尹畫贊,肇自建武,迄於陽嘉,注其清濁進退,所謂不隱過,不虛譽,甚得述事之實。後人是瞻,足以勸懼。雖《春秋》采毫毛之善,貶纖介之惡,不避王公,無以過此,尤著明也。"又范書《應劭傳》:"劭父奉爲司隸校尉,並下諸官府、郡國,各上前人像贊,劭乃連綴其名,録爲《狀人紀》。"此《朝堂像贊》即郡府聽事壁畫像之贊,其制蓋始於光武東陽。晉時,屬揚州刺史爲諸郡之勝,名士多以爲美遷焉。

豫章烈士傳三卷　徐整撰

徐整有《毛詩譜》,見經部詩類。

《唐書·藝文志》:徐整《豫章烈士傳》三卷。

章氏《考證》:《初學記·人事部》、《御覽·資産部》載舒令施陽。《北堂書鈔·政術部》別駕從事孔恂、功曹羊茂。《設官部》侍御史周騰四人,並引《豫章烈士傳》。

侯康《補三國藝文志》曰:"徐整《豫章列士傳》,《御覽》凡五引之,無徐整名。一云周騰字叔達,爲御史。卷六。一云孔恂字巨卿,爲別駕。二百六十三。一云華茂爲功曹。二百六十四。一云施陽字季儒,爲舒令。八百三十六。一云羊茂爲東郡太守,八百五十五。皆史傳之佚文也。孔恂、羊茂、謝承《後漢書》有之。又《初學記》十七載施陽事,引稱徐整《豫章列士傳》。"侯氏改爲"列士",蓋本此。

豫章舊志三卷　晉會稽太守熊默撰
豫章舊志後撰一卷　熊欣撰

熊默、熊欣始末並未詳。案晉元帝時,有熊遠,豫章南昌人。默與欣殆亦郡人。

《唐書·經籍志》:《豫章舊志》八卷,徐整撰。

《唐書·藝文志》：徐整《豫章舊志》八卷，又《豫章烈士傳》三卷。

章氏《考證》："《唐志》有徐整撰八卷，無熊默。《續漢·郡國志》注引新吳、上蔡、永修縣，江淮、南昌縣，建成縣，葛鄉、昌邑城、慨口四事。又匡俗事以《世說·規箴篇》注、《水經·廬江注》所引爲詳。《後漢書·馮衍傳》注周生豐爲豫章太守事。《藝文類聚·祥瑞部》太守孔竺、夏侯嵩事，《鳥部》李儀事，並引《豫章舊志》。"又曰："《北堂書鈔·歲時部》載吳龍碩事，引《豫章耆舊志》。《太平御覽·天部》太守陳蕃事，引《豫章耆舊傳》。"

侯康《補三國藝文志》曰："此書《隋志》作晉熊默撰，三卷。《唐志》作徐整撰，八卷。書似宜入地理類而《隋》、《唐志》俱入雜傳。原書既亡，無可考核。"

案漢魏六朝地理之書，大抵略如《華陽國志》之體，有建置，有人物，有傳，有贊，而注意於人物者爲多。自來著錄之家，務欲各充其類，以人物爲重者，則入之傳記，以土地爲重者，則入之地理。亦或一書而兩類互見，不避複重；或裁篇而分類錄存，不嫌割裂，各隨其意，各存其是，初無一定之例也。是書《唐志》八卷，題徐整者，以徐整之《烈士傳》、熊默之《舊志》、熊欣之《後撰》，合爲一編，著其始作者姓名耳。《新志》別有《烈士傳》三卷，則又沿前志分篇，別出之舊，實重複也。

零陵先賢傳一卷

不著撰人。

《唐書·經籍志》：《零陵先賢傳》一卷。《藝文志》同。

章氏《考證》：《三國志注》所引，皆記劉曹時事。《藝文類聚·祥瑞部》引周不疑，亦系魏人。惟《水經·湘水注》引鄭産，乃漢末先賢。

長沙舊傳贊三卷　晉臨川王郎中劉彧撰

劉彧始末未詳。《晉書·簡文三子傳》：臨川獻王郁，年十七而薨。久之，追諡獻世子。孝武寧康初，追封郡王。以武陵威王曾孫寶爲嗣，寶入宋降，爲西豐侯。寶在晉爲臨川郡王，凡四十有七年。劉彧爲其國郎中，在斯時也。

《唐書·經籍志》：《長沙舊邦傳贊》三卷，劉成撰。

《唐書·藝文志》：劉彧《長沙舊邦傳贊》四卷。

章氏《考證》：《水經·洛水注》祝良爲洛陽令，趙楷爲郡太守；《初學記》、《藝文類聚·天部》文虔補户曹掾三事，並引《長沙耆舊傳》。《隋志》脱去“耆”字。《新唐志》四卷，《舊唐志》三卷，並訛作《舊邦傳贊》。劉彧，《舊唐志》作劉成。

桂陽先賢書贊一卷　吳左中郎將張勝撰　“書”當爲“畫”。

張勝始末未詳。

《唐書·經籍志》：《桂陽先賢畫贊》五卷，張勝撰。

《唐書·藝文志》：張勝《桂陽先賢畫贊》五卷。

嚴可均《三國文編》曰：“吳張勝爲左中郎，有《桂陽先賢畫贊》一卷。《御覽》四百二十一引《羅陵畫贊》，《類聚》八十五引《成丁畫贊》，凡二條。”

章氏《考證》：《水經·汝水注》，《北堂書鈔·酒食部》，《藝文類聚·百穀部》，《太平御覽·兵部》、《人事部》、《藥部》引張熹、程曾、成武丁、朱陽、羅陵、蘇耽事，並作《桂陽先賢傳》。蘇耽種藥事，《類聚》作《先賢記》。

侯康《補三國藝文志》：《水經·汝水注》引一條，記張熹自焚求雨事。《御覽》引成武丁、三百四十五。羅陵、四百廿一。胡滕、八百廿四，又九百八十四。成子、八百四十。程曾八百六十三。諸人事，中惟胡滕一條見《後漢書·竇武傳》，餘多未見。程曾非後《後漢書·儒林傳》之程曾，蓋別一人。又《御覽》三百六十七及九百七十引《桂陽先賢傳》，核其文義，蓋即一書也。

案隋時僅存其所集《畫贊》一卷，至唐而全書復出，故唐、宋人類書，亦并引其傳文。

武昌先賢志二卷　宋天門太守郭緣生撰

郭緣生始末未詳。疑是晉郭翻之後，翻武昌人也。

《唐書·經籍志》：《武昌先賢傳》三卷，郭延生撰。

《唐書·藝文志》：郭緣生《武昌先賢傳》三卷。

章氏《考證》：兩《唐志》皆作《先賢傳》。《太平御覽·人事部》：郭緣生《武昌先賢傳》曰：“郭翻字長翔，爲人非己耕不食，非妻織不衣。”

以上自《兗州先賢傳》至此，凡三十三部，爲一類。志敍所謂郡國之書是也。是爲第二類。

蜀文翁學堂像題記二卷

不著撰人。

《漢書·循吏·文翁傳》：景帝末，爲蜀郡守，修起學官於成都市中，緜是大化，蜀地遊於京師者，比齊魯焉。至武帝時，乃令天下郡國皆立學校，自文翁爲之始云。大翁終於蜀，吏民爲立祠堂，歲時祭祀不絶。

《唐書·經籍志》：《益州文翁學堂圖》一卷。《藝文志》同。

宋沈作喆《寓簡》曰：“王逸少帖云：‘成都學有文翁、高朕石室及漢太守張收畫三皇、五帝三代君臣與仲尼七十弟子畫，皆精妙可觀。’”

《藝文》、《御覽·禮儀部》：任豫《益州記》曰：“文翁學堂在大城南，昔經火災，蜀郡太守高朕修復繕立，皆圖畫聖賢古人之像。”

《玉海·藝文類》：“《益州記》云成都學有周公禮殿，舊記云漢獻帝時立。”又曰：“益州太守高朕修周公禮殿記，初平五年九月。"案初平五年即興平元年也。《爾雅翼》云："蜀之禮殿門有漢世所圖麐鳳。"

《歷代名畫記·敍畫之源流》曰："蜀郡學堂,義存勸戒之道,又敍古之祕畫珍圖,曰《益州學堂圖》十卷,畫古聖帝、賢臣、七十子代後。又增漢晉帝王名臣,蜀之賢相、牧守,似東晉時人所作。"

《元和郡縣志·劍南道》:成都文翁學堂李膺記曰："堂構制雖古,而巧異特奇,壁上悉圖古之聖賢,梁上則刻文宣及七十弟子。齊永明,劉瑱更圖焉。朱齡石平譙蹤,勒宋武檄文於石壁之上,代王更以丹青,增飾古畫,仍加豆盧辨、蘇綽之像。"

歐陽修《集古錄跋》曰："文翁學生題名凡一百有八人,文學、祭酒、典學、從事各一人,司儀、主事各二人,左生七十二人,右生三十人。"王象之《輿地碑記目》曰："漢文翁學生題名可見者,凡一百十二人。"

董逌《廣川書跋》曰："文翁講堂石室,左溫故,右時習。太守陳留高朕修立,增二石室。昔人疑'朕'非臣下制名可稱,流俗謂爲高勝。余嘗至其處求字畫,得之,實爲朕字。"案流俗又以爲朕字,又作眹字。

洪适《隸釋》曰："益州太守高朕修周公禮殿記,今在成都。朕再作石室,在文翁石室之東。又東即周公禮殿,規模古質,井斗異制,柱皆削方,上狹下廣,刻記於東南之一柱。自興平甲戌至於乾道丁亥千有三年,殿宇巋然如故。"

宋祁《文翁祠碑》曰："公爲禮殿,以舍孔子及七十二子之像,殿右廡作石室,舍公像其中。後人又作高朕像,進偶公室。"

聖賢高士傳贊三卷　嵇康撰　周續之注

嵇康有《春秋左氏傳音》,見經部春秋家。

《魏志·王粲附傳》注："康兄喜爲《康傳》曰:'撰録上古以來聖賢隱逸遁心遺名者,集爲傳贊。自混沌至於管寧,凡百一十有九人。蓋求之於宇宙之内，而發之乎千載之外者矣。故世人莫得而名焉。'"又《晉書》本傳："撰上古以來高士爲之傳贊，欲友其人於千載也。"《南史·隱逸·阮孝緒傳》劉敲、劉訐覽孝緒所作《高隱傳》曰："昔嵇康所贊，缺一自擬。"

《宋書·隱逸傳》：周續之字道祖，雁門廣武人也。其先過江，居豫章建昌縣。豫章太守范寧於郡立學，續之詣寧受業。數年，通五經并緯候，既而入廬山，事沙門釋慧遠，時彭城劉遺民遁跡廬山，陶淵明亦不徵徵命，謂之尋陽三隱。續之終身不娶妻，布衣蔬食。常以嵇康《高士傳》得出處之美，因爲之注。景平元年卒於鍾山，時年四十七。通《毛詩》六義及《禮論》、《公羊傳》，皆傳於世。

《史通·雜説篇》："莊周著書，以寓言爲主。嵇康述《高士傳》，多引其虛辭。至若神有混沌，編諸首録，苟以此爲實，則其流甚多。"又曰："嵇康《高士傳》取《莊子》、《楚辭》二漁父事，合成一篇。夫以園吏之寓言，騷人之假説，而定爲實録，斯已謬矣。況此二漁父者，較年則前後别時；論地則南北殊壤，而輒併之爲一，豈非惑哉？苟如是，則蘇代所言雙擒蚌鷸，伍胥所遇渡水蘆中，斯並漁父善事，亦可同歸一録矣。夫識理如此，何爲而薄周孔哉？"又《采撰篇》、《浮詞篇》、《品藻篇》亦論此書及皇甫謐書，並深致不滿云。

《唐書·經籍志》：《高士傳》三卷，嵇康撰。《上古以來聖賢高士傳贊》三卷，周續之撰。

《唐書·藝文志》：嵇康《聖賢高士傳》八卷，周續之《上古以來聖賢高士傳贊》三卷。

嚴可均《全晉文編》曰："《唐志》以傳屬嵇康，以贊屬周續之。據康兄喜爲《康傳》云'集爲傳贊'，是傳與贊皆康撰。《唐志》誤也。宋代不著録。今檢群書，得五十二傳、五贊，凡六十一人,定著一卷,附康集之末。"馬氏玉函山房亦輯存一卷。

又曰:"《文選》顔延年《皇太子釋奠會詩》注:'嵇康《高士傳》:孔子問項橐曰:'居何在?'曰:'萬流屋是也。'注曰:'言與萬物同流匹也。'案周續之注,僅存此條。"

案《唐志》所載,蓋無注本一部,注本一部也。張氏《書目答問》云:"嚴可均輯嵇康《高士傳》,未刊。"案今見新彫《文編》中。

高士傳六卷　皇甫謐撰

皇甫謐有《帝王世紀》,見前雜史類。

謐自序有曰:"史班之載,多所闕略。梁鴻頌逸名,蘇順敍高士,或録屈節,雜而不純,又近取秦漢,不及遠古。謐采古今八代之士,身不屈於王公,名不耗於終始,自堯至魏,凡九十餘人,雖執節若夷、齊,去就若兩龔,皆不録也。"

《唐書‧經籍志》:《高士傳》七卷,皇甫謐撰。

《唐書‧藝文志》:皇甫謐《高士傳》十卷。《宋書‧藝文志》同。

晁氏《讀書志》:《高士傳》十卷,晉皇甫謐撰。纂自陶唐至魏八代二千四百餘載世士高節者,其或以身殉名,雖如夷、齊、兩龔皆不録。凡九十六人,而東漢之士居三之一。自古名節之盛議者,獨推焉,觀此尤信。

陳氏《書録解題》:《高士傳》十卷,晉徵士安定皇甫謐士安撰。序稱:"自堯至魏咸熙,二千四百餘載,得九十餘人。今自被衣至管寧,惟八十七人。"

《四庫提要》曰:"《高士傳》三卷,晉皇甫謐撰。案南宋李石《續博物志》曰:'劉向傳列仙七十二人,皇甫謐傳高士亦七十二人。'知謐書本數僅七十二人。此本所載乃多至九十六人,考《讀書志》亦作九十六人,而《書録解題》稱八十七人,是宋時已有二本,皆竄亂非其舊矣。"

又《簡明目録》曰："謐原書本七十二人,見《續博物志》。此本乃九十六人,蓋原書散佚,後人摭《太平御覽》所引,鈔合成編,而益以《御覽》所引嵇康《高士傳》十條、《後漢書·隱逸傳》十條,故真僞參半,人數轉多於原書也。"

案今本序文稱九十餘人者,据李石言,則亦非其本真也。

逸士傳一卷　皇甫謐撰

《晉書》本傳:又撰《帝王世紀年曆》,高士、逸士等傳,並重於世。

《唐書·藝文志》:皇甫謐《高士傳》十卷,又《逸士傳》一卷。

章氏《考證》:《魏志·武紀》注引汝南王儁事。《荀彧傳》注許子將言慈明外朗,叔慈内潤。《世説·品藻篇》注尤詳。《文選·反招隱詩》注、《演連珠》注、《七啓》注、《陶徵士誄》注、《郭有道碑文》注並引《逸士傳》巢父一事。《事説·排調篇》注同。

逸民傳七卷　張顯撰

本志子部雜家類注:梁有《析言論》二十卷,晉議郎張顯撰。

嚴可均《全晉文編》曰:"張顯泰始初爲議郎,有《析言》二十卷。"

《唐書·經籍志》:《逸人傳》三卷,張顯撰。

《唐書·藝文志》:張顯《逸人傳》三卷。

章氏《考證》:《水經·潁水注》卞隨投洞水而死,《太平御覽·逸民部》曹子臧以國致成公爲君,周黨徵議郎以病辭,並引張顯《逸民傳》。《唐志》作《逸人》,三卷。案《御覽》列張顯《逸民傳》於嵇康、虞般佑之間。

案後漢梁鴻始爲《逸民傳》,此殆續梁氏書歟?

高士傳二卷　虞槃佐撰

虞槃佐,佐或作佑,有《孝經注》,見經部孝經類。

《唐書·經籍志》:《高士傳》二卷,虞槃佐撰。一本"虞"作"盧",誤。

《唐書·藝文志》:虞槃佐《高士傳》二卷。

章氏《考證》:《太平御覽·逸民部》皇甫安士、朱沖、劉兆、伍朝、郭文舉共五事,引虞槃佐《高士傳》。《人事部》宗少文清心簡務,稱虞敬叔《高士傳》。《文選·蕭公行狀》注何點躡草屩,乘柴車,作虞孝敬《高士傳》。案虞槃佐,東晉人。宗少文,名炳,卒於宋文帝元嘉二十年,見《宋書·隱逸傳》。何點卒於梁天監三年,見《梁書·處士傳》,皆虞所不及。虞敬叔、虞孝敬,蓋在槃佐之後,別有其人,非一人也。虞孝敬又別有《高僧傳》,亦稱《高士傳》,見後。其非此書,尤信。

至人高士傳贊二卷　晉廷尉卿孫綽撰

孫綽有《集解論語》,見經部論語類。

章氏《考證》:《水經·潁水注》稱孫綽之敍《高士傳》。《文選》左太沖《詠史詩》注引孫綽《嵇中散傳》。

嚴可均《全晉文編》曰:"孫綽有《至人高士傳贊》二卷,《初學記》十七存原憲一條。"

高隱傳十卷　阮孝緒撰

阮孝緒有《文字集略》,見經部小學類。

《梁書·處士傳》:時有善筮者張有道謂孝緒曰:"見子隱跡而心難明,自非考之龜蓍,無以驗也。"及布卦,既揲五爻,曰:"此將爲《咸》,應感之法,非嘉遁之兆。"孝緒曰:"安知後爻不爲上九?"果成《遁》卦。有道歎曰:"此謂'肥遁無不利',象實應德,心迹并也。"孝緒曰:"雖獲《遁》卦,而上九爻不發,升遐之道,便當高謝許生。"乃著《高隱傳》,上自炎黃,終於天監之末,斟酌分爲三品,凡若干卷。

《南史·隱逸傳》:"乃著《高隱傳》,分爲三品:言行超逸,名氏弗傳,爲上篇;始終不耗,姓名可録,爲中篇;挂冠人世,栖心塵表,爲下篇。"又曰:"初,孝緒所著《高隱傳》中篇一百三十七人,劉歊、劉訏覽其書曰:'昔嵇康所贊,缺一自擬,今四十之數,將待吾等成耶?'對曰:'所謂荀君雖少,後事當付鍾君。若素車白馬之日,輒獲麟於二子。'敞、訏果卒,乃益二傳。及孝緒亡,訏兄絜錄其遺行次篇末,成絶筆之意云。"

《七録·序目附記》曰:"《高隱傳》一帙,十卷。《序例》一卷。"

《唐書·經籍志》:《高隱傳》二卷,阮孝緒撰。

《唐書·藝文志》:阮孝緒《高隱傳》十卷。

高隱傳十卷

不著撰人。

> 案兩《唐志》有習鑿齒《逸人高士傳》八卷、袁淑《真隱傳》二卷。本志皆不著,疑此即兩家之書誤合爲一而失注撰人者。

高僧傳六卷　虞孝敬撰

唐釋道世《法苑珠林·傳記篇》曰:"《内典博要》,梁湘東王記室虞孝敬撰。後得出家,改名惠命。"

本志子部雜家:《高僧傳》六卷,虞孝敬撰。

《唐書·藝文志》道家釋氏類:虞孝敬《高僧傳》六卷。

晁氏《讀書志》釋家類:《高僧傳》六卷,蕭梁僧惠敏撰。分譯經、義解兩門。案此云惠敏,音聲相似,轉寫偶異。若此者類多,非兩人也。

> 案《文選·竟陵王行狀》注引虞孝敬《高士傳》曰:"何點常躡草屬,乘柴車。"則此之所謂高僧,大低如何點、何胤、周顒之流之善於佛理者爲多。周氏立空假義,爲釋家稱重,是義解類中之尤善者,故亦稱《高士傳》,而本志敍次於此,不與後《名僧傳》、《高僧傳》相類從。

止足傳十卷

不著撰人。

《梁書·止足傳》序曰:"前史漢張良,功成身退,病臥卻粒。

其後薛廣德及二疏等,去就以禮,有可稱焉。魚豢《魏略·知足傳》,方田、徐於管、胡,則其道本異。錢大昕《三國志考異》曰:"魚豢《魏略》以田疇、管寧、徐庶、胡昭諸人爲《知足傳》,見《梁書》。"謝靈運《晉書·止足傳》,先論晉世文士之避亂者,殆非其人,唯阮思曠遺榮好遁,遠殆辱矣。《宋書·止足傳》有羊欣、王微,咸其流亞。齊時沛國劉瓛,字子珪,辭禄懷道,棲遲養志,不戚戚於貧賤,不汲汲於富貴,儒行之高者也。梁有天下,小人道消,賢士大夫相招在位,其量力守志,則當世罔聞,時或有致事告老,或有寡志少欲,國史書之,亦以爲《止足傳》云。"

《唐書·經籍志》:《止足傳》十卷,王子良撰。"王"上敚"竟陵"二字。《唐書·藝文志》:宗躬《止足傳》十卷,齊竟陵文宣王子良《止足傳》十卷。

案諸史有《止足傳》,自魚豢《魏略》始,其別爲一書。据《唐·藝文》,惟宗躬及蕭子良二家。然考宗躬與蕭子良同時,其與王植同修《永明律》,子良爲監領,似亦嘗爲王府官屬,疑祇是一書。故《舊唐志》無宗躬《止足傳》之目,《新志》似重出也。子良本傳不言有是書,或編入《四部要略》一千卷中。此十卷大抵是子良書,亦即宗躬書也。

續高士傳七卷　周弘讓撰

《南史·周朗傳》:"朗,汝南安成人,族孫顒,顒子捨,捨弟子弘正,弘正弟弘讓,性簡素,博學多通。始仕,不得志,隱於句容之茅山,頻徵,不出。晚仕侯景,爲中書侍郎,人問其故,對曰:'昔王道正直,得以禮進退;今乾坤易位,不至將害於人,吾畏死耳。'始彭城劉孝先亦辭辟命,隋兄孝勝在蜀。武陵僭號,仕爲世子府諮議參軍,二隱並獲譏於代。弘讓承聖初爲國子祭酒。二年,爲仁威將軍,城句容以居之,命曰仁威壘。陳天嘉初,以白衣領太常卿、光禄大夫,加金章紫綬。"案齊宗測續皇甫謐《高士傳》三卷，此不知續誰氏書。

《唐書·經籍志》：《續高士傳》八卷，周弘讓撰。

《唐書·藝文志》：周弘讓《續高士傳》八卷。

　　以上自《蜀文翁學堂像》至此，凡一十二部，爲聖賢、高士之類。《唐·經籍志》綜而目之，曰高逸。是爲第三類。

孝子傳贊三卷　　王昭之撰　"昭"當爲"韶"。

王韶之有《晉紀》，見前古史類。

《南史》本傳：韶之撰《孝子傳》三卷，行於世。

《唐書·經籍志》：《孝子傳》十五卷，王韶之撰。岑氏刊本加"讚"字。

《唐書·藝文志》：王韶之《孝子傳》十五卷，又讚三卷。

章氏《考證》：《唐志》十五卷，贊三卷，《藝文類聚·鳥部》，《初學記·天部》，《北堂書鈔·衣冠部》，《太平御覽·人事部》、《刑法部》載李陶、竺彌、周青三人，並引王韶之《孝子傳》。韶，《初學記》作"歆"。案作"歆"者，非也。

高郵茆泮林《古孝子傳》輯本曰："《隋志》王韶之《孝子傳》三卷，《唐志》十五卷，《宋書·王韶之傳》不載，《南史》稱《孝傳》三卷，今存周青、李陶、竺彌三事。又《初學記》卷一載竺彌事，引王歆《孝子傳》。"

孝子傳十五卷　　晉輔國將軍蕭廣濟撰

蕭廣濟始末未詳。

《唐書·經籍志》：《孝子傳》十五卷，蕭廣濟撰。

《唐書·藝文志》：蕭廣濟《孝子傳》十五卷。

章氏《考證》：《世説·德行篇》注王祥，《初學記·人事部》閔損、鄧展、殷悕、杜孝，《藝文類聚·人部》嫣皓，《產業部》郭原平，《獸部》蕭固，《鳥部》蕭芝鱗，《介部》陳元，《太平覽·地部》三洲人，《兵部》魏陽人，《事部》五郡孝子邢渠、隗通、辛繕、文讓、申屠君、遊宿、倉舒、王鷩、伏恭、朱百年、郭世道、何子平、施延，並引蕭廣濟《孝子傳》。

案章氏載是書止十卷，不知所見爲何本。茆輯《古孝子傳》又有伍襲、王脩、桑虞三人，見《御覽》。九百六、五百六十三、七百五十六。又杜牙一人見《白帖》，麁。其以鄧展、展勤爲兩人，則誤也。

孝子傳十卷　宋員外郎鄭緝之撰

鄭緝之始末未詳。

《唐書·經籍志》：《孝子傳贊》十卷，鄭緝之撰。

《唐書·藝文志》：鄭緝之《孝子傳贊》十卷。

章氏《考證》：《世說·德行篇》注吳隱之一事，《法苑珠林·忠孝篇》丁蘭、吳逵、蕭固三事，並引鄭緝之《孝子傳》。《唐志》作"傳贊"。

案《法苑珠林·忠孝篇》引鄭緝之《孝感通傳》，則其書有篇目。

孝子傳八卷　師覺授撰

《宋書·宗室·臨川王義慶傳》：元嘉十二年，普使内外群官舉士，義慶爲荆州刺史，上表曰：'處士南郡師覺，才學明敏，操介清修，業均井渫，志困冰霜。臣往年辟爲州祭酒，未行其志，若朝命遠暨，玉帛遐臻，民人間出，何遠之有。'"

《南史·孝義傳》："師覺授，字覺授，南陽涅陽人也。與外兄宗少文並有素業，以琴書自娱。於路忽見一人持書一函，題曰'至孝師君苫前'。俄而不見。捨車奔歸，聞家哭聲，一叫而絶，良久乃蘇。後撰《孝子傳》八卷，宋臨川王義慶辟爲州祭酒主簿，並不就，乃表薦之，會卒。"

唐林寶《開元姓纂·帥氏狀》云："本姓師氏，避晉景王諱，改爲帥氏，宋有帥覺授，一云名嵩，著《孝子傳》。臨川王義慶辟爲州祭酒，不就。入《宋書・孝義傳》。"孫星衍校輯曰："案《南史》作師覺授，《宋書》不載。"

《唐書・經籍志》：《孝子傳》八卷，師覺授撰。

《唐書・藝文志》：師覺授《孝子傳》八卷。

章氏《考證》：《元和姓纂》宋覺授一名昺，姓帥，在入聲質部。据此，則"帥"乃"師"字之誤，然諸書皆作"師"。《初學記・人事部》趙徇，《藝文類聚・人部》程會，《鳥部》吳叔和，《災異部》魏連，《太平御覽・時序部》王祥，《兵部》仲由子、子崔，《人事部》老萊子、閔損、北宮女嬰兒子，並引師覺授《孝子傳》。《唐志》卷同。高郵苪氏《古孝子傳》輯本同。

孝子傳二十卷　宋躬撰

宋躬或作宗躬，始末未詳。

《唐書・經籍志》：《孝子傳》十卷，宗躬撰。

《唐書・藝文志》：宗躬《孝子傳》二十卷。

章氏《考證》：《法苑珠林・忠孝篇》吳中書郎咸沖、廬陵王虛之、吳郡陳遺，《藝文類聚・人部》吳坦之、張景允、華寶、何子平，《太平御覽・地部》宗承，《人事部》丘傑、韓靈珍、夏侯訢、韋俊、伍襲、繆斐、紀邁、王靈芝、賈恩、孫棘、郭巨、桑虞並引宋躬《孝子傳》。《舊唐志》、《新唐志》二十卷，"宋"作"宗"。高郵苪氏《古孝子傳》輯本略同。

案《南齊書・孔稚圭傳》："永明中，世祖留心法令，詔獄官詳正舊注。使兼監臣宋躬、兼平臣王植等抄撰同異。"又《南史・袁彖傳》有"江陵令宗躬"。又本志別集類有《齊平西諮議宗躬集》十三卷，然則躬在南齊時爲廷尉，監江陵令、平西將軍、府諮議參軍者也。

孝子傳略二卷

不著撰人。

章氏《考證》：“《唐志》有亡名《雜孝子傳》二卷。”又曰：“《初學記》諸書所引《孝子傳》，有不著名者，疑是省文，未必即此二卷之句。”

孝德傳三十卷　梁元帝撰

梁元帝有《漢書注》，見前正史類。

《金樓子·著書篇》：“《孝德傳》三袠三十卷。金樓合衆家《孝子傳》成此。序曰：“夫天經地義，聖人不加。原始要終，莫逾孝道。能使甘泉自誦，鄰火不焚，地出黃金，天降神女，感通之至，良有可稱。”

《梁書》本紀：所著《孝德傳》三十卷。

《唐書·經籍志》：《孝德傳》三十卷，梁元帝撰。

《唐書·藝文志》：梁元帝《孝德傳》三十卷。

章氏《考證》：《藝文類聚·人部》引梁元帝《孝德傳》，有《皇王篇贊》、《天性篇贊》。《太平御覽·逸民部》繆斐、《學部》張楷、《太平廣記·神類》魏陽雍，共引《孝德傳》三事。

孝友傳八卷

不著撰人。

《唐書·經籍志》：《孝友傳》八卷，梁元帝撰。

《唐書·藝文志》：申秀《孝友傳》八卷。

案《魏書·韓麒麟傳》：“麒麟子顯宗，撰《馮氏燕志》、《孝友傳》各十卷。”章氏疑此爲韓氏書，或近似之。《舊唐志》題梁元帝，是因上下文牽涉寫誤。《新志》作申秀，未詳。

曾參傳一卷

不著撰人。

以上自王韶之《孝子傳贊》至此，凡九部，爲一類。《唐·經籍志》別其目曰孝友，是爲第四類。

忠臣傳三十卷　梁元帝撰

梁元帝有《孝德傳》,見前。

《金樓子·著書篇》:《忠臣傳》三袠三十卷。金樓自爲序。《序》曰:"夫天地之大德曰生,聖人之大寶曰位。因生所以盡孝,因位所以立忠。事君事父,資敬之禮寧異;爲臣爲子,率由之道斯一。忠爲令德,竊所景行。且孝子列女逸民,咸有列傳;至於忠臣,曾無述製。今將發篋陳書,備加論討。"

《南史·隱逸·阮孝緒傳》:湘東王著《忠臣傳》,先簡孝緒而後施行。

《梁書》本紀:"所著《忠臣傳》三十卷。"《南史》本紀:"著《孝德》、《忠臣傳》各三十卷。"

《唐書·經籍志》:《忠臣傳》三十卷,梁元帝撰。

《唐書·藝文志》:梁元帝《忠臣傳》三十卷。

《玉海》藝文類:元帝爲湘東王時,嘗紀録忠臣、義士及文章之美者,筆有三品:忠孝全者,用金管書之。德行精粹者,用銀管書之。文章贍逸者,以斑竹管書之。

章氏《考證》:《藝文類聚·人部》引《忠臣傳》有《記託篇贊》、《初學記·人事部》作《受託篇》。《諫爭篇贊》、《執法篇贊》、《死節篇序》、《諫爭篇序》,又有《忠臣傳總序》、《上忠臣傳表》、王筠《答湘東王示忠臣傳牋》。《初學記·文部》劉宏與晉武帝同年,少同硯書,引《忠臣傳》一事。

顯忠録二十卷　梁元帝撰 案此題梁元帝,因上下文而寫誤也。

《魏書·孝文五王傳》:清河獻王懌字宣仁,幼而敏惠,博涉經史,兼綜群言,有文才,善談理。太和二十一年封。肅宗初,爲太尉、侍中。領軍元叉,太后之妹夫也。恃寵驕盈,懌裁之以法,每抑黜之,爲叉所疾。叉黨人通直郎宗準愛希叉旨,告懌謀反,禁懌門下。訊問左右及朝貴,貴人分明,乃得雪釋焉。懌以忠而獲謗,乃鳩集昔忠烈之士,爲《顯忠録》二十卷,以見意焉。正光元年七月,又與劉騰囚懌於門下省。誣懌罪狀,遂害之,時年三十四。《孝明帝本紀》:正光元年秋七月丙子,侍中元叉、劉騰奉帝前殿,矯皇太后詔,復子明辟,乃幽太后於北宮,殺太傅,領大尉。清河王懌總勒禁旅,決事殿中。

又《韓子熙傳》:子熙爲清河王懌常侍,遷郎中令。爲懌所眷遇,及元叉害懌,久不得葬。子熙爲之憂悴,屏處田野,每言王若不得復封,以禮遷葬,誓以終身不仕。後靈太后返政,以元叉爲尚書令,解其領軍。子熙伏闕上書曰:"竊維故主太傅清河王,職綜樞衡,位居論道。盡忠貞以奉公,竭心膂以事國。自先皇崩殂,陛下沖幼,負扆當朝,義同分陝,王之忠誠款篤,節義純貞,非但蘊藏胸襟,實乃形於文翰。搜括史傳,撰《顯忠録》,區目十篇,分卷二十。既欲彰忠心於萬代,豈可爲逆亂於一朝?迄追遺志,足明丹款。"書奏,靈太后義之,乃引子熙爲中書舍人。後遂剖騰棺,賜叉死。

《唐書・經籍志》:《顯忠録》二十卷,元懌撰。一本誤爲"元擇"。

《唐書・藝文志》:元懌《顯忠録》二十卷。

章氏《考證》:《唐志》題元懌《顯忠録》。《隋志》梁元帝,誤。

丹陽尹傳十卷　　梁元帝撰

梁元帝有《孝德傳》、《忠臣傳》,並見前。

《金樓子・著書篇》:《丹陽尹傳》一裘十卷。金樓爲尹京時,自撰序曰:"自二京版蕩,五馬南渡,固乃上燭天文,下應地理,爾其地勢,可得而言:東以赤山爲成皋,南以長淮爲伊雒,北以鍾山爲華阜,西以大江爲黃河,既變淮海爲神州,亦即丹陽爲京尹,雖得人之盛,頗愧前賢,而盼遇之深,多用宰輔。若夫德以位成,位以德敘,每念忝列京河,茲焉四載,求瘼餘晨,頗多暇景,今綴采英賢,爲《丹陽尹傳》。"《梁書》本紀:天監十三年，封湘東郡王。初，爲寧遠將軍、會稽太守，入爲侍中、宣威將軍、丹陽尹。普通七年，出爲使持節，都督荆、湘等六州諸軍事、荆州刺史。

《南史·隱逸·阮孝緒傳》：湘東王著《忠臣傳》、《丹陽尹》，並先簡孝緒而後施行。

《梁書》本紀：所著《丹陽尹傳》十卷。

《唐書·經籍志》：《丹陽尹傳》十卷，梁元帝撰。

《唐書·藝文志》：梁元帝《丹陽尹傳》十卷。

英藩可録二卷　張萬賢撰　邵武侯新注　　一本"藩"作"蕃"，同。

張萬賢及邵武侯新，始末未詳。

《唐書·經籍志》：《英藩可録事》二卷，殷系撰。

《唐書·藝文志》：殷系《英藩可録事》三卷。一云張萬賢撰。

案《唐·經籍志》以是書與魏徵《自古諸侯王善惡録》二卷、章懷太子《列藩正論》三十卷相類從，目之曰列藩。蓋歷代藩臣傳之屬。《通志·藝文略》載此書於傳記名士類，似非其倫，殷系亦不知何許人。張萬賢疑即撰《楚國先賢傳》之張方賢，因"方"誤爲"万"，遂以爲萬賢，猶"蕭方等"誤爲"蕭萬等"也。

高才不遇傳四卷　後齊劉晝撰

《北齊書·儒林傳》：劉晝字孔昭，渤海阜城人也。少孤貧，愛學，與儒者李寶鼎同鄉里，受其三《禮》。又就馬敬德習《服氏春秋》，俱通大義。河清初，還冀州舉秀才入京，考策不第，撰《高才不遇傳》三篇。在皇建、太寧之朝，又頻上書，言亦切直，多非世要，終不見收采。自謂博物奇才，言好矜大，而容止舒緩，統不倫，由是竟無仕進。天統中，卒於家，年五十二。

《北史·儒林傳》：晝求秀才，十年不得，發憤撰《高才不遇傳》。冀州刺史酈伯偉見之，始舉晝，時年四十八。刺史隴西李璵亦嘗以晝應詔。

《唐書·經籍志》:《高才不遇傳》四卷,劉晝撰。

《唐書·藝文志》:劉晝《高才不遇傳》四卷。

章氏《考證》:《後漢書·鄭玄傳》注引晝論鄭玄曰:"辰爲龍,巳爲蛇,歲至龍蛇,賢人嗟玄,以讖合之。蓋謂此也。"案鄭氏本傳云:"建安五年春,夢孔子告之曰:'起起今年歲在辰,來年歲在巳。'既寤,以讖合之,知命當終。有頃,寢疾,其年六月卒。"

良吏傳十卷　鍾岏撰

《梁書·文學·鍾嶸傳》:嶸字仲偉,潁川長社人。與兄岏、弟嶼並好學,有思理。岏字長岳,官至府參軍、建康平。《南史》"平"作"令"。著《良吏傳》十卷。

《唐書·經籍志》:《良吏傳》十卷,鍾岏撰。岑氏刊本作"良史",誤。

《唐書·藝文志》:鍾岏《良吏傳》十卷。

章氏《考證》:《元和郡縣志》亦言鍾岏著《良吏傳》。《唐志》卷同。《太平御覽·職官部》王堂爲汝南太守,桓虞爲南陽郡守,高玩除南陽令,司馬儁補洛陽令,陳登爲東陽長,袁彭爲南陽太守,吳隱之轉廣州刺史,鄭純爲永昌太守,並引鍾岏《良吏傳》。

以上自《忠臣傳》至此,凡六部,爲一類。《唐·經籍志》分爲三目,曰忠節、曰列藩、曰良吏,是爲第五類。

海內名士傳一卷

不著撰人。

案此疑即前《海內先賢傳》之佚出者。

又按《世說·賞譽篇》曰:"王夷甫語樂令:名士無多人,故當容平子知。"注引《王澄別傳》曰:"澄風韻邁達,志氣不群,從兄戎、兄夷甫,名冠當年,四海人士一爲澄所題目,則二兄不復措意。云已經平子,其見重如此。是以名聞益盛,天下知與不知,莫不傾注。澄後事迹不逮,朝野失望,及舊游識見者,猶曰當今名士也。"又《品藻篇》注:《晉陽秋》曰:"初,王澄有通朗稱而輕薄無行,兄夷甫有盛名,時人許以人倫鑒識,常爲《天下士目》曰:'阿平第一,子嵩第二,處仲第三。'"庾敳字子嵩,王敦字處仲。此《海內名士傳》,似即王澄、王衍輩所作,亦稱《天下士目》。《世說》此兩篇所載中朝諸名士,或亦本之是書。澄及衍爲王敦、石勒所害,其書袁宏時已先行,故本志列於袁書之前。

正始名士傳三卷　袁敬仲撰

袁敬仲當爲袁宏,有《集議孝經》,詳見經部孝經類。

《晉書·文苑傳》:宏撰《竹林名士傳》三卷。

《世說·文學篇》曰:"袁彥伯作《名士傳》成,見謝公,謝公笑曰:'我嘗與諸人道江北事,特作狡獪耳,彥伯遂以著書。'"注曰:"宏以夏侯太初、何平叔、王輔嗣爲正始名士。阮嗣宗、嵇叔夜、山巨源、向子期、劉伯倫、阮仲容、王濬仲爲竹林名士。裴叔則、樂彥輔、王夷甫、庾子嵩、王安期、阮千里、衛叔寶、謝幼輿爲中朝名士。"又《方正篇》注:"夏侯玄被收,鍾毓爲廷尉,執玄手曰:'太初何至於此?'玄正色曰:'雖復刑餘之人,不可得交孝標。'"案郭頒《魏晉世語》事多詳覈,孫盛之徒皆采以著書,並云玄距、鍾會,而袁宏《名士傳》最後出,不依前史,以爲鍾毓,可爲謬矣。

《唐書·經籍志》:《名士傳》三卷,袁宏撰。一本題爲"袁尚",誤。

《唐書·藝文志》:袁宏《名士傳》三卷。

《宋史·藝文志》:袁宏《正始名士傳》三卷。

《崇文總目》:《正始名士傳》三卷,袁氏撰。其中卷《竹林名士三》逸,上卷增荀粲,下卷增阮修。

章氏《考證》:《水經·清水注》,《文選》顏延年《五君詠》注、沈休文《游沈道士館詩》注、《褚淵碑文》注並引袁彥伯《竹林名士傳》。《太平御覽·人事部》引袁宏《七賢序》。

江左名士傳一卷　劉義慶撰

劉義慶有《徐州先賢傳》,見前。

章氏《考證》:《世説·賞譽篇》注:"杜乂清標令上,謝鯤通簡有識。"《品藻篇》注:"王承言理比南陽樂廣。"又劉真長曰:"杜宏治膚清,衛叔寶神清。"《容止篇》注:"杜宏治可方衛玠。"共引《江左名士傳》五事。

竹林七賢論二卷　晉太子中庶子戴逵撰

戴逵有《五經大義》,見經部論語類。

《世説·任誕篇》:"陳留阮籍、譙國嵇康、河内山濤三人,年皆相比,康年少亞之。預此契者,沛國劉伶、陳留阮咸、河内向秀、琅邪王戎。七人常集於竹林之下,肆意酣暢,故世謂'竹林七賢'。"注:《晉陽秋》曰:"於時風譽,扇于海内,至於今詠之。"

《群輔録》曰:"魏步兵校尉阮籍、中散大夫嵇康、晉司徒山濤、建威參軍劉伶、始平太守阮咸、散騎常侍向秀、司徒王戎,魏嘉平中,並居河内山陽,共爲竹林之游,世號'竹林七賢'。見《晉書》、《魏書》。袁宏、戴逵爲傳,孫統又爲贊。"

《唐書·經籍志》:《竹林七賢論》二卷,戴逵撰。

《唐書·藝文志》:戴逵《竹林七賢論》二卷。

章氏《考證》:《世説》注引《竹林七賢論》二十餘事。《藝文類聚》諸書亦引之,或作《七賢傳》。

嚴可均《全晉文編》曰:"戴逵有《竹林七賢論》二卷,今見於《世説注》。《書鈔》、《類聚》、《御覽》所引者,凡三十三條。"

七賢傳五卷　孟氏撰

北齊羊衒之《洛陽伽藍記》曰:"奉朝請孟仲暉者,武城人也。《御覽·釋部》引作武威。父賓爲金城太守,暉志性聰朗,學兼釋氏四諦之義，窮其指歸，恒與沙門論議，時號爲元宗先生。武定五年，暉爲洛州開府長史。”

《唐日本國見在書目》：《竹林七賢傳》五卷，孟氏撰。

《唐書·經籍志》：《七賢傳》七卷，孟仲暉撰。

《唐書·藝文志》：孟仲暉《七賢傳》七卷。

文士傳五十卷　張隱撰

張隱當爲張騭，始末未詳。

梁鍾嶸《詩品》曰：“張騭文士，逢文即書。”

《唐書·經籍志》：《文士傳》五十卷，張騭撰。

《唐志·藝文志》：張騭《文士傳》五十卷。

《崇文總目》：《文士傳》十卷，張隱撰。

《玉海》藝文類：“《唐志》齊張騭《文士傳》五十卷，《文選注》引之。”又曰：“《舊志》云《文林傳》五十卷，張隱撰。傳於元帝詔藏。”_{案此兩條文有敓誤，張騭《文士傳》，裴松之注《三國志》時已引之，當是西晉人，必非齊人，此“齊”字誤衍。元帝詔藏，或是晉元帝、梁元帝。}

又《中興書目》曰：“《文士傳》五卷，載六國以來文士，起楚芉原，終魏阮瑀。《崇文目》十卷，終宋謝靈運，已疑其不全，今又缺其半。”_{案載及謝靈運，必非張騭本書。}

章氏《考證》：《文選注》、《後漢書》注諸所徵引《文士傳》或作張騭，或作張隱。《魏志·王粲傳》注曰：“張騭假爲之辭，不覺其虛之自露也。凡騭虛僞妄作，不可覆疏。”_{案裴氏謂騭假爲王粲說劉琮降曹操之辭也。}

按《御覽》三百六十五引《文士傳》有張敦、桓驎、劉楨、阮瑀、王弼、杜育六條，不著撰名。《中興書目》云終阮瑀，知爲張騭是書。裴松之、鍾嶸並云張騭，則作張隱者，非也。

以上自《海內名士傳》至此，亦如篇首總録之屬，凡六部，爲一類。蓋其例於《七録》之外，又取他家書目所有者，以續其後。此類及以後三類皆是也，推尋章法，約略可見，是爲第六類。

列士傳二卷　劉向撰

劉向有《洪範五行傳論》，見經部尚書家。

本志篇敍曰：“漢時劉向典校經籍，始作列士、列女之傳，皆因其志尚率爾而作，不在正史。”

《唐書·藝文志》：劉向《列士傳》二卷。

《玉海》藝文類：《隋志》劉向《列士傳》二卷，《唐志》同。《後漢書》注、《水經注》、《文選注》引《列士傳》。

章氏《考證》：“《後漢書·申屠剛傳》注羊角哀、左伯桃；《文選》盧子諒《覽古詩》注朱亥、鄒陽，《獄中上書》注徐衍、鮑焦；《藝文類聚·天部》荆軻，《人部》田光，《服飾部》魏公子無忌，《木部》延陵季子；《北堂書鈔·武功部》專諸，《衣冠部》馮諼，《御覽·居處部》慶忌，《兵部》莫邪，《人事部》乾將子、孔融，並引《列士傳》，或作《烈士》。《唐志》卷同。案孔融可疑。

案《論衡·須頌篇》有曰：“宣帝之時，畫圖漢列士，或不在於畫上者，子孫恥之。”又《初學記·職官部》引蔡質《漢官典職》曰：“尚書奏事於明光殿，省中畫古列士，重行書贊。”劉光禄既爲《列女傳頌圖》，又取列士之見於圖畫者，以爲之傳。而《七略》、《藝文》及本傳皆不載，惟見於此，然真僞不可知矣。唐卷子本《彫玉集》亦引《列士傳》，載伯夷、叔齊事。

陰德傳二卷　宋光禄大夫范晏撰

《宋書·范泰傳》：“泰字伯倫，順陽山陰人也。長子昂早卒。次子暠，宜都太守；次晏，侍中、光禄大夫。次曄，太子詹事，謀反伏誅。”又《范曄傳》末云：“曄少時，兄晏常云：‘此兒進利，終破門户。’終如晏言。”案晏爲范蔚宗之兄，常爲徐羡之故吏，見《宋書·廬陵王義真傳》。

《唐書·經籍志》：《陰德傳》二卷，范晏撰。

《唐書·藝文志》：范晏《陰德傳》二卷。

章氏《考證》：《太平御覽·禮儀部》引范晏《陰德傳》陳翼殯長安魏少公事，與《廬江七賢傳》所載同而語較詳。《唐志》卷同。

悼善傳十一卷

不著撰人。

《唐書·經籍志》：《悼善列傳》四卷。《藝文志》同。

雜傳三十六卷　任昉撰。本一百四十七卷，亡。

《梁書》本傳：昉字彥昇，樂安博昌人。漢御史大夫敖之後也。仕齊，入梁，爲御史中丞、祕書監，領前軍將軍，天監六年，出爲寧朔將軍、新安太守。視事期歲，卒於官。時年四十九。贈太常，諡曰敬子。昉墳籍無所不見，聚書至萬餘卷，率多異本。撰《雜傳》二百四十七卷。

《唐書·藝文志》：“任昉《雜傳》一百二十卷。”

章氏《考證》：《文選·王文憲集序》注：“任昉《雜傳》魏德公謂郭林宗曰：‘經師易獲，人師難遭。’”

案雜傳地理總集爲書者，自齊陸澄始。本志地理類云：“梁任昉增陸澄之書八十四家，以爲此《地記》若干卷。”則此《雜傳》亦增陸氏之書，可知也。陸氏《雜傳》見後。

以上自《列士傳》至此，凡四部，爲一類。如前例，是爲第七類。

東方朔傳八卷

不著撰人。

《漢書·東方朔傳》：“朔字曼倩，平原厭次人。武帝初，待詔公車，尋待詔金馬門，爲常侍郎，拜太中大夫、給事中，被劾，免爲庶人。待詔宦者署，復爲中郎，與枚皋、郭舍人俱在左右，詼啁而已。著論設客難，又設非有先生之論。朔之文辭，此二篇最善。其餘有《封泰山》、《責和氏璧》等，凡劉向所録朔書具是矣。世所傳他事皆非也。"師古曰："謂如《東方朔別傳》及俗用五行時日之書，皆非實事也。"

又傳贊曰："劉向言：少時數問長老賢人通於事及朔時者，皆曰朔口諧倡辨，喜爲庸人誦説，故今後世多傳聞者。"又曰："朔之詼諧，逢占射覆，其事浮淺，行於衆庶，童兒牧豎莫不眩燿。而後世好事者因取奇言怪語附著之朔，故詳録焉。"師古曰："言此傳所以詳録朔之辭語者，爲俗人多以奇異妄附於朔故耳。欲明傳所不記，皆非其實也。而今之爲《漢書》學者，猶更取他書雜説，假合東方朔之事，以博異聞，良可歎矣。"

《唐書·經籍志》：《東方朔傳》八卷。《藝文志》同。

章氏《考證》：《漢書》傳注謂如朔別傳，皆非實事。愚案《藝文類聚》諸書引《朔別傳》，類皆奇言謔語，惟《文選·報任少卿書》注引朔對武帝'刑不上大夫'之言，最爲莊論。《御覽·兵部》引朔上書，《人事部》朔形容公孫丞相、倪大夫等語，《漢書》本傳同。《世説·規箴篇》注引朔南陽步廣里人，本傳稱平原厭次人，此可考異。

案《史記·滑稽列傳》附載褚少孫所補六事中，有東方朔事，與《漢書》互有同異，似即本之《別傳》。少孫自言"臣爲郎時，好讀外家傳語"。案外家傳語，即別傳之流。然則此別傳，豈猶是前漢所傳，爲褚少孫、劉子政、班孟堅所見者歟？

毋丘儉記三卷

不著撰人。

《魏志》本傳：儉字仲恭，河東聞喜人。父興，將作大匠，封高陽鄉侯。儉襲父爵，爲平原侯、文學。明帝時，爲尚書郎、羽林監、洛陽典農，荆州、幽州刺史。與太尉司馬宣王討公孫淵，定遼東。進封安邑侯，遷左將軍，監豫州諸軍，領刺史。至鎮東將軍，都督揚州。正元二年正月，與揚州刺史文欽矯太后詔，罪狀大將軍司馬景王，舉兵反。衆潰，射殺，傳首京都，夷三族。欽亡入吳。

《唐書·經籍志》：《毋丘儉記》三卷。《藝文志》同。

侯康《補三國藝文志》：《魏志·明帝紀》注引《毋丘儉志記》云：“時以儉爲宣王副也。宣王時，伐遼東。”當即出此書，未知爲儉記事之作，抑他人記儉事也。案《晉書·宣帝本紀》云：“晉國初建，追尊曰宣王。”案晉國初建於文王平蜀之後，儉之時，未有此稱號。《紀》注引文云“爲宣王副”，則非儉自記，從可知矣。

管輅傳三卷　管辰撰

《魏志·管輅傳》：“輅字公明，平原人也。正始九年，舉秀才。正元二年八月，爲少府丞。明年二月卒，年四十八。弟辰。”

臣松之案：“辰撰《輅傳》，所載輅術數纔十一二耳。近有閻纘伯者，名纘，該微通物，有良史風，爲天下補綴遺脱，敢以所聞列於篇左。”又曰：“前長廣太守陳承祐口受城門校尉華長駿語云：‘昔其父爲清河太守，時召輅作吏，駿與少小，後以鄉里，遂加恩意，常與同載周旋，具知其事。云諸要驗，三倍於傳。辰既短才，又年縣小，又多在田舍，故益不詳。辰仕宦至州主簿、部從事，大康之初物故。’”

《唐書·經籍志》：《管輅傳》二卷，管辰撰。

《唐書·藝文志》：管辰《管輅傳》二卷。

章氏《考證》：《魏志·管輅傳》注：“弟辰撰《輅別傳》，有辰序言。臣松之取閻纘所補綴，遺脱數事。”《世説》注諸書皆引《輅別傳》。

案《魏志》傳注載辰是傳特多,似全録其文,并其序亦載之。

雜傳四十卷　賀蹤撰。本七十卷,亡。

《梁書·文學·劉峻傳》:天監初,召入西省,與學士賀蹤典校祕書。

又《任昉列傳》:昉聚書至萬餘卷,率多異本。昉卒後,高祖使學士賀蹤共沈約勘其書目。

《唐書·經籍志》:《雜傳》四十卷,不著撰人。《藝文志》同。

雜傳十九卷　陸澄撰

陸澄有《漢書注》,見前正史類。

《南齊書》本傳:澄家多墳籍,人所罕見,撰《地理書》及《雜傳》,死後乃出。《地理書》見後地理類,此十九卷,或非其全。

案陸澄在賀蹤之前,而此列於賀氏之後,是亦所謂編次無法之一端也。類此者甚多,不復具舉。

雜傳十一卷　一本作"雜卷",誤。

不著撰人。

案《唐·經籍志》有《雜傳》六十五卷,《藝文志》作六十九卷。又九卷,皆不著撰人。此十一卷,或在陸氏、任氏、賀氏之外,別爲一家,或即三家之書之佚出者。

又案本志載雜傳四家,章氏輯諸書引見雜傳記爲本志所不著録者,凡若干種,大都皆在此四家集録之中。今并附記於後,間有重複互收者不録。他如梁武帝《孝子傳》三十卷,荀伯子《荀氏家傳》十卷、《會稽邵氏家傳》十卷,王邵《皇隋靈感志》十卷,自成卷帙,或不在其內焉。

《廣州先賢傳》七卷、陸胤。又七卷。劉芳。《吳郡錢塘先賢傳》五卷、吳均。《荆州先賢傳》三卷、高範。《廣陵列士傳》一卷、華隔。《江表傳》二卷、虞溥。《逸人高士傳》八卷、習鑿齒。《真隱傳》二卷、袁淑。《孝子傳》三卷、徐廣。《李固別傳》七卷、《梁冀傳》二卷、《曹瞞傳》一卷、吳人。案《藝文類聚·百穀部》引被山《曹瞞傳》。《桓玄傳》二卷、《諸葛亮隱没五事》一卷、郭沖。《蜀志·諸葛傳注》全引之。《諸王傳》一卷、《殷氏家傳》三卷、殷敬。《列女傳序贊》一卷、孫夫人。《列女傳》八卷、劉熙。《紫陽真人周君傳》一卷、華嶠。《紫虛元君魏夫人内傳》一卷。項宗。

　　以上凡二十家,見《新唐志》皆有卷數者。

《青州先賢傳》、《武陵先賢傳》、《漢末名士録》、《逸人傳》、孫盛。《高士傳》、魏隸。《孝子傳》、周景式。《孝子圖》、劉向。《揚雄家牒》、《裴氏家記》、傅暢。《袁氏家傳》、《袁氏世紀》、《陶氏家傳》、《嵇氏世家》、《陳氏家傳》、《竇氏家傳》、《沈氏家傳》、《祖氏家傳》、《孫氏世録》、《謝車騎家傳》、《顧愷之家傳》、《顏延之家傳》、《李先生傳》、《顧脩内傳》、《録異傳》、《志怪》。曹毗。

　　以上凡二十五家,皆散見諸書者,卷數並無考。

《荀彧別傳》、《荀勖別傳》、《鄭玄別傳》、《邴原別傳》、《程曉別傳》、《孫資別傳》、《嵇康別傳》嵇喜。《吳質別傳》、《潘尼別傳》、《潘岳別傳》、《劉廙別傳》、《郭泰別傳》、《盧諶別傳》、《樂廣別傳》、謝鯤。《任嘏別傳》、《鍾會母傳》、鍾會。《王弼別傳》、何邵。《華佗別傳》、《趙雲別傳》、《費禕別傳》、《孫惠別傳》、《顧譚別傳》、陸機。《虞翻別傳》、《陸機、陸雲別傳》。

　　以上凡二十四家,章氏曰見《三國志》注。

《董卓別傳》、楊孚。《鍾離意別傳》。

　　以上二家,章氏曰見《續漢志補注》。

《郗鑒別傳》、《王乂別傳》、《桓彝別傳》、《王丞相別傳》、《阮光禄別傳》、《劉尹別傳》、《范宣別傳》、《王獻之別傳》、《王恭別傳》、《司馬徽別傳》、《向秀別傳》、《衛玠別傳》、《顧和別傳》、《王含別傳》、《孫放別傳》、《庾翼別傳》、《桓温別傳》、《顧凱之別傳》、《王長史別傳》、《王中郎別傳》、《郗超別傳》、《王胡之別傳》、《王司徒別傳》、《鍾雅別傳》、《陸玩別傳》、《江惇別傳》、《殷浩別傳》、《王珉別傳》、《王敦別傳》、《謝鯤別傳》、《王述別傳》、《謝玄別傳》、《樊英別傳》、《左思別傳》、《郭璞別傳》、《諸葛恢別傳》、《周顗別傳》、《孔愉別傳》、《蔡司徒別傳》、《王彪之別傳》、《羅府君別傳》、《祖約別傳》、《阮孚別傳》、《羊曼別傳》、《王劭、王薈別傳》、《石勒傳》、《王彬別傳》、《王舒別傳》、《王澄別傳》、《王邃別傳》、《卞壺別傳》、《虞光禄傳》、《郄惜別傳》、案當是"郄愔"之誤。《陳逵別傳》、《賀循別傳》、《桓沖別傳》、《桓豁別傳》、《周處別傳》、《賈充別傳》、《郄曇別傳》、《范汪別傳》、《蔡充別傳》、案當是"蔡克"。《司馬晞傳》、《王雅別傳》、《荀粲別傳》、《司馬無忌傳》、《高座別傳》、《浮圖澄別傳》、《支遁傳》。

以上凡六十九家，章氏曰見《世説新語注》。

《明先生別傳》、《陳寔別傳》。

以上二家，章氏曰見《文選注》。

《李郃別傳》、《夏仲御別傳》、《孟嘉別傳》、《陳武別傳》、《孫登別傳》、《王廙別傳》、《許遜別傳》、《郭翻別傳》、《諸葛恪別傳》、《曹肇、曹毗傳》、《蔡琰別傳》、《王藴別傳》、《王濛別傳》、《張載別傳》、《禰衡別傳》、《張華別傳》、《蒲元別傳》、《羅含別傳》、《裴楷別傳》、《婁承先別傳》、《馬融別傳》、《故綜別傳》、《衝波傳》、《杜蘭香別傳》、曹毗。《孔融別傳》、《荀采傳》、《魯女生別傳》、《陶侃別傳》、《董正別傳》、《王威別傳》。

以上凡三十家，章氏曰見《藝文類聚》。

《王暇別傳》、《桓階別傳》、《傅宣別傳》、《孟宗別傳》、《許肅別傳》、《庾袞別傳》、《山濤別傳》、袁宏。似即從宏《竹林七賢傳》中析出者，見前《正始名士傳》中。《趙穆別傳》。

以上八家，章氏曰見《初學記》。

《庾亮別傳》、《顏含別傳》、《王湛別傳》、《傅咸別傳》、《王允別傳》、《盧植別傳》、《葛洪別傳》、《鄒衍別傳》、《蔡邕別傳》、《孫略別傳》、《邊讓別傳》、《杜祭酒別傳》、《吳猛別傳》。

以上凡一十三家，章氏曰見《北堂書鈔》。

《石虎別传》、《雷煥別傳》、《徐邈別傳》、《羊祜別傳》、《張純別傳》、《桓石秀別傳》、《祖逖別傳》、《江祚別傳》、《陸績別傳》、《管寧別傳》、《何晏別傳》、《傅嘏別傳》、《何禎別傳》、《趙至別傳》、《智瓊傳》、《潘勖別傳》、《諸葛亮別傳》、《張衡別傳》、《曹植別傳》、《李陵別傳》、《王祥別傳》、《江濛別傳》、《趙岐別傳》、《李變別傳》、《潘京別傳》、《楊彪別傳》、《張蕪別傳》、《馬鈞別傳》、《賈逵別傳》、《桓譚別傳》、《徐延年別傳》。

以上凡三十一家，章氏曰見《太平御覽》。又曰：“《三國志注》諸書所見篇目，《太平御覽》備彙其全。《初學記》等亦或各互見。又如蔡邕、郭泰、鍾離意、鄭玄、董卓《別傳》，《後漢書》注亦引之。今錄從簡略，故不重載。《藝文・舟車部》、《御覽・禮儀部》引《衝波傳》各一事。“衝波”二字，未詳其義。案《御覽・禮儀》、《服章》、《方術》、《舟車》、《獸》、《羽族》、《蟲豸部》凡七，引《衝波傳》，其《羽族部》一條，并有注文，俱不知何人作也。

以上自《東方朔傳》至此，凡六部，爲一類，亦如前例，是爲第八類。

玄晏春秋三卷　皇甫謐撰

皇甫謐有《高士傳》、《逸士傳》，並見前。

《晉書》本傳：謐沈靜寡欲，始有高尚之志，以著述爲務，自號玄晏先生。撰《帝王世紀年曆》、《高士》、《逸士》等傳、《玄晏春秋》，並重於世。

《唐書・經籍志》：《玄宴春秋》二卷，皇甫謐撰。

《唐書・藝文志》：皇甫謐《玄晏春秋》二卷。

章氏《考證》:《史記‧匈奴傳》索隱引士安讀《漢書》,不詳"撐犁孤塗"之言。《北堂書鈔‧武功部》:"諡年十七,未通經史,編荊爲盾,執枝爲戈。"《藝文類聚‧菓部》、《初學記‧服食部》:"諡與衞倫,言及於味。"《御覽‧人事部》云:"十二月乙丑夕,夢至京師。"《學部》云:"十七年,余長七尺四寸。"《疾病部》:"夏四月,余瘧於河南。"並引《玄晏春秋》,觀此書體例,似用編年法,如後世年譜之類。

孔子弟子先儒傳十卷

不著撰人。

《唐書‧經籍志》:《孔子弟子傳》五卷,《先儒傳》五卷。

《唐書‧藝文志》:《先儒傳》五卷,《孔子弟子傳》五卷。

章氏《考證》:《唐志》《孔子弟子傳》五卷,別有《先儒傳》五卷,當即一書,而誤分爲二。

　　以上兩部又爲一類,如前例。自《海內名士傳》至此,凡四節,似皆從梁、陳、隋別家書目續加采獲,而雜廁於此,不復編次其部居,故雜亂如此。此其例不畫一,凡長篇累牘者,大率如是。其後地理、五行、醫家尤顯見者也。是爲第九類。

李氏家傳一卷

不著撰人。

《世説‧賞譽篇》注:《李氏家傳》曰:"膚岳峙淵清,峻貌貴重。華夏稱曰:潁川李府君,頵頵如玉山。汝南陳仲舉,軒軒如千里馬。南陽朱公叔,颺颺如行松柏之下。"

章氏《考證》:《世説‧賞譽篇》注引《李氏家傳》,《太平廣記‧名賢類》,又引有《李膺家録》。

　　案本志敍諸家家傳,以李氏爲之首,在當時寓尊王之義,史臣命意所在歟。《殷芸小説》亦引《李膺家傳》、《家録》各一條,見晁伯宇《續談助》録本。

桓任家傳一卷　"任"當爲"氏"。

不著撰人。

章氏《考證》:《北堂書鈔·設官部》延康元年初,置散騎之官,遷桓範爲侍郎。又魏太子始立,桓範以文學舉爲舍人。《御覽·職官部》桓範爲交州刺史謝表。並引《桓氏家傳》。

王朗王肅家傳一卷

不著撰人。

章氏《考證》:《魏志·王朗傳》注朗除會稽秦始皇舊祀,又與沛國名士劉陽交二事,引《朗家傳》。

太原王氏家傳二十三卷

不著撰人。

《唐書·世系表》:王氏出自姬姓。周靈王太子晉以直諫廢爲庶人,其子宗敬爲司徒,時人號曰王家,因以爲氏。裔孫翦,秦大將軍,生賁,賁生離,離二子元、威。元避秦亂,遷於琅邪,後徙臨沂。"又曰:"太原王氏出自離次子威,漢揚州刺史九世孫霸居太原晉陽。後漢連聘,不至。"又曰:"霸長子殷,後漢中山太守,食邑祁縣。"又曰:"太原王氏世居祁縣,後徙平州。"

《唐書·經籍志》譜牒類:《王氏家傳》二十二卷。岑本作二十一卷。

《唐書·藝文志》雜傳記類:《王氏家傳》二十一卷。

章氏《考證》:《唐志》二十一卷,無"太原"二字。《世説·品藻篇》注:"王禕之少知名,仕至中書郎,未三十而卒,贈散騎常侍。"此作王氏世家。据《晋書》,禕之固太原王氏。

案《南史·王玄謨傳》云:"玄謨,太原祁人。六世祖宏,河東太守、緜竹侯,以從叔司徒允之難,棄官北居新興,仍爲新興、雁門太守。其自序云爾。"又:"王懿,太原祁人,自言漢司徒允弟幽州刺史懋七世孫。祖宏,仕石季龍。父苗,仕苻堅,皆至二千石。"史稱"自序云爾",又曰"自言則皆本之是傳",可知《北史》載王慧龍、王松年、王劭等傳,亦似本之此書。

褚氏家傳一卷　　褚覬等撰

褚覬始末未詳。

《唐書·經籍志》譜牒類:《褚氏家傳》一卷,褚結撰、褚陶注。《藝文志》雜傳記類著錄同。

章氏《考證》:《世說·賞譽篇》注:《褚氏家傳》曰:"陶聰惠絶倫,年十三作《鷗》、《水碓》二賦,仕至中尉。"《史記·孝武紀》索隱:韋稜之云:"褚少孫,宣帝代爲博士,號爲先生,續《太史公書》。"此作《褚覬家傳》。

案褚覬,《唐志》作結,蓋音聲之誤。褚陶字季雅,吳郡錢塘人。州郡辟,不就。吳平,召補尚書郎,遷九真太守,轉中尉,年五十五卒,見《晉書·文苑傳》。案陶注覬書,則覬在陶前,當是漢、吳時人。

薛常侍家傳一卷

不著撰人。

《唐書·經籍志》:《薛常侍傳》二卷,荀伯子撰。

《唐書·藝文志》:荀伯子《荀氏家傳》十卷,又《薛常侍傳》二卷。

《册府元龜·國史部》:荀伯子又撰《薛常侍傳》二卷。

常熟丁國鈞《補晉書藝文志》曰:"《薛常侍家傳》一卷,見《隋志》。案薛兼官至散騎常侍,見《晉書·兼傳》。兩《唐志》作二卷,云荀伯子撰,無'家'字。"

案《吳志·薛綜傳》:"綜字敬文,沛郡竹邑人也。仕至選曹

尚書、太子少傅。赤烏六年卒，子珝，官至威南將軍。珝弟
瑩，字道言，至光禄勳。天紀四年，晉軍征晧，晧奉書請降，
其文瑩所造也。瑩既至洛陽，特先見敍，爲散騎常侍。太
康三年卒，著書八篇，名曰《新議》。”又《晉書‧薛兼傳》：
“兼字令長，丹陽人。祖綜，父瑩。兼與同郡紀瞻、廣陵閔
鴻、吳郡顧榮、會稽賀循齊名，號爲‘五俊’。歷尚書、太子
太傅，至太常，進爵安陽鄉侯。自綜至兼，三世傅東宮，談
者美之。明帝即位，加散騎常侍。是歲，卒。子顯，先兼
卒，無後。”蓋三世傅東宮，兩世爲常侍者也。《唐志》二卷，
疑亦有《薛瑩傳》在其内。荀伯子，潁川潁陰人。仕晉，入
宋，至東陽太守。元嘉十五年卒官，年六十一。《宋書》有
傳，荀嘗於晉義熙中佐徐廣撰《晉紀》，詳見古史類中。此
或其修史時所作歟？

江氏家傳七卷　江祚等撰

《晉書‧江統傳》：統字應元，陳留圉人。祖蕤，以義行，稱爲
譙郡太守，封亢父男。父祚，南安太守。

《太平御覽‧人事部》：《江祚別傳》曰：“祚爲南安太守，民思
其德，生子多以爲名字。”

《唐書‧經籍志》譜牒類：《江氏家傳》七卷，江統撰。

《唐書‧藝文志》雜傳記類：《江氏家傳》七卷，江饒。

章氏《考證》：《舊唐志》江統撰，《新唐志》江饒撰。愚案《藝文
類聚‧職官部》、《北堂書鈔‧設官部》並引《江氏家傳》，言
“江統，庚子嵩雅敬君德。東海王越，請君爲別駕，與君書”。
稱統爲“君”，則傳非統所撰。《御覽‧人事部》引：“江蕤年十
三，棄五木之戲。”《方術部》：“江統諫愍懷禁土之令。”《工藝
部》：“江偉善書，人得其手疏，莫不藏之。”《飲食部》：“江蕤
年七歲葬父，有酒肉，斂容不食。”又江統上疏諫西園賣醯菜，

共引《家傳》五事。

案統諫愍懷禁土之令及西園賣葵菜,亦見本傳。乃統爲太子洗馬時所上五事之二也。江饒未詳,似"統"字之誤。

庾氏家傳一卷　庾斐撰

庾斐始末未詳。

案《元和姓纂》云:"庾氏,堯時掌庾大夫,以官命氏。後漢始居潁川,有潁川庾氏。漢末又有新野庾氏。"案本志別有《漢南庾氏家傳》三卷,漢南即謂新野。此一卷,或潁川庾氏之家傳,或即後三卷之別出者。

裴氏家傳四卷　裴松之撰

裴松之有《集注喪服經傳》,見經部禮類。

《南史·裴松之傳》:松之子駰,宋南中郎參軍。駰子昭明,齊廬陵太守。昭明子子野,梁鴻臚卿。子野少時,集注《喪服》、續《裴氏家傳》各二卷,行於世。

《唐書·經籍志》譜牒類:《裴氏家記》三卷,裴松之撰。《藝文志》傳記類著錄同。

章氏《考證》:《世説·文學篇》注:"裴榮有風姿才氣。"《任誕篇》注:"裴穎娶王戎長女。"並引《裴氏家傳》。《梁書·裴子野傳》:"子野續《裴氏家傳》三卷。"《唐志》:"裴松之《裴氏家記》三卷。"《蜀志·孟光傳》注:"傅暢《裴氏家記》,載裴潛弟儁、儁子越事。"

案裴松之注史,自引傅暢《裴氏家記》,蓋即《晉諸公贊》中之一節。後松之爲家傳,至曾孫子野,又從而續之也。

虞氏家記五卷　虞覽撰

虞覽始末未詳。

《唐書·經籍志》譜牒類:《虞氏家傳》五卷,虞寬撰。岑本仍改作"虞覽"。

《唐書・藝文志》雜傳記類：《虞氏家傳》五卷。不注名氏，一本題曰虞覽。

章氏《考證》：《藝文類聚・居處部》："虞潭爲右衞將軍，起堂養親，作詩言志。"《北堂書鈔・政術部》："虞潭爲南康内史，年荒，出私米賑敝。"《御覽・禮儀部》："虞潭母太夫人薨，給絊㡛車，謁者送喪，禮儀光備。"並引《虞氏家記》。《唐志》作"家傳"。案虞潭《晉書》有傳，吳騎都尉翻之孫也。母孫氏，見《晉書・列女傳》。父忠，翻第五子，附見《吳志・虞翻傳》。

案《晉書・虞預傳》："撰《諸虞傳》十二篇，行於世。"此記或猶在其後歟？

曹氏家傳一卷　曹毗撰

曹毗有《論語釋》，見經部論語類。

《唐書・經籍志》譜牒類："《曹氏家傳》一卷，曹毗撰。"《藝文志》雜傳記類著録同。

章氏《考證》：《太平御覽・職官部》：《曹氏傳》曰："左擁起於碎史，武帝以爲殿中侍御史。"

范氏家傳一卷　范汪撰

范汪有《祭典》，見經部禮類。

章氏《考證》：《世説》注引《范汪別傳》，《太平御覽》亦引之。

紀氏家紀一卷　紀友撰

《晉書・紀瞻傳》：瞻字思遠，丹陽秣陵人也。祖亮，吳尚書令。父陟，光禄大夫。瞻少以方直知名。吳平，徙家歷陽。元帝即位，歷侍中、尚書、驃騎將軍、散騎常侍、開府儀同三司，封臨鄉侯。謚曰穆。長子景，早卒。景子友嗣，官至廷尉。

韋氏家傳一卷

不著撰人。

《唐書‧經籍志》譜牒類：《韋氏家傳》三卷，皇甫謐撰。

《唐書‧藝文志》雜傳記類：皇甫謐《韋氏家傳》三卷。

案兩《唐志》皆以爲皇甫謐撰，又多出二卷，疑此一卷，非其全也。謐有《高士》、《逸士傳》、《玄晏春秋》，並見前。

何顒使君家傳一卷

不著撰人。

《後漢書‧黨錮傳》：何顒字伯求，南陽襄鄉人也。少游學洛陽，顒雖後進，而郭林宗、賈偉節等與之相好，顯名太學。及陳蕃、李膺之敗，顒以與蕃、膺善，爲宦官所陷，乃變姓名，亡匿汝南間。所至皆親其豪傑，有聲荆、豫之域。袁紹慕之，私與往來，結爲奔走之友。是時，黨事起，天下多離其難，顒嘗私入洛陽，從紹計議。其窮困閉厄者，爲求援救，以濟其患。有被掩捕者，則廣設權計，使得逃隱，全免者甚衆。及黨錮解，顒辟司空府。累遷，及董卓秉政，逼顒以爲長史，託疾不就，乃與司空荀爽、司徒王允等共謀卓。會爽薨，顒以它事爲卓所繫，憂憤而卒。潁川荀彧爲尚書令，遣人西迎叔父爽，并致顒屍，而葬之爽之冢傍。亦見《魏志‧荀攸傳》及注。

《唐書‧經籍志》：《何顒傳》一卷。《藝文志》同。

章氏《考證》：《太平御覽‧人事部》、《疾病部》引《何頌別傳》："頌有人倫鑒，謂張仲景將爲名醫，卒如其言。"齊氏從《唐志》題《何顒傳》，以謂《隋志》不著錄者，非也。

明氏家訓一卷　僞燕衞尉明岌撰

嚴可均《全晉文編》曰："明岌仕前燕，爲黃門郎。將死，誡其子曰：'吾所以在此朝者，非要貴也。直是避禍全身耳。葬可埋圓石於吾墓前。首引之云晉有微臣明岌之冢。以遂吾本志也，"注云《北堂書鈔》一百六十引《三十國春秋》。

案前燕慕容暐滅於晉太和五年，岌爲其衞尉、黃門郎，東晉時人也。

明氏世録六卷　梁信武記室明粲撰

明粲始末未詳。

《唐書·經籍志》譜牒類：《明氏世録》五卷，明粲撰。《藝文志》雜傳記類六卷。

案《南史·明僧紹傳》："僧紹字休烈，平原鬲人。其先吳太伯之裔。百里奚子孟明，以名爲姓，其後也。祖玩，州中從事。父略，給事中。僧紹宋、齊時累徵，不起。齊永明中卒。兄僧胤，宋冀州刺史。子慧照，齊巴州刺史。僧胤弟僧暠，宋青州刺史。僧紹子元琳、仲璋、山賓。山賓仕梁，爲北兗州刺史，子震，餘姚令。山賓弟少遐，梁青州刺史。太清之亂，奔魏，仕北齊，卒於太子中庶子。子罕，司空記室。明氏南渡雖晚，並有名位。自宋至梁，爲刺史者六人。"案史所據，似即此《世録》。明粲與明山賓同時人，其書至梁止，於北齊時，其後尚有明克讓最知名，見《隋書》、《北史》，山賓之子也。

陸史十五卷

不著撰人。

《南史·陸杲傳》：杲字明霞，吳郡吳人。梁天監中，仕至金紫光禄大夫，特進。卒。弟煦，學涉有思理，位太子家令，撰《晉書》未就。又著《陸史》十五卷，《陸氏驪泉志》一卷，並行於世。

《史通·雜述篇》曰："高門華胄，奕世載德，才子承家，思顯父母。由是紀其先烈，貽厥後來，若揚雄《家牒》、殷敬《世傳》、《孫氏譜記》、《陸宗系歷》。此之謂家史者也。"

《唐書·經籍志》譜牒類：《陸史》十五卷，陸煦撰。《藝文志》雜傳記類著録同。

案陸氏爲江左四大姓之一,自漢末陸續公紀以來,代有聞人。李延壽修《南史》諸列傳,往往參以各家家傳。《南史》第四十八卷所載陸澄、陸慧曉、陸杲三族,皆吳郡吳人。大都即節取《陸史》入宋以後之事也。

王氏江左世家傳二十卷　王褒撰　此"傳"字似誤加。

《周書》本傳:褒字子淵,案《梁書·王規附傳》云字子漢。此作子淵,因漢之王褒而誤。《北史》作"子深",又沿《周書》而避唐諱之誤。琅邪臨沂人。曾祖儉,齊侍中、太尉、南昌文憲公。祖騫,梁侍中、金紫光祿大夫、南昌安侯。父規,梁侍中、左民尚書、南昌章侯。並有重名於江左。褒襲爵南昌縣侯,事梁武帝。元帝入周,至長安,授車騎大將軍、儀同三司,封石泉縣子,邑三百户,仕歷宣州刺史。卒年六十四。宋鄧名世《古今姓氏書辨證》:後周光祿大夫、少司空、石泉康侯褒生子蕭,字玉鉉,石泉威明侯。

《南史·王筠傳》:筠仕梁,至簡文即位,爲太子詹事,與諸兒書論家門集云:"史傳安平崔氏及汝南應氏並累葉有文才,所以范蔚宗云崔氏雕龍。然不過父子兩三世耳,非有七葉之中,名德重光,爵位相繼,人人有集如吾門者也。沈少傅約常語人云:'吾少好百家之言,身爲四代之史。自開闢以來,未有爵位蟬聯、文才相繼如王氏之盛也。'汝等仰觀堂構,思各努力。"

《世説·雅量篇》注:《丹陽記》曰:"王氏烏衣之起,吳時烏衣營處所也。江左初立,琅邪諸王所居。"

宋鄧名世《古今姓氏書辨證》曰:"琅邪王氏,自漢諫議大夫王吉以下,更魏晉、南朝一家,正傳六十三人、三公令僕五十餘人、侍中八十人、吏部尚書二十五人。"

案《南史》載王弘、王曇首、王誕、王華、王惠、王彧、王裕之、王鎮之、王韶之、王悦之、王准之列傳,凡四卷,而系以論曰："昔晉初渡江，王導卜其家世，郭璞曰：'淮流絕，王氏滅。'"《晉書·王導傳》末亦云："初，導渡淮，使郭璞筮之，卦成。璞曰：'吉，無不利。淮水絕，王氏滅。'"其後子孫繁衍，竟如璞言。觀夫晉氏以來，諸王冠冕不替，蓋亦人倫所得，豈唯世祿之所傳乎？及於陳亡之年，淮流實竭。曩時，人物掃地盡矣。斯乃興亡之兆，已有前定，天之所廢，豈智識之所謀乎？蓋晉、宋、齊、梁及《南史》所載諸王列傳，皆取證於是書。案王氏人物至唐猶盛，《唐·世系》載之詳矣。

孔氏家傳五卷

不著撰人。

章氏《考證》：《世説·言語篇》注、《後漢書·孔融傳》注、《太平御覽·人事部》並引《孔融家傳》，皆記融事。《藝文類聚·雜器物部》引融"坐上客常滿，樽中酒不空"語。《北堂書鈔·酒食部》："融每旦以饘一盛，魚一首以祭。"並作《孔融別傳》。

案《晉書》載孔愉、孔汪、孔安國、孔祗、孔坦、孔嚴、孔群、孔沈諸列傳，云："會稽山陰人，其先世居梁國，曾祖潛，太子少傅。漢末避地會稽，因家焉。祖竺，吳豫章太守。父恬，湘東太守。從兄侃，大司農，俱有名江左。"又《南史》有孔靖、孔琇之、孔奐、孔琳之、孔覬諸列傳，亦會稽山陰人。疑此五卷是會稽孔氏，《晉書》、《南史》之所取資者。

崔氏五門家傳二卷　崔氏撰

《唐書·藝文志》：《崔氏世傳》七卷，崔鴻撰。

章氏《考證》：《北堂書鈔·設官部》崔瑗上疏。《太平御覽·職官部》崔寔除五原太守，又崔瑗爲汲令；《人事部》崔瑗座右銘，並引《崔氏家傳》，無"五門"二字。《唐志》作《崔氏世傳》七卷，題崔鴻撰。愚案崔瑗爲汲令，《御覽·人事部》又載之，題崔鴻《崔氏家傳》，則《隋志》注崔氏撰，當改爲崔鴻。

案崔鴻有《十六國春秋》，見前霸史類。《唐·世系》云：“崔氏定著十房：一曰鄭州、二曰鄢陵、三曰南祖、四曰清河大房、五曰清河小房、六曰清河青州房、七曰博陵安平房、八曰博陵大房、九曰博陵第二房、十曰博陵第三房。”綜其實，則止於鄭州、鄢陵、南祖、清河、博陵五房也。魏崔光、崔鴻，清河人。漢崔瑗、崔寔，博陵人。所謂五門者，即《唐表》所載是也。此二卷，或非其全，故不見崔鴻，但知爲崔氏。章氏云“當改崔鴻”，謬矣。

暨氏家傳一卷

不著撰人。

《唐書·經籍志》譜牒類：《暨氏家傳》一卷。《藝文志》雜傳記類著錄同。

《通志·氏族略》：有不得其本系者，則有暨氏，音訖。吳有尚書暨豔。唐天寶中，有暨晃、弟昱，望出餘杭渤海。

宋鄧名世《古今姓氏書辨證》：暨，音吉。唐有暨佐，時上元中准制，改爲周氏。今餘杭與閩中多此姓，而音訛爲潔氏。

王應麟《姓氏急就篇》：暨氏，吳有暨豔，陳有暨慧景。案《北史·隋煬帝本紀》云：“及陳平，執尚書都令史暨慧。”元豐中，進士唱名，有暨陶，主司三呼去聲不應。蘇頌進曰：“當以入聲呼之。”果出應。神宗問：“何以知之?”頌對：“三國時，吳有暨豔，造訾府之論，恐其後。”問陶鄉里，乃崇安人。上喜曰：“果吳人也。”《唐·藝文志》有《暨氏家傳》。

案暨豔見《吳志·張溫傳》云：“字子休，吳郡人。溫引致之，以爲選曹郎。至尚書，爲怨家所譖，自殺。”疑此即其別傳歟?

周齊王家傳一卷　　姚氏撰

《周書》列傳：齊煬王憲字毗賀突，太祖第五子也。宣帝嗣位，以憲屬尊望重，深忌憚之，乃詔王至，伏壯士執而縊殺之，時年三十五。《北史》云年四十。又殺上大將軍安邑公王興、上開府獨孤熊、開府豆盧紹等，皆以昵于憲也。帝既誅憲，無以爲辭，故託興等與憲結謀，遂加其戮。時人知其冤酷，咸云伴憲死也。

史臣曰："齊王奇姿傑出，獨牢籠於前載。以介弟之地，居上將之重，智勇冠世，攻戰如神，敵國繫以存亡，鼎命由其輕重。比之異姓，則方、召、韓、白，何以加茲？挾震主之威，屬道消之日，斯人而嬰斯戮，君子是以知周祚之不永也。昔張耳、陳餘賓客廝役，所居皆取卿相。而齊之文武僚吏，其後亦多至台牧。異世同符，可謂賢矣。"

又《藝術‧姚僧垣傳》：僧垣次子最，授齊王憲府水曹參軍，掌記室事，特爲憲所禮接，賞賜隆厚。宣帝嗣位，憲以嫌疑被誅。隋文帝作相，追復官爵。最以陪游積歲，恩顧過隆，乃録憲功績爲傳，送上史官。

　　案本志題姚氏者，據《後周書‧姚僧垣附傳》乃姚最所撰也。最爲察之弟，有《梁後略》，見前古史類。

爾朱家傳二卷　王氏撰

《唐書‧經籍志》譜牒類：《爾朱氏家傳》二卷，王邵撰。

《唐書‧藝文志》雜傳記類：王劭《爾朱氏家傳》二卷。

《通志‧氏族略》：代北複姓有爾朱氏，其先契胡部落，大人世爲酋帥，居爾朱川，因以爲氏。後魏有爾居羽健，從駕平晉陽，定中山有功，割秀容三百里，封之以爲世業。

　　案《北史‧列傳第三十六》載爾朱榮及其子弟兆、彥伯、仲遠、世隆、天光等共十人，合爲一傳，云"榮，字天寶，北秀容人。高祖羽健，曾祖鬱德，祖代勤，父新興，相繼爲領民、酋長"云云，似即本之家傳。《唐志》謂王劭撰，豈隋之王劭歟？劭有《北齊志》,《隋書》見前古史雜史類末。

周氏家傳一卷

不著撰人。

案此與北朝人家傳相類從,亦似北人。《元和姓纂·河南周氏》、《後魏·官氏志》云:"獻帝次兄普氏,改爲周氏。西魏幽州總管、濟北穆公周搖,賜姓車非氏,隋復本姓。"《北史·周搖傳》:"搖字世安,河南洛陽人。其先與魏同源,初姓普,及洛陽,改爲周氏。"似即据此家傳歟?

令狐氏家傳一卷

不著撰人。

《唐書·經籍志》譜牒類:《令狐家傳》一卷,令狐德棻撰。

《唐書·藝文志》雜傳記類:令狐德棻《令狐家傳》一卷。

案《唐志》云令狐德棻撰。《唐書》本傳:"德棻,宜州華原人。隋鴻臚少卿熙之子也。先居敦煌,代爲河西右族。"有《封禪儀》六卷,見前儀注類。《北史》載令狐整、令狐熙諸傳,似皆本之於此。

新舊傳四卷

不著撰人。

案此合新、舊二傳以爲一編,不知誰氏。本志子部雜家亦有《新舊傳》四卷,《唐·藝文志》亦著錄雜家,豈彙合北朝人雜傳,如陸澄、任昉之類歟?

漢南家傳三卷

不著撰人。

《唐書·經籍志》譜牒類:《庾氏家傳》三卷,庾守業撰。

《唐書·藝文志》雜傳記類:《漢南庾氏家傳》三卷,庾守業撰。

案此敓"庾氏"二字,微《新唐志》,莫詳其爲誰氏矣。《元和姓纂·新野庾氏》:"漢末居南陽,後分赭防爲新野,遂爲郡人。"此曰漢南，即新野也。新野庾氏最著聞者，有庾易、庾域、庾黔婁、庾於陵、庾肩吾、庾詵、庾曼倩、庾蓽、庾信、庾季才，《南》《北史》並有傳。此題庾守業，當是隋、唐間人，始末未詳。

何氏家傳三卷

不著撰人。

《唐書·經籍志》譜牒類：《何妥家傳》二卷。《唐·藝文志》雜傳記類著録同。

章氏《考證》：《後漢書·何敞傳》注引《何氏家傳》，載何比干爲丹陽都尉事。本始元年，自汝陰徙平陵，世爲名族。《三輔決録》亦載此事。《魏志·劉劭傳》注引何楨事，題廬江《何氏家傳》。《唐志》有《何妥家傳》二卷。

案何妥，西城郫縣人。西城郡，隋屬梁州，其先或與平陵何氏、廬江何氏同族，有《周易講疏》，見經部易類。

以上自《李氏家傳》至此，凡二十九部，皆漢以來南北朝諸家家傳。是爲第十類。

童子傳二卷　王瑱之撰

王瑱之始末未詳。

《金樓子·聚書篇》：隱士王瑱之經餉書，如《童子傳》之例是也。

章氏《考證》：《初學記·人事部》："近代有樂安任嘏者，十二就師學，不再問，一年通三經。"《御覽·人事部》："魯國孔林十歲詣臺，魯相劉公稱其辯。"並引王瑱之《童子傳》。

幼童傳十卷　劉昭撰

劉昭有《後漢書注》，見前正史類。

《梁書·文學傳》：昭著《幼童傳》十卷。

《唐書·經籍志》：《幼童傳》十卷，劉昭撰。

《唐書·藝文志》：劉昭《幼童傳》十卷。

章氏《考證》：《初學記·天部》晉明帝，《人事部》梁國楊氏子，《北堂書鈔·天部》潁川庾天祐，《後漢書·列女傳》注蔡琰，《御覽·人事部》漢昭帝，又魏太祖，又秦舞陽，又張元，又謝瞻，並引劉昭《幼童傳》。

訪來傳十卷　來奧撰

來奧有《帝王本紀》，見前雜史類。

　　案此不與前諸家家傳爲類，而列於梁元帝《懷舊志》之前，似來氏集。其知友之來訪者，以爲之傳，猶《交游傳》之類。

懷舊志九卷　梁元帝撰

梁元帝有《孝德傳》、《忠臣傳》、《丹陽尹傳》，並見前。

《梁書》本紀：“所著《懷舊志》一卷。”《南史》本紀：“《懷舊傳》二卷。”

《金樓子·著書篇》：《懷舊志》一袠一卷。金樓撰序，曰：“吾自北守琅臺，東探禹穴，觀濤廣陵，面金湯之設險；方舟宛委，眺玉笥之干霄。臨水登山，命儔嘯侶，中年承乏，攝牧神州，戚里英賢，南冠髦俊，蔭真長之弱柳，觀茂宏之舞鶴，清酒繼進，甘果徐行。長安群公，爲其延譽；扶風長者，刷其羽毛。於是駐伏熊，迴駟馬，命鄒湛，召王祥。余顧而言曰：斯樂難常，誠有之矣。日月不居，零露相半，素車白馬，往矣不追。春華秋實，懷哉何已。獨軫魂交，情深宿草。故備書爵里，陳懷舊焉。”

《周書·顏之儀傳》：之儀父協，梁元帝爲湘東王，引協爲其府記室參軍。元帝後著《懷舊志》及詩，並稱贊其美。

《顏氏家訓·文章篇》：“吾家世文章，操行見於《梁史·文士傳》及孝元《懷舊志》。”又曰：“王籍《入若耶溪》詩云：‘蟬噪林逾靜，鳥鳴山更幽。’江南以爲文外獨絕，簡文吟詠，不能忘之,孝元諷味,以爲不可復得,至《懷舊志》載於《籍傳》。"

《南史》:齊竟陵王子良,子昭胄,昭胄次子賁,起家湘東王法曹參軍。及亂,王爲檄,賁讀至"偃師南望,無復儲胥露寒;河陽北臨,或有穹廬氈帳",迺曰:"聖製此句,非爲過似,如體目朝廷,非關序賦。"王聞之大怒,收付獄,遂以餓終。又追戮賁尸,乃著《懷舊傳》以謗之,極言詆毀。

《唐日本國見在書目》:《懷舊志》九卷,梁元帝撰。

《唐書·藝文志》:梁元帝《懷舊志》九卷。

知己傳一卷　盧思道撰

《隋書》本傳:思道字子行,范陽人也。師事河間邢子才,就魏收借異書,才學兼著。仕北齊。後周至隋開皇初,歷散騎侍郎、奏內史侍郎事,卒於京師,年五十二。

《史通·雜述篇》曰:"普天率土,人物弘多,求其行事,罕能周悉。則有獨舉所知,編爲短部者,若戴逵《竹林名士》、王粲《漢末英雄》、蕭世誠《懷舊志》、盧子行《知己傳》。此之謂小錄者也。"又曰:"大抵偏記小錄之書,皆記即日當時之事,求諸國史,最爲實錄。然皆言多鄙樸,事罕圓備,終不能成其不刊,徒爲後生削稾之資焉。"案劉氏謂"最爲實錄",亦不盡然,如《懷舊志》記蕭賁之事,豈實錄乎? 賁有《辨林》,詳見子部小說家。

《唐書·經籍志》:《知己傳》一卷,盧思道撰。

《唐書·藝文志》:盧思道《知己傳》一卷。

《册府元龜·國史部·采譔篇》:盧思道爲黃門侍郎、待詔文林館,撰《知己傳》一卷。

章氏《考證》:胡應麟《甲乙剩言》曰:"余從都下得隋盧思道《知己傳》二卷,上自伊尹,下至六代,由君相、父子、妻子、友朋以及鬼神、禽畜,涉於知己者皆錄。第諸葛孔明與先主最相知,以爲有'君自取之'一語,爲大不知己,不錄。蓋有激乎其言之也。"案此則是書明時尚存,《宋史·志》不載,自屬闕漏,但應麟謂此書惟《隋志》有之,自唐以下,不復有也,亦失考。

案本傳載周武帝平齊之後,同郡某某舉兵作亂,思道預焉。柱國宇文神舉討平之,思道罪當斬,已在死中,神舉素聞其名,引出令作露布,因嘉而宥之,除掌教上士,其事頗有類於堂阜脫囚,其爲是書殆以此。

全德志一卷　梁元帝撰

梁元帝有《孝德傳》、《忠臣傳》、《丹陽尹傳》、《懷舊志》,並見前。

《梁書》本紀:"所著《全德志》一卷。"《南史》本紀:"《古今全德志》一卷。"

《金樓子·著書篇》:《全德志》一袠一卷。金樓自撰序,曰:"老子言全德歸厚,莊周云全德不刑,《呂覽》稱全德之人,故以全德創其名也。此志陸大夫爲首。伊人有學有辨,不夭不貧,寶劍在前,鼓瑟從後,連環炙輠,雍容卒歲,駟馬高車,優游燕喜。既令公侯踞掌,復使要荒躤角,入室生光,豈非盛矣。若乃河宗九策,事等神鉤;陽雍雙璧,理歸玄感。南陽樊重,高閣連雲;北海公沙,門人成市。咨此八龍,各傳一藝。夾河兩郡,家有萬石。人生行樂,止足爲先。但使樽酒不空,坐客恒滿,寧與孟嘗聞琴,承睫淚下;中山聽樂,悲不自禁同年而語也。"

又論曰:"物我俱忘,無貶廊廟之器;動寂同遣,何累經綸之才?雖坐三槐,不妨家有三徑;但接五侯,不妨門垂五柳。使良園廣宅,面水帶山。饒甘果而足花卉,葆筼簹而玩魚鳥。九月肅霜,時饗田畯;三春捧繭,乍酬蠶妾。酌斗酒而歌南山,烹羔豚而擊西缶,或出或處,並以全身爲貴。優之游之,咸以忘懷自逸。若此衆君子,可謂得之矣。"

《唐書・經籍志》：《全德志》一卷，梁元帝撰。

《唐書・藝文志》：梁元帝《全德志》一卷。

同姓名録一卷　梁元帝撰

《梁書・本紀》：《古今同姓名録》一卷。

《金樓子・著書篇》：《同姓同名録》一袠一卷，金樓撰。

《唐書・經籍志》：《同姓名録》一卷，梁元帝撰。

《唐書・藝文志》：梁元帝《同姓名録》一卷。

《四庫》子部類書提要曰："《古今同姓名録》二卷，梁孝元皇帝撰。是書見於《梁書》本紀及《隋志》者，皆作一卷。唐陸善經續而廣之，故晁氏《讀書志》、《書録解題》皆作三卷。其本皆不傳，此本爲《永樂大典》所載，又元人葉森所增補者也。雖輾轉附益，已非其舊，然幸其體例分明，不相淆雜，凡善經及森所綴入者，皆一一標注，尚可考見元帝之原本。"

以上自《童子傳》至此，凡七部，自爲一類，爲第十一類。

列女傳十五卷　劉向撰　曹大家注

劉向有《列士傳》，見前。

《七略別録》曰："臣向與黄門侍郎歆所校《列女傳》種類相從，爲七篇，以著禍福榮辱之效，是非得失之分，畫之於屏風四堵。"

《漢書》本傳：成帝即位，石顯等伏辜，更生乃復進用，改名向，領校中五經祕書。向睹俗彌奢淫而趙、衛之屬起微賤，踰禮制，師古曰："趙皇后、昭儀衛婕妤也。向以爲王教由内及外，自近者始，故采取《詩》、《書》所載賢妃貞婦，興國顯家可法則，及孽孽亂亡者，序次爲《列女傳》，凡八篇，以戒天子。

《漢書・藝文志・諸子略》儒家：劉向所序六十七篇，《新序》、《説苑》、《世説》、《列女傳頌圖》也。

《後漢書・列女傳》：扶風曹世叔妻者，同郡班彪之女也。名昭,字惠班,一名姬。博學高才,世叔早卒,有節行法度。和帝數召入宮,令皇后諸貴人師事焉,號曰"大家"。及鄧太后臨朝,與聞政事。以出入之勤,特封子成關內侯,官至齊相。昭年七十餘卒,皇太后素服舉哀,使者監護喪事。所著賦、頌、銘、誄、問、注,凡若干篇。案《列女傳》注即在此所云注之内。

《唐書·經籍志》:《列女傳》二卷,劉向撰。案此蓋無注本。

《唐志·藝文志》:劉向《列女傳》十五卷,曹大家注。

《宋史·藝文志》:劉向《古列女傳》九卷。

《崇文總目》:《列女傳》八篇,一曰母儀,二曰賢明,三曰仁智,四曰貞順,五曰節義,六曰辨通,七曰孽嬖,八曰傳頌。

宋曾鞏《序録》曰:"曹大家注《列女傳》,離其七篇爲十四,與頌義,凡十五篇,而益以陳嬰母及東漢以來凡十六事,非向書本然也。"

陳氏《書録解題》:《古列女傳》九卷,漢護都水使者光禄大夫劉向子政撰。其七篇,篇十五人,爲一百五人。第八篇爲《頌義》。《隋》、《唐志》及《崇文總目》皆十五卷,蓋以七篇分爲上、下,并頌爲十五卷,而自陳嬰母以下十六人,附入其中,或與向同時,或在向後者,皆好事者所益也。王回、曾鞏二序,辨訂詳矣。向書傳於世,鮮矣。惟此書獨全,其稱《詩·苯苢》、《柏舟》、《大車》之類,與今説《詩》者乖異,蓋齊、魯、韓之學,固不盡與毛氏同也。案楚元王以魯申公爲博士,又自傳《詩》,號《元王詩》,與申公同出。劉光禄固家世《魯詩》者也,故《列女傳》所載,皆《魯詩》説。

《四庫簡明目録》:《古列女傳》七卷,《續列女傳》一卷,漢劉向撰。《續傳》則不知誰作。曾鞏以爲班昭,晁公武曰:"項原皆影附無據也,舊合爲一編。宋王回乃以有頌無頌,離析其文爲今本,凡分七目,曰母儀、賢明、仁智、貞慎、節義、辯通、孽嬖。"

侯康《補後書藝文志》：《唐志》録《列女傳》十六家，大家注十五篇，無録，然其書今在。康案《顏氏家訓》卷六引大家注云："衱，交領也。"《初學記》卷十三引大家注云："少采，降之采也。以秋分祀夕月，以迎陰氣也。"案《唐·藝文志》於傳記類別分《女訓》十七家，大家注本，首列其目。侯《志》乃云無録，非也。又謂其書今在，則爲《列女傳》在耳，非注本猶在也。又案侯氏説乃誤采曾鞏《序録》之駁文，曾《序》亦失考甚矣。

張氏《書目答問》：《附圖列女傳》七卷，續一卷。阮福刻仿宋本。顧之逵小讀書堆本，亦精，無圖。

列女傳七卷　趙母注

《世説·賢媛篇》：趙母嫁女，女臨去，敕之曰："慎勿爲好。"女曰："不爲好，可爲惡邪？"母曰："好尚不可爲，其況惡乎？"注：《列女傳》曰："趙姬者，桐鄉令東郡虞韙妻，潁川趙氏女也。才敏多覽，韙既没，大皇帝敬其文才，詔入宫省。上欲自征公孫淵，姬上疏以諫，作《列女傳解》，號趙母注。賦數十萬言，赤烏六年卒。"

《唐書·藝文志》：趙母《列女傳》七卷。

列女傳八卷　高氏撰

高氏不詳何人。

列女傳頌一卷　劉歆撰

劉歆有《爾雅注》，見經部論語家。

《顏氏家訓·書證篇》：《列女傳》，劉向造，其子歆又作《頌》，終於趙悼后，而傳有更始韓夫人、明德馬后及梁夫人嫕，皆由後人所羼，非本文也。

《唐日本國見在書目》：《列女傳頌》一卷，劉歆撰。

宋王回序曰："《傳》如《太史公記》，《頌》如《詩》之四言。世所行班氏注向書併頌爲十五篇，其十二傳無頌，三傳同時人，五傳其後人，通題曰向撰。題其頌曰向子歆撰，與《漢史》不合。
史有《頌圖》在八篇中也。"

宋曾鞏《序録》曰："《隋書》以《頌義》爲劉歆作，與向《列傳》不
合。今驗《頌義》之文，蓋向之自敍。又《藝文志》有向《列女
傳頌圖》，明非歆作也。"案向、歆各自爲《頌》，不得牽合，必如所云，則本志
尚有曹植《列女傳頌》一卷，亦將謂與向傳不合，非植撰乎？

晁氏《讀書志》曰："公武案《隋·經籍志》有劉向《列女傳》十
五卷，又有劉歆《列女傳頌》，王回疑《頌》非歆作，蓋因顔籀之
言爾，未必然也。"

《四庫提要》曰："其《頌》本向所作，曾鞏及王回所言不誤。而
晁公武執《隋志》之文，詆其誤信顔籀之注，不如《漢志》舊注，
凡稱'師古曰'者，乃籀注，其不題姓氏者，皆班固之自注。以
《頌圖》屬向乃固説，非籀説也。考《顔氏家訓》，稱《列女傳》
劉向所造，其子歆又作《頌》，是譌《頌》爲歆作，始於六朝。修
《隋志》時，去之推僅四五十年，襲其誤耳，豈可遽以駁《漢
書》乎？"

　　案本志載劉歆此頌本自一帙，與其父書各不相涉。宋代相
　　傳曹大家注本，乃以向《列女傳》原有之頌歸之劉歆，自是
　　舛誤。然謂本志因顔氏而襲其誤，則不然。本志豈因是而
　　虛列其目耶？歆之《頌》，顔氏既見之，唐時又流傳外藩。
　　《文選·思玄賦》李善注引劉歆《列女傳頌》曰："材女修身，
　　廣觀善惡。"今本一百十一頌中無此文，是可知別爲一書，
　　亡已久矣。

列女傳頌一卷　曹植撰

《魏志·武文世王公傳》：武皇帝二十五男：卞皇后生文皇
帝、任城威王彰、陳思王植、蕭懷王熊。植字子建，建安十六
年，封平原侯。十九年，徙封臨菑。文帝即王位，與諸侯並就

國。黃初二年，監國謁者灌均希指奏植醉酒悖慢，貶爵安鄉
侯。其年，改封甄城。三年，立爲王。四年，徙封雍丘。明帝
太和元年，徙封浚儀。二年，復還雍丘。三年，徙封東阿。六
年二月，以陳四縣封植爲陳王，邑三千五百戶。十一年中而
三徙都，常汲汲無歡，遂發疾薨，時年四十一。小子志嗣，徙
封濟北王。"《明紀》：太和六年十一月庚寅，陳思王植薨。

《唐書·藝文志》："曹植《列女傳頌》一卷。"

章氏《考證》：《文選·新刻漏銘》注："曹植《列女傳頌》曰：
'尚卑貴禮，來世作程。'"

嚴氏《全國文編》曰："陳王植有《列女傳頌》一卷，《文選·石
闕銘》注引之。《初學記》卷十引《母儀頌》、《賢明頌》。"

列女傳贊一卷　繆襲撰

《魏志·劉邵傳》："邵同時東海繆襲，亦有才學，多所述敘，官
至尚書、光禄勳。"注：《文章志》曰："襲字熙伯，辟御史大夫
府，歷事魏四世。正始六年，年六十卒。"

列女後傳十卷　項原撰

項原始末未詳。

《唐書·經籍志》："《列女後傳》十卷，顏原撰。"

《唐書·藝文志》："項宗《列女後傳》十卷。"

章氏《考證》：《後漢書·曹娥傳》注引項原《列女傳》，無後字。
《藝文類聚·食物部》，《太平御覽·地部》、《人事部》、《百穀
部》引十二事，皆云《列女後傳》，不著項原名。

　案隋、唐三《志》所載撰人姓名各不同，惟章懷太子引作"項
原"，與本志合。

列女傳六卷　皇甫謐撰

皇甫謐有《高士》、《逸士傳》、《玄晏春秋》、《韋氏家傳》，並
見前。

《晉書》本傳：謐又撰《高士》、《逸士》、《列女》等傳，並重於世。

《唐書·經籍志》：《列女傳》六卷，皇甫謐撰。

《唐書·藝文志》：皇甫謐《列女傳》六卷。

章氏《考證》：《藝文類聚·人部》引一事，《太平御覽·人事部》引三事，題皇甫謐《列女後傳》。《初學記》亦引之，無後字。又《御覽·人事部》引十三事，亦無後字。

列女傳七卷　綦母邃撰

《開元姓纂·會稽綦母氏》：後漢綦母俊爲會稽主簿，因居焉。後漢交阯刺史綦母闓，與荀爽事陳太丘。魏有綦母廣明，與管寧爲友。晉有綦母倪，江左有綦母邃，爲邵陽太守。

《唐書·經籍志》：《列女傳》七卷，綦母邃撰。

《唐書·藝文志》：綦母邃《列女傳》七卷。

烏程嚴可均《全晉文編》曰：“綦母邃爵里未詳，有《孟子注》七卷。《通典》九十五哀帝興寧中，有綦母邃駁尚書奏事一條。”案此則東晉穆哀時人。

案“綦母邃”或作“遂”，《晉書》無傳。據《姓纂》，望出會稽。本志儒家及總集引梁《七錄》有綦母邃注《孟子》九卷，注左思《三都賦》三卷。

列女傳要録三卷

不著撰人。

案《南史·庾仲容傳》：“仲容字子仲，潁川鄢陵人。博學有盛名，抄子書三十卷、諸集三十卷、衆家地理書二十卷、《列女傳》三卷，並行於代。”此卷數相同，其即仲容所抄者歟？

女記十卷　杜預撰

杜預有《喪服要集》，見經部禮類。

《晉書》本傳：預既立功之後，從容無事，又撰《女記讚》。

《史通·雜說篇》：杜元凱撰《列女記》，博采經籍前史，顯録古老明言,而事有可疑,猶闕而不載。斯豈非理存雅正,心嫉邪僻者乎?君子哉若人也,長者哉若人也。

《唐書‧經籍志》:《女記》十卷,杜預撰。

《唐書‧藝文志》:杜預《列女記》十卷。

章氏《考證》:《太平御覽‧人事部》漢安國侯王陵母淑、昮二寡婦,陳侯氏女緵玉,光武帝姊新野公主共引杜預《女記》四事。

美婦人傳六卷

不著撰人。

案《太平御覽‧人事部》有《美婦人》上、下兩卷,似多本於是書。

妬記二卷　虞通之撰

《南史‧文學‧丘巨源傳》:時又有虞通之、虞龢,皆有學行。通之、龢皆會稽餘姚人。通之善言《易》,至步兵校尉。

《宋書‧后妃傳》:孝武王皇后父偃,偃子藻,尚太祖第六女臨川長公主,公主性妬,而藻別愛左右人吳崇祖。前廢帝景和中,主縊之於廢帝,藻坐下獄死,主與王氏離婚。宋氏諸主,莫不嚴妬,太宗每疾之。湖熟令袁慆妻以妬忌賜死,使近臣虞通之撰《妬婦記》。亦見《南史‧王藻傳》。

《唐日本國見在書目》:《妬記》二卷。不著撰人。

《唐書‧藝文志》:虞通之《后妃記》四卷,又《妬記》二卷。

晁氏袁本《讀書志》:《補妬記》一卷,曰:“古有《妬記》,久已亡之,不知何人輯傳記中婦人嚴妬事以補亡。自商周至於唐初。”

章氏《考證》:《世說‧賢媛篇》注、《輕詆篇》注,《藝文類聚‧人部》、《果部》並引《妬記》,凡七事。《御覽》所引略同。《郡齋讀書志》曰:“古有《妬記》,久已亡之。”

案《書録解題》小説家、《四庫存目》雜家並有王績《補妬記》八卷，因古有虞通之《妬記》不傳，故補之。其書中亦采《妬記》文云云，則今所傳八卷中，亦有《妬記》佚文也。

以上自《列女傳》至此，凡一十三部，別爲一類，是第十二類。

道人善道開傳一卷　康泓撰

梁釋慧皎《高僧傳》：單道開姓孟，敦煌人。少懷栖隱，誦經四十餘萬言。絕穀，餌柏實，服松脂。以石虎建武十二年，從西平來，虎貨給甚厚。至虎太寧元年，與弟子南渡許昌。晉昇平三年，來之建業，俄而至南海，後入羅浮山，獨處茅茨，蕭然物外，春秋百餘歲卒於山舍。弟子有康泓者。昔在北間，聞弟子敍開在山，每有神仙去來，乃遥心敬挹。及後從役南海，親與相見，側席鑽仰，稟聞備至，乃爲之傳讚云。

《晉書·藝術傳》：單道開不畏寒暑，晝夜不臥，視其行動，狀若有神，年百餘歲卒於羅浮山舍。勑弟子以尸置石穴中，弟子乃移入石室。陳郡袁宏爲南海太守，與弟穎叔及沙門支法防共登羅浮山，至石室口，見道開形骸如生，香火瓦器猶存。宏曰：“法師業行殊群，正當如蟬蛻耳。”乃爲之贊云。案《高僧傳》，袁宏作贊在興寧元年，上距昇平三年凡五歲。

錢大昕《隋書考異》曰：“《經籍志》：《道人善道開傳》一卷。案‘善’當爲‘單’。”案《法苑珠林》二十七引《冥祥記》云：“趙沙門單或作善，字道開，不知何許人也。《別傳》云敦煌人，姓孟。”是善爲其名，或傳譌以爲姓，遂改爲單耳。

名僧傳三十卷　釋寶唱撰

寶唱自序有曰：“大梁之有天下也，威加赤縣，功濟蒼生，皇上化範九疇，神游八正。頂戴法橋，服膺甘露。竊以外典鴻文，布在方册；九品六藝，尺寸罔遺，而沙門淨行，獨無紀述，玄宗敏德,名絶終古,擁歎長懷,靡兹永歲。律師僧祐,著述諸紀,振發弘要。<small>案此蓋指僧祐所作《釋迦譜》及《薩婆多師資傳》各五卷也。</small>寶唱不敏,豫班二落,禮誦餘日,据拾遺漏。"又《後序》云:"豈敢爲僧之董狐,庶無曲筆耳。"

唐釋智昇《開元釋教録》:梁沙門釋寶唱,揚都莊嚴寺僧也。俗姓岑氏,吴郡人,僧祐律師之高足也。博識洽聞,罕有其匹,武帝甚相崇敬。天監中,頻勑撰集,皆愜帝旨。十五年,又勑撰《經律異相》一部。唱又別撰《名僧傳》等七部。

唐釋道世《法苑珠林·傳記篇》:《名僧傳》并序目三十一卷,梁帝敕莊嚴寺沙門釋寶唱撰集。

《唐書·經籍志》:《名僧傳》三十卷,釋寶唱撰。

《唐書·藝文志》子部釋氏類:僧寶唱《名僧傳》三十卷。

高僧傳十四卷　釋僧祐撰　<small>僧祐當爲慧皎,'慧'亦通作'惠'。</small>

《開元釋教録》:梁沙門釋惠皎,未詳氏族,會稽上虞人。學通內外,博訓經律,住嘉祥寺。春夏弘法,秋冬著述,以唱公所撰《名僧》頗多浮宂,因開例成廣,著《高僧傳》一部,始於漢明帝永平十年,終至梁天監十八年。凡四百五十三載,二百五十七人,傍出附見者二百三十九人,都合四百九十六人。開其德業,大爲十例,曰譯經、曰義解、曰神異、曰習禪、曰明律、曰遺身、曰誦經、曰興福、曰經師、曰唱導。其序略云:"前代所撰,多曰名僧,竊謂名之與高,如有優劣。至若實行潛光,則高而不名;寡德適時,則名而不高。名而不高,本非所紀;高而不名,則備之今録。故省彼名音,代以高字,謹詳覽此傳義例,甄著文詞婉約,實可以傳之不朽,永爲龜鏡矣。"<small>梁釋龍光寺沙門僧果《高僧傳後記》云:"梁末承聖二年癸酉,慧皎法師避侯景難,來至湓城。甲戌歲二月捨化,春秋五十有八。"</small>

《釋教録》又曰:"《高僧傳》十四卷,《序録》一卷,《傳》十三卷,

共成十四,天監十八年撰。見長房《内典》二録,其本見在。"隋
翻經學士費長房撰《歷代三寶記》三卷,見本志子部雜家;《大唐貞觀内典録》十卷,
見《唐志》釋家。

《法苑珠林‧傳記篇》:《高僧傳》一部十四卷,并目録。梁朝
會稽嘉祥寺沙門釋慧皎撰。

《唐書‧經籍志》:《高僧傳》十四卷,釋惠皎撰。

《唐書‧藝文志》釋氏類:僧惠皎《高僧傳》十四卷。《宋史志》同。

元講經沙門慶吉祥《至元法寶勘同總録》:《高僧傳》十四卷,
總十科。梁會稽嘉祥寺沙門慧皎撰,出長房《録》。

案《唐日本書目》亦誤題僧祐撰。考僧祐所撰《法苑珠林‧
傳記篇》,全載其目,無《高僧傳》。《開元釋教録》亦不云僧
祐有是書,此實爲惠皎之書。《釋藏》有本,今《海山仙館業
書》刻之。章氏《考證》以爲本志不著録者,似是而非也。

江東名德傳三卷　釋法進撰

慧皎《高僧傳》:釋法進,或曰道進,或曰法迎。姓唐,涼州張
掖人。精苦習誦,有超邁之德,爲沮渠蒙遜所重。遜卒,子景
環立,景環卒,弟安周立。是歲饑荒,死者無限,進屢從求乞,
以賑貧餓,國蓄稍竭,進不復求,乃淨洗浴,取刀鹽,至餓人所
處,投身餓者前云:'施汝共食。'衆雖飢困,義不忍受,進即自
割肉,挂鹽以啖之。兩股肉盡,心悶不能自割。須臾,弟子來
至,王人復至,號叫相屬,因舉之還宮。明晨乃絶,出城北闍
維之,即於其處起塔三層,樹碑於右云。疑非此法進,姑録之。

慧皎《高僧傳》序曰:"自漢之梁,紀歷彌遠,群英間出,迭有其
人。衆家紀録敍載各異,沙門法濟偏敍高逸一致,沙門法安但
列志節一行,沙門寶止命游方一科,沙門法進迺通撰論傳,而辭
事闕略。並皆互有繁簡,出没成異。考之行事,未見其歸。"

案法進所撰,疑別有其書,非此《江東名德傳》也。晉孫綽

有《名德沙門論》、《名德沙門贊》。嚴氏《全晉文編》並輯存其文，此三卷疑即孫氏書。本志此處傳寫，似有敚誤。

法師傳十卷　王巾撰

《文選·頭陀寺碑文》注：《姓氏英賢録》曰："王巾字簡棲，琅邪臨沂人也。有學業，爲頭陀寺碑文，詞巧麗，爲世所重。起家郢州從事、征南記室，天監四年卒。"

慧皎《高僧傳》序曰："齊竟陵文憲王《三寶記傳》，或稱佛史，或號僧録，既三寶共敍，辭旨相關，混濫難求，更爲蕪昧。琅邪王巾所撰《僧史》，意似該綜，而文體未足。"

《册府元龜·國史部·采撰門》：王巾撰《法師傳》十卷。

錢塘梁玉繩《瞥記》曰："王簡栖之名，《文選注》作巾説者，謂'巾，閒居服'，故字簡栖。《困學記聞》引《説文通釋》以爲'王屮'。案屮音徹，草本初生也。與簡栖之字不配。吴白華侍郎云屮疑當作𠂇，即古左字。《詩·簡兮》'左手執籥'，其名與字，或取此。"

案慧皎序所言，則其書亦名《僧史》，以竟陵王子良《三寶記》爲藍本。

衆僧傳二十卷　裴子野撰

裴子野有《喪服傳》，見經部禮類。

《梁書》本傳：子野又勑撰《衆僧傳》二十卷，行於世。

本志子部雜家：《衆僧傳》二十卷，裴子野撰。

《唐書·經籍志》：《名僧録》十五卷，裴子野撰。

《唐書·藝文志》釋氏類：裴子野《名僧録》十五卷。

章氏《考證》：《隋志》子部雜家重出，《唐志》道家有子野《名僧録》十五卷。

薩婆多部傳五卷　釋僧祐撰

僧祐自序曰："大聖遷輝，歲紀綿邈，法僧不墜，其唯律乎。初集律藏，一軌共學。中代異執，五部各分，既分五部，則隨師傳習。唯薩婆多部，偏行齊土。蓋源起天竺，流化罽賓，前聖後賢，重明疊耀，皆秉持律儀，闡揚法化。舊記所載五十三人，自茲已後，叡哲繼出，並嗣徽於在昔，垂軌於當今，遺風餘烈，炳然可尋，遂搜訪古今，撰《薩婆多記》。其先傳同異，則並錄以廣聞，後賢未絕則製傳以補闕。總其新舊九十餘人，使英聲與至教永被，懋實共日月惟新。此譔述之大旨也。"

又《法集總目》曰："尊崇律本，故銓師資之傳。"又曰："《薩婆多部相承傳》五卷，右一部，第四帙。"

慧皎《高僧傳》：釋僧祐，本姓俞氏，其先彭城下邳人。父世居於建業，祐年數歲入建初寺禮拜，因踊躍樂道，不肯還家，父母許入道。師事僧範道人法達，又受業於沙門法穎。穎既一時名匠，爲律學所宗。祐乃竭思鑽求，無懈昏曉，遂大精律部，有邁先哲。今上深相禮遇，年衰腳疾，敕聽乘輿入內殿，爲六宮受戒。臨川王宏、南平王偉、儀同袁昂永、康定公主貴嬪丁氏並崇其戒範，盡師資之敬。凡白黑門徒一萬一千餘人。天監十七年五月二十六日卒於建初寺，春秋七十四。弟子正度立碑頌德，東莞劉勰製文。初，祐集經藏既成，使人抄撰要事，爲《三藏記》、《法苑記》、《世界記》、《釋迦譜》、《弘明集》等，皆行於世。"

又《明律篇》傳論曰："《大集經》云：'我滅度後，遺法分爲五部，顛倒解義，隱覆法藏。名曇無毱，即曇無德也。讀誦外書，受有三世，善能問難，說一切性皆得受戒，名薩婆即薩婆多也。'"案此蓋即彼教五部中之第二部傳習戒律者也。其流入中國，自晉末法顯始，見後《法顯傳》。

《開元釋教錄》曰："祐洞明律藏，兼善文藻，搜集記錄，撰爲部袠。庶尋覽之者，功深而博達，實法門之綱要，釋氏之元宗也。自蕭齊末爰及梁代，撰《釋迦譜》等三部，自《外法苑集》、《世界記》、《師資傳》，以非入藏，故闕而不論。"_{案此三書，唐開元時猶未編入《釋藏》也。}

《法苑珠林·傳記篇》：《薩婆多師資傳》五卷，梁朝揚州建安寺沙門釋僧祐撰。

《唐書·經籍志》：《薩婆多部傳》四卷，釋僧祐撰。

《唐書·藝文志》釋氏類：僧祐《薩婆多師資傳》四卷。

梁故草堂法師傳一卷

不著撰人。

> 案《舊》、《新唐志》有陶弘景《草堂法師傳》一卷，又有蕭恫理《草堂法師傳》一卷。而《文選·北山移文》注引梁簡文帝《草堂傳》云："汝南周顒，以蜀草堂寺林壑可懷，乃於鍾嶺雷次宗學_{案起於宋元嘉中}。立寺，因名草堂，亦號'山茨'。"章氏《考證》皆引之，蓋以此三家皆近似之也。考《南史》顒本傳："益州刺史蕭惠開攜顒入蜀，爲府參軍。"又云："顒長於佛理，於鍾山西立隱舍，休沐則歸之。"是鍾山草堂寺起於顒，然顒無草堂法師之號，又卒於齊永明中，不當云梁故。考《藝文類聚》七十六有王筠撰《國師草堂法師智者約法師碑》。《梁書·孝義傳》云："江紑第三叔禄與草堂寺智者法師善。"蓋即其人也。_{智者約法師當在唐釋道宣《續高僧傳》中，今未得見。}

尼傳二卷　皎法師撰

皎法師當爲寶唱，有《名僧傳》，見前。

> 寶唱《比丘尼傳》序有曰："像法東流，淨檢爲首，縣載數百，碩德係興。善妙、淨珪，窮苦行之節。法辨、僧果，盡禪觀之妙。至若僧端、僧基之立志貞固，妙相、法令之弘震曠遠，若此之流，往往間出，並淵深岳峙，金聲玉振。年代推移，清規稍遠，

英風將範於千載,志事未集乎方册,每懷慨歎,其歲久矣。始乃博采碑頌,廣搜記集,或訊之傳聞,或訪之故老,詮敍始終,爲之立傳,起晉咸和,訖梁普通,凡六十五人,不尚繁華,務存要實。"嚴氏《全梁文編》云:"見《釋藏·功字號》。"《開元釋教録》曰:"梁釋寶唱又別撰《尼傳四卷》。"又曰:"《比丘尼傳》四卷,述晉、宋、齊、梁四代尼行。"

《唐書·經籍志》:《比丘尼傳》四卷,釋寶唱撰。

《唐書·藝文志》釋氏類:僧寶唱《名僧傳》三十卷。又《比丘尼傳》四卷。《宋志》釋氏類五卷。

晁氏《讀書志》傳記類:《比丘尼傳》四卷,梁僧寶唱撰。起晉升平,訖梁天監,得尼六十五人爲之傳,以檢淨爲首。寶唱,金陵人。《藝文志》有其目。案此言起訖,與自序不合。又"檢淨"誤倒其文。

《至元法寶勘同總録》:《比丘尼傳》四卷,凡五十六人,梁莊嚴寺沙門寶唱撰。案此言人數,亦誤倒其文。

明《三藏目録·功字號》:《比丘尼傳》四卷。

《大清龍藏彙記·此土著述門·俠字號》:《比丘尼傳》四卷,共計五十連。

按皎法師即慧皎,所著唯《高僧傳》一部,見前。別無他書。《開元釋教録》及《法苑珠林·傳記篇》所載並同,此實寶唱撰。今《釋藏》有之,不知何以誤爲皎法師也。

法顯傳二卷
法顯行傳一卷

慧皎《高僧傳》:釋法顯,姓龔,平陽武陽人。有三兄,並齠齡而亡。其父恐禍及顯,三歲便度爲沙彌。及受大戒,志行明敏,常慨經律舛闕,誓志尋求。以晉隆安三年,與同學慧景等發自長安。案其時長安爲後秦姚興所據。西度流沙,經三十餘國,至中天竺，得《僧祇律》、《薩婆多律》、《雜阿比曇》、《方等》、《泥洹經》等。顯留三年，學梵語梵書，躬自書寫。於是持經像，附商舶，循海而還。至京師，就外國禪師佛馱跋陀於道場寺，譯出百餘萬言。後至荆州，卒於辛寺，春秋八十六。其游履諸國，別有大傳。

《魏書·釋老志》：又沙門法顯慨律藏不具，自長安游天竺，歷三十餘國，隨有經之處，譯而寫之。二年，乃於南海師子國隨商人汎舟東下，晝夜昏迷，將二百日，乃至青州長廣郡不其勞山，南下乃出海焉。是神瑞二年也。案當晉安帝義熙十一年。法顯所經諸國，傳記之，今行於世。"亦見本志道佛篇。

《法苑珠林·傳記篇》：《歷游天竺記傳》一卷，東晉平陽沙門釋法顯撰。

《宋史·藝文志》道家釋氏類：《法顯傳》一卷。

《至元法寶勘同總錄》：《法顯傳》一卷，亦云《歷游天竺記傳》，東晉沙門法顯自説游天竺事。

明《三藏目錄·兵字號》：《法顯傳》一卷。

《大清龍藏彙記·書字號》：《法顯傳》一卷，計三十四連。

　　案是書今存一卷，亦名《佛國記》，明胡震亨刻入《祕笈彙函》，常熟毛晉并爲《津逮祕書》，別見後地理類。

梁武皇帝大捨三卷　　嚴暠撰

嚴暠始末未詳。

《南史·梁武帝本紀》：大通元年初，帝創同泰寺。至是，開大通門以對寺之南門，取反語以協同泰。自是晨夕講義，多由此門。三月辛未，幸寺捨身。甲戌還宮，大赦，改元大通，以符寺及門名。中大通元年秋九月癸巳，幸同泰寺，設四部無遮大會。上釋御服，披法衣，行清淨大捨，以便省爲房，素牀瓦器，乘小車，私人執役。甲午，升講堂法座，爲四部大衆開

《涅槃經》題。癸卯，群臣以錢一億萬奉贖皇帝菩薩大捨，僧衆默許。乙巳，百辟詣寺東門奉表，請還臨宸極，三請乃許。帝三答書，前後並稱頓首。冬十月己酉，又設四部無遮大會，道俗五萬餘人。會畢，帝御金輅還宮，御太極殿，大赦，改元。中大同元年三月庚戌，幸同泰寺，講《金字三慧經》，仍施身。《御覽・釋部》引《梁書》云：“捨身爲奴。”夏四月丙戌，皇太子以下奉贖，仍於同泰寺解，設法會，大赦，改元。是夜，同泰寺災。《御覽》引《梁書》云：“寺爲天火所燒略盡。”太清元年三月庚子，幸同泰寺，設無遮大會。上釋御服，服法衣，行清淨大捨，名曰羯磨。以五明殿爲便房，設素木牀、葛帳、土瓦器、乘小輿、私人執役。乘輿法服，一皆屏除。乙巳，帝升光嚴殿講堂，坐師子，《御覽》引《梁書》下有“座”字。講《金字三慧經》，捨身。夏四月庚午，群臣以錢一億萬奉贖皇帝菩薩，僧衆默許。戊寅，百辟詣鳳莊門奉表，三請三答，頓首，並如中大通元年故事。丁亥，服衮冕。御輦還宮，幸太極殿，如即位禮，大赦，改元。案此所載則大通、中大通、中大同、太清四年號，皆因幸同泰寺捨身，而大赦改元也。《唐・藝文志》有道宣注《羯磨》二卷，慧旻《尼衆羯磨》二卷。

《南史・文學・杜之偉傳》：中大通元年，梁武幸同泰寺捨身，勅勉撰儀注。勉以先無此禮，召之偉草具其儀。案此則捨身，自中大通元年始。《南史》本紀於大通元年亦書幸寺捨身，似不然。勉，徐勉也。

唐韓愈《佛骨表》有曰：“梁武帝在位四十八年，前後三度捨身施佛。宗廟之祭，不用牲牢；晝日一食，止於菜果。其後竟爲侯景所偪，餓死臺城，國亦尋滅。事佛求福，乃更得禍。由此觀之，佛不足信，亦可知矣。”案此亦云前後三度捨身施佛，則《南史》書大通元年幸寺捨身者，似誤衍也。蓋止於中大通、中大同及太清三次耳。是書分爲三卷，或亦由此。

《册府元龜・國史部・采撰篇》：梁嚴喬撰《梁武帝大捨》三卷。

案本志子部雜家又有《皇帝菩薩清淨大捨記》三卷，謝吳撰。書名撰人並與此不同，未詳是一是二。

以上自《善道開傳》至此，凡一十二部，皆釋氏傳記之屬，別爲一類。《法顯傳》以下，似又從別家書目采入者，是爲第十三類。

列仙傳贊三卷　劉向撰，禯續，孫綽贊。

劉向有《列士傳》、《列女傳》，並見前。禯續未詳，孫綽有《至人高士傳贊》，亦見前。

《太平御覽·道部·仙經篇》：劉向《列仙傳》敍曰：“《列仙傳》，漢光禄大夫劉向所撰也。成帝時，向既司典籍，見上頗修神仙事，遂修上古以來及三代、秦漢博采諸家言神仙事。”案此序似本《七志》敍録。

今本《列仙傳總贊》曰：“余嘗得秦大夫阮倉撰《仙圖》，自六代迄今七百餘人。始皇好遊仙之事，庶幾有獲，故方士霧集，祈祀彌布，殆必因迹託虛，奇空爲實，不可信用也。若《周公黃録》，記太白下爲王公，歲星變爲寧壽公等，所見非一家。聖人所以不開其事者，以其無常。然雖有時著，蓋道不可棄，距而閉之，尚貞正也。而《論語》云‘怪亂神’，其微旨可知矣。”案此贊，《提要》疑晉郭元祖撰，其稱《周公黃録》，殆是讖緯中篇目。

《抱朴子·論仙篇》曰：“向本不解道術，至於撰《列仙傳》，自删秦大夫阮倉書中出之，或所親見，然後記之，非妄言也。”

又曰：“劉向博學則究微極妙，經深涉遠；思理則清澄真僞，研覈有無。其所撰《列仙傳》，仙人七十有餘，誠無其事，妄造何爲乎？邈古之事，何可親見，皆賴記籍傳聞於往耳。《列仙傳》炳然其必有矣。然書不出周公、仲尼，世人終不信，多謂劉向非聖人，其所撰録，不可孤據，尤所以使人歎息者也。向爲漢世名儒，其所記述，庸可棄哉？”案此所云則在西晉時，已多有不信是書爲劉向所撰者。

又《神仙傳》序曰:"弟子滕升嘗問古之仙者:'豈有其人乎?'余答云:'秦阮倉所記有數百人,劉向所纂七十一人。'"

《顏氏家訓‧書證篇》:《列仙傳》劉向所造,而《贊》云七十四人出佛經,由後人所羼,非本文也。

本志篇敍曰:"又漢時,阮倉作《列仙圖》,劉向典校經籍,始作《列仙》、《列士》、《列女》之傳,皆因其志,向率爾而作,不在正史。"

《唐書‧經籍志》:《列仙傳贊》二卷,劉向撰。

《唐書‧藝文志》道家神仙類:劉向《列仙傳》二卷。《宋史‧志》三卷。

陳氏《書錄解題》:《列仙傳》二卷,漢劉向撰。凡七十二人,每傳有贊,似非向本書。西漢人文章不爾也。《館閣書目》三卷,六十二人。《崇文總目》作二卷七十二人,與此合。

《四庫》道家《簡明目錄》曰:"《列仙傳》二卷,舊本題劉向撰。自赤松子至元俗,凡七十一人。人係一贊,篇末又爲總贊,全如《列女傳》之體。然《漢志》載劉向六十七篇,無此書,疑魏晉間方士所依託,故葛洪《神仙傳》已引之。其總贊引《孝經援神契》,亦《七略》不載之書,疑即《隋志》所謂郭元祖《列仙傳贊》也。"

又《提要》曰:"《隋志》載《列仙傳贊》三卷,劉向撰,鬷續,孫綽贊。案'鬷續'上似脫一字,蓋有《續傳》一卷,故爲三卷也。今無從校補,姑仍其舊。"案鬷是姓非名,魏有奉車都尉鬷弘,遼東人。少好學問,多所關涉,見《魏志‧公孫度傳》。此蓋"鬷"下敓一字耳。

仁和孫志祖《讀書脞錄》曰:"《世說‧文學篇》注引《列仙傳贊》曰:'歷觀百家之中,以相檢驗,得仙者百四十六人,其七十四人已在佛經,故撰得七十,可以多聞博識者遐觀焉。'案'撰得七十'下脫'二人'二字,蓋百四十六人,除七十四人外,尚有七十二人也。今本止七十人，末有《總贊》一篇，亦無出佛經之語。蓋爲後人綴輯，非向書之舊。《文選‧吳都賦》、《海賦》、《思玄賦》、《登江中孤嶼詩》注引《列仙傳》文。又《西京賦》、《天台賦》注引《列仙傳》贊，今本皆無之。"金山錢熙祚跋曰："《世說注》所引，今《列仙傳》無此文。又諸書所引有老萊子、馬明生、西王母、趙廓，亦無之。"

陽湖孫星衍《平津館鑒藏記》洪頤煊曰："《漢書‧郊祀志》應劭注引《列仙傳》崔文子一條，《司馬相如傳》應劭注引《列仙傳》陵陽子明一條，俱與今本絕不相同。《世說新語‧規箴篇》注東方朔《列仙傳》作‘楚人’，今本作‘平原厭次人’，非劉向所撰原本。"

嚴可均《全晉文編》曰："孫綽有《列仙傳贊》三卷，《初學記》二十三引老子贊，《世說‧輕詆篇》注引商丘子贊，各一條。"

列仙傳贊二卷　劉向撰　晉郭元祖贊

郭元祖始末未詳。

《四庫提要》曰："《列仙傳》二卷，舊題劉向撰。其篇末之贊，今槪以爲向作。《隋志》載《列仙傳》三卷，孫綽贊。又《列仙傳》二卷，晉郭元祖贊。此本二卷，較孫綽所贊少一卷。又《世說新語》載孫綽《商丘子胥贊》曰：‘所牧何物，殆非真豬。儻遇風雲，爲我龍攄。’此本《商丘子胥贊》亦非此語，然則此本之贊，其郭元祖所撰歟？"

嚴可均《全晉文編》曰："郭元祖爵里未詳，有《列仙傳贊》二卷，《道藏》本。《列仙傳》載其贊，凡七十一條。"

神仙傳十卷　葛洪撰

葛洪有《喪服變除》，見經部禮類。

《晉書》本傳：洪究覽典籍，尤好神仙導養之法。從祖玄，吳時學道得仙，號曰葛仙公，以其煉丹祕術授弟子鄭隱，洪就隱學,悉得其法。後師事南海太守鮑玄,玄亦內學逆占將來,見洪,深重之,以女妻洪。洪傳玄業,所著《神仙》、《良吏》、《隱佚》、《集異》等傳各十卷。年八十一卒,顏色如生,體亦柔軟,舉尸入棺,甚輕如空衣,世以爲尸解得仙云。"

《唐書·經籍志》:《神仙傳》十卷,葛洪撰。

《唐書·藝文志》道家神仙類:葛洪《神仙傳》十卷。《宋史·志》同。

《四庫》道家提要曰:"是書據洪自序,蓋於《抱朴子內篇》既成之後,因其弟子滕升問神仙有無而作。所錄凡八十四人,序稱秦大夫阮倉所記凡數百人,劉向所撰又七十一人。今復抄集古之仙者見於仙經服食方百家之書,先師所説,耆儒所論,以爲十卷。又稱劉向所述,殊甚簡略,而自謂此傳有愈於向。今考其書,惟容成公、彭祖二條與《列仙傳》重出,餘皆補向所未載。其中如黄帝之見廣成子,盧敖之遇若士,皆莊周之寓言。淮南王安謀反自殺,李少君病死,具載《史記》、《漢書》,亦實無登仙。洪一概濫載,未免附會。至謂許由、巢父服箕山石流黄丹,今在中岳中山。若二人晉時尚存,洪目覩而記之者,尤爲虛誕。"

又《簡明目録》曰:《神仙傳》十卷,所錄凡八十四人,證以諸書所引,確爲古本。

説仙傳一卷　朱思祖撰

朱思祖始末未詳。

　　案《御覽·道部》引道書、神仙家書至多,獨不見《説仙傳》及朱思祖名目。其書久亡,故兩《唐志》亦不錄。

養性傳二卷

不著撰人。

《唐書·經籍志》:《養性傳》二卷。

《唐書·藝文志》神仙家：張湛《養生要集》十卷，《養性傳》二卷。

案《新唐志》所載，頗似張湛所撰，惟其例凡一人有數種書同在一類者，則必於其次加一"又"字。此無"又"字，則又似是而非矣。《通志·氏族略》："漢有巫都著《養性經》。"《范書·王充傳》："造《養性書》十六篇。"《抱朴子·遐覽篇》："王喬《養性治身經》三卷。"皆神仙家此類之書。

漢武内傳三卷

不著撰人。

《唐書·經籍志》：《漢武帝傳》二卷。《藝文志》神仙家著錄同。

《宋史·藝文志》傳記類：《漢武内傳》二卷，不知作者。

宋晁伯宇《續談助》抄本題識曰："右抄世所傳《漢武内傳》，其言淺陋，又什有五六皆增贅《漢武故事》與《十洲記》。其上卷之末，有天寶五載終南山道士王遊巖記云：'右從淮南王至稷丘君，凡八事附之。'"

晁氏《讀書志》："《漢武内傳》二卷，不題撰人。記王母降。"

《玉海·藝文類》：《中興書目》曰："《漢武帝内傳》二卷，載西王母事。後有淮南王公孫卿、稷丘君八事，乃唐終南玄都道士遊巖所附也。"

明白雲霽《道藏目錄詳注》：《漢武内傳》、《漢武外傳》，東方朔述。不著卷數。

《四庫提要》小說家異聞類《漢武帝内傳》一卷：舊題漢班固撰。《隋志》著錄二卷，不著撰人。《宋志》亦注云不知作者。此本題班固撰，不知何據，殆後人因《漢武故事》偽題班固，遂併此歸之歟？其文排偶華麗，與王嘉《拾遺記》、陶弘景《真誥》體格相同。考徐陵《玉臺新詠序》、郭璞《游仙詩》、葛洪《神仙傳》、張華《博物志》並引其文，則其書在齊、梁以前，其殆魏晉間文士所爲乎？此蓋明人刪竄之本，非完書也。

孫氏《平津館鑒藏記》：《漢武帝内傳》一卷，《外傳》一卷，皆不題作者姓名，在《道藏》海字號。《外傳》，《隋》、《唐志》不載，唐、宋類書亦無引及者。洪頤煊曰："《外傳》即《内傳》之下卷，由編《道藏》者不知而誤題之耳。"

案唐張柬之跋《洞冥記》云："昔葛洪造《漢武内傳》、《西京雜記》。"案葛稚川《西京雜記序》末云："洪家復有《漢武帝禁中起居注》一卷、《漢武故事》二卷，世人希有之者。"柬之云云，殆因是而誤記歟？

太元真人東鄉司命茅君内傳一卷　弟子李遵撰 _{當爲"東嶽上鄉司命"，此敓誤。}

《太平御覽·道部·真人門》：《茅君傳》曰："盈字叔申，咸陽人也。父祚有三子：盈、固、衷。盈少稟奇操，入恒山，讀《老》、《易》，在山中六年。後師事西城王君，積十七年，專不一懈，歸家復數十年，以漢元帝時，天官下迎，來渡江東，治句山。天皇大帝遣授黄金紫玉，策爲太元真人東岳上卿司命神君。晉興寧三年七月四日夜，初降楊君家，以後數數來降，弟子迎候仙人李遵撰傳，光顯於世。"_{案神仙家之言，大都荒誕，所云天帝策封之類，往往託之乩筆。陶弘景《真誥》、《真靈位業圖》皆是也。}

《南史·陶弘景傳》：弘景止於句容之句曲山，恒曰："此山下是第八洞宫，名'金陵華陽之天'，周回百五十里，昔漢有咸陽三茅君得道來掌此山，故謂之'茅山'。"

宋張君房《雲笈七籤·道教經法傳授部》："太元真人茅君，諱盈，師西城王君，受上清玉佩金璫，二景璚璣之道，以漢宣帝地節四年三月昇天。"又曰："《太元真人東嶽上卿司命真君傳》，弟子中候仙人李道字安林撰。"_{案《御覽》作"迎候"，此作"中候"，未詳。又"李道"當是"李遵"之誤。}

《唐書·經籍志》:《茅君内傳》一卷。

《唐書·藝文志》神仙家:"李遵《茅君内傳》一卷。"又曰:"李遵《茅三君内傳》一卷。""茅三君"當是"三茅君"之寫誤。三茅君者,盈及弟固、衷,三人皆以爲得仙云。

《宋史·藝文志》神仙家:李遵《三茅君内傳》一卷。

清虛真人王君内傳一卷　弟子華存撰

華存別有《内傳》,詳見於後。

《太平御覽·道部》:《三洞珠囊》曰:"王褒字子登,前漢王陵七世孫。服青精餌飯,趨步峻峯如飛鳥,視見甚遠。太上大道君賜王君號青虛真人。"案此言太上大道君者,即太上老君,亦即謂老子也。

又陶弘景《登真隱訣》曰:"清虛王真人,漢元帝時,辭家入華陰山九年。平帝時,修行道成,太上遣賜,以爲太素清虛真人,治王屋山。南岳魏夫人師之,撰傳,顯於世。"

《唐書·經籍志》:《清虛真人王君内傳》一卷。《藝文志》神仙家同。

《宋書·藝文志》神仙家:《南嶽夫人清虛王君内傳》一卷。

清虛真人裴君内傳一卷　"清虛"當爲"清靈"。

不著撰人。

《太平御覽·道部》:《真誥》曰:"裴元仁,右扶風陽夏人也。漢文帝二年始生焉。裴君傳道,將入室弟子鄧雲登太華山,入西洞元石室中,積三十二年。忽見五老人賜裴君神芝之術,亦號清虛真人。"

又《裴君傳》曰:"西元三山洞,周千里,西山有相連各一宮,非人跡所及。裴君、周君分處其内。"

《唐書·經籍志》:《清虛真君内傳》一卷,鄭子雲撰。"真"下敓"人王"二字。

《唐書・藝文志》神仙家：鄭雲千《清虛真人裴君內傳》一卷。

章氏《考證》：《舊唐志》題鄭子雲。《新志》作鄭雲千，十卷。

《御覽・道部》引之。案此云《新唐志》作十卷，不知何本，必誤也。

案《雲笈七籤》云："《清靈真人裴君傳》，弟子鄧雲子撰。"考《真靈位業圖》，諸真稱號，絕少重複相同者，此清虛真人因前一條寫誤，鄭子雲、鄭雲千，似皆"鄧雲子"之誤。是傳《雲笈七籤》亦載之。

正一真人三天法師張君內傳一卷

不著撰人。

《華陽國志・漢中志》：漢末，沛國張陵學道於蜀鶴鳴山，造作道書，自稱太清玄元，以惑百姓。陵死，子衡傳其業。衡死，子魯傳其業。魯子公祺，以鬼道見信於益州牧劉焉。

《後漢書・劉焉傳》：焉爲益州牧，沛人張魯，母有姿色，兼挾鬼道，往來焉家。遂任魯以爲督義司馬。遂與別部司馬張修將兵，掩殺漢中太守蘇固，繼絕斜谷，殺使者。魯既得漢中，遂復殺張修而并其衆。魯字公旗，初，祖父陵，順帝時客於蜀，學道鶴鳴山中，造作符書，以惑百姓。受其道者輒出米五斗，故謂之米賊。《漢中志》作"米道"，亦稱"五斗米道"。陵傳子衡，衡傳於魯，魯遂自號師君。其來學者，初名爲鬼卒，後號祭酒。祭酒各領部衆，衆多者名曰理頭。皆校以誠信，不聽欺妄，有病但令首過而已。諸祭酒各起義舍於路，同亭傳，縣置米肉以給行旅。食者量腹取足，過多則鬼能病之。犯法者先加三原，然後行刑。不置長吏，以祭酒爲理，民夷信向。朝廷不能討，遂就拜魯鎮夷中郎將，領漢寧太守，通其貢獻。魯自在漢川垂三十年，曹操征之，魯降，拜鎮南將軍，封閬中侯，邑萬戶，將還中國，待以客禮。封魯五子皆爲列侯。魯卒，謚曰原侯。子富嗣。案張道陵初起始末，見於正史者如此。

《太平廣記·神仙類》：《神仙傳》曰：“張道陵者，本太學書生，博通五經，著作道書二十四篇。”

《太平御覽·道部》：《上元寶經》曰：“太清正一真人張道陵，沛國人，本大儒。漢延光四年始學道。至漢末，於鳴鵠山，仙官來降，授以正一盟威之教，施化領民之法，號天師。別有傳行於世。’”

又《真誥》曰：“張陵字輔漢，沛國豐人也。本大儒，晚學長生之道，得《九鼎丹經》。聞蜀中多名山，乃入鳴鵠山，著道書二十餘篇，仙去。”

《唐書·經籍志》：《三天法師張君內傳》一卷，王苌撰。

《唐書·藝文志》神仙家：王苌《三天法師張君內傳》一卷。

- 案王苌始末未詳。考《晉書·王羲之傳》云：“羲之次子凝之，仕歷會稽內史，王氏世事張氏五斗米道，凝之彌篤。孫恩之攻會稽，寮佐請爲之備。凝之不從，方入靖室請禱，出語諸將佐曰：‘吾已請大道，許鬼兵相助，賊自破矣。’既不設備，遂爲孫恩所害。”又《王獻之傳》：“獻之遇疾，家人爲上章，道家法應首過，其事見前。問其有何得失。對曰：‘不覺餘事，惟憶與郗家離婚。’獻之前妻，郗曇女也。俄而卒於官。”然則此王苌，殆琅邪王氏之族，世奉五斗米道者。《真靈位業圖》有三天都護王長，即其人也，不詳何時。

太極左仙公葛君內傳一卷

不著撰人。

《晉書·葛洪傳》：洪，丹陽句容人。從祖玄，吳時學道得仙，號葛仙公。以其煉丹祕術授弟子鄭隱。

《抱樸子·遐覽篇》：昔左慈字元放，於天柱山中精思積久，乃神人授以《金丹仙經》。會漢末大亂，不遑修煉，而避地來渡江東，志欲投名山以修斯道。從祖仙公，又從元放受之，凡受

《太清丹經》三卷，及《九鼎丹經》一卷，《金液經》一卷。予師鄭君者，仙公之弟子也。又於從祖受之。

《太平御覽·道部》：《神仙傳》曰：“葛玄字孝先，從左氏受《九丹金液經》，常餌术，語弟子張奉曰：‘當尸解去。’”

《唐書·經籍志》：《太極左仙公葛君內傳》一卷，呂先生注。

《唐書·藝文志》神仙家：呂先生《太極左仙公葛君內傳》一卷。

《宋史·藝文志》神仙家：吳先主孫氏《太極左仙公神仙本起內傳》一卷。案此題吳先主孫氏，豈吳大帝時敕撰者。若是，則《唐志》書“呂先生”，皆“吳先主”之譌也。

章氏《考證》：《靈佑宮道藏目錄》有《太極葛仙公傳》一卷。

仙人馬君陰君內傳一卷

不著撰人。

《太平御覽·道部》：《真人傳》曰：“馬明生者，齊國臨淄人也。本姓帛，名和，字君賢，爲縣吏。捕賊受傷，遇太真元君，與藥即愈，隨至泰山石室中，太真乃授以長生之方，後隨安期先生服餌仙去。”又《真誥》曰：“馬明生後師安期生，服太清丹，在世五百年。漢靈帝光和中去世。”

又《神仙傳》曰：“陰長生，新野人，後漢陰皇后之屬籍也。少居富貴，不好榮利，知馬明生得度世之術，乃尋求之，遂相見，執御者之禮事之，十餘年不懈。明生曰：‘子真得道矣。’乃入青城山，授以《太清神丹經》。告別後，於平都山仙去。”

又陰君自序曰：“漢延光五年，新野山北之子受仙君神丹要訣，道成去世。於是寫丹經一篇付弟子，使世世當有所傳。又著詩三篇，以示將來。”

《唐書·經籍志》：《仙人馬君陰君內傳》一卷，趙昇撰。

《唐書·藝文志》神仙家：趙昇等《仙人馬君陰君內傳》一卷。

《宋史·藝文志》神仙家:《馬陰二君内傳》一卷。

案《真靈位業圖》有三天都護王長、趙昇。王長即撰《張天師傳》者,見前。趙昇即是人也,亦未詳何時。

仙人許遠遊傳一卷

不著撰人。

《晉書·王羲之傳》:"羲之既去官,與東土人士盡山水之游,弋釣爲娛。又與道士許邁共修服食,采藥石不遠千里,徧遊東中諸郡。"又曰:"羲之所與共遊者許邁,邁字叔玄,一名映,丹陽句容人。家世士族,而邁恬靜不慕仕進。時南海太守鮑靚,案即《葛洪傳》之鮑玄。隱跡潛遁,人莫知之。邁乃往候之,探其至要。永和二年,入臨安西山,登巖茹芝,聊爾自得,有終焉之志。乃改名玄,字遠遊。著詩十二首,論神仙之事。羲之造之,未嘗不彌日忘歸,相與爲世外之交。玄遺羲之書曰:'自山陰南至臨安,多有金堂玉室,仙人芝草,左元放之徒,漢末諸得道者皆在焉。'羲之自爲之傳,述靈異之跡甚多,不可詳記。玄自後莫測所終,好道者皆謂之羽化矣。"

《唐書·經籍志》:《許先生傳》二卷,王羲之撰。

《唐書·藝文志》神仙家:王羲之《許先生傳》一卷。

《宋史·藝文志》神仙家:《許邁傳》一卷。

章氏《考證》:《藝文類聚》、《太平御覽》並引《許邁別傳》。《唐志》有王羲之《許先生傳》一卷。

靈人辛玄子自序一卷

陶弘景《真誥·闡幽微篇》:辛元子《自叙》:"玄子字延期,隴西定谷人。漢明帝諫議大夫,上洛、雲中、趙國三郡太守。辛隱之子。玄子少好道,遵奉法戒,至心苦行,享年不永,没命於長梁之津。西王母見我苦行,酆都北帝愍我道心,告勑司命,傳檄三官,攝取形骸,還魂復真。使我頤胎,位爲靈神,於今二百餘年矣。"

《唐書·經籍志》:《靈人辛玄子自序》一卷,辛玄子撰。

《唐書·藝文志》神仙家:《靈人辛玄子自序》一卷。

案此自序不知何時何人從乩筆録存者。陶隱居嘗節取入
《真誥》,題記其後,云"辛玄子所言,説冥中事亦多矣"。今
粗書麤者耳,不得一一具説。案所載玄子自叙并詩,凡
十則。

劉君内記一卷　王珍撰

《後漢書·方術傳》:劉根者,潁川人也。隱居嵩山中,諸好事
自遠而至,就根學道。太守史祈以根爲妖妄,收執詣郡云云。

葛洪《神仙傳》:劉根者,字君安,京兆長安人也。少明五經。
漢成帝綏和二年,舉孝廉,除郎中。後棄世學道,入嵩高山石
室。王莽時,頻使使請根,根不肯往。衡府君使府掾王珍問
起居,珍數得見,請問根學仙時本末,根乃教珍守一行氣存神
等法。根後入雞頭山仙去。

《通志·藝文略》道家傳記類:《劉真人内傳》一卷,漢王珍遇
劉根事。又《劉君内記》一卷,王珍賢撰。案此自是重出,又衍
"賢"字。

侯康《補後漢書藝文志》曰:"《劉根别傳》,《類聚》、《御覽》屢
引之,皆神仙家言。本傳不載,本傳稱'太守史祁以根爲妖
妄',别傳則載'太守高府君從根求消除疫氣之術',蓋在史祈
前也。"

陸先生傳一卷　孔稚珪撰

《南齊書》本傳:稚珪字德璋,會稽山陰人也。仕宋入齊,歷都
官、尚書、太子詹事,加散騎常侍。永元三年卒,年五十五。

《太平御覽·道部》:《三洞珠囊》曰:"陸元德,吳興東遷人。
宋文帝召入内,服膺尊異。時太后王氏雅信黃老,降母后之

尊，執門徒之禮。"《道學傳》云陸修靜，字元德。

《蓮社高賢傳》：陸修靜，吳興人，早爲道士，置館廬山。時遠法師居東林，其處流泉匝寺，下入於溪。每送客過此，輒有虎號鳴，因名虎溪。後送客未嘗過，獨陶淵明與修靜至，語道契合，不覺過溪，因相與大笑，世傳爲《三笑圖》。宋泰始三年，羽化於京師，賜諡簡寂，以故居爲觀。

《雲笈七籤》：宋廬山簡寂陸先生諱修靜，以元徽五年三月二日潛化，有詔諡曰簡寂先生。門人得道者，孫游嶽、李果之最著。後孔德璋與果之書論先生云："先生道冠中都，化流東國，帝王稟其規，人靈宗其教。而委世潛化，游景上元。微言既絕，大法將謝。法師稟神定之資，居入室之品，學悟之美，門徒所歸。宜其整緝遺蹤，提綱振紀，光先師之餘化，纂妙道之遺風，可以導引末俗，開曉後途者矣。"

《闕里文獻·孔氏著述考》：自劉向作《列仙傳》，由是志奇好異之士，往往作爲傳記。先聖二十九代孫、齊散騎常侍稚珪有《陸先生傳》一卷。

　案稚珪父靈產，事道精篤，吉日於靜室四向朝拜，涕泗滂沱。東出過錢塘北郭，輒於舟中遙拜杜子恭墓。《南史·隱逸·杜京產傳》："京產高祖子恭以來，世傳五斗米道不替。"又《晉書·孫恩傳》："恩父泰世，奉五斗米道，師事錢唐杜子恭。子恭有祕術神效云。"

　又稚珪從褚伯玉受道法，見《南齊書·高逸傳》。蓋其家亦與王氏世事道者，故爲陸修靜作傳。《雲笈七籤》載《簡寂陸先生傳》，其即是傳歟？

　以上自劉向《列仙傳》至此，凡一十六部，爲一起。

列仙讚序一卷　郭元祖撰

郭元祖有《列仙傳贊》，見前。

　案此一卷當是前二卷之序目，亦或在前二卷中。以書名、卷數稍不同,遂又別出其目。

集仙傳十卷

不著撰人。

宋洪邁《容齋五筆》曰:"《集仙傳》所載神女成公智瓊傳見於《太平廣記》者,蓋晉張敏之作也。"蓋後人取張敏是作入《集仙傳》,而《太平廣記》引之。

章氏《考證》:《集仙傳》,《太平廣記》引之。

案其書采張敏文則在西晉之後。《南史》:"江禄字彥遐,濟陽考城人。篤學,有文章。梁時爲唐侯相,卒。撰《列仙傳》十卷,行於世。"疑即是書偶傳謁爲《集仙傳》歟?

洞仙傳十卷

不著撰人。

《唐書·經籍志》:《洞仙傳》十卷,見素子撰。

《唐書·藝文志》神仙家:見素子《洞仙傳》十卷。《宋史》神仙家同。

章氏《考證》:《洞仙傳》,《太平廣記》引之。

王喬傳一卷

不著撰人。

《後漢書·方術傳》:"王喬,河東人。顯宗世爲葉令,有神術,或云此即古仙人王子喬也。"注引劉向《列仙傳》曰:"王子喬,周靈王太子晉也。好吹笙,作鳳鳴。游伊洛間,道士浮丘公接上嵩山三十餘年,後來於山上告桓良曰:'告我家七月七日待我緱氏山頭。'果乘白鶴駐山巔,望之不得到,舉手謝時人而去。"

《史通·雜說篇》曰:"案應劭《風俗通》載,楚有葉君祠,即葉公諸梁廟也。而俗云孝明帝時,有河東王喬爲葉令,嘗飛鳧入朝。及干寶《搜神記》,乃隱應氏所通,而收流俗怪説。既用宋求漢事，旁取令升之書，簡編一定，膠漆不移。遂令俗之學者說鳧履登朝，則云《漢書》舊記。遮彼虛詞，成茲實錄。語云‘三人成市虎’，斯言其得之者乎！”又曰：“馬遷持論，稱堯世無許由；應劭著錄，云漢代無王喬，其言譾矣。”

《唐書·經籍志》：《王喬傳》一卷。《新志》神仙家著錄同。

章氏《考證》：《御覽·時序部》：“漢永和元年十二月夜，王喬墓上采薪者，見人衣冠曰：‘我王喬也，汝莫取我墓樹。’忽不見。”此稱蔡邕《王喬錄》。

侯康《補後漢書藝文志》：《御覽》卷三十三引蔡邕《王喬錄》。

案《蔡中郎集》有《王子喬碑》，《御覽》所引即碑文中語，而稱爲錄，或別有記錄歟？碑略謂：“潁川城外有王氏墓，紹胤不繼，荒而不祀，歷載彌年，莫之能紀。永和元年當臘之夜，附居者王伯聞墓上有哭聲，甚哀。明見大鳥跡在祭祀處，咸以爲神。後有大冠絳衣杖竹策立冢前，呼樵孺子尹永昌曰：‘我王子喬也，爾勿復取吾墓前樹。’忽不見。時令泰萬熹，爲造廟。近遠祈禱獲祚。延熹八年秋八月，遣使者致祀，國相東萊王璋與長史邊乾樹石紀頌，而中郎爲之辭。”於是王喬遂有墓有祠，有碑頌，并有此傳記行於世。然與范書所載明帝時葉令飛鳧，實各爲一事。《續漢·郡國志》南陽郡葉縣注：《皇覽》曰：“縣西北去城三里葉公諸梁冢，近縣祠之，曰葉君丘。”後人傅會其說，合爲一事，故《史通》別辨白之。章、侯兩家以蔡氏《王喬錄》謂即是傳，或當然，然亦竊疑後人取《列仙傳》、《搜神記》、蔡氏《碑》、范氏《傳》諸說彙次成編焉。

關令內傳一卷　鬼谷先生撰

鬼谷先生有《鬼谷子》，別見子部從橫家。

《漢書·藝文志》道家：關尹子名喜，爲關吏。老子過關，喜去吏而從之。

劉向《列仙傳》：關令尹喜者，周大夫也。善內學、星宿，服精華，隱德行仁。時人莫知老子西遊，喜先見其氣，知真人當過，候物色而跡之，果得老子。老子亦知其奇，爲著書，與老子俱至流沙之西，服巨勝，實莫知其所終。亦著書九篇，名《關令子》。

《唐書‧經籍志》：《關令尹喜傳》一卷，鬼谷先生撰，四皓注。

《唐書‧藝文志》神仙家：鬼谷先生《關令尹喜傳》一卷，四皓注。

案四皓見《漢書‧張良傳》，此與鬼谷先生皆無識道流託以爲重，尤誕妄可笑者。

南嶽夫人內傳一卷

不著撰人。

《太平御覽‧道部》：《南岳魏夫人傳》曰："夫人姓魏，諱華存，字賢安，任城人，晉司徒文康公魏舒女也。少讀《老》、《莊》、《春秋》三傳、五經、百子事，常別居一園，獨立閑處，服餌胡麻。父母偪之，強適太保公掾南陽劉幼彥。疇昔之志存而不虧，後幼彥爲修武令，隨之縣舍，閑齋別寢，守靜日進。在世八十三年，以晉成帝咸和九年託形劍化。"又《內傳》云："晉成帝時，服金屑得道。"

又《真誥》曰："南岳魏夫人以成帝咸和九年稱疾隱化，位爲紫虛元君，領上真司命南岳夫人，興寧中降楊君。自此後，數數來降也。王清虛令弟子范邈作《內傳》，顯於世。"案此並是乩筆中語。"興寧中"以下云云，則陶隱居之詞。"王清虛令弟子"云云亦是乩語。

又葛洪《神仙傳》：中候上仙范邈字度世，舊名冰，服虹景丹得道，撰《魏夫人傳》。

《唐書‧經籍志》：《紫虛元君南岳夫人內傳》一卷，范邈撰。

《唐書‧藝文志》神仙家：范邈《紫虛元君南岳夫人內傳》

一卷。

蘇君記一卷　周季通撰。

《太平御覽・道部》：《蘇林傳》曰：“林字子玄，濮陽曲水人也。父秀，含德隱曜，居於恒山。林少稟異操，至趙，師琴高先生，授煉氣益命之道。又師華山仇先生，授還神之術，曰：‘子真人也，當學真道。’乃致林於涓子。”

又葛洪《神仙傳》曰：“蘇仙公名林，字子玄，周武王時人也。少孤，以仁孝聞。居貧，常自牧牛，得道。”

陶弘景《真靈位業圖》：玄洲上卿太極中候大夫蘇君名林，字子玄，涓子弟子，周君師。案此云周君師者，即周季通也。

《雲笈七籤・道教經法傳授部》：玄洲上卿蘇君諱林，師涓子，受上清三一之法，以漢宣帝神爵二年三月六日登天。

又《御覽・道部》：《周君內傳》曰：“紫陽真人周義山字季通，汝陰人也。漢丞相勃七世孫。父逡，陳留內史。君年十六隨逡在郡，爲人沈重，喜怒不形，好獨坐靜處，精思微密。”

《唐書・經籍志》：《蘇君記》一卷，周季通撰。

《唐書・藝文志》神仙家：周季通《蘇君記》一卷。

《宋史・藝文志》神仙家：周季通《玄洲上卿蘇君記》一卷。

《通志・藝文略》：“《玄洲上卿蘇君記》一卷，漢周季通撰。”又曰：“周義山，後漢人，居紫陽山。”

　　案是傳《雲笈七籤》中載之，亦見《道藏目錄》。

嵩高寇天師傳一卷

不著撰人。

《魏書・釋老志》：世祖時，道士寇謙之，字輔真，南雍州刺史讚之弟，自云寇恂之十三世孫。早好仙道，有絕俗之心。少修張魯之術，後遇仙人成公興，守志嵩岳，精專不懈，以神瑞二年十月乙卯，忽遇大神，集止山頂，稱太上老君。授以天師之位,賜以《雲中音誦新科之誡》二十卷。令宣《新科》,清整道教,除去三張僞法,租米錢稅,及男女合氣之術。大道清虛,豈有斯事?專以禮度爲首,而加之服食閉練。授謙之服氣導引口訣之法,遂得辟穀,氣盛體輕,顏色殊麗。弟子十餘人,皆得其術。始光初,奉其書而獻之。崔浩獨異其言,因師事之,受其法術,上疏贊明其事。於是世祖崇奉天師,宣揚新法,宣布天下,道業大行。太平真君九年,謙之卒,葬以道士之禮,諸弟子以爲尸解變化而去,不死也。案此言"三張僞法"者,謂張陵、張衡、張魯也。三張之始託太上老君以爲之説,謙之自惡其教,欲變其法,乃亦託太上老君之言。當時君相不以爲妄,反尊信而祗奉之,亦可怪矣。

《唐書·經籍志》:《嵩高少室寇天師傳》三卷,宋都能撰。

《唐書·藝文志》神仙家:宋都能《嵩高少室寇天師傳》三卷。

華陽子自序一卷

華陽子,梁陶弘景自號,有《毛詩序注》,見經部詩類。

《唐書·經籍志》:《華陽子自序》一卷,茅璩玄撰。一本作"虜"。

《唐書·藝文志》神仙家:《華陽子自序》一卷,茅處玄。

案茅處玄始末未詳。《新唐志》類從於《辛玄子自序》之次,疑亦得之於乱筆,處玄錄以成編。

太上真人内記一卷　李氏撰

李氏不知何人。

案太上真人即所謂太上老君也,亦即老子。太史公有列傳,此與《辛玄子自序》、《華陽子自序》皆似降乩所語。李氏錄以爲記其苗裔也。

道學傳二十卷

不著撰人。

《陳書·馬樞傳》:樞爲梁邵陵王綸學士,遇侯景之亂,綸舉兵援臺,乃留書二萬卷以付樞。樞肆志尋覽,殆將周遍,乃喟然歎曰："比求志之士，望塗而息。豈天之不惠高尚，何山林之無聞甚乎？"乃隱於茅山，有終焉之志。撰《道覺論》二十卷，行於世。

《唐書·經籍志》：《學道傳》二十卷，馬樞撰。

《唐書·藝文志》神仙家：馬樞《學道傳》二十卷。

章氏《考證》：《太平御覽·人事部》、《道部》引《道學傳》共數十事，《文選》江文通《雜詩》注、《初學記·道釋部》亦引之。

案本傳載《道覺論》二十卷，蓋即此書，或"道學"轉寫誤以爲"覺"耳。樞別有《邇儀》四卷，詳見前儀注篇。

以上自郭元祖《列仙贊序》至此，凡十一部，爲一起。前一起，從一家目録中纂入。此又別從一家目録續入也。前後兩起，綜二十七部，皆神仙家傳記之屬。《唐·經籍志》目之曰仙靈，是爲第十四類。其中如《辛玄子自序》、《南岳夫人内傳》、《華陽子自序》、《太上真人内記》，凡録自乩筆者，實爲鬼神之屬，當與後周子良《冥通記》、《靈鬼志》、《鬼神列傳》之類爲伍。

宣驗記三十卷　劉義慶撰一本作十三卷。

劉義慶有《徐州先賢傳》，見前。

章氏《考證》：《太平御覽》及《廣記》並引《宣驗記》，"宣"或作"冥"。《初學記》、《藝文類聚·鳥部》引鸚鵡救火，天神嘉感一事，與《御覽·羽族部》同。

應驗記一卷　宋光禄大夫傅亮撰

《宋書》本傳：亮字季友，北地靈州人也。祖咸，司隸尉。亮仕晉，爲中書黄門侍郎。宋國初建，除侍中、中書令。高祖有受禪意，而難於發言，乃集朝臣燕飲，從容言曰："桓玄暴篡，鼎命已移，我首唱大義，復興皇室，南征北伐，平定四海，功成業著，遂荷九錫。今年將衰暮，崇極如此，物戒盛滿，非可久安。今欲奉還爵位，歸老京師。"群臣惟盛稱功德，莫曉此意。日

晚坐散,亮還外,乃悟旨,而宮門已閉。亮於是叩扉請見,高
祖即開門見之,亮入便曰:"臣暫宜還都。"高祖達解此意,無
復他言,直云:"須幾人自送?"亮曰:"須數十人便足。"於是
即便奉辭。亮即出,已夜,見長星竟天。亮拊髀曰:"我常不
信天文,今始驗矣。"至都即徵高祖入輔。時宋祖爲宋王,都壽陽。
《宋紀》:元熙二年四月,徵王入輔。六月,至京師,晉帝禪位於王。永初元年,
以佐命功,封建城縣公,食邑二千戶。太祖登阼,加散騎常
侍、左光禄大夫。元嘉三年,收付廷尉,伏誅。時年五十三。

　　案傅亮爲宋武佐命,後以與徐羨之、謝晦行廢立,殺少帝,
　　爲文帝所誅。此《應驗記》一卷,似即其夜見長星而作,當
　　時用以勸進者歟?

冥祥記十卷　王琰撰

王琰有《宋春秋》,見前古史類。

《法苑珠林·敬佛篇》:太原王琰者,年在幼稚,於交阯賢法師
所受五戒,以觀音金像令供養,遂奉還揚都,寄南澗寺。琰晝
寢,夢像立於坐隅,意甚異之,即馳迎還。其夕,南澗失像十
餘,盜毀鑄錢。至宋大明七年秋夕,放光照三尺許,合家目
覩。後以此像寄多寶寺,琰適荊楚,垂將十載,嚴氏《南齊文編》:王
僧虔《爲王琰乞郡啓》云:"太子舍人王琰在職三載,家貧,仰希江郢所統小郡。"不
知像處。及還揚都,夢在殿東衆小像內,的的分明。詰旦造
寺,如夢,便獲,時齊建元元年也。故琰《冥祥記》自序云:"此
像常自供養,庶必永作津梁,循復其事,有感深懷,沿此徵覿,
綴成斯記云。"

又《傳記篇》:《冥祥記》一部十卷,齊王琰撰。

《唐書·經籍志》:《冥祥記》十卷,王琰撰。

《唐書·藝文志》子部小說家:王琰《冥祥記》十卷。

章氏《考證》:《太平廣記》多引《冥祥記》,《御覽·兵部》、《蟲

豸部》亦各引一事。

案《法苑珠林》引《冥祥記》凡一百二十餘篇，其書言因果靈異，故道世捃摭特多。

列異傳三卷　魏文帝撰

《魏志》本紀：帝諱丕，字子桓，武帝太子也。中平四年冬，生於譙。建安十六年，爲五官中郎將、副丞相。二十二年，立爲魏太子。太祖崩，嗣位爲丞相。魏王改建安二十五年爲延康元年，十一月，受禪，改元黄初。七年五月崩，年四十。

本志篇叙曰："魏文帝作《列異傳》，以序鬼物奇怪之事，相繼而作者甚衆。"

章氏《考證》：《後漢書·光武紀》注、《初學記·服食部》並引魏文帝《列異傳》。他書所引，多不著魏文名。《魏志·華歆傳》注引歆爲諸生寄宿事。臣松之案《晉陽秋》魏舒少時寄宿事，亦如之。

侯康《補三國藝文志》：裴注《三國志》，凡兩引此書。《華歆傳》引一條，記歆自知當爲公。《蔣濟傳》引一條，記濟亡兒爲泰山録事。惟濟於齊王時，始徙領軍將軍，而書中已有濟爲領軍之語，則非出自文帝。又《御覽》卷七百七引一條景初時事，卷八百八十四引一條甘露時事，皆在文帝後，豈後人又有增益耶？又据《史記·封禪書》索隱引一條，記秦穆公獲陳寶。《水經·渭水注》、《後漢書·光武紀》注引一條，記秦文公時梓樹化爲牛。則所載不獨時事也。"

案《唐·經籍志》有《列異傳》三卷，張華撰。《藝文志》小説家有張華《列異傳》一卷，意張華續文帝書而後人合之。《御覽》所引文帝後事，當出張華。《初學記·果木部》引文帝《列異傳》，言袁本初時事，則實出文帝。

感應傳八卷　王延秀撰

《宋書·何尚之傳》：元嘉十三年，尚之爲丹陽尹，立宅南郭外，置玄學，聚生徒。太原王延秀等並慕道來游，謂之南學。

慧皎《同僧傳》序曰："太原王延秀撰《感應傳》。"

嚴可均《全宋文編》曰："王延秀，太原人，泰始中爲祠部郎。《宋書·禮志》有《重議郊祀》、《明堂應》、《告廟議》各一篇。"

本志子部雜家《感應傳》八卷，晉尚書郎王延秀撰。案《梁書·傳昭傳》："太原王延秀，薦昭於丹陽尹袁粲。"則延秀宋季尚存。此"晉"當爲"宋"，兩《唐志》雜史類有王延秀《史要》二十八卷。

《唐書·經籍志》：《感應傳》八卷，王延秀撰。

《唐書·藝文志》小説家：王延秀《感應傳》八卷。

古異傳三卷　宋永嘉太守袁王壽撰

袁王壽始末未詳。

《唐書·經籍志》：《石異傳》三卷，袁仁壽撰。一本作《右異傳》，袁王壽撰。

《唐書·藝文志》小説家：袁王壽《古異傳》三卷。

《册府元龜·國史部·采撰篇》：袁生壽撰《古異傳》三卷。

案《唐·經籍志》及《册府元龜》所載書名撰人各不同，未詳孰是。魏晉皆有石異之事，詳見子部五行家，或近似之。

甄異傳三卷　晉西戎主簿戴祚撰

唐封演《聞見記》：戴祚，江東人。晉末，從劉裕西征姚泓。

《唐書·經籍志》：《甄異傳》三卷，戴異撰。此作"戴異"，誤。

《唐書·藝文志》小説家：戴祚《甄異傳》三卷。

章氏《考證》曰："《隋志》地理類有戴延之《西征記》二卷，又有戴祚《西征記》一卷。《唐志》惟有戴祚，無延之。据《封氏聞見記》言祚晉末從劉裕西征姚泓，《水經·洛水注》言延之從劉武王西征。是祚與延之本一人。祚乃其名，而以字行。

《太平御覽・地部》、《服用部》、《疾病部》、《器物部》、《木部》、《果部》，《太平廣記・夢類》並引《甄異傳》。《藝文類聚・樂部》、《果部》，《御覽・服用部》、《妖異部》並引作《甄異記》。"

案《晉書・職官志》："武帝置西戎校尉於長安。"《宋書・百官志》："西戎校尉，晉初置長史。安帝義熙中，又置治中。"據此所題，則治中之下，又有主簿。蓋宋武既克長安，以祚留爲西戎校尉府主簿。《宋書・廬陵王義真傳》："義真初封桂陽縣公。從征，進長安。及高祖東還，留義真行都督雍、涼、秦三州之河東、平陽、河北三郡諸軍事、安西將軍，領護西戎校尉、雍州刺史。"即其府主也。

述異記十卷　祖沖之撰

《南齊書・文學傳》：祖沖之，字文遠，范陽薊人也。少稽古，有機思。宋孝武使直華林學省，解褐南徐州從事、公府參軍、婁縣令、謁者、僕射。入齊，轉長水校尉。永元二年卒，年七十二。

《唐書・經籍志》：《述異記》十卷，祖沖之撰。

《唐書・藝文志》小説家：祖沖之《述異記》十卷。

章氏《考證》：《初學記・人部》、《武功部》，《御覽・人事部》並引祖沖之《述異記》。案任昉亦有《述異記》，故諸書所引，不著名祖沖之者不采入。

異苑十卷　宋給事劉敬叔撰

《宋史・五行志》：晉安帝義熙七年，晉朝拜授劉毅世子。毅以王命之重，當設饗宴親，吏佐臨視。至日，國僚不重白，默拜於廄中。王人將反命，毅方知，大以爲恨，免郎中令劉敬叔官。

《史通・雜述篇》：陰陽爲炭，造化爲工，流形賦象，於何不有。

求其怪物,有廣異聞,若祖台《志怪》、干寶《搜神》、劉義慶《幽明》、劉敬叔《異苑》,此之謂雜記者也。

《四庫提要》小説家:《異苑》十卷,宋劉敬叔撰。敬叔,《宋書》、《南史》俱無傳。明胡震亨始采諸書補作之。稱敬叔彭城人,起家中兵參軍,元嘉三年爲給事黄門郎,太始中卒。又稱嘗爲劉毅郎中令,以事忤毅,爲所奏免官。今案書中自稱義熙十三年,余爲長沙景王驃騎參軍,以《宋書·長沙景王道憐傳》考之,時方以驃騎將軍領荆州刺史,與敬叔所記相合,而震亨傳中未之及,則偶疏也。其書皆言神怪之事,卷數與《隋志》合。《史通》謂《晉書》載武庫火,漢高祖斬蛇劍穿屋飛去,乃據此書載入,亦復相合,惟中間《太平御覽》所引傅承亡餓一條,此本失載。又稱宋高祖爲宋武帝裕,直舉其國號名諱,亦不似當時臣子之詞,疑已有所佚脱竄亂。然核其大致,尚爲完整,且其詞旨簡澹,無小説家猥瑣之習,斷非六朝已後所能作,故唐人多所引用。其有裨於考證亦不少矣。

又《簡明目録》曰:"所記皆神怪之事,遣詞簡古而意態具足,不類唐人小説之宂沓。"

案此與《續異苑》,兩《唐志》、《宋志》皆不見,而此有傳本,乃胡震亨刊入《祕册彚函》者,今在《津逮祕書》中,卷末題記謂"從書賈得宋紙舊抄本,與友人姚叔祥等參互考訂,成善本"云。

續異苑十卷

不著撰人。

搜神記三十卷　干寶撰

干寶有《周易注》,見經部易類。

《晉書》本傳:寶父先有所寵侍婢,母甚妬忌,及父亡,母乃生推婢於墓中。寶兄弟年小,不之審也。後十餘年,母喪,開墓,而婢伏棺如生,載還,經日乃蘇。言其父常取飲食與之,恩情如生,在家中吉凶輒語之,考校悉驗,地中亦不覺爲惡。即而嫁之,生子。又寶兄嘗病氣絕,積日不冷,後遂寤,云見天地間鬼神事,如夢覺,不自知死。寶以此遂撰集古今神祇靈異人物變化,名爲《搜神記》,凡二十卷。以示劉惔,惔曰:"卿可謂鬼之董狐。"寶既博采異同,_{疑爲"聞"字。}遂混虛實,因作序以陳其志云。

《太平御覽・文部・著書篇》:《晉書》曰:"干寶表曰:'臣前聊欲略記古今怪異非常之事,會聚散逸,使同一貫,博訪知之者,片紙殘缺,事事各畢。'"

《唐書・經籍志》:《搜神記》三十卷,干寶撰。

《唐書・藝文志》小説家:干寶《搜神記》三十卷。

《宋史・藝文志》小説家:干寶《搜神總記》十卷。

《四庫》小説家提要曰:"此本爲胡震亨《祕册彙函》所刻,然胡應麟《甲乙剩言》曰:姚叔祥見余家藏書目中有干寶《搜神記》,大駭,曰:'果有是書乎?'余應之曰:'此不過從《法苑》、《御覽》、《藝文》、《初學》、《書抄》諸書中録出耳,豈從金函石匱幽巖土窟掘得耶?'大抵後出異書,皆此類也。斯言允矣。"又《簡明目録》曰:"《搜神記》二十卷,舊題晉干寶撰。證以古書所引,或有或無。其第六、第七卷乃全鈔《續漢書・五行志》,一字不更,殆亦出於依託。然猶爲多見古書之人,聊綴舊文,傅以他説。故核其體例,儼然唐以前書,非諦審詳稽,不能知其僞也。"

　案本傳云二十卷,本志及《唐志》皆三十卷,疑連後記在内,故《唐志》不别出後記也。《宋志》總記十卷,則其爲合并抄節可知。自《崇文目》、晁《志》、陳《録》、馬《考》皆不載是書,故姚叔祥見而駭之也。

搜神後記十卷　陶潛撰

《南史·隱逸傳》：陶潛字淵明，或云字深明，名元亮，尋陽柴桑人。晉大司馬侃之曾孫也。少有高趣，宅邊有五柳樹，故嘗著《五柳先生傳》，時人謂之實録。親老家貧，起爲州祭酒、彭澤令，解印綬去職，賦《歸去來》以遂其志。義熙末，徵爲著作佐郎，不就。元嘉四年卒，世號靖節先生。

梁釋慧皎《高僧傳》序有曰："宋臨川康王義慶《宣驗記》及《幽明録》、太原王琰《冥祥記》、太原王延秀《感應傳》、朱君台《徵應傳》、陶淵明《搜神録》，並傍出諸僧，敍其風素，而皆是附見，亟多疏闊。"又卷末附載王曼穎書云："攬出君台之記，糅在元亮之説，則梁人相傳，皆以爲陶淵明書矣。"

《唐日本國見在書目》：《搜神後記》十卷，陶潛撰。

《四庫提要》小説家：《搜神後記》十卷，舊題晉陶潛撰。中記桃花源事一條，全録本集所載詩序，惟增注"漁人姓黄，名道真"七字。又載干寶父婢事，亦全録《晉書》。剽掇之跡，顯然可見。又潛卒於元嘉四年，而此有十四、十六兩年事。陶集以干支代年號，而此書題永初、元嘉，其爲僞託，固不待辨。然其書文詞古雅，非唐以後人所能。《隋志》已稱陶潛，則贗撰嫁名，其來已久。又陸羽《茶經》引一條，封演《聞見記》引兩條，亦與此本所載相合，知今所傳刻猶古本矣。其中丁令威化鶴、阿香雷車諸事，唐、宋詞人並遞相援引，承用至今。題陶潛撰者固妄，要不可謂非六代遺書也。

靈鬼志三卷　荀氏撰

荀氏，不詳何人。

《唐書·經籍志》：《靈鬼志》三卷，荀氏撰。

《唐書·藝文志》小説家：荀氏《靈鬼志》二卷。一本仍作三卷。

章氏《考證》：《世説·方正篇》、《容止篇》、《傷逝篇》、《忿狷篇》注並引《靈鬼志》謠徵，似"謠徵"乃志中分篇。《御覽·兵部》、《人事部》、《方術部》、《疾病部》、《雜物部》、《獸部》所引《靈鬼志》，皆記怪異。惟《兵部》及《藝文類聚·軍器部》、《北堂書鈔·武功部》引關中歌陳安曰："隴上健兒字陳安，面狹頭細腹中寬，丈八蛇矛左右盤。"此與志鬼不類。案此所引非其全文，故不類。又《法苑珠林·咒術篇》、《救厄篇》、《病苦篇》引《靈鬼志》各一事。

志怪二卷　祖台之撰

《晉書·王國寶傳》：國寶素驕貴使酒，怒尚書左丞祖台之，攘袂大呼，以盤醆樂器擲台之，台之不敢言，爲御史中丞褚粲所彈。詔以國寶縱肆情性，甚不可長，台之懦弱，非監司體，並坐免官。台之字元辰，范陽人也。官至侍中、光禄大夫，撰《志怪》書，行於世。

《唐書·經籍志》：《志怪》四卷，祖台之撰。

《唐書·藝文志》小説家：祖台之《志怪》四卷。

　　案《當苑珠林·忠孝篇》引祖台之《志怪》一事。又《蟲寓篇》、《邪淫篇》引《志怪傳》二事，《病苦篇》引《志怪集》一事。

志怪四卷　孔氏撰

孔氏，不詳何人。

《唐書·經籍志》：《志怪》又四卷。岑本注云："孔氏撰。"

《唐書·藝文志》小説家：孔氏《志怪》四卷。

章氏《考證》：《文苑英華》顧況《戴氏廣異記》序稱孔慎言神怪志。《世説·方正篇》、《巧藝篇》、《排調篇》、《自新篇》注，《初學記·州郡部》、《鳥部》，《藝文類聚·木部》，《太平御覽·鱗介部》並引《孔氏志怪》，不著慎言名。

神録五卷　劉之遴撰

《梁書》本傳：之遴字思貞，南陽涅陽人也。父虬，齊國子博士。之遴起家寧朔主簿，歷南郡太守、太府卿、都官尚書、太

常卿。太清二年侯景亂,之遴避難還鄉,未至,卒於夏口。年
七十二。

《唐書·經籍志》:《神録》五卷,劉之道撰。此作之道,誤。

《唐書·藝文志》小説家:劉之遴《神録》五卷。

齊諧記七卷　宋散騎侍郎東陽无疑撰

《廣韻》東字注:宋有員外郎東陽无疑撰《齊諧記》七卷。

《古今姓氏書辨證》:《元和姓纂》云:"祖氏家傳祖崇之,娶東
陽元旋女。又宋員外郎東陽无疑撰《齊諧記》十卷。"

《唐書·經籍志》:《齊諧記》七卷,東陽無疑撰。

《唐書·藝文志》小説家:東陽无疑《齊諧記》七卷。

馬國翰輯本序曰:"東陽無疑,不詳何人。其書名取《莊子》
'《齊諧》志怪'之語,所記皆神異事。《隋志》入雜傳,《唐志》
入小説,並七卷,今佚。采輯成帙。考梁吳均有《續齊諧記》
一卷,以東陽先有此書,故吳《記》言續焉。"按章氏《考證》謂此書今
存,未喻也。

續齊諧記一卷　吳均撰

吳均有《齊春秋》,見前古史類。

《唐日本國見在書目》:《續齊諧記》三卷,吳均撰。

《唐書·經籍志》:《續齊諧記》一卷,吳均撰。

《唐書·藝文志》小説家:吳均《續齊諧記》一卷。諸本多誤作"吳筠"。

《崇文總目》小説家:《續齊諧記》三卷,吳均撰。

陳氏《書録》小説家:《續齊諧記》一卷,梁奉朝請吳均撰。

"《齊諧》志怪"本《莊子》語也。《唐志》又有東陽無疑《齊諧
志》,今不傳,此書殆續之者歟?

《四庫》小説家提要曰:"是書《隋志》著録,杜公瞻《荆楚歲時
記》注、歐陽詢《藝文類聚》已引其文。《隋志》雜傳類均書之
前,有宋東陽無疑《齊諧記》七卷,均續其書所記,皆神怪之

事。然李善注《文選》、韋詢、劉禹錫《嘉話》、張彥遠《歷代名畫記》皆引之,是在唐時已援爲典據,亦小説之表表者矣。惟劉阮天台一事,徐子光注李瀚蒙求引《續齊諧記》之文,述其始末甚備,而今本無此條。豈原書久佚,後人於《太平廣記》内鈔合成編,故偶有遺漏歟?"

又《簡明目録》曰:"此書卷帙不多而所載異聞恒爲唐人引用。"

幽明録二十卷　劉義慶撰

劉義慶有《徐州先賢傳》、《宣驗記》,並見前。

《唐書·經籍志》:《幽明録》三十卷,劉義慶撰。

《唐書·藝文志》小説家:劉義慶《幽明録》三十卷。

章氏《考證》:此書見引甚多,"幽明"或作"幽冥"。《史通》言唐修《晉書》,多取《幽明録》。今考《太平御覽》所引,如《人事部》石勒問佛圖澄擒劉曜兆;謝安石夢乘桓温輿,行見白雞而止;魏武帝夢三馬共一槽;王茂宏夢人以百萬錢買大兒長豫,此類皆《晉書》所取資。《唐志》三十卷,入子部小説。

補續冥祥記一卷　王曼穎撰

《梁書·南平王偉傳》:偉,太祖第八子也。初,封建安郡王,性多恩惠,尤愍窮乏。太原王曼穎卒,家貧無以殯殮,友人江革往哭之,其妻兒對革號訴,革曰:"建安王當知,必爲營埋。"言未訖而偉使至,給其喪事,得周濟焉。

梁釋慧皎《與王曼穎書》曰:"一日以所撰《高僧傳》相簡,意存鍼艾,檀越既學兼孔釋,解貫玄儒,抽入綴藻,内外淹劭,披覽餘暇,脱助詳閲,故忘鄙俚,用簡龍門。今以所著讚論十科,重以相簡,如有紕謬,請備勘酌。"案慧皎與曼穎往還書見《高僧傳》。未知其與皎法師相契,爲參訂其《高僧傳》。其卒時,江革猶稱建安,則在天監十七年改封南平之前。蓋梁初積學之士遁世无悶者歟。

《唐書·經籍志》:《續冥祥記》十一卷,王曼撰。此敚"穎"字。

《唐書·藝文志》小説家：王曼穎《續冥詳記》十一卷。

　　案王琰先有《冥祥記》十卷，此補續其書。《唐志》殆合爲一
　　編，故十一卷。琰亦太原人。仕梁，爲吳興令，曼穎固同
　　族，亦同時人也。《法苑珠林》亦數引之。

漢武洞冥記一卷　　郭氏撰

郭氏，不詳何人。

《唐日本國見在書目》：《漢武洞冥記》四卷，郭子橫撰。

《唐書·經籍志》：《漢別國洞冥記》四卷，郭憲撰。敚“武”字。

《唐書·藝文志》神仙家：郭憲《漢武帝別國洞冥記》四卷。

《宋史·藝文志》：“郭憲《洞冥記》四卷。”又小説家：“《漢武
帝洞冥記》四卷，東漢郭憲撰。”

《崇文總目》：《漢武帝列國洞冥記》一卷。不著撰人。

宋晁載之《續談助》抄本題記曰：“右抄郭子橫所撰《漢武洞冥
記》。子橫之論，以爲漢武明儁特異之主。東方朔因滑稽誣
誕以匡諫，洞心於道教，使冥跡之奥昭然顯著。故撰記，名之
《洞冥》。而張柬之言隨其父在江南，拜父友孫義强、李知續
二公，言似非子橫所撰。其父乃言後梁尚書蔡天寶當是“大寶”。
與岳陽王啓，稱湘東昔造《洞冥記》一卷，即《洞冥記》梁元帝
時所作，其後上官儀應詔，詩中用‘影娥池’，學士時無知者。
祭酒彭陽公令狐德棻召柬之等十餘人問此出何書，柬之對在
江南見《洞冥記》云：‘漢武穿影娥池於望鶴臺西。’於是天下
學徒無不繕寫。而尋劉歆、阮籍《七録》，案此阮孝緒誤爲阮籍。了
無題目。貞觀中，撰《文思博要》、《藝文類聚》，紫臺丹笥之
祕，罔不咸集，亦無采掇。則此書儻起江左，行于永禎明矣。
案“永禎”當是“永徽”之誤。案柬之所稱“湘東所造《洞冥記》一卷”，
而此分爲四，然則此書亦未知定何人所撰也。”案是書舊本有唐張
柬之跋，晁伯宇所引即其文也。伯宇，公武從父，有《封丘集》，見晁《志》。

晁氏《讀書志》：《漢武洞冥記》五卷，後漢郭憲子橫撰。其序言：“漢武明儁特異之主，東方朔因滑稽浮誕以匡諫，洞心於道教，使冥跡之奧昭然顯著，故曰《洞冥》。”

陳氏《書錄》小説家：《洞冥記》四卷，《拾遺》一卷。東漢光禄大夫郭憲子橫撰。題《漢武別國洞冥記》，其《別録》又於《御覽》中抄出，然則四卷亦非全書也。《唐藝文》入神仙家。案此言《別録》即《拾遺》也。

《四庫提要》小説家：《漢武洞冥記》四卷，舊本題後漢郭憲撰。憲字子橫，汝南宋人。官至光禄勳，事蹟具《後漢書·方術傳》。是書《隋志》止一卷，《唐志》始作四卷，《文獻通考》有《拾遺》一卷，晁公武引憲自序，今憲序與《拾遺》俱已佚，惟存此四卷。核以諸書所引，皆相符合，蓋猶舊本。考范史載憲初以不臣王莽，至焚其所賜之衣，逃匿海濱。後以直諫忤光武帝，時有關東觥觥郭子橫之語，蓋亦剛正忠直之士。徒以潠酒救火一事，遂抑之《方術傳》中，其事之有無，已不可定。至於此書所載，皆怪誕不根之談。又詞句綿豔，亦迥異東京，或六朝人依託爲之。然所言影娥池事，唐上官儀用以入詩，時稱博洽，後代文人詞賦，引用尤多。蓋以字句妍華，足供采撼，至今不廢，良以是耳。

又《簡明目録》曰：“是猶唐以前之僞書。”

案本志一卷，但云郭氏，後世神仙家必欲附託漢人，何不直云與漢武、東方朔同時之郭舍人乎？爾乃託之東漢郭憲，殊爲不倫。又《南史·顧野王傳》：“野王撰《續洞冥記》一卷。”今本四卷中，容或有顧氏所續者。

嘉瑞記三卷　陸瓊撰

陸瓊有《陳書》，見前正史類。

《南史》本傳：初，瓊父雲公，奉梁武勑撰《嘉瑞記》。瓊述其旨而續焉。自永定訖於至德,勒成一家之言。案自永定下云云,似謂其所作《陳書》四十二卷,非謂此書。《南史》此處似有敓誤。沈約《符瑞志》自上古載至宋末,其齊、梁二代之嘉瑞缺如也。瓊所續,殆即續此二代歟?

詳瑞記三卷

不著撰人。

> 案《舊》、《新唐志》雜家有顧野王《祥瑞圖》十卷,疑即是書而不具其圖者。又疑此爲《齊書·祥瑞志》之所本,在蘇侃、庾溫二家之外者,或亦出於沈隱侯爲符瑞之餘。

符瑞記十卷　許善心撰

許善心有《梁史》,見前正史類。

> 案《舊》、《新唐志》雜家有許善心《皇隋瑞文》十四卷,疑即是書。

靈異録十卷

不著撰人。

> 案此疑即許善心《靈異》之別本,詳見後方。

靈異記十卷

不著撰人。

《北史·許善心傳》:大業七年,善心腹徵守給事郎,帝嘗言及文帝受命之符,因問鬼神之事,勅善心與崔祖濬撰《靈異記》十卷。崔祖濬名賾,《隋書·隱逸》附見其父《崔廓傳》。

《唐日本國見在書目》:《靈異記》十卷。

章氏《考證》:《隋書·許善心傳》:煬帝勅善心與崔祖濬撰《靈異記》十卷。與《志》相符。《志》脱撰名。

研神記十卷　蕭繹撰

梁元帝《金樓子·著書篇》:《研神記》一帙一卷,金樓自爲序,付劉毅纂次。《梁書·王規傳》:規子襃與沛國劉毅、南陽宗懍俱爲中興佐命,同參帷幄。

《南史·隱逸·阮孝緒傳》：湘東王著《忠臣傳》、《集釋氏碑銘》、《丹陽尹録》、《研神記》，並先簡孝緒而後施行。

《唐日本國見在書目》：《研神記》一卷，梁湘東王撰。

《唐書·經籍志》：《妍神記》十卷，梁元帝撰。

《唐書·藝文志》小説家：梁元帝《研神記》十卷。

旌異記十五卷　侯君素撰

《北史·文苑·李文博傳》：開皇中，又有魏郡侯白，字君素，好學有捷才，性滑稽，尤辨俊，舉秀才，爲儒林郎。文帝令於祕書修國史，著《旌異記》十五卷，行於世。

《法苑珠林·傳記部》：《旌異傳》一部二十卷，隋朝相州秀才、儒林郎侯君素奉文皇帝勅撰。

《唐書·經籍志》：《旌異記》十五卷，侯君集撰。按此作“君集”，誤也。

《唐書·藝文志》小説家：侯君素《旌異記》十五卷。

章氏《考證》：《太平御覽·釋證部》引侯君素《旌異記》，《廣記》釋證類亦引之。

　案《法苑珠林·受齋篇》引一事，又《智慧篇》引侯君素集二事。蓋即《旌異記》文也，是當時亦編入本集。

近異録二卷　劉質撰

劉質始末未詳。按《宋書·劉延孫傳》：“延孫，彭城吕人。世祖即位，封東昌縣侯。大明六年卒，子質嗣。太宗泰始中，有罪國除。”不知即此劉質否也。

《唐書·經籍志》：《近異録》二卷，劉質撰。

《唐書·藝文志》小説家：劉質《近異録》二卷。

鬼神列傳一卷　謝氏撰

謝氏，不詳何人。

《唐書·經籍志》：《鬼神列傳》二卷，謝氏撰。

《唐書·藝文志》小説家：謝氏《鬼神列傳》二卷。

章氏《考證》:《太平御覽·兵部》引謝氏《鬼神列傳》。

志怪記三卷　殖氏撰

殖氏,不詳何人。

章氏《考證》:《北堂書鈔·帝王部》:"客星通座。"又:"宗正卿會稽謝謨夜飲,忽見人被髮求飲。"二事並引《志怪記》,而不著殖氏。又《衣冠部》引一事,稱《志怪録》。《御覽·人事部》、《禮儀部》各引一事,並稱《志怪集》。

案氏姓諸書有直氏。《開元姓纂》云:"南越有植氏。"鄧名世《辨證》曰:"植氏,天竺胡人之姓。"蓋釋種也。此殖氏莫詳其得姓之由。《左·襄二十六年傳》有殖綽。杜預曰:"齊人,今來在衛。"蓋齊人而仕衛者,此可爲殖氏得姓之一證。

舍利感應記三卷　王劭撰

王劭有《俗語難字》,見經部小學家。

《隋書·高祖本紀》:仁壽元年六月乙丑,頒舍利於諸州。

《法苑殊林·舍利篇》:舍利者,西域梵語。此云骨身,恐濫凡夫死人骨,故存梵本之名。舍利有三種:一是骨舍利,其色白。二是髮舍利,其色黑。三是内舍利,其色赤。若是佛舍利,椎打不碎;若是弟子舍利,椎擊便破矣。

又曰:"《舍利感應記》二十卷,隋著作郎王劭撰。皇帝昔在潛龍,有婆羅門沙門來詣宅上,出舍利一裹曰:'檀越好心,故留與供養。'沙門既去,求之,不知所在。其後周氏滅佛法,隋室受命乃興復之,皇帝每曰:'我興由佛。'故於京師造浮屠以報舊願,其下安置舍利。夜有神光,若冶爐之燄。仁壽元年六月十三日,奉送舍利於三十州,同時起塔。皇帝曰:'今佛法重興,必有感應。'其後處處表奏,皆如所言。又是年十月,宮内凡得舍利十九,多放光明。自是,遠近道俗所有舍利率奉獻焉。二年正月二十三日,復分布五十三州,建立靈塔,其四十州已來,皆有靈瑞,不可備列,具存大傳云。"

嚴可均《全隋文編》曰:"《廣弘明集》十七引王劭《舍利感應記》三十四條,《舍利感應別録》四十四條。"

　案《法苑珠林》所謂"具存大傳者",蓋即是書,然則是書原編二十卷,此三卷或其別本。《珠林》備載前後詔書及百官慶舍利感應表,其事亦大抵略具矣。

真應記十卷

不著撰人。

周氏冥通記一卷

不著撰人。

《華陽陶隱居集·進周氏冥通記啓》曰:"臣弘景啓:去十月將末,忽有周氏事,既在齋禁,無由即得啓聞。今謹撰事蹟凡四卷,如別上呈云云。"又附注曰:"周子良,隱居高弟。天監中,白日尸解。隱居檢平日真降事跡,爲四卷進之。"

《唐書·經籍志》:《周氏冥通記》一卷,陶弘景撰。

《崇文總目》小説家:周子良《冥通録》三卷。《宋志》小説家四卷。

《通志·藝文略》傳記冥異類:《周子良冥通録》三卷,記梁隱士周子良與神仙感應事。

《四庫提要》道家存目:《冥通記》四卷,梁周子良撰。首有陶弘景所作《子良傳》,稱子良字元龢,本汝南縣人,寓居丹陽。年十二,從弘景於永嘉受仙靈籙、《老子》五千文、西嶽公禁虎豹符。十一年從還茅山,受《五嶽圖》、三星内文。十四年乙未歲五月二十三日,遂通真靈。後一年卒,年二十。其説荒誕不經,此書所記遇仙之事,起乙未五月十三日,至丙申七月末,逐日纏載,亦弘景《真誥》之流也。然其文頗古雅,時有奧字。黃生《義府》第二卷末附載此書訓釋一篇,各有考證,説頗賅洽。

集靈記二十卷　顏之推撰

顏之推有《訓俗文字略》，見經部小學家。

《唐書·經籍志》：《集靈記》十卷，顏之推撰。

《唐書·藝文志》小説家：顏之推《集靈記》十卷。

章氏《考證》：《太平御覽·服用部》引《集靈記》琅邪王誼亡後數年見形於妻事。

冤魂志三卷　顏之推撰

唐顏真卿家廟碑：北齊給事、黃門侍郎、待詔文林館、平原太守、隋東宮學士諱之推，字介，著《家訓》廿篇，《冤魂志》三卷。

《法苑珠林·傳記篇》：《承天達性論》、不著卷數。《冤魂志》一卷、《誡殺訓》一卷，右三部，齊光禄大夫顏之推撰。按此則其書首爲論一卷，次志一卷，訓一卷，如此合爲三卷也。《誡殺訓》略見《顏氏家訓·歸心篇》，此蓋別爲一卷。

《唐書·經籍志》：《冤魂志》三卷，顏之推撰。

《唐書·藝文志》小説家：顏之推《冤魂志》三卷。

《宋史·藝文志》小説家：顏之推《還冤志》三卷。

《崇文總目》小説家：《還冤志》三卷，顏之推撰。

陳氏《書録》小説家：北齊《還冤志》三卷，顏之推撰。

《四庫提要》小説家：《還冤志》三卷，此書《隋志》不著録，《文獻通考》作《北齊還冤志》。考書所記，上始周宣王杜伯之事，不得目以北齊。即之推亦始本梁人，後終隋代，更不得目以北齊，殆因舊本之首題北齊黃門侍郎顏之推撰，遂誤以冠於書名上歟？自梁武以後，佛教彌昌，士大夫率皈禮能仁，盛談因果。之推《家訓》有《歸心篇》，於罪福尤爲篤信，故此書所述，皆釋家報應之説。強魂毅魄，憑屬氣而爲變，理固有之，尚非天堂地獄，幻杳不可稽者比也。其文字亦頗古雅，殊異小説之冗濫。謹案《還冤志》似即此《冤魂志》之異名。《提要》謂"《隋志》不載"

者，似未然。

以上自《宣驗記》至此，凡三十六部，皆禎祥變怪之屬。《唐經籍志》目之曰鬼神，是爲第十五類終焉。

右二百一十七部，一千二百八十六卷。通計亡書，合二百一十九部，一千五百三卷。 按止二百七部，其亡書兩部，似即指任昉、賀蹤二雜傳。

按《七録序目・記傳録第八》曰：“雜傳部二百四十一種，一千四百四十六卷。”第九曰：“鬼神部二十九種，二百五卷。”兩部合二百七十種，本志并爲是類，止於二百七種，除去《七録》已後之書，繁雜莫知其限。則其所不載者，約略尚有百餘種也。此百餘種大都皆在四家雜傳中。章氏所舉二百二十八部，合以本志所載，共有四百三十五部。六朝所有雜傳記之書，亦約略盡之矣。

按無名氏《先賢集》三卷、《漢世要記》一卷、《高隱傳》十卷、《海内名士傳》一卷、《韋氏家傳》一卷、《周氏家傳》一卷、《漢南家傳》三卷、《列女傳要録》三卷、《美婦人傳》六卷、《續異苑》十卷、《靈異録》十卷、《真隱記》十卷、熊欣《豫章舊志後撰》一卷、范汪《范氏家傳》一卷、紀友《紀氏家紀》一卷、明岌《明氏家訓》一卷、姚氏《周齊王家傳》一卷、來奧《訪來傳》十卷、高氏《列女傳》八卷、劉歆《列女傳頌》一卷、繆襲《列女傳贊》一卷、康泓《善道開傳》一卷、僧祐《高僧傳》十四卷、法進《江東名德傳》三卷、王巾《法師傳》十卷、《法顯傳》二卷、《法顯行傳》一卷、嚴暠《梁武皇帝大捨》三卷、郭元祖《列仙傳贊》二卷、朱思祖《説仙傳》一卷、孔稚珪《陸先生傳》一卷、郭元祖《列仙贊序》一卷、李氏《太上真人内記》一卷、傅亮《應驗記》一卷、王劭《舍利感應記》三卷，凡三十五部，章氏《考證》皆遺之。又此類在本志爲史部第十，章氏乃改爲第十三，列史部之末。

卷二十一

史部十一

地理類　類中分類凡三。

山海經二十三卷　郭璞注

郭璞有《毛詩拾遺》,見經部詩類。

《漢書·藝文志》數術形法家:《山海經》十三篇。

劉歆校上序録曰:"侍中奉車都尉、光禄大夫臣秀領校祕書言:校祕書太常屬臣望所校《山海經》凡三十二篇,今定爲一十八篇。已定。"末云:"建平元年四月丙戌,待詔太常屬臣望校治,侍中光禄勳臣龔、侍中奉車都尉、光禄大夫臣秀領主省。"《儒林傳》云:"時光禄勳王龔、五官中郎將房鳳、奉車都尉劉歆共校書,三人皆侍中。"臣望未詳。鎮洋畢沅《山海經篇目考》曰:"劉秀表云三十二篇,二當爲四,即就此三十四篇,并爲十三篇。此云一十八篇,乃後人妄改,非本文。"

《山海經目録》曰:"《大荒東經》第十四,《大荒南經》第十五,《大荒西經》第十六,《大荒北經》第十七,《海內經》第十八。"注云:"此《海內經》及《大荒經》本皆逸在外。"諸本皆作"進在外",誤也。何義門《讀書記》曰:"十八篇不知起於何時,畢氏以爲此五篇亦劉秀所增,無確据。要當在郭璞之前,大抵亦起於漢代,蓋漢時相傳有兩本,其一十三篇,其一十八篇。"

《晉書·郭璞傳》:璞注釋《爾雅》、《三倉》、《方言》、《穆天子傳》、《山海經》,皆傳於世。

璞《自序》略曰:"此書跨世七代,歷載三千,雖暫顯於漢而尋亦寢廢。其山川名號,所在多有舛謬,與今不同,師訓莫傳,遂將淹泯。道之所存，俗之所喪，悲夫！余有懼焉，故爲之創傳，疏其壅閟，鬬其弗蕪，領其玄致，標其洞涉。庶幾今逸文不墜於世，奇言不絕於今。夏后之迹，靡刊於將來；八荒之事，有聞於後裔，不亦可乎。”

《顏氏家訓·書證篇》：或問：“《山海經》，夏禹及益所記，而有長沙、零陵、桂陽、諸暨，如此郡縣不少，以爲何也？”答曰：“史之闕文，爲日久矣。加復秦人滅學，董卓焚書，典籍錯亂，非止於此。皆由後人所羼，非本文也。”

本志篇叙曰：“漢初，蕭何得秦圖書，故知天下要害。後又得《山海經》，相傳以爲夏禹所記。”

《唐日本國見在書目》：《山海經》廿一卷，郭璞注，見十八卷。

《唐書·經籍志》：《山海經》十八卷，郭璞撰。按“撰”當爲“注”。

《唐書·藝文志》：郭璞注《山海經》二十三卷。

晁氏《讀書志》：《山海經》十八卷，大禹製，晉郭璞傳，漢侍中奉車都尉劉秀校定。表言：“禹別九州，而益等類物善惡，著此書。皆聖賢之遺事，古文明著者也。”十父嘗考之，於其書有曰長沙、零陵、雁門皆郡縣，又自載禹、鯀，似後人因其名參益之。”

陳氏《書錄解題》曰：“洪慶善補注《楚辭》，引《山海經》、《淮南子》以釋《天問》。而朱晦翁則曰：‘古今説《天問》者，皆本此二書。’今以文意考之，疑此二書本皆緣解《天問》而作，可以破千載之惑。”按是説不盡然，《四庫提要》已言之，詳見下方。

《玉海》地理類：《中興書目》：《山海經》十八卷，晉郭璞傳。凡二十三篇，每卷有贊。

《四庫提要》小説家異聞類：《山海經》十八卷，《隋》、《唐》二志皆云二十三卷。今本乃少五卷，蓋後人併其卷帙，以就劉秀奏中一十八篇之數，非闕佚也。《山海經》之名，始見《史記·大宛傳》贊云：“《禹本紀》、《山海經》所有怪物，余不敢言也。”觀《楚詞·天問》，多與相符，使古無是言，屈原何由杜撰？朱子《楚詞辨證》謂其反因《天問》而作，似乎不然。王應麟《王會補傳》引朱子之言，謂“《山海經》記諸異物飛走之類，多云東向，或曰東首，疑本因圖畫而述之。古有此學，如《九歌》、《天問》皆其類”云云。則得其實矣。

又《簡明目錄》曰：“是書或稱夏禹撰，或稱伯益撰，其中乃有帝啓、周文王及秦漢地名，則妄不待辨，然司馬遷已稱之，則亦周秦以來古書也。其注爲晉郭璞作，《隋志》以來，皆列地理之首。然侈談神怪，百無一真，是直小説之祖耳。入之史部，未允也。”

鎮洋畢沅《山海經篇目考》曰：“《山海經》，三十四篇禹、益所作，十三篇漢時所合，十八篇劉秀所增，十八篇郭璞所注。《隋·經籍志》云二十三卷，《舊唐書》云十八卷。案即用劉秀十八篇，篇爲一卷也。”

又《新校正》序曰：“《山海經》作於禹、益，述於周秦，其學行於漢明於晉，而知之者，魏酈道元也。《五藏山經》三十四篇，實是禹書。禹與伯益主名山川，定其秩祀，量其道里，類別草木鳥獸，今其事見於《夏書·禹貢》、《爾雅·釋地》及此經《南山經》已下三十四篇。按向、歆校書，合《五藏山經》舊爲二十六篇者，爲五篇，次以《海外經》四篇，《海內經》四篇，是爲一十三篇也。《列子》引夏革云，呂不韋引伊尹書云，多出此經，二書皆先秦人著。夏革、伊尹又皆商人，是故知此三十四篇爲禹書無疑也。《海外經》四篇、《海內經》四篇，周秦所述也。禹鑄鼎象物，使民知神姦。案其文，有國名，有山川，有神靈奇怪之所寄，是鼎所圖也。鼎亡於秦，故其先時人猶能説其圖以著於冊。劉秀又釋而增其文，是《大荒經》以下五篇也。《大荒經》四篇，釋《海外經》；

《海內經》一篇，釋《海內經》，當是漢時所傳。亦有《山海經圖》頗與古異，秀又依之爲説，即郭璞、張駿見而作贊者也。劉秀之表《山海經》云：'可以考禎祥變怪之物，見遠國異人之謠俗。'郭璞之注《山海經》云：'不怪所可怪，則幾於無怪矣。怪所不可怪，則未始有可怪也。'秀、璞此言，足以破疑《山海經》者之惑。"又曰："《山海經》非語怪之書，其川流沿注，至今質明可信。郭璞之世所傳《地理書》尚多不能遠引，今觀其注釋山水，不案道里，其有名同實異，即云今某地有某山，未知此是非。酈道元作《水經注》，以經傳所紀方土舊稱，考驗此經山川名號。案其涂數，十得者六，始知經云東西道里，信而有徵。雖今古世殊，未嘗大異，後之撰述地里者多從之。沇是以謂其功百倍於璞也。然酈書所著，僅述水道所逕，而其他山川紀傳所稱足爲經證者，亦間有郭璞所未詳，道元所未取。又沇之有功於此經者也。又經所言草木治疾，多足證發《內經》。《海外》、《海內經》八篇，多雜劉秀校注之辭，詳郭意亦不能照。《水經注》多連引其文，今率細書以別之。"

張氏《書目答問》：《山海經》十八卷，畢沇校。《山海經箋疏》十八卷，郝懿行疏，郝勝於畢。

水經三卷　郭璞注

《漢書·儒林傳》：孔氏有古文《尚書》，孔安國以今文字讀之，因以起其家。安國爲諫大夫，授都尉朝，朝授膠東庸生，庸生授清河胡常，常授虢徐敖，敖授王璜、平陵塗惲子真，子真授河南桑欽君長。王莽時，諸學皆立，劉歆爲國師，璜、惲等皆貴顯。按此言璜、惲等，桑欽在其中。欽蓋爲孔氏第六傳弟子。王莽時，與其師塗惲並貴顯，晁氏以爲成帝時人，亦相去不甚遠。

《唐六典》工部注：桑欽《水經》所引天下之水一百三十七，江河在焉。

《唐書·經籍志》:《水經》二卷,郭璞撰。

《唐書·藝文志》:桑欽《水經》三卷,一作郭璞撰。

《通志·氏族略》:桑氏,嬴姓,秦大夫子桑之後也。公孫枝,字子桑,以字爲氏。漢有御史大夫桑弘羊。成帝時,有桑欽撰《水經》三卷。按三卷者,當是《水經》二卷附《禹貢山水澤地所在》一卷。

晁氏《讀書志》:《水經》四十卷,漢桑欽撰。欽成帝時人。本經三卷,後魏酈道元注。

陳氏《書錄解題》:"《水經》三卷,桑欽撰。桑欽不知何人,《邯鄲書目》以爲漢人,晁公武曰成帝時人,當有所據。《唐志》注或云郭璞撰。又杜氏《通典》案《水經》晉郭璞注二卷,後魏酈道元注四十卷,皆不詳所撰者名氏,亦不知何代之書。"又曰"景純注解又甚疏略,亦爲迂怪。云云"

鎮洋畢沅《山海經篇目考》曰:"《海內東經》篇中自岷三江首,至漳水入章武南,多有漢郡縣名,此是《水經》。《隋志》云《水經》三卷,郭璞注。《舊唐志》云《水經》二卷,郭璞撰,此《水經》當即《海內東經》中文也。按此似未必然。又有《水經》四十卷,酈善長注,乃桑氏之經,杜佑不知。郭注是《海內東經》中《水經》,以郭璞爲注桑氏之書,其謬甚矣。"按《海內東經》篇末言"水道者,凡二十七條",其文與桑氏《水經》相同,篇中有郭注三十餘條。又他篇亦有言水道者,亦有郭氏注文,皆可剌取入《水經》,世遂有《水經》郭氏注一本。本志依以著錄,《通典》詆其疏略迂怪,無怪其然矣。

嘉定錢大昕《三史拾遺》曰:"《漢書·地理志》稱古文者十一,皆古文《尚書》家説,與《水經》所載《禹貢山澤所在》無不脗合。相傳《水經》出於桑欽,欽即傳古文《尚書》者,則《水經》爲桑欽所作,信矣。戴東原以《水經》有廣魏縣,斷爲魏人所作。大昕謂《水經》郡縣,間有與西漢互異者,乃後人附益改竄,猶《爾雅》周公作,而有張仲孝友之語。《史記》司馬遷作,而有揚雄之語也。然則志何以別有桑欽説，曰《禹貢山水澤地所在》一篇，本古文家相傳之學，而欽引以附《水經》之末。《水經》則欽自出新意爲之，故不可合而爲一。"按《書録解題》引杜佑説，謂《水經》後漢順帝後人所作。《四庫提要》以戴震説，謂三國時人所作，皆不信爲桑欽之書，故錢氏爲是説以證明之。宋高似孫《史略》云："《水经》三卷，漢中大夫桑欽譔。"稱中大夫，不知何据。

按此實爲桑欽書，故《通典》及《唐·藝文》云二卷、三卷，皆桑氏之卷第也。注其書者，惟酈氏一家。《晋書》載郭璞注釋諸書，亦但有《山海經》無《水經》，不知何人取郭氏《山海經注》移而爲《水經》之注，是猶應劭《漢書集解》，後人移入《漢記》，《新唐志》編年類遂有應劭等注荀悦《漢紀》三十卷也。然非畢氏治經詳加勘校，亦莫明其故矣。

黃圖一卷　記三輔宮觀、陵廟、明堂、辟雍、郊畤等事。

不著撰人。

《唐日本國見在書目》：《黃圖》一卷。

《唐書·經籍志》：《三輔黃圖》一卷。《藝文志》同。

《玉海》地理類：《三輔黃圖序》曰："孔子作《春秋》，築一臺，新一門，必書於經。今哀秦漢以來宮殿、門闕、樓觀、池苑在三輔者，著於篇。東都不與焉。"

《四庫提要》曰："《三輔黃圖》六卷，不著撰人名字。蓋六朝舊笈，而唐人刪補，故晉灼注《漢書》引之，而其中又有唐地名也。所記皆漢代三輔古蹟，而於宮殿、苑囿之制，條分縷晰，至爲詳備。"

陽湖孫星衍輯本序曰："《三輔黃圖》始見於《隋·經籍志》，不著撰人。如淳、晉灼多引其文，劉昭注《郡國志》引《黃圖》云：'下邽縣并鄭，桓帝西巡復之。'則爲漢末人，其書亦名《西京黃圖》，舊有叙不傳，故臣瓚引《西京黃圖序》'民摩錢取屑'

也。舊書有圖，特以文爲標識，故其詞甚簡。今書中所稱舊圖云云者，標識之辭，下有文複出者，圖説是也。漢人著書存者絶少，今刺取舊文，依《隋志》成爲一卷。"又《孫祠書目》曰："《三輔黃圖》又一卷，星衍及莊逵吉集刊本。"

鎮洋畢沅校刊序曰："《三輔黃圖》，《隋》、《唐志》云一卷，即所謂舊圖也。舊圖唐已後佚久矣。"

洛陽記四卷

不著撰人。

章氏《考證》：《水經·穀水注》、《文選·東京賦》注、《後漢書·堅譚傳》注、《通典·職官門》注、《初學記·地部》、《北堂書鈔·酒食部》、《太平御覽·地部》並引《洛陽記》，不著撰名。

按兩《唐志》有戴延之《洛陽記》一卷，此或因戴氏記而附益者。戴有《甄異傳》，見前雜傳家，似即後《西征記》二卷之一。

洛陽記一卷　陸機撰

陸機有《吴章篇》，見經部小學類。

《唐書·經籍志》：《洛陽記》一卷，陸機撰。

《唐書·藝文志》：陸機《洛陽記》一卷。

章氏《考證》：《水經·穀水注》、《文選·閒居賦》注、《後漢書·光武紀》注、《藝文類聚》、《太平御覽·居處部》、《寰宇記·河南道》並引陸機《洛陽記》。

洛陽宫殿簿一卷

不著撰人。

《唐日本國見在書目》：《洛陽宫殿簿》一卷。

《唐書·經籍志》：《洛陽宫殿簿》三卷。《藝文志》同。

章氏《考證》：《世説·巧藝篇》注、《文選·東京賦》注、《藝文類聚》、《初學記·居處部》、《後漢書·劉寬傳》注、《寰宇記·

河南道》並引《洛陽宮殿簿》。

按是書徵引頗多，其名稱少異者，有《洛陽故宮名》、《洛陽宮門名》、《洛陽宮殿名》、《洛陽宮閣名》、《洛陽宮殿記》、《洛陽宮舍記》，疑皆是是書之篇目。當時爲是類之書者，亦不止一家。《洛陽伽藍記》云："太和中，中書舍人常景，共青州刺史劉芳造洛陽宮殿門閣之名，經途里邑之號。"則北魏遷都經始之簿籍，非此書。

洛陽圖一卷　晉懷州刺史楊佺期撰

《晉書》本傳：佺期，弘農華陰人。漢太尉震之後也。少仕軍府。咸康中，拜廣威將軍、河南太守，戍洛陽，進號龍驤將軍。後爲都督雍、梁、秦三州諸軍事、雍州刺史。隆安三年，桓玄舉兵討佺期，佺期死之，傳首京都，梟於朱雀門。又《安帝本紀》：隆安二年秋七月，王恭、庾楷、殷仲堪、桓玄、楊佺期等舉兵反。九月，王師破庾楷、斬王恭。十月，仲堪等盟於尋陽，推桓玄爲主。三年十二月，桓玄襲江陵，荊州刺史殷仲堪、南蠻校尉楊佺期並遇害。

唐張彥遠《歷代名畫記》曰："古之祕畫珍圖，則有《洛陽圖》，一名《楊宮圖狀》，楊佺期撰。"按"楊宮"或是"楊公"之誤。

《唐書·經籍志》：《洛陽圖》一卷，楊佺期撰。

《唐書·藝文志》：楊佺期《洛城圖》一卷。

錢大昕《隋書考異》曰："《洛陽圖》一卷，晉懷州刺史楊佺期撰。按晉無懷州，當是雍州之譌。"

章氏《考證》：《文選·閒居賦》注、《續漢·郡國志》注、《寰宇記·河南道》並引楊佺期《洛陽記》，《後漢·儒林傳序》注、《藝文類聚·居處部》並引楊龍驤《洛陽記》。《晉書》佺期嘗爲龍驤將軍，故有此稱。

述征記二卷　郭緣生撰

郭緣生有《武昌先賢志》，見前雜傳類。

《唐書·經籍志》：《述征記》二卷,郭象撰。此稱郭象,豈緣生亦名象歟? 未審是非。

《唐書·藝文志》：郭緣生《述征記》二卷。

章氏《考證》：《水經注》引郭緣生《述征記》。《渭水注》稱郭著。他書如《北堂書鈔·藝文部》、《衣冠部》,《太平御覽·居處部》、《文部》、《禮儀部》或稱郭氏,或稱緣生。其記中多載漢代及魏晉碑碣。又《水經·渠水注》、《巨洋水注》,《初學記·地部》、《州郡部》並引郭緣《續述征記》。

> 按《御覽·地部》魚山條又稱郭衍生《述征記》,因音同而異。據所存諸佚文,似緣生從宋武北征慕容超,西征姚泓時所記,並在晉義熙中也。

西征記二卷　戴延之撰

戴延之即載祚,有《甄異傳》,見前雜傳家。

《唐書·經籍志》：《西征記》一卷,戴祚撰。

《唐書·藝文志》：戴祚《西征記》二卷。

章氏《考證》：《水經·河水注》多引戴延之《西征記》。他如《廣韻》注、《史記·高祖紀》正義、《御覽·州郡部》、《後漢書·班固傳》注、《楊賜傳》注亦引之,或衹稱戴延之記。《水經·洛水注》僵人穴僵尸,稱延之《從劉武王西征記》,他書皆省"從劉武王"四字。

> 案延之記漢魏太學石經,時爲考古者所援据。至今猶稱引其佚文,即是書也。兩《唐志》又有《洛陽記》一卷,疑亦在此二卷中。其時裴松之亦從宋武入關,見《魏志·齊王紀》注,故松之亦有《述征記》。蓋當時各有記述焉。

婁地記一卷　吳顧啓期撰

顧啓期始末未詳。

章氏《考證》：《文選》謝靈運《遊赤石詩》注："浪山海中南極

之觀嶺，窮髮之人，舉帆揚越，以爲標的。"《藝文類聚·草部》："婁門東南有華墩陂，中生千葉蓮花。"《太平御覽·地部》："太湖東小山，名洞庭山，東頭北面一穴，西頭南面一穴，西北一穴，僂乃得入。"並引顧啓期《婁地記》。

陽湖洪亮吉《三國疆域志》曰："揚州吳郡婁，漢舊縣，吳侯國。"

風土記三卷　晉平西將軍周處撰

《晉書》本傳：處字子隱，義興陽羨人也。未弱冠，膂力絕人，不修細行，縱情肆慾，州曲患之。處自知爲人所惡，乃入吳尋二陸。時機不在，見雲，具以情告，遂勵志好學，有文思。期年，州府交辟，仕吳爲東觀左丞。孫晧末，爲無難督。吳平，入洛，遷新平廣漢太守、楚內史、散騎常侍、御史中丞。後西征氏人齊萬年，戰没，追贈平西將軍。處著《默語》三十篇及《風土記》，并撰集《吳書》。元帝爲晉王，策諡曰孝。又《惠帝本紀》：元康七年正月癸丑，周處及齊萬年戰於六陌，處死之。

《唐書·經籍志》：《風土記》十卷，周處撰。

《唐書·藝文志》：周處《風土記》十卷。

《史通·補注篇》：若摯虞《三輔決錄》、陳壽《季漢輔臣》、周處《陽羨風土》、常璩《華陽士女》，文言美詞列於章句，委曲敍事存於細書。按此則是書亦稱《陽羨風土記》也。

章氏《考證》曰："諸書引《風土記》有分析正文、注文者，有但引注文者，有但引正文者，有正文及注同引而脱去'注曰'二字者。然分別觀之，自可考見。"

烏程嚴可均輯本序曰："處著《默語》、《風土記》、《吳書》。今《默語》、《吳書》隻字不傳，而《風土記》引見各書者尚多，采得二百三十餘事，省併複重，定著一卷。其正文協韻如古賦，而故實皆載於注，注即子隱自撰，徵用者多取注而略正文，故今所輯，注居十之九。其書撰於吳時，故稱大吳，惜其久亡，所得見者僅十之二三。然而亭邑、古跡、山水、節候、風俗、舟車、器服、物産、果實、草木、鳥獸、蟲魚，品類略備，原次無可考，即以此區分焉。”又曰：“《隋志》三卷，《舊》、《新唐志》作十卷，以史能之《咸淳毘陵志》考之，知石晉後有續補本，或舊志誤据，而新志沿之，故卷數增多耳。”

吳興記三卷　山謙之撰

山謙之略見沈約《宋書》自序，詳正史類。

《吳志·孫晧傳》：“寶鼎元年，分吳丹陽爲吳興郡。”注：皓詔曰：“今吳郡陽羨、永安、餘杭、臨水及丹陽故鄣、安吉、原鄉、於潛諸縣，地勢水流之便，悉注烏程，既宜立郡以鎮山越，且以藩衛明陵，奉承大祭，不亦可乎。其亟分此九縣爲吳興郡，治烏程。”

宋王象之《輿地紀勝》曰：“《吳興記》山謙之作。”

烏程嚴可均輯本敍曰：“《隋志》有山謙之《吳興記》三卷，《舊》、《新唐志》不著錄。因徧檢各書，寫出六十餘事，省併複重，得四十四事，定著一卷。山謙之《宋書》無傳，《禮志》三：‘太祖詔學士山謙之草封禪儀。’《隋志》別集類：‘梁有宋棘陽令《山謙之集》十二卷，亡。’官閥可考僅此。孫晧寶鼎元年，分吳丹陽二郡，置吳興郡，歷晉、宋、齊、梁，皆領十縣，故謙之記兼十縣事。《宋書·州郡志》：‘吳興領縣烏程、東遷、武康、長城、原鄉、故鄣、安吉、餘杭、臨安、於潛。’今編輯依其次第云。”

按《宋書·禮志·耕耤篇》：元嘉二十年，太祖將親耕，以其久廢，使何承天撰定儀注，史學生山謙之已私鳩集，因以奏聞。考其時置儒、玄、文、史四科，科置學士十人，而何承天領史學。謙之初以史學生爲史學學士，出爲棘陽令。孝武初，

以奉朝請受詔修史,使踵成何承天《宋書》。以疾卒,大抵是
晉司徒河內山濤之後。所撰又有《南徐州記》、《丹陽記》,
見後。

吳郡記一卷　顧夷撰

顧夷有《周易難王輔嗣義》,見經部易類。

《後漢書·順帝本紀》:永建四年,是歲,分會稽爲吳郡。亦詳見
後朱育《會稽土地記》條下。

章氏《考證》:《後漢書·楚王英傳》注引顧夷《吳地記》。《史
記·高祖紀》集解引顧夷曰:"餘杭者,秦始皇經此立爲縣。"
《漢書·伍被傳》注、《後漢書·彭修傳》注、《北堂書鈔·酒食
部》、《初學記·地部》並引《吳地記》,不著顧夷名。

京口記二卷　宋太常卿劉損撰

《宋書·劉粹傳》:粹,沛郡蕭人也。家在京口,族弟損,字子
騫,衛將軍毅從父弟也。元嘉中,歷職義興太守。太祖以損
綏撫有才,稱爲良守官。至吳郡太守,卒,贈太常。

宋王象之《輿地紀勝》曰:"東漢末年吳王孫權初鎮丹徒,謂之
京城,後遷建業於此,置京口鎮。晉元帝渡江,於京口僑置
徐、兗二州。晉朝常號北府。宋文帝以南徐州治京口,自吳
至陳,京口常爲重鎮。"《南史·劉延孫傳》:先是,武帝遺詔:"京口要地,去
都密邇,自非宗室近戚,不得居之。"

《唐書·經籍志》:《京口記》二卷,劉損之撰。

《唐書·藝文志》:劉損之《京口記》二卷。

章氏《考證》:《藝文類聚·地部》、《水部》、《居處部》、《菓部》,
《北堂書鈔》,《初學記·地理部》云:"有龍目湖,秦始皇改名
丹徒。"又《御覽·地部》並引稱劉禎《京口記》。按"禎"爲"損"之
誤。《輿地碑記目》:《京口舊記》,山謙之、劉損之皆作,山謙之
記,未見逸篇。"按《輿地碑記目》即從《輿地紀勝》中析出。《紀勝》本文實云"潤

州舊記山謙之、劉損之皆作輯碑目"者,改爲"京口舊記",以山、劉時非潤州之名也。

然劉所作,名《京口記》既然矣。山所作不名京口,名南徐州也。章氏云"未見佚篇",

蓋未悟京口即南徐州,詳見下方。

南徐州記二卷　山謙之撰

山謙之有《吳興記》,見前。

《宋書·州郡志》:晉永嘉大亂,幽、冀、青、并、兗州及徐州之
淮北流民相率過淮,亦有過江在晉陵郡界者。晉成帝咸和四
年,司空郗鑒又徙流民之在淮南者於晉陵諸縣。案晉陵即毘陵,亦
即蘭陵,今常州府。徙入内地,所以遠寇。其徙過江南及留在江北者,並
立僑郡縣,以司牧之。徐、兗二州,或治江北,江北又僑立幽、
冀、青、并四州。安帝義熙七年,始分淮北爲北徐,淮南猶爲
徐州。後又以幽、冀合徐,青、并合兗。武帝永初二年,加徐
州曰南徐,而淮北但曰徐。文帝元嘉八年,更以江北爲南兗
州,江南爲南徐州,治京口,割揚州之晉陵、兗州之九郡僑在
江南者屬焉。故南徐州備有徐、兗、幽、冀、青、并、揚七州郡
邑。領郡十七、縣六十三。

《史通·書志篇》曰:"帝王建國,本無恒所,作者記事,亦在相
時。遠則漢有《三輔典》,近則隋有《東都記》,於南則有宋《南
徐州記》、《晉宮闕名》,於北則有《洛陽伽藍記》、《鄴都故事》。
蓋都邑之事,盡在是矣。"

《唐書·經籍志》:《南徐州記》二卷,山謙之撰。

《唐書·藝文志》:山謙之《南徐州記》二卷。

宋王象之《輿地紀勝》曰:"《潤州舊記》,唐山謙之、劉損之皆
作。"按此誤以山、劉爲唐人。京口、南徐州即今鎮江府。唐時爲潤州,其云皆作
者,即此與前書是也。

章氏《考證》:《文選·七發》注、《藝文類聚·山部》、《太平御
覽·地部》並引山謙之《南徐州記》。《世説·捷悟篇》注:"徐

州人多勁悍，號精兵。”《排調篇》注：“徐州都督北府之號，自晉王舒起。”《史記‧絳侯周勃世家》正義“丹徒峴龍目湖”，並引《南徐州記》，不著山謙之名。

會稽土地記一卷　朱育撰

朱育有《毛詩答雜問》，見經部詩類。

《吳志‧虞翻傳》注：《會稽典錄》曰：“孫亮時，山陰朱育仕郡門下書佐，太守濮陽興問曰：‘吾聞秦始皇二十五年，以吳越地爲會稽郡治吳。漢封諸侯王，以何年復爲郡而分治於此？’育對曰：‘劉賈爲荆王，賈爲英布所殺，又以劉濞爲吳王。景帝四年濞反誅，乃復爲郡，治於吳。元鼎五年，除東越，因以其地爲治，并屬於此，而立東部都尉，後徙章安。陽朔元年，又徙治鄞，或有寇害，復徙句章。到永建四年，劉府君上書，浙江之北，以爲吳郡，會稽還治山陰。自永建四年歲在己巳，以至今年，積百二十九歲。’府君稱善。是歲，吳之太平三年，歲在丁丑。”

《唐書‧經籍志》雜傳家：《會稽記》四卷，朱育撰。

《唐書‧藝文志》雜傳記類：朱育《會稽記》四卷。

章氏《考證》：《世說‧言語篇》注：“東陽長山靡迤，而長縣因山得名。又山陰邑在山陰，故以名焉。”此引《會稽土地志》，不著朱育名。

　案本志《土地記》一卷，兩《唐志》合土地人物爲一書，故四卷。又以其書記人物爲多，故入之傳記。其人物則《會稽典錄》所載，虞翻對太守王朗問，朱育對太守濮陽興問，各言本郡古今來人士，當在其書，亦大略可覩已。

會稽記一卷　賀循撰

賀循有《喪服要》，見經部三禮類。

章氏《考證》：《史記‧越世家》正義：“少康少子號曰於越。

越國之稱始此。"《御覽‧地部》:"石簣山其形似簣,在宛委山上。"並引賀循《會稽記》。

案本志雜傳類有《會稽先賢像贊》五卷,不著撰人。兩《唐志》並云賀氏撰,似其舊本與此爲一書,凡六卷。後人分析,言地域山川者入此類,遂分屬兩篇。又《宋書‧州郡志》會稽始寧令下引賀《續會稽記》,或循之後別有修纂者。

又疑"續"爲"循"字之誤。又或"續"上有"循"字,循蓋續朱育之書也。

隋王入沔記六卷　宋侍中沈懷文撰　"隋"當爲"隨"。

《宋書》本傳:懷文字思明,吳興武康人也。爲尚書殿中郎,隨王誕鎮襄陽,出爲後軍主簿,與諮議參軍謝莊共掌辭令,領義成太守。大明中,爲侍中。懷文與顏竣、周朗素善,竣以失旨見誅,朗亦以忤意得罪,懷文屢經犯忤,上倍不悅。大明六年免官,收付廷尉,賜死,時年五十四。

《唐書‧經籍志》:《隋王入沔記》十卷,沈懷文撰。

《唐書‧藝文志》:沈懷文《隨王入沔記》十卷。

嘉定錢大昕《隋書考異》曰:"《隋王入沔記》六卷,'隋'當作'隨',此校書人妄改。"

案《宋書‧文五王傳》:竟陵王誕,文帝第六子也。元嘉二十年,年十一封廣陵王。二十六年,出爲都督、後將軍、雍州刺史,改封隨郡王。上欲大舉北討,以襄陽外接關河,欲廣其資力,乃罷江州軍府,文武悉配雍州、湘州,入臺稅租雜物,悉給襄陽。及大舉北伐,命諸蕃出師,莫不奔敗,乃徵誕還京師。時懷文殆以後軍主簿,隨王至襄陽,爲此記。

荆州記三卷　宋臨川王侍郎盛弘之撰

盛弘之始末未詳。

《通典‧州郡門》序曰:"凡言地理者多矣。在辨區域,徵因革,知要害,察風土。纖介畢書,樹石無漏,盈盈百軸,豈所謂撮機要者乎？如誕而不經，偏記雜説，何暇編舉。"注曰："謂辛氏《三秦記》、常璩《華陽國志》、羅含《湘中記》、盛弘之《荆州記》之類，皆自述鄉國靈怪，人賢物盛。參以他書，則多紕謬，既非通論，不暇取之矣。"

章氏《考證》：弘之書見引最多，《文選注》、《初學記》、《藝文類聚》、《太平御覽》皆引之，如《藝文·居處部》穀城門石人腹銘曰："摩兜鞬，慎莫言。"《御覽·文部》冠軍縣張唐墓碑背曰："白楸之棺，易朽之裳，銅錢不入，瓦器不藏。嗟矣後人，幸勿見傷"。並出弘之《荆州記》。

神壞記一卷　記滎陽山水。黄閔撰

黄閔始末未詳。章氏云："《後漢書·南蠻西南夷傳》注，《御覽·地部》。《樂部》、《書鈔·樂部》並引黄閔《武陵記》。"

案《續漢·郡國志》："河南尹滎陽有鴻溝水，有廣武城，有虢亭。虢叔國有隴城之薄亭，有敖亭，有費澤。"注云："鴻溝即官渡水。廣武東、西二城在三皇山，或謂三室山。漢祖與項籍語處。敖亭即秦敖倉，費澤即滎澤，蓋古戰場也。"又《御覽·地部》、《人事部》引王韶之《神境記》云："滎陽縣蘭嚴山有雙鶴，昔有夫婦隱此山，化成鶴。又九嶷有青澗，中有黄色蓮花。"又云："滎陽有靈源山，有石髓紫芝。"《神境記》，蓋亦記滎陽山水古蹟，與此相類，特不知黄閔與王韶之孰先孰後耳。此疑《武陵記》之一。

豫章記一卷　雷次宗撰

雷次宗有《毛詩序義》，見經部詩類。

《唐書·藝文志》：雷次宗《豫章記》一卷。

《宋史·藝文志》：雷次宗《豫章古今記》三卷。

《崇文總目》：《豫章古今誌》三卷，雷次宗撰。又《輿地碑記目》云："《豫章事實》雷次宗撰。"

《四庫提要》存目：《豫章今古記》一卷，不著撰人。考《隋志》

有雷次宗《豫章記》一卷,是編首引次宗語,末云次宗於元嘉
六年撰《豫章記》,則必非雷書所紀。至唐而止,分郡記、寶瑞
記、寺觀記、鬼神記、變化記、神祗記、山石記、冢墓記、翹俊記
等九部,記載寥寥,絶無體例,疑依託者雜鈔成之也。按此似即
從《説郛》鈔出者。

章氏《考證》:《藝文·軍器部》載雷孔章爲豐城令,得龍淵、太
阿二劍。《晉書·張華傳》即取資此記。然《水經·贛水注》
引次宗言"鸞岡鶴嶺",以舊説爲繫風捕影之論,是次宗亦不
專尚奇異也。《寰宇記·江南西道》引次宗《豫章記》十二事,
其不著次宗名者,不録入焉。

蜀王本紀一卷　揚雄撰

揚雄有《方言》,見經部論語類。

《華陽國志·序志》曰:"司馬相如、嚴君平、楊子雲、陽成子
玄、鄭伯邑、尹彭城、譙常侍、任給事等各集傳記,以作本紀,
略舉其隅。"又曰:"《蜀紀》言'三皇乘祇車出谷口'。秦宓曰:
'今之斜谷也。'及武王伐紂,蜀亦從行。《史記》周貞王之十
六年,秦厲公城南鄭。此谷道之通久矣。而説者以爲蜀王因
石牛始通,不然也。《本紀》既以炳明,而世俗間横有爲蜀傳
者,言蜀王、蠶叢之間周迴三千歲。又云:荆人鱉靈死,屍化
西上,後爲蜀帝。周萇弘之血,變成碧珠。杜宇之魄,化爲子
鵑。案《蜀紀》:'帝居房心,決事參伐。'參伐則蜀分野,言蜀
在帝議政之方,帝不議政,則王氣流於西。故周失紀綱,而蜀
先王。七國皆王,蜀又稱帝。此則蠶叢自王,杜宇自帝,皆周
之叔世,安得三千歲? 且太素資始,有生必死。自古以來,未
聞死者能更生;當世或遇有之,則爲怪異,子所不言,況能爲
帝王乎? 碧珠出不一處,地之相距動數千里,一人之血豈能
致此? 子鵑鳥,四海有之,何必在蜀? 漢末時,漢中祝元靈,

性滑稽，用州牧劉焉談調之末，與蜀士燕胥，聊著翰墨，當時以爲極歡，後人有以爲惑。恐此之類，必起於元靈之由也。惟智者辨其不然。”

《史通·因習篇》曰：“國之有僞，其來尚矣。如杜宇作帝，句踐稱王，而揚雄撰《蜀紀》，子貢作《越絕》。考斯所作，咸是僞書。”謂僭僞之書，猶云僞史也。又《雜説篇》云：“揚雄《法言》好論司馬遷，且哂子長愛奇多雜。今觀其《蜀王本紀》稱杜魄化而爲鵑，荆屍變而爲鼈，其言如是，何其鄙哉。所謂非言之難，而行之難也。”

《唐書·經籍志》：《蜀王本紀》一卷，揚雄撰。

《唐書·藝文志》：揚雄《蜀王本紀》一卷。

章氏《考證》：按杜宇作帝，死化子規，見《文選·蜀都賦》注。荆尸鼈令見《思玄賦》注。至如武都山精化爲女子，朱提男子從天而下，自稱望帝；五丁秦迎女，山崩化爲石；秦襄王時，宕渠郡獻長人二十五丈六尺。此類亦杜宇、鼈令之流。

嚴可均《全漢文編》曰：“揚雄有《蜀王本紀》一卷，今輯諸書引見者，凡二十六條。”

《孫祠書目》：《蜀王本紀》一卷，洪頤煊集本。

按蜀在周時稱王稱帝，故記其事者，相承稱爲本紀。諸書言揚雄載諸怪異事，多以爲譏。今考常璩《序志》，則自司馬相如以下八家，皆無是説。舊傳揚雄書中屢有祝元靈、燕胥之語，皆出二人之所起，集矢於子雲，非其的矣。祝元靈名龜，南鄭人。劉焉授爲葭萌長，撰《漢中耆舊傳》。司馬相如有《凡將篇》，見小學家，嚴君平有《老子注》，見道家。陽成子玄疑即陽城子長，爲王莽作《樂經》，見樂類。鄭伯邑名廛，尹彭城名貢，譙常侍名周，任給事名熙，皆後漢魏晉時人。與燕胥並見《華陽國志》。近刻《古逸叢書·雕玉集》

亦引楊雄《蜀王本紀》，此嚴、洪所未及見。

三巴記一卷　譙周撰

譙周有《論語注》，見經部論語類。

《華陽國志・巴志》：漢獻帝初平元年，征東中郎將安漢趙穎建議分巴爲二郡，穎欲得巴舊名，故白益州牧劉璋，以墊江以上爲巴郡，江南龐羲爲太守，治安漢。以江州至臨江爲永寧郡，胸忍至魚復爲固陵郡，巴遂分矣。建安六年，魚復蹇允白璋，爭巴名。璋乃改永寧爲巴郡，以固陵爲巴東，徙羲爲巴西太守。是爲三巴。

《唐書・經籍志》：《三巴記》一卷，譙周撰。

《唐書・藝文志》：譙周《三巴記》一卷。

章氏《考證》：《玉篇・巴部》：“閬白水東南，遶如巴字。”《藝文類聚・樂部》：“閬中有渝水賨民，銳氣善舞。高祖使樂人習之，故樂府中有巴渝舞。”《太平御覽・人事部》、《禮儀部》並引巴國將軍曼子事，俱見譙周《三巴記》。《續漢・郡國志》引有《巴漢志》。

侯康《補三國藝文志》曰：“譙周《三巴記》，《續漢書・郡國志》巴郡下屢引之。”案《宋書・州郡志》益州、巴西郡亦兩引譙周《巴志》。

珠崖傳一卷　僞燕聘晉使蓋泓撰

蓋泓始末未詳。

《漢書・武帝本紀》：“元鼎六年，遂定南越地，以爲南海、蒼梧、鬱林、合浦、交阯、九真、日南、珠崖、儋耳郡。”應劭曰：“珠崖、儋耳二郡在大海中，崖岸之邊，出真珠，故曰珠崖。”張晏曰：“《異物志》二郡在海中，東西千里，南北五百里。珠崖，言珠若崖矣。”臣瓚曰：“《茂陵書》珠崖郡治瞫都，去長安七千三百二十四里。”師古曰：“瞫，音審。”

《晉書・地理志》交州部：“漢武帝元封中，置儋耳、珠崖二郡。

昭帝始元五年,罷儋耳,并珠厓。元帝元初三年,又罷珠厓郡。吳赤烏五年復置,平吳後,省珠厓入合浦。"

章氏《考證》:《太平御覽‧果部》引《珠厓傳》、《珠厓故事》各一條。

陳留風俗傳三卷　圈稱撰

圈稱有《陳留耆舊傳》二卷,見前雜傳類。

《唐書‧經籍志》:《陳留風俗傳》三卷,闕稱撰。此稱"闕",誤也。

《唐書‧藝文志》:圈稱《陳留風俗傳》三卷。又見於雜傳記類。

按此《風俗傳》與《耆舊傳》本爲一書,前世著録家乃分出《耆舊傳》二卷入雜傳,而此連《風俗傳》并入於地理,務欲各充其類故也。《唐經‧籍志》總入此類,《新志》則兩頭互見。

鄴中記二卷　晉國子助教陸翽撰

陸翽始末未詳。

《唐書‧藝文志》:陸翽《鄴中記》二卷。

陳氏《書録解題》:《鄴中記》一卷,不著名氏。記自魏而下及僭僞都鄴者六家宮殿事迹。

《四庫》載記類《簡明目録》曰:"《鄴中記》一卷,晉陸翽撰。原本久佚,今從《永樂大典》録出所記,皆石虎逸事。中載及北齊高歡、高洋二條,又有引隋杜臺卿《玉燭寶典》一條,似後人誤以《鄴都故事》竄入,蓋諸書引此二書,往往相亂也。"

春秋土地名三卷　晉裴秀客京相璠撰

章氏《考證》曰:"《春秋土地名》,經部春秋類已見,此系重出。"

衡山記一卷　宋居士撰　"宋"當爲"宗"。

《南史‧隱逸‧宗測傳》:測字敬微,一字茂深,家居江陵,少靜退,不樂人間。徵辟一無所就。永明中,欲遊名山,長子賓爲南郡丞,付以家事,遂往廬山,止祖少文舊宅。與同志庾易、劉虬、宗人尚之等往來講説。建武二年卒。續皇甫謐《高士傳》三卷,嘗游衡山七嶺,著《衡山》、《廬山記》。

章氏《考證》:《南齊書·高逸傳》:"宗測,宋徵士炳孫也。少靜退,辟徵不就,嘗游衡山,著《衡山記》。"《隋志》"宋"當作"宗"。《文選》江文通《雜體詩》注、《藝文類聚》及《御覽·地部》並引《衡山記》。

遊名山志一卷　謝靈運撰

謝靈運有《晉書》,見前正史類。

《宋書》本傳:靈運出爲永嘉太守,郡有名山水,素所愛好,出守既不得志,遂肆意游遨,徧歷諸縣,動踰旬朔,民間聽訟,不復關懷。所至輒爲詩詠,以致其意。在郡一周,稱疾去職。靈運父祖並葬始寧縣,并有故宅及墅,遂移籍會稽,修營別業,傍山帶江,盡幽居之美。與隱士王弘之、孔淳之等縱放爲娱。及爲侍中,以病東歸,而游娱宴集,以夜續晝,復爲御史中丞傅隆所奏,坐以免官。與族弟惠連、東海何長瑜、潁川荀雍、太山羊璿之,以文章賞會,共爲山澤之游,時人謂之四友。靈運因父祖之資,生業甚厚。奴僮既衆,義故門生數百,鑿山浚湖,功役無已。尋山陟嶺,必造幽峻,巖障千重,莫不備盡。嘗自始寧武進李兆洛《地理韻編》曰:"今上虞縣西南五十。"南山伐木開逕,直至臨海,從者數百人。臨海太守王琇驚駭,謂爲山賊,徐知是靈運乃安。在會稽亦多徒衆,驚動縣邑。太守孟顗事佛精懇,而爲靈運所輕,言論毀傷,遂構讎隙。因靈運横恣,百姓驚擾,乃表其異志,發兵自防,露板上言。靈運馳出京都,詣闕上表自陳,太祖知其見誣,不罪也。不欲使東歸,以爲臨川内史。在郡游放,不異永嘉云。

章氏《考證》:《文選》謝靈運《游赤石詩》、《石壁精舍詩》、《登石門詩》、《斤竹岡詩》、《登臨海嶠詩》、《南樓詩》注並引靈運《遊名山志》。《藝文類聚・山部》引石門事與《選注》語異。

嚴可均《全宋文編》曰："謝靈運《游名山志》今見於《文選注》、《初學記》、《御覽》者，凡一十二條。"

聖賢冢墓記一卷　李彤撰

李彤有《字指》，見經部小學家。

《唐書・藝文志》：李彤《聖賢冢墓記》一卷。

章氏《考證》：《文選・丘希範與陳伯之書》注引《聖賢冢墓記》、《寰宇記・淮南道》引《古今冢墓記》，又引《古今葬地記》。

案《史記・五帝本紀》索隱云："《皇覽》，書名也。記先代冢墓之處。"侯氏《補三國藝文志》曰"《御覽・禮儀部》引《皇覽・冢墓記》二十餘條，《水經注》引《皇覽》十三條，言冢墓者十之九。冢墓者，即《皇覽》四十餘部中之一"云云。疑此從《皇覽》抄出者，又疑即《皇覽》之佚本。李彤卒年無考，或魏時與修《皇覽》，至晉初猶存，爲朝議大夫歟。

又案馬氏玉函山房《字指》輯本曰："《御覽》二十五，又九百十五引李彤四部，曰弔鳥山，俗傳曰鳳死其上，每至七月九日臨望，群鳥常來集其上鳴呼也。四部者，豈即《字指》二卷、《單行字》四卷、《字偶》五卷，并此書共一十二卷，合爲四部一帙歟？"

佛國記一卷　沙門釋法顯撰

法顯有《別傳》兩部，見前雜傳類。

明胡震亨刻書跋曰："此書舊名《法顯傳》，《法顯傳》原有兩種，其一種二卷者已亡；其一種止一卷，則今書是也。傳尾有晉人記云：'先所略者，勸令詳載，顯復具敍始末應是一卷者後出，句。詳備，二卷者遂廢不行耳。'"

《四庫提要》曰："是書胡震亨刻入《祕册彙函》中，從舊題曰

《佛國記》。而震亨附跋則以爲當名《法顯傳》。今考《水經
注》引此者，皆曰《法顯傳》，則震亨之説似爲有據。然《隋志》
雜傳類中載《法顯傳》二卷，《法顯行傳》一卷，不著撰人；地理
類載《佛國記》一卷，注曰沙門釋法顯撰。一書兩收，三名互
見，則亦不必定改《法顯傳》也。”

又《簡明目録》曰：“法顯於晉義熙中自長安遊天竺，經歷三十
餘國，歸與天竺禪師參互辨定，以成此書，中多自尊其教之
詞，不足與辨；其山川道里，則未嘗不可資考核也。”

遊行外國傳一卷　　沙門釋智猛撰

慧皎《高僧傳》：釋智猛，京兆新豐人。少襲法服，每聞外國道
人説天竺國土有釋迦遺跡及方等衆經，遂以僞秦宏始六年_姚
_{興年號，時爲晉安帝元興三年}。發跡長安，西入流沙，歷鄯善、龜茲、
于闐諸國，至波淪國、罽賓國、奇沙國、迦維羅衛國、華氏國、
阿育王舊都。以甲子歲發天竺，還於涼州。_{甲子歲爲宋文帝元嘉元}
_{年，往反凡二十一年}。以元嘉十四年入蜀，十六年七月造傳，記所
游歷。元嘉末卒於成都。余歷尋游方沙門，記列道路，時或
不同，知游往天竺，非止一路，故傳述見聞，難以例也。_{本志道佛}
_{篇：晉元熙中，新豐沙門智猛西行到華氏城，至高昌}。

《唐書·經籍志》：《外國傳》一卷，釋智猛撰。

《唐書·藝文志》：僧智猛《遊行外國傳》一卷。

交州以南外國傳一卷

不著撰人。

《唐書·經籍志》：《交州已來外國傳》一卷。_{《藝文志》著録同}。

章氏《考證》曰：“《唐志》‘南’訛作‘來’。”

　　案《梁書·諸夷列傳》序“海南諸國，大抵在交州南及西海
　　大海洲上，相去或四五千里，遠者二三萬里，其西與西域諸
　　國接。漢元鼎中，遣伏波將軍路博德開百越，置日南郡。

其徼外諸國，自武帝以來皆朝貢。後漢桓帝世，大秦、天竺皆由此道遣使貢獻。及吳孫權時，遣宣化從事朱應、中郎康泰通焉。其所經過及傳聞，則有百數十國，因立記傳"云云。是朱應、康泰嘗撰《外國傳》。《御覽》三百五十九引康泰《吳時外國傳》。又七百八十言康泰表上《扶南土俗》，引凡十二條，疑即是書。此一卷，或非其全。

十洲記一卷　東方朔撰

東方朔有《別傳》，見前雜傳類。

《唐日本國見在書目》：《十洲記》一卷，東方朔撰。《唐·經籍志》同。

《唐書·藝文志》神仙家：東方朔《十洲記》一卷。

宋晁載之《續談助》鈔書跋曰："右鈔世所傳漢太中大夫東方朔所撰《海內十洲記》。朔之自序其略曰：'漢武帝既聞王母言八方巨海之中有十洲，始知朔非世俗庸人，是以延之曲室而親問十洲所在。'案朔雖多怪誕，然不至於著書妄言若此之甚，疑後人借朔以求信耳。然李善注《文選》郭景純《遊仙詩》已云東方朔《十洲記》，則亦近古所傳也。"

《四庫》小說家提要曰："十洲者，祖洲、瀛洲、懸洲、炎洲、長洲、元洲、流洲、生洲、鳳麟洲、聚窟洲也。後又附滄海島、方丈洲、扶桑、蓬丘、崑崙五條，大抵恍惚支離，不可究詰。蓋六朝詞人所依託，觀其引衛叔卿事，知出《神仙傳》。後引《五岳真形圖》事，知出《漢武內傳》後也。然自《隋志》已著於錄，李善注《文選》、陸德明《莊子釋文》屢引其文。唐人詞賦引用尤多，固錄異者所不能廢也。"

神異經一卷　東方朔撰張華注

張華有《博物志》，別見子部雜家。

《唐日本國見在書目》：《神異經》一卷，東方朔撰，張華注。

《唐書·經籍志》:《神異經》二卷,東方朔撰。

《唐書·藝文志》神仙家:東方朔《神異經》二卷,張華注。

《四庫》小説家提要曰:"凡四十七條,皆荒外之言,怪誕不經。然《隋志》載此書,已稱東方朔撰,張華注。則其僞在隋以前,觀其詞華縟麗,格近齊、梁,當由六朝文士影撰而成,與《洞冥》、《拾遺》諸記先後並出,故陸倕《石闕銘》、徐陵《玉臺新詠序》並引用之,流傳既久,不妨過而存之。"

異物志一卷　後漢議郎楊孚撰

明區大任《百越先賢志》:"楊孚字孝元,南海人。章帝朝舉賢良對策,上第拜議郎,南海屬交阯部,刺史競事珍獻,孚乃枚舉物性靈悟,指爲異品以諷切之,著爲《南裔異物志》。後爲臨海太守,復著《臨海水土記》。世服孚高識,不徒博雅。"又云:"孚家江滸北岸。"案後漢無臨海郡,臨海立郡始於吳孫亮太平二年,此有譌誤。

章氏《考證》:"《後漢書·賈琮傳》注、《馬融傳》注,《北堂書鈔·酒食部》並引楊孚《異物志》。"又曰:"《水經·葉渝河注》、《温水注》並引楊氏《南裔異物志》。"又曰:"《藝文類聚·鳥部》引一條,稱楊孝元《交州異物志》。又一引稱楊孝先《交阯異物志》。"

南海曾釗輯本序曰:"考楊孚爲漢章帝時議郎,而臨海置於吳太平二年,又《續漢·五行志》注引《楊孚》、《董卓傳》。據此,則議郎歷漢末,至吳時尚存,蓋百餘歲人矣。而史志猶稱爲漢議郎,其不仕吳可知。粵人著作見於史志,以議郎爲始。爰刺取群書,以宋爲斷,稱楊孚撰者,得若干條,編爲一帙。其不著撰名,惟稱《異物志》者,雖灼知爲議郎書,亦別爲一帙,附于後。"

案章帝至董卓伏誅之後已百餘年,此甚可疑。區《志》、曾

《序》所云恐皆非事實，別無可考，姑存録之。

南州異物志一卷　吳丹陽太守萬震撰

萬震始末未詳。

《唐書・經籍志》：《南州異物志》一卷，萬震撰。

《唐書・藝文志》：萬震《南州異物志》一卷。

章氏《考證》：《世説・汰侈篇》注："珊瑚生大秦國。"《左傳・定公》正義："象身數倍牛。"《漢書・武紀》注："能言鳥有三種。"《文選・江賦》注："鸚鵡螺狀如覆杯。"並引萬震《南州異物志》。《史記・太宛傳》正義引大月氏天竺事，祇稱萬震《南州志》。

侯康《補三國藝文志》曰："《藝文類聚》、《御覽》屢引之，其中有用四字韻語者，意此書體例，每物各爲一贊語。而別以散文詳釋其形狀，如戴凱之《竹譜》之類，諸書或引散文，或引贊文。《御覽》七百九十引扶南海隅一條，有小注，即其附注也。"

蜀志一卷　東京武平太守常寬撰

常寬有《續益部耆舊傳》二卷，見前雜傳家。

《華陽國志・後賢志》：常寬撰《蜀後志》及《後賢傳》。

又《後賢志》序曰："西州自奉聖晉後，俊偉倜儻之士，或羽儀上京，策勳王府，甄名史録，侔于先賢。會遇喪亂軋搆，華夏顛墜，典籍多缺。族祖武平府君，慇其若斯，乃操簡援翰，拾其遺闕。然但言三蜀，巴漢未列，又務在舉善，不必珍異。"

又《大同志》序曰："族祖武平府君作《蜀後志》，書其大同及其喪亂，然逮在李氏，未相條貫，又其始末有不詳第。"

發蒙記一卷　束晳撰。記物産之異。

束晳別有《發蒙記》一卷，見經部小學家。

章氏《考證》：《隋志》經部小學類有束晳《發蒙記》一卷，此疑重出。然注特言記物産之異，或名同而書殊。《史記·匈奴傳》索隱"駃騠剡其母腹而生"。《殷本紀》正義："鱉三足曰熊。"《初學記·獸部》："西域有火鼠之布，東海有不灰之木。"《御覽·兵部》："師子五色而食虎於巨木之岫。"並引束皙《發蒙記》。此類與《諸異物志》相彷，故亦入地理類。

《地理書》一百四十九卷　録一卷。陸澄合《山海經》已來一百六十家，以爲此書。澄本之外，其舊事並多零失。見存別部自行者，唯四十二家，今列之于上。今案列之于上者，止三十九家，則已佚脱其三家，今無從而知之矣。　陸澄詳見雜傳類。

本志篇敍曰："齊時陸澄聚一百六十家之説，依其前後遠近編而爲部，謂之《地理書》。"又曰："陸澄所記之内而又別行者，録在其書之上。"案四十二家，今惟見三十九家，尚有一百二十一家，其書名撰人皆在陸書，今不可見矣。又澄合百六十家之書而編卷止于百四十有九，知其中零雜小部不盈一卷者多矣。

《史通·書志篇》曰："自沈瑩著《臨海水土》，周處撰《陽羨風土》，厥類衆夥，諒非一族。是以《地理》爲書，陸澄集而難盡。"

《唐書·經籍志》：《地理書》一百五十卷，陸澄撰。

《唐書·藝文志》：鄧基陸澄《地理志》一百五十卷。鄧基未詳，豈與陸澄同編是書者歟？

案章氏《考證》云《隋志》注言"陸澄合《山海經》已來諸家見存別部自行者二十四家，今志中所列共三十九家，自是于陸澄所合外增著十五家"云云，以四十二家爲二十四家，故有此誤會，謂增著十五家也。又附注云《交州異物志》、《扶南異物志》、《臨海水土物志》、《涼州異物志》四家志，本著在陸澄書下，故計增著者，惟十五家也。其語更不可曉，反覆推尋，蓋此四家，本志著在陸、任二記之後者，章乃移列

於是書之前,乃就己書編次而言,與本志考證無涉,甚無謂
也。恐其疑誤後人,故附識于此。本志此類淆亂已甚,章氏又復亂之
治絲而棼益無端緒。

以上就陸澄所記爲斷,編爲一類,其例拘攣特甚。

三輔故事二卷　晉世撰

不著撰人。

《唐書・經籍志》故事類:《三輔舊事》一卷,韋氏撰。

《唐書・藝文志》故事類:"韋氏《三輔舊事》一卷。"又地理類:
"《三輔舊事》三卷。"

武威張澍二酉堂輯本序曰:"《唐志》地理類有《三輔舊事》
三卷,不著纂人名。故事類有韋氏《三輔舊事》一卷。然案
《漢書・郊祀志》注、《續漢・祭祀志》注、《史記・始皇本紀》
索隱、《後漢書・劉盆子傳》注或稱《三輔故事》,或稱《舊
事》。而《初學記》、《藝文類聚》諸書亦故事、舊事互引。劉
昭已引其辭,《唐志》題爲韋氏。据《後漢書・韋彪傳》:'肅
宗建初七年,車駕西狩,行太常,數召彪入,問三輔舊事,禮
儀風俗,彪因建言追録高帝、中宗功臣。彪著書十二篇,號
《韋卿子》。'然《括地志》引忖留事言魏太祖馬驚,是《舊事》。
未必爲韋氏所著也。又《文選・西京賦》注、《陶徵士誄》注
引二事,稱《三輔三代舊事》。其書大抵與《漢宮闕疏》、《三
輔宮殿簿》、《漢官典職》、《三輔黄圖》、《漢舊儀》、《漢廟記》
同體。"又曰:"《隋志》《三輔故事》,晉世纂二卷,今就所別
録,各爲卷帙。"

章氏《考證》:《隋志》稱此書撰自晉世,《唐志》題爲韋氏。
《後漢書》:帝數召韋彪問《三輔舊事》。《群輔録》載順豹
義,爲韋氏三君。又韋孟達爲扶風三達之一,是韋氏固三
輔聞人也。《選注》引二事,稱《三輔三代舊事》,"三代"二

字未詳。

　　案本志雜傳篇云：“後漢光武，始詔南陽，撰作風俗，故沛、
　　三輔有耆舊節士之序。”後有作者，則韋彪因章帝問而爲
　　書，此或晉人增補韋氏之書，引稱三代者，殆以時代分篇。
　　《選注》所引非全文，不見有三代事，故以爲疑。試思三輔
　　三代之事，當多於《蜀王本紀》，可推類見之矣。

湘州記二卷　庾仲雍撰

庾仲雍始末未詳。似即新野庾氏，有《江記》、《漢水記》各五卷，見後。又有
《荆州記》，見《文選注》、《藝文類聚》引。

　　《宋書·州郡志》：湘州刺史，晉懷帝永嘉元年，分荆州之
長沙、衡陽、湘東、邵陵、零陵、營陽、建昌、江州之桂陽八
郡立，治臨湘。成帝咸和三年，省。安帝義熙八年復立，十
二年又省。宋武帝永初三年又立，文帝元嘉八年省。十七
年又立，二十九年又省。孝武孝建元年又立。領郡十，縣
六十二。

　　《唐書·藝文志》：《湘州記》四卷。不著撰人。

　　章氏《考證》：“《初學記·天部》、《地理部》，《御覽·天部》、
《地部》並引庾仲雍《湘州記》。又《御覽·地部》引君山一事，
稱庾穆之《湘州記》。”又曰：“《藝文類聚·山部》引一事，稱庾
仲雍《湘中記》。”

　　案宋晁載之《續談助》鈔《殷芸小説》引庾穆之《湘州記》，云
“賈誼宅今爲陶侃廟”云云，似庾穆之即仲雍也。

吳郡記二卷　晉本州主簿顧夷撰

　　章氏《考證》：前已著顧夷《吳郡記》一卷，此疑重出。

日南傳一卷

不著撰人。

　　《漢書·地理志》：“日南郡，故秦象郡。武帝元鼎六年開，更

名。有小水十六，并行三千一百八十里，屬交州。"師古曰："言其在日之南，所謂開北戸以向日者。"

《宋書·州郡志》：交州刺史部，日南，秦象郡。漢武元鼎六年更名，吳省，晉武帝太康三年復立。領縣七。

《唐書·經籍志》：《日南傳》一卷。《藝文志》同。

章氏《考證》：《太平御覽·兵部》引《日南傳》：南越王尉佗攻安陽王，遣太子始降安陽，與安陽王女眉珠通，入庫鋸截神弩，亡歸報佗，佗復攻安陽王，弩折兵挫，浮海奔竄。

江記五卷　庾仲雍撰

漢水記五卷　庾仲雍撰

庾仲雍有《湘州記》，見前。

《唐書·經籍志》：《江記》五卷，庾仲雍撰。《漢水記》五卷，庾仲雍撰。《尋江源記》五卷，庾仲雍撰。案《尋江源記》似即《江記》之異名。

《唐書·藝文志》：庾仲雍《江記》五卷，又《漢水記》五卷，《尋江源記》五卷。

章氏《考證》：《水經·江水注》引二事，稱庾仲雍《江水記》。《文選》殷仲文、鮑明遠詩注引稱庾仲雍《江圖》。

又曰："《初學記·地部》、《藝文類聚·水部》、《史記·夏本紀》正義並引庾仲雍《漢水記》。《水經·沔水注》引稱仲雍《漢中記》。"

居名山志一卷　謝靈運撰

謝靈運有《遊山志》，見前。

《宋書》本傳：少帝即位，司徒徐羨之等出靈運爲永嘉太守，在郡一周，稱疾去職。永寧縣有故宅及墅，遂移籍會稽，脩營別業，傍山帶江，盡幽居之美，有終焉之志。作《山居賦》並自注，以言其事。案《山居賦》當在是志，賦及注多至六七千言。

《册府元龜·國史·地理部》：謝靈運爲御史中丞免官，東還永嘉，撰《遊名山志》一卷、《居名山志》一卷。案本傳，靈運未嘗爲御史中丞，又作《山居賦》在始寧，非永嘉。蓋本傳有"復爲御史中丞傅隆所奏，坐以免官"之語，又有"靈運既東還，靈運去永嘉，還始寧時"之語，遂有此誤會之説，不可信也。《册府》類此者，觸目皆是，亦有爲他書所未有者。

章氏《考證》：《水經·漸江水注》引謝康樂《山居記》。

西征記一卷　戴祚撰

戴祚即戴延之，有《西征記》二卷，見前。

章氏《考證》：封氏《聞見記》、《御覽·羽族部》並引戴祚《西征記》。案《隋志》有戴延之《西征記》二卷，此又著戴祚《西征記》一卷。祚與延之本一人，《隋志》兩見，當系重出。

廬山南陵雲精舍記一卷

不著撰人。

《藝文類聚·山部》：周景式《廬山記》曰："匡俗周威王時，生而神靈，廬于此山，世稱廬君，故山取號焉。"

案廬山亦曰匡廬。晉宋之時，慧遠法師巖栖于此，一時名士如宗炳、雷次宗、周續之、劉遺民，咸依遠而居。南陵雲精舍，不知何人所居。《藝文類聚》又有張野《廬山記》，慧遠亦有《廬山紀略》。六朝人爲《廬山記》者不一家，疑此是山記中佚存者。

永初山川古今記二十卷　齊都官尚書劉澄之撰

《宋書·順帝本紀》：昇明元年八月，以驃騎長史劉澄之爲南豫州刺史。

又《宗室傳》：營浦侯遵考，高祖族弟也。曾祖淳，皇曾祖武原令混之弟。祖巖，父涓子，彭城内史。遵考元徽元年卒，謚曰元公。子澄之，順帝昇明末貴達。澄之弟琨之，爲竟陵王誕司空主簿。誕作亂，以爲中兵參軍。終不受，乃殺之。追贈黃門郎，詔謝莊爲之誄云。《通鑑輯覽》：齊高帝建元元年五月，齊主蕭道成殺汝陰王，滅其族，遂殺宋宗室，無少長皆死。劉澄之，遵考之子也，與褚淵善，淵爲之固請，故遵考之族得免。

《唐書·藝文志》：劉澄之《永初山川古今記》二十卷。

章氏《考證》：《初學記·天部》、《文部》，《御覽·地部》、《州郡部》、《居處部》，《文選·苦熱行》注，《水經·夏水》、《河水》、《獲水》、《汾水》、《穀水注》及《寰宇記》並引之，或省"永初"字，或省"山川"字，或省"山川古今"字。又澄之，酈氏注或稱劉中書。

案宋武受禪，改元永初。永初之時，拓地稍廣。《宋書·州郡志》序言"所据諸書，有永初郡國"，故篇中時以爲言。是書蓋總名《永初郡國記》，故《初學記》、《御覽》引劉澄之《揚州記》、《荊州記》、《江州記》、《豫州記》、《梁州記》、《廣州記》、《交州記》。而本志亦別出《司州山川古今記》三卷，皆是書之篇目也。是書明著二十卷，而章氏云一卷，別以《御覽》諸書所引《廣州記》等六部分著於後，皆以爲本志不著錄，何其謬歟？章氏唯欲自詡博覽，于本志多所竄亂，地理類尤甚焉。

元康三年地記六卷

不著撰人。

章氏《考證》：《續漢·郡國志》注引《晉元康地道記》。《文選》謝靈運《斤竹澗詩》注、《藝文類聚·地部》並稱《元康地記》。元康，惠帝年號，與《太康地記》自各爲一書。《續漢志注》所引稱元康者甚多，固非太康之訛。又《隋志》有《元康六年户口簿記》。

司州記二卷

不著撰人。

《晉書·地理志》：漢武帝初置司隸校尉，所部郡凡七。魏氏受禪，置司州，所部郡五。晉定司州，統郡一十二。

《宋書・州郡志》：司州刺史，漢之司隸校尉也。晉江左以來，淪没戎寇，雖永和、太元王化暫及，太和、隆安還復湮陷。牧司之任，示舉大綱而已。武帝北平關、洛，河南底定，置司州刺史，治虎牢，領河南、滎陽、弘農，實土三郡，合二十七縣。又有河内、東京兆二僑郡。河内寄治河南，領十縣。東京兆寄治滎陽，領六縣。少帝景平初，司州復没北虜。文帝元嘉末，僑立於汝南，尋亦省廢。明帝復於南豫州之義陽郡立司州，漸成實土焉。領郡四，縣二十。

并帖省置諸郡舊事一卷

不著撰人。

案《晉書・温嶠傳》：“咸和初，代應詹爲江州刺史持節、都督、平南將軍，鎮武昌。嶠陳豫章十郡之要，宜以刺史居之。尋陽濱江，都督應鎮其地。今以州帖府，進退不便。且古鎮將多不領州，皆以文武形勢不同故也。宜選單車刺史別撫豫章，專理黎庶。”其言“以州帖府”謂以刺史帖都督府，以都督兼刺史也。帖之義，蓋如此。江左以來，有此名目。

《地記》二百五十二卷，梁任昉增陸澄之書八十四家，以爲此記。其所增舊書，亦多零失。見存別部行者，惟十二家，今列之於上。 案自《三輔故事》至《并帖省置諸郡舊事》，實有十三部。“十二家”當是“十三家”之誤。章氏云志所列共十三家，志增一家。案陸澄條下，章謂本志增著十五家，此又謂本志增著一家，然本志所增著者，皆在此條之後，其前實未嘗有所增著。本注及篇叙一再言之，甚明也。

任昉有《雜傳》，見前雜傳家。

《梁書》、《南史》本傳：昉撰《地記》二百五十二卷。

本志篇叙曰：“齊時，陸澄聚一百六十家之説，編爲《地理書》。

任昉又增陸澄之書八十四家，謂之《地記》。今任、陸二家所記之內而又別行者，各錄在其書之上，自餘次之于下。”

《唐書·經籍志》：《地記》二百五十二卷，任昉撰。

《唐書·藝文志》：任昉《地記》二百五十二卷。

以上又就任昉所集編爲一類。

案陸、任二家所合二百四十四家之書，梁時皆在焉。自江陵覆没，悉爲煨燼，以迄于隋，僅存五十四部。今惟見五十二部。然有二家之書在，則所謂零失者，實未嘗失。所謂見存者，亦皆是見存也。見存之書，本當著錄，否則仍用附注之例，如《釋文》載張璠《周易集解》之法，使後人得見其書名，豈不甚善？爾乃拘滯於隋人目錄之例，以見存別部爲斷，致其餘一百九十二家之名目渺無可稽，豈不惜哉。

又任、陸二家所載之百九十二家，既無從而知之矣。今觀章氏從諸書所引，《唐志》所有，輯存本志不著錄者，凡一百五十七部。除未經釐剔及誤收唐人《洺州記》、《蘇州記》與遠古久亡之秦地圖、即蕭何所收者。漢代相傳之輿地圖，置不復錄外，猶有如干種，或爲二家所有，或爲本志所遺，要皆是隋以前之地也。今併附記如左，以見大凡漢宮闕簿三卷、關中記一卷、潘岳。洛陽記一卷、戴延之。後魏洛陽記五卷、常景等。吴地記一卷、張勃。南兖州記一卷、阮升之，亦云阮叙之。齊地記二卷、晏謨、慕容德，青州刺史。徐地錄一卷、齊芳。交廣二州記二卷、王範。西河舊事一卷、武威張澍有輯本。分吴會丹陽三郡記三卷、晉太康土地記十卷、陽湖洪亮吉有集本。太康州郡縣名五卷、古今地名三卷、職貢圖一卷、梁元帝。異物志一卷。陳祈暢。

以上一十六部見《舊》、《新唐志》。

漢宮殿名、漢宮闕疏、三輔宮殿名、長安圖、洛陽故宮名、洛

陽宮舍記、晉宮閣名、建康宮殿簿。○地理風俗記、應劭。十
三州記、應劭。十三州記、黃義仲。九州記、樂資。四海圖、括地
圖。○冀州風土記、盧植。冀州記、裴秀，似即所著《禹貢地域圖》之
一。冀州記、荀綽。中山記、張曜。上黨記。○三齊略記、齊地
記、伏琛。齊地記、解道康。兗州記。荀綽。○洛陽記、華延儁。
河南十二縣境簿。○汝南記、杜預，《初學記・人事部》引之，似“女記”
之誤。安成記。王烈之亦作王孚。○仇池記、郭仲產。隴西記、亦云
《隴石記》。三秦記、辛氏，張澍二酉堂有輯本。秦州記。郭仲產。○蜀
記、段氏。巴蜀記、袁休明。益州記、譙周。益州記、任預。南中
八郡志。魏完。○廣州記、裴淵。廣州記、顧微。始興記、王歆之，
亦云王韶之。始安郡記。○交州記、劉欣期，南海曾釗有集本。交州
記、姚文感。交州外域記、沙州記、段國，即《吐谷渾記》二卷也。張氏二
酉堂有集本，見前霸史。吳人外國圖。似即康泰、朱應等所傳。○南雍
州記、郭仲產。湘中記、羅含。湘州記、甄烈。湘州滎陽記、宜都
記、袁山松。武陵記。黃閔。○荊州記、范汪。荊州記、庾仲雍。
荊州土地志、荊州圖副記、江陵記、伍端休。武昌記。史筌。○
尋陽記、張僧鑒。豫章記、張僧鑒。南康記、鄧德明。南康記、王韶
之。臨川記、荀伯子。建安記。蕭子開。○九江壽春記、後漢朱陽。
壽陽記、王玄謨。宣城記、紀義。丹陽記、山謙之。江乘地記。○
三吳郡國志、韋昭。三吳土地記、顧長生。吳地記、董覽。吳郡
地理記、王僧虔。吳縣記、顧微。吳郡緣海四縣記、吳郡臨海記
川瀆記、虞仲翔。吳興山墟名、張充之，亦云張元之，又云王韶之。烏程
嚴可均輯本，歸安鄭元慶湖録殘編輯本。錢塘記。劉道真。○會稽舊
志、會稽記、孔靈符，似名煜。會稽郡十城地志。○東陽記、鄭緝
之。永嘉記、鄭緝之。甘州記。《文選》謝靈運《七里瀨》詩注：《甘州記》
曰：“桐盧縣有七里瀨，瀨下數里至嚴陵瀨。”案此云《甘州記》，未詳。○異物
志、薛珝。異物志、譙周。巴蜀異物志、南方異物志、荊揚已南

異物志、薛瑩。盧陵異物志。曹叔雅。○嵩山記、盧元明。太山記、鄒山記、南岳記、徐靈期。勾將山記、袁山松。羅浮山記、袁彥伯。登羅山疏、竺法真。盧山紀略、慧遠。章氏云今存一卷。盧山記、張野。盧山記、周景式。天台山銘序、支遁。名山略記、山圖。陶弘景。○神境記、王韶之。瀨鄉記、崔元山。○北征記、伏滔。述征記、裴松之。西征記、裴松之。北征記、裴松之。北征記、孟奧。北征記、徐齊民。從征記、伍緝之。征齊道里記、丘淵之。入東記、吳均。鄭氏湖録殘編輯本。東征記、西征記。盧思道。

　　以上一百十六部，見諸書所引，莫詳其篇卷。

山海經圖讚二卷　郭璞注

　　郭璞有《山海經注》、《水經注》，並見前。

　　唐張彥遠《歷代名畫記》曰："古之祕畫珍圖，則有《山海經圖》六，又《鈔圖》一，《大荒經圖》二十六。"

　　《唐書・經籍志》：《山海經圖讚》二卷，郭璞撰。

　　《唐書・藝文志》：郭璞注《山海經》二十三卷，又《山海經圖贊》二卷。

　　《宋史・藝文志》：郭璞《山海經贊》二卷。

　　鎮洋畢沅《山海經篇目考》曰："《山海經》有古圖，有漢所傳圖。十三篇中，《海外》、《海內經》所説之圖，當是禹鼎也。《大荒經》已下五篇所説之圖，當是漢時所傳之圖也。以其圖有成湯，有王亥、僕牛等知之，又微與古異也。据《藝文志》，《山海經》在形法家，本劉向《七略》。以有圖，故在形法家。又郭璞注中有云圖亦作牛形。又云亦在畏獸畫中。"

　　又曰："《圖贊》二卷，郭璞撰。《隋書》、《舊唐書・經籍志》並云。《中興書目》云：'《山海經》十八卷，晉郭璞傳。凡二十三篇，每卷有贊。'案今見藏本也。"

　　烏程嚴可均輯本序曰："《玉海》引《中興書目》云《山海經》十

八卷，凡二十三篇，每篇有贊。今世所見惟《道藏》本，卷一至十三有贊，與經文次第不盡合。其卷十四《大荒經》以下贊亡。今輯群書所引，得六十七首，益以藏本，共得二百六十六首，凡《南山經》二十四首，《西山經》五十三首，《北山經》三十首，《東山經》十八首，《中山經》四十九首，《海外南經》十六首，《海外西經》十六首，《海外北經》十五首，《海外東經》八首，《海內南經》六首，《海內西經》十一首，《海內北經》九首，《海內東經》四首，《大荒東經》二首，《大荒西經》二首，《大荒北經》一首，《海內經》二首，仍依史志分爲二卷，就中尚多舛誤，無從考定也。”

《孫祠書目》：《山海經圖贊》二卷，晉郭璞撰。《道藏》本。

張氏《書目答問》：《山海經箋疏》十八卷，《圖贊》一卷。郭璞贊，郝懿行疏。《郝氏遺書》本。別行《山海經圖贊》一卷。《藝海珠塵》及他叢書多有之。

山海經音二卷

不著撰人。

《唐書·經籍志》：《山海經音》二卷。

《唐書·藝文志》：郭璞注《山海經》二十三卷，又《山海經圖贊》二卷，《山海經音》二卷。

畢沅《山海經篇目考》：“《山海經音》二卷，郭璞撰。《隋書》、《舊唐書·經籍志》並云。案二志並不著撰人。案音古本別行，今見注中，當是後人所合。”

水經四十卷　酈善長注

《北史·酈範傳》：“範字世則，范陽涿鹿人也。子道元，字善長，襲父爵永寧侯，例降爲伯。自太傅掾爲侍書御史、冀州鎮東府長史，試守魯陽郡、東荊州刺史、河南尹、御史中尉。時雍州刺史蕭寶夤反狀稍露，遣爲關右大使。寶夤圍道元于陰盤驛亭，水盡力屈，與其弟道^缺二子俱被害。道元好學，歷覽奇書，撰注《水經》四十卷，行于世。"

《唐六典》工部注：桑欽《水經》所引天下之水百三十七，江河在焉。酈善長注《水經》，引其枝流一千二百五十二。^{桑欽《水經》詳見于前。}

《唐書·經籍志》：《水經》四十卷，酈道元撰。

《唐書·藝文志》：酈道元注《水經》四十卷。

《宋史·藝文志》：桑欽《水經》四十卷，酈道元注。

仁和趙一清《水經注釋·序目》曰："案李林甫《唐六典》注云：'桑欽《水經》所引天下之水一百三十七。'王應麟《玉海》云：'自河水至斤江水，非經水常流，不在記注之限。'^{案酈道元曰："水出山而流入海者，命曰經水。"}末卷載《禹貢山水澤地所在》凡六十。案今本經水凡百十六，較《唐六典》少二十一篇。證以本注及雜采他籍，得滱、洺、溥沱、派、滋、伊、灅、澗、洛、豐、涇、汭、渠獲、洙、滁、日南、弱、黑十八水，而'灅'下當有'灅餘'，清、濁漳，大、小遼，原分爲二，刪去無注無名之沅、西水，合一百三十七水，與《唐六典》數合也。"

《四庫簡明目錄》曰："《水經注》四十卷，後魏酈道元作。自明以來傳刻舛誤，經注混淆，今以《永樂大典》所載舊本重爲校正，補其佚脱者，二千一百二十八字；刪其妄補者，一千四百四十八字；正其臆改者，三千七百一十五字。雖宋本原佚之五卷不可復補，較諸明刻亦可謂還其舊觀矣。"^{案此即休寧戴震校本。}

又曰："《水經注釋》四十卷，國朝趙一清撰。是書用全祖望之説，謂《水經注》原本注中有注，本雙行夾寫，今混爲一，殊爲無據。然拊此義例，亦使經緯分明，便于尋覽。其考補原佚五卷中二十一水，亦確有佐證。"^{案此謂全氏無據者，欲行戴校《永樂大}

典》本之言也，或云此戴震語。

全氏《七校水經注》四十卷，補遺一卷，附録二卷。光緒十四年十二月，布政使銜分巡寧紹台兵備道新授湖南案察使無錫薛福成序曰："宋元以來，此書已無善本。明朱鬱儀所校，訛錯淆亂。國初，顧、閻、胡、黃諸老並治《水經》，拾遺訂謬，時有所得。何義門、沈繹旃繼之，而集其成於全謝山先生。先生閎覽碩學，《水經》一書尤生平所致力者，校于揚，校于杭，校于粵，經七校而始有完書，剖別經注，改易次第，采諸家之長，補原文之佚，神明焕發，頓還舊觀。當時定本未及刊行，輾轉流落，入于有力者之手，而先生之功轉晦。其後趙東潛、戴東原各有校本，多所是正，而不知皆先生爲之先導也。余備兵浙東，訪求先生手藁不可得，同年董君覺軒家藏是編，復以王氏生重録本，殷氏、張氏殘鈔本校之，其分別大小注，乃先生之創見。大注亞經文一格，小注亞大注一格。歲戊子，乃以董君之本，命書院高材生合趙、戴二本重加校訂，而仍請董君總核之。數月畢功，付諸削氏。"是爲寧波崇實書院新彫本，其補遺一卷，爲散見群書之豐水等十三篇。附録上卷，則全氏、趙氏序、跋、題記，亦十三篇。下卷乃平定張穆所作《全氏水經注辨誣》，凡十八條，謂戴氏竊據謝山書，詭言《大典》本以欺世，皆有左證。又謂以《直隸河渠書》事例之，則此君好盜人書，素性固然。《河渠書》者，本趙一清所撰，戴乃攘爲已有，尚論者所謂深惡其人，懸爲世戒云。此亦可見學人心術不正，終於敗露，不能免後人嘗議也，可不戒哉？

廟記一卷

不著撰人。

《唐書·經籍志》：《廟記》一卷。《藝文志》著録同。

章氏《考證》："《漢書·郊祀志》注：'五帝廟在長安東北。'《外戚傳》注：'趙父冢在雍門西，上官桀安冢並在霍光冢東。'《文選注》二十二：'祈年宮在城外，秦穆公造。望年宮在華陰，漢武帝造。'《後漢書·和帝紀》注：'曹參冢在長陵道旁，北近蕭何冢。'《史記・秦本紀》正義:'橐泉宮,秦孝公造。祈年觀,德公起,蓋在雍州城南。'《通典・禮門》:'五帝廟在長安東北。'《初學記・居處部》:'飛羽殿或云飛雨殿。又長安有披香殿、鴛鴦殿。'並引《廟記》。《太平寰宇記》亦引十餘事,不著撰名。案《梁書・吳均傳》均著《廟記》十卷。"

案《册府元龜・國史采譔・地理篇》云楊衒之撰《洛陽伽藍記》五卷,《廟記》一卷。据此則又似楊衒之撰。豈衒之《伽藍記》但記洛陽,《廟記》則合西京宮殿陵墓爲一書歟?

地理書鈔二十卷　陸澄撰

陸澄有《地理書》,見前。

章氏《考證》:《太平寰宇記・江南東道》、《山南東道》並引陸澄《地理書鈔》。

案《梁書・文學・庾仲容傳》:"仲容鈔衆家地理書二十卷。"疑即鈔陸氏之書,此或是歟? 兩《唐志》有《雜記》十二卷,似即此書,以"二十"爲"十二",誤倒其文也。

地理書鈔九卷　任昉撰

任昉有《地記》,見前。兩《唐志》有《雜地記》五卷,似即是書之殘賸。

地理書鈔十卷　劉黃門撰

劉黃門未詳。疑是梁劉璂,有《京師寺塔記》,見後。

章氏《考證》:《文選・西征賦》注引劉澄之《地理書》。《後漢書・獻帝紀》注引劉澄之《地記》。《水經・河水》、《獲水》、《穀水》、《伊水》、《沐水》、《夏水》、《漾水》、《沅水》、《耒水》、《贛水注》並引劉澄之語,不著書名。案章氏以劉黃門謂即劉澄之,不言所出,未詳所据,豈以《水經注》稱劉中書,誤記爲黃門歟? 若是,則《水經注》等所引乃澄之《永初郡國記》,非此書也。

案陸、任二家所集,但依其前後、遠近編而爲部。有如今之叢書,重複互見,時所恒有,後人鈔節其書,省併複重,故有上三家書鈔而失注鈔譔者姓名耳。《唐·藝文志》有《地理志書鈔》十卷,即此書也。

洛陽伽藍記五卷　　後魏楊衒之撰

衒之自序有曰:"至晉永嘉,惟有寺四十二所。逮皇魏受圖,光宅嵩洛,京城表裏,凡有一千餘寺。暨永熙多難,皇輿遷鄴,諸寺僧尼,亦與時徙。至武定五年,余行役,重覽洛陽。城郭崩毀,宫室傾覆,寺觀灰燼,廟塔丘墟,牆被蒿艾,巷羅荆棘。野獸穴于荒階,山鳥巢於庭樹。遊兒牧堅,躑躅于九逵;農夫耕老,藝黍于雙闕。始知麥秀之感,非獨殷墟;黍離之悲,信哉周室。恐後世無傳,故撰斯記。然寺數最多,不可遍寫,今之所録,止大伽藍。其中小者,取其祥異世諦事,因而出之。先以城内,次及城外,凡爲五篇。"案東魏孝靜帝武定五年,爲遷鄴後之十四年,南朝梁武帝太清元年也。

《史通·補注篇》曰:"除煩則意有所恡,畢載則言有所妨,遂乃定彼榛楛,列爲子注。若蕭大圜《淮海亂離志》、羊衒之《洛陽伽藍記》是也。"

《法苑珠林·傳記篇》:《洛陽地伽藍記》一部五卷。元魏鄴都期城郡守楊衒之撰。

《唐書·經籍志》:《洛陽伽藍記》五卷,楊衒之撰。

《唐書·藝文志》道家釋氏類:楊衒之《洛陽伽藍記》五卷。

《宋史·藝文志》:楊衒《洛陽伽藍記》三卷。

晁氏《讀書志》:《洛陽伽藍記》三卷,元魏羊衒之撰。後魏遷都洛陽,一時王公大夫多造佛寺,或捨其私第爲之,故僧舍之多,爲天下最。衒之載其本末及事迹甚備。

陳氏《書録解題》:《洛陽伽藍記》五卷,後魏撫軍司馬楊衒之撰。專記洛陽城内外寺院,爾朱之亂,城郭丘墟,追述斯記。

《四庫提要》曰:"楊衒之,里貫未詳。據書中所稱,知嘗官撫軍司馬耳。魏自太和十七年作都洛陽，一時篤崇佛法，剎廟甲于天下。及永熙之亂，城郭丘墟。武定五年，衒之行役洛陽，感念廢興，因捃拾舊聞，追敍古蹟，以成是書。以城及四門之外分敍五篇，其文穠麗秀逸，煩而不厭，可與酈道元《水經注》肩隨。其兼敍爾朱榮等變亂之事，委曲詳盡，多足與史傳參證。其他古迹藝文及外國土風道里，采摭繁富，亦足以廣異聞。據《史通》言，則衒之此記，實有自注。世所行本皆無之，不知何時佚脱。然自宋以來，未聞有引用其注者，則其刊落已久，今不可復覩矣。"又《簡明目録》曰"楊"或作"羊"，未詳孰是。

　　按書中自言莊帝永安中爲奉朝請。嚴氏《北齊文編》曰："楊衒之一姓羊，北平人，魏末爲撫軍府司馬，歷祕書監，出爲期城太守。齊天保中卒于官。"

荆南地志二卷　蕭世誠撰

蕭世誠，梁元帝姓字也。有《漢書注》，見正史類。

《金樓子·著書篇》：《荆南志》一秩二卷，金樓自撰。

《梁書》本紀："所著《荆南志》一卷。"《南史》本紀："《荆南地記》一卷。"

《唐書·藝文志》：梁元帝《荆南地志》二卷。

章氏《考證》：《太平御覽·地部》："華容方臺山，山出雲母，土人候雲所出處，于下掘取，無不大獲。"此引蕭世誠《荆南志》。又高沙湖一事，枝江縣一事，《寰宇記·山南東道》四事，並引《荆南志》。又石首縣陽岐山一事，《御覽》稱《荆南記》。

巴蜀記一卷

不著撰人。

　　案章氏据《水經·若水注》引袁休明《巴蜀志》，或即此書。

交州異物志一卷　楊孚撰

《唐書·經籍志》：《交州異物志》一卷，楊孚撰。一本誤作"文州"。

《唐書·藝文志》：楊孚《交州異物志》一卷。

按本志前已著《異物志》一卷，後漢議郎楊孚撰。此即其書，因有"交州"二字，遂別出其目。

元康六年户口簿記三卷

不著撰人。

案元康，晉惠帝年號。《宋書·州郡志》序："今以太康、元康定户，《永初郡國》諸書，互相考覆。"

元嘉六年地記三卷

不著撰人。

案元嘉，宋文帝年號。是歲三月，立皇子劭爲皇太子。五月，于雍州置馮翊郡。九月，于秦州置隴西、宋康二郡，見本紀。是記蓋猶在劉澄之《永初郡國志》之前。

九州郡縣名九卷

不著撰人。

案《魏志·武紀》，建安十八年春正月，詔書并十四州復爲九州。荀綽有《九州記》，司馬彪有《九州春秋》。此或從兩書鈔出者，大抵是三國時郡縣名。

扶南異物志一卷　朱應撰

《梁書·諸夷傳》：海南諸國大抵在交州南，自漢武帝以來皆朝貢。及吳孫權時，遣宣化從事朱應、中郎康泰通焉。其所經及傳聞，則有百數十國，因立記傳。

又《文學·劉沓傳》：沓少好學，博綜群書。沈約、任昉以下，每有遺忘，皆訪問焉。嘗于約坐語，約云："承天纂文奇博，其書載長頸王事，此何出？"沓曰："長頸是毗騫王，朱建安《扶南以南記》云：古來至今不死。"案此則朱應字建安，其書亦稱《扶南以南記》。《梁書·海南諸國傳》"扶南國在日郡之南海西大灣中，去日南可七千里，在林邑西南三千餘里。又有毗騫國，去扶南八千里。傳其王身長丈二，頭長三尺，自古來不死,莫知其年。王神聖,國中人善惡及將來事,王皆知之,是以無敢欺者。南方號曰長頸王"云云,皆朱建安《扶南以南記》之文也。

《唐書·經籍志》:《扶南異物志》一卷,朱應撰。

《唐書·藝文志》:米應《扶南異物》一卷。案此作"米應",寫誤也。

章氏《考證》:《通典·邊防門》注引大宛馬、大月氏牛二事。《史記·大宛傳》正義引秦國二事,並稱宋膺《異物志》,省"扶南"二字。朱作宋,應作膺,未詳孰是。

侯康《補三國藝文志》曰:"《南史》稱朱應官吳宣化從事,與中郎康泰經過傳聞百數十國,因立記傳。而《隋志》獨載此書者,意他卷盡亡而此卷僅存也。又《梁書·劉杳傳》稱長頸是毗騫王,朱建安《扶南以南記》云'古來至今不死',疑即此書。"

臨海水土物志一卷　沈瑩撰　敚"異"字。

《吳志·孫皓傳》:"天紀四年春,晉安東將軍王渾復斬丞相張悌、丹陽太守沈瑩等,所在戰克。"注:干寶《晉紀》曰:"吳丞相軍師張悌、護軍孫震、丹陽太守沈瑩帥衆三萬濟江,與討吳護軍張翰、揚州刺史周浚成陣形相對。沈瑩領丹陽銳卒刀盾五千,號曰青巾兵,前後屢陷堅陣。于是以馳淮南軍,三衝不動。退引亂,因而乘之,吳軍以次土崩,將帥不能止,大敗于版橋,獲悌、震、瑩等。"《襄陽記》曰:"晉來伐吳,皓使悌督沈瑩、諸葛靚,率衆三萬渡江逆之。至牛渚,沈瑩曰:'晉治水軍於蜀久矣,今傾國大舉,萬里齊力,必悉益州之衆,浮江而下。我上流諸軍,無有戒備,名將皆死,幼少當任,恐邊江諸城,盡莫能禦也。晉之水軍,必至於此矣。宜畜衆力,待來一戰。若勝之日,江西自清,上方雖壞,可還取之。今渡江逆戰,勝不可保,若復摧喪,則大事去矣。'悌不從,逆渡江戰,吳軍大敗。"沈瑩事蹟見于《吳志》傳注者如此,蓋與張悌同殉國難者也。吳有沈珩,字仲山,吳郡人。孫權時,以奉使有稱,封永安鄉侯,至少府。瑩與珩名皆從玉,或昆季行。珩之時,但有吳郡。瑩之時,分置吳興,大抵是吳興武康人。

《史通·書志篇》曰:"自沈瑩著《臨海水土》,周處撰《陽羨風土》,厥類衆夥,諒非一族。"

《唐書·經籍志》:《臨海水土異物志》一卷,沈瑩撰。

《唐書·藝文志》:沈瑩《臨海水土異物志》一卷。

章氏《考證》:《後漢書·東南夷傳》注、《廣韻》鮫字、螖字注,《文選·思玄賦》、《江賦》、江文通《雜體詩》注、《初學記》、《藝文類聚·歲時部》、《御覽·地部》、《時序部》、《四夷部》、《鱗介部》、《寰宇記·江南東道》、《一切經音義》多引之,或稱《臨海水土志》、《臨海風土記》、《臨海異物志》、《臨海記》。

《孫祠書目》:《臨海記》一卷,洪頤煊集本。

案《吳志》:"孫亮太平二年二月,以會稽東部爲臨海郡。"《宋書·州郡志》:"臨海太守,本會稽東部都尉也。吳太平二年立,領縣五。"此蓋郡志之最先者。《史通》敍是書於周處之前,二人同時仕於吳,故皆有《風土記》之作。晉戴凱之《竹譜》嘗引是書。本志既次於朱應之後,《唐志》亦與萬震、朱應相類從,是吳之沈瑩爲多。《通志·藝文略》乃云隋沈瑩撰,殊爲眩惑,殆"隋"下敓"志"字耳。又諸書所引有《吳郡臨海記》,是吳郡亦有臨海地名,不知與此是一是二。

益州記三卷　李氏撰

《南史·鄧元起傳》:涪令李膺,字公胤,廣漢人。有才辨。西昌侯蕭藻爲益州,以爲主簿。使至,梁武帝悦之,謂曰:"今李膺何如昔李膺?"對曰:"今勝昔。"問其故,對曰:"昔事桓、靈之主,今逢堯、舜之君。"帝嘉其對,以如意擊席者久之。乃以爲益州別駕,著《益州記》三卷,行於世。

《唐書·藝文志》:李充《益州記》三卷。

章氏《考證》：《唐志》作李充，誤。《後漢書·公孫述傳》注、《南蠻西南夷傳》注，《元和郡縣志·劍南道》，《寰宇記·劍南西道》，《御覽·四夷部》並引李膺《益州記》。《水經·江水》、《青衣水》、《若水注》引《益州記》，不著撰名。案酈、李異地同時，此所引，自是別家《益州記》，未必即是此記。

又曰："《太平寰宇記·劍南東道》引數事，並稱李膺《蜀記》。"

湘州記一卷　郭仲彥撰　"彥"當爲"産"。

《史通·正史篇》敍十六國史云："燕太傅長史田融、宋尚書庫部郎郭仲産、北中郎参軍王度追撰二石事，集爲《鄴都記》、《趙記》等書。"

唐余知古《渚宫舊事》曰："郭仲産爲南郡王從事，宅在江陵枇杷寺南。元嘉末，起齋屋，以竹爲柵，竹遂漸生枝葉，條長數尺，扶疏翁翠，鬱然如林。仲産以爲吉祥。俄而，同義宣之謀，被誅焉。"案南郡王義宣反事，在宋孝武孝建元年。

《崇文總目》：《湘州記》一卷，郭仲産撰。

《書録解題》曰："唐吳從政刪郭仲産《襄陽記》等書爲《襄沔記》。"

章氏《考證》：《太平御覽·飲食部》、《寰宇記·嶺南道》並引郭仲産《湘州記》。

按《新唐志》有郭仲産《荊州記》二卷，諸書所引又有《南雍州記》、《秦州記》、《仇池記》，則所作不止此一卷也。《南雍州》即陳《録》所云《襄陽記》。

湘州圖副記一卷

不著撰人。

《唐書·經籍志》：《湘州圖記》一卷。

《唐書·藝文志》：《湘州圖副記》一卷。

四海百川水源記一卷　釋道安撰

慧皎《高僧傳》："釋道安姓衛氏，常山扶柳人也。家世英儒，早失覆蔭，爲外兄孔氏所養。年十二出家，神性聰敏而形兒甚陋。游學至鄴，遇佛圖澄，事澄爲師。後至襄陽，又後從苻堅入長安。晉太元十年二月八日，無疾而卒。"孫綽爲《名德沙門論》云："道安博物多才，通經名理。"又爲之贊曰："物有廣贍，人固多宰，淵淵釋安，專能兼倍，飛聲汧隴，馳名淮海，形雖草化，猶若常在。"本志道佛篇：常山沙門衛道安欲令玄宗所在流布，分遣弟子，各趨諸方。法性詣揚，法和入蜀，道安與慧遠之襄陽。

《唐書·經籍志》：《四海百川水記》一卷，釋道安撰。

《唐書·藝文志》：僧道安《四海百川水源記》一卷，又一卷。

京師寺塔記十卷錄一卷　　劉璆撰

《當苑珠林·傳記篇》：《京師塔寺記》一部二十卷，梁朝尚書兵部郎中兼史學士臣劉璆奉敕撰。璆，沛國沛人。嘗官黃門郎，見《周書·劉璠傳》。璠之兄也。

《南史·循吏·郭祖深傳》：梁武帝溺情內教，朝政縱弛，祖深輿櫬詣闕上封事，其略曰："陛下昔歲尚學，置立五館，行吟坐詠，誦聲溢境。比來慕法，普天信向，家家齋戒，人人懺禮，不務農桑，空談彼岸。謹上封事二十九條。"時帝大弘釋典，將以易俗，故祖深尤言其事，以爲都下佛寺五百餘所，窮極宏麗。僧尼十餘萬，資產豐沃，所在郡縣，不可勝言。道人又有白徒，尼則皆蓄養女，皆不貫人籍，天下戶口幾亡其半。恐方來處處成寺，家家剃落，尺土一人，非復國有。案《梁書》無郭祖深傳。李延壽以其封事切於時事，愛不能釋，故特爲一傳，附循吏之末。然竊有疑焉。梁武能事畢究，雖有求言之詔，而臣下稀復進諫。賀琛上事被旨詰責，固已事矣。祖深此奏雖具，恐當時未必上也。不然此亦史家徵事選言之要務，《梁書》何故棄而不取乎？

華山精舍記一卷　　張光禄撰

張光禄始末未詳。

章氏《考證》：《太平御覽·地部》：《華山精舍記》曰："《老子

枕中記》云吳西界有華山，可以度難父老。云山頂有池，上生千葉蓮花，服之羽化，因名華山，長林森天，荒楚蔽日。"案此見地部十一。江東諸山中又有花山一條云，陸道瞻《吳郡記》曰："吳縣有花山，太康中生千葉蓮花于上，故曰花山。"又《輿地志》曰："山上有石鼓，晉隆安中鳴，乃有孫恩之亂。"山在縣西六十三里，蓋華山即花山，非西岳也。《御覽》分而爲二，亦失之不考。此張光禄意，《蘇州府縣志》或有之。

南雍州記六卷　鮑至撰

《南史·鮑泉傳》：泉，東海人也。時又有鮑行卿，行卿弟客卿，位南康太守。客卿三子檢、正、至並才藝知名，爲湘東王五佐。

又《庾肩吾傳》：肩吾初爲晉安王國常侍，王鎮雍州，被命與劉孝威、江伯搖、孔敬通、申子悅、徐防、徐摛、王囿、孔鑠、鮑至等十人抄撰衆書，豐其果饌，號高齋學士。王爲皇太子，開文德省。置學士，肩吾子信、徐摛子陵、吳郡張長公、北地傅弘、東海鮑至等充其選。

《唐書·藝文志》：鮑堅《南雍州記》三卷。"堅"當爲"至"。

章氏《考證》：《通典·州郡門》注：鮑至《南雍州記》曰："城內有蕭相國廟，相傳謂爲城隍神。"《唐志》作鮑堅，三卷。

案《梁書·簡文帝本紀》："天監五年，封晉安郡王。普通四年，爲使持節、都督雍、梁、南、北秦四州，竟陵、隨郡諸軍事、雍州刺史。"鮑至是志，當作於斯時。時爲高齋學士也。曰南雍州者，晉孝武始于襄陽僑立雍州，宋、齊、梁並因之，詳見晉、宋《地理》、《州郡志》。

案《唐·經籍志》有《南雍州記》三卷，郭仲産撰。仲産，宋時人，在鮑氏之前。此六卷，其前三卷蓋仲産之書。《書録解題》云："唐吳從政删郭仲産《襄陽記》、鮑堅《南雍州記》等書，爲《襄沔記》。"

京師寺塔記二卷　釋曇景撰 "景"當爲"宗"。

慧皎《高僧傳》序曰："彭城劉俊《益部寺記》、沙門曇宗《京師寺記》並傍出，諸僧敍其風素。"

又《高僧唱導科傳》：釋曇宗姓虢，秣陵人。出家止靈味寺，少而好學，博通衆典，唱説之功，獨步當世，辨口適時，應變無盡，嘗爲孝武唱導，行菩薩五法禮竟，帝乃笑謂宗曰："朕有何罪而爲懺悔？"宗曰："昔虞舜至聖，猶云'予違爾弼'，湯武亦云'萬姓有罪，在予一人'。聖王引咎，蓋以軌世。陛下德邁往代，齊聖虞殷，履道思沖，寧得獨異？"帝大悦。後終于所住，著《京師塔寺記》二卷。

按此蓋宋時所作，在劉璆之前。以上從一家書目抄入，此以下又從別家書目抄入。

張騫出關志一卷

《史記·衛青、霍去病附傳》：將軍張騫以使通大夏，還，爲校尉。從大將軍有功，封爲博望侯。後三歲，爲將軍，出右北平，失期，當斬，贖爲庶人。其後使通烏孫，爲大行而卒，冢在漢中。

《漢書》本傳：張騫，漢中人也。建元中爲郎，應募使月氏，還，拜大中大夫。初，騫行時，百餘人去；十三歲，唯二人得還。騫身所至者，大宛、大月氏、大夏、康居，而傳聞其旁大國五六，具爲天子言其地形所有，語皆在《西域傳》。騫以校尉從大將軍擊匈奴，知水草處，軍得以不乏，迺封爲博望侯。是歲，元朔六年也。後二年，爲衛尉，與李廣俱出右北平擊匈奴，而騫後期當斬，贖爲庶人。後二年，拜爲中郎將，使烏孫，既至，分遣副使使大宛、康居、月氏、大夏，與烏孫使數十人，馬數十匹。報謝，還拜大行。歲餘卒。案元朔六年，後二年，又後二年，又歲餘，是騫卒于元狩六年，或元鼎元年。

《華陽國志》：張騫，漢中成固人也。爲人強大有謀，能涉遠，爲武帝開西域五十三國，窮河源，南至絶遠之國。于是廣漢緣邊之地，通西南之塞，豐絶域之貨，令帝無求不得，無思不服。至今方外開通，騫之功也。

《後後書·西域傳》論曰："西域風土之載，前古未聞也。漢世張騫懷致遠之略，班超奮封侯之志，終能立功西遐，羈服外域。"又曰："佛道神化，興自身毒，而二漢方志莫有稱焉。張騫但著地多暑溼，乘象而戰，其精文善法，導達之功，靡所傳述。"

《册府元龜·國史·地理部》：張騫爲郎，使月氏，撰《出關記》一卷。

《通志·藝文略》地理行役類：張騫《出關志》一卷。

章氏《考證》：崔豹《古今注》曰："酒杯藤出西域，國人寶之，不傳中土，張騫出大宛得之，事出張騫《出關志》。"洪遵《泉志·外國品》亦引騫《出關志》。

外國傳五卷　釋曇景撰

《開元釋教錄》：沙門釋曇景，不知何許人，于蕭齊代譯《摩耶經》等二部。《群錄》直云齊世譯出，既不顯年，未詳何帝。

　案《法苑珠林·敬佛篇》云："昔法盛曇無竭，再往西方，有傳五卷。"《釋教錄》云"沙門釋法勇，梵名曇無竭。宋永初元年，與沙門僧猛曇朗之徒二十五人遠適西方。元嘉末年，達于揚都，所歷事跡，別有記傳"云云。曇景，唐智昇撰《釋教錄》時，已不詳其終始，或即與曇無竭同行二十五人之内者。

歷國傳二卷　釋法盛撰

慧皎《高僧曇無讖附傳》：時，高昌有沙門法盛，亦經往外國，立傳凡有四卷。又有竺法維釋僧表，亦經往外國云。

《開元釋教録》:沙門釋法盛,高昌人也。亦于涼代譯《投身餓虎經》一卷,故《高僧曇無讖傳》末云,于時有高昌沙門法盛亦經往外國,有傳四卷。案此云涼代,謂沮渠蒙遜也。時當宋元嘉中。《唐日本書目》載法盛是書,亦云四卷。

《唐書·經籍志》:《歷國傳》二卷,釋法盛撰。

《唐書·藝文志》:僧法盛《歷國傳》二卷。

西京記三卷

不著撰人。

《周書·薛寘傳》:寘,河東汾陰人也。幼覽篇籍,好屬文,仕西魏,入周,位驃騎大將軍、開府儀同,浙州刺史,封郃陽縣侯。卒,謚曰理。撰《西京記》三卷,引據該洽,世稱其博聞焉。

《唐書·經籍志》:《西京記》三卷,薛冥撰。

《唐書·藝文志》:薛冥《西京記》三卷。"冥"並當爲"寘"。

京師録七卷

不著撰人。

案此亦似周、隋人所録,記當時之制度。

尋江源記一卷

不著撰人。

章氏《考證》:《太平寰宇記·山南東道》兩引《尋江源記》。

案《唐·經籍志》《尋江源記》五卷,庾仲雍撰。又一卷,不著名氏,蓋即此書。

後園記一卷

案《初學記·居處部》載晉潘尼《後園頌》,爲晉武帝後園校射而作。又有梁元帝《遊後園詩》、《晚景遊後園詩》。《藝文類聚》六十五有齊謝朓《遊後園賦》,似此爲《洛陽後園記》。又《晉書·涼武昭王李玄盛傳》:"隆安中,有赤氣起於後園,起嘉納堂,以圖贊所志。時白狼、白兔、白雀、白雉、白鳩,皆棲其園囿,其群下以爲白祥金精所誕,皆應時雍而至,又有神光、甘露、連理、嘉禾衆瑞,請史官記其事,玄盛從之。"則又似西涼李氏《敦煌後園記》。

江表行記一卷

不著撰人。

章氏《考證》:《寰宇記·江西南道》:《江表記》曰:"江中有鱉洲,長三里,與蕪湖相接。"

案此似北朝聘使所作。

淮南記一卷

不著撰人。

章氏《考證》:《寰宇記·江南西道》:《淮南記》曰:"吳初以周輪屯牛渚,晉謝尚亦鎮此城。"《御覽·地部》莫邪山亦引《淮南記》一條。

案《晉書·文苑·伏滔傳》:"滔從桓温伐袁真,至壽陽,以淮南屢叛,著論二篇,名曰《正淮論》。其上篇曰:淮南者,三代揚州之分也。當春秋時,吳、楚、陳、蔡之輿地。戰國之末,楚全有之,而考烈王都焉。《漢書·地理志》:九江郡壽春邑,楚考烈王自陳徙此。秦併天下,建立郡縣,是爲九江。劉項之際,號曰東楚。爰自戰國,至于晉之中興,六百有餘年,保淮南者九姓,稱兵者十一人,皆亡不旋踵,禍溢于世,而終莫戒焉。"案九姓十一人者,據論所載,則其始爲楚考烈王、漢黥布、淮南王長、長子安、東漢初李憲、三國初袁術、魏王淩、毋丘儉、諸葛誕、晉祖約及袁真。其事並見《史》、《漢》、《三國志》、《晉書》,袁真事見《桓温傳》。其後之稱兵犯順者,晉安帝隆安中,豫州刺史庾楷與王恭、桓玄等五人合從向闕。宋泰始中,刺史殷琰爲晉安王子勛城守,逾時,其最爲痛酷者,侯景因之以反噬;最可悼惜者,王琳城陷而身亡。諸書所引有漢朱陽《九江壽春記》、宋王玄謨《壽陽記》，此記不知在何時。

古來國名二卷

不著撰人。

案《晉書·陳壽傳》，壽撰《古國志》五十篇，此或從而抄出者。

十三州志十卷　　闞駰撰

《魏書》本傳：駰，字玄陰，敦煌人也。博通經傳，聰明過人，注王朗《易傳》，學者藉以通經。撰《十三州志》行于世。蒙遜甚重之，拜祕書考課郎中，加奉車都尉。牧犍待之彌重，拜大行，遷尚書。姑臧平，樂平王丕鎮涼州，引爲從事中郎。王薨之後，還京師。家甚貧敝，不免飢寒。卒，無後。

《晉書·地理志》：至漢平帝元始二年，郡國一百一十有一，凡爲十三部，涼、益、荊、揚、青、豫、兗、徐、幽、并、冀十一州，交阯、朔方二刺史，合十三部。後漢省朔方刺史，合之于司隸，凡十三部，其與漢不同者，司隸校尉部治，河南朔方隸于并州。

《史通·雜述篇》曰：“地理書者，若朱贛所采，浹于九州；闞駰所書，殫于四國，斯則言皆雅正事，無偏黨者矣。”

《唐書·經籍志》：《十三州志》十四卷，闞駰撰。

《唐書·藝文志》：闞駰《十三州志》十四卷。

武威張澍輯本序曰：“後魏敦煌闞玄陰撰《十三州志》。《隋志》十卷，《唐志》十四卷，顏師古《漢·地理志》注多引之。其言曰：‘中古以來，説地理者多矣。或解説經典，或纂述方志，競爲新異，妄有穿鑿，安處附會，頗失其真，今並不録。’獨有取于闞氏，可知其書之精審，所惜散佚不傳。他書徵引者，亦復寥寥。余搜集傳注，都爲一卷，斷珪碎璧，彌覺可珍云。”

張氏《書目答問》：闞駰《十三州志》二卷，張澍輯二酉堂本。

慧生行傳一卷

《魏書·釋老志》：熙平元年，詔遣沙門惠生使西域，采諸經律。正光三年冬，還京師，所得經論一百七十部，行于世。

本志道佛篇：後魏熙平中，遣沙門慧生使西域，采諸經律，得一百七十部。

　案熙平正光，當梁武帝天監普通之時，首尾凡七年，羊衒之《洛陽伽藍記》備載此記年月，與史文頗不同。

宋武北征記一卷　戴氏撰

《宋書·武帝本紀》：初，僞燕主鮮卑慕容德僭號于青州。德死，兄子超襲位，前後屢爲邊患。義熙五年二月，大掠淮北，執陽平太守劉千載、濟南太守趙元，驅略千餘家。三月，公抗表北討。四月，發京都。五月，至下邳。六月，拔臨朐，超遁還廣固。六年二月丁亥，屠廣固，超踰城走，獲之，送京師，斬于建康市。亦見《晉書》本紀。

嘉定錢大昕《隋書考異》曰：“《宋武北征記》一卷，戴氏撰。戴名延之，見《水經注》。”

章氏《考證》：《元和郡縣志·河南道》、《後漢書·呂布傳》注並引《宋武北征記》。

　案戴延之即戴祚，有《西征記》二卷，又一卷，並見于前。案宋武西征，姚泓入長安，在晉安帝義熙十二年，此北征慕容超，猶在其前七年。是役也，延之以僚屬從，故爲此記。同時從行者，裴松之、孟奧、徐齊民，並有《北征記》。伍緝之有《從征記》，丘淵之有《征齊道里記》，見章氏輯諸書所引。

林邑國記一卷

不著撰人。

《晉書·南蠻傳》：林邑國，本漢時象林縣，則馬援鑄柱之處也。去南海三千里，後漢末，縣功曹姓區，有子曰連，殺令自立爲王，子孫相承。其後王無嗣，外孫范熊代立，熊死，子逸立。自孫權以來，不朝中國。至武帝太康中，始來貢獻云。

《唐書·經籍志》：《林邑國記》一卷。《藝文志》同。

章氏《考證》：《水經·葉榆河注》引《林邑記》，又《溫水注》引云：“馬援樹兩銅柱於象林南界，與西屠國分漢之南疆。”《通典·邊防門》同。

案《宋書·文帝本紀》：“元嘉二十三年六月，交州刺史檀和之伐林邑國，剋之。二十四年秋七月乙卯，以林邑所獲金銀寶物，班賚各有差。”此次《宋武北征記》之後，或其時檀和之等所上者歟？又晉嵇含《南方草木狀》引東方朔《林邑記》，似《林邑記》不止此一家。

涼州異物志一卷

不著撰人。

《唐書·藝文志》：《涼州異物志》二卷。

武威張澍輯本序曰：“異物有志，在昔繁矣。《隋志》有萬震《南州異物志》。《史記正義》引宋膺《異物志》，而《涼州異物志》著于《隋》、《唐志》。隋一卷，唐二卷。《博物志》、《水經注》均引作《涼土異物志》，惜不傳作者姓氏。觀其寫致敷詞，頗諧聲律，采藻精華，方諸萬氏，又未嘗不歎其散佚也。宋膺《異物》隱匿鮮章，史注所引，多説西方；且月氏羊尾，文與《涼州異物志》全同。《太平廣記》引《涼州異物志》‘羊子生土中’文，亦與宋膺《異物志》同，疑《涼州異物志》即宋膺所篹。漢晉之時，敦煌宋氏俊才如林，文采多麗，豈其然乎？以無左證，未能質言耳。間有音注，仍舊存之，偶得事比，亦注于末。”案“宋膺”似是“朱應”之傳譌，朱應有《扶南異物志》，詳見于前。

閡象傳二卷　閡先生撰

閡先生，不詳何許人。

案"閟"與"祕"、"閉"並通，讖緯家有《孔子閉房記》，"閉"或作"祕"，又作"閟"。《舊唐書·音樂志》："氾水初呈祕象，溫洛薦表昌圖。"《魏都賦》云："藏氣讖緯，閟象竹帛。"此皆言《河圖》、《洛書》也。梁釋僧祐《世界記》序云："雖復夏革說地，不過戶牖之間；鄒子談天，甫在奧突之內。鍊石既誣，黿足亦詭，俗書徒繁，竟無顯說。世士蒙昧，莫詳厥體。是以憑惠獨慮，閟六合之相持。桓譚拒問，率五藏以爲喻。"其言"閟六合"，似即說地勢之大略，謂閟藏不發之象歟。憑惠，不知何人。"憑"似"馮"字之誤。又《說文》："象，長鼻牙，南越大獸。"豈即言秦之象郡，漢之象林者歟？

又《漢志》陰陽家有《閭丘子》十三篇，名快，魏人。《漢書·人表》第四等有閭丘光。錢塘梁玉繩曰："孫侍御曰'光'乃'先'字之誤。漢人稱先生，每單稱'先'。閭丘先生，齊宣王時人，見《說苑·善說篇》。或曰《人表》傳寫敓'生'字。案《漢志》載其書于三鄒子之後，大抵亦是談天地、言終始之學者。此二卷，豈猶是十三篇之殘賸歟，閭先生即閭丘先生歟？"

司州山川古今記三卷　劉澄之撰

劉澄之有《永初山川古今記》，見前。

案《永初山川古今記》据《宋書·州郡志》即《永初郡國記》，不僅記山川一門也。此三卷，殆即前二十卷之佚出者。

江圖一卷　張氏撰

張氏不詳何人。

章氏《考證》：《尚書·禹貢》正義：張須元《緣江圖》。陸氏《釋文》亦稱張須元《緣江圖》。覆案《釋文》作"張須无"，非"元"字。《禹貢》所附釋文乃誤爲"元"。章氏又誤以爲《正義》所引。《通典·州郡門》注稱張須《九江圖》。《史記·夏本紀》索隱稱張滇《九江圖》。

案此當即《隋志》所稱張氏《江圖》，據《書》疏似“須元”，乃雙名。《通典注》則“須”爲單名。《索隱》作張滇，“滇”與“須”字似，相似而訛。張彥遠《名畫記》曰《江圖》張氏一。

江圖二卷　　劉氏撰

劉氏不詳何人。

唐張彥遠《歷代名畫記》曰：“古之祕畫珍圖，則有《江圖》三，劉氏；又一，張氏。”謂劉氏《江圖》三卷，張氏一卷也。

《唐書·藝文志》：《江圖》二卷。

章氏《考證》：《文選·蕭賦》注、陶淵明《夜行塗口詩》注，《寰宇記·劍南西道》並引《江圖》，不著撰名。《唐志》有《江圖》二卷，亦無撰名。張彥遠《名畫記》曰《江圖》劉氏三。

案《御覽》三百三十五引吳時《緣江戍圖》。今畫家有傳《長江萬里圖》者，不過寫其風景。輿地家有《長江圖》，則開方計里徵實之學焉。

廣梁南徐州記九卷　　虞孝敬撰

虞孝敬有《高僧傳》，見前雜傳類。

案此爲廣州、梁州、南徐州三記合并爲帙者，似梁代《地記》之殘賸。

水飾圖二十卷

不著撰人。

《太平廣記·伎巧類》杜寶《大業拾遺》曰：“煬帝別敕學士杜寶修《水飾圖經》十五卷，新成。以三月上巳日，會群臣於曲水，以觀水飾。有神龜負八卦出河，授伏羲。及屈原沈汨羅水、巨靈開山、長鯨吞舟等，總七十二勢，皆刻木爲之。或乘山，或乘平洲，或乘槃石，或乘宮殿，木人長二尺許，衣以綺羅，裝以金碧，及作雜禽獸、魚鳥，皆能運動如生，隨曲水而行。又間以妓航，木人奏音聲，皆得成曲。及爲百戲、跳劍、舞輪、昇竿、擲繩，皆如生無異，奇幻出于意表。又作小舸子，木人乘此船以行酒，如斯之妙，皆出自黃袞之思。寶時奉勅撰《水飾圖經》及檢校良工圖畫，既成，奏進，勅遣寶共黃袞相知于苑內，造此水飾，故得委悉見之。袞之巧性，今古罕儔。"

《隋書·何稠傳》：大業時，有黃亘者，不知何許人也，及弟袞，俱巧思絕人。煬帝每令其兄弟直少府將作，於時改創多務，亘、袞每參典其事。凡有所爲，何稠先令二人立樣，當時工人皆稱其善，莫能有所損益。亘官至朝散大夫，袞至散騎侍郎。

甄閩傳一卷

不著撰人。

《漢書·高帝本紀》："五年二月，詔曰：'故粵王亡諸世奉粵祀，秦侵奪其地，使其社稷不得血食。諸侯伐秦，亡諸身帥閩中兵以佐滅秦，項羽廢而弗立。今以爲閩粵王，王閩中地，勿使失職。'"師古曰："閩越，今泉州建安是其地也。"

又《武帝本紀》：元鼎六年秋，東越王餘善反，攻殺漢將吏，遣橫海將軍韓說、中尉王溫舒出會稽，樓船將軍楊僕出豫章擊之。元封元年冬十月，詔曰：南越、東甌咸伏其辜，東越殺王餘善降。詔曰：東越險阻反覆，爲後世患，遷其民于江、淮間。遂虛其地。

《晉書·地理志》：揚州建安郡，故秦閩中郡。漢高帝五年以立閩越王，及武帝滅之，徙其人名爲東冶，又更名東城。後漢改爲侯官都尉，及吳置建安郡，統縣七。

《宋書·州郡志》：江州建安太守，本閩越，秦立爲閩中郡。漢武帝世，閩越反，滅之，徙其民于江、淮間。後有遁於山谷者頗出，立爲冶縣，屬會稽。司馬彪云："章安是故冶，然則臨海亦冶地也。"案臨海郡治章安，故云。張勃《吳錄》云："閩越王冶鑄地，蓋句踐冶鑄之所，故謂之冶。"後分冶地爲會稽東、南二部都尉。東部,臨海是也。南部,建安是也。吳孫休永安三年,分南部立爲建安郡。

北荒風俗記二卷

不著撰人。

章氏《考證》:《太平寰宇記·河北道》有隋《北蕃風俗記》曰:"厥稽部渠長突地稽,率八部衆内附,處之柳城。"

諸蕃風俗記二卷

不著撰人。

章氏《考證》:《通典·邊防門》注:金姓相承三十餘葉,稱隋《東蕃風俗記》。洪遵《泉志·外國品》有三佛齊國錢、泥國錢,並引《諸蕃風俗記》。案兩《唐志》有裴矩《高麗風俗》一卷,似即此書之佚存者。矩在煬帝時領護西域諸番互市事,有《西域圖》,見後。

男女二國傳一卷

不著撰人。

《南史·夷貊傳》:扶桑國者,齊永元元年,其國有沙門慧深來至荆州,説云:"扶桑東千餘里有女國。"

《隋書·西域傳》:女國在葱嶺之南,其國代以女爲王。王姓蘇毗,字末羯,女王之夫號曰金聚。不知政事,國内丈夫唯以征伐爲務。開皇六年,遣使朝貢,其後遂絶。

突厥所出風俗事一卷

不著撰人。

《隋書·北狄傳》:突厥之先,平涼雜胡也,姓阿史那氏。後魏太武滅沮渠氏,阿史那以五百家奔茹茹,世居金山,工于鐵作。《北史》云:"居金山之陽,爲蠕蠕鐵工。"金山狀如兜鍪,俗呼兜鍪爲突厥,因以爲號。後魏之末,有木杆可汗,擊茹茹,滅之,西破挹怛,東走契丹,北方戎狄悉歸之,抗衡中夏。

《北史·突厥傳》:"突厥者,其先居西海之右,獨爲部落,蓋匈奴之別種也。或曰突厥,本平涼雜胡。"又曰:"突厥之先,出於索國,在匈奴之北。"又傳論曰:"四夷之爲中國患也,久矣。北狄尤甚,種類實繁,迭雄邊塞,年代遐邈,非一時也。五帝之世,則有獯鬻。三代,則獫狁。兩漢,則匈奴。當塗、典午,則烏桓、鮮卑。後魏及周,則蠕蠕、突厥。此其酋豪相繼,互相君長者也。及蠕蠕衰而突厥始大,至於木杆,遂雄朔野。"

章氏《考證》:《通典·邊防門》引有《突厥本末記》。

古今地譜二卷

不著撰人。

案《史記·夏本紀》正義引《古今地名》,似其書本爲《古今地名譜》,此敓"名"字歟? 梁陶弘景著《古今州郡記》,或即從其書鈔出者。

輿地志三十卷　陳顧野王撰

顧野王有《玉篇》,見經部小學家。

《陳書》、《南史》本傳:所撰著《玉篇》三十卷、《輿地志》三十卷,行于世。

本志篇敍曰:"陳時顧野王抄撰衆家之言,作《輿地志》。"

《唐書·經籍志》:《輿地志》三十卷,顧野王撰。

《唐書·藝文志》:顧野王《地志》三十輿卷。

章氏《考證》:王象之《輿地碑記目》曰:"寶雲寺南高基,顧野王曾于此修《輿地志》,並建屋立像曰顧侍郎祠。"《通典·州郡門》注及《太平御覽》、《寰宇記》引《輿地志》甚多。

序行記十卷　姚最撰

姚最有《梁後略》,見前古史類。

《唐書·經籍志》:《述行記》二卷,姚最撰。

《唐書·藝文志》:姚最《述行記》二卷。

章氏《考證》：《周書·儒林傳》：_{案當云《藝術傳》。}"姚僧垣撰《行記》三卷，子最傳不載，撰《序行記》。"《唐志》有姚最《述行記》三卷。_{案當云二卷。}《元和郡縣志·河東道》："周建德五年，從行討齊師，次洪洞，百雉相臨，四周重複，控據要險，城主張元靜率其所部，肉袒軍門。'"又云："晉陽宮西南有小城，内有殿，號大明宮。"又云："高齊天保中，大起樓觀，穿鑿池塘，自洋以下，皆遊集焉，至今爲北都之勝概。"並引姚最《序行記》三事。又見《寰宇記·河東道》。

案《周書·武帝本紀》："建德五年冬十月己酉，帝總戎東伐，以齊王憲、陳王純爲前軍。齊王攻洪洞、永安二城，並拔之。"與李吉甫所引《序行記》文合，惟不載張元靜降耳。姚爲齊王府參軍掌記室事，所謂從行者，即從齊王爲前軍時也。明年，遂入鄴，北齊亡。

魏永安記三卷　温子昇撰

《魏書·文苑傳》：温子昇，字鵬舉，自云太原人。晉大將軍嶠之後也。世居江左，祖恭之，避難歸國。家于濟陰冤句，因爲其郡縣人焉。子昇，初受學于崔靈恩、劉蘭。熙平初，補御史。永熙中，爲侍讀，兼中書舍人、鎮南將軍、金紫光禄大夫、散騎常侍、中軍大將軍，領本州大中正。齊文襄王引爲大將軍府諮議參軍，及元僅、劉思逸、荀濟等作亂，文襄疑子昇知其謀，乃餓諸晉陽獄，食敝襦而死。撰《永安記》三卷。_{案子昇死時，當在東魏孝靜帝武定五六七年。}

《史通·敍事用晦篇》："子昇取譏于君懋，非不幸也。"注：王劭《齊志》曰："時議恨邢子才不得掌興魏之書，悵快温子昇亦若此，而撰《永安記》，率是支言。"

《唐書·藝文志》故事類：温子昇《魏永安故事》三卷。

案《魏書·孝莊紀》："帝諱子攸，彭城王勰第三子。肅宗孝昌二年，進封長樂王。及武泰元年春二月，蕭宗崩，大都督爾朱榮將向京師，謀欲廢立。以帝家有忠勳，且兼民望，陰與帝通，榮乃率衆來赴。夏四月，帝與兄弟夜北渡河。丁酉，會榮于河陽。戊戌，南濟河，即帝位，改武泰爲建義元年，榮以兵權在己，遂有異志，乃害靈太后及幼主，次害王公已下二千餘人。汝南王悦、北海王顥、臨淮王彧前後奔蕭衍，九月乙亥，以平葛榮，大赦，改爲永安元年。冬十月，蕭衍以北海王顥爲魏王，年號孝基。二年五月癸酉，元顥陷滎陽。甲戌，車駕北巡。乙亥，幸河内。丙子，元顥入洛。秋七月，元顥敗走。癸酉，斬元顥，傳首京師。三年九月辛卯，天柱大將軍爾朱榮、上黨王天穆自晉陽來朝。戊戌，帝殺榮、天穆于明光殿。是夜，爾朱世隆、榮妻鄉郡長公主，率榮部曲焚西陽門，出屯河陰。冬十月，爾朱世隆、爾朱兆共推長廣王曄爲主，號年建明。十有二月，爾朱兆、爾朱度律襲京城，禁衛不守。帝出雲龍門，兆逼帝幸永寧佛寺。甲寅，爾朱兆遷帝于晉陽。甲子，帝崩于城内三級佛寺，時年二十四。"此莊帝永安首尾三年之大略也。又案《子昇本傳》云："子昇嘗爲上黨王天穆行臺郎中，元顥入洛，又爲顥中書舍人。及帝殺爾朱榮，子昇預謀。當時赦詔，子昇詞也。爾朱兆入洛，懼禍逃匿。永熙中，爲侍讀。"然則此三年中，洛下大亂。子昇皆親歷其事，此殆所記事蹟，當入雜史，不知本志何以列之於此。

國都城記二卷

不著撰人。

章氏《考證》：《元和郡縣志·河南道》、《太平御覽·州郡部》、《寰宇記·河南道》並引《國都城記》。《寰宇記》又引二事，稱《魯國都記》，皆無撰名。《史記·五帝本紀》、《夏本紀》正義各引一事，稱徐才《宗國都城記》。又《周本紀》、《晉世家》、《孔子世家》正義俱稱《宗國都城記》。《唐志》有顧野王《十國都城記》十卷，周明帝《國都城記》九卷。

　　案章氏所考此書作者有三家，周明帝、徐才、顧野王。徐才疑即徐之才。又《初學記·州郡部》引皇甫謐《國都城記》，此二卷不知誰家之書。

周地圖記一百九卷

　　不著撰人。

　　《唐書·經籍志》：《周地圖》九十卷。

　　《唐書·藝文志》：《周地圖》一百三十卷。

　　章氏《考證》：《文選·爲曹洪與魏文書》注、《後漢書·劉焉傳》注、《元和郡縣志·山南道》並引《周地圖記》。《太平御覽》、《寰宇記》尤多引之。

冀州圖經一卷

　　不著撰人。

　　章氏《考證》：《太平御覽·地部》引《冀州圖經》，《寰宇記》多引《冀州圖》，省“經”字。

齊州圖經一卷

　　不著撰人。

齊州記四卷　李叔布撰　章氏《考證》云一卷，不知所見何本。

　　李叔布始末未詳。

　　《唐書·經籍志》：《齊州記》四卷，李叔布撰。

　　《唐書·藝文志》：李叔布《齊州記》四卷。

幽州圖經一卷

　　不著撰人。

　　案冀州、齊州、幽州，隋以前皆屬北朝。以上四書，大抵皆北朝人作。《寰宇記》數引《舊圖經》，似即此類。

魏聘使行記六卷

不著撰人。

《宋書·索虜傳》：晉義熙十三年，高祖西伐長安，虜主拓拔嗣遺使求和，自是使命歲通。

《南齊書·魏虜傳》：宋明帝末年，始與虜和好。元徽昇明之世，虜使歲通。

《梁書·儒林·范縝傳》：齊永明年中，與魏氏和親，歲通聘好，特簡才學之士，以爲行人。縝及從弟雲、蕭琛、琅邪顏幼明、河東裴昭明相繼將命，皆著名鄰國。縝子胥，有口辨。大同中，常兼主客郎，對接北使。

《唐書·經籍志》：《魏聘使行記》五卷。《藝文志》同。

案其後東魏之初，屬爾朱元顥大亂之後。北齊獻武文襄專政，内憂未已，故與梁通好。《魏書·靜帝本紀》備載使命，多以他官兼散騎常侍充使，始于天平四年七月，爲李諧、盧元明、李業興三人，迄武定五年四月，李偉。此十一年中，南北使命，尤慎重其事云。後以侯景之亂遂絶。《魏書》皆云貢獻，此《史通》所謂“奚其厚顏”者。

又案此六卷，疑與下《李諧行記》一卷、《封君義行記》一卷合爲一書，皆是李繪所集。其後散佚，故別有李繪撰《封君義行記》一卷也。詳見下文。《北齊書·李渾傳》云：“渾子湛，爲太子舍人兼常侍，聘陳使副。”又曰：“渾與弟繪、偉俱爲聘梁使主，湛又爲使副，是以趙郡人士，目爲四使之門。”案此四人並同時，殆以父子、兄弟，咸以奉使著名，故繪集爲此記。雖未得明文，而其事固可想見矣。案史言使主者，爲使事之主，即正使也。

聘出道里記三卷　江德藻撰

《陳書·文學傳》：江德藻，字德藻。濟陽考城人也。父革，梁度支尚書。德藻好學，美風儀。仕梁入陳，爲祕書監尚書左丞兼中書舍人。天嘉四年，與中書侍郎劉師知使齊，著《北征道里記》三卷。後爲通直散騎常侍，自求宰縣，出補新喻令，六年卒于官，年五十七。

章氏《考證》：《寰宇記·淮南道》、《酉陽雜俎續集·貶誤篇》並引江德藻《聘北道里記》。

李諧行記一卷

《梁書·武帝本紀》：大同二年十二月壬申，魏請通和，詔許之。三年七月癸卯，魏遣使來聘。

《魏書·孝靜帝本紀》：天平四年，先是，蕭衍因益州刺史傅和請通好。秋七月甲辰，遣兼散騎常侍李楷、案當爲“諧”。兼吏部郎中盧元明、兼通直散騎李鄴使于蕭衍。

《北史·李崇傳》：“崇，頓丘人也。從弟平，平子諧，字處和，幼有風采。襲父爵彭城侯。文辨爲時所稱，歷位中書侍郎。天平末，魏欲與梁和好，朝議將以崔㥄爲使主。㥄曰：‘文采與識，㥄不推李諧。口頰顧㥄，諧乃大勝。’于是以諧兼常侍、盧元明兼吏部郎、李業興兼通直常侍聘焉。梁武使朱異覘客，异言諧、元明之美。諧等見，及出，梁武目送之，謂左右曰：‘朕今日遇勍敵，卿輩常言北間都無人物，此等何處來？’謂异曰：‘過卿所談。’是時鄴下言風流者，以諧及隴西李神儁、范陽盧元明、北海王元景、弘農楊遵彦、清河崔瞻爲首。初通梁國，妙簡行人，神儁位已高，故諧等五人繼踵，而遵彦遇疾道還，竟不行。既南北通好，務以俊义相矜，銜命接客，必盡一時之選，無才地者不得與焉。梁使每入，鄴下爲之傾動，貴勝子弟盛飾聚觀，禮贈優渥，館門成市。宴日，齊文襄使左右覘之，賓司一言制勝，文襄爲之拊掌。魏使至梁，亦如梁使至魏，梁武親與談説，甚相愛重。諧使還後，卒于大司農。”《魏書》本傳云：“武定二年卒，年四十九。”

　　案《魏書》載諧與梁主客郎范胥及梁武問答諸條。《李業興傳》朱异及梁武問答經義，似即本於是記。

聘遊記三卷　劉師知撰

《南史》本傳：劉師知，沛國相人也。梁紹泰初，陳武帝入輔，以爲中書舍人。梁敬帝在内殿，師知常侍左右。及將加害，師知執帝衣，行事者加刃焉。陳武帝受命，任遇甚重。天康元年，豫文帝顧命，後坐事于北獄，賜死。案師知使齊事，《陳書》及《南史》本傳皆不載。蓋江德藻爲使主，已詳于《德藻傳》，此略之也。

章氏《考證》：《陳書·江德藻傳》：“天嘉四年，德藻與中書郎劉師知使齊，著《北征道里記》三卷。”《隋志》別有劉師知《聘遊記》三卷。

朝覲記六卷

不著撰人。

　　案此亦如《魏聘使行記》六卷，皆後人裒録爲書者。

封君義行記一卷　李繪撰

《魏書·孝靜帝本紀》：興和三年八月甲子，遣兼散騎常侍李騫使于蕭衍。

《北齊書·封述傳》：述字君義，渤海蓨人也。梁散騎常侍陸晏子。沈警來聘，以述兼通直郎，使梁。案李騫爲使主，述爲之副，故本紀但載李騫，不及封述。

《北齊書·李渾傳》：渾，趙郡柏人也。弟繪，字敬文。魏靜帝天平初，世宗用爲丞相司馬。世宗者，齊文襄帝澄也。武定初，兼常侍，爲聘梁使主。梁武帝問繪：“高相今在何處？”“黑獺若爲形容，高相作何經略？”繪敷對明辨，梁武稱佳。前後行人，皆通啓求市，繪獨守清尚，梁人重其廉潔。使還，拜平南將軍、高陽内史。天保初，爲司徒右長史。卒，謚曰景。又《魏書·孝靜帝本紀》：“興和四年夏四月丙寅,遣兼散騎常侍李繪使於蕭衍。又武定元年秋八月壬午,遣兼散騎常侍李渾使于蕭衍。”據此,則《李繪傳》載武定初爲聘梁使主者,爲其兄渾事,非繪事。繪爲使,猶在其前一年,傳當云興和末也。

章氏《考證》：《酉陽雜俎續集·貶誤篇》引李繪、封君義聘梁,記梁主客賀季指馬上立射二事。

案《南史·梁武帝本紀》：“大同六年秋七月,遣散騎常侍陸晏子報聘。七年夏四月戊申,東魏人來聘。”蓋即李騫、封述爲使,報陸晏子之聘也。時爲東魏孝靜帝興和三年。其後,梁使明少遐報聘。明年四月,東魏乃以李繪爲使主,使梁。是封君義爲使,在李繪之前一年,非與繪同時將命者。此題《封君義行記》,則撰人書名已具,而又注李繪撰,明是撰録其書,似與前《李諧行記》皆爲繪所撰集,疑即在《魏聘使行記》之中。此其佚出別行之本也,亦詳見於前。

又案《南齊書·劉繪傳》：“繪以才辨,奉勅接魏使,事畢,當撰記。繪曰：‘無論潤色未易,但得我語亦難矣。’”案此則南北朝奉使接伴,兩國必有所記,其書至多,以上數種,乃其僅存者耳。所記不必地理,故亦有變例,列之傳記雜録者。

輿駕東行記一卷　薛泰撰

薛泰始末未詳。

《唐書·經籍志》：《輿駕東幸記》一卷,薛泰撰。

《唐書·藝文志》：薛泰《輿駕東幸記》一卷。

章氏《考證》：《太平御覽·地部》覆船山、酒罌山引梁武《輿駕東行記》。《唐志》作《東幸記》。

案《御覽》引梁武《輿駕東行記》。考《梁書》、《南史》本紀：“大同十年三月甲午,輿駕幸蘭陵。庚子,謁建陵,有紫雲蔭陵上,食頃乃散。帝望陵流涕,所霑草皆變色,陵旁有枯泉,至是而流水香潔。辛丑,哭于修陵。壬寅,于皇基寺設法會,詔賜蘭陵老少位一階,并加頒賚。因賦還舊鄉詩。己酉,幸京口城北固樓,因改名北顧。庚戌,幸回賓亭,宴帝鄉故老及所經近縣奉迎候者少長數千人,各賚錢二千。夏四月乙卯,至自蘭陵。”蓋見于本紀者如此,亦此記之大略也。薛泰殆當時扈從者。

北伐記七卷　諸葛穎撰
巡撫揚州記七卷　諸葛穎撰

《隋書·文學傳》:諸葛穎字漢,丹陽建康人也。起家梁邵陵王參軍。侯景亂,奔齊,歷太子舍人、待詔文林館。周平齊,不得調,杜門不出十餘年。晉王廣素聞其名,引爲參軍記室,王爲太子,除藥藏郎。及即位,遷著作郎,從征吐谷渾,加正議大夫,從駕北巡,卒于道。撰《鸞駕北巡記》三卷、《幸江都道里記》一卷、《洛陽古今記》一卷、《馬名録》二卷,並行于世。

《唐書·經籍志》:《巡摠揚州記》七卷,諸葛穎撰。岑本從《新志》,改爲“巡總”。

《唐書·藝文志》:諸葛穎《巡撫揚州記》七卷。行本作“巡總”,輾轉寫誤也。

嘉定錢大昕《隋書考異》:《經籍志》:《北伐記》七卷、《巡撫揚州記》七卷。案《穎傳》云撰《鸞駕北巡記》三卷、《幸江都道里記》一卷。蓋即此兩書,而書名卷數俱不合。案此殆亦如《區宇圖志》,爲煬帝別敕增衍者。

　案《隋書·煬帝本紀》:“開皇元年,立爲晉王,八年大舉伐陳。及陳平,而江南高智慧等相聚作亂,徙上爲揚州總管,鎮江都。後數載,突厥寇邊,復爲行軍元帥,出靈武,無虜而還。及太子勇廢,立爲皇太子。仁壽初,奉詔巡撫東南。”此

　　兩書在開皇仁壽時作,《隋書·文學·柳䚮傳》:"䚮有《晉王
　　北伐記》十五卷。"亦在其時,兩《唐志》無《北伐記》。

大魏諸州記二十一卷

　　不著撰人。

　　《魏書·孝文本紀》:太和十年二月甲戌,初立黨、鄰、里三長,
　　定民戶籍。

　　《南齊書·魏虜傳》:永明四年,造戶籍,分置州郡。雍州、涼
　　州、秦州、沙州、涇州、華州、岐州、河州、西華州、寧州、陝州、
　　洛州、荊州、郢州、北豫州、東荊州、南豫州、西兗州、東兗州、
　　南徐州、東徐州、東徐州、青州、齊州、濟州二十五州,在河南。
　　案止二十四州,蓋敚一州。錢氏《考異》已言之。湘州、懷州、秦州、東雍
　　州、肆州、定州、瀛州、朔州、并州、冀州、幽州、平州、司州十三
　　州,在河北。錢氏《考異》曰:"河南有秦州,河北又有秦州,亦必有誤。湘當作
　　相。"凡分魏晉舊司、豫、青、兗、冀、并、幽、秦、雍、涼十州地,及
　　宋所失淮北,爲三十八州矣。案此所載太和時疆域,敚一州。錢氏《攷異》
　　謂其後有光州,符三十八州之數。

　　《唐書·經籍志》:《魏諸州記》二十卷。

　　《唐書·藝文志》:《後魏諸州記》二十卷。

　　章氏《考證》:《太平御覽·木部》都安縣引《大魏諸州記》。
　　《寰宇記·河北道》潞縣引《後魏諸州記》。《水經注》多引《魏
　　土地記》。《史記·趙世家》正義亦引《魏土地記》。《元和郡
　　縣志·河東道》引《後魏風土記》。《寰宇記》亦引《後魏風土
　　記》數事。又《御覽·地部》、《寰宇記·河北道》引《後魏興地
　　風土記》。

并州入朝道里記一卷　　蔡允恭撰

　　《周書·蕭詧附傳》:蔡大寶,濟陽考城人。弟大業,有五子,
　　允恭最知名,起家著作佐郎、太子舍人。梁滅,入陳,拜尚書

庫部郎。陳亡，入隋，授起居舍人。

《舊唐書·文苑傳》：蔡允恭，荆州江陵人也。父大業，後梁左民尚書。允恭仕隋，歷起居舍人。江都之難，從宇文化及西上，没于竇建德。及平東夏，太宗引爲秦府參軍，兼文學館學士。貞觀初，除太子洗馬，尋致仕，卒于家。有集十卷，又撰《後梁春秋》十卷。案此書不載者，似已編入本集十卷中也。

趙記十卷

不著撰人。

《北史·李靈附傳》：李公緒，字穆叔，趙郡平棘人。雅好著書，撰《趙記》八卷、《趙語》十二卷，並行於世。

章氏《考證》：《北齊書》：“李公緒撰《趙語》十三卷。”“語”當作“記”。《御覽·州郡部》：“李公緒《趙記》曰：趙孝成王造壇臺之名，爲趙都朝諸侯，故曰信都。”《寰宇記·河東道》：“李穆叔《趙記》曰：轑陽東北有五指山，上有一手一足之迹，其大如箕，指數俱全。”《史記·趙世家》正義：“龍山有四麓，各有一穴，大如車輪。春風出東，秋風出西，夏風出南，冬風出北，不相奪倫。”此稱邢子勵《趙記》。

　　案李公緒有《趙李家儀》，見前儀注篇。章氏謂《趙語》當作《趙記》，不知本傳别有《趙記》八卷，無庸遷就其説。李氏爲趙郡之甲族，此穆叔記其鄉國之書。邢子勵未詳，不知在前在後矣。

代都略記三卷

不著撰人。

　　案元魏始居代。《晉書·愍帝本紀》：“建興三年二月，進封代公猗盧爲代王。此其始基也。至成帝咸康中，猗盧孫昭成帝什翼犍即位，國號代，年號建國。建國三十九年，爲符堅所破。後十年，道武帝拓跋珪即代王位，年號登國。後十二年，改元天興，定國號曰魏。遷都平城。"此大抵記天興以前都代京時事。《隋書·牛弘傳》弘奏議云："後魏代都，造明堂，出自李沖。"殆即此記中之一事。

世界記五卷　　釋僧祐傳

僧祐有《薩婆多部傳》，見前雜傳類。

僧祐自序略曰："竊維方等大典，多説深空。唯《長鈴》、《樓炭》，辯章世界。而文博偈廣，難卒檢究。且名師法匠，職競玄義，事源委積，未必曲盡。祐以庸固，志在拾遺，故抄集兩經，以立根本。兼附雜曲，互出同異，撰爲五卷，名曰《世界集記》。將令三天階序，焕若披圖；六趣群分，照如臨鏡。庶溺俗者發蒙，服道者瑩解，共見慧眼之因，俱成覺智之業焉。"又《法集總目》云："區辨六趣，故述世界之記。"案以《長阿含經》、《樓炭經》所説《世界》爲主，附以他雜説，成是記。

《法苑珠林·傳記篇》：《世界記》一十卷，梁朝揚州建安寺沙門釋僧祐撰。

州郡縣簿七卷

不著撰人。

《玉海·地理郡國類》："《隋州郡縣簿》七卷。"又曰："隋開皇三年，廢諸郡。大業三年，改州爲郡。"又曰："大凡郡一百九十，縣一千二百五十五。"

大隋飜經婆羅門法師外國傳五卷

不著撰人。

隋區宇圖志一百二十九卷

不著撰人。

《隋書·隱逸崔廓傳》：廓子𩜹，煬帝時爲起居舍人。大業五年，受詔與諸儒撰《區宇圖志》二百五十卷，奏之，帝不善之，更令虞世基、許善心衍爲六百卷。

《太平御覽·文部·著書篇》：《隋大業拾遺》曰：“大業之初，敕內史舍人豆盧威、起居舍人崔祖濬等三十餘人撰《區字圖志》一部五百餘卷，新成，奏之。”

唐張彥遠《歷代名畫記》：“《區字圖》一百二十八卷，每卷有圖，虞茂氏撰。”案虞世基字茂世，會稽餘姚人。《隋書》有傳，其名與字兩犯唐諱，故此云“虞茂氏”。《唐志》亦沿舊題，節去“世”字。

《唐書·經籍志》：《區宇圖》一百二十八卷，虞茂撰。

《唐書·藝文志》：虞茂《區宇圖》一百二十八卷。

章氏《考證》：《太平寰宇記·河北道》、《御覽·地部》並引《隋區宇圖志》。

隋西域圖三卷　裴矩撰

裴矩有《開業平陳記》，見前舊事篇。

《隋書》本傳：煬帝時，西域諸蕃，多至張掖，與中國交市。帝令矩掌其事。矩知帝方勤遠略，諸商胡至者，矩誘令言其國俗山川險易，撰《西域圖記》三卷，入朝奏之。其序略曰：“臣既因撫納，監知關市，尋討書傳，訪采胡人，或有所疑，即譯眾口。依其本國服飾儀形，王及庶人，各顯容止，即丹青模寫，爲《西域圖記》，共成三卷，合四十四國。仍別造地圖，窮其要害云云。”

章氏《考證》：《太平寰宇記·四夷》引《隋西域圖記》二事。

隋諸州圖經集一百卷　郎蔚之撰

《隋書》、《北史·郎茂傳》：茂字蔚之，恒山新市人也。仕齊入周，至隋煬帝即位，爲尚書左丞，與崔祖濬撰《州郡圖經》一百卷。奏之，賜帛百段，以書付祕府。帝親征遼東，以茂爲晉陽宮留守，除名爲民，徙且末郡。十年，追還京兆，歲餘而卒，年七十五。

《唐書·經籍志》：《隋圖經集記》一百卷，郎蔚之撰。

《唐書·藝文志》:郎蔚之《隋圖經集記》一百卷。

章氏《考證》:《太平御覽·州郡部》引《隋圖經集記》,《地部》、《居處部》多引《隋圖經》,省"集記"二字。《寰宇記》亦引之甚多。

隋諸郡土俗物產一百五十一卷

不著撰人。

《玉平御覽·文部·著書篇》:《隋大業拾遺》曰:"大業之初,勑內史舍人豆盧威、起居舍人崔祖濬及龍川贊治侯偉等三十餘人撰《區宇圖志》。又著《丹陽郡風俗》,乃見以吳人爲東夷,度越禮義,及屬辭比事,失修撰之意。帝不悅,遣內史舍人柳陸宣勑責威等云:'昔漢末三方鼎立,大吳之國,已稱人物。故晉武帝云:江東之有吳、會,猶江西之有汝、潁,衣冠人物,千載一時。及永嘉之末,華夏衣纓,盡過江表。此乃天下之名都。自陳平之後,碩學通儒、文人才子莫非彼至。爾等著其風俗,乃爲東夷之人度越禮義,于爾等可乎?然于著述之體,又无次序。各賜杖一頓。'即日,勑追祕書學士十八人修十郡志,內史侍郎虞世基總檢。于是世基命學士各序一郡風俗,奏擬請體式。學士著作郎虞綽序京兆郡風俗,學士宣惠尉陵敬序河南郡風俗,袁朗序蜀郡風俗,學士宣德郎杜寶序吳郡風俗,四人先成,以簡呈世基。世基具狀以四序奏聞,去取聽勑。帝曰:'學士修書,頗得人意。'各賜物二十段。付世基擇善用之。世基乃鈔吳郡序付諸頭,以爲體式。及圖志第一副本新成八百卷,奏之。帝以部帙太少,更遣子細重修成一千二百卷,卷頭有圖,別造新樣,紙卷長二尺。敍山川則卷首有山水圖,敍郡國郭邑圖,敍城隍有公館圖,其圖上山水、城邑、題書字及細字並用歐陽肅書,即率更令詢之長子,工于草、隸,爲時所重。"案此言一千二百卷者,蓋合上圖經、圖志而重修之,仍名《區宇圖志》，其體如今之《通志》合郡縣風俗、山川、人物、土産爲一編，是所謂正御書與通行者不同，故本志仍分載三書，止于三百八十卷也。

本志篇敍曰：“隋大業中，普詔天下諸郡，條其風俗物産地圖，上于尚書。故隋代有《諸郡物産土俗記》一百三十一卷，“三十一”似“五十一”之訛。《區宇圖志》一百二十九卷，《諸州圖經集》一百卷，其餘記注甚衆。”

《唐書·經籍志》：《諸郡土俗物産記》十九卷。《藝文志》同。

西域道里記一卷

不著撰人。

諸蕃國記十七卷

不著撰人。

方物志二十卷　許善心撰

許善心有《梁史》，見前正史篇。

《隋書》本傳：大業四年，撰《方物志》奏之。

《玉海·地理·異域圖書門》：許善心撰《方物志》二十卷，大業四年奏之。

并州總管內諸州圖一卷

不著撰人。

《隋書·宇文㢸傳》：時朝廷以晉陽爲重鎮，并州總管必屬親王，其長史、司馬亦一時高選。

以上自《山海經圖讚》至此，凡八十四部。志敍所謂“任、陸二家所記之餘，次之于下”者也。蓋從《七録》及陳、隋諸家書目編爲是類。當時合任、陸所載，實有三百二十八部，今僅見一百三十八部。

右一百三十九部，一千四百三十二卷。通計亡書，合一百四十部，一千四百三十四卷。案此則原本尚有亡書一部二卷，今不見，已傳寫失之矣。著録部數不誤。

案《七録序目‧記傳録第十》曰："土地部七十三種，一百七十一帙，八百六十九卷。"本志增著六十七種。梁後新出者爲多焉。

又無名氏《盧山南陵雲精舍記》一卷、《司州記》二卷、《并帖省置諸郡舊事》一卷、《巴蜀記》一卷、《元康六年户口簿記》三卷、《元嘉六年地記》三卷、《九州郡縣名》九卷、《京師録》七卷、《後園記》一卷、《古來國名》二卷、《水飾圖》二十卷、《甌閩傳》一卷、《男女國傳》一卷、《古今地譜》二卷、《齊州圖經》一卷、《幽州圖經》一卷、《朝覲記》六卷、《代都略記》三卷、《州郡縣簿》七卷、《大隋翻經婆羅門法師外國傳》五卷、《西域道里記》一卷、《諸蕃國記》十七卷、《并州總管内諸州圖》一卷、《黄閔神壤記》一卷、任昉撰《地理書鈔》九卷、劉璆《京師寺塔記》十卷、釋曇景《京師寺塔記》二卷，又《外國傳》五卷、《慧生行傳》一卷、閭先生《閒象傳》二卷、虞孝敬《廣梁南徐州記》九卷、《李諧行記》一卷、劉師知《聘遊記》三卷、諸葛穎《北伐記》七卷、蔡允恭《并州入朝道里記》一卷、釋僧祐《世界記》五卷，凡三十六部，章氏《考證》皆遺之。又此在本志爲史部第十一類，章氏乃次于起居注類後，改爲第六類。

卷二十二

史部十二

譜系類　類中分類凡四。

世本王侯大夫譜二卷

不著撰人。

《顏氏家訓·書證篇》：《世本》出左丘明所書，原注云："此說出皇甫謐《帝王世紀》。"而有燕王喜、漢高祖，皆由後人所羼，非本文也。案此誤以兩本合一本爲說。

《史通·正史篇》：楚漢之際有好事者，録自古帝王、公侯、卿大夫之世，終乎秦末，號曰《世本》十五篇。

《春秋左氏傳·宣公》正義曰："《世本》傳寫多誤，其本未必然。"《昭公》正義又曰："司馬遷采《世本》爲《史記》，而今之《世本》與遷言不同，《世本》多誤，不足依憑。"

長洲何焯《義門讀書記》曰："《漢書·古今人表》權輿于《世本》。"案是說最足發人深省，《人表》之末，有燕王喜、太子丹，至于秦二世、子嬰、項羽、陳勝、胡廣、司馬欣，唯無漢高祖，此固不當載也。似所据即楚漢之際之本。

鄞縣全祖望《困學紀聞箋》曰："《世本》有三，《漢志》《世本》十五篇。而《隋志》有《世本王侯大夫譜》二卷，不著作者。又劉向《世本》二卷，宋衷《世本》四卷，則所謂《王侯大夫譜》者，疑即《漢志》之《世本》，蓋古經也。孔《疏》所見之《世本》未必即史公所見之《世本》。"案《漢志》之《世本》，訖于春秋時，本志下文明著劉向撰者是也。《史記索隱》引《系本》有韓趙魏，三家之世，其時在戰國，是爲楚漢時之本，即此《王侯大夫譜》是也。顏之推、劉知幾、孔穎達所見即此本。本志以楚漢時作者遠在劉向之先,故著于其前,而未核向之書乃古史官所作,更在楚漢之前,不當以撰録人敍先後也。全氏論書之先後,故有是説,本志以人爲次第,遂適與相左耳。

武威張澍輯本序曰:"《王侯大夫譜》云:'趙孝成王丹生悼襄王偃,偃生今王遷。'是作者猶值趙王遷時。案趙王遷之末年,秦始皇之十九年也。自此至漢高祖元年,凡二十二年,此作者亦即《史通》所謂楚漢之際之好事者焉。《隋書·經籍志》云《世本王侯大夫譜》二卷。《尚書》釋文引《王侯世本》,余集得魯譜、宋譜、齊譜、衞譜、秦譜、晉譜、鄭譜、陳譜、蔡譜、楚譜、韓譜、趙譜、魏譜、吴譜、燕譜、杞譜、滕譜、曹譜、邾譜、郳譜爲一卷。"案張輯《世本》凡五篇,篇爲一卷,而附以注釋,此其編入第五篇也。此楚漢時本,但有世系,無居篇、作篇、氏姓、謚法之類,《唐志》有《世本別録》一卷,似即此書。

世本二卷　劉向撰

劉向有《洪範五行傳論》,見經部尚書家。

劉向《別録》曰:"《世本》,古史官明于古事者之所記也。録黄帝以來,帝王諸侯及卿大夫系謚名號,凡十五篇,與左氏合也。"

《漢書·藝文志》六藝春秋家:《世本》十五篇,古史官記黄帝以來,訖春秋時諸侯大夫。

又《司馬遷傳》贊曰:"孔子作《春秋》,左丘明爲之傳,又篹異同爲《國語》,又有《世本》,録黄帝以來至春秋時,帝王公侯卿大夫祖世所出,故司馬遷據左氏《國語》采《世本》。"

章氏《考證》:皇甫謐《帝王世紀》謂《世本》左丘明所書。趙岐《孟子注》引古紀《世本》,録諸侯之世,滕有考公、元公,疑所謂古紀者,當即左丘明原本。《史通·外篇》云楚漢之際好事者所録。《隋志》載《世本王侯大夫譜》二卷,無撰人名。又《世本》二卷,劉向撰。是自有兩本,一在周代,一在楚漢之際,皆十五篇,故同爲二卷。劉向之撰,當是注文。

案此二卷即《漢志》之十五篇,章氏以爲注文,非也。蓋亦惑于全氏之説，以前二卷爲《漢志》之《世本》，而于此二卷注劉向撰者，又不可解，故強爲是説以通之。試問劉向果有注本，何以諸書但引宋衷，不引劉向耶？

世本四卷　宋衷撰

宋衷有《周易注》，見經部易類。

《史記・燕召公世家》索隱曰："譙周曰：'《系本》謂燕自宣侯已下，皆父子相傳。'案今《系本》無燕代系。宋忠依《太史公書》以補其闕。尋徐廣作音尚引《系本》，蓋近始散佚耳。"章氏《考證》曰："据司馬貞此言，譙周、徐廣所見《世本》乃古本，貞所見乃宋忠撰本。"按索隱稱《系本》者，避唐諱也。

《唐書・經籍志》：《世本》四卷，宋衷撰。

《唐書・藝文志》：宋衷《世本》四卷。

宋高似孫《史略》曰："《世本》十五篇，太史公因之以作《史記》者。是後《世本》凡三：其一曰《世本》，劉向所作者，二卷。其一亦曰《世本》，宋衷所作者，四卷。其一曰《帝譜世本》，宋均所作者，七卷。又有《世本王侯大夫譜》二卷。案《世本》敍歷代君臣世系，是書不復見。予閱諸經疏，惟《春秋左氏傳》疏所引《世本》者不一，因采掇彙次爲一書，題曰《古世本》。"案此則高氏有輯本。

武威張澍《世本集注》序曰："孔穎達《尚書正義》以《世本》經暴秦爲儒者所亂，劉恕《通鑑外紀》以爲世本經秦漢儒者改易。要之，係秦漢以前書，中壘、孟堅以爲出古史官者近之。其書至宋時已不傳。余繙閱緗帙，有引用者，輒著錄之，乃集得《作篇》、《居篇》、《氏姓篇》、《帝繫篇》、《王侯大夫譜篇》，共五篇，聊以管穴，裨益宋注。"

金谿王謨輯本敍錄曰："此書本極斷爛，易致混淆，轉寫多誤，尤難釐訂，今所抄輯率據《史記》，與《正義》、《索隱》參互考訂，略仿原書體例，編爲二卷，而以帝王諸侯卿大夫世系爲上卷，《氏姓篇》、《居篇》、《作篇》爲下卷。"

江都秦嘉謨《世本輯補》曰："古來述《世本》者,莫如司馬遷、韋昭、杜預,今以《史記》及《國語》韋注、《左傳》杜解三書爲本,復得孫氏星衍所藏澹生堂抄輯《世本》二卷,洪氏飴孫所編四卷,詳加增校,補輯成編,曰《帝繫篇》,曰《紀》,曰《王侯譜》,曰《世家》,曰《大夫譜》,曰《傳》,曰《氏姓》,曰《居篇》,曰《作篇》,曰《謚法》,凡十篇云。"

《孫祠書目》:《世本》七卷,洪飴孫集本。

張氏《書目答問》:《世本》一卷,孫馮翼輯,問經堂本。又高郵茆氏輯十種古書本。又《校輯世本》二卷,雷學淇自刻本。又《世本輯補》十卷,秦嘉謨原刻本。

案本志載《世本》三部,諸家遂以謂《世本》有三,其實止有二本,章氏所謂一在周代,一在楚漢之際是也。注其書者,有宋衷、宋均、王氏三家,見《唐·藝文志》。又有孫檢注,見《史記索隱》引漢魏所傳《世本》,注本盡在此矣。本志誤以《王侯大夫譜》著録于前,遂使後人疑不能釋。章氏合三部以爲之說,頭緒仍未疏通,今反覆審定,分別明著如右。

漢氏帝王譜三卷

不著撰人。

本志篇敍曰:"漢初得《世本》,敍黄帝已來,祖世所出,而漢又有《帝王年譜》。"

《唐書·經籍志》:《漢氏帝五譜》二卷。《藝文志》同。

案《漢志》春秋家有《漢大年紀》五篇,曆譜家有《帝王諸侯世譜》二十卷,皆是類之書。

梁有《宋譜》四卷,亡。

不著撰人。

《宋書·武帝本紀》:高祖武皇帝諱裕,字德興,小名寄奴,彭城縣綏里人。漢高帝弟楚元王交之後也。交後凡十八世,至晉武原令混始過江，居晉陵郡丹徒縣之京口里。混生東安太守靖，靖生郡功曹翹，是爲皇考。高祖以晉哀帝興寧元年癸亥三月壬寅夜生。

《南史》本紀：宋高祖武皇帝，彭城縣綏輿里人，姓劉氏，漢楚元王交之二十一世孫也。彭城，楚都，故苗裔家焉。

又《劉道產傳》：道產長子延孫，孝武初，位侍中，封東昌縣侯。劉氏之居彭城者，分爲三里，帝室居綏輿里，左將軍劉懷肅居安上里，豫州刺史劉懷武居叢亭里，三里及延孫所居呂縣，凡四劉，雖同出楚元王，由來不序昭穆。延孫于帝室本非同宗，大明元年詔與之合族，使諸王序親。

《南齊書・劉悛傳》：悛，彭城安上里人也。彭城劉同出楚元王，分爲三里，以別宋氏帝族。

　案《唐書・世系表》，劉氏定著七房，一曰彭城劉氏。有云漢高祖七世孫，宣帝生楚考王囂，囂後五世茂，字叔盛，司空、太中大夫，徙居叢亭里。是叢亭里之劉氏，出自楚孝王，非楚元王，餘三里皆不著。

梁有劉湛《百家譜》二卷，亡。

《宋書》本傳：湛，字弘仁，南陽涅陽人。博步史傳，諳前世舊典。景平元年，拜尚書吏部郎，元嘉中，召爲太子詹事，加給事中，領本州大中正，與殷景仁並被任遇，累遷領軍將軍，丹陽尹，金紫光禄大夫，散騎常侍。時彭城王義康專秉朝權，湛委心自結，欲因宰相之力以囘主心，傾黜景仁，獨當時務，義康威傾內外，湛愈推崇之，無復人臣之禮，上不能平，十七年十月，詔收付廷尉，于獄伏誅，時年四十九。

《南史・王僧孺傳》：始晉太元中，員外散騎侍郎賈弼撰《十八州譜》，宋太保王弘、領軍劉湛並好其書，湛爲選曹，始譔《百家譜》，以助銓序，而傷於寡略。案此，則是譜譔于少帝景平元年也。

《北齊書·文苑·顏之推傳》：之推撰《觀我生賦》，并自注有曰：“中原冠帶，隨晉渡江者百家。”故河東有《百家譜》。按河東謂賈氏也。

齊帝譜屬十卷

不著撰人。

《南齊書》本紀：“太祖高皇帝諱道成，字紹伯，姓蕭氏，小諱鬥將，漢相國蕭何二十四世孫也。何子酇定侯延，生侍中彪，彪生公府掾章，章生皓，皓生仰，仰生御史大夫望之。”又云：“蕭何居沛，侍中彪免官居東海蘭陵縣中都里。晉元康元年，分東海爲蘭陵郡，中朝亂，淮陰令整過江居晉陵武進縣之東城里。寓居江左者，皆僑置本土加以南名，于是爲南蘭陵之蘭陵人，皇考諱承之，俠右軍將軍，元嘉二十四年殂，太祖以元嘉四年丁卯歲生。”

《漢書·蕭望之傳》注：師古曰：“近代譜牒妄相託附，乃云望之蕭何之後，追次昭穆，流俗學者共祖述焉。但酇侯漢室宗臣，功高位重，子孫胤緒，具詳表傳。長倩鉅儒，達學名節並隆，博覽古今，能言其祖，市朝未變，年載非遥，長老所傳，耳目相接，若其實承何後，史傳寧得弗詳。《漢書》既不敍論，後人焉所取信，不然之事，斷可識矣。”

《南史·齊高帝本紀》論曰：“據齊、梁紀録並云出自蕭何，又編御史大夫望之以爲先祖之次。案何及望之于漢俱爲勳德，而望之本傳不有此陳，齊梁所書便乖實録。近祕書監顏師古博考經籍，注解《漢書》，已正其非，今隨而改削云。”

案《唐·世系》載蕭氏，與《齊書》本紀略同，知顏氏云近代譜牒者，即此書也。

百家集譜十卷　王儉撰

王儉有《喪服古今集記》，見經部禮類。

《南齊書·文學·賈淵傳》：先是譜學未有名家，淵祖弼之廣集百氏譜記，專心治業。晉太元中，朝廷給弼之，令史書吏撰定繕寫，藏祕閣及左民曹。淵父及淵三世傳學，凡十八州士族譜，合百帙七百餘卷。該究精悉，當世莫比。永明中，衛軍王儉抄次百家譜，與淵參懷撰定。

《南史·王僧孺傳》：領軍將軍劉湛爲選曹，始撰《百家譜》，以助銓序，而傷于寡略。齊衛將軍王儉復加去取，得繁省之衷。

《唐書·經籍志》：《百家集譜》十卷，王儉撰。

《唐書·藝文志》：王儉《百家集譜》十卷。

梁有王逡之《續儉百家譜》四卷，《南族譜》二卷，《百家譜拾遺》一卷，亡。

王逡之亦誤作王逸，有《喪服世行要記》，見經部禮類。

案逡之與王儉同時，儉撰《喪服集記》，逡之難儉爲《要記》，儉撰《百家譜》，逡之又續其書。《南族譜》者，《新唐書·柳沖傳》柳芳曰："過江則爲僑姓，王、謝、袁、蕭爲大，東南則爲吳姓，朱、張、顧、陸爲大，山東則爲郡姓，王、崔、盧、李、鄭爲大，關中則亦號郡姓，袁、裴、柳、薛、楊、杜首之。"蓋謂過江後僑寄士族諸姓也。梁王僧孺撰譜，亦以東南僑寄諸族別爲一篇。

梁又有《齊梁帝譜》四卷，亡。

不著撰人。

《梁書·蕭子恪傳》：子恪，蘭陵人，齊豫章文獻王嶷第二子也。天監元年，高祖在文德殿從容謂曰："我欲與卿兄弟有言，齊梁雖曰革代，義異往時，我與卿兄弟雖復絕服二世，宗屬未遠，與卿兄弟便是情同一家。"又曰："卿是宗室，情義異佗，方坦然相期，卿無復自外之意，小待自當知我寸心。"案豫章文獻王，齊高帝第二子，武帝弟也。

《唐書‧世系表》：蕭氏齊梁房：整字公齊，晉淮南令，按當爲淮陰。過江居南蘭陵武進之東城里。整第二子鎧，濟陰太守，生副子，州治中從事。生道賜，宋南臺治書侍御史。三子尚之、順之、崇之。順之字文緯，齊丹陽尹，臨湘懿侯。十子，懿、敷、衍、暢、融、宏、偉、秀、憺、恢。衍，梁高祖武皇帝也，號齊梁房。

章氏《考證》：《唐志》有《齊梁宗簿》二卷，似別一書。按兩《唐志》，實三卷，似《帝譜》一卷，《宗簿》三卷，合爲此四卷。

案《唐‧表》稱齊梁房者，似即此《齊梁帝譜》託始于晉淮陰令整。柳芳所謂過江僑姓，王、謝、袁、蕭爲大，其始亦南族譜中之大姓也，與齊同祖。《梁書‧武帝本紀》云：“皇考順之，齊高帝族弟也。參預佐命，封臨湘縣侯，歷侍中、衛尉、太子詹事，領軍將軍，丹陽尹。高祖以宋孝武大明八年甲辰歲生於秣陵縣同夏里三橋宅。”

梁又有《梁帝譜》十三卷，亡。

不著撰人。

《唐書‧世系表》：梁高祖武皇帝八子，統、綱、續、釋、綜、績、綸、紀。統，昭明太子；綱，簡文皇帝也。統五子，歡、譽、詧、䎘、譬。歡，字孟孫，豫章安王；詧，後梁宣帝；巋，後梁明帝；琮，隋莒國公。

案《唐‧表》載此亦統屬于齊梁房，然既曰《梁帝譜》，則託始于武帝，可知此類皆二代宗正卿之黃籍，梁陳之際所留遺，遞有增修者，未必皆見于《七錄》也。

百家譜三十卷　王僧孺撰

百家譜集鈔十五卷

《南史》本傳：僧孺，東海郯人，魏衛將軍肅八世孫也。工屬文，多識古事，入直西省，知撰譜事。先是，尚書令沈約以爲：

"晉咸和初，蘇峻作亂，文籍無遺。後起咸和二年，以至於宋，所書並皆詳實，並在下省左戶曹前廂，謂之晉籍，有東西二庫，此籍既並精詳，實可寶惜，位官高卑，皆可依案。宋元嘉二十七年，始以七條徵發，既立此科，人姦互起，偽狀巧籍，歲月滋廣，以至于齊患其不實。于是東堂校籍，置郎令史以掌之，競行姦貨，以新換故，昨日卑細，今日便成士流。凡此姦巧，並出愚下，不辨年號，不識官階，或注隆安在元興之後，或以義熙在寧康之前，此時無此府，此時無此國，元興唯有三年，而猥稱四、五；詔書甲子，不與長曆相應，校籍諸郎亦所不覺，不才令史固自妄言。臣謂宋、齊二代，士庶不分，雜役減闕，職由于此。竊以晉籍所餘，宜加寶愛。"武帝以是留意譜籍，州郡多離其罪，因詔僧孺改定《百家譜》。始晉太元中，平陽賈弼撰十八州一百一十六郡，合七百一十二卷，宋劉湛爲選曹，始撰百家以助銓序，齊王儉復加去取，僧孺之撰，通、范、陽、張等九族，以代雁門解等九姓，其東南諸族，別爲一部，不在百家之數焉。普通二年卒。撰《百家譜集抄》十五卷，《東南譜集抄》十卷。

《梁書·文學·李昚傳》：王僧孺被敕撰譜，訪昚血脈所因，昚云："桓譚《新論》云：'太史《三代世表》，旁行邪上，並效《周譜》。'以此而推，當起周代。"僧孺歎曰："可謂得所未聞。"

《唐書·經籍志》：《百家譜》三十卷，王僧孺撰。

《唐書·藝文志》：王僧孺《百家譜》三十卷。

章氏《考證》：《元和姓纂》皮姓、闐姓引僧孺《百家譜》。

案《唐志》惟載《百家譜》三十卷，證以本傳，似合兩書爲三十卷。本志別出《集抄》十五卷，似重複。

百家譜二十卷　賈執撰

《唐書·世系·賈氏表》：魏太尉肅侯詡六世鈞，生弼，散騎侍郎。二子躬之、匪之。躬之,宋太宰參軍。子希鏡,南齊外兵郎。生梲,義興太守。生執,梁太府卿。案希鏡名淵,見《齊書·文學傳》。淵子棲長,與梲名義相會,似即梲之字。

《新唐書·儒學·柳沖傳》:柳芳曰:"魏氏立九品,置中正,尊世胄,卑寒士,其州大中正、主簿,郡中正、功曹,皆取著姓士族爲之,以定門胄,品藻人物。晉宋因之,有司選舉,必稽譜牒,而考其真僞,故官有世胄,譜有世官,賈氏、王氏譜學出焉。晉太元中,散騎常侍河東賈弼撰《姓氏譜狀》十八州百十六郡,合七百一十二篇,甄析士庶,無所遺缺。弼傳子匪之,匪之傳子希鏡,希鏡傳子執,執又著《百家譜》廣兩王所記。執傳其孫冠,王氏之學本於賈氏。"按《唐·表》執爲希鏡之孫,希鏡爲躬之之子,與柳芳言世次不同。又《宋書·王僧綽傳》:"元凶劭既害僧綽,并殺僧綽門客太學博士賈匪之。"

《唐書·經籍志》:《百家譜》五卷,賈執撰。

《唐書·藝文志》:賈執《百家譜》五卷。

案賈執《齊》、《梁書》、《南史》並無傳,唯今所傳《劉孝儀集》有《彈賈執文》,云:"南康嗣王府行參軍,知譜事。"賈執蓋其初爲是官,與王僧孺同事譜局,後至太府卿也。

百家譜十五卷　傅昭撰

《梁書》本傳:昭,字茂遠,北地靈州人。晉司隸校尉咸七世孫也。仕齊爲尚書左丞,領本州大中正,梁天監五年,累遷散騎常侍,金紫光禄大夫。昭博極今古,尤善人物,魏晉以來,官宦簿伐,姻通内外,舉而論之,無所遺失。居身行己,不負闇室。京師後進,宗其學,重其道,人人自以爲不逮。大通二年九月卒,年七十五,謚曰貞子。

百家譜世統十卷

不著撰人。

百家譜鈔五卷

不著撰人。

《通志·藝文略》譜系總譜類:《百家譜鈔》五卷,賈執撰。此殆以《唐志》有賈執《百家譜》五卷,因并此《譜鈔》五卷,亦歸之賈執,非别有證据也。鄭之師心自用,多類此,不可信也。

姓氏英賢譜一百卷　賈執撰

賈執有《百家譜》,見前。

《新唐書·柳沖傳》:柳芳曰:"晉河東賈弼譔《姓氏簿狀》,傳子匪之,匪之傳子希鏡,希鏡傳子執,執更作《姓氏英賢》一百篇,又著《百家譜》。"

《元和姓纂》:河東賈氏晉有散騎常侍賈弼,生匪之,宋太宰參軍;希鑑,齊外兵郎,撰《永明氏族》,稱生執,梁少府太傅講學,撰《姓氏英賢傳》。案此"永明氏族"下,似有敓文。

《唐書·經籍志》:《姓氏英賢譜》一百卷,賈執撰。

《唐書·藝文志》:賈執《百家譜》五卷,又《姓氏英賢譜》一百卷。

宋鄧名世《古今姓氏書辨證》曰:賈氏希鑑生稅,義興太守,稅生執,梁太府卿,精世譜學,撰《姓氏英賢傳》。案《唐·世系》希鏡子名稅,此又作稅,與棲長之字義亦相通,不知果爲稅爲稅也。

章氏《考證》:《唐書·柳沖傳》:"賈執作《姓氏英賢》一百篇。"無"譜"字。《文選·頭陀寺碑》注、《太平御覽·宗親部》並稱《姓氏英賢録》。《廣韻注》:"今高密有東鄉姓,又路中大夫後,以路中爲氏,又安期生,今琅邪人,又凡間氏,今東莞有之,又東莞有五王氏。"此稱賈執《英賢傳》,省"姓氏"二字。殷敬順《列子釋文》引吳郡有庚桑姓,稱爲士族,稱賈逵《姓氏英覽》,訛執爲逵,訛賢爲覽,脱去"譜"字。

案《四庫提要》有曰:"《隋書·經籍志》有賈執《姓氏英賢

譜》一百卷,其書久佚,據李善《文選注》所引,前列爵里,後詳事蹟,蓋以譜牒、傳記合爲一書者也。"案《四庫》著録有宋章定《名賢氏族言行類槀》六十卷,明淩迪知《萬姓統譜》一百四十六卷,並見子部類書類,皆是書之流裔焉。

梁有王司空《新集諸州譜》十一卷,亡。

《通志•藝文略》譜系郡譜類:《新集諸州譜》十二卷,司空王儉撰。

案《齊書•王儉傳》:"永明七年薨,詔曰:'故侍中、中書令、太子少傅、領國子祭酒、衛軍將軍、開府儀同三司南昌公儉,可追贈太尉,侍中、中書監、公如故。謚文憲公。'"當時任彥昇爲《王文憲集序》,備著一生官位。及南史所載,儉實未嘗爲司空。鄭氏云司空王儉,不知何據,殆意爲之説也。

又案此王司空疑是王僧虔,儉之叔父也。仕齊位侍中,特進左光禄大夫。永明三年薨,贈司空,謚簡穆。《文選•王文憲集序》亦云:"叔父司空簡穆公。"《南齊書》載其《誡子書》有云:"且論注百氏,荆州《八袠》。"又云:"《八袠》所載,凡有幾家。"荆州《八袠》者,似當時舊有荆州譜,僧虔集此譜時爲所依據者歟,亦或是諸州譜中之最著聞者,由中推尋,似出王僧虔爲多,蓋作于宋時,必非王儉也。

梁又別有《諸姓譜》一百一十六卷,《益州譜》四十卷,《關東關北譜》三十三卷,亡。

並不著撰人。

《通志•藝文略》譜系總譜類:《諸姓譜》一百十六卷,梁司空王儉撰。

案鄭氏以前書題王司空謂爲王儉,已辨於前,此又云梁司空王儉。案儉卒於齊武帝永明七年,時梁武帝方爲王儉衛將軍官屬，何由爲梁之司空乎，此其自欺欺人之言也。

梁又別有梁武帝總責《境内十八州譜》，六百九十卷，亡。一本作"總貢"。

《梁書·王僧孺傳》：僧孺入直西省，知撰譜事，集十八州譜，七百一十卷。案此"總責"、"總貢"，皆"總集"之誤。

《通典·食貨鄉黨篇》：梁武帝以沈約上言留意譜籍，詔御史中丞王僧孺改定《百家譜》，由是有令史書吏之職，譜局因此而置。

《唐書·柳沖傳》：柳芳曰："劉湛譔《百家譜》，文傷寡省，王儉又廣之。王僧孺演益爲十八篇，東南諸族，自爲一篇，不入百家數。"

《元和姓纂·東陽路氏》：梁天監《十八州譜》，路氏一卷，東陽、鉅鹿譜案以上文例之，此"譜"字當爲"並"字。舊望。

《唐書·經籍志》：《十八州譜》，七百一十二卷，王僧孺撰。

《唐書·藝文志》：王僧孺《百家譜》三十卷，又《十八州譜》七百一十二卷。

　以上自《宋譜》至此，凡廿一部，爲南朝譜學。

後魏辨宗録二卷　元暉業撰　暉當爲暉。

《魏書·景穆十二王傳》：濟陰王小新成，和平二年封。麗，子鬱襲。鬱長子弼，弼子暉業，字紹遠，少險薄，長乃變節，涉子史，亦頗屬文，而慷慨有志節。歷位司空、太尉，加特進，領中書監，録尚書事。齊初降封美陽縣公，開府儀同三司、特進。暉業之在晉陽也，無所交通，居常閑暇，乃撰魏藩王家世，號爲《辨宗録》四十卷，行于世。

《北齊書》本傳：乃撰魏藩王家世，號爲《辨宗録》四十卷，行于世。位望隆重，又以性氣不倫，每被猜忌。天保二年，從駕至晉陽宮，文宣殺之。又《魏收傳》云：濟陰王暉業撰《辨宗室録》三十卷。

《唐書·經籍志》：《後魏辨宗録》二卷，元暉業撰。

《唐書·藝文志》：元暉業《後魏辨宗録》二卷。

章氏《考證》：案此卷數，《隋》、《唐》二志與《後魏書》、《北齊書》本傳過相懸絕，必有訛誤。

後魏皇帝宗族譜四卷

不著撰人。

《魏書·孝文帝本紀》：太和二十年春正月丁卯，詔改姓爲元氏。

又《官氏志》：至獻帝時，七分國人，使諸兄弟各攝領之。乃分其氏，以兄爲紇骨氏，後改爲胡氏；次兄爲普氏，後改爲周氏；次兄爲拓跋氏，後改爲長孫氏；弟爲達奚氏，後改爲奚氏；次弟爲伊婁氏，後改爲伊氏；次弟爲丘敦氏，後改爲丘氏；次弟爲侯氏；後改爲亥氏。七族之興，自此始也。又命叔父之胤曰乙旃氏，後改爲叔孫氏；又命疏屬曰車焜氏，後改爲車氏。凡與帝室爲十姓，百世不通婚。太和以前，國之喪葬祠禮，非十族不得與也。高祖革之，各以職司從事。案此言後改爲某氏云云者，皆太和時所改也。

本志篇敍曰："後魏遷洛有八氏十姓，咸出帝族。"案八氏者，《官氏志》載太和十九年詔穆、陸、賀、劉、樓、于、嵇、尉八姓，皆太祖已降，勳著當世，位盡王公者。

《唐書·世系表》：元氏出自拓拔氏。黃帝生昌意，昌意少子悃居北，十一世爲鮮卑君長。平文皇帝鬱律二子：什翼犍，烏孤。什翼犍，昭成皇帝也，始號代王，至道武皇帝改號魏，至孝文皇帝更爲元氏。

《唐書·藝文志》：《後魏皇帝宗族譜》四卷。

魏孝文列姓族牒一卷

不著撰人。

《後魏・官氏志》：太和十九年，詔曰：“代人諸胄，先無姓族，比欲制定姓族，事多未就，令司空公穆亮、領軍將軍元儼、中護軍廣陽王嘉、尚書陸琇等詳定北人姓，務令平均，隨所了者，三月一列簿帳，送門下以聞，于是升降區別矣。”

本志篇敘曰：“後魏遷洛有八氏十姓，咸出帝族。又有三十六族，則諸國之從魏者，九十二姓，世爲部落大人者，並爲河南洛陽人。”

《唐書・經籍志》：《後魏譜》二卷。《藝文志》同。

後齊宗譜一卷

《北齊書・神武本紀》：齊高祖神武皇帝，姓高名歡，字賀六渾，渤海蓚人也。六世祖隱，晉玄菟太守，隱生慶，慶生泰，泰生湖，三世仕慕容氏，及慕容寶敗，國亂，湖率衆歸魏，爲右將軍。湖生四子，第三子謐，仕魏位至侍御史，坐法徙居懷朔鎮。謐生皇考樹，及神武生而皇妣韓氏殂，養于同産姊壻鎮獄隊尉景家。神武既累世北邊，故習其俗，遂同鮮卑。

按《唐・世系》高氏表與本紀所載合，而《藝文志》有《齊高氏譜》六卷，蓋即唐時所續修者。

益州譜三十卷
冀州姓族譜二卷　《舊》、《新唐志》七卷。
洪州諸姓譜九卷　《舊》、《新唐志》同。
吉州諸姓譜八卷
江州諸姓譜十一卷
諸州雜譜八卷
袁州諸姓譜八卷　《舊》、《新唐志》七卷。
揚州譜鈔五卷

並不著撰人。

本志篇敘曰：“後魏遷洛，其中國士人，則第其門閥，有四海大姓,郡姓,州姓,縣姓。及周太祖入關,諸姓子孫有功者,並令爲其宗長,仍撰譜録,紀其所承,又以關內諸州爲其本望。"

案《益州譜》前已注梁有四十卷,亡。此又著録三十卷者,蓋北朝人之書,此類大抵皆魏太和已後,及宇文氏時所作,至隋僅存此數種。《新唐書・柳沖傳》云:"魏太和時,詔諸郡中正,各列本土姓族次第,爲舉選格。"則亦似中正所上者。

以上自《後魏辨宗録》至此,凡一十二部,爲北朝人譜學。

京兆韋氏譜二卷

不著撰人。

《南史・韋叡傳》:叡,京兆杜陵人也。世爲三輔著姓。叡子正,正子鼎,字超盛,少通曉,博涉經史,明陰陽逆剌,尤善相術,仕梁爲中書侍郎,入陳累遷太府卿。初鼎爲聘周使,遇隋文帝,謂曰:"觀公容貌,不久必大貴,貴則天下一家。歲一周天,老夫當委質。願深自愛。"及陳記,驛召入京,授上儀同三司,待遇甚厚。每公宴,鼎恒預焉。性簡貴,雖爲亡國之臣,未嘗俯仰當世。時吏部尚書韋世康兄弟顯貴,隋文帝從容謂鼎曰:"世康與公遠近。"對曰:"臣宗族南徙,昭穆非臣所知。"帝曰:"卿百代卿族,豈忘本也。"命官給酒肴,遣世康請鼎還杜陵。鼎乃自楚太傅孟以下二十餘世,並考論昭穆,作《韋氏譜》七卷,示之,歡飲十餘日,乃還。開皇十三年,除光州刺史。卒于長安,年七十九。

《唐書・經籍志》:《韋氏譜》十卷,韋鼎等撰。一本作一卷。

《唐書・藝文志》:《韋氏譜》十卷,韋鼎撰。案此十卷,唐代續修本。

謝氏譜一十卷

不著撰人。

章氏《考證》:《世説・德行》、《文學》、《言語》、《方正》、《品藻》、《簡傲》、《輕詆篇》諸注並引《謝氏譜》，此書爲劉孝標所引，自是晉宋間人所撰。《唐志》《謝氏家譜》一卷，卷數既不合，且列于唐人諸譜間，乃別是一書，撰在唐時。

楊氏血脈譜二卷
楊氏家譜狀并墓記一卷
楊氏支分譜一卷

並不著撰人。

楊氏譜一卷

不著撰人。

《唐書·經籍志》：《楊氏譜》一卷。《藝文志》同。

章氏《考證》：《世説·識鑒篇》注：《楊氏譜》曰："楊朗，祖囂，典軍校尉，父淮，冀州刺史。"

北地傅氏譜一卷

不著撰人。

章氏《考證》：《世説·識鑒篇》注：《傅氏譜》曰："傅瑗，北地靈州人，歷安成太守。"

蘇氏譜一卷

不著撰人。

《唐書·經籍志》：《蘇氏譜》一卷。《藝文志》同。

章氏《考證》：《史記·蘇秦傳》索隱：《蘇氏譜》曰："蘇氏兄弟五人，更有蘇辟、蘇鵠。"

述系傳一卷　姚最撰

姚最有《梁後略》，見前古史篇。

氏族要狀十五卷

不著撰人。

《齊書》、《南史·文學傳》：賈淵，字希鏡，平陽襄陵人也。祖弼之，晉員外郎，父匪之，驃騎參軍，世傳譜學。昇明中，齊高帝嘉淵世學，取爲驃騎參軍。竟陵王子良使淵撰《見客譜》。建武初遷長水校尉。傖人王泰寶買襲《琅邪譜》，尚書令王宴以啓明帝，淵坐被收，當極法，子棲長謝罪，稽顙流血，朝廷哀之，免淵罪。數年，爲北中郎參軍。中興元年卒，年六十二。撰《氏族要狀》及《人名書》，並行于世。

《新唐書·柳沖傳》：柳芳論曰："晉河東賈弼譔《姓氏簿狀》，傳子匪之，匪之傳子希鏡，希鏡撰《姓氏要狀》十五篇，尤所諳究，傳子執，執更作《姓氏英賢》，又著《百家譜》，並見前。執傳其孫冠，冠撰《梁國親皇太子序親簿》四篇。"見前儀注類。

《唐書·經籍志》：《氏族要狀》十五卷，賈希鏡撰。

《唐書·藝文志》：賈希鏡《氏族要狀》十五卷。

章氏《考證》：《元和姓纂》云："齊外兵郎賈希鑑撰《永明氏族狀》"。

姓苑一卷　何氏撰

何承天有《禮論》三百卷，見經部禮類。

《新唐書·柳沖傳》：柳芳曰："宋何承天有《姓苑》二篇。"

《唐書·經籍志》：《姓苑》十卷，何承天撰。

《唐書·藝文志》：何承天《姓苑》十卷，崔日用《姓苑略》一卷。

《崇文總目》：《姓苑》十卷，何承天撰。《姓苑略》一卷，崔日用撰。

《通志·氏族略》曰："宋何承天撰《姓苑》，與《後魏河南官氏志》二書，尤以爲姓氏家所宗。"

陳氏《書錄解題》曰："《姓苑》二卷，不著名氏。古有何承天《姓苑》，今此以李爲卷首，當是唐人所爲。案此似唐人輯本，疑即崔日用之節略也。

章氏《考證》：《廣韻》引何氏《姓苑》最多，《元和姓纂》亦引之。

《唐志》：何承天《姓苑》十卷。

複姓苑一卷

不著撰人。

宋鄧名世《古今姓氏書辨證》：晉傅餘頠著《複姓録》，自云傅説之後，留居傅巖，爲傅餘氏。

《通志・氏族略》：《姓氏英賢傳》云："傅説爲相，子孫留傅巖者，號傅餘氏。晉傅餘頠撰《複姓録》。"又曰："頠著《複姓録》，自云本出傅氏。"又曰："傅餘氏者，傅氏餘子之族也。"《元和姓纂》云："傅餘頠《複姓録》有尚方氏。"

又曰："案古人著複姓之書多矣，未有能明其義者也。有中國之複姓，有夷狄之複姓。中國之複姓，所以明族有重複之義，二字具二義也。以中國無衍語，一言見一義。夷狄多侈辭，數言見一義。夷狄有複姓者侈辭也，一言不能具一義，必假數言而後一義具焉。其于氏也，則有二字氏，有三字氏，有四字氏。其于音也，有二合音，有三合音，有四合音。觀譯經潤文之義，則知侈辭之道焉。臣昔論中國亦有二合之音，惟無三合、四合之音，今論中國亦有二字之氏，惟無三字、四字之氏。此亦形聲之道，自然相應者也。"

齊永元中表簿五卷

不著撰人。

《唐書・經籍志》：《永元中表簿》六卷。一本作"永和"，誤。

《唐書・藝文志》：《齊永元中表簿》六卷。

案《南史・五僧孺傳》："梁天監中，僧孺直文德省，撰《起居注》、《中表簿》。"《唐志》又有《梁大同四年中表簿》三卷，《梁親表譜》二卷，又賈冠撰《國親皇太子親傳》四卷，此書蓋即其類，亦譜學之支流也。

以上自《京兆韋氏譜》至此，凡一十三部，皆家譜及氏姓之屬，蓋又從別家書目鈔入者也。

竹譜一卷

不著撰人。

《唐書·經籍志》農家：《竹譜》一卷，戴凱之撰。

《唐書·藝文志》農家：戴凱之《竹譜》一卷。《宋史·志》：三卷。

宋晁載之《續談助》抄書跋曰："右鈔武昌戴凱之所撰《竹譜》，而率爲韻語，舊于《竹譜》下注云：并序而無之。又其文脫錯，殆不可讀。"

晁氏《讀書志》：《竹譜》一卷，戴凱之撰。凱之字慶預，武昌人。裒輯竹事，四字一讀，有韻類賦頌。李邯鄲云未詳何代人。

《四庫》譜錄類提要曰："《竹譜》一卷，舊題晉戴凱之撰。晁公武引李淑云不知何代人。考《隋志》譜系類中有《竹譜》一卷，不著名氏。《舊唐志》載入農家，始題戴凱之之名，然不著時代。左圭《百川學海》題曰晉人，不知其何所本，然觀其以崙韻年、船，以邦韻同、功，猶存古讀。注中音訓，皆引《三倉》。他所援引，如虞豫《會稽典錄》、常寬《蜀志》、徐廣《雜記》、沈瑩《臨海水土異物志》、郭璞《山海經注》《爾雅注》，亦皆晉人之書，而《尚書》'篠蕩既敷'，猶引鄭'篠，箭竹。蕩，大竹'之注，似在《孔傳》未盛行之前。雖題爲晉人，別無顯證。而李善注《文選》、段公路《北戶錄》皆各引一條，足證爲唐以前書。惟《酉陽雜俎》稱《竹譜》竹類三十九，今本乃七十種，稍有不符，疑《酉陽雜俎》傳寫誤也。其書以四言韻語記竹之種類，而自爲之注，文皆古雅。所引《黃圖》一條，今本無之，與徐廣注《史記》所引《黃圖》，均爲今本不載者，其事相類，亦足證作是書時，《黃圖》舊本猶未改修矣。"

又《簡明目錄》曰："晉《竹譜》一卷，戴凱之撰，并自注所記竹類七十有餘，皆敍以四言韻語，詞旨古雅，非唐以後人所能。其注中所引晉以前書，多存古義，亦足以旁資考證。"

案《宋書·鄧琬傳》："琬奉晉安王子勛起兵反，遣武昌戴凱之爲南康相，齊王世子率衆攻之，凱之戰敗，遁走。"又《南齊書·武帝本紀》："江州刺史晉安王子勛反，遣其將戴凱之爲南康相，上進擊圍郡城，凱之以數千人固守，城陷，凱之奔走。"案子勛反時，在宋明帝泰始二年。梁鍾嶸《詩品》云："宋參軍戴凱，人實貧嬴，而才章富健。"案所謂參軍者，其即爲晉安王參軍歟。後殆以南康相，爲齊武帝破敗遁走，莫知其所終。蓋磑爲宋人，非晉人。本志別集類注云："梁又有《戴凱之集》六卷，亡。"列宋末司徒《袁粲集》之前。

《詩品》稱戴凱，無"之"字，六朝人大率如此，不得以此爲疑。

錢譜一卷　顧烜撰

《陳書·顧野王傳》：野王，吳郡吳人也。父烜，梁信威臨賀王記室，兼本郡五官掾，以儒術知名。案《梁書·臨賀王正德傳》："大通四年爲信武將軍，吳郡太守。"此其爲記室及五官掾時也。又《顧野王傳》："侯景之亂，野王丁父憂。"則其卒在太清二三年。

《唐書·經籍志》：農家《錢譜》一卷，顧烜撰。

《唐書·藝文志》：農家顧烜《錢譜》一卷。

《宋史·藝文志》：小說家顧協《錢譜》一卷。"協"當爲"烜"。

宋紹興十九年鄱陽洪遵《泉志》序曰："泉之興，蓋自燧人氏。至黃帝成周，其法寖具。秦漢而降，制作相踵，歲益久類，多湮沒無傳。梁顧烜始爲之書，凡歷代造立之原，若大小重輕之度，皆有倫序，使後乎此者可以概見，唐封演輩從而廣之。"晁氏《讀書志》類書類："梁顧烜嘗撰《錢譜》一卷。"又曰："皇朝董逌撰《續錢譜》，言梁顧烜、唐封演之譜漫汗蔽固不可用。"《四庫提要》譜録類曰："考《錢譜》始見于《隋志》，不云誰作。案此館臣看書不細之過也。其書今不傳，傳者以宋洪遵《泉志》爲最古。"章氏《考證》：《唐志》入子部農家，洪遵《泉志》多引烜譜。

錢圖一卷

不著撰人。

以上三部附是類末,《四庫提要》譜録類敍曰:"古人學問,各守專門,其著述具有源流,易于配隸。六朝以後,作者漸出,新裁體例,多由創造,古來舊目,遂不能該,附贅懸疣,往往牽强。《隋志》譜系本陳族姓而末載《竹譜》、《錢圖》,《唐志》農家本言種植而雜列《錢譜》,是皆明知其不安而限于無類可歸,又復窮而不變,故支離顛舛,遂至於斯,是其例之不善,前人已具言之矣。"

右四十一部三百六十卷,通計亡書合五十三部一千二百八十卷。著録部數不誤,附著亡書十二部,通計部數亦不誤。

案《七録序目·記傳録第十一》曰:"譜狀部四十二種,四百二十三帙,一千六十四卷。"本志所載南朝譜學之前,皆《七録》所有,其後如《謝氏譜》、《楊氏譜》、《傅氏》、《蘇氏譜》、《氏族要狀》、《姓苑》、《復姓苑》、《中表譜》、《竹譜》,皆在《七録》以前,或亦爲阮氏所録,餘皆從他家書目采入,計《七録》四十二種,見于本志者,約略止三十有四。

又無名氏《齊帝譜屬》十卷,《百家譜世統》十卷,《百家譜鈔》五卷,《益州譜》三十卷,《吉州諸姓譜》八卷,《江州諸姓譜》十一卷,《諸州雜譜》八卷,《揚州譜鈔》五卷,《楊氏血脈譜》二卷,《楊氏家狀并墓記》一卷,《楊氏支分譜》一卷,《錢圖》一卷,傅昭《百家譜》十五卷,姚最《述系傳》一卷,又梁有《宋譜》四卷,《梁帝譜》十三卷,《王司空新集諸州譜》十一卷,又別有《諸姓譜》一百一十六卷,《益州譜》四十卷,《關東關北譜》三十三卷,凡二十部。章氏《考證》皆不載,又本志編是類爲史部第十二,章氏乃改列史部第七。

卷二十三

史部十三

簿録類

七略別録二十卷　劉向撰

劉向有《洪範五行傳論》，詳見經部尚書家。

《漢書·成帝本紀》：“河平三年秋八月，光禄大夫劉向校中祕書，謁者陳農使使求遺書于天下。”師古曰：“言令陳農爲使而使之求遺書也。”何義門《讀書記》曰：“劉向校中祕書，孟堅大書于帝紀，尊經籍也。”案此乃西京一代之創制，後世因而不革，故特書。

又《楚元王附傳》：更生中廢十餘年，成帝即位，石顯等伏辜，更生乃復進用，更名向，向以故九卿召拜爲中郎，使領護三輔都水，遷光禄大夫。上方精于詩書，觀古文，詔向領校中五經祕書，書數十上，以助觀覽，補遺闕。

又《藝文志》曰：“漢興，大收篇籍，廣開獻書之路，迄孝武世，書缺簡脱，禮壞樂崩，聖上喟然而稱曰：‘朕甚閔焉。’于是建藏書之策，置寫書之官，下及諸子、傳説，皆充祕府。至成帝時，以書頗散亡，使謁者陳農求遺書于天下，詔光禄大夫劉向校經傳、諸子、詩賦，步兵校尉任宏校兵書，太史令尹咸校數術，侍醫李柱國校方技。每一書已，向輒條其篇目，撮其指意，録而奏之。”案劉光禄既總領其事，又分任六藝、諸子、詩賦三略也。《通志·校讎略》不明其故，謂三略之外，劉概不與，何其謬歟。

梁阮孝緒《七録敍目》曰：“至孝成之世，命光禄大夫劉向及子俊、歆等讎校篇籍，每一篇已，輒録而奏之。”又曰：“昔劉向校書,輒爲一録,論其指歸,辨其訛謬,隨竟奏上,皆載在本書,時又別集衆録,謂之《別録》,即今之《別録》是也。"孫星衍《續古文苑校文》曰:"案'悛'當作'仮',向本傳云長子仮以《易》教授,官至郡守。不云曾受詔校書。阮此言疑出《別録》、《七略》也。"

本志篇敍曰:"古者,史官既司典籍,蓋有目録以爲綱紀,體制堙滅,不可復知。孔子删書,別爲之序,各陳作者所由,《韓》、《毛》二詩,亦皆相類。漢時劉向《別録》、劉歆《七略》,剖析條流,各有其部,推尋事迹,疑則古之制也。"

《唐書·經籍志》:《七略別録》二十卷,劉向撰。

《唐書·藝文志》:劉向《七略別録》二十卷。

烏程嚴可均《全漢文編》輯本曰:"劉向有《七略別録》二十卷,各書所引《別録》、《七略》多同,今以題劉向者,俱入于《別録》,凡一百一條,又附録一條。"

《孫祠書目》:劉向《別録》一卷,洪頤煊集本。馬氏玉函山房亦輯存一卷。

七略七卷　　劉歆撰

劉歆有《爾雅注》,見經部論語家。

《漢書·劉向附傳》:"河平中,受詔與父向領校祕書,講六藝、傳記,諸子、詩賦、數術、方技,無所不究。向死後,哀帝初即位,大司馬王莽舉歆宗室,有才行,貴幸,復領五經,卒父前業。歆乃集六藝群書,種別爲《七略》。"又傳贊曰:"《七略》剖判藝文,總百家之緒。"

又《藝文志》曰:"會向卒,哀帝復使向子侍中奉車都尉歆卒父業。歆于是總群書,而奏其《七略》,故有《輯略》,有《六藝略》,有《諸子略》,有《詩賦略》,有《兵書略》,有《術數略》,有《方技略》。"師古曰:"'輯'與'集'同,謂諸書之總要。"

應劭《風俗通》佚文曰:"案劉向《別録》'讎校',一人讀書,校其上下，得謬誤爲校；一人持本，一人讀書，若怨家相對，爲讎。"

又曰："劉向《別録》曰：'殺青書，可繕寫。'殺青者，直治竹作竹簡書之耳。新竹有汗，善朽蠹，凡作簡者，皆于火上炙乾之。陳楚間謂之汗，汗者，去其汗也。吴越曰'殺'，'殺'亦治也。劉向爲孝成皇帝典校書籍二十餘年，皆先書竹，爲易刊定，可繕寫者，以上素也，今東觀書，竹素也。"首尾兩"汗"字，或引作"汁"。

阮孝緒《七録敍目》曰："會向亡，哀帝使歆嗣其前業，乃徙温室中書于天禄閣上，歆遂總括群篇，奏其《七略》。"又曰："向子歆撮其指要，著爲《七略》。其一篇即六篇之總最，故以《輯略》爲名。"又曰："向、歆《七略》，實有六條。劉氏之世，史書甚寡，附見《春秋》，誠得其例，詩賦不從六藝詩部，蓋由是書既多，所以别爲一略。"

又《古今書最》曰："《七略》書三十八種，六百三家，一萬三千二百一十九卷，五百七十二家亡，三十一家存。"

《北史·文苑·樊遜傳》：北齊天保七年，詔令校定群書。遜乃議曰："案漢中壘校尉劉向受詔校書，每一書竟，表上，輒言：臣向書、長水校尉臣參書、太常傅士書、中外書，合若干本，以相比校，然後殺青。"又曰："向之《故事》，見存府閣。"案《故事》，似即《別録·輯略》中之一篇。

《唐書·經籍志》：《七略》七卷，劉歆撰。

《唐書·藝文志》：劉歆《七略》七卷。

烏程嚴可均《全漢文編》輯本，凡五十三條，其後四條，不類《七略》，今姑附此云。

《孫祠書目》：《七略》一卷，洪頤煊集本。馬氏亦有一本，或出章氏。

　　案劉氏父子三人同校書，而一時相與共事者，謁者陳農、步兵校尉任宏、太史令尹咸、侍醫李柱國、長社尉杜參，見《藝文志》。又有五官中郎將房鳳、光禄勳王龔，見《儒林傳》。又有蘇竟，見《後漢書》本傳。又有太常屬臣望，見劉秀《上山海經表》。又有太中大夫卜圭、臣富參、射聲校尉立，見《管子》書録。又有臣敍，_{或云"敍"即"歆"之誤。}見《鄧析》書録，此四人未言同校。

又案阮氏《七録序目》言《別録》體製，至爲明析。是知《別録》即《七略》之別本，言別有此録本云爾。方之《四庫全書》，《別録》爲《總目提要》，《七略》乃《簡明目録》也。《總目提要》有附存之目，《別録》亦有附見之條，如《易》有子夏之傳、救氏之注，《儀禮》有大小戴及自定之本，《禮記》亦有小戴四十九篇之次第。其在諸子之中，則揚雄《太玄》，亦記其篇目，并及其子揚信，字子烏，與父玄文之事，又録東方朔所著書，凡此皆諸書明著見於劉向《別録》者，而皆不見於《七略》也。他如所集《五經通義》、《五經要義》，及《楚辭》十六篇，當亦附著于《別録》中。_{諸書引文，有稱爲劉向《別傳》者，皆即此《別録》也，童烏與玄文之事，《御覽》亦引云《別傳》。}

又案《七略》三十八種之書，盡在《藝文志》三十八種之流，別亦盡在于志。故其書雖亡，其流風餘韻，猶約略可尋。其《輯略》中言六藝授受源流，班氏亦取以入《儒林傳》。_{從荀悦《漢紀》、何晏《論語集解序》、《釋文·敍録》參考而知，亦嘗著于《漢志條理》卷首序録中。}

又案《別録》佚文今所傳尚有《戰國策》、《管子》、《晏子》、《孫卿子》、《韓非子》、《列子》、《鄧析子》諸敍奏，劉秀《上山海經表》，凡八篇，諸家輯本皆未録入，似皆未嘗詳勘《七録序目》之言也。_{諸家輯本，皆不從《藝文志》入手，故不能得其體要，未爲善本。}

晉中經十四卷　　荀勗撰

《晉書》本傳："勗，字公曾，潁川潁陰人，漢司空爽曾孫也。仕魏辟大將軍曹爽掾,參文帝大將軍軍事。武帝受禪,封濟北郡公,固辭爲侯,拜中書監,加侍中,領著作,俄領祕書監,與中書令張華依劉向《別錄》,整理記籍。及得汲郡冢中古文竹書,詔勖撰次之以爲《中經》,列在祕書。太康十年卒,贈司空,諡曰成。"又《武帝本紀》:"太康十年十一月景辰,守尚書令,左光禄大夫荀勖卒。"

梁阮孝緒《七錄敘目》曰:"魏晉之世,文籍逾廣,皆藏在祕書中外三閣,魏祕書郎鄭默删定舊文,時之論者,謂爲朱紫有別。晉領祕書監荀勖因魏《中經》更著《新簿》,雖分爲十有餘卷者,總以四部別之。惠懷之亂,其書略盡。"

又《古今書最》曰:"《晉中經簿》四部書,一千八百八十五部,二萬九百三十五卷,其中十六卷佛經書簿。"又曰:"一千一百一十九部亡,七百六十六部存。"

本志序曰:"魏氏代漢,采掇遺亡,祕書郎鄭默始制《中經》,祕書監荀勖又因《中經》更著《新簿》,分爲四部,總括群書。一曰甲部,紀六藝及小學等書。二曰乙部,有古諸子家、近世子家、兵書、兵家、術數。三曰丙部,有史記、舊事、皇覽部、雜事。四曰丁部,有詩賦、圖贊、汲冢書。大凡四部合二萬九千九百四十五卷,但録題及言,盛以縹囊,書用緗素,至于作者之意,無所論辯。惠懷之亂,京華蕩覆,渠閣文籍,靡有孑遺。"《隋書·牛弘傳》:"弘上表請開獻書之路曰:'晉氏承魏,文籍尤廣,祕書監荀勖定魏内經,更著《新薄》,屬劉石馮陵,從而失墜,此則書之四厄也。'"

《唐書·經籍志》:《中書簿》十四卷,荀勖撰。此作《中書簿》,疑舊時亦有此名。

《唐書·藝文志》:荀勖《晉中經簿》十四卷。

章氏《考證》:《魏志·王肅傳》注、《蜀志·秦宓傳》注、《周禮·天官》正義、《釋文·敍録》、《漢書·貨殖傳》注、《北堂書鈔·儀飾部》、《太平御覽·文部》，並引《晉中經簿》，裴松之稱《晉武帝中經簿》。《中經簿》有《孔子三朝》八卷，《子儀本草經》一卷，劉表《注易》十卷，又有《周生烈子》、子夏《易傳》，計然《萬物録》。案《隋書·音樂志》沈約奏答曰：“《晉中經簿》無復樂書。”

晉義熙已來新集目録三卷

不著撰人。

《唐書·經籍志》：《義熙已來雜集目録》三卷，丘深之撰。

《唐書·藝文志》：丘深之《晉義熙以來新集目録》三卷。

《册府元龜·學校部·目録類》：丘深之撰《義熙以來雜集目録》三卷。

案丘深之即丘淵之，唐人避諱，故曰“深”。《世説·識鑒篇》、《寵禮篇》注引丘淵之《文章録》，《文學篇》注引丘淵之《文章敍》，《言語篇》注引丘淵之《新集録》，是丘淵之所撰乃《新集文章敍録》也，亦稱《新集録》，亦云《雜集目録》，皆裒諸家文集之目録以爲一編，當與後諸家文章志相類。從列之此，實不類也。《宋書·顧琛附傳》云：“丘淵之，字思玄，吳興烏程人。太祖從高祖北伐，留彭城，爲冠軍將軍、徐州刺史，淵之爲長史。太祖即位，以舊恩歷顯官，侍中、都官尚書、吳郡太守，卒于太常，追贈光禄大夫。”

宋元徽元年四部書目録四卷　王儉撰

王儉有《喪服集記》，見經部禮類。

《南齊書》本傳：儉又撰定《元徽四部書目》。

《隋書·牛弘傳》弘上表曰：“永嘉之後，寇竊競興，其建國立家，雖傳名號，憲章禮樂，寂滅無聞。劉裕平姚，收其圖籍，五經子史纔四千卷，皆赤軸青紙，文字古拙，並歸江左。”

《七録序目》曰：“宋祕書丞王儉更撰《目録》。”又《古今書最》

曰：“宋元徽元年，祕閣四部書目録二千二十衺一，萬五千七十四卷。”

本志序曰：“元徽元年，祕書丞王儉又造《目録》，太凡萬五千七百四卷。”

《唐書·經籍志》：《永徽元年書目》四卷，王儉撰。案“永徽”當爲“元徽”，岑本已刊正。

《唐書·藝文志》：王儉《宋元徽元年四部書目録》四卷。

今書七志七十卷　王儉撰

《宋書·後廢帝本紀》：元徽元年八月，祕書丞王儉表上所撰《七志》三十卷。

《南齊書》本傳：解褐祕書郎、太子舍人，超遷祕書丞，上表求校墳籍，依《七略》撰《七志》四十卷，上表獻之，表辭甚典。

《文選》任彥昇《王文憲集序》曰：“元徽初，遷祕書丞，于是采公曾之《中經》，刊弘度之《四部》，依劉歆《七略》，更撰《七志》。”又曰：“所撰《古今集記》、《今書七志》，爲一家言，不列于集。”

《太平御覽·文部·著書篇》：《齊春秋》曰：“王儉，字仲寶，以四部衆書盈溢机閣，自劉歆《七略》以來，應更區別，乃著《七志》上之。時人以比相如《封禪》焉。”

《七録序目》曰：“儉又依《別録》之體，撰爲《七志》，中朝遺書，收集稍廣，然所亡者猶大半焉。”又曰：“王儉《七志》改六藝爲經典，次諸子，次詩賦爲文翰，次兵書爲軍書，次數術爲陰陽，次方技爲術藝。以向、歆雖云《七略》，實有六條，故別立《圖譜》一志，以全七限。其外又條《七略》及二漢《藝文志》、《中經簿》所闕之書，并方外之佛經、道經，各爲一録，雖繼七志之後，而不在其數。”

《釋文敍録·次第篇》：“五經六籍，聖人設教，訓誘機要，寧有短長。然時有澆淳，隨病投藥，不相沿襲，豈無先後，所以次第互有不同，如《禮記·經解》之説，以《詩》爲首；《七略》、《藝文志》所記，用《易》居前，阮孝緒《七録》亦同此次，而王儉《七志》，《孝經》爲初，原其後前，義各有旨。"

本志敍曰："儉又別撰《七志》，一曰經典志，紀六藝、小學、史記、雜傳。二曰諸子志，紀今古諸子。三曰文翰志，紀詩賦。四曰軍書志，紀兵書。五曰陰陽志，紀陰陽、圖緯。六曰術藝志，紀方技。七曰圖譜志，紀地域及圖書。其道佛附見，合九條。然亦不述作者之意，但于書名之下，每立一傳，而又作九篇條例，編乎首卷之中。文義淺近，未爲典則。"又《七録序目》曰："《七志》以衆史合于《春秋》，蓋猶用《七略》之例。"

《唐書·經籍志》：《今書七志》七十卷，王儉撰，賀縱補。

《唐書·藝文志》：王儉《今書七志》七十卷，賀縱補注。錢塘汪師韓《文選理學權輿》曰："《文選注》引群書，有賀縱《七志補》。"

《通志·校讎略》：古人編書，皆記其亡闕。王儉作《七志》已，又條劉氏《七略》及二漢《藝文志》、《魏中經簿》所闕之書，爲一志。

章氏《考證》：《後漢書·方術傳》注，《文選·海賦》注、《應璩百一詩》注、《棗道彦雜詩》注、《張季鷹雜詩》注、謝宣遠《張子房詩》注、《九日遊戲馬臺詩》注，並引《今書七志》，《經典·序録》亦引之。

　　案賀縱有《雜傳》，見前雜傳類，是書本紀作三十卷，本傳作四十卷，至梁賀縱補注乃七十卷。

梁天監六年四部書目録四卷　殷鈞撰

《梁書》本傳：殷鈞，字季和，陳郡長平人也。天監初，拜駙馬都尉，起家祕書郎、太子舍人、司徒主簿、祕書丞，鈞在職，啓校定祕閣四部書，更爲《目録》，累遷散騎常侍、國子祭酒，中大通四年卒，年四十九，謚曰貞子。

《七録序目·古今書最》曰："祕書丞殷鈞撰《祕閣四部書》少于《文德》書，故不録其數也。"《文德殿四部目録》，見後。

梁東宮四部目録四卷　劉遵撰

《梁書·劉孺傳》：孺字孝稚，彭城安上里人也。弟遵，字孝陵，少清雅，有學行，工屬文，起家著作郎、太子舍人，累遷晉安王宣惠、雲麾二府記室，甚見賓禮。轉南徐州治中，王後爲雍州，復引爲安北諮議參軍，帶邵縣令。中大通二年，王立爲皇太子，仍除中庶子。遵自隨藩。及在東宮，以舊恩偏蒙寵遇，同時莫及。大同元年卒官，皇太子深悼惜之。

《南史·昭明太子傳》：太子引納才學之士，賞愛無倦，恒自討論墳籍，或與學士商搉古今，繼以文章著述，率以爲常。于時東宮有書幾三萬卷，名才並集文學之盛，晉、宋以來未之有也。

　　案劉遵初爲昭明太子舍人，後爲簡文帝東宮中庶子，所著目録本傳不載，其事不知何時，或當在中大通以後。

梁文德殿四部目録四卷　劉孝標撰

劉孝標有《漢書注》，見前正史類。

《梁書·文學·劉峻傳》：峻字孝標，天監初，召入西省，與學士賀縱典校祕書。

又《任昉傳》："天監二年，出爲義興太守，尋轉御史中丞、祕書監。自齊永元以來，祕書閣四部篇卷紛雜，昉手自讎校，由是篇目定焉。"又曰："昉聚書至萬餘卷，率多異本。昉卒後，高祖使學士賀縱共沈約勘其書目，官所無者，就昉家取之。"

《七録序目》曰："齊末，兵火延及祕閣，有梁之初，缺亡甚衆，爰命祕書監任昉躬加部集，又于文德殿內別藏衆書，使學士劉孝標等重加校進，乃分數術之文，更爲一部。使奉朝請祖暉撰其名録,其尚書閣内别藏經史雜書,華林園又集釋氏經論。自江左篇章之盛,未有踰于當今者也。"

又《古今書最》曰:"梁天監四年,文德正御四部及術數書目録,合二千九百六十八表,二萬三千一百六卷。"

本志敍曰:"梁初祕書監任昉躬加部集,又於文德殿内列藏衆書,華林園中總集釋典。"又曰:"梁有祕書監任昉、殷鈞《四部目録》。又《文德殿目録》。其術數之書,更爲一部,使奉朝請祖暉撰其名。故梁有五部目録。"案此則任昉撰《祕閣書目》,劉峻撰《文德殿書目》,各爲一録。

《隋書·牛弘傳》弘上表曰:"及侯景渡江,破滅梁室,祕省經籍,雖從兵火,其文德殿内書史,宛然猶存。蕭繹據有江陵,遣將破平侯景,收文德之書,及公私典籍,重本七萬餘卷,悉送荆州。及周師入郢,繹悉焚之于外城,所收十纔一二。此則書之五厄也。"《名畫記》曰:"元帝將降,聚名畫法書及典籍二十四萬卷,遣後閣舍人高善寶焚之,于謹等收四千餘軸歸長安。"

　　按《舊》、《新唐志》有丘賓卿《梁天監四年書目》四卷,疑即是書。丘賓卿,始末未詳。疑是私家書目,適與《文德殿目録》同年所成者。

七録十二卷　　阮孝緒撰

阮孝緒有《文字集略》,見經部小學類。

自序有曰:"孝緒少愛墳籍,長而弗倦。臥病閑居,傍無塵雜。晨光纔啟,緗囊已散;霄漏既分,緑裹方掩,猶不能窮究流略,探盡祕奧。每披録内省,多有缺然。其遺文隱記,頗好搜集。凡自宋齊已來,王公搢紳之館,苟能蓄聚墳籍,必思致其名簿。凡在所遇,若見若聞,校之官目,多所遺漏,遂總集衆家,更爲新録。其方内經史,至于術伎,合爲五録,謂之内篇。方外佛道,各爲一録,謂之外篇。凡爲録有七,故名《七録》。天下之遺書祕記，庶幾窮于是矣。有梁普通四年，歲維單閼，仲春十有七日于建康禁中里宅，始述此書。通人平原劉杳從余遊，因説其事。杳有志，積久未獲操筆，聞余已先著鞭，欣然會意，凡所抄集，盡以相與。廣其聞見，實有力焉。斯亦康成之傳釋，盡歸子慎之書也。”

又《古今書最》曰：“新集《七録》内、外篇圖書凡五十五部，六千二百八十八種，八千五百四十七袠，四萬四千五百二十六卷。”

《南史·隱逸傳》：武帝禁畜讖緯，孝緒兼有其書，或勸藏之。答曰：“昔劉德重淮南祕要，適爲更生之禍，杜瓊所謂不如不知，此言美矣。”客有求之，答曰：“已所不欲，豈可嫁禍于人。”乃焚之。所著《七録》行于世。

本志序曰：“普通中，有處士阮孝緒，沈靜寡慾，篤好墳史，博采宋、齊已來，王公之家凡有書記，參校官簿，更爲《七録》：一曰《經典録》，紀六藝。二曰《記傳録》，紀史傳。三曰《子兵録》，紀子書、兵書。四曰《文集録》，紀詩賦。五曰《技術録》，紀數術。六曰《佛録》，七曰《道録》。其分部題目，頗有次序；剖析辭義，淺薄不經。”

又簿録篇敍曰：“漢時劉向《別録》、劉歆《七略》，剖析條流，各有其部。自是之後，不能辨其流別，但記書名而已。博覽之士，疾其渾漫，故王儉作《七志》，阮孝緒作《七録》，並皆別行。大體雖準向、歆，而遠不逮矣。”

《史通·點煩篇》曰：“阮孝緒《七録》書有文德殿者，丹筆寫其字。”

《唐書·經籍志》：《七録》十二卷，阮孝緒撰。

《唐書·藝文志》：阮孝緒《七録》十二卷。

《通志·校讎略》曰：“阮孝緒作《七録》已，亦條劉氏《七略》及班固《漢志》、袁山松《後漢志》、《魏中經》、晉四部所亡之書爲一録。"案此見《七録序目》中，題曰《古今書最》是也。

又《圖譜略》曰："宋、齊之間，群書失次，王儉于是作《七志》以爲之紀，六志收書，一志專收圖譜，謂之《圖譜志》。"又曰："王儉之《志》，阮孝緒不能續之，孝緒作《七録》，散圖而歸部録，雜譜而歸記注。"又曰："孝緒之録，雖不專收，猶有總記，内篇有圖七百七十卷，外篇有圖百卷。"

章氏《考證》：《隋志》依《七録》，凡注中稱梁有今亡者，皆阮氏舊有書。《舜典》正義、《孝經序》正義、《論語序》正義、《史記・天官書》《留侯世家》《申韓列傳》正義、《經典・序録》並引阮孝緒《七録》。今存《廣弘明集》内，阮氏《七録》一卷。"案《七録序目》其内篇五篇，大致遵文德殿五部目録之例。

魏闕書目録一卷

不著撰人。

《魏書・高祖本紀》：太和十九年六月癸丑，詔求天下遺書，祕閣所無有裨益時用者，加以優賞。魏有祕書丞盧昶撰《甲乙新録》，見《北史・儒林・孫惠蔚傳》。

本志序曰："後魏始都燕代，南略中原，粗收經史，未能全具。孝文徙都洛邑，借書于齊祕府之中，稍以充實。"案《王融傳》有虜使遺求書事。

《通志・校讎略》曰："古人亡書有記，故本所記而求之。魏人求書，有《闕目録》一卷。"

　　案此一卷因借書而流傳江左，時當齊明帝建武中。

陳祕閣圖書法書目録一卷

不著撰人。

唐張彦遠《歷代名畫記・敍畫之興廢》曰："天嘉中，陳主肆意搜求，所得不少。及隋平陳，命元帥記室參軍裴矩、高熲收之，得八百餘卷。"

陳天嘉六年壽安殿四部目録四卷

不著撰人。

本志敍曰："元帝克平侯景，收文德之書，及公私經籍，歸于江陵，大凡七萬餘卷，周師入郢，咸自焚之。陳天嘉中，又更鳩集，考其篇目，遺闕尚多。"

《唐書·經籍志》：《陳天嘉四部書目》四卷。《藝文志》同。

陳德教殿四部目録四卷

陳承香殿五經史記目録二卷

並不著撰人。

案"德教殿"，《册府元龜·學校部》引《隋志》作"五經省"。

開皇四年四部目録四卷

不著撰人。

《隋書·高祖本紀》：開皇三年三月丁巳，詔購求遺書于天下。

《北史·牛弘傳》：開皇初，授散騎常侍、祕書監。弘以典籍遺逸，上表請開獻書之路，曰："今御書單本合一萬五千餘卷，部帙之間，仍有殘缺，比梁之舊目，止有其半，至於陰陽河洛之篇，醫方圖譜之説，彌復爲少。若猥發明詔，兼開購賞，則異典必致，觀閣斯集。"上納之，于是下詔："獻書一卷，賫縑一疋。"一二年間，篇籍稍備。

本志敍曰："隋開皇三年，祕書監牛弘表請分遣使人，搜訪異本，每書一卷，賞絹一匹。校寫既定，本即歸主。于是民間異書，往往間出。"

《北史·儒林·劉炫傳》：炫除殿内將軍，時牛弘奏購求天下遺逸之書。炫遂僞造書百餘卷，題爲《連山易》、《魯史記》等，録上送官，取賞而去。後有人訟之，經赦免死，坐除名。

《唐書·經籍志》：《隋開皇四年書目》四卷，牛弘撰。

又曰："及隋氏平陳，南北一統，祕書監牛弘奏請搜訪遺逸，著定書目，凡三萬餘卷。"

《唐書·藝文志》：牛弘《隋開皇四年書目》四卷。

開皇八年四部書目録四卷。

香厨四部目録四卷

並不著撰人。

本志敍曰："及平陳已後，經籍漸備。檢其所得，多太建時書。紙墨不精，書亦拙惡。于是總集編次，存爲古本。召天下工書之士，京兆韋霈、南陽杜頵等，于祕書内補續殘缺，爲正副二本，藏于宮中。其餘以實祕書内外之間，凡三萬餘卷。"

　　案平陳在開皇九年，此《八年四部書目》不知何人所編。兩《唐志》有王劭《隋開皇二十年書目》四卷，此《香厨四部目録》疑即是歟。

隋大業正御書目録九卷

不著撰人。

本志序曰："煬帝即位，祕閣之書，限寫五十副本，乃爲三品。上品紅瑠璃，軸中品紺瑠璃，軸下品漆軸。于東都觀文殿東西廂構屋以貯之。東屋藏甲乙，西屋藏丙丁。又于内道場集道佛經，別撰目録。"案佛經目録別見于子部雜家。

《玉海·藝文類》：隋西京嘉則殿有書三十七萬卷，煬帝命祕書監柳顧言等詮次，除其重複猥雜，得正御本三萬七千餘卷，納于東都脩文殿。又寫五十副本，簡爲三品，分置西京、東都宮省官府。其正御書皆裝翦華綺，寶軸錦標。于觀文殿前，爲書室十四間，窗户緗幔，咸極珍麗。

《文獻·經籍考》：煬帝即位，增祕書省官百二十員，並以學士補之。帝好讀書著述，自爲揚州總管，置王府學士至百人，常令脩撰，以至爲帝前後近二十載，脩撰未嘗暫停。自經術、文章、兵農、地理、醫卜、釋道乃至捕搏鷹狗，皆爲新書，無不精洽，共成三十一部萬七千卷。"

法書目録六卷

不著撰人。

《唐書·經籍志》：《法書目録》六卷，虞和撰。

《唐書·藝文志》：虞龢《法書目録》六卷。亦複見于經部小學類。

《南史·文學·丘巨源附傳》：時有虞通之、虞龢，皆有學行，皆會稽餘姚人。龢位中書郎、廷尉。少好學，居貧屋漏，恐淫墳典，乃舒被覆書，書獲全而被大淫。時人以比高鳳。

唐竇蒙《述書賦》注：宋中書侍郎虞龢上明皇帝表，論古今妙蹟、正行草楷、紙色褾軸、真僞卷數，無不畢備。表本行于世，真蹟故起居舍人李造得之。本志集部總集類有《上法書表》一卷，虞和撰。

案張彥遠《法書要録》載虞龢《論書表》，題爲梁人。今案表文實宋明帝泰始六年所上也。龢于泰始三年奉詔與前將軍巢尚之、司徒參軍徐希秀、淮南太守孫奉伯料簡法書。至是年，裝治畢事，乃詣中書省表上。《南史》附傳不載其事，此《目録》六卷，殆隨表上進者。又《述書賦》注云："梁傅昭亦撰《法書目録》。"《梁書·殷鈞傳》云："鈞受詔料簡西省法書古迹，別爲品目。"則爲《法書目録》者，不止一家。此與兩《唐志》相同，當是虞氏爲多。

雜儀注目録四卷

不著撰人。

案本志儀注篇有《雜儀注》一百八十卷，《陳尚書雜儀注》五百五十卷，又有《雜凶禮》四十二卷，《雜嘉禮》三十八卷。《唐志》又有諸王國雜儀，諸府州郡儀，其類不一。此四卷大抵即是類之書之目録，然不知何以分析入此。

雜撰文章家集敍十卷　荀勗撰

荀勗有《晉中經》，見前。

《唐書‧經籍志》：《新撰文章家集》五卷,苟勗撰。

《唐書‧藝文志》：苟勗《新撰文章家集敍》五卷。

章氏《考證》：《雜撰文章家集敍》十卷,《唐志》作《新撰》五卷。

文章志四卷　　摯虞撰

摯虞有《決疑要注》,見前儀注篇。

《晉書》本傳：虞撰《文章志》四卷。

《唐書‧經籍志》：《文章志》四卷,摯虞撰。

《唐書‧藝文志》：摯虞《文章志》四卷。

章氏《考證》：《魏志‧陳思王傳》注："劉季緒,名脩,著《詩賦頌》六篇。"《文選‧與楊德祖書注》同。《世説‧文學篇》注："崔烈,靈帝時官至司徒、太尉。"《後漢書‧桓彬傳》注："桓麟文見在者十八篇,有碑九首、説一首、沛相郭府君書一首。"並引摯虞《文章志》。

案本志集部總集篇："梁有《文章流別集》六十卷,《志》二卷,《論》二卷,摯虞撰。"此四卷似即其《志》及《論》也。

續文章志二卷　　傅亮撰

傅亮有《應驗記》一卷,見前傳記篇。

《唐書‧經籍志》：《續文章志》二卷,傅亮撰。

《唐書‧藝文志》：傅亮《續文章志》二卷。

章氏《考證》：《文選‧海賦》注："廣川木元虛爲《海賦》。"《北堂書鈔‧設官部》陸雲才藻,並引傅亮《文章志》,無"續"字。《世説‧文學篇》注："潘岳選言簡章,清綺絶倫。"《容止篇》注："左思貌醜頸,不持儀飾。"《汰侈篇》注："石崇資産累巨萬金,宅室、輿馬僭儗王者。"並引《續文章志》,不著傅亮名。

晋江左文章志三卷　　宋明帝撰

《宋書‧明帝本紀》：上好讀書,愛文義,在藩時,撰《江左以來文章志》行于世。

《南齊書・文學・丘靈鞠傳》：靈鞠著《江左文章錄序》，起太興，訖元熙。案太興，晉元帝改元。元熙，恭帝改元。蓋東晉一代之錄也。似明帝在藩時，使靈鞠爲此書，或但爲此書之序，不得而詳矣。

《唐書・藝文志》：宋明帝《晉江左文章志》二卷。

章氏《考證》：《世説・言語》、《文學》、《方正》、《賞譽》、《識鑒》、《品藻》、《規箴》、《容止》、《雅量》、《任誕》諸篇注，並引宋明帝《文章志》。

宋世文章志二卷　　沈約撰

沈約有《謚法》，見經部論語類。

《梁書》、《南史》本傳：約所著《宋文章志》三十卷。

《唐書・藝文志》：沈約《宋世文章志》二卷。

案本傳載是書三十卷，《隋》、《唐志》並云二卷，卷數懸殊，必有一誤。

書品二卷

不著撰人。

案張彥遠《法書要錄》載梁庾肩吾《書品》、袁昂《書評》。又竇蒙《述書賦注》載梁武帝時撰《書評》，梁郡陵王綸亦撰《書評》。是六朝人撰《書品》、《書評》者不一家。此大抵庾肩吾《書品》爲多，《唐・經籍志》小學家《書品》一卷，庾肩吾撰。《藝文志》同。其書載周秦以來能書者，凡一百二十三人，分爲九品而各繫以論。《法書要錄》全載其文，亦有別本單行。《四庫全書》子部藝術類著錄。

名手畫錄一卷

不著撰人。

《唐書・藝文志》子部雜藝術類：《名手畫錄》一卷。

案張彥遠《歷代名畫記・敍畫之興廢》有曰：“晉桓玄性貪好奇，天下法書名畫，必使歸己。及玄簒逆，晉府真蹟，玄盡得之。何法盛《晉中興書目》曰：'劉牢之遺子敬宣詣玄請降。玄大喜，陳書畫共觀之。玄敗，宋高祖先使臧喜入宮載焉。南齊高帝科其尤精者，録古來名手，不以遠近爲次，但以優劣爲差。自陸探微至范惟賢，四十二人爲四十二等、二十七帙、三百四十八卷。聽政之餘，旦夕披玩。'"此一卷實近似之。

又案宋郭若虛《圖畫見聞志》載自古及今評畫者，有《名畫集》，南齊高帝撰。《古畫品録》，謝赫撰。《昭公録》，梁武帝撰。《述畫記》，後魏孫暢之撰。《續畫品録》，陳姚最撰。今惟謝赫、姚最兩家書尚傳，《四庫》藝術類著于録。此一卷，總不出此數家。又本志序云："煬帝即位，聚魏已來古迹名畫于殿，後起二臺，東曰妙楷臺，藏古跡，西曰寶蹟臺，_{諸本皆敓"蹟"字，今從張彦遠《名畫記》校補。}藏古畫。"此一卷或是寶蹟臺所藏之目録。隋已前撰《名畫録》者盡於此矣。

正流論一卷

不著撰人。

《册府元龜·學校部》目録類：隋書又有《正流論》一卷，無撰人姓名。_{案此疑是摯虞《文章流別論》之一。}

章氏《考證》：嘉興錢儀吉補曰："集部總集類又有《正流論》一卷，蓋一書也。"_{案此條爲錢氏所補，即卷首錢泰吉題識，稱"吾兄衎石"者是也。不知當補者，尚有百七十餘條。}

右三十部，二百一十四卷。_{案是篇所載止二十九部，二百十卷。考《玉海》引本志《文德殿目録》之下，有《古今四部書目》五卷，梁劉沓撰。案劉氏書目已歸阮氏，并入于《七録》。阮序言之甚明，殆其後又復別行歟？疑敓此一家，而卷數又多出一卷，不相合。兩《唐志》又有丘賓卿《天監四年書目》四卷，則部數、卷數適相符合，或所敓即此也。}

案《七録敘目·記傳録第十二》曰："簿録部三十六種，六十二帙，三百三十八卷。"本志所載自《七録》以下十部，皆北

魏及陳、隋時書，非阮氏所及載。《法書目錄》以下十部，皆
晉以來文章、書畫目，當《七錄》所有，而其中如摯虞《文章
志》，《七錄》在總集，不在此類。然則本志所載見于《七錄》
者，約略不過十八部而已，尚遺十八部。今明見於《七錄序
目》者，猶有四五種可考，而此并無一種附注于行間。知此
一類，但據隋代見存目錄寫入，並不依據《七錄》，自亂其
例，草草了事，是誠錢少詹所謂"難辭絓扇之咎"矣。

又案自二劉《錄》、《略》之後，東都明、章之世，校書郎班固、
傅毅典掌祕籍，並依《七略》爲書部，撰集《東觀藏書閣新
記》、《仁壽闥新記》，石室、蘭臺亦各有典籍。魏祕書郎鄭
默撰《中經》，吳、蜀皆置"東觀郎"之職，亦各有所作而其名
不著。若此者，皆祖《七略》，皆久佚不傳。大者皆亡于初
平、永嘉之亂。此外如阮氏《七錄序目》所載有《晉元帝書
目》、即李充《四部目錄》也。《晉義熙四年祕閣四部目錄》、案《崇文
總目》敍云："東晉三千一十四卷，李充校。孝武增益三萬餘卷，徐度校。"案"徐
度"爲"徐廣"之誤。《晉書‧廣傳》云："孝武世，除祕書郎，典校祕書省。增置省
職，轉員外散騎侍郎，仍領校書。"蓋孝武時，始領校，後十餘歲，至安帝義熙四年
訖事也。宋祕書丞殷淳撰《大四部目》、《宋書》本傳云四十卷，《唐‧
藝文志》：《四部書目序錄》三十九卷。《元嘉八年祕閣四部目錄》、祕書
監謝靈運撰。《齊永明元年祕閣四部目錄》、祕書丞王亮、監謝朏撰。
並見本志總序。《梁文德殿目錄》之外，又有任昉《祕閣書目》，
凡此皆《七錄》所有者。又如《玉海》所引劉杳《古今四部書
目》五卷，《唐志》所載丘賓卿《梁天監四年書目》四卷，王劭
《隋開皇二十年書目》四卷，凡此又隋唐時所有者。又《隋
書‧許善心傳》云："開皇十七年，除祕書丞，時祕藏圖籍尚
多淆亂，善心放阮孝緒《七錄》，更製《七林》，各爲總序冠于
篇首。又于部錄之下，明作者之意，區分其類例焉。"此亦

增益。最後觀察得元刻本，以贈吳山尊學士。于是學士屬廣
圻重刻于揚州，別録前有都凡，每篇有章次題目，外篇每章有
定著之故，悉復劉向之舊，洵爲是書傳一善本已。"

《孫祠書目》：《晏子春秋》八卷，一仿元寫本，一明李氏綟眇閣
刊本，一星衍校刊本，附《音義》二卷。

張氏《書目答問》：《晏子春秋》七卷，孫星衍《音義》二卷。《岱
南閣》本，《經訓堂》本，又吳鼐仿宋本。

曾子二卷　目一卷　魯國曾參撰

《史記・仲尼弟子列傳》："曾參，南武城人，字子輿。少孔子
四十六歲。孔子以爲能通孝道，故授之業。作《孝經》。死於
魯。"《正義》：《韓詩外傳》云："曾子曰：'吾嘗仕爲吏，禄不過
鍾釜，尚猶欣欣而喜者，非以爲多也，樂道養親也。親没之
後，吾嘗南遊於越，得尊官，堂高九仞，榱提三尺，躃轂百乘，
然猶北向而泣者，非爲賤也，悲不見吾親也。'"

《大戴記・衛將軍文子篇》盧辯注曰："曾參，魯之南武城人。
齊聘以相，楚迎以令尹，晉迎以上卿，不應其命也。"

《漢書・藝文志》：《曾子》十八篇。名參，孔子弟子。

《唐書・經籍志》：《曾子》二卷，曾參撰。《藝文志》同。

《宋史・藝文志》：《曾子》二卷。

晁氏《讀書志》："曾子者，魯曾參也。舊稱曾參所撰，其《大孝
篇》中乃有樂正子春事，當是其門人所纂耳。《漢・藝文志》
《曾子》十八篇；《隋志》二卷，《目》一卷；《唐志》二卷。今此
書亦二卷，凡十篇。蓋唐本也，視漢亡八篇，視隋亡《目》一
篇。考其書已見於《大戴禮》，世人久不讀之，文字謬誤爲甚，
乃以《大戴禮》參校之，其所是正者，至于千有餘字云。"

又袁州本《讀書志》曰："今世傳《曾子》二卷十篇本也，有題曰
傳紹述本，豈樊宗師歟？余從父詹事公，嘗病世之人莫不尊

鬼，皆出墨子，又往往言墨子聞其道而稱之，此甚顯白。自向、歆、彪、固皆錄之儒家，非是。案班彪但爲《後傳》，未有《志》、《表》等，此插入彪，是柳氏行文失實之處。後宜列之墨家，今從宗元之説。”

《玉海》藝文類：《中興書目》曰：“《晏子春秋》十二卷，或以爲後人采嬰行事爲書，故卷多於前志。”

陳氏《書錄解題》：《晏子春秋》十二卷，齊大夫平仲晏嬰撰。《漢志》八卷，但曰《晏子》。隋唐七卷，始號《晏子春秋》。今卷數不同，未知果本書否。案太史公已稱《晏子春秋》，《七略》之前已有此名，陳乃謂始于《隋》、《唐志》，非也。

《四庫全書》傳記名人類提要曰：“劉向、班固俱列之儒家，惟柳宗元以爲墨子之徒爲之，薛季宣《浪語集》又以爲《孔叢子·詰墨》諸條，今皆見晏子書中，則嬰之學實出于墨。蓋嬰雖略在墨翟之前，而史角止魯實在惠公之時，見《呂氏春秋·仲春紀·當染篇》。故嬰能先宗其説也。《漢志》、《隋志》皆八篇。案《隋志》實七卷。陳氏、晁氏書目乃皆十二卷，蓋篇帙已多有更改矣。此爲明李氏綿眇閣刻本，内篇分《諫上》、《諫下》、《問上》、《問下》、《雜上》、《雜下》六篇，外篇分上、下二篇。與《漢志》八篇之數相合，猶略近古焉。”

又曰：“《晏子》一書，由後人摭其軼事爲之，雖無傳記之名，實傳記之祖也。舊列子部，今移入于此。”

又《簡明目錄》曰：“《晏子春秋》八卷，撰人名氏無考。舊題晏嬰撰者，誤也。書中皆述嬰遺事，實魏徵《諫錄》、李絳《論事集》之流，與著書立説者迥別。列之儒家，于宗旨固非，列之墨家，于體裁亦未允。改隸傳記，庶得其真。”

元和顧廣圻校刊序曰：“嘗謂古書無唐以前人注者，易多脱誤，《晏子春秋》其一也。孫伯淵觀察始校定，爲撰《音義》。盧抱經先生《群書拾補》中《晏子》即據其本，引伸觸類，頗復不可脅以邪,白刃雖交胸,終不受崔杼之劫。諫齊君懸而至,順而刻。及使諸侯,莫能詘其辭。其博通如此,蓋次管仲。內能親親,外能厚賢。居相國之位,受萬鍾之禄,故親戚待其禄而衣食五百餘家,處士待而舉火者亦甚衆。晏子衣苴布之衣,麋鹿之裘,駕敝車疲馬,盡以禄給親戚朋友,齊人以此重之。晏子蓋短。其書六篇,皆忠諫其君,文章可觀,義理可法,皆合六經之義。又有復重,文辭頗異,不敢遺失,復列以爲一篇。又有頗不合經術,似非晏子言,疑後世辯士所爲者,故亦不敢失,復以爲一篇。凡八篇。其六篇可常置旁御觀。謹第録。臣向昧死上。案《管晏敍録》幸得以宋本傳觀,于此篇可以見劉光禄校書之大致。雖複重,文辭之異,及明知其不然,而亦不敢失墜,慎之至也。其于《孟子》并録外書,合爲十一篇,亦此意。鄭漁仲不探其本,謂劉向父子“胸中無倫類”。夫“無倫類”者,何能定爲《七略》乎? 斯真所謂“蚍蜉撼大樹”爾。

《漢書·藝文志》:《晏子》八篇。名嬰,諡平仲,相齊景公。孔子稱“善與人交”,有列傳。《仲尼弟子列傳》曰:“孔子之所嚴事:於周,則老子;於衛,蘧伯玉;於齊,晏平仲;於楚,老萊子;於鄭,子産;於魯,孟公綽。”裴駰《集解》曰:“《大戴禮》:君擇臣而使之,臣擇君而事之,有道順命,無道衡命,蓋晏平仲之行也。”

《唐書·經籍志》:《晏子春秋》七卷,晏嬰撰。《藝文志》同。

《宋史·藝文志》:《晏子春秋》十二卷。

《崇文總目》:《晏子春秋》十二卷,晏嬰撰。《晏子》八篇,今亡。此書蓋後人采嬰行事爲之,以爲嬰撰,則非也。

晁氏《讀書志》墨家:《晏子春秋》十二卷,齊晏嬰也。嬰相景公,此書著其行事及諫諍之言。昔司馬遷讀而高之,而莫知其所爲書,或曰晏子爲之而人接焉,或曰晏子之後爲之。唐柳宗元謂遷之言不然,以爲墨子之徒有齊人者爲之。墨好儉,晏子以儉名于世,故墨子之徒尊著其事,以增高爲己術者。且其旨多尚同、兼愛、非樂、節用、非厚葬久喪、非儒、明

卷二十四

子部一
儒家

晏子春秋七卷　齊大夫晏嬰撰

《史記·管晏列傳》：管仲卒，後百餘年而有晏子。晏平仲嬰者，萊之夷維人也。事齊靈公、莊公、景公，以節儉力行重于齊，三世顯名于諸侯。太史公曰："吾讀《晏子春秋》，詳哉其言之也！既見其著書，欲觀其行事，故次其傳。至其書，世多有之，是以不論，論其軼事。方晏子伏莊公尸哭之，成禮然後去，豈所謂見義不爲無勇者耶？至其諫説，犯君之顏，此所謂'進思盡忠，退思補過'者哉！假令晏子而在，余雖爲之執鞭，所忻慕焉。"

《七略別録》：護左都水使者、光禄大夫臣向言：所校中書《晏子》十一篇，臣向謹與長社尉臣參校讎，太史書五篇、臣向書一篇、參書十三篇，凡中外書三十篇，爲八百三十八章。除復重二十二篇，六百三十八章，定著八篇二百一十五章。外書無有三十六章，中書無有七十一章，中外皆有以相定。中書以"夭"爲"芳"、"又"爲"備"、"先"爲"牛"、"章"爲"長"，如此類者多。謹頗略櫛，皆已定，以殺青書，可繕寫。晏子名嬰，謚平仲，萊人。萊者，今東萊地也。晏子博聞彊記，通於古今。事齊靈公、莊公、景公，以節儉力行，盡忠極諫道齊，國君得以正行，百姓得以附親。不用則退耕于野，用則必不詘義。

二十五史藝文經籍志考補萃編

考補萃編

第十五卷

隋書經籍志考證

（第三冊）

王承略　劉心明　主編

〔清〕姚振宗　撰
劉克東　董建國
尹承　整理

清華大學
出版社　北京

事孟子，而知子思《中庸》者蓋寡；知子思《中庸》者雖寡，而知
讀《曾子》者，殆未見其人也。是以文字囗舛繆誤，乃以家藏
《曾子》與溫公所藏《大戴》參校，頗爲是正，而盧注遂行於《曾
子》云。”

《玉海》藝文類：《中興書目》曰：“參與弟子公明儀、樂正子
春、單居離、曾元、曾華之徒，論述立身孝行之要，天地萬物之
理，合十篇，自《脩身》至《天圓》，皆見於《大戴禮》。蓋後人摭
出爲二卷。劉清之集錄七篇，內篇一，外篇、雜篇各三。”

陳氏《書錄解題》：《曾子》二卷，凡十篇，具《大戴禮》，後人從
其中錄出別行。慈湖楊簡注。

《四庫·禮類·大戴禮記提要》曰：“《漢書·藝文志》《曾子》
十八篇，久逸。是書猶存其十篇，自《立事》至《天圓篇》，題上
悉冠以‘曾子’者是也。”

又儒家《簡明目錄》曰：“《曾子》一卷，宋汪晫編。《曾子》宋時
尚有傳本，晫蓋以其未備而重輯之，凡十二篇，其強立篇名，
頗爲杜撰。然宋代舊本已佚，存之尚具《曾子》之崖略也。”

《曾子注釋》四卷，儀徵阮元撰。歸安嚴杰題記曰：“宮保師注
釋是書，正諸家之得失，辯文字之異同，可謂第一善冊。師於
中西天算，考覈尤深，《天員》一篇更非他人之所能及。”

張氏《書目答問》：《曾子注釋》四卷，阮元撰。文選樓本，學海
堂本。即《大戴禮》之十篇。

子思子七卷　魯穆公師孔伋撰

《史記·孔子世家》：孔子生鯉，字伯魚，先孔子死。伯魚生
伋，字子思，年六十二。嘗困於宋。子思作《中庸》。亦見《孔叢
子·居衞篇》。

《漢書·古今人表》第二等上中仁人子思，錢塘梁玉繩考曰：
“子思亦稱孔思，貌無鬚眉，年八十二，葬孔子冢南。”

又《藝文志》：《子思》二十三篇。名伋，孔子孫，爲魯繆公師。

《隋書·音樂志》：梁武天監元年，尚書僕射沈約奏曰："漢初典章滅絶，諸儒捃拾溝渠牆壁之間，得片簡遺文，與禮事相關者，即編次爲禮，皆非聖人之言。《中庸》、《表記》、《坊記》、《緇衣》，皆取《子思子》。"案《禮記》釋文引劉瓛云："《緇衣》，公孫尼子作。"瓛與沈約同時，其學推爲當時馬、鄭，與約不同如此。

《唐書·經籍志》：《子思子》八卷，孔伋撰。《藝文志》七卷，《宋志》同。

晁氏《讀書志》：《子思子》七卷，魯孔伋子思撰。載孟軻問："牧民之道何先？"子思曰："先利之。"孟軻曰："君子之教民者，亦仁義而已，何必曰利？"子思曰："仁義者，固所以利之也。上不仁，則下不得其所；上不義，則下樂爲詐。此爲不利大矣。故《易》曰：'利者，義之和也。'又曰：'利用安身，以崇德也。'此皆利之大者也。"温公采之，著於《通鑑》。

又袁本《讀書志》曰："《子思子》一卷，周孔伋字子思撰。《四庫書目》中無之。"

鄧名世《古今姓氏書辨證》曰："《子思子》有公丘懿子，衛人，與子思論人主自臧則衆謀不進事。"

王應麟《漢志考證》曰："沈約謂《禮記·中庸》、《表記》、《坊記》、《緇衣》皆取《子思子》。《文選注》引《子思子》'民以君爲心，君以民爲體'。又引'《詩》云：昔吾有先正，其言明且清。國家以寧，都邑以成'。《初學記》引'東户季子之時，道上雁行而不拾遺，耕耘餘糧，宿諸畝首'。今有一卷，乃取諸《孔叢子》，非本書也。"

《四庫簡明目録》曰："《子思子》一卷，宋注暐編。晁公武《讀書志》載有《子思子》七卷。暐此書乃止一卷，而分爲九篇，其割裂古經，强立篇名，與所輯《曾子》相等，亦以舊本久亡存之耳。”

　案唐馬總《意林》載《子思子》九條,明陳第《世善堂書目》猶
有《子思子》七卷。《孫祠書目》:《子思子》一卷,洪頤煊
集本。

公孫尼子一卷。尼似孔子弟子。

《漢書·藝文志》:《公孫尼子》二十八篇。七十子之弟子。又
雜家《公孫尼》一篇。

王充《論衡·養性篇》曰:“周人世碩,以爲人性有善有惡,在
所養也。密子賤、漆雕開、公孫尼子之徒,亦論情性,與世子
相出入,皆言性有善有惡。孟子作《性善》之篇,以爲人性皆
善,及其不善,物亂之也。”

又曰:“自孟子以下至劉子政,鴻儒博生,聞見多矣。然而論
情性竟無定是。唯世碩、公孫尼子之徒,頗得其正。”

《隋書·音樂志》:梁武天監元年,尚書僕射沈約奏答曰:
“《樂記》取《公孫尼子》。”

陸氏《經典釋文·禮記音義》曰:“劉瓛云:《緇衣》,公孫尼子
所作也。”

《禮·樂記》正義曰:“公孫尼子次撰《樂記》,通天地,貫人情,
辨政治。”

《唐書·經籍志》:《公孫尼子》一卷,公孫尼撰。《藝文志》同。

王應麟《漢志考證》曰:“《公孫尼子》二十八篇,七十子之弟
子。《隋志》一卷,云似孔子弟子。沈約謂:‘《樂記》取《公孫
尼子》。’劉瓛云:‘《緇衣》,公孫尼子作也。’馬總《意林》
引之。”

馬氏玉函山房輯本序曰:“馬總《意林》引六節。沈約云:
‘《樂記》取《公孫尼子》。’劉瓛云:‘《緇衣》,公孫尼子作。’除
二篇今存《戴記》外,餘皆佚矣。兹從《意林》、《御覽》及《春秋

繁露》、《北堂書鈔》、《初學記》諸書輯錄。王充謂其説情性與世碩相出入，皆言性有善有惡，與孟子性善之旨不合。然董廣川引公孫之養氣與孟子養氣互相發明，則其異同可考也。中有兩引尼書即《樂記》語，可證沈説之有據。朱子嘗舉《樂記》‘天高地卑’下六句，以爲‘漢儒醇如仲舒，如何説得到這裏去，想必古來流傳得此個文字如此’。此雖不以沈説爲信，而觀於廣川誦述，則當日之心實見折服，以斯斷尼書焉可矣。”

《孫氏書目》：《公孫尼子》一卷，洪頤煊集本。

孟子十四卷　齊卿孟軻撰　趙岐注

趙岐有《三輔決録》，見史部雜傳類。

《史記·孟荀列傳》：太史公曰：“余讀《孟子書》，至梁惠王問‘何以利吾國’，未嘗不廢書而歎也。曰：嗟乎，利誠亂之始也！孟軻，鄒人也。受業子思之門人。《索隱》曰：“王邵以‘人’爲衍字，則以軻親受業于門也。”案此引王邵似即隋王邵《讀書記》之語。道既通，遊事齊宣王，宣王不能用。適梁，梁惠王不果所言，則見以爲迂遠而闊於事情。當是之時，秦用商君，富國彊兵；楚、魏用吴起，戰勝弱敵；齊威王、宣王用孫子、田忌之徒，而諸侯東面朝齊。天下方務於合從連衡，以攻伐爲賢，而孟軻乃述唐、虞、三代之德，是以所如者不合。退而與萬章之徒序《詩》、《書》，述仲尼之意，作《孟子》七篇。”

又《魏世家》：惠王三十一年，徙治大梁。三十五年，惠王數敗于軍旅，卑禮厚幣以招賢者。鄒衍、淳于髡、孟軻皆至梁。

《漢書·藝文志》：《孟子》十一篇。名軻，鄒人，子思弟子，有列傳。王肅《聖證論》曰：“學者不知孟軻字。案子思書及《孔叢子》有孟子居，則是軻也。軻少居坎軻，字子居也。”案《孔叢子》作“子車”，或云“子輿”。

趙岐《題辭》曰：“孟子，鄒人也，名軻，字則未聞也。或曰：孟子，魯公族孟孫之後。生有淑質，夙喪其父，幼被慈母三遷之教，長師孔子之孫子思，治儒術之道，通五經，尤長於《詩》、《書》。則慕仲尼，周流憂世，遂以儒道遊于諸侯，思濟斯民。時君終莫能聽納其説。于是退而論集所與高第弟子公孫丑、萬章之徒難疑答問，又自撰其法度之言，著書七篇，二百六十一章，三萬四千六百八十五字。又有外書四篇，《性善》、《辨文》、《説孝經》、《爲正》，其文不能宏深，不與内篇相似，似非《孟子》本真，後世依仿而託之者也。逮至亡秦，焚滅經術。其書號爲諸子，故篇籍得不泯絶。漢興，開延道德，孝文皇帝欲廣游學之路，《論語》、《孝經》、《孟子》、《爾雅》皆置博士，後罷傳記博士，獨立五經而已。迄今諸經通義得引《孟子》以明事，謂之博文。案以上似本之劉向《別録》。余少蒙義方，訓涉典文，知命之際，嬰戚於天，遘屯離蹇，詭姓遁身，經營八紘之内，十有餘年，心勤形瘵，何勤如焉！嘗息肩施擔于濟岱之間，或有溫故知新雅德君子矜我劬瘁，睠我皓首，訪論稽古，慰以大道。予困吝之下，精神遐漂，靡所濟集，聊欲係志于翰墨，得以亂思遣老也。唯六籍之學，先覺之士釋而辨之者既以詳矣。儒家惟有《孟子》閎遠微妙，緼奧難見，宜在條理之科。于是乃述己所聞，證以經傳，爲之章句，具載本文，章別其旨，分爲上、下，凡十四卷。"

《後漢書》本傳："岐少明經，有才藝，多所述作，著《要子章句》、《三輔決録》傳於時。"宋吴仁傑《兩漢刊誤補遺》曰："《刊誤》曰：'要'當作'孟'，古書無《要子》，就令有之，而岐所作《孟子章句》傳之至今，本傳何得反不記也？仁傑案古文'要'作'奧'，與'黽'相近，疑'孟'與'黽'通。《岐傳》作《黽子章句》而訛作'奧'耳。《水經》：'清漳水出大黽谷'，注云'大要谷'。類此。"案陸氏《説文序》云："許叔重讀'皿'爲'猛'，則此以'孟'爲'黽'者，漢人音聲之誤也。"

《唐書·經籍志》：《孟子》十四卷，孟軻撰，趙岐注。

《唐書·藝文志》：趙岐注《孟子》十四卷。注云孟軻。

晁氏袁本《讀書志》：《孟子》十四卷，魯孟軻撰，漢趙岐注。自爲章旨，析十四篇。案此書韓愈以爲弟子所會集，非軻自作。今考于軻之書，則知愈之言非妄發也。其書載孟子所見諸侯，皆稱謚，如齊宣王、梁惠王、梁襄王、滕定公、滕文公、魯平公是也。夫死然後有謚，軻著書時所見諸侯，不應皆死。且惠王元年至平公之卒，凡七十七年，孟子見惠王，王目之曰"叟"，必已老矣，決不見平公之卒也。故予以愈言爲然。

陳氏《書録解題》曰："前《志》，《孟子》本列于儒家，然趙岐固嘗以爲則象《論語》矣。自韓文公稱孔子傳之孟軻，軻死不得其傳，天下學者咸曰孔孟。孟子之書固非荀、楊以降所可同日語也。今國家設科取士，《語》、《孟》並列爲經，而程氏諸儒訓解二書，常相表裏，故今合爲一類，曰語孟類。"

《四庫》經部四書類提要曰："是注即岐避難北海時在孫賓家夾柱中所作。漢儒注經，多明訓詁名物，惟此注箋釋文句，乃似後世之口義，與古學稍殊。然孔安國、馬融、鄭玄之注《論語》，今載於何晏《集解》者，體亦如是。蓋《易》、《書》文皆最古，非通其訓詁則不明。《詩》、《禮》語皆徵實，非明其名物亦不解。《論語》、《孟子》詞旨顯明，惟闡其義理而止，所謂言各有當也。其中如謂宰予、子貢、有若緣孔子聖德高美而盛稱之，孟子知其太過，故貶謂之污下之類，紕繆殊甚。以屈原憔悴爲徵於色、以寧戚扣角爲發於聲之類，亦比擬不倫。然朱子作《孟子集注或問》，於岐説不甚掊擊。至於書中人名，惟盆成括、告子不從其學於孟子之説，季孫、子叔不從其二弟子之説，餘皆從之。書中字義，惟'折枝'訓按摩之類不取其説，餘亦多取之。蓋其説雖不及後來之精密，而開闢荒蕪，俾後來得循途而深造，其功要不可泯也。胡虔《拾遺録》據李善《文選注》引《孟子》曰'墨子兼愛摩頂致於踵'，趙岐曰：'致，至也。'知今本經文及注均與唐本不同。今證以孫奭《音義》所音，岐注亦多不相應，蓋已非舊本。至於《盡心》下篇'夫子之設科也'，注稱'孟子曰：夫我設教授之科'云云，則顯爲'予'字，今本乃作'夫子'。又'萬子曰'，注稱'萬子，萬章也'。則顯爲'子'字，今本乃作'萬章'。是又注文未改，而經文誤刊者矣。"又《簡明目録》曰："岐《注》頗爲朱子《集注》所采，即誤解曹交之類亦取之。"

又曰："孫奭《孟子音義》稱一遵趙注，而以今本校之，不相符者凡六十有九條，皆今本注文所無。惟《孟子注》之單行者，世有傳鈔宋本，尚可稽考。僞《正義》删改其文，非復趙岐原書，故與《音義》不相應也。"

儀徵阮元《校勘記》序曰："漢人《孟子》注存於今者惟趙岐一家。趙岐之學以較馬、鄭、許、服諸儒稍爲固陋，然屬書離辭，指事類情，於詁訓無所戾。七篇之微言大義，藉是可推。且章別其指，令學者可分章尋求，于漢儒傳注別開一例，功亦勤矣。僞《正義》盡删章旨，吳中舊有北宋蜀大字本、劉氏丹桂堂巾箱本、相州岳氏本、旴郡重刊廖瑩中世綵堂本，皆經注善本也。賴吳寬、毛扆、何焯、何煌、朱奐、余蕭客先後傳校，迄休寧戴震授曲阜孔繼涵、安邱韓岱雲鋟版，於是經注譌可正、闕可補云。"

　案《經義考》引應劭曰："孟子著書中外十一篇，蓋《中書》七篇，《外書》四篇。劉光禄典校是書時，當亦如晏子之外篇，不敢失墜。"應氏據《別録》之言歟？元馬廷鸞《外書序》曰："坊間有四家《孟子注》，曰揚子雲也，韓文公也，李習之也，熙時子也。《中興史志》以爲依託，信也。《孟子外書》四

篇，趙臺卿不取也，故不顯于世。四家注依託不足傳，而
《孟子外書》不可不傳也，故序而存之也。”仁和孫志祖《讀
書脞録》云：“近刻《孟子外書》四篇，捃拾諸子書中所引《孟
子》逸文以成篇，詞旨淺陋，通儒疑之。案《藝海珠塵》中所
刻曰《性善辨》凡十五章，曰《文說》十七章，曰《孝經》二十
章，曰《爲正》八章，末注曰：‘以下闕。’首有馬廷鸞序，即撰
《通考》之馬端臨父也。固非趙氏所見之本，亦恐非馬氏所
序之舊矣。”

孟子七卷　鄭玄注

鄭玄有《易注》，見經部易家。

《唐書·經籍志》：《孟子》又七卷，鄭玄注。

《唐書·藝文志》：鄭玄注《孟子》七卷。

臨海洪頤煊《讀書叢録》曰：“《史記·五帝本紀》‘堯知子丹朱
之不肖’，《索隱》引鄭玄曰：‘肖，似也。不似，言不如人也。’
疑即《孟子注》。”

遵義鄭珍《鄭學録》曰：“《孟子注》《隋志》七卷，唐後亡，惟《史
記·五帝本紀》索隱引鄭玄曰一條，是其遺文僅見者。”

歷城馬國翰曰：“《後漢書》本傳詳列所著書，不言《孟子》，而
《隋志》有《孟子》七卷，鄭玄注。《唐志》亦有鄭玄注《孟子》七
卷，未知何據。或爲鄭學者依託其說而成此書歟？今佚。傳
記絶無徵引，茲取玄注諸書中所引《孟子》及隱括《孟子》義
者，輯録以補闕遺。”

孟子七卷　劉熙注

劉熙有《謚法注》，見經部禮類。

《唐書·經籍志》：《孟子》又七卷，劉熙注。

《唐書·藝文志》：劉熙《孟子注》七卷。

《經義考》曰：“劉熙注《孟子》，李善《文選注》凡三引之。”

馬國翰輯本序曰：“熙于《後漢書》無傳，附見《三國·吳志·程秉》、《薛綜》二傳中，知熙嘗居交州。焦循《孟子正義》引《綜傳》，以爲相傳安南太守者，亦以其在交州而謂非南安之誤也。晉李石《續博物志》云漢博士劉熙。熙注《孟子》，《隋》、《唐志》並云七卷，今佚。《史記》、《漢書》、《文選》等注尚有徵引，而經文往往與今本不同，蓋所據之本劉與趙異。宋熙時子傳《孟子外書》第三篇，引劉氏熙一則。案熙注七卷，無《外書》，不知熙時子何据，姑依録之。”

張氏《書目答問》：《孟子》劉熙注，一卷。宋翔鳳輯，《浮溪精舍》本。

　　案《經義考》言李善三引劉熙注，今考《選注》所引凡二十餘條，其《琴賦注》引劉向《孟子注》云“搜，牽也”一條。證以重刊宋本，亦是劉熙注。余氏蕭客《古經解鉤沈》載劉向《孟子注》亦因此一條而誤。近出唐本《玉篇》亦引此注，爲馬氏、宋氏所未見。

梁有《孟子》九卷，綦母邃撰，亡。

綦母邃有《列女傳》，見史部雜傳家。

《唐書·經籍志》：《孟子》又七卷，綦母邃注。

《唐書·藝文志》：綦母邃注《孟子》七卷。

烏程嚴可均《全晉文編》曰：“綦母邃，爵里未詳，有《孟子注》七卷。”

馬國翰輯本序曰：“邃字及爵里均無考，周廣業《孟子古注考》云：‘宋裴駰注《史記》兩引其説。’知爲晉人。案裴氏所引，邃注《列女傳》文也。《隋志》云‘梁有《孟子注》九卷’。《唐志》載七卷。蓋其書亡于隋，至唐復得之而缺其二卷也。今佚。惟《通典》、《文選注》引凡五節，宋熙時子所注《孟子外書》，其《孝經篇》亦引綦母氏四節，蓋在唐佚篇二卷中。劉貢父得《外書》于湮散之餘,佚説幸存也。兹並輯録其説。'伯夷隘','柳下惠不恭',與'驅蛇龍而放之菹',焦循作《孟子正義》取之而頗有所發明,附屬節下,益以著古義之可珍云。"

《書目答問》曰:"《拜經縷叢書》輯刻晉纂母邃《孟子外書注》一卷。"

孫卿子十二卷　　楚蘭陵令荀況撰

《七略別録》曰:"《勸學篇》弟一至《賦篇》弟三十二,右孫卿《新書》,定著三十二篇。護左都水使者、光禄大夫臣向言:所校讎中《孫卿書》凡三百二十二篇,以相校除復重二百九十篇,定著三十二篇,皆以定殺青簡書,可繕寫。孫卿,趙人,名況。方齊宣王、威王之時,聚天下賢士于稷下,尊寵之。若鄒衍、田駢、淳于髡之屬甚衆,號曰列大夫。皆世所稱,咸作書刺世。是時,孫卿有秀才,年五十始來游學,諸子之事,皆以爲非先王之法也。孫卿善爲《詩》、《禮》、《易》、《春秋》。至齊襄王時,孫卿最爲老師。齊向修列大夫之缺,而孫卿三爲祭酒焉。齊人或讒孫卿,乃適楚。楚相春申君以爲蘭陵令。人或謂春申君曰:'湯以七十里,文王以百里。孫卿,賢者也,今與之百里地,楚其危乎。'春申君謝之。孫卿去之趙。後客或謂春申君曰:'伊尹去夏入殷,殷王而夏亡;管仲去魯入齊,魯弱而齊強。故賢者所在,君尊國安。今孫卿,天下賢人,所去之國,其不安乎!'春申君遣人聘孫卿。孫卿遺春申君書刺楚國,因爲歌賦以遺春申君。春申君恨,復固謝孫卿。孫卿乃行,復爲蘭陵令。春申君死,而孫卿廢,因家蘭陵。李斯嘗爲弟子,已而相秦。及韓非號韓子,又浮丘伯,皆受業爲名儒。又有魯人大毛公,武威張倉,亦以《詩》、《春秋》受。以上言孫卿始末爲一段,以下論孫卿著書別爲一段。孫卿之應聘於諸侯,見秦昭王。昭王方喜戰伐，而孫卿以三王之法說之。及秦相應侯，皆不能用也。至趙，與孫臏議兵趙孝成王前。孫臏爲變詐之兵，孫卿以王兵難之，不能對也。卒不能用。孫卿道守禮義，行應繩墨，安貧賤。孟子者，亦大儒，以人之性善。孫卿後孟子百餘年，以爲人性惡，故作《性惡》一篇，以非孟子。蘇秦、張儀以邪道說諸侯，以大貴顯。孫卿退而笑之曰：‘夫不以其道進者，必不以其道亡。’至漢興，江都相董仲舒亦大儒，作書美孫卿。孫卿卒不用于世，老于蘭陵。疾濁世之政，亡國亂君相屬，不遂大道，而營乎巫祝、信機祥。鄙儒小拘如莊周等，又滑稽亂俗。于是推儒墨道德之行事，興壞序列，箸數萬言而卒，葬蘭陵。而趙亦有公孫龍爲堅白異同之辨，處子之言。魏有李悝盡地力之教，楚有尸子、長廬子、芊子皆著書，然非先王之法也，皆不循孔氏之術。唯孟軻、孫卿爲能尊仲尼。蘭陵多善爲學，蓋以孫卿也。長老至今稱之，曰：‘蘭陵人喜字爲卿。’蓋以法孫卿也。嚴可均曰：“案上文至‘漢興江都相’以下十七字，當在此句下。”孟子、孫卿、董先生，皆小五伯，以爲仲尼之門五尺童子皆羞稱五伯。如人君能用孫卿，庶幾於王，然世終莫能用。而六國之君殘滅，秦國大亂，卒以亡。觀孫卿之書，其陳王道甚易行，疾世莫能用。其言悽愴，甚可痛也。嗚呼！使斯人卒終于閭巷，而功業不得見于世，哀哉！可爲竇涕。其書比于記傳，可以爲法。謹第錄。臣向昧死上言。”案《史記》列傳之文此敍無不盡之，且多有出于史文之外者，于本書亦綜攬，其大旨略具，故全錄也。其中謂孫卿在孟子後百餘年最爲可疑，故宋唐仲友刻書序辨之。仲友又謂向言孫卿齊宣王時游稷下，《四庫提要》亦以爲言，則誤解其文。向言齊宣王者，敍稷下之事，威王在宣王之前，此二字似衍。下文云“是時”，謂孫卿之時，非齊宣王之時。孫卿實以襄王時，年五十，游稷下，三爲祭酒焉。仲友又疑孫臏非趙孝成王時，楊倞注書亦有是說，則莫得而詳矣。《四庫提要》曰：“晁公武《讀書志》謂《史記》所云‘年五十’爲‘年十五’之譌，意其或然。”竊以爲未必然也。

《漢書・藝文志》：《孫卿子》三十三篇。名況，趙人，爲齊稷下祭酒，有列傳。王氏《漢志考證》曰："當作三十二篇。"案《七略・兵權謀家》有《孫卿子》，班氏以其重復省之。

唐元和十三年，登仕郎守大理評事楊倞注書序曰："陵夷至于戰國，申、商苛虐，孫、吳變詐，以族論罪，殺人盈城。談説者又以慎、墨、蘇、張爲宗，則孔氏之道，幾乎息矣。有志之士，所爲痛心疾首也。故孟軻闡其前，荀卿振其後。觀其立言指事，根極理要，敷陳往昔，掎挈當世，撥亂興理，易于反掌。真名世之士，王者之師。其書亦所以羽翼六經，增光孔氏，非徒諸子之言也。《孟子》有趙氏《章句》，而荀子未有注解，亦復編簡爛脱，傳寫謬誤。雖好事者時亦覽之，至于文義不通，屢掩卷焉。夫理曉則愜心，文舛則忤意。未知者謂異端不覽，覽者以脱誤不終。所以荀氏之書，千載而未光焉。輒用申抒鄙思，敷尋義理。其所徵據，則博求諸書。但以古今字殊，齊楚言異，事資參考，不得不廣。以文字煩多，故分舊十二卷三十二篇爲二十卷。又改《孫卿新書》爲《荀子》。其篇第亦頗有移易，使以類相從云。"

《唐書・經籍志》：《孫卿子》十二卷，荀況撰。

《唐書・藝文志》：《荀卿子》十二卷，楊倞注《荀子》二十卷。

《宋史・藝文志》：《荀卿子》二十卷，戰國趙人荀況書。楊倞注《荀子》二十卷。

陳氏《書録解題》曰："《荀子》二十卷，楚蘭陵令趙國荀況撰。《漢志》作《孫卿子》，云齊稷下祭酒，其曰孫者，避宣帝諱也，至楊倞始改爲荀卿。"案此云避宣帝諱，本顏氏《漢・藝文志》注也。《四庫提要》曰："漢人或稱曰孫卿，則以宣帝諱詢，避嫌名也。"嚴可均《全三代文編》云："時相尊而號爲卿，方音改易，又稱孫卿。"案太史公稱荀卿，劉氏、班氏皆曰孫卿，似因避諱而改爲多也。

宋淳熙八年朝請郎權發遣台州軍州事唐仲友後序曰：“《崇文總目》言卿楚人，楚禮爲客卿，與遷書、向序駁，益難信。据遷傳，參卿書，其大略可覩。卿名況，趙人，以齊襄王時游稷下，距孟子至齊五十年矣。於列大夫，三爲祭酒。去之楚，春申君以爲蘭陵令。以讒去之趙，與臨武君議兵。入秦，見應侯，昭王以聘。反乎楚，復爲蘭陵令。既廢，家蘭陵以終。”案此文頗覈臨武君事，見本書《議兵篇》，楊倞言詳矣。案春申君之死，在秦始皇九年，史公言之甚明。卿卒當在是年之後，年八十餘，下至漢興二十餘年。

《玉海》藝文類：今書自《勸學》至《堯問》凡三十二篇，楊倞注，分爲二十卷，改《孫卿新書》爲《荀卿子》。

《四庫提要》曰：“況之著書，主於明周、孔之教，崇禮而勸學。其中最爲口實者，莫過於《非十二子》及《性惡》兩篇。王應麟《困學紀聞》據《韓詩外傳》所引，卿但非十子，而無子思、孟子，以今本爲其徒李斯等所增。不知子思、孟子後來論定爲聖賢耳，其在當時固亦卿之曹偶，是猶朱、陸之相非，不足訝也。至其以性爲惡，以善爲僞，其言性僞之分，辨白僞字甚明，楊倞注亦云‘僞，爲也’。凡非天性而人作爲之者，皆謂之僞。故僞字人旁加爲，亦會意字也。其説亦合卿本意。後人昧于訓詁，誤以爲真僞之僞，遂譁然掊擊，謂卿蔑視禮義，如老、莊之所言。是非惟未睹其全書，即《性惡》一篇自篇首二句以外，亦未竟讀矣。”

又《簡明目録》曰：“況亦孔氏之支流，其書大旨在勸學，而其學主於修禮，徒以恐人恃質而廢學，故激爲性惡之説，受後儒之詬厲。要其宗法聖人，誦説王道，終以韓愈‘大醇小疵’之評爲定論也。”

嘉定錢大昕跋曰：“自仲尼既没，儒家以孟、荀爲最醇。太史公敍列諸子，獨以孟、荀標目。宋儒所訾議者唯《性惡》一篇，宋儒言性雖主孟氏，然必分義理與氣質而二之，則已兼取孟、荀二義。至其教人以變化氣質爲先，實暗用荀子化性之説，然則荀子書詎可以小疵訾之哉？”

嘉善謝墉序曰：“小戴所傳《三年問》全出《禮論篇》，《樂記·鄉飲酒義》所引俱出《樂論篇》，《聘義》子貢問貴玉賤珉亦與《德行篇》大同。大戴所傳《禮三本篇》亦出《禮論篇》，《勸學篇》即《荀子》首篇，而以《宥坐篇》末見大水一則附之，《哀公問》五義出《哀公篇》之首，則知荀子所著載在二戴《記》者尚多，而本書或反缺佚。”

烏程嚴可均《鐵橋漫稾》曰：“孔子之道在六經，自七十子後，紹明聖學、振揚儒風者無逾孟子、荀子。而孟子配食於孔子廟堂，荀子有《性惡》一篇，爲宋儒所詬病，前明黜其從祀，此非萬世之公議也。臣竊維荀子自是孟子後第一人。案荀子非但傳《禮》、傳《樂》也，又傳《詩》、傳《春秋》。申公受《詩》于浮丘伯。浮丘伯，荀子弟子，是《魯詩》荀子所傳也。《韓詩外傳》引《荀子》以説《詩》者四十餘事，是韓嬰亦荀子私淑弟子也。子夏五傳至荀子，荀子傳大毛公，是《毛詩》亦荀子所傳也。《荀子·大略篇》言《春秋》賢穆公，善胥命，是爲《公羊春秋》之學。瑕丘江公受《穀梁春秋》及《詩》于申公，是《穀梁春秋》荀子所傳也。左丘明作《傳》以授曾申，曾申五傳至荀子，荀子傳張蒼，是《左氏春秋》荀子所傳也。劉向稱孫卿善爲《詩》、《禮》、《易》、《春秋》，今觀《非相》、《大略》二篇是善爲《易》。古籍闕亡，其受授不得盡知也。孔子之道在六經，自《尚書》外皆由荀子得傳。臣學淺位卑，不合上議，敬具草置之篋中，謂荀子當從祀，實萬世之公議也。”案嚴氏此議援謝氏序、錢氏跋，於宋人一切苛刻之論一掃而空之。

光緒十年出使日本大臣遵義黎庶昌《校刊古佚叢書敍目》曰：

"影宋台州本《荀子》二十卷，朱子按唐仲友爲一重大公案，其第四狀云：'仲友以官錢開荀、揚、文中子、韓文四書。'貼黃云：'仲友所印四子曾送一本與臣，臣不合收受，已行估計價值，還納本州軍資庫訖。'此即四種之一卷，末有劉向敍目，題《荀卿新書》十二卷三十二篇，又有王子韶同校、呂夏卿重校銜名，熙寧元年國子監劄子及校勘官十五人銜名。又有仲友後序。蓋淳熙八年繙雕熙寧官本，板心所題姓名，即第六狀云蔣輝、供共、王定等一十八人在局開雕者。是仲友雖爲朱子所劾，而此書校刻實精，錢遵王稱爲字大悅目，信然。"

梁有《王孫子》一卷，亡。

《漢書·藝文志》：《王孫子》一篇。一曰《巧心》。

王應麟《漢志考證》：《王孫子》，《七錄》一卷。馬總《意林》引之，《太平御覽》、《藝文類聚》亦引之。

嚴可均輯本序曰："《漢志》儒家《王孫子》一篇，一曰《巧心》。《隋志》一卷。《意外》亦一卷，僅有目錄，而所載《王孫子》文爛脫。校《意林》者，乃割《莊子·雜篇》以充之，實非《王孫子》也。《唐志》不著錄。今從《北堂書鈔》等書采出二十四事，省併復重，僅得五事。愛是先秦古書，繕寫而爲之敍，曰：王孫，姓也，不知其名。《巧心》亦未詳。繹其言，蓋七十子之後言治道者。《漢志》儒五十三家，今略存十家，而《子思》、《曾子》、《公孫尼子》、《魯仲連子》、《賈山》五家尚未全亡。《王孫子》得見者僅三百九十九字耳。然而君人者，可懸諸坐隅。夫爲國而不受諫，不節財而暴民，如國何？"又《四錄堂目錄》：《王孫子》一卷，可均輯。

馬國翰輯本序曰："王孫氏，其名不傳，事蹟亦無考。以《漢》、《隋志》敍次其書，知爲戰國時人。亦曰《巧心》，蓋其書之別稱，如揚子之《法言》、文中子之《中說》矣。《意林》存目而無其書。《藝文類聚》、《太平御覽》引其佚説,而彼此殊異,參互考定,完然可讀者尚得五節,録爲一卷。書主愛民爲説,如衛靈、楚莊、趙簡子之事。又《春秋》内、外傳所未戴者,且舉孔子、子貢之論以爲斷。其人蓋七國之翹楚也。"

董子一卷　戰國時董無心撰

王充《論衡・福虛篇》:儒家之徒董無心,墨家之徒纏子,相見講道。纏子稱墨家右鬼神,是引秦穆公有明德,上帝賜之九十年。董子難以堯、舜不賜年,桀、紂不夭死。

《漢書・藝文志》:《董子》一篇。名無心,難墨子。

《唐書・經籍志》:《董子》二卷。董無心撰。

《唐書・藝文志》:《董子》一卷。董無心撰。《宋史・藝文志》同。《崇文總目・墨家》同。

晁氏《讀書志》:《董子》一卷,周董無心撰,皇朝吴祕注。無心在戰國時著書闢墨子。

《玉海》藝文類:董子,戰國時人。宋朝吴祕注一卷。《中興書目》一卷。與學墨者纏子辨上同、兼愛、上賢、明鬼之非,纏子屈焉。《論衡》引《董子》難纏子。

錢大昕《三史拾遺》曰:"董無心,蓋六國時人。王充《論衡》、應劭《風俗通》俱引董無心説。"

馬國翰輯本序曰:"無心,不詳何人。明陳第《世善堂書目》有之,今復求索不可得矣。唯王充《論衡・福虛篇》引其與纏子論難一節。又《文選注》、《意林》引《纏子》,内有董無心語,循公孫龍與孔穿論臧三耳,兩家書並載之例。取補缺遺,存其説,可與《詰墨》競爽,孟子所謂'聖人之徒'與。"

又《纏子》輯本序曰:"纏子,不詳何人。《漢》、《隋》、《唐志》皆不著録。馬總《意林》始載《纏子》一卷,引其書二節,中言與儒者董無心論難。王充《論衡》亦載董無心難纏子之説。《文選注》引《纏子》亦載董無心言,蓋本董子之書。墨家取爲《纏子》,如孔穿與公孫龍論臧三耳,《孔叢子》、《公孫龍》兩書並載之類也。"

案《意林》載《纏子》一卷,云:"纏子,脩墨氏之業,以教於世。"《廣韻》"纏"字注:"纏,又姓。《漢書·藝文志》有纏子,著書。"宋邵思《姓解》亦云:"《漢·藝文志》有《纏子》書。"孫氏志祖《讀書脞録》曰:"《廣韻》注所云不知所據,蓋《漢志》實無《纏子》。《廣韻》殆以《纏子》即《董子》,故云。然而《唐日本國見在書目》墨家載有《纏子》一卷,則唐時兩本並行,其文稍有出入。如云董無心欲事纏子,又云纏子不能應。不過各尊其學而已。"

魯連子五卷　録一卷。魯連,齊人,不仕,稱爲先生。

《史記》列傳:魯仲連者,齊人也。好奇偉俶儻之畫策,而不肯仕官任職,好持高節。游于趙。爲平原君折梁客新垣衍尊秦爲帝之説。平原君欲封魯連,魯連辭使者三,終不肯受。又置酒,以千金爲壽。魯連笑曰:"所謂貴于天下之士者,爲人排患釋難解紛亂而無取也。即有取者,是商賈之事也,而連不忍爲也。"遂辭平原君而去,終身不復見。其後齊田單攻聊城不下,魯連遺燕將書,燕將自殺。聊城既克,田單欲爵之。魯連逃隱于海上,曰:"吾與富貴而詘于人,寧貧賤而輕世肆志焉。"太史公曰:"魯連其指意雖不合大義,然余多其在布衣之位,蕩然肆志,不詘于諸侯,談説于當世,折卿相之權。"

《漢書·古今人表》第二等上中魯仲連,梁玉繩考曰:"魯仲連,始見《戰國·齊》、《趙策》。魯氏伯禽之後。仲連,齊人,亦曰魯連,亦曰魯仲子,亦曰魯連先生。葬青州高苑縣西北五里。"

又《藝文志》:《魯仲連子》十四篇。有列傳。

《唐書·經籍志》：《魯連子》五卷，魯仲連撰。《藝文志》一卷。

《宋史·藝文志》：《魯仲連子》五卷。戰國齊人。

《玉海》藝文類：《中興書目》五卷。退隱海上，論蓍此書。

王氏《漢志考證》：《春秋正義》、《史記正義》、《文選注》、《太平御覽》引之。

嚴可均《全上古三代文編》曰：“魯仲連，齊人。邯鄲圍解，案此下當有“聊城已拔”四字。趙勝、田單欲封之，皆不受，逃隱海上，莫知所終。有《魯連子》。《漢志》儒家十四篇，《隋志》、《意林》、《舊唐志》皆五卷，《新唐志》一卷，《宋志》五卷，已後不著録。今輯凡三十條，又遺燕將書二條，文與《國策》不同，知《史記》載此書取之《魯連子》，非本《國策》。”

馬國翰輯本序曰：“《戰國策》載其六篇，其《卻秦軍》、《説燕將》二篇，《史記》亦載，文句不同，參互校訂。又搜采《意林》、《御覽》等書，得佚文二十五節，合録一卷。指意在於勢數，未能純粹合聖賢之義。然高才遠致，讀其書想見其爲人矣。”案“勢數”疑書中之篇目，今佚。文中猶存對平原君問一條。

《孫氏書目》：《魯連子》一卷，洪頤煊集本。

新語二卷　陸賈撰

陸賈有《楚漢春秋》，見史部雜史類。

太史公曰：“余讀陸生《新語書》十二篇，固當世之辯士。”

《漢書·藝文志》：《陸賈》二十三篇。又《七略》兵權謀家有《陸賈》，班氏以其重復，省之。

又本傳：賈時時前説稱《詩》、《書》。高帝罵之曰：“乃公居馬上得之，安事《詩》、《書》!”賈曰：“馬上得之，寧可以馬上治乎？且湯、武逆取而以順守之，文武並用，長久之術也。昔者吳王夫差、智伯極武而亡；秦任刑法不變，卒絶趙氏。鄭氏曰：“秦之先造父封于趙城，其後以爲姓。”鄉使秦以并天下，行仁義，法先聖，陛下安得而有之？”高帝不懌，有慚色，謂賈曰：“試爲我著秦所以失天下，吾所以得之者，及古成敗之國。”賈凡著十二篇。每奏一篇，高帝未嘗不稱善，左右呼萬歲，稱其書曰《新語》。師古曰：“其書今見存。”

唐張守節《史記正義》曰：“《七録》云：《新語》二卷，陸賈撰。”

《唐書·經籍志》：《新語》二卷，陸賈撰。

《唐書·藝文志》：陸賈《新語》二卷。《宋志》雜家著録同。《崇文總目》雜家同。

王氏《漢志考證》：今存《道基》、《術事》、《輔政》、《無爲》、《資賢》、《至德》、《懷慮》七卷。案此非完本，嚴氏《校録》言之詳矣。

《四庫提要》曰：“《漢書》賈本傳稱賈著《新語》十二篇，《藝文志》儒家二十七篇，蓋兼他所論述計之。《隋志》二卷。此本卷數與《隋志》合，篇數與本傳合。然王充《論衡·本性篇》引《陸賈》，今本無其文。又《穀梁傳》至漢武帝時始出，而《道基篇》末乃引‘《穀梁傳》曰’，時代尤相牴牾。其殆後人依託，非賈原本歟？案《穀梁傳》漢初魯申公已傳之，陸大夫容或見其書。又《玉海》稱今存七篇，此本十有二篇，乃反多于宋本，亦不可解。或後人因不完之本補綴五篇，以合本傳舊目也。案此未見李廷梧之序，故有此疑。嚴氏已言之，見後。今但據其書論之，則大旨皆崇王道，黜霸術，歸本于脩身用人。其稱引《老子》者，惟《思務篇》引‘上德不德’一語，餘皆以孔氏爲宗。所援據多《春秋》、《論語》之文。漢儒自董仲舒外，未有如是之醇正也。流傳既久，其真其贋，存而不論可矣。所載衛公子鱄奔晉一條，與三傳皆不合，莫詳所本。中多闕文，亦無可校補。所稱文公種米、曾子駕羊諸事，皆不知其何説。又據犂鴇報之語，訓詁亦不可通。古書佚亡，今不盡見，闕所不知可也。”

嚴可均校録序曰：“《崇文總目》、晁《志》、陳《録》皆不著。王伯厚云:'今存七篇。'蓋宋時此書佚而復出,出亦不全。至明弘治間,莆陽李廷梧得十二篇足本,刻于桐鄉縣治。或疑明本反多于王伯厚所見,恐是後人補綴。今知不然者,《群書治要》載有八篇,其《辨惑》、《本行》、《明誠》、《思務》四篇皆非王伯厚所見,而與明本相同。足知多出五篇,是隋、唐原本。至《論衡‧本性篇》引陸賈曰'天地生人也'一條,今十二篇無此文。《論衡》但云《陸賈》,不云《新語》,或當在《漢志》之二十三篇中。又'《穀梁傳》曰:仁者以治親,義者以利尊。'乃是穀梁舊傳,故今傳無此文。因知瑕丘江公所受于魯申公者,其本復經改造,非穀梁赤之舊也。漢代子書,《新語》最純最早,貴仁義,賤刑威,述《詩》、《書》、《春秋》、《論語》,紹孟、荀而開賈、董,卓然儒者之言,史遷目爲辨士,未足以盡之。其詞皆協韻,流傳既久,轉寫多訛,今據明各本,以《治要》之八篇,及《文選注》、《意林》等書,改正删補,疑者闕之,間有管見一二,輒附案語,不敢臆定。"《四錄堂類集總目》曰:"陸賈《新語》二卷,可均輯。"

案明程榮《漢魏叢書》所刻,即據弘治十五年李廷梧刊本,其篇目曰《道基第一》,《術事第二》,《輔政第三》,《無爲第四》,《辨惑第五》,《慎微第六》,《資質第七》,《至德第八》,《懷慮第九》,《本行第十》,《明誠第十一》,《思務第十二》。王氏所見七篇,蓋缺《辨惑》、《慎微》、《本行》、《明誠》、《思務》五篇,中多斷爛,末篇缺文尤多。嚴氏所校之本今亦未見。

又案《西京雜記》載陸賈答樊將軍噲問瑞應一事,今不見於是書。又晉嵇含《南方草木狀》引陸賈《南越行記》兩事,陸大夫于高帝存文時兩使南越,宜有行記,當皆在《漢志》二十三篇中。又《新語》中不甚言兵事,兵權謀所省《陸賈》不知若干篇,亦當在二十三篇中。

賈子十卷　録一卷　漢梁太傅賈誼撰

《史記·屈賈列傳》：賈生名誼，雒陽人也。年十八，以能誦詩屬書聞於郡中。吳廷尉爲河南守，聞其秀才，召置門下，甚幸愛。孝文皇帝初，聞河南守吳公治平爲天下第一，乃徵爲廷尉。廷尉乃言賈生年少，頗通諸子百家之書。文帝召以爲博士。是時賈生年二十餘，最爲少。諸生以爲能，不及也。孝文帝説之，超遷，一歲中至大中大夫。賈生以爲漢興二十餘年，天下和洽，固當改正朔，易服色，法制度，定官名，興禮樂，乃悉草具其儀法，色尚黄，數用五，爲官名，悉更秦之法。孝文帝初即位，謙讓未遑也。諸律令所更定，及列侯悉就國，其説皆自賈生發之。於是天子議以爲賈生任公卿之位。絳、灌、東陽侯、馮敬之屬盡害之，於是天子亦疏之，不用其議，乃以賈生爲長沙王太傅。數年徵見。孝文帝方受釐，坐宣室。因感鬼神事，而問鬼神之本。賈生因具道所以然之狀。至夜半，文帝前席。既罷，曰："吾久不見賈生，自以爲過之，今不及也。"居頃之，拜爲梁懷王太傅。懷王，文帝少子，愛，而好書，故令賈生傅之。文帝復封淮南屬王子四人皆爲列侯。賈生諫，以爲患之興自此起矣。賈生數上疏，言諸侯或連數郡，非古之制，可稍削之。文帝不聽。居數年，懷王騎，墜馬而死。《集解》徐廣曰："文帝十一年。"賈生自傷爲傅無狀，哭泣歲餘，亦死，年三十三。孝武皇帝立，案此稱孝武皇帝，非史公本文。舉賈生之孫二人至郡守，而賈嘉最好學，世其家，與余通書。至孝昭時，列爲九卿。案末句爲後人所續。

《漢書》傳贊曰："劉向稱：'賈誼言三代與秦治亂之意，其論甚美，通達國體，雖古之伊、管未能遠過也。使時見用，功化必盛。爲庸臣所害，甚可悼痛。'案此數語必是《別録》之言。追觀孝文玄默躬行，以移風俗，誼之所陳略施行矣。及欲改定制度，以漢爲土德,色尚黄,數用五,及欲試屬國,施五餌三表以係單于,其術固已疏矣。誼亦天年早終,雖不至公卿,未爲不遇也。凡所著述五十八篇,掇其切于世事者著於傳云。"

又《儒林傳》:漢興,北平侯張蒼及梁太傅賈誼皆修《春秋左氏傳》。誼爲《左氏傳》訓故,授趙人貫公,爲河間獻王博士。《釋文·敍録》云:"左丘明作《傳》以授曾申,五傳至荀況,況傳武威張蒼,蒼傳洛陽賈誼,誼傳其孫嘉,嘉傳趙人貫公。"

又《藝文志》:《賈誼》五十八篇。

《唐書·經籍志》:《賈子》九卷,賈誼撰。

《唐書·藝文志》:賈誼《新書》十卷。《宋志》雜家著録同。

《崇文總目》:《賈子》九卷,漢賈誼撰。傳本七十二篇,劉向删定爲五十八篇。案此説必本于《别録》。隋、唐皆九卷,今别本或爲十卷。《四庫提要》曰:"考今《隋》、《唐志》皆作十卷,無九卷之説,蓋校刊《隋》、《唐書》者未見《崇文總目》,反據今本追改之,明人傳刻古書,往往如是也。"案《舊唐書》明代不甚行,故不爲所改,與《崇文目》同。

晁氏《讀書志》:《新書》十卷,漢賈誼撰。誼著《事勢》、《連語》、《雜事》,凡五十八篇。考之《漢書》,誼之著述未嘗散軼,然與班固所載時時不同。固既云掇其切于世者,容有潤益刊削,無足怪也。獨其説經多異義而《詩》尤甚,以騶虞爲天子之宥官,以靈臺爲神靈之靈,與毛氏殊不同,學者不可不知也。案賈之時《詩》唯有魯、齊、韓三家,毛學不行,無怪其然矣。

陳氏《書録解題》曰:"《賈子》十一卷。《漢志》五十八篇。今書首載《過秦論》,末爲《弔湘賦》,餘皆録《漢書》語耳,且略節本傳于第十一卷中。其非《漢書》所有者,輒淺駁不足觀,決非誼本書也。"

宋《黄氏日鈔》曰:"賈誼天資甚高,議論甚偉,一時無與比者。其後經畫漢世變故,皆誼遺策。"

《四庫提要》曰："今本僅五十六篇，又《問孝》一篇有録無書，實五十五篇，已非北宋本之舊。又首載《過秦論》而末無《弔湘賦》，亦無附録之第十一卷，且併非南宋時本矣。其書多取誼本傳所載之文，割裂其章段，顛倒其次第，而加以標題，殊督亂無條例。疑《過秦論》、《治安策》等本皆爲五十八篇之一，後原本散佚，好事者因取本傳所有諸篇，離析其文，各爲標目，以足五十八篇之數，故餖飣至此。其書不全真，亦不全僞，陳振孫以爲決非誼書，非篤論也。且其中爲《漢書》所不載者，雖往往類《説苑》、《新序》、《韓詩外傳》，然如《青史氏之記》，具載胎教之古禮；《修政語》上、下兩篇，多帝王之遺訓；《保傅篇》、《容經篇》並敷陳古典，具有原本。其解《詩》之騶虞、《易》之潛龍、亢龍，亦深得經義。安可盡以淺駁不粹目之哉？雖殘闕失次，要不能以斷爛棄之矣。"

杭東里人盧文弨校刊序曰："此書必出于其徒之所纂集，篇中稱'懷王問于賈君'，又《勸學》一篇'語其門人'，皆可爲明證。但多爲鈔胥所增竄。凡《漢書》所有者，此皆割裂顛倒，致不可讀。唯《傅職》、《輔佐》、《容經》、《道術》、《論政》諸篇，在《漢書》外者，古雅淵奧，非後人所能僞爲。陳氏反謂其淺駁，豈可謂之知言者哉？"

鹽鐵論十卷　漢廬江府丞桓寬撰　案此"府丞"當是"郡丞"，明人校刊者妄改。

《漢書·昭帝本紀》："始元六年二月，詔有司問郡國所舉賢良文學民所疾苦。議罷鹽鐵榷酤。"又贊曰："始元、元鳳之間，匈奴和親，百姓充實。舉賢良文學，問民所疾苦，議鹽鐵而罷榷酤。"又《食貨志》："昭帝即位六年，詔郡國舉賢良文學之士，問以民所疾苦，教化之要。皆對願罷鹽鐵酒榷均輸官，毋與天下爭利，示以儉節，然後教化可興。御史大夫桑弘羊難，以爲此國家大業,所以制四夷,安邊足用之本,不可廢也。迺與丞相千秋共奏罷酒酤。"

又《車千秋傳》:昭帝世,國家少事,百姓稍益充實。始元六年,詔郡國舉賢良文學士,問以民所疾苦,于是鹽鐵之議起焉。

又傳贊曰:"所謂鹽鐵議者,起始元中,徵文學賢良問以治亂,皆對願罷郡國鹽鐵酒榷均輸,務本抑末,毋與天下爭利,然後教化可興。御史大夫弘羊以爲此迺所以安邊竟,制四夷,國家大業,不可廢也。當時相詰難,頗有其議文。至宣帝時,汝南桓寬次公治《公羊春秋》,舉爲郎,至廬江太守丞,博通善屬文,推衍鹽鐵之議,增廣條目,極其論難,著數萬言,亦欲以究治亂,成一家之法焉。其辭曰:'觀公卿賢良文學之議,異乎吾所聞。聞汝南朱生言,<small>案本書作"朱子伯"。</small>當此之時,英俊並進,賢良茂陵唐生、文學魯國萬生之徒六十有餘人,咸聚闕庭,舒六藝之風,陳治平之原,知者贊其慮,仁者明其施,勇者見其斷,辯者騁其辭,斷斷焉,行行焉,雖未詳備,斯可略觀矣。中山劉子推<small>案本書作"子雍"。</small>言王道,矯當世,反諸正,彬彬然弘博君子也。九江祝生奮史魚之節,發憤懣,譏公卿,介然直而不撓,可謂不畏彊圉矣。桑大夫據當世,合時變,上權利之略,雖非正法,鉅儒宿學不能自解,博物通達之士也。然攝公卿之柄,不師古始,放於末利,處非其位,行非其道,果隕其性,以及厥宗。<small>師古曰:"性,生也。謂與上官桀謀反誅也。"</small>車丞相履伊、呂之列,當軸處中,括囊不言,容身而去,彼哉!彼哉!若夫丞相、御史兩府之士,不能正議以輔宰相,成同類,長同行,阿意苟合,以說其上,斗筲之徒,何足選也!'"

又《藝文志》:"桓寬《鹽鐵論》六十篇。"師古曰:"寬字次公,汝南人也。孝昭帝時,丞相御史與諸賢良文學論鹽鐵事,寬撰次之。"

《唐書·經籍志》:《鹽鐵論》十卷,桓寬撰。

《唐書·藝文志》:桓寬《鹽鐵論》十卷。《宋史志》同。

陳氏《書録解題》曰:"《鹽鐵論》凡六十篇事,其末曰《雜論》,班《書》取以爲論贊。"

王氏《漢志考證》曰:"今十卷,《本論》第一至《雜論》第六十。"

《四庫提要》曰:"《鹽鐵論》十二卷,凡六十篇,篇各標目。實則反覆問答,諸篇皆首尾相屬。後罷榷酤,而鹽鐵則如舊,故寬是書,惟以鹽鐵爲名,蓋惜其議不盡行也。書末《雜論》一篇,述汝南朱子伯之言,記賢良茂陵唐生、文學魯國萬生等六十餘人,而最推中山劉子雍、九江祝生,于桑弘羊、車千秋深著微詞。蓋其著書之大旨,所論皆食貨之事,而言皆述先王,稱六經,故諸史皆列之儒家。明嘉靖癸丑,華亭張之象爲之注。"

又《簡明目録》曰:"所論者食貨之政,而諸史皆列之儒家。蓋古之儒者主于誦法先王以適實用,不必言心、言性而後謂之聞道也。"

新序三十卷　録一卷　劉向撰

劉向有《洪範五行傳論》,見經部尚書家。

《七略別録》曰:"《新序》三十卷,河平四年都水使者諫議大夫劉向上言。"見馬總《意林》。四庫館校刊曰:"案此蓋奏上《新序》之文,故馬氏録以弁首,而今失之。"

又曰:"《新序》總一百八十三章,陽朔元年二月癸卯上。"見王氏《漢書藝文志攷證》。此兩條皆《別録》佚文,諸家輯本皆不載,故各注其所出。

《漢書·藝文志》:劉向所序六十七篇,《新序》、《説苑》、《世説》、《列女傳頌圖》也。

又《楚元王附傳》:向領校中《五經》祕書,乃集合上古以來符瑞災異之記，號曰《洪範五行傳論》，奏之。又睹俗奢淫，序次爲《列女傳》，以戒天子。及采傳記行事，著《新序》、《説苑》凡五十篇奏之，以助觀覽。

《唐書・經籍志》：《新序》三十卷，劉向撰。

《唐書・藝文志》：劉向《新序》三十卷。

《宋史・藝文志》雜家：劉向《新序》十卷。

《崇文總目》：《新序》十卷，漢劉向撰。成帝典校祕書，因采載戰國、秦、漢間事，爲三十卷上之。其二十卷今亡。案“撰”字下當有“向爲”二字。

晁氏《讀書志》：《新序》十卷，劉向撰。向典校祕書，因采傳記行事、百家之言，删取正辭美義可勸戒者，爲《新序》、《説苑》，共五十篇。《新序》，陽朔元年上。世傳本多亡闕。皇朝曾子固在館中日，校正其訛舛，而綴輯其放逸。久之，《新序》始復全。

宋高似孫《子略》曰：“先秦古書，甫脱燼劫，一入向筆，采擷不遺。至其正紀綱，迪教化，辨邪正，黜異端，以爲漢規監者，盡在此書。茲《説苑》、《新序》之旨也。嗚呼！向誠忠矣！向之書誠切矣！”

陳氏《書録解題》曰：“《新序》十卷，漢護都水使者光禄大夫劉向子政撰。舜、禹以來迄于周，嘉言善行，往往在焉。其書最爲近古。”四庫館輯録曰：“案此云‘舜、禹以來迄于周’，疑有脱誤。”

王氏《漢志考證》：《新序》三十卷，曾鞏校定，十卷，《雜事》至《善謀》。

《四庫提要》曰：“《隋志》《新序》三十卷，《唐志》同。曾鞏校書序云：‘今可見者十篇。’蓋鞏所校録，宋初殘闕之本也。晁公武謂曾子固綴輯散佚，《新序》始復全者，誤矣。今本《雜事》五卷，《刺奢》一卷，《節士》二卷，《善謀》二卷，即曾鞏校定之舊。《崇文總目》云所載戰國、秦、漢間事，以今考之，春秋時事尤多，漢事不過數條。大抵采百家傳記，以類相從，故頗與《春秋》內外傳、《戰國策》、《太史公書》互相出入。要其推明古訓，衷之于道德仁義，在諸子之中猶不失爲儒者之言。葉大慶《考古質疑》頗摘其誤，切中其失。"

又《簡明目錄》曰："唐以前本皆三十卷，宋以後本皆十卷，蓋不知爲合併、爲殘缺也。所錄皆春秋至漢初軼事可爲法戒者，雖傳聞異詞，姓名時代或有牴牾，要其大旨主于正紀綱，迪教化，不失爲儒者之言。"

嚴可均《全漢文編》曰："《新序》三十卷，見存十卷，不錄，錄其佚文，凡五十二條。"^{其中第十二條言吳漢事，必非《新序》本文。}

案《晉書・陸喜傳》：喜自序曰："劉向省《新語》而作《新序》。"斯言也，必得之于《別錄》。蓋漢時舊傳有《新語》，因而重編定著爲《新序》，猶中祕書有《説苑雜事》，重編爲《新説苑》也。此《新序》之所本，可以補《別錄》之軼聞。

説苑二十卷　劉向撰

《七略別錄》："護左都水使者光禄大夫臣向言：所校中書《説苑雜事》及臣向書、民間書，誣^{盧文弨《群書拾補》曰："案《論語》'焉可誣也'，《漢書・薛宣傳》作'可憮'。蘇林曰：'憮，同也，兼也。'晉灼曰：'憮，音誣。'疑此'誣'與'憮'同義。"}校讎，其事類衆多，章句相溷，或上下謬亂，難分別次序。除去與《新序》復重者，其餘者淺薄不中義理，別集以爲《百家》^{案《漢志》小説家末有《百家》百三十九卷。}後，令以類相從，^{案"後"當爲"復"。}一一條別篇目，更以造新事十萬言，以上，凡二十篇，七百八十四章，號曰《新苑》，皆可觀。臣向昧死。^{《群書拾補》曰："當有'謹上'二字。"}鴻嘉四年三月己亥上。"^{案末句見王氏《漢志考證》。又《新苑》疑《新説苑》，敓"説"字。其言所校中書《説苑雜事》，則《説苑雜事》乃中祕書之舊名，相傳有此説部之書，此重編其書，故曰《新説苑》，猶重編《國}

語》號《新國語》，見《漢志》春秋家也。

《唐書·經籍志》：《説苑》三十卷，劉向撰。

《唐書·藝文志》：劉向《新序》三十卷，又《説苑》二十卷。《宋志》雜家二十卷。

《崇文總目》：《説苑》五卷，漢劉向撰。向，成帝時典祕書，采傳記百家之言，掇其正辭美義可爲勸戒者，以類相從，爲《説苑》二十篇，今存者五卷。

晁氏《讀書志》：《説苑》二十卷，以《君道》、《臣術》、《建本》、《立節》、《貴德》、《復恩》、《政理》、《尊賢》、《正諫》、《法誡》、《善説》、《奉使》、《權謀》、《至公》、《指武》、《談叢》、《雜言》、《辨物》、《修文》爲目。鴻嘉四年上之。闕第二十卷。案袁本云：“缺第十三卷。”曾子固校書，自謂得十五篇于士大夫家，與《崇文》舊書合爲二十篇而敍之。然止是析十九卷，作《修文》上、下篇耳。

陳氏《書錄解題》曰：“向序言更造新事凡二十篇，七百八十四章，號曰《新苑》。今本南豐曾鞏序言《崇文總目》存者五篇，從士大夫得十五篇，與舊爲二十篇。未知即當時篇章否。《新苑》之名亦不同。”

王氏《漢志考證》：《説苑》二十卷，《君道》至《反質》。《崇文總目》存者五篇，曾鞏復得十五篇，與舊爲二十篇。李德芻云：“闕《反質》一卷，鞏分《修文》爲上、下，以足二十卷。後高麗進一卷，遂足。”

《四庫提要》曰：“晁公武謂闕第二十卷。今本《修文篇》後有《反質篇》，陸游《渭南集》記李德芻之言，謂得高麗所進本補成完書。則宋時已有此本，公武偶未見也。其書皆錄遺聞佚事足爲法戒之資者，其例略如《詩外傳》。葉大慶《考古質疑》摘其所載諸人，時代先後，邈不相及。黃朝英《緗素雜記》摘其與《新序》矛盾。殆捃拾衆説，各據本文，偶爾失于參校也。然古籍散佚，多類此以存。如《漢志》《河間獻王》八篇，《隋志》已不著録。而此書所載四條，尚足見其議論醇正，不愧儒宗。其他亦多可采擇。雖間有傳聞異詞，固不以微瑕累全璧矣。”

又《簡明目録》曰：“《説苑》與《新序》體例相同，大旨亦復相類，其所以分爲兩書之故，莫之能詳。案此由未見《説苑・序録》之文故也。中有一事而兩書異詞者，蓋采群書各據其所見，既莫定其孰是，寧傳疑而兩存也。”

嚴可均《鐵橋漫稿・書説苑後》略曰：“盧抱經《群書拾補》所載宋本有劉向敍一首，諸本皆無之。向敍言二十篇，七百八十四章。今本《君道》至《反質》，凡六百三十九章。《群書拾補》有佚文二十四事，當是二十四章，都計六百六十三章。視向敍少一百二十一章，非完書也。向所類事與《左傳》及諸子間或時代牴牾，或一事而兩説、三説兼存。《韓非子》亦如此。良由所見異詞，所聞異詞，所傳聞異詞，不必同李斯之法，別黑白而定一尊。淺學之徒少所見，多所怪，謂某事與某書違異，某人與某人不相值。生二千載後，而欲畫一二千載以前之人之事，甚非多聞闕疑之意。善讀書者，豈宜然乎？”

又《全漢文編》曰：“《説苑》二十卷，今見存不録，録其佚文，凡二十四條。”

案《史通・采撰篇》云：“班固《漢書》全同《太史》。案此言非是。太初已後，雜引劉氏《新序》、《説苑》、《七略》之辭。今考《新序》、《説苑》載漢事無多，不知何時何人妄有删除矣。惜哉！”

揚子法言十五卷　解一卷　揚雄撰　李軌注

揚雄有《方言》，李軌有《周易音》，並見經部論語類、易類。

《漢書》本傳：“雄見諸子各以其知舛馳，大氐詆訾聖人，即爲怪迂，析辯詭辭，以撓世事，宋祁曰：“司馬温公云：‘大氐’下脱‘不’字。”雖小辨，終破大道而或衆，使溺于所聞，而不自知其非也。及太史公記六國，歷楚漢，訖麟止，不與聖人同，是非頗謬于經。故人時有問雄者，常用法應之，譔以爲十三卷，象《論語》，號曰《法言》。《法言》文多不著，獨著其目：曰《學行》第一，《吾子》第二，《修身》第三，《問道》第四，《問神》第五，《問明》第六，《寡見》第七，《五百》第八，《先知》第九，《重黎》第十，《淵騫》第十一，《君子》第十二，《孝至》第十三。”又曰：“雄以爲傳莫大于《論語》，作《法言》。自雄之没至今四十餘年，其《法言》大行。”

又《藝文志》：揚雄所序三十八篇。《太玄》十九，《法言》十三，《樂》四，《箴》二。案《樂》四疑即經部樂類所載之《樂經》四卷；《箴》二即《九州二十五官箴》，仿《虞人箴》而作者，鄭樵《校讎略》謂之《樂箴》，以兩書爲一書，謬誤如此。今行本《太玄》十九有作《太廟》十九者，甚謬。

《唐書·經籍志》：《揚子法言》，又十三卷，李軌注。

《唐書·藝文志》：李軌注《法言》三卷。案此似敚“十”字。

晁氏《讀書志》：李氏注《法言》十三卷，漢揚雄撰，晉祠部郎中李軌注。

陳氏《書録解題》：《法言注》十三卷，《音義》一卷，晉尚書郎李軌弘範注。此本歷景祐、嘉祐、治平三降詔，更監學、館閣兩制校定，然後板行，與建寧四注本不同。

《四庫提要》曰：“《漢書·藝文志》注云‘《法言》十三’，雄本傳具列其目，凡所列漢人著述，未有若是之詳者，蓋當時甚重其書也。自程子始謂其曼衍而無斷，優柔而不決。蘇軾始謂其以艱深之詞，文淺易之説。至朱子作《通鑑綱目》，始書‘莽大夫揚雄死’。雄之人品著作，遂皆爲儒者所輕。若北宋之前，則大抵以爲孟、荀之亞。故司馬光作《潛虛》以擬《太玄》，而又采李軌、柳宗元、宋咸、吳祕四家之説以注此書。"

又《簡明目録》曰："雄《長楊》諸賦文章殊絶，訓纂諸書于小學亦深。惟此書摹仿《論語》徒爲貌似，不知司馬光何取而注之，殆以尊聖人、談王道，持論猶近正歟？"

《經義考・擬經篇》：李氏軌《法言解》，《隋志》一卷，存。

錢塘梁玉繩《瞥記》曰："揚子雲作《法言》，二字見《莊子・人間世》，非取《論語》'法語之言'也。"

張氏《書目答問》：《法言》李軌注十三卷，《音義》一卷。秦恩復仿宋大字本，又徐養原校李賡芸刻本。

梁有《揚子法言》六卷，侯芭注，亡。　　一本作"侯苞"。

侯芭有《韓詩翼要》，見經部詩類。

《漢書・揚雄傳》：鉅鹿侯芭常從雄居，受其《太玄》、《法言》焉。案"芭"下敚"子"字。子常，芭字也。詳見經部詩類《韓詩翼要》條。

《唐書・經籍志》：《揚子法言》六卷，揚雄撰。《藝文志》同。案此卷數與《七録》相符，似即此書。

《經義考・擬經篇》：侯氏芭《法言注》，《七録》六卷，佚。

番禺侯康《補後漢書藝文志》曰："《御覽》九百二十二引《揚子法言》曰：'朱鳥翩翩，歸其肆矣。'侯苞注曰：'朱鳥，燕別名。肆，恣肆也。'"

揚子法言十三卷　宋衷撰　　"撰"當爲"注"。

宋衷有《周易注》，見經部易家。

《唐日本國見在書目》：揚雄《法言》十三卷。宋衷注。

《唐書・經籍志》：《揚子法言》又十卷，宋衷注。

《唐書・藝文志》：宋衷注《法言》十卷。

《四庫提要》曰："考自漢以來，有侯芭注六卷，宋衷注十三卷，李軌解一卷，辛德源注二十三卷。又有柳宗元注，宋咸廣注，吳祕注,司馬光集注。"

錢塘汪師韓《文選理學權輿》曰:"《選注》所引群書,有宋衷《法言注》。"

揚子太玄經九卷　　宋衷注

揚雄、宋衷並見前。

劉向《別錄》曰:"揚雄經目有《玄首》、《玄衝》、《玄錯》、《玄測》、《玄舒》、《玄瑩》、《玄數》、《玄文》、《玄掜》、《玄圖》、《玄告》、《玄問》,合十二篇。"殿本附三劉《刊誤》所引蕭該《漢書音義》。

劉向《別傳》曰:"揚信字子烏,雄第二子。幼而聰慧,雄笐《玄》經不會,子烏令作九數而得之。雄又儗《易》'羝羊觸藩',彌日不就,子烏曰:'大人何不云荷戟入榛?'"《御覽》三百八十五。案此兩條嚴氏輯《別錄》本皆不載,故注所出。《別傳》即《別錄》。王儉作《七志》,每人各次以傳,即依《別錄》之體也。考劉中壘卒于成、哀之間,揚雄于哀帝時方草《太玄》,書尚未成,何由于《別錄》中載其篇目?又考《別錄》載揚雄書,唯詩賦略中賦四篇,因成帝時奏御,得著于錄。意者其時子烏已死,劉氏于著錄四賦因而附記其事歟?《玄舒》蓋即《玄攡》,又有《玄問》,合十二篇,與本書、本傳並異,三劉《刊誤》已辨之。然《別錄》所記在子雲未成書之時,容有與定本互異之處,斯不足怪也。《法言·問神篇》云:"苖而不秀者,吾家之童烏乎,九齡而與我《玄》文。"桓譚《新論》曰:"揚子雲爲郎,居長安,素貧。比歲亡其兩男,哀痛之,皆持歸,葬于蜀,以此困乏。雄察達聖道,明于死生,宜不下季札。然而慕怨死子,不能以義割恩,自令多費而致困貧也。"又云:"《玄經》三篇,五千餘言。而《傳》十二篇也。"

《漢書·揚雄傳》:"哀帝時,丁傅、董賢用事,諸附離之者或起家至二千石。時雄方草《太玄》,有以自守,泊如也。雄以爲,賦頗似俳優淳于髡、優孟之徒,非法度所存,賢人君子詩賦之正也,于是輟不復爲。而大潭思渾天,參摹而四分之,極于八十一。旁則三摹九据,極之七百二十九贊,亦自然之道也。故觀《易》者,見其卦而名之;觀《玄》者,數其畫而定之。《玄》首四重者,非卦也,數也。其用自天元推一晝一夜陰陽數度律曆之紀,九九大運,與天終始。故《玄》三方、九州、二十七部、八十一家、二百四十三表、七百二十九贊。分爲三卷，曰一二三，與《泰初曆》相應，亦有顓頊之曆焉。撢之以三策，開之以休咎，絣之以象類，播之以人事，文之以五行，擬之以道德仁義禮知。無主無名，要合五經，苟非其事，文不虛生。爲其泰曼漶而不可知，故有《首》、《衝》、《錯》、《測》、《攡》、《瑩》、《數》、《文》、《掜》、《圖》、《告》十一篇，皆以解剝《玄》體，離散其文，章句尚不存焉。"又曰："雄好古樂道，其意欲求文章成名于後世，以爲經莫大于是《易》，故作《太玄》。用心于內，不求于外，于時人皆曶之；唯劉歆、范逡敬焉，_{案范逡略見《後漢書·杜林傳》。}而桓譚以爲絕倫。鉅鹿侯芭常從雄居，受其《太玄》、《法言》焉。劉歆亦嘗觀之，謂雄曰：'空自苦！今學者有祿利，然尚不能明《易》，又如《玄》何？吾恐後人用覆醬瓿也。'雄笑而不應。天鳳五年卒。時大司空王邑、納言嚴尤聞雄死，謂桓譚曰：'子常稱揚雄書，豈能傳于後世乎？'_{案此稱"子常"，即謂侯芭，非指桓譚。由是知上文"鉅鹿侯芭"下敓"子"字。}譚曰：'必傳。顧君與譚不及見也。凡人賤近而貴遠，親見子雲祿位容貌不能動人，故輕其書。昔老聃著虛無之言兩篇，薄仁義，非禮樂，然後世好之者尚以爲過于五經。自漢文、景之君及司馬遷皆有是言。今揚子之書文義至深，而論不詭于聖人，若使遭遇時君，更閱賢知，爲所稱善，則必度越諸子矣。'諸儒或譏以爲雄非聖人而作經，猶春秋吳楚之君僭號稱王，蓋誅絕之罪也。_{師古曰："絕謂無胤嗣也。"劉敞曰："'絕'讀如《春秋》'貶絕'之'絕'。"}自雄之没至今四十餘年，其《法言》大行，而《玄》終不顯，然篇籍具存。"_{司馬光曰："子雲《法言》、《解嘲》等書止云《太玄》，非自稱經，侯芭之徒尊之耳。"}又《藝文志》曰："揚雄所序三十八篇。"注云："《太玄》十九。"吳陸績《述玄》曰："章陵宋仲子爲作解詁，仲子以所解與張子布，績得覽焉。仲子之思慮，誠爲深篤。然《玄》道廣遠，淹廢歷載,師讀斷絶,難可一備,故往往有違本錯誤。夫《玄》之大義,揲蓍之謂,而仲子失其旨歸。休咎之占,靡所取定,雖得文間義説,大體乖矣。"

《唐日本國見在書目》:《揚子太玄經》十三卷,宋衷注。

《唐書·經籍志》:《揚子太玄經》十二卷,揚雄撰,陸績注。_{案宋衷注即在其内。}

《唐書·藝文志》:宋仲孚注《太玄經》十二卷。_{《經義考·擬經篇》曰:"疑即宋仲子注,書'子'爲'孚',因譌孚耳。"案《舊志》唯載陸氏注,以宋注在内,故不别出。《新志》首載陸注本,又别出此本,或宋氏單注本與本志同,而其首有本經三卷,即本傳所謂一二三是也,故十二卷。}

《宋書·藝文志》:《玄測》一卷,漢宋衷解,吳陸績釋之。_{案《玄測》爲十一篇中第四篇,宋《注》至宋唯存此一卷。又有《宋衷解太玄義經訣》十卷,李沂集,當是"太玄經義訣"轉寫誤倒其文,蓋輯宋注而附以己説及揲蓍之法,故曰《義訣》,亦輯本之類也。}

《四庫》術數數學類提要曰:"自漢以來,注其書者,惟宋衷、陸績最著。至晉范望,乃因二家之注,勒爲一編。雄書本擬《易》而作,以家準卦,以《首》準《象》,以《贊》準爻,以《測》準《象》,以《文》準《文言》,以《攤》、《瑩》、《棿》、《圖》、《告》準《繫辭》,以《數》準《説卦》,以《衝》準《序卦》,以《錯》準《雜卦》,全仿《周易》。古本經、傳各自爲篇,望作注時析《玄首》一篇分冠八十一家之前,析《玄測》一篇分繫七百二十九贊之下,始變其舊,至今仍之。卷端列陸績《述玄》一篇,又列王涯《説玄》五篇,又列《釋文》一卷,則不知何人附入。其《太玄圖》旁、范望序末及《玄首》、《玄測》之首尾,凡附記九條,卷末又有一跋,均不署名氏,當出北宋人林瑀、張寶之手。其《釋文》一卷亦不著名氏。考鄭樵《通志》則林瑀撰。疑皆張寶校刊是書時所附入也。"

案《釋文·敍録》:"《老子》范望州注訓二卷。字叔文,會稽人，吳尚書郎。"蓋即注《太玄》之范望也，"州"字似衍。案今本卷首題"晉范望，字叔明"，則"文"爲音聲之誤。望自序有云："昔在吳朝，校書臺觀，後轉爲郎。"則仕吳入晉者也。而本志儒家、道家皆不著其書。其《太玄》舊第蓋仿《周易》以《彖》、《象》附六十四卦之例。自此世傳其本，而舊本不可見矣。《提要》所載即相傳萬玉堂本，其所附《釋文》有題識云："此本自侯芭、虞翻、宋衷、陸績互相增損，傳行於世，非後人之所作也。"是猶爲舊時所傳，非《通志略》所載林瑀撰。晁《志》載宋郭元亨《太玄經疏》云："《太玄》潤色於君平。"案嚴遵字君平，子雲師事之。豈其書爲君平所及見而點定之耶？是亦異聞也。宋氏注今見於溫公《集注》，尚存七十七條。

梁有《揚子太玄經》九卷，揚雄自作章句，亡。

《漢書》本傳有曰："爲其泰曼漶而不可知，故有《首》、《衝》、《錯》、《測》、《攡》、《瑩》、《數》、《文》、《捝》、《圖》、《告》十一篇，皆以解剝《玄》體，離散其文，章句尚不存焉。"師古曰："《玄》中之文雖有章句，其旨深妙，尚不能盡存，故解剝而離散也。"<small>宋祁曰："'也'當作'之'"。</small>劉敞曰："言此十一篇，財以離散《玄》文，未有章句也。"

晉范望注本序曰："建安年中，章陵宋衷、吳郡陸績各爲解釋。然本經三卷，雖有章句，辭尚婉妙，並宜訓解。"<small>案此則自作《章句》者，但爲本經三卷耳，與顏氏所注合。又疑此九卷中附有侯芭章句。</small>

《四庫》術數數學類提要曰："《漢書·藝文志》稱《太玄》十九，其本傳則云分爲三卷，曰一、二、三。又稱有《首》、《衝》、《錯》、《測》等十一篇，《章句》尚不存焉，與《藝文志》十九篇之説已相違異。案阮孝緒稱《太玄經》九卷，雄自作章句。疑《漢志》所云十九篇乃合其章句言之。今章句已佚，故篇數有異。"

楊子太玄經十卷　　陸績宋衷撰　案當云"宋衷、陸績注"。

宋衷見前。陸績有《周易注》，見經部易類。

陸績《述玄》曰："鎮南將軍劉景升遣梁國成奇修好鄙州，奇將《玄經》自隨，時雖輻寫一通，年尚暗稚，未能深索玄道真，故不爲也。後數年專精讀之，半歲間粗覺其意，於是草創注解，未能也。章陵宋仲子爲作解詁，後奇復銜命尋盟，仲子以所解付奇與安遠將軍彭城張子布，績得覽焉。績智意豈能弘裕？顧聖人有所不知，匹夫誤有所達。加緣先王詢于芻蕘之誼，故遂卒有所述，就以仲子解爲本，其合于道者，因仍其説；其失者，因釋而正之。所以不復爲一解，欲令學者瞻覽彼此，論其曲直，故合聯之爾。績不敢苟好著作以虛譽也，庶合道真，使《玄》不爲後世所尤而已。"《華陽國志·蜀郡士女贊》云："吳郡陸公紀尤善于《玄》，稱雄聖人。"

《吳志》本傳："績博學多識，星曆算數無不該覽。虞翻舊齒名盛，與績友善。作《渾天圖》，注《易》釋《玄》，皆傳于世。"又傳評曰："陸績之于揚《玄》，是仲尼之左丘明，老聃之嚴周矣。"

晉范望序曰："揚子雲處前漢之末，值王莽用事。身繫亂世，遂退無由。是以朝隱，官爵不徙。于是覃思耦易著《玄》。桓譚謂之絕倫，張衡以擬五經。非諸子之疇也。自侯芭受業之後，希有相傳受者。乃到建安年中，故五業主事章陵宋衷、鬱林太守吳郡陸績，各以淵通之才，窮核道真，爲十篇解釋，案當爲十一篇。足以根其祕奧，無遺滯者已。然本經三卷，雖有《章句》，辭尚婉妙，並宜訓解。且此書也，淹廢歷久，傳寫文字，或有脱謬。宋君創之于前，鬱林釋之于後，二注并集，或相錯雜，或相理致，文字猥重，頗爲繁多。于教者勞，于誦者勸。"北宋校刊范本附記云："揚氏本以七百二十九贊，爲天地人三卷。宋陸無注。"唐王涯《説玄·辨首篇》云："天玄二十七首，自'中'至'事'；地玄二十七首，自'更'至'昆'；

人玄二十七首，自‘滅’至‘養’。”

《唐書·經籍志》：《揚子太玄經》十二卷。揚雄撰，陸績注。

《唐書·藝文志》：陸績注《揚子太玄經》十二卷。

《宋史·藝文志》：《玄測》一卷。漢宋衷解，吳陸績釋之。案陸本至宋唯存此一卷。

宋司馬光《集注太玄序》曰：“漢五業主事宋衷始爲《玄》作解詁，吳鬱林太守陸績作釋正。”又卷端題記曰：“宋、陸依揚子舊本分《玄》之贊辭爲三卷，一方爲上，二方爲中，三方爲下。次列《首》、《衝》、《錯》、《測》、《攡》、《瑩》、《數》、《文》、《掜》、《圖》、《告》凡十一篇。”又曰：“宋、陸又于贊辭之前列天始、始始、中始、終中、始中、中中、終終、始終、中終、終地、下下、下中、下上、中下、中中、中上、上下、上中、上上、人思、内思、中思、外福、小福、中福、大禍、生禍、中禍，極諸家本皆無之。”

北宋校刊范本附記曰：“九贊之辭，後人目爲經辭也。楊氏本以七百二十九贊分天地人自爲三卷。其辭之下，宋、陸無注。晉范望沿宋、陸注《測》之義，專解此贊，自成一家，次于逐首辭下。而削舊注日、星、節、候、上、中、下度數。”案舊法自侯芭、鄒邠、張衡、崔瑗、王肅及宋、陸二家所注者，又有虞翻，並在范望之前。與范同時又有陸凱。鄒邠，字伯岐，有《玄思》，見《論衡》。案書篇其人稍在侯芭後。

　　案司馬溫公言，知宋、陸雖不注贊辭，而贊辭仍冠于其前。并知揚子舊第實爲經傳合十四篇，益以陸氏《述玄》一篇，是陸本原第實十五卷。唯《子略》録《意林》舊目，有揚雄《太玄經》十五卷，卷數相符。本志十卷，《唐志》十二卷，似皆非當時之舊矣。

揚子太玄經十卷　蔡文邵注

蔡文邵始末未詳。

《唐書·經籍志》：《揚子太玄經》一十卷，蔡文邵注。

《唐書·藝文志》：蔡文邵注《太玄經》十卷。

《崇文總目》：《太玄經》十卷，揚雄撰，蔡文邵注。

案蔡文邵并莫詳其時代，疑即撰《化清經》之蔡洪，撰《閎論》之蔡韶。見後。又本志別集類注云："梁有《蔡玄通集》五卷，亡。"《七録》叙次在賈充、荀勖之前，蓋晉初人，亦近似之也。《吳志·張昭傳》："昭長子承能甄識人物，拔彭城蔡款于孤微，後至衛尉。"注引《吳録》曰："款字文德。"《步騭傳》引周昭《新論》又稱爲"蔡文至"，"文至"似"文德"之譌。蔡文邵或其昆季行歟？《崇文總目》載《太玄經》唯此一部，而《宋志》及晁、陳《志》、《録》皆不著。唐、宋諸家集注《太玄經》亦罕見稱引及之者。

梁有《揚子太玄經》十四卷，虞翻注，亡。

虞翻有《周易注》，詳經部易類。

《吳志》本傳注：《翻別傳》曰："翻放棄南方，以典籍自慰，依《易》設象，以占吉凶。又以宋氏解《玄》頗有繆錯，更以立法，案"法"似"注"字之誤。并著《明揚》、《釋宋》以理其滯。"案其書于注文之外，別有《明揚》一篇明其本意，《釋宋》一篇釋其違錯也。蓋作于交州，少後于陸績。殆遠處海濱，未知陸亦有此注也。

《唐書·經籍志》：《揚子太玄經》十四卷，虞翻注。

《唐書·藝文志》：虞翻注《太玄經》十四卷。案十四卷者，本經三，傳十一，猶原本舊第也。

北宋校刊范望注本題記曰："揚氏始作之本，已畫方、州、部、家四位，定五行之數，分七百二十九贊，爲天、地、人三玄。惟宋、陸注本不畫首象，其餘侯芭、虞翻注本並畫首象。"

又《太玄釋文》題記曰："此本自侯芭、虞翻、宋衷、陸績互相增損，傳行于世，非後人之所作也。"案此不知何人從諸家注本輯出，爲《釋文》，侯芭注本不著録，宋氏注書時已亡之矣。

梁有《揚子太玄經》十三卷，陸凱注，亡。

陸凱有《吳先賢傳》，詳史部雜傳家。

《吳志》本傳：黃武初爲永興、諸暨長，拜建武都尉，領兵。雖統軍衆，手不釋書。好《太玄》，論演其意，以筮輒驗。

梁有《揚子太玄經》七卷，王肅注，亡。

王肅有《周易注》，詳經部易類。

《魏志·王朗附傳》：肅年十八，從宋忠讀《太玄》，而更爲之解。

《華陽國志·揚雄贊》曰："其《玄》，後世大儒張衡、崔子玉、宋仲子、王子雍等皆爲注解。"

桓子新論十七卷　後漢六安丞桓譚撰

《後漢書》本傳：譚字君山，沛國相人也。父成帝時爲太樂令。以父任爲郎，因好音律，善鼓琴。博學多通，徧習五經，皆詁訓大義，不爲章句。能文章，尤好古學，數從劉歆、揚雄辨析疑異。性簡易，而憙非毀俗儒，由是多見排抵。哀、平間，位不過郎。當王莽居攝篡殺之際，天下之士，莫不競褒稱德美，作符命以求容媚，譚獨自守，默然無言。莽時爲掌樂大夫，更始立，召拜太中大夫。世祖即位，徵待詔，上書言事失旨，不用。大司空宋弘薦，拜議郎給事中，上書陳時政，不省。時帝方信讖，多以決定嫌疑。又酬賞少薄，天下不時安定。譚復上疏請屏讖記，輕爵重賞。帝省奏，愈不悦。其後有詔會議靈臺所處，帝謂譚曰："吾欲讖決之，何如？"譚默然良久，曰："臣不讀讖。"帝問其故，譚復極言讖之非經。帝大怒曰："桓譚非聖無法。"將下斬之。譚叩頭流血，良久乃得解。出爲六安郡丞，意忽忽不樂，道病卒，時年七十餘。初，譚著書言當世行事二十九篇，號曰《新論》，上書獻之，世祖善焉。《琴道》一篇未成，肅宗使班固續成之。案本志異説篇有曰："光武以圖讖興，遂盛行于世。其後詔東平王蒼，正五經章句，皆命從讖。俗儒趨時，益爲其學。言五經者，皆憑讖爲説。”范書《賈逵傳》論曰：“桓譚以不善讖流亡，鄭興以遜辭僅免，賈逵能附會文致，最差貴顯。世主以此論學，悲矣哉！”言時主不重經而重讖也。

又《傳》注曰：“《新論》一曰《本造》，二《王霸》，三《求輔》，四《言體》，五《見徵》，六《譴非》，七《啓寤》，八《袪蔽》，九《正經》，十《識通》，十一《雜事》，十二《道賦》，十三《辯惑》，十四《述策》，十五《閔友》，十六《琴道》。《本造》、《閔友》、《琴道》各一篇，餘並有上下。《東觀記》曰：‘光武讀之，勑言卷大，令皆別爲上下，凡二十九篇。《琴道》未畢，但有發首一章。’”

《新論佚文》曰：“余爲《新論》，述古今，亦欲興治也。”

又曰：“譚見劉向《新序》、陸賈《新語》，乃爲《新論》。”

王充《論衡·超奇篇》曰：“桓君山作《新論》，論世間事，辨照善否，虚妄之言，僞飾之辭，莫不證定。彼子長、子雲論説之徒，君山爲甲。”又《定賢篇》曰：“世間爲文者衆矣，是非不分，然否不定，桓君山之論，可謂得實。”又《案書篇》曰：“質定世事，論説世疑，桓君山莫上也。”又曰：“君山之論難追。”

《唐書·經籍志》：《桓子新論》十七卷，桓譚撰。《藝文志》同。

嘉慶二十年烏程嚴可均輯本序曰：“其書宋時不著録。《群書治要》所載十五事，當是《求輔》、《言體》、《見徵》、《譴非》四篇。《意林》所載三十六事，當是十三篇，惟少《本造》、《述策》、《閔友》三篇。各書所載，又三百許事，合并復重，聯屬斷散，凡百七十二事，依《治要》、《意林》次第，以類相從，定爲三卷。諸引但《琴道》有篇名，餘無篇名。今望文分繫，仍加各篇舊名，取便檢閲。君山博學多通，同時劉子駿《七略》徵引其《琴道篇》；揚子雲難窮，立毁所作《蓋天圖》。其後班孟堅《漢書》據用甚多。王仲任《論衡·超奇篇》、《佚文篇》、《定賢篇》、《案書篇》、《對作篇》皆極推崇，至謂‘子長、子雲論説之徒，君山爲甲’，則其書漢時早有定論。惜久佚失，所得見者僅此。然其尊王賤霸，非圖讖，無仙道，綜覈古今，佴僂失得，以及儀象典章，人文樂律，精華略具，則雖謂此書未嘗佚失可也。”

錢塘梁玉繩《瞥記》曰：“桓譚《新論》二十九篇，其書蓋亡于宋世。故《宋史·志》、《文獻通考》皆無之。明陳第《世善堂書目》有《新論》二卷，當是後人所綴拾也。仁和孫之騄搜采群書，輯成二卷。《孫氏書目》桓譚《新論》一卷，章宗源、孫馮翼集刊本。”張氏《書目答問》云：“《新論》一卷，問經堂輯本。”《四録堂類集總目》曰：“桓譚《新論》三卷，可均輯。”

潛夫論十卷　後漢處士王符撰

《後漢書》本傳：符字節信，安定臨涇人也。少好學，有志操，與馬融、竇章、張衡、崔瑗等友善。安定俗鄙庶孽，而符無外家，爲鄉人所賤。自和、安之後，世務游宦，當塗者更相薦引，而符獨耿介不同于俗，以此遂不得升進。志意蘊憤，乃隱居著書三十餘篇，以譏當時失得，不欲章顯其名，故號曰《潛夫論》。其指訐時短，討謫物情，足以觀見當時風政，著其五篇云爾。符竟不仕，終于家。

《唐書·經籍志》：《潛夫論》十卷，王符撰。

《唐書·藝文志》：王符《潛夫論》十卷。《宋史·藝文志》同。

晁氏《讀書志》：符在和、安之世，耿介不同於流俗，遂不得進，隱居著書三十六篇，以譏當時失得。范曄取其《貴忠》、《浮侈》、《實貢》、《愛日》、《述赦》等五篇，以爲足以觀見當時風政。頗潤益其文。後韓愈亦贊其《述赦》旨意甚明云。

陳氏《書録解題》雜家：《潛夫論》十卷，漢安定王符節信撰。

《四庫提要》曰：“今本凡三十五篇，合《敍録》爲三十六篇，蓋猶舊本。卷首《讚學》一篇，論勵志勤修之旨。卷末《五德志篇》，述帝王之世次。《志氏姓篇》，考譜牒之源流。其中《卜列》、《相列》、《夢列》三篇，亦皆雜論方技，不盡指陳時政。范氏所云，舉其著書大旨爾。符生卒年月不可考。本傳之末載度遼將軍皇甫規解官歸里，符往謁見事。規解官歸里，據本傳在延熹五年。則符之著書在桓帝時，故所説多切漢末弊政。范氏以符與王充、仲長統同傳，韓愈因作《後漢三賢贊》。今以三家之書相較，符書洞悉政體似《昌言》，而明切過之；辨別是非似《論衡》，而醇正過之。前史列之儒家，斯爲不愧。”

蕭山汪繼培箋注序曰：“此書行於今者，有明程榮本、何鏜本，元大德本。各本簡編脱亂，以意屬讀，得其端緒。因復是正文字，疏證事辭，依采經書，爲之箋注。”

張氏《書目答問》：《潛夫論箋》十卷，汪繼培箋，湖海樓本。

梁有王逸《正部論》八卷，後漢侍中王逸撰，亡。

《後漢書·文苑傳》：王逸字叔師，南郡宜城人也。元初中，舉上計吏，爲校書郎。順帝時，爲侍中。著《楚辭章句》。其賦、誄、書、論及雜文凡二十一篇。案史言“賦、誄、書、論”，“論”或即此《正部論》，當時編入本集二十一篇中。《意林》載王逸《正部》十卷。十卷者，别有集二卷，見下别集類。蓋阮氏《七録》分此八卷入此類，餘二卷入文籍部，本志仍之也。

歷城馬國翰輯本序曰：“《七録》儒家有《正部論》八卷，《隋志》云亡。《唐志》不著録，佚已久。馬總《意林》載《正部》十卷，或因庾仲容《子鈔》之舊目也。《意林》引十三節，《藝文》、《御覽》等書亦引之，或作《王逸子》，即《正部》也。今輯佚文爲卷，書多勗學語，亦每論當代著作，如謂《淮南》‘浮僞而多恢’，《太玄》‘幽虛而少效’，《法言》‘雜錯而無主’，《新書》‘繁文而鮮用’，皆確當不易云。”案《北堂書鈔》引王逸《折武論》，當屬此書。

番禺侯康《補後漢書藝文志》曰：“《意林》引一節，論《淮南》、《太玄》、《法言》、《新書》云云，其自負蓋出數書之上也。”

梁有《後序》十二卷，後漢司隸校尉應奉撰，亡。[①]　　"後序"上敓"漢書"二字。

《後漢書》本傳：奉字世叔，汝南南頓人也。少聰明，自爲童兒及長，凡所經履，莫不暗記。讀書五行並下。爲郡決曹史，著《漢書後序》，多所述載。舉茂才，拜武陵太守。坐免。延熹中，爲車騎將軍馮緄從事中郎。軍罷，緄薦爲司隸校尉。及黨事起，乃慨然以疾自退。追愍屈原，因以自傷，著《感騷》三十篇，數萬言。諸公多薦舉，會病卒。子劭。

又《傳》注：袁山松書曰："奉又刪《史記》、《漢書》及《漢記》三百六十餘年，自漢興至其時，凡十七卷，名曰《漢事》。"案章懷此注列《漢書後序》之下，不知與此書是一是二。以《七錄》入儒家言之，則別爲一書也。或者以事蹟編爲《漢事》，以名言確論仿劉向《新序》之例，編爲《後序》歟？

華嶠書曰："奉才敏善諷誦，故世稱'應世叔讀書，五行俱下'。著《後序》十餘篇，爲世儒者。"

會稽章宗源《隋書經籍志考證》曰："《後漢書·應奉傳》：'奉著《漢書後序》，多所述載。'《隋志》子部儒家注云：'梁有《後序》十二卷，應奉撰。'當即范史所稱《漢書後序》。尋其名義，似宜列諸史部。"又曰："《漢事》十七卷，應奉撰。《史記·匈奴傳》索隱、《通典·職官門》注各引應奉一條。章懷《雷義傳》注亦引之。"案此三引但稱"應奉曰"，不著書名，不知爲《漢事》、爲《後序》之文也。

梁有《周生子要論》一卷，録一卷，魏侍中周生烈撰，亡。

《魏志·王肅附傳》："自魏初徵士敦煌周生烈，亦歷注經傳，頗傳于世。"裴松之曰："此人姓周生，名烈。何晏《論語集解》有烈《義例》，餘所著述，見晉武帝《中經簿》。"

---

① "亡"字原脫，據本書體例補。

宋鄧名世《古今姓氏書辨證》:"周生氏,《姓苑》:'後漢周生豐,字偉防,太山南武陽人。建武七年爲豫章太守。魏初有博士周生烈,敦煌人,爲《論語義説》,即豐之後。劉炳《敦煌實録》云:魏侍中周生烈,本姓唐,外養周氏。今亦存其説。'"

案此所引皆宋何承天《姓苑》文,何以知之? 以《周生子》及《敦煌實録》兩書皆宋文帝元嘉十四年河西王茂虔所獻,承天嘗爲著作郎,修國史,卒于元嘉二十四年之後,知必爲所見也。侯氏《補三國藝文志》引葛洪曰:"周生烈,學精而不仕。"則魏初再以博士侍中徵,不就,故亦稱徵士也。

《釋文·敍録》:春秋左氏家,魏徵士敦煌周生烈,注解《左氏傳》。又論語家周生烈,敦煌人。《七録》云:"字文逢,本姓唐,魏博士侍中。"

《宋書·大且渠蒙遜傳》:元嘉十四年,河西王茂虔奉表獻方物,并獻《周生子》十三卷。

唐馬總《意林》曰:"《周生烈子序》云:'六蔽鄙夫敦煌周生烈,字文逸。張角敗後,天下潰亂。哀苦之間,故著此書。以堯舜作幹植,仲尼作師誡。'"

《唐書·經籍志》:《周生烈子》五卷,周生子志。

《唐書·藝文志》:《周生烈子》五卷。

馬國翰輯本序曰:"崔鴻《十六國春秋》:'且渠茂虔永和五年,遣使如宋表獻方物,並獻書一百五十四卷,有《周生子》十三卷。'《七録》一卷,《唐志》五卷,皆非茂虔所獻之原帙矣。《意林》載十三節,序一節。《北堂書鈔》、《藝文類聚》、《白六帖》、《太平御覽》諸書亦引之。合輯二十二節,別出序于卷首。其書皆讜論法言。自序謂'以堯舜作幹植,仲尼作師誡',抗志高睎,言雖大而非夸也。"

申鑒五卷　荀悦撰

荀悦有《漢紀》,詳史部古史類。

《後漢書》本傳：獻帝頗好文學，悅與從弟彧及少府孔融侍講禁中，旦夕談論。累遷祕書監、侍中。時政移曹氏，天子恭己而已。悅志在獻替，而謀無所用，乃作《申鑒》五篇。其所論辨，通見政體，既成而奏之。其大略曰：“夫道之本，仁義而已矣。五典以經之，群籍以緯之，詠之歌之，弦之舞之，前監既明，後復申之。故古之聖王，其于仁義也，申重而已。”帝覽而善之。又著《崇德》、《正論》及諸論數十篇。

《唐書·經籍志》：《申鑒》五卷，荀悅注。岑氏本改正爲“撰”。

《唐書·藝文志》：荀悅《申鑒》五卷。

陳氏《書録解題》：《申鑒》五卷，漢黃門侍郎潁川荀悅仲豫撰。其曰：“教化之廢，推中人而墮于小人之域；教化之行，引中人而納于君子之塗。古今名言也。”又隨齋批注曰：“本傳止載《政體》一篇。有曰：前監既明，後復申之，故名。”

《四庫提要》曰：“《隋》、《唐志》皆五卷，卷爲一篇。一曰《政體》；二曰《時事》，皆制治大要及時所當行之務；三曰《俗嫌》，皆機祥讖緯之説；四、五曰《雜言》上、下，則泛論義理，頗似揚雄《法言》。《後漢書》取其《政體篇》爲政之方一章，《時事篇》正尚主之制，復内外注記二章，載入傳中。又稱悅別有《崇德》、《正論》及諸論數十篇，今並不傳，惟所作《漢紀》及此書尚存于世。《漢紀》文約事詳，足稱良史，而此書剖析事理，亦深切著明。蓋由其原本儒術，故所言皆不詭于正也。明正德中，吳縣黃省曾爲之注，引據博洽，多得悅旨。”

案趙希弁《讀書附志》以是書入別集類，不知何例。

魏子三卷　　後漢會稽人魏朗撰

《後漢書·黨錮列傳》：魏朗字少英，會稽上虞人也。少爲縣吏。兄爲鄉人所殺，朗白日操刃報讎于縣中，遂亡命到陳國。從博士郗仲信學《春秋》圖緯，案仲信名巡，樊英弟子也。又詣太學受五經,京師長者李膺之徒爭從之。初辟司徒府,再遷彭城令,爲九真都尉,討破群賊。桓帝美其功,徵拜議郎,遷尚書。屢陳便宜,有所補益。出爲河内太守,政稱三河表。尚書令陳蕃薦朗公忠亮直,宜在機密,復徵爲尚書。會被黨議,免歸家。朗性矜嚴,閉門整法度,家人不見惰容。後竇武等誅,朗以黨被急徵,行至牛渚,自殺。著書數篇,號《魏子》云。

《太平御覽·人事部·烈士篇》:虞預《會稽典録》曰:"靈帝即位竇武,陳蕃等欲誅宦官,謀泄,反爲所害。朗以黨被徵,乃慷慨曰:'丈夫與陳仲子、李元禮俱死,得非乘龍上天乎?'於丹陽牛渚自殺,海内列名八俊。"

《唐書·經籍志》:《魏子》三卷,魏朗注。案"注"當爲"撰"。《藝文志》同。

馬國翰輯本序曰:"《魏子》書,向列儒家。《隋》、《唐志》並三卷。馬總《意林》云十卷,載十二節。其'薄冰當白日'與'蓼蟲'二條文義不完,據《藝文類聚》及《御覽》所引補訂。又從《御覽》、《文選注》輯得五節,合録爲一卷。"

梁有《文檢》六卷,似後漢末人作,亡。

《宋書·大且渠蒙遜傳》:元嘉十四年,河西王茂虔奉表獻方物,并獻《周生子》十三卷,《文檢》六卷。

案茂虔所獻書凡一十九種,大抵皆西涼、交州、敦煌間人所撰,此不著名氏,亦元嘉時相傳者。

牟子二卷　後漢太尉牟融撰

《後漢書》本傳:"牟融字子優,北海安丘人也。少博學,以《大夏侯尚書》教授,大夏侯,名勝,宣帝時人也。門徒數百人,名稱州里。以司徒茂才爲豐令,政爲州郡最。永平五年,入代鮑昱爲司隸校尉。八年,代包咸爲大鴻臚。十一年,代鮭陽鴻爲大司農。是時顯宗方勤萬機,公卿數朝會,每輒延謀政事,判折獄訟。融經明才高，善論議，朝廷皆服其能；帝數嗟歎，以爲才堪宰相。明年，代伏恭爲司空。肅宗即位，以融先朝名臣，代趙憙爲太尉，與憙參録尚書事。建初四年薨。"又《儒林傳》尚書家曰："中興，北海牟融習《大夏侯尚書》。"_{案此不言其有《牟子》書。}

梁釋僧祐《弘明集》：《牟子理惑論·自序》曰："牟子既修經傳，諸子書無大小，靡不好之。雖不樂兵法，然猶讀焉。惟讀神仙不死之書，抑而不信，以爲虛誕。是時靈帝崩後，天下擾亂，獨交州差安。北方異人咸來在焉，多爲神仙辟穀長生之術。時人多有學者，牟子常以五經難之，道家術士莫敢對焉。比之于孟軻距楊朱、墨翟。先是時，牟子將母避世交趾，年二十六，歸蒼梧娶妻。太守聞其守學，謁請署吏。時年方盛，志精于學，又見世亂，無仕宦意，竟遂不就。是時，諸州郡相疑，隔塞不通，太守以其博學多識，使致敬荆州。遂嚴當行。會被州牧優文處士辟之，復稱疾不起。牧弟爲豫章太守，爲中郎將笮融所殺。時牧遣騎都尉劉彦將兵赴之，恐外界相疑，兵不得進。牧乃請牟子曰：'君文武兼備，有專對才，今欲相屈之零陵、桂陽，假塗于通路，何如？'_{案此所云"州牧"當是"交州牧"，欲假道于荆州牧劉表。}牟子遂嚴當發。會其母卒亡，遂不果行。久之退念，以辨達之故，輒見使命。方世擾攘，非顯己之秋也。于是銳志于佛道，兼研《老子五千文》。世俗之徒多非之。欲爭則非道，欲默則不能，遂以筆墨之間，略引聖賢之言證解之，名曰《牟子理惑》云。"_{案此牟子，東漢末蒼梧人。}

《唐日本國見在書目》儒家：《牟子》二卷，後漢太尉牟融撰。

《唐書·經籍志》道家：《牟子》二卷，牟融撰。_{《藝文志》道家著録同。}

臨海洪頤煊校刊《牟子》序曰："《弘明集》有漢牟融《理惑論》

三十七篇。前有《自序》云一名《牟子理惑》。《世説注》、《文選注》、《太平御覽》引《牟子》數條，雖字句異同，皆在《理惑論》三十七篇中。知《隋志》所載《牟子》即是書也。案此説甚磚。《後漢書·牟融傳》：‘融代趙憙爲太尉，建初四年薨。’是書《自序》云：‘靈帝崩後，天下擾亂。’則相距已百餘年。《牟子》非融作，明矣。案此説又甚磚。《弘明集》題下有注云：‘一云蒼梧太守牟子博傳。’子博之名不見於史，據《自序》則牟子本蒼梧人，未嘗爲太守，亦未嘗居官，豈從其後而署之耶？抑別有其人耶？是書雖崇信佛道，尚不背于聖賢之旨，故《隋志》列于儒家。吾師淵如觀察愛其爲漢魏舊帙，録出別行云。”

《孫氏書目》諸子道家：《牟子》一卷，題漢牟融撰。星衍集刊本。

侯氏《補後漢藝文志》曰：“康案《隋志》列于儒家，究不若《唐志》列于道家之爲善。”

　　案本志列是書于後漢之末，部居不誤，題太尉則誤。前人已考訂甚明，孫氏志祖《讀書脞録》引胡元瑞《史書佔畢》、張文虎《螺江日記》並云：“漢兩牟融，一太尉，一布衣，俱著書，俱名《牟子》。”則猶是騎牆之見也。

典論五卷　　魏文帝撰

魏文帝有《列異傳》，見史部雜傳家。

《魏志·文紀》：“初，帝好學，以著述爲務，自所勒成垂百篇。”注引《魏書》曰：“帝初在東宮，疫癘大起，時人彫傷，帝深感歎，與素所敬者大理王朗書曰：‘生有七尺之形，死爲一棺之土，唯立德揚名，可以不朽，其次莫如著篇籍。疫癘數起，士人彫落，余獨何人，能全其壽？’故論撰所著《典論》、詩賦，蓋百餘篇。”又引胡沖《吳曆》曰：“帝以素書所著《典論》及詩賦餉孫權，又以紙寫一通與張昭。”

本志經部小學類：《一字石經典論》一卷。此石刻搨本，詳見本條。

《唐書·經籍志》：《典論》五卷，魏文帝撰。

《唐書·藝文志》：魏文帝《典論》五卷。

嚴可均《三國文編》曰："魏文帝諱丕，字子桓，武帝長子。建安十六年爲五官中郎將，二十二年立爲魏太子，二十五年正月嗣魏王位，改建安爲延康，十一月受禪，改元黃初。在位七年，謚曰文皇帝，廟號高祖。有《典論》五卷。"

又《典論》輯本序曰："《隋志》儒家《典論》五卷，小學類有《一字石經典論》一卷。唐時石本亡，至宋而寫本亦亡。世所習見僅裴注之帝《自敍》及《文選》之《論文》而已。亡友濬陽孫馮翼字鳳卿嘗有輯本，罣漏甚多。又以《典略》當《典論》，概應刪剟。今覆檢各書，寫出數十百事，有篇名者十三，曰《姦讒》，曰《內誡》，曰《酒誨》，曰《論郤儉等事》，曰《自敍》，曰《太子》，曰《劉銘》，曰《論文》，曰《論太宗》，曰《論孝武》，曰《論周成漢昭》，曰《終制》，曰《諸物相似亂者》。聚其復重，會其雜散，依《意林》次第之，定著一卷。其遺文墜句無所繫屬者，附于後。"

又《鐵橋漫稿·典論敍》曰："帝席父成業，十三讓而受禪，曰：'舜禹之事，吾知之矣！'案《魏志·紀》注載《禪讓令》有曰："冀三讓而不見聽，何汲汲于斯乎？"此云"十三讓"，"十"字似衍。于是晉、宋、齊、梁、陳、北齊、周、隋、唐、宋一千年中，易代革命，莫不踵舜禹故事，緜帝之作俑也。顧其書，如《姦讒》、《內誡》、《酒誨》、《終制》及《辨神仙黃白之惑》，足爲有國有家者炯戒。宋人曰：'仁者，心之德，愛之理。'《典論》曰：'在親曰孝，施物曰仁。仁者，有事之實名，非無事之虛稱。'儒家之異乎道學家，以此。聖人復起，必不以人廢言。"又《四錄堂類集總目》云："魏文帝《典論》一卷，可均輯。"

徐氏中論六卷　魏太子文學徐幹撰。梁目一卷。

《魏志·王粲附傳》："始文帝爲五官將，好文學。粲與北海徐幹字偉長並見友善。幹爲司空軍謀祭酒掾屬，五官將文學。"
又曰："幹與陳琳、應瑒、劉楨建安二十二年卒。"幹同時人爲《中論序》曰："年四十八，建安二十三年春二月，遭厲疾，大命殞頹。"《後漢書·獻帝本紀》："建安二十二年，是歲大疫。"序云"二十三年"，"三"當爲"二"。

裴松之注曰："《魏略》曰：建安二十三年，太子又與元城令吳質書曰：'昔年疾疫，親故多離其災，徐、陳、應、劉，一時俱逝。觀古今文人，類不護細行，鮮能以名節自立。而偉長獨懷文抱質，恬淡寡欲，有箕山之志，可謂彬彬君子矣。著《中論》二十餘篇，成一家之業，辭義典雅，足傳于後，此子爲不朽矣。'又《先賢行狀》曰：'幹清玄體道，六行脩備，聰識洽聞，操翰成章，輕官忽祿，不耽世榮。建安中，太祖特加旌命，以疾休息。後除上艾長，又以疾不行。'"

唐馬總《意林》曰："《中論》六卷，徐偉長作，任氏注。"

《唐書·經籍志》：《徐氏中論》六卷，徐幹撰。《藝文志》同。

《宋史·藝文志》雜家：徐幹《中論》十卷。

《崇文總目》：《中論》六卷，徐幹撰。

晁氏袁本《讀書志》曰：《中論》二卷，後漢徐幹撰。幹，鄴下七子之一也。仕魏王國文學。建安之間，嫉時人美麗之文不能敷散道教，故著《中論》二十餘篇，辭義典雅，當世嘉之。

又衢本《讀書志》曰："曾子固嘗敍其書，略曰：'始見館閣有《中論》二十篇，以爲盡于此矣。及觀《貞觀政要》，太宗稱嘗見幹《中論·復三年喪篇》，而今書闕此篇。因考之《魏志》，見文帝稱幹著《中論》二十餘篇，于是知館閣本非全書也。今此本亦止二十篇，中分上下兩卷。按《崇文總目》六卷，不知何人合之。李獻民云別本有《復三年》、《制役》二篇，乃知子固時尚未亡，特不之見爾。'"

陳氏《書錄解題》：《中論》二卷，漢五官將文學北海徐幹偉長撰。《唐志》六卷，今本二十篇，有序而無名氏，蓋同時人所作。

《四庫提要》曰："幹，北海劇人。事蹟附見《魏志》，故相沿稱爲魏人。然幹歿後三四年，魏乃受禪，不得遽以帝統予魏。陳壽作史，託始曹操，稱爲太祖。遂併其僚屬均入《魏志》，非其實也。是書《隋》、《唐志》、《崇文目》皆六卷，晁公武、陳振孫並云二卷，與今本合，則宋人所併矣。書凡二十篇，大都闡發義理，原本經訓，而歸之于聖賢之道。故前史皆列之儒家。晁公武稱李獻民所見別本有《復三年》、《制役》二篇，今不可復見矣。"

嚴可均《三國文編》曰："《中論序》，元刊本有之。案此序徐幹同時人作，舊無名氏。《意林》：'《中論》六卷，任氏注。'任嘏與幹同時，多著述，疑此序及注皆任嘏作，無以定之。"案《中論》舊序末云："故追述其事，薈舉其顯露易知之數，沈冥幽微、深奧廣遠者，遺之精通君子，將自贊明之也。"此數語則爲注其書者之所作可知已。

咸豐二年金山錢培名校刊跋曰："今通行明程榮《漢魏叢書》本脫誤幾不可讀，嘗以《群書治要》、馬總《意林》及唐宋人類書所引校之，頗有裨益。《治要》所錄《中論》十二篇，其末二篇則今本所闕宛在。雖不無刪節，而首尾完具。《治要》故不著篇名，然文義顯然，知其論復三年喪、制役也。據李獻民所見別本，則實二十二篇，今以《治要》合之。今本文雖或闕，篇則已全，校以授梓，用質同好。"

王子正論十卷　王肅撰

王肅有《太玄注》，見前。

《唐書·藝文志》：王肅《政論》十卷。

馬國翰輯本序曰："《晉書·禮志》引王景侯之論，《三國志》肅本傳載其對帝及司馬宣王語，當從本書采取。又《通典》引王肅語及諸答問，《太平御覽》引王肅議禮，雖不顯標書目，要是佚説之散見者，並據輯録。其説于禮制加詳，多所駁糾。蓋在當日欲與鄭氏角勝拔幟，自成一隊，抗顏高論，亦足名家矣。"

梁有《去伐論集》三卷，王粲撰，亡。

王粲有《漢末英雄記》，詳見史部雜史類。

《唐書·經籍志》：《去伐論集》三卷，王粲撰。

《唐書·藝文志》：王粲《去伐論集》三卷。

馬國翰曰："《隋》、《唐志》載王粲《去伐論集》三卷，今佚。考《藝文類聚》引《去伐論》一篇，題晉袁宏，書名同而撰人異。案《隋》、《唐志》均無宏撰《去伐論》之目，以題稱《去伐論集》繹之，當是王粲著論，後賢多有擬議，一併附入歟？"

案《魏志》本傳，著詩、賦、論、議垂六十篇，《去伐論》當在其中。此三卷不知何人集。他家之爲此論者，凡若干篇也。此亦可入之總集。

杜氏體論四卷　魏幽州刺史杜恕撰

《魏志·杜畿傳》："畿字伯侯，京兆杜陵人也。文帝時爲尚書僕射，封豐樂亭侯。子恕嗣。恕字務伯，太和中爲散騎黄門侍郎。在朝八年，論議亢直。出爲弘農太守，數歲轉趙相，歷河東太守、淮北都督護軍、御史中丞、幽州刺史。下廷尉，當死，免爲庶人。徙章武郡。時嘉平元年也。初，恕從趙郡還，陳留阮武亦從清河太守徵，俱自薄廷尉。謂恕曰：'相觀才性可以由公道而持之不屬，器能可以處大官而求之不順，才學可以述古今而志之不一，此所謂有其才而無其用。今向閑暇，可試潛思，成一家言。'在章武，遂著《體論》八篇，又著《興性論》一篇，蓋興于爲己也。四年，卒于徙所。恕奏議論駁皆可觀。"又傳評曰："恕屢陳時政，經論治體，蓋有可觀焉。"

裴松之曰：“《杜氏新書》曰：以爲人倫之大綱，莫重于君臣；立身之基本，莫大于言行；安上理民，莫精于政法；勝殘去殺，莫善于用兵。夫禮也者，萬物之體也，萬物皆得其體，無有不善，故謂之《體論》。”

《唐書·經籍志》：《杜氏體論》四卷，杜恕撰。《藝文志》同。

嚴可均《三國文編》輯本序曰：“恕字務伯，晉征南大將軍預之父也。著《體論》八篇，一曰《君》，二曰《臣》，三曰《言》，四曰《行》，五曰《政》，六曰《法》，七《聽察》，八《用兵》。四卷者，卷凡二篇，其書蓋亡于唐末，《群書治要》載有六千餘言，不著篇名，審觀知是《君》、《臣》、《行》、《政》、《法》、《聽察》六篇，其餘《言篇》、《用兵篇》略見《御覽》、《六帖》，而《意林》以《自敍》終焉。今録出校定爲一卷。”

又《鐵橋漫稿·杜氏體論敍》曰：“恕，杜征南之父也。著《體論》八篇，又著《興性論》一篇。其書宋不著録，《群書治要》載有六千餘言，其餘散見本傳及《意林》、《六帖》、《御覽》等書。所論皆剴切通明，能持大體，粹然儒者之言。今寫出校定，爲上、下二卷。恕又有《篤論》四卷，各自爲書。《興性論》不傳。”案《篤論》見後雜家，嚴氏并録存之，考訂甚覈。馬氏《玉函山房》亦有輯本，然馬氏不見《群書治要》，故不及嚴氏。

梁有《新書》五卷，王基撰，亡。

王基有《毛詩駁》，詳經部詩類。

《魏志》本傳：“基爲大將軍曹爽從事中郎，出爲安豐太守。時曹爽專柄，風化淩遲，基著《時要論》以切世事。”又傳評曰：“王基學行堅白，與徐邈、胡質、王昶皆掌統方任，垂稱著績。可謂國之良臣，時之彦士矣。”

馬國翰輯本序曰：“王氏《新書》，《唐志》不著録，散佚已久。考《魏志》基本傳載其諫明帝、答司馬景王以及料敵策戰之言，凡七節。又裴注引司馬彪《戰略》載有論胡烈表降一節，雖多談兵事，而具有儒術，知皆從本書采取也。並據補録。篇序體格，無由盡循其書，而史稱學行堅白，可於此想見之矣。”

案本傳稱著《時要論》，又王肅“論定朝儀，改易鄭玄舊説，而基據持玄義，常與抗衡”。當皆在《新書》中，特散佚已久，無由考見耳。

梁有《周子》九卷，吳中書郎周昭撰，亡。

《吳志·步騭傳》末云：“潁川周昭著書稱步騭及嚴畯等。周昭者字恭遠，與韋曜、薛瑩、華覈並述《吳書》，後爲中書郎，坐事下獄，覈表救之，孫休不聽，遂伏法云。”又傳評曰：“諸葛瑾、步騭並以德度規檢見器當世，張承、顧邵虛心長者，好尚人物，周昭之論，稱之甚美，故詳録焉。”案周昭此一篇論顧邵、諸葛瑾、步騭、嚴畯、張承五人也，似亦在《吳書》。

嚴可均《三國文編》曰：“周昭有《周子新論》九卷。《御覽》二百四十一引《周紹新論》，即‘昭’之誤。又四百六引《周昭新撰》，亦‘新論’之誤。今存四篇，一《贈孫奇詩序》，二《論步騭嚴畯等》，三《論薛瑩等》，四《立交》，並見《御覽》及《步騭傳》。”

馬國翰輯本序曰：“《七録》儒家有《周子》九卷，《隋志》云亡。《唐志》不著録，佚已久。《御覽》引《論交》一節，稱《周昭新撰》，《白六帖》引二語而已。《吳志》載其《論步騭嚴畯等》，猶爲完篇。兹據合輯其論，平情準理，不爲低昂，則在當時臧否人物，當具有特識，遇暴主，不以善終，惜哉！”

侯康《補三國藝文志》曰：“‘昭’一作‘招’。《抱朴子·正郭篇》引中書郎周恭遠論郭林宗，《御覽》四百三引《周昭新撰》，當皆出此書。”

顧子新語十二卷　吳太常顧譚撰

《吳志·顧雍傳》：“雍字元歎，吳郡吳人也。黄武四年，進封醴陵侯,代孫邵爲丞相,平尚書事。爲相十九年,赤烏六年卒。長子邵早卒,邵子譚、承。譚字子默,弱冠與諸葛恪等爲太子四友,從中庶子轉輔正都尉。赤烏中,代恪爲左節度。加三奉車都尉,代薛綜爲選曹尚書。祖父雍卒數月,拜太常,代雍平尚書事。後爲全琮父子所搆,與弟承及張休俱徒交州。譚幽而發憤,著《新言》二十篇。其《知難篇》蓋以自悼傷也。見流二年,年四十二,卒于交阯。"又傳評曰:"譚獻納在公,有忠貞之節。休、承修志,咸庶爲善。愛惡相攻,流播南裔,哀哉!"

《唐書・經籍志》:《顧子新語》五卷,顧譚撰。《藝文志》作《新論》,亦五卷。

錢塘汪師韓《文選理學權輿》曰:"《選注》所引群書有顧譚《顧子》。"

馬國翰輯本序曰:"《吳志》本傳云著《新言》二十篇,《隋志》作《新語》,《唐志》作《新論》,皆非原目。今惟《太平御覽》引數節,又本傳載疏一篇,《隋志》無。譚集疏當在《新言》中,如賈誼《治安疏》在《新書》,董仲舒《天人策》在《春秋繁露》之類,合訂爲卷。"案嚴氏《文編》輯存二篇,其一即本傳所載上疏安太子便魯王事,其二據《吳大帝傳》嘉禾六年議臣下奔喪事。

侯康《補三國藝文志》曰:"《御覽》七百六十九引顧譚《新言》兩條,九百三十二引桓譚《新言》,又四百六十七、八百六十一俱引《顧子》,當皆出《新言》。惟七百五十五引《顧子義訓》,未知是一書否。"案《顧子義訓》,晉顧夷撰,見後。

　案宋本《意林》引顧譚《新言》一條,云"刑者,小人之防;禮者,君子之稔。佞人之入,雖燃膏莫見其清也"。似即《知難篇》文,又似擬魏劉廙、丁儀《刑禮論》。南陽謝景善劉廙"先刑後禮"之論,見《陸遜傳》。

梁有《通語》十卷,晉尚書左丞殷興撰。

殷興即殷基,有《春秋釋滯》,見經部春秋左氏家。

《吳志·顧邵傳》:"初,雲陽殷禮起乎微賤,邵拔而友之,爲立聲譽。至零陵太守。"裴松之曰:"禮子基作《通語》曰:禮字德嗣,弱不好弄,潛識過人。少爲郡吏,年十九,守吳縣丞。孫權爲王,召除郎中。後與張溫俱使蜀,諸葛亮甚稱歎之。稍遷至零陵太守,卒官。"《文士傳》曰:"禮子基,無難督,以才學知名,著《通語》數十篇。"

又《張溫傳》:權以暨豔事罪溫,幽之有司,下令曰:"又殷禮者,本占候,而溫先後乞將到蜀,扇揚異國,爲之譚論。又禮之還,當親本職,而令守尚書户曹郎,如此署置,在溫而已。"又《趙達傳》:"達治九宫一算,寶愛其術,自闞澤、殷禮皆名儒善士,親屈節就學,達祕而不告。"

晉葛洪《抱朴子·正郭篇》曰:"故零陵太守殷府君伯緒,高才篤論之士也,亦曰:'林宗入交將相,出游方國,崇私議以動衆,關毀譽于朝廷。其所善則風騰雨驟,改價易姿;其所惡則摧頓陸沈,士人不齒。其名賢,遭亂隱遁,含光匿景,未爲遠矣。君子行道,以匡君也,以正俗也。于時君不可匡,俗不可正,林宗周旋,清談閭閻,無救于世道之陵遲,無解于天民之憔悴也。'"案此言"故零陵太守殷府君"即殷禮也,所論郭林宗事即《通語》之文,是禮撰《通語》之證。與《唐志》所載合。禮亦字伯緒,惟見于此。

《唐書·經籍志》:《通語》十卷,文禮撰,殷興續。"文"當爲"殷","興"當爲"基"。

《唐書·藝文志》:文禮《通語》十卷,殷興續。案此沿《舊志》之誤也。

馬總《意林》:"《通語》八卷,不著撰人。"附注校語曰:"案史傳及類書引之,或云殷基,或云殷興撰,未可知也。《舊唐志》又訛爲'文禮'。"

馬國翰輯本序曰：“‘興’或‘基’字之譌，或晉代別有殷興，就基書修而續之。今據裴松之《三國志注》改題‘吳殷基撰’。”

侯康《補三國藝文志》曰：“康案《七錄》有《通語》十卷，晉尚書左丞殷興撰。《唐志》則作‘文禮《通語》十卷，殷興續’。是必先有其書而興續之。蓋即續殷基之書，而二書遂合爲一，故《七錄》直以爲興撰也。裴注《費褘傳》、《顧邵傳》、《朱據傳》、《孫和傳》俱引殷基《通語》，《意林》載《通語》八卷，不署名，疑亦引殷基書。《御覽》六百十四引殷典《通語》，此‘典’字必‘興’字之誤。”

　　案“殷興”即“殷基”之寫誤，基續成其父書，兩《唐志》所載最爲明晰，特沿舊文，誤字未及刊正耳。馬氏、侯氏疑殷興別有其人，是不然。嚴氏《全晉文編》曰：“《御覽》二百六引《古今通語》。”則原本《通語》上有“古今”二字也。

梁有《典語》十卷、《典語別》二卷，並吳中夏督陸景撰，亡。

《吳志·陸遜傳》：遜字伯言，吳郡吳人也。子抗字幼節，抗子晏、景、玄、機、雲分領抗兵。景字士仁，尚公主，拜騎都尉，封毗陵侯，既領抗兵，拜偏將軍、中夏督，澡身好學，著書數十篇。天紀四年，晉軍伐吳，龍驤將軍王濬順流東下，所至輒克。二月壬戌，晏爲王濬別軍所殺。癸亥，景亦遇害，時年三十一。景妻，孫晧適妹，與景俱張承外孫也。

《史通·自敍篇》：夫開國承家，立身立事，一文一武，或出或處，雖賢愚壤隔，善惡區分，苟時無品藻，則理難銓綜，故陸景《典語》生焉。

《唐書·經籍志》：《典訓》十卷，陸景撰。

《唐書·藝文志》：陸景《典訓》十卷。

嚴氏《三國文編》曰：“《舊唐志》有《典語》，無《典語別》，《新唐志》作《典訓》，皆十卷。其書宋不著錄，而民間僅或流傳。三年

前，聞紹興王君理堂游幕山左，攜有宋寫殘本二卷，余未獲見
之，僅從《群書治要》寫出七篇，益以各書所載爲一卷，凡十七
條。他日理堂獲吾書合訂之，以廣其傳，豈非美事？嘉慶十九
年二月。"又《四録堂類集目録》曰："陸景《典語》一卷，可均輯。"
馬氏玉函山房輯本曰："《初學記》卷九引陸景《典語》，《御覽》
七十八作陸景《典略》。又《藝文類聚》二十三引吳陸景《誡
盈》，疑是《典語》中之一篇，合輯爲卷，凡十一條。"

案宋本《意林》有陸景《典語》二條，嚴、馬二家輯本皆未采。

譙子法訓八卷　譙周撰

譙周有《論語注》，見經部。

《蜀志》本傳：凡所著述，撰定《法訓》、《五經論》、《古史考書》
之屬百餘篇。

《唐書·經籍志》：《譙子法訓》八卷，譙周撰。《藝文志》同。

嚴可均《全晉文編》曰："《譙子法訓》，《御覽》四百六引《齊交
篇》，其他如《齊民要術·自序》、《北堂書鈔》、《文選注》、《初
學記》、《御覽》所引無篇名者，凡二十條。"

馬國翰輯本序曰："此書稱《法訓》者，擬于古之格言，亦如揚
子雲書稱《法言》之類。《隋》、《唐志》並八卷，原書散佚。陶
宗儀《説郛》輯録十節，其《輓歌》一節文句不全。又雜入譙周
《喪服圖》一條，頗爲疏略。茲更蒐采得十三節，合訂一卷。"

案宋刻全本《意林》有《譙子法訓》五條，馬、嚴二家輯本皆
未采入。張介侯氏《蜀典·著作類》輯存二十二條，亦不及
《意林》。

梁有《譙子五教志》五卷，亡。

《唐書·經籍志》：《譙子五教》五卷。

《唐書·藝文志》：《譙子法訓》八卷，又《五教》五卷，譙周。

宋高似孫《子略》曰："《意林》目録云：譙周《五教》五卷，並是

《禮記》語。"

案《尚書》"敬敷五教"注："五常之教。"是書命名蓋以此。

袁子正論十九卷　袁準撰

袁準有《喪服經傳》，見經部禮類。

《魏志·袁渙傳》注：《袁氏世紀》曰："渙有四子，侃、寓、奧、準。準字孝尼，忠信公正，不恥下問，唯恐人之不勝己。以世事多險，故常恬退而不敢求進。著書十餘萬言，論治世之務，爲《易》、《周官》、《詩》傳，及論五經滯義，聖人之微言，以傳于世。此準之自序也。"

《唐書·經籍志》：《袁子正論》二十卷，袁準撰。《藝文志》同。《舊志》別本作《政論》，誤也。

嚴氏《鐵橋漫稿》輯書敍曰："《隋志》儒家《袁子正論》十九卷，《舊唐志》《政論》二十卷，《新唐志》作《正論》，各書或稱袁准，或稱袁准，或稱袁準。蓋隸俗變'準'为'准'，因譌为'淮'，止是一人。《正論》、《政論》亦止一書。《魏志·袁渙傳》注有準自序。蓋仕魏不甚顯，其《正論》乃魏時所作。《齊王芳紀》'青龍七年'注引《漢晉春秋》，有袁准言于曹爽云云，蓋不黨司馬懿者。其自序所稱'論五經滯義，聖人之微言'，即《正論》也。今輯各書所引《正論》三十三事，省併複重，得二十六事，編爲一卷。"

馬氏玉函山房輯本序曰："《隋志》十九卷，《唐志》二十卷，或并目數之歟？今佚。杜佑《通典》引十餘節，多詳禮服。《詩》《禮》正義、《三國志注》、《藝文類聚》、《北堂書鈔》、《初學記》、《太平御覽》亦引稱之，或言'袁準'，或言'袁子'，以文辭義例推循，知爲《正論》語。並據輯錄分爲二卷，其説五行宜祀井、明堂非宗廟，均有確據。至論才性有善有惡，則世碩、揚雄之緒論也。"

梁又有《袁子正書》二十五卷，袁準撰，亡。

《唐書·經籍志》：《袁子正書》二十五卷，袁準撰。或作"袁淮"，非也。

《唐書·藝文志》：《袁子正論》二十卷，《正書》二十五卷，袁準。

嚴氏《鐵橋漫稿》輯書序曰："《隋志》儒家梁有《袁子正書》二十五卷，袁準撰，亡。準，仕魏不甚顯。晉受禪，拜給事中。《晉書》附《袁瑰傳》，瑰生在準後，瑰子喬，喬子山松，名甚顯著，故準附《瑰傳》。唐初人似未知袁淮即袁準，故《群書治要》載《正書》題名曰'袁淮'。而《晉書》于準所著但言注《喪服經》，不言《正論》、《正書》，蓋分袁準、袁淮爲二人也。準自序所稱論治世之務，即《正書》也。《群書治要》載《正書》十七篇，皆有篇名。各書引《正書》無篇名者三十事，省併複重得二十事，又但引袁子審是《正書》文者，省併複重得五事，依《隋》、《唐志》先《正論》，次《正書》，各編爲一卷，備子類儒家二種。準所著有《易》、《詩》、《周官傳》，見自序，隻字不傳。"

又《四錄堂類集目錄》："袁準《正論》一卷，《正書》一卷，可均輯。"又《全晉文編》："《袁子正書》篇目，曰《禮政》，曰《經國》，曰《設官》，曰《政略》，曰《論兵》，曰《王子主失》，曰《厚德》，曰《用賢》，曰《悦近》，曰《貴公》，曰《治亂》，曰《損益》，曰《世治》，曰《刑法》，曰《人主》，曰《致賢》，曰《明賞罰已》，上十七篇並見《群書治要》。"馬氏《玉函山房》亦輯存一本，無《群書治要》。

梁又有《孫氏成敗志》三卷，孫毓撰，亡。

孫毓有《毛詩異同評》，見經部詩類。

《唐書·經籍志》：《孫氏成敗志》三卷，孫毓撰。《藝文志》同。一本作"孫敏"，寫刊之誤也。

宋高似孫《子略》：馬總《意林目錄》曰："孫敏《成敗志》三卷

字休明。"

今本《意林》《成敗志》三卷，注云孫毓，字仲。校刊附注曰："案《釋文》，毓字休朗，北海平昌人，晉豫州刺史。《隋志》，晉汝南太守，又云長沙太守，武帝咸寧間人，有《毛詩評》、《左傳注》等書，又有《七廟諱議》，見《通典》。此云字仲，蓋有脫誤。《隋》、《唐志》三卷，今佚。"

馬國翰輯本序曰："此書以成敗立名，蓋欲昭法戒以訓世也。《隋志》注云梁有三卷，亡。《唐志》復以三卷著目，今已佚。《意林》僅載二節，又杜佑《通典》引孫毓奏議十餘條，茲取其論冠服二條附錄，以與成人之義有關也。"

梁又有《古今通論》二卷，松滋令王嬰撰，亡。<small>此題松滋令，似當屬下文蔡洪。</small>

王嬰，始末未詳。

《唐書·經籍志》：《古今通論》三卷，王嬰撰。

《唐書·藝文志》：王嬰《古今通論》三卷。

宋高似孫《子略》：馬總《意林目錄》曰："王嬰《通論》三卷。"

錢塘汪師韓《文選理學權輿》曰："《選注》所引群書有王嬰《古今通論》。"

馬國翰輯本序曰："王嬰，字里未詳。《隋志》儒家敍次其書于孫毓《成敗志》後，題松滋令，知爲晉人，嘗令松滋，其它不可考矣。《隋志》云梁有二卷，亡。《唐志》著錄三卷，前亡後存，卷數增多。意唐人得其遺篇而分之，否則有所附益也。今佚。唯《意林》載二節，搜采他書並輯爲卷。書主考核而時涉緯讖，如說地里數用《河圖》之類。後漢諸儒風尚如此。然則嬰蓋晉初人也。"

梁有《蔡氏化清經》十卷，蔡洪撰。

《晉書·文苑·王沉附傳》：元康初，松滋令吳郡蔡洪字叔開，有才名,作《孤奮論》。案《孤奮論》當在本集。

《世説·言語篇》注:蔡洪《集録》曰:"洪字叔開,吴郡人,有才辯。初仕吴朝。太康中,本州從事,舉秀才。"王隱《晉書》曰:"洪仕至松滋令。"《唐書·經籍志》:"《清化經》十卷,蔡洪撰。"

《唐書·藝文志》:蔡洪《清化經》十卷。

馬國翰輯本序曰:"其書稱經,蓋擬《易》而作,曰《化清》,亦楊泉《太玄》類也。《隋志》注云梁有十卷,亡。《唐志》復著録十卷,今佚。唯馬總《意林》載其三節,《初學記》、《廣韻》、《太平御覽》等書亦間引之,或稱《化清論》,或稱《清論》,意者經後立論,如《易》之有傳,其實一書也。茲并輯録附考事蹟合爲一卷。"又曰:"《書鈔》一百三十六引《清化論》。""清化"二字誤倒。

　　案集部別集類注云:"梁又有《松滋令蔡洪集》二卷。"則上文"松滋令"三字當在此條"蔡洪"之上,寫者亂之也。

梁有《通經》二卷,晉丞相從事中郎王長元撰,亡。"王長元"當爲"王長文"。

《晉書》列傳:王長文字德叡,廣漢郪人也。少以才學知名,而放蕩不羈,州府辟命皆不就。閉門自守,不交人事。著書四卷,擬《易》,名曰《通玄經》,有《文言》、《卦象》,可用卜筮,時人比之揚雄《太玄》。同郡馬秀曰:'揚雄作《太玄》,惟桓譚以爲必傳後世。晚遭陸績,玄道遂明。長文《通玄經》未遭陸績、君山耳。'後成都王穎引爲江源令。梁王肜爲丞相,引爲從事中郎。終于洛。

《華陽國志·後賢志》:王長文,字德儁。天姿聰警,高暢敏識。治《五經》,博綜群籍。獨講學,著《無名子》十三篇,依則《論語》。又著《通經》四篇,亦有卦名,擬《易》、《玄》。以爲《春秋》三傳,傳、經不同,每生訟議,乃據經摭傳,著《春秋三傳》十二篇。又撰《約禮》，以除煩舉要，凡十篇，皆行于時。元康初，試守江原令。大將軍梁王肜招爲從事中書郎。賈氏之誅，從肜有功，封關内侯，再爲中書郎，除洛陽令。固辭，不拜。聞益州亂，以《通經》筮，得老鸇緣枯桑之卦。歎曰：“桑無葉，鸇以卒也。吾蜀人殄于是矣。”拜蜀郡太守，暴疾卒，時年六十四。

新論十卷　晉散騎常侍夏侯湛撰

《晉書》本傳：湛字孝若，譙國譙人也。幼有盛才，與潘岳友善。少爲太尉掾。泰始中，舉賢良，對策中第，拜郎中，累年不調。後選補太子舍人，轉尚書郎，出爲野王令。居邑累年，朝野多歎其屈。除中書侍郎，補南陽相。惠帝即位，以爲散騎常侍。元康初卒，年四十九。著論三十餘篇，別爲一家之言。

《世説・文學篇》注：《文士傳》曰：“湛字孝若，譙國人，魏征西將軍夏侯淵曾孫也。有盛才，文章巧思，名亞潘岳。歷中書侍郎。”

《唐書・經籍志》：《新論》十卷，夏侯湛撰。

《唐書・藝文志》：夏侯湛《新論》十卷。

馬國翰輯本序曰：“《夏侯子新論》，《隋》、《唐志》並載十卷，今佚。唯見《太平御覽》引六節而已。考本傳載有《抵疑》一篇，與東方朔《答客難》、班固《答賓戲》體例不殊，當是原書佚篇之一，茲並輯録。案《御覽》引稱《夏侯子》，亦稱《夏侯子新論》，書題據加姓氏，以別乎華譚《新論》、梅子《新語》也。”案嚴氏《三國文編》謂魏夏侯玄有《夏侯子》，馬氏此所輯《御覽》六條内，“一舟之覆”一條，“魯人有善相馬者”一條，“一蟺之行”一條，嚴氏皆以爲夏侯玄撰。

　案宋刻全本《意林》有夏侯湛《新論》一條，嚴氏《文編》據《御覽》引其首二句，馬氏輯本引四句而分爲兩條，不知其下尚有八句漏未寫入焉。

梁有《楊子物理論》十六卷，晉徵士楊泉撰，亡。

《北堂書鈔》六十三《晉録》曰：“會稽相朱則上書，言楊泉清操自然。徵聘終不就。詔拜泉郎中。”

嚴可均《全三國文編》曰：“楊泉字德淵，梁國人，吳處士，入晉，徵爲郎中，不就。有《太玄經》十四卷，《物理論》十六卷，集二卷。”

《唐書·經籍志》：《物理論》十六卷，楊泉撰。

《唐書·藝文志》：楊泉《物理論》十六卷。

平津館輯本桐城馬瑞辰序之曰：“楊子《物理論》不見《宋·藝文志》，則其書自宋已佚之矣。章逢之孝廉曾有輯本，今淵如觀察重加校正，補所未備，其中引《傅子》爲尤多，其不言《傅子》者亦多出于《傅子》。《傅子》一百四十卷，今僅從《永樂大典》録出一卷，楊子是書正足與《傅子》相表裏已。楊泉字德淵，《隋志》稱徵士，亦稱處士，目爲楊子，列入儒家，蓋晉之隱君子閉户著書者。”案今本《意林》所載《物理論》祇前十二條，是本文其下六十八條皆是《傅子》。嚴氏可均嘗校而正之，此所輯猶沿其誤，故馬《序》以爲引《傅子》尤多，錢氏輯本已釐剔刪正矣。

海寧錢保塘輯本序曰：“周氏廣業、嚴氏可均謂《意林》所載傅子《物理論》互有錯簡，因取孫氏輯本校之，去其誤收《傅子》數十條，以《齊民要術》、《五行大義》、《天中記》所引略加補正，而以《意林》錯簡入《傅子》者八條録附焉。第周氏言《物理論》見引他書，搜輯遺文，去其重複，得文段完整者百數十條四千餘字，而諸賦不與焉。此卷祇得三千餘字，知尚有遺佚，惜未得。周氏輯本一勘之也。《藝文類聚》載楊泉諸賦，或稱吳，或稱晉，《初學記》又稱西晉，泉蓋由吳歷晉。晉初，徵拜郎中，終不應命，故《隋志》稱曰徵士，又曰處士。”案《隋志》又稱處士，見集部。

錢塘汪師韓《文選理學權輿》曰：“《選注》所引群書有《物理子》，疑即楊泉《物理論》。”

梁有《楊子太玄經》十四卷，楊泉撰，亡。

楊泉見前。

梁元帝《金樓子·雜記篇》曰：“桓譚有《新論》，華譚又有《新論》。揚雄有《太玄經》，楊泉又有《太玄經》。談者多誤，動形言色。或云桓譚有《新論》，何處復有華譚？揚子有《太玄經》，何處復有《太玄經》？此皆由不學使之然也。”

《唐書·經籍志》：《太玄經》十四卷，楊泉撰，劉緝注。

《唐書·藝文志》：楊泉《太玄經》十四卷，劉緝注。

馬國翰輯本序曰：“此書仿楊子雲《太玄》爲之，亦擬《易》之類也。馬總《意林》載六節，考《太平御覽》亦有引《太玄經》而不見子雲書中者，皆此書之佚文也，併輯爲卷。其占法、卦名均不可見，文辭清麗，亦可讀玩。鄭樵《通志·藝文略》但作《太玄》，無‘經’字，以意删去。茲仍梁、隋之舊題焉。”案《通志略》儒家：“《太玄經》十四卷，楊泉撰。”實有“經”字。

案《御覽》九百十九引文云“望視之兔，白蹄之豕，短啄之狗，修頸之馬”，此四句與《初學記》廿九引蔡氏《清論》同。《清論》即《化清經》。蔡洪與楊泉同時，亦皆爲吳之耆舊，各有擬《玄》之作而文句略同者，蓋古有是言也。劉緝不知何時人，本志引《七録》不云有注，疑在唐時。高似孫《子略》以劉緝注列揚雄《太玄經》條下，其謬如此。

梁有《新論》十卷，晉金紫光禄大夫華譚撰，亡。

《晉書》本傳：譚字令思，廣陵人也。太康中，揚州刺史嵇紹舉譚秀才。除郎中，累遷廬江内史，以討平石冰黨功封都亭侯。建興初，元帝命爲鎮東軍諮祭酒。譚博學多通，在府無事，乃著書三十卷，名曰《辨道》，上牋進之，帝親自覽焉。太興初，轉祕書監。加散騎常侍。及王敦作逆，譚疾甚，不能入省，坐免。卒于家。贈光禄大夫，金章紫綬，謚曰胡。

《唐書·經籍志》：《新論》十卷，華譚撰。

《唐書·藝文志》：華譚《新論》十卷。

馬國翰輯本序曰：“此書建興中爲鎮東軍諮祭酒時所作。本傳云三十卷，名曰《辨道》。《隋》、《唐志》作《新論》，並十卷。今惟《初學記》、《太平御覽》各引一節，《北堂書鈔》、《通典》並引《華譚集·尚書二曹論篇》，以‘論’稱，蓋本《新論》之一，後人收入全集耳。又本傳載其答陳總、王濟及或問三篇，文辭清雋，辨論明晰，應皆采從本書。並據輯録。《金樓子》云：‘桓譚有《新論》，華譚亦有《新論》。’案此特指書名相同而姓名易涉于誤者言也。夏侯湛、梅子、劉晝所著書並稱《新論》。《顧子新語》，顧譚撰，《唐志》亦作《新論》。”

案嚴氏《全晉文》唯據《初學記》十七所引《新論》一條，宋刻全本《意林》載一條，嚴、馬二家皆遺之。

梁有《梅子新論》一卷，亡。

《初學記·職官部》：梅陶《自序》曰：“余居中丞，曾以法鞭皇太子傅，親友莫不致諫。余笑而應之曰：‘堂高由陛，皇太子所以得崇于上，由吾奉王者法于下也。豈其枉道取媚？’于是太子禮敬之如師。”亦見《御覽·刑法部》十五，小有異同。

《世説·方正篇》注：《晉諸公贊》曰：“梅頤，字仲真，汝南西平人。’《永嘉流人名》曰：‘頤，領軍司馬，頤弟陶，字叔貞，王敦諮議參軍。”嚴氏《文編》載其《鵩鳥賦》，序云：“余既遭王敦之難，遂見忌録，居于武昌。”

宋高似孫《子略》：馬總《意林目録》曰：“梅子《新書》一卷，案其語晉人也。”

嚴可均《全晉文編》曰：“梅陶，元帝初爲王敦諮議參軍，後除章郡太守。成帝初爲尚書,拜光禄大夫,有《新論》一卷。”

馬國翰輯書序曰:“梅氏名字里爵皆無考據,其書盛稱阮籍,知爲晉人而已。《唐志》不著録。馬總《意林》云《梅子》一卷,今佚。《意林》僅引一節,又從《太平御覽》得二節。《御覽》引有《梅陶書》,又引梅陶《自叙》,似《梅子》即《梅陶》。然《隋志》不標名,未敢懸定,别采入《梅陶集》中。”_{案此則馬氏尚有諸集輯}本,或謂馬氏《玉函山房》所刻經、史、子三部佚書皆章宗源所輯,而集部之書終于不見。今觀此序,則章氏實有所輯,不知歸于誰氏。

　　案梅子自宋高似孫以來皆莫詳其名字爵里,唯嚴氏知爲梅陶,而亦不著其字里。蓋偶未見《世説注》之文也。陶兄頤,元帝時豫章内史,即《釋文·叙録》所載梅賾,奏上孔傳《古文尚書》者。“賾”爲“頤”之誤也。頤當永嘉流入江左,時爲領軍司馬,其後爲豫章内史云。

志林新書三十卷　虞嘉撰。梁有《廣林》二十四卷,又《後林》十卷,虞喜撰,亡。

虞喜有《周官禮駁難》,見經部禮類。

《晉書·儒林傳》:喜專心經傳,爲《志林》三十篇。凡所注述數十萬言,行于世。

《唐書·經籍志》:《志林新書》二十卷,虞喜撰。《後林新書》十卷,虞喜撰。

《唐書·藝文志》:虞喜《志林新書》二十卷,又《後林新書》十卷。

宋高似孫《子略》:馬總《意林目録》曰:“虞喜《志林》二十四卷。”_{案此是《廣林》卷數,疑非《意林》原目。}

嚴氏《全晉文編》曰:“虞喜有《志林》三十卷,《廣林》二十四卷,《後林》十卷。《吳志·孫策傳》注引《志林》一條,《孫權傳》注引三條,《諸葛恪傳》注引一條,凡五條。”

馬氏玉函山房輯本序曰:"《志林新書》,《隋志》三十卷,《唐志》二十卷,今佚。明陶宗儀《説郛》輯入十三節,更采《三國志注》、《文選注》、《史記索隱》《正義》、《太平御覽》等書補録三十七節,合爲一卷。書多雜論故事,長於考據。諸書引並作《志林》,省'新書'二字。"

又曰:"《隋志》注云梁有《廣林》二十四卷,《後林》十卷,《唐志》不載《廣林》,逸已久。考杜佑《通典》引虞喜説凡二十節,除標題《釋滯》、《通疑》八節,明標《廣林》者一節,他皆稱'虞喜曰'。循其文義,皆雜論禮服,知爲一書語,引者舉一例,餘不標《廣林》者,省文也。茲據輯録。"

又曰:"《通典》引虞喜《釋滯》三節,引虞喜《通疑》五節,《隋》、《唐志》載虞喜所著書皆無其目,其史志佚之耶? 抑爲《志林》、《廣林》篇目耶? 疑不能明也。今別爲編次,附《廣林》後焉。"

梁有《干子》十八卷,干寶撰,亡。

干寶有《周易注》,見經部易家。

《唐書·經籍志》:《正言》十卷,干寶撰。《立言》十卷,干寶撰。

《唐書·藝文志》:干寶《正言》十卷,又《立言》十卷。

宋刻全本《意林》曰:"《干子》十卷。名寶,字令升。"案此爲宋本第六卷引文一條,在杜夷《幽求子》之後,華譚《新論》之前。杜夷、干寶、華譚三家皆高似孫《子略》所抄《意林目録》中所無,嚴氏所校《意林》缺目亦然。

馬氏玉函山房輯本序曰:"《隋志》注云梁有《干子》十八卷,干寶撰,亡。《唐志》有干寶《正言》十卷,又《立言》十卷,今佚。洪邁《容齋隨筆》載馬總《意林》引用子書之目有《干子》,今《意林》中亦缺。考杜佑《通典》載寶《駁招魂議》一篇,又《荆楚歲時記》、《太平御覽》並引干寶《陰陽自然變化論》,佚説之存僅此。"案宋刻全本《意林》有《干子》一條，馬氏未見，嚴氏《全晉文編》亦未采。《干子》佚文今可考見者唯此。馬氏所輯議、論各一篇，或當在本集五卷中，未必是《干子》本文也。

梁有《閔論》二卷，晉江州從事蔡韶撰，亡。

蔡韶，始末未詳。

《唐書·藝文志》：蔡韶《閔論》二卷。

梁有《顧子》十卷，晉揚州主簿顧夷撰，亡。

顧夷有《周易難王輔嗣義》，見經部易家。

《唐書·經籍志》：《顧子義訓》十卷，顧夷撰。《藝文志》同。

馬國翰輯本序曰："顧夷，《晉書》無傳，字里未詳。《隋志》稱《顧子》十卷，《唐志》作《顧志義訓》十卷，今佚。《北堂書鈔》、《初學記》、《太平御覽》諸書引之，刪除重復，得十二節。或有一書兩引而文句異者，由非出一人之手，或于門類中截取要略也，茲並訂正爲卷。書多規擬《論》、《孟》，與門人語直書'子'，謂子華假遇紫陽，定議以荊楚之僭，然趨步之殷懷，亦正可于此見之。"

案宋刻全本《意林》有《義記》十卷，注云名夷，蓋即《顧子義訓》也。載其語六條，馬氏輯本所未及見者。

要覽十卷　晉郡儒林祭酒呂竦撰　"晉"下似有敓文。

呂竦，始末未詳。

《唐書·經籍志》：《要覽》五卷，呂竦撰。

《唐書·藝文志》：呂竦《要覽》五卷。《通志·藝文略》作《正覽》，似誤。

案兩《唐志》雜家並有陸士衡《要覽》三卷，《玉海·藝文》："《中興書目》曰：陸機《要覽》一卷。機自序云：'直省之暇乃集《要術》三篇，上曰《連璧》，集其嘉名，取其連類；中曰《述聞》，實述予之所聞；下曰《析名》，乃搜同辨異也。'"其書至南宋猶傳，呂竦《要覽》、兩《唐志》止五卷。此十卷，疑有陸

氏《要覽》在内，或呂氏集合諸家，通名之曰《要覽》，以勖郡
文學諸生者。《宋志》類事家又有陸機《會要》一卷。

正覽六卷　　梁太子詹事周捨撰

周捨有《禮疑義》，詳見經部禮類。

《唐書·經籍志》：《正覽》六卷，周捨撰。

《唐書·藝文志》：周捨《正覽》六卷。

案梁元帝《金樓子·后妃篇》載其母宣修容事，云"及在幼
學，親承慈訓，初授《孝經》、《正覽》、《論語》、《毛詩》"。不
知是否即此《正覽》也。考周捨于梁初爲太子洗馬，太子右
衛率，左衛率，遷詹事，始終皆兼爲宮僚，或其初爲是書以
進太子，元帝幼時亦諷誦之，未可知也。又案高似孫《子
略》云："《唐志》有陸景《典訓》、《譙子法訓》、周捨《正覽》、
劉徽《欹器圖》之類，非合登子録，如此者數家裁之。"案《正
覽》等三書不登子録，將歸于何録乎？其意蓋以抄節前言
往訓，不足以自爲一子也。

梁有《三統五德論》二卷，曹思文撰，亡。

曹思文有《孝經注》，詳見經部。

案此論五德終始，或據劉歆《三統曆》之《世經》以爲之説。
古有五德終始之術，《大戴記》之《五帝德篇》、王符《潛夫
論》之《五德志篇》皆其類。在《漢志》爲諸子陰陽家之屬。
又案《七録序目·子兵録第三》曰："陰陽部，一種一袠一
卷。"蓋即是書。作二卷者非也。本志以陰陽家之書惟《七
録》僅存此一部，而隋時已亡，故不能爲類，附諸此篇之末。
以上從《七録》及隋代書目編次，以下八家則又從别家書目
續入者。

諸葛武侯集誡二卷

諸葛武侯有《論前漢事》一卷，詳見史部正史篇。

《蜀志》本傳注：《魏氏春秋》曰："亮作八務、七戒、六恐、五懼，皆有條章，以訓厲臣子。"又陳壽重編《諸葛故事集》目録曰"《訓厲》第六"。

梁劉勰《文心雕龍·詔策篇》曰："戒者，慎也；教者，效也。若諸葛孔明之詳約，理得而辭中，教之善者也。"

《晉書·涼武昭王李暠傳》：于是寫諸葛亮訓誡以勗諸子曰："吾負荷艱難，寧濟之勳未建，雖外總良能，憑股肱之力，而戎務孔殷，坐而待旦。以維城之固，宜兼親賢，故使汝等未及師保之訓，皆弱年受任。常懼弗尅，以貽咎悔。古今之事不可以不知，苟近而可師，何必遠也。覽諸葛亮《訓厲》，應璩奏諫，尋其終始，周孔之教盡在中矣。爲國足以致安，立身足以成名，質略易通，寓目則了，雖言發往人，道師于此。且經史道德，如采菽中原，勤之者則功多，汝等可不勉哉！"

本志集部總集篇：諸葛武侯《誡》一卷，《女誡》一卷。

《唐書·經籍志》：《集誡》二卷，諸葛亮撰。

《唐書·藝文志》：諸葛亮《集誡》二卷。

武威張澍《諸葛集》輯本目録曰："澍案《梁書》武侯儒家《集誡》二卷，當即《隋志》總集武侯《誡》一卷也。案文似寫誤，當是《隋志》儒家武侯《集誡》二卷當即總集武侯《誡》一卷。《十六國春秋》李玄盛嘗寫諸葛亮誡訓以示其子弟，今存誡子、誡外生三條。"

嚴氏《全三國文編》曰："諸葛亮有《論前漢事》一卷，《集誡》二卷，《女誡》一卷。"

　按武侯《集誡》即本集第六篇名《訓厲》者也，不知何時何人抄出別行，故史志各著于録，其即始于西涼李暠。暠傳所載云云似即此書序文。唐初重修《晉書》，以李氏爲皇祖所自出，史官廣其事蹟，爲立佳傳，因從本書采獲著于篇者歟？

衆賢誡十三卷

不著撰録人姓名。

本志集部總集篇：《衆賢誡集》十卷，殘缺。

《唐書·經籍志》總集類：《衆賢誡集》十五卷。《藝文志》總集類著録同。

女篇一卷

不著撰人。

案此一類之書皆與總集類互見，此《女篇》一卷以總集類校之，似即彼所載《女誡》一卷，或以爲諸葛武侯撰，恐未然。

又蔡中郎有《女史篇》，見經部小學家，此或敓"史"字。

女鑒一卷

不著撰人。

本志集部總集篇：《女鑒》一卷。

婦人訓誡集十一卷

不著撰人。

本志集部總集篇：《婦人訓誡集》十一卷，并録梁十卷，宋司空徐湛之撰。

《唐書·經籍志》總集類：《婦人訓誡集》十卷，徐湛撰。

《唐書·藝文志》史部雜傳女訓類：徐湛之《婦人訓誡集》十卷。

案《宋書·徐湛之傳》："字孝源，東海郯人。高祖外孫。永初三年，封枝江縣侯。累遷尚書僕射，領護軍將軍。元嘉末，元凶劭入殺，見害，年四十四。世祖即位，追贈司空，謚曰忠烈公。"史不著其有是書，略之也。

婦姒訓一卷　　"婦"當爲"娣"。

不著撰人。

本志集部總集篇：《娣姒訓》一卷，馮少胄撰。

案《晉書・馮紞傳》：“紞字少胄，安平人也。博涉經史，識悟機辨。得幸于武帝，數遷至左衛將軍。承顏悦色，寵愛日隆，賈充、荀勖並與之親善。充女之爲皇太子妃也，紞有力焉。及妃之將廢，紞、勖乾没救請，故得不廢。伐吳之役，紞領汝南太守，以郡兵隨王濬入秣陵。遷御史中丞，轉侍中。太康七年，紞疾，詔以爲散騎常侍。尋卒。”亦不著其有是書，不知即此馮少胄否也。

又案《世説・賢媛篇》曰：“王汝南少無婚，自求郝普女。有令姿淑德，生東海，遂爲王氏母儀。”又曰：“王司徒婦，鍾氏女，太傅曾孫，_{太傅，鍾繇也。}亦有俊才女德。鍾、郝爲娣姒，雅相親重，鍾不以貴陵郝，郝亦不以賤下鍾。東海家内，則郝夫人之法，京陵家内，範鍾夫人之禮。”此《娣姒訓》爲馮少胄所撰者，或即鍾、郝二人事，録以爲世法歟？_{王汝南者，名湛，字處仲，仕至汝南太守。東海者，湛子承，字安期，東海内史。王司徒，名渾，襲父爵，京陵侯湛之兄也。}

曹大家女誡一卷

曹大家有《列女傳注》，詳見史部雜傳類。

《後漢書・列女傳》：作《女誡》七篇，有助内訓。其辭曰：“鄙人愚暗，受性不敏，蒙先君之餘寵，賴母師之典訓。年十有四，執箕箒于曹氏，于今四十餘載矣。戰戰兢兢，常懼黜辱，以增父母之羞，以益中外之累。夙夜劬心，勤不告勞，而今而後，乃知免耳。吾性疏頑，教導無素，恒恐子穀，負辱清朝。_{《三輔決録》注曰：“齊相子穀，頗隨時俗。”注云：“曹成，壽之子也。司徒掾察孝廉，爲長垣長。母爲鄧太后師，徵拜中散大夫。”子穀即成之字也。}聖恩横加，猥賜金紫，_{《漢官儀》曰：“二千石金印紫綬。”}實非鄙人庶幾所望也。男能自謀矣，吾不復以爲憂也。但傷諸女方當適人，而不漸訓誨，不聞婦禮，懼失容它門，取恥宗族。吾今疾在沈滯，性命無常，

念汝曹如此,每用惆悵。間作《女誡》七章,願諸女各寫一通,
庶有補益,裨助汝身。去矣,其勖勉之!《卑弱》第一,《夫婦》
第二,《敬慎》第三,《婦行》第四,《專心》第五,《曲從》第六,
《和叔妹》第七。"馬融善之,令妻女習焉。昭女妹曹豐生,亦
有才惠,爲書以難之,辭有可觀。案第五、第六篇兩引《女憲》文,蓋古有
其書,猶《漢書·班倢伃傳》:"倢伃誦《窈窕》、《德象》、《女師》之篇。"師古曰:"皆古
箴戒之書也。"案班倢伃,大家之祖姑也。

梁劉勰《文心雕龍·詔策篇》曰:"戒者,慎也。馬援以下,各
貽家戒。班姬《女戒》,足稱母師也。"

本志集部總集篇:《女誡》一卷,曹大家撰。《唐書·經籍志》儒家著
録同。

《唐書·藝文志》史部雜傳女訓類:曹大家《女誡》一卷。

《宋史·藝文志》史部傳記類:班昭《女戒》一卷。

陳氏《書録解題》曰:"《女誡》一卷,漢曹世叔妻班昭撰。固之
妹也。俗號《女孝經》。"

　　案范書《列女傳》全載其文,故其書至今猶傳,或又取以爲
《女四書》之首。

貞順志一卷

不著撰人。

本志集部總集篇:《貞順志》一卷。

《文選》干令升《晉紀總論》注:《列女傳》:宋鮑女宗曰:"貞
順,婦人之至行也。"案《列女傳》第四曰《貞順傳》。宋鮑女宗,見第二《賢明
傳》中。今本無此語,蓋有所敓佚也。

　　案《唐·藝文志》雜傳女訓類有諸葛亮《貞潔記》一卷。武
威張澍輯《諸葛集》目録云:"澍案《隋書·經籍志》女訓有
諸葛武侯《貞潔記》一卷。"今案本志實無此目,蓋誤以《唐·
藝文》爲《隋·經籍》,又誤以《貞順志》爲《貞潔記》也。《貞

潔記》似别爲一書。

又案《晉書·涼武昭王李暠傳》末云："玄盛前妻，同郡辛納女，貞順有婦儀，先卒，玄盛親爲之誄。"玄盛，暠字也。唐修《晉書》，史官以其爲皇室七廟之一，故字而不名。疑此《貞順志》即爲辛氏而作，與諸葛武侯《集誠》_{見前}同出于西涼李氏，因而傳譌爲諸葛亮《貞潔記》。然則《唐志》之《貞潔記》亦即此書，爲唐室先世遺籍歟？

以上八家《七録》皆編入文集録之雜文部中，而陳、隋時别家書目有列之儒家者，故本志據以附此類其後。至集部又據《七録》入總集類中，忘其前後重復也。其文亦此略而彼詳，足以驗其所據之非一書矣。

右六十二部，五百三十卷，通計亡書合六十七部，六百九卷。_{案此所記部數甚謬，實爲四十四部，亡書三十部，通計七十四部也。}

案《七録序目·子兵録第一》曰："儒部，凡六十六種，七百五帙，六百四十卷。"本志所載七十四種，除去武侯《集誠》以下八種，正合六十六種之數。然《三統五德論》《七録》别爲一類，不在儒家。若是，則本志又少一部矣。

卷二十五

子部二
道家

鬻子一卷　周文王師鬻熊撰

《史記·周本紀》：西伯遵后稷、公劉之業，則古公、公季之法，士多歸之。伯夷、叔齊在孤竹，往歸之。太顛、閎夭、散宜生、鬻子、辛甲大夫之徒皆往歸之。

又《楚世家》：楚之先祖出自帝顓頊高陽。高陽者，黄帝之孫，昌意之子也。高陽生稱，稱生卷章，卷章生重黎。重黎爲帝嚳高辛居火正，帝嚳命曰祝融。共工氏作亂，帝嚳使重黎誅之而不盡。帝乃以庚寅日誅重黎，而以其弟吴囘爲重黎後，復居火正，爲祝融。吴囘生陸終。陸終生子六人，其六曰季連，芈姓，楚其後也。季連生附沮，附沮生穴熊。其後中微，或在中國，或在蠻夷，弗能紀其世。周文王之時，季連之苗裔曰鬻熊。子事文王，蚤卒。其子曰熊麗。熊麗生熊狂，熊狂生熊繹。當周成王之時，舉文、武勤勞之後嗣，而封熊繹于楚蠻，封以子男之田，姓芈氏，居丹陽。楚子熊繹與魯公伯禽、衛康叔子牟、晉侯燮、齊太公子吕伋俱事成王。

劉向《別録》曰："鬻子名熊，封于楚。"案此條見《周本紀》集解，"封于楚"者，爲鬻子曾孫熊繹，與《藝文志》引文異，疑裴駰誤節其文。

《漢書·藝文志》：《鬻子》二十二篇。名熊，爲周師，自文王以下問焉，周封爲楚祖。又小説家《鬻子説》十九篇。後世所加。

又《古今人表》第三等粥熊，錢塘梁玉繩考曰："粥熊始見《列子・天瑞篇》，本作'鬻熊'，祝融十二世孫。楚先封鬻，夏、商間因爲姓名。熊亦曰鬻，熊子亦曰鬻子。年九十，見文王，爲文、武師，周封爲楚祖。"

梁劉勰《文心雕龍・諸子篇》：鬻熊知道，而文王咨詢，餘文遺事，録爲《鬻子》。子之肇始，莫先于茲。

《唐書・經籍志》小說家：《鬻子》一卷，鬻熊撰。案此列小説家具有別裁。

《唐書・藝文志》：《鬻子》一卷。逢行珪注《鬻子》一卷。注云鄭縣尉。

《宋史・藝文志》雜家：鬻熊子》一卷。

《崇文總目》：《鬻子》一卷。《藝文志》二十二篇，其八篇亡，特存此十四篇耳。

晁氏《讀書志》：《漢志》二十二篇，今存者十四篇。唐逢行珪注，永徽中上于朝。敍稱見文王時行年九十，而書載周公封康叔事，蓋著書時百餘歲矣。

陳氏《書録解題》曰："鬻熊爲周文王師，封于楚，爲始祖。《漢志》云爾。書凡二十二篇，今書十五篇，陸佃農師所校。"

又曰："《鬻子注》一卷，唐鄭縣尉逢行珪注。止十四篇。蓋中間以二章合而爲一，故視陸本又少一篇。此書甲乙篇次皆不可曉，二本前後亦不同，姑兩存之。"

高似孫《子略》曰："其書辭意大略淆雜。《藝文志》敍鬻子著書二十二篇，今一卷六篇。唐貞元間，柳伯存嘗言子書起于鬻熊，永徽中逢行珪爲之序，凡十篇。予家所傳乃篇十有二。"

明宋濂《諸子辨》曰："《鬻子》，蓋子書之始也。今世所傳者，出祖無擇所藏，止十四篇。《總目》謂其八篇已亡，信矣。其文質，其義弘，實爲古書無疑。第年代久邈，篇章舛錯，要不得爲完書。黃氏擬爲戰國處士所託,則非也。其書非熊自著,或者其徒名政者之所記歟? 不然,何有稱'昔者文王有問于鬻子'云?"

《四庫提要》雜家:"《鬻子》一卷。舊本題周鬻熊撰。《崇文總目》作十四篇,高似孫《子略》作十二篇,陳振孫稱陸佃所校十五篇。此本題唐逄行珪注,凡十四篇,蓋即《崇文總目》所著錄也。考《漢書·藝文志》道家《鬻子說》二十二篇,又小說家《鬻子說》十九篇,是當時本有二書。《列子》引《鬻子》凡三條,皆黃老清靜之說,與今本不類。疑即道家二十二篇之文。今本所載與賈誼《新書》所引六條文格略同,疑即小說家之《鬻子說》也。"又曰:"此本或唐以來好事者之流依仿賈誼所引,撰爲贗本。觀其標題甲乙,故爲佚脫錯亂之狀,而誼書所引則無一條之偶合,豈非有心相避,而巧匿其文,使讀者互相檢驗,生其信心歟? 且其篇名冗贅,古無此體,又每篇寥寥數言,詞旨膚淺,決非三代舊文。姑以流傳既久,存備一家耳。卷首有逄行珪序及永徽四年進書表,自署華州鄭縣尉。里居未詳。"

長洲宋翔鳳《過庭錄》曰:"《鬻子》書已不傳,今傳逄行珪注《鬻子》乃是僞書。惟賈誼《新書·修政語》二篇當采自《鬻子》。凡文王以下問者皆在下篇,其上篇載黃帝、顓頊、帝嚳、堯、舜、禹、湯之言,皆鬻子所述以告文王以下者也。"

烏程嚴可均《鐵橋漫稾·鬻子敍》曰:"今世流傳僅唐逄行珪注本,凡十四篇,爲一卷。《道藏》作二卷,在顛字號,注甚疏蔓,又分篇瑣碎。宋又有陸佃校本,分行珪十四篇爲十五篇,瑣碎尤甚。又棼其次第,不足存。案《群書治要》所載起訖如行珪,而第二篇至第十三篇聯爲一篇,則行珪十四篇僅當三篇。《意林》稱今一卷六篇,末後所載多出昔文王見鬻子一條,則行珪十四篇未足六篇。行珪姓名不他見,其人爲唐人與否,其本爲唐本與否,未敢知之。鬻子年九十見文王,而其書有成王及康叔封衛事,蓋《鬻子》非鬻熊一人之語。案《史記·楚世家》曰:'鬻熊子事文王,早卒。'又曰:'熊通怒曰:吾先鬻熊,文王之師也,早終。成王舉我先公,乃以子男田令居楚云。'早卒、早終者,謂鬻熊不及受封而卒、而終,非不壽之謂也。蓋文王師爲鬻熊,成王問爲熊繹,中間隔熊麗、熊狂兩世。《鬻子》非專記鬻熊之語,故其書于文王、周公、康叔皆曰'昔者'。'昔者',後乎鬻子言之也。古書不必手著,《鬻子》蓋康王、昭王後周史臣所錄,或鬻子子孫記述先世嘉言,爲楚國之令典。即《史記》序傳所謂'重黎業之,吳囘接之;殷之季世,鬻熊諜之。周用熊繹,熊渠是續'者也。諸子以《鬻子》爲最早,《神農》、《黃帝》、《大禹》、《伊尹》等書疑皆依託,今亦不傳。傳者《本草》有後世地名六,《韜言》、《騎戰》皆不在《鬻子》前。劉勰曰:'諸子肇始,莫先于斯。'誠哉是言。惜世無善本,乃蒐輯群書,重加編錄,增益闕遺,改正譌誤,定著一卷。先采《列子》,次采《賈誼書》,後載今本,補以唐宋人類書,其行珪注及篇題任其別行,所不取焉。"又自撰《四錄堂類集目錄》曰:"《鬻子》一卷,可均輯。"

又《三代文編》曰:"鬻熊姓羋,名熊,祝融之後,陸終第六子季連之裔。年九十見文王,文王以爲師,至武王、成王皆師事之。成王大封異姓,會先卒,子熊麗,孫熊狂亦卒,因封其曾孫熊繹于楚,子孫皆以熊爲氏。傳三十一世四十三君。有《鬻子》一卷。今本逢行珪注十四篇,以《群書治要》校之,實三篇,見重不錄,錄其佚文,凡十四條。"

老子道德經二卷　周柱下史李耳撰　漢文帝時河上公注

《史記·老莊申韓列傳》:"老子者,楚苦縣厲鄉曲仁里人也,

姓李氏,名耳,字伯陽,謚曰聃,周守藏室之史也。孔子適周,
問禮于老子。老子修道德,其學以自隱無名爲務。居周久
之,見周之衰,迺遂去。至關,關令尹喜曰:'子將隱矣,彊爲
我著書。'于是老子迺著書上下篇,言道德之意五千餘言而
去,莫知其所終。"又曰:"老子,隱君子也。老子之子名宗,宗
爲魏將,封于段干。宗子注,注子宮,宮玄孫假,假仕于漢孝
文帝。而假之子解爲膠西王卬太傅,因家于齊焉。世之學老
子者則絀儒學,儒學亦絀老子。'道不同不相爲謀',豈謂是
耶? 李耳無爲自化,清靜自正。太史公曰:老子所貴道,虛
無,因應變化于無爲,故著書辭稱微妙難識。莊子散道德,放
論,要亦歸之自然。申子卑卑,施之于名實。韓子引繩墨,切事
情,明是非,其極慘礉少恩。皆原于道德之意,而老子深遠矣。"
案《釋文·敍録》引《史記》云字聃。索隱曰:"名耳,字聃。今作字伯陽,非正也。"
《漢書·古今人表》今本老子列第一等上上,聖人仲尼之次。
錢塘梁玉繩考曰:"老子列第四等。生即皓然,故號老子。名
耳,字聃。今本《史記》有'字伯陽'句,乃後人妄竄,《索隱》辨
之。葬槐里。唐乾封元年,追號太上玄元皇帝。天寶二年,
加號大聖祖。天寶八年,加號聖祖大道玄元皇帝。宋大中祥
符六年,加號太上老君混元上德皇帝。今本老子有列在第一
等者,考《舊唐書·禮儀志》,天寶元年,詔《史記》、《古今人
表》玄元皇帝昇入上聖。宋趙希弁《讀書附志》言:'徽宗詔
《史記·老子傳》升列傳之首,自爲一帙。《前漢·古今人表》
列于上聖,是唐宋人改刊,非班氏原本也。'"
嚴可均《三代文編》曰:"老子姓李名耳,即老聃,楚國苦縣人。
爲周柱下史,孔子嘗問禮。一云即老萊子,楚人。案《史記》
本傳亦兩説兼存。實則《禮記》之老聃,非即作《道德經》之老
子,讀者必能辨之。"案此以老聃、老子各爲一人,未見前人辯論及之。太史

公曰：「老子，隱君子也。老子之子名宗，爲魏將，封于段干。」則此老子爲六國時人矣。

魏嵇康《聖賢高士傳》曰：「河上公，不知何許人也。謂之丈人，<small>案此則河上公即河上丈人之證。</small>隱德無言，無德而稱焉，安丘先生等從之，脩其黃老業。」

梁元帝《金樓子·立言篇》曰：「河上公序言：『周道既衰，老子疾時王之不爲政，故著《道德經》二篇，西入流沙。』至魏晉之間，詢諸大方，復失老子之旨，乃以無爲爲宗，背禮違教，傷風敗俗，至今相傳，猶未袪其惑。皇甫士安云：世人見其書云『谷神不死，是謂玄牝』，故好事者遂假託老子以談神仙。老子雖存道德、尚清虛，然博貫古今，垂文述而之篇，<small>案此以《論語》「竊比于我老彭」，爲老子，與嚴氏之説不同。</small>及禮傳所載，孔子慕焉是也。而今人學者，乃欲棄禮學，絕仁義，云獨任清虛，可以致治，其違老子親行之言。』」

《釋文·敍錄》：班固云：「道家者，清虛以自守，卑弱以自持，此人君南面之術也。漢文帝、竇皇后好黃老言。有河上公者，居河之湄，結草爲菴，以《老子》教授文帝。徵之不至，自詣河上，責之。河上公乃踊身空中，文帝改容謝之。于是作《老子章句》四篇以授文帝，言治身、治國之要。」又曰：「《河上公章句》四卷，不詳名氏。」<small>案此言河上公事，唐劉知幾謂其采葛洪《神仙傳》之説，頗失辨正者也。河上公即河上丈人，詳見下條。</small>

《唐書·經籍志》：《老子》二卷，河上公注。

《唐書·藝文志》：河上公注《老子道德經》二卷。

《宋史·藝文志》：河上公《老子道德經注》一卷。

《崇文總目》：《老子道德經》二卷。李耳撰，河上公注。

晁氏《讀書志》曰：「太史公稱河上丈人通《老子》，再傳而至蓋公。蓋公即齊相曹參師也。而晉葛洪曰：『河上公者，莫知其姓名。漢孝文時居河之濱，侍郎裴楷言其通《老子》。孝文詣問之，即授《素書》、《道經章句》。'兩説各不同，當從太史公也。_{案此言極是，並詳見下條。}其書頗言吐故納新、按摩導引之術，近神仙家。劉子玄稱其非真，殆以此歟？傅奕謂'常善救人，故無棄人；常善救物，故無棄物'四句，古本無有，獨得于公耳。"

明白雲霽《道藏目錄詳注》曰："《道德真經注》四卷，河上公章句、解。"又曰："斯經原係上下二篇，自河上公分爲八十一章，乃曰上經法天，天數奇，其章三十七。下經法地，地數耦，其章四十四。"_{案此即今本，恐非梁元帝所見及本志、《唐志》所載之舊矣。}

《四庫提要》曰："惟是文帝駕臨河上，親受其書，無不入祕府之理，何以劉向《七略》載注《老子》者三家，獨不列其名？《唐書・劉子玄傳》稱《老子》無河上公注，欲廢之而立王弼。前此陸德明作《經典釋文》，雖《敍錄》之中亦采葛洪《神仙傳》之説，頗失辨正，而所釋之本則不用此注而用王弼。二人皆一代通儒，必非無據。詳其詞旨，不類漢人，殆道流之所依託歟？相傳已久，所言亦頗有發明，姑存以備一家可耳。"

梁有戰國時河上丈人注《老子經》二卷，亡。

《史記・樂毅列傳》：樂氏之族有樂瑕公、樂臣公，_{裴駰案一作巨公。}趙且爲秦所滅，亡之齊高密。樂臣公善脩黄帝、老子之言，顯聞于齊，稱賢師。

太史公曰："樂臣公學黄帝、老子。其本師號曰河上丈人，不知其所出。河上丈人教安期生，安期生教毛翕公，毛翕公教樂瑕公，樂瑕公教樂臣公，_{《索隱》曰："本亦作巨公"。}樂臣公教蓋公。蓋公教于齊高密、膠西，爲曹相國師。"_{案《御覽》道部引《太霄琅書》有齊人樂子長，疑即樂巨公之字。}

晉皇甫謐《高士傳》：河上丈人者，不知何國人也。明《老子》

之術，自匿姓名，居河之濱，著《老子章句》，故世號曰河上丈人。當戰國之末，諸侯交爭，馳説之士咸以權勢相傾，唯丈人隱身修道，老而不虧。傳業于安期生，爲道家之宗焉。

本志篇敍有曰：“自黄帝以下，聖哲之士，所言道者，傳之其人，世無師説。漢時，曹參始薦蓋公能言黄老，文帝宗之。自是相傳，道學衆矣。”

案《漢書・藝文志》：“《老子鄰氏經傳》四篇。姓李，名耳，鄰氏傳其學。《老子傅氏經説》三十七篇。述老子學。《老子徐氏經説》六篇。字少季，臨淮人，傳《老子》。”此三家皆不知何時人，似鄰氏，猶侯芭之于揚雄，其最先歟？河上丈人或在此三家之後，或别有所受，自爲一派，俱莫得而詳。特是據《史記》及本志篇敍則河上丈人凡五傳而至蓋公，漢文帝之宗黄老乃得之于蓋公，非受之于河上公也。考嵇康《聖賢高士傳》有河上公，無河上丈人。皇甫謐《高士傳》有河上丈人，無河上公。雖二家之書皆爲後人所輯録，非其原編，然嵇傳稱河上公，謂之丈人則可，知河上公即河上丈人，非兩人矣。或據本志以爲兩河上公各一人，兩《老子》注各一書。戰國時河上公書至隋已亡，今所傳漢河上公書耳。是説也，似沿本志之誤。蓋本志以見存有河上公注，惑于《神仙傳》之説，遂以爲漢文帝時人，又見《七録》有河上丈人注，阮氏或題戰國時人，遂别爲一家而附著于下。陸氏《釋文》亦引《神仙傳》之言，故自來相傳有漢河上公，實不然也。嚴氏于考訂最密，其《全秦文編》載安期先生曰“先生姓安名期，琅邪阜鄉亭人。師事河上公，善黄老，亦善爲長短説。賣藥海邊，與蒯徹善。嘗干始皇，又干項王”云云。則又可知河上丈人即河上公，并嵇傳所稱安丘先生者亦即安期生也。案安期生亦見劉向《列仙傳》、皇甫謐《高士傳》、《氏姓》

諸書，皆以安期爲複姓。嚴氏云姓安名期，殆别有所据。又案唐孔穎達《毛詩正義》謂漢人就經爲注始于馬融之注《周禮》，此但指六藝傳注家言之耳。若諸子之中則《漢志》載《老子鄰氏經傳》、《傅氏》、《徐氏經説》各若干篇，皆經注合爲一編者，西漢劉光禄之前已有之矣。

梁有漢長陵三老丗丘望之注《老子》二卷，亡。

《後漢書·耿弇傳》："弇，扶風茂陵人也。父况，以明經爲郎，與王莽從弟伋共學《老子》于安丘先生。"注：嵇康《聖賢高士傳》曰："安丘望之字仲都，京兆長陵人。少持《老子經》，恬净不求進宦，號曰安丘丈人。成帝聞，欲見之，望之辭不肯見，爲巫醫于人間也。"案此所引嵇康《高士傳》，嚴氏《三國文編》輯本遺之，而有《御覽》引一條，云："長靈安丘生病篤，弟子公沙都來省之。與安共至于庭樹下，聞李香，開目見雙赤李著枯枝，自墜掌中。安食之，所苦盡除。"案長靈安丘生似即此長陵三老安丘望之也。

皇甫謐《高士傳》：安丘望之少治《老子經》，號曰安丘丈人。成帝聞，欲見之，辭不肯見。上以其道德深重，常宗師焉。望之不以見敬爲高，愈日損退，爲巫醫于民間，著《老子章句》，故老氏有安丘之學。扶風耿况、王汲等皆師事之，從受《老子》。終身不仕，道家宗焉。"

《釋文·敍録》：丗邱望之《章句》二卷。字仲都，京兆人，漢長陵三老。

《唐書·經籍志》：《老子章句》二卷，安邱望之撰。

《唐書·藝文志》：安邱望之《老子章句》二卷。

梁有漢隱士嚴遵注《老子》二卷，亡。

《漢書·王貢兩龔鮑傳序》曰："漢興，有園公、綺里季、夏黄公、甪里先生，此四人者，當秦之世，避而入商雒深山。事在《留侯傳》。其後谷口有鄭子真，蜀有嚴君平，皆修身自保。君平卜筮于成都市，以爲'卜筮者賤業，而可以惠衆人。有邪惡非正之問，則依蓍龜爲言利害。與人子言依于孝，與人弟言依于順，與人臣言依于忠，各因勢導之以善，從吾言者，已過半。'裁日閱數人，得百錢足自養，則閉肆下簾而授《老子》。博覽亡不通，依老子、嚴周之指著書十餘萬言。揚雄少時從游學，以而仕京師顯名，數爲朝廷在位賢者稱君平德。君平年九十餘，以其業終，蜀人愛敬，至今稱焉。及雄著書言當世士，稱此二人。"又曰："自園公、綺里季、夏黃公、甪里先生、鄭子真、嚴君平皆未嘗仕，然其風聲足以激貪厲俗，近古之逸民也。"師古曰："《地理志》謂君平爲嚴遵。《三輔決録》曰君平名尊。"宋祁曰："'綺里季'下當有'公'字。'甪'，'角'。"

《釋文·敍録》：《老子》嚴遵注二卷。字君平，蜀都人，漢徵士。當是"處士"。

武威張澍《蜀典·著作類》曰："案君平注，如'益我貨者損我神，生我名者殺我生'。又'言爲禍匠，默爲害工。進爲妖式，退爲孽容'。理甚淵微。"案君平注久佚，不知張氏何由得之。張以《指歸》説目爲《老子》注序，此注殆亦《指歸》之言歟？《指歸》見後。

案唐岷山道士張君相集三十家《老子》注，其首兩家曰河上公，曰嚴遵。嚴本莊氏，與莊忌、莊助、莊安樂、莊尤同，以避明帝諱改焉。張氏《集注》見阮文達《四庫未收書目》。

梁有虞翻注《老子》二卷，亡。

虞翻有《周易注》，詳經部易家。

《吳志》本傳：翻又爲《老子》、《論語》、《國語》訓注，皆傳于世。

《釋文·敍録》：《老子》虞翻注二卷。

老子道德經二卷　王弼注

王弼有《周易注》，詳經部易家。

《魏志·鍾會傳》：初，會弱冠與山陽王弼並知名。弼好論儒道，辭才逸辨，注《易》及《老子》。何劭爲其傳曰："弼幼而察惠，年十餘，好《老氏》，通辨能言。注《老子》，爲之指略，致有理統。”

《釋文·敍錄》：“弼年二十四，卒。注《易》上下經，作《易略例》。又注《老子》。”又曰：“其後談論者莫不宗尚玄言，唯王輔嗣妙得虚無之旨，今依王本。”又曰：“王弼《注》二卷，又作《老子指略》一卷。”

《唐日本國見在書目》：《老子》一卷，王弼注。

《唐書·經籍志》：《玄言新記道德》二卷，王弼注。

《唐書·藝文志》：王弼注《新記玄言道德》二卷。

《宋史·藝文志》：王弼《老子注》二卷。

《崇文總目》：《道德經》一卷，王弼注。

宋政和乙未嵩山晁説之題記曰：“王弼《老子道德經》二卷，真得老子之學歟。蓋嚴君平《指歸》之流也。弼本深于《老子》，而《易》則末矣。其于《易》多假諸《老子》之旨，而《老子》無資于《易》者，其有餘不足之迹斷可見也。弼題是書曰《道德經》，不析乎《道》、《德》而上下之，猶近于古歟。嘗謂弼之于《老子》，張湛之于《列子》，郭象之于《莊子》，杜預之于《左氏》，范寧之于《穀梁》，毛萇之于《詩》，郭璞之于《爾雅》，完然成一家之學。後世雖有作者，未易加也。予既繕寫弼書，并以記之。”

宋乾道庚寅左從事郎充鎮江府府學教授熊克跋曰：“克伏誦咸平聖語有曰：‘王弼所注，言簡意深，真得老氏清淨之旨。’克自此求弼所注甚力，而近世希有，蓋久而後得之，往歲攝建寧學官，嘗以刊行，既又得晁以道先生所題本，不分《道》、《德》而上下之，亦無篇目。喜其近古，分教京口，復鏤板以傳。”

陳氏《書錄解題》：《老子注》二卷，魏王弼撰。魏晉之世，玄學盛行，弼之談玄冠于流輩。故其注《易》亦多玄義。晁説之曰：“弼本深于《老子》，而《易》則未也。”世所行《老子》分《道德經》爲上、下卷，此本不分《道》、《德經》，且無章目，當是古本。<small>案所見當是晁氏本也，當云不分《道經》、《德經》。</small>

明白雲霽《道藏目錄詳注》曰：“《道德真經》四卷，山陽王弼注，言陰陽道理。”<small>案此又不知何時分爲四卷。</small>

《四庫提要》曰：“《老子注》二卷，魏王弼撰。此本從明萬曆中華亭張之象《三經晉注》中錄出，後有晁說之跋，又有熊克重刊跋，稱近世希有，久而後得之。則在宋時，已希逢善本矣。然二跋皆稱不分《道經》、《德經》，而今本《經典釋文》實上卷題《道經音義》，下卷題《德經音義》，與此本及跋皆不合，蓋傳刻《釋文》者反據俗本增入。然則《經典釋文》之遭妄改，固已久矣。”

又《簡明目錄》曰：“弼以《老》、《莊》說《易》，論者互有異同。至于解《老》，則用其所長，故是注詞義簡遠，妙得微契。《老子》注本此爲最古。”

遵義黎庶昌《古佚叢書敍目》曰：“《集唐字老子注》二卷，日本有摹刻。張參《五經文字》、唐玄度《九經字樣》甚精，與石本無異。又有南總<small>地名。</small>宇惠考訂晁以道本王輔嗣《老子道德經注》，今合以局刻華亭張氏本，集張、唐二家經字爲之。”

案王氏注本唯《崇文總目》及《唐日本國書目》所載一卷，殆猶是相傳古本。本志二卷，已非其舊。今黎氏重刊晁本雖不標《道經》、《德經》名目，而分爲上、下卷，又分爲八十一章，上卷三十七章，自三十八章以下爲下卷，恐皆非本來面目。而題“晉王弼撰”。案弼卒于齊王芳正始十年，曹爽、何晏等被殺之後，爲司馬懿專政之始，是安得謂之晉人乎？

梁有《老子道德經》二卷，張嗣注，亡。

張嗣，始末未詳。

《釋文·敍錄》：《老子》張嗣注二卷。

案晁《志》戴唐張君相集三十家注中有張嗣一家,列張憑之後。《釋文》次袁真、張憑之間。

梁有《老子道德經》二卷,蜀才注,亡。

蜀才即范長生,有《周易注》,見經部易家。

《釋文·敍錄》:《老子》蜀才注二卷。

《唐書·經籍志》:《老子》二卷,蜀才注。

《唐書·藝文志》:蜀才注《老子》二卷。

老子道德經二卷　鍾會注

鍾會有《周易盡神論》、《周易無互體論》,詳見經部易家。

《魏志》本傳:會博學精練名理,弱冠與山陽王弼並知名。會爲其母傳曰:"夫人張氏,性矜嚴,明于教訓,會雖童稚,勤見規誨。年四歲授《孝經》,七歲誦《論語》,八歲誦《詩》,十歲誦《尚書》,十一誦《易》,十二誦《春秋左氏傳》、《國語》,十三誦《周禮》、《禮記》,十四誦成侯《易記》,十五使入太學。雅好書籍,涉歷衆書,特好《易》、《老子》。"

《釋文·敍錄》:《老子》鍾會注二卷。

《唐書·經籍志》:《老子》二卷,鍾會注。

《唐書·藝文志》:鍾會注《老子》二卷。

錢塘汪師韓《文選理學權輿》曰:"《選注》所引有鍾會《老子注》。"

烏程嚴可均《四錄堂類集總目》:鍾會等注《老子》一卷,可均輯。

案會父定陵成侯繇有《易説》,有《老子訓》,會母又特好《易》及《老子》,則會于《易》、《老》固家學也。嚴氏輯本今未見。

梁有《老子道德經》二卷,晉太傅羊祜解。

《晉書》本傳:祜字叔子,泰山南城人也,蔡邕外孫,景獻皇后同産弟。仕魏爲祕書監,封鉅平子。武帝受禪,進爲侯,位尚書右僕射、衛將軍。帝將有滅吳之志,以祜爲都督荊州諸軍事。

咸寧初,除征南大將軍、開府儀同三司。寢疾,求入朝。既至洛陽,疾漸篤,乃舉杜預自代。尋卒,時年五十八。追贈侍中、太傅,謚曰成。祜所著文章及爲《老子傳》並行于世。

《釋文·叙錄》:《老子》羊祜解釋四卷。字叔子,泰山平陽人,晉太傅,鉅平成侯。

《唐書·經籍志》:《老子》二卷,羊祜注。《老子解釋》四卷,羊祜撰。

《唐書·藝文志》:羊祜注《老子》二卷,又《解釋》四卷。

梁有《老子經》二卷,東晉江州刺史王尚述注,亡。

《釋文·叙錄》:《老子》王尚述二卷。字君曾,琅邪人,東晉江州刺史,封杜忠侯。

《唐書·經籍志》:《老子》二卷,王尚注。

《唐書·藝文志》:王尚注《老子》二卷。

案《釋文》及兩《唐志》所載,則其人姓王名尚,其書稱"述"不稱"注",本志"述"下加"注"字,非也。高似孫《子略》作"王尚楚",其所据蓋《通志略》也。

梁有《老子》二卷,晉郎中程韶集解,亡。

《釋文·叙錄》:《老子》程韶集解二卷。鉅鹿人,東晉郎中,關內侯。

《唐書·經籍志》:《老子》二卷,程韶集注。

《唐書·藝文志》:程韶《集注老子》二卷。一本作"詔"。

梁有《老子》二卷,邯鄲氏注,亡。

《釋文·叙錄》:《老子》邯鄲氏注二卷。不詳何人。

梁有《老子》二卷,常氏注,亡。

《釋文·叙錄》:《老子》常氏注二卷,不詳何人。

梁有《老子》二卷,孟氏注,亡。

《釋文·叙錄》:《老子》孟子注二卷,或云孟康。康字公休,安平廣宗人。魏中書監廣陵亭侯。

　　案孟康有《漢書音義》,詳見史部正史類中。唐張君相集
《老子》三十家注有大孟、小孟二家,大孟疑即此。

梁有《老子》二卷,盈氏注,亡。

　　《釋文·敍録》:《老子》盈氏注二卷,不詳何人。

　　案本志經部論語類注云:"梁有盈氏注《論語》十卷,亡。"
《釋文·敍録》亦云不詳何人,似即此盈氏,非兩人也。

老子道德經二卷　音一卷　晉尚書郎孫登注

　　《晉書·孫楚傳》:楚子纂,纂子統、綽,並知名。統幼與綽及
從弟盛過江。爲餘姚令。子騰,位至廷尉。騰弟登,少善名
理,注《老子》,行于世。仕至尚書郎,早終。

　　《釋文·敍録》:《老子》孫登集注二卷。字仲山,太原中都人,
東晉尚書郎。

　　《唐書·經籍志》:《老子》二卷,孫登注。

　　《唐書·藝文志》:孫登注《老子》二卷。

老子道德經二卷　劉仲融注

　　劉仲融,始末未詳。唐張君相《三十家集注》有劉仁會,列盧景裕之次。

　　《唐書·藝文志》:劉仲融注《老子》二卷。

　　案《晉書·劉隗傳》:"隗,彭城人。伯父訥,訥子疇,疇兄子
劭,劭族子黃老,太元中,爲尚書郎,有義學,注《慎子》、《老
子》,並傳于世。"此或其書。仲融,其字歟?黃老似非其名,疑其
上有敓文,又有劉法先,見後顧歡《義疏》條。

梁有《老子道德》二卷,巨生解,亡。

　　《釋文·敍録》:《老子》巨生内解二卷,不詳何人。

梁有《老子道德經》二卷,晉西中郎將袁真注,亡。

　　《晉書·桓溫傳》:太和四年,溫率弟南中郎沖、西中郎袁真步
騎五萬北伐。至枋頭,先使袁真伐譙梁,開石門以通運。真

討譙梁皆平之，而不能開石門，軍糧竭盡。溫焚舟步退。慕容垂以八千騎追之，戰于襄邑，溫軍敗績，死者三萬人。溫甚恥之，歸罪于真，表廢爲庶人。真怨溫誣己，據壽陽以自固，潛通苻堅、慕容暐。溫發州人築廣陵城，移鎮之。袁真病死，其將朱輔立其子瑾以嗣事。慕容暐、苻堅並遣軍援瑾。溫遣桓伊及弟子石虔等逆擊，大破之，瑾衆潰，生擒之，并其宗族數十人及朱輔送于京都斬之，瑾所侍養乞活數百人悉坑之，以妻子爲賞。又《文苑·伏滔傳》：滔從溫伐袁真，至壽陽，以淮南屢叛，著論二篇，名曰《正淮》云。

又《廢帝海西公本紀》：太和四年冬十月，豫州刺史袁真以壽陽叛。五年春正月乙亥，袁真子雙之、愛之害梁國內史朱憲、汝南內史朱斌。二月癸酉，袁真死，陳郡太守朱輔立真子瑾嗣事，求救于慕容暐。夏四月辛未，桓溫部將竺瑤破瑾于武丘。八月癸丑，桓溫擊袁瑾于壽陽，敗之。六年春正月，苻堅遣將王鑒來援袁瑾，將軍桓伊逆擊，大破之。丁亥，桓溫剋壽陽，斬袁瑾。

《釋文·敍錄》：《老子》袁真注二卷。字彥仁，陳郡人，東晉西中郎將、豫州刺史。

《唐書·經籍志》：《老子》二卷，袁真注。

《唐書·藝文志》：袁真注《老子》二卷。

梁有《老子道德經》二卷，張憑注，亡。

張憑有《論語注》，見經部。

《釋文·敍錄》：《老子》張憑注二卷。

《唐書·經籍志》：《老子》二卷，張憑注。

《唐書·藝文志》：張憑注《老子》二卷。

梁有《老子道德經》二卷，釋惠琳注，亡。

惠琳有《孝經注》，詳見經部。

《釋文・敍録》:《老子》釋惠琳注二卷。

《唐書・藝文志》:僧惠琳注《老子》二卷。

梁有《老子道德經》二卷,釋惠嚴注,亡。

梁釋慧皎《高僧傳》:釋慧嚴,姓范,豫州人。年十二爲諸生,博曉詩書。十六出家,精練佛理。從什公受學,訪正音義,多所異聞。後還京師,止東安寺。宋高祖素所知重。及文帝在位,情好尤密。嚴後著《無生滅論》及《老子略注》等。以宋元嘉二十年卒于東安寺,春秋八十一。帝詔曰:"嚴法師器識淵遠,學道之匠,奄爾遷神,痛悼于懷,可給錢五萬、布五十疋。"

《釋文・敍録》:"《老子》釋慧嚴注二卷。陳留人,本姓范,宋世沙門。"

《唐書・經籍志》:《老子》二卷,釋惠嚴注。

《唐書・藝文志》:僧惠嚴注《老子》二卷。

梁有《老子道德經》二卷,王玄載注,亡。

王玄載有《孝經注》,見經部。

《南齊書》本傳:玄載夷雅好玄言。

《釋文・敍録》:《老子》王玄載注二卷。

老子道德經二卷　盧景裕撰

盧景裕有《周易注》,詳見經部易類。易類題"盧氏注"者是也。

《魏書・儒林傳》:"景裕避地大寧山,不營世事,居無所業,惟在注解。"又曰:"先是景裕注《周易》、《尚書》、《孝經》、《論語》、《禮記》、《老子》。"

《唐書・藝文志》:盧景裕、梁曠等注《老子》二卷。梁曠見後。此蓋非盧氏一家之書。

老子音一卷　李軌撰

李軌有《周易・藝文志》詳見經部易類。

《唐書・藝文志》:李軌《老子音》一卷。

梁有《老子音》一卷，晉散騎常侍戴逵撰，亡。

戴逵有《五經大義》，詳見經部論語類。

《釋文·敍録》：《老子》戴逵《音》一卷。

老子四卷　梁曠撰　"老子"下有敓文。

《北史·薛愼傳》：愼起家丞相府墨曹參軍。周文于行臺省置學，取丞郎及府佐德行明敏者充生。悉令旦理公務，晚就講習，先《六經》，後子史。又于諸生中簡德行淳懿者侍讀書。愼與隴西李璨、李伯良、辛韶、武功蘇衡、譙郡夏侯裕、安定梁曠、梁禮、河南長孫璋、河東裴舉、薛同、滎陽鄭朝等十二人，並應其選。周文雅好談論，并簡名僧深識玄宗者一百人，于第内講説，又命愼等十二人兼學佛義，使内外俱通。由是四方競爲大乘學。《周書》附見《薛善傳》。

《唐書·經籍志》：《老子道德經品》四卷，梁曠注。

《唐書·藝文志》：梁曠《道德經品》四卷。

　　案《唐·藝文志》載盧景裕、梁曠等注《老子》，由是知梁曠爲北朝人。曠惟見《周書》、《北史·薛愼傳》，安定人，周文帝侍讀十二人之一也。又有《南華論》二十五卷。見後。他始末未詳。此書《唐志》題《道德經品》，似與《南華論》略同，或皆在周文相府與諸人品論玄義集以爲書者。《宋書·竟陵王誕傳》有山陽内史梁曠，家在廣陵，似別一人。

老子指歸十一卷　嚴遵注

嚴遵有《老子注》二卷，見前。

《道德指歸説目》：莊子曰："昔者老子之作也，變化所由，道德爲母。效經列首，天地爲象，《上經》配天，《下經》配地，陰道八，陽道九，以陰行陽，故七十有二首。以陽行陰，故分爲上下。以五行八，故《上經》四十而更始。以四行八，故《下經》三十有二而終矣。陽道奇，陰道偶，故《上經》先而《下經》

後。陽道大,陰道小,故《上經》衆而《下經》寡。陽道左,陰道右,故《上經》覆來,《下經》覆往。反覆相過,淪爲一形。冥冥混混,道爲中主。重符列驗,以見端緒。《下經》爲門,《上經》爲户,智者見其經效,則通乎天地之數。陰陽之紀,夫婦之配,父子之親,君臣之義,萬物敷矣。"案此篇相承題曰《道德指歸説目》,武威張澍《蜀典·著作類》亦録存,其文題曰《莊遵老子注序》。莊氏分七十首,與相傳河上公分八十一章又不同矣。

《漢書·王貢兩龔鮑傳》序曰:"君平卜筮于成都,裁日閲數人,得百錢足自養,則閉肆下簾而授《老子》。博覽亡不通,依老子、嚴周之指著書十萬餘言。"

晉常璩《華陽國志》曰:"嚴遵字君平,成都人也。雅性澹泊,學業加妙,專精《大易》,耽于《老》、《莊》,著《指歸》,爲道書之宗。"

唐殷敬順《列子釋文》曰:"嚴遵字君平,作《指歸》十四篇,演解《五千文》。"

唐谷神子注本曰:"嚴君平者,蜀郡成都人也。姓莊氏,故稱莊子。東漢章、和之間,班固作《漢書》,避明帝諱更之爲嚴。莊、嚴亦古今之通語。君平生西漢中葉,王莽篡漢,遂隱遁煬和,蓋上世之真人也。"

《釋文·敍録》:嚴遵《注》二卷,又作《老子指歸》十四卷。

《唐書·經籍志》:《老子指歸》十四卷,嚴遵志。《老子指歸》十三卷,馮廓撰。

《唐書·藝文志》:嚴遵《指歸》十四卷,馮廓《老子指歸》十一卷。

《宋史·藝文志》:嚴遵《老子指歸》十三卷。

晁氏袁州本《讀書志》:《老子指歸》十三卷,漢嚴遵撰,谷神子注。本理國、修身、清淨無爲之説。

又衢本《讀書志》曰："其章句頗與諸本不同,如以'曲則全'章末十七字爲後章首之類。按《唐志》有嚴遵《指歸》四十卷。_{案此"十四卷"之寫誤也。}又馮廓注《指歸》十三卷。此本卷數與廓注同,題谷神子而不顯姓名,疑即廓也。"

明白雲霽《道藏目録詳注》曰："《道德真經指歸》卷七之十三內缺一之六,嚴君平解。"

《四庫提要》曰："《道德指歸論》六卷。此書爲胡震亨《祕册彙函》所刻,後以版歸毛晉,編入《津逮祕書》,止存六卷。案晁氏稱其章句頗與諸本不同,則是書原有經文。《陸游集》有是書跋,稱爲《道德經指歸》古文,亦以經文爲言。此本乃不載經文,體例互異。"又《簡明目録》曰:"此本僅存《説德經》者六卷。"

海寧吳壽暘《拜經樓藏書題跋記》曰:"《真經道德指歸》十三卷,題蜀郡嚴遵字君平撰,谷神子注。卷首爲總序,並元德纂疏。"又曰:"晁氏所云'十三卷,谷神子注',今《道藏》尚有之。原未嘗佚闕,所稱'莊子曰'即君平也。"

老子指趣三卷　　毌丘望之撰

毌丘望之有《老子注》二卷,見前。

《唐書·經籍志》:《老子道德經指趣》四卷,安丘望之撰。

《唐書·藝文志》:安丘望之《老子章句》二卷,又《道德經指趣》三卷。

老子義綱一卷　　顧歡撰

顧歡有《尚書百問》,詳見經部尚書家。

《南齊書·高逸傳》:歡年二十餘,從豫章雷次宗諮玄儒諸義。太祖輔政,悦歡風教,徵爲揚州主簿,遣中使迎歡。及踐阼,乃至。稱山谷臣顧歡上表曰:"臣聞舉綱提網,振裘持領,綱領既理,毛目自張。然則道德,綱也;物勢,目也。上理其綱,則萬機時序；下張其目，則庶官不曠。是以湯、武得勢師道則阼延，秦、項忽道任勢則身戮。夫天門開闔，自古有之，四氣相新，絺裘代進。今火澤易位，三靈改憲，天樹明德，對時育物，搜揚仄陋，野無伏言。是以窮谷愚夫，敢露偏管，謹删撰《老氏》，獻《治綱》一卷。"

《唐書•經籍志》：《老子道德經義疏》四卷，顧歡撰。《老子義疏理綱》一卷。失注撰人。

《唐書•藝文志》：顧歡《道德經義疏》四卷，又《義疏治綱》一卷。案《義疏》別見于後，《義疏治綱》即此《義綱》也。

梁有《老子道德論》二卷，何晏撰，亡。

何晏有《孝經注》，詳見經部。

《魏志•曹爽附傳》：晏少以才秀知名，好老莊言，作《道德論》。

《世說•文學篇》曰："何晏注《老子》未畢，見王弼自説注《老子》旨，何意多所短，不復得作聲，但應諾諾，遂不復注，因作《道德論》。"注引《文章敍録》曰："自儒者論以老子非聖人，絶禮棄學。晏説與聖人同，著論行于世也。"

又曰："何平叔注《老子》，始成，詣王輔嗣，見王注精奇，迺神伏，曰：'若斯人，可與論天人之際矣！'因以所注爲《道德二論》。"

《文心雕龍•論説篇》曰："魏之初霸，術兼名法。傅嘏、王粲，校練名理。迄至正始，務欲守文；何晏之徒，始盛玄論。于是聃周當路，與尼父爭塗矣。詳觀蘭石之《才性》，仲宣之《去伐》，輔嗣之《兩例》，平叔之《二論》，並師心獨見，鋒穎精密，蓋人倫之英也。"傅嘏論才性，即鍾會所集《四本論》，見《世説•文學篇》。王粲《去伐論》見前儒家。王弼《兩例》即《易》、《老略例》。平叔《二論》即此《道德論》也。

《唐書•經籍志》：《老子道德論》二卷，何晏撰。

《唐書・藝文志》：《老子》何晏《講疏》四卷，又《道德問》二卷。

《講疏》四卷本志不著録，《道德問》似即《道德論》，高似孫《子略》又作《老子指略論》。

梁有《老子序決》一卷，葛僊公撰，亡。

葛僊公有《太極左仙公葛君内傳》，見史部雜傳類。

《唐書・經籍志》：《老子道德經序訣》二卷，葛洪撰。

《唐書・藝文志》：葛洪《老子道德經序訣》二卷。案葛洪，葛玄之從孫也。此或誤題爲洪，或洪注玄書，廣爲二卷。“序訣”爲“序註”之誤，皆未可知也。

嚴氏《全三國文編》曰：“葛玄字孝先，丹陽句容人，大帝時方士。有《道德經序》，見《老子》河上公注本。又略見《御覽》六百六十，作《五千文序》。”

番禺侯康《補三國藝文志》曰：“《玉海・藝文》引葛玄序，《史記・老子傳》索隱引葛玄曰，《初學記》卷廿三、《御覽》六百六十七並引《道德經序決》。”

案《唐・藝文志》有成玄英《老子開題序訣義疏》七卷，于是知此乃葛仙公所講《老子開題義》，玄英之疏其即爲是書而作歟？

梁有《老子雜論》一卷，何、王等注，亡。

何晏、王弼並見前。

《晉書・王衍傳》：正始中，何晏、王弼等祖述《老》、《莊》，立論以爲天地萬物皆以無爲爲本。衍甚重之。

《魏志・鍾會附傳》注：何劭爲弼傳曰：“弼年十餘，好《老氏》，通辨能言。時裴徽爲吏部郎，弼年未弱冠，往造焉。徽一見而異之，問弼曰：‘夫無者誠萬物之所資也，然聖人莫肯致言，而老子申之無已者何？’弼曰：‘聖人體無，無又不可以訓，故不説也。老子是有者也，故恒言無所不足。’弼天才卓出，當其所得，莫能奪也。其論道附會文辭，不如何晏，自然有所拔得，多晏也。注《老子》，爲之指略，致有理統。注《道略論》，注《易》，往往有高麗言。"

《世説·文學篇》曰："何晏爲吏部尚書，有位望。時談客盈坐，王弼未弱冠，往見之。晏聞弼名，因條向者勝理語弼曰：'此理僕以爲極，可得復難否？'弼便作難，一坐人便以爲屈。于是弼自爲客主數番，皆一坐所不及。"注引《魏氏春秋》曰："弼論道約美不如晏，自然出拔過之。"案此似即此書之緣起。

晁氏《讀書志》：《老子略論》一卷，魏王弼撰，凡十八章。案此似即此書之不全者。《唐·經籍志》有《老子指例略》二卷，不著撰人，次何晏《道德論》之後。《唐·藝文志》卷同，以爲王弼撰，皆即此何、王雜論也。

　案《魏志·荀彧傳》注：《零陵先賢傳》曰："彧第三兄衍，衍子紹，紹子融，字伯雅，與王弼、鍾會俱知名，與弼、會論《易》、《老》義，傳于世。"《王弼別傳》曰："弼與鍾會善，每服弼之高致。"又曰："弼注《易》，潁川人荀融難弼《大衍義》。"又曰："弼爲人淺而不識物情，初與王黎、荀融善，黎奪其黃門郎，于是恨黎，與融亦不終。"案荀融《老子義》或在是書中。是書題何、王等注，則不僅二家之言。《世説·文學篇》注：《晉諸公贊》曰："自魏太常夏侯玄、步兵校尉阮籍等皆著《道德論》。"或亦在是書。

梁有《老子私記》十卷，梁簡文帝撰。

梁簡文帝有《毛詩十五國風義》，見經部詩類。

《梁書》本紀：帝博綜儒書，善言玄理。所著《老子義》二十卷，行于世。《南史》本紀遺之。

《南史·何敬容傳》：太清元年，遷太子詹事。是年，簡文頻于玄圃自講《老》、《莊》二書，學士吳孜時寄詹事府，每日入聽。敬容謂孜曰："昔晉氏喪亂，頗由祖尚虛玄，胡賊遂覆中夏。今東宮復襲此，殆非人事，其將爲戎乎。"俄而侯景難作，其言有徵也。

《釋文·敍録》：《老子》，近代有梁武帝父子及周弘正《講疏》，世頗行之。<small>案武帝《講疏》見後，隋時尚存此，隋時已亡也。周弘正疏，本《志》不載。</small>

《唐書·經籍志》：《老子私記》十卷，梁簡文帝撰。

《唐書·藝文志》神仙家：梁簡文帝《老子私記》十卷。

梁有《老子玄示》一卷，韓壯撰，亡。

韓壯或作韓莊，始末未詳。

《唐書·經籍志》：《老子玄旨》八卷，韓莊撰。

《唐書·藝文志》：韓莊《玄旨》八卷。

錢塘汪師韓《文選理學權輿》曰：“《選注》所引群書有韓莊解《老子》。”

案此書名、撰人、卷數史志著録皆互有異同，其書大抵集諸家玄義之文以爲一書，故有多至八卷者。

梁有《老子玄譜》一卷，晉柴桑令劉遺民撰，亡。

《宋書·隱逸·周續之傳》：續之入廬山事沙門釋慧遠。時彭城劉遺民遁跡廬山，陶淵明亦不應徵命，謂之尋陽三隱。

《蓮社高賢傳》：劉程之字仲思，彭城人，漢楚元王之後。妙善老莊，旁通百氏。初解褐爲府參軍。性好佛理，乃之廬山，傾心自託。劉裕以其不屈，乃旌其號曰遺民。及雷次宗、周續之、宗炳、張詮、畢穎之等同來廬山，程之遂于西林澗北別立禪坊，養志安貧，精研玄理，兼持禁戒。義熙六年卒，年五十九。”

嚴可均《全晉文編》曰：“劉程之字仲思，彭城人，漢楚元王交之後。初爲府參軍，歷宜昌、柴桑令，去職。與周續之、陶潛皆不應徵命，號‘尋陽三隱’。劉裕以其不屈，旌其號曰遺民。有《玄譜》一卷，集五卷。”

《釋文·敍録》：劉遺民《玄譜》一卷。字遺民，彭城人，東晉柴桑令。

《唐書·經籍志》：《老子玄譜》一卷，劉道人撰。

《唐書·藝文志》：劉遺民《玄譜》一卷。又神仙家：劉道人《老子玄譜》一卷。

梁有《老子玄機》三卷，宗塞撰，亡。

宗塞，始末未詳。

案此疑是“宗測”之音誤。《南史·隱逸傳》：“測善《易》、《老》，游名山，齎《老子》、《莊子》二書自隨。”測別有《衡山記》，詳見史部地理類。

梁有《老子幽易》五卷，又《老子志》一卷，山琮撰，亡。

山琮，始末未詳。

案高似孫《子略》錄本志所載諸子云何晏《序決》《隋志》及上文作“次”。一卷，葛仙翁《雜論》一卷，何、王等《私記》十卷，梁簡文帝《玄示》一卷，韓莊《玄譜》一卷，劉遺民《玄機》三卷，宗塞《幽易》五卷，山琮《志》一卷，皆誤讀本志此一段注文，顛舛特甚，附識于此，毋爲所惑。

老子義疏一卷　顧歡撰

顧歡有《老子義綱》，見前。

《太平御覽·道部·道士篇》：《道學傳》曰：“劉法先，彭城人也。時顧歡著《道經義》，于孔德璋多有與奪。法先與書討論同異。顧道屈服。”又《傳授篇》云：“法先爲宋明帝崇靈館主。帝先師陸元德，元德卒，又師事法先，盡北面之禮。”案陸元德即孔德璋，爲撰《陸先生傳》者，詳見史部雜傳類。德璋，稚圭字也。

《釋文·敍錄》：顧懽《堂誥》四卷。一作《老子義疏》。

《唐書·經籍志》：《老子道德經義疏》四卷，顧歡撰。

《唐書·藝文志》：顧歡《道德經義疏》四卷。

案明白雲霽《道藏目錄》云：“《道德真經》八卷，吳郡徵士顧歡注疏，言清淨臨民之術。”案此即唐張君相集三十家注，非顧氏此書也。阮文達嘗奏進于朝，詳見《揅經室外集》。

梁有《老子義疏》一卷，釋慧觀撰，亡。

梁釋慧皎《高僧傳》：釋慧觀，姓崔，清河人。十歲便以博見知名，弱年出家游方受業，適廬山諮稟慧遠。聞什公入關，乃自南徂北，訪異觀同，詳辨新舊。什亡後，南適荆州。宋武南伐至江陵，與觀相遇，敕與西中郎游，即文帝也。俄而還京，止道場寺。觀既妙善佛理，探究《老》、《莊》，又精通《十誦》，博采諸部。元嘉中卒，春秋七十一。著《辨宗論》、《論頓悟漸悟義》，傳于世。

老子義疏五卷　孟智周私記

孟智周，始末未詳。

《唐書·經籍志》：《老子義疏》四卷，孟智周撰。

《唐書·藝文志》：孟智周《義疏》五卷。

案唐張君相集三十家注中有大孟、小孟，或謂大孟即孟康，小孟即此。

老子義疏四卷　韋處玄撰

韋處玄，始末未詳。

案《唐·藝文志》神仙家有韋處玄集解《老子西昇經》二卷，白雲霽《道藏目録》有華陽韋處玄《西昇經集注》六卷。蓋《西昇經》亦冠以"老子"二字，疑此是《西昇經》非《道德經》，而韋處玄亦疑是華陽陶隱居弘景之弟子。

老子講疏六卷　梁武帝撰

梁武有《易大義》，見經部易家。

《梁書》本紀：帝洞達儒玄，造制旨《老子講疏》。

《南史·儒林·顧越傳》：越特善《莊》、《老》，尤長論難。武帝嘗于重雲殿自講《老子》，僕射徐勉舉越論義，越抗首而請，音嚮若鍾，容止可觀，帝深贊美之。

《梁書·朱异傳》：大同六年，异啓于儀賢堂奉述高祖《老子義》，敕許之。及就講，朝士及道俗聽者千餘人，爲一時之盛。

《金樓子·著書篇》：《老子義疏》一袠十卷，奉述制旨。案所奉述者，即述此書也。

《唐日本國見在書目》：《老子義疏》八卷，梁武帝撰。

《唐書·經籍志》：《老子講疏》六卷，梁武帝撰。又有四卷，不著撰人。据《新志》亦是梁武書。

《唐書·藝文志》：梁武帝《講疏》四卷，又《講疏》六卷。

老子義疏九卷　戴詵撰

戴詵，始末未詳。

《太平御覽·道部·道士篇》：《老氏聖紀》曰："孟道養字孝元，初名援，平昌人。時有劉緩、戴詵相造，研論玄理，各歎伏，以爲邁絶。"

《唐書·藝文志》：戴詵《義疏》六卷。

案《舊》、《新唐志》經部論語類有戴詵《述義》二十卷，《新志》子部神仙家又有戴詵《老子西昇經義》一卷，而本志又有《莊子義疏》八卷，見後。又詵與劉緩同時，緩爲梁劉昭次子，見《梁書·文學傳》。此列于梁武帝書後，敍次亦合。

老子節解二卷

不著撰人。

《釋文·敍録》曰："《節解》二卷。不詳作者。或云老子所作，一云河上公作。"

《唐書·經籍志》：《老子節解》二卷。《藝文志》同。

案《宋史·藝文志》有葛玄《老子道德經節解》二卷，或此書爲葛仙公所撰，未可知也。

老子章門一卷

不著撰人。

《唐書·經籍志》：《老子章門》一卷。《藝文志》同。

案本志著録六藝之例，以注釋家爲首，次集注，次音義，次雜義雜論，次義疏講疏。其有圖譜者則取以爲殿焉。道家一類惟老莊二家篇籍最多，故其次第亦悉如編纂六藝之例。

文子十二卷。文子，老子弟子。《七略》有九篇，梁《七録》十卷，亡。

劉向《別録》曰：“《墨子書》有文子。文子，子夏之弟子，問于墨子。”

《漢書·人表》第五等文子，錢塘梁玉繩曰：“文子，不傳其名字。《困學紀聞》十辨文子非周平王時人。檢《文子·道德》‘平王問’一條，無‘周’字。末云‘寡人敬聞命’，其非周王甚審。《通考》引《周氏涉筆》以爲楚平王，極碻。《士仁篇》有王良，更足驗爲楚平王時人。班氏疑《文子書》有依托，而于此表列周平王時，蓋疑以傳疑之意也。”

又《藝文志》：《文子》九篇。老子弟子，與孔子並時，再稱周平王問，似依託者也。

唐柳宗元《辨文子》曰：“《文子書》十二篇。其傳曰老子弟子。其辭時有若可取，其旨意皆本老子。然考其書，蓋駮書也。其渾而類者少，竊取他書以合之者多。凡孟子輩數家，皆見剽竊，嶢然而出其類。其意緒文辭，又互相牴而不合。不知人之增益之歟？或者衆爲聚斂以成其書歟？然觀其往往有可立者，又頗惜之，憫其爲之也勞。今刊去謬惡濫雜者，取其似是者，又頗爲發其意，藏于家。”

《唐書·經籍志》：《文子》十二卷。

《唐書·藝文志》：《文子》十二卷。”又曰：“天寶元年詔號《文子》爲《通玄真經》。”

《宋史·藝文志》:《文子》十二卷。舊書目云,周文子撰。

晁氏《讀書志》:李暹注《文子》十二卷。其傳曰姓辛,葵丘濮上人,號曰計然,范蠡師事之。本受業于老子,録其遺言,爲十二篇云。按劉向録《文子》九篇而已。《唐志》録暹注,與今篇次同,豈暹析之歟?李暹師事僧般若流支,蓋元魏人也。

陳氏《書録解題》:《文子》十二卷,題默希子注。案《史記·貨殖傳》徐廣注:"計然,范蠡師,名鈃。"裴駰曰:"計然,葵邱濮上人,姓辛,字文子。"默希子引以爲據。案此默希子沿李暹之誤説也。然自班固時已疑其依託,況又未必當時本書乎?至以文子爲計然之字,尤不可考信。柳子厚亦辨其爲駁書,而亦頗有取焉。默希子不著名氏。晁公武曰:"唐徐靈府自號也。"

《玉海·藝文類》曰:"今本十二篇,《道原》至《上禮》,元魏李暹注,唐徐靈府注,朱玄注。"

明宋濂《諸子辨》曰:"《文子》非計然之所著也。予嘗考其言,壹祖老聃,大概《道德經》之義疏爾。蓋《老子》之言宏而博,故是書雜以黃、老、名、法、儒、墨之言以明之,毋怪其駁且雜也。黃氏屢發其偽,以爲唐徐靈府作,亦不然。其殆文姓之人,祖老聃而託之者歟?抑因裴氏'姓辛,字文子'之説,誤指爲范子《計然》十五卷者歟?"案范子《計然》十五卷見《唐·藝文志》農家。

《四庫提要》曰:"《漢志·道家》《文子》九篇,《隋志》載《文子》十二卷。二志所載,不過篇數有多寡耳,無異説也。因《史記·貨殖傳》有范蠡師計然語,又因裴駰《集解》有計然姓辛字文子語,北魏李暹作《文子注》,遂以計然、文子合爲一人。文子乃有姓有名,謂之計鈃,謬之甚矣。"

又《簡明目録》曰:"文子,不知其名字。《漢志》但稱老聃弟子而已。或曰計然者,誤也。書凡十二篇,皆述老聃之説。柳宗元稱其多竊取他書以合之。然要是唐以前之古本也。"

金山錢熙祚《文子校勘記》曰：“《漢志》道家《文子》九篇，注云老子弟子，與孔子並時。而稱周平王問，似依託也。案今《文子·道德篇》平王問一條無‘周’字，末云‘寡人敬聞命’，其非周王甚明。初疑楚平王，正與孔子相值，何以班氏憒憒至此？既取《文子》反覆尋繹，知其以《淮南子》割裂補湊而成。平王問一條，本《漢志》而去‘周’字，以掩其依託之迹，斷非班氏所見本也。《淮南子》雖亦雜采諸書，然首尾條貫，自成機杼。今取一篇之文，離爲數段，或割取它篇以附益之，不論指意之合于老氏與否，而並以爲老子之言。何老子之多言若是也？且以侗儻不羈之文句節而之，遂至一節之中文氣斷續，一行之内語意背馳。又《淮南》引《老子》文並有‘故曰’二字。今託爲老子言而于此等悉仍其舊。豈老子自著之而自引之乎？疏謬若此，亦可謂不善作僞者矣。獨怪唐人所引《文子》並與今同，而自唐以來歷千餘年未有發其覆者。惟柳子厚謂其‘意緒文詞，互相牴而不合，或爲聚斂以成其書’。亦不知其出《淮南》者十之九，取它書者不過十之一也。惟是《淮南》一書傳寫已久，間有《淮南》誤而《文子》尚不誤者存，以互校不爲無益。若謂《淮南》取諸《文子》，則顛倒甚矣。”

　　案宋濂《諸子辨》有《淮南子》多本《文子》之語，故錢氏云爾。梁氏《人表考》云：“班氏所見《文子》或是誤本。”遂疑《文子》書有依託。蓋以今本《文子》無“周”字爲真本也，不幾更爲顛倒乎？今本《文子》陳直齋亦云未必當時本書。錢氏分篇校勘，將其剽竊之迹一一指出，證明《文子》取《淮南》，非《淮南》取《文子》，斷非班氏所見之本。孫氏《問字堂集》有《文子序》，謂今本十二卷，實《七略》舊本。斯不然矣。《子略》載《文子》云：“李暹進《訓注》十二卷。”以“李暹”二字誤爲“李白進”三字，一若李白所進者，豈校勘之失歟？

鶡冠子三卷。楚之隱人。

劉向《別錄》曰："鶡冠子常居深山，以鶡爲冠，故號鶡冠子。"

《漢書·藝文志》："《鶡冠子》一篇。楚人，居深山，以鶡爲冠。"師古曰："以鶡鳥羽爲冠。"又兵權謀家注曰："省《鶡冠子》。"

應劭《風俗通·姓氏篇》曰："鶡冠氏，賨人以鶡冠爲姓。鶡冠子著書。"賨"音"悰"，流時長沙武陵蠻也，楚莊王時屬于楚。詳見《後漢書·南蠻傳》。此鶡冠子或其種人，未可知也。賨，今之渠縣。

《太平御覽·逸民部》：袁淑《真隱傳》：鶡冠子，或曰楚人。隱居幽山，衣弊履穿，以鶡爲冠，莫測其名，因服成號。著書言道家事，馮煖常師事之。煖後顯于趙，鶡冠子懼其薦己也，乃與煖絕。案馮煖即龐煖也。

《唐書·經籍志》：《鶡冠子》三卷，鶡冠子撰。

《唐書·藝文志》：《鶡冠子》三卷。

《宋史·藝文志》：《鶡冠子》三卷，不知姓名。《漢志》云楚人居深山，以鶡羽爲冠，因號云。

《崇文總目》：今書十五篇，述三才變通、古今治亂之道。唐世嘗辨此書後出，非古所謂《鶡冠子》者。

晁氏袁本《讀書志》曰："鶡冠子著書十五篇，論三才變通、古今治亂之道。唐柳宗元嘗辨此書非古，而韓愈獨稱焉。二人皆名儒，未知孰是。"

又衢本《讀書志》曰："唐韓愈稱愛其《博選》、《學問篇》，而柳宗元以其多取賈誼《鵩賦》，非斥之。"案《四庫書目》："《鶡冠子》三十六篇，案"三"下當有"卷"字。與愈合，已非《漢志》之舊。今書乃八卷，前三卷十三篇，與今所傳《墨子》書同。中三卷十九篇，愈所稱兩篇皆在，宗元非之者，篇名《世兵》，亦在。後兩卷有十九論，多稱引漢以後事，皆後人雜亂附益之。今削去前、後五卷，止存十九篇，庶得其真。其辭雜黃老刑名，意皆鄙淺，宗元之評蓋不誣。"

陳氏《書録解題》：《鶡冠子》三卷，陸佃解。今書十九篇，韓吏部稱十有六篇，故陸謂非其全也。韓公頗道其書，至柳柳州則曰盡鄙淺言也。好事者僞爲其書，反用《鵩賦》以文飾之。其好惡不同如此。自今考之，柳說爲長。

明宋濂《諸子辨》曰："其書晦澀，後人又雜以鄙淺言，讀者往往厭之，不復詳究其義。所謂'天用四時，地用五行，天子執一以守中央'，此亦黃老家之至言。使其人遇時，其成功必如韓愈所云。黃氏又謂'韓愈獵取二語之外，餘無留良'者，亦非知言也，士之好妄論人也如是哉！陸佃解本十九篇，與晁氏削去前後五卷者合。予家所藏，但十五篇云。"

《四庫》雜家提要曰："劉勰《文心雕龍》稱'鶡冠綿綿，亟發深言'。《韓愈集》有《讀鶡冠子》一首，稱其《博選篇》四稽五至之說，《學問篇》一壺千金之語，且謂其施于國家，功德豈少。《柳宗元集》有《鶡冠子辨》一首，乃詆爲言盡鄙淺，謂其《世兵篇》多同《鵩賦》，據司馬遷所引賈生二語，以決其僞。然古人著書，往往偶用舊文，古人引證，亦往往偶隨所見。如'谷神不死'四語，今見《老子》中，而《列子》乃稱爲黃帝書。'克己復禮'一語，今在《論語》中，《左傳》乃謂仲尼稱志有之。'元者善之長也'八句，今在《文言傳》中，《左傳》乃記爲穆姜語。司馬遷惟稱賈生，蓋亦此類，未可以單文孤證，遽斷其僞。惟《漢志》作一篇，而《隋志》以下皆作三卷，或後來有所附益，則未可知耳。其說雖涉刑名，而大旨本原于道德，其文亦博辨宏肆。自六朝至唐，劉勰最號知文，而韓愈最號知道，二子稱之，宗元乃以爲鄙淺，過矣。此本爲陸佃所注，凡十九篇。"

列子八卷　鄭之隱人列禦寇撰　東晉光禄勳張湛注

《七略別録》曰："《天瑞》弟一，《黄帝》弟二，《周穆王》弟三，《仲尼》弟四，一曰《極知》。《湯問》弟五，《力命》弟六，《楊朱》弟七，一曰《達生》。《説符》弟八。右新書定著八篇。護左都水使者光禄大夫臣向言：所校中書《列子》五篇，臣向謹與長杜尉臣參校讎，太常書三篇，太史書四篇，臣向書六篇，臣參書二篇，内外書凡二十篇，以校除復重十二篇，定著八篇。中書多，外書少，章亂布在諸篇中。或字誤，以'盡'爲'進'，以'賢'爲'形'，如此者衆。及在新書有棧。音剪。校讎從中書，已定，皆以殺青，書可繕寫。列子者，鄭人也。與鄭繆公同時，蓋有道者也。其學本于黄帝、老子，號曰道家。道家者秉要執本，清虚無爲，及其治身接物，務崇不競，合于六經。而《穆王》、《湯問》二篇，迂誕怪詭，非君子之言也。至于《力命篇》，一推分命；《楊子》之篇，唯貴放逸。二義乖背，不似一家之書。然各有所明，亦有可觀者。孝景皇帝時貴黄老術，此書頗行于世。及後遺落，散在民間，未有傳者。且多寓言，與莊周相類，故太史公司馬遷不爲列傳。謹第録，臣向昧死上。護左都水使者光禄大夫臣向所校《列子》書録，永始三年八月壬寅上。"

《漢書·藝文志》：《列子》八篇。名圉寇，先莊子，莊子稱之。

《吕氏春秋·不二篇》曰："列子貴虚。"高誘曰："列子，體道人也。壺子弟子。"案壺子者，壺丘子林也。

皇甫謐《高士傳》：列禦寇者，鄭人也，隱居不仕。鄭穆公時，子陽爲相，專任刑。列禦寇乃絶迹窮巷，面有飢色。或告子陽曰："列禦寇蓋有道之士也，居君之國而窮，君無乃不好士乎？"子陽使官載粟數十乘以與之。禦寇出見使，再拜而辭之。居一年，鄭人殺子陽，其黨皆死，禦寇安然獨全。終身不仕。著書八篇,言道家之意,號曰《列子》。

《宋書·良吏·王歆之傳》：高平張祐以吏才見知。祐祖湛,晉孝武世,以才學爲中書侍郎,光禄勳。嚴氏《全晉文編》曰："張湛字處度,孝武時中書侍郎,累遷光禄勳,有《列子注》八卷。"

唐柳宗元《辨列子》曰："劉向古稱博極群書,然其録列子,獨曰鄭穆公時人。穆公在孔子前幾百歲,《列子》書言鄭國,皆云子産、鄧析,不知向何以言之如此。《史記》鄭繻公二十四年,楚悼王四年,圍鄭,鄭殺其相駟子陽。子陽正與列子同時,是歲魯穆公十年。不知向言魯穆公遂誤爲鄭耶?不然,何乖錯至如是? 其後張湛徒知怪《列子》書言穆公後事,亦不能推知其時。王氏《漢志考證》曰："或謂鄭繻公字誤爲繆公。"然其書亦多增竄,非其實,要之莊周爲放依其辭。其稱夏棘、俎公、紀渻子、季咸等皆出《列子》,不可盡紀。雖不概于孔子道,然其虛泊寥闊,居亂世遠于利,禍不得逮于身,而其心不窮,易之遯世無悶者,其近是歟? 余故取焉。其文辭類《莊子》,而尤質厚,少爲作,好文者可廢耶? 其《楊朱》、《力命》疑其楊子書。其言魏牟、孔穿皆出列子後,不可信。然覩其辭,亦足通知古之多異術也。讀之者慎取之而已矣。"

《唐書·經籍志》：《列子》八卷,列禦寇撰,張湛注。

《唐書·藝文志》："張湛注《列子》八卷。"又曰："天寶元年詔號《列子》爲《沖虛真經》。"

《宋史·藝文志》：張湛《列子注》八卷。又有張湛《列子音義》一卷。

晁氏《讀書志》：列子《沖虛至德真經》八卷,晉張湛注。唐號《沖虛真經》,皇朝加"至德"之號。

王氏《漢書藝文志考證》東萊吕氏曰："以《列子》所載'楊朱遇老子老子,中道而歎'一章觀之,則朱受學于老子不疑,朱之言見于《列子》者固多。後人所附益爲我之説,亦略可見也。"

又曰:"《列子》多引黃帝書,蓋古之微言傳久而差者。《玄牝》一章,今見《老子》,此戰國、秦、漢所以並言黃老也。"石林葉氏曰:"《天瑞》、《黃帝篇》與佛書相表裏。"

明宋濂《諸子辨》曰:"其書決非禦寇所自著,必後人會粹而成者。中載孔穿、魏公子牟及西方聖人之事,皆出禦寇後。至于《楊朱》、《力命》二篇,則'爲我'之意多,疑即古楊朱書,其未亡者剿附于此。禦寇先莊周,周著書多取其説。若書事簡勁宏妙,則似勝于周。間嘗熟讀其書,又與浮屠言合。中國之與西竺,相去一二萬里,而其説若合符節,何也?豈其得于心者亦有同然歟?近世大儒謂華梵譯師皆竊莊、列之精微,以文西域之卑陋者,恐未爲至論也。"

《四庫提要》曰:"柳宗元《辨列子》言魏牟、孔穿皆出列子後,不可信。其後高似孫《緯略》遂疑列子爲鴻濛雲將之流,並無其人。今考《湯問篇》中有鄒衍吹律事,不止魏牟、孔穿。其不出禦寇之手,更無疑義。然考《尸子·廣擇篇》曰:'墨子貴兼,孔子貴公,皇子貴衷,田子貴均,列子貴虛,料子貴別囿。其學之相非也數世矣。'是當時實有列子,非莊周之寓名。又《穆天子傳》出于晉太康中,爲漢、魏人之所未睹。而此書《周穆王篇》所敍駕八駿,造父爲御,至巨蒐,登崑崙,見西王母于瑤池事,一一與傳相合。此非劉向之時所能僞造,可信確爲秦以前書。唯其書皆稱'子列子曰',則決爲傳其學者所追記。其雜記列子後事,正如《莊子》記莊子死,《管子》稱吳王、西施,《商子》稱秦孝公耳,不足爲怪。張湛注書于《天瑞篇》首所稱子列子字,知爲追記師言,而他篇復以載及後事爲疑,未免不充其類矣。"

又曰:"據湛自序,其母爲王弼從姊妹,湛往來外家,故亦善談名理,其注亦弼注《老子》之亞。"

又曰："亦肩隨向、郭之注《莊》。"謹案湛序，湛當爲王弼外甥之孫，此似誤會。

案《通志·氏族略》云："列禦氏，不詳其本。鄭穆公時，列禦寇著書。"以列禦爲氏，與《漢志》注名圄寇者相違異。然氏姓之書原于譜學，譜學則自爲一途。別有所据，不能執此概以爲必無，存而不論可矣。

莊子二十卷　梁漆園吏莊周撰　晉散騎常侍向秀注。本二十卷，今闕。案此當有敓誤。

《史記·老莊列傳》：莊子者，蒙人也，名周。周嘗爲蒙漆園吏，與梁惠王、齊宣王同時。其學無所不闚，然其要本歸于老子之言。故其著書十餘萬言，大抵率寓言也。作《漁父》、《盜跖》、《胠篋》，以詆訿孔子之徒，以明老子之術。《畏累虛》、《亢桑子》之屬，皆空語無事實。然善屬書離辭，指事類情，用剽剝儒、墨，雖當世宿學不能自解免也。其言洸洋自恣以適己，故自王公大人不能器之。楚威王聞莊周賢，使使厚幣迎之，許以爲相。莊周謂楚使者曰："千金，重利；卿相，尊位也。子獨不見郊祭之犧牛乎？養食之數歲，衣以文繡，以入太廟。當是之時，雖欲爲孤豚，豈可得乎？子亟去，無汙我。我寧游戲汙瀆之中自快，無爲有國者所羈，終身不仕，以快吾志焉。"

劉向《別録》曰："莊子，宋之蒙人也。"又曰："又作人姓名，使相與語，是寄辭于其人，故《莊子》有《寓言》篇。"末二句似司馬貞《索隱》之詞，觀上文可知也。

《漢書·人表》第六等曰嚴周，梁玉繩考曰："嚴周字子休，楚莊王之後，亦曰莊叟，亦曰莊生，墓在濠州東二里。唐天寶元年號爲南華真人，宋宣和元年詔封微妙元通真君，配享混元皇帝。元至元三年加封南華至極雄文弘道真君。"

又《藝文志》:《莊子》五十二篇。名周,宋人。

陸氏《釋文》曰:"莊子者,姓莊,名周,太史公云字子休。梁國蒙縣人也,六國時爲梁漆園吏,與魏惠王、齊宣王、楚威王同時。李頤云:"与齐愍王同時。"齊楚嘗聘以爲相,不應。時人皆尚游説,莊生獨高尚其事,優遊自得,依老氏之旨,著書十餘萬言,以逍遥、自然、無爲、齊物而已,大抵皆寓言,歸之于理,不可案文責也。"

《晉書·向秀傳》:秀字子期,河内懷人也。清悟有遠識,少爲山濤所知,雅好老莊之學。莊周著内外數十篇,歷世方士雖有觀者,莫適其旨統也。秀乃爲之隱解,發明奇趣,振起玄風,讀之者超然心悟,莫不自足一時也。始,秀欲注。嵇康曰:"此書詎復須注,正是妨人作樂耳。"及成,示康曰:"殊復勝否?"康善鍛,秀爲之佐,相對欣然,傍若無人。又共呂安灌園于山陽。康既被誅,秀應本郡計入洛。後爲散騎侍郎,轉黃門侍郎、散騎常侍,在朝不任職,容迹而已。卒于位。

《世説·文學篇》注:《秀别傳》曰:"秀與嵇康、呂安爲友。後,秀將注《莊子》,先以告康、安,康、安咸曰:'此書詎復須注?徒棄人作樂事耳!'及成,以示二子。康曰:'爾故復勝不?'安乃驚曰:'莊周不死矣!'後注《周易》,大義可觀,而與漢世諸儒互有彼此,未若隱莊之絶倫也。"秀本傳或言秀遊託數賢,蕭屑卒歲,都無注述。唯好《莊子》,聊應崔譔所注,以備遺忘云。

《釋文·敍録》曰:"《莊子》言多詭誕,或似《山海經》,或類占夢書,故注者以意去取。其《内篇》衆家並同,自餘或有《外》而無《雜》。向秀注二十卷,二十六篇。一作二十七篇,一作二八篇,亦無《雜篇》。"

《唐書·經籍志》:《莊子》二十卷,向秀注。

《唐書·藝文志》：向秀注《莊子》二十卷。

梁有《莊子》十卷，東晉議郎崔譔注，亡。

《釋文·敍錄》：《莊子》崔譔《注》十卷二十七篇。清河人，晉議郎。《內篇》七，《外篇》二十。

《唐書·經籍志》：《莊子》十卷，崔譔注。

《唐書·藝文志》：崔譔注《莊子》十卷。

案《世說·文學篇》注引向秀本傳云："聊應崔譔所注，以備遺忘。"是崔《注》在向《注》之前，故《釋文·敍錄》及《唐·經籍志》並以崔氏爲注《莊》第一家。《唐·藝文》列向秀之後，失之。

莊子十六卷　司馬彪注。本二十一卷，今闕。

司馬彪有《續漢書》，詳見史部正史篇。

《晉書》本傳：泰始中，爲祕書郎，轉丞。注《莊子》，作《九州春秋》。

《釋文·敍錄》：《漢書·藝文志》《莊子》五十二篇，即司馬彪所注是也。又曰："司馬彪注二十一卷五十二篇。《內篇》七，《外篇》二十八，《雜篇》十四，《解說》三。"

《唐日本國見在書目》：《莊子》二十一卷，梁漆園吏莊周撰，後漢司馬彪注。

《唐書·經籍志》：《莊子》二十一卷，司馬彪注。

《唐書·藝文志》：司馬彪注《莊子》二十一卷。

《孫氏書目》：司馬彪注《莊子》一卷，孫馮翼集本。

高郵茆泮林輯本序曰："司馬彪《莊子》見《晉書》本傳及《隋》、《唐志》。泮林幼讀郭象注本，繼復思得司馬注，讀之繙閱之餘，遇一字一句往往見寶，輯之寖久，遂錄之成帙。後知已爲孫君鳳卿《問經堂叢書》所載。及見其書，至《天員篇》，詘然中止。細案之似爲未完、未定之書，其中未及細審者正復不

少,疏略可議。茲更輯增得十之二三,其略加更訂,處視孫
本,差爲完善。"

莊子三十卷　目一卷　晉太傅主簿郭象注。梁《七録》三十三卷。

郭象有《論語體要》,詳見經部。

《晉書》本傳:先是注《莊子》者數十家,莫能究其旨統。向秀
于舊注外而爲解義,妙演奇致,大暢玄風,唯《秋水》、《至樂》
二篇未竟而秀卒。秀子幼,其義零落,然頗有別本遷流。象
爲人行薄,以秀義不傳于世,遂竊以爲己注,乃自注《秋水》、
《至樂》二篇,又易《馬蹄》一篇,其餘衆篇或點定文句而已。
其後秀義別本出,故今有向、郭二《莊》,其義一也。《世説·文學
篇》同。

又《向秀傳》:莊周著内外數十篇,歷世莫適論其旨統,秀乃爲
之隱解。惠帝之世,郭象又述而廣之,儒墨之迹見鄙,道家之
言遂盛焉。

《世説·文學篇》注:《文士傳》曰:"象少有才理,慕道好學,
託志老莊,時人咸以爲王弼之亞。"又曰:"象作《莊子注》,最
有清辭遒旨。"

《釋文·敍録》曰:"然莊生宏才命世,辭趣華深,正言若反,故
莫能暢其弘致。後人增足,漸失其真,故郭子玄云:'一曲之
才,安竄奇説,若《閼弈》、《意修》之首,《危言》、《游鳧》、《子
胥》之篇,凡諸巧雜,十分有三。'《漢書·藝文志》'《莊子》五
十二篇',即司馬彪、孟氏所注是也。言多詭誕,或似《山海
經》,或類占夢書,故注者以意去取。其《内篇》衆家並同,自
餘或有《外》而無《雜》。唯子玄所注特會莊生之旨,故爲世所
貴。"又曰:"郭象《注》三十三卷三十三篇。《内篇》七,《外篇》
十五,《雜篇》十一。"

《唐書·經籍志》：《莊子》十卷，郭象注。

《唐書·藝文志》：郭象注《莊子》十卷。

《四庫提要》曰："《莊子注》十卷。晉郭象撰。考《世説注》引《逍遥游》向、郭義各一條，今本無之。《讓王篇》惟注三條，《漁父篇》惟注一條，《盜跖篇》惟注三十八字，《説劍篇》惟注七字，似不應簡略至此，疑有所脱佚。又《列子》'生物者不生，化物者不化'二句，張湛注曰：《莊子》亦有此文。併引向秀注一條，而今本《莊子》皆無之。是併正文亦有所遺漏。蓋其亡已久，今不可復考矣。"

又《簡明目録》曰："《世説新語》稱象攘竊向秀《注》，後向《注》復出，遂兩本並行。今乃向佚而郭存，以陸德明《莊子釋文》所引向《注》互校，攘竊之跡灼然可見。然象亦有所補綴改定，不可目爲秀書，故今仍題象名焉。"

集注莊子六卷。梁有《莊子》三十卷，晉丞相參軍李頤注，亡。

《釋文·敍録》："李頤《集解》三十卷三十篇。字景真，潁川襄城人，晉丞相參軍，自號玄道子。一作三十五篇。爲《音》一卷。"

《唐書·經籍志》：《莊子集解》二十卷，李頤集解。

《唐書·藝文志》：李頤《莊子集解》二十卷。

案此著録六卷即李氏《集解》之殘本，唐時復出二十卷，亦非其全。

梁有《莊子》十八卷，孟氏注，録一卷，亡。

孟氏不知何人。

《釋文·敍録》："《漢書·藝文志》《莊子》五十二篇，即司馬彪、孟氏所注是也。"又曰："孟氏《注》十八卷五十二篇，不詳何人。"

案司馬彪注本二十一卷，有《音》三卷在内也，此無《音》，故止于十八卷。孟氏似即注《老子》之大孟,或云即孟康。

莊子音一卷　李軌撰

李軌有《周易音》,詳經部易類。

《釋文·敍録》:李軌《音》一卷。汪氏《選注目録》有《莊子七賢音義》,此下所載是也。唐初有合爲一編者。

莊子音三卷　徐邈撰

莊子集音三卷　徐邈撰

徐邈有《易音》,詳經部易類。

《釋文·敍録》:"徐仙民、李弘範作《音》皆依郭本。"又曰:"徐邈《音》三卷。"

莊子注音一卷　司馬彪等撰

司馬彪見前。

《釋文·敍録》曰:"司馬彪爲《音》三卷。"

《唐書·藝文志》:司馬彪又《注音》一卷。

高郵茆泮林輯司馬彪《莊子注》序曰:"又以《隋》、《唐志》皆有司馬《莊子音》一卷,今亦輯存數條。"

莊子音三卷　郭象注

郭象見前。

《釋文·敍録》:郭象爲《音》三卷。

梁有向秀《莊子音》一卷,亡。

向秀見前。

《釋文·敍録》:向秀爲《音》三卷。

案向秀、郭象、司馬彪三家之《音》,據《釋文·敍録》當時皆附本注之後者,亦或爲後人所撰,莫得而詳矣。

莊子外篇雜音一卷

莊子內篇音義一卷

並不著撰人。

案《釋文·敍錄》,爲《莊子音》者又有李頤一家,疑此是也。

莊子講疏十卷　梁簡文帝撰。本二十卷,今闕。

梁簡文帝有《老子私記》,見前。

《梁書》本紀:所著《老子義》二十卷,《莊子義》二十卷,並行于世。案《南史》本紀不載《老》、《莊義》,或已在《長春殿義記》百卷中,故李延壽刪除之。《長春義記》見經部論語後五經總義類中。

《陳書·徐陵傳》:陵十二,通《莊》、《老》義。爲通直散騎侍郎。梁簡文在東宮撰《長春殿義記》,使陵爲序。又令于少傅府述所製《莊子義》。

《唐書·經籍志》:《莊子講疏》三十卷,梁簡文撰。

《唐書·藝文志》:梁簡文帝《莊子講疏》三十卷。

莊子講疏二卷　張機撰。亡。"機"當爲"譏",又"撰"下當有佚文。

張譏有《周易講疏》,見經部易家。

《陳書·儒林傳》:譏幼聰俊,有思理,年十四,通《孝經》、《論語》。篤好玄言,爲士林館學士。及侯景寇逆,于圍城之中,猶侍哀太子武德後殿講《老》、《莊》。陳後主在東宮,令于溫文殿講《莊》、《老》,高宗幸宮臨聽。所撰《老子義》十一卷,《莊子內篇義》十二卷,《外篇義》二十卷,《雜縣義》十卷。

莊子講疏八卷

不著撰人。

案《舊》、《新唐志》有《莊子疏》七卷,亦無撰人。似即此書。

莊子文句義二十八卷。本三十卷,今闕。

不著撰人。

案《舊》、《新唐志》有陸德明《莊子文句義》二十卷,似即此書。陸德明有《周易并注音》七卷,見經部。亦有《周易文句義疏》若干卷,見《唐志》。書名與此相同,故以爲近似其書。

又以上著録見存《義疏》四家,皆兼疏《内》、《外》、《雜》三篇者,而是書在其末,此又近似陸氏之可見者。其後又著録專疏《内篇》及論并論音,爲《莊子》一類之終竟,所附亡書次見存之後,其章法如是。

梁有《莊子義疏》十卷,又《莊子義疏》三卷,宋處士李叔之撰,亡。"李"當爲"王"。

《釋文·敍録》:王叔之《義疏》三卷。字穆,缺一字。琅邪人,宋處士。亦作注。

《唐書·經籍志》:《莊子疏》十卷,王穆撰。《莊子音》一卷,王穆撰。

《唐書·藝文志》:王穆《莊子疏》十卷,又《音》一卷。

《册府元龜·學校部》注釋類:王叔之,字穆夜,撰《莊子義疏》三卷。

嚴氏《全宋文編》曰:"王叔之,字穆仲,琅邪人,晉、宋間處士,有《莊子義疏》三卷。"

案本志别集類有宋《王敍之集》七卷,即其人也。"敍之"爲"叔之"之誤,其字或作"穆",又作"穆夜",又作"穆仲"。其書據《釋文》、《唐志》,則有注、有疏、有音,此兩書引《七録》皆曰《義疏》,必有誤。

莊子内篇講疏八卷　周弘正撰

周弘正有《周易義疏》,見經部易家。

《陳書》本傳:"弘正十歲,通《老子》、《周易》。"又曰:"弘正特善玄言,兼明釋典,雖碩學名僧,莫不請質疑滯。所著《老子疏》五卷,《莊子疏》八卷,行于世。"又《南史·周朗附傳》云:"弘正善清談,梁末爲玄宗之冠。"

莊子義疏八卷　戴詵撰

戴詵有《老子義疏》,見前。

南華論二十五卷　梁曠撰。本三十卷。

梁曠有《老子道德經品》,見前。

《唐書·經籍志》:《南華仙人莊子論》三十卷,梁曠撰。

《唐書·藝文志》神仙家:梁曠《南華仙人莊子論》三十卷。

案此似集魏晉以來論《莊子》,如阮籍《達莊論》、李充《釋莊論》、王坦之《廢莊論》之類,以爲一書,其前《道德經品》四卷,亦此之流。

南華論音三卷

不著撰人。

莊成子十二卷

莊成子不知何人。

梁有《蹇子》一卷,今亡。

蹇子不知何人。

玄言新記明莊部二卷　梁澡撰

梁澡,始末未詳。

案此殆亦如梁曠《南華論》之流。以上《莊子》之類。

守白論一卷

不著撰人。

《公孫龍子》曰:"公孫龍,六國時辨士也。疾名實之散亂,因資材之所長,爲'守白'之論。假物取譬,以'守白'辨,謂白馬爲非馬。欲推是辨,以正名實,而化天下焉。"又曰:"公孫龍,趙平原君之客也。"案篇首至"化天下焉"一段,似劉向《別錄》語,非《公孫龍》本文。

《莊子·天下篇》曰:"桓團、公孫龍,辨者之徒,飾人之心,易人之口。能勝人之口,不能服人之心。辨者之囿也。"唐成玄英疏曰:"姓桓名團,姓公孫名龍,並趙人,皆辨士也,客游平原君之家。而公孫龍著《守白論》,見行于世。"《通鑑輯覽》注:守白即堅白，堅執其説而守之也。

《列子·仲尼篇》：樂正子輿曰：“公孫龍之爲人也，行無師，學無友，佞給而不中，漫衍而無家，好怪而妄言。欲惑人之心，屈人之口，與韓檀等肄之。”張湛曰：“韓檀，人姓名。共習其業。《莊子》云：‘桓國、公孫龍能勝人之口，不能服人之心，辯者之固。’”案“桓國”當爲“桓團”，亦即“韓檀”也。“辨者之固”，成玄英疏本“固”作“囿”。

《史記·孟荀列傳》：“趙亦有公孫龍，爲堅白同異之辯。”《集解》曰：“駰案《晉太康地記》云：‘汝南西平縣有龍淵水，可用淬刀劍，特堅利，故有堅白之論，云：黄，所以爲堅也；白，所以爲利也。或辨之曰：白，所以爲不堅；黄，所以爲不利。’”案《堅白論》在今本第五篇。

又《平原君列傳》：“平原君厚待公孫龍。公孫龍善爲堅白之辯，及鄒衍過趙，言至道，乃絀公孫龍。”《集解》：劉向《別録》曰：“齊使鄒衍過趙，平原君見公孫龍及其徒綦母子之屬，論‘白馬非馬’之辨，以問鄒子。鄒子曰：‘不可。彼天下之辨有五勝三至，而辭正爲下。辨者，別殊類使不相害，序異端使不相亂，抒意通指，明其所謂，使人與知焉，不務相迷也。故勝者不失其所守，不勝者得其所求。若是，故辨可爲也。及至煩文以相假，飾辭以相惇，巧譬以相移，引人聲使不得及其意。如此，害大道。夫繳紛爭言而競後息，不能無害君子。’坐皆稱善。”

《漢書·藝文志》名家：“《公孫龍子》十四篇。趙人。”師古曰：“即爲堅白之辯者。”

《文心雕龍·諸子篇》：公孫之白馬、孤犢，辭巧理拙，魏牟比之鴞鳥，非妄貶也。

《唐書·經籍志》名家：《公孫龍子》三卷，公孫龍撰。

《唐書・藝文志》名家：《公孫龍子》三卷。陳嗣古注《公孫龍子》一卷。賈大隱注《公孫龍子》一卷。

《宋史・藝文志》名家：《公孫龍子》一卷。趙人。

宋趙希弁《讀書附志》：《公孫龍子》三卷。《唐・藝文志》列于名家，陳嗣古、賈大隱皆嘗爲之注，今不辨矣。《孔叢子》第四卷有《公孫龍子》一卷。

陳氏《書錄解題》名家：《公孫龍子》三卷。趙人。公孫龍爲白馬非馬、堅白之辨者也。其爲説淺陋迂僻，不知何以惑當時之聽。《漢志》十四篇，今書六篇，首敍孔穿事，文意重複。

王氏《漢書藝文志考證》曰：“《列子釋文》：龍字子秉。莊子謂惠子曰：‘儒、墨、楊、秉，與夫子爲五，果孰是邪？’楊，楊朱也。秉，公孫龍也。《淮南鴻烈》曰：‘公孫龍粲于辭而貿名。’楊子曰：‘公孫龍詭辭數萬。’東萊吕氏曰：‘告子彼長而我長之，彼白而我白之。斯言也，蓋堅白同異之祖。《孟子》累章辨析，歷舉玉、雪、羽、馬、人五白之説，借其矛而伐之。’”

《四庫》雜家提要曰：“龍，載國時人。司馬貞《史記索隱》謂龍即仲尼子者，非也。其書《漢志》著録十四篇，至宋時亡八篇，今僅存《跡府》、《白馬》、《指物》、《通變》、《堅白》、《名實》凡六篇。其首章與孔穿辨論事，《孔叢子》亦有之。其書大旨疾名器乖實，乃假指物以混是非，借白馬而齊物我，冀時君有悟而正名實，故諸史皆列于名家。蓋其持論雄贍，實足以聳動天下，故當時莊、列、荀卿並著其言，爲學術之一。特品目稱謂之間，紛然不可數計，龍必欲一一核其真，而理究不足以相勝，故言愈辨而名實愈不可正。然其書出自先秦，義雖恢誕，而文頗博辯。陳振孫概以淺陋迂僻譏之，則又過矣。舊有陳嗣古、賈士隱注各一卷，今俱失傳。此本之注，乃宋謝希深所撰，文義淺近，殊無可取。”

案是書改題《守白論》,列之道家,諸史未有之例也。

任子道論十卷　魏河東太守任嘏撰

《後漢書·鄭玄傳》:"其門人山陽郗慮、東萊王基、清河崔琰
著名于世。又樂安國淵、任嘏,時並童幼,玄稱淵爲國器,嘏
有道德,其餘亦多所鑒拔,皆如其言。"注:"嘏字昭光,魏黃門
侍郎也。"案"昭光"當爲"昭先"。

《魏志·王昶傳》注:《任嘏別傳》曰:"嘏,字昭先,樂安博昌
人。世爲著姓,夙智早成。太祖創業,召海内至德,嘏應其
舉,爲臨菑侯庶子、相國東曹屬、尚書郎。文帝時,爲黃門侍
郎。累遷東郡、趙郡、河東太守,所在化行,有遺風餘教。嘏
爲人淳粹愷悌,虛己若不足,恭敬如有畏。其修身履義,皆沈
默潛行,不顯其美,故時人少得稱之。著書三十八篇,凡四萬
餘言。嘏卒後,故吏東郡程威、趙國劉固、河東上官崇等,錄
其事行及所著書奏之。詔下祕書,以貫群言。"

《唐書·經籍志》:《任子道論》十卷,任嘏撰。

《唐書·藝文志》:神仙家《任子道論》十卷,任嘏。案此"任嘏"二
字本注文,傳寫誤作大字。《通志略》道家遂誤連下文云《任嘏顧道士論》三卷。殊爲
眩惑,今附訂于此。

番禺侯康《補三國藝文志》曰:"《王昶傳》注稱其著書三十八
篇,凡四萬餘言,當即此書也。《初學記》卷十七引任嘏《道
德論》。"

歷城馬國翰輯本序曰:"馬總《意林》載《任子》十卷。注云名
奕。考諸史志,無任奕著書之目,'奕'蓋'嘏'之譌。《意林》
載十七節,又從《北堂書鈔》、《初學記》、《太平御覽》輯得九
節,參互考訂,並附別傳爲卷。《初學記》引作'任嘏《道德
論》',他皆引作《任子》,茲依《隋》、《唐志》題'任子《道論》'。
既訂名奕之譌,因改題魏任嘏焉。"

案高似孫《子略》抄《意林目録》云："《任子》十卷。題其名曰'任弁'，則又因'奕'而譌爲'弁'也。"嚴氏《三國文編》輯存任嘏《道論》十一條，不取《意林》，則以《意林》稱任奕以爲别是一人。今考嚴輯十一條中同《意林》者三條，是"任奕"實爲"任嘏"之誤。馬氏考訂可信。

梁有《渾輿經》一卷，魏安成令桓威撰，亡。

《魏志·王粲附傳》：景初中，下邳桓威出自孤微，年十八而著《渾輿經》，依道以見意。從齊國門下書佐、司徒署史，後爲安成令。

《唐書·經籍志》：《渾輿經》一卷，姬威撰。<small>岑氏本從《新志》改爲姬威。</small>

《唐書·藝文志》："神仙家姬威《渾輿經》一卷。"<small>案宋本《隋志》因避諱書作"桓"，傳寫或譌作"栢"，《舊唐志》又譌爲"姬"，《新志》又因"姬"而譌爲"姬"。</small>

唐子十卷　吳唐滂撰

《唐書·世系·唐氏表》："漢尚書令林，王莽封建德侯。林六世孫翔，爲丹陽太守，因家焉。二子：固、滂。固，吳尚書僕射。"<small>案此滂爲固之弟，固有《國語注》，見經部春秋家。</small>

唐馬總《意林》曰："《唐子》十卷。名滂，字惠潤，生吳太元二年。"

《唐書·經籍志》：《唐子》十卷，唐滂撰。<small>《藝文志》同。</small>

馬氏玉函山房輯本序曰："滂字惠潤，生吳太元二年，見《意林》注。據本書言'大晉應期，一舉席卷'云云，則撰述之成，定在吳亡入晉之後也。《意林》載十九節，又從《北堂書鈔》、《藝文類聚》、《文選注》、《太平御覽》諸書采輯，除已見《意林》者，得佚説八節，合訂一卷。其書論政談兵，不盡述道家之言。"<small>案此言《意林》載十九節，據福州重刊聚珍本也。其本第五卷第十二葉所載</small>

《傅子》十二條,据昭文張氏本,皆是《唐子》之文,馬氏此輯遺之。

侯氏《補三國藝文志》曰:"《意林》引《唐子》有'大晉應期,一舉席卷'之語,則滂已入晉。又稱滂生于太元二年,下距吳亡時年僅三十,其入晉宜也。而《隋志》仍系之吳,豈其入晉不仕猶當爲吳人耶?"

案唐滂始末不概見,據《世系》則爲固之弟。固見《吳志·闞澤傳》,云黃武四年卒。注引《吳録》云時年七十餘。則其兄卒于是年審矣。卒後至太元二年,凡二十七年,滂乃生。兄弟年紀相去幾及百歲,殊非事理。《意林》稱生吳太元二年者,疑"生"爲"成"字之音誤,謂其書成于是年歟?今本《意林》、《傅子》、《物理論》中論三家文皆屬越,嚴氏校録已言之。而《傅子》與《唐子》又有錯簡,其稱"大晉應期"云云,或是《傅子》,非《唐子》本文。

梁有《蘇子》七卷,晉北中郎參軍蘇彦撰,亡。

蘇彦,始末未詳。

高似孫《子略》、馬總《意林目録》曰:"《蘇子》八卷,自云魏人。"

宋刻全本《意林》曰:"《蘇子》十八卷。名淳,衛人也。"

《唐書·經籍志》:《蘇子》七卷,蘇彦撰。《藝文志》同。

嚴氏《全晉文編》曰:"蘇彦,孝武時爲北中郎參軍。《隋志》道家:梁有《蘇子》七卷,晉北中郎參軍蘇彦撰,亡。《舊》、《新唐志》皆七卷,宋不著録。蓋唐末復亡。群書引見尚多,繹其詞,譽商、韓而詆孟子,亦各言其志也。然而誤矣。《漢志》從橫家,別有《蘇子》三十一篇,蘇秦撰,王伯厚謂即鬼谷子,未審信否。近有爲《鬼谷子篇目考》者,采《御覽》等書,所引《蘇子》三條,指爲蘇秦,則尤誤。"又《四録堂類集總目》云:"《蘇子》一卷,可均輯。"

案嚴氏輯存十二條,馬氏《玉函山房》亦輯一卷凡十三條。

宋刻全本《意林》第六卷引《蘇子》二條，其一條嚴、馬二家輯本皆遺之。

梁有《宣子》二卷，晉宜城令宣聘撰，亡。"宣聘"當爲"宣舒"。

陸氏《經典釋文·叙錄》：宣舒，字幼驥，陳郡人，晉宜城令，爲《通知來藏往論》。見易家張璠集解二十二家中。

《唐書·經籍志》：《宣子》二卷，宣聘撰。《藝文志》同。

案《舊》、《新唐志》經部易類有宣聘《通易象論》一卷，即所《通知來藏往論》也。又本志別集類注云："梁有《宣舒集》五卷，《舊唐志》作《宣聘集》，《新志》作《宣騁集》，一宣舒也。"隋、唐三《志》或以爲宣騁，或以爲宣聘。据《釋文·叙錄》，則爲宜城令者實宣舒，非聘，亦非騁也。其所以致誤之由，則以其字"幼驥"轉寫脱"幼"字，又誤以"驥"爲"騁"，以"騁"爲"聘"耳。《舊唐志》易家又有誤作"宣馳"者。

又案魏晉六朝人以《周易》、《老》、《莊》爲三玄，談玄義者馳騁其説，宣舒所作《通易論》或亦編入是書中。

梁有《陸子》十卷，陸雲撰，亡。

《晉書·陸機傳》：機字士衡，吳郡人也。太康末，與弟雲俱入洛。雲字士龍，少與兄機齊名，號曰二陸。刺史周浚召爲從事，以公府椽爲太子舍人，出補浚儀令。拜吳王晏郎中令。入爲尚書郎、侍御史、太子中舍人、中書侍郎。成都王穎表爲清河內史。機之敗也，穎并殺雲。時年四十二。所著文章若干篇，又撰《新書》十篇，並行于世。初，雲嘗夜行迷路，至一家，便寄宿，見一少年，美風姿，共談《老子》，辭致深遠。後知此數十里中無人居，卻尋昨宿處，乃王弼冢。雲本無玄學，自此談《老》殊進。

《世説·賞譽篇》注：《陸雲別傳》曰："雲，大司馬抗之第五子，機母弟也。儒雅有俊才，口敏能談，博聞彊記，善著述。

後爲成都王穎所害。"

唐馬總《意林》：《抱朴子》曰："《陸子》十篇，誠爲快書。其辭之富者，雖覃思不可損也；其理之約者，雖鴻筆不可益也。"

《唐書·經籍志》：《陸子》十卷，陸雲撰。《藝文志》同。

馬氏玉函山房輯本序曰："《晉書》本傳稱，又撰《新書》十篇行于世。《隋》、《唐志》道家皆載《陸子》十卷，即《新書》也，今佚。《初學記》、《太平御覽》引二節，《魏志》注引陸氏《異林》一節，記鍾繇事，云叔父清河太守説。如此，清河，陸雲也。陸氏蓋雲之猶子。考《陸機傳》，二子蔚、夏，或其所作。稱清河説，定爲《新書》中語。又本傳紀雲作《新書》，下引路行遇王弼事，云'雲本無玄學，自此談《老》殊進'。此作書之繇，且文筆與《異林》所引同，亦《陸子》佚文也，並采録之。"

案宋版全本《意林》第六卷引《陸子》文一條，馬氏遺之。

杜氏幽求新書二十卷　杜夷撰

《晉書·儒林傳》：杜夷字行齊，廬江灊人也。世以儒學稱，爲郡著姓。博覽經籍百家之書，算曆圖緯靡不畢究。閉門教授，生徒千人。惠、懷時，累辭徵辟。尋以胡寇渡江，元帝爲丞相，以爲儒林祭酒，又除國子祭酒。皇太子三至夷第，執經問義。夷雖逼時命，未嘗朝謁，國有大政，恒就夷諮訪焉。明帝太寧元年卒，年六十六。贈大鴻臚，諡曰貞子。著《幽求子》二十篇行于世。

《文心雕龍·諸子篇》：若夫陸賈《典語》，賈誼《新書》，揚雄《法言》，劉向《説苑》，王符《潛夫》，崔寔《政論》，仲長《昌言》，杜夷《幽求》，咸敍經典，或明政術，雖標論名，歸乎諸子。何者？博明萬事爲子，適辨一理爲論，彼皆蔓延雜説，故入諸子之流。

《唐日本國見在書目》：《幽求子》廿卷，杜夷撰。

《唐書·經籍志》：《幽求子》三十卷，杜夷撰。

《唐書·藝文志》神仙家：杜夷《幽求子》三十卷。

馬國翰輯本序曰：“杜夷，《晉書》有傳。何法盛《晉書》稱其秉操真素，故以‘幽求子’自號。其書《隋志》道家有《杜氏幽求新書》二十卷，《唐志》作《幽求子》三十卷。原書久佚。《北堂書鈔》、《文選注》、《御覽》引之。又《三國志·魏杜畿傳》注引《杜氏新書》七條，皆紀畿及子恕與恕言行，當是夷稱述其先德之美。引者不稱‘幽求’，省文也。又《御覽》引杜子《新語》一則，《新語》蓋《新書》之誤。並據輯錄。其說道清淡，以無爲爲家，宗尚老氏書，入道家，以此。”

案《杜畿傳》注所引《杜氏新書》，乃京兆杜陵之杜氏，嚴氏可均以爲即《篤論》之末篇。詳見雜家。此廬江灊縣之杜氏。《唐·世系》及《元和姓纂》、《古今姓氏書辨證》皆不載，似與京兆杜氏別爲一族，未必即彼之《杜氏新書》也。

又案高似孫《子略》載《意林》篇目，無《幽求子》、干寶《干子》、華譚《新論》、孫綽《孫子》，凡四家。宋刻全本《意林》第六卷皆有之，而引《幽求子》文凡五條，前四條馬氏未及采焉。又《御覽·人事部·幼智篇》引《杜祭酒別傳》，即夷也。

抱朴内篇二十一卷　音一卷　葛洪撰

葛洪有《喪服變除》，見經部禮類。

《抱朴子·外篇》自序曰：“洪年二十餘，乃計作細碎小文，妨棄功日，未若立一家之言，乃草創子書。會遇兵亂，流離播越，有所亡失，連在道路，不復投筆十餘年，至建武中乃定。凡著内篇二十卷。”又曰：“其内篇言神僊方藥、鬼怪變化、養生延年、禳邪卻禍之事，屬道家。”

《晉書》本傳：洪究覽典籍，尤好神僊導養之法。其自序曰：

"洪考覽奇書,既不少矣,率多隱語,難可卒解,自非至精不能
究,自非篤勤不能悉見也。道士弘博洽聞者寡,而意斷妄説
者衆。至于時有好事,欲有所修爲,倉卒不知所從,而意之所
疑又無足諮。今爲此書,粗舉長生之理。其至妙者不得宣之
于翰墨,蓋粗言較略以示一隅。世儒莫信神仙之書,不但大
而笑之,又將謗毀真正。故予所著子言黃白之事,名曰《内
篇》。自號抱朴子,因以名書。"

《唐書·經籍志》:《抱朴子内篇》二十卷,葛洪撰。

《唐書·藝文志》:《抱朴子内篇》十卷,葛洪。案明修宋板亦作二十
卷,知行本敚"二"字。

《宋史·藝文志》雜家:葛洪《抱朴子内篇》二十卷。

晁氏《讀書志》:洪,元帝時累召不就,止羅浮山,鍊丹著書,推
明飛昇之道,導養之理,黃白之事,二十卷,名曰《内篇》。

陳氏《書録解題》曰:"洪所著書《内篇》,言神仙黃白變化之
事,此二十卷者,《内篇》也。"

明宋濂《諸子辯》曰:"《抱朴子内篇》二十卷,言神仙黃白變化
之事。洪深溺方技家言,謂神仙決可學,學之無難,合丹砂黃
金爲藥而服之,即令人壽,與天地相畢,乘雲駕龍,上下太清。
其他雜引黃帝御女及《三皇内文》劾召鬼神之事,皆誕妄不可
訓。昔漢魏伯陽約《周易》作《參同契》上中下篇,其言修煉之
術甚具,洪乃時與之戾,不識何也? 洪博聞深洽,江左絶倫,
爲文辭雖不近古,紆徐蔚茂,旁引而曲證,必達己意乃已。要
之洪亦奇士,使舍是而學六藝,夫孰禦之哉? 惜也!"

《四庫提要》曰:"《隋志》載《内篇》二十一卷,《音》一卷。《新
唐志》載《内篇》十卷,卷數互異。此本爲明烏程盧舜治以宋
本及王府《道藏》二本參校,視他本爲完整。所列篇數,與洪
自序卷數相符,知爲足本。其書《内篇》論神仙吐納、符籙剋

治之術，純爲道家之言。”謹案純爲神仙家言。

嚴氏《全晉文編》曰：“葛洪有《抱朴子內篇》二十一卷，今見存二十卷，不錄，錄其佚文，凡五十二條。”

又《鐵橋漫稾·自編四錄堂類集總目》曰：“《抱朴子內篇校勘記》一卷，繼昌與可均同譔。《抱朴子內篇》佚文一卷，繼昌與可均同輯。”案繼昌，字蓮龕，其時官江寧布政使。

梁有《顧道士新書論經》三卷，晉方士顧谷撰，亡。

顧谷，始末未詳。

《唐書·經籍志》：《顧道士論》二卷，顧谷撰。《藝文志》神仙家著錄同，三卷。

常熟丁國鈞《補晉書藝文志》曰：“此書《玉燭寶典》曾載一條，餘書鮮有引者。《舊唐志》作《顧道士論》，凡二卷。”

孫子十二卷　　孫綽撰

孫綽有《集解論語》，見經部。

《世說·言語篇》注：孫綽《遂初賦序》曰：“余少慕老莊之道，仰其風流久矣。卻感於陵賢妻之言，悵然悟之。乃經始東山，建五畝之宅，帶長阜，倚茂林。孰與坐華幕、擊鍾鼓者同年而語其樂哉？”劉義慶曰：“孫綽賦《遂初》，築室畎川，自言見止足之分。”

《唐書·經籍志》：《孫子》十二卷，孫綽撰。《藝文志》同。

《宋史·藝文志》雜家：《孫綽子》十卷。《崇文總目》道家《孫子》十卷，孫綽撰。

陳氏《書錄》雜家：《孫子》十卷，題晉孫綽興公撰，恐依託。《唐志》及《中興書目》並無之，余從程文簡家借錄。案此謂《唐志》無之，非也。《唐志》在道家耳。

嚴氏《全晉文編目》曰：“孫綽有《孫子》十二卷，今見《書鈔》、《御覽》、《文選注》諸書所引凡二十三條。”

馬氏玉函山房輯本序曰："《隋》、《唐志》道家並有《孫子》十二卷,引或稱《孫綽子》,今佚。輯得二十餘節,書詮元旨,有飄飄欲仙之致。"

案高似孫《子略》載《意林》篇目遺漏《孫子》一家,宋刻《意林》第六卷有之。在虞喜《志林》後。引《孫子》文凡三條,嚴、馬輯本皆未采。

苻子二十卷　東晉員外郎苻朗撰

《晉書·孝武帝本紀》:太元九年冬十月,苻堅青州刺史苻朗帥衆來降。

又《苻堅載記》:苻朗字元達,堅之從兄子也。性宏達,神氣爽邁,幼懷遠操,不屑時榮。堅嘗目之曰:"吾家千里駒也。"徵拜鎮東將軍、青州刺史,封樂安男,不得已起而就官。有若素士,耽翫經籍,手不釋卷,每談虛語玄,不覺日之將夕。在任甚有稱績。後遣詣謝玄于彭城求降,玄表上,詔加員外散騎侍郎。既至揚州,風流邁于一時,超然自得,志淩萬物,所與晤言,不過一二人而已。後忤王忱、王國寶。數年,國寶譖而殺之。臨刑,志色自若,著《苻子》數十篇行于世,亦《老》、《莊》之流也。

《世説·排調篇》注:裴景仁《秦書》曰:"朗,苻堅從兄。堅爲慕容沖所圍,朗降謝玄,用爲員外散騎侍郎。著《苻子》數十篇,蓋《老》、《莊》之流也。朗矜高忤物,不容于世,後衆讒而殺之。"

宋刻全本《意林》第六卷:《苻子》二十卷。名朗。

《唐日本國見在書目》:《苻子》六卷,苻朗撰。

《唐書·經籍志》:《苻子》三十卷,苻朗撰。《藝文志》同。

嚴氏《全晉文編》輯本序曰:"道家祖黃老,蓋三皇五帝之道也。變而爲列禦寇、莊周,則楊朱之爲我也。又變而房中術,而金丹，而符籙，而齋醮，每降益下，而道家幾乎熄矣。于是乎秦漢以來，未有著書象《道德經》者，其象《列子》、《莊子》，僅有苻朗。苻朗者，秦苻堅之從兄子也。《隋》、《唐志》《苻子》三十卷，宋不著錄。《路史》徵引，皆取諸類書。余從類書寫出八十二事，省併重復，得五十事，定著一卷，備道家之一種。其言具有名理，本傳稱《老》、《莊》之流，非過許也。"又曰："有篇名者二，曰《方外》，曰《家策》。其《家策篇》稱抱朴子，非葛洪也，洪與朗不相值。"又《四録堂類集總目》曰："《苻子》一卷，可均輯。"

馬氏玉函山房輯本序曰："楊慎《丹鉛總録》以《苻子》與《秦子》並論，以爲不特世無其書，並罕知其姓名。王世貞駁之，謂其書《道藏》有之。今徧檢《道藏》全目，實無《苻子》。弇州大言欺人耳。茲輯得四十餘節，文筆頗似《抱朴子》。據本書，有朗棄千金之劍，把《苻子》而趨。抱朴子趨謂曰'何夫子棄大而存小'之語。似抱朴，朗之門人也。"案此竟有疑抱朴子爲苻子門人者，嚴氏已辯之矣。馬氏又云："書中多春秋遺事，足資考證。"是以寓言爲事實，猶未悟其書之旨歸矣。

梁有《賀子述言》十卷，宋太學博士賀道養撰。

賀道養有《春秋序注》，見經部春秋左氏學家。

《唐書·經籍志》：《賀子》十卷，賀道養撰。《藝文志》同。

梁有《少子》五卷，齊司徒左長史張融撰。

《南齊書》本傳：融字思光，吳郡吳人也。仕宋爲中書郎。入齊累遷黃門郎，太子中書子，司徒左長史。建武四年，病卒。年五十四。融玄義無師法，而神解過人，白黑談論，鮮能抗拒。

又《高逸·顧歡傳》：司徒從事中郎張融作《門律》云："道之與佛，逗極無二。吾見道士與道人戰儒墨，道人與道士辨是

非。昔有鴻飛天首，積遠難亮。越人以爲鳧，楚人以爲乙，人
自楚越，鴻常一耳。"以示太子僕周顒，顒難之。往復文多不
載。案此蓋即少子之緣起也。張、周難答往復今略，見《弘明集》中。

梁釋僧祐《弘明集·孔稚珪答竟陵王啓》曰："民于釋老，非敢
異同。昔嘗明一同之義，經以此訓張融，融乃著通源之論，
其名少子，少子所明，會同道佛。融之此悟，出于民家
云云。"

嚴氏《全齊文編》曰："張融字思光，一名少子，宋會稽太守暢
子也。《南齊書》本傳載融《門律自序》一篇，《弘明集》載張融
《以門律致書周顒等諸游生》一篇，又答周顒書，并問難凡
十條。"

馬氏玉函山房輯本序曰："《七錄》載《少子》五卷。《唐志》不
著目，佚已久。梁釋僧祐采入《弘明集》，《南齊·顧歡傳》亦
引其略稱《門律》。本傳載有《問律自序》。《問律》疑即《門
律》，並據輯錄其書。究明二氏大旨，謂百聖同投，本末無異。
周與顒往復論難，倒兵乃已。史稱融玄義神解過人，自序其
文，不阡不陌，非途非路，亦可謂善自寫照矣。"

案是書亦名《門律》，《門律》云者，其與周山茨及諸生書有
繩墨弟姪，故爲《門律》之語。又云復爲子弟留地，所以製
是《門律》，以律其門，非佛與道門將何律。孔稚圭答竟陵
王書亦云，民積世門業，依奉李老。又云，門業有本，不忍
頓棄。大抵釋家之稱門律、門業，猶儒家之稱家學及家世
傳業者歟？《宋志》神仙家有張融《三破論》一卷，列陶弘景
之前，疑即是書殘賸。竟陵王子良主持佛義甚力，張、孔皆爲其寮屬，故
有此和同之論。其實二人皆家世奉道者。

梁有《養生論》二卷，嵇康撰，亡。

嵇康有《春秋左氏傳音》，見經部。

《晉書》本傳：康好《老》、《莊》，常修養性服食之事。以爲神仙
稟之自然，非積學所得，至于導養得理，則安期、彭祖之倫可
及，乃著《養生論》。

又《向秀傳》：秀又與康論養生，辭難往復，蓋欲發康高致也。

嚴氏《全三國文編》曰：“嵇康有《集》十五卷，《養生論》見本
集、《文選》及《藝文類聚》七十五。又本集有《答向子期難養
生論》。”

梁有《攝生論》二卷，晉河内太守阮侃撰，亡。

《世說·賢媛篇》注：《陳留志》曰：“阮共字伯彦，尉氏人。清
真守道，動以禮讓。仕魏，至衛尉卿。少子侃，字德如，有俊
才，而飭以名理。風儀雅潤，與嵇康爲友。仕至河内太守。”

《宋書·符瑞志》：晉武帝太康二年六月丁卯，白雀二見河内南陽，太守阮侃獲以獻。

《釋文·敍録》詩家爲《詩音》者有阮侃，字德恕，陳留人，河内
太守。

梁有《無宗論》四卷，亡。

不著撰人。慧皎《高僧傳》云：“慧觀著《辯宗論》，論頓悟、漸悟義，行于世。”疑即
此書之緣起。慧觀有《老子義疏》，見前。

梁有《聖人無情論》六卷，亡。

不著撰人。

案《魏志·鍾會傳》注：《王弼別傳》曰：“何晏以爲聖人無
喜怒哀樂，其論甚精，鍾會等述之。弼與不同，以爲聖人茂
于人者神明也，同于人者五情也，神明茂故能體沖和以通
無，五情同故不能無哀樂以應物。然則聖人之情，應物而
無累于物者也。今以其無累，便謂不復應物，失之多矣。”
案《中庸章句》：“喜怒哀樂，情也。”“聖人無喜怒哀樂”論似
即此《聖人無情論》也。大抵始于何晏，而鍾會等述之，王
弼非之，其後尚論者又演益之爲六卷。

夷夏論一卷　顧歡撰。梁二卷。

顧歡有《老子義綱》、《老子義疏》，並見前。

《南齊書·高逸傳》："佛道二家，立教既異，學者互相非毀。歡著《夷夏論》，意黨道教。宋司徒袁粲託爲道人通公以駁之，歡答之。明僧紹又作《正二教論》，吴興道士孟景翼造《正一論》，司徒從事中郎張融作《門律》，太子僕周顒難之。歡口不辨，善于著筆。"又傳論曰："顧歡論夷夏，優老而劣釋。"_{案此}所載袁粲以下諸論似皆編入是書者。

《太平御覽·道部·道士篇》：《道學傳》曰："顧歡又作《夷夏辨》。或及三科，論明釋老異同。"

《唐書·經籍志》：《夷夏論》二卷，顧歡撰。

《唐書·藝文志》釋家：顧歡《夷夏論》二卷。

馬國翰輯本序曰："顧歡《夷夏論》，《隋志》著目一卷。云梁二卷，隋代已非完帙。《唐志》不著録。案此說非也。今佚，唯《齊書》及《南史》本傳載其略，茲據録之。"

梁又有《談藪》三卷，七。

不著撰人。

　案此似衆人談玄之言。

簡文談疏六卷　晉簡文帝撰

《晉書》本紀：簡文皇帝諱昱，字道萬，元帝之少子也。幼而岐嶷，爲元帝所愛。及長，清虚寡欲，尤善玄言。永昌元年，元帝封爲琅邪王。咸和元年，徙封會稽王、海西公。太和六年，桓溫圖廢立，以皇太后詔奉迎。咸安元年冬十一月己酉，即皇帝位，二年秋七月乙未崩，年五十三。廟號太宗。帝雖神識恬暢，而無濟世大略，故謝安稱爲惠帝之流，清談差勝耳。沙門支道林嘗言"會稽有遠體而無遠神"。謝靈運迹其行事，亦以爲赧、獻之輩云。

案晁載之《續談助》抄《殷芸小説》引簡文談疏一事。又《世説新語》諸篇述簡文語及稱撫軍、稱會稽王者特多，似皆本之是書。嚴氏《全梁文編》以《談疏》六卷爲梁簡文帝撰，蓋誤寫入也。

無名子一卷　張太衡撰

張太衡，始末未詳。

《唐書・經籍志》：《無名子》一卷，張太衡撰。

《唐書・藝文志》神仙家：張太衡《無名子》一卷。

玄子五卷

不著撰人。

案《北齊書》、《北史・李公緒傳》："公緒雅好著書，撰《玄子》五卷。"似即此書。李別有《趙記》，詳見史部地理類。

游玄桂林二十一卷　目一卷　張機撰"機"當爲"譏"。

張譏有《莊子講疏》，見前。

《陳書》本傳：譏篤好玄言，性恬静，常慕閑逸，所居宅營山池，植花果，講《周易》、《老》、《莊》而教授焉。吳郡陸元朗、朱孟博、一乘寺沙門法才、法雲寺沙門慧休、至真觀道士姚綏，皆傳其業。所撰《周易》、《尚書》、《毛詩》、《孝經》、《論語》、《老子》、《莊子義》、《玄部通義》各若干卷。又撰《游玄桂林》二十四卷，後主嘗敕人就其家寫入祕閣。

本志經部論語附五經總義類《遊玄桂林》九卷，張機撰。

《唐書・經籍志》七經雜解類：《游玄桂林》二十卷，張譏撰。

《唐書・藝文志》經解類：張譏《游玄桂林》二十卷。又神仙家張譏《玄書通義》十卷。

廣成子十三卷　商洛公撰　張太衡注。疑近人作。

商洛公、張太衡並未詳。

《唐書・經籍志》：《廣成子》十二卷，商洛公撰。

《唐書・藝文志》：《廣成子》十二卷，商洛公撰，張太衡注。

案晁氏《志》有東坡《廣成子解》一卷，取《莊子》中黄帝問道
于廣成子一章，爲之解。此則猶王士元《亢倉子》之補亡
也，大抵皆張太衡所僞託。廣成子見今本《列仙傳》，以爲
老子在黄帝時號廣成子，神仙家野言也。

右七十八部，合五百二十五卷。實在著録五十六部，附著亡書四十七部，通
計一百三部。

案《七録序目・子兵録第二》曰："道部凡六十九種七十六
帙四百三十一卷。"本志存佚，并計一百三部，所增益者三
十二部。

卷二十六

子部三
法家

管子十九卷　齊相管夷吾撰

《七略別録》：護左都水使者、光禄大夫臣向言：所校讎中《筦子書》三百八十九篇，太中大夫卜圭書二十七篇，臣富參書四十一篇，射聲校尉立書十一篇，太史書九十六篇，凡中外書五百六十四篇，以校除復重四百八十四篇，定著八十六篇，殺青而書，可繕寫也。筦子者，潁上人也。名夷吾，號仲父。少時嘗與鮑叔牙游，鮑叔知其賢。鮑叔事齊公子小白，管子事公子糾。及小白立爲桓公，子糾死，管仲囚，鮑叔薦管仲。管仲既任政于齊，齊桓公以霸。九合諸侯，一匡天下，管仲之謀也。鮑叔既進管仲，而己下之。子孫世禄于齊，有封邑者十餘世，常爲名大夫。管子既相，以區區之齊在海濱，通貨積財，富國彊兵，與俗同好醜。俗所欲，因予之；俗所否，因去之。其爲政也善，因禍爲福，轉敗爲功。貴輕重，慎權衡。管仲聘于周，不敢受上卿之命，以讓高、國。是時，諸侯爲管仲城穀，以爲之采邑。《春秋》書之，褒賢也。管仲富儗公室，有三歸反坫，齊人不以爲侈。管仲卒，齊國遵其政，常彊于諸侯。孔子曰："微管仲，吾其被髮左衽矣。"太史公曰："余讀管子《牧民》、《山高》、《乘馬》、《輕重》、《九府》，詳哉其言之也。"《九府》書民間無有，《山高》一名《形勢》。凡《管子書》，務富國安民,道約言要,可以曉合經義。臣向謹録第上。

《漢書·藝文志》道家:"《筦子》八十六篇。名夷吾,相齊桓公,九合諸侯,不以兵車也。有列傳。"又兵權謀家注曰:"省《管子》。"

又《刑法志》:齊桓公任用管仲,問行伯用師之道,管仲于是作内政而寓軍令焉。其教已成,外攘夷狄,内尊天子,以安諸夏。

又《食貨志》:"太公爲周立九府。太公退,又行之于齊。至管仲相桓公,通輕重之權。桓公遂用區區之齊合諸侯,顯伯名。"師古曰:"《周官》大府、玉府、内府、外府、泉府、天府、職内、職金、職幣皆掌財幣之官,故云九府。"《史記索隱》曰:"九府,蓋錢之府藏。其書論鑄錢之輕重,故云輕重九府。"

《唐書·經籍志》:《管子》十八卷,管夷吾撰。《日本書目》廿一卷。

《唐書·藝文志》:《管子》十九卷,管中。又尹知章注《管子》三十卷。

《宋史·藝文志》:《管子》二十四卷,齊管夷吾撰。又尹知章注《管子》十九卷。

《崇文總目》:《管子》十八卷,管夷吾撰。劉向校録《管子》十九卷,唐國子博士尹知章注。案吳兢《書目》凡三十卷,今存十九卷,自《列勢解篇》而下十一卷亡。

晁氏袁本《讀書志》:《管子》十八卷,管夷吾撰。書富國之要,述輕重九府,取人之制。劉向校八十一篇,今亡一篇。當是八十六篇,今亡十一篇。五十八篇有注解。案杜佑《指略序》云房玄齡所注,或云唐尹知章注,未詳。

又衢本《讀書志》:《管子》二十四卷。劉向所定,凡九十六篇,今亡十篇。當是八十六篇。世稱齊管仲撰。而其書載管仲將没,對桓公之語,疑後人續之。杜佑云唐房玄齡注。而注頗淺陋，恐非玄齡，或云尹知章也。

陳氏《書録解題》曰："《管子》二十四卷，唐房玄齡注。《漢志》八十六篇，列于道家。《唐志》著之法家之首。今篇數與《漢志》合，而卷視《隋》、《唐》爲多。管子似非法家，而世皆稱管、商，豈以其操術用心之同故耶？然以爲道則不類，今從《隋》、《唐志》。"

王應麟《漢書藝文志考證》：石林葉氏曰："其間頗多與《鬼谷子》相亂，管子自序其事，亦泛濫不切。疑皆戰國策士相附益。蘇氏《古史》謂多申韓之言，非管子之正。"

《四庫提要》曰："劉恕《通鑑外紀》引《傅子》曰：'管仲之書，過半便是後之好事者所加，乃説管仲死後事，《輕重篇》尤復鄙俗。'葉適《水心集》亦曰：'《管子》非一人之筆，亦非一時之書。以其言毛嬙、西施、吳王好劍推之，當時春秋末年。'今考其文，大抵後人附會多于仲之本書。其他姑無論，即仲卒于桓公之前，而篇中處處稱桓公，其不出仲手已無疑義。書中稱經言者九篇，稱外言者八篇，稱内言者九篇，稱短語者十九篇，案其中缺第十八篇。稱區言者五篇，稱雜篇者十一篇。案當爲十三篇。稱管子解者五篇，稱管子輕重者十九篇。意其中孰爲手撰，孰爲記其緒言如語録之類，孰爲述其逸事如家傳之類，孰爲推其義旨如箋疏之類，當時必有分别。觀其五篇明題管子解者，可以類推，必由後人混而一之，致滋疑竇耳。案以劉光禄敍録《晏子》之例推之，其分篇別目之故亦從可知矣。原本八十六篇，今亡十篇。考李善注陸機《猛虎行》稱《管子》近亡數篇，則唐初已非完本。此本二十四卷，爲萬曆壬午趙用賢所刊，在近代猶善本也。舊有房玄齡注，晁公武以爲尹知章。考《唐志》無玄齡注，有尹知章注三十卷，殆後人以知章人微，玄齡名重，改題之以炫俗耳。注文淺陋，頗不足采。"

馬國翰《內業》輯本序曰：“《漢志》儒家有《內業》十五篇，注云不知作書者。考《管子》第四十九篇標題《內業》，皆發明大道之蘊旨，與他篇不相類。蓋古有成書而管子述之。案《漢志》《孝經》十一家，有《弟子職》一篇，今亦在《管子》第五十九，以此例推，知皆誦述前人。故《內業》在區言五，《弟子職》在雜篇十，明非管子所自作也。”案《漢志》《弟子職》一篇，應劭曰：“管仲所作，在《管子書》。”

嚴氏《鐵橋漫稾・書管子後》曰：“《七略》《管子》在法家，引見《史記・管晏傳》正義。《隋》、《唐志》已下著錄皆同，惟《漢志》在道家。余觀《內業篇》，蓋《參同契》所自出，實是道家餘篇。則儒家、陰陽家、法家、名家、農家、兵家無所不賅。今若改入雜家，尚爲允當。不然，寧從《漢志》。其書八十六篇，至梁、隋時亡《謀失》、《正言》、《封禪》、《言昭》、《修身》、《問霸》、《牧民解》、《問乘馬》、《輕重丙》、《輕重庚》十篇。宋時又亡《王言》一篇。”又曰：“先秦諸子皆門弟子或賓客或子孫撰定，不必手著。聞收藏家有宋蔡潛道殘本，未得見之。”案《史記正義》引《七略》云：“《管子》十八篇，在法家。”篇數與《漢志》懸殊，細繹之，蓋《七錄》之誤也。《舊唐志》亦十八卷，與《七錄》本同。本志十九卷，與《新唐志》同。知“篇”字亦“卷”字之誤。“在法家”三字，則張守節之詞也。其下又引《七略》云：“《晏子春秋》七篇，在儒家。”皆以《七錄》爲《七略》。今劉歆《七略》輯本皆取此兩條，以爲《七略》佚文，未之思也。其後《申韓列傳》正義又引阮孝緒《七略》兩條，亦《七錄》之誤，與此同。

張氏《書目答問》：《管子》尹知章注二十四卷。舊題唐房玄齡注。明趙用賢校本，即《管》、《韓》合刻本。又《管子義證》八卷，洪頤煊撰。

商君書五卷　秦相衛鞅撰

《史記》列傳：商君者，衛之諸庶孽公子也，名鞅，姓公孫氏，其祖本姬姓也。鞅少好刑名之學，事魏相公叔痤爲中庶子。痤卒，鞅西入秦。秦孝公以爲左庶長，定變法之令。太子犯法，衛鞅曰：“太子不可施刑，刑其傅公子虔，黥其師公孫賈。”行之十年，秦民大悦，道不拾遺，山無盜賊，家給人足。民勇于公戰，怯于私鬬，鄉邑大治。于是以鞅爲大良造。爲田開阡陌封疆，而賦税平。斗桶权衡丈尺。行之四年，公子虔復犯約，劓之。居五年，秦人富彊，天子致胙于孝公，諸侯畢賀。秦封之於、商十五邑，號爲商君。商君相秦十年，宗室貴戚多怨望者。秦孝公卒，太子立。公子虔之徒告商君欲反，發兵攻商君。秦惠王車裂商君以徇，曰：“莫如商鞅反者！”遂滅商君之家。太史公曰：“商君，其天資刻薄人也。余嘗讀商君《開塞》《耕戰》書，與其人行事相類。受惡名于秦，有以也夫！”

又《秦本紀》：孝公元年，衛鞅入秦。三年，衛鞅説孝公變法修刑，内務耕稼，外勸戰士之賞罰，孝公善之。甘龍、杜摯等弗然，相與爭之。卒用鞅法，百姓苦之。居三年，百姓便之。二十二年，封鞅爲列侯，號商君。二十四年，孝公卒，子惠文君立。是歲，誅衛鞅，車裂以徇秦國。

《漢書·藝文志》：《商君》二十九篇。名鞅，姬姓，衛後也，相秦孝公，有列傳。又兵權謀家有《公孫鞅》二十七篇。

又《刑法志》：陵夷至于戰國，韓任申子，秦用商鞅，連相坐之法，造參夷之誅，增加肉刑、大辟，有鑿顛、抽脅、鑊烹之刑。參夷，夷三族也。

又《食貨志》：及秦孝公用商君，壞井田，開阡陌，急耕戰之賞，雖非古道，猶以務本之故，傾鄰國而雄諸侯。然王制遂滅，僭差亡度。庶人之富者累鉅萬，而貧者食糟糠；有國彊者兼州域，而弱者喪社稷。

《晉書·刑法志》：李悝著《法經》六篇，商君受之以相秦。

《魏書·刑法志》：商君以《法經》六篇入説于秦，設參夷之誅，連相坐之法。

《唐書·經籍志》：《商子》五卷，商鞅撰。

《唐書·藝文志》：《商君書》五卷。商鞅或作商子。

《宋史·藝文志》：《商子》五卷，衞公孫鞅撰。

晁氏《讀書志》：《商子》五卷，秦公孫鞅撰。鞅封于商，故以名其書。本二十九篇，今亡者三篇。太史公讀鞅《開塞書》。《索隱》曰：‘開謂刑嚴峻則政化開，塞謂布恩惠則政化塞。’今考其書，司馬貞蓋未嘗見之而妄爲之説耳。《開塞》乃其第七篇，謂道塞久矣，今欲開之，必刑九而賞一。刑用于將過，則大邪不生，賞施于告姦，則細過不失。大邪不生，細過不失，則國治矣。由此觀之，鞅之術無他，特恃告訐而止耳。故其法不告姦者與降敵同罰，告姦者與殺敵同賞，此秦俗所以日壞，至于父子相夷，而鞅不能自脱也。”

陳氏《書録解題》：《商子》五卷。或稱商君者，其封邑也。《漢志》二十九篇，今二十六篇，又亡其一。

《四庫提要》曰：“《漢志》稱《商君》二十九篇，《三國志·先主傳》注亦稱《商君書》。其稱《商子》，則自《隋志》始。謹案當云《舊唐志》。此本自《更法》至《定分》，目凡二十有六，似即晁氏之本。然其中第十六篇、第二十一篇又皆有録無書，則併非宋本之舊矣。”

又《簡明目録》曰：“《周氏涉筆》謂其書多附會，後事擬取他詞，非本所論著。今案開卷稱孝公之謚，則謂不出鞅手良信。然其詞峻厲而刻深，雖非鞅作，亦必其徒述説之，非秦以後人所爲。《漢志》二十九篇，至宋佚其三篇，今有録無書者又二篇。”

嚴氏《全三代文編》曰：“《商君書》二十九篇，今見存二十四篇。《群書治要》三十六有《六法》一篇，《六法》當作《立法》，其佚篇也。"又《四録堂類集總目》："《商子》五卷，可均校。"_案
_{《群書治要》題作《商君書》。}

梁有《申子》三卷，韓相申不害撰，亡。

《史記·老莊申韓列傳》："申不害者，京人，故鄭之賤臣。學術以干韓昭侯，用爲相。内修政教，外應諸侯，十五年。終申子之身，國治兵彊，無侵韓者。申子之學本于黃老而主刑名。著書二篇，號曰《申子》。太史公曰：申子卑卑，施之于名實。原于道德之意。"又《韓世家》："昭侯八年，申不害相韓，修術行道，國内以治，諸侯不來侵伐。二十二年，申不害死。"

劉向《别録》曰："京，今河南京縣也。"又曰："今民間所有上下書二篇，中書六篇，皆合二篇，已備，過太史公所記也。"又曰："申子學號刑名。刑名者，循名以責實，其尊君卑臣，崇上抑下，合于六經也。宣帝好觀其《君臣篇》。"又曰："孝宣皇帝重申不害《君臣篇》，使黃門郎張子喬正其字。"

唐馬總《意林》：劉向云："申子，名不害，河東人。鄭時賤臣，挾術以干韓昭侯，秦兵不敢至。學本黃老，急刻無恩，非霸王之事。"_{案此似亦《别録》文，諸家輯本未采。}

《漢書·藝文志》：《申子》六篇。名不害，京人，相韓昭侯，終其身諸侯不敢侵韓。

《唐書·經籍志》：《申子》三卷，申不害撰。_{《藝文志》同。}

馬國翰輯本序曰："馬總《意林》引六節，首有劉向一節，是《七略》、《别録》語，兹更搜輯，合二十四節。"

嚴可均《鐵橋漫稿·申子序》曰："《淮南·要略》云：'申子者，韓昭釐之佐。韓，晉别國也。地墽民險，而介于大國之間，晉國之故禮未滅，韓國之新法重出，先君之令未收，後君之令又下，新故相反，前後相繆，百官背亂，不知所用。故刑名之書生焉。'《泰俗訓》云：'今商鞅之《開塞》，申子之《三符》，韓非之《孤憤》。'注：申不害治韓，有三符驗之術也。案'三符'當是《申子》篇名。《申子》，《七録》云三卷，《舊》、《新唐志》、《意林》皆三卷，宋不著録，明陳第《世善堂書目》有三卷，今復不著録。余從《群書治要》寫出一篇，刺取各書引見之文，依《意林》次第之，其篇名可考者，曰《君臣》，曰《大體》及《三符》也。餘三篇不知也。"又自編《四録堂類集總目》曰："《申子》一卷，可均輯。"亦編入《全上古三代文編》第四卷。

慎子十卷　戰國時處士慎到撰

《史記·孟荀列傳》："自騶衍與齊之稷下先生，如淳于髡、慎到、環淵、接子、田駢、騶奭之徒，各著書言治亂之事，以干世主，豈可勝道哉！"又曰："慎到，趙人。田駢、接子，齊人。環淵，楚人。皆學黃老道德之術，因發明序其指意。故慎到著十二論，環淵著上下篇，而田駢、接子皆有所論焉。"裴駰集解：徐廣曰："今《慎子》，劉向所定，有四十一篇。"案史公言則《慎子》書中有十二論，與環淵、接子、田駢皆道家言也。此三家並見《漢書·藝文志》道家，騶衍、騶奭見陰陽家。

《漢書·古今人表》第六等慎子，梁玉繩考曰："慎子即慎到，亦作順，趙人，葬曹州濟陰縣西南四里。"又案《戰國策》楚有慎子，爲襄王傅。魯亦有慎子，見《孟子》。

又《藝文志》：《慎子》四十二篇。名到，先申、韓，申、韓稱之。

應劭《風俗通·姓氏篇》："慎氏：慎到，爲韓大夫，著《慎子》三十篇。"武威張澍輯注曰："慎到，趙人。《藝文志》作著書四十二篇。仲瑗云三十篇，疑訛。案除去道家之十二論，正合三十篇之數。或漢時有兩本。又案《左·哀十六年》：'吳伐慎，白公敗之。'《九域志》：'慎，楚縣，白公之邑。'故白公救慎，是以邑爲氏者。"案慎到爲韓大夫，唯見于此。

《荀子・修身篇》楊倞注：齊宣王時處士慎到，其術本黃老而歸刑名。先申、韓，其意相似，多明不尚賢、不使能之道，著書四十一篇。

馬總《意林》：《慎子》十二卷。名到，學本黃老，滕輔注。

《唐書・經籍志》：《慎子》十卷，慎到撰，滕輔注。《藝文志》同。

《宋史・藝文志》：《慎子》一卷，慎到撰。

《通志・藝文略》：《慎子》一卷，戰國時處士慎到撰。漢有四十二篇，隋唐分爲十卷，今亡九卷三十七篇。

陳氏《書録解題》曰：“《漢志》四十二篇，《唐志》十卷。今麻沙刻本纔五篇，固非全書。慎到，趙人。《中興館閣書目》乃曰瀏陽人。瀏陽，在今潭州，吳時始置縣，與趙南北了不相涉。蓋據書坊所稱，不知何謂也。《崇文總目》言三十七篇。”案此下當有“亡”字，以《崇文目》所載亦一卷，與《通志略》、《館閣書目》之語同也。

《文獻・經籍考》：《周氏涉筆》曰：“稷下能言者如慎到，最爲屏去繆悠，剪削枝葉，本道而附于情，立法而責于上，非田駢、尹文之徒所能及。五篇雖簡約而明白純正，統本貫末，孟子言王政不合，慎子言名法不用，而騶忌一説遇合，不知何所明也。”

王氏《漢書藝文志考證》曰：“《館閣書目》一卷。案《漢志》四十二篇，今三十七篇亡。惟有《威德》、《因循》、《民雜》、《德立》、《君人》五篇，滕輔注。”

《四庫》雜家提要曰：“《莊子・天下篇》曰‘慎到之道，非生人之行而至死人之理’云云。是《慎子》之學近乎釋氏，然《漢志》列之法家。今考其書，大旨欲因物理之當然，各定一法而守之。不求于法之外，亦不寬于法之中，則上下相安，可以清淨而治。然法所不行，勢必刑以齊之。道德之爲刑名，此其轉關。所以申、韓多稱之也。今本分五篇，而又多删削，蓋明人摭拾殘賸，重爲編次。觀'孝子不生慈父之家，忠臣不生聖君之下'二句，前後兩見，知爲雜録而成，失除重複矣。"

嚴氏《鐵橋漫稾・慎子序》曰："《漢志》法家《慎子》四十二篇，《隋》、《唐志》皆十卷，滕輔注。《書録解題》稱麻沙刻本纔五篇，余所見明刻本亦皆五篇。今從《群書治要》寫出七篇，有注，即滕輔注。其多出之篇曰《知忠》，曰《君臣》。其《威德篇》又多出二百五十三字。雖亦節本，視陳振孫所見本爲勝，因刺取各書引見之文，校補譌脱，其遺文短段不能成篇者凡四十四事，附于後。滕輔，東漢人。《藝文類聚》六十有漢滕輔《祭牙文》。亦作滕撫，又作騰撫。《後漢書》，滕撫，字叔輔，有傳。《元和姓纂》：'騰本滕氏，因避難改爲騰氏。後漢相騰撫。'蓋滕、騰一姓，輔、撫一聲，故二文隨作矣。東晉亦有滕輔。《隋志》梁有晉太學博士《滕輔集》五卷。《慎子注》爲漢、爲晉，未敢定之。"又《四録堂類集總目》："《慎子》一卷，可均校。"

金山錢熙祚守山閣刊本跋曰："《群書治要》有《慎子》七篇，今所存五篇，具在用以相校。知今本又經後人删節，非其原書。今以《治要》爲主，更據唐宋類書所引隨文補正，其無篇名者別附于後。雖不能復還舊觀，而古人所引搜羅略備。舊本後有佚文，不知何人所輯。"

張氏《書目答問》：《慎子》一卷，附逸文。嚴可均校輯。《守山閣》本。又《墨海金壺》本。

韓子二十卷　目一卷　韓非撰

《史記・老莊申韓列傳》："韓非者，韓之諸公子也。喜刑名法術之學，而其歸本于黄老。非爲人口吃，不能道説，而善著書。與李斯俱事荀卿，斯自以爲不如非。非見韓之削弱，數以書諫韓王，韓王不能用。于是韓非疾治國不務脩明其法

制，執勢以御其臣下，富國彊兵而以求人任賢，反舉浮淫之蠹
而加之于功實之上。以爲儒者用文亂法，而俠者以武犯禁。
寬則寵名譽之人，急則用介胄之士。今者所養非所用，所用
非所養。悲廉直不容于邪枉之臣，觀往者得失之變，故作《孤
憤》、《五蠹》、《内外儲》、《説林》、《説難》十餘萬言。然韓非知
説之難，爲《説難》者甚具，終死于秦，不能自脱。人或傳其書
至秦。秦王見《孤憤》、《五蠹》之書，曰：'嗟乎，寡人得見此人
與之游，死不恨矣！'李斯曰：'此韓非之所著書也。'秦因急攻
韓。韓王始不用非，及急，迺遣非使秦。秦王悦之，未信用。
李斯、姚賈害之，毀之曰：'韓非，韓之諸公子也。今王欲并諸
侯，非終爲韓不爲秦，此人之情。今王不用，久留而歸之，此
其遺患也，不如以過法誅之。'秦王以爲然，下吏治非。李斯
使人遺非藥，使自殺。韓非欲自陳，不得見。秦王後悔之，使
人赦之，非已死矣。申子、韓子皆著書，傳于後世，學者多有。
余獨悲韓子爲《説難》而不能自脱耳。太史公曰：韓子引繩
墨，切事情，明是非，其極慘礉少恩。皆原于道德之意。"
又《秦始皇本紀》：十四年，韓非使秦，秦用李斯謀，留非，非死
雲陽。韓王請爲臣。
又《韓世家》：王安五年，秦攻韓，韓急，使韓非使秦，秦留非，
因殺之。九年，秦虜王安，盡入其地，爲潁川郡。韓遂亡。
馬總《意林》：劉向云："秦始皇重韓非書，曰：'寡人得與此人
游，死不恨矣！'李斯、姚賈害之，與藥令自殺。始皇悔，遣救
之，已不及。"案重刊宋本有序一篇，皆節《史記》文爲之，或疑爲劉向《別録》，然
首末不類。疑是王儉《七志》之文，此真《別録》節文也。
《漢書·藝文志》：《韓子》五十五篇。名非，韓諸公子。使秦，
李斯害而殺之。
唐張守節《史記正義》曰："韓非見王安不用忠良，令國削弱，

故觀往古有國之君，則得失之變異，而作《韓子》二十卷。"

唐司馬貞《史記索隱》曰："非所著書篇名《孤憤》，憤孤直不容于時也。《五蠹》，蠹政之事有五也。《內外儲說》，《內儲》言明君執術以制臣下，利之在己，故曰'內'也；《外儲》言明君觀聽臣下之言行，以斷其賞罰，賞罰在彼，故曰'外'也。儲蓄二事，所謂明君也。《說林》者，廣說諸事，其多若林，故曰'說林'也。《說難》者，說前人行事與己不同而詰難之。"又："說音稅。言游說之道爲難，故曰《說難》。其書詞甚高，故特載之。"言史公特載《說難篇》。

《唐日本國見在書目》：《韓子》十卷。

《唐書‧經籍志》：《韓子》二十卷，韓非撰。《藝文志》同。《宋史‧志》同。

陳氏《書錄解題》曰："《韓子》二十卷，韓諸公子韓非撰。《漢志》五十五篇，今同。所謂《孤憤》、《說難》之屬皆在焉。"

王氏《漢書藝文志考證》曰："今本二十卷，五十六篇。沙隨程氏曰：'非書有《存韓篇》，故李斯言非終爲韓不爲秦也。'後人誤以范睢書廁于其間，乃有《舉韓》之論。《通鑑》謂非欲覆宗國則非也。"又曰："韓安國受《韓子》雜家說。"

又《玉海‧藝文‧諸子篇》曰："今本五十六篇，注不詳名氏。"案王氏一再言五十六篇者，殆并後人雜入之范睢《舉韓》一篇計之。《魏書‧劉昞傳》："注《韓子》行于世。"《唐‧藝文志》："尹知章又注《韓子》，卷亡。"

《四庫提要》曰："非之著書，當在未入秦前。入秦之後，計其間未必有暇著書。今書冠以《初見秦》，次以《存韓》，皆入秦後事。且《存韓》一篇，終以李斯駁非之議，及斯上韓王書。其事與文，皆爲未畢。疑非所著書本各自爲篇，非歿之後，其徒收拾編次，以成一帙。故在韓、在秦之作，均爲收錄，併其私記未完之槀亦收入書中。名爲非撰，實非非所手定也。"案今本次第必非劉氏《七略》之舊，自《七略》、《別錄》亡後，遂不可復知。

又曰：“《漢志》五十五篇，《七錄》二十卷，篇數、卷數皆與今本相符。惟王應麟《漢藝文志考》作五十六篇，殆傳寫字誤也。其注不知何人作。考元至元三年何犿本，稱‘舊有李瓚注，鄙陋無取，盡爲削去’云云。則注者當爲李瓚。然瓚爲何代人，犿未之言。《玉海》已稱《韓子注》不知誰作，諸書亦別無李瓚注《韓子》之文，不知犿何所據也。”案今重刊乾道本其注文有至多者，有極少僅存一二語者，《姦劫篇》以下二十二篇則不著一字，似以注本合無注本，與《周書》同也。注者當在宋乾道之前。

又《簡明目錄》曰：“舊本多所佚脱，明趙用賢始得宋槧較補。又周孔教家大字刻本與趙本亦同，視他刻爲完善。”

張氏《書目答問》：《韓非子》二十卷，附《識誤》三卷。吳鼒校刻本，又明趙用賢校《管》、《韓》合刻本，又明周孔教刻大字本。

梁有《韓氏新書》三卷，漢御史大夫鼂錯撰，亡。“韓氏”當爲“鼂氏”。

《史記·袁盎鼂錯列傳》：“鼂錯者，潁川人也。學申商刑名于軹張恢先所，與雒陽宋孟及劉禮同師。《漢書》作“劉帶”。以文學爲太常掌故。錯爲人陗直刻深。孝文時，天下無治《尚書》者，詔太常遣錯受《尚書》伏生所。還，因上便宜事，以《書》稱説。詔以爲太子舍人、門大夫、家令，遷中大夫。景帝即位，以爲内史。遷御史大夫，請諸侯之罪過，削其地，收其枝郡。奏上，上令公卿列侯宗室集議，莫敢難，獨竇嬰爭之，由此與錯有卻。錯所更令三十章，諸侯皆諠譁疾錯。吳楚七國反，以誅錯爲名。及竇嬰、袁盎進説，上令斬錯。錯衣朝衣斬東市。”

《漢書》本傳：“錯舉賢良文學，對策高第，由是遷中大夫。又言宜削諸侯事，及法令可更定者，書凡三十篇。孝文雖不盡

聽,然奇其材。當是時,太子善錯計策,爰盎諸大功臣多不好
錯。景帝即位,爲内史。錯數請間言事,輒聽,法令多所更
定。"又云:"所更令三十章,諸侯讙譁。七國反,上以竇嬰、袁
盎言斬錯。錯殊不知,迺使中尉召錯,給載行市。錯衣朝衣
斬東市。贊曰:鼂錯鋭于爲國遠慮,而不見身害。悲夫!錯
雖不終,世哀其忠。"

又本紀:孝景三年春正月,吳王濞、膠西王卬、楚王戊、趙王
遂、濟南王辟光、菑川王賢、膠東王雄渠皆舉兵反。大赦天
下。遣太尉周亞夫、大將軍竇嬰將兵擊之。斬御史大夫鼂錯
以謝七國。又《百官公卿表》:孝景二年八月丁巳,左内史鼂錯爲御史大夫。三
年正月壬子,錯有罪,要斬。

又《藝文志》:《鼂錯》三十一篇。案此三十一篇蓋即本傳所謂"宜削諸侯
事,及法令可更定者三十篇"也,故列之法家。

《唐書·經籍志》:"《鼂氏新書》三卷,鼂錯撰。"

《唐書·藝文志》:"《鼂氏新書》七卷。注云鼂錯。"案此七卷者,
似并其集三卷,録一卷,合爲一編也。

王氏《漢書藝文志考證》:"吕氏曰:'申、商之學,亦世有傳
授。'太史公曰:'賈誼、鼂錯明申、商。'蘇氏曰:'錯不足道
也,而誼亦爲之。'《唐志》,《鼂氏新書》七卷。《隋志》,梁有三
卷。《文選·賓戲注》引朝錯《新書》。"

馬國翰輯本序曰:"《漢志》法家《鼂錯》三十一篇。馬總《意
林》載三卷,僅録三節。《文選注》、《太平御覽》引四節,或作
《朝子》。佚文可見者僅此。考本傳載其上言對策凡五篇,又
言宜削諸侯,及法令可更定者,書凡三十篇。則五篇皆《新
書》中文可知,並輯録之。"

正論六卷　漢大尚書崔寔撰

《後漢書·崔駰傳》:"駰,涿郡安平人也。中子瑗,瑗子寔,字

子真，一名台，字元始。少沈靜，好典籍。父卒，隱居墓側。桓帝初，以郡舉，徵詣公車，除爲郎。明于政體，吏才有餘，論當世便事數十條，名曰《政論》。指切時要，言辨而确，_{确，堅正也。}當世稱之。仲長統曰：‘凡爲人主，宜寫一通，置之坐側。’其後召拜議郎，遷大將軍冀司馬，與邊韶、延篤等著作東觀。出爲五原太守。以病徵，拜議郎，復與諸儒博士共雜定《五經》。梁冀誅，以故吏免官，禁錮數年。拜遼東太守。母喪，服竟，召拜尚書。寔以世方阻亂，稱疾不視事，數月免歸。建寧中病卒。”又論曰：“寔之《政論》，言當世理亂，雖晁錯之徒不能過也。”

唐馬總《意林》：《正論》五卷，崔元始。

《唐書·經籍志》：《崔氏政論》五卷，崔寔撰。_{《藝文志》六卷。}

嘉定錢大昕《隋書經籍志考異》曰：“案《後漢書》，崔寔作《政論》無‘大尚書’之名。此志‘大尚書崔寔’凡再見。”_{其一詳後農家《四民月令》條。}

嚴氏《鐵橋漫稿·崔氏政論敍》曰：“《隋志》法家《正論》五卷，漢大尚書崔寔撰。《舊唐志》、《意林》亦五卷，《新唐志》作六卷。各書引見或作《政論》，或作《正論》，又作《本論》，止是一書。其書成于守遼東後，故有‘僕前爲五原太守’及‘今遼東耕犂’等語。本傳繫于桓帝初除爲郎時，蓋就始創稿言之。其本北宋時已佚，故《崇文總目》不著録。《郡齋讀書志》、《直齋書録解題》亦無之。《通志略》載有六卷，虛列書名，不足據。余從《群書治要》寫出七篇，本傳及《通典》各寫出一篇，凡九篇。略依《意林》次第之，刺取各書引見，校補譌脱，定著二卷。其遺文墜句不能成篇者附于末。《治要》專取精實，其腴語美詞芟除净盡。然于當時積敝亦臚列無遺也。”又《四録堂類集總目》：“崔寔《政論》二卷，可均輯。”_{亦編入《全後漢文編》中。}

梁有《法論》十卷，劉邵撰，亡。

劉邵有《孝經注》，見經部。又有《律略論》五卷，見史部刑
法類。

《魏志》本傳：凡所撰述，《法論》、《人物志》之類百餘篇。

《唐書·經籍志》：《劉氏法言》十卷，劉邵撰。"言"當爲"論"。

《唐書·藝文志》：《劉氏法論》十卷，注云劉邵。

梁有《政論》五卷，魏侍中劉廙撰，亡。

《魏志》本傳："廙字恭嗣，南陽安衆人也。兄望之，有名于世，
荆州牧劉表辟爲從事。以正諫不合，爲表所害。廙懼，遂歸
太祖。太祖辟爲丞相掾屬，轉五官將文學。魏國初建，爲黄
門侍郎。徙署丞相倉曹屬。廙著書數十篇，及與丁儀共論刑
禮。皆傳于世。文帝即王位，爲侍中，賜爵關内侯。黄初二
年卒。"注：《廙別傳》云："時年四十二。"

《唐書·經籍志》：《劉氏正論》五卷，劉廙撰。《藝文志》作《政論》，
卷同。注云"劉實"，字之誤也。

嚴氏《鐵橋漫稾·劉氏政論敍》曰："《隋志》法家梁有《政論》
五卷，魏侍中劉廙撰，亡。《舊》、《新唐志》著于録，至宋復亡。
今所見僅《群書治要》載有八篇，題爲《劉廙別傳》，而目録作
《政論》。據裴松之所引《別傳》，似與《政論》各爲一書，則目
録作《政論》者是也。各書都未徵引，《治要》有此彌復可貴。
因録出以廣其傳，其篇目曰《備政》、《正名》、《慎愛》、《審愛》、
《欲失》、《疑賢》、《任臣》、《下視》。"又《四録堂類集總目》曰：
"劉廙《政論》一卷，可均校。"

侯康《補三國藝文志》曰："廙有《先刑後禮論》，見《陸遜傳》，
當出此書，即本傳所謂'與丁儀共論刑禮，傳于世'者也。李
善注《三都賦序》引劉廙《答丁儀刑禮書》。"

案侯氏謂《先刑後禮論》當出此書，考裴注引別傳有廙《表

論治道》一篇,在太祖時所上,似亦此書之一事。《別傳》蓋
全載《政論》,魏鄭公從別傳中摘出,故《治要》篇首標目曰
《劉廙別傳》。

梁有《阮子正論》五卷,魏清河太守阮武撰,亡。

《魏志·杜恕傳》注:阮武者,亦拓落大才也。案《阮氏譜》:
武父諶,字士信,徵辟無所就,造《三禮圖》傳于世。《杜氏新
書》曰:"武字文業,闊達博通,淵雅之士。位至清河太守。"

《世説·賞譽篇》注:《杜篤新書》曰:"阮武,字文業,陳留尉
氏人。父諶,侍中。"《陳留志》曰:"武,魏末清河太守。族子
籍,年總角未知名,武見而偉之,以爲勝己。知人多此類。著
書十八篇,謂之《阮子》,終于家。"案此稱《杜篤新書》者,似因《杜氏新書
篤論》之譌。

唐馬總《意林》:《阮子》四卷。

《唐書·經籍志》:《阮子正論》五卷,阮武撰。

《唐書·藝文志》:《阮子政論》五卷。注云阮咸。"咸"當爲"武"。

馬國翰輯本序曰:"馬總《意林》載《阮子》四卷,録存五節而
已。復搜輯《御覽》、《文選注》得數節,合録一卷。"

嚴氏《全三國文編》曰:"阮武,字文業,陳留尉氏人,仕至清河
太守,有《正論》五卷。《御覽》作《政論》。《北堂書鈔》、《文選
注》、《御覽》引凡六條。"《意林》六條未采。

世要論十二卷　魏太司農桓範撰。梁有二十卷。

《魏志·曹爽傳》:"正始十年正月,車駕朝高平陵,爽兄弟皆
從。司馬宣王部勒兵馬,先據武庫,出屯洛水浮橋。大司農
沛國桓範聞兵起,矯詔開平昌門,拔取劍戟,略將門候,南奔
爽。後公聊朝臣廷議,以爽與何晏、鄧颺、張當等謀圖神器,
範黨同罪人,皆爲大逆不道。于是收爽、羲、訓、晏、颺、謐、
軌、勝、範、當等,皆伏誅,夷三族。"又傳注:"《魏略》:範字元

則，沛國人，世爲冠族。建安末，入丞相府。延康中，爲羽林左監。明帝時爲中領軍尚書、征虜將軍、東中郎將，使持節都督青、徐諸軍事。免還，復爲兗州刺史。正始中，拜大司農。範嘗抄撮《漢書》中諸雜事，自以意斟酌之，名曰《世要論》。蔣濟爲太尉，嘗與範會社下，群卿列坐有數人，範懷其所撰，欲以示濟，謂濟當虛心觀之。範出其書以示左右，左右傳之示濟，濟不肯視，範心恨之。因論他事，乃發怒謂濟曰：‘我祖薄德，公輩何似耶？’濟性雖強毅，亦知範剛毅，睨而不應。”

唐馬總《意林》第六卷：《世要》十卷。桓範，字元則，魏大司農。

《唐書·經籍志》：《桓氏代要論》十卷，桓範撰。

《唐書·藝文志》：《桓氏世要論》十二卷。注云桓範。

嚴氏《鐵橋漫稾·桓氏世要論序》曰：“各書徵引或稱《政要論》，或稱《桓範新書》，或稱《桓範世論》，或稱《桓公世論》，或稱《桓子》，或稱《魏桓範》，或稱《桓範論》，或稱《桓範要集》，互證之，止是一書。宋時不著錄，《群書治要》載有《政要論》十四篇。據各書徵引，補改闕誤，凡十六篇，曰《爲君難》，曰《臣不易》，曰《治本》，曰《政務》，曰《節欲》，曰《詳刑》，曰《兵要》，曰《擇將》，曰《簡騎》，曰《辨能》，曰《尊嫡》，曰《諫爭》，曰《決壅》，曰《讚象》，曰《銘誄》，曰《序作》，定著一卷，而遺文散段附于後。範字士則，一作元則，以不附司馬氏夷三族。被收時自稱義士，其後王浚、毌丘儉、諸葛誕相繼死難，而魏祚移矣。《魏略》言範以此書示蔣濟，濟不肯視。文人相輕，自古而然。距今千六百年佚書復出，與濟之《萬機論》比並，有過之無不及。”又《四錄堂類集總目》：“桓範《世要論》一卷，可均輯。”

馬國翰輯本序曰：“桓範《世要論》，《北堂書鈔》、《初學記》、

《文選注》、《太平御覽》等書引之，輯録二十五節，附考事蹟爲
一卷。"案馬氏《玉函山房》所輯書皆不及見《群書治要》，故未爲詳盡。此所輯散文
視嚴氏多出十一條，然亦在嚴本十六篇中也。

　　案宋刻全本《意林》第六卷有《世要論》四條，嚴、馬二家皆
　　未及見。

梁有《陳子要言》十四卷，吳豫章太守陳融撰，亡。

　　《吳志·陸瑁傳》：瑁字子璋，丞相遜弟也。少好學篤義。陳
　　國陳融、陳留濮陽逸、沛郡蔣纂、廣陵袁迪等，皆單貧有志，就
　　瑁游處，瑁割少分甘，與同豐約。逸至長沙太守，興父也。《吳志》有興
　　傳。迪孫曄撰《獻帝春秋》，見史部古史篇。

　　《唐書·經籍志》：《陳子要言》十四卷，陳融撰。《藝文志》同。

　　馬國翰輯本序曰："融，陳國人，附見《吳志·陸瑁傳》，僅載里
　　居。《隋志》題吳豫章太守，此官爵之可見者。《七録》法家載
　　《陳子要言》十四卷，《隋志》云亡。《唐志》復著録，今惟《太平
　　御覽》引二節，附考爲卷。"

　　案宋刻全本《意林》引《要言》一條，云"食穀而鄙田，衣帛而
　　笑蠶，豈不惑耶？"《御覽·百穀部》亦引此條，作"是惑也"。

梁又有《蔡司徒難論》五卷，晉三公令史黄命撰，亡。

　　蔡司徒黄命並始末未詳。

　　案《晉書·職官志·列曹尚書篇》："漢成帝置三公曹，主斷
　　獄。"《唐六典·刑部郎中》注："魏、晉、宋、齊並以三公郎曹
　　掌刑獄。"此言三公令史者，三公曹之令史，主刑獄事者也。
　　《唐六典》六部郎中各有令史、書令史，或數人，或十餘人。
　　令史猶今稿書，書令史猶今清書也。

　　又案是書《舊》、《新唐志》及《通志略》、高似孫《子略》皆不
　　載，諸書亦罕見引述。蔡司徒似即蔡謨，《晉書》本傳："謨
　　始爲司徒左長史。康帝即位，以左光禄大夫領司徒，又遷

侍中、司徒，謨辭不拜。穆帝臨軒，遣使徵謨，使者十餘反，
不至。公卿奏謨‘悖慢傲上，罪同不臣，請送廷尉正刑書’。
皇太后詔免爲庶人。史臣曰：蔡謨度德而處，弘斯止足，實
以刑書，斯爲過矣。”此豈當時論難斯事者歟？史又稱其文
筆論議，有集行于世。豈爲所論難刑獄雜事如駁議之類，
爲令史黃命所裒錄，阮氏從本集析出者歟？

右六部合七十二卷。實在著錄六部，附著亡事七部，通計一十三部。

案《七録序目·子兵録第四》曰：“法部十三種十五帙一百
一十八卷。”本志所載存佚併計亦止于十三部，無所增益。

卷二十七

子部四
名家

鄧析子一卷。 析，鄭大夫。

《春秋左氏傳·定公九年》：“鄭駟歂殺鄧析，而用其《竹刑》。”
杜預曰：“鄧析，鄭大夫，欲改鄭所鑄舊制，不受君命而私造刑
法，書之于竹簡，故云《竹刑》。”孔穎達曰：“昭六年，子產鑄
《刑書》于鼎。今鄧析别造《竹刑》，明是改鄭所鑄舊制。若用
君命遣造，則是國家法制，鄧析不得獨專其名，知其不受君命
而私造《刑書》，書之于竹，謂之《竹刑》。駟歂用其《刑書》，則
其法可取。殺之，不爲作此書也。”下云：“棄其邪可也。”則鄧
析不當私作《刑書》，而殺蓋别有當死之罪。駟歂不矜免
之耳。

《列子·仲尼篇》：“鄭之圃澤多賢，東里多才。圃澤有伯豐子
者，行過東里，遇鄧析。”張湛注曰：“鄧析，鄭國辨智之士。執
兩可之説，而時無抗者。作《竹書》，子產用之也。”案此則鄧析爲
鄭之東里人，與子產同里井者也。

《七略别録》：“臣所校中《鄧析書》四篇，臣敍書一篇，案“臣敍”，
據《崇文總目》似“臣歆”之譌。凡中外書五篇，以相校，除復重爲一
篇，皆定，殺青而書，可繕寫也。鄧析者，鄭人也。好刑名，操
兩可之説，設無窮之辭。當子產之世，數難子產之治。記或
云子產起而戮之。于《春秋左氏傳》，昭公二十年而子產卒，
子太叔嗣爲政。定公八年，太叔卒，駟歂嗣爲政。明年，乃殺

鄧析，而用其《竹刑》。君子謂子然于是乎不忠，苟有可以加于國家，棄其邪可也。《靜女》之三章，取彤管焉；《竿旄》'何以告之'，取其忠也。故用其道，不棄其人。《詩》之'蔽芾甘棠，勿剪勿伐，召伯所茇'，思其人，猶愛其樹也，況用其道，不恤其人乎？子然無以勸能矣。以上皆引《左傳》文。《竹刑》，簡法也，久遠，世無其書。子產卒後二十年，而鄧析死，傳說或稱子產誅鄧析，非也。其論《無厚》者，言之異同，與公孫龍同類，謹第上。案此言"記或云"，又言"傳說"者，《列子·力命》、《吕覽·離謂》用《孫卿書》皆有子產殺鄧析之言，故引《左傳》以明之。嚴氏《全漢文編》附記曰："案此敘《意林》、《荀子》楊倞注、高似孫《子略》皆作劉向，或據《書錄解題》改屬劉歆。檢《書錄解題》無此説。"宗案此蓋據《通考》所引《崇文總目》之言耳，然《崇文》此條有謬誤，其稱劉歆或因上文而率意牽連也，不足爲據。

《漢書·藝文志》："《鄧析》二篇。鄭人，與子產並時。"師古曰："《列子》及《孫卿》並云產殺鄧析。據《左傳》，昭公二十年子產卒，定公九年，駟歂殺鄧析而用其《竹刑》，則非子產所殺也。"

唐馬總《意林》：《鄧析子》一卷二篇。劉向云非子產殺鄧析，推《春秋》驗之。

《唐日本國見在書目》：《鄧析子》一卷，鄭大夫鄧析撰。

《唐書·經籍志》：《鄧析子》一卷，鄭析撰。《藝文志》同。

《宋史·藝文志》：《鄧析子》二卷。鄭人。

《崇文總目》：《鄧析子》一卷。戰國時人。案此説甚謬。《漢志》：二篇。初，析著書四篇，劉歆有目一篇，凡五。案"有目"當是"自有"之誤。歆復校爲二篇。案此稱歆復校，蓋本上文《漢志》。以《漢志》本劉歆《七略》也，又豈以《別錄》引《左氏傳》，遂斷以爲歆歟？然其前無是説，殆不可信。

晁氏《讀書志》：《鄧析子》二卷二篇，文字訛缺，或以"繩"爲"澠"，以"巧"爲"功"，頗爲是正其謬。《左傳》曰："駟歂殺析而用其《竹刑》。"班固錄析書于名家之首。則析之學，蓋兼名、法家也。今其書大旨訐而刻，真其言也，無可疑者。而其間時勒取他書，頗駁雜不倫，豈後人附益之歟？

王氏《漢書藝文志考證》：今《無厚》、《轉辭》二篇，《韓非子》曰："堅白無厚之辭章，而憲令之法息。"《淮南鴻烈》曰："鄧析巧辨而亂法。"《荀子·非十二子》與惠施並言。

《四庫》法家提要曰："《漢志》二篇，今本仍分《無厚》、《轉辭》二篇而併爲一卷。然其文節次不相屬，似亦掇拾之本也。其言有同于申、韓，亦同于黃、老。其大旨主于勢，統于尊，事覈于實，于法家爲近。故《竹刑》爲鄭所用也。至于'聖人不死，大盜不止'一條，其文與《莊子》同。析遠在莊子以前，不應預有勒説，而《莊子》所載又不云鄧析之言。或篇章殘闕，後人摭《莊子》以足之歟？"

嚴氏《鐵橋漫稾·鄧析子校本敍》曰："先秦古書佚失者多，《鄧析》幸而廑存。即言不盡醇要，各有所見，自成一家。左氏好惡合于聖人，而于鄧析比之靜女彤管、召伯甘棠，或非過譽。流傳久遠，轉寫多訛。因據各書引見改補五十餘事，疑者闕之。舊三十二章，今合并爲三十一章，節次或不相屬，而詞恉完具。各書徵引尟出此外，唯《御覽》八十《荷子》引鄧析言曰：'古詩云：堯舜至聖，身如脯腊；桀紂無道，肌膚二尺。'今本無之。當是佚脱，或如《呂氏春秋》、《淮南》所載元不在二篇中，亦未可知也。"

尹文子二卷。尹文，周之處士，遊齊稷下。

《莊子·天下篇》："不累于俗，不飾于物，不苟于人，不忮于衆，願天下之安寧以活民命，人我之養畢足而止，以此白心，古之道術有在于是者。宋鈃、尹文聞其風而悦之，作爲華山之冠以自表。"崔譔曰："尹文，齊宣王時人，著書一篇，華山上下均平,作冠象之,表已心均平也。"案宋銒即《孟子》"宋牼",有《宋子》十八篇,見《漢志》小説家。

《世本·氏姓篇》:尹文氏:齊有尹文子,著書五篇。

武威張澍輯注曰:"澍案高誘《吕氏春秋·正名篇》注:尹文,齊人,作《名書》一篇。在公孫龍前,公孫龍稱之。"

劉向《别録》曰:"尹文子與宋銒俱游稷下。"又曰:"其學本于黄老,大較刑名家也。"案此條見仲長氏序,諸家輯《别録》本未采。

《漢書·藝文志》:《尹文子》一篇。説齊宣王。先公孫龍。

又《古今人表》第四等尹文子,錢塘梁玉繩考曰:"尹文子,始見本書《藝文志》,亦曰尹文,齊宣王時人。尹文,複姓,見《廣韻注》。《列子·周穆王篇》有尹文先生,豈其先歟?"

山陽仲長氏序曰:"尹文子者,蓋出于周之尹氏,齊宣王時居稷下,與宋銒、彭蒙、田駢同學于公孫龍,公孫龍稱之。著書一篇,多所彌綸。《莊子》曰:'不累于物,不苟于人,不忮于衆,願天下之安寧以活于民命,人我之養畢足而止,以此白心,見侮不辱,此其道也。'而劉向亦以其學本于黄老,大較刑名家也,近爲誣矣。余黄初末始到京師,繆熙伯以此書見示,意甚玩之,而多脱誤。聊試條次,撰定爲上下篇,亦未能究其詳也。"案此以《莊子》之説駁劉向入刑名家爲非,其意蓋以爲墨氏之學也。

唐馬總《意林》:《尹文子》二卷。序云:"文子出于周之尹氏,齊宣王時居稷下。余黄初末始到京師,繆熙伯以此書見示,聊定之。"注云:"此仲長統序文。"《永樂大典》本校輯曰:"案統卒于漢獻帝延康元年,安得于魏黄初末定此書?恐序出僞託。"案《玉海》但云山陽仲長氏。李淑《邯鄲書目》始云仲長統。此或宋、元妄改,非馬總本文。又今本《意林》有"劉歆注"三字,宋本無之。

《文心雕龍·諸子篇》:情辨以澤,文子擅其能;辭約而精,尹文得其要。

《唐書・經籍志》：《尹文子》二卷，尹文子撰。《藝文志》一卷。

《宋史・藝文志》：《尹文子》一卷。齊人。

晁氏《讀書志》：仲長氏所定。《尹文子序》稱文子當齊宣王時居稷下，學于公孫龍。而《漢志》敍此書在龍書上。顏師古謂文嘗説齊宣王，在龍之前。案此班氏注，非顏説。《史記》云公孫龍客于平原君，君相趙惠文王。惠文王元年，齊宣王没已四十餘歲矣，則知文非學于龍者也。李獻臣云：“仲長氏，統也。熙伯，繆襲字也。”

陳氏《書録解題》：今本稱仲長氏撰定，魏黄初末得于繆熙伯。又言與宋鈃、田駢同學于公孫龍，則不然也。龍書稱尹文乃借文對齊宣王語，以難孔穿。共當在龍先，班《志》言之是矣。

《玉海・藝文・諸子篇》：《中興書目》：《尹文子》二卷，齊人。劉向以其學本于黄老，居稷下，與宋鈃、彭蒙、田駢等同學于公孫龍。魏黄初末，山陽仲長氏得其書，始詮次爲上下二篇。

又《漢志考證》曰：“李獻臣云：‘仲長氏，即統也。’洪氏曰：‘劉歆云：其學本于黄老。今其文僅五千言，亦非純本黄老者，頗流而入于兼愛。’”

《四庫雜家提要》曰：“前有魏黄初末山陽仲長氏序，稱條次撰定爲上、下篇。此本亦題《大道上篇》、《大道下篇》，與序相符，而通爲一卷。蓋後人所合并也。”《莊子・天下篇》以尹文、田駢並稱，顏師古注《漢書》謂齊宣王時人。考劉向《説苑》載文與宣王問答，顏蓋據此。謹案此用晁氏説，亦以爲顏注非也。然《呂氏春秋》又載其與湣王問答事，殆宣王稷下舊人，至湣王時猶在歟？其書本名家者流。大旨指陳治道，欲自處于虛靜，而萬事萬物則一一綜覈其實，故其言出入于黄、老、申、韓之間。《周氏涉筆》謂其自道以至名，自名以至法，蓋得其實。”

張氏《書目答問》：《尹文子》一卷，附《校勘記》、《佚文》。《守山閣》本，又《湖海樓》本，又《金壺》本。

士操一卷　魏文帝撰

魏文帝有《列異傳》，見史部雜傳家。

《唐書·經籍志》：《士操》一卷，魏文帝撰。

《唐書·藝文志》：魏文帝《士操》一卷。

案魏武諱操，文帝安得以"操"名書？此必"士品"之誤。魏文有《海內士品》一卷，見史部雜傳類，而即其書，實重復也。

梁有《刑聲論》一卷，亡。

不著撰人。

案"刑聲"二字，莫詳其義。且列之名家，更不解其何謂。《魏志·劉廙傳》云："廙與丁儀共論刑禮，傳于世。"《吳志·陸遜傳》："權徵遜輔太子。南陽謝景善劉廙先刑後禮之論，遜呵景曰：'禮之長于刑久矣，廙以細辨而詭先聖之教，皆非也。君今侍東宮，宜遵仁義以彰德音，若彼之談，不須講也。'此《刑聲論》或《刑禮論》之誤歟？"

人物志三卷　劉卲撰

劉卲或作劉邵，又作劉劭。有《孝經注》，見經部。

《魏志》本傳：凡所撰述，《法論》、《人物志》之類百餘篇。

《魏書·劉炳傳》：炳注《周易》、《韓子》、《人物志》、《黃石公三略》，並行于世。

《史通·自序篇》曰："五常異稟，百行殊軌，能有兼偏，知有長短。苟隨才而任使，則片善不遺。必求備而後用，則舉世莫可。故劉卲《人物志》生焉。"

《唐書·經籍志》：《人物志》三卷，劉卲撰。又三卷，劉卲撰，劉炳注。

《唐書·藝文志》：劉邵《人物志》三卷。劉炳注《人物志》三卷。

《宋史·藝文志》：《即郡人物志》二卷。"即郡"、"二卷"並寫刊之誤。

晁氏袁本《讀書志》：《人物志》三卷，魏劉劭撰，凡一十二篇，僞涼劉昞注。以人物情性志氣不同，當審察材理各等列云。

又衢本《讀書志》曰："劭以人之材器志尚不同，當以'九徵'、'八觀'審察而任使之。凡十二篇。《通考》引作十六，非也。劭，郤慮所薦。慮，譖殺孔融者，不知在劭書爲何等，而劭受其知也。"

陳氏《書錄解題》：《人物志》三卷，魏散騎常侍鄲邯劉劭孔才撰，梁儒林祭酒敦煌劉昞注。《梁史》無劉昞，《中興書目》云爾。晁氏云僞涼人。案《中興書目》所見本，蓋以"涼"誤爲"梁"耳。

《四庫》雜家提要曰："劭書凡十二篇，首尾完具。其書主于論辨人才，以外見之符，驗內藏之器，分別流品，研析疑似，故《隋志》以下皆著錄于名家。然所言究悉物情，而精覈近理，視尹文之說兼陳黃、老、申、韓、公孫龍之說，惟析堅白同異者，迴乎不同。蓋其學雖近乎名家，其理則弗乖于儒者也。昞注不涉訓詁，惟疏通大意，而文詞簡古，猶有魏晉之遺。"

梁有《士緯新書》十卷，姚信撰，亡。

姚信有《周易注》，見經部易家。

《唐書·經籍志》：《士緯》十卷，姚信撰。

《唐書·藝文志》：姚信《士緯》十卷。

馬國翰輯本序曰："《士緯新書》十卷，吳姚信撰。今佚，從《意林》、《藝文類聚》、《初學記》、《太平御覽》諸書輯錄。如以吳季札讓國爲開篡殺之路，非所謂從忠教也。謂揚雄智似蘧瑗而高不及，謂周勃之勳不如霍光，說皆覈確。書中推尊孟子，亦識仁義爲中正之途。而其論清高之士則以老、莊爲上，君平、子貢爲下，儗非其倫。此其所以不能醇乎儒術乎？"

案姚氏仕吳嘗爲選部尚書，故有此論士之作。《通志·藝文略》云："《士緯新書》十卷，姚信撰，梁人。"蓋以本志注梁有，遂以爲梁人也，謬矣。

梁又有《姚氏新書》二卷，與《士緯》相似，亡。

案此殆是十卷之外所遺，後人録附本書者。

梁又有《九州人士論》一卷，魏司空盧毓撰，亡。

《魏志》本傳：毓字子家，涿郡涿人也。父植，有名于世。《續漢書》曰："植有四子，毓最小。"毓十歲而孤，以學行見稱。文帝爲五官將，召署門下賊曹。崔琰舉爲冀州主簿。丞相法曹議令史，轉西曹議令史。魏國既建，爲吏部郎。累遷。青龍中，詔由侍中爲吏部尚書。使毓自選代，曰："得如卿者乃可。"毓舉常侍鄭沖，帝曰："文和，吾自知之，更舉吾所未聞者。"乃舉阮武、孫邕，帝于是用邕。前此諸葛誕、鄧颺等馳名譽，有四窗八達之誚，帝疾之。時舉中書郎，詔曰："得其人與否，在盧生耳。選舉莫取有名，名如畫地作餅，不可啖也。"毓對曰："名不足以致異人，而可以得常士。常士畏教慕善，然後有名，非所當疾也。愚臣既不足以識異人，又主者正以循名案常爲職，但當有以驗其後。"會司徒缺，毓舉處士管寧，帝不能用。更問其次，毓對曰："敦篤至行，則太中大夫韓暨；亮直清方，則司隸校尉崔林；貞固純粹，則太常常林。"帝乃用暨。毓于人及選舉，先舉性行，而後言才。黃門李豐嘗以問毓，毓曰："才所以爲善也，故大才成大善，小才成小善。今稱之有才而不能爲善，是才不中器也。"豐等服其言。齊王時曹爽秉權，以侍中何晏代之。爽等見收，太傅司馬宣王使毓行司隸校尉，治其獄。復爲吏部尚書，轉爲僕射，故典選舉。正元三年，疾病，遜位。遷爲司空，累進爵，封容城侯。甘露二年薨，謚曰成侯。

《唐書·經籍志》：《九州人士論》一卷，盧毓撰。

《唐書·藝文志》：盧毓《九州人士論》一卷。

梁又有《通古人論》一卷，亡。

不著撰人。案《左·定五年傳》正義引張奐《古今人論》云云，疑即是書。奐，東漢人，有集，見集部。

右四部合七卷。實在著錄者四部，附著亡書五部，通計九部。

案《七錄序目·子兵錄第五》曰："名部九種九帙二十三卷。"本志所載存佚併計亦止于九部，無所增益，與前法家類相同也。

卷二十八

子部五
墨家

墨家十五卷　目一卷　宋大夫墨翟撰

《呂氏春秋·當染篇》：“魯惠公使宰讓請郊廟之禮于天子。桓王使史角往，惠公止之。其後在于魯，墨子學焉。”高誘注曰：“惠公，魯孝公之子，隱公之父。墨子名翟，魯人，作書七十一篇，以墨道開之。”錢塘梁玉繩《呂子校補》曰：“‘桓王’當作‘平王’，惠公卒于平王四十八年，與桓王不相接。《竹書紀年》請禮在平王四十二年。”以上言墨學之初始如此。

《史記·太史公自序》：“談爲太史公，仕于建元、元封之間，愍學者之不達其意而師悖，乃論六家之要指曰：夫陰陽、儒、墨、名、法、道德，此務爲治者也，直所從言之異路，有省不省耳。墨者儉而難遵，是以其事不可徧循。然其彊本節用，不可廢也。”又曰：“墨者亦尚堯舜道，言其德行曰：‘堂高三尺，土階三等，茅茨不翦，采椽不刮。食土簋，啜土刑，糲粱之食，藜藿之羹。夏日葛衣，冬日鹿裘。’其送死，桐棺三寸，舉音不盡其哀。教喪禮，必以此爲萬民之率。使天下法若此，則尊卑無別也。夫世異時移，事業不必同，故曰‘儉而難遵’。要曰彊本節用，則人給家足之道也。此墨子之所長，雖百家弗能廢也。”又《孟荀列傳》曰：“蓋墨翟，宋之大夫，善守禦，爲節用。或曰並孔子時，或曰在其後。”《索隱》曰：“案《別錄》云：‘《墨子書》有文子。文子，子夏之弟子，問于墨子。’如此，則墨子者在七十子後也。"范書《張衡傳》注：《衡集》云："公輸班與墨翟並當子思時，出仲尼後。"

《漢書·藝文志》："《墨子》七十一篇。名翟，爲宋大夫，在孔子後。"又曰："墨家者流，蓋出于清廟之守。茅屋采椽，是以貴儉；養三老五更，是以兼愛；選士大射，是以上賢；宗祀嚴父，是以右鬼；順四時而行，是以非命；以孝視天下，是以上同：此其所長也。及蔽者爲之，見儉之利，因以非禮，推兼愛之意，而不知別親疏。"又兵技巧家注曰："省《墨子》。"

本志篇敍曰："墨者，強本節用之術也。上述堯、舜、夏禹之行，茅茨不翦，糲粱之食，桐棺三寸，貴儉兼愛，嚴父上德，以孝示天下，右鬼神而非命。《漢書》以爲本出清廟之守。然則《周官》宗伯'掌建邦之天神地祇人鬼'，肆師'掌立國祀及兆中廟中之禁令'，是其職也。愚者爲之，則守于節儉，不達時變，推心兼愛，而混于親疏也。"以上《史》、《漢》、《隋》三史言墨學之大略如此。

《韓非子·顯學篇》：世之顯學，儒、墨也。墨之所至，墨翟也。自墨子之死也，有相里氏之墨，有相夫氏之墨，有鄧陵氏之墨。故墨之後，墨離爲三，取舍相反不同，而皆自謂真墨。墨不可復生，將誰使定後世之學乎？

《陶淵明集》載《三墨》曰："不累于俗，不飾于物，不尊于名，不忮于衆，此宋銒、尹文之墨。裘褐爲衣，跂蹻爲服，日夜不休，以自苦爲極者，相里勤、五侯子之墨。俱誦經而背誦不同，相爲別墨以堅白，此苦獲、己齒、鄧陵子之墨。"以上言墨學流裔如此。

《唐書·經籍志》：《墨子》十五卷，墨翟撰。《藝文志》同，《宋史·志》亦同。

《通志·藝文略》：《墨子》十五卷，宋大夫墨翟撰。又三卷，樂臺注。《唐志》不載，當考。案"樂臺"當爲"樂壹"。案宋、明相傳有三卷十三篇者，或舊爲樂壹注本，未可知也。

晁氏《讀書志》：《墨子》十五卷，宋墨翟撰，戰國時爲宋大夫，著書七十一篇，以貴儉、兼愛、尊賢、右鬼、非命、尚同爲説云。荀、孟皆非之，而韓愈獨謂辨生于末學，非二師之道本然也。

陳氏《書録解題》：《墨子》三卷，宋大夫墨翟撰。孟子所謂"邪説誣行，與楊朱同科"者也。韓吏部推尊孟氏，而《讀墨》一章，乃謂孔、墨相爲用，何哉？《漢志》七十一篇，《館閣書目》有十五卷六十一篇者，多訛脱不相聯屬。又二本止存十三篇者，當是此本也。

明宋濂《諸子辨》："《墨子》三卷。上卷《親士》、《修身》、《所染》、《法儀》、《七患》、《辭過》、《三辨》七篇，號曰《經》。中卷《尚賢》三篇，下卷《尚同》三卷，皆號曰《論》。共十三篇。"

《四庫雜家提要》曰："《墨子》十五卷，舊題宋墨翟撰。然其書中多稱子墨子，則門人之言，非所自著。又諸書多稱墨子名翟，《因樹屋書影》則曰墨子姓翟，母夢烏而生，因名之曰烏，以墨爲道。今以姓爲名，以墨爲姓，是老子當姓老耶？其説不著所出，未足爲據也。墨家者流，史罕著録，蓋以孟子所闢，無人肯居其名。然佛氏之教，其清淨取諸老，其慈悲則取諸墨。韓愈《送浮屠文暢序》稱儒名墨行，墨名儒行。以佛爲墨，蓋得其真。而《讀墨子》一篇，乃稱墨必用孔，孔必用墨。開後人三教歸一之説，未爲篤論。特在彼法之中，能自嗇其身，而時時利濟于物，亦有足以自立者。故其教得列于九流，而其書亦至今不泯耳。第五十二篇以下，皆兵家言，其文古奧，或不可句讀，與全書爲不類。疑因五十一篇言公輸般九攻、墨子九拒之事，其徒因采摭其術，附記其末。觀其稱弟子禽滑釐等三百人已持守固之器在宋城上，是能傳其術之徵矣。"《淮南·泰族篇》云："墨子服役者百八十人，皆可使赴火蹈刃，死不還踵，化之所致也。"又《簡明目録》曰："其書歷代著録，列爲九流之一。觀其近理亂真之處，然後知儒、墨異同之所以然，則亦不必廢觀也。"

鎮洋畢沅校注序曰："《墨子》七十一篇，隋以來爲十五卷，目一卷。宋亡八篇，爲六十三篇。後又亡十篇，爲五十三篇，即今本也。四庫館本亦同。世之譏墨子，以其節葬、非儒説。墨者既以節葬爲夏法，非儒，則由墨氏弟子尊其師之過，其稱孔子諱及諸毁詞，是非翟之言也。案他篇亦稱孔子，亦稱仲尼，又以爲孔子言亦當而不可易，是翟未嘗非孔。孟子距楊、墨，蓋必當時爲墨學者流爲橫議，或類《非儒篇》所説，孟子始嫉之。故韓愈云：'辨生于末學，各務售其師之説，非二師之道本然其知此也。'今惟《親士》、《修身》及《經上》、《經下》疑翟自著，餘篇稱子墨子，《耕柱篇》并稱子禽子，則是門人小子記録所聞。且其《魯問篇》曰：'凡入國，必擇務而從事焉。國家昏亂，則語之尚賢、尚同；國家貧，則語之節用、節葬；國家熹音湛湎，則語之非樂、非命；國家淫僻無禮，則語之尊天事鬼；國家務奪侵凌，則語之兼愛。'是亦通達經權，不可訾議。又其《備城門》諸篇，皆古兵家言，有實用焉。又司馬遷、班固以爲翟宋大夫，葛洪以爲宋人者，以《公輸篇》有爲宋守之事。高誘注《呂氏春秋》以爲魯人，則是楚魯陽，漢南陽縣在魯山之陽，本書多有魯陽文君問答，又亟稱楚四竟，非魯、衞之魯，不可不察也。先秦之書字少假借，後乃偏旁相益，若本書四竟之字作竟之類，實足以證聲音文字訓詁之學。"

陽湖孫星衍後序曰："墨子與孔異者，其學出于夏禮。司馬遷、班固皆不知墨學之所出。淮南王知之，其作《要略訓》云：'墨子學儒者之業，受孔子之術。以爲其禮煩擾，而不説厚葬，靡財而貧民，服傷生而害事，故背周道而用夏政。'其識過于遷、固。古人不虛作，諸子之教，或本夏，或本殷。故韓非著書，亦載棄灰之法。墨子有節用。節用，禹之教也。又有明鬼，是致孝鬼神之義；兼愛，是盡力溝洫之義。其節葬，亦禹法也。尸子稱禹之喪法，死于陵者葬于陵，死于澤者葬于澤，桐棺三寸，制喪三月。高誘注《淮南子·齊俗》云：'三月之服，是夏后氏之禮。'孔子生于周，故尊周禮而不用夏制。孟子亦周人，而宗孔，故于墨非之，勢則然矣。若覽其文，亦辨士也。《親士》、《修身》、《經上》、《經下》及《說》凡六篇，皆翟自著。《經》上、下略似《爾雅·釋詁》文而不解其意指。《備城門》諸篇具古兵家言，惜其脫誤難讀。而弇山先生于此書，悉能引據傳注、類書，匡正其失。又其古字古言，通以聲音訓故之原，豁然解釋。時則有盧學士抱經、翁洗馬覃谿及星衍三人者，不謀同時共爲其學，皆折衷于先生云。"

隨巢子一卷。巢似墨翟弟子。

《漢書·藝文志》：《隨巢子》六篇，墨翟弟子。

又《古今人表》第四等隨巢子，梁玉繩考曰："隨巢子，惟見本書《藝文志》墨家。隨巢，當是氏，或謂氏隨名巢，無據。"案本志注云："巢似墨翟弟子，則氏隨名巢矣。"然亦不知何所據也。

《文心雕龍·諸子篇》：墨翟、隨巢，意顯而語質。

《史記·太史公自序》正義曰："韋云：墨翟之術，尚儉，後有隨巢子傳其術也。"

《唐書·藝文志》：《隨巢子》一卷。

宋鄧名世《古今姓氏書辨證》："隨巢氏，《漢·藝文志》有《隨巢子》六篇，注云墨翟弟子。謹案姓書未有此氏，而當時有胡非子、隨巢子皆師墨氏，則隨巢合爲人氏。"

馬國翰輯本序曰："《漢志》墨家有《隨巢子》六篇，《隋》、《唐志》皆以一卷著録，今佚。《意林》引其二節，又從諸書所引輯十三節,以類編次,多言災祥禍福,其論鬼神之能亦即《中庸》‘體物而不可遺’之意,而謂鬼賢于聖人,過爲奇語,醇駮分焉已。”

胡非子一卷。非似墨翟弟子。

《漢書·藝文志》:《胡非子》三篇。墨翟弟子。

又《古今人表》第四等胡非子,梁玉繩曰:“胡非子惟見本書《藝文志》墨家。胡非,複姓,《廣韻》注云胡公之後有公子非,因以爲氏,則胡非子齊人也。”

應劭《風俗通·姓氏篇》:“胡非氏,胡公之後有公子非,其後子孫因以胡非爲氏。戰國有胡非子著書。”張澍輯注曰:“胡非子,墨翟弟子。《藝文志》有《胡非子》三篇。”

《唐書·經籍志》:《胡非子》一卷,胡非子撰。

《唐書·藝文志》:《胡非子》一卷。

馬國翰輯本序曰:“《漢志》墨家《胡非子》三篇,《隋》、《唐志》皆著録一卷,今佚。馬總《意林》亦載一卷,而止引其《説五勇》一篇,文句多敓略,校《太平御覽》所引補足,又搜輯三節,合爲卷。五勇與《莊子》相出入。説弓矢亦本韓非子矛盾之喻,戰國人文字相襲往往而然也。”案韓非子在戰國之末,于戰國諸子中爲最後,胡非子爲墨翟弟子,則遠在其前,當是韓非襲胡非也。

梁有《田休子》一卷,亡。“田休”當爲“田俅”。

《吕氏春秋·首時篇》:“墨者有田鳩欲見秦惠王,留秦三年而弗得見。客有言于楚王者,往見楚王,楚王説之,與將軍之節以如秦。至,因見惠王。”高誘曰:“田鳩,齊人,學墨子術。惠王,孝公之子駟也。”亦見《淮南子·道應篇》。

《漢書·藝文志》:“《田俅子》三篇。先韓子。”蘇林曰:“俅音仇。”

又《古今人表》第四等田俅子,梁玉繩曰:“田俅子惟見本書

《藝文志》墨家。《吕覽·首時》言墨者田鳩見秦惠王。注：田
鳩，齊人。《韓子·外儲説左上》及《問田篇》亦稱之。鳩、俅
音近，疑爲一人。"

馬國翰輯本序曰："《漢志》墨家《田俅子》三篇，《隋志》云梁有
《田俅子》一卷，《唐志》不著録，佚已久。案《韓非子》引田鳩
説二節，家宛斯先生《繹史》云田鳩即田俅。《吕氏春秋》亦引
墨者田鳩事。合以《藝文類聚》、《白六帖》、《文選注》、《御覽》
所引輯得八節。"

右三部合一十七卷。實在著録三部，附著亡書一部，通計四部。

案《七録序目·子兵録第六》曰："墨部四種四帙一十九
卷。"本志存佚併計亦四部，無所增益，與法家、名家同。

卷二十九

子部六
從橫家

鬼谷子三卷　皇甫謐注。鬼谷子,周世隱于鬼谷。

《史記・蘇秦列傳》:"蘇秦者,東周雒陽人也。東事師于齊,而習之于鬼谷先生。"《集解》:'徐廣曰:"潁川陽城有鬼谷,蓋是其人所居,因爲號。'駰案《風俗通義》曰:'鬼谷先生,六國時從橫家。'"《索隱》曰:"鬼谷,地名也。扶風池陽、潁川陽城並有鬼谷墟,蓋是其人所居,因爲號。"又樂臺注《鬼谷子書》云:"蘇秦欲神祕其道,故假名鬼谷。"

又《張儀列傳》:張儀者,魏人也。始嘗與蘇秦俱事鬼谷先生。

《藝文類聚・隱逸篇》:袁淑真《隱傳》曰:"鬼谷先生,不知何許人也,隱居韜志,居鬼谷山,因以爲稱。蘇秦、張儀師之,遂立功名。先生遺書責之。"

《史記・蘇秦列傳》集解:駰案《戰國策》曰:"乃發書,陳篋數十,得《太公陰符》之謀,伏而讀之,簡練以爲揣摩。期年,揣摩成。《鬼谷子》有《揣摩篇》也。"《索隱》曰:"王劭云:'《揣情》、《摩意》是《鬼谷》之二章名,非爲一篇也。'高誘曰:'揣,定也。摩,合也。定諸侯使雠其術,以成六國之從也。'江邃曰:'揣人主之情,摩而近之。'其意當矣。"案今本《鬼谷子》中卷《揣篇》第七,《摩篇》第八。

《唐書・經籍志》:《鬼谷子》二卷,蘇秦撰。又三卷,尹知章注。

《唐書·藝文志》：《鬼谷子》二卷。注云蘇秦。尹知章注《鬼谷子》三卷。

《宋史·藝文志》：《鬼谷子》三卷。

《册府元龜·學校部》注釋類：皇甫謐累徵不起，注《鬼谷子》三卷。皇甫謐有《帝王世紀》，見史部雜史類。

晁氏《讀書志》：《鬼谷子》三卷，鬼谷先生撰。長于養性治身，蘇秦、張儀師之。敘謂此書即授之二子者，言捭闔之術，凡十三章。《本經》、《持樞》、《中經》三篇，梁陶弘景注。《隋志》以爲蘇秦書，《唐志》以爲尹知章注，案此稱《隋志》似誤。未知敦是。陸龜蒙詩謂鬼谷先生名訓，《通考》引作“訓”。不詳所從出。

陳氏《書録解題》：《鬼谷子》三卷。戰國時蘇秦、張儀所師事者，號鬼谷先生，名氏不傳于世。此書《漢志》亦無有，《隋》、《唐志》始見之，《唐志》則直以爲蘇秦撰，不可考也。《隋志》有皇甫謐注，今本稱陶弘景注。

王氏《漢書藝文志考證》：從橫家《蘇子》三十二篇，《鬼谷子》三卷。樂壹注云：“蘇秦欲神祕其道，故假名鬼谷也。”《史記正義》：“《戰國策》云得太公《陰符》之謀，簡練以爲揣摩。”《鬼谷子》有《陰符七術》，有《揣》及《摩》二篇，乃蘇秦書明矣。

又曰：“《鬼谷子》不著録。尹知章序謂此書即授秦儀者捭闔之術十三章，一云十二章。《本經》、《持樞》、《中經》三篇，一云受《轉丸》、《胠篋》三章。秦、儀復往見，先生乃正席正席而坐，嚴顏而言，告二子以全身之道。劉氏涇曰：‘老之禽張，儒之閫閾，其與鬼谷往來如環。鬼，幽而顯者也；谷，扣而應者也。藏幽露顯，一扣一應，信如其名哉！’《説苑》引《鬼谷子》曰：‘人之不善而能矯之者，難矣！’”案見《説苑·善説篇》。

《玉海·藝文·諸子類》：“《史記正義》：‘鬼谷，谷名，在雒州陽城縣北五里。’《七録》有蘇秦書，樂壹注云：‘秦欲神祕其道,故假名鬼谷也.'《鬼谷子》三卷,有《陰符七術》,有《揣》及《摩》二篇.《戰國策》云:'得太公《陰符》之謀,伏而誦之,簡練以爲揣摩.期年,揣摩成.'案《鬼谷子》乃蘇秦書明矣."

又曰:"《中興書目》三卷,周時高士,無鄉里、族姓、名字,以其所隱自號'鬼谷先生'.蘇秦、張儀事之,授以《捭闔》下至《符言》等十有二篇,及《轉圓》、《本經》、《持樞》、《中經》等篇,亦以告儀、秦者也.一本始末皆陶弘景注,一本《捭闔》、《反應》、《内揵》、《抵巇》四篇不詳何人訓釋,中下二卷與弘景所注同."案《中興書目》所載有陶注中下二卷本,《唐志》亦二卷,知《七錄》亦有二卷本也.《中興目》又有失名注上卷四篇本,合爲一編.

《四庫》雜家提要曰:"胡應麟《筆叢》謂《漢志》有蘇秦三十一篇,張儀十篇,必東漢人本二書之言,薈粹爲此,而託于鬼谷,若子虛亡是之屬.其言頗爲近理,然亦終無確證.《隋志》稱皇甫謐注,則爲魏、晉以來書,固無疑耳.《説苑》引《鬼谷子》一語,今本不載,疑非其舊.然今本一卷,已佚其《轉丸》、《胠篋》二篇,惟存《捭闔》至《符言》十二篇,劉向所引或在佚篇之内,不足以致疑也.高似孫《子略》稱其一闔一闢,爲《易》之神;一翕一張,爲老氏之術.出于戰國諸人之表,誠爲過當.宋濂《潛溪集》詆爲蛇鼠之智,又謂其文淺近,不類戰國時人,又抑之太甚.柳宗元《辨鬼谷子》,以爲言益奇而道益險,差得其真.蓋其術雖不足道,其文之奇變詭偉,要非後世所能爲也."

又《簡明目錄》:"《鬼谷子》一卷,舊本題鬼谷子撰,《唐志》則以爲蘇秦撰,莫能詳也.其書爲縱橫家之祖,原本十四篇,今佚其二.舊有樂壹等四家注,今並不傳."

張氏《書目答問》:《鬼谷子》陶弘景注一卷.秦恩復校刻兩本.案一本三卷十四篇,附篇目考.

　案晁《志》引陸魯望詩謂鬼谷先生名訕,《通考》又引作訓.

《道藏目録》云：“鬼谷子，姓王名詡，殆即“詗”與“訓”之傳寫不一者。晉平公時人。”并謂受道于老君，宋人僞《子華子》又謂鬼谷子姓劉名務滋，楚人。宋潛溪《諸子辨》云：“鬼谷子一名玄微子。”皆不知其何所據。其書實蘇子之遺。樂壹之言，《唐志》之載，徵實可信，特未必《漢志》三十一篇之舊耳。王氏《漢志考》既已證明爲蘇秦書，《玉海·諸子篇》亦具言之，其識卓矣。而于《漢志考證》中又別出不著録之鬼谷子一條，以自污其書，是亦不可以已乎？

梁有《補闕子》十卷，元帝撰，亡。

梁元帝有《漢書注》，見史部正史類。

《梁書》、《南史》本紀所著《補闕子》十卷。

《金樓子·著書篇》：《補闕子》一秩十卷，金樓爲序，付鮑泉東里撰。鮑泉有《六經通數》，詳見經部論語篇後五經總義類。

《唐書·經籍志》：《補闕子》十卷，梁元帝撰。

《唐書·藝文志》：梁元帝《補闕子》十卷。

嚴氏《載橋漫稾》《闕子》輯本序曰：“《漢志》從橫家《闕子》一篇，《隋志》梁有《補闕子》十卷，元帝撰，亡。《舊》、《新唐志》著于録，今散見各書，所引皆稱《闕子》，不稱《補闕子》，非梁補也。”

馬氏玉函山房《闕子》輯本序曰：“《漢志》縱橫十二家，有《闕子》一篇，《隋志》云梁有《補闕子》十卷，元帝撰，亡。蓋梁時《闕子》書已不傳，故元帝補之。隋時未見其書，至唐初蒐得而著于目，今併佚矣。”

梁有《湘東鴻烈》十卷，元帝撰，亡。

《金樓子·立言篇》：裴幾原問曰：“西伯拘而闡《易》，仲尼厄而作《春秋》，孫子之遇龐涓，韓非之值秦后，虞卿窮愁，不韋遷蜀，士嬴疾行，夷、齊潛隱，皆心有不悦，爾乃著書。夫子實尊千乘，褰帷萬里，地得周旦，聲齊燕奭，豪匹四君，威同五伯。玳簪之客，雁行接踵；珠劍之賓，肩隨鱗次。下帷著書，其義何也？殊爲觝牾，良用于邑。”予答曰：“吾于天下亦不賤也，所以一沐三握髮，一食再吐哺，何者？正以名節未樹也。吾嘗欲稜威瀚海，絕幕居延，出萬死而不顧，必令威振諸夏，然後度聊城而長望，向陽關而凱入。盡忠盡力以報國家，此吾之上願焉。次則清酒一壺，彈琴一曲，有志不遂，命也如何？脫略刑名，蕭散懷抱，而未能爲也。但性過抑揚，恒欲權衡稱物，所以隆暑不辭熱，凝冬不憚寒，著《鴻烈》者，蓋爲此也。”又問之曰：“子何不詢之有識，共著此書，曷爲區區自勤如此？”予答曰：“夫荷旃被毳者，難與道純綿之緻密；羹藜含糗者，不足論太牢之滋味。故服絺綌之涼者，不苦盛暑之鬱煩；襲貂狐之燠者，不知至寒之淒愴。予之術業，豈賓客之能闚。斯蓋以莛撞鍾，以蠡測海也。予嘗切齒淮南、不韋之書，謂爲賓遊所製，每至著述之間，不令賓客闚之也。”裴幾原，子野之字，即撰《宋略》者。

　　案此一篇似即《湘東鴻烈》之序文，《淮南·內篇》號曰《鴻烈》，意蓋仿其名稱以此爲內篇歟？而自爲著述，不令賓客參預，則謂異于《淮南》也。稱“湘東”則在未即位之前，此與《補闕子》兩書雖曰梁有，而皆非《七錄》所載。詳見篇末。其列于縱橫家者，豈其文辨仿戰國策士之所爲，亦略如《補闕子》者歟？諸書罕見引述，莫得而詳。《金樓子·著書篇》未見記錄，則殘缺之餘不免遺漏也。

鬼谷子三卷　樂一注　“一”當爲“壹”，或作“樂臺”，字之誤也。又一本作樂注，敓“壹”字。

　　鬼谷子見前，樂壹，始末未詳。

　　《史記·蘇秦列傳》索隱曰：“樂臺注《鬼谷子》書云：‘蘇秦欲

神祕其道,故假名鬼谷。'"

唐馬總《意林》:《鬼谷子》五卷,樂氏注,名壹。總案其序云:
"周時有豪士隱者,居鬼谷,自號鬼谷先生,無鄉里、族姓、名
字。"又注云:"此蘇秦作書記之也。鬼之言遠,猶司馬相如假
無是公云爾。"<small>案一本無注文,此所注似非馬總本文。"五卷"似"三卷"之誤。</small>

《唐書·經籍志》:《鬼谷子》又三卷,樂臺注。

《唐書·藝文志》:樂臺注《鬼谷子》三卷。<small>《玉海》引《唐志》作樂壹。</small>

宋高似孫《子略》:《鬼谷子》,注其書者,樂臺,皇甫謐,陶弘
景,尹知章。知章,唐人。

《玉海·藝文·諸子篇》:《唐志》縱橫家《鬼谷子》,樂壹注,三
卷。《隋志》云樂一。

又曰:"《史記正義》、《七録》有蘇秦書。樂壹注云:'秦欲神
祕其道,故假名鬼谷也。'《鬼谷子》三卷,樂壹注。字正,魯郡
人。"<small>案此皆《正義》引《七録》文也,今本《史記·蘇張列傳》皆不見,似所據爲《正
義》單行本歟? 案兩漢唯有魯國,至晉始有魯郡,是樂壹大抵晉人。</small>

《四庫雜家簡明目録》曰:"《鬼谷子》舊有樂壹等四家注,今並
不傳。"

右二部合六卷。<small>實在著録二部,附著亡書二部,通計四部。</small>

案《七録序目·子兵録第七》曰:"縱橫部二種二帙五卷。"
本志存佚并計四部,增入二部。

又案《七録序目》載此類止二種五卷。二種者,蓋即《鬼谷
子》書二部耳。其一部二卷,無上卷四篇,南宋時猶存。
《中興書目》言之已詳。<small>見前。</small>又一部三卷,即樂壹注本,《史
記正義》引《七録》亦載之甚悉。<small>亦見前。</small>是爲五卷。又《玉
海》引《史記正義》云:"《七録》有蘇秦書。"知一本二卷者,
《七録》題蘇秦書也。《唐志》二卷,題蘇秦。本此《正義》全
引《七録》此兩條文,故尋繹可見。由是知本志所注梁有

《補闕子》、《湘東鴻烈》各十卷，皆不在《七録》之内。是必從梁代別家書目采入，然後知本志注梁有云云者，不盡是《七録》一書，亦有在《七録》之外者，非詳加考索不能知也。又案醫家本草類中附注梁有亡書十餘種，而陶隱居《本草》前後兩見，寒食散類中梁有徐叔嚮之書亦前後兩見，所據非《七録》一書尤信。又別集類宋《王韶之集》，總集類王僧綽《頌集》、《本連理頌》，亦皆然，並足與此相證明也。

卷三十

子部七

雜家 <small>類中分類凡四。</small>

尉繚子五卷。**梁幷録六卷**。**尉繚，梁惠王時人**。

劉向《别録》曰："繚爲商君學。"<small>又一引云爲南君學。</small>

《漢書・藝文志》：《尉繚》二十九篇。六國時。又兵形勢家《尉繚》三十一篇。

《唐書・經籍志》：《尉繚子》六卷，尉繚子撰。

《唐書・藝文志》：《尉繚子》六卷。

王氏《漢書藝文志考證》曰："雜家《尉繚》二十九篇，兵形勢又有《尉繚》三十一篇，《隋志》《尉繚子》五卷，今本首篇稱梁惠王問，意者魏人歟？《秦始皇紀》：'大梁人尉繚來説秦王。'"

《四庫》兵家提要曰："其人當六國時，不知其本末。或曰魏人，以《天官篇》有梁惠王問知之。或又曰齊人，鬼谷子之弟子。劉向《别録》又云繚爲南君學。未詳孰是也。《漢志》雜家有《尉繚》二十九篇。《隋志》作五卷，《唐志》作六卷，亦並入于雜家。又兵形勢家别有《尉繚》三十一篇，今雜家之《尉繚》亡而兵家獨傳云。"

錢塘梁玉繩《瞥記》曰："諸子中有尉繚子，疑即尸子所謂料子，貴別者也。《漢志》雜家《尉繚》二十九篇，先《尸子》。兵家《尉繚》三十一篇，先《魏公子》，蓋兩人皆尸佼所稱，非爲始皇國尉者。"

案《秦始皇本紀》："十年,大梁人尉繚來説秦王曰:'以秦之彊,諸侯譬如郡縣之君,臣但恐諸侯合從,翕而出不意,此乃智伯、夫差、湣王之所以亡也。願大王毋愛財物,略其豪臣,以亂其謀,不過亡三十萬金,則諸侯可盡。'秦王從其計,見尉繚亢禮,衣服食飲與繚同。繚曰:'秦王爲人,蜂準,長目,鷙鳥膺,豺聲,少恩而虎狼心,居約易出人下,得志亦輕食人。我布衣,然見我常身自下我。誠使秦王得志于天下,天下皆爲虜矣。不可與久游。'乃亡去。秦王覺,固止,以爲秦國尉,卒用其計策。而李斯用事。"《正義》曰:"秦國尉,若漢太尉、大將軍之比也。"此尉繚在六國之末。梁氏以《漢志》雜家、兵家所載敍次並在其前,以爲別是一人,別詳見于兵家。

尸子二十卷　目一卷。梁十九卷。秦相衛鞅上客尸佼撰。其九篇亡,魏黄初中續。

《史記·孟子荀卿列傳》:趙有公孫龍、劇子,魏有李悝,楚有尸子、長盧,阿之吁子焉。自孟子至于吁子,世多有其書,故不論其傳云。

劉向《別錄》曰:"太史公曰:楚有尸子,疑謂其在蜀。今案《尸子書》,晉人也,名佼,秦相衛鞅客也。衛鞅商君謀事畫計,立法理民,未嘗不與佼規也。商君被刑,佼恐并誅,乃亡逃入蜀。自爲造此二十篇,凡六萬餘言,卒,因葬蜀。"

《漢書·藝文志》:《尸子》二十篇。名佼,魯人,秦相商君師之。鞅死,佼逃入蜀。

又《古今人表》第五等尸子,錢塘梁玉繩考曰:"尸子始見《穀梁·隱五》,名佼,商君師之,鞅死,逃入蜀,卒,因葬蜀。案《史記集解》引劉向《別錄》云:佼,晉人。《後書·吕強傳》注同。當是也。乃史作楚人,《藝文志》作魯人,蓋因其逃亡在蜀,魯後屬楚故耳。”

《後漢書·宦者呂强傳》注：尸子,晉人也,名佼,作書二十篇,十九篇陳道德仁義之紀,一篇言九州險阻,水泉所起也。

《唐書·經籍志》：《尸子》二十卷,尸佼撰。《藝文志》同。

《宋史·藝文志》儒家：《尸子》一卷,尸佼撰。

王氏《漢藝文志考證》：李淑《書目》存四卷,《館閣書目》止存二篇,合爲一卷。《爾雅疏》引《廣澤》、《仁意》、《綽子篇》,《穀梁傳》引《尸子》,《宋書·禮志》引《尸子》。

陽湖孫星衍輯本序曰："尸子著書于周末,凡二十篇,《藝文志》列之雜家,後亡九篇,魏黄初中續之,至南宋而全書散佚。章孝廉宗源刺取書傳,輯成此帙,寄予補訂,後歸家郎中馮翼所。越數年,莊進士述祖以惠氏棟輯本見詒,許民部宗彦又得《群書治要》録十三篇寄余。及余閲書傳,亦頗有舊編遺漏者,因屬洪明經頤煊重編爲二卷,再刊于濟南。篇目曰《勸學》,曰《貴言》,曰《四儀》,曰《明堂》,曰《分》,曰《發蒙》,曰《恕》,曰《治天下》,曰《仁意》,曰《廣》,曰《綽子》,曰《處道》,曰《神明》,曰《廣澤》,曰《止楚師》,曰《君治》。"

蕭山汪繼培輯本序曰："《尸子》近所傳者,有震澤任氏本、元和惠氏本、陽湖孫氏本。迺集平昔疏記,以相比較,稍加釐訂。以《群書治要》所載十三篇爲上卷,其不載《治要》散見諸書者爲下卷。案劉向《別録》,稱《尸子》書凡六萬餘言,今兹撰録,蓋十失其八,可爲歎息。劉勰謂其'兼綜雜術,術通而文鈍'。今原書散佚,未究大恉,諸家徵説,率皆采擷精華,翦落枝葉,單詞賸誼,轉可寶愛。"

《孫氏書目》：《尸子》二卷。一惠棟集本,一孫馮翼刊本,一星衍重刊本。

張氏《書目答問》：《尸子》二卷,章宗源輯,《湖海樓》注本,《問經堂》本，《平津館》本。又三卷，《附録》一卷，任兆麟輯，《心齋十種》本。

呂氏春秋二十六卷　秦相呂不韋撰　高誘注

《史記》列傳：呂不韋者，陽翟大賈人也。往來販賤賣貴，家累千金。秦昭王四十二年，以其次子安國君爲太子。安國君有所甚愛姬，曰華陽夫人，無子。安國君中男名子楚，爲秦質子于趙。趙不甚禮子楚，居處困，不得意。呂不韋賈邯鄲，見而憐之，曰：“此奇貨可居。”乃往見子楚，爲子楚行千金，以奇物玩好西游秦，獻華陽夫人。夫人言于安國君，請立子楚爲嫡嗣。安國君許之。昭王薨，太子安國君立爲王，華陽夫人爲王后，子楚爲太子。秦王立一年，薨，謚爲孝文王。太子子楚代立，是爲莊襄王。莊襄王元年，以不韋爲丞相，封爲文信侯，食河南洛陽十萬户。莊襄王即位三年，薨，太子政立爲王，尊不韋爲相國，號稱仲父。當是時，魏有信陵君，楚有春申君，趙有平原君，齊有孟嘗君，皆下士喜賓客以相傾。不韋以秦之彊，羞不如，亦招致士，厚遇之，至食客三千人。是時諸侯多辨士，如荀卿之徒，著書布天下。不韋乃使其客人人著所聞，集論以爲八覽、六論、十二紀，二十餘萬言。以爲備天地萬物古今之事，號曰《呂氏春秋》。布咸陽市門，懸千金其上，延諸侯游士賓客有能增損一字者予千金。始皇十年十月，以嫪毐事免，就國河南。歲餘，諸侯賓客使者相望于道，請文信侯。秦王恐其爲變，乃賜文信侯書曰：“君何功于秦？秦封君河南，食十萬户。君何親于秦？號稱仲父。其與家屬徙處蜀！”呂不韋自度稍侵，恐誅，乃飲酖而死。《秦始皇本紀》：“十二年，文信侯不韋死，竊葬。其舍人臨者，晉人也，逐出之；秦人六百石以上奪爵，遷；五百石以下不臨，遷，勿奪爵。自今以來，操國事不道如嫪毐、不韋者籍其門，視此。”

又《十二諸侯年表》曰："呂不韋者,秦莊襄王相,亦上觀尚古,刪拾《春秋》,集六國時事,以爲八覽、六論、十二紀,爲《呂氏春秋》。"

《漢書·藝文志》:《呂氏春秋》二十六篇,秦相呂不韋輯智略士作。

高誘注書序曰："此書所尚,以道德爲標的,以無爲爲綱記,以忠義爲品式,以公方爲檢格。與孟軻、孫卿、淮南、揚雄相表裏也,是以著在録略。誘正《孟子章句》,作《淮南》、《孝經解》畢訖,家有此書,尋繹案省,大出諸子之右。既有脱誤,小儒又以私意改定,猶慮傳義失其本真,少能詳之,故復依先儒舊訓,輒乃爲之解焉,以述古儒之旨,凡十七萬三千五十四言。"

《史記索隱》曰:"八覽者,《有始》、《孝行》、《慎大》、《先識》、《審分》、《審應》、《離俗》、《恃君》也。六論者,《開春》、《慎行》、《貴直》、《不苟》、《以順》、《士容》也。十二紀者,記十二月也,其書有《孟春》等紀。二十餘萬言,二十六卷也。"案二十六卷,今散入《史記》中者作三十餘卷,非也。此《索隱》單行本也。

《唐書·經籍志》:《呂氏春秋》二十六卷,呂不韋撰。

《唐書·藝文志》:《呂氏春秋》二十六卷,呂不韋撰,高誘注。

《宋史·藝文志》:呂不韋《呂氏春秋》二十六卷,高誘注。

晁氏《讀書志》:十二紀者,本周公書,後儒置于《禮記》,善矣。而目之爲"呂令"者,誤也。

陳氏《書録解題》曰:"秦相呂不韋撰,後漢高誘注。其書有十二紀、八覽、六論。十二紀者,即今《禮記》之《月令》也。"

王氏《漢藝文志考證》:東萊呂氏曰:"不韋《春秋》成于始皇八年。案《呂氏春秋》:'維秦八年,歲在涒灘,秋甲子朔,朔之日,良人請問十二紀。'此其書成之歲月也。"

《四庫提要》曰:"《藝文志》載《呂氏春秋》二十六篇。今本凡十二紀，八覽，六論。紀所統子目六十一，覽所統子目六十三，論所統子目三十六，實一百六十篇。《漢志》蓋舉其綱也。其十二紀，即《禮記》之《月令》。顧以十二月割爲十二篇，每篇之後，各間以他文四篇。惟夏令多言樂，秋令多言兵，似乎有義，其餘則絶不可曉，先儒無説，莫之詳矣。又每紀皆附四篇，而季冬紀獨五篇。末一篇標識年月，題曰《序意》，爲十二紀之總論。殆所謂紀者猶内篇，而覽與論者爲外篇、雜篇歟？唐劉知幾作《史通》内外篇，而《自序》一篇亦在内篇之末、外篇之前，蓋其例也。不韋固小人，而是書較諸子之言獨爲醇正。大抵以儒爲主而參以道家、墨家，故多引六籍之文與孔子、曾子之言。其他如論音則引《樂記》，論鑄劍則引《考工記》，雖不著篇名，而其文可案。所引莊、列之言，皆不取其放誕恣肆者。墨翟之言，不取其非儒、明鬼者。而縱橫之術，刑名之説，一無及焉。其持論頗爲不苟。論者鄙其爲人，因不甚重其書，非公論也。自漢以來，注者惟高誘一家，訓詁簡質。于引證顛舛之處，皆引據駁正，不蹈注家附會之失。”

又《簡明目録》曰：“不韋，人不足稱道，而是書裒合群言，大抵據儒書者十之八九，參以道家、墨家之近理者十之一二，較諸子爲頗醇。高誘所注亦多明古義。”案高誘有《戰國策注》，詳見史部雜史類。

淮南子二十一卷　漢淮南王安撰　許慎注

《漢書·諸侯王表》：淮南厲王長，高帝子。高帝十一年十月庚午立，二十三年，孝文六年，謀反，廢徙蜀，死雍。又孝文十六年四月丙寅，王安以厲王子阜陵侯紹封。四十二年，元狩元年，謀反，自殺。

又《武帝本紀》：元狩元年冬十一月，淮南王安、衡山王賜謀反，誅。黨與死者數萬人。

又列傳：淮南王安爲人好書，鼓琴，不喜弋獵狗馬馳聘，亦欲以行陰德拊循百姓，流名譽。招致賓客方術之士數千人，作爲《內書》二十一篇，《外書》甚衆。時武帝方好藝文，以安屬諸父，甚尊重之。初，安入朝，獻所作《內篇》，新出，上愛祕之。

又《藝文志》：“《淮南內》二十一篇。王安。《淮南外》三十三篇。”又兵權謀家注曰：“省《淮南王》。”又《六藝》易家：“《淮南道訓》二篇。淮南王安聘明《易》者九人，號九師説。”又《詩賦略》：“淮南王群臣賦四十四篇。”又《河間獻王傳》云：“王脩學好古，得書多，與漢朝等。是時，淮南王安亦好書，所招致率多浮辯。”

《西京雜記》曰：“淮南王著《鴻烈》二十一篇。鴻，大也；烈，明也。言大明禮教也。號《淮南子》，一曰《劉安子》。自云字中挾風霜之氣，揚子雲以爲一出一入，字直百金。”

《史通·自序篇》曰：“昔漢世劉安著書，號曰《淮南子》。其書牢籠天地，博極古今，上自太公，下至商鞅。其錯綜經緯，自謂兼于數家，無遺力矣。”

《唐書·經籍志》：《淮南商詁》二十一卷，劉安撰。“商詁”當是“閒詁”。

《唐書·藝文志》：“許慎注《淮南子》二十一卷。”注云：“淮南王劉安。”

《宋史·藝文志》：許慎注《淮南子》二十一卷。

宋蘇頌校上《淮南子》序曰：“是書有後漢太尉祭酒許慎、東郡濮陽令高誘二家之注。隋、唐目録皆別傳行。今校崇文舊書，與蜀川印本，曁臣家書，凡七部，並題曰《淮南子》。二注相參，不復可辨。惟集賢本卷末前賢題載云：‘許標其首，皆是閒詁，鴻烈之下，謂之記上。高題卷首，皆謂之鴻烈解經，解經之下，曰高氏注，每篇下皆曰訓，案“解經”甚不可曉，或是“解詁”

之誤。又分數篇爲上下。'以此爲異。《崇文總目》亦云如此。又謂高氏注詳于許氏本書,文句亦有小異。臣頌據文推次,頗見端緒。高注篇名皆有故曰,因以題篇之語。其間奇字並載音讀。許于篇下讑論大意,卷内或有假借用字,以'周'爲'舟',以'楯'爲'循',以'而'爲'如',以'恬'爲'恢',如是非一。又其詳略不同,誠如《總目》之説。互相考證,去其重複,共得高注十三篇,許注十八篇云。"案"十八篇"當爲"八篇","十"字衍。又每篇下著"訓"字始于高氏注本,許注本無"訓"字。今引《淮南》本文者,不曰《淮南》某某篇,而曰《淮南》某某訓,誤之甚矣。

晁氏袁本《讀書志》曰:"《淮南内書》二十一篇,後漢許慎注。慎標其首皆曰《間詁》,案"詁"當爲"詁"。次曰《淮南鴻烈》,自名注曰記上,第七、第十九闕。"陳氏《書録解題》:"《淮南鴻烈解》二十一卷,漢淮南王安與賓客撰。後漢太尉許慎叔重注。案"太尉"下有敓文。案《唐志》又有高誘注,今本既題許慎記上,而詳序文則是高誘,不可曉也。"

嘉定錢塘《溉亭述古録》曰:"宋時許注既佚,遂以零落僅存者羼入高注。正統《道藏》本即宋時羼入之本,校通行高注增入十三四,其間當有許氏注。"

《孫氏書目》:《淮南子》許慎注一卷。孫馮翼集本。

張氏《書目答問》:許叔重淮南子注一卷。孫馮翼輯。《問經堂》本。

會稽陶方琦《淮南許注異同詁序》曰:"《繆稱》、《齊俗》、《道應》、《詮言》、《兵略》、《人間》、《泰俗》、《要略》,此八篇,全無高注,亦無故曰,因以題篇字,斯盡爲許氏殘説,故注獨簡質。宋本題漢太尉祭酒許慎記上,其《繆稱篇》題首有'淮南鴻烈間詁',《要略篇》亦題'間詁'二字,知《繆稱》至《要略》八篇,碻爲許注舊本無疑。"吾友陶孝邈學使亦字子珍,歿已十餘年矣。于許注《淮南》蒐輯甚力，最後得高麗傳來《大藏音義》百卷，《續音義》十卷，及日本所有唐本《玉篇》、《玉燭寶典》諸佚書，大有所獲。約略寫出五六百條，二十一篇之中皆有許氏之注，因取許、高二注之異同而詁訓之，別自爲學云。

案范書《儒林傳》唯載慎《五經異義》、《説文解字》二書，詳見經部論語、小學二類中。此注不載。又安帝時慎子萬歲里公乘沖表上《説文解字》并上古文《孝經説》，亦不載，紀述甚略。

淮南子二十一卷　　高誘注

高誘有《吕氏春秋注》，見前。

誘序曰："淮南王安辯達善屬文，天下方術之士多往歸焉，于是遂與蘇飛、李尚、左吳、田由、雷被、毛被、伍被、晉昌等八人，及諸儒大山、小山之徒，共講論道德，總統仁義，而著此書。其旨近《老子》，淡泊無爲，蹈虛守靜，出入經道。言其大也，則燾天載地；説其細也，則淪于無垠。及古今治亂，存亡禍福，世間詭異瓌奇之事。其義也著，其文也富，物事具類，無所不載。然其大較歸之于道，號曰鴻烈。鴻，大也；烈，明也，以爲大明道之言也。故夫學者不論《淮南》，則不知大道之深也。是以先賢通儒述作之士，莫不援采以驗經傳。以父諱長，故其所著，諸‘長’字皆曰‘脩’。光禄大夫劉向校定撰具，名之《淮南》。又有十九篇者，謂之《淮南外篇》。自誘之少，從故侍中同縣盧君受其句讀，誦舉大義。會遭兵災，天下棋峙，亡失書傳。廢不尋修，二十餘載。建安十年，辟司空掾，除東郡濮陽令，覩時人少爲《淮南》者，懼遂凌遲，于是以朝餔事畢之間，乃深思先師之訓，參以經傳道家之言，比方其事，爲之注解，悉載本文，并舉音讀。至十七年，遷監河東，復更補足。淺學寡見，未能備悉，其所不達，注以‘未聞’。唯博物君子覽而詳之。"

《唐書·經籍志》：《淮南子注解》二十一卷，高誘撰。《淮南鴻烈音》二卷，高誘撰。岑刻本作何誘或何氏所譔集，未可知也。

《唐書·藝文志》：高誘注《淮南子》二十一卷。又《淮南鴻烈音》二卷。

《宋史·藝文志》：《淮南子鴻烈解》二十一卷，淮南王安撰。高誘注《淮南子》十三卷。

宋洪邁《容齋續筆》曰："今所存者二十一卷，蓋内篇也。壽春有八公山，正安所延致賓客之處。傳記不見姓名，而高誘序以爲蘇飛等八人，然惟左吳、雷被、伍被見于史。"

《玉海·藝文》著書類：《隋志》二十一卷，許慎、高誘注。《唐志》、《中興書目》同。蘇頌去其重複，共得高注十三篇，許注十八篇。

《四庫簡明目録》曰："安書原分内、外篇。此二十一卷，其内篇也。大旨原本道德，而縱橫曼衍，多所旁涉，故《漢志》列之雜家。誘注或題許慎撰，蓋慎注散佚，誤以誘注當之，今詳爲考定，仍題誘名。"

會稽陶方琦《淮南許注異同詁序》有曰："考《淮南》之注，傳者唯許、高二家。惟《後漢·馬融傳》言融曾注《淮南子》，《隋志》不録，書已早佚。然高誘之師爲盧植，植之師即爲馬融。誘自序云：'從故侍中同縣盧君受其句讀，誦舉大義。'是高誘當親見馬氏注本，所云深惟先師之訓即指馬本。故音訓之詳，確非魏晉以後可逮。"

　　案高氏注本每篇篇名皆繫以"訓"字，與孔晁注《周書》繫以"解"字同例。引二書本文者往往誤連"訓"、"解"字以爲篇名，相沿不覺也。

論衡二十九卷　　後漢徵士王充撰

《後漢書》本傳：充字仲任，會稽上虞人也。受業太學，師事扶風班彪。好博覽而不守章句。家貧無書,常游洛陽市肆,閱所賣書,一見輒能誦憶,遂博通衆流百家之言。後歸鄉里,屏居教授。仕郡爲功曹,以數諫爭不合去。充好論説,始若詭異,終有理實。以爲俗儒守文,多失其真,乃閉門潛思,絶慶弔之禮,户牖牆壁各置刀筆。著《論衡》八十五篇,二十餘萬言,釋物類同異,正時俗嫌疑。刺史董勤辟爲從事,轉治中,自免還家。友人同郡謝夷吾上書薦充才學,肅宗特詔公車徵,病不行。年漸七十,志力衰耗,乃造《養性書》十六篇,裁節嗜慾,頤神自守。永元中,病卒。

《謝承書》曰:"夷吾薦充曰:'充之天才,非學所加,雖前世孟軻、孫卿,近漢揚雄、劉向、司馬遷,不能過也。'"

《袁山松書》曰:"充所作《論衡》,中土未有傳者,蔡邕入吳始得之,恒祕玩以爲談助。其後王朗爲會稽太守,又得其書,及還許下,時人稱其才進。或曰,不見異人,當得異書。問之,果以《論衡》之益,由是遂見傳焉。"

唐章懷太子傳注:《抱朴子》曰:"時人嫌蔡邕得異書,或搜其帳中隱處,果得《論衡》,抱數卷持去。邕丁寧之曰:'唯我與爾共之,勿廣也。'"

《史通·自敍篇》曰:"儒者之言,博而寡要,得其糟粕,失其菁華。而流俗鄙夫,貴遠賤近,傳茲牴牾,自相欺惑,故王充《論衡》生焉。"

《唐書·經籍志》:《論衡》三十卷,王充撰。

《唐書·藝文志》:王充《論衡》三十卷。《史志》同。

晁氏《讀書志》曰:"世謂漢文章溫厚爾雅,及其東也已衰。觀此書與《潛夫論》、《風俗通義》之類,比西京諸書驟不及遠甚,乃知世人之言不誣。"

陳氏《書録解題》曰:"充著書八十五篇,釋物類同異,正時俗嫌疑。蔡邕、王朗初傳之時，以爲不見異人，當得異書。自今觀之，亦未見其奇也。”

《四庫》雜家雜説類提要曰：“充《自紀》謂在縣爲掾功曹，在都尉府位亦掾功曹，在太守爲列掾五官功曹從事。又稱永和三年，徙家辟詣揚州部丹陽、九江、廬江，後入爲治中。章和二年，罷州家居。其書凡八十五篇，而第四十四《招致篇》有録無書，實八十四篇。充書大旨詳于《自紀》一篇，蓋内傷時命之坎坷，外疾世俗之虚僞，故發憤著書，其言多激。《刺孟》、《問孔》二篇，至于奮其筆端，以與聖賢相軋，可謂誖矣。又露才揚己，好爲物先。至于述其祖父頑狠，以自表所長，慎亦甚焉。其他論辨，如日月不圓諸説，雖爲葛洪所駁，載在《晉志》。大抵訂譌砭俗，中理者多。至其文反覆詰難，頗傷詞費。則充所謂宅舍多，土地不得小；户口衆，簿籍不得少；失實之事多，虚華之語衆；指實定宜，辨爭之言安得約徑者，固已自言之矣。充所作别有《譏俗書》、《政務書》，晚年又作《養性書》，今皆不傳，唯此書存。儒者頗病其蕪雜，然終不能廢也。”

又《簡明目録》曰：“原本八十五篇，今佚其一。大旨下爲不正，然激而過當，至于問孔、刺孟，無所畏忌，轉至于不可以訓。又務求盡意，不惜繁詞，其文亦冗漫而無制。瑕瑜不掩，分别觀之可也。”

梁有《洞序》九卷，録一卷，應奉撰，亡。

應奉有《漢書後序》，見前儒家。

范書傳論曰：“應氏七世才聞，而奉、劭采章爲盛。及撰著篇籍，甄紀異知，雖云小道，亦有可觀者焉。”

案范書本傳云：“奉著《漢書後序》，多所述載。”注引《袁山松書》曰：“奉又删《史記》、《漢書》及《漢紀》三百六十餘年，自漢興至其時,凡十七卷,名曰《漢事》。"豈即是書,章懷錄以補范史之闕歟?其曰又似,非《漢書後序》之書也。

又案范書《應劭傳》云:"初,父奉爲司隸時,並下諸官府郡國,各上前人像贊,劭乃連綴其名,錄爲《狀人紀》。又論當時行事,著《中漢輯序》。"案《中漢輯序》似《漢事》,亦似即此《洞序》,爲其子所緒成者歟?

又案王充《論衡·超奇篇》曰:"會稽周長生者,文士之雄也。作《洞曆》十篇,自黃帝至漢朝,鋒芒毛髮之事,莫不紀載,與太史公《表》、《紀》相似類也。上通下達,故曰《洞曆》。"兩《唐志》雜史類載周樹《洞曆紀》九卷,是也。其後吳韋昭作《洞紀》,蓋即其類。此名《洞序》,大抵亦似上通下達之意,與《洞曆》、《洞紀》相似,不知七錄何以入之雜家。

風俗通義三十一卷　錄一卷　應劭撰。梁三十卷。

應劭有《漢書集解》,見史部正史類。

劭自序略曰:"至于俗間行語,衆所共傳,積非習貫,莫能原察。今王室大壞,九州幅裂,亂靡有定,生民無幾。私懼後進益以迷昧,聊以不才,舉爾所知,方以類聚,凡三十一卷,謂之《風俗通義》。言通于流俗之過謬,而事該之于義理也。"

《後漢書·應奉附傳》:奉子劭撰《風俗通》,以辯物類名號,釋時俗嫌疑。文雖不典,後世服其洽聞。

《史通·自敍篇》曰:"民者,冥也,冥然無知,率彼愚蒙,牆面而視。或訛音鄙句,莫究本源,或守株膠柱,動多拘忌,故應劭《風俗通》生焉。"

《唐日本國見在書目》:《風俗通》三十二卷,應劭撰。

《唐書·經籍志》:《風俗通義》三十卷,應劭撰。

《唐書·藝文志》:應劭《風俗通義》三十卷。《宋史·志》:十卷。

陳氏《書録解題》：《風俗通義》十卷，漢泰山太守汝南應劭仲遠撰。《唐志》二十卷，案當爲三十卷。今惟存十卷，餘略見庾仲容《子鈔》。

《玉海·藝文》著書類：《中興書目》：十卷。案《隋志》本三十一卷，今存十卷，《皇霸》、《正失》、《愆禮》、《過譽》、《十反》、《聲音》、《窮通》、《祀典》、《怪神》、《山澤》。

《四庫》雜家雜説類曰：“《崇文總目》、《讀書志》、《書録解題》皆十卷，與今本同。明吳琯刻《古今逸史》，又删其半，則更闕略矣。各卷皆有總題，題各有散目，總題後略陳大意，而散目先詳其事，以謹案云云辨證得失。《皇霸》爲目五，《正失》爲目十一，《愆禮》爲目九，《過譽》爲目八，《十反》爲目十，《音聲》爲目二十有八，《窮通》爲目十二，《祀典》爲目十七，《怪神》爲目十五，《山澤》爲目十九。其書因事立論，文辭清辨，可資博洽，大致如王充《論衡》，而敍述簡明則勝充書之宂漫。舊本屢經傳刻，失于校讎，頗有譌誤。如《十反》類中分范茂伯、郅朗伯爲二事，而佚其斷語，《窮通》類中孫卿一事有書而無録，《怪神》類中城陽景王祠一條有録而無書，今並釐正。又宋陳彭年等脩《廣韻》，王應麟作《姓氏急就篇》，多引《風俗通·姓氏篇》，是此篇至宋末猶存，今本無之，不知何時散佚。然考丁黼跋，則宋寧宗時已同今本，不知王氏何以得見是篇，或即從《廣韻注》中輾轉援引歟？《永樂大典·通字韻》中尚載有《風俗通·姓氏》一篇，首題馬總《意林》字，所載與《廣韻注》多同，而不及《廣韻注》之詳，蓋馬總節本也。然今本《意林》無此文，當又屬佚脱。今采附《風俗通》之末，存梗概焉。”謹案《姓氏篇》北宋時已佚失，王氏《困學紀聞》引宋景文曰：“《風俗通·姓氏篇》今從群書摘出，以四聲編次爲二卷。”以是知宋人引據此篇，如邵思《姓解》，《通志·氏族略》，鄧名世《辨證》，王氏《急就篇》，皆捃拾景文輯本也。

又《簡明目録》曰：“《風俗通義》，《後漢書》本傳作《風俗通》，流俗省文也。原本三十卷，謹案此處當有“今存十卷”四字。卷爲一篇，分子目一百三十四。其《姓氏》一篇自宋已佚，然散見《永樂大典》中。今裒爲一篇，附録于末。其書考論典禮類《白虎通義》，糾正流俗類《論衡》，不名一體，故列之於雜説。”

杭東里人盧文弨《群書拾補》曰：“《風俗通》佚文者，十卷外之所遺也。嘉定錢詹事曉徵，采集頗富，仁和孫侍御詒穀復因其本重加訂補。縱不能盡還舊觀，然碎金斷璧，終可寶愛，嗜古者所不忍遺也。”

錢氏《養新録》十四：“應氏《風俗通義》，《隋志》稱三十一卷，録一卷。今世所傳十卷，則已失其三之二矣。予嘗采輯佚文一册，盧學士紹弓見而喜之，爲刊入《群書拾補》中。頃歲，續有所得，惜學士已逝，不及增入矣。”

嚴氏《全後漢文編》曰：“案《風俗通義》三十卷，見存十卷，不録。録其佚文爲六卷。篇目可見者，曰《音聲》，曰《論數》，曰《氏姓》，曰《災異》，凡六百七條。”又張氏《二酉堂叢書》有《風俗通姓氏篇輯注》二卷，亦善本也。

常熟曾樸《補後漢書藝文志》曰：“是書宋時已殘缺，據《蘇魏公集》稱魏公以官私兩本互校，次爲十卷。則今《四庫》本即魏公互校本也。考魏公校本序，引《意林》載《風俗通義》篇目，除今存《皇霸》、《正失》等十篇之外，曰《心政》，曰《古制》，曰《陰教》，曰《辯惑》，曰《析當》，曰《恕度》，曰《嘉號》，曰《穢稱》，曰《恃遇》，曰《姓氏》，曰《諱篇》，曰《釋忘》，曰《輯事》，曰《服妖》，曰《喪祭》，曰《宮室》，曰《市井》，曰《數紀》，曰《新泰》，曰《獄法》，凡二十目，皆錢、孫、盧、嚴諸家所未及。其《御覽》所引《論數》當即《數紀篇》，盧、嚴兩家據《續漢·五行志》增《災異》一目，恐未必然也。”案《續漢·五行志》云故泰山太守應劭撰建武已來災異，疑在劭所著《中漢輯序》中。是書篇目諸家皆未及見，不知《蘇魏公集》中引述特詳也，是并可以補《意林》之缺。《意林》于諸書篇目及序文之切要者皆著録之，散佚不完，甚可惜也。

案本志史部儀注類有《汝南君諱議》二卷，裴松之注《吳志·張昭傳》云：其事見《風俗通》。馬總《意林》引《風俗通》亦載是事，詳見本條。蓋即三十一卷中之佚出者，亦即原目之《諱篇》。以是知張昭所議一篇，今見于傳注者，亦是書佚文也。

仲長子昌言十二卷　録一卷　漢尚書郎仲長統撰

《魏志·劉邵附傳》："邵同郡東海繆襲，襲友人山陽仲長統，漢末爲尚書郎，早卒。著《昌言》，詞佳可觀省。"裴松之曰："襲撰統《昌言》表，稱統字公理，少好學，博涉書記，贍于文辭。年二十餘，游學青、徐、并、冀之間，與交者多異之。大司農常林與統共在上黨，爲臣道統性倜儻，敢直言，不矜小節，每列郡命召，輒稱疾不就。漢帝在許，尚書令荀彧聞統名，啓召以爲尚書郎。後參太祖軍事，復還爲郎。延康元年卒，時年四十餘。統每論説古今世俗行事，發憤歎息，以爲論，名曰《昌言》，凡二十四篇。"

范書本傳：尚書令荀彧舉爲尚書郎。後參丞相曹操軍事。每論説古今及時俗行事，恒發憤歎息。因著論名曰《昌言》，凡三十四篇，十餘萬言。獻帝遜位之歲，統卒，時年四十一。友人東海繆襲常稱統才章足繼西京董、賈、劉、揚。今簡撮其書有益政者，略載之云。曰《理亂篇》，《損益篇》，《法誡篇》。

《太平御覽·文部·著書篇》：《抱朴子》曰："仲長統作《昌言》，未竟而亡，後董襲撰次之。"案"董"當爲"繆"，葛氏誤記也。其書蓋繆熙伯爲編次表進者。

《唐書·經籍志》：《仲長子昌言》十卷，仲長統撰。

《唐書・藝文志》儒家：《仲長子昌言》十卷。仲長統。

《宋史・藝文志》：仲長統《昌言》二卷。

《崇文總目》：《仲長子昌言》二卷，漢仲長統撰。案本傳統著論名《昌言》，凡三十四篇，十餘萬言，《隋》、《唐》書目十卷。今所存十五篇，分爲二卷，餘皆亡。

嚴氏《鐵橋漫稾・昌言敍》曰：“《隋志》雜家《仲長子昌言》十二卷，錄一卷。《舊唐志》作十卷，《新唐志》移入儒家。《崇文總目》存十五篇，分爲二卷。《郡齋讀書志》、《書錄解題》不著錄。明陳第《世善堂書目》有二卷，疑即十五篇本。今所見刻本僅明胡維新《兩京遺編》，有《理亂》、《損益》、《法誡》三篇；歸有光《諸子彙函》有《理亂》、《損益》二篇，皆出本傳，無所增多。余從《群書治要》寫出九篇，益以本傳三篇，以《意林》次第之，刺取各書引見，補正脫譌，定著二卷。其遺文墜句，于原次無考，依各書先後附于末。本傳著論三十四篇，十餘萬言，今此收輯，纔萬餘言，亡者蓋十八九。而《治要》所載，又頗删節，斷續瓜離，殆所不免。然其闡陳善道，指柯時敝，剴切之忱，踔厲震盪之氣，有不容摩滅者。繆熙伯方之董、賈、劉、揚，非過譽也。神仙家言，儒者所弗道，而《昌言》有其一篇，故是雜家。《續漢・祭祀志》下注補有答鄧義社主難一篇，劉昭不云《昌言》，亦附于末。”

又《全後漢文編》曰：“本傳云：‘統常以爲凡游帝王者，欲以立身揚名耳，而名不常存，人生易滅，優游偃仰，可以自娛，欲卜居清曠，以樂其志，論之曰使居有良田廣宅，背山臨水，溝池環帀，竹木周布云云。’據《文選・閒居賦》注引《昌言》曰‘溝池自周，竹木自環’二語，知即三十四篇之一，疑在《自敍篇》，或當以‘卜居’名篇。胡維新《兩京遺編》題爲《樂志論》，而出之《昌言》外，非也。”又《四錄堂類集總目》：“仲長統《昌言》二卷，可均輯。”馬氏《玉函山房》亦有輯本二卷，不及見《群書治要》也。

蔣子萬機論八卷　蔣濟撰

蔣濟有《郊丘議》，見經部禮類。

《魏志》本傳：文帝即王位，轉爲相國長史。及踐阼，出爲東中郎將。濟請留，詔曰：“高祖歌曰：‘安得猛士守四方！’天下未寧，要須良臣以鎮邊境。如其無事，乃還鳴玉，未爲後也。”濟上《萬幾論》，帝善之。

《唐書·經籍志》：《萬機論》八卷，蔣濟撰。

《唐書·藝文志》：《蔣子萬機論》十卷。蔣濟。

《宋史·藝文志》：《蔣子萬機論》十卷，魏蔣濟撰。

《玉海·藝文類》：《館閣書目》：《蔣子萬機論》十卷，凡五十五篇，雜論立政、用人、兵家之説，及考論前賢故事雜問。

陳氏《書録解題》：《蔣子萬機論》二卷，太尉平阿蔣濟子通撰。案《館閣書目》十卷，五十五篇，今惟十五篇，恐非全書也。

嚴氏《全三國文編》輯本序曰：“《隋志》雜家《蔣子萬機論》八卷，《舊唐志》同，《新唐志》作十卷，《書録解題》二卷，至明而二卷本亦亡。焦竑《國史經籍志》以八卷入儒家，以二卷入雜家，虛列書名，又誤分爲兩種，不足據。今從《群書治要》寫出三篇，曰《政略》，曰《刑論》，曰《用奇》，益以各書所徵引者，凡二十二條，定著一卷。”又《四録堂類集目録》：“蔣濟《萬機論》一卷，可均輯。”馬氏《玉函山房》亦輯存一卷，止十六條，無《群書治要》。又宋刻《意林》第六卷有《蔣子萬機論》一條，嚴氏未采。

案本傳：“黃初五年，車駕幸廣陵，濟表水道難通，上《三州論》以諷。”又《鍾會傳》云：“中護軍蔣濟著論，謂‘觀其眸子，足以知人’。”皆在所上《萬幾論》之後。考別集類無《蔣濟集》，疑八卷者其初進本，十卷者後所增益。此二論并其他疏議見于諸書所引者，或附在其後二卷，未可知也。

梁有《篤論》四卷,杜恕撰,亡。

杜恕有《體論》,見前儒家。

《魏志·杜畿附傳》:"恕在章武徙所,著《體論》八篇。又著《興性論》一篇,蓋興于爲己也。"又曰:"恕奏議論駁皆可觀,掇其切世大事著于篇。"

《唐書·經籍志》:《篤論》四卷,杜恕撰。

《唐書·藝文志》:杜恕《篤論》四卷。

嘉定錢大昕《三國志考異》曰:"裴松之注所引書有《杜氏新書》,不詳撰人,似是家傳之類。"

嚴氏《全三國文編》輯本序曰:"《隋志》雜家,梁有《篤論》四卷,杜恕撰,亡。《舊》、《新唐志》著于錄,至宋復亡。《魏志》本傳稱恕所著有《體論》、《興性論》,無《篤論》。據《意林》引《篤論》'水性勝火,人性勝志',考實性行二事,證知《興性》即《篤論》之首篇。據《意林》及《御覽》,證知裴松之所引《杜氏新書》即《篤論》之末篇。其書前數篇出恕手,後述敍家世歷官,引及《魏書》,并引及王隱《晋書》,證知東晋時編附,故稱《新書》,猶今之全書,而《篤論》其總名也。故《七錄》、《唐志》有《篤論》無《新書》。余既校輯《體論》,因并采錄《篤論》,依《意林》次第編定之。本傳三疏,皆當在《篤論》中。"又《四錄堂類集總目》:"杜恕《體論》一卷,《篤論》一卷,可均輯。"案《杜氏新書》似即杜氏之一家,言《體論》、《興性論》。《篤論》全在其中,猶《李氏家書》載李郃奏疏,《劉廙別傳》載廙政論之類。嚴氏謂猶今全書,是也;謂篤論之末篇,又謂《篤論》其總名,似未然。蓋《篤論》爲《新書》中之一種,《新書》其總名也。《劉廙別傳》詳見法家,《李氏家書》詳見集部總集。

馬氏玉函山房輯本序曰:"史稱恕奏議論駁皆可觀,而《隋志》無恕集,知所謂奏議論駁統在《篤論》。史又稱其議論亢直,此《篤論》之所繇名也。《意林》引凡五節,其第二、三節並見

本傳，據以補録；末二節及後人敍述之詞，別爲附録。又采得
《御覽》數節，合録爲卷。"

梁有《芻蕘論》五卷，鍾會撰，亡。

鍾會有《周易盡神論》，見經部易家。

《唐書·經籍志》：《芻蕘論》五卷，鍾會撰。

《唐書·藝文志》：鍾會《芻蕘論》五卷。

《通志·藝文略》諸子儒術類：《芻蕘語論》五卷，鍾會撰。

嚴氏《全三國文編》曰："鍾會有《芻蕘論》五卷，今見于《初學
記》、《文選注》、《白孔六帖》、《太御御覽》者凡七條。"_{案宋本《意}
_{林》第六卷尚有《芻蕘論》二條。}

番禺侯康《補三國藝文志》曰："《文選·魏都賦注》、《御覽》俱
引之，中載東方朔《與公孫弘書》，後人編朔集者即從此采
出。"_{案侯氏所舉《選注》、《御覽》諸條，嚴氏皆輯存之，未見有東方朔書。}

案《魏志》本傳云："及會死後，于會家得書二十篇，名曰《道
論》，而實刑名家也，其文似會。"不知是否即此《芻蕘
論》也。

梁有《諸葛子》五卷，吳太傅諸葛恪撰，亡。

《吳志》本傳：恪字元遜，瑾長子也。少知名。弱冠拜騎都尉，
與顧譚、張休等侍太子登講論道藝，並爲賓友。從中庶子轉
左輔都尉。試守節度，拜撫越將軍，領丹陽太守。撫慰山越，
得甲士數萬。以功拜威北將軍，封都鄉侯。遷大將軍，代陸
遜領荊州事。權疾困，領太子太傅，及孫弘、滕胤、呂據、孫峻
屬以後事。孫亮即位，更拜太傅。東興之捷，進封陽都侯，加
荊揚州牧，督中外諸軍事。後數出軍，百姓騷動，大小呼嗟，
衆庶失望。孫峻因民之多怨，衆之所嫌，構恪欲爲變，與亮
謀，置酒請恪。峻伏兵帷中。酒數行，亮還內。峻起如廁，著
短服，出曰："有詔收諸葛恪！"恪驚起，拔劍未得，而峻刀交

下。峻曰:"所取者恪也,今已死。"悉令復刃,乃除地更飲。恪子竦、建,外甥張震等,皆夷三族。時孫亮建興二年冬十月也。《吳錄》曰:"恪時年五十一。"

又《傳》注:《江表傳》曰:"恪少有才名,發藻岐嶷,辯論應機,莫與爲對。權見而奇之,謂瑾曰:'藍田生玉,真不虛也。'"

又史評曰:"諸葛恪才氣幹略,邦人所稱,然驕且吝,周公無觀,況在于恪?矜己陵人,能無敗乎!若躬行所與陸遜及弟融之書,則悔吝不至,何尤禍之有哉?"

宋高似孫《子略》抄《意林目錄》曰:"諸葛子《著略》一卷。"宋刻全本《意林》曰:"《諸葛子》一卷,諸葛恪。"案《子略》所抄稱《著略》者,似《節略》之別名,馬總所見祗此。

嚴氏《全三國文編》曰:"諸葛恪有《諸葛子》五卷。《御覽》三百五十引《諸葛子》一條,云:'若能力兼三人,身與馬如膠漆,手與箭如飛蝱,誠宜寵異。'"

馬氏玉函山房輯本序曰:"《諸葛子》,《唐志》不著録,佚已久。《北堂書鈔》、《太平御覽》引三節。考恪傳,載其與陸遜及弟公安督融二書,又諸大臣諫伐魏著論諭衆意一篇。恪無文集,當皆采自本書中,並據輯録爲一卷。夫恪抱才氣而以驕矜致敗,陳壽評云:'若躬行所與陸遜及弟融之書,則悔吝不至,何尤禍之有?'蓋惜其人,未嘗不取其言也。"

　案宋本《意林》第六卷有《諸葛子》一條,嚴、馬二家皆未采。

　又《抱朴子外·正郭篇》引故太傅諸葛元遜論郭林宗一條,當亦采自本書。

傅子百二十卷　晉司隸校尉傅玄撰

《晉書》本傳:玄字休奕,北地泥陽人也。祖燮,漢漢陽太守。父榦,魏扶風太守。案范書《傅燮傳》:"燮子榦知名,位至扶風太守。"此"韓"當爲"榦"。玄少孤貧,博學善屬文,解鍾律。魏時舉秀才,除郎中,與東海繆施俱以時譽選入著作,撰集《魏書》。累遷弘農太守。五等建,封鶉觚男。武帝受禪,以散騎常侍進爵爲子,加駙馬都尉。遷侍中,御史中丞。泰始五年,遷太僕,轉司隸校尉。坐免官,尋卒,年六十二,諡曰剛。玄少時避難河內,專心誦學,後雖顯貴,而著述不廢。撰論經國九流及三史故事,評斷得失,各爲區別,名爲《傅子》,爲內、外、中篇,凡有四部、六錄,合百四十首,數十萬言,并文集百餘卷行于世。玄初作內篇成,子咸以示司空王沈。沈與玄書曰:"省足下所著書,言富理濟,經綸政體,存崇儒教,足以塞楊、墨之流遁,齊孫、孟于往代。每開卷,未嘗不歎息也。'不見賈生,自以過之,乃今不及',信矣!"其後追封清泉侯。子咸嗣。案王沈有《魏書》,見正史類。

《唐書·經籍志》:《傅子》一百二十卷,傅玄撰。《藝文志》同。

《宋史·藝文志》:《傅子》五卷,晉傅玄撰。

《崇文總目》:《傅子》五卷,晉傅休奕撰。集經史治國之說,評斷得失,各爲區例。本傳載內、外、中篇,凡四篇,亡錄,合一百四十篇。今亡一百一十七。"亡錄"爲"六錄"之寫誤。

《玉海·藝文·諸子篇》:《中興書目》《傅子》五卷,今存二十三篇,餘皆闕。

《四庫》儒家提要曰:"《隋》、《唐志》皆載《傅子》一百二十卷,馬總《意林》亦同,是唐世尚爲完本。《崇文總目》僅載二十三篇。故《宋志》止有五卷。其後惟尤袤《遂初堂書目》尚見其名。元明之後,藏書家遂不著錄。今檢《永樂大典》中散見頗多,且所標篇目咸在,謹采掇裒次,得文義完具者十有二篇,曰《正心》,曰《仁論》,曰《義信》,曰《通志》,曰《舉賢》,曰《重爵祿》,曰《禮樂》,曰《貴教》,曰《檢商賈》,曰《校工》,曰《戒言》,曰《假言》。又文義未全者十二篇,曰《問政》,曰《治體》,

曰《授職》，曰《官人》，曰《曲制》，曰《信直》，曰《矯違》，曰《問刑》，曰《安民》，曰《法刑》，曰《平役賦》，曰《鏡總紋》。篇目視《崇文總目》較多其一，疑《問刑》、《法刑》本屬一篇，《永樂大典》誤分爲二耳。謹依文編綴，總爲一卷。其有《大典》未載而見于他書者，復蒐輯得四十餘條，別爲附錄，繫于後。玄此書所論，皆關切治道，闡啓儒風，精意名言，往往而在，以視《論衡》、《昌言》皆當遜之。殘編斷簡，收拾于闕佚之餘者，尚得以考見其什一，是亦可爲寶貴也。"

嘉慶二十一年烏程嚴可均輯本序曰："宋初《傅子》尚有殘本五卷，乾隆中始從《永樂大典》寫出二十四篇，俱有篇名，并無篇名者六條，及《文選注》、《御覽》、《諸子瓊林》三十六條，合爲一卷，即今世所行聚珍本也。嘉慶庚午歲，余從《群書治要》校補《大典》本二千五百許字，益以《藝文類聚》之《釋法》，《北堂書鈔》之《大本》，得二十八篇，案其中二篇見《治要》，無篇目。又從《三國志》注寫出六千餘字，廣爲二卷。至乙亥歲，余校《意林》，以各書互證，知《意林》甚屚越，凡所載《傅子》皆楊泉《物理論》也。所載徐幹《中論》僅前二條又半條是《中論》，其第三條之下半條及第四條乃《傅子》也。所載《物理論》僅前四條是《物理論》，其第五條至九十七條皆《傅子》也，其第九十八條至末乃《中論》也。余既作《意林考正》一卷，手寫數過，頗得《傅子》端緒，遂徧蒐各書，所引見得數百條，依《意林》九十五事次第，類附而排比之，爲補遺二卷，與前所定二卷合爲四卷，繕寫插架，與聚珍本相輔而行。或問補遺與前二卷小有重複，竊恐未安，曰《補遺》，就《意林》欲見《傅子》原次耳。合而編之，請俟來哲。又問《傅子》爲內、外、中篇，有四部、六錄，云何區別？曰內篇撰論經國九流，外篇三史故事評斷得失，中篇《魏書》底本，而以自敍傳終焉。四部、六錄莫考。《崇文總目》作四篇，無録，蓋誤。"又《四録堂類集目録》：
"《傅子》四卷，可均輯。"

道光二十三年金山錢熙祚輯本跋曰："《崇文總目》僅存二十
三篇，《永樂大典》所載乃有二十四篇，或疑《問刑》、《法刑》本
一篇。而誤分爲二。然以《群書治要》考之，《法刑》在《禮樂》
後，《問刑》在《問政》後，截然二篇，不相淆紊。惟《鏡總叙篇》
未見他書引稱，而與《韓非子·觀行篇》同文，或《大典》誤韓
爲傅，然不可定矣。癸卯夏，得《道藏》本《意林》，讀之，見其
所引《傅子》、《物理論》二書互相參錯，既正其譌謬，因思諸書
引《傅子》文多出《大典》之外，復爲理而董之，依《意林》、《治
要》二書區別先後，以類相從，定有篇名者爲上卷，無篇名者
爲下卷，而中卷則皆三國時事，有紀有傳，名爲子而實史，故
別出之，不使相雜廁焉。"

光緒七年海寧錢保塘輯本序曰："《傅子》篇卷之富最諸子，體
例之創亦迥異諸子，往見《群書治要》中載《傅子》一卷，取校
官本，多未載，因重爲編輯，零章佚句均爲收入，分爲二卷。
《意林》所載與《物理論》錯簡者，附録于後。《藝文類聚》所收
有誤標《傅子》二條，録之而校正于後。官本誤收《韓子》、《申
鑒》各一條，删之。《晉書》本傳多載玄論治之文，可與《傅子》
相發明，則并録之。"案此謂誤收《韓子》即《鏡總叙篇》，見《初學記·鏡部·
叙事》中引作《韓子》云云。然後知所謂《鏡總叙》者，《初學記》之標目也。

又曰："《群書治要》載《傅子》一卷，不録篇名，而以所載他書
例之，其先後均依原書次第。因以官本所録篇名，依《治要》
所載次第別編之，凡有篇名者二十五篇。"

　案《傅子》輯本最多，始四庫館以《永樂大典》輯存一本。其
　時魏鄭公《群書治要》五十卷，越在東洋，尚未流傳内地。
　後嚴氏以《治要》重輯之，又考出《意林》錯簡而再輯之。金

山錢氏、海寧錢氏亦各有其本，嚴本刊入《全晉文編》。錢本一在《指海叢書》，一與重訂《物理論》自刻清風室本也。十年前見同郡傅吉之太守，以禮。傅子之後也，自言在閩中亦有輯本，視諸本爲備，未見。

嘿記三卷　吳大鴻臚張儼撰

《吳志‧孫晧傳》："寶鼎元年正月，遣大鴻臚張儼、五官中郎將丁忠弔祭晉文帝。及還，儼道病死。"注：《吳錄》曰："儼字子節，吳人也。弱冠知名，歷顯位，以博聞多識，拜大鴻臚。使于晉，晧相儼曰：'今南北通好，以君爲有出境之才，故相屈行。'對曰：'皇皇者華，蒙其榮耀，無古人延譽之美，磨厲鋒鍔，思不辱命。'既至，車騎將軍賈充、尚書令裴秀、侍中荀勖等欲傲以所不知而不能屈。尚書僕射羊祜、尚書何禎並結縞帶之好。"案本志別集類有吳侍中《張儼集》，是其初嘗官侍中。

《蜀志‧諸葛亮傳》注：《漢晉春秋》曰："亮聞孫權破曹休，魏兵東下，關中虛弱。十一月，上言曰：'先帝慮漢、賊不兩立，王業不偏安，故託臣以討賊也。'于是有散關之役。此表《亮集》所無，出張儼《嘿記》。"又曰："吳大鴻臚張儼作《嘿記》，其《述佐篇》論亮與司馬宣王二相優劣。"

《史通‧直書篇》曰：張儼發憤，私存《嘿記》之文。

《唐書‧經籍志》：《嘿記》三卷，張儼撰。

《唐書‧藝文志》：張儼《嘿記》三卷。

嚴氏《全三國文編》曰："張儼字子節，吳人，官大鴻臚，有《嘿記》三卷，集一卷。《蜀志‧諸葛亮傳》注引《嘿記‧述佐篇》，亦見《御覽》四百四十五。《北堂書鈔》十三引《嘿記》。"

馬氏玉函山房輯本序曰："張儼《嘿記》今惟《蜀志‧諸葛傳》注引其《述佐篇》及武侯《後出師表》一篇，《初學記》亦引一節，裒錄爲卷。"

侯氏《補三國藝文志》曰：“《初學記》卷九引張儼《默記》兩條，皆記漢光武事。”_{侯《志》又載張儼《誓論》三十卷，《通志略》儒家亦載之，皆沿《唐志》之誤也。詳見下張顯《析言論》條。}

　　案宋刻全本《意林》第六卷有《默記》一條，嚴、馬二家皆未見。

裴氏新言五卷　吳大鴻臚裴玄撰

《吳志·嚴畯傳》：畯字曼才，彭城人也。與裴玄、張承論管仲、季路，傳于世。玄字彥黃，下邳人也，亦有學行，官至太中大夫。問子欽齊桓、晉文、夷、惠四人優劣，欽答所見，與玄相反覆，各有文理。_{案“與玄”當爲“玄與”。}欽與太子登游處，登稱其翰采。_{《孫登傳》登遺表云：“裴欽傳記，翰采足用。”}

《唐書·經籍志》：《新言》五卷，裴玄撰。

《唐書·藝文志》：裴玄《新言》五卷。

馬國翰輯本序曰：“裴氏《新言》，《隋志》以爲梁有，今亡。《唐志》復著録五卷，今佚，輯録八節中一條，論管仲奪伯氏騈邑三百。《吳志·嚴畯傳》所謂與裴玄、張承論管仲、季路者，佚説廑存，至問子欽齊桓、晉文、夷、惠四人優劣，則泯絶不可見已。”

侯康《補三國藝文志》曰：“《文選》羊叔子《讓開府表》注引裴氏《新語》，《藝文類聚》卷四引裴玄《新語》，《御覽》八百十四引裴玄《新言》，據此三條皆考證故事，其體例與《風俗通》、《古今注》略同，亦有用書也。餘見《御覽》引者尚多，或稱《新語》，或稱《新言》，或稱《新書》。”

　　案宋刻全本《意林》第六卷有裴玄《新言》二條，其文甚美，馬輯本未及采。

　　又案此兩書以下始注“梁有”字，似原本爲大字，傳寫誤入注文也。

梁有《新義》十八卷,吳太子中庶子劉廞撰,亡。

劉廞,始末未詳。疑即《嚴畯傳》之裴欽,以《孫登傳》證之,彌復近似,詳見前一條。

《唐書‧經籍志》:《新義》十八卷,劉欽撰。

《唐書‧藝文志》:劉欽《新義》十八卷。

嚴氏《全三國文編》曰:“劉廞,一作欽,爲太子中庶子,有《新議》十八卷。《御覽》四百六引劉欽《新義》凡三條。”

馬氏玉函山房輯本序曰:“《七録》雜家有劉廞《新義》十八卷。《吳志》無廞傳,字里無考。據《隋志》知爲吳太子中庶子而已。《唐志》復著録,題作劉欣。案此所見《唐志》不知何本。今其書佚,從《書鈔》、《類聚》、《御覽》所引得四節,或作劉歆,或作劉欽,或同《唐志》作劉欣,皆誤也。”

梁有《析言論》二十卷,晉議郎張顯撰,亡。

張顯有《逸民傳》,見史部雜傳類。

唐馬總《意林目録》曰:“張顯《析言》十卷。”

《唐書‧經籍志》:《誓論》三十卷,張儼撰。案此即張顯《析言論》之誤。

《唐書‧藝文志》:張儼《默記》三卷,又《誓論》三十卷。案此沿《舊唐志》之誤。

又曰:“張明《誓論》二十卷。”案《舊唐志》以張顯爲張儼,又以《析言論》爲《誓論》,蓋以《析言》二字合一字而變爲誓字。《新志》不察,遂以《誓論》三十卷次于張儼《默記》之後,以爲一家之書。又著張明《誓論》二十卷,以爲別是一家。其實皆張顯《析言論》之誤也。其作張明者,寧鄉黄本驥《避諱録》曰:“唐中宗名顯,以‘光’、‘明’字代。”蓋承唐人舊文,非別一人。此之謬誤自《舊唐志》始,非詳勘莫能知也。

馬國翰輯本序曰:“張顯字里皆無考,所著《析言論》二十卷,《隋志》注云梁有,又云亡。《唐志》不載,佚已久。茲從《北堂書鈔》、《藝文類聚》、《太平御覽》輯得四節。”案此言《唐志》不載者,蓋《唐志》錯誤殊甚,實令人無由知覺耳。

案宋刻全本《意林》第六卷引張顯《析言》二條，馬氏未采。嚴氏《全晉文編》但據《御覽》輯存《析言》一條，亦未及采。又《意林》、《御覽》諸書但稱《析言》，蓋其書仿仲長統《昌言》、裴玄《新言》之類，無"論"字，此"論"字亦後世誤加。

梁有《桑丘先生書》二卷，晉征南軍師楊偉撰，亡。

《魏志·曹爽傳》："正始五年，爽伐蜀，不得進。爽參軍楊偉爲爽陳形勢，宜急還，不然將敗。"《世語》曰："偉字世英，馮翊人。明帝治宮室，偉諫曰：'今作宮室，斬伐生民墓上松柏，毀壞碑獸石柱，辜及亡人，傷孝子心，不可以爲後世則。'"

《宋書·大且渠蒙遜傳》：元嘉十四年，河西王茂虔奉表獻方物，并獻《乘丘先生》三卷。案《乘丘先生》即此《桑丘先生書》也，"生"下當有"書"字。

嚴氏《全晉文編》曰："楊偉字世英，馮翊人。仕魏文帝、明帝爲尚書郎，後參大將軍曹爽軍事，入晉爲征南軍師。有《景初曆》三卷，《桑丘先生書》二卷，《時務論》十二卷。"

馬國翰輯《時務論》序曰："偉于《晉書》無傳，惟《律曆志》載其所造《景初曆》稱魏尚書郎。《隋志》雜家梁有《桑邱先生書》二卷，題晉征南軍師楊偉，蓋本魏臣，後仕于晉，故《隋志》題晉官號也。《桑丘先生書》泯絕不可復覯矣。"

時務論十二卷　楊偉撰

楊偉見前。

《宋書·大且渠蒙遜傳》：元嘉十四年，河西王茂虔奉表獻方物，并獻《時務論》十二卷。

《唐書·經籍志》：《時務論》十二卷，楊偉撰。

《唐書·藝文志》：楊偉《時務論》十二卷。

馬國翰輯本序曰："《隋志》雜家有《時務論》十二卷，《唐志》亦載之，今佚。惟《北堂書鈔》、《太平御覽》引有三節，並取史志注所載傅言附之。"

梁有《古世論》十七卷,亡。

不著撰人。

梁有《桓子》一卷,亡。

桓子未詳。

案《太平御覽·圖書綱目》載有《桓子》。

梁有《秦子》三卷,吳秦菁撰,亡。

秦菁,始末未詳。

《唐書·經籍志》:《秦子》三卷,秦菁撰。《藝文志》同。

侯康《補三國藝文志》曰:"《意林》載《秦子》二卷,所引數條中有顧彥先難語。彥先者,顧榮之字。榮仕吳爲黃門郎,後及事晉元帝,秦菁與之同時,亦吳末人也。《藝文》、《御覽》屢引此書,多《意林》所無。"

馬國翰輯本序曰:"菁于史傳無考,楊真《丹鉛總錄》引二條,與《苻子》同列云。二子之姓名人罕知,況見其書乎?馬總《意林》亦不載云云。案《意林》載其書五節,升菴言不載者,疏也。茲即據《意林》爲本,復從《書鈔》、《類聚》、《御覽》諸書輯得十餘節。"

梁有《劉子》十卷,亡。

《唐書·經籍志》:《劉子》十卷,劉勰撰。《藝文志》同。

《宋史·藝文志》:《劉子》三卷,題劉晝撰。又有奚克讓《劉子音釋》三卷,又《音義》三卷。

晁氏《讀書志》:《劉子》三卷,齊劉晝孔昭撰,唐袁政注。凡五十五篇。言修心治身之道,而辭頗俗薄。或以爲劉勰,或以爲劉孝標,未知孰是。

趙希弁《讀書附志》:《劉子》五卷,劉晝字孔昭之書也。或云劉勰所撰,或曰劉歆之制,或謂劉孝標之作,袁孝政爲序之際已不能明辨之矣。

陳振孫《書録解題》：《劉子》五卷，劉晝孔昭撰，播州録事參軍袁孝政爲序，凡五十五篇。案《唐志》十卷，劉勰撰。今序云："晝傷己不遇，天下陵遲，播遷江表，故作此書。"時人莫知，謂爲劉勰，或曰劉歆、劉孝標，作孝政之言云爾。終不知晝爲何代人。其書近出，傳記無稱，莫詳其始末，不知何以知其名晝而字孔昭也。

《玉海·藝文·諸子篇》：《劉子》，北齊劉晝字孔昭撰，袁孝正爲之序并注，凡五十五篇，《清神》至《九流》。《中興書目》三卷，泛論治國、修身之要，雜以九流之説。

明宋濂《諸子辨》曰："《劉子》五卷，五十五篇，不知何人作。《唐志》十卷，直云梁劉勰撰。今考勰所著《文心雕龍》，文體與此正類，其可徵不疑。袁孝政謂劉晝傷己不遇，天下陵遲，播遷江表，故作此書，非也。孝政以無傳記可憑，復致疑于劉歆、劉勰、劉孝標所爲，黃氏遂謂孝政所託，亦非也。其書本黃老言，雜引諸家之説以足成之，絕無甚高論。然亦時時有可喜者。"

《四庫簡明目録》：《劉子》十卷。是書或題劉歆，或題劉勰，或題劉孝標，惟袁孝政序定爲劉晝。然其書晚出，至《唐志》始著録《九流》一篇，全襲《隋書·經籍志》之文，疑即孝政所偽作而自爲之注也。然雜采古籍，融貫成篇，雖風格稍卑，而詞采秀倩。即出孝政之手，亦唐代古書也。

孫氏《平津館鑒藏記》：《劉子》十卷，目録前題《劉子新論》，梁通事舍人劉勰撰，播州録事參軍袁孝政注。自《清神》至《九流》，五十五篇。巾箱本，字畫清勁，是宋刻之佳者。此書陳氏、晁氏俱據袁孝政序文作北齊劉晝撰，此本無袁序，而題作劉勰，與《唐志》同。案《劉子新論》之名爲前人所未言。

嚴氏《鐵橋漫稿·書劉子後》曰："《劉子》五十五篇，北齊劉晝撰。聞有宋巾箱本，未之見也。今得明初崇德書院所刊，行墨疏古，閱之豁目爽心，可稱善本。前有序，簡而覈，惜不題名。《劉子》言治國、修身之道，有大醇無小疵。晁公武乃云詞頗俗薄，毋乃輕詆。近人編書目者又云：'《九流》一篇全襲《隋書·經籍志》之文。'《隋書》非僻書，盍覆檢之，豈其然乎？"案《九流》一篇似蘊括《漢·藝文志》及太史公《六家要指》之說，而申以己意者也。與《隋·經籍志》實不相涉。

案劉晝有《高才不遇傳》，詳見史部雜傳家。此劉子似非劉晝。晝在北齊孝昭時著書名《帝道》，又名《金箱壁言》者，非此之類。且其時當南朝陳文帝之世，已在梁普通後四十餘年。阮氏《七録》作于普通四年，而是書見載《七録》，其非晝所撰更可知。袁孝政序今不存，據陳氏、宋氏所引，則亦未嘗定以爲劉晝。在其言"天下陵遲，播遷江表"，必有所本，亦非晝、非勰、非孝標之遭際。《七録》列是書于吳、晉人之間，似猶爲東晉時人。其書亦名《新論》，與魏晉時風尚尤近。《日本書目》載《劉子》十卷，又五卷，又三卷，則三本並行，由來久矣。

梁有《何子》五卷，亡。

《宋書》、《南史·孝義傳》：何子平，廬江灊人也。曾祖楷，晉侍中。

《唐書·經籍志》：《何子》五卷，何楷撰。

《唐書·藝文志》：《何子》五卷。注云何楷。

案何楷《晉書》無傳，唯《宋書》、《南史·何子平傳》載其官爲侍中。又云："子平祖友，會稽王道子驃騎諮議參軍。父子先，建安太守。"則楷之子若孫也。又云"子平始居會稽"，蓋江左僑居于此，與何尚之、何偃、何求、何點、何佟之同爲一族，皆楷之後也。

立言六卷　蘇道撰

蘇道，始末未詳。

《唐書·藝文志》：蘇道《立言》十卷。

梁有《孔氏説林》二卷，孔衍撰。

孔衍有《凶禮》一卷，詳見經部禮類。

《唐書·經籍志》：《説林》五卷，孔衍撰。

《唐書·藝文志》：孔衍《説林》五卷。

曲阜孔繼汾《闕里文獻著述考》曰：“凡事不拘乎一類而言不衷于一途者，前史列之于雜家，二十二代孫廣陵太守衍有《説林》五卷，梁録二卷。”

錢塘江師韓《文選理學權輿》曰：“《選注》所引群書有孔衍《説林》。”

抱朴子外篇三十卷　葛洪撰。梁有五十一卷

葛洪有《抱朴子内篇》二十卷，詳見道家。

《抱朴子·自序篇》曰：“乃草創子書，至建武中乃定，凡著《内篇》二十卷，《外篇》五十卷。《内篇》屬道家。其《外篇》言人間得失，世事臧否，屬儒家。”

《晉書》本傳：洪自序曰：“予所著子言黄白之事，名曰《内篇》，其駁難通釋，名曰《外篇》，大凡内外一百一十六篇。”

《唐日本國見在書目》：《抱朴子外篇》五十卷。

《唐書·經籍志》：《抱朴子外篇》五十卷，葛洪撰。

《唐書·藝文志》：《抱朴子外篇》二十卷，葛洪。

《宋史·藝文志》：《抱朴子外篇》五十卷。

晁氏《讀書志》：《抱朴子外篇》十卷。《晉書》：“《内》、《外》通有一百一十六篇。”今世所傳者，四十篇而已。《外篇》頗言君臣理國用刑之道，故附于雜家云。

陳氏《書録》道家曰：“《抱朴子》二十卷者，《内篇》也。《館閣書目》有《外篇》五十卷。”

《四庫道家簡明目録》曰：“《抱朴子·内篇》純爲道家之言，《外篇》則論時政得失，人事臧否，多作排偶之體，而詞旨辯博，饒有名理。故《隋志》以《内篇》入道家，《外篇》入雜家。然《外篇》大旨亦以黃老爲宗，今併入于道家。”

嚴氏《鐵橋漫稟·代繼蓮龕敘抱朴子佚文》曰：“余手校《抱朴子》，因繙檢群書所引見，往往有今本所無者，隨見隨録，省併複重，得百四十五事，輒依本書大例，以其言神仙黃白事者爲内篇佚文，其餘駁難論釋爲外篇佚文，各一卷。”

又《全晉文編》曰：“《抱朴子外篇》今見存五十卷，不録，録其佚文。有《備闕篇》、《軍術篇》，篇名凡四十五條。又篇名闕者五填八條。”

金樓子十卷　梁元帝撰

梁元帝有《漢書注》，見史部正史類。

帝自序略曰：“先生曰：余于天下爲不賤焉，竊念臧义仲既没，其言立于世。曹子桓云：立德著書，可以不朽。杜元凱言：德者非所企及，立言或可庶幾。故户牖懸刀筆而有述作之志矣。常笑淮南之假手，每嗤不韋之託人。由是年在志學，躬自搜纂，以爲一家之言。今纂開闢以來，至乎耳目所接，即以先生爲號，名曰《金樓子》，蓋士安之玄晏，稚川之抱朴者焉！”

《南史》本紀：著《金樓子》、《補闕子》各十卷。

《唐日本國見在書目》：《金樓子》十卷，蕭世誠撰。

《唐書·經籍志》：《金樓子》十卷，梁元帝撰。

《唐書·藝文志》：梁元帝《金樓子》十卷。

《宋史·藝文志》：湘東王繹《金樓子》十卷。

晁氏《讀書志》：《金樓子》十卷，梁元帝繹撰。繹書十五篇，論歷代興亡之跡，《箴戒》、《立言》、《志怪》、《雜説》、《自敍》、《著書》、《聚書》，通曰“金樓子”者，在藩時自號。案衢本云十篇，敓“五”字，今從袁本。

陳氏《書録解題》：《金樓子》十卷，梁元帝繹世誠爲湘東王時所述也，雜記古今聞見，末一卷爲自序。

《四庫提要》曰：“是書明初漸已湮晦，明季遂竟散亡。今檢《永樂大典》各韻，尚頗載其遺文。惟所列僅十四篇，與晁公武十五篇之數不合。其篇端序述，亦惟《戒子》、《后妃》、《捷對》、《志怪》四篇尚存，餘皆脱逸。然中間《興王》、《戒子》、《聚書》、《説蕃》、《立言》、《著書》、《捷對》、《志怪》八篇皆首尾完整，其他文雖攪亂，而幸其條目分明，尚可排比成帙。謹詳加裒綴，參考互訂，釐爲六卷。其書于古今聞見事迹，治忽貞邪，咸爲苞載。附以議論，勸戒兼資。惟永明以後，豔語盛行，此書亦文格綺靡，不出爾時風氣。至于自稱‘五百年運，余何敢讓’，儼然上比孔子，尤爲不經。是則瑕瑜不掩，亦不必曲爲諱爾。”謹案帝又數言“余于天下爲下賤也”，則在藩時居然以周公自命。

以上諸子之屬爲一類，《四庫提要》所謂雜學之屬是也。

博物志十卷　張華撰

《晉書》本傳：華字茂先，范陽方城人也。學業優博，郡守鮮于嗣薦爲太常博士。除佐著作郎，兼中書郎。晉受禪，拜黃門侍郎，封關內侯。及吳平，封廣武縣侯。惠帝時，進壯武郡公，歷侍中、中書監、司空。後爲趙王倫、孫秀詐稱詔害之，夷三族，時年六十九。華彊記默識，四海之内若指諸掌。家無餘財，唯有文史溢于几案。祕書監摯虞撰定官書，皆資華之本以取正焉。天下奇祕，世所希有者，悉在華所。由是博物洽聞，世無與比。著《博物志》十篇，行于世。

晋王嘉《拾遺記》曰:"張華字茂先,挺生聰慧之賦,好觀祕異圖緯之部,捃采天下遺逸。自書契之始,考驗神怪,及世間閭里所説,造《博物志》四百卷,奏于武帝。帝詔詰問:'卿才綜萬代,博識無倫。自記事采言,亦多浮妄,將恐惑亂于後生,繁蕪於耳目。可更删截浮疑,分爲十卷。"又曰:"帝常以《博物志》十卷置于函中,暇日覽焉。"

《唐日本國見在書目》:《博物志》十卷,張華撰。

《唐書·經籍志》小説家:《博物志》十卷,張華撰。

《唐書·藝文志》小説家:張華《博物志》十卷。《宋志》雜家著録同。

晁氏袁本《讀書志》小説家:《博物志》十卷,晉張華茂先撰,周日用注。載歷代四方奇物異事,首卷有《理略》,後有《讚文》。

又衢本《讀書志》:《周盧注博物志》十卷,《盧氏注》六卷。晉張華撰。兩本前六卷略同,無周氏注者稍多而無後四卷。周名日用。

陳氏《書録解題》:《博物志》十卷,晉司空范陽張華茂先撰。多奇聞異事。華能辨龍鮓,識劍氣,其學固然也。又小説家《周盧注博物志》十卷,《盧氏注》六卷。

《玉海·藝文·記志篇》:張華《博物記》,《中興書目》十卷,采録雜説異聞,有周日用、盧氏注,釋聞見于下。

《四庫小説家簡明目録》曰:"《博物志》十卷,舊題晉張華撰,實則原本散佚,後人采其遺文裒合成編,雜取他説附益之。故證以諸書所引,或有,或無,或合,或不合也。"

又《提要》曰:"晁公武稱卷首有《理略》,後有《贊文》,今本卷首第一條爲地理,稱《地理略》。自魏氏曰以前云云,無所謂《理略》,謹案此似晁《志》敚"地"字。《讚文》惟地理有之,亦不在卷後。"又曰:"書中間有附注,或稱盧氏,或稱周日用,寥寥數條,殆非完本,或亦後人偶爲摘附歟?"

金山錢錫之跋曰："今世相傳《博物志》十卷，凡三十八類。分析處都無義理。惟士禮居刻仿宋連江葉氏本，不分門類，段目次序與俗本大異。然以唐宋類書所引校之，脱簡自一二字至數行不等。其它前後複見雜出不倫者甚夥。至太姒夢見商之庭產棘條，掇拾《周書‧程寤》、《大聚》、《武順》、《度邑》四篇文，連屬爲一，尤巨謬也。竊意宋初原書尚存，故《御覽》、《廣記》引《博物志》往往出今本外。黃蕘圃遽以葉本爲全書，而疑散見于它所稱引者爲《張公雜記》，亦執持太過矣。予既主葉本，雜采宋以前諸書，補正其脱誤，并輯逸文附諸卷末云。"

案《魏書‧常景傳》云："景刪正晉司空張華《博物志》。"則北朝別有常氏刪節本，其人當南朝齊梁之間。本志所載不知爲原書、爲常氏本也。注其書者，盧氏、周日用之外，又有《御覽‧獸部二十四》引如淳注《博物志》一條。如淳。馮翊人，魏陳郡丞，即注《漢書》者。其卒年不可考，豈與張茂先同時，及見其書而附注之歟？《御覽》此條有云："淳同鄉人吉孟，景福中征遼東時爲運船吏。""景福"當爲"景初"，即魏明帝景初二年太尉司馬宣王征公孫淵事也。知如淳爲魏明帝以後人。

張公雜記一卷　張華撰。梁有五卷，與《博物志》相似，小小不同。

《唐書‧藝文志》：《張公雜記》一卷。注云張華。

梁又有《雜記》十卷，何氏撰，亡。

何氏不知何人。

案此亦是《張公雜記》，爲何氏譔録之別本。

雜記十一卷　張華撰

《四庫》著録張華《博物志》提要曰："又劉昭《續漢志注‧律曆志》引《博物記》一條，《輿服志》引《博物記》一條，《五行志》引《博物記》二條，《郡國志》引《博物記》二十九條。《齊東野語》

謂《博物記》當是秦、漢間古書,張華取其名而爲志,楊慎《丹鉛録》亦稱據《後漢書注》,《博物記》乃唐蒙所作。今觀裴松之《三國志注》引《博物記》四條,又于《魏志·涼茂傳》中引《博物記》一條,灼然二書,更無疑義。"謹案凡此所引《博物記》似皆出以上三部之雜記,《律曆志注》引凡三條,又《百官志注》、《禮儀志注》亦引之。

仁和孫志祖《讀書脞録》曰:"楊升菴《丹鉛録》云:'漢有《博物記》,非張華《博物志》也。周公謹云不知谁著。考《後漢注》始知《博物記》爲唐蒙作。'志祖案《續漢書·郡國志》犍爲郡下有《蜀都賦注》:'斬鑿之跡今存,昔唐蒙所造。'本謂唐蒙開道事也。其下乃引《博物記》'縣西百里有牙門山'。升菴誤以唐蒙所造,連下《博物記》爲讀,云唐蒙作《博物記》,鹵莽甚矣。胡元瑞《丹鉛新録》亦未加駁正。"覆案《郡國志》,碻爲楊氏誤讀劉昭注文。

案此所載知《博物志》之外本有《博物記》,亦名《張公雜記》,且不止一種。綜《七録》、本志所有凡三本。《日本書目》《博物志》十卷之次又有《博物章》十卷,其書或當時相傳,或後人所録。《晉書》本傳載海鳧毛、白龍鮓、武庫雉雊、臨平石鼓、豐城劍氣、華陰赤土六事,末云"華之博物多此類,不可詳載"。似皆取資于此類雜記之書。

又案馬氏玉函山房輯存唐蒙《博物記》一卷,鑿空無據,爲《丹鉛録》所誤也。所輯凡五十餘節,于《續漢·禮儀志》注、《三國志注》所引皆未之及。若再加輯補,益以本傳六事,附以《御覽》如淳注一事,援本志此三書爲據,改題《張公雜記》,則庶乎其不謬矣。

梁有《子林》二十卷,孟儀撰,亡。

孟儀有《周載》八卷,見史部雜史類。

《唐書·經籍志》:《子林》二十卷,孟儀撰。

《唐書·藝文志》：孟儀《子林》二十卷。

案此爲梁庾仲容《子鈔》之先聲，是可知《意林》之先有《子鈔》，《子鈔》之先有《子林》。《四庫提要》雜家別爲一類，曰雜纂，雜纂之體，蓋始于此書，東晉時也。

廣志二卷　郭義恭撰

郭義恭，始末未詳。

《唐書·藝文志》：郭義恭《廣志》二卷。

《通志·藝文略》：《廣志》二卷，郭義恭撰。又十卷。

案此蓋《廣博物志》之書，諸書引見頗多。馬氏玉函山房輯存一本，而佚其輯書序。今案所輯凡二百六十餘條，編爲上下二卷，依今本《博物志》次第，以言地理者爲之首。又言陸佃《埤雅》引《廣志·小學篇》，則其書亦分篇目。《通志略》載別本十卷，則相傳有兩本。

部略十五卷

不著撰人。

《唐書·藝文志》：《部略》十五卷。

案《南齊書·竟陵文宣王子良傳》："永明五年，正位司徒。移居雞籠山西邸，集學士抄五經、百家，依《皇覽》例爲《四部要略》千卷。"此《部略》疑即《四部要略》之省名。十五卷者，或千卷之殘賸，或部首之總最。

又《魏書·裴景融傳》："出帝時詔撰《四部要略》，令景融專典，竟無所成。"則又疑裴氏未成之書。

博覽十三卷

不著撰人。

《唐書·經籍志》：《博覽》十五卷。《藝文志》同。

案《通志·藝文略》載《博覽》十三卷，此據本志。其後又有《博覽》十五卷，則從《唐志》錄入也。據其書者見卷數不同,前後兩出,必以爲兩書矣,其實止一書。蓋《唐志》所載漢魏六朝人之書根源皆在《隋志》,其書名撰人偶有同異,正足以爲考鏡之資。至于卷數分合多寡,則傳本不同,各據所見寫刊之誤,又時所恒有,尤不可以拘泥。鄭氏不究此例,往往有此重複,疑誤後學,毋爲所淆也。

諫林五卷　齊晉陵令何望之撰　　"望之"當爲"翌之"。

《宋書·何尚之傳》:尚之,廬江灊人也。弟悠之,義興太守。悠之弟愉之,新安太守。愉之弟翌之,都官尚書。

《宋書·後廢帝本紀》:元徽元年秋七月丁丑,散騎常侍顧長康、長水校尉何翌之表上所撰《諫林》,上自虞、舜,下及晉武,凡十二卷。

《唐書·經籍志》:《諫林》十卷,何望之撰。

《唐書·藝文志》:何望之《諫林》十卷。

述政論十三卷　陸澄撰

陸澄有《漢書注》,詳見史部正史類。

《唐書·經籍志》:《述正論》十三卷,陸澄撰。

《唐書·藝文志》:陸澄《述正論》十三卷。

案《通志·藝文略》儒家《術政論》十三卷,裴元撰。以爲裴元書不知何據,而陸澄是書則終于不見。豈別有所考?《隋》、《唐》三《志》皆誤耶? 殆不足信。

古今注三卷　崔豹撰

崔豹有《論語集義》,詳見經部。

《唐書·經籍志》:《古今注》五卷,崔豹撰。

《唐書·藝文志》:崔豹《古今注》三卷。又史部儀注類:崔豹《古今注》一卷。《宋史·志》:三卷。

陳氏《書録》曰:"《古今注》三卷,晉太傅丞崔豹正熊撰。"又曰:"《中華古今注》三卷,後唐太學博士馬縞撰,蓋推廣崔豹之書也。"

《玉海・藝文》記注類:《中興書目》:《古今注》三卷,晉太傅丞崔豹撰。雜取古今名物,各爲考釋,凡八門:輿服,都邑,音樂,鳥獸,魚蟲,草木,雜注,問答釋義。《中華古今注》三卷,五代唐馬縞撰。初,崔豹進《古今注》,原釋事物創始之意,縞復增益注釋以明之,凡六十六門。

《四庫提要》曰:"《古今注》三卷,舊本題晉崔豹撰。《中華古今注》三卷,舊本題後唐太學博士馬縞撰。豹書無序跋。縞書前有自序,稱晉崔豹《古今注》博識雖廣,殆有闕文,洎乎黄初,莫之聞見。今添其注,以釋其義。然今互勘二書,自宋、齊以後事二十九條外,其魏、晉以前之事,豹書惟草木一類及鳥獸類'吐綬鳥一名功曹'七字爲縞書所無,縞書惟服飾一類及開卷五條爲豹書所闕,其餘所載,並皆相同,不過次序稍有後先,字句偶有加減,縞所謂增注釋義,絕無其事。考《太平御覽》所引書名,有豹書而無縞書,《文獻通考》雜家類又祇有縞書而無豹書,[1]知豹書久亡,縞書晚出,後人摭其中魏以前事贋为豹作。又檢校《永樂大典》所載蘇鶚《演義》,與二書相同者十之五六,則不特豹書出于依託,即縞書亦不免于勦襲。特以相傳既久,姑存以備一家耳。"

又《簡明目録》曰:"《古今注》三卷,晉崔豹撰。《中華古今注》三卷,五代馬縞撰。二書皆考證名物,而文相同者十之九,故兩存其書,且并爲一帙,以便互考焉。"

　　案漢伏無忌有《古今注》,詳見史部雜史類,此蓋沿用其名。

古今訓十一卷　　張顯撰

張顯有《析言論》,見前。

---

① "獻",原誤作"選",據清浙江杭州刻本《四庫全書總目》改。

《唐書·藝文志》：張明《誓論》二十卷，《古訓》十卷。案張明《誓論》即張顯《析言論》，詳見于前。《古訓》即此《古今訓》也。

馬國翰曰："晉議郎張顯著《析言論》、《古今訓》二書，《隋志》并入雜家，《唐志》不載，佚已久。茲從諸書輯得《析言論》四節，又從陸德明《釋文》得《古今訓》一條，不能成卷，附錄于後。"

古今善言三十卷　宋車騎將軍范泰撰

《宋書》本傳：泰字伯倫，順陽山陰人也。祖汪，晉安北將軍、徐兗二州刺史。父寧，豫章太守。泰仕晉，襲爵陽遂鄉侯。高祖受命，拜金紫光祿大夫，散騎常侍。領國子祭酒。加位特進侍中、左光祿大夫，領江夏王師。泰博覽篇籍，好爲文章，愛獎後生，孜孜無倦。撰《古今善言》二十四篇傳于世。元嘉五年，卒，年七十四。追贈車騎將軍，謚曰宣侯。第四子曄，太子詹事，謀反伏誅。

《唐日本國見在書目》：《古今善言》廿一卷。不著撰人。

《唐書·經籍志》：《古今善言》三十卷，范泰撰。

《唐書·藝文志》：范泰《古今善言》三十卷。《宋史志》同。

馬國翰輯本范泰《古今善言》，《水經注》卷三十六，《太平御覽》四百三十一，又六百九十三，各引一條。

善諫二卷　宋領軍長史虞通之撰。

虞通之有《妬記》，詳見史部雜傳篇。

《唐書·經籍志》：《善諫》二卷，虞通之撰。

《唐書·藝文志》：虞通之《善諫》二卷。

闕文十三卷　陸澄撰

陸澄有《述政論》，見前。

《唐書·經籍志》儒家：《缺文》十卷，陸澄撰。

《唐書·藝文志》雜家：陸澄《述正論》十三卷。又《闕文》十卷。

案《南齊書》本傳云："澄博覽無所不知，行坐眠食，手不釋

卷。家多墳籍，人所罕見。"此《闕文》所由來歟？<small>大抵如《群書拾補》、《斠補隅録》之流。</small>

政論十三卷　陸澄撰

案此即《述政論》，已見于前。此殆從別家書目采入，見書名微異，以爲別是一書，實重複也。

記聞二卷　宋後軍參軍徐益壽撰

徐益壽，始末未詳。

《唐書·經籍志》：《記聞》三卷，徐益壽撰。

《唐書·藝文志》：徐益壽《記聞》三卷。

新舊傳四卷

不著撰人。

《唐書·藝文志》：《新舊傳》四卷。

案史部雜傳類諸家家傳中已有是書，而《唐志》入雜家，未審孰是。

釋俗語八卷　劉霽撰

《梁書·孝行傳》：劉霽字士烜，平原人也。家貧，與弟杳、歊相篤勵學，博涉多通。天監中，起家奉朝請，稍遷宣惠晉安王府參軍，西昌相，尚書主客郎，海鹽令，建康正。母卒，廬墓，思慕不已，服未終而卒，年五十二。著《釋俗語》八卷。弟杳在《文士傳》，歊在《處士傳》。

《唐書·經籍志》小説家：《釋俗語》八卷，劉齊撰。

《唐書·藝文志》小説家：劉齊《釋俗語》八卷。<small>"齊"並當爲"霽"。</small>

稱謂五卷　後周大將軍盧辯撰

《周書》本傳："辯字景宣，范陽涿人。累世儒學。兄景裕爲當世碩儒。辯少好學，博通經籍，舉秀才，爲太學博士。以《大戴禮》未有解詁，辯乃注之。魏孝武入關，事起倉卒，辯不及至家，單馬從。至長安，授給事中黄門侍郎，領著作。尋除太常卿、太子少傅。進爵范陽公，轉少師，尚書右僕射。世宗即位，進位大將軍。薨。"又《北史》本傳云："諡曰獻。隋開皇初，以辯前代名德，追封沈國公。"

《唐書・藝文志》：盧辨《稱謂》五卷。

錢塘梁田《庭立紀聞》曰："《爾雅・釋親》一篇頗略，孔鮒《小爾雅》、揚雄《方言》、劉熙《釋名》、張揖《廣雅》多有補益。後周盧辨撰《稱謂》五卷，惜今不傳。"

備遺記三卷

不著撰人。

纂要一卷　戴安道撰。亦云顏延之撰。

戴安道名逵，有《五經大義》，見經部論語類。顏延之有《逆降義》，見經部禮類。

《唐書・經籍志》小學類：《纂要》六卷，顏延之撰。

《唐書・藝文志》小學類：顏延之《纂要》六卷。

錢塘注師韓《文選理學權輿》曰："《選注》所引群書有顏延之《纂要解》。"案此稱《纂要解》，可以知其書有解有纂。解者，或即解戴氏之書歟？

馬氏玉函山房輯本序曰："此書雜載訓詁，仿《爾雅》爲之。《隋志》雜家一卷，戴安道撰，亦云顏延之撰。《唐志》顏延之《纂要》六卷，改入小學類，今佚，哀輯爲卷。"又曰："諸書引者，亦多作顏延之，唯徐堅《初學記》引《纂要》，復引梁元帝《纂要》，《太平御覽》因之，凡有五節，體製與諸引顏延年者無異。意顏書本一卷，元帝增之，故爲六卷。徐稱《纂要》者，顏之本書稱梁元帝《纂要》，帝所續歟？"案任氏大椿《小學鉤沈》中亦輯《纂要》一十九條。

方類六卷

不著撰人。

俗説三卷，沈約撰。梁五卷。

雜説二卷，沈約撰。

袖中記二卷，沈約撰。**袖中略集一卷**，沈約撰。

珠叢一卷　沈約撰

沈約有《諡法》，見經部論語類。

《唐日本國見在書目》：《袖中書》十一卷，沈約撰。《袖中記》二卷，同撰，《袖中抄》一卷。

《唐書·經籍志》：《袖中記》一卷。不著撰人。

《唐書·藝文志》：沈約《袖中記》二卷。

《宋史·藝文志》："沈約《袖中記》三卷。"又小説家："沈約《俗説》一卷。"

案《梁書》本傳云："所著《邇言》十卷，行于世。"《南史》本傳："約子旋，字士規，集注《邇言》，行于世。"或謂此是《爾雅注》之誤，或當然。《邇言》不見載于本志。此《俗説》五卷，《雜説》、《袖中記》各二卷，《珠叢》一卷，凡十卷，亦不見于本傳，似即《邇言》之篇目。其《袖中略集》一卷，則又似後人節錄，非其本書。唐宋時唯存《袖中記》，宋又有《俗説》一卷，皆其殘賸也。沈旋集注《爾雅》見經部論語類。

又《日本書目》有《袖中書》十一卷，似《俗説》、《雜説》、《珠叢》皆在其中，以《袖中書》在前，故以爲名耳。又有《袖中記》二卷，與本志相同，即《袖中書》之單行本。《袖中抄》一卷，即本志之《袖中略集》也。馬氏《玉函山房》輯存《俗説》一卷。

宋璧三卷　梁中書舍人庾肩吾撰

《梁書·文學傳》：肩吾字子慎。八歲能賦詩，爲兄於陵所友愛。初爲晉安王國常侍，累遷太子率更令，中庶子。太清中，侯景寇陷京都。景矯詔遣肩吾使江州，喻當陽公大心，因逃赴江陵，未幾卒。

《南史・庾易傳》：易字幼簡，新野人也，徙居江陵。子黔婁，黔婁弟於陵，於陵弟肩吾，字慎之。間道奔江陵，歷江州刺史，領義陽太守，封武康縣侯。卒，贈散騎常侍、中書令。

《唐日本國見在書目》：《彩璧》六卷，梁庾肩吾撰。

《唐書・經籍志》：《采璧記》三卷，庾肩吾撰。

《唐書・藝文志》：庾肩吾《采璧》三卷。

物始十卷　謝吳撰

謝吳亦作謝昊，有《梁書》四十九卷，見史部正史類。

《唐書・經籍志》：《物始》十卷，謝吳撰。

《唐書・藝文志》：謝昊《物始》十卷。

宜覽二十二卷

不著撰人。

案《隋書・于仲文傳》，仲文撰《略覽》二十卷。疑即此書。

玉府集八卷

不著撰人。

案《日本國書目》有《玉府新書》五十卷，不著姓名，此八卷似其殘賸。《通志略》類書内有《玉府新書》三卷，梁齊逸人撰，亦似此書。又梅鼎祚《文紀》引《玉府新書》有杜預與子耽書一條，嚴氏輯入杜預佚文中，則是書亦間有引述者。

鴻寶十卷

不著撰人。

烏程嚴可均《全梁文編》曰：“張纘字伯緒，緬第三弟。天監中尚富陽公主，拜駙馬都尉，封利亭侯，補國子生，除祕書郎。太清中，歷使持節平北將軍、寧蠻校尉、雍州刺史，岳陽王詧不受代，見殺。元帝承制，贈侍中、中衛將軍、開府儀同三司，謚簡憲公，有《鴻寶》十卷，本傳作一百卷。”

案《梁書》本傳云：“纘好學，兄緬有書萬餘卷，書夜披讀，殆不輟手。祕書郎有四員，宋、齊以來，爲甲族起家之選，待次入補，其居職，例數十百日便遷任。纘固求不徙，欲遍觀閣內圖籍。嘗執四部書目曰：‘若讀此畢，乃可言優仕矣。’如此數載，方遷官。”又曰：“讚著《鴻寶》一百卷。”嚴氏以爲即此《鴻寶》。然考鍾嶸《詩品》云：“李充《翰林》，疏而不切；王微《鴻寶》，密而無裁。”則王微亦有《鴻寶》。微有集，見別集類宋人文中。

顯用九卷

不著撰人。

墳典三十卷　盧辯撰

盧辯有《稱謂》五卷，見前。

《隋書·儒林·辛彥之傳》：彥之，隴西狄道人也。博涉經史。周閔帝受禪，與少宗伯盧辯專掌儀制。高祖受禪，改封任城郡公，位上開府。歷隨州、洛州刺史。開皇十一年，卒官，諡曰宣。撰《墳典》一部，《六官》一部。

《唐書·經籍志》儒家：《墳典》三十卷，盧辯撰。

《唐書·藝文志》儒家：盧辯《墳典》三十卷。

　　案盧辯于周閔帝時與辛彥之同官，是書蓋與彥之同撰。《周書》、《北史》載盧辯撰《六官》，不載別有《墳典》。而《隋書·儒林傳》并《六官》皆歸于彥之，此猶《論語集解》本志云何晏撰，《晉書》歸之鄭沖；《華林徧略》本志云徐僧權，兩《唐志》云徐勉也。

玉燭寶典十二卷　著作郎杜臺卿撰

《隋書》本傳：臺卿字少山，博陵陽曲人也。父弼，齊衛尉卿。臺卿少好學，博覽書記，解屬文。仕齊奉朝請，歷中書黃門侍郎。周武平齊，歸鄉里，以《禮記》、《春秋》講授子弟。開皇初，被徵入朝。臺卿嘗采《月令》，觸類廣之，爲書名《玉燭寶典》十二卷。至是奏之，賜絹二百匹。臺卿患聾，不堪吏職，請修國史。上許之，拜著作郎。十四年，致仕。數載，終于家。

臺卿自序略曰："昔因典掌餘暇，考校藝文，《禮記・月令》最爲備悉，遂分諸月，各以冠篇首。先引正注，逮及衆説，續書月別之下，增廣其流。史傳百家，時多兼采，詞賦綺靡，動過其意。除非顯著，一無所取。載土風者，體民生而積習；論俗誤者，冀勉之以知方。始自孟陬，終于大吕，以中央戊己附季夏之末，合十二卷，總爲一部。至如雷雲霜雨，減降參差，鳥獸魚蟲，鳴躍前後，春生夏長，草榮樹實，孟仲之際，晏早不同者，或敍其發初，或録其尤盛，或據在周雒，或旁施邊裔，縱令小舛，差可弘通。若乃鄭俗秦聲，楚言越服，須觀同異，的辨華戎，並存舊命，無所改創。其單名互出，即文不審，則注稱今案以明之；若事涉疑殆，理容河漢，則別起正説以釋之。世俗所行節者，雖無故實，伯升之諺載于經史，多觸類援引，名爲附説，又有序説終篇，括其首尾。案《爾雅》四氣和爲玉燭，《周書》武王説周公推道德以爲寶典，將令此作，義兼衆美，以《玉燭寶典》爲名焉。"

《唐日本國見在書目》：《玉燭寶典》十二卷，隋著作郎杜臺卿撰。

《唐書・經籍志》：《玉燭寶典》十二卷，杜臺卿撰。

《唐書・藝文志》農家：杜臺卿《玉燭寶典》十二卷。《宋志》農家著録同。

陳氏《書録》史部時令類：《玉燭寶典》十二卷，隋著作郎博陵杜臺卿少山撰。以《月令》爲主，觸類而廣之，博采諸書，旁及時俗，月爲一卷，頗號詳洽。開皇中所上。

日本國人澀江全善、森立之《經籍訪古志》曰："《玉燭寶典》十

二卷,貞和四年抄本,隋著作郎杜臺卿撰。缺第九一卷。每
冊末有貞和四年某月日校合畢面山叟記,五卷末有嘉保三年
六月七日書寫并校畢舊跋。案此書元明諸家書目不載之,則
彼土蚤已亡佚耳。此本爲佐伯毛利氏獻本之一,聞加賀侯家
藏卷子本,未見。"黎氏刊《寶典》卷後附記曰:"嘉保三年,宋哲宗紹聖三年。
貞和四年,元順帝至正八年也。"

光緒十年出使日本大臣遵義黎庶昌刻《古佚叢書敘目》曰:
"覆舊鈔卷子本《玉燭寶典》十一卷,原十二卷,今缺第九卷。
其書用《小戴記・月令》爲主,博引經典集證之,較《周書・月
令解》、《呂覽・四時紀》、《淮南・時則訓》加詳,此爲專書故
也。開皇中奏上,號爲詳洽。陳直齋《書錄解題》猶載之,其
亡當在宋已後耳。"

典言四卷　後魏人李穆叔撰

李穆叔,名公緒,有《趙李家儀》十卷,見史部儀注篇。

《北齊書》、《北史》本傳:公緒雅好著書,撰《典言》十卷,行
于世。

《唐書・經籍志》儒家:《典言》四卷,李若等撰。

《唐書・藝文志》儒家:李穆叔《典言》四卷。

典言四卷　後齊中書郎荀士遜等撰

《北齊書》、《北史・文苑傳》:荀士遜,廣平人也。好學有思
理,爲文清典,見賞知音。武定末,舉司州秀才。齊皇建中,
爲主書。轉中書舍人。遷侍郎。與李若等撰《典言》行于世。
齊亡年卒。

案《齊書》、《北史・李公緒傳》云撰《典言》十卷。蓋與荀士
遜、李若等同撰。本志分別爲兩家,各四卷,似即一書而題
名互異。故兩《唐志》唯載四卷,不別出爲兩部,本開元《群
書四錄》考訂如此也。《北齊書・文苑傳序》云:"及在武

平,李若、荀士遜、李德林、薛道恒爲中書侍郎。"《隋書·文苑·崔儦傳》:"儦與頓丘李若俱見稱重,時人爲之語曰:'京師灼灼,崔儦、李若。'"李若見于史者如此。

補文六卷

不著撰人。

案此或亦如陸澄《闕文》之類。又在此《典言》之後,李公緒《典言》本十卷,豈此六卷補前書四卷之未備者歟?

四時録十二卷

不著撰人。

《唐書·經籍志》:《四時録》十二卷,王氏撰。

《唐書·藝文志》農家:王氏《四時録》十二卷。

《宋史·藝文志》農家:《四時録》四卷,不知作者。

《玉海·律曆·時令篇》:《崇文目》有《四序總要》十二卷,《四時録》四卷。

正訓二十卷

內訓二十卷

並不著撰人。

《隋書·辛德源傳》:德源字孝基,隴西狄道人也。博覽書記,少有重名。仕齊爲中書舍人。齊滅,入周爲宣納上士。高祖受禪,祕書監牛弘奏與著作郎王劭同修國史。德源每于務隙撰《集注春秋三傳》三十卷,注《揚子法言》二十三卷。蜀王秀奏以爲掾。轉諮議參軍,卒官。又撰《政訓》、《內訓》各二十卷。"

《唐書·經籍志》儒家:《正訓》二十卷,辛德源志。《內訓》二十卷,辛德源、王劭等撰。

《唐書·藝文志》儒家:"辛德源《正訓》二十卷。"又史部傳記女訓類:"辛德源、王劭等《內訓》二十卷。"

《崇文總目》：《正訓》十卷，不著撰人名氏。案《唐志》有《正訓》二十卷，辛德源撰。而此題云陸機撰，又止十卷。據隋以前書録，皆無陸機《正訓》之目，《晉史》機傳亦不言嘗有此書。而德源所著，今世已亡，疑是其遺書。案《宋志》有陸機《正訓》十卷，即《崇文目》所言者不足據也。

嘉定錢大昕《隋書考異》曰：“《經籍志》《正訓》二十卷，《内訓》二十卷，皆不著撰人。蓋辛德源所撰也。本傳‘正’作‘政’。”

雜略十三卷

不著撰人。

《北齊書・文苑傳》：後主三年，祖珽奏立文林館，更召引文學士，謂之待詔文林館。珽又奏撰《御覽》，奏追通直散騎侍郎韋道遜等入館修書。

又《文苑・顏之推附傳》：韋道遜，京兆杜陵人。與兄道密、道建、道儒並早以文學知名。道遜，武平初爲尚書左中兵，加通直散騎侍郎，入館，加通直常侍。

《唐書・經籍志》：《新略》十卷，韋道孫撰。

《唐書・藝文志》：韋道孫《新略》十卷。

案兩《唐志》次是書于庾肩吾、徐陵之間，《新略》爲《雜略》之誤。本志于北朝人之書類不著作者姓名，此爲韋道遜所撰無疑。遜與孫同。

清神三卷

不著撰人。

前言八卷

不著撰人。

會林五卷

不著撰人。

案《梁書·徐勉傳》:"以孔釋二教殊途同歸,撰《會林》五十
卷。"此五卷或其殘帙,或敓"十"字。勉有《梁選簿》,見史
部識官篇。

對林十卷

不著撰人。

道言六卷　叱羅羨撰

《隋書·張羨傳》:羨字士鴻,河間鄚人也。父羨,少好學,多
所通涉,仕魏爲蕩難將軍。從武帝入關,累遷銀青光禄大夫。
周太祖引爲從事中郎,賜姓叱羅氏。歷司職大夫、雍州刺史、
儀同三司,賜爵虞鄉縣公。復入爲司成中大夫,典國史。周
代公卿,類多武將,唯羨以素業自通,甚爲當時所重。後以年
老,致仕于家。及高祖受禪,欽其德望,以書徵之。及謁見,
勑令勿拜,扶升殿,上降榻執手,與之同坐,宴語久之,賜以几
杖。會遷都龍首,羨上表勸以儉約,上優詔答之。俄而卒,年
八十四。贈滄州刺史,謚曰定。撰《老子》、《莊子義》,名曰
《道言》,五十二篇。

道術志三卷

不著撰人。

述伎藝一卷

不著撰人。

案此似即邯鄲淳《藝經》,《文選注》數引之。

諸書要略一卷　魏彦深撰

魏彦深名澹,有《後魏書》,見史部正史類。

文府五卷

不著撰人。

《陳書·徐陵傳》:陵字孝穆,東海郯人也。仕梁。入陳,歷官
侍中、安右將軍、左光禄大夫、太子少傅、南徐州大中正,封建

昌縣侯。後主至德元年卒，年七十七，贈右將軍，特進，謚
曰章。

《唐日本國見在書目》：《文府》十卷。不著撰人。

《唐書·經籍志》：《文府》七卷，徐陵撰，宗道寧注。

《唐書·藝文志》：徐陵《文府》七卷，宗道寧注。

　　案兩《唐志》則是書爲徐陵撰，或亦如詩之有《玉臺新詠》十
　　卷也。《日本書目》所載或其原本，此五卷似非其全。《唐
　　志》七卷爲宗道寧注本。道寧，始末未詳。

梁有《文章義府》三十卷。

　　不著撰人。

　　案《日本書目》《文府》十卷之後又有《文府》十二卷，《文府》
　　二卷，《文府雜體》八卷，《文府啓法》二卷，《文府四聲》五
　　卷，皆不著撰人，疑即是書之散見者。又本志總集類梁有
　　《漢書文府》三卷，亡，疑亦其類。

語對十卷　朱澹遠撰

語麗十卷　朱澹遠撰

　　梁元帝《金樓子·聚書篇》曰：“前在荆州，又得州民朱澹遠送
　　異書。”又《著書篇》曰：“《語對》三峽三十卷。”案此《語對》似即朱氏
　　所與修者，至隋僅存其一峽也。

《唐日本國見在書目》：《語麗》十一卷，朱澹遠撰。

《唐書·經籍志》：《語麗》十卷，朱澹遠撰。

《唐書·藝文志》：朱澹遠《語麗》十卷。又《語對》十卷。

《宋史·藝文志》類事類：朱澹遠《語麗》十卷。

陳氏《書録》類書類：《語麗》十卷，梁湘東王功曹參軍朱澹遠
撰。采摭書語之麗者，爲四十門。案前志但有雜家而無類
書，《新唐書志》始別出爲一類。此書乃猶列雜家，要之，實類
書也。但其分門類無倫理。澹遠又有《語對》一卷，不傳。

對要三卷

不著撰人。

案此似即前《對林》、《語對》之節要本。

雜語三卷

不著撰人。

案《南齊書·劉善明傳》："太祖踐阼,以善明爲淮南、宣城二郡太守。善明至郡,上表陳事十一條。又撰《聖賢雜語》奏之,託以諷諫。上答曰:'省所獻《雜語》,並列聖之明規,衆智之深軌。卿能憲章先範,纂縷情識,忠款既昭,淵誠肅著,當以周旋,無忘聽覽也。'"或即此《雜語》三卷歟?

彚書事對三卷

不著撰人。

案唐徐堅《初學記》凡三百十三篇,每篇皆有事對,疑即取資于是類之書。

廊廟五格二卷　王彬撰

王彬,始末未詳。

案晉有王彬,《晉書》附其兄《王廙傳》。齊亦有王彬,《南史》附《王僧虔傳》,皆不言其有是書。

名數八卷。

不著撰人。

《唐書·經籍志》:《名數》十卷,徐陵撰。

《唐書·藝文志》:徐陵《名數》十卷。

案徐陵有《文府》,見前。

新言四卷　裴立撰

裴立,始末未詳。

案此或是裴玄《新言》五卷之別本,而譌"玄"爲"立"也。

善説五卷

不著撰人。

君臣相起發事三卷

不著撰人。

　　案《舊》、《新唐志》儒家並有唐章懷太子《君臣相起發事》三卷，則是書爲章懷太子撰，然不應録入本志。或本有是書，爲章懷所傳録者歟？

物重名五卷

不著撰人。

真注要録一卷

不著撰人。

天地體二卷

不著撰人。

雜事鈔二十四卷

不著撰人。

　　案《唐日本國見在書目》《雜鈔》廿卷，亦不著撰人，疑即是書。

雜書鈔四十四卷

不著撰人。

　　案此猶在《北堂書鈔》之前，似即虞永興所据之藍本。《唐日本國書目》有《而部書鈔》十卷，亦不著作者，疑即是書之佚存者。而部，彼國語，大意謂此部、別部歟？

子抄三十卷　　梁黟令庾仲容撰

《南史·庾悦傳》：悦字仲豫，潁川鄢陵人。族弟仲文。仲文族孫仲容，字子仲，專精篤學。初爲安西法曹行参軍，轉太子舍人，永康、錢唐、武康令。後爲尚書左丞，坐推糺不直免官。遇太清亂，游會稽卒。仲容博學，有盛名，抄子書三十卷，行于代。

唐貞元二年撫州刺史戴叔倫《意林敍》曰：“有梁潁川庾仲容，爲《子書抄》三十卷，略其要會，而立言之本或不求全。大理評事扶風馬總元會，增損庾書，詳擇前體，裁成三軸，目曰《意林》。”

又河東柳伯存《意林序》曰：“子書起于鬻熊，而部帙繁廣，尋覽頗難。梁朝庾仲容抄成三帙，汰其沙石，簸其粃糠，而猶蘭蓀雜于蕭艾，瑤瑛隱于璞石。扶風馬總精好前志，務于簡要，又因庾仲容之抄略存爲六卷，題曰《意林》。”

《唐书·经籍志》：《子抄》三十卷，庾仲容撰。一本作庾子容，誤。

《唐書·藝文志》：庾仲容《子鈔》三十卷。《宋史·藝文志》同。

宋高似孫《子略》曰：“梁諮議參軍庾仲容《子鈔》百十有七家，仲容所取或數句，或一二百言，是有以契其意，入其用，而他人不可共享者也。馬總《意林》一遵庾目，多者十餘句，少者一二言，比《子鈔》更爲取之嚴，錄之精且約也。”

晁氏《讀書志》載馬總《意林》曰：“初，梁庾仲容取諸家書、術數雜説凡一百七家，鈔其要語，爲三十卷，總以其繁略失中，增損成三軸。”

陳氏《書録解題》：《子鈔》三十卷，梁尚書左丞潁川庾仲容子仲撰。所取諸子之書百有五家，其間頗有與今世見行書不同者，而亡者亦多矣。

《玉海·藝文·諸子篇》：《中興書目》《子鈔》三十卷，梁庾仲容鈔諸子凡百有五家，輯爲是書。一云一百七家。

案庾氏之前有晉臨賀太守孟儀《子林》二十卷，庾同時稍前又有沈約《子鈔》十五卷，其目皆不可考。庾鈔之目或云百十七家，或云百七家，百五家。嚴氏從《子略》所載《意林》目録定爲一百九家，作《意林闕目敍録》，言之甚詳，見《鐵橋漫稿》。後有傳宋槧全本《意林》者，第六卷中尚有杜

夷《幽求子》、干寳《干子》、華譚《新論》、孫綽《孫子》四
家可考見者，實有一百十三家，嚴氏爲《子略》所誤矣。
然《子略》言仲容《子抄》百十七家，或得之于本書，其尚
有四家，今莫得而詳。

子鈔二十卷

不著撰人。

案此似即沈約三十卷本之佚存者。

梁有《子鈔》十五卷，沈約撰，亡。

沈約有《俗説》等五書，見前。

《唐書·經籍志》：《子鈔》三十卷，沈約撰。

《唐書·藝文志》：沈約《子鈔》三十卷。

論集八十六卷　殷仲堪撰　梁九十六卷。梁又有《雜論》五十八卷。《雜論》十三卷，亡。

殷仲堪有《毛詩雜義》，見經部詩家。

《唐書·經籍志》總集類：《雜論》九十五卷，殷仲堪撰。

《唐書·藝文志》：“殷仲堪《論集》九十六卷。”又總集類：“殷
仲堪《雜論》九十五卷。”

案《論集》與《雜論》祇是一書耳，故卷數亦略相同。本志
《新唐志》記録紛紜乃若此。

以上自《博物志》至此，皆雜家之不名一體者，爲一類，其中
亦略有分別，以類相從，故撰人如沈約、盧辯皆前後兩見。

《四庫提要》所謂雜考、雜説、雜品、雜纂之屬，此皆有之。

皇覽一百二十卷　繆卜等撰。梁六百八十卷。一本作“繆十”，皆“繆襄”之誤也。

《三國·魏志·文帝紀》：初，帝好學，以著述爲務，使諸儒撰
集經傳，隨類相從，凡千餘篇，號曰《皇覽》。

又《魏志·劉邵傳》：黄初中，爲散騎侍郎。受詔集五經群書，

以類相從，作《皇覽》。

又《魏志·曹爽傳》注：《魏略》曰："桓範，延康中爲羽林左監。以有文學，與王象等典集《皇覽》。"

又《魏志·楊俊傳》注：《魏略》曰："王象受詔撰《皇覽》，使象領祕書監。象從延康元年始撰集，數歲成，藏于祕府，合四十餘部，部有數十篇，通合八百餘萬字。"

《史記·五帝本紀》索隱曰："'皇覽'，書名也。宜皇王之省覽，故曰《皇覽》。是魏人王象、繆襲等所撰也。"又曰："《皇覽》，記先代冢墓之處。"

《太平御覽·文部·著書篇》：《三國典略》曰："祖珽等上言：'昔魏文帝命韋誕諸人撰著《皇覽》，包括群言，區分義別。'"

本志總敍曰："魏祕書郎鄭默，始制《中經》，祕書監荀勖，又因《中經》，更著《新簿》，分爲四部，三曰丙部，有史記、舊事、皇覽簿。"案皇覽簿者，載《皇覽》之目録也。魏《中經》以此爲丙部中之一類，晉《新簿》仍之。

《玉海·藝文·承詔撰述篇》曰："類事之書，始于《皇覽》。建雲臺者非一枝，成珍裘者非一腋，言集之者衆也。"注云韋誕諸人撰。

番禺侯康《補三國藝文志》曰："《史記索隱》卷一云'《皇覽》記先代冢墓之處'。康案《御覽·禮儀部》三十九引《皇覽·冢墓記》二十餘條，《水經注》引《皇覽》十三條，言冢墓者十之九。冢墓，蓋即四十餘部中之一。《御覽》卷五百九十又引《皇覽》記太公陰謀，疑亦書中篇名也。《論語》'三省章'，《釋文》稱《皇覽》引魯讀六事，則兼及經義。此《魏文帝紀》所謂'撰集經傳，隨類相從'者。蓋後世謂類書之濫觴，故無所不包矣。"

《孫氏書目》：《皇覽》一卷，魏繆襲等撰。孫馮翼集本。

張氏《書目答問》：《皇覽》一卷，魏繆襲等撰。《問經堂》輯本。

案漢獻帝建安二十五年改元延康，是歲十月遜位，即爲魏黃初元年，是書始草創。于是年閱數載，成訖當在黃初中。與其事者，不知若干人，可見者，劉邵、桓範、韋誕、王象、繆襲五人。而王象、繆襲其尤著者也。由是而風會所趨，六朝之帝室皇枝、名卿碩彥靡不延攬文學，抄撰衆書，齊梁時尤盛。當時各有其本類，多散佚不傳，此百二十卷殆猶是原編殘帙。然《舊》、《新唐志》皆不載，則已亡于隋末之亂矣。

又案《御覽》數引《皇覽·逸禮》，即《漢·藝文志》所謂《禮古經》多三十九篇，劉歆《移書太常博士》稱《逸禮》三十九，是也。王莽時立博士，漢末尚未亡，故《皇覽》亦具載之。又《陳思王傳》注："臣松之案田巴事出《魯連子》，亦見《皇覽》，文多不載。"是《皇覽》中有《魯連子》。又《說郛》中有繆襲《尤射》一篇，文多殘缺，亦《皇覽》佚文也。孫氏輯本未見，當盡取之矣。繆襲有《列女傳贊》，見史部雜傳類。

梁又有《皇覽》一百二十三卷，何承天合，亡。

何承天有《禮論》三百卷，詳見經部禮類。

《唐書·經籍志》類事家：《皇覽》一百二十二卷，何承天撰。

《唐書·藝文志》類書類：何承天并合《皇覽》一百二十二卷。

梁又有《皇覽》五十卷，徐爰合，《皇覽目》四卷，亡。

徐爰有《集注繫辭》，見經部易家。

《唐書·經籍志》類事家：《皇覽》又八十四卷，徐爰并合。

《唐書·藝文志》類事類：徐爰并合《皇覽》八十四卷。

案徐爰此本梁代存五十卷，唐時復出，乃八十卷，目錄四卷，視梁本多三十卷。然亦疑本志此條"五"字爲"八"字之誤。

梁又有《皇覽抄》二十卷，梁特進蕭琛抄，亡。

《梁書》本傳：琛字彥瑜，蘭陵人。父惠訓，從伯惠開。琛少而朗悟，有縱橫才辨。仕齊，歷給事黃門侍郎。梁臺建，爲御史中丞。累遷。琛常言："少壯三好，音律、書、酒。年長以來，二事都廢，惟書籍不衰。"中大通元年，改授侍中、特進、金紫光禄大夫。卒，年五十二。謚曰平子。

案《魏志·文帝本紀》稱《皇覽》凡千餘篇，當是千餘卷。至梁存六百八十卷，至隋存一百二十卷，至唐惟有何、徐兩家抄合本，而魏時原本亡，蕭琛所抄者亦亡。比及于宋，則抄合本亦俱不存矣。

帝王集要三十卷　崔安撰　"安"當爲"宏"。

《北史·崔宏傳》：宏字玄伯，清河東武城人，魏司空林之六世孫也。少有儁才，號冀州神童。仕苻堅、慕容垂。道武帝聞其名，遣求。及至，以爲黃門侍郎，與張袞對總機要，草創制度。議國號，爲魏。時命有司制官爵，撰朝儀，協音樂，定律令，申科禁，宏總而裁之，以爲永式。常引問古今舊事，王者制度，宏陳古人制作之體，及往代廢興之由，甚合上意。賜爵白馬侯。明元帝時，拜天部大人，進爵爲公。泰常三年，卒，追贈司空，謚文貞公。子浩襲。案魏明元帝泰常三年，晉安帝義熙十四年，晉末宋初時也。

《唐書·藝文志》：崔宏《帝王集要》三十卷。

案《魏書》、《北史》皆不言宏撰是書，而微露其端。又宏子浩傳云："天師寇謙之每與浩言，聞其論古治亂之跡，常自夜達旦，竦意斂容，無有懈倦。因謂浩曰：'吾行道隱居，不營世務，忽受神中之訣，當兼修儒教，輔助泰平真君，繼千載之絶統，而學不稽古，臨事闇昧，卿爲吾撰列王者治典，并論其大要。'浩乃著書二十餘篇，上推太初，下盡秦、漢變弊之跡，大旨先以復五等爲本云云。"亦頗似此書，或本爲崔浩而傳譌爲崔宏，又轉寫誤爲崔安歟？

類苑一百二十卷　梁征虜刑獄參軍劉孝標撰。梁《七錄》八十二卷。

劉孝標名峻，有《漢書注》，見史部正史類。

《梁書·安成康王秀傳》：秀于高祖布衣昆弟，精意術學，搜集經記，招學士平原劉孝標，使撰《類苑》，書未及畢，而已行于世。

又《文学·劉峻傳》：安成王秀好峻學，及遷荆州，引爲户曹參軍，給其書籍，使抄録事類，名曰《類苑》，未及成，復以疾去。

《南史·劉懷珍附傳》：初，梁武帝招文學之士，有高才者多被引進，擢以不次。峻率性而動，不能隨衆沈浮。武帝每集文士策經史事，時范雲、沈約之徒皆引短推長，帝乃悦，加其賞賚。曾策錦被事，咸言已罄，帝試呼問峻，峻時貧悴冗散，忽請紙筆，疏十餘事，坐客皆驚，帝不覺失色。自是惡之，不復引見。及峻《類苑》成，凡一百二十卷，帝即命諸學士撰《華林編略》以高之，竟不見用。乃著《辨命論》以寄其懷。又爲《自序》，比馮敬通云。又《沈約傳》云："約嘗侍讌，值豫州獻栗，徑寸半。帝奇之，問曰栗事多少，與約各疏所憶，少帝三事。出謂人曰：'此公護前，不讓即羞死。'帝以其言不遜，欲抵其罪，徐勉固諫乃止。"

《唐書·經籍志》類事家：《類苑》一百二十卷，劉孝標撰。

《唐書·藝文志》類書類：劉孝標《類苑》一百二十卷。

　　案梁《七錄》八十二卷，殆所謂書未成而已行于世之未完本也。其後三十八卷則已在普通四年《七錄》成書之後矣。

華林遍略六百二十卷　梁綏安令徐僧權等撰

《南史·文學·徐伯陽傳》：伯陽字隱忍，東海人也。父僧權，梁東宫通事舍人，領祕書，以善書知名。唐韋述《敍書録》曰："梁則滿騫、徐僧權、沈熾文、朱异等署記。"其後竇蒙《述書賦》曰："押署縫尾，則僧權似長松挂劍，滿騫如盤石臥虎。"注云："徐僧權，中山人。"《南史·王錫傳》："普通初，魏始連和，使劉善明來聘。引宴之日，勑使左右徐僧權于坐後，言則書之。"

又《劉峻傳》：峻撰《類苑》成一百二十卷，帝即命諸學士撰《華林徧略》以高之。

又《文學·何思澄傳》：天監十五年，勑太子詹事徐勉舉學士入華林撰《遍略》，勉舉思澄、顧協、劉杳、王子雲、鍾嶼等五人以應選。八年乃書成，合七百卷。

唐杜寶《大業雜記》祕書監柳顧言曰："梁主以隱士劉孝標撰《類苑》一百二十卷，自言天下之事畢盡此書，無一物遺漏。梁武心不伏，即勑華林園學士七百餘人，人撰一卷，其事類數倍多于《類苑》。"

《唐日本國見在書目》：《華林遍略》六百廿卷，梁綏安令徐僧權等撰。

《唐書·經籍志》類事家：《華林編略》六百卷，徐勉撰。

《唐書·藝文志》類書類：徐勉《華林編略》六百卷。

要錄六十卷

不著撰人。

《唐書·經籍志》類事家：《要錄》六十卷。《藝文志》類書類著錄同。

案此列《華林編略》之後，似乎即《編略》之節錄本，以本志部居言之則近似，然考《舊》《新唐志》之敍次則又不然也。

壽光書苑二百卷　梁尚書左丞劉杳撰

《梁書·文學傳》：杳字士深，平原平原人也。天監初，爲太學博士。少好學，博綜群書，沈約、任昉以下，每有遺忘，皆訪問焉。王僧孺被勑撰譜，范岫撰《字書音訓》，又訪杳焉。佐周捨撰國史。入華林撰《編略》。代裴子野知著作郎事。歷仕至尚書左丞。大同二年，卒官，時年五十。自少至長，多所著述。

又《文學傳序》曰："高祖旁求儒雅，詔采異人，文章之盛，煥乎俱集。其在位者，則沈約、江淹、任昉，並以文采，妙絕當時。至若彭城到沆、吳興邱遲、東海王僧孺、吳郡張率等，或入直文德，通讌壽光，皆後來之選也。"

又《張率列傳》：率字士簡，吳郡吳人。天監初，直文德待詔省，敕使抄乙部書。七年，有敕直壽光省，治丙丁部書抄。

《唐書‧經籍志》類事家：《壽光書苑》二百卷，劉香撰。"香"當爲"杳"。

《唐書‧藝文志》類書類："劉杳《壽光書苑》二百卷。"一本亦誤作"香"。

　案《梁書》、《南史‧劉杳傳》皆不言杳撰是書事，其他諸傳亦罕有言及之者，唯《張率傳》略見端倪耳。審是則是書分甲、乙、丙、丁四部，似猶在《華林編略》之前。又《到洽傳》"敕使抄甲部書"，或亦是《書苑》也。

科錄七十卷　　元暉撰　一本作元彈，誤。"七十卷"亦似敚"二百"字。

《魏書‧常山王遵傳》：遵，昭成子壽鳩之子也。案道武帝拓跋珪，昭成帝什翼犍之嫡孫也。遵子素，素子可悉陵，可悉陵弟忠，忠子暉，字景襲。少沈敏，頗涉文史。世宗即位，拜尚書主客郎，給事黃門侍郎，再遷侍中，領右衛將軍，冀州刺史。肅宗即位，徵拜尚書左僕射。暉頗愛文學，招集儒士崔鴻等撰錄百家要事，以類相從，名爲《科錄》，凡二百七十卷，上起伏羲，迄于晋、宋，凡十四代。暉疾篤，表上之。神龜元年卒，贈使持節、都督中外諸軍事、司空公，諡曰文憲。案魏孝明帝神龜元年，梁天監十七年也。

《史通‧六家‧史記篇》曰："梁武帝敕群臣，上自太祖，下終齊室，撰成《通史》六百二十卷。其後元魏濟陰王暉業又著《科録》二百七十卷，其斷限亦起自上古，而終于宋年。其編次多依放《通史》，而取其行事尤相似者，共爲一科，故以《科録》爲號。"無錫浦起龍《通釋》曰："案本文誤以撰人爲濟陰王暉業，郭延年辯之，謂暉業所撰乃《辯宗録》，非《科録》也。《史通》既誤，王伯厚《玉海》再誤云。"

《唐書·經籍志》史部雜傳類：《祕録》二百七十卷，元暉等撰。案此類篇末都凡云"右雜傳一百九十四部，襃先賢耆舊三十九家，孝友十家，科録一家"。科録，即謂此書，今作《祕録》者，寫刊之誤也。

《唐書·藝文志》史部雜傳記類：元暉等《祕録》二百七十卷。

王氏《困學紀聞·考史篇》曰："元魏濟陰王暉業起上古迄宋，著《科録》二百七十卷。其書無傳。"案此稱濟陰王暉業，亦沿《史通》之誤。元暉業《後魏辯宗録》二卷，見史部譜系篇。《史通》蓋因此而誤記也。

書圖泉海二十卷　陳張式撰

張式，始末未詳。

《唐書·經籍志》類事家：《書圖泉海》七十卷，張氏撰。

《唐書·藝文志》類事類：張氏《書圖泉海》七十卷。

案兩《唐志》題"張氏"，"氏"蓋"式"之誤。本志别集類有陳右衛將軍《張式集》十四卷，蓋終于是官。又《陳後主集》載所作詩序，數言座有張式等諸人，則後主時與親近流連文酒者也。其書本名《淵海》，唐人避諱改爲"泉"。本志僅存二十卷，唐時乃多出五十卷。

聖壽堂御覽三百六十卷

不著撰人。

《北齊書·後主本紀》：武平三年二月庚寅，以侍中祖珽爲左僕射。是月，勅撰《玄洲苑御覽》，後改名《聖壽堂御覽》。八月，《聖壽堂御覽》成，勅付史閣，後改爲《脩文殿御覽》。

又《文苑傳序》曰："祖珽輔政，説後主，屬意斯文。奏立文林館，又奏撰《御覽》，詔珽及特進魏收、太子太師徐之才、中書令崔劼、散騎常侍張雕、中書監陽休之監撰。斑等奏追通直散騎侍郎韋道遜等入館撰書，并勑通直郎蕭放、齊州録事參軍蕭愨、趙州功曹參軍顔之推等同入撰例。”

又《文苑・顔之推傳》：“之推撰《觀我生賦》，自注曰：齊武平中，署文林館待詔者僕射陽休之、祖孝徵以下三十餘人，之推專掌，其撰《修文殿御覽》、《續文章流别》等皆詣進賢門奏之。”

《太平御覽・文部・著書篇》：《三國典略》曰：“齊王在晉陽，尚書右僕射祖斑上言：‘昔魏文帝命韋誕諸人撰著《皇覽》，包括群言，區分義别。陛下聽覽餘日，眷言緗素，究蘭臺之籍，窮册府之文，以爲觀書貴博，博而貴要，省日兼功，期于易簡。前者修文殿令臣等討尋舊典，撰録諸書。謹罄庸短，登即篇次。放天地之數，爲五十部；象乾坤之策，成三百六十卷。昔漢時諸儒集論經傳，奏之白虎閣，因名《白虎通》。竊緣斯義，仍曰《修文殿御覽》。今繕寫已畢，并目上陳。伏願天鑒，賜垂裁覽。’齊王命付史閣。初，齊武城令宋士素録古來帝王言行要事三卷，名爲《御覽》，置于齊王巾箱。陽休之創意，取《芳林遍略》，加《十六國春秋》、《六經拾遺録》、《魏史》等書，以士素所撰之名稱爲《玄洲苑御覽》，后改《聖壽堂御覽》。至是，斑等又改爲《修文殿》上之。徐之才謂人曰：‘此可謂牀上之牀，屋下之屋也。’”

《唐日本國見在書目》：《修文殿御覽》三百六十卷，祖孝徵撰。

《唐書・經籍志》類事家：《修文殿御覽》三百六十卷。

《唐書・藝文志》類書類：祖孝徵等《修文殿御覽》三百六十卷。《宋・藝文志》類事類著録同。

陳氏《書録解題》類書類：《修文殿御覽》三百六十卷，北齊尚書左僕射范陽祖斑孝徵等撰。斑之行事，姦貪凶險，盗賊小人之尤無良者，言之則汙口舌。而其所編集乃至今傳于世。
然斑嘗以他人所賣《編略》質錢受杖，又嘗盜官《編略》一部，
坐獄論罪。今書毋乃亦《編略》之舊以爲己功耶？《編略》者，
梁徐僧權所爲也。又案《隋志》作《聖壽堂御覽》，卷數同。聖
壽者，實齊後主所居。

《玉海·藝文·承詔撰述篇》：“北齊祖孝徵等《脩文殿御覽》
三百六十卷，《崇文目》同，《中興書目》有之。采摭群書，分二
百四十部以集之。”又曰：“太平興國二年三月，詔翰林學士李
昉、扈蒙等十四人，以前代《修文御覽》、《藝文類聚》、《文思博
要》及諸書，分門編爲一千卷，名《太平總類》，後改名《太平御
覽》。”案《太平御覽》以是書爲藍本。

長洲玉鏡二百三十八卷

不著撰人。

《北史·文苑·虞綽傳》：綽仕陳，爲太學博士。及陳亡，晉王
廣引爲學士。大業初，轉爲祕書學士，奉詔與祕書郎虞世南、
著作佐郎庾自直等撰《長洲玉鏡》等書十餘部。綽所筆削，帝
未嘗不稱善。案虞綽別有《帝王世紀音》，見史部雜史類。

唐杜寶《大業雜記》曰：“大業二年六月，學士祕書監柳顧言、
學士著作佐郎王曹等撰《長洲玉鏡》一部四百卷。帝謂顧言
曰：‘此書源本出自《華林遍略》，然無復可加，事當典要，其卷
雖少，其事乃多于《遍略》。’對曰：‘梁主以劉孝標撰《類苑》一
百二十卷，自言無一物遺漏，梁武心不伏，即勑華林園學士七
百餘人人撰一卷，其事類數倍多于《類苑》。今文籍又富梁
朝，是以取事多于《遍略》。然梁朝學士取事意各不同，至如
寶劍出自昆吾溪，照人如照水，切玉如切泥，序劍者盡録爲劍
事，序溪者亦取爲溪事，撰玉者亦編爲玉事，以此重出，是以
卷多。至如《玉鏡》則不然。’帝曰：‘誠如卿説。’”

《唐書·經籍志》類事家：《長洲玉鏡》一百三十八卷，虞綽
等撰。

《唐書·藝文志》類書類：虞綽等《長洲玉鏡》二百三十六卷。

書鈔一百七十四卷

不著撰人。

《舊唐書》列傳：虞世南字伯施，越州餘姚人，隋内史侍郎世基
弟也。父荔，陳太子中庶子，俱有重名。世南篤志勤學，少與
兄世基受學于吳郡顧野王。仕陳，入隋。大業中，爲祕書郎。
後陷于宇文化及、竇建德。太宗滅建德，引爲秦府參軍。累
遷。及即位，轉著作郎，兼弘文館學士，祕書監，賜爵永興縣
子。貞觀十二年，致仕，授銀青光禄大夫。卒，年八十一。謚
文懿。

《太平御覽·文部·著書篇》：《國朝傳記》曰："虞世南之爲
祕書也，請于後堂群書籍中事可爲文用者，號爲《北堂書鈔》。
今北堂猶存而書益行于世。"

《唐書·經籍志》類事家：《書鈔》一百七十三卷，虞世南撰。岑
氏刊本上加"北堂"二字。

《唐書·藝文志》類書類：虞世南《北堂書鈔》一百七十三卷。

《宋史·藝文志》類事類：虞世南《北堂書鈔》一百六十卷。

晁氏《讀書志》類書類：《北堂書鈔》一百七十三卷。唐虞世南
仕隋爲祕書郎時，抄經史百家之事以備用。分八十部，八百
一類。北堂者，省之後堂，世南抄書之所也。家一百二十卷。

陳氏《書録》類書類：《北堂書抄》一百六十卷，唐祕書監餘姚
虞世南伯施撰。其書成于隋世。

《玉海·藝文·類書篇》：《中興書目》：《北堂書鈔》一百六十
卷，虞世南于省後堂集群書中事可爲文用者，號《北堂書鈔》，
分一百六十門。

《四庫類書類簡明目録》曰："北堂者，隋祕書省之後堂。此書猶未入唐時所作也，凡八百一類，多摘録字句而不盡注所出，不及《藝文類聚》首尾完具。又原本爲明陳禹謨所竄改，亦非其舊。然所引多古書，故考證家猶援以爲據焉。"

張氏《書目答問》：校明初寫本《北堂書鈔》五十五卷，嚴可均校。四録堂本罕見。今通行刻本一百六十卷，乃明陳禹謨删補者。案嚴氏《鐵橋漫稿》載所校是書，書後凡五篇，備言其事，文多不録。

以上自《皇覽》至此爲類事之屬，至《唐·經籍志》始别爲一類。元暉《科録》，《唐志》列史部，較爲得之。

釋氏譜十五卷

不著撰人。

梁釋慧皎《高僧·僧祐傳》：祐集經藏既成，使人抄撰要事，爲《三藏記》、《法苑記》、《世界記》、《釋迦譜》及《弘明集》等，皆行于世。《梁書·文苑·劉勰傳》："勰依沙門僧祐居處，積十餘年，遂博通經論，因區别部類，録而序之。今定林寺經藏，勰所定也。"案《釋藏》始于此。

《釋藏》百字二號，僧祐《法集總目》曰："顯明覺應，故敍釋迦之譜。"又曰："《釋迦譜》五卷。"

唐釋智昇《開元釋教録》曰："沙門釋僧祐，洞明律藏，兼善文藻，搜集記録，撰爲部裒。庶尋覽者功省而博達。實法門之綱要，釋氏之元宗也。自蕭齊末爰及梁代，撰《釋迦譜》等三部。"又曰："《釋迦譜》十卷，于齊代撰。别有五卷，本與廣略異。長房《録》云四卷，恐誤也。"案此言"與廣略異"者，唐釋道宣有《釋迦譜略》一卷，見《法苑珠林·傳記篇》。《珠林》又有僧祐《釋迦譜》四卷，即誤據費長房《開皇三寶録》。此四卷殆即《廣釋迦譜》，不知何人作，非僧祐撰也。有廣有略，故云"本與廣略異"。

《唐書·藝文志》釋氏類：僧祐《釋迦譜》十卷。

《宋史·藝文志》釋氏類：僧祐《釋迦譜》五卷。

晁氏《讀書志》釋書類：《釋迦氏譜》十卷，梁釋僧祐撰。僧祐以釋迦譜記雜見于經論，覽者難通，因纂成五卷，又取內外族姓及弟子名氏附于後。

案僧祐有《薩婆多部傳》，詳見史部傳記篇。今《釋藏》經府羅將相五字號有《釋迦譜》十卷，見《龍藏彙記》，其別五卷，惟《開元釋教錄》載之，與本志十五卷合。又案此十五卷蓋後人取三部之書合而爲一者也，總名之曰《釋氏譜》。其別五卷，不知是否亦僧祐書。

內典博要三十卷

不著撰人。

梁元帝《金樓子·著書篇》：《內典博要》三秩三十卷。

《梁書》、《南史·元帝本紀》："帝著《內典博要》百卷。"

《法苑珠林·傳記篇》：《內典博要》一部四十卷，湘東王記室虞孝敬撰，頗同《皇覽》、《類苑》之流。後得出家，改名惠命。

《唐日本國見在書目》：《內傳博要》三十卷。又《內傳博要抄》五卷。皆不著撰人。"傳"當爲"典"。

《唐書·經籍志》道釋家：《內典博要》三十卷，虞孝景撰。

《唐書·藝文志》釋氏類：虞孝敬《高僧傳》六卷。又《內典博要》三十卷。《高僧傳》詳見史部雜傳家。

淨住子二十卷　　齊竟陵王蕭子良撰

《南齊書·武帝諸子傳》：竟陵文宣王子良字雲英，武帝第二子也。帝即位，封竟陵郡王。子良少有清向，禮才好士，居不疑之地，傾意賓客，天下才學皆游集焉。永明五年，正位司徒。移居雞籠山。招致名僧，講論佛法，造經唄新聲，道俗之盛，江左未有。又與文惠太子同好釋氏，甚相友悌。子良敬信尤篤，數于邸國營齋戒，大集朝臣衆僧，至于賦食行水，或躬親其事，世頗以爲失宰相體。勸人爲善，未嘗厭倦，以此終致盛名。隆昌元年薨,年三十五。所著内外文筆數十卷。

《文選》任彦昇《竟陵王行狀》曰:"貴而好禮,怡寄典墳,雖牽以物役,孜孜無怠,乃撰《四部要略》、《淨住子》,並勒成一家,懸諸日月。弘洙泗之風,闡迦維之化。豈古人所謂'立言于世,没而不朽'者歟。"

《廣弘明集》二十七《淨住子序略》曰:"是故衆僧于望晦再説禁戒,謂之布薩。外國云布薩,此云淨住,亦名長養,亦名增進。所謂淨住,身口意身絜意,如戒而住,故曰淨住。子者,紹繼爲義,以沙門淨身口七支,不起諸惡,長養增進菩提善根,如是修習,成佛無差,則能紹續三世佛種,是佛之子,故云《淨住子》。"

《法苑珠林·傳記篇》:《淨住子》二十卷,齊司徒竟陵文宣王蕭子良撰。

《唐書·經籍志》道釋家:《淨住子》二十卷,蕭子良撰,王融頌。

《唐書·藝文志》釋氏類:蕭子良《淨住子》二十卷,王融頌。

嚴氏《全齊文編》曰:"案《淨住子》有專行本,明張溥刻《竟陵王集》全載之。凡三十一章,每章有王融頌。"

因果記一卷

不著撰人。

《唐書·經籍志》史部雜傳鬼神類:《因果記》十卷,劉泳撰。

《唐書·藝文志》小説家:劉泳《因果記》十卷。

　案劉泳始末未詳。《新唐志》于撰人時代先後頗有次第,是書列之王曼穎、顏之推之間,則梁、陳時人也。

歷代三寳記三卷　費長房撰

《開元釋教録》:隋《開皇三寳録》一十五卷,内題云《歷代三寳記》,開皇十七年,興善寺翻經學士成都費長房撰。

《法苑珠林·傳記篇》：《開皇三寶録》一部一十五卷，隋朝翻經學士成都費長房撰。

《唐書·經籍志》道釋家：《歷代三寶記》三卷。不著撰人。

《唐書·藝文志》釋氏類：費長房《歷代三寶記》三卷。長房，成都人，隋翻經學士。

嘉興沈濤《銅熨斗齋隨筆》曰："《隋志》子部雜家《歷代三寶記》三卷，費長房撰。今《釋藏》中有其書，藏本分十五卷，則《隋志》作三卷者誤。其第十五卷載表文一篇，云‘始自姬周莊王甲午，佛誕西域，後漢明皇永平丁卯，經度東歲，迄今開皇太歲丁巳，歷一千二百八十一載。其間靈瑞，帝王名僧，代別顯彰，名《開皇三寶録》，凡十五卷云’。"

真言要集十卷

不著撰人。

《唐書·經籍志》道釋家：《真言要集》十卷，釋賢明撰。

《唐書·藝文志》釋氏類：僧賢明《真言要集》十卷。

《通志·藝文略》釋家詮述類：《真言要集》十卷，唐僧賢明撰。

　案賢明始末未詳，當在《續高僧傳》中，未得見之。

義記二十卷　蕭子良撰

蕭子良有《淨住子》，見前。

《法苑珠林·傳記篇》：《雜義記》二十卷，齊司徒文宣王蕭子良撰。

　案《釋藏》百字二號有梁釋僧祐撰齊太宰竟陵文宣王《法集録序》一篇，不言卷數，似即爲此書作也。

感應傳八卷　晉尚書郎王延秀撰　"晉"當爲"宋"。

衆僧傳二十卷　裴子野撰

高僧傳六卷　虞孝敬撰

　案此三部並詳見史部雜傳家，蓋所據書目有入雜傳者，有入雜家者，各就所見而一例寫入，不覺其重複，與儒家類最後所載之八部相同也。

皇帝菩薩清淨大捨記三卷　　謝吳撰

謝吳亦作謝昊，有《梁書》四十九卷，見史部正史類。

《太平御覽·釋部》：《談藪》曰：“梁高祖崇信佛道，于建業起同泰寺，又于故宅立光宅寺，皆窮極工巧，殫竭財力。百姓怨苦，殆不聊生。自以其身施同泰寺爲奴，朝廷其斂珍寶贖之。有事佛精苦者，輒加以菩薩之號。其下書皆云皇帝菩薩。”

案史部雜傳類有《梁武皇帝大捨》三卷，嚴昂撰。與此書名、撰人各不同，似乎別爲一書。然亦疑嚴昂即謝昂，謝昂見《南史·孝義·謝貞傳》，貞之族兄也。唐人因武昭王李昂避諱改爲謝昊，又轉寫譌爲謝吳。《貞傳》云：“魏克江陵，貞入長安。昂逃難番禺，或因逃難時改姓嚴。貞母出家于宣明寺。及陳武帝受禪，昂還鄉里，供養貞母，將二十年。”昂之事蹟可見者如此。又據本志正史類，仕梁爲中書郎，據《史通·正史篇》則嘗爲祕書監，據《謝宣城集》有與謝洗馬昂聯句，則又官太子洗馬，昂之仕履可見者又如此。然皆無碻證，不知是一是二，疑不能定，姑識于此。《通志·校讎略》云：“《隋志》分類不考，故亦有重複者。”《梁皇大捨記》既出雜傳，又出雜家，則亦以爲一書矣。然鄭氏但約略言之，非實有碻據，不足援爲定論。

寶臺四法藏目錄一百卷　　大業中撰

不著撰人。

《廣弘明集》：隋煬帝《寶臺經藏願文》曰：“菩薩戒弟子楊廣和南：至尊拯溺，百王混一，四海平陣之日，道俗無虧，深慮靈像尊經，多同煨燼；結鬟繩墨，湮滅溝渠。是以遠命衆軍，隨方收聚，未及期月，輕舟總至。乃命學司，依名次錄；并延道場，義府覃思，證明所由，用意推比，多得本類。莊嚴修葺，其舊維新，寶臺四藏，將十萬軸，因發弘誓，永事流通，仍書願文，悉連卷後。”

本志《佛經篇》曰：“開皇元年，高祖普詔天下，任聽出家，仍令計口出錢，營造經像。而京師及并州、相州、洛州等諸大都邑之處，並官寫一切經，置于寺内。而又別寫，藏于祕閣。天下之人，從風而靡，競相景慕，民間佛經，多于六經數十百倍。大業時，又令沙門智果，于東都内道場，撰諸經目，分別條貫，以佛所説經爲三部：一曰大乘，二曰小乘，三曰雜經。其餘似後人假託爲之者，別爲一部，謂之疑經。又有菩薩及諸深解奥義、贊明佛理者，名之爲論，及戒律並有小、大及中三部之別。又有學者，録其當時行事，名之爲記。凡十一種。今舉其大數，列于此篇，曰大乘經，曰小乘經，曰雜經，曰雜疑經，曰大乘律，曰小乘律，曰雜律，曰大乘論，曰小乘論，曰雜論，曰記，凡一千九百五十部，六千一百九十八卷。”

案梁代華林園中總集釋典，僧祐、劉勰又爲定林寺經藏，此《釋藏》之始。當時亦各有目録，而本志不見。此隋代《釋藏》目録，本志據其大數附録于四部之後，十一種各有部數、卷數，具載本書，文繁不録。

玄門寶海一百二十卷　大業中撰

不著撰人。

《唐書·經籍志》類事家：《玄門寶海》一百二十卷，諸葛潁撰。

《唐書·藝文志》類書類：諸葛潁《玄門寶海》一百二十卷。

案諸葛潁有《北伐記》、《巡撫揚州記》，詳見史部地理類。

此書次隋《法藏目録》之後，疑是隋代《道藏》目録。本志所據以爲道經篇者。

以上自《釋氏譜》至此，皆釋家之屬。兩《唐志》皆附于道家之後。

右九十七部合二千七百二十卷。實在著録一百六部,附著亡書二十四部,通計一百三十部。

案《七録敍目·子兵録第八》曰:"雜部五十七種,二百九十七帙,二千三百三十八卷。"本志存佚并計凡一百三十部,除去《七録》五十七部,從別家書目增益者七十三部。

卷三十一

子部八
農家

氾勝之書二卷　漢議郎氾勝之撰

《漢書·藝文志》農家者流："《氾勝之》十八篇。成帝時爲議郎。"師古曰："劉向《別録》云使教田三輔，有有好田者師之，徙爲御史。"

《太平御覽·資産部》：《氾勝之書》曰："衛尉前上蠶法，今上農法。民事，人所忽略，衛尉懃之，可謂忠國愛民之至。"案此似當時詔書褒美之文，又似劉光禄《別録》之語。氾勝之與劉光禄同時人也。

《晉書·食貨志》：太興元年，詔曰："昔漢遣輕車使者氾勝之督三輔種麥，而關中遂穰。"

《廣韻》二十九凡：氾字注：氾又姓。出敦煌、濟北二望。皇甫謐云："本姓凡氏，遭秦亂，避地于氾水，因改焉。漢有氾勝之，撰書言種植之事。子輯爲敦煌太守，因家焉。"

《唐書·經籍志》：《氾勝之書》二卷，氾勝之撰。

《唐書·藝文志》：《氾勝之書》二卷。

《通志·氏族略》：氾氏，周大夫，食采于氾，因以爲氏。漢有氾勝之，爲黃門侍郎，撰《農書》十二篇。案此則《漢志》所載十八篇，爲《農書》十二篇，《蠶書》六篇也。

王氏《漢書藝文志考證》曰："《月令注》引《農書》曰：'土長冒橛，陳根可拔，耕者急發。'《正義》云：'《農書》，先師以爲《氾勝之書》'。'《周禮·草人注》：'化之使美，若氾勝之術也。'疏云：'漢時農書有數家，《氾勝》爲上。'《後漢·劉般傳注》、《文選注》、《爾雅釋文》、《初學記》、《太平御覽》諸書皆引之。"

錢塘汪師韓《文選注引群書目録》曰："《氾勝之書》亦稱《田農書》。"

馬氏玉函山房輯本序曰："《漢志》農家《氾勝之》十八篇，《隋》、《唐志》並二卷，今無傳本，散見賈思勰《齊民要術》中，輯録猶得十四篇。又從《黍穄篇》別出《種稗》，從《種穀篇》別出《區田法》，爲篇十六。又從《文選注》、《藝文類聚》、《御覽》所引綴爲雜篇上下，十八篇之書猶完。依《隋志》分爲二卷。書言樹藝之法，親切詳明，鄭康成注《禮》亟引之。賈公彥謂'漢時農書，《氾勝》爲上'，洵不虛也。"

《孫氏書目》：《氾勝之書》二卷，洪頤煊集本。

四人月令一卷　後漢大尚書崔寔撰

崔寔有《政論》，見前法家。

《後漢書》本傳：寔與邊韶、延篤等著作東觀。出爲五原太守。五原土宜麻枲，而俗不知織績，民冬月無衣，積細草而臥其中，見吏則衣草而出。寔至官，斥賣儲峙，爲作紡績、織紝、練縕之具以教之，民得以免寒苦。案本傳唯載此一事，與是書略相關。

《唐書·經籍志》：《四人月令》一卷，崔寔撰。

《唐書·藝文志》：崔寔《四人月令》一卷。一本作崔湜，誤也。

朱氏《經義考·擬經篇》：案《四民月令》，其書雖佚，而賈思勰《齊民要術》引之特多，合以《太平御覽》所載，好事者尚可以捃摭成卷也。

錢氏《十駕齋養新録》曰："予初讀《隋書·經籍志》《四人月令》一卷，漢大尚書崔寔撰，疑其有誤。後讀洪氏《隸續》載《劉寬碑》陰有大尚書河南張祇字子戒一人，洪云碑有大尚書張祇，《祝睦碑》亦云拜大尚書。考東京官制，惟鴻臚、司農、長秋有‘大’字。尚書六人分爲六曹，初無‘大尚書’，及觀《祝睦後碑》但云拜尚書、尚書僕射，乃知‘大尚書’者，以其長于諸曹，故加‘大’以別之，然後向者之疑始釋。蓋當時官曹有此稱，未著于令甲也。”

嚴氏《鐵橋漫稾》輯本敍曰：“《隋志》農家：《四人月令》一卷，後漢大尚書崔寔撰。《舊唐志》同，《新唐志》作崔湜，誤。宋不著錄。近人任兆麟、王謨皆有輯本，編次不倫，且多罣漏。王本又誤以《齊人月令》謂即《四民月令》，而所采《齊民要術》有今本所無者六事，其文不類，未知何據。余既輯崔寔《政論》二卷，因兼及此書，蒐錄遺佚，得二百許事，省并複重，逐月分章，爲十二章，定著一卷。有注，疑即崔寔撰。徵用者都以注爲正文，今加‘注’字間隔之。而王本所采《齊民要術》六事附後俟考。又《齊人月令》一卷，唐孫思邈撰。本今亡，並附于後，免與崔寔書混。”又《四錄堂類集總目》曰：“崔寔《四民月令》一卷。可均輯。”

禁苑實錄一卷

不著撰人。

《唐書·經籍志》：《禁苑實錄》一卷。《藝文志》同。

《通志·藝文略》月令歲時類：“《楚苑實錄》一卷。”又食貨種藝類：“《禁苑實錄》一卷。”

齊民要術十卷　賈思勰撰

賈思勰，始末未詳。

自序略曰：“今采捃經傳，爰及歌謠，詢之老成，驗之行事，起自耕農，終于醯醢，資生之業，靡不畢書，號曰《齊民要術》。凡九十二篇，分爲十卷，卷首皆有目錄。于文雖煩，尋覽差易。其有五穀果蓏非中國所植者，存其名目而已，種植之法，蓋無聞焉。捨本逐末，賢哲所非，日富歲貧，飢寒之漸，故商賈之事,闕而不錄。花草之流,可以悦目,徒有春華而無秋實,匹諸浮僞,蓋不足存。鄙意曉示家童,未敢聞之有識,故丁寧周至,言提其耳,每事指斥,不尚浮辭。覽者無或嗤焉。"

《唐書·經籍志》:《齊人要術》十卷,賈勰撰。敓"思"字。

《唐書·藝文志》:賈思協《齊民要術》十卷。《宋·藝文志》同。《通志·藝文略》誤以爲後漢人。

晁氏《讀書志》:《齊民要術》十卷,元魏賈思勰撰。記民俗、歲時、治生、種蒔之事,凡九十二篇。

陳氏《書録解題》:《齊民要術》十卷,後魏高陽太守賈思勰撰。起自耕農,終于醯醢,資生之業,靡不畢書,凡九十三篇,其曰"治生之道,不仕則農",蓋名言也。

《文獻·經籍考》巽岩李氏序孫氏《齊民要術音義解釋》曰:"賈思勰著此書,專主民事,又旁推摭異聞,多可觀。在農家最巋然出其類,而近世學者忽焉。第奇字錯見,往往艱讀。今運使、祕丞孫公爲之音義解釋,略備。"又曰:"此書李淳風嘗演之。淳風書遽亡,韓諤又撮思勰所記,別著《四時纂要》五卷云。"

《四庫提要》曰:"賈思勰始末未詳,惟知其官爲高陽太守而已。自序稱,起自耕農,終于醯醢,凡九十二篇。今本乃終于五穀果蓏非中國物者。案此自序亦明言之,非由錯誤也。自序又稱,商賈之事,闕而不錄。今本《貨殖》一篇,乃列于第六十二,莫知其義。書中第三十篇爲雜説,而卷端又列雜説數條,不入篇數。一名再見,其例殊乖。其詞亦鄙俗不類,疑後人所竄入。然陳振孫稱其'治生之道,不仕則農'爲名言,正見于卷端雜説中,則宋本已有之矣。"

又《簡明目録》曰:"書凡九十二篇,于農圃衣食之法纖悉畢備。又文章古雅,援據博奧,農家諸書無能出其上者。其注不題撰人，以《文獻通考》所載李燾序證之，知爲孫氏所作，其名則不可考矣。”

歸安陸心源《群書校補》曰：“《齊民要術》今所見皆祖明胡震亨刊本，脫落舛譌，空格墨釘，幾不可讀。余所蓄黃蕘圃校殘宋本，可以正譌補敚甚多。惟黃氏所見宋本至卷七‘作秦州春酒麴法’止，惜無全本耳。今校補，以宋本爲正云。”

　　案《魏書》有賈思伯，字士休，齊郡益都人。弟思同，字士明。孝明帝時並爲侍講，授靜帝《杜氏春秋》。思伯諡文貞，思同諡文獻。已在魏之季世。當南朝梁武帝天監、普通、大同之時，思勰或與之同時同族，爲郡守，以後不仕而農者歟？

春秋濟世六常擬議五卷　楊瑾撰

楊瑾，始末未詳。

《通志·藝文略》：《春秋濟世六常擬議》五卷，隋楊瑾撰。

梁有《陶朱公養魚法》一卷，亡。

《史記·越世家》：范蠡事越王句踐，既苦身戮力，與句踐深謀二十餘年，竟滅吳，報會稽之恥，北渡兵于淮以臨齊、晉，號令中國，以尊周室，句踐以霸，而范蠡稱上將軍。還反國，范蠡以爲大名之下，難以久居，且句踐爲人可與同患，難與處安，爲書辭句踐。乃裝其輕寶珠玉，自與其私徒屬乘舟浮海以行，終不反。于是句踐表會稽山以爲范蠡奉邑。范蠡浮海出齊，變姓名，自謂鴟夷子皮，耕于海畔，苦身戮力，父子治產。居無幾何，致產數千萬。齊人聞其賢，以爲相。范蠡喟然歎曰：“居家則致千金，居官則至卿相，此布衣之極也。久受尊名，不祥。”乃歸相印，盡散其財，以分與知友卿黨，而懷其重寶，間行以去，止于陶，以爲此天下之中，交易有無之路通，爲生可以致富矣。于是自謂陶朱公。復約要父子耕畜，廢居，候時轉物，逐什一之利。居無何，則致貲累巨萬。故范蠡三徙，成名于天下，非苟去而已，所止必成名。卒老死于陶，故世傳曰陶朱公。"

又《貨殖列傳》："昔者越王句踐困于會稽之上，乃用范蠡、計然，遂報彊吳。范蠡既雪會稽之恥，乃喟然而歎曰：'計然之策七，越用其五而得意。既已施于國，吾欲用之家。'乃乘扁舟浮于江湖，變名易姓，適齊爲鴟夷子皮，之陶爲朱公。朱公以爲陶天下之中，諸侯四通，貨物所交易也，乃治産積居，與時逐而不責于人。故善治生者，能擇人而任時。十九年之中三致千金，再分散與貧交疏昆弟。此所謂富好行其德者也。後年衰老而聽子孫，子孫修業而息之，遂至巨萬。故言富者皆稱陶朱公。"《索隱》曰："服虔云：陶，今定陶也。"

《會稽典録》曰："范蠡，字少伯，越之上將軍也。本是楚宛三户人，佯狂倜儻負俗。文種爲宛令，遣吏謁奉。後與文種俱入越。"

《文選》張景陽《七命》注：《陶朱公養魚經》曰："威王聘朱公，問之曰：'公家累億金，何術乎？'朱公曰：'夫爲生之法五，水畜第一。所謂水畜者，魚池也。以六畝地爲池，池有九洲，即求懷子鯉魚，以二月上旬庚日内池中。養鯉者，鯉不相食，易長又貴也。'"

《唐書·經籍志》：《養魚經》一卷，范蠡撰。

《唐書·藝文志》：范蠡《養魚經》一卷。

《宋史·藝文志》：陶朱公《養魚經》一卷。

馬氏玉函山房輯本序曰："《括地志》言陶即陶山，在齊州平陽縣界。陶與齊近，故齊君聘而問之。書言威王者，齊威王也。梁《七録》作陶朱公《養魚法》，《唐·藝文志》作范蠡《養魚經》，今佚。唯《齊民要術》及引之陶宗儀《説郛》弓第一百七有此書，蓋亦從《要術》録出，而《要術》所引又有作魚池法，茲據訂正。思勰謂如朱公收利，未可頓求。然依法爲池，養魚必大豐足，終天靡窮，斯以無貲之利也。余甚韙乎其言。"案唐段公路《北户録》亦引之。

梁有卜式《養羊法》、《養豬法》各一卷，亡。

《漢書·卜式傳》：式，河南人也。以田畜爲事。畜羊百餘，入山牧，十餘年，羊致千餘頭，買田宅。時漢方事匈奴，式上書，願輸家財半助邊。不報。數歲復持錢二十萬與河南太守，以給徙民。乃賜式外繇四百人，式又盡復與官。是時富豪皆爭匿財，唯式尤欲助費。上于是以式終長者，乃召拜式爲中郎，賜爵左庶長，田十頃，布告天下，尊顯以風百姓。初式不願爲郎，上曰："吾有羊在上林中，欲令子牧之。"式既爲郎，布衣草蹻而牧羊。歲餘，羊肥息。上過其羊所，善之。式曰："非獨羊也，治民亦猶是矣。以時起居，惡者輒去，毋令敗群。"上奇其言，欲試使治民。拜式緱氏令，緱氏便之；遷成皋令，將漕最。上以式朴忠，拜爲齊王太傅，轉爲相。會吕嘉反，式上書願與子男及臨菑習弩、博昌習船者請行死之，以盡臣節。上賢之，下詔賜式爵關内侯，黄金四十斤，田十頃，布告天下，使明知。元鼎中，徵式代石慶爲御史大夫。式既在位，言郡國不便鹽鐵而船有筭，可罷。上由是不説式。明年當封禪，式又不習文章，貶秩爲太子太傅，以兒寬代之。式以壽終。

《太平御覽》獸部十五：《博物志》曰："商丘子有養豬法，卜式有養豬羊法。"

馬國翰曰："《養羊法》一卷，卜式撰。式，河南人，以田畜爲事，官至御史大夫，左遷太子太傅，事蹟具《漢書》本傳。其論牧羊如治民，頗得持要之旨。《七録》有卜式《養羊法》一卷，《隋志》注云亡。考賈思勰《齊民要術·養羊篇》中引卜式，蓋遺法也。茲據輯録。畜牧而求肥息者,或有取于斯焉。"

　　案卜式牧羊,史有明文;其牧豕,無聞焉。據《御覽》引《博物志》,知此《養豬法》亦其所撰,《七録》蓋合爲一卷耳。詳見于後。此與《養魚經》頗古似,猶爲先漢時所傳。《漢志》雜占家有《釣種生魚鼈》八卷,形法家有《相六畜》三十八卷,疑皆是此兩書之佚存者。

梁有《月政畜牧栽種法》一卷,亡。

　　不著撰人。

　　《通志·藝文略》食貨裦養類:卜式《月政畜牧栽種法》一卷。案此蓋承上文,亦以爲卜式書,未必實有依據也。

　　馬國翰曰:"《家政法》一卷,撰人名氏闕。《隋》、《唐志》皆無此書之目。唯賈思勰《齊民要術》引之,輯得十一節,言種葵蓼芋蔗之候,與夫養羊雞之法。案《隋志》毉方家梁有《家政方》十二卷,亡。又農家類有《月政畜牧栽種法》一卷,亡。此書名《家政》,似與《家政方》同,而初不及毉療書之所言,頗與《月政畜牧栽種法》合,而書題實作《家政》,疑不能定,姑依賈氏題録列于農家焉。"

右五部一十九卷。實在著録五部,附著亡書四部,通計九部。

　　案《七録敍目·子兵録第九》曰:"農部一種一帙三卷。"一種著,蓋即此所載《陶朱公養魚法》以下四書合而爲一也。三卷者,當以《養魚法》爲一卷,卜式《養羊法》、《養豬法》爲一卷,《月政畜牧栽種法》爲一卷也。除此則《氾勝之書》以下五部皆本志所增益,不知《七録》于此一類何以收載如是之寡也。

卷三十二

子部九
小説家

燕丹子一卷。丹，燕王喜太子。

《史記·刺客荆卿列傳》：燕太子丹者，故嘗質于趙，而秦王政生于趙，其少時與丹驩。及政立爲秦王，而丹質于秦。秦王之遇太子丹不善，故丹怨而亡歸。歸而求爲報秦王者。

《史記·燕召公世家》：今王喜二十三年，太子丹質于秦，亡歸燕。燕見秦且滅六國，秦兵臨易水，禍且至。太子丹陰養壯士二十人，使荆軻獻督亢地圖于秦，因襲刺秦王。秦王覺，殺軻，使將軍王翦擊燕。二十九年，秦攻拔我薊，燕王亡，徙居遼東，斬丹以獻秦。三十三年，秦拔遼東，虜燕王喜，卒滅燕。

《唐書·經籍志》：《燕丹子》三卷，燕太子撰。

《唐書·藝文志》：《燕丹子》一卷，燕太子。

《宋史·藝文志》：《燕丹子》三卷。

《文獻·經籍考》：《中興藝文志》：《燕丹子》三卷。丹，燕王喜太子。此書載太子丹與荆軻事。

《周氏涉筆》曰："燕丹、荆軻事既卓傀，傳記所載亦甚崛奇。今觀《燕丹子》三篇，與《史記》所載皆相合，似是《史記》事本也。然'烏頭白，馬生角'、'機橋不發'，《史記》則以怪誕削之；'進金擲鼃'、'膾千里馬肝'、'截美人手'，《史記》則以過當削之；'聽琴姬得隱語'，《史記》則以徵所聞削之。司馬遷不獨文字雄深，至于識見高明，超出戰國以後。其書芟削百家誣謬，亦豈可勝計哉？今世祇謂太史公好奇，亦未然也。”

明宋濂《諸子辯》曰：“《燕丹子》三卷。凡，燕王喜太子。此書載其事爲詳。其辭氣頗類《吳越春秋》、《越絕書》，決爲秦漢間人所作無疑。考其事，與司馬遷《史記》往往皆合。獨‘烏頭白，馬生角’等事皆不之載。周氏謂遷削去之，理或然也。夫丹不量力而輕撩虎鬚，荆軻持一劍之勇而許人以死，卒至身滅國破，爲天下萬世笑，其事本不足議。獨其書敍事有法而文采爛然，亦學文者之所不廢哉！”

《四庫存目提要》曰：“《燕丹子》三卷，不著撰人名氏。所載皆燕太子丹事。《漢志》法家有《燕十事》十篇，注云不知作者。雜家有《荆軻論》五篇，注云司馬相如等論荆軻事，無燕丹子之名。至《隋書·經籍志》始著録于小説家，唐李善注《文選》始援引其文。《宋志》尚著于録，至明遂佚。今檢《永樂大典》載有全本，蓋明初尚存。然其文實割裂諸書燕丹荆軻事雜綴而成，其可信者已見《史記》，其他多鄙誕不可信，殊無足采。謹仰遵聖訓，附存其目。《隋志》作一卷，《唐志》、《宋志》及《文獻通考》並作三卷，《永樂大典》所載併爲一卷，而實作三篇，故今仍以三卷著録。”

孫氏《平津館》、《岱南閣》兩本校刊序曰：“《燕丹子》三卷，世無傳本，惟見《永樂大典》。紀相國昀既録入《四庫》子部小説類存目中，乃以抄本見付。《燕丹子》之著録，始自《隋·經籍志》。然裴駰注《史記》引劉向《別録》云‘督亢，膏腴之地’，司馬貞《索隱》引劉向云‘丹，燕王熹之太子’。則劉向《七略》有此書，不可以《藝文志》不載而疑其後出。《藝文志》法家有《燕十事》十篇，雜家有《荆軻論》五篇，據注言司馬相如等論荆軻事，則俱非。燕丹子也，古之愛士者，率有傳。書由身没之後賓客紀録遺事，報其知遇，如《管》、《晏》、《呂氏春秋》，皆不必其人自著。此書題燕太子丹撰者，《舊唐書》之誣，亦不得以此疑其僞也。其書長于敍事，嫺于詞令，審是先秦古書，亦略與《左氏》、《國策》相似。且多古字古義，《國策》、《史記》取此爲文，削其‘烏白頭，馬生角’及‘聽琴聲’之事，而增‘徐夫人七首’、‘夏無且藥囊’，足證此書作在史遷、劉向之前，或以爲後人割裂諸事雜綴成之，未必然矣。”

案《漢志》雜家《荊軻論》五篇，注云軻爲燕刺秦王不成而死，司馬相如等論之。疑此其前三篇也。《史記集解》、《索隱》引劉向《別録》二語，似亦《荊軻論》敍録中文，然皆無碻證，姑識其疑。孫序云云，似紀文達初意欲文淵閣著録，嗣以奉詔列入存目，故付外別傳之也。《唐日本國書目》：“《燕丹子》一卷，晉處士裴啓撰。”《日本書目》大致依據本志，以本志此一段注文校之，則因裴啓《語林》相涉而誤，晉處士之前攽去《語林》書題目一條也。不知者將誤認《燕丹子》爲裴啓所撰矣，因并附誌于此。

梁有《青史子》一卷，亡。

《漢書·藝文志》：《青史子》五十七篇。古史官記事也。

《文心雕龍·諸子篇》曰：青史曲綴以街談。

《通志·氏族略》：以官爲氏者，有青史氏。《英賢傳》云：“晉太史董狐之子受封青史之田，因氏焉。”《漢書·藝文志》有青史子著書。

鄧名世《古今姓氏書辨證》：《漢·藝文志》有青史氏，其書五十七篇。世以史書總謂之青史，其說蓋起于此。

王氏《漢書藝文志考證》：《風俗通義》引《青史子書》，《大戴禮·保傅篇》引青史氏之記。

馬氏玉函山房輯本序曰：“《漢志》小說十五家，《青史子》五十

七篇,古史官記事也。《隋》、《唐志》不著録,佚已久。考《大
戴記》、賈誼《新書》並引青史氏之記,此佚説之僅存者。據輯
校録。書中言胎教之法,懸弧之禮,巾車之道,具有典則。班
氏列入小説家,必有所見,然不可考矣。"

梁又有《宋玉子》一卷,録一卷,楚大夫宋玉撰,亡。

《通志・藝文略》:《宋玉子》一卷,楚大夫宋玉撰。

錢塘梁玉繩《人表考》曰:"宋玉,見《人表》第五等。玉,始見
《史・屈原列傳》,鄢人,一云宜城人。屈原弟子,體貌閒麗,
楚襄王稱爲先生。冢在唐州北陽縣。"

烏程嚴可均《全上古三代文編》曰:"宋玉,郢人,師事屈平,爲
頃襄王大夫。"

　　案宋玉有集,別詳集部。是書唯《通志略》據本志著于録,
　　而敚其《録》一卷,餘皆不見紀載,諸書亦罕有引述者。

梁又有《群英論》一卷,郭頒撰,亡。

郭頒有《魏晉世語》,詳見史部雜史類。

　　案此當如《漢末英雄記》之類,似即《魏晉世語》中雜論。

梁又有《語林》十卷,東晉處士裴啓撰,亡。

《世説・文學篇》:"裴郎作《語林》,始出,大爲遠近所傳。時
流年少,無不傳寫,各有一通。"注:《裴氏家傳》曰:"裴榮,字
榮期,河東人。父穉,豐城令。榮期少有風姿才氣,好論古今
人物,撰《語林》數卷,號曰《裴子》。檀道鸞謂裴松之以爲啓
作《語林》。榮儻別名啓乎?"

又《輕詆篇》注:《續晉陽秋》曰:"晉隆和中,河東裴啓撰。漢
魏以來迄于今時,言語應對之可稱者,謂之《語林》。時人多
好其事,文遂流行。"

馬氏玉函山房輯本序曰:"《裴子語林》久亡,從諸書所引輯
録,共有數引不同並據删補,釐爲二卷。文筆清雋,劉義慶作

《世説新語》取之甚多，則亦小説之佳品也。"

　　案宋晁載之《續談助》抄殷芸《小説》引《語林》六條。

雜語五卷

　　不著撰人。

　　《唐書·藝文志》：《雜語》五卷。

　　　　案《唐志》云："侯白《啓顔録》十卷，《雜語》五卷。"《北史·文苑·李文博附傳》："開皇中，又有魏郡侯白，字君素，性滑稽，尤辯俊，好爲俳諧雜説。人多愛狎之。"《唐志》次侯白《啓顔録》之後，則亦侯白所撰爲多，本志不知作者，故列于晉人中。侯白别有《旌異記》，見史部雜傳家。晁氏《續談助》抄殷芸《小説》引《雜語》一條。

郭子三卷　　東晉中郎郭澄之撰

　　《晉書·文苑傳》：郭澄之，字仲靜，太原陽曲人也。少有才思，機敏兼人。調補尚書郎，出爲南康相。劉裕引爲相國參軍，至從事中郎，封南豐侯，卒于官。

　　《南齊書·文學·賈淵傳》：淵世傳譜學。宋孝武世，見遇。勅淵注《郭子》。賈淵，詳見史部譜系類。

　　《唐書·經籍志》：《郭子》三卷，郭澄之撰，賈泉注。

　　《唐書·藝文志》：賈泉注《郭子》三卷。注云郭澄之。

　　馬氏玉函山房輯本序曰："郭澄之，《晉書·文苑》有傳，《隋》、《唐志》小説家並載《郭子》三卷，今佚。從諸書所引采輯成帙。書中吐屬清雋。其注《唐志》題賈泉，未知何人也。"

　　案晁氏《續談助》抄殷芸《小説》引《郭子》二條。

雜對語三卷
要用語對四卷
文對三卷

　　並不著撰人。

案雜家有《對林》十卷,亦不著撰人。此三書計其卷數,疑即《對林》之篇目而分析著録者。如沈約《邇言》,本志雜家分著爲四種是也。

璅語一卷　梁金紫光禄大夫顧協撰

《南史》本傳:協字正禮,吴郡吴人,晉司空和六世孫也。初爲揚州議曹從事,舉秀才。累遷湘東王參軍,兼記室。普通中,有詔舉士,湘東王表薦之,即召拜通直散騎侍郎,兼中書通事舍人。在省十六載,卒官。武帝悼惜之,贈散騎常侍,謚曰温子。協博極群書,于文字及禽獸草木尤稱精詳,撰《異姓苑》五卷,《璅語》十卷,文集十卷,並行于世。案晉嵇含《南方草木狀》引東方朔《璅語》,疑彙入此十卷中。

又《文學·何思澄傳》:"梁天監十五年,勅太子詹事徐勉舉學士入華林撰《編略》,逸舉思澄、顧協等五人以應選。"又《顏協傳》云:"湘東王出鎮荊州,以協爲記室。時吴郡顧協亦在蕃邸,與協同名,才學相亞,府中稱爲二協。"

《史通·雜述篇》曰:"國史之任,記事記言,視聽不該,必有遺逸。于是好奇之士,補其所亡,若和矯《汲冢紀年》、葛洪《西京雜記》、顧協《璅語》、謝綽《拾遺》,此之謂逸事者也。"

笑林三卷　後漢給事中邯鄲淳撰

《魏志·王粲傳》注:《魏略》曰:"淳一名竺,字子叔。《法書要錄》作子淑。潁川人。博學有才章,又善《蒼》、《雅》、蟲篆、許氏字指。初平時,從三輔客荊州。荊州内附,太祖素聞其名,召與相見,甚敬異之。時五官將博延英儒,亦宿聞淳名,因啓淳欲使在文學官屬中。會臨菑侯植亦求淳,太祖遣淳詣植。及黄初初,以淳爲博士給事中。"

《北史·江式傳》:式上《論書表》,有曰:"陳留邯鄲淳與張揖同時,博聞古藝,特善《蒼》、《雅》、許氏字指、八體、六書,精究閑理,有名于揖。以書教諸皇子。又建三字石經于漢碑西。"

《唐書·經籍志》:《笑林》三卷,邯鄲淳撰。

《唐書·藝文志》:邯鄲淳《笑林》三卷。

馬氏玉函山房輯本序曰:"此書皆記可笑之事,《隋》、《唐志》並三卷。今從《藝文類聚》、《太平御覽》及《廣記》諸書輯録爲卷,凡二十六條。"

侯氏《補三國藝文志》曰:"《後漢書·文苑傳》注引《笑林》,《藝文類聚》八十五引《笑林》,皆唐初人所引,當出淳書。若他書所引,容有出何自然《笑林》者也。何自然《笑林》三卷,見《唐志》,當是唐人。"

案《文心雕龍·諧讔篇》曰:"至魏文因俳説以著《笑書》。"《笑書》或即是書。淳奉詔所撰者,或淳因《笑書》別爲《笑林》亦未可知。晁氏《續談助》抄殷芸《小説》引《笑林》二事,則碻爲是書。

笑苑四卷

不著撰人。

《隋書·魏澹傳》:澹除太子舍人。廢太子勇深禮遇之,屢加優錫,令注《庾信集》,復撰《笑苑》、《詞林集》,世稱其博物。_魏澹有《後魏書》,見史部正史類。

解頤二卷　　楊松玢撰 <small>當爲陽玠松。</small>

《史通·雜述篇》曰:"街談巷議,時有可觀,小説卮言,猶賢乎已,故好事君子,無所棄諸,若劉義慶《世説》、裴榮期《語林》、孔思尚《語録》、陽玠松《談藪》,此之謂瑣言者也。"

《崇文總目》:《談藪》八卷,楊松玢撰。

《宋史·藝文志》:楊松玢《八代談藪》二卷。

陳氏《書録》史部傳記類:《談藪》二卷,北齊祕書省正字北平陽玠松撰。事綜南北,時更八代,隋開皇中所述也。

案陽玠松當是陽休之之族人,北平無終人。或作"松玠",或作"松玢"。《唐志》目録類有楊松珍《史目》三卷,則又作"松珍"。今依《史通》及陳《録》諟正。兩《唐志》無《解頤》,并無《談藪》。《史通》以《談藪》爲小説之瑣言,陳氏列之史部。而《崇文目》及《宋志》皆入小説家,與本志部居合。知《解頤》即《談藪》之異名,故《談藪》亦不見于本志也。玠松所著此書及諸史目之外,又有《帝紀》十卷,《帝王世紀》之類,見《日本書目》雜史家。

世説八卷　宋臨川王劉義慶撰
世説十卷　劉孝標注

臨川王劉義慶有《徐州先賢傳》。劉孝標名峻,有《漢書注》,並見史部雜傳、正史二類中。

《南史・宋臨川烈武王道規附傳》:義慶著《世説》十卷,行于世。

《史通・雜説篇》曰:"近者宋臨川王義慶著《世説新語》,上敘兩漢三國及晉中朝江左事。劉峻注釋,摘其瑕疵,僞跡昭然,理難文飾。而皇家撰《晉史》,多取此書。遂采康王之妄言,違孝標之正説。以此書事,奚其厚顔。"

又《補注篇》曰:"孝標善于攻謬,博而且精,固已察及泉魚,辨窮河豕。嗟乎! 以峻之才識,足堪遠大,而不能探賾彪、嶠,網羅班、馬,方復留情于委巷小説,鋭思于流俗短書。可謂勞而無功,費而無當者矣。"

《唐書・經籍志》:《世説》八卷,劉義慶撰。《續世説》十卷,劉孝標撰。

《唐書・藝文志》:劉義慶《世説》八卷,劉孝標《續世説》十卷。

《宋史・藝文志》:劉義慶《世説新語》三卷。

晁氏《讀書志》:《世説新語》十卷,《重編世説》十卷,宋劉義慶撰，梁劉孝標注。記東漢以後事，分三十八門。《唐・藝文志》云劉義慶《世說》八卷，劉孝標《續》十卷。而《崇文總目》止載十卷，當是孝標續義慶元本八卷，通成十卷耳。家本有二：一極詳，一殊略。略有稱改正，未知誰氏所定，然其目則同。劉知幾頗言此書非實錄，予亦云。

趙希弁《讀書附志》：《世說新語》三卷，宋臨川王義慶撰，梁劉孝標注。《讀書志》引《唐・藝文志》及《崇文總目》有十卷、八卷之疑。又云一本極詳，一本殊略，未知孰爲正。希弁所藏本有紹興八年董弅題其後云：“《右世說》三十六篇，世所傳釐爲十卷，或作四十五篇，而末卷但重出前九卷中所載。余家舊本，蓋得之王原叔家。後得晏元獻公手自校本，盡去重複。其注亦小加剪截，最爲善本云。”

陳氏《書錄解題》：《世說新語》三卷，《敍錄》三卷，宋臨川王劉義慶撰，梁劉峻孝標注。《敍錄》者，近世學士新安汪藻彥章所爲也。首爲考異，繼列人物世譜，姓氏異同。末記所引書目，案《唐志》作八卷，劉孝標續十卷，自餘諸家所藏卷第多不同，《敍錄》詳之。此本董令升刻之嚴州，以爲晏元獻公手自校定，刪去重複者。案今本注文不知是否爲晏元獻所剪截。

高似孫《緯略》曰：“義慶采擷漢、晉以來佳事佳話爲《世說新語》，極爲精絶，而猶未爲奇也。梁劉孝標注此書，引援詳確，有不言之妙。如引漢、魏、吳諸史及子傳地理之書，皆不必言，只如晉氏一朝史及晉諸公別傳、譜錄、文章凡一百六十六家，皆出于正史之外。紀載特詳，聞見未接，實爲注書之法。”

《四庫提要》曰：“黃伯思《東觀餘論》謂《世說》之名肇于劉向，其書已亡，故義慶所集名《世說新書》。段成式《酉陽雜俎》引王敦澡豆事，尚作《世說新書》可證，不知何人改爲《新語》，蓋近世所傳。相沿已久，不能復正矣。所記分三十八門，上起後漢，下迄東晉，皆軼事瑣語，足爲談助。《唐志》稱八卷，劉孝標續十卷。晁公武謂家有詳、略二本，今其本皆不傳。惟《書錄解題》三卷，與今本合。至振孫載汪藻《敍錄》，則佚之久矣。自明已來，世俗所行凡二本，一爲王世貞所刊，注文多所刪節，殊乖其舊；一爲袁褧所刊，蓋即從陸游刊本翻彫者。義慶所述，本小説家言，劉知幾《史通》繩之以史法，儗不于倫，未爲通論。孝標所注特爲典贍，其糾正義慶之紕繆，尤爲精覈。所引諸書，今已逸其十之九，惟賴是注以傳，故與《三國志注》、《水經注》、《文選注》同爲考證家所引據焉。”

又《簡明目錄》曰：“其書敍述名雋，爲清言之淵藪。孝標所注，徵引賅博，考證家亦取材不竭。”

案《漢志》儒家劉向所序六十七篇，《新序》、《説苑》、《世説》、《列女傳頌圖》也，《世説》久亡。臨川王與劉向同出楚元王交之後，向爲元王五世孫，義慶爲向兄陽城節侯安民十八世孫。義慶是書仿裴啓《語林》而作，而以其先世亡書之名以名之。

梁有《俗説》一卷，亡

不著撰人。

案馬竹吾輯沈約《俗説》序，謂此《俗説》亦劉孝標所撰，名與沈書同，以其列于劉注《世説》之後耳，非別有確證也。

又案説部諸書引《俗説》至多，東漢人如王充《論衡》、應劭《風俗通義》亦時引之，則漢時相傳有《俗説》，其來久矣。《漢志》小説家有《百家》百三十九篇，本在《説苑》雜事中，劉光禄譔集《説苑》乃以其淺薄不中義理，別集以爲百家，附小説家之末。《俗説》殆即其書。此一卷或猶是漢以來相傳之殘賸，未可知也。《御覽圖書綱目》亦載有《俗説》，又有《俗説苑》。

小説十卷　梁武帝敕安右長史殷芸撰。梁目三十卷。

《南史·殷鈞傳》："鈞字季和,陳郡長平人,晉荆州刺史仲堪五世孫也。宗人芸字灌蔬,偭儻不拘細行,然不妄交游,門無雜客。勵精勤學,博洽群書。齊時爲宜都王行參軍。天監中,位祕書監、司徒左長史。後直東宮學士省,卒。"《梁書》本傳云:"大通三年,卒官,時年五十九。"

《史通·雜記篇》曰:"劉敬叔《異苑》稱晉武庫失火,漢高祖斬蛇劍穿屋而飛,其言不經。故梁武帝令殷芸編諸《小説》。"案此殆是梁武作《通史》時事,凡此不經之説爲《通史》所不取者,皆令殷芸別集爲《小説》。是此《小説》因《通史》而作,猶《通史》之外乘也。

《唐書·經籍志》:《小説》十卷,殷芸撰。

《唐書·藝文志》:殷芸《小説》十卷。

宋晁載之《續談助》抄書跋曰:"右抄殷芸《小説》,某書載自秦漢迄東晉江左人物,雖多與諸史時有異同,然皆細事,史官所宜略。又多取劉義慶《世説》及《語林》、《志怪》等已詳事,故鈔之特略,然其目小説,則宜爾也。至于裴令公目若巖電事,《世説》、《語林》所言各殊,而俱收並録,並無考訂,則其書兩可。"

晁氏《讀書志》:《殷芸小説》十卷,宋殷芸撰。述秦漢以來雜事。予家本題曰劉餗,李淑以爲非。

陳氏《書録解題》:《殷芸小説》十卷,宋殷芸撰。《邯鄲書目》云:"或題劉餗,非也。"今此書首題秦、漢、魏、晉、宋諸帝,注云"齊殷芸撰",非劉餗明矣。故其序事止宋初,蓋于諸史傳記中鈔集。或稱商芸者,宜祖廟未祧時避諱也。案晁、陳二家于是書及撰人本末皆未詳考,但從流俗不根之説,或稱宋或稱齊,而不以爲非。案殷芸生于宋季,仕齊入梁,且三十年乃卒,謂之齊人可乎?

　　案是書爲小説家之最著聞者,今惟見晁氏《續談助》抄節本凡七十餘條。各注所出并注明分卷門目,原書體製秩然可見,今并録于後,以存大略。

原書分卷篇目:第一卷曰秦漢晉宋諸帝,與陳《録》所記同。第二卷周六國前漢人物,第三、四卷後漢人物,第五、六卷魏人物,第七卷吴蜀人物,第八、九、十卷並晉中朝江左人物。本志注云梁目三十卷,其分卷當亦如此。此十卷,蓋合并,非關缺失。

原書引用書名:《晉敕》、《宋武手敕》、《簡文談疏》、《小史》、《鬼谷先生書》、《張良書》、《鄭劭對潁川太守問》、《東方朔傳》、《馬融别傳》、《鄭玄别傳》、《李膺家傳》、《李膺家録》、《徐穉别傳》、《許劭别傳》、《禰衡别傳》、《魏武楊彪傳》、《司馬徽别傳》、《羊琇别傳》、《裴頠别傳》、《阮瞻别傳》、《顧元仙瀨鄉記》、《山謙之吴興記》、《盛弘之荆州記》、《庾穆之湘中記》、《襄陽記》、不著名。《志咸澈心記》、吴孫晧時僧。《俞益期牋》、豫章人,與東晉韓康伯同時。《郭子》、《雜記》、《雜語》、《語林》、《世説》、《異苑》、《幽明録》、《志怪》、《笑林》、《俳諧文》。詳見集部總集類末。

小説五卷

不著撰人。

案《舊》、《新唐志》劉義慶《世説》八卷之外,又有《小説》十卷,此或是其殘佚本。

邇説一卷　梁南臺治書伏棰撰　"棰"當爲"捶",又"捶"當爲"挺"。《通志·藝文略》又誤爲"伏暅"。

《南史·儒林·伏曼容傳》:"曼容,平昌安丘人,晉著作郎滔之曾孫也。子暅。暅子挺,字士標,博學有才思。齊末,州舉秀才。梁武帝師至,挺迎謁于新林,引爲征東行參軍。數遷爲晉陵、武康令。除南臺書侍御史。被劾,懼罪,變服出家,名僧挺。後還俗。侯景亂中卒。著《邇説》十卷。挺弟捶，亦有才名，爲邵陵王記室參軍。

案《南史》載挺是書十卷，《梁書·文學傳》同，此云一卷，或十卷之誤。

辯林二十卷　　蕭賁撰

《南史·齊武帝諸子竟陵文宣王子良傳》：子良子昭胄。梁受禪，降封昭胄子同爲監利侯。同弟賁字文奐，形不滿六尺，神識耿介。幼好學，有文才，能書善畫，于扇上圖山水，咫尺之内，便覺萬里爲遥。矜慎不傳，自娱而已。好著述，嘗著《西京雜記》六十卷。起家湘東王法曹參軍。得一府歡心。及亂，王爲檄，賁讀至“偃師南望，無復儲胥露寒；河陽北臨，或有穿廬氈帳”，廼曰：“聖製此句，非爲過似，如體目朝廷，非關序賦。”王聞之大怒，收付獄，遂以餓終。又追戮賁尸，及著《懷舊傳》以謗之，極言詆毁。<small>案湘東此檄且載《梁書·元帝本紀》。“非爲過”，“非”似“微”之誤。“非關序賦”，“賦”似“賊”之誤。</small>

《金樓子·著書篇》：“《辯林》二秩二十卷。”四庫館校輯曰：“案《隋書·經籍志》《辨林》二十卷，注蕭賁撰。”

《唐書·經籍志》：《辯林》二十卷，蕭賁撰。

《唐書·藝文志》：蕭賁《辨林》二十卷。

案《金樓子·立言篇》亦有詆毁蕭賁一條，末云：“本名渙，兄弟共以其懦，因呼爲賁。”據《南史》，蓋以其字文奐，遂以爲名渙。亦詆毁之辭，非其事實。又《著書篇》載《奇字》二秩二十卷，金樓付蕭賁撰，《碑集》十秩百卷，付蘭陵蕭賁撰。此《辨林》大抵亦付蕭賁撰，而獨不注，豈轉寫佚失歟？

辨林二卷　　席希秀撰

席希秀，始末未詳。

《通志·藝文略》：《辨林》二卷，席希秀撰。

瓊林七卷　周獸門學士陰顗撰

《梁書·陰子春傳》：子春，武威姑臧人也。曾祖隨宋高祖南遷，至南平，因家焉。子春大寶二年卒于江陵。孫顗，少知名，釋褐奉朝請，歷尚書金部郎。後入周。撰《瓊林》二十卷。

《册府元龜》學校譔集門：陰顗撰《瓊林》二十卷。

古今藝術二十卷

不著撰人。

唐張彦遠《歷代名畫記》曰："古之祕畫珍圖有《古今藝術圖》五十卷，即畫其形，又說其事，隋煬帝造。"

《唐書·經籍志》雜藝術類：《古今術藝》十五卷。<small>《藝文志》雜藝術類著録同。</small>

案此殆即五十卷之但說其事而無其圖者。

雜書鈔十三卷

不著撰人。

案前雜家有《雜書鈔》四十四卷，亦不著撰人。此雜抄小說家之書，似前人所爲歟？

又案本志不立藝術類，故附著于小說、兵家二類中，此列于《古今藝術》之後，或雜抄諸書之言藝術者，斯則亦未可知耳。

座右方八卷　庾元威撰

庾元威，始末未詳。

《唐書·經籍志》：《座右方》三卷，庾元威撰。

《唐書·藝文志》：庾元威《座右方》三卷。

案張彦遠《法書要録》載梁庾元威《論書》云："余少值明師，留心字法，所以坐右作午置字不依義、獻妙蹟。"又曰："余經爲正階侯書十牒屏風，作百體，間以采墨。當時衆所驚異，自爾絶筆，惟留草本而已。"其所云云，或即自言撰《座右方》之大略也歟？庚元威始末略詳經部小學家《文學圖》條下。

座右法一卷

不著撰人。

案《日本國見在書目》有《座右銘》一卷，崔子玉撰。唐張懷瓘《書斷》云："後漢崔瑗字子玉，善章草，師于杜度。又妙小篆。"《南史·王儉傳》："儉爲叔父僧虔所養，幼篤學，手不釋卷，賓客或相稱美。僧虔曰：'我不患此兒無名，正恐名太盛耳。'乃手書崔子玉《座右銘》以貽之。"又僧虔本傳云："弱冠，雅善隸書。宋昇明二年，爲尚書令，嘗爲飛白書，題尚書省壁曰：'圓行方止，物之定質，修之不已則溢，高之不已則慄，馳之不已則躓，引之不已則迭，是故去之宜疾。'當時嗟賞，以比《坐右銘》。"蓋即比所書《座右銘》也。《日本書目》多同，《隋志》題曰"崔子玉撰"，其即是書，亦或出王僧虔所書者歟？

魯史欹器圖一卷　儀同劉徽注　"徽"當爲"暉"。

《荀子·宥坐篇》："孔子觀于魯桓公之廟，有欹器焉。孔子問于守廟者曰：'此爲何器？'對曰：'此蓋爲宥坐之器。'孔子曰：'吾聞宥坐之器者，虛則欹，中則正，滿則覆。'顧爲弟子曰：'注水焉。'弟子挹水而注之，中而正，滿而覆，虛而欹。孔子喟然而歎曰：'烏有滿而不覆者哉！'"楊倞注曰："'宥'與'右'同，言人君可置坐右以爲戒也。或曰'宥'與'侑'同，勸也。"《文子》曰："三皇五帝，有勸戒之器，名侑卮。"注云："欹器也。欹器，傾欹易覆之器也。"

《説苑·敬謹篇》：孔子觀于周廟而有欹器也。文與《荀子》略同，亦見《淮南子》及《家語》。

《晉書·杜預傳》：周廟欹器，至漢東京猶在御座。漢末喪亂，不復存，形製遂絶。預創意造成，奏上，武帝嘉歎焉。

《南史·文學·祖沖之傳》：晉時杜預有巧思，造欹器，三改而成。永明中，竟陵王子良好古，沖之造欹器獻之，與周廟不異。

《玉海·器用部》：《唐文粹》：李德裕作《欹器賦》云："周公始作茲器，告于神明，難守者成，難持者盈。"

《隋書·曆志》曰："高祖受禪之初，擢張賓爲華州刺史，使與儀同劉暉、索盧縣公劉祐、前太史上士馬顯等議造新曆。"

《隋書》、《北史·藝術·劉祐傳》："開皇初，祐與張賓、劉輝、馬顯定曆。"又《張胄玄傳》："胄玄直太史，參議曆事。太史令劉暉等甚忌之。然暉言多不中，上令楊素與術士數人立議六十一事，皆舊法久難通者，令暉與胄玄等辨折之。暉杜口一無所答，胄玄通者五十四焉。由是擢拜員外散騎侍郎，兼太史令。暉及黨與八人，皆斥逐之。"

嚴氏《全隋文編》曰："劉暉仕周入隋，位儀同、太史令，開皇十七年除名。"

《唐書·經籍志》儒家：《魯史欹器圖》一卷，劉徽撰。

《唐書·藝文志》儒家：劉徽《魯史欹器圖》一卷。

案隋、唐三《志》皆以"暉"爲"徽"，若無本志"儀同"二字，愍不以爲魏晉時之劉徽矣。然《隋書》、《北史》皆無劉暉傳，亦未有暉注此圖明文。唯本志于隋人書但書官位，不書時代，此與五行家書儀同臨孝恭同例。而《唐志》敍次皆在梁人之後，北朝人之前，以是證知非劉徽也。徽亦以曆術名家，見後曆數類。《通志略》題隋儀同劉徽，稱隋儀同是也，稱劉徽亦非也。

器準圖三卷　　後魏丞相士曹行參軍信都芳撰

信都芳有《樂書》，詳見經部樂類。

《北齊書・方技傳》：芳又撰次古來渾天、地動、欹器、漏刻諸巧事，并畫圖，名曰《器準》。

《魏書・安豐王延明傳》：又以河間人信都芳工算術，引之在館。共撰《古今樂事》，《九章》十二圖，又集《器準》九篇，芳別爲之注，皆行于世。

《北史・藝術傳》：芳爲安豐王延明召入賓館。延明家有群書，欲抄集《五經》算事爲《五經宗》，及古今樂事爲《樂書》，又聚渾天、欹器、地動、銅烏、案即相風烏。漏刻、候風案即律管吹灰事。諸巧事，并圖畫爲《器準》，並令芳算之。會延明南奔，芳乃自撰注。

《魏書・樂志》曰："正光中，侍中、安豐王延明受詔監修金石，令其門生信都芳考算之。屬天下多難，終無制造。芳後乃撰延明所集《樂説》并《諸器物準圖》二十餘事而注之。"

《唐書・藝文志》曆算類：信都芳《器準》三卷。

水飾一卷

不著撰人。

馬氏玉函山房輯本序曰："《隋志》地理類有《水飾圖》二十卷，又小説家有《水飾》一卷，並不著撰人姓名。考《太平廣記》二百二十六引《大業雜記拾遺》《水飾圖經》條，載煬帝別勑學士杜寶修《水飾圖經》十五卷，新成，以三月上巳日令群臣于曲水以觀水飾，因並記水飾七十二勢之目，及妓航、酒船、水中安機等事云。皆出自黃袞之思。然則《水飾》創自黃袞，《圖經》修于杜寶，彰彰可據。今二書並佚。即就采摭以存一家，亦開河迷樓之類也。"

案自《古今術藝》至此，皆藝術之流。大抵因《漢志》小説家有"小道可觀"之語，遂雜入之此類。然《漢志》之論小説家流也，曰"出于稗官"，此之所録，豈稗官之類乎？

右二十五部合一百五十五卷。實在著録二十五部,附著亡書五部,通計三十部。

　　案《七録序目·子兵録第十》曰:“小説部十種十二帙六十三卷。”本志自《燕丹子》至《瓊林》,存佚併計凡二十三部,增益者十三部,自《古今藝術》以下七種皆《七録》所不載者也。

卷三十三

子部十

兵家　類中分類凡四。

司馬兵法三卷　齊將司馬穰苴撰

《史記・太史公自序》："《司馬法》所從來尚矣，太公、孫、吳、王子《集解》：徐廣曰："王子成甫。"能紹而明之，切近世，極人變。作《律書》第三。"又曰："自古王者而有《司馬法》，穰苴能申明之。作《司馬穰苴列傳》第四。"

又《列傳》：司馬穰苴者，田完之苗裔也。齊景公時，晉伐阿、甄，而燕侵河上，齊師敗績。景公患之。晏嬰乃薦田穰苴曰："穰苴雖田氏庶孽，然其人文能附衆，武能威敵，願君試之。"景公召穰苴，與語兵事，大説之，以爲將軍，將兵扞燕、晉之師。晉師聞之，爲罷去。燕師聞之，度水而解。于是追擊之，遂取所亡封內故境而引兵歸。景公與諸大夫郊迎，勞師成禮。尊爲大司馬。田氏日以益尊于齊。已而大夫鮑氏、高、國之屬害之，譖于景公。景公退穰苴，苴發疾而死。田乞、田豹之徒由此怨高、國等。其後及田常殺簡公，蓋滅高子、國子之族。至常曾孫和，因自立爲齊威王，用兵行威，大放穰苴之法，而諸侯朝齊。齊威王使大夫追論古者《司馬兵法》而附穰苴于其中，因號曰《司馬穰苴兵法》。太史公曰："余讀《司馬兵法》，閎廓深遠，雖三代征伐，未能竟其義。如其文也，亦少褒矣。若夫穰苴，區區爲小國行師，何暇及《司馬兵法》之揖讓乎？世既多《司馬兵法》，以故不論，著穰苴之列傳焉。"

《漢書·藝文志》六藝禮類："《軍禮司馬法》百五十五篇。"又
兵家敍曰："兵家者，蓋出古司馬之職，王官之武備也。"又曰：
"及湯武受命，以師克亂而濟百姓，動之以仁義，行之以禮讓，
《司馬法》是其遺事也。"又兵權謀篇末注曰："出《司馬法》，入
禮也。"謂《七略》本在兵家也。

本志經部禮類敍曰："漢河間獻王，好古愛學，收集餘燼。又
得《司馬穰苴兵法》一百五十五篇，及《明堂陰陽》之記，並無
敢傳之者。"又曰："梁有《司馬法》三卷，亡。"案《七錄》以《司馬法》
入禮類，本志所據見存書目則列之兵家之首，故禮類以爲亡而兵家則著于錄。

唐《李衛公問對》曰："世傳兵家流，分權謀、形勢、陰陽、技巧
四種，皆出《司馬法》也。"

《唐書·經籍志》：《司馬法》三卷，田穰苴撰。

《唐書·藝文志》：田穰苴《司馬法》三卷。

《宋史·藝文志》：《司馬兵法》三卷，齊司馬穰苴撰。

王氏《漢書藝文志考證》曰："《司馬法》，周之政典也。《周禮
疏》云：'齊景公時，大夫穰苴作《司馬法》。至齊威王，大夫等
追論古法，又作《司馬法》附于穰苴。'漢武帝詔及《周禮注疏》
並引《司馬法》，《左傳疏》服虔引《謀帥篇》，他所引其文或不
見今五篇中。"又曰："大宗伯所掌軍禮之別有五。《孔叢子》
有《問軍禮》之篇。"

《四庫提要》曰："隋、唐諸《志》皆以爲穰苴之所自撰者，非也。
其言大抵據道依德，本仁祖義，三代軍政之遺規猶藉存什一
于千百。班固序兵權謀十三家。獨以此書入禮類，豈非以其
說多與《周官》相出入，爲古來五禮之一歟？《隋》、《唐志》俱
三卷。世所行本，以篇頁無多，并爲一卷。"

又《簡明目錄》曰："《司馬法》一卷，舊本題齊司馬穰苴撰。證

以《史記》，蓋齊威王諸臣集古兵法爲之，而附穰苴于其中，非穰苴作也。其時去古未遠，三代遺規往往于此書見之。”

嘉定王鳴盛《蛾術編・説録》曰：“《司馬法》，《漢志》百五十五篇，宋元豐間存五篇，編入《武經七書》内。《仁本》、《天子之義》二篇最純。”

武威張澍校輯序曰：“案《孫子注》云：‘《司馬法》者，周大司馬之法也。周武既平殷亂，封太公于齊，故其法傳于齊。’晉張華以《司馬法》爲周公所作，當得其實。《漢志》原書百五十五篇，今存五篇，佗書所引亦有不見五篇中者，皆佚文也。吾鄉階州邢兩民太守曾輯是書，刊之浙中，字多錯譌，仍有闕漏，余爲補而正之，以授學侣。”

《孫氏書目》：《司馬法》一卷，星衍仿宋刊本《司馬法輯注》五卷，《逸文》一卷，邢澍集本。孫序有云：“《御覽》引古《司馬兵法》，文與今本多同。又引《穰苴兵法》，不在此書。”

張氏《書目答問》：《司馬法》三卷，附逸文。《指海》本。

孫子兵法二卷　吴將孫武撰　魏武帝注。梁三卷。

《史記》列傳：孫子武者，齊人也。以兵法見于吴王闔廬，曰：“子之十三篇，吾盡觀之矣。”于是闔廬知孫子能用兵，卒以爲將。西破彊楚，入郢，北威齊、晉，顯名諸侯，孫子與有力焉。”

又《律書》：吴用孫武，申明軍約，賞罰必信，卒伯諸侯，兼列邦土，雖不及三代之誥誓，然身寵君尊，當世顯揚，可不謂榮焉？

《藝文類聚・政治部》：《吴越春秋》曰：“孫子者，吴人，名武，善爲兵法，僻隱幽居，世人莫知其能。子胥明于識人，乃薦孫子。吴王問以兵法，每陳一篇，王不覺口之稱善。”

《唐書・世系表》：孫氏又有出自嬀姓。齊田完，字敬仲，四世孫桓子無宇，無宇子書，字子占，齊大夫，伐莒有功，景公賜姓孫氏，食采于樂安。生憑，字起宗，齊卿。憑生武，字長卿，以田、鮑四族謀爲亂,奔吳,爲將軍。三子:馳、明、敵。明食采于富春,自是世爲富春人。明生髕。《史記·孫武傳》:"武既死,後百餘歲有孫髕。"《漢志》兵權謀家:"《齊孫子》八十九篇。《圖》四卷。"蓋即孫髕也。文登畢以珣《孫子敍録》曰:"髕,武之孫也。"

劉向《別録》曰:"《孫子》書以殺青簡,編以縹絲繩。"

《漢書·藝文志》兵權謀家:《吳孫子兵法》八十二篇,圖九卷。

魏武帝《孫子兵法序略》曰:"聖賢之于兵也,戢而時動,不得已而用之。吾觀兵書戰策多矣,孫武所著深矣。孫子者,齊人也,名武,爲吳王闔閭作《兵法》十三篇,試之婦人,卒以爲將,西破彊楚入郢,北威齊、晉。后百歲餘有孫髕,是武之後也。審計重舉,明畫深圖,不可相誣,而但世人未之深亮訓説。況文煩富,行于世者,失其旨要,故撰爲略解焉。"

《魏志·武紀》注:孫盛《異同雜語》曰:"太祖博覽群書,特好兵法,注《孫武》十三篇,傳于世。"

唐杜牧《注孫子序》曰:"武書大略用仁義,使機權。曹公所注解,十不釋一。蓋惜其所得,自爲《新書》爾。"

唐張守節《史記正義》曰:"魏武帝云'孫子爲吳王作《兵法》十三篇',《七録》云'《孫子兵法》三卷'。案十三篇爲上卷,又有中、下二卷。"

《唐日本國見在書目》:《孫子兵書》三卷,魏武解。《孫子兵書》一卷,魏祖略解。

《唐書·經籍志》:《孫子兵法》十三卷,孫武撰,魏武帝注。

《唐書·藝文志》:魏武帝注《孫子》三卷。《宋史·志》同。

晁氏《讀書志》:《魏武注孫子》一卷。案《漢志》《孫子兵法》八十二篇,今魏武所注,止十三篇。杜牧以爲"武書數十萬言,魏武削其繁剰,筆其精粹,成此書云"。

陳氏《書録解題》:《孫子》三卷,吳孫武撰。《漢志》八十一篇。

魏武帝削其繁冗，定爲十三篇。世之言兵者祖孫氏，然孫武事吳闔廬而不見于《左氏傳》，未知其果何時人也。_{案晁、陳二家之説殊失之不考。}

《四庫提要》曰：“《史記・孫子列傳》載武之書十三篇，而《漢志》乃載《孫子》八十二篇，圖九卷。故張守節《正義》以十三篇爲上卷，又有中、下二卷。杜牧亦謂武書本數十萬言，皆曹操削其繁剩，筆其精粹，以成此書。然《史記》稱十三篇，在《漢志》之前，不得以後來附益者爲本書，牧之言固未可以爲據也。武書爲百代談兵之祖，葉適以其人不見于《左傳》，疑其書乃春秋末戰國初山林處士之所爲。然史載闔閭謂武曰：‘子之十三篇，吾盡觀之矣。’則確爲武所自著，非後人嫁名于武也。”

嚴氏《全三代文編》曰：“孫武，齊人。避亂奔吳，吳王闔廬以爲客將軍。案《漢志》《孫子兵法》八十二篇，圖九卷，《史記・孫武傳》云十三篇，《正義》引《七錄》云《孫子兵法》三卷。案十三篇爲上卷，又有中、下二卷。如《正義》説，則唐時故書尚存，故諸家徵引多有出十三篇外者，皆中、下卷文也。十三篇見存，不錄，錄其佚文，凡二十二條。《通典》一百二十九引《孫子・九地篇》。”又曰：“《周禮注》、《文選注》引《孫子八陳》，《御覽》三百二十八引《孫子兵法占》。”

陽湖孫星衍校刊序曰：“孫子爲吳將兵，功歸子胥，故《春秋傳》不載其名，蓋功成不受官也。《越絕書》稱巫門外大冢，吳王客孫武冢，是其證也。文登畢以珣《斂錄》曰：‘武蓋以客卿將兵。’”

又《校刊孫子十家注序》曰：“兵家言惟《孫子》十三篇最古，魏武始爲之注，云撰爲《略解》，謙言解其觕略也。”又《孫氏書目》：《孫子》一卷，魏武帝注，星衍仿宋刊本。《孫子十家注》

十三卷，星衍校《道藏》刊本，附畢以珣《敍録》一卷，《孫子遺
説》一卷。<small>案鄭友賢輯爲《十家注》作。</small>

张氏《書目答問》：《孫子》魏武帝注三卷，《平津館》校本。《孫
子十家注》十三卷，《岱南閣》校本。

孫子兵法一卷　魏武王淩集解

《魏志》本傳：淩字彦雲，太原祈人也。叔父允，爲漢司徒，誅
董卓。卓將李傕、郭汜等爲卓報仇，入長安，殺允，盡害其家。
淩及兄晨，時皆年少，踰城得脱，亡命歸鄉里。淩舉孝廉，爲
發干長，中山太守。太祖辟爲丞相掾屬。文帝踐阼，歷兗州、
青州、揚、豫州刺史，都督揚州。進封南鄉侯、車騎將軍。就
遷爲司空。司馬宣王既誅曹爽，進淩爲太尉。後與外甥兗州
刺史令狐愚密協計，謀廢立。嘉平三年，宣王將中軍討淩。
淩勢窮，出迎。送還京都。至項，飲藥死。

孫氏《校刊孫子十家注序》曰：“書中或多出杜佑，而置在其孫
杜牧之後。杜佑實未嘗注《孫子》，其文即《通典》也。多與曹
注同而文校備。疑佑用曹公、王淩諸人古注，故有王子曰，即
淩也。”

孫武兵經二卷　張子尚注

張子尚，始末未詳。

《通志·藝文略》：《孫武兵經》三卷，張子尚注。

孫氏《校刊孫子十家注序》曰：“兵家言唯《孫子》十三篇最古，
稱爲兵經，比于六藝。”<small>案稱“兵經”者見于此。</small>

鈔孫子兵法一卷　魏太尉賈詡鈔

《魏志》本傳：詡字文和，武威姑臧人也。察孝廉爲郎。董卓
入洛陽，詡以太尉掾爲平津都尉，遷討虜校尉。卓壻中郎將
牛輔屯陝，詡在輔軍。卓敗，輔又死，衆恐懼，李傕、郭汜、張
濟等欲解散，間行歸鄉里。詡説傕、汜等西攻長安，<small>臣松之曰：</small>

"自古兆亂,未有如是之甚者。"長安陷,詡爲左馮翊,拜尚書,典選舉。後去催託段煨。又去從張繡,説繡歸太祖。太祖表詡爲執金吾,遷冀州牧,徙爲太中大夫。文帝即位,以爲太尉,進爵魏壽鄉侯。年七十七,薨,謐曰肅侯。

《唐日本國見在書目》:《孫子兵法書》一卷,臣詡撰。

梁有《孫子兵法》二卷,孟氏解詁。

孟氏不詳何人。案《十家注》一魏武,二梁孟氏,則梁人也。

《唐書・經籍志》:《孫子兵法》又二卷,孟氏解。

《唐書・藝文志》:孟氏解《孫子兵法》二卷。

梁有《孫子兵法》二卷,吳處士沈友撰,亡。

《吳志・孫權傳》建安九年注:《吳錄》曰:"是時權大會官僚,沈友有所是非,令人扶出,謂曰:'人言卿欲反。'友知不得脱,乃曰:'主上在許,有無君之心者,可謂非反乎?'遂殺之。友字子正,吳郡人。年十一,華歆行風俗,見而異之,曰:'自桓、靈以來,雖多英彦,未有幼童若此者。'弱冠博學,多所貫綜,善屬文辭。兼好武事,注《孫子兵法》。又辯于口,每所至,衆人皆默,莫與爲對,咸言其筆之妙,舌之妙,刀之妙,三者皆過絶于人。權以禮聘,既至,論王霸之略,當世之務,權斂容敬焉。陳荊州宜并之計,納之。正色立朝,清議峻厲,爲庸臣所譖,誣以謀反。權亦以終不爲己用,故害之,時年二十九。"

《唐書・經籍志》:《孫子兵法》又二卷,沈友注。

《唐書・藝文志》:沈友注《孫子兵法》二卷。

梁又有《孫子八陣圖》一卷,亡。

唐張彦遠《歷代名畫記》曰:"古來祕畫珍圖有《孫子八陣圖》一卷。"

《通志・藝文略》兵家營陣類:《孫子八陣圖》一卷。

案《漢書・藝文志》《孫子兵法》有圖九卷,此或是九卷之遺。又案此列沈友書後，或即沈所增演附于注本之後者。

吳起兵法一卷　賈詡注

賈詡有《鈔孫子兵法》一卷，見前。

《史記》列傳：吳起者，衛人也，好用兵。嘗學于曾子，事魯君。齊人攻魯，魯以爲將，將而攻齊，大破之。魯人或惡吳起，魯君疑之，謝吳起。起聞魏文侯賢，欲事之。文侯問李克曰："吳起何如人哉？"李克曰："起貪而好色，然用兵司馬穰苴不能過也。"于是文侯以爲將，擊秦，拔五城。乃以爲西河守。文侯卒，起事其子武侯，封起爲西河守。公叔爲相，害吳起。武侯疑之，起懼得罪，遂去，之楚。楚悼王素聞起賢，至則相楚。明法審令。于是南平百越；北并陳、蔡，卻三晉；西伐秦。諸侯患楚之彊。楚之貴戚盡欲害吳起。及悼王死，宗室大臣作亂而攻吳起，起走之王尸而伏之。擊起之徒因射刺吳起，并中悼王。太子立，乃使令尹盡誅射吳起而并中王尸者。坐射起而夷宗死者七十餘家。

《漢書·刑法志》：春秋之後，滅弱吞小，並爲戰國。雄桀之士因勢輔時，作爲權詐以相傾覆，吳有孫武，齊有孫臏，魏有吳起，秦有商鞅，皆禽敵立勝，垂著篇籍。當此之時，合從連橫，轉相攻伐，代爲雌雄。世方爭于功利，而馳説者以孫、吳爲宗。

《漢書·藝文志》兵權謀家：《吳起》四十八篇，有列傳。

《唐書·藝文志》：賈詡注《吳子兵法》一卷。注云吳起。

《宋史·藝文志》：吳起《吳子》三卷。又朱服校定《吳子》二卷。

晁氏《讀書志》：《吳子》三卷，魏吳起撰。言兵家機權法制之説。唐陸希聲類次爲之説，《圖國》、《料敵》、《治兵》、《論將》、《變化》、《勵士》凡六篇。

《四庫簡明目録》曰："《吳子》一卷，周吳起撰。《隋》、《唐志》皆作一卷，與今本同。惟晁氏《讀書志》作三卷。然六篇之目則與今本合，亦真古書也。"

孫氏平津館校刊序曰："《隋書·經籍志》載《吳起兵法》一卷，賈詡注。賈注已佚，或即《太平御覽》所引注文。"又《孫氏書目》：《吳子》一卷，星衍仿宋刊本。

張氏《書目答問》：《吳子》一卷。《平津館》校本。

案《春秋左氏傳》序正義引《別録》云："左丘明授曾申，申授吳起，起授其子期，期授楚人鐸椒。鐸椒作《抄撮》八卷，授虞卿。虞卿作《抄撮》九卷，授荀卿。荀卿授張倉。"是吳起爲左氏再傳弟子。本《春秋》古學家經師，且家世傳業者。而當時乃盛傳其兵法。《史記》言受學于曾子，乃曾申，非子輿氏也。

吳孫子牝八變陣圖二卷

唐張彥遠《歷代名畫記》曰："古之祕畫珍圖有《吳孫子牝牡八變陣圖》二卷。"案此則本志敓"牡"字。

《唐日本國見在書目》：《孫子兵法八陣圖》二卷。

嚴氏《全三代文編》曰："《文選注》引《孫子》曰：'長陳爲甄。'《周禮·車僕》注引'孫子八陣，有苹車之陳'。賈《疏》云：'《孫子兵法》有此言也。'案《隋志》有《孫子八陳圖》一卷，《牝八陳圖》二卷，此二條是其遺文。"

案《舊》、《新唐志》有《吳孫子三十二壘經》一卷，似即此書，否則亦必是書之別本。

續孫子兵法二卷　魏武帝撰

《唐日本國見在書目》：《續孫子兵法》二卷，魏武帝撰。

《唐書·藝文志》：魏武帝《續孫子兵法》二卷。

案魏武既注《十三篇》，或取其篇外餘文以續其後。杜牧所

謂"魏武削其繁冗,筆其精粹"者,或指是書。即《七錄》之
中、下二卷歟? 賈詡所抄一卷,殆亦此類。

孫子兵法雜占四卷

嚴氏《全三代文編》曰:"《太平御覽》三百二十八引《孫子占》。
案《隋志》有《孫子兵法雜占》四卷,此其遺文。"

案張彥遠《名畫記》云:"古來祕書珍圖有《吳孫子兵法雲氣
圖》一卷。"《雲氣雜占》之一端或在是書。

梁有《諸葛亮兵法》五卷,亡。

諸葛亮有《論前漢事》,詳見史部正史篇。

《蜀志》本傳:亮性長于巧思,損益連弩,木牛流馬,皆出其意;
推演兵法,作八陳圖,咸得其要云。

《崇文總目》:諸葛亮《兵機法》五卷。

《宋史·藝文志》:"諸葛亮《行兵法》五卷。"

武威張澍輯《諸葛集》篇目曰:"澍案《隋書·經籍志》《諸葛亮
兵法》五卷,《崇文總目》《兵機法》五卷,《隋志》之《兵法》即
《總目》之《兵機法》也,故其卷數同。今存四條。"

嚴氏《全三國文編》曰:"案《諸葛氏集目錄》《兵要》第十二,
《傳運》第十三,《軍令》上、中、下三篇第二十二至二十四。今
輯《書鈔》、《御覽》諸書,凡《兵法》二條,《兵要》七條,《軍令》
五條,作木牛流馬法當在《傳運篇》中,見《蜀志》傳注,亦見
《類聚》及《御覽》。

侯氏《補三國藝文志》曰:"《通典》、《御覽》並引《諸葛亮兵
法》、《兵要》,大約即一書而異名耳。《御覽》復引《諸葛亮軍
令》,當亦出此書。《通志略》又載《武侯十六策》、《將苑》、《平
朝陰府二十四機》、《六軍鏡心訣》及後世所傳《新書》,皆出依
託。今不取。"案《宋志》又有《用兵法》一卷,《行軍指掌》二卷,《占風雲氣圖》一
卷,《兵書》七卷,《手訣》一卷,《文武奇編》一卷。《奇編》即《十六策》。

案武侯兵法，陳壽重編《故事集》盡收載之。此五卷似即
《兵要》、《傳運》、《軍令》五篇，其《南征》第三、《北出》第四
不知亦在其中否也。皆後人從本集析出別行，如《集誡》、
《論前漢事》之類。

梁又有《慕容氏兵法》一卷，亡。

慕容氏不知何人。

常熟丁國鈞《補晉書藝文志》附錄曰："《慕容氏兵法》一卷，見
《七錄》。此書當是記僞燕事。其爲當時所撰，抑出後人追
錄，莫可審定。"

案慕容氏前燕始于庑，及皝，及儁，及暐。後燕自垂及寶，
及盛，及熙。南燕自德及超。並詳見史部霸史類。

皇帝兵法一卷　宋武帝所傳神人書

《唐書·藝文志》：宋高祖《兵法要略》二卷。

《通志·藝文略》：《黃帝兵法》一卷，宋武帝所傳神人書。此作
黃帝，未詳孰是。

嚴氏《全宋文編》曰："《開元占經》二十一引《宋武兵法》曰：
'太白、熒惑，一南一北爲死喪。'"

案宋武所傳神人書，《宋書》、《南史》本紀皆不載其事，疑即
下文所載下邳神人所撰名《黃石公三略》之書也。

梁有《雜兵法》三十四卷，《兵法序》二卷，亡。

不著撰人。

《唐書·經籍志》：《雜兵法》二十四卷。《藝文志》同。"雜"或誤
爲"新"。

錢塘汪師韓《文選理學權輿》曰："《選注》所引群書有《雜
兵法》。"

案《漢志》兵技巧家有《雜家兵法》五十七篇，《七略》列兵書
之末，蓋合權謀、形勢、陰陽、技巧四者而一之。此或是其

殘賸，未可知也。《舊唐志》次《張良經》之後、《魏武帝兵法》之前，明是漢代之書。以上似爲一段。

太公六韜五卷　　梁六卷　　周文王師姜望撰

《史記·齊太公世家》：太公望呂尚者，東海上人。其先祖嘗爲四嶽，佐禹平水土甚有功。虞、夏之際封于呂，或封于申，姓姜氏。夏、商之時，申、呂或封枝庶子孫，或爲庶人，尚其後苗裔也。本姓姜氏，從其封姓，故曰呂尚。呂尚爲文、武師。武王平商王天下，于是封師尚父于齊營邱。東就國。及周成王少時，管、蔡作亂，淮夷畔周，乃使召康公命太公曰：“東至海，西至河，南至穆陵，北至無棣，五侯九伯，實得征之。”齊由此得征伐，爲大國。都營丘。蓋太公之卒百有餘年，子丁公呂伋立。

又《周本紀》：武王即位，太公望爲師。既克殷，罷兵西歸。于是封功臣謀士，而師尚父爲首。封尚父于營丘，曰齊。

《漢書·藝文志》道家：《太公》二百三十七篇，《謀》八十一篇，《言》七十一篇，《兵》八十五篇。呂望爲周師尚父，本有道者。或有近世又以爲太公術者所增加也。又兵權謀家注曰：“省《伊尹》、《太公》。”似《七略》以《兵》八十五篇入兵權謀家，班氏以其重復省之。此亦班氏所定東觀、仁壽閣新記之例，變通《七略》舊例者也。凡《藝文志》所載出入省併與《七略》不同者，皆東京所定新例。

《唐書·經籍志》：《太公六韜》六卷。《藝文志》同。

《宋史·藝文志》：《六韜》六卷，不知作者。

晁氏《讀書志》：《六韜》六卷，周呂望撰。案《漢志》無此書，《梁》、《隋》、《唐》始著錄，分《文》、《武》、《龍》、《虎》、《豹》、《犬》六目，兵家權謀之書也。元豐中，以《六韜》、《孫子》、《吳子》、《司馬法》、《黃石公三略》、《尉繚子》、《李衛公問對》頒行武學，令習之，號七書云。

陳氏《書録解題》：“《六韜》六卷，武王、太公問答，其辭鄙俚，世俗依託也。”又曰：“今武舉以七書試士，謂之《武經》。其間《孫》、《吴》、《司馬法》或是古書，《三略》、《尉繚子》亦有可疑，《六韜》及《李靖問對》僞妄明白，而立之學官，置師，弟子伏而讀之，未有言其非者，何也？何薳《春渚紀聞》言，其父去非爲武學博士，受詔校七書，以《六韜》、《問對》爲疑，白司業朱服。服言此書行之已久，未易遽廢，遂止。”

《文獻·經籍考》：《周氏涉筆》曰：“《六韜》不知出何時，其屑屑共議，以家取國，以國取天下，殆似丹徒布衣、太原宫監所經營者，戰國諸子窺測古聖，妄誕率類此。”

王氏《漢志考證》儒家：《周史六弢》六篇。師古曰：“即今之《六韜》。”《莊子》“金板六弢”釋文曰：“本又作《六韜》，謂《文》、《武》、《虎》、《豹》、《龍》、《犬》。今《六韜》六卷六十篇，《尚書正義》以爲後人所作，非實事也。”《館閣書目》謂《周史六弢》恐别是一書。

《四庫提要》曰：“《莊子·徐無鬼篇》稱‘金版六弢’。《經典釋文》曰：‘司馬彪、崔譔云，金版、六弢皆《周書》篇名，本又作《六韜》。謂《太公六韜》，《文》、《武》、《虎》、《豹》、《龍》、《犬》也。’則戰國之初，原有是名。然即以爲《太公六韜》，不知所據。《漢志》兵家不著録，惟儒家有周史《六弢》六篇。班固自注曰：惠、襄之間，或曰顯王時，或曰孔子問焉。則《六弢》别爲一書。顔師古注以今之《六韜》當之，毋亦因陸德明之説而牽合附會歟？《三國志·先主傳》注始稱閒暇歷觀諸子及《六韜》、《商君書》，益人志意。《隋志》始載《太公六韜》。唐、宋諸志皆引之。今考其書，大抵詞意淺近，不類古書。殆未必漢時舊本。”

嘉興沈濤《銅熨斗齋隨筆》曰：“《周史六弢》，《漢志》列之儒

家,則非今之《六韜》也。‘六’乃‘大’字之誤,《古今人表》第
六等有周史大弨,‘弨’當爲‘弢’。《莊子・則陽篇》仲尼問于
太史大弢,蓋即其人。此乃其所著書,故班氏有孔子問焉之
説。顏氏以爲太公之《六韜》,誤矣。今之《六韜》當在《太公》
二百三十七篇之内。"案此證極精覈。

嘉定錢大昕《隋書考異》曰:"《經籍志》:《太公六韜》五卷,周
文王師姜望撰。案三代以前,男子無稱姓者,稱太公望曰姜
望,此魏晉以後俚俗之言。"

嚴氏《全三代文編》曰:"今所行《六韜》六卷,是宋元豐間刪
定,凡六十篇,見存不錄,錄其佚文。凡《文韜》八條、《武韜》
四條、《虎韜》一條、《犬韜》四條、佚文不得原次者四十七條。"
《治要》、《通典》、《御覽》所引並與今本不同。

《孫氏祠堂書目》儒家:《六韜》六卷,星衍校刊本。附孫同元
輯《逸文》一卷。孫氏猶沿顏氏誤説,故以此書入儒家,以爲《七略》舊例如是。
序文主持甚力,見《平津館叢書》。

太公陰謀一卷。梁六卷。

《史記・齊太公世家》:"周西伯昌之脱羑里歸,與吕尚陰謀修
德以傾商政,其事多兵權與奇計,故後世之言兵及周之陰權
皆宗太公爲本謀。周西伯政平,及斷虞、芮之訟,而詩人稱西
伯受命曰文王。伐崇、密須、犬夷,大作豐邑。天下三分,其
二歸周者,太公之謀計居多。"又曰:"武王伐紂,遷九鼎,修周
政,與天下更始。師尚父謀居多。"

《漢書・藝文志》道家:"《太公》二百三十七篇,或有近世又以
爲太公術者所增加也。"又曰:"《謀》八十一篇。"

《唐書・經籍志》:《太公陰謀》三卷。《藝文志》同。

嚴氏《全三代文編》曰:"《漢志》《太公謀》八十一篇,在道家。
《隋志》歸兵家。有《陰謀》六卷。今輯《續漢・郡國志》注、

《群書治要》、《太平御覽》諸引《陰謀》者凡五條，又《開元占經》引《陰祕》凡十四條。”

梁又有《太公陰謀》三卷，魏武帝解。

魏武帝有《孫子兵法注》，又有《續孫子兵法》二卷，並見前。

《通志・藝文略》：《太公陰謀》一卷，又三卷，魏武帝注。

太公陰符鈐録一卷

《唐日本國見在書目》：《太公陰録符》一卷。案當是“陰符録”、“陰符鈐”之誤。

《通志・藝文略》兵陰陽家：《太公陰符鈐録》一卷。

嚴氏《三代文編》曰：“太公有《陰符鈐録》一卷。案《陰符》謂《陰符之謀》。《詩・大明》疏引太公授《兵鈐之法》曰：‘踐爾兵革，審權矩，應詐縱謀，出無孔。’”案《正義》并引其注云：“踐，行也。矩，法也。當親行汝兵革，審其權謀之法。孔，道也。應敵之變詐，縱己之謀，所出無常道，善太公知權變者。兵法，須知彼己，當預爲之備。所以貴權謀，故善太公能審之。”案《正義》引此蓋据《維師謀》之説也。《維師謀》，《尚書中候》之篇名，故其文格如此。有鄭氏注即此注是也。末後數語，又似孔穎達引申之詞。

案陰符鈐即兵鈐。《廣韻》二十四鹽鈐字注云：“兵鈐以閉房，神府以備非常。”其語不可曉。亦似讖緯家之説，此殆從《周書陰符》九卷中録出者。据中候説，則是書爲伐紂時所作，然不可考矣。

太公金匱二卷

劉歆《七略》曰：“太公金版玉匱雖近世之文，然多善者。”案此非太公本真，從可知矣。

《唐日本國見在書目》：《太公明金匱用兵要記》一卷。“明”字蓋“望”字之誤。

《唐書・經籍志》：《太公金匱》二卷。《藝文志》同。

嚴氏《全三代文編》曰：“《御覽》三百九十引《金人銘》注：《皇覽》云出《太公金匱》。《路史・後紀》五云：‘世謂太公作金人。'案《太公金匱》：'公對武王之言,明黄帝所作。'《開元占經》卷六、卷十一引《尚書金匱》,疑即《太公金匱》異名。今輯録諸書凡三十九條。"

《孫氏祠堂書目》儒家：《太公金匱》一卷,洪頤煊集本。

太公兵法二卷。梁三卷。

《漢書・藝文志》道家："《太公》二百三十七篇,或有近世又以爲太公術者所增加也。"又曰："《兵》八十五篇。"

《史記・留侯世家》："下邳圯上老父出一編書,曰：'讀此則爲王者師。'旦日,視其書,乃《太公兵法》也。良因異之,嘗習誦讀之。"又曰："良數以《太公兵法》説沛公,沛公善之,常用其策。良爲他人言,皆不省。良曰：'沛公殆天授。'故遂從之,不去。"《正義》曰："《七録》云：'《太公兵法》一袠三卷。太公,姜子牙,周文王師,封齊侯也。'"

嚴氏《全三代文編》曰："《漢志》《兵》八十五篇在道家,《隋志》歸兵家。有《太公兵法》三卷。《五行大義》引《太公兵書》,《通典》引《覆軍誡法》,《開元占經》、《太平御覽》數引《太公兵法》,今輯録凡二十條。"

案《四庫存目》有《太公兵法》一卷,不知何時僞造。

太公兵法六卷。梁有《太公雜兵書》六卷。

嚴氏《全三代文編》曰："《隋志》兵家有《太公兵法》三卷,又六卷。"

案此《太公兵法》六卷即梁有《太公雜兵書》六卷,本志以書名不同,故注于其下而不云亡,蓋亦以爲一書也。

太公伏符陰陽謀一卷

《通志・藝文略》兵陰陽家：《太公伏符陰陽謀》一卷。

嚴氏《全三代文編》曰："《隋志》又有《太公伏謀陰陽謀》一卷。"案此作"伏謀",不知何本,疑寫刊之誤。

案《唐日本書目》："《太公謀卅六甲法》一卷。"兩《唐志》有《太公陰謀三十六用》一卷，似即此書。五行家有《黃帝式經三十六用》一卷，是"甲"爲"用"字之誤。其稱"陰謀"，或亦八十一篇之遺。《文選》王元長詩注引《太公伏符陰謀》曰："武王伐紂，四海神河伯皆曰：'天伐殷立周，謹來受命，願獻時雨。'"《初學記》天部言之尤詳。嚴氏並輯入《金匱》中。然後知《史記》曆書所謂諸神受紀者本于此。

黃帝兵法孤虛雜記一卷

《唐書·藝文志》：《黃帝兵法孤虛推記》一卷。

《通志·藝文略》兵陰陽家：《黃帝兵法孤虛雜記》一卷。

案此列在太公諸兵書中，殆亦以爲太公述黃帝之法歟？"雜記"，《新唐志》作"推記"，義亦通，未詳孰是。孤虛別見于後。

太公三宮兵法一卷。梁有《太一三宮兵法立成圖》二卷。

《唐書·經籍志》：《黃帝太公三宮法要訣》一卷。《藝文志》同。

唐張彥遠《歷代名畫記》曰："古之祕畫珍圖有《太一三宮用兵成圖》二卷。"敓"立"字。

《通志·藝文略》兵陰陽家：《太公三宮兵法》一卷。《太一三宮兵法立成圖》一卷。

案王氏《小學紺珠》謂天宮、地宮、人宮爲三宮，然則亦如《六韜》所謂天陳、地陳、人陳之類也。《漢志》兵陰陽家有《太壹兵法》一篇，此推演爲立成圖。立成者，立其成法爲一定之詞。術家常有此言也。

太公書禁忌立成集二卷
太公枕中記一卷

《通志·藝文略》兵陰陽家："《太公書禁忌立成集》二卷。"又兵書家："《太公枕中記》一卷。"

周書陰符九卷

《唐書·藝文志》:《太公陰謀》三卷。又《金匱》二卷。《六韜》六卷。《周書陰符》九卷。

嚴氏《全三代文編》曰:"案《周書陰符》,《隋志》不云太公。據《戰國策》,蘇秦得太公《陰符之謀》,《史記》作《周書陰符》,明是一書也。"

又曰:"案《陰符》謂《陰符之謀》,蓋即《漢志》之《太公謀》八十一篇。云《周書》者,周時史官紀述,猶《六弢》稱《周史》,案此猶據顏氏舊説以《漢志》儒家之《周史六弢》謂即今之《六韜》,與孫氏所據同也,詳見前。諸引《周書陰符》或但稱《周書》,驗知非《逸周書》。録附太公之末,與《六韜》、《陰謀》、《金匱》互出入,不嫌複見也。凡十二條。"案今傳《陰符經》一篇,疑出是書。

周呂書一卷

《唐書·藝文志》:《太公陰謀》三卷。又《周書陰符》九卷。《周呂書》一卷。

案自《太公六韜》至此,凡十三部,附載梁有二部,魏武注一部,證以《新唐志》所載皆太公之書。其間真偽不可知,《漢志》道家已云或有近世爲太公術者所增加,降而至于此,又豈班氏之所云云乎? 是又爲一段。

黃石公内記敵法一卷

黃石公事見《史記·留侯世家》,亦略見下條。

案《唐日本書目》有《黃帝用兵勝敵法》一卷,疑此亦當是《黃石公内記勝敵法》,敓"勝"字。

黃石公三略三卷　下邳神人撰　成氏注

《史記·留侯世家》:留侯張良者,其先韓人也。秦滅韓,良年少,悉以家財求客刺秦王,爲韓報仇,以大父、父五世相韓故。得力士,爲鐵椎重百二十斤。秦皇帝東遊,良與客狙服虔曰:

"狙，伺候也。"擊秦皇博浪沙中，誤中副車。秦皇帝大怒，大索天下，求賊甚急，爲張良故也。良乃更名姓，亡匿下邳。嘗從容步游下邳圯上，有一老父，衣褐，至良所，出一編書，曰：'讀此則爲王者師矣。後十年興。十三年孺子見我濟北，穀城山下黄石即我矣。'遂去，無他言，不復見。後十三年從高帝過濟北，果見穀城山下黄石，取而葆祠之。留後死，并葬黄石。每上冢伏臘，祠黄石。"

《唐書·經籍志》：《黄石公三略》三卷，《三略訓》三卷。

《唐書·藝文志》：《黄石公三略》三卷。又成氏《三略訓》三卷。

《宋史·藝文志》：成氏注《三略》三卷。

晁氏《讀書志》：《黄石公三略》三卷，題曰《黄石公上中下三略》。其書論用兵機權之妙，嚴明之决，明妙審决，軍可以死易生，國可以存易亡。《經籍志》云下邳神人撰。世傳此即圯上老人以一編書授漢張良者。

陳氏《書録解題》曰："世傳張子房受書圯上老人，曰：'濟北穀城山下得黄石即我也。'故遂以黄石爲圯上老人，然皆傅會依託也。"

王氏《困學紀聞·諸子篇》："魏李蕭遠《運命論》：'張良受黄石之符，誦《三略》之説。'言《三略》者始見于此。漢光武詔引《黄石公紀》，未有《三略》之名。"又《雜識篇》云："東坡以圯上老人爲隱君子。"

《四庫提要》曰："黄石公事見《史記》。《三略》之名始見于《隋·經籍志》，云下邳神人撰，成氏注。《唐》、《宋·藝文志》所載並同。相傳其源出于太公，圯上老人以一編書授張良者，即此。蓋自漢以來，言兵法者往往以黄石公爲名，然大抵出于附會。是書文義不古，當亦後人所依託。鄭瑗《井觀瑣

言》亦謂其非圯橋授受之書。然後漢光武帝詔書引黃石公
‘柔能制剛、弱能制強’之語，實出書中軍讖之文。其爲漢詔
援據此書，或爲此書剽竊漢詔，均無可考，疑以傳疑，亦姑過
而存之焉。”

又《簡明目録》曰：“其文不類秦、漢間書，謂之北宋以前舊本
則可矣。”

梁又有《黃石公記》三卷，《黃石公略注》三卷。 “略注”上或敓“記”字，
或敓“三”字。

《後漢書·臧宮傳》：“光武詔報臧宮、馬武曰：‘《黃石公記》
曰：‘柔能制剛，弱能制彊。’”章懷太子曰：“即張良于下邳圯
所見老父出一編書者。”

《文選·關中詩注》、《郭有道碑文注》、《連命論注》引《黃石公
記序》曰：“張良慮若源泉，深不可測。”又曰：“黃石者，神人
也，有《上略》、《中略》、《下略》。”

《初學記·天部》：《黃石公記》云：“黃石，鎮星之精也。黃
者，鎮星色也。石者，星質也。”《開元占經·填星占》注引《黃石公三
略》同。

　案此《黃石公記》據《選注》、《占經》言亦即《三略》。此《黃
　石公略注》似即前《成氏三略注》，蓋梁目所載一無注本，一
　注本。本志特注其與見存異同耳，非以爲別是一書，故不
　云亡。

黃石公三奇法一卷。梁有《兵書》一卷。

《通志·藝文略》兵陰陽家：《黃石公三奇法》一卷。

　案遁甲書有“三奇”名目，似即所謂奇門也。《抱朴子·對
　俗篇》云：“運三棋以定行軍之興亡，推九符而得禍福之分
　野。”疑即此“三棋”，而亦爲“奇”。本志五行風角類中有
　《黃石公北斗三奇法》一卷，疑即是書。梁有《兵書》一卷，

而不注云亡，似即此《三奇法》，亦但注其異同耳。

《張良經》與《三略》往往同亡。一本"三略"作"三洛"，似誤。

《史》、《漢·功臣侯表》：留文成侯張良以廐將從起下邳，以韓申徒下韓國，《漢表》作申都，《漢傳》作司徒。入武關，設策降秦王嬰，解上與項羽之隙，爲漢王請漢中地，常爲計謀，平天下，侯，萬戶。高帝六年正月丙午封，十六年薨。高后三年，侯不疑嗣。十年，孝文五年，坐與門大夫殺故楚内史，贖爲城旦。國除。

《唐書·經籍志》：《張良經》一卷，張良撰。《張氏七篇》七卷，張良撰。

《唐書·藝文志》：《張良經》一卷，《張氏七篇》七卷，注云張良。

案《史》、《漢》世家列傳云："留侯從上擊代，出奇計下馬邑，及立蕭相國，服虔曰："何時未爲相國，良勸高祖立之。"所與從容天下事甚衆，非天下所以存亡，故不著。"蓋史傳所載，皆其大事關天下存亡者，其他計議、言論雖多，皆從略也。又《漢·藝文志》云："漢興，張良、韓信序次爲兵法，凡百八十二家，删取要用，定著三十五家。"觀于此必有書傳記述其事者，此《張良經》及《張氏七篇》不知是一是二，或猶爲漢代相傳。《晉書·天文志》言范蠡、鬼谷先生、張良並有州郡躔次之説，當亦在是書中。又宋晁載之《續談助》抄殷芸《小説》有《張子房與四皓書》、《四皓答書》。注曰："出張良書。"嚴氏《文編》謂後人擬作，不知是否亦在此書。《太平御覽·圖書綱目》有《兵法七書》，在元豐《武經七書》之前，疑即《唐志》之《張氏七篇》也。

又案此注云"《張良經》與《三略》往往同亡"，蓋《七録》語也。豈舊時《三略》在《張良經》中合爲一書，故云同亡，言《張良經》亡而《三略》與之偕亡歟？此之《三略》爲張良所

傳，非世所傳之《三略》歟？《文選·運命論》云：“張良受
《黃石》之符，誦《三略》之説。”李康，魏明帝時人，其所言
《三略》即《張良經》中之《三略》，非成氏所注之《三略》歟？

黃石公五壘圖一卷

《通志·藝文略》兵家營陣類：《黃石公五壘圖》一卷。

黃石公陰謀行軍祕法一卷。梁有《黃石公祕經》二卷。

《初學記·職官部》：《黃石公陰謀祕法》曰：“熒惑，火之精，
御史之象，主禁令刑罰，收捕糾正。”

《唐書·經籍志》：《黃石公陰謀乘斗魁剛行軍祕》一卷。《藝文
志》同。

大將軍兵法一卷

不著撰人。

案此與張良並類從于黃石公諸書中，似此大將軍者，韓信
也。《漢志》兵家敍云張良、韓信敍次兵法。又兵權謀家
《韓信》三篇，師古曰：“淮陰侯。”此或猶是其書。

黃石公兵書三卷

錢塘汪師韓《文選理學權輿》曰：“《選注》所引群書有《黃石公
兵書》。”

案前《黃石公三奇法》條下云梁有兵書一卷，疑即此書。

又案黃石公書自《內記敵法》至此，本志著録凡六部，附著
梁有四部，又因類附入《張良經》、《大將軍》各一部，是又
一段。

兵書接要十卷　魏武帝撰。梁有《兵書接要別本》五卷，又有
《兵書要論》七卷，亡。

魏武帝有《孫子兵法注》，又有《續孫子兵法》、《太公陰謀解》，
並見于前。汪氏《文選注引書目》又有《司馬法注》，本志無之。

《魏志·武紀》注：孫盛《異同雜語》云：“太祖博覽群書，特好

兵法，鈔集諸家兵法，名曰《接要》，傳于世。"

《唐日本國見在書目》：《兵書要》三卷，《兵書接要》三卷，魏武帝撰。《兵書論要》一卷，魏武帝撰。

《唐書‧經籍志》：《兵法捷要》七卷，魏武帝撰。一本作《兵書接要》。

《唐書‧藝文志》：魏武帝《兵書接要》七卷。一作"捷要"。又此條下注云孫武，因上文寫誤。

汪師韓《文選注引群書目録》曰："《兵書接要》，魏武帝鈔集。孫志祖曰：'案《舊唐志》《兵法捷要》七卷，魏武帝撰。《捷要》即《節要》也。魏諱節改耳。'"案"接"、"捷"古亦通。《漢志》道家《捷子》二篇，《史記‧孟荀列傳》作《接子》。

侯康《補三國藝文志》曰："《魏志》本紀注、《文選‧魏都賦》注引皆作'接要'，與《隋志》同。《唐志》作'捷要'。《御覽》卷八、卷十一引凡四條，又作'輯要'。"

兵法接要三卷　魏武帝撰

案前條已云梁有別本五卷，此則見存別本三卷也。

三宮用兵法一卷

不著撰人。

案上文有《太公三宮兵法》、《太一三宮兵法》，此列在魏武書中，殆即魏武之《三宮用兵法》而失注撰人者。

兵書略要九卷　魏武帝撰。梁有《兵要》二卷。

《唐日本國見在書目》：《兵書要略》，魏武帝撰。不著卷數。

《通志‧藝文略》：《兵書略要》九卷，魏武帝撰。

嚴氏《全三國文編》曰："魏武帝有《兵書要略》九卷。《太平御覽》三百五十七引《兵書要略》曰：'銜枚毋讙譁，唯令之從。'"案鮑刻本《御覽》引此條作魏文帝，而卷首《圖書綱目》唯有《魏武兵書輯略》，故嚴氏定爲魏武帝也。

案《舊唐志》有《兵法要略》十卷，魏文帝撰。一本"兵法"作"兵書"。《新志》魏文帝《兵書要略》十卷,似即此書,而以爲文帝。考《日本書目》、《通志略》皆無之,似《舊志》之誤,《新志》仍之也。梁有《兵要》二卷,殆即《略要》之别本,故不云亡。

魏武帝兵法一卷

《魏志·武紀》注:《魏書》曰:"太祖自統御海内,芟夷群醜,其行軍用師,大較依孫、吴之法,而因事設奇,譎敵制勝,變化如神。自作兵書十萬餘言,諸將征伐,皆以新書從事。臨事又手爲節度,從令者克捷,違教者負敗。"

《蜀志·諸葛傳》注:建興六年十一月,上言曰:"曹操智計殊絶于人,其用兵也,髣髴孫、吴,先帝每稱操爲能。"

《太平御覽·人事部·容止篇》:《益部耆舊傳》曰:"張松爲人短小,然識遠精果,有材幹。劉璋乃遣詣曹公,曹公不甚禮,楊修深器之。修以公所撰兵書示松,飲讌之間,一省即便闇誦。"

案此似即《新書》,杜牧言魏武注解《孫子》十不釋一,蓋惜其所得,自爲《新書》。《唐日本國書目》載《魏武帝兵書》十三篇,似亦仿《孫子》十三篇,而以篇爲卷。此一卷或合併也。

梁有《魏時群臣表伐吴策》一卷,《諸州策》四卷,《軍令》八卷。

不著撰人。

侯氏《三國藝文志》曰:"此三書《隋志》並在亡書之内,《通典》一百四十九引魏武《軍令》、《船戰令》、《步戰令》。《御覽·兵部》亦引之。又有《魏書》曹公令,疑即所謂《軍令》八卷者也。"

案《魏志·傅嘏傳》云:"時論者議欲伐吴,三征獻策各不同。詔以訪嘏。"注引司馬彪《戰略》曰:"嘉平四年四月,孫權死。征南大將軍王昶、征東將軍胡遵、鎮南將軍毌丘儉等表請征吳。朝廷以三征計異，詔訪尚書傅嘏，嘏對云云。"此所載《群臣表伐吳策》似即其事，《諸州策》亦即其類。《唐六典·刑部》注："魏命陳群等撰《州郡令》、《尚書官令》、《軍中令》。"合若干篇。此《軍令》八卷，蓋當時行本，其後亦編入魏令中，別其名曰《軍中令》。自魏武《兵書接要》至此，皆曹魏一代新撰兵書，是又爲一段。

又案本志此類大致依仿《漢·藝文》之例。以上自《司馬法》至此，尋其章法，似是兵權謀之類。

梁有《尉繚子兵書》一卷。

《漢書·藝文志》兵形勢家：《尉繚》三十一篇。

本志雜家：《尉繚子》五卷，梁并錄六卷。尉繚，梁惠王時人。

《宋史·藝文志》：《尉繚子》五卷。戰國時人。《舊》、《新唐志》皆入雜家，見前。

晁氏《讀書志》：《尉繚子》五卷。尉繚子，未詳何人。書論兵主刑法。案《漢·藝文志》有二十九篇，今逸五篇。首篇稱'梁惠王問'，意其魏人歟？其卒章有曰：'古之善用兵者，能殺卒之半，其次殺其十三，其下殺其十一。能殺其半者，威加海内；殺十三者，力加諸侯；殺十一者，令行士卒。'嗚呼！觀此則爲術可知矣。"

陳氏《書錄》曰："尉繚子，六國時人。案《漢志》雜家有二十九篇，兵形勢家又有三十一篇，今書二十三篇，未知果當時本書否。"

明宋濂《諸子辯》曰："《尉繚子》二十四篇，較之《漢志》雜家二十九篇已亡五篇。案此沿晁《志》之說，失之不考。當援《漢志》兵形勢家三十一篇爲據。其論兵曰：'兵者，凶器也。爭者，逆德也。將者，死官也。故不得已而用之。無天于上，無地于下，無王于後，無敵于前。一人之兵,如狼如虎,如風如雨,如雷如霆,震震冥冥,天下皆驚。'由是觀之,其威烈可謂莫之嬰矣。及究其所以爲用,則曰:'兵不攻無過之城,不殺無罪之人。夫殺人之父兄,利人之貨財,臣妾人之子女,此皆盜也。'又曰:'兵者,所以誅暴亂,禁不義也。兵之所加者,農不離其田業,賈不離其肆宅,士大夫不離其官府,故兵不血刃而天下親。'嗚呼!又何其仁哉!戰國談兵者有言及此,君子蓋不可不與也。宋元豐中,是書與《孫》、《吳》、《司馬法》、《三略》、《六韜》、《問對》頒行武學,號爲'七書'。"

《四庫提要》曰:"《漢志》兵形勢家別有《尉繚》三十一篇。故胡應麟謂兵家之《尉繚》即今所傳。特今書止二十四篇,與所謂三十一篇者數不相合,則後來已有所亡佚,非完本矣。其書大指主于分本末,別賓主,明賞罰,所言往往合于正。如云'兵不攻無過之城'云云,皆戰國談兵者所不道。晁《志》有張載注《尉繚子》一卷,則講學家亦取其説。然書中《兵令》一篇,于誅逃之法言之極詳。可以想見其節制,則亦非漫無經略,高談仁義者矣。其書坊本無卷數。今酌其篇頁,仍依《隋志》之目,分爲五卷。"案此則舊時通行本亦一卷,與本志此條相合。

張氏《書目答問》:周秦諸子,《鶡子》、《子華子》皆僞書,《六韜》、《關尹》、《鄧析》、《燕丹》僞而近古,《尉繚子》尤謬,不録。案本志無《關尹子》,知其僞在隋以後。

　　案是書梁時有兩本,一五卷本,有録一卷,入雜家。一一卷本,入兵家。五卷二十四篇,晁《志》録有明文一卷,亦二十四篇,則《四庫提要》實著録也。故知此一卷即雜家之五卷。本志此條注梁有而不云亡,似亦以爲一書。

兵林六卷　　東晉江都相孔衍撰

孔衍有《凶禮》,見經部禮類。

《唐書·經籍志》:《兵林》六卷,孔衍撰。

《唐書·藝文志》:孔衍《兵林》六卷。

《闕里文獻·孔氏著述考》:兵者,所以禁暴止邪也。二十二代孫晉廣陵太守衍,有《兵林》六卷。

　　案孔衍終官廣陵相,此題江都相,蓋以隋唐時地名名之也。《唐日本書目》有《兵林玉府》三卷,不著撰人,似即此書。

兵林一卷

不著撰人。

　　案此或是孔氏之別本。《唐日本書目》又有《兵林正府》一卷,似即此書。玉府,正府,未詳孰是。

玄女戰經一卷

玄女別見下一條。

《藝文類聚·火部》:《玄女戰經》曰:"諸見舉烽火煙火,傳言虜且起,欲知審來不,以言者時所加之,得陽者不來,得陰者爲來法。"亦見《御覽》兵部《烽燧篇》,嚴氏皆輯入《玄女兵法》中。

　　案此與下文《玄女兵法》隔越不相屬,豈原本果如此雜亂耶?抑轉寫之誤耶?

武林一卷　王略撰

王略,始末未詳。宋有王略,明帝泰始初爲博士,有《昭太后祔廟議》。嚴氏《文編》輯之,不知是否即其人也。

《唐日本國見在書目》:《武林》一卷,王略撰。

《唐書·藝文志》:王略《武林》一卷。

黄帝問玄女兵法四卷　梁三卷。

《唐書·經籍志》:《黄帝問玄女法》三卷,玄女撰。

《唐書·藝文志》:《黄帝問玄女法》三卷。

嚴氏《全三代文編》曰："玄女未詳，或云天帝女，一云即西王母。有《玄女戰經》一卷，《黃帝問玄女兵法》四卷，皆五行家依託。《後漢書·皇甫嵩傳》注引《玄女三宮戰法》。"又曰："《黃帝問玄女兵法》，《書鈔》、《類聚》、《御覽》、《事類賦注》、《路史·後紀》引凡十二條。"

《孫氏祠堂書目》：《黃帝問玄女兵法》一卷，洪頤煊集本。

秦戰鬭一卷

不著撰人。

《通志·藝文略》兵書家：《秦戰鬭》一卷。

> 案此列《黃帝玄女》之後，似爲嬴秦。而在梁武帝之前，則又似苻秦之書。

梁主兵法一卷

梁武帝兵書鈔一卷　梁武帝兵書要鈔一卷

梁武帝有《周易大義》，見經部易家。

《唐日本國見在書目》：《梁武帝兵法》二卷，《梁武帝勅抄要用兵法》一卷。

《唐書·藝文志》：《梁武帝兵法》一卷。

《通志·藝文略》：《梁武帝兵法》一卷，《兵書鈔》一卷，《兵書要鈔》一卷。

> 案梁武帝有《金策》三十卷，詳見于後。此三書似皆後人抄節之本。

玉韜十卷　梁元帝撰

梁元帝有《漢書注》，見史部正史類。

《金樓子·著書篇》："《玉韜》一袟十卷，金樓出牧渚宮時撰。"又《立言篇》曰："吾少讀兵書三十餘年，搜纂數千，止爲一袟。菁華領裒，備在其中。"

又《雜記篇》曰："余六歲能爲詩,其後著書之中唯《玉韜》最善。"

《梁書》本紀：所著《玉韜》十卷。_{《南史》本紀同。}

《唐書·經籍志》：《玉韜》十卷,梁元帝撰。

《唐書·藝文志》：梁元帝《玉韜》十卷。

金韜十卷

不著撰人。

《隋唐·藝術傳》：劉祐,滎陽人也,開皇初爲大都督,封索盧縣公。其所占候合如符契。高祖甚親之。初與張賓、劉輝、馬顯定曆。後奉詔撰兵書十卷,名曰《金韜》上善之。

《唐書·經籍志》：《金韜》十卷,劉祐撰。

《唐書·藝文志》：劉祐《金韜》十卷。

錢氏《隋書考異》曰："《經籍志》《金韜》十卷,不著撰人,蓋劉祐所撰,見《藝術傳》。"

金策十九卷

不著撰人。

《梁書·武帝本紀》："又撰《金策》三十卷。"《南史》本紀："撰《金海》三十卷。"

　案《南史》作《金海》。《金海》爲隋蕭吉撰,詳見後文。當從《梁紀》作《金策》。此十九卷蓋散佚不全本,隋代見存書目或不知爲梁武書,故不著撰人。

兵書要略五卷　　後周齊王宇文憲撰

後周齊煬王憲有別傳,詳見史部雜傳篇。

《後周書》本傳：憲常以兵書繁廣,難求指要,乃自刊定爲《要略》五篇,至是表陳之。高祖覽而稱善。

《唐書·經籍志》：《兵書要略》十卷,宇文憲撰。

《唐書·藝文志》：後周齊王憲《兵書要略》十卷。

兵書七卷

不著撰人。

案《唐·藝文志》後周齊王憲《兵書要略》十卷之後，有隋高祖《新撰兵書》三十卷，《舊志》作《新授》。本志無隋高祖書，疑此七卷其殘帙。

兵書要術四卷　伍景志撰

伍景志，始末未詳。

《通志·藝文略》：《兵書要術》四卷，任景志撰。此作“任”，未詳孰是。

兵記八卷　司馬彪撰。一本二十卷。

司馬彪有《續漢書》，見史部正史篇。

《唐書·經籍志》：《兵記》十二卷，司馬彪撰。

《唐書·藝文志》：司馬彪《兵記》十二卷。

錢氏《三國志考異》卷首曰：“裴松之注所引書有司馬彪《續漢書》、司馬彪《九州春秋》、司馬彪《戰略》。”

嚴氏《全晉文編》曰：“司馬彪有《戰略》二十卷，《隋》、《唐志》作《兵記》。”

常熟丁國鈞《補晉書藝文志》曰：“司馬彪《戰略》見裴氏《三國志注》。《御覽》引書綱目又有司馬彪《戰經》。彪有《兵記》二十卷。《戰略》、《戰經》疑皆其書篇目也。”

兵書要序十卷　趙氏撰

趙氏不詳何人。

《通志·藝文略》：《兵書要序》十卷，趙氏撰。

兵法五卷

雜兵書十卷。梁有《雜兵書》八卷，《三家家法要集》三卷，《戎略機品》二卷，亡。

並不著撰人。

大將軍一卷

不著撰人。

案前黃石公諸書中已有《大將軍兵法》一卷,此大將軍不知何人,疑即前書而見于別家書目者。

雜兵圖二卷

兵略五卷

並不著撰人。

軍勝見十卷　許昉撰

許昉,始末未詳。

《唐日本國見在書目》:《軍勝》十卷。

《唐書·經籍志》:《許子新書軍勝》十卷。《藝文志》同。

戎決十三卷　許昉撰

案此蓋亦許子新書之一種。《晉書·天文志·雜氣篇》有云:“凡軍勝之氣,如隄如坂,前後磨地。或如火光,將軍勇,士卒猛。”此《軍勝見》及《戎決》大抵皆如是之類。

陣圖一卷

不著撰人。

《唐日本國見在書目》:《陣圖》一卷。

陰策二十二卷　大都督劉祐撰

劉祐有《金韜》,見前。

《隋書·藝術傳》:祐奉詔撰兵書十卷,名曰《金韜》,上善之。

復著《陰策》二十卷。

陰策林一卷

不著撰人。

案此似即從《陰策》中抄出,林占之屬,用以占出軍勝負者。

承神兵書二十卷

不著撰人。

《唐書·經籍志》：《承神兵書》八卷。《藝文志》同。

案《承神兵書》大抵如上文所載宋武所傳神人書、下邳神人黃石公書、《玄女戰經》、《玄女兵法》及下文《真人水鏡》、《黃帝蚩尤風后行軍祕術》、《太一兵書》之類，彙爲一書，言承神傳授之兵書云爾。

真人水鏡十卷

不著撰人。

《唐日本國見在書目》：《真人水鏡》十卷。不著撰人。

《唐書·經籍志》：《真人水鏡》十卷，陶弘景撰。

《唐書·藝文志》：陶弘景《真人水鏡》十卷。

案陶弘景有《毛詩序注》，詳見經部詩類。是書《梁書》、《南史·隱逸傳》及陶翊所撰《隱居先生本起録》皆不載，兩《唐志》又有《握鏡》三卷。

戰略二十六卷　金城公趙煚撰

《隋書》本傳：煚字賢通，天水西人也。深沈有器局，略涉書史。周太祖引爲相府參軍事，從破洛陽。又帥所領與齊人前後五戰。陳將吳明徹屢爲寇患，前後十六戰，每挫其鋒。後從上柱國于翼伐陳，克陳十九城而還。以功封平定縣男。歷大宗伯。高祖踐阼，煚授璽綬，進位大將軍，賜爵金城郡公，拜尚書右僕射，爲陝州、冀州刺史。開皇九年卒，年六十八。

《通志·藝文略》：《戰略》二十六卷，金城公趙煚撰。

金海三十卷　蕭吉撰

蕭吉有《樂論》，見經部樂類。

《隋書》、《北史·藝術傳》：著《金海》三十卷。

《唐書·經籍志》：《金海》四十七卷，蕭吉撰。

《唐書·藝文志》：蕭吉《金海》四十七卷。《日本書目》三十七卷。

兵書二十五卷

不著撰人。

案自《尉繚子》至此，亦似依仿《漢志》爲兵形勢之類。大抵雜抄諸家書目上，多不齊一。

雜撰陰陽兵書五卷　莫珍寶撰

莫珍寶，始末未詳。

《通志·藝文略》兵陰陽家：《陰陽兵書》五卷，莫珍元撰。此作"珍元"，未詳孰是。

案細覈本志章次節目，此書實爲兵陰陽之首，而列于黃帝、老子之前，莫明其故。其曰"雜撰"，豈雜取《漢志》十六家之遺佚而撰集成書，不以撰集人序時代歟？五行類以後人所集《風角要占》十二卷，列漢京房、翼奉之前，蓋與此同例，實爲舛謬也。

黃帝兵法雜要決一卷
黃帝軍出大師年命立成一卷

嚴氏《全上古文編》曰："案《隋志》：《黃帝兵法雜要訣》一卷。《五行大義》第五篇引《黃帝兵訣》。此省詞。《開元占經》引《黃帝兵法》、《黃帝用兵要法》、《用兵要訣》、《太平御覽》引《黃帝出軍訣》。"

又曰："《漢書·胡建傳》引《黃帝李法》。《隋志》黃帝兵法共八種。《李法》、《律法》、《兵律》在其中。今輯《李法》一條，《兵法》五條，《出軍訣》一條。"案《律法》、《兵律》不見，似有所漏，別有《黃帝占》三卷，詳見後天文家。八種者，此下所載七種，并上文《黃帝兵法孤虛雜記》一種也。

案《類聚》、《御覽·天部》並引《黃帝占軍訣》，《類聚·居處部》引《黃帝軍氣訣》，《初學記·武部》、《器物部》、《類聚·軍器部》、《祥瑞部》並引《黃帝出軍訣》，似皆出此二書。

黃帝複姓符二卷　許昉撰

許昉有《軍勝見》及《戎決》，並見前。

《通志·藝文略》兵陰陽家:《黃帝複姓符》一卷,許昉撰。

梁有《辟兵法》一卷。

不著撰人。

案《漢志》兵陰陽家有《辟兵威勝方》七十篇,此或其殘佚僅存者。

黃帝太一兵曆一卷

《唐書·藝文志》:《黃帝太一兵曆》一卷。

案《漢志》兵陰陽家有《黃帝》十六篇,《太壹兵法》一篇,此不知是否合兩家之遺説爲一書。《初學記·禮部》引《黃帝太一密推》,《藝文類聚》三十九引作《察推》,疑即是書。

黃帝蚩尤風后行軍祕術二卷。梁有《黃帝蚩尤兵法》一卷,亡。

《史記·五帝本紀》:"黃帝者,少典之子,姓公孫,名曰軒轅。軒轅之時,神農氏世衰。諸侯相侵伐,暴虐百姓,而神農氏弗能征。于是軒轅乃習用干戈,以征不享,諸侯咸來賓從。而蚩尤最爲暴,莫能伐。炎帝欲侵陵諸侯,諸侯咸歸軒轅。軒轅乃脩德振兵,教熊羆貔貅貙虎,以與炎帝戰于阪泉之野。三戰,然後得其志。蚩尤作亂,不用帝命。于是黃帝乃徵師諸侯,與蚩尤戰于涿鹿之野,遂禽殺蚩尤。而諸侯咸尊軒轅爲天子,代神農氏,是爲黃帝。天下有不順者,黃帝從而征之,平者去之,披山通道,未嘗寧居。而邑于涿鹿之阿。遷徙往來無常處,以師兵爲營衛。舉風后、力牧、常先、大鴻以治民。"《正義》曰:"鄭玄云:'風后,黃帝之三公也。'案黃帝仰天地置列侯衆官,以風后配上台,天老配中台,五聖配下台,謂之三公也。"餘詳見余所輯《漢志條理》道家、兵家兩類中。

《抱朴子·極言篇》:黃帝講占候則詢風后,審攻戰則納五音之策。《漢志》數術五行家有《五音奇胲用兵》二十三卷,蓋言納音之術,即此所謂"納五音之策"也。

《唐日本國見在書目》：《黃帝蚩尤兵法》一卷。

《通志·藝文略》兵陰陽家：《黃帝蚩尤風后行軍祕術》二卷，
《黃帝蚩尤兵法》一卷。又營陣類有《風后握機圖經》、《風后握奇八陣圖》各
一卷。案今傳《握機經》一篇疑出是書。

> 案《漢志》兵陰陽家有《黃帝》十六篇，《圖》三卷，《風后》十
> 三篇，《圖》二卷。又兵形勢家有《蚩尤》二篇，此不知是否
> 合三家之遺説爲一書。梁有一卷，雖不云風后，而亦是
> 此書。

老子兵書一卷

老子惟有《道德經》，見前道家。

《唐日本國見在書目》：《孝子寶訣》一卷。“孝”爲“老”字之誤。

《通志·藝文略》兵陰陽家：《老子兵書》一卷。

吳有道《占出軍決勝負事》一卷。梁二卷。又《黃帝出軍雜用決》十二卷，《風氣占軍決勝戰》二卷，太史令全範撰。“全”當爲“吳”。

對敵權變一卷　吳氏撰

《吳志·吳範傳》：範字文則，會稽上虞人也。以治曆數，知風
氣，聞于郡中。舉有道，詣京都，世亂不行。會孫權起東南，
範委身服事，每有災祥，輒推數言狀，其術多效，遂以顯名。
權以爲騎都尉，領太史令，數從訪問，欲知其決。範祕惜其
術，不以至要語權。權由是恨之。及後論功行封，以範爲都
亭侯。詔臨當出，權恚其愛道于己也，削除其名。黃武五年，
病卒。于是業絕。權募三州有能舉知術數如吳範、趙達者，
封千戶侯，卒無所得。

《吳錄》曰：“皇象工書，嚴武圍棊，宋壽占夢，曹不興畫，鄭嫗
相人，及吳範、劉惇、趙達八人，世皆稱妙，謂之八絕云。”惇、達、
《吳志》有傳。惇，明天官占數，尤明太乙。達，治九宮一算之術。

案吳範舉有道，見本傳。傳載其《占出軍決勝負事》尤顯著

者數條,當出是書。由是知吳有道即吳範。範爲太史令,終其身,知此注作全範者,亦吳範之誤。其《黄帝出軍雜用決》十二卷,當爲範所演集。餘三書似皆記當時占驗之事,或爲吳人所録。《魏志·陶謙傳》注引謝承書有揚州從事會稽吳範,當即其人,猶在孫權未起之時也。《太平御覽》引書目録有《吳軌占候風氣祕訣》,蓋即此類之書,而"範"誤爲"軌"。

對敵占風一卷

不著撰人。

案五行家有《兵法風角式》一卷,疑即是書。

梁有《黄帝夏氏占氣》六卷,亡。

《通志·藝文略》兵陰陽家:《黄帝夏后氏占氣》六卷。

案夏氏有《日旁氣圖》一卷,别見後天文家。《通志略》作夏后氏,未詳所據。豈今本《隋志》敚"后"字乎?何以《漢書·天文志》亦稱夏氏不云夏后氏也?

梁有《兵法風氣等占》三卷,亡。

不著撰人。

對敵權變逆順一卷

不著撰人。

《唐日本國見在書目》:《兵書對敵權變逆順法武王代殷法》一卷。案"代"當爲"伐"。是書蓋載武王伐殷之事耳。

《唐書·藝文志》:"《太公六韜》六卷,《當敵》一卷。"

案《太平御覽·天部》引《太公對敵權變逆順法》曰:"夫軍出逢天無雲而雨,此天泣也。軍没不還。"則是書亦託之太公,由是證知《唐志》所載太公諸書有《當敵》一卷,即此書。其事其文,嚴氏所輯《太公陰謀》、《金匱》諸篇亦略可見矣。

兵法權儀一卷

不著撰人。

《通志·藝文略》兵陰陽家：《兵法權儀》一卷。

案劉熙《釋名》云："儀，宜也，得事宜也。"蓋與宜通。

六甲孤虛雜決一卷

不著撰人。

梁有《孫子占關六甲兵法》一卷。

孫子有《兵法》，見前。

文登畢以珣《孫子敍録》曰："《隋》、《唐志》又有《孫子牝八變陳圖》、《三十三壘經》、《戰鬭六甲兵法》。"案《漢志》惟云《孫子》八十二篇，而《隋》、《唐志》于十三篇之外又有數種，可知具在八十二篇之内也。

六甲孤虛兵法一卷

孤虛法十卷。梁有《兵法遁甲孤虛斗中域法》九卷。

不著撰人。

《史記·龜策傳》："褚先生曰：'日辰不全，故有孤虛。'"《集解》曰："駰案甲乙謂之日，子丑謂之辰。《六甲孤虛法》：甲子旬中無戌亥，戌亥即爲孤，辰巳即爲虛。甲戌旬中無申酉，申酉爲孤，寅卯即爲虛。甲申旬中無午未，午未爲孤，子丑即爲虛。甲午旬中無辰巳，辰巳爲孤，戌亥即爲虛。甲辰旬中無寅卯，寅卯爲孤，申酉即爲虛。甲寅旬中無子丑，子丑爲孤，午未即爲虛。劉歆《七略》有《風后孤虛》二十卷。"《正義》曰："案歲月日時孤虛，並得上法也。"

《後漢書·方術傳》序曰："其流又有孤虛之術。"章懷太子曰："孤謂六甲之孤辰，若甲子旬中，戌亥無干，是爲孤也，對孤爲虛。《前書·藝文志》有《風后孤虛》二十卷。"

案《風后孤虛》二十卷，見《漢志》數術五行家。此以上四書，梁有九卷，似即著録之《孤虚法》十卷，或爲漢時留遺，或爲後人推演，無以詳知。范書《方術·趙彦傳》："南陽宗資爲討寇中郎將，彦爲陳孤虚之法，從孤擊虚以討之。彦推遁甲，教以時進兵，一戰破賊。"此其事之有驗見于正史者。

兵書雜占十卷。梁有《兵法日月風雲背向雜占》十二卷，《兵法》三卷，《虚占》三卷。

並不著撰人。

案"虚占"當是"孤虚占"，敓"孤"字。然考《藝文略》亦作"虚占"，則宋本已然矣。《四庫提要》兵家序曰："其間孤虚、王相之説，雜以陰陽五行；風雲、氣色之説，又雜以占候。故兵家恒與術數相出入，術數恒與兵家相出入。"此類是已。

梁有《京氏征伐軍候》八卷。

京氏似即京房，有《周易章句》，見經部易家。

案《漢書》本傳："永光、建昭間，西羌反，日蝕，久青亡光，陰霧不精。房數上疏，先言其將然，天子以所言屢中，數召見問。"蓋西羌之反，房先言其然，或其門弟子如任良、段嘉、姚平、桑弘輩録其奏對及占候，爲是書，未可知也。又《藝文志》《災異孟氏京房》六十六篇，《京氏段嘉》十二篇，或後人取其易傳中占候之涉于軍事者，推演其説，爲是書，亦未可知也。《御覽·咎徵部》引京房曰："若出軍之日，無雲而雨，此天泣，軍没不還；雨不沾衣，名曰鬼泣，其軍必敗。"似出此書。與天部引《太公對敵權變逆順法》略同。《開元占經》引京房諸占頗及軍事，或亦出是書。

兵書雜曆八卷

不著撰人。

《通志・藝文略》兵陰陽家：《兵書雜曆》八卷。

太一兵書一十一卷。梁二十卷。

《史記・天官書》：“中宮天極星，其一明者，太一常居也。其一曰天一。”《正義》曰：“泰一，天帝之別名也。劉伯莊云：‘泰一，天神之最尊貴者也。’”又曰：“太一一星次天一南，亦天帝之神，主使十六神，知風雨、水旱、兵革、饑饉、疾疫。占以不明及移爲災也。”

王氏《漢志考證》：《武經總要》曰：“太一者，天帝之神也。其星在天一之南，總十六神，知風雨、水旱、金革、凶饉，陰陽二局，存諸祕式，星文之次舍，分野之災祥。貴乎先知，逆爲之備。用軍行師，主客勝負，蓋天人之際相參焉。”

《唐書・經籍志》：《太一兵法》一卷。《藝文志》同。按此一卷與本志卷數懸殊，或非其流。

案《漢志》兵陰陽家有《太壹兵法》一篇，《天一兵法》三十五篇。又數術天文家《泰壹雜子星》二十八卷，《泰壹雜子雲雨》三十四卷。五行家《泰一陰陽》二十三卷，《泰一》二十九卷。此或取諸家言兵占者彙次爲是書，或後世太一家之言兵占者也。

兵法内術二卷

兵法要決九卷　闕一卷。

軍國要略一卷

兵法要録二卷

並不著撰人。

用兵撮要二卷

用兵要術一卷

並不著撰人。

《唐書・經籍志》：《用兵撮要》二卷。

《唐書·藝文志》:《用兵撮要》二卷,《用兵要術》一卷。

用兵祕法雲氣占一卷

五家兵法一卷

並不著撰人。

兵法三家軍占祕要一卷　　李行撰

李行,始末未詳。

氣經上部占一卷

天大芒霧氣占一卷

並不著撰人。

> 案《隋書·藝術·庾季才傳》,季才上言引《氣經》云:"天不能無雲而雨,皇王不能無氣而立。"《初學記·天部》引《望氣經》曰:"十月癸巳,霧赤爲兵,青爲殃。"則此《芒霧氣占》亦名《望氣經》,亦即《氣經上部占》一類之書。所謂上部占者,大抵是氣經言兵占之事,在上一部也。

鬼谷先生占氣一卷

鬼谷先生有《鬼谷子》,見前從橫家。

五行候氣占災一卷

不著撰人。

乾坤氣法一卷

不著撰人。

> 案五行家亦有《乾坤氣法》一卷,注云許辯撰。辯不知何人,此或即辯書。本志天文家有《雜望氣經》八卷。此以上五書及下《雜匈奴占》、《對敵占》似即《雜望氣經》之散見者。

雜匈奴占一卷　　漢武帝王朔注　"漢武帝"下有敚文。

《史記·天官書》曰:"夫自漢之爲天數者,星則唐都,氣則王朔,占歲則魏鮮。"又《望雲氣篇》曰:"王朔所候,決于日旁。日旁雲氣,人主象。皆如其形以占。故北夷之氣如群畜穹間，南夷之氣類舟舩幡旗。大水處，敗軍場，破國之虛，下有積錢，金寶之上，皆有氣，不可不察。"又曰："雲氣各象其山川人民所聚積。"《漢·天文志》同。

《世説·文學篇》注：《東方朔傳》曰："孝武皇帝時，未央宮前殿鍾無故自鳴，三日夜不止。詔問太史待詔王朔，朔言恐有兵氣。"

《通志·藝文略》兵陰陽家：《雜匈奴占》一卷，漢王朔撰。

案王朔字里無考，班書《李廣傳》："廣以不侯問望氣王朔。"蓋武帝時，以望氣官太史待詔，即漢官所謂靈臺待詔也。其所著當在《漢志》天文家《漢日旁氣行事占驗》三卷、十三卷兩書中。《天官書》、《天文志》皆引其説。《開元占經》日占類亦引"王朔曰"八條。此《雜匈奴占》殆即《行事占驗》之一篇，亦或是望氣經之一種。

對敵占一卷

不著撰人。

案上文有《對敵占風》一卷，此在望氣一類之中，當是《對敵占氣》，或敚"氣"字。

雜占八卷

不著撰人。

案此八卷疑即天文家所載梁有《雜望氣經》八卷。

梁有《推元嘉十二年日時兵法》二卷，《逆推元嘉五十年太歲計用兵法》一卷。

並不著撰人。

案此爲宋文帝元嘉時人所作，猶京房《逆刺占災異》，房傳所謂"西羌反，先言其將然"之類。然考《宋書·文帝本紀》，元嘉十二年，惟有九月蜀郡賊張尋爲寇一事。小醜陸梁，無關軍國，豈所推即爲此事歟？元嘉五十年，則爲後廢帝元徽元年，太歲在癸丑，是年亦平靖無軍興事。不知此所推云何也。又疑"五十年"爲"三十年"之誤。

兵殺曆一卷

不著撰人。

案五行家有《雜殺曆》九卷,蓋言煞氣,此殆其中之一卷。

又案自《雜撰陰陽書》至此,亦似依仿《漢志》爲兵陰陽之類。

馬槊譜一卷。梁二卷。

不著撰人。

《南史·梁簡文帝本紀》:所著《馬槊譜》一卷。

《太平御覽·兵部》:《通俗文》曰:"矛丈八者謂之槊。"

梁簡文帝《馬槊譜序》曰:"馬槊爲用,雖非遠法,近代相傳,稍已成藝。鄧蔗縈魏后之庭,武而猶質;桓馬入丹陽之寺,雄而未巧。聊以餘暇,復撰斯法。搜采抑揚,斟酌煩簡。"

《北史·藝術·蔣少游傳》:始孝文時,趙國李幼序、洛陽丘何奴並工握槊。此蓋胡戲,近入中國。胡王有弟一人遇罪,將殺之,弟從獄中爲此戲以上之,意言孤則易死也。宣武以後,大盛于時。案北魏孝文、宣武兩帝當南朝宋季及齊代至梁初天監之時。

案《梁書·羊侃傳》:"大同三年,車駕幸樂游苑,侃預宴。時少府奏新造兩刃槊成,長丈四尺,圍一尺三寸,高祖因賜侃馬,令試之。侃執槊上馬,左右擊刺,特盡其妙。"又《南史·柳世隆傳》:"齊永明時,世隆爲尚書令。常自云馬槊第一,清談第二,彈琴第三。"蓋尤善于馬槊。此梁簡文帝所謂"近代相傳,稍已成藝"之略可見者。

梁有《騎馬都格》一卷,《騎馬變圖》一卷,《馬射譜》一卷,亡。

並不著撰人。

《文選·赭白馬賦》注:"邯鄲淳《藝經》曰:'馬射左邊,爲月支二枚,馬蹄三枚也。'李善曰:'月支、馬蹄,皆射帖名也。'"

《通志・藝文略》藝術類：“《騎馬都格》一卷，梁朝書籍。《騎馬變圖》一卷，見《隋志》。《馬射譜》一卷，見《隋志》。”

　　案張氏《名畫記》載：“南齊毛惠遠，榮陽陽武人，官至少府卿。善畫馬，有《騎馬變勢圖》傳于代。”似即此《騎馬變圖》，敓“勢”字；亦即爲毛惠遠所畫歟？

碁勢四卷

不著撰人。

　　案《廣韻》：“勢，形勢也。”某勢，猶書勢、塞勢之類。

梁有《術藝略序》五卷，孫暢之撰，亡。

孫暢之有《毛詩引辯》，詳見經部詩類。

　　案《通志・藝文略》又有《伎術錄》一卷，孫暢之撰，殆後人節錄是書者。張氏《名畫記》數引孫暢之《述畫記》，當出是書。

梁有《圍碁勢》七卷，湘東太守徐泓撰，亡。

《南史・恩倖・徐爰傳》：爰子希秀，淮南太守。希秀子泓，甚閑吏職，而在事刻薄，于人少恩。仕齊歷位臺郎，秣陵、建康令，湘東太守。徐爰，南琅邪開陽人，有《繫辭注》，見經部易家。

《世本・作篇》曰：“堯造圍棋，丹朱善之。”武威張澍輯注曰：“澍案《路史》：‘堯生丹朱，驁狠媢克，帝悲之，爲制弈棋以閑其情。’《博物志》：‘堯作圍棋以教丹朱。’”

《顏氏家訓・雜藝篇》曰：“圍碁有手談、坐隱之目，頗爲雅戲。但令人耽愦，廢喪實多，不可常也。”

梁有《齊高碁圖》二卷，亡。

《南史・齊高帝本紀》：帝博學，善屬文，工草隸書，弈碁第二品。

梁有《圍碁九品序錄》五卷，范汪等撰，亡。

范汪有《祭典》，見經部禮類。

《世説·方正篇》注：范汪《碁品》曰："江彪與王恬等碁第一品，王導第五品。"《太平御覽·工藝部》；《晉中興書》曰："王恬字敬豫，與濟陽江彪俱善弈碁，爲中興第一。"恬，導次子，見導傳。

《唐書·經籍志》雜藝術類：《碁品》五卷，范汪等注。

《唐書·藝文志》雜藝術類：范汪等注《碁品》五卷。

梁有《圍碁勢》二十九卷，晉趙王倫舍人馬朗等撰，亡。

馬朗，始末未詳。

> 案范汪、馬郎皆晉人，而《七錄》列于《齊高棊圖》之後，似此兩書皆南齊人取范、馬以下諸家之棊品、棊勢集録爲書，故云"范汪等"、"馬朗等"。

梁有《碁品敍略》三卷，亡。

不著撰人。

梁有《建元永明碁品》二卷，宋員外殿中將軍褚思莊撰，亡。

《南史·齊高帝本紀》：帝性寬，常與直閤將軍周覆、給事中褚思莊共碁，累局不倦，覆乃抑上手，不許易行。其弘厚如此。

又《蕭惠基傳》：惠基善弈棋。當時能碁人琅邪王抗第一品，吳郡褚思莊、會稽夏赤松第二品。赤松思速，善于大行；思莊戲遲，巧于鬭棊。宋文帝時，羊玄保爲會稽，帝遣思莊入東，與玄保戲，因製局圖，還于帝前覆之。齊高帝使思莊與王抗交賭，自食時至日暮，一局始竟。上倦，遣還省，至五更方決。抗睡于局後寢，思莊達旦不寐。時或云，思莊所以品第至高，緣其用思深久，人不能及。抗、思莊並至給事中。永明中，勑使抗品碁，竟陵王子良使惠基掌其事。

《南齊書·王諶傳》：明帝好圍棊，置圍棊州邑，以建安王休仁爲圍棊州都大中正，諶與太子右率沈勃、尚書水部郎庾珪之、彭城丞王抗四人爲小中正，朝請褚思莊、傅楚之爲清定訪問。張氏《名畫記》云："宋袁倩畫《王抗棊圖》。"

又《良政·虞願傳》：明帝好圍碁，碁甚拙，去格七八道，物議共欺爲第三品。與第一品王抗圍碁，依品賭戲，抗每饒借之，曰：“皇帝飛碁，臣抗不能斷。”帝終不覺，以爲信然，好之愈篤。願又曰：“堯以此敎丹朱，非人主所宜好也。”《北史·藝術·蔣少游傳》：“始孝文時，有范寧兒者善圍棊，曾與李彪使齊。齊令江南上品王抗與寧兒，制勝而還。”“與”字下有敓文。又《御覽·工藝部》引《齊書》，此條作“武帝”。

梁有《天監碁品》一卷，梁尚書僕射柳惲撰，亡。一本誤作“揮”。

《梁書》本傳：惲字文暢，河東解人也。仕齊爲驃騎從事中郎。梁天監元年，除相國長史兼侍中，與僕射沈約等共定新律。惲立行貞素，以貴公子早有令名。善弈棋，帝每勑侍坐，仍令定碁譜，第其優劣。歷散騎常侍、左民尚書、持節、都督廣交桂越四州諸軍事、仁武將軍、平越中郎將、廣州刺史、祕書監、左軍將軍、吳興太守。天監十六年卒，時年五十三。史不言其尚書僕射官。

《南史·柳元景附傳》：梁武帝好弈碁，使惲品定棊譜，登格者二百七十八人，第其優劣，爲《棊品》三卷，惲爲第二焉。

沈約《棋品序略》曰：“聖上聽朝之餘，因日之暇，迴景紓情，降臨小道，以爲凝神之性難限，人玄之致不窮。今撰録名氏，隨品詳書，俾粹理深情，永垂芳于來葉。”見本集其所序，即此《天監棋品》也。

雜博戲五卷

不著撰人。

《世本·作篇》曰：“烏曹作博。”武威張澍輯注曰：“澍案《中興書》：‘桀作博。’《説文》：‘博，局戲，六箸十二棋也。’《廣韻》引《世本》作‘簙’。《山堂肆考》：‘古者，烏曹作博，以五木爲子，有梟、盧、雉、犢、塞，爲勝負之采。博頭有刻梟形者爲最勝，盧次之，雉、犢又次之，塞爲最下。’”

《唐書·藝文志》藝術類：《雜博戲》五卷。

案《御覽·工藝部》博類載薛孝通《譜序》。孝通，《魏書》、《北史》有傳，疑此是其書。《西京雜記》載竇嬰客安陵，許博昌善六博，作《六博經》一篇。此博書之最古者。

投壺經一卷

不著撰人。

鄭氏《三禮目録》曰："《禮記·投壺第四十》，名曰《投壺》者，以其記主人與賓客燕飲，講論才藝之禮也。此于《別録》屬吉禮，亦實《曲禮》之正篇也。"

《太平御覽·工藝部》：邯鄲淳《藝經》曰："投壺法，十二籌，以象十二月之數。"《魏略》曰："邯鄲淳作《投壺賦》千餘言奏之，文帝以爲工，賜帛十匹。"此一卷或即邯鄲之賦序。

案晁《志》載唐上官儀奉敕删定《投壺經》，采周顒、郝同、梁簡文帝數家爲之。郝同似即郝沖，見後。此一卷不知誰氏。

梁東宮撰太一博法一卷

不著撰人。

案《御覽·工藝部》博類：《遁甲經》曰："天一游亭，六行亭亭，天一之貴神也。戰鬭、博戲、漁獵，但可背不可向也。"《御覽》于博類之中載此一條，疑即本之是書，豈以術數爲博法言當背天一向太一歟？五行家有《戰鬭博戲等法》一卷，亦此之類。

雙博法一卷

不著撰人。

案《雙博法》似即《雙陸法》，晁《志》有《雙陸格》一卷，不題撰人。其法：左右十二梁，設二朋，朋各十五子，一白一黑，用明瓊二，各以其采，由右歸左，子單，則他子得擊，兩子則曰"成梁"，他子雖相當，不得。故武后夢雙陸不勝，狄仁傑

所以云無子也。案武后時已行雙陸,則陳、隋之際當有
其書。

皇博法一卷

不著撰人。

《唐書‧經籍志》藝術:《皇博經》一卷,魏文帝撰。

《唐書‧藝文志》藝術類:魏文帝《皇博經》一卷。

案魏文帝有《列異傳》,見史部雜傳家。此疑從《皇覽》抄
出,猶《皇覽逸禮》、《皇覽冢墓記》之類。

**梁有《大小博法》一卷,《投壺經》四卷,《投壺變》一卷,晉左光禄
大夫虞潭撰。《投壺道》一卷,郝沖撰,亡。**

《晉書‧虞潭傳》:潭字思奧,會稽餘姚人,吳騎都尉翻之孫
也。明帝時歷官侍中、右光禄大夫、開府儀同三司,進爵武昌
縣侯。年七十九,卒于位。贈左光禄大夫、侍中如故,謚曰
孝烈。

郝沖,始末未詳。晁《志》載唐上官儀奉敕刪定《投壺經》,采周顒、郝同、梁簡文
帝數家之書。郝同似即郝沖。

《顏氏家訓‧雜藝篇》曰:“古爲大博則六箸,小博則二煢,今
無曉者。比世所行,一煢十二棊,數術淺短,不足可翫。”鮑宏
《博經》:“博局之戲所擲骰謂之瓊。”趙注曰:“煢即瓊也。”

又曰:“投壺之禮,近世愈精。古者,實以小豆,爲其矢之躍
也。今則惟欲驍,益多益喜,乃有倚竿、帶劍、狼壺、豹尾、龍
首之名。其尤妙者,有蓮花驍。河南周璸,弘正之子,會稽賀
徽,賀革之子,並能一箭四十餘驍。賀又嘗爲小障,置壺其
外,隔障投之,無所失也。至鄴以來,亦見廣寧、蘭陵諸王,有
此校具,舉國遂無投得一驍者。”《西京雜記》言武帝時郭舍人投壺,激矢
令還,一矢百餘反,謂之爲驍。

《唐書‧經籍志》雜藝術類:《投壺經》一卷,郝沖、虞潭注撰。

《大小博法》一卷。不著撰人。

《唐書·藝文志》雜藝術類：郝沖、戰潭注《投壺經》一卷，魏文帝《皇博經》一卷，《大小博法》二卷。案此《大小傳法》次《皇博經》以從類，亦無撰人，與《舊志》同。

武進臧琳《經義雜記》曰：“《隋書·經籍志》梁有《大小博法》一卷，《投壺經》四卷，《投壺變》一卷，晉左光祿大夫虞潭撰；《投壺道》一卷，郝沖撰。《唐·藝文志》作郝沖、虞潭注《投壺經》一卷，則書名、姓氏、卷帙無不誤矣。案唐代所傳別本如此，與梁目不同，非誤也。虞、郝之書今皆不傳。《太平御覽》載《投壺變文》頗譌闕難讀。今並録其原注以待通數者解之。”《御覽》載《投壺變文》凡八十餘言，並注文，非其全也。

烏程嚴可均《全晉文編》曰：“虞潭有《大小博法》一卷，《投壺經》四卷，《投壺變》一卷。”案臧氏、嚴氏皆以《大小博法》歸之虞潭，似未然。

梁有《擊壤經》一卷，亡。

不著撰人。

《太平御覽·工藝部》：《釋名》曰：“擊壤，野老之戲也。”《逸士傳》曰：“堯時有壤父五十人擊壤于康衢。”《藝經》曰：“擊壤，古戲也。”又曰：“壤以木爲之，前廣后銳，長尺四，闊三寸，其形如履。將戲，先側一壤于地，遙于三四十步，以手中壤敲之，中者爲上。”

案自《馬槊譜》至此，據見存書目依《七録》之例編次，其中梁有十五部，皆《七録》雜藝一類之書，詳見卷末。

象經一卷　周武帝撰

周武帝有《鮮卑號令》一卷，見經部小學類。

《周書》本紀：天和四年五月己丑，帝制《象經》成，集百僚講說。

《北史·郎茂傳》：隋文帝爲宅州總管，命掌書記。周武帝爲

《象經》，隋文從容謂茂曰：“人主之所爲也，感天地，動鬼神，而《象經》多亂法，何以致久？”茂竊歎曰：“此言豈常人所及！”陰自結納。

《舊唐書·吕才傳》：太宗嘗覽周武帝所撰《三局象經》，不曉其旨。太子洗馬蔡允恭年少時嘗爲此戲，太宗召問，亦廢而不通，乃召才使問焉。才尋繹一宿，便能作圖解釋，允恭覽之，依然記其舊法，與才正同，由是才遂知名。

《唐書·經籍志》雜藝術類：《象經》一卷，周武帝撰。

《唐書·藝文志》雜藝術類：周武帝《象經》一卷。

博塞經一卷　邵綱撰

邵綱，始末未詳。

《後漢書·梁冀傳》：“冀能格五、六博。”注：《楚辭》曰：“琨蔽象棊有六博。”王逸注云：“投六箸，行六棊，故云六博。”鮑宏《博經》曰：“用十二棊，六棊白，六棊墨。所擲頭《顏氏家訓》引作“骰”。謂之瓊。瓊有五采，刻爲一畫者謂之塞，刻爲兩畫者謂之白，刻爲三畫者謂之黑，一邊不刻者五塞之間，謂之五塞。”又曰：“《前書》：吾丘壽王善格五。”《音義》云：“簺也。”《說文》曰：“簺，行棊相塞謂之簺。”鮑宏《簺經》曰：“簺有四采，塞、白、乘、五是也。至五即格，不得行，故謂之格五。”

《唐書·經籍志》雜藝術類：《小博經》一卷，鮑宏撰。《博塞經》一卷，鮑宏撰。

《唐書·藝文志》雜藝術類：鮑宏《小博經》一卷，《博塞經》一卷。

案兩《唐志》載鮑宏《小博經》、《博塞經》各一卷，章懷太子注范書亦引鮑宏《博經》、《簺經》，與《唐志》合。此云邵綱，疑誤，或邵綱校録其書，猶《荊州占》明是劉表、劉叡之書，本志天文家題爲宋通直郎劉嚴撰也。鮑宏字潤身，東海剡

人，梁信州刺史泉之弟，仕梁元帝，入周至隋，歷均州刺史，晉
爵平搖縣公。卒年九十六。《隋書》、《北史》並有傳。

碁勢十卷　　沈敞撰

沈敞，始末未詳。

案此疑即齊太子右率沈勃與王抗等四人明帝以爲圍棊小
中正者，詳見前《建元永明棊品》條。

碁勢十卷　　二卷成

不著撰人。

案此注云"二卷成"，不知何謂。

碁勢十卷　　王子沖撰

王子沖，始末未詳。

碁勢八卷

碁圖勢十卷

並不著撰人。

碁九品序録一卷　　范汪等注

范汪見前。

案上文注云："梁有《圍碁九品序録》五卷，范汪等撰，亡。"
此一卷蓋又據別家書目抄入者。

碁後九品序一卷　　袁遵撰

袁遵，始末未詳。

《唐書·經籍志》雜藝術類：《圍碁後九品序録》一卷。不著撰人，
《藝文志》同。

圍碁品一卷　　梁武帝撰

梁武帝有《兵法》、《兵書鈔》、《兵書要鈔》，並見前。

《唐書·經籍志》雜藝術類：《碁評》一卷，梁武帝撰。

《唐書·藝文志》：梁武帝《碁評》一卷。

案此似即《七録》所載之《天監碁品》，據隋代見存書目抄入

者,《唐志》作《棋評》,即《棋品》也。

碁品序一卷　陸雲撰　<small>案當爲"陸雲公"。</small>

《梁書·文學傳》:陸雲公字子龍,吳郡人也。好學有才思。州舉秀才。累遷中書黄門郎。雲公善弈棋,嘗夜侍御坐,冠觸燭火,高祖笑謂曰:"燭燒卿貂。"高祖將用雲公爲侍中,故以此言戲之也。太清元年,卒,時年三十七。

《南史·陸慧曉附傳》:雲公子瓊字伯玉,幼聰慧。大同末,雲公受梁武帝詔校定《棋品》,到溉、朱异以下並集。瓊時年八歲,于客前覆局,由是都下號曰神童。

案前載柳惲所撰者爲《天監棋品》,此陸雲公所撰乃《大同棋品》也。

碁法一卷　梁武帝撰

《梁書》本紀:帝六藝備閑,碁登逸品。

《通志·藝文略》藝術類:梁武《碁評》一卷,梁武《碁法》一卷。

案《藝文類聚》七十四有梁武帝《圍棋賦》,疑即是書。或别有言圍棋之法,或碁勢、碁圖、碁譜之類。

彈碁譜一卷　徐廣撰

徐廣有《毛詩背隱義》,見經部詩類。

《後漢書·梁冀傳》注:《藝經》曰:"彈碁,兩人對局,白黑碁各六枚,先列碁相當,更先彈也。其局以石爲之。"

《西京雜記》曰:"成帝好蹴踘,群臣以蹴踘勞體,非至尊所宜。帝曰:'朕好之,可擇似而不勞者奏之。'家君作彈碁以獻,帝大悅,賜青羔裘、紫絲履,服以朝勤。"

《世説·巧藝篇》曰:"彈碁始自魏宫内,用妝奩戲。"劉孝標曰:"傅玄《彈碁賦序》曰:'漢成帝好蹴踘,劉向以謂勞人體,竭人力,非至尊所宜御。乃因其體作彈棋。今觀其道,蹴踘道。'案玄此言,則彈碁之戲其來久矣。且《梁冀傳》云:'冀善彈碁格五。’而此云起魏世，謬矣。”

《顏氏家訓・雜藝篇》曰：“彈碁亦近世雅戲，消愁釋憤，時可
爲之。”

　　案《御覽・工藝部》載《彈碁經序》、《後序》、《又序》凡三節，皆
不著名氏。嚴氏並輯入《先唐文》中，疑皆在此譜之首末也。

二儀十博經一卷

不著撰人。

《唐書・經籍志》雜藝術類：《二儀簿經》一卷，隋煬帝撰。一本
“二儀”下敓“一”字，似亦《十博經》寫刊之誤也。

《唐書・藝文志》雜藝術類：隋煬帝《二儀簿經》一卷。

《通志・藝文略》藝術類：《二儀十博經》一卷，《二儀博經》一
卷，隋煬帝撰。案此一據本志，一據《唐志》，其實止一書。鄭氏往往有此重複，
已于雜家《博覽》十三卷條下發之。

象經一卷　　王褒注

王褒有《王氏江左世家》，見史部雜傳家。

《北史・文苑傳》：保定中，除內史中大夫。武帝作《象經》，令
褒注之，引據該洽，甚見稱賞。《周書列傳》同。

《太平御覽・工藝部》：王褒爲《象經序》曰：“一曰天文，以觀
其象天，日月星辰是也。二曰地理，以法其形，水火木金土是
也。三曰陰陽，以順其本。陽數爲先，本于天；陰數爲後，本
于地是也。四曰時令，以正其序，東方之色青，餘三色，例亦
如之是也。五曰算數，以通其變，俯仰則爲天地日月星，變通
則爲水火木金土是也。六曰律呂，以宣其氣，在子取未，在午
取丑是也。七曰八卦，以定其位，至震取兑，至離取坎是也。
八曰忠孝，以惇其典，出則盡忠，入則盡孝是也。九曰君臣，
以定其禮，不可以貴陵賤，直而爲曲，不可以卑褻尊，隱而無
犯是也。十曰文武，以率其務，武備七德，文表四教是也。十

一曰禮儀，以制其則，居上不驕，爲下盡敬，進退有度可法是也。<small>嚴氏《文編》"可法"上空二字。</small>十二曰觀德，以考其行，定而後求，義而後取，時然後言，樂然後笑是也。或升進以報德，義在遷善；或黜退以貶過，事在懲惡。或以沈審爲貴，正其瞻視；或以徇齊爲功，明其糾察。得失表于隆替，在賤畢申；怠敬彰于勸沮，處尊思屈。片善崇于拱璧，一言踰于華袞。"<small>亦見《藝文類聚》七十四。</small>

《唐書·藝文志》雜藝術類：王褒《象經》一卷。

象經三卷　王裕注

王裕，始末未詳。

《唐書·經籍志》雜藝術類：《象經》又一卷，王裕注。<small>岑本改爲"撰"。</small>

《唐書·藝文志》雜藝術類：王裕注《象經》一卷。

　　案《舊唐書·良吏傳》："王方翼，并州祁人。祖裕，武德初隋州刺史。"則裕爲周、隋時人，不知即此王裕否也。

象經一卷　何妥注

何妥有《周易講疏》，見經部易家。

《唐書·經籍志》雜藝術類：《象經》又一卷，何妥撰。

《唐書·藝文志》雜藝術類：何妥《象經》一卷。

象經發題義一卷

不著撰人。

　　案《周書·武帝本紀》云："帝制《象經》成，集百僚講説。"此殆所講之《發題義》歟？

　　又案自《馬槊譜》至此，蓋亦依仿《漢志》爲兵技巧之類。

右一百三十三部五百一十二卷。<small>實在著録一百二十八部，附著亡書三十六部，通計一百六十四部。</small>

　　案《七録序目·子兵録第十一》曰："兵部凡五十八種六十

一帙二百四十五卷。”又《術伎録第十》曰：“雜藝部凡十五種十八帙六十六卷。”本志以《漢志》兵技巧家有射法、弋法、劍道、手搏、蹴踘之屬，與《七録》雜藝一類所載《馬槊譜》、《騎馬都格》、《馬射圖》以下博弈、擊壤以謂寓意于兵勢，髣髴其倫，遂取以充兵技巧之數，并取周武帝《象經》以下見于見存書目者，亦以類附焉。此蓋據隋代牛弘、王劭諸家書目之例，《七録》兩部綜凡七十三種，本志存佚并計增益者凡九十一部，所分四類，雖無明文，而其敍次章法，約略可見。

卷三十四

子部十一

天文家　類中分類凡四。

周髀一卷　趙嬰注

《續漢·天文志》注：蔡邕《表志》曰："言天體者有三家，一曰《周髀》，周髀數術具存，考驗天狀，多所違失，故史官不用。"

晉虞喜《安天論》曰："周髀、宣夜，或人姓名，猶星家有甘石也。蓋天之體轉四方，地卑不動，天周其上，故曰周髀。"又曰："宣夜之法絕滅，渾、蓋之術具存。"

《晉書·天文志》序曰："古言天者有三家，一曰蓋天。《周髀》者，即蓋天之説也。其本庖犧氏立周天歷度，其所傳則周公受于殷商，周人志之，故曰《周髀》。髀，股也。股者，表也。其言天似蓋笠，地法覆槃，天地各中高外下。三光隱映，以爲晝夜。日所行道爲七衡六間。每衡周經里數，各依算術，用句股重差推晷影極游，以爲遠近之數，皆得于表股者也。故曰《周髀》。"

《宋書·天文志》曰："三天之儀，紛然莫辨，至揚雄方難蓋通渾。雄難其八事。鄭玄又難其二事。爲蓋天之學者，不能通也。"

又《大且渠蒙遜傳》：元嘉十四年，涼州刺史河西王茂虔奉表獻方物，并獻《周髀》一卷。

《隋書·天文志》曰：“其後桓譚、鄭玄、蔡邕、陸績，各陳《周髀》考驗天狀，多有所違。逮梁武帝于長春殿講義，別擬天體，全同《周髀》之文，蓋立新意，以排渾天之論而已。”

《唐書·經籍志》：《周髀》一卷，趙嬰注。

《唐書·藝文志》：趙嬰注《周髀》一卷。

《宋史·藝文志》曆算類：趙君卿《周髀算經》二卷。

《四庫提要》曰：“《周髀算經》二卷。是書首章周公與商高問答，實句股之算祖，故《御製數理精蘊》載在卷首而詳釋之，稱爲成周六藝之鼻文。古蓋天之學，此其遺法。蓋渾天如毬，寫星象于外，人自天外觀天，蓋天如笠，寫星象于內，人自天內觀天，笠形半圓，有如張蓋，故稱蓋天。合地上地下兩半圓體，即天體之渾圓矣。其法失傳已久，故自漢以迄元、明皆主渾天。《隋志》天文類首列《周髀》一卷，趙嬰注。舊本相承，題云漢趙君卿注。其自序稱爽以暗蔽，注內屢稱爽或疑焉。爽未之前聞，蓋即君卿之名。然則《隋》、《唐志》之趙嬰，殆即趙爽之譌歟？注引《靈憲》、《乾象》，則其人在張衡、劉洪後也。古者九數惟《九章》、《周髀》二書流傳最古，固術數家之鴻寶也。”

又《簡明目錄》曰：“是書爲相傳古本，莫知誰作。其算法爲句股之祖，其推步即蓋天之術。歐羅巴法實從此出。注爲趙爽作，《隋志》作趙嬰，未詳孰是。原本舛譌，今據《永樂大典》所載宋本補缺字一百四十七，正誤字一百一十三，刪衍字一十八，補圖二，又有《音義》一卷，爲宋李籍作。”

儀徵阮元《疇人傳》曰：“言天者三家，以蓋天爲最古。劉智謂顓頊造渾天，黄帝爲蓋天，蓋先于渾，是其證已。以句股量天，始見于《周髀》。後人踵事增修，愈推愈密，而乃嗤古率爲觕疏，毋乃既成大輅而棄椎輪。”

又曰："趙爽字君卿，一曰名嬰。注《周髀算經》，其《句股方圓圖注》五百餘言耳。而後人數千言所不能詳者，皆包蘊無遺，精深簡括，誠算氏之最也。李籍《周髀音義》謂爽不知何代人。今本《周髀算經》題云漢趙君卿注，故系于漢代焉。"

周髀一卷　甄鸞重述

甄鸞有《帝王世録》，見史部雜史類。

《唐書·經籍志》：《周髀》又一卷，甄鸞注。

《唐書·藝文志》：甄鸞注《周髀》一卷。

陳氏《書録解題》曆象類：《周髀算經》二卷，《音義》一卷，題趙君卿注，甄鸞重述，李淳風等注。釋《周髀》者，蓋天之書也，稱周公受之商高，而以句股爲術，故曰周髀。《唐志》有趙嬰、甄鸞注各一卷，李淳風釋二卷。今曰君卿者，豈嬰之字耶？《中興書目》又云君卿名爽，蓋本《崇文總目》。然皆莫詳時代。甄鸞者，後周司隸也。《音義》者，假承務郎李籍撰。

阮氏《疇人傳》：甄鸞，後周司隸校尉也。武帝時造《天和曆》，又注《周髀》一卷，《數術記遺》一卷，張丘建《算經》一卷，董泉《三等數》一卷，《夏侯陽算經》一卷，又《九章算經》九卷，《五曹算經》五卷，《七曜本起曆》五卷，《七曜曆算》二卷，《曆術》二卷。論曰："鸞好學精思，富于論撰，誠數學之大家矣。"又有《五經算術》二卷，見後曆數家。

　　案今本首題"漢趙君卿注，北周漢中郡守、前司隸臣甄鸞重述，唐李淳風等奉勑注釋"，蓋相傳唐代算學官本也。

周髀圖一卷

不著撰人。

《四庫提要》曰："《周髀算經》書內凡爲圖者五，而失傳者三，譌舛者一，謹據正文及注爲之補訂。"

　　案《周髀》書中本有圖，此一卷或別本單行，或後人推演。

靈憲一卷　　張衡撰

《後漢書》本傳：衡字平子,南陽西鄂人也。世爲著姓。通五經,貫六藝。善機巧,尤致思于天文、陰陽、曆算。安帝雅聞衡善術學,公車特徵拜郎中,再遷爲太史令。遂乃研覈陰陽,妙盡璇機之正,作渾天儀,著《靈憲》、《算罔論》,言甚詳明。順帝初,再轉,復爲太史令。後遷侍中。永和初,出爲河間相。視事三年,上書乞骸骨,徵拜尚書。年六十二,永和四年卒。著《周官訓詁》。又欲繼孔子《易》説《彖》、《象》殘缺者,竟不能就。所著《靈憲》、《應間》、《七辨》、《巡誥》、《懸圖》等凡三十二篇。論曰：崔瑗之稱平子曰："數術窮天地,制作侔造化。"斯致可得而言歟! 推其圍範兩儀,天地無所藴其靈;運情機物,有生不能參其智。

《續漢·天文志》注：臣昭以張衡天文之妙,冠絶一代。所著《靈憲曜》、渾儀,略具辰曜之本,今寫載以備其理焉。

《隋書·天文志》：後漢張衡爲太史令,鑄渾天儀,總序經星,謂之《靈憲》。其大略曰："星也者,體生于地,精發于天。紫宮爲帝王之居,太微爲五帝之坐,在野象物,在朝象官。居其中央,謂之北斗,動系于占,寔司主命。四布于方,爲二十八星,日月運行,歷示休咎。五緯經次,用彰禍福,則上天之心,于是見矣。中外之官,常明者百有二十四,可名者三百二十,爲星二千五百,微星之數萬一千五百二十,庶物蠢動,咸得繫命。"而衡所鑄之圖,遇亂埋滅,星官名數,今亦不存。

《唐書·經籍志》：《靈憲圖》一卷,張衡撰。

《唐書·藝文志》：張衡《靈憲》一卷。

嚴氏《全後漢文編》曰："張衡《靈憲》,見《續漢·天文志》注、《開元占經》、《左傳正義》、《天官書》集解、正義、《隋書·天文志》、《北堂書鈔》、《藝文類聚》、《初學記》、《太平御覽》、《廣韻》二十四《鹽》。"

《孫氏書目》：張衡《靈憲》一卷,《渾天儀》一卷,洪頤煊集本。

案《開元占經》六十四引韓公賓注《靈憲》。

渾天象注一卷　吳散騎常侍王蕃撰

《吳志》本傳：蕃字永元,廬江人也。博覽多聞,兼通術藝。始
爲尚書郎,去官。孫休即位,與賀邵、薛瑩、虞汜俱爲散騎中
常侍,皆加駙馬都尉。時論清之。遣使至蜀,蜀人稱焉,還爲
夏口監軍。孫晧初,復入爲常侍,與萬彧同官。蕃體氣高亮,
不能承顏順旨,時或迕意,積以見責。甘露二年,丁忠使晉
還,晧大會群臣,蕃沈醉頓伏,晧疑而不悦,舉蕃出外。頃之
請還,酒亦不解。蕃性有威嚴,行止自若,晧大怒,呵左右于
殿下斬之。衛將軍滕牧、征西將軍留平請,不能得。死時年
三十九。

《開元占經》一：吳時廬江王蕃《渾天象説》曰："渾天之義,傳
之者寡,末世之儒或不聞見。各以私意爲天作説,故有《周
髀》、宣夜之論。宣夜絶無師法。《周髀》見行于世,考驗天狀
多所違失。依劉洪《乾象曆》之法而論渾天云。"案此言渾象。又
曰："渾天遭周秦之亂,師徒斷絶,而喪其文。惟渾儀尚在靈
臺,是以不廢,故其法可得言。至于纖微委曲,闕而不傳,周
天里數無聞焉爾。而《洛書甄曜度》、《春秋考異郵》皆云周天
一百七萬一千里,至以日景驗之,違錯甚多。然其流行,布在
衆書,通儒達士,未之考正。是以不敢背損舊術,獨攄所見,
故案其數更課諸數,以究其意。"案此言渾儀。

《晉書·天文志》："吳時中常侍廬江王蕃善數術,傳劉洪《乾
象曆》,依其法而制渾儀,立論考度。"又《曆志》曰："中常侍王
蕃以洪術精妙,用推渾天之理,以制儀象及論。"

《隋書·天文志》：王蕃云："渾天儀者,羲、和之舊器,積代相

傳，謂之璣衡。其爲用也，以察三光，以分宿度者也。又有渾天象者，以著天體，以布星辰。而渾象之法，地當在天中，厈勢不便，故反觀厈形，地爲外匡，于已解者，無異在內。詭狀殊體，而合于理，可謂奇巧。然斯二者，以考于天，蓋密矣。”

《開元占經》二：吳時廬江王蕃，字興元，爲中常侍。善曆數之學，嘗造渾儀及《渾天象説》。

《唐書·經籍志》：《渾天象注》一卷，王蕃撰。

《唐書·藝文志》：王蕃《渾天象注》一卷。

阮元《疇人傳論》曰：“蕃立論考度，通達平正，可謂言天家之圭臬矣。”

嚴氏《全三國文編》曰：“王蕃《渾天象説》，《晉書》、《宋書》、《隋書·天文志》、《北堂書鈔》一百三十、《開元占經》一、《太平御覽》二並引之。”

案《隋·天文志》及《開元占經》所載則其書凡二篇，一論渾象，一論渾儀，此題《渾天象注》，似亦分渾天之象、渾儀之注爲二篇也。《隋書·天文志》分《渾天儀》、《渾天象》爲二篇，云儀、象二器，遠不相涉，而何承天莫辨儀、象之異，亦爲乖矣。

渾天義二卷

不著撰人。

案兩《唐志》又有張衡《渾天儀》一卷，《開元占經》卷一于張衡《靈憲》外又引張衡《渾儀注》、《渾儀圖注》各一篇，嚴氏《文編》並輯存其文，疑此即張衡書而譌爲義。

又案《尚書》“璿璣玉衡”疏：“漢武時，落下閎、鮮于妄人嘗爲渾天。宣帝時，耿壽昌始鑄銅爲之象，史官施用焉。張衡作《靈憲》説其狀。蔡邕、鄭玄、陸績、吳時王蕃、晉世姜岌、張衡、疑是葛衡。葛洪皆論渾天之義，並以渾説爲長。江南宋元嘉年皮延宗又作是《渾天論》。太史丞錢樂鑄銅作渾天儀,傳于齊、梁。周平江陵,遷其器于長安。今在太史臺矣。"此二卷或即張衡以下諸家所論之義,後人裒録爲是帙,亦未可知也。

渾天圖一卷　石氏

石氏有《天文占》八卷,別見于後。

案此似後人據《石氏星經》演爲圖説。

渾天圖一卷
渾天圖記一卷

並不著撰人。

案自漢落下閎、鮮于妄人、耿壽昌、鄧平以來下逮魏晉六朝論渾天者衆矣。晉劉智言:"司馬遷、劉向、劉歆、揚雄、賈逵、張衡、蔡邕、劉洪、鄭玄九家皆有所論著。"而《開元占經》所引則又有吳陸績、太史令陳卓、後秦姜岌、晉侍中劉智、宋太子率更令何承天、太史令錢樂之、梁奉朝請祖晅、隋袚縣丞劉焯、後魏太史晁崇九家。而《玉海·儀象篇》載賀道養《渾天記》曰:"昔記天體者有三:渾儀莫知其始,《書》以齊七政,蓋渾體也。二曰宣夜,夏殷之制也。三曰周髀,非周家術也。近世復有四術:一曰方天,興于王充;二曰軒天,起于姚信;三曰穹天,由于虞喜。皆浮説不足觀,唯渾天證驗不疑。"此《渾天圖記》或即賀氏書,《玉海》所引即此之佚文歟?賀有《春秋序注》,見經部。

梁有昕天論一卷　姚信撰

姚信有《周易注》,見經部易家。

《宋書·天文志》:"吳太常姚信造《昕天論》。"案其説應作"軒昂"之"軒",而作"昕",所未詳也。

《禮記·月令》疏:昕天,昕讀爲軒,言天北高南下,若車之軒。是吳時姚信所説。

《唐書·經籍志》：《昕天論》一卷，姚信撰。

《唐書·藝文志》：姚信《昕天論》一卷。

嚴氏《全三國文編》曰：“姚信《昕天論》，《晉書》、《宋書》、《隋書·天文志》、《太平御覽》二並引之。”

馬氏玉函山房輯本序曰：“此論主蓋天爲説。兹據《晉書·天文志》及《太平御覽》所引輯録成編。”

侯康《補三國藝文志》曰：“《晉》、《宋·天文志》俱引《昕天論》，沈約謂應作‘軒昂’之‘軒’。而作‘昕’者，所未詳也。不知‘昕’、‘軒’聲相近，故可通用。《御覽》卷二此論有出晉、宋二《志》之外者。”

　　案《通志·藝文略》云：“《昕天論》一卷，梁姚信撰。”“梁”下當有“録”字。

梁有《案天論》六卷，虞喜。此下敓“撰”字。

虞喜有《周官禮駁難》，見經部禮類。

《晉書·儒林傳》：喜專心經傳，兼覽讖緯，乃著《安天論》，以難渾蓋。

《宋書·天文志》：晉成帝咸康中，會稽虞喜造《安天論》，以爲“天高窮于無窮，地深測于不測。地有居靜之體，天有常安之形。論其大體，當相覆冒，方則俱方，圓則俱圓，不同之義也。”喜族祖河間太守聳又立《穹天論》云：“天形穹隆，當如雞子幕，其際周接四海之表，浮乎元氣之上。”

《唐書·經籍志》：《安天論》一卷，虞喜撰。

《唐書·藝文志》：虞喜《安天論》一卷。

嚴氏《全晉文編》曰：“虞喜《安天論》，見《宋書·天文志》一、《隋書·天文志》上、《太平御覽》二。虞聳《穹天論》，見《晉書》、《宋書》、《隋書·天文志》。《御覽》又引虞昺《窮天論》。聳，翻第六子，入晉除河間相。昺，翻第八子，入晉爲濟陰太守。喜，其族孫也。"

案兩《唐志》皆一卷，此云六卷，或有當時《難答論》在其中。

又其族孫聳及昺《穹天論》，本志不見，或亦在其中。

梁有《圖天圖》一卷。

不著撰人。

梁有《原天論》一卷。

不著撰人。

案唐李淳風《乙巳占・天象篇》，論天體者有八家：一曰渾天，即張衡《靈憲》是也；二曰宣夜，絕無師學；三曰蓋天，《周髀》所載；四曰軒天，姚信所説；五曰穹天，虞聳所擬；六曰安天，虞喜所述；七曰方天，王充所論；八曰四天，祆胡寓言。此《原天論》不知誰作，似與下《定天論》皆泛論天體，非別立一説，自名一家者也。《晉書・隱佚・魯勝傳》："勝撰《正天論》。"本志不見。

梁有《神光内抄》一卷。

不著撰人。

案《唐日本國見在書目》有《神光占》二卷，不著姓名，疑即此《神光内抄》一卷，從《神光占》内抄出者。

又案《抱朴子・遐覽篇》言道家書中有《神光占方來經》一卷。白雲霽《道藏目録》有《天老神光經》一卷。左僕射衛國公李靖修，言人出行將兵，攻擊勝負，須察北斗星之傍輔，并自己神光占驗吉凶之法。案天老，黄帝相也。《天老神光經》亦頗似相人術。唐李衛公重修其書，亦疑即此書也。

定天論三卷

不著撰人。

《開元占經・天體渾宗篇》：梁人朱史《定天論》：日一千六百

七十里,周天六十萬二百二十一里,徑率求之得十九萬四千一百六十四里,即東西南北相去之數也。求之得九萬七千八百里,即春秋分日天去地之數也。夏至日天去地上八萬一千三百九十四里,冬至之日爲天去地上十萬六千二十里也。《占經》所載唯此,蓋略舉其隅。

《唐日本國見在書目》:《定天論》三卷。不著撰人。

案朱史有《漏刻經》,別見下曆數類。其書蓋論天地分至遠近之差,以此爲定準,故曰"定天"。或亦兼及于七曜、二十八舍之算數,故多至三卷歟?

天儀説要一卷　陶弘景撰

陶弘景有《毛詩序注》,見經部詩類。

《南史·隱佚傳》:弘景又嘗造渾天象,高三尺許,地居中央,天轉而地不動,以機動之,悉與天相會。云"脩道所須,非止史官用是"。《梁書·處士傳》"用是"作"是用",此誤倒其文。

《玉海·天文篇》:《隋志》陶弘景《天儀説要》一卷。《中興書目》:《像曆》一卷,梁陶弘景較定。推演巫咸氏、甘氏、石氏等説。案《崇文總目》,《天文星經》五卷,梁陶弘景校合三垣列宿中外官三百十九名,各設圖象,箸巫咸、甘德、石申所記。

《宋史·藝文志》:陶隱居《天文星經》五卷。陶弘景《象曆》一卷。

案《玉海》則是書即《中興書目》、《宋志》之《象曆》,當是"大象曆"之譌。《崇文總目》及《宋志》之《天文星經》,然不知是否也。

玄圖一卷

不著撰人。

《後漢書·張衡傳》:"衡尤致思于天文、陰陽、曆算。常好《玄經》,謂崔瑗曰:'吾觀《太玄》,方知子雲妙極道數,乃與五經相擬，非徒傳記之屬，使人難論陰陽之事，漢家得天下二百歲之書也。復二百歲，殆將終乎？所以作者之數，必顯一世，常然之符也。漢四百歲，《玄》其興矣。'”又曰：“所著《靈憲》、《懸圖》凡若干篇。”章懷太子曰：“《衡集》作‘玄圖’，蓋‘玄’與‘懸’通。”

嚴氏《全後漢文編》曰：“《御覽》、《文選注》引張衡《玄圖》曰：‘玄者，無形之類，自然之根，作于太始，莫之與先。包含道德，搆掩乾坤，橐籥元氣，稟受無原。'又曰：‘梟羊喜獲，先笑後愁。'”

侯氏《補後漢藝文志》曰：“康案据李賢本傳注，則《玄圖》本在《衡集》中，而《隋志》有《玄圖》一卷，無撰人，必出張衡無疑。蓋後人析出別行也。”

常熟曾樸《補後漢書藝文志考》曰：“《北堂書鈔》九十六引云‘圖者，心之謀、書之謀也’，稱張衡《玄圖序》。”

案《太玄》十一篇中本有《玄圖》一篇，此不知爲注解，爲擬作。《華陽國志》云：“其玄後世大儒張衡、崔瑗等皆爲注解。”案前史不載張衡注《玄》，常道將所云豈即謂此《玄圖》歟？此實爲《太玄》而作。觀諸書所引佚文，可知隋代見存書目或以爲玄象，因入此類，本志仍之。然不知是否即張氏《玄圖》也。

以上爲一段，猶《開元占經》第一卷之《天體渾宗》也。

石氏星簿經讚一卷

石氏有《天文占》八卷，別見于後。

《開元占經·東方七宿占》曰：“《春秋緯》曰：‘列宿二十八，是日月五星之所由，吉凶兆之要處也。'故《石氏簿讚》皆始于角而終于軫。”

《唐日本國見在書目》：《石氏星經簿讚》二卷。又《簿讚》三

卷,晉史石申造。又三卷,上卷魏石申,中卷甘文卿,下卷晉石咸。<small>案此皆唐時別本流出外藩者。</small>

《唐書·經籍志》:《石氏星經簿讚》一卷,石申甫撰。

《唐書·藝文志》:《石氏星經簿讚》一卷。注云石申。

《宋史·藝文志》:《石氏星簿讚曆》一卷。

《玉海·天文篇》:《中興書目》:《星簿讚曆》一卷,載星宿躔度應驗事。案《隋志》《石氏星簿經讚》一卷,《唐志》《石氏星經簿讚》石申注。<small>案當云注石申。</small>今本所載州名有徐潁、婺台之類,疑後人所附益也。

陳氏《書錄解題》:《星簿讚曆》一卷,《唐志》稱《石氏星經簿讚》,《館閣書目》以其有徐潁、婺台等州名,疑後人附益。今此書明言依甘石、巫咸氏,則非專石申書也。

　　案《開元占經》亟引巫咸、甘、石三家星讚,蓋出是書。巫咸、甘、石並詳于後。

星經二卷

不著撰人。

晁氏《讀書志》:《甘石星經》一卷,甘公、石申撰。以日月、五星、三垣、二十八宿常星圖象次舍,有占訣以候休咎。

《四庫存目》曰:“《星經》二卷,不著撰人名氏。晁公武《讀書志》載《甘石星經》一卷,注曰漢甘公、石申撰。《隋書·經籍志》《星經》二卷。是書卷數雖與《隋志》合,而多舉隋、唐州名,必非秦、漢間書。所載星象,今亦殘闕不全,不足以備考驗。”

　　案今本嘗編入《道藏》,名曰《通占大象曆星經》。其源蓋出于此。特未必此所著錄之本耳。《七錄》載《甘石》、《天文占》各八卷,殆即從八卷中抄出者。

甘氏四七法一卷

甘氏別有《天文占》八卷,詳見于後。

《唐書·經籍志》:《甘氏四七法》一卷,甘德撰。

《唐書·藝文志》:《甘氏四七法》一卷。注云甘德。

案《續漢書·曆志》曰:"在天成度,在曆成日。居以列宿,終于四七。"阮氏《疇人傳論》曰:"陰陽之精,散爲五行,日月相會,紀以四七,則星辰是也。然則所謂四七者,即《開元占經》所載東、南、西、北四方七宿,即二十八宿也。此與前《石氏星經簿讚》似即在《七録》所載甘、石《天文占》各八卷中,後人析出別行者也。

巫咸五星占一卷

《史記·殷本紀》:"帝太戊立伊陟爲相。亳有祥桑穀共生于朝,一暮大拱。帝太戊懼,問伊陟。伊陟曰:'臣聞妖不勝德,帝之政其有闕歟?帝其脩德。'太戊從之,而祥桑枯死而去。伊陟贊言于巫咸。巫咸治王家有成,作《咸艾》,作《太戊》。"《集解》:孔安國曰:"贊,告也。巫咸,臣名也。"馬融曰:"艾,治也。"《正義》:"案巫咸及子賢冢皆在蘇州常熟縣西海虞山上,蓋二子本吳人也。"

又《封禪書》:"湯後八世,至帝太戊,有桑穀生于廷,一暮大拱,懼。伊陟曰:'妖不勝德。'太戊脩德,桑穀死。伊陟贊巫咸,巫咸之興自此始。"《索隱》曰:"《尚書》:'伊陟贊于巫咸。'今此云'巫咸之興自此始',則以巫咸为巫覡。然《楚辭》亦以巫咸主神。蓋太史以巫咸是殷臣,以巫接神事,太戊使禳桑穀之災,所以伊陟贊巫咸,故云'巫咸之興自此始'也。"

又《天官書》:"昔之傳天數者:高辛之前,重、黎;于唐、虞,羲、和;有夏,昆吾;殷商,巫咸。"《正義》曰:"巫咸,殷賢臣也,本吳人,冢在蘇州常熟海禺山上。子賢,亦在此也。"案《古今人表》巫咸在第二等,殷太戊之次。巫賢列第三等,河亶甲之次。

《尚書·咸有一德》釋文:馬融曰:"巫,男巫也,名咸,殷之巫也。”

《晉書·天文志》序曰：“至于殷之巫咸，周之史佚，格言遺記，于今不朽。”

《玉海》天文類：《景祐乾象新書》云：“巫咸中官星九座，共三十一星，列肆至虎賁外官星二十座，共九十五星，陽門至土司紫微垣星四座，共一十八星，御女至鈎陳。”

武威張澍《世本》輯注曰：“《世本》：‘巫咸作筮。’宋衷注：‘巫咸不知何時人。’澍案《古史考》：‘殷巫咸善占筮。’《書序》：‘伊陟贊巫咸，作《咸乂》四篇。’《外國圖》云：‘昔殷帝太戊使巫咸禱于山河。’《說文》：‘巫咸初作巫。’王逸《楚辭注》：‘巫咸，古神巫也，當殷中宗之時。’又《越絕書》云：‘虞山者，巫咸所出也。虞故神，出奇怪。’此《史記正義》所本，《隋志》有《巫咸五星占》一卷。是其人善星曆審矣。”

又曰：“澍案《歸藏易》：‘黃帝將戰，筮于巫咸。’《莊子·逸篇》：‘黔首多疾，黃帝立巫咸以通九竅。’《路史》：‘神農時，有巫咸主筮。’《太平御覽》引《世本》宋注云：‘巫咸，堯臣也，以鴻術爲帝堯之醫。’郭璞《巫咸山賦序》本之。案見《藝文類聚》曰：“蓋巫咸者，實以鴻術爲帝堯之醫。生爲上公，死爲貴神。豈封斯山而因以名之乎？”是神農、黃帝、唐堯、殷商時皆有巫咸也。”

《孫氏祠堂書目》：《巫咸占經》一卷，星衍集本。

案諸書言巫咸者多岐，而此之巫咸爲殷商時之傳天數者。要以《史記》及《人表》爲定。《開元占經》引巫咸占至多，其中外官星並有讚文，似後人所作。晁氏《讀書志》有《司天考占星通元寶鏡》一卷，題曰巫咸氏，豈即是書異名歟？

天儀説要一卷　陶弘景撰

案陶弘景是書已見於前，此重出，《通志·校讎略》已言之。

録軌象以頌其章一卷　内有圖

不著撰人。

錢氏《隋書考異》曰："《經籍志》《三録軌象以頌其章》一卷，此不似書名，疑有誤。"

案此似纂集是志時，誤以所据書目中解題之文爲書名，而失于校勘者。其文或當云"録軌象以存其意"，此"頌"字、"章"字并疑誤中之誤。

天文集占十卷　晉太史陳卓定

《晉書·天文志·天文經星篇》：武帝時，太史令陳卓總甘、石、巫咸三家所著星圖，大凡二百八十三官，一千四百六十四星，以爲定紀。今略其昭昭者，以備天官云。案《晉志》所載中宮二十八舍以迄天漢起没凡四篇，皆據陳卓是書。

《隋書·天文志》：三國時，吴太史令陳卓，始立甘氏、石氏、巫咸三家星官，著于圖録。并注占贊，總有二百五十四官，一千二百八十三星，并二十八宿及輔官附坐一百八十二星，總二百八十三官，一千五百六十五星。宋元嘉中，太史令錢樂之所鑄渾天圖儀，以朱、黑、白三色，用殊三家，而合陳卓之數。

《唐日本國見在書目》：《天文要録》十卷，陳卓撰。

《唐書·經籍志》：《天文集占》七卷，陳卓撰。

《唐書·藝文志》：陳卓《天文集占》七卷。

案《晉書·藝術·戴洋傳》："元帝將登阼，太史令陳卓奏用三月二十二日。"是卓仕吴入晉，至江左時猶存。《御覽》卷二載虞喜《安天論》云："太史令陳季冑，以先賢制木爲儀，名同渾天。"則卓字季冑也。

天文要集四十卷　晉太史令韓楊撰

韓楊，始末未詳。

《唐書·藝文志》：韓楊《天文要集》四十卷。

《玉海・天文篇》:《隋志》:《天文要集》四十卷,晉太史令韓楊撰。《後漢・天文志》注并《乾象新書》引韓楊占。

案《開元占經》日、月、五星占,歲星、熒惑、填星占,北方七宿占,石氏中官占,流星、客星、妖星、彗星占,並引韓楊,凡二十餘條。又《逆順略例篇》引韓公賓注《靈憲》三條。公賓疑即其字。

天文要集四卷
天文要集三卷

並不著撰人。

天文集占十卷。梁百卷。

不著撰人。

《唐書・經籍志》:《天文集占》三卷。《藝文志》同。

梁有《石氏》、《甘氏天文占》各八卷。

《史記・天官書》:"昔之傳天數者:高辛之前,重、黎;于唐、虞,羲、和;有夏,昆吾;殷商,巫咸;周室,史佚、萇弘;于宋,子韋;鄭則裨竈;在齊,甘公;楚,唐昧;趙,尹皋;魏,石申。"又曰:"田氏篡齊,三家分晉,並爲戰國。爭于攻取,兵革更起,城邑數屠,因以饑饉疾疫焦苦,臣主共憂患,其察機祥候星氣尤急。近世十二諸侯七國相王,言從衡者繼踵,而皋、唐、甘、石因時務論其書傳,故其占驗淩雜米鹽。"《正義》曰:"淩雜,交亂也。米鹽,細碎也。言皋、唐、甘、石等因時務論其書傳中災異所記錄者,故其占驗交亂細碎。其語在《漢書・五行志》中也。"

《漢書・藝文志》:數術者,皆明堂羲和史卜之職也。史官之廢久矣,其書既不能具。春秋時魯有梓慎,鄭有裨竈,晉有卜偃,宋有子韋。六國時楚有甘公,魏有石申。夫漢有唐都,庶得麤觕。

《史記·張耳陳餘列傳》索隱曰：“《天官書》云齊甘公，《藝文志》云楚有甘公，齊、楚不同，未知孰是。劉歆《七略》云公一名德。”

《史記·天官書》集解：徐廣曰：“或曰甘公名德，本是魯人。”正義曰：“《七錄》云楚人，戰國時作《天文星占》八卷。石申，魏人，戰國時作《天文》八卷。”案此引《七錄》本文兩條，即本志此一條，而合并言之，故云各八卷。

《續漢·天文志》序曰：“魏石申夫，齊國甘公，皆掌天文之官。仰占府視，以佐時政，步變摘微，通洞密至，采禍福之原，覩成敗之勢。秦燔《詩》、《書》，以愚百姓，六經典籍，殘爲灰炭，星官之書，全而不毀。”

《晉書·天文志》序曰：“至于殷之巫咸，周之史佚，格言遺記，于今不朽。其諸侯之史，則齊甘德，魏石申夫等，皆掌著天文，各論圖驗。其巫咸、甘、石之説，後代所宗。”

《玉海·天文篇》：《乾象新書》云：“甘德中官星五十九座，共二百一星，平道至謁者外官星三十九座，共二百九星，天門至青丘紫微垣星二十座，共一百一星，四輔至八穀。石申列舍星二十八座，共一百六十六星，角至軫中官星五十四座，共三百一十八星，招搖至郎將外官星三十八座，共二百七十一星，平星至長沙紫微垣星一十二座，共五十四星，紫微垣至文昌。”

又曰：“《説文·女部》引《甘氏星經》，《周禮》注引《甘氏歲星經》，《史記索隱》案《天文志》皆《甘氏星經》，而志又兼載石氏。《太平御覽》引《甘氏天文占》。又諸書引《石氏經》、《石氏星經》、《石氏星傳》、《石氏星贊》、《石氏星占》、《石氏占》。”

《孫氏祠堂書目》：《甘氏星經》一卷，星衍集本。《石氏星經》一卷，星衍集本。

　案《漢·藝文志》、《續漢·天文志》、《晉志》並作石申夫。

夫或引作父，又引作甫。因《史記·天官書》魏石申下文云"夫天運，三十歲一小變"，遂以此"夫"字誤屬上讀，謂之石申夫，相沿不覺，自班氏已然矣。

又案《史記·張耳陳餘傳》云："耳敗走，欲之楚。甘公曰：'漢王之入關，五星聚東井。東井，秦分也。先至必霸。楚雖彊，後必屬漢。'故耳走漢。"又《御覽》二百三十五引漢應劭《漢官儀》曰："當春秋時，魯梓慎，晉卜偃，宋子韋，鄭裨竈，觀乎天文以察時變，其言屢中，有備無患。漢興，甘石、唐都、司馬父子抑亦次焉。"據此則甘、石二家並漢初人。太史公司馬談學天官于唐都，亦與唐都同時，殆即六國甘公之後，世掌天官，故亦稱甘氏、石氏，所謂疇人子弟者歟？其書《開元占經》引之尤多。孫氏輯本今未見，必盡取之矣。

又案《開元占經·五星占》引《洪範天文星辰變占》曰"客有齊人甘文卿者，善天文，言五星從歲星聚于東井"云云。其言與《史記·張陳列傳》略同。史作甘公，此作甘文卿。文卿不知是否爲甘德之字。又《抱朴子·辨問篇》云："子韋、甘均，占候之聖也。"則甘氏又有名均者，或猶在甘德之先也。《藝文志》雜占家有《甘德長柳占夢》二十卷。

天文占六卷　　李遄撰

李遄，始末未詳。不知是否注《文子》之李遄，見道家。

天文占一卷

天文占氣書一卷

天文集要鈔二卷

天文書二卷。梁有《雜天文書》二十五卷。

《雜天文橫占》一卷

並不著撰人。

天文橫圖一卷　高文洪撰

高文洪，始末未詳。

《唐書·經籍志》：《天文橫圖》一卷，高文洪撰。

《唐書·藝文志》：高文洪《天文橫圖》一卷。

天文集占圖十一卷。梁有《天文五行圖》十二卷，《天文雜占》十六卷，亡。

並不著撰人。

天文録三十卷　梁奉朝請祖暅撰。

《南史·文學·祖沖之傳》：沖之字文遠，范陽遒人也。曾祖台之，晉侍中。_{祖台之有《志怪》，見史部傳記篇。}沖之稽古，有機思，解鍾律，特善算術。子暅之，字景爍，少傳家業，究極精微，亦有巧思。入神之妙，般、倕無以過也。梁天監初，位至太府卿。

《北史·藝術·信都芳傳》："芳爲安豐王延明召入賓館。有江南人祖暅者，先于邊境被獲，在延明家，舊明算律，而不爲王所待。芳諫王禮遇之。暅後還，留諸法授芳，由是彌復精密。"

《隋書·天文志》：梁奉朝請祖暅，天監中，受詔集古天官及圖緯舊説，撰《天文録》三十卷。

《唐日本國見在書目》：《天文録》一部三十卷，祖暅撰。

《唐書·經籍志》：《天文録》三十卷，祖暅之撰。

《唐書·藝文志》：祖暅之《天文録》三十卷。

《宋史·藝文志》：祖暅《天文録》三十卷，《天文録經要訣》一卷。注云鈔祖暅書。

《玉海·天文篇》：《國史志》：《天文録經要訣》一卷，鈔祖暅書。《御覽》引《天文録》，《乾象新書》亦引之。

天文志十二卷　吳雲撰　天文志雜占一卷　吳雲撰。梁有《天文雜占》十五卷,亡。

吳雲,始末未詳。

《唐書·經籍志》:《天文雜占》一卷,吳雲撰。

《唐書·藝文志》:吳雲《天文雜占》一卷。

案梁有《天文雜占》十五卷,似亦吳雲書。至隋及唐唯存一卷,餘十四卷亡。

天文十二卷　史崇注

史崇,始末未詳。

《唐書·經籍志》:《十二次二十八宿星占》十二卷,史崇撰。

《唐書·藝文志》:史崇《十二次二十八宿星占》十二卷。

天文十二次圖一卷。梁有《天官宿野圖》一卷,亡。一作"天宫"。

並不著撰人。

案此與下文著錄《二十八宿十二次》一卷、《二十八宿分野圖》一卷相同,別詳于後。

婆羅門天文經二十一卷　婆羅門捨仙人所說

婆羅門竭伽仙人天文説三十卷

婆羅門天文一卷

捨仙人、竭伽仙人並未詳。小學家有《婆羅門書》,詳見經部。

案《法苑珠林·傳記篇》有《婆羅門天文》一部二十卷,梁武帝天和年摩勒國沙門釋達流支法師譯出。案梁武紀年無"天和",自是"天監"之誤。此三部蓋即其類,皆從外國天文書中譯出者。

陳卓四方宿占一卷。梁四卷。

陳卓有《天文集占》,見前。

《唐書·經籍志》:《四方星占》一卷,陳卓撰。

《唐書·藝文志》:陳卓《四方星占》一卷。

案集占，集前人書，此其當時所占。猶《漢志》之行事占驗也。

以上自《石氏星簿經贊》至此，皆天文書之類，爲一段。其中如《星簿贊》、《星經》、《四七法》、《五星占》、《四方宿占》亦皆其天文書中之散見者。

黄帝五星占一卷

《續漢書·天文志》序曰：“星官之書自黄帝始。”

《晉書·天文志》序曰：“黄帝創受《河圖》，始明休咎，故其《星傳》尚有存焉。”

王氏《漢書藝文志考證》：《天文志》引《星傳》曰：“日者，德也。月者，刑也。”又曰：“客星守招摇，蠻夷有亂。”又引“月南入牽牛戒”，“月入畢”。《五行志》，劉向引《星傳》。

嚴氏《鐵橋漫稾》輯書序曰：《黄帝占》世無傳本，《開元占經》徵引甚多。余始寫出，以《乾象通鑑》校補，疑者闕之，分爲三卷，而爲之敍録曰：古者，以太陰紀年，至王莽用《三統曆》，始以太歲紀年。余向爲太初元年甲寅、丙子説，既考之詳矣。此書占八穀有太陰、乘寅、乘卯、乘辰等占，而又別有太歲，多非後世語。其占少微有‘聞如孔子’、‘巧如魯般’二語，知譔書人在孔子後。蓋六國時依託也。《漢志》有《黄帝雜子氣》三十三篇，《隋》、《唐志》有《黄帝五星占》一卷。案《唐志》實無是書。如謂此書即一卷本，則卷太大，疑隋、唐時有別本，合《雜子氣》彙録之者。今故不題《五星占》，依《占經》題《黄帝占》焉。卷上日、月、五星、歲星、熒惑、填星、太白七篇，卷中辰星、二十八宿、衆星三篇，卷下流星、客星、妖星、風、雨、虹、霧、濛、八穀、飛鳥十篇。”又《四録堂類集總目》：“《黄帝占》三卷，可均輯。”

《孫氏祠堂書目》：《黄帝占經》一卷，星衍集本。

五星占一卷　丁巡撰

丁巡，始末未詳。一本作"卞巡"。

五星占一卷。梁有《五星集占》六卷，《日月五星集占》十卷。

並不著撰人。

　　案《開元占經》引齊伯《五星占》、《歲星占》。齊伯不知何人。

五星占一卷　陳卓撰

陳卓有《天文集占》、《四方宿占》，並見前。

《唐書·經籍志》：《五星占》二卷，陳卓撰。

《唐書·藝文志》：陳卓《五星占》一卷。

五星犯列宿占六卷

雜星書一卷

並不著撰人。

星占二十八卷　孫僧化等撰

《北史·藝術·張深附傳》：永熙中，詔通直散騎常侍孫僧化與太史胡世榮、太史令張寵、趙洪慶及中書舍人孫子良等在門下外省，校比天文書，集甘、石二家星經，及漢、魏以來二十三家經占，集五十五卷。後集諸家撮要，前後所上雜占，以類相從，日月、五星、二十八宿、中外官及圖，合爲七十五卷。僧化，東莞人也。識星分，案文占以言災異，時有所中。普泰中，爾朱兆惡其多言，遂繫于廷尉，免官。永熙中，孝武帝召僧化與中散大夫孫安都共撰兵法，未就而帝入關，遂罷。元象中，死于晉陽。案東魏孝靜帝元象中爲梁武帝大同中也。

《唐書·經籍志》：《星占》三十三卷，孫僧化撰。

《唐書·藝文志》：孫僧化等《星占》三十三卷。

　　案《北史》附傳載僧化所集兩書一五十五卷，爲甘、石以來二十三家之占。一七十五卷，名曰《諸家撮要》，則自魏開國以來，前後諸臣所上之雜占也。本志及《唐志》所載不知

何本，皆非其全。《唐六典》云："太史令每季録所見災祥，送門下、中書
省。"故僧化等在門下外省校録是書。

星占一卷

不著撰人。

梁有《石氏星經》七卷，陳卓記。

陳卓有《天文集占》、《四方宿占》、《五星占》，並見前。

案陳卓立甘、石、巫咸三家星官，後人別以三色，詳見《天文
集占》條。此亦從《集占》中析出之别本。

梁有《石氏星官》十九卷，又《星經》七卷，郭歷撰，亡。

郭歷，始末未詳。

天官星占十卷　陳卓撰

陳卓有《天文集占》、《四方宿占》、《五星占》、《石氏星經》，並
見于前。

《史記·天官書》索隱曰："案天文有五官。官者，星官也。星
座有尊卑，若人之官曹列位，故曰天官。"

《唐日本國見在書目》：《天官星占》六卷，陳卓撰。

案此與《四方宿占》、《五星占》亦皆其當時所上行事占驗也。

梁有《天官星占》二十卷，吳襲撰。

吳襲，始末未詳。

案《開元占經·熒惑占》引吳襲《天文書》，又《填星占》、《太
白占》、《石氏中官占》並引吳龔《天官星占》。吳龔，吳襲，
未詳孰是。

星占八卷。梁又有《星占》十八卷。

並不著撰人。

《中星經簿》十五卷。梁有《星官簿讚》十三卷，又有《星書》三十
四卷，《雜家星占》六卷，《論星》一卷，亡。

並不著撰人。

著明集十卷

雜星圖五卷

天文外官占八卷

雜星占七卷

雜星占十卷

並不著撰人。

海中星占一卷。梁有《論星》一卷。

星圖海中占一卷

並不著撰人。

案《漢志》天文家有《海中星占驗》等六部，共一百三十六卷，亦不著撰人。此三書或其殘賸歟？《開元占經》引《海中占》至多，亦或出此二書。

解天命星宿要決一卷

摩登伽經説星圖一卷

星圖二卷。梁有《星書圖》七卷。

並不著撰人。

彗星占一卷

不著撰人。

案此與下《妖星占》、《彗孛占》相同，詳見後方。

妖星流星形名占一卷

不著撰人。

《晉書·天文志·雜星氣篇》：圖緯舊説，及《荆州占》：妖星一曰彗星，至二十一曰地維藏。又《河圖》云：“歲星之精，流爲天掊至蒼彗凡七星。熒惑散爲昭旦至赤彗凡六星，填星散爲五殘至黃彗凡十星，太白散爲天杵至白彗凡九星，辰星散爲枉矢至黑彗凡八星，總凡四十星。”又京房《集星章》所載妖星凡三十五星，皆五星所生云。

案《晉書》載四家妖星之數如此，其流星別見後方。

太白占一卷

不著撰人。

唐李淳風《乙巳占》：太白一名太正，一名太皋，一名明星，一曰長庚。西方金德，白虎之精，白招矩之使也。其性義，其事言，其時秋，其日庚辛，其辰辛酉，其帝少皞，其神蓐收，其蟲毛，其音商，其味辛，其臭腥，其卦《乾》、《兌》。《易》曰："説言乎兌，戰乎乾。"是故太白主兵，爲大將，爲威勢，爲斷割，爲殺害，故用兵必占太白。

流星占一卷

不著撰人。

《晉書·天文志》：流星，天使也。自上而降曰流，自下而升曰飛。大者曰奔，奔亦流星也。

李淳風《乙巳占》：流星者，天皇之使，五行之散精也。飛行列宿，告示休咎。若星大使大，星小使小。星大則事大，而害深；星小則事小，而禍淺。有尾跡光爲流星，無尾跡者爲飛星。

石氏星占一卷　吳襲撰

吳襲有《天官星占》二十卷，見前。

案《開元占經·石氏中官占》引吳襲《天官星占》二條，當出是書。此即《七録》所載《天官星占》二十卷之佚存者。

候雲氣一卷

不著撰人。

《晉書·天文志·雲氣篇》：瑞氣一曰慶雲，亦曰景雲；二曰歸祁；三曰昌光。妖氣一曰虹蜺；二曰牚雲。

彗孛占一卷

不著撰人。

李淳風《乙巳占》：長星，狀如帚。孛星，圓狀如粉絮，孛孛然。皆逆亂凶孛之氣，狀雖異，爲殃一也。爲兵喪除舊布新之象，餘災不盡。爲兵喪水旱凶饑暴疾。長大見久，災深；短小見遠，災淺。

二十八宿二百八十三官圖一卷

不著撰人。

案《晉書・天文志》：太史令陳卓總巫咸、甘、石三家所著星圖，大凡二百八十三官，一千四百六十四星，以爲定紀。《隋書・天文志》云著于圖録。此或陳氏所著之星圖，或即從《天文集占》十卷中析出者。

荆州占二十卷　宋通直郎劉嚴撰。梁二十二卷。

劉嚴，始末未詳。常熟曾樸《補後漢藝文志》曰：“嚴不詳何人，《宋書》無傳。《唐・世系表》有劉彦英，云：‘宋給事中，通直散騎常侍。’疑即劉嚴。彦英，蓋其字也。”

《晉書・天文志・雜星氣篇》：漢末劉表爲荆州牧，命武陵太守劉叡集天文象占，名《荆州占》。其雜星之體，有瑞星，有妖星，有客星，有流星，有瑞氣，有妖氣，有日月傍氣，皆略具名狀，舉其占驗，次之于此云。

《唐日本國見在書目》：《荆州占》廿二卷。不著撰人。

《唐書・經籍志》：《荆州占》二卷，劉表撰。又二十卷，劉叡撰。

《唐書・藝文志》：劉表《荆州占》二卷。劉叡《荆州星占》二十卷。

《宋史・藝文志》：“劉表《星經》一卷，《荆州占》三卷。”又五行類：“劉表《荆州占》二卷。”

《通志・藝文略》：《荆州劉石甘巫占》一卷，漢荆州牧劉表命武陵太守劉意集甘、石、巫咸等之占，今存一卷。案此避宋諱，故曰"意"。

《玉海・天文篇》：《崇文總目》：《荆州劉石甘巫占》一卷。
《後漢志》引《荆州星經》，《周禮疏》引《武陵太守星傳》，《晉
志》、《史記索隱》、《乾象新書》並引《荆州占》，《太平御覽》引
《荆州星占》。

侯氏《補後漢藝文志》曰："康案《唐志》于劉叡書外別出劉表
《荆州星占》二卷，據《晉志》則劉叡書即劉表書，《唐志》誤
分之。"

　案劉表有《易章句》，詳見經部易家。表在荆州二十年，至
　于郊祀天地，擬議社稷，欲藉以觀時變，故有此作。據《續
　漢志》注、《周禮疏》所稱引，則表所作者，謂之經，叡所集者
　謂之傳。本志題劉嚴撰者，大抵嚴纂合二劉經傳以爲一
　編，故別無二劉書。兩《唐志》分析著録，故亦無劉嚴書。
　其卷數亦二十二卷，與《七録》相符，知此實非劉嚴所撰，特
　爲嚴所傳録合并耳。微《唐志》，幾莫辨其由來。侯氏《志》反
　以爲誤，非也。諸書引《荆州占》最多，《開元占經》引之尤夥。

翼氏占風一卷

　案翼氏，漢之翼奉有《風角要候》、《風角雜占》、《五音圖》，
　別見五行家。此一卷，大抵從風角書中析出別行者。

日月暈三卷。梁《日月暈圖》二卷。

　不著撰人。

　案《漢志》天文家有《漢日食月暈雜變行事占驗》十三卷，此
　即其類，或即其佚存者。

孝經内記二卷

　不著撰人。

　案《漢志》天文家有《圖書祕記》十七篇，《晉書・天文志》有
　圖緯舊説，其即此類之書。又本志《讖緯篇》有《孝經内事》

一卷，梁有《孝經内事圖》二卷，《孝經内事星宿講堂七十二弟子圖》一卷，亦是此類之書。《開元占經》日占、五星占、歲星占、熒惑占、石氏中官占、雜星、客星、彗星諸占引《孝經内記》，又引《孝經内記圖》。

京氏釋五星災異傳一卷
京氏日占圖三卷

京氏即京房，有《周易注》，見經部易家。

案《漢·藝文志》有《災異孟氏京房》六十六篇，此大抵從《京氏易傳》中析出別行者。其佚文在王氏保訓、嚴氏可均所輯《京氏易》八卷中，詳見後五行家第十三類。

夏氏日旁氣一卷　許氏撰。梁四卷。

夏氏、許氏皆不知何人。

《玉海·天文篇》：《隋志》：《夏氏日旁氣》一卷，許氏撰。梁四卷。《前漢·天文志》引《夏氏日月傳》，《乾象新書》引《夏氏占》。

案班氏《天文志》引《夏氏日月傳》。則夏氏，六國秦漢時人也。《開元占經》凡日占、月占、客星占、妖星占皆引夏氏，凡四十餘條，又數引《夏氏日暈圖》。《七錄》兵家又有《黄帝夏氏占氣》六卷，知夏氏之書不僅言日月，亦兼言星氣。此殆許氏所傳錄，非其全也。張氏《歷代名畫記》載古來祕畫珍圖，有《占日雲氣圖》一卷，注云京兆夏氏有。蓋相傳其家所有者，似即此夏氏，京兆人也。其圖亦當在此書中。許氏疑即許昉，有《軍勝見》及《戎決》，見前兵家。

日食芾候占一卷

不著撰人。

案《史記·天官書》曰：“朝鮮之拔，星芾于河戒；兵征大宛，星芾招摇。”《索隱》曰：“芾，音佩，即孛星也。”又《史記·武紀》云：“有星孛于東井，有星孛于三能。”《漢書·郊祀志》“孛”並作“字”。《開元占經·彗星占》引董仲舒曰：“字星者，彗星之屬也。芒偏指曰彗，芒氣四出曰字。字者，字字然也。謂之字者，言其暗昧不明之貌也。一說云彗星所散爲字，《春秋》言星字者，皆彗散也。”

魏氏日旁氣圖一卷

魏氏不詳何人。

案張氏《名畫記》述古來祕畫珍圖，有《占日雲氣圖》，注云京兆夏氏、魏氏並有，似即此魏氏與夏氏並京兆人，疑即《天官書》所謂占歲之魏鮮歟？漢武帝時人也。《開元占經》日占門引《魏氏圖》。

日旁雲氣圖五卷

不著撰人。

案《天官書》云：“漢之爲天數者，星則唐都，氣則王朔。”又曰“王朔所占，決于日旁。日旁雲氣，人主象。皆如其形以占”云云。《藝文志》天文家有《漢日旁氣行事占驗》三卷，又十三卷。此所載夏氏、魏氏及圖三種，其原蓋出于此。《開元占經》日占門引《日旁氣圖》，又引《高宗日旁氣圖》。高宗不知何人。

天文占雲氣圖一卷

不著撰人。

案此似即從陳卓、李遄諸家天文占中集出者。

梁有《雜望氣經》八卷，《候氣占》一卷。

並不著撰人。

案《漢志》天文家有《黃帝雜子氣》三十三篇，《常從日月星氣》二十一卷。此《望氣經》之權輿。《開元占經·日占門》引《氣經》，又引《雜雲氣占》、《荊氏氣占》。張氏《名畫記》

述古來祕畫珍圖，有《望氣圖》一卷。

梁有《章賢十二時雲氣圖》二卷。

唐張彥遠《歷代名畫記》：古來祕畫珍圖有《章賢十二時雲雨氣圖》一卷。

案章賢或是人姓名，始末未詳。據張氏《名畫記》所載則此妝一"雨"字。《漢志》天文家有《泰壹雜子雲雨》三十四卷，《國章觀霓雲雨》三十四卷，此或其僅存者。

天文洪範日月變一卷　洪範占二卷。梁有《洪範五行星曆》四卷。

並不著撰人。

案《魏書·高允傳》："允表曰：'往年被敕，令臣集天文災異，使事類相從，約而可觀。臣聞箕子陳謨而《洪範》作，宣尼述史而《春秋》著。漢成時，光禄大夫劉向見漢祚將危，權歸外戚，屢陳妖眚而不見省納，遂因《洪範》、《春秋》災異報應者而爲其傳。今謹依《洪範傳》、《天文志》撮其事要，略其文辭，凡爲八篇。'世祖覽而善之。"案其時爲南朝宋文帝元嘉之季，此三書疑皆是其散佚僅存者。允字伯恭，渤海人。仕至鎮軍大將軍、中書監、尚書、散騎常侍、光禄大夫，進爵咸陽公。太和十一年，卒，年九十八。贈侍中、司徒，謚曰文。

又案《開元占經·日簿蝕篇》引《洪範天文日月變占》，《五星》、《雜星》、《客星》、《彗星》諸篇引《洪範天文星辰變占》，《彗星篇》又數引《洪範天文志》曰、《星辰變占》曰。據《高允傳》，則皆似高氏之書。其稱《洪範天文志》似亦即高所引《漢書·天文志》也。

黄道晷景占一卷。梁有《晷景記》二卷。

並不著撰人。

案《漢志》曆譜家有《太歲謀日晷》二十九卷,《日晷書》三十四卷,此其類也。

月行黄道圖一卷

不著撰人。

案《續漢書·曆志》:賈逵論曆曰:"臣前上傅安等用黄道度日月弦望多近。史官一以赤道度之,不與日月同,于今曆弦望至差一日以上,輒奏以爲變,至以爲日卻縮退行。于黄道,自得行度,不爲變。願請太史官日月宿簿及星度課,與待詔星象考校。奏可。"是以黄道度日月行始于東漢賈景伯之時,此殆其遺制歟?

梁有《日月交會圖》鄭玄注一卷。

鄭玄有《周易注》,見經部易家。

唐張彦遠《歷代名畫記》述古來祕畫珍圖有《日月交會圖》一卷,鄭玄注。

王應麟《六經天文編》:朱氏曰:"日月交會,謂朔晦之間也。日月皆右行于天,一晝一夜日行一度,月行十三度十九分之七,故日一歲而一周天,月二十九日有奇而一周天。又逐及于日而與之會,一歲凡十二會。方會則月光都盡而爲晦,已會則月光復蘇而爲朔。朔後、晦前各十五日。日月相對,則月光正滿而爲望。晦朔而日月之合,東西同度,南北同道,則月揜日而日爲之食。望而日月之對,同度同道,則月亢日而月爲之食。是皆有常度矣。"

案范書本傳不言鄭有是注,似後人從鄭氏《天文七政論》中析出者。

梁又有《日月本次位圖》一卷。

不著撰人。

案張氏《名畫記》言古來祕畫珍圖,有《日月交會九道圖》,

似即此《本次位圖》。《續漢·曆志》載：永元中，治曆李梵、
鉅鹿公乘蘇統脩《九道術》。熹平中，故治曆郎梁國宗整上
《九道術》。部太子舍人馮恂亦復作《九道術》。此《九道
圖》之所由來，並詳見余所輯《後漢藝文志》。

月暈占一卷
日月食暈占四卷
日食占一卷
日月薄蝕圖一卷
日變異食占一卷
日月暈珥雲氣圖占一卷。梁有《君失政大雲雨日月占》二卷。

並不著撰人。

　案《漢志》天文家《漢日食月暈雜變行事占驗》十三卷，又
《泰壹雜子雲雨》、《國章觀霓雲雨》各三十四卷。此類皆其
流裔，或亦有漢代所留遺者。

二十八宿十二次一卷
二十八宿分野圖一卷

並不著撰人。

《晉書·天文志》曰："班固取《三統曆》十二次配十二野，其言
最詳。又有費直說《周易》、蔡邕《月令章句》，所言頗有先後。
魏太史令陳卓更言郡國所入宿度。"陳卓有《天文集占》，見前。
唐李淳風《乙巳占》曰："《天文錄》云：今所行十二次者，漢光
禄大夫劉向之所撰也。班固列爲《漢志》，群氏莫不宗焉。而
言詞簡略，學者多疑，輒載其本文而爲之注。"《天文錄》，梁祖暅撰。
又曰："在天二十八宿，分爲十二次。在地十二辰，配屬十二
國。至于九州分野，各有攸係，上下相應，故可得占而識焉。
州郡國邑之號，並劉向所分載于《漢書·地理志》。其疆境交
錯，地勢寬窄，或有未同，多因春秋已後，戰國所據，取其地

名、國號而分配焉。"

王應麟《六經天文編》:《通典》曰:"凡國之分野,上配天象,始于周季。"呂氏曰:"十二次,蓋戰國之言星者,以當時所有之國分配之。星經出于戰國之末,故舉當時東西周疆界以言之。"

案《玉海》云:"七國時,甘石始配十二分野。"考《漢志·天文家》,有《海中二十八宿國分》二十八卷,海人之占別爲一家之學,或亦權輿于此歟? 漢以來費直、劉向、蔡邕皆言分野,劉歆説《春秋》亦言分野,故《七録》春秋家有《左氏分野》一卷。晉陳卓附益以郡國宿度,梁祖暅又注釋其書,此兩書不知出誰氏。張氏《名畫記》載古來祕畫珍圖,有《二十八宿分野圖》一卷,似即此所載之圖。

五緯合雜一卷

五星合雜説一卷

並不著撰人。

《周禮·大宗伯》"日月星辰"注:"星謂五緯。"疏曰:"五緯即五星,東方歲星,南方熒惑,西方太白,北方辰星,中央鎮星。言緯者,二十八宿隨天左轉爲經,五星左旋爲緯。"

案自《黄帝五星占》至此,皆星、氣、風、雲、日、月諸雜占之屬,爲一段。而編次凌雜,紊如亂絲,則雜抄諸家書目未及整理也。《續漢·百官志》:"太史令一人,掌天時、星曆。靈臺丞一人,掌候日月星氣。"《漢官》曰:"靈臺待詔四十二人,其十四人候星,二人候日,三人候風,十二人候氣,案候氣,亦候律管吹灰之氣,不盡候日月星雲之氣也。三人候晷景,七人候鍾律,一人舍人。"凡此皆屬于太史,皆各有簿籍記其占候。故有此類雜沓不倫之書,其中多重複互見,莫可究詰也。

垂象志一百四十八卷

不著撰人。

《北史·藝術傳》：“庾季才字叔翼，新野人也。家于南郡江陵縣。祖詵，《南史》有傳。父曼倩，光禄卿。季才幼穎悟，十二通《易》，好占玄象。仕梁元帝爲中書郎，領太史，封宜昌縣伯。入周封臨潁縣伯、太史中大夫、加驃騎大將軍、開府儀同三司。隋文帝開皇元年，授通直散騎常侍。帝將遷都，夜與高潁、蘇威二人定議。季才旦奏：‘臣仰觀玄象，俯察圖記，龜兆允襲，必有遷都。且漢營此城，經今將八百歲，水皆鹹鹵，不甚宜人，願爲遷徙計。’帝愕然，謂潁等曰：‘是何神也！’遂發詔施行。賜季才絹布，進爵爲公。謂曰：‘朕自今以後，信有大道。’于是令季才與其子質撰《垂象志》。謂曰：‘天道祕奥，推測多途，執見不同，不欲令外人干預此事，故令公父子共爲之。’及書成奏上，賜米帛甚優。仁壽三年，卒。”又曰：“撰《垂象志》一百四十二卷，行于世。”

錢氏《隋書考異》曰：“《經籍志》《垂象志》一百四十八卷，《志》不著撰人，蓋庾季才所撰。本傳作一百四十二卷。”

太史注記六卷

不著撰人。

《續漢·百官志》：太史令一人，掌天時、星曆。凡國有瑞應、災異，掌記之。丞一人。明堂及靈臺丞一人，掌守明堂、靈臺。候日月星氣，皆屬太史。

《唐六典》：太史令掌觀察天文，稽定曆數。凡日月星辰之變、風雲氣色之異，率其屬而占候焉。每季録所見災祥，送門下、中書省入起居注，歲終總録，封送史館。

案此列在庾季才書中，或亦季才爲太史令時所録。

靈臺祕苑一百一十五卷　太史令庾季才撰

庾季才有《垂象志》，見前。

《北史·藝術傳》："周武帝時，季才遷太史中大夫，詔撰《靈臺祕苑》。"又曰："撰《靈臺祕苑》一百二十卷，行于世。"

《隋書·天文志》：逮周氏克梁，獲庾季才，爲太史令，撰《靈臺祕苑》一百二十卷，占驗益備。今略其雜星、瑞星、妖星、客星、流星及雲氣名狀，次之于此云。

《唐書·經籍志》：《靈臺祕苑》一百二十卷，庾季才撰。

《唐書·藝文志》：庾季才《靈臺祕苑》一百二十卷。

秀水朱彝尊《曝書亭集》跋曰："《靈臺祕苑》，本北周明帝詔太史中大夫新野庾季才叔奕撰，書成，凡百二十卷。《隋志》一百十五卷。今止存十五卷。本目録後有編修官：于大吉、丁洵，看詳官歐陽發、王安禮姓名。蓋宋自太平興國而後，私習天文者有屬禁，天文推測之術不欲使民知之。季才完書，必多奧義，諸人奉敕删削，而僅摘其十一。若作酒醴，去其漿而糟醨在矣。"

《四庫提要》曰："《靈臺祕苑》十五卷，北周庾季才原撰，而宋人所重修也。季才之書見于《周書》本傳，作一百十卷。此爲北宋時奉敕删訂之本，祗存十五卷。首以《步天歌》及圖，次釋星驗，次分野土圭，次風雷雲氣之占，次取日月、五星、三垣、列宿，逐次詳注。大抵頗涉占驗之說，不盡可憑。又篤信分野次舍，以州郡強爲分析，亦失之穿鑿附會。然周以前之古帙尚藉以略見大凡。存爲考證之資，亦無不可也。"

又《存目提要》曰："《靈臺祕苑》一百二十卷，不著撰人名氏。書名、卷數皆與庾季才所著相同，然書中所徵引故實，迄于元末，又所記冬至以日躔箕宿四度起算，則明人所編輯，仍襲季才之名耳。大抵推步緯度者少，測驗祥異者多，體例亦頗宂沓。蓋方技之流雜抄占書爲之耳。”

　　案自《垂象志》至此，爲一段。是篇章法約略分爲四段。所載靈憲、渾天、天文、日月、五星、二十八舍、雜星、彗孛、風雲諸占候，皆略見于《史》、《漢書志》及《晉》、《宋》、《齊》、《隋·天文志》、《開元占經》、《乙巳占》等書，實亡而未盡亡也。

右九十七部合六百七十五卷。實在著録九十八部，附著亡書十六部，通計一百一十四部。

　　案《七録敍目·術伎録第一》曰：“天文部四十九種六十七帙五百二十八卷。”本志存佚并計所增益者凡六十五部。

卷三十五

子部十二

曆數家　　類中分類凡四。

四分曆二卷

不著撰人。

《漢書·曆志》：劉歆《三統曆·世經》曰：“《四分》，上元至伐桀十三萬二千一百一十三歲，其八十八紀，甲子府首，入伐桀後百二十七歲。”

《唐書·經籍志》：《四分曆》三卷。《藝文志》同。

嘉定錢大昕《漢書考異》曰：“四分之術至後漢始行。今劉子駿《三統術》亦著其說，則西京已有之矣。《淮南·天文訓》所述甲寅元亦與四分同。”亦見錢氏《三統術衍》。

儀徵阮元《疇人傳》論曰：“《漢書·志》載《四分》，上元至伐桀十三萬二千一百一十三歲。蓋《四分》之率本在《三統》以前，東京諸儒特增修其法而用之耳。”

烏程汪曰楨《古今推步諸術考》曰：“自黃帝術、顓頊甲寅元術、顓頊術、真夏術、夏術、殷術、真周術、周術、魯術、乾鑿度術、元命苞術、古西法、《史記·曆書》術及《稽覽圖》、《命曆序》諸術，其日法、歲實、朔實皆與四分術同。杜預謂今之所傳七術皆未必是時王之術。祖沖之謂古之六術皆同四分是也。”案七曆、六曆皆見《漢志》曆譜家，所謂黃帝、顓頊、夏、殷、周、魯曆是也。顓頊曆有二家，故云七曆。

案《續漢書·曆志》：“明帝永平二年，詔待詔張盛等以《四分法》課歲餘,《四分》之術始頗施行。"是元和改曆之前亦有《四分曆》,官曆署据以課疏密。此三卷列在李梵《四分曆》之前,其即漢以來相傳爲劉歆所見之本歟?

又案《漢書·曆志》云:"迺詔遷用鄧平所造八十一分律曆,罷廢尤疏遠者十七家。"是《四分曆》即在十七家之内,武帝時以爲疏遠而罷廢之也。

梁有《四分曆》三卷,漢修曆人李梵撰,亡。

《續漢書·曆志》:"自太初元年始用《三統曆》,施行百有餘年,曆稱後天。建武八年中,太僕朱浮、太中大夫許淑等數上書,言曆不正,宜當改更。時分度覺差尚微,上以天下初定,未遑考正。至元和二年,《太初》失天益遠,日、月宿度相覺浸多。章帝知其謬錯,以問史官,雖知不合,而不能易,故召治曆編訢、李梵等綜校其狀。二月甲寅,遂下詔,改行《四分》。于是《四分》施行。"劉昭曰:"蔡邕議云:梵,清河人。"

《後漢書·章帝本紀》:元和二年二月甲寅,始用《四分曆》。

阮氏《疇人傳》論曰:"《四分術》歲名不用超辰,五星始于合伏,爲術與《三統》異,而後世皆遵用之。至于昏旦、中星、晝夜漏刻、二至晷景長短之數、黃赤宿度、進退之率則皆《三統》所未詳,始見于《四分》者也。其《論術》一篇,錢少詹大昕謂爲'精微簡要,非劉洪不能作,後之步天者所宜寶也'。"

汪氏《古今推步諸術考》曰:"後漢編訢《四分術》,上元庚辰至元和元年甲申,積九千三百六十五年算,上自章帝元和二年乙酉始用此術,迄獻帝延康元年庚子,凡一百三十六年。魏初亦用此術,自文帝黃初元年庚子,迄明帝青龍四年丙辰,凡一十七年。蜀漢亦用此術,自昭烈帝章武元年辛丑,迄安樂思公炎興元年癸未,凡四十三年。吳大帝黃武元年壬寅亦用此術一年。統計乙酉至癸未,大凡行用一百七十九年。《元史·志·授時術議》言《四分術》行一百二十一年，誤。”

案《四分曆》法，《續漢書·曆志下篇》備載之。

梁又有《三統曆法》三卷，劉歆撰，亡。

劉歆有《爾雅注》，見經部論語類。

《漢書》本傳：歆爲羲和、京兆尹，使治明堂辟雍，封紅休侯。典儒林史卜之官，考定律曆，著《三統曆譜》。贊曰：“劉氏《洪範論》發明《大傳》，著天人之應；《十略》剖判藝文，總百家之緒；《三統曆譜》考步日月五星之度。有意其推本之也。”

又《曆志》序曰：“至孝成世，劉向總六曆，列是非，作《五紀論》。向子歆究其微眇，作《三統曆》及《譜》，以說《春秋》，推法密要，故述焉。”

《後漢書·鄭興傳》：“興善《左氏傳》。天鳳中，將門人從劉歆講正大義，歆美興才，使校《三統曆》。興子衆從父受《左氏春秋》，精力于學，明《三統曆》。”章懷太子曰：“《三統曆》，劉歆撰，謂夏、殷、周曆也。”

《唐書·經籍志》：《三統曆》一卷，劉歆撰。

《唐書·藝文志》：劉歆《三統曆》一卷。

錢大昕《三統術衍》自序曰：“古術之可考者，當以《三統》爲首。《三統》之術本之《太初》，又追前世一元五星會牽牛之初，以爲太極上元。參之《易》象，以窮其源；徵之《春秋》，以求其驗。班孟堅以爲推法密要，服子慎、韋宏嗣亦取以解《春秋》內、外傳。”

阮元刻錢氏《三統術衍》序曰：“推步術見于廿四史志者，以《漢書》劉歆《三統術》爲最古，其日法斗分並與《太初術》同。蓋歆即因落下閎、鄧平之法而增修者也。其法以統術推氣朔月食，以紀術步五星，以歲術求歲星太歲，綱舉目張，規模大備。《世經》一篇，考驗炮犧以來有涉步算之事，一一符合。

固漢氏一代之故事，而步術七十餘家之權輿也。”

又《疇人傳》論曰：“三代推步之書，秦火而後無復遺餘。及今可考而知者，自歆《三統》始也。論其爲術之善，厥有數端：《四分》以後，太歲一歲一名，而《三統》推歲星以百四十四年行百四十五次，太歲與歲星恒相應，有超辰之法，一也。《四分》二十四中氣節與今不殊，而《三統》則以驚蟄爲正月中，雨水爲二月節，穀雨爲三月節，清明爲三月中，合于《夏小正》‘正月啓蟄’之文，二也。上世積年荒遠難稽，《史記》託始共和最爲有徵。《三統·世經》所載自文王四十二年以後，歲歲相接，更在共和之前，考古者得以有所據依，三也。歆父子相繼領校祕書，《世經》所稱伊訓武成等文，必真古文，足以有裨經學，四也。至于臚列《尚書》、《春秋》古來有涉步算之事，一一推合，以明其術之有驗。于古班固稱爲推法密要，後世諸儒用以説經。蓋誠有取爾也。惟述統母之生，多傅合《易》卦、鍾律。案以算理，實多未然云。”

汪曰楨《推步諸術考》：“漢劉歆《三統術》上元庚戌至太初元年丁丑，積一十四萬三千一百二十八年，算上。見《漢書·志》。案《太初術》一元有三統，故名《三統術》。以《三統術》説《春秋》，即謂之《春秋術》。杜預言劉子駿造三正術以脩《春秋》，是又名《三正》也。姜岌言服虔解傳用太極上元。太極上元乃《三統術》劉歆所造元也。是又名《太極》也。其術兼以太陰紀歲，皆一百四十四年而超一辰，共二十四氣。驚蟄、雨水、穀雨、清明並與《四分》以後之法異。”

張氏《書目答問》：《三統術衍》三卷，錢大昕撰，《潛研堂集》本。董祐誠《三統術衍補》一卷，在《董方立遺書》內。

案杜征南《長曆説》云：“自古論《春秋》者，或造家術，或用黃帝諸曆。”此即家術之類也，歆本作此以説《春秋》。《漢書·曆志》有明文，或以爲歆此術爲王莽作，王莽用《三統曆》，則以《太初曆》亦稱《三統曆》。見《續漢·曆志序》。因而傳譌也。汪氏云王莽亦用《太初曆》。

趙隱居四分曆一卷

趙隱居不知何人。

案趙隱居疑即北涼趙㪍。

魏甲子元三統曆一卷

不著撰人。

《通志·藝文略》曆數正曆類：《魏甲子元三統曆》三卷。

姜氏三紀曆一卷　　曆序一卷　　姜氏撰

《晉書·曆志》："後秦姚興時，當孝武太元九年，歲在甲申，天水姜岌造《三紀甲子元曆》。"又曰："岌以月蝕檢日宿度所在，爲曆術者宗焉。又著《渾天論》，以步日于黄道，駁前儒之失，並得其中矣。"案此姚興當爲姚萇，汪氏《諸術考》已言之。

嚴氏《全晉文編》曰："姜岌，天水人，仕姚興，官爵未詳，撰《三紀甲子元曆》。"

汪氏《推步諸術考》："後秦姜岌《三紀甲子元術》，上元甲子至晉孝武帝太元九年甲申，後秦姚萇白雀元年。積八萬三千八百四十一年，算上。見《晉書·志》、《開元占經》。《晉志》云，姚興時當太元九年，歲在甲申造，乃姚萇之譌。若姚興時造則當在太元十九年之後矣。自武昭帝姚萇白雀元年甲申始用此術，迄後主姚泓永和二年丁巳，行用凡三十四年。"

案《開元占經》卷一，吴太史令陳卓作《渾天論》，與姜岌答難云云，則岌與卓同時。卓于江左元帝踐阼時猶存，後六十八年始爲太元九年，岌即于斯時猶在，其年亦必八九十歲。然不知何時陷于北庭而入後秦，爲姚萇撰曆也。殆亦永嘉建興間中朝覆没之時歟？

又案此不著于劉智《正曆》之後，而列于吳闞澤之前者，其意殆以《四分》、《三統》、《三紀》以書名相類從也。然而謬矣。

乾象曆三卷　　吳太子太傅闞澤撰

《吳志》本傳：澤字德潤，會稽山陰人也。家世農夫，至澤好學，究覽群籍，兼通曆數，由是顯名。察孝廉，除錢唐長，遷郴令。孫權爲驃騎將軍，辟補西曹掾。及稱尊號，以澤爲尚書。嘉禾中，爲中書令，加侍中。赤烏五年，拜太子太傅，領中書如故。澤以經傳文多，難得盡用，乃斟酌諸家，刊約《禮》文及諸注説以授二宫，爲制行出入及見賓儀，又著《乾象曆注》以正時日。每朝廷大議，經典所疑，輒諮訪之。以儒學勤勞，封都鄉侯。六年冬卒。

《晉書》、《宋書·曆志》曰：“吳中書令闞澤受劉洪《乾象法》于東萊徐岳，又加解注。”

北周甄鸞《數術記遺注》曰：“漢會稽太守劉洪付《乾象曆》于東萊徐岳，岳授吳中書闞澤，澤甚重焉，爲注解。”

《唐書·經籍志》：《乾象曆》三卷，闞澤注，闞洋撰。本作“闞澤注，闞澤撰”，岑本不著卷數，作“闞澤撰，閔洋注”，當是“劉洪撰，闞澤注”之誤。

《唐書·藝文志》：劉洪《乾象曆術》三卷，闞澤注。

梁有《乾象曆》五卷，漢會稽都尉劉洪等注，亡。

《續漢書·曆志》注：《袁山松書》曰：“劉洪字元卓，泰山蒙陰人。魯王之宗室也。延熹中，以校尉應太史，徵拜郎中，遷常山長史，以父憂去官。後爲上計掾，拜郎中，檢東觀著作《律曆記》，遷謁者，穀城門候，會稽東部都尉。徵還，未至，領山陽太守，卒官。洪善算，當世無偶，作《七曜術》。及在東觀，與蔡邕共述《律曆記》，考驗天官。及造《乾象術》，十餘年，考驗日月，與象相應，皆傳于世。”

又“宋世治曆，何承天曰：‘元和中，案當爲光和。穀城門候劉洪始悟《四分》于天疏闊，更以五百八十九爲紀法，百四十五爲斗分，而造《乾象法》。又制《遲疾曆》以步月行，方于《太初》、《四分》，轉精密矣。'"徐幹《中論·曆數篇》：靈帝時，劉洪更造《乾象曆》，考之天文，于今爲密。會宮車晏駕，京師大亂，事不施行，惜哉！

《吳志·孫權傳》：黃武二年春正月，改四分用乾象曆。

《晉書》、《宋書·曆志》曰："吳中書令闞澤受劉洪《乾象法》于東萊徐岳，又加解注。中常侍王蕃以洪術精妙，用推渾天之理，以制儀象及論，故孙氏用《乾象曆》，至于吳亡。"

《唐書·經籍志》：《乾象曆術》三卷，劉洪撰。又有《乾象曆》三卷，不著名氏。《新志》同。

元史郭守敬《授時曆議》：《乾象曆》，建安十一年丙戌劉洪造，行三十一年，至魏景初丁巳後天七刻。

阮元《疇人傳》論曰："洪創始遲疾、陰陽二術，後來術家莫不遵用。其爲功步算大矣。蔡伯喈稱洪密于用算，鄭康成論《乾象》以爲窮幽極微，非虛譽也。"

汪曰楨《推步諸術考》："後漢劉洪《乾象術》，上元己丑至建安十一年丙戌，積七千三百七十八年，算上。見《晉書·志》。自吳大帝黃武二年癸卯始用此術，迄歸命侯天紀四年庚子，凡五十八年。"又曰："此術孫吳始用之，漢魏未經行用。《元志》云行三十一年，譌。"

案此不知合何人之注，渾稱劉洪等。考范書鄭玄本傳載所注諸書有《乾象曆》。《晉書·曆志》云靈帝時劉洪爲《乾象曆》。獻帝建安元年，鄭玄受其法，以爲窮幽極微，又加注釋焉。疑此五卷有鄭氏注在其間焉。

梁又有闞澤注五卷，亡

案闞澤注《乾象曆》三卷已見于前，此《七錄》所載別本有五卷云。

梁又有《乾象五星幻術》一卷,亡。

不著撰人。

曆術一卷　吳太史令吳範撰

吳範有《占出軍決勝負事》,見前兵家。

《通志・藝文略》曆數曆術類:《曆術》一卷,吳太史令吳範撰。

汪氏《推步諸術考》:吳《吳範術》無考,見《隋・經籍志》。

景初曆三卷　晉楊偉撰。梁有《景初曆術》二卷,《景初曆法》三卷,又一本五卷,並楊偉撰。并《景初曆略要》二卷,亡。

楊偉有《桑丘先生書》,又有《時務論》,并見雜家。

《晉書》、《宋書・曆志》楊偉表有曰:"臣之所建《景初術》,法數則約要,施用則近密,治之則省功,學之則易知。雖復使研、桑心算,隸首運籌,重、黎司晷,羲、和察景,以考天路,步驗日月,究極精微,盡數術之極者,皆未如臣如此之妙也。"

《魏志・明帝紀》:"景初元年春正月壬辰,山茌縣言黃龍見。于是有司奏,以爲魏得地統,宜以建丑之月爲正。三月,定曆改年爲孟夏四月。注引《魏書》曰:"甲子詔曰:'其改青龍五年三月爲景初元年四月。'"改太和曆曰景初曆。案太和曆事見《高堂隆傳》,注引《魏略》。其春夏秋冬孟仲季月雖與正歲不同,至于郊祀、迎氣、祫祠、蒸嘗、巡狩、蒐田、分至啓閉、班宣時令、中氣早晚、敬授民事,皆以正歲斗建爲曆數之序。"又《齊王紀》:"景初三年十二月,詔曰:烈祖明皇帝以正月棄背天下,臣子永惟忌日之哀,其復用夏正。雖違先帝通三統之義,斯亦禮制所由變改也。又夏正于數爲得天正,其以建寅之月爲正始元年正月,以建丑月爲後十二月。"

《唐書・經籍志》:《魏景初曆》三卷,楊偉撰。

《唐書・藝文志》:楊偉《魏景初曆》三卷。

阮氏《疇人傳》論曰:"《乾象術》推合朔用日法,推遲疾用周,推陰陽用日周,各異其法而不相通。偉述通數會,通通周,並以滿日法而一爲日,用算省約。此李淳風總法之所祖。壬辰元首有交會遲疾差數,此又楊忠輔諸差、郭守敬諸應之所自出。至其推交會月蝕,以去交度十五爲法,論虧之多少,以先會後交、先交後會,論虧起角之東西南北,皆密于前術,足以爲後世法者也。"

汪氏《推步諸術考》:魏楊偉《景初術》,上元壬辰至景初元年丁巳,積四千零四十六年,算上。見《晉》、《宋》二書《志》。自明帝景初元年丁巳始用此術,迄元帝咸熙二年乙酉,凡二十九年。晉仍用此術,更名《泰始術》,自武帝泰始元年乙酉,迄恭帝元熙二年庚申,凡一百五十六年。宋初仍用此術,更名《永初術》,自武帝永初元年庚申,迄文帝元嘉二十一年甲申,凡二十五年。北魏初亦用此術,自道武帝天興元年戊戌,迄太武帝正平元年辛卯,凡五十四年。統計丁巳至辛卯,大凡行用二百一十五年。

景初壬辰元曆一卷　楊沖撰

汪氏《推步諸術考》:案《隋·經籍志》既有楊偉《景初術》,又有楊沖《景初壬辰元術》一卷,當是複出。

案《景初曆》曆元本是壬辰,此又云《壬辰元曆》,故汪氏以爲複出。楊沖之"沖",亦疑草寫"偉"字之誤。

正曆四卷　晉太常劉智撰

劉智有《喪服要問》,詳見經部禮類。

《晉書·曆志》:"武帝侍中平原劉智,以斗曆改憲,推《四分法》,三百年而減一日,以一百五十爲度法,三十七爲半分。"又曰:"推甲子爲上元,至泰始十年,歲在甲午,九萬七千四百一十一歲,上元天正甲子朔夜半冬至,日月五星始于星紀,得元首之端。飾以浮說,名爲《正曆》。"

《宋書·曆志》：晉江左時，侍中平原劉智推三百年斗曆改憲，以爲《四分法》三百年而滅一日，以百五十爲度法，三十七爲斗分。飾以浮説，以扶其理。

《唐書·藝文志》：劉智《正曆》四卷，薛夏訓。

汪氏《推步諸術考》：晉劉智《正術》，上元甲子至泰始十年甲午，積九萬七千四百一十一年，算上。見《開元占經》及《晉志》。

河西甲寅元曆一卷　涼太史趙𢾺撰　甲寅元曆序一卷　趙𢾺撰

《宋書·大且渠蒙遜傳》：河西人趙𢾺善曆筭。元嘉十四年，河西王茂虔奉表獻方物，并獻《趙𢾺傳》并《甲寅元曆》一卷。

《魏書·曆志》："太祖天興初，命太史令晁崇修渾儀以觀星象，仍用魏楊偉《景初曆》。歲年積久，頗以爲疏。世祖平涼土，得趙𢾺所修《玄始曆》，後謂爲密，以代《景初》。"又曰："高宗踐阼，乃用敦煌趙𢾺《甲寅》之律。"

《金樓子·自序篇》：涼國太史令趙𢾺造《乾度曆》三十年，以心疾卒。_{案《乾鑿度術》亦上元甲寅也，疑此敓"鑿"字。}

《唐書·經籍志》：《河西甲寅元曆》一卷，李淳風撰。_{案此題李淳風，非也。}

《唐書·藝文志》：趙𢾺《河西甲寅元曆》一卷。

阮氏《疇人傳》："北涼趙𢾺，河西人也，善曆算。沮渠蒙遜元始時修《元始術》。"又傳論曰："魏世祖平涼得𢾺術，以代《景初》。則其術之驗于當時可知。𢾺于算造，蓋姜岌之流亞也。"

汪氏《推步諸術考》：北涼趙𢾺《元始術》，上元甲寅，至元始元年壬子，_{晉義熙八年，魏永興四年。}積六萬一千四百三十八年，算外。見《魏書·志》、《開元占經》。自武宣王沮渠蒙遜元始元年壬子始用此術,迄哀王沮渠茂虔永和七年己卯,凡二十八年。北魏亦用此術,自文成帝興安元年壬辰,迄孝明帝正光三年壬寅,凡七十一年。統計壬子至壬寅,凡一百一十一年,中空庚辰至辛卯一十二年,實行用九十九年。案自北涼亡後,至魏文成帝即位,始用此術,其間凡十二年。汪氏所謂中空者以此。

宋元嘉曆二卷　何承天撰。梁又有《元嘉曆統》二卷,《元嘉中論曆事》六卷,《元嘉曆疏》一卷,《元嘉二十六年度日景數》一卷,亡。

曆術一卷　何承天撰。梁有《驗日食法》三卷,何承天撰,亡。

何承天有《禮論》,見經部禮類。

《宋書·武帝本紀》:"永初元年六月己卯,改晉《泰始曆》爲《永初曆》。"《文帝本紀》:"元嘉二十二年春正月辛卯朔,改用御史中丞何承天《元嘉新曆》。"

又《曆志》:宋太祖頗好曆數,太子率更令何承天私撰新法。元嘉二十年,上表進《元嘉曆》。詔曰:"承天所陳,殊有理據。可付外詳之。"有司奏:"承天曆術,合可施用。宋二十二年,普用《元嘉曆》。"詔可。

《唐書·經籍志》:《宋元嘉曆》二卷,何承天撰。

《唐書·藝文志》:何承天《元嘉曆》二卷。

阮氏《疇人傳》論曰:"承天曆勝于前者三事:欲用定朔,一也;考正冬至日度,二也;春秋分晷景無長短之差,三也。至其創立強弱二率以調日法,由唐迄宋演撰家皆墨守其說而不敢變易,可謂卓然名家者矣。"

汪氏《推步諸術考》:宋何承天《元嘉術》,上元庚辰正月甲子朔旦雨水,至元嘉二十年癸未,積五千八百零三年,算外。自文帝元嘉二十二年乙酉始用此術,迄順帝昇明三年己未,凡三十五年。南齊仍用此術,更名《建元術》,自高帝建元元年己未，迄和帝中興二年壬午，凡二十四年。梁初亦用此術，自武帝天監元年壬午，迄八年己丑，凡八年。統計自乙酉至己丑，大凡行用六十五年。案晉用《景初術》，更名《泰始術》。宋又更名《永初術》。今此術齊既更名《建元術》，則梁亦當更名《天監術》，而史無明文。

> 案《宋書·曆志》備載《元嘉曆法》，又載何承天論曆，蓋即此《元嘉中論曆事》六卷之大略。《元嘉二十六年度日景數》一卷，似太史注記之流，或亦即《疇人傳》所謂春秋分晷景無長短之事。《驗日食法》三卷，似即下文《論頻月合朔法》。

梁又有《論頻月合朔法》五卷，亡。

不著撰人。

《宋書·曆志》：太史令錢樂之、兼丞嚴粲奉詔看詳何承天新曆，奏曰：“又承天法，每月朔望及弦，皆定大小餘，于推交會時刻雖審，皆用盈縮，則月有頻三大、頻二小，比舊法殊爲異。舊日蝕不唯在朔，亦有在晦及二日。《公羊傳》所謂‘或失之前，或失之後’。愚謂此一條自宜仍舊。”員外散騎郎皮延宗又難承天：“若晦朔定大小餘，紀首值盈，則退一日，便應以故歲之晦，爲新紀之首。”承天乃改新法依舊術，不復每月定大小餘，如延宗所難，太史所上。《隋書·曆志》云承天本意欲立合朔之日，遭皮延宗飾非致難，故事不得行。

《北史·藝術·信都芳傳》：芳又私撰曆書，名曰《靈憲曆》，算月頻大頻小，食必以朔，證據甚明。每云：“何承天亦爲此法，而不能精。《靈憲》若成，必當百代無異議者。”書未成而卒。

> 案《宋志》、《北史》所言則此論頻月合朔法，亦即何承天與諸人所論，《疇人傳》所謂“欲用定朔”之事也。

梁又有《雜曆》七卷，《曆法集》十卷，又《曆術》十卷，亡。

並不著撰人。

案此三書或亦何氏及元嘉時諸家所撰者。

梁又有《京氏要集曆術》四卷，姜岌撰，亡。

姜岌有《三紀曆》，見前。

《唐書·藝文志》：《姜氏曆術》三卷。

案本志五行家有《易律曆》一卷，虞翻撰，蓋虞氏注京房書，
詳見本條。此殆姜氏取京房書而推衍成編者。

曆術一卷　崔浩撰

崔浩有《周易注》，詳見經部易家。

《魏書》本傳：浩《上五寅元曆表》曰"太宗復詔臣學天文、星
曆、易式、九宮，無不盡看。至今三十九年，晝夜無廢。臣稟
性弱劣，力不及健婦人，更無餘能，是以專心思書，忘寢與食，
至乃夢共鬼爭義。遂得周公、孔子之要術，始知古人有虛有
實，妄語者多，真正者少。自秦始皇燒書之後，經典絶滅。漢
高祖以來，世人妄造曆術者有十餘家，皆不得天道之正，大誤
四千，小誤甚多，不可言盡。臣愍其如此。今遭陛下太平之
世，除僞從真，宜改誤曆，以從天道。是以臣前奏造曆，今始
成訖"云云。

又《高允传》：司徒崔浩集諸術士，考校漢元以來，日月薄蝕、
五星行度，并譏前史之失，别爲魏曆，以示允。允曰："天文曆
數，不可空論。夫善言遠者，必先驗于近。且漢元年冬十月，
五星聚于東井，此乃曆術之淺。今譏漢史，而不覺此謬，恐後
人譏今猶今之譏古。"浩曰："所謬云何？"允曰：'案《星傳》，
金水二星常附日而行。冬十月，日在尾箕，昏没于申南，而東
井方出于寅北。二星何因背日而行？是史官欲神其事，不復
推之于理。"浩曰："欲爲變者何所不可，君獨不疑三星之聚，
而怪二星之來？"允曰："此不可以空言爭，宜更審之。"時坐者
咸怪，唯東宫少傅游雅曰："高君長于曆數，當不虛也。"後歲

餘，浩謂允曰：“先所論者，本不注心，及更考究，果如君語，以前三月聚于東井，非十月也。”案此亦崔浩《曆術》中之一事。

《魏書·曆志》曰：“真君中司徒崔浩爲《五寅元曆》，未及施行，浩誅，遂寢。”

《唐書·經籍志》：《曆疏》一卷，崔浩撰。

《唐書·藝文志》：崔浩《律曆術》一卷。

汪氏《推步諸術考》：北魏崔浩《五寅元術》無考，見《魏書》、《北史》本傳，真君初年表上。

案南朝有宋祖沖之《大明曆》，上元甲子至大明七年癸卯，積五萬一千九百三十九年，算外。見《宋書》、《隋書·曆志》。自梁武帝天監九年庚寅，迄陳後主禎明三年己酉爲隋所滅，凡行用八十年。此曆本志不著錄。

神龜壬子元曆一卷　　後魏護軍將軍祖瑩撰

《魏書》本傳：瑩字元珍，范陽遒人也。年十二，爲中書學生。好學耽書，累遷國子祭酒、祕書監。以參議律曆，賜爵容城縣子。遷車騎大將軍。出帝登阼，封文安縣子。天平初，加儀同三司，進爵爲伯。薨，贈尚書左僕射、司徒公、冀州刺史。子珽，字孝徵，襲。珽即撰《聖壽堂御覽》者，見前雜家。

又《曆志》：神龜初，侍中國子祭酒崔光表曰：“去延昌四年冬，中堅將軍、屯騎校尉張洪，故太史令張明豫息盪寇將軍龍祥，校書郎李業興等三家並上新曆，各求申用。時太傅公、清河王臣懌等以天道至遠，非率可量，請立表候景，期之三載，乃采其長者，更議所從。又蒙敕許。于是洪等與前鎮東府長史祖瑩等研窮其事，爾來三年，再歷寒暑，積勤搆思，大功獲成。謹案洪等三人前上之曆，并附馬都尉盧道虔、前太極采材軍主衛洪顯、珍寇將軍太史令胡榮及雍州沙門統道融、司州河南人樊仲遵、定州鉅鹿人張僧豫所上，總合九家，共成一曆，元起壬子，律始黃鍾，考古合今，謂爲最密。請定名爲《神龜曆》。今封以上呈。"肅宗以曆就，大赦改元，因名《正光曆》，班于天下。其九家共脩，以龍祥、業興爲主。案《明帝本紀》大赦則有之，改元則因加元服，非因曆。就此，"改元"二字誤衍。

汪氏《推步諸術考》：北魏張龍祥《正光術》，上元壬子至正光三年壬寅，梁普通三年。積一十六萬七千七百五十年，算外。見《魏書·志》。初名《神龜術》，後改名《正光術》。《隋·經籍志》《神龜壬子元術》一卷，後魏護軍將軍祖瑩傳，即此術。自孝明帝正光四年癸卯始用此術，迄孝武帝永熙三年甲寅，凡一十二年。西魏亦用此術，自文帝大統元年乙卯，迄恭帝四年丁丑，凡二十三年。東魏亦用此術，自孝靜帝天平元年甲寅，迄興和元年己未，凡六年。北周亦用此術，自孝愍帝元年丁丑，迄明帝二年戊寅，凡二年。統計自癸卯至戊寅，大凡行用三十六年。

魏後元年甲子曆一卷

不著撰人。

案《魏書·曆志》云"張龍祥以皇魏運水德，爲《甲子元曆》，並未申用"云云。則此似張龍祥所別撰者，又似後李業興《甲子元曆》一卷之別本。

壬子元曆一卷　後魏校書郎李業興撰

《魏書·儒林傳》：李業興，上黨長子人也。志學精立，負帙從師。事徐遵明于趙魏間。博涉百家，圖緯、風角、天文、占候無不討練，尤長算曆。舉孝廉，爲校書郎。以世行趙𢾗曆，節氣後辰下算，延昌中，業興乃爲《戊子元曆》上之。于時屯騎校尉張洪、盪寇將軍張龍祥等九家各獻新曆，世宗詔令共爲一曆。洪等後遂共推業興爲主，成《戊子曆》，案《魏書·曆志》云："校書郎李業興亦私造曆，爲《戊子元》，並未申用。"似業興所造初名《戊子元曆》，後合九家共定爲《壬子元曆》。此云《戊子曆》,當是《壬子曆》之誤。正光三年奏行之。永安三年,以前造曆之勳,賜爵長子伯。後以孝武帝登極,封屯留縣子,累遷國子祭酒、侍讀、太原太守。武定五年,齊文襄王引爲中外府諮議參軍。後坐事禁止。七年,死于禁所,年六十六。

汪氏《推步諸術考》:北魏張龍祥《正光術》,初名《神龜術》,後改名《正光術》。《隋·經籍志》:《神龜壬子元術》一卷,後魏護軍將軍祖瑩撰。又有李業興《壬子元術》一卷,皆即此術。案此或亦即業興所上《戊子元曆》。

甲寅元曆序一卷　　趙畞撰

趙畞有《河西甲寅元曆》并《曆序》各一卷,見前。

《通志·校讎略》:趙畞《甲寅元曆序》,曆數類中兩出。

錢氏《隋書考異》曰:"趙畞《甲寅元曆序》一卷,兩收于曆數類。"

魏武定曆一卷

不著撰人。

《唐書·經籍志》:《後魏武定曆》一卷。《藝文志》同。

汪氏《推步諸術考》:《東魏武定術》無考,見《隋·經籍志》、《唐·藝文志》。

案東魏孝靜帝興和四年,改元武定。武定八年,禪位于北齊文宣帝。此《武定曆》當在李業興《興和曆》行用之後。詳見後三條。蓋當時未經行用之廢曆也。

齊甲子元曆一卷　　宋氏撰

宋景業曆一卷　　景業,後齊散騎常侍。

《北史·藝術傳》:宋景業,廣宗人也。明《周易》,爲陰陽緯候之學,兼明曆數。魏武定初,任北平太守。齊文宣天保初,封長城縣子,受詔撰《天保曆》,李廣爲之序。

《北齊書·儒林·李鉉傳》：天保初，詔北平太守宋景業、西河太守綦母懷文等草定新曆，録尚書事。平原王高隆之令鉉與通直常侍房延祐、國子博士刁柔參考得失。

《隋書·曆志》：後齊文宣受禪，命散騎侍郎宋景業叶圖讖，造《天保曆》。景業奏：“依《握誠圖》，及《元命苞》，言齊受録之期，當魏終之紀，得乘三十五以爲蔀，應六百七十六以爲章。”文宣大悦，乃施用之。

《唐書·經籍志》：“《北齊天保曆》一卷，宋景業撰。”又曰：“《齊甲子曆》一卷。”不著撰人。

《唐書·藝文志》：“宋景業《北齊天保曆》一卷，《北齊甲子元曆》一卷。汪氏《推步諸術考》：“北齊《宋景業天保術》，上元甲子至天保元年庚午，梁大寶元年。積一十一萬零五百二十六年，算外。見《隋書·志》、《開元占經》。自文宣帝天保二年辛未始用此術，迄幼主承光元年丁酉，凡二十七年。”

　　案此《宋氏甲子元曆》與《宋景業天保曆》分爲二，《唐志》亦然。其實止一書，因標目互異，遂以爲二書耳。

　　又案北朝有《周明克讓曆》，見《北史》本傳。武成元年造，自周明帝武成元年乙卯迄武帝保定五年乙酉，行用凡七年。本志不著録。

周天和年曆一卷　甄鸞撰

甄鸞有《帝王世録》，詳見史部雜史篇。

《隋書·曆志》序曰：“逮于周武帝，乃有甄鸞造《甲寅元曆》，遂參用推步焉。”又曰：“周武帝時，甄鸞造《天和曆》，參用推步，終于宣政元年。”

《唐書·經籍志》：《曆術》一卷，甄鸞撰。

《唐書·藝文志》：甄鸞《曆術》一卷。

阮氏《疇人傳》論曰：“《天和術》以三百九十一爲章歲，一百四

十四爲章閏，其率與祖沖之正同。蓋當時南北術家，南以何
承天爲宗，北以趙𢾺、祖沖之爲據，故即寫沖之數也。”

汪氏《推步諸術考》：北周甄鸞《天和術》，上元甲寅至天和元
年丙戌，陳天康元年。積八十七萬五千七百九十二年，算外。見
《隋書·志》、《開元占經》。章歲、章閏，率與祖沖之《大明術》同。
自武帝天和元年丙戌始用此術，迄宣政元年戊戌，凡一十三年。

甲子元曆一卷　李業興撰

李業興有《壬子元曆》，見前。

《魏書·曆志》：孝靜世，《壬子曆》氣朔稍違，熒惑失次，四星
出伏，曆亦乖舛。興和元年十月，齊獻武王入鄴，復命李業
興，令其改正，立《甲子元曆》。事訖，尚書左僕射司馬子如、
右僕射隆之等表上，詔付外施行。

《魏書·儒林傳》：興和初，又爲《甲子元曆》，時見施用。

《唐書·藝文志》：李業興《後魏甲子曆》一卷。

阮氏《疇人傳》論曰：“《正光》、《興和》二術，並有推上朔法，自
漢迄明諸家術皆無之。謹案見行《時憲書》，上朔日不宜會
客、作樂，以《業興術》推之正合。蓋其説出于選擇家也。”

汪氏《推步諸術考》：東魏李業興《興和術》，上元甲子至興和
二年庚申，梁大同六年。積二十九萬三千九百九十七年，算上。
見《魏書·志》。或作《興光術》，譌。宗案《玉海·曆法篇》作《興光術》。
自孝靜帝興和二年庚申始用此術，迄武定八年庚午，凡一十
一年。北齊文宣帝天保元年庚午亦用此術一年。統計庚申
至庚午，大凡行用十一年。

　　案此曆之後即用《宋景業天保曆》。此不列于李氏《壬子元
　　曆》之後，而雜廁于兆周諸曆之中，編次實爲無法。

周大象年曆一卷　王琛撰　曆術一卷　王琛撰

王琛，始末未詳。《隋書·滕嗣王綸傳》有術者王琛，疑即其人。

《唐書·經籍志》：《周大象曆》二卷，王琛撰。一本作"天象"，誤。

《唐書·藝文志》：王琛《周大象曆》二卷。

汪氏《推步諸術考》：北周王琛《大象術》，無考，見《隋·經籍志》、《唐·藝文志》。未知即馬顯術否也。

又曰："北周馬顯《丙寅元術》至大象元年己亥，陳太建十一年。積四萬一千五百五十四年，算上。見《隋書·志》、《開元占經》。《唐·藝文志》作《甲寅元術》，譌。自宣帝大成元年己亥始用此術，迄靜帝大定元年辛丑，凡三年。隋初亦用此術，自文帝開皇元年辛丑，迄三年癸卯，凡三年。統計己亥至癸卯，大凡行用五年。"案宣帝大成元年亦即靜帝大象元年也。

案《隋書·曆志》云："周武帝時，甄鸞造《天和曆》，終于宣政元年。大象元年，太史上士馬顯等又上《景寅元曆》，其術施行。"此既以大象標目，則大抵即馬顯曆。《唐·藝文志》云："王琛《周大象曆》二卷，馬顯《周甲寅元曆》一卷。"汪氏云："此作甲寅，誤。"豈宣帝傳位改元大象之後，王琛別作此曆，未經行用者歟？抑即馬顯同撰人如李業興《壬子元曆志》別出祖瑩一本也。

壬辰元曆一卷

不著撰人。

《唐書·經籍志》：《河西壬辰元曆》一卷，趙畝撰。

《唐書·藝文志》：趙畝《河西壬辰元歷》一卷。

汪氏《推步諸術考》：北涼趙畝《壬辰元曆》無考，見《唐·藝文志》。案《金樓子·自序篇》云："涼國太史趙畝造《乾度曆》三十年，以心疾卒。"則畝又有《乾度術》，與李修、夏顯之術同名。未知即此術，抑即《元始術》之異名也。案杜氏《春秋釋例》云："咸寧中有善算者李修、夏顯，依曆體爲術，名《乾度術》。"《元始術》即《河西甲寅元曆》也，見前。

案本志既不著撰人,又無"河西"二字,或周、隋之際別有一家。然證以兩《唐志》,則甚似趙䂮書也。

甲午紀曆術一卷

不著撰人。

案張澍《蜀典·故事類》云:"《四分曆》之法《三紀》而爲一元,元首必甲寅紀元或甲戌、甲午,不皆甲寅。"此《甲午紀曆術》似推演姜岌《三紀曆》之術,而次于趙䂮之後,則尤近似之。

新造曆法一卷

不著撰人。

案《隋書·曆志》:"信都劉焯聞張胄玄進用,又增損劉孝孫曆法,更名《七曜新術》以奏之。與胄玄之法,頗相乖爽,袁充與胄玄害之,焯又罷。至開皇二十年,高祖以曆事付皇太子。劉焯以太子新立,復增修其書,名曰《皇極曆》,駁正胄玄之短。"又曰:"焯曆竟不行。術士咸稱其妙,故録其術云云。"似此即《隋志》所載劉焯《皇極曆》,其曆成于開皇二十年,在張胄玄開皇術行用之後,故云《新造曆法》歟?《唐志》有劉焯《皇極曆》一卷,疑即此。

開皇甲子元曆一卷　曆術一卷　華州刺史張賓撰

《隋書·藝術·來和傳》:和好相術,所言多驗。道士張賓、焦子順、應門人董子華,此三人,當高祖龍潛時,並私謂高祖曰:"公當爲天子,善自愛。"及踐阼,以張賓爲華州刺史,子順爲開府,子華爲上儀同。

又《曆志》序曰:"西魏入關,行李業興曆。逮于周武帝,乃有甄鸞造《甲寅元曆》。大象之初,太史上士馬顯,又上《景寅元曆》,便即行用。迄于開皇四年,乃改用張賓曆。"

又曰:"時高祖作輔,方行禪代之事,欲以符命曜于天下。道士張賓,揣知上意,自云洞曉星曆,因盛言有代謝之徵,又稱上儀表非人臣相。由是大被知遇，恒在幕府。及受禪之初，擢賓爲華州刺史，使與儀同劉暉等十五人議造新曆，仍令太常卿盧賁監之。賓等依何承天法，微加增損。四年二月撰成奏上。高祖下詔，頒天下依法施用。"

汪氏《推步諸術考》："隋張賓《開皇術》，上元甲子己巳自甲子至開皇四年甲辰，陳至德二年。積四百一十二萬九千零零一年，算上。見《隋書·志》。阮元曰：'《玉海》稱《開皇術》又名《己巳元術》，依率推之，其上元歲名、日名並起甲子，而不直己巳。劉孝孫等駁賓術之失，以五星別元爲非。然則己巳蓋五星之元也。'曰楨案《唐·藝文志》有劉孝孫《開皇術》，又有李德林《開皇術》。《玉海》疑即張賓、張胄元二家之術。今考《唐志》僅別出張胄元《大業術》，更無二張之《開皇術》。《玉海》之説當或然也。自文帝開皇四年甲辰始用此術，迄十六年丙辰，凡行用一十三年。"

案《唐志》載劉、李《開皇術》，或當時有此別本，廢不行用。未必即是二張之曆。《玉海》之説，竊以爲不然。

案其後又有張胄玄《開皇術》，自隋文帝開皇十七年丁巳，迄煬帝大業三年丁卯，行用凡十一年。見汪氏《諸術考》。此曆本志不著録。又有張胄玄改定《大業曆》，似即下文《見行曆》一卷是也。詳見本條。又案張胄玄《開皇術》亦元起甲子。此條《開皇甲子元曆》一卷，或當分別爲一家，或即是張胄玄之曆，亦未可知。本志于前後次第每多雜亂，故有此疑竇也。

又案自《四分曆》至此，皆自漢迄隋之正曆，附以廢曆、雜曆及曆論、曆序之屬，爲一類。

七曜本起三卷　後魏甄叔遵撰

甄叔遵即甄鸞，有《周天和年曆》一卷，見前。

《唐書·經籍志》：《七曜本起曆》二卷。不著撰人。

《唐書·藝文志》：甄鸞《七曜本起曆》五卷。

案《通志·藝文略》曆數七曜曆類首載是書，題曰"後漢甄叔遵撰"，以爲後漢人。錢氏大昭《補續漢書藝文志》遂取以入志。不知本志固題後魏，非後漢也。《通志略》及高似孫《子略》，世頗援引，其實謬誤多多，不足依據。錢氏《補志》既爲鄭漁仲所誤矣。嚴氏可均校《意林》，缺目，意甚切，至用《子略》所抄《意林》篇目爲據，以爲《意林》之目，從此始全。後宋刻全本《意林》出，其第六卷尚有《幽求子》、干寶《干子》、華譚《新論》、孫綽《孫子》四家，爲高所遺。嚴氏又爲其所誤也，豈不大可惜哉！

七曜小甲子元曆一卷

七曜曆術一卷　　梁七曜曆法四卷

七曜要術一卷

七曜曆法一卷

推七曜曆一卷

五星曆術一卷

天圖曆術一卷

並不著撰人。

陳永定七曜曆四卷

陳天嘉七曜曆七卷

陳天康二年七曜曆一卷

陳光大元年七曜曆二卷

陳光大二年七曜曆一卷

陳太建年七曜曆十三卷

陳至德年七曜曆二卷

陳禎明年七曜曆二卷

並不著撰人。

案日、月、五星謂之七政，《漢·藝文志》曆譜家有《顓頊五星曆》、《日月宿曆》，是爲《七曜曆》之所自始。《文選·齊敬皇后哀策文》注引《淮南》高誘注云"劉歆有《曜曆》"，當即《七曜曆》。後漢劉洪作《七曜曆》，鄭司農作《天文七政論》，劉陶亦作《七曜論》，此又兩漢人所作《七曜曆》及論之最著者。《七曜》爲曆術中之一端，亦相承別本單行。此所載陳代《七曜曆》八部，皆有年分，似即太史官曆署所存之簿籍。隋代見存書目遂取以充數。本志據以抄入是類。《唐志》唯有吳伯善撰《陳七曜曆》五卷。吳伯善始末未詳。

開皇七曜年曆一卷　　或當爲"開皇年七曜曆"。

仁壽二年七曜曆一卷

並不著撰人。

七曜曆經四卷　　張賓撰

張賓有《開皇曆》，見前。

春秋去交分曆一卷

不著撰人。

案《隋書・天文志》："後魏末，清河張子信，避葛榮亂，隱海島中，積三十許年，專心渾儀測候日月五星差變之數，以算步之，始悟日月交道，有表裏遲速，五星見伏，有感召向背。日行在春分後則遲，秋分後則速。後張胄玄、劉孝孫、劉焯等，依其差度，爲定入交食分及五星定見定行，與天密會，皆古人所未得也。"此大抵言春秋二時日月去交道之分數，頗似其書，姑附記于此。

曆日義說一卷

不著撰人。

《唐書・藝文志》：《曆日義統》一卷。案此作"義統"，未詳孰是。

律曆注解一卷

不著撰人。

案《漢・藝文志》曆譜家有《律曆數法》三卷，其文略見《律曆志》,此或注解其書。

龍曆草一卷

不著撰人。

案此似有敓文。考《隋書‧曆志》載劉孝孫、劉焯之辭曰：
"魏時楊偉之意,故以食朔爲眞,未能詳知而制其法。至宋
元嘉中,何承天著曆,承天本意,欲立合朔之術,遭皮延宗
飾非致難,故事不得行。至後魏獻帝時,有龍宜弟,復修延
興之曆,又上表云：'日食不在朔,而習之不廢,據《春秋》書
食,乃天之驗朔也。'此三人者,前代善曆,皆有其意,未正
其書。"謂食必以朔,皆欲立定朔之術也。此"龍"字下或敓
"氏"字,或敓"宜弟"二字,似即龍氏所修延興曆草。延興
者,後魏孝文帝即位改元年號也。其時行趙畞《河西曆》,《延
興曆》廢而不用者也。又案曆家以歲星謂之龍,此又似言歲星超辰之法。

推漢書律曆志術一卷

不著撰人。

《唐書‧藝文志》：《推漢書律曆志術》一卷。

案《漢書‧律志》所據爲劉歆《鍾律書》,《曆志》所據則劉歆
《三統曆》也。推而衍之爲是書,猶錢氏《三統術衍》之類。

推曆法一卷　崔隱居撰

崔隱居不詳何人。

曆疑質讞序二卷

不著撰人。

案《隋書‧藝術‧張胄玄傳》："胄玄直太史,太史令劉暉等
甚忌之。上令楊素與術數人立議六十一事,皆舊法久難通
者,令暉與胄玄等辨析之。暉杜口一无所答,胄玄通者五
十四焉。由是擢拜散騎侍郎,兼太中令,賜物千段,暉及黨
與八人皆斥逐之。"是書似即其事。又《曆志》云："開皇十

七年，胄玄曆成。上付楊素等校其短長。劉暉與國子助教王頗等執舊曆術，迭相駁難。"其文甚多，或亦在是書。

興和曆疏二卷

不著撰人。

案《興和曆》即東魏李業興《甲子元曆》，見前。此或當時諸臣平議得失之奏疏，或後人疏解其曆之術法。

七曜曆數算經一卷　趙䩾撰

趙䩾有《河西甲寅元曆》并《曆序》，並見前。

算元嘉曆術一卷

不著撰人。

案《元嘉曆》，宋何承天撰，見前。《宋書·曆志》云："漢世劉洪推檢月行，作《陰陽曆法》。元嘉二十年，太祖使著作令史吳癸依洪法制新術，令太史施用之。"案吳癸術題云"《元嘉曆》月行陰陽法"，其書數篇。《宋志》著于何承天《漏刻》之後，疑即此一卷是也。

七曜曆疏一卷　李業興撰　七曜義疏一卷　李業興撰

李業興有《壬子元曆》、《甲子元曆》，並見前。

七曜術算二卷　甄鸞撰

甄鸞有《周天和年曆》及《七曜本起》，並見前。

《唐書·經籍志》：《七曜曆算》二卷，甄鸞撰。

《唐書·藝文志》：甄鸞《七曜曆算》二卷。

七曜曆疏五卷　太史令張胄玄撰

《隋書·藝術傳》：張胄玄，勃海蓚人也。博學多通，尤精術數。高祖徵授雲騎尉，直太史，參議律曆事。時輩多出其下，太史令劉暉等甚忌之。然暉言多不中，胄玄所推步甚精密。由是擢拜員外散騎侍郎，兼太史令。改定新曆。胄玄所爲曆法，與古不同者有三事，事皆明著。其超古獨異者有七事，皆獨得于心，論者服其精密。大業中卒官。

《唐書·經籍志》：《七曜曆疏》三卷，張胄玄撰。

《唐書·藝文志》：張胄玄《七曜曆疏》三卷。

　　案張胄玄有《開皇曆》，又有《改定大業曆》，自開皇十七年行用，迄于唐初。本志皆不著録。此其曆外別行日月五星之術數也。

陰陽曆術一卷　越畟撰。

　　趙畟有《河西甲寅元曆》及《曆序》，又有《壬辰元曆》、《七曜曆數算經》各一卷，並見前。

　　案漢末劉洪撰《七曜曆》、《陰陽曆》，爲步算家之最著聞者。此與《七曜曆數算經》大抵依仿其法，如宋吳癸之術者也。

梁有《朔氣長曆》二卷，皇甫謐撰，亡。

　　皇甫謐有《帝王世紀》，詳見史部雜史類。

　　案元晏先生不以推步名，故阮文達《疇人傳》不載是書。大抵亦如杜征南《長曆》之類。阮文達《傅仁均傳》論：“嘉定錢竹汀先生曰：‘氣可不定，朔不可不定。’至唐初仁均術始定朔，至元代而定朔之術始大備云。”

梁有《曆章句》二卷，亡。

　　不著撰人。

　　案此不知爲何代之曆，豈爲《三統曆》而作歟？抑鄭氏所注《乾象曆》，後人衍爲章句歟？

梁有《月令七十二候》一卷，亡。

　　王應麟《六經天文編》：唐《大衍曆議》曰：“七十二候原于周公《時訓》、《月令》，雖頗有增益，然先後之次則同。自後魏始載于曆。”

　　又《玉海·律曆·時令篇》曰：“《隋志》梁有《月令七十二候》一卷。《月令》正義曰：‘二十四氣，每三分之，七十二氣，氣間

五日有餘，故一年七十二候。'案《通卦驗》亦五日一候。"又
曰："後魏《正光曆》有推七十二候術，因冬至後五日一候，方
氏曰：'積六候而成月，故一歲則有七十二候。三候爲一氣，
積六氣而成時，故一歲則有二十四氣。'"

案《魏書·曆志》載李業興《正光》、《興和》二曆中皆有推七
十二候法令，《時憲書》亦載之。

梁有《三五曆説圖》一卷，亡。

不著撰人。

案三五有數説：三王五帝，一也。三統五德，二也。《史
記·天官書》云："夫天運三十歲一小變，百年中變，五百載
大變。三大變一紀，三紀而大備。此其大數也。爲國者必
貴三五。"《索隱》曰："三五，謂三十歲一小變，五百歲一大
變。"三也。《天官書》又云："爲天數者，必通三五。"《索隱》
曰："三謂三辰，五謂五星。"四也。又曆家姜岌有《三紀
曆》，劉向有《五紀論》。五也。此之圖説莫詳其云何也。又
宋均注《春秋合誠圖》云："三正五行，王者改代之際會也。"

雜注一卷

曆注一卷

曆記一卷

雜曆二卷

雜曆術一卷。梁《三棊推法》一卷。

並不著撰人。

太史注記六卷

太史記注六卷

並不著撰人。

案此太史署日行注記之書也。《續漢書·曆志》："賈逵案，
今太史官候注，行事史官注，行事候注。"又云："願請太史

官日月宿簿及星度課,與待詔考校。"蔡邕戍邊上章云:"請太史舊注,考校連年。"《隋志》言:"馬顯謹案史曹舊簿。"皆其類也。天文家亦有《太史注記》六卷。此兩書大抵涉于曆事者。

見行曆一卷

不著撰人。

案《隋書·曆志下篇》,仁壽四年,劉焯言張胄玄所上見行曆,蓋指胄玄初次所上開皇十七年行用之曆。此所稱《見行曆》指隋末唐初見在所行之曆,蓋即張胄玄重定《大業曆》。汪氏《諸術考》,大業術自煬帝大業四年戊辰始用,此術迄恭帝義寧二年戊寅,凡一十一年。唐高祖武德元年戊寅亦用此術一年,統計行用一十一年。

八家曆一卷

不著撰人。

案《隋書·曆志》:"周大象元年,太史上士馬顯等又上《景寅元曆》。表云:'術藝之士,各封異見,凡所上曆,合有八家,精麤蹐駁,未能盡善。去年冬,孝宣皇帝乃詔臣等,監考疏密,更令同造。謹案史曹舊簿及諸家法數,棄短取長,共定今術云云。'"蓋即後周之末馬顯造《大象曆》時所留遺,亦即《大象曆》之藍本也。又此與《見行曆》當次于前張賓《開皇曆》之後,雜廁于此,殊為不類。

又案以上自《七曜本起》至此,皆日月五星等雜曆、曆注、曆疏、記注之屬,別為一類。

漏刻經一卷　何承天撰。梁有後漢待詔太史霍融、何承天、楊偉等撰三卷,亡。

何承天有《元嘉曆》并《曆術》、《驗日食法》、《論頻月合朔法》諸書,並見前。

《宋書・曆志》：元嘉二十年，承天奏上尚書：“今既改用《元嘉曆》，漏刻與先不同，宜應改革。案《景初曆》春分日長，秋分日短，相承所用漏刻，冬至晝漏率長于冬至前。且長短增減，進退無漸，非唯先法不精，亦各傳寫謬誤。今二至二分，各據其正，則至之前後，無復差異。更增損舊刻，參以晷影，刪定爲經，改用二十五箭。請臺敕漏郎將考驗施用。從之”。

《南史》本傳：又改定《元嘉曆》，改漏刻用二十五箭。皆從之。

《隋書・天文志》：宋何承天造漏法。春秋二分，昏旦晝夜漏各五十五刻。齊及梁初，因循不改。

《唐書・經籍志》：《刻漏經》一卷，何承天撰。

《唐書・藝文志》：何承天《刻漏經》一卷。

梁有後漢待詔太史霍融《漏刻經》一卷，亡。

《續漢書・曆志》：永元十四年，待詔太史霍融上言：“官漏刻率九日增減一刻，不與天相應，或時差至二刻半，不如夏曆密。”詔書下太常，令史官與融以儀校天課度遠近。太史令舒承梵等對：“案官所施漏法《令甲》第六《常符漏品》，孝宣皇帝三年十二月乙酉下，建武十年二月壬午詔書施行。今官漏率九日移一刻，不隨日進退。夏曆漏隨日南北爲長短，密近于官漏，分明可施行。”其年十一月甲寅，詔下晷影漏刻四十八箭立成。

《隋書・天文志・漏刻篇》：及孝武考定星曆，下漏以追天度，亦未能盡其理。大率二至之後，九日而增損一刻焉。光武之初，亦以百刻九日加減法，編于《甲令》，爲《常符漏品》。《玉海》曰：“梁《漏刻經》云：‘九日加減一刻。’或秦之遺法，漢代施用。”至和帝永元十四年，霍融上言：“官曆不如夏曆漏刻，隨日南北爲長短。”乃詔用夏曆漏刻。依日行黃道去極，每差二度四分，爲增減一刻。凡用四十八箭。終于魏、晉，相傳不改。

梁有何承天《漏刻經》一卷

案此即前著録之一卷。《七録》别本有與霍融、楊偉三家書合一袟爲三卷者。至隋僅存何氏一家,而兩家之書亡矣。

梁有楊偉《漏刻經》一卷,亡。

楊偉有《景初曆》并《曆術》、《曆法》諸書,並見前。

案楊偉《漏刻經》即《宋書・曆志》所載何承天奏"《景初曆》春分日長,秋分日短"云云者是也。蓋自漢霍融之後,楊偉改之,何承天又改之。《七録》,以楊偉列何承天之後,殊失次第,或本志抄寫之誤。

漏刻經一卷　祖暅撰

祖暅亦名暅之,有《天文録》,詳見前天文家。

《隋書・天文志》:宋何承天漏法,齊及梁初,因循不改。至天監六年,武帝以晝夜百刻,分配十二辰,辰得八刻,仍有餘分。乃以晝夜爲九十六刻,一辰有全刻八焉。至大同十年,又改用一百八刻。依《尚書考靈曜》,晝夜三十六頃之數,因而三之。冬至晝漏四十八刻,夜漏六十刻。夏至晝漏七十刻,夜漏三十八刻。春秋二分,晝漏六十刻,夜漏四十八刻。昏旦之數各三刻。先令祖暅爲《漏經》,皆依渾天黄道日行去極遠近,爲用箭日率。

案此大同十年《漏刻經》,與下天監六年所造者,此更在其後也。

漏刻經一卷　梁中書舍人朱史撰

《隋書・天文志》:陳文帝天嘉中,亦命舍人朱史造漏,依古百刻爲法。

《唐日本國見在書目》:《漏尅經》三卷,朱史撰。

《唐・經籍志》:《刻漏經》又一卷,朱史撰。

《唐書・藝文志》:朱史《刻漏經》一卷。

案朱史始末未詳。《開元占經》卷一稱梁人。朱史撰《定天論》，詳見天文家。《隋·天文志》以爲陳文帝時舍人，阮氏《疇人傳》從之。或由梁入陳，至天嘉中撰此《漏刻經》。

漏刻經一卷　梁代撰。梁有《天監五年脩漏刻事》一卷，亡。

並不著撰人。

《玉海·律曆·漏刻篇》：“蕭子雲《東宮雜記》曰：‘梁天監六年，造新漏，以臺舊漏給官。《漏銘》云：咸和七年，山陰令魏丕造。即會稽內史王舒所獻漏也。’”又《通典》“天監六年，以舊漏乖舛，勑員外祖常治之。漏刻成，太子中舍人陸倕爲文。官漏出自會稽。魏丕造。積水達方，導流乖則，六日無辨，五夜不分。爰命日官，草創新器。變律改經，一皆懲革。天監六年丁亥，十月十六日壬寅，漏成”云云。

案此天監六年，亦祖暅所造，宋人避諱故改曰祖常。《隋書·漏刻篇》云：“天監六年，武帝以晝夜九十六刻，一辰有全刻八焉。”即謂此漏也。陸倕撰《新漏刻銘》，見《文選》。

漏刻經一卷　陳太史令宋景撰

宋景或作宗景，始末並未詳。

《唐書·經籍志》：《刻漏經》又一卷，宗景撰。

《唐書·藝文志》：宋景《刻漏經》一卷。

雜漏刻法十一卷　皇甫洪澤撰

皇甫洪澤，始末未詳。

晷漏經一卷

不著撰人。

案《隋書·天文志·漏刻篇》云“開皇十四年，鄜州司馬袁充上晷影漏刻”云云。疑此一卷即是其書。

又案自何承天《漏刻經》至此，皆漢以來漏刻之屬，又別爲一類。敍次前後雜亂無緒。

九章術義序一卷　九章算術十卷　劉徽撰

《晉書·律志》曰:"魏陳留王景元四年,劉徽注《九章》。"

徽自序曰:"昔在包犧氏,始畫八卦,以通神明之德,以類萬物之情,作九九之術,以合六爻之變。暨于黄帝,神而化之,引而伸之,于是建曆紀,協律吕,用稽道原,然後兩儀四象精微之氣可得而效焉。記稱隸首作數,其詳未之聞也。案周公制禮而有九數,九數之流,則九章是矣。往者暴秦焚書,經術散壞。自時厥後,漢北平候張蒼、大司農中丞耿壽昌皆以善算命世。蒼等因舊文之遺殘,各稱删補。故校其目則與古或異,而所論者多近語也。徽幼習九章,長再詳覽。觀陰陽之割裂,總算術之根原,探賾之暇,遂悟其意。是以敢竭頑魯,采其所見,爲之作注。"

《唐日本國見在書目》:《九章》九卷,劉徽注。

《宋史·藝文志》注:《九章算經》九卷,魏劉徽、唐李淳風注。
案此知《唐·藝文志》李淳風注《九章算術》九卷,亦即劉徽注本而增注者。

《四庫提要》曰:"《九章算術》蓋《周禮》保氏之遺法。舊本有注,題曰劉徽所作。考《晉書·律志》稱魏景元四年劉徽注《九章》,然注中所云晉武庫銅斛,則徽入晉之後又有所增損矣。"

阮氏《疇人傳》論曰:"徽稱《九章》爲九數之流,然則九數與《九章》自別。賈公彦釋鄭氏《周禮注》云今有重差、夕桀、句股也者,此漢法增之,非也。蓋方田,粟米,差分,少廣,商功,均輸,方程,贏不足,旁要,今有重差、夕桀、句股者。九數之篇名,《方田》、《粟米》、《衰分》、《少廣》、《商功》、《均輸》、《贏不足》、《方程》、《句股》者,九章之目。今有別爲一術,不得以今爲指,謂漢時也。周三徑一于率尚觕,徽創以六觚之面,割之又割,以求周徑相與之率。厥後祖冲之更開密法,仍是割之又割耳。未能于徽法之外別立新術也。江都焦里堂循謂劉徽注《九章》，與許叔重《説文解字》同有功于六藝，是豈尊崇之過當乎？”

嚴氏《全三國文編》曰：“劉徽，爵里未詳。有《九章算術注》。《晉書·律曆志上》以爲魏景元四年注。”

> 案此《九章術義序》一卷，不著撰人。或《九章》舊序，或即劉徽注書序。此《九章算術》十卷，或即連序一卷，或連重差一卷在内焉。

九章算術二卷　徐岳甄鸞重述

甄鸞有《周天和曆》、《七曜本起》、《七曜術算》，並見前。

《宋書·律曆志》曰：“吴中書令闞澤受劉洪乾象法于東萊徐岳字公和。”

《太平御覽·工藝部》：魏王朗《塞勢》曰：“余所與游處，唯東萊徐先生素習《九章》，能爲計數。”

《唐書·經籍志》：《九章算經》一卷，徐岳撰。《九章算經》九卷，甄鸞撰。

《唐書·藝文志》：徐岳《九章算術》九卷，甄鸞《九章算經》九卷。

《四庫提要》曰：“或稱漢徐岳據《晉書·律曆志》所載，魏黄初中岳與太史丞韓翊論難日月食五事，則岳已仕于魏，不得繫之于漢矣。”見《數術記遺》條。

阮氏《疇人傳》：徐岳字公和，東萊人也。著《數術記遺》一卷，言“余以天門金虎，呼吸精泉，羽檄星馳，郊多走馬，遂負帙游山，蹠跡志道，備歷丘嶽，林壑必過。乃于泰山，見劉會稽博識多聞，偏于術數。余因受業，頗染所由”云云。《提要》謂《數術記遺》爲後人依託。

嚴氏《全三國文編》曰：“徐岳，爵里未詳。《晉書·律曆志》中載岳《曆議》一篇。"

　　案唐慧琳《大藏音義》卷六引劉洪《九京算經》。"九京"似"九章"之誤，疑是書與《乾象法》，岳皆受之于洪歟？

九章算術一卷　李遵義疏

李遵義，始末未詳。

九九算術二卷　　楊淑撰

楊淑，始末未詳。

《漢書·梅福傳》福上書有曰："臣聞齊桓之時有以九九見者。"師古曰："九九，算術，若今《九章》、《五曹》之輩。"

九章別術二卷

不著撰人。

九章算經二十九卷　徐岳、甄鸞等撰

徐岳、甄鸞並見前。

　　案徐岳、甄鸞已有重述《九章算術》二卷，見前。此不知何人益以他家術數錄爲此帙，故云徐岳、甄鸞等。兩《唐志》有徐岳《算經要用百法》一卷，又有《數術記遺》一卷，甄鸞注。又有甄鸞所注《孫子算經》、《五曹算經》、《張丘建算經》、《夏候陽算經》、董泉《三等數》各若干卷，疑皆在此二十九卷中。

九章算經二卷　　徐岳注

案此或徐岳單注本，或他家增注別本。

九章六曹算經一卷

不著撰人。

《四庫提要》著錄《五曹算經》曰："《唐志》始有甄鸞《五曹算經》，《隋書·經籍志》有《九章六曹算經》一卷，而無五曹之目，其六曹篇題亦不傳。"

　　案《五曹算經》爲田曹、兵曹、集曹、倉曹、金曹，此六曹其一不知何曹也。

九章重差圖一卷　劉徽撰

劉徽有《九章算術注》，見前。

徽注《九章算術》序又曰："徽尋九數有重差之名。凡望極高、測極深而兼知其遠近者必用重差，句股則必以重差爲率，故曰重差也。輒造重差，并爲注解，以究古人之意，綴于句股之下。度高者重表，測深者累矩，孤離者三望，離而又旁求者四望。觸類而長之，則雖幽遐詭伏，靡所不入。博物君子，詳而覽焉。"

《唐書·經籍志》：《九章重差》一卷，劉向撰。《九章重差圖》一卷，劉徽撰。《海島算經》一卷，劉徽撰。

《唐書·藝文志》：劉向《九章重差》一卷。劉徽《海島算經》一卷。又《九章重差圖》一卷。又李淳風注《海島算經》一卷。

《四庫簡明目録》曰："《海島算經》一卷，晉劉徽撰，唐李淳風注。徽書本名《重差》，皆測望之術，唐代乃改稱《海島算經》。蓋因第一條以海島立表設問，遂以卷首之字名之耳。"

又《提要》曰："徽是書但附于句股之下，不別爲編，故《隋志》《九章算術》增爲十卷，蓋以《九章》九卷合此而十也。其書亦另本單行，故《隋》、《唐志》皆別著于録，而一書兩出，兩《唐志》兼列劉向《九章重差》一卷，謂劉徽爲劉向，而一書三出矣。"

九章推圖經法一卷　張崚撰

張崚一作張崚，始末並未詳。疑即張邱建。

案此殆以《九章》之術推算州郡圖經道里之法。

綴術六卷

不著撰人。

《南史·文學傳》：祖沖之字文遠，范陽遒人也。仕宋入齊，歷長水校尉。稽古,有機思,特善算。注《九章》,造《綴術》數十篇。永元二年卒,年七十二。

《隋書·律志·備數篇》:古之九數,圓周率三,圓徑率一,其術疏舛。自劉歆、張衡、劉徽、王蕃、皮延宗之徒,各設新率,未臻折衷。宋末,南徐州從事史祖沖之,更開密法。又設開差冪,開差立,兼以正圓參之。指要精密,算氏之最者。所著書名爲《綴術》,學官莫能究其深奧,是故廢而不理。

《唐日本國見在書目》:《綴術》六卷。不著撰人。

《唐書·經籍志》:《綴術》五卷,祖沖之撰,李淳風注。

《唐書·藝文志》:李淳風釋祖沖之《綴術》五卷。

阮氏《疇人傳》論曰:"沖之所著《綴術》,唐立于學官,限習四歲,視《五曹》、《孫子》等經限歲最久。其爲祕奧,不易研究可知。自宋以來數學衰歇,是書遂亡,造微之術終于不傳,重可惜已!"

孫子算經二卷

孫子曰:"夫算者,天地之經緯,群生之元用,五常之本末,陰陽之父母,星辰之建號,三光之表裏,五行之準平,四時之終始,萬物之祖宗,六藝之綱紀。稽群倫之聚散,考二氣之降升,推寒暑之迭運,步遠近之殊同,觀天道精微之兆基,察地理從橫之長短,采神祇之所在,極成敗之符驗。窮道德之理,究性命之情。立規矩,準方圓,謹法度,約尺丈,立權衡,平重輕,剖毫釐,析黍絫。歷億載而不朽,施八極而無疆。散之不可勝究,斂之不盈掌握。嚮之者,富有餘;背之者,貧且窶。心開者,幼沖而即悟;意閉者,皓首而難精。夫欲學之者,必務量能揆己,志在所專。如是,則焉有不成者哉!"

《唐書·經籍志》:《孫子算經》三卷,甄鸞撰注。

《唐書·藝文志》:李淳風注甄鸞《孫子算經》三卷。

《宋史·藝文志》:《孫子算經》三卷,不知名。李淳風注釋《孫子算經》三卷。

《四庫提要》曰:"《隋志》有《孫子算經》二卷,不著其名,亦不著其時代。《唐·藝文志》稱李淳風注甄鸞《孫子算經》三卷。于孫子上冠以甄鸞,蓋如淳風之注《周髀算經》,因鸞所注更加辨論也。唐之選舉,算學孫子、五曹共限一歲習肄,于後來諸算術中特爲近古,第不知孫子何許人。朱彝尊《曝書亭集·五曹算經跋》云,相傳其法出于孫武,然孫子別有《算經》,考古者存其說可爾。又有《孫子算經跋》云,首言度量所起,合于兵法地生度、度生量、量生數之文;次言乘除之法設爲之數,十三篇中所云往往相符。以是知此編非僞託也云云。合二跋觀之,彝尊之意蓋以爲確出于孫武。今考書内設問有云,長安、洛陽相去九百里。又曰,佛書二十九章,章六十三字,則後漢明帝以後人語。孫武,春秋末人,安有是語乎?舊本久佚。今從《永樂大典》所載裒集編次,仍爲三卷。其甄、李二家之注則不可復考矣。"案漢明帝時佛經第一譯攝摩騰所出者凡四十二章,章字不一,此云"二十九章,章六十三字",不知何本,要當在明帝以後矣。

阮氏《疇人傳》論曰:"朱竹垞以《孫子算經》爲孫武作,戴東原震以書中有長安、洛陽相去及佛書二十九章語,斷爲漢明帝以後人。余考韋曜《博弈論·枯棊三百》注引邯鄲淳《藝經》謂棊局十七道,而《孫子》乃云棊局十九道,則其人當更在漢以後矣。然術數之書類多附益,如卷末推孕婦所生男女,鄙陋荒誕,必非《孫子》正文。或恐傳習《孫子》者轉展增加,失其本真。今但題作《孫子》,不稱孫武,而附于周末,以志闕疑。其書詳説乘除開方,可以考見古人從橫布算之式,下卷物不知數,三三數之,五五數之,七七數之一問,爲《九章》所未及。宋秦道古《數學九章》'大衍求一法'，蓋出于此也。"

趙畋算經一卷

趙畋有《河西甲寅元曆》及《曆序》、《壬辰元曆》、《七曜曆數算經》、《陰陽曆術》各一卷，並見前。

案本志此類載趙氏書凡六種，隋之前皆行于北朝，其《甲寅元曆》宋元嘉中爲沮渠茂虔所進，蓋亦有行于南朝者。阮氏《疇人傳》謂："南北術家，南以何承天爲宗，北以趙畋、祖沖之爲宗。"案南朝有祖沖之及子暅，北朝有祖瑩及子挺，皆范陽道人，家世傳業，南北朝曆算名家，視趙氏尤盛。唐初曆家有祖孝孫者，或亦其後也。

夏侯陽算經二卷

夏侯陽，始末未詳。

《唐書·經籍志》：《夏侯陽算經》三卷，甄鸞注。

《唐書·藝文志》：《夏侯陽算經》一卷，甄鸞注。

《宋史·藝文志》：《夏侯陽算經》三卷。

陳氏《書錄解題》曰："《算經》三卷，夏侯陽撰。大抵乘除法。《隋志》二卷，《唐志》一卷，甄鸞注。今本無注。元豐京監本。"

《四庫提要》曰："《隋》、《唐志》、《直齋書錄》皆不言陽爲何代人。考《唐志》載是書爲甄鸞注，則當在甄鸞之前。而此本載陽自序有云，《五曹》、《孫子》述作滋多，甄鸞、劉徽爲之詳釋。則又似在甄鸞後。《唐書·選舉志》所列算經十種，此居其一。蓋當時本懸之令甲，肄習考課。今傳本久佚，惟《永樂大典》內有之。今裒輯排比，仍依元豐監本，釐爲三卷。其十有二門，亦從原目。其法務切實用，雖《九章》古法，非官曹民事所必需，亦略而不載。于諸算經中最爲簡要，且于古今制度異同尤足考證云。"

阮氏《疇人傳》論曰："夏侯陽算術皆淺顯易知，切于日用，于官曹典故，其説尤詳，洵足爲考古之助矣。舊以夏侯陽爲隋人，以張丘建有'夏侯陽方倉'之語，斷爲夏侯陽以後人。以余考之，有不盡合者。夏侯陽稱甄鸞、劉徽爲之詳釋，則鸞在夏侯陽之前，而《張丘建算經》有甄鸞注，則張丘建當更在鸞之前，彼此互異，未可是正。蓋術數之書，多經後人竄易，要不可援據單詞定時代之先後也。今姑從大觀算學所定，以張丘建、夏侯陽附見晉代，以俟知者詳之。"

張丘建算經二卷

張邱建，始末未詳。

《唐書·經籍志》：《張徽丘建算經》一卷，甄鸞撰。案此題張徽，或其名，岑本削去"徽"字。

《唐書·藝文志》：《張丘建算經》一卷，甄鸞注。

陳氏《書録解題》曰："《算經》三卷，張丘建撰。有序首言算者不患除隊之爲難，而患分之爲難，是以序列諸分之本原，宣明約通之要法。案《唐志》作一卷，甄鸞注。今本稱漢中郡守前司隸甄鸞注，太史令李淳風等注釋，算學博士劉孝孫撰細草。細草者，乘除法實之詳悉也。"

《四庫提要》曰："《張丘建算經》原本不題撰人時代。《唐志》載甄鸞注，則當在甄鸞之前。書首丘建自序引及夏侯陽、孫子之術，則當在夏侯陽之後也。此本乃毛晉汲古閣影鈔宋槧，蓋猶北宋時祕書監趙彦若等校定刊行之本。其中稱術曰者，乃鸞所注，草曰者，孝孫所增。其細字夾注稱臣淳風等謹案者，不過十數處。蓋有疑則釋，非節節爲之注也。其書體例皆設爲問答，以參校而申明之，凡一百條。簡奥古質，頗類《九章》，與近術不同。而條理精密，實能深究古人之意，故唐代頒之算學，以爲顓業。"

阮氏《疇人傳》曰：“張邱建，清河人也，著《算經》三卷。”又“論曰：詳觀邱建之書，蓋出入乎《九章》而得其精微者。序稱不患乘除之爲難，而患分之爲難，諒哉斯言！通分之術明，則《九章》之要一以貫之矣。”

五經算術録遺一卷　　五經算術一卷

並不著撰人。

《唐日本國見在書目》：《五經算》二卷。不著撰人。

《唐書·經籍志》：《五曹算經》三卷，甄鸞撰。案其前已有《五曹算經》五卷，甄鸞撰，此當是《五經算術》之誤。“三卷”當亦“二卷”之誤。

《唐書·藝文志》：李淳風注《五經算術》二卷。不著撰人。

《四庫提要》曰：“《五經算術》二卷，北周甄鸞撰，唐李淳風注。鸞精于步算，嘗釋《周髀》等算經，不聞其有是書。而《隋志》有《五經算術》一卷，《五經算術録遺》一卷，皆不著撰人姓名。《唐·藝文志》則有李淳風注《五經算術》二卷，亦不言其書爲誰所撰。今考是書，舉《尚書》、《孝經》、《詩》、《易》、《論語》、三《禮》、《春秋》之待算方明者列之，而推算之術悉加‘甄鸞案’三字于上，則是書當即鸞所撰。又考淳風當貞觀初奉詔與算學博士梁述、助教王真儒等刊定算經，立于學官。《唐·選舉志》、《百官志》並列《五經算》爲算經十書之一，與《周髀》共限一年習肄，及試士各舉一條爲問，此書注端悉有‘臣淳風等謹案’字。然則唐時算科之《五經算》即是書矣。是書世無傳本，以惟散見于《永樂大典》中，雖割裂失次，尚屬完書。謹依《唐·藝文志》釐爲上、下二卷，其中采摭經史，多唐以前舊本。不特爲算學家所不廢，實足以發明經史，覈訂疑義，于考證之學尤爲有功焉。”

錢氏《隋書考異》曰：“《經籍志》《五經算術》一卷，不著撰人，蓋甄鸞所撰。”

算經異義一卷　張纘撰

張纘，末始要未詳。

案梁有張纘著《鴻寶》一百卷，詳見前雜家，不知即此張纘否也。又疑即下條之張去斤。

張去斤算數一卷

張去斤，始末未詳。

算法一卷

不著撰人。

黃鍾算法三十八卷

算律呂法一卷

並不著撰人。

眾家算陰陽法一卷

婆羅門算法三卷

婆羅門陰陽算曆一卷

婆羅門算經三卷

並不著撰人。

以上自《九章術義序》至此，皆算學之屬，別爲一類。

右一百部二百六十三卷。實在著錄一百八部，附著亡書二十六部，通計一百三十四部。

案《七錄序目·術伎錄第三》曰："曆筭部凡五十種五十帙二百一十九卷。"本志增輯八十四部。

卷三十六

子部十三

五行家 類中分類三十三。

黄帝飛鳥曆一卷　張衡撰

《唐書・經籍志》：《黄帝飛鳥曆》一卷，張衡撰。

《唐書・藝文志》：張衡《黄帝飛鳥曆》一卷。

案此張衡不知是否即東漢之張平子也，是豈風角書之最初者歟？蓋亦風角鳥情之類。

黄帝四神曆一卷　吳範撰

吳範有《占出軍要訣》等書，見兵家。

案王氏《小學紺珠》載太一式十神中第七曰"四神"，其即此四神歟？《四庫提要》載《太一金鏡式經》謂其法又推四神所臨分野，占水旱兵喪，饑饉疾疫，此蓋太一家之一端歟？

黄帝地曆一卷

案《地曆》似即《河圖括地象》之類。

黄帝斗曆一卷

《唐書・藝文志》：《黄帝斗曆》一卷。

案《斗曆》似即曆家之斗分，隋蕭吉《五行大義》引《黄帝斗圖》，似即此《斗曆》。

黄石公北斗三奇法一卷

黄石公見兵家。

案兵家有《黄石公三奇法》一卷，此多"北斗"二字，疑即一書。

又案以上五書，《通志・藝文略》俱次于五行風角家之末，豈皆屬于風角者歟？恐亦不盡然也，是爲類中分類之一。

風角集要占十二卷

不著撰人。<small>似近人譔集古風角書。</small>

《後漢書·郎顗傳》注：風角，謂候四方四隅之風，以占吉凶也。

唐李淳風《乙巳占》第十卷序曰：“風者，是天地之號令，陰陽之所使，發示休咎，動彰神教。《周禮·春官》保章氏以十有二風察天地之和合，乖別之妖祥。自此而觀，即覘風聲以探禍福，由來尚矣。”

案以上據《見存書目》鈔入，以下據《七錄》編次。

風角要占三卷。梁八卷。京房撰

京房有《周易注》，見經部易家。

《晉書·天文志》：漢京房著《風角書》，有《集星章》，所載妖星省見于月旁，互有五色方雲，以五寅日見，各有五星所生云。

案《初學記》卷一引京房《風雨要決占候》。《御覽》卷八引京房《風角要訣》，其文並同，知爲一書。又《御覽》七百十七引《風角要占》厭盜賊法，又八百七十二引《風角占》，似皆出是書也。

風角占三卷。梁有《侯公領中風角占》四卷，亡。

侯公不知何人。

風角總占要決十一卷。梁有《風角總集》一卷，《風角雜占要決》十二卷，亡。

風角雜占四卷。梁有《風角雜占》十卷，亡。

風角要集十卷

風角要集六卷。梁十一卷。

風角要集一卷

並不著撰人。

風角要候十一卷　翼奉撰

《漢書》本傳：奉字少君，东海下邳人也。治《齊詩》，與蕭望之、匡衡同師。<small>案《儒林傳》：同師少府后倉也。</small>三人經術皆明，衡爲後進，望之施之政事，而奉惇學不仕，好律曆陰陽之占。元帝初即位，諸儒薦之，徵待詔宦者署，數言事宴見，天子敬焉。奉以中郎爲博士、諫大夫，年老以壽終。子及孫，皆以學在儒官。

《唐書・經籍志》：《風角要候》一卷，翼奉撰。

《唐書・藝文志》：翼奉《風角要候》一卷。

宋王應麟《漢書藝文志考證》：奉本傳注引翼氏《風角》。《郊祀志》注：《翼氏風角》五德：東方甲，南方丙，西方庚，北方壬，中央戊。《蔡邕傳》注：《翼氏風角》曰："風者，天之號令，所以譴告人君者。"

案《文選・鮑明遠雜詩注》、《初學記・人部》、《藝文類聚・政治部》、《御覽・刑法部》並引翼氏《風角》。隋蕭吉《五行大義》數引翼奉説，似即此書。又前兵家《翼氏占風》一卷，亦即此書之析出者。

風角書十二卷。梁十卷。

不著撰人。

風角七卷　章仇太翼撰

《隋書・藝術傳》：盧太翼字協昭，河間人也，本姓章仇氏。閑居味道，不求榮利。博綜群書，爰及佛道，皆得其精微。尤善占候算曆之術。隱于白鹿山，數年徙居林慮山、五臺山，與弟子數人蕭然絕世。皇太子勇聞而召之。及太子廢，坐法當死，高祖惜其才而不害，配爲官奴。久之，乃釋。其後目盲，以手摸書而知其字。高祖謂皇太子曰："章仇翼，非常人也，前後言事，未嘗不中。"煬帝嘗從容言及天下氏族，謂太翼曰：

"卿姓章仇,四岳之胄,與盧同源。"于是賜姓爲盧氏。太翼所言天文之事,不可稱數,關諸祕密,世莫得聞。後數載,卒于雒陽。

唐林寶《元和姓纂》曰:"章仇氏,齊公族姜姓之後。本章弇,其後避仇,遂加仇字,爲章仇氏。河間章仇太翼,善天文,煬帝賜姓盧氏。"

案《通志·藝文略》作章仇太子翼,得毋因章懷太子賢而誤記歟?

風角古候四卷。梁有《風角雜兵候》十三卷,亡。

不著撰人。

風角鐶曆占二卷　吕氏撰

吕氏不詳何人。

風角要候一卷　章仇太翼撰

章仇太翼有《風角》七卷,見前。

案此蓋即前七卷之節要本。

兵法風角式一卷

戰鬭風角鳥情三卷

並不著撰人。

唐李淳風《乙巳占》第十卷序曰:"風角鳥情,天地之事理,其所由來久矣。昔楊範之占雞酒,管輅之察飛鳩,並皆占等同符,義過合契。是知事無大小,隨感必臻,祥無淺深,見形皆應,此則法術之所由來也。"

梁有《風角五音六情經》十三卷,《風角兵候》十二卷,亡。

並不著撰人。

案五音、六情並翼氏術法,見《漢書》本傳。《風角兵候》即《吳有道占出軍決勝負事》之類,見前兵家。亦即前梁有《風角雜兵候》十三卷之類。

風角烏情一卷　翼氏撰

翼氏即翼奉,有《風角要候》十一卷,見前。

風角烏情二卷　儀同臨孝恭撰

《隋書》、《北史·藝術傳》:臨孝恭,京兆人也。明天文算術,高祖甚親遇之。每言災祥之事,未嘗不中,上因令考定陰陽書。官至上儀同。著《欹器圖》三卷,《地動銅儀經》一卷,《九宮五墓》一卷,《遁甲月令》十卷,《北史》作《遁甲錄》。《元辰經》十卷,《元辰厄》一百九卷,《百怪書》十八卷,《禄命書》二十卷,《九宮龜經》一百一十卷,《太一式經》三十卷,《北史》作二十卷。《孔子馬頭易卜書》一卷,並行于世。

《唐書·經籍志》:《風角烏情》二卷,劉孝恭撰。

《唐書·藝文志》:劉孝恭《風角烏情》二卷。二志"劉"並當爲"臨"。

陰陽風角相動法一卷。梁有《風角迴風卒起占》五卷,《風角地辰》一卷,《風角望氣》八卷,《風雷集占》一卷。

並不著撰人。

　案《晉書·藝術·戴洋傳》數言迴風卒起事。

五音相動法二卷

五音相動法一卷

並不著撰人。

　案《漢志》五行家有《五音奇胲用兵》、《五音奇胲刑德》、《五音定名》三種書,前人皆以爲言納音之法。李淳風《乙巳占》第七十五有《五音相動風占》一篇,即言其事。

梁有《風角五音占》五卷,京房撰。

京房有《風角要占》,見前。

　案五音即納音之術,宋沈括《夢溪筆談》曰:"六十甲子有納音。蓋六十律旋相爲宮法也。"又曰:"納音與《易》納甲同法。"案"六十律旋相爲宮"即京房律法,見《續漢書·律志》。納甲則京氏《易》本法，是皆京氏專門之學也。此五卷大抵從《京氏易傳》及《風角書》中鈔出者。

風角五音圖二卷

不著撰人。

唐張彥遠《歷代名畫記》曰：“古之祕畫珍圖，有《風角五音圖》。”

風角雜占五音圖五卷　翼氏撰。梁十三卷，京房撰，翼奉撰，亡。

翼奉有《風角要候》、《風角鳥情》，京房有《風角要占》、《風角五音占》，並見前。

李淳風《乙巳占·占風圖》曰：“凡占風之術，方法甚多，有難辨而難精者。”

又曰：“京房風角又有推五音風，所發遠近，各以其五音之數，期風來處遠近。凡風發一日爲其縣，二日他縣，三日其郡，四日他郡，五日其州，六日他州，各以日數知災所及。一云凡風一日一夜爲邑，二日三日爲州，四日五日爲國，六七日爲天下。”又曰：“凡五音有納音，中金木水火土。定五音者，有十二辰，配五音者，有聽聲配五音。”

又曰：“淳風案京房《風角》所載五音風發遠近皆以五行成數推之，其云遠近及中者，皆以日時多少及勢力強弱，以事准之，推其遠近，皆變通其數，觸類長之。而風所從來二十四處，皆須明知發止，審別支干，及以八卦所在，發時早晚，來從何處，息在何時，迴在何日、何辰，皆須審明知之。”

以上自《風角集要占》至此，凡二十二部，附著亡書十二部，皆風角之屬，是爲第二類。李淳風《乙巳》第十卷序曰：“自翼奉之後，風角之書近將百卷，或詳或略，真僞參差，文辭詭淺，法術乖舛。”

黃帝九宮經一卷

魏徐岳《數術記遺》曰："余于泰山見劉會稽，因受業。余問曰：'爲算之體，皆以積爲名爲復，更有他法乎？'先生曰：'隸首注術，乃有多種，及余遺忘，記憶數事而已。其一太一，太一之行，去來九道；其一九宮，五行参數，猶如循環。'又曰：'諸法隨須更位，唯有九宮守一不移位，依行色並應無窮。'"

《唐日本國見在書目》：《九宮式經》一卷。在鄭司農《九宮經》之前，似即此書。

九宮經三卷　　鄭玄注。梁有《黃帝四部九宮》五卷，亡。

九宮行棊經三卷　　鄭玄注

鄭玄有《周易注》、《易緯注》，並詳經部易害、異説家。

《後漢書·張衡傳》："衡以圖緯虛妄，上疏曰：'臣聞聖人明審律曆以定吉凶，重之以卜筮，雜之以九宮。'又曰：'律曆、卦候、九宮、風角，數有徵效，世莫肯學。'"注引《易乾鑿度》曰："太一取其數以行九宮。"鄭玄注云："太一者，北辰神名也。下行八卦之宮，每四乃還于中央。中央者，北神之所居，故謂之九宮。天數大分，以陽出，以陰入。陽起于子，陰起于午，是以太一下九宮，從坎宮始，自此而從于坤宮，自此而從于震宮，自此而從于巽宮，所以行半矣，還息于中央之宮。既又自此而從于乾宮，又自此而從于兑宮，又自此而從于艮宮，又自此而從于離宮，行則周矣，上游息于太一之星而反紫宮。行起于坎宮始，終于離宮也。"

《唐書·經籍志》：《九宮行棊經》三卷，鄭玄撰。《九旗飛變》一卷，鄭玄撰，李淳風注。

《唐書·藝文志》：鄭玄注《九宮行棊經》三卷。李淳風注鄭玄

《九旗飛變》一卷。

《唐日本國見在書目》：《九宮經》四卷，鄭司農經。案此四卷似合李注一卷在内。

案范書鄭氏本傳不言有此書，疑後世術家從《乾鑿度》注本中鈔出別行。《九宮行棊經》、《九旗飛變》似即《九宮經》之別名，非別爲一書。

九宮行棊經三卷

不著撰人。

九宮行棊法一卷　房氏撰

房氏不詳何人。

九州行棊立成法一卷　王深撰　"九州"當爲"九宮"。

"王深"當爲"王琛"，有《後周大象曆》，見前曆譜家。

《唐书·经籍志》：《九宮行棊立成》一卷，王琛撰。

《唐書·藝文志》：王琛《九宮行棊立成》一卷。

九宮行棊雜法一卷

九宮行棊法一卷

行棊新術一卷

九宮行棊鈔一卷

九宮推法一卷

三元九宮立成二卷

並不著撰人。

九宮要集一卷　豆盧晃撰

豆盧晃，始末未詳。

九宮經解二卷　李氏注

李氏不詳何人。

《唐書·經籍志》：《九宮經解》二卷。不著撰人。

九宮圖一卷

九宮變圖一卷

九宮八卦式蟠龍圖一卷

九宮郡縣録一卷

九宮雜書十卷。 梁有《太一九宮雜占》十二卷，亡。

　　並不著撰人。

　　　以上自《黄帝九宮經》至此，凡十九部，附著梁有二部，皆九
　　　宮之屬，是爲第三類。

射候二卷

　　不著撰人。

　　　案此似兵家書而雜厠于此，豈太一家之言占射、占候者，
　　　爲《飛鳥曆》中之一事歟？術家又有射隱伏之法，豈其
　　　類歟？

太一飛鳥曆一卷　　王琛撰

　　王琛有《九宮行基立成》，見前。

　　《史記·日者列傳》：褚先生曰："孝武帝時，聚會占家，問之：
　　'某日可取婦乎？'太乙家曰大吉。"

　　《四庫·術數·太乙金鏡式經提要》曰："太乙爲三式之一。
　　《史記·日著傳》術數七家，太乙家居其一。《天官書》：'中宮
　　天極星，其一明者爲太一常居。'而《封禪書》亳人繆忌奏祠太
　　一方，名天神貴者太一。鄭康成以爲北辰神名，又或以爲木
　　神，而屈原《九歌》亦稱東皇太一，則自戰國有此名。《漢志》
　　五行家有《太一陰陽》二十三卷，當即太乙家之書，然已佚
　　不傳。"

　　　案《漢志》兵陰陽家、天文家、五行家、雜占家並有太一之
　　　書，此以下十數種或《漢志》之叢殘，或後來之術業，皆不可
　　　得而詳矣。

太一飛鳥曆一卷

不著撰人。

《唐書·經籍志》：《太一飛鳥曆》一卷。《藝文志》同。

太一飛鳥曆二卷

太一十精飛鳥曆一卷

並不著撰人。

案唐王希明《太乙金鏡式經》載有三基、五福、十精之類，是十精爲太乙家名目所有者。《宋志》亦有《太一飛鳥十精曆》一卷。

太一飛鳥立成一卷

不著撰人。

案《隋書》、《北史·藝術傳》，蕭吉著《太一立成》一卷。此或是其書。

太一飛鳥雜決捕盜賊法一卷

太一三合五元要決一卷。梁有《黃帝太一雜書》十六卷，《黃帝太一度厄祕術》八卷，《太一帝紀法》八卷，《太一雜用》十四卷，《太一雜要》七卷，《雜太一經》八卷，亡。

並不著撰人。

太一龍首式經一卷　董氏注。梁三卷。梁又有《式經》三十三卷，亡。

董氏不詳何人。

《唐書·藝文志》：董氏《大龍首式經》一卷。

案《史記·日者列傳》："司馬季主曰：分策定卦，旋式正棊。"《索隱》："案式即栻也。栻之形上圓象天，下方法地，用之則轉天綱加地之辰，故云旋式。"《廣雅》："栻，桐也。桐有天地，所以推陰陽，占吉凶，以楓子棗心木爲之。"《漢志》五行家有《羨門式》二十卷，《羨門式法》二十卷。此與下所載伍子胥、范蠡諸家《式經》容或有漢時所留遺者。

又案白雲霽《道藏目録·衆術類》有《黄帝太一入式訣》三卷,又《祕訣》一卷,即是類之書,蓋亦編入《道藏》者。龍首者,謂黄帝乘龍上天時以授三子,秦漢時方士野言也。

太一經二卷　宋琨撰

宋琨,始末未詳。

《唐日本國見在書目》:《太一經》二卷,宋琨撰。

《唐書·經籍志》:《式經》一卷,宋琨撰。一本作"宋珖",刊誤也。

《唐書·藝文志》:宋琨《式經》一卷。

案唐王希明撰《太乙金鏡式經》,引宋琨是書,又引太公、張良、周元、樂産四家之書,皆不見于本志。

太一式雜占十卷　梁二十卷。

不著撰人。

《唐書·藝文志》:《太一式經雜占》十卷。

太一九宮雜占十卷

不著撰人。

《唐書·藝文志》:《太一九宮雜占》十卷。

《四庫·術數·太乙金鏡式經提要》曰:"《周易乾鑿度》有太乙行九宮法,《南齊書·高帝本紀贊》所引太一九宮占,自漢高祖五年推至宋昇明元年,幾數百年,而其術遂大顯于世。"

案前九宮類末注云"梁有《太一九宮雜占》十二卷,亡"。此又著于録,似即《七録》所載佚其二卷也。

黄帝飛鳥曆一卷

案《漢志》五行家有《黄帝陰陽》、《黄帝諸子論陰陽》各二十五卷。本志此一類前後所載黄帝書至多,如《斗曆》、《地曆》、《龍首經》之類,或猶是漢以來相傳,其他則莫詳所自矣。

又案是篇之首已有《黃帝飛鳥曆》一卷，張衡撰，此不著撰人，或其別本。然大抵與前《太一飛鳥曆》略相同也。

黃帝集靈三卷

《唐書·藝文志》：《黃帝集靈》三卷。

案此集黃帝靈異之事，讖緯家有《孝經集靈》，是其類也。

黃帝絳圖一卷

《唐書·藝文志》：《黃帝降國》一卷。"降國"當爲"絳圖"。

案絳圖殆讖緯家綠圖之流。"綠圖"亦作"錄圖"。

黃帝龍首經二卷

《唐書·藝文志》：《黃帝龍首經》二卷。《宋史·志》：一卷。

明白雲霽《道藏目錄·衆術類》：《黃帝龍首經》二卷，上經三十六占，下經三十六占，共七十二占法，系六壬占門。

嘉慶十年臨海洪頤煊校刊序曰："《龍首經》之名，始見于葛洪《抱朴子·遐覽篇》。《隋·經籍志》五行類有《黃帝龍首經》二卷。《顏氏家訓·雜藝篇》云：'吾嘗學六壬式，亦值世間好匠，聚得龍首、金匱、玉輅、玉變、玉曆十許種書。'則此書之傳世久矣。尋書中所占諸術，如第十法、第四十九法，多漢時官制。其第九法占知臣吏心善惡，《漢書·翼奉傳》所述日辰爲客，加時爲主人，辰正時邪，則客正主人邪，辰邪時正，則客邪主人正。漢人本有此占法。此書在漢時爲民間日用之書，故至六朝猶行于世。唐、宋以後傳寫始微。晁、陳二家皆未及見。此本上、下二卷占法七十二章，吾師孫淵如觀察從《道藏》中錄出云云。"

《孫氏祠堂書目》：《黃帝龍首經》二卷，星衍校《道藏》刊本。

黃帝式經三十六用一卷　曹氏撰

曹氏不詳何人。

《唐書·藝文志》：曹氏《黃帝三十六用》一卷。

案《提要》言術數與兵家相出入，兵家亦恒與術數相出入。《唐志》兵家有《太公陰謀三十六用》一卷，此《三十六用》疑亦近似之也。

黃帝式用當陽經二卷　"當"似"常"之誤。

《唐書·藝文志》：《黃帝式用常陽經》一卷。

晁氏《讀書志》：《常陽經》一卷。《崇文目》題曰《黃帝式用》，蓋六壬占卜術也。

案六壬爲三式之一，故亦稱式經。《日本書目》又作《常年經》，或亦是書之別名。《通志略》列之式經之末。

黃帝奄心圖一卷

案此不知何書，大抵如後文《玉女返閉局》之流。《通志·藝文略》五行類以《黃帝集靈》、《絳圖》、《龍首經》、《奄心圖》並類，次于太一家之末，殆以其書名無"太一"二字歟？

玄女式經要法一卷

玄女有《戰經》，又有《兵法》，見前兵家。

《唐書·藝文志》：《玄女式經要訣》一卷。

《四庫術數類存目提要》曰："《玄女經》一卷，舊本題云黃帝授三子《玄女經》，蓋術數家依託所爲。《隋書·經籍志》有《玄女式經要法》一卷，列之五行家。此卷詳于論嫁娶日辰，其發端以天一所在占日之吉凶，以天罡加臨占與人期會，亦屬五行家言，然無以證其即《玄女式經要法》否也。"

烏程嚴可均《三代文編》曰："《玄女式經要法》一卷，五行家依託也。"

以上自《射候》至此，凡二十部，附著梁有七部，皆太一之屬。"太一"或作"泰壹"，或作"太乙"，爲三式之一，故其間亦兼及遁甲、六壬。其曰式經者，總名也。是爲第四類。

黃帝陰陽遁甲六卷

《後漢書·方術傳》注：遁甲，推六甲之陰而隱遁也。

《四庫·術數類·遁甲演義提要》曰："《大戴禮》載明堂古制，有二九四七五三六一八之文，此九宮之法所自昉，而《易緯·乾鑿度》載太乙行九宮尤詳，遁甲之法，實從此起。其法以九宮爲本，緯以三奇、六儀、八門、九星。視其加臨之吉凶，以爲趨避。神其說者，以爲出自黃帝、風后及九天玄女。皆依託，不待辨。考《漢志》所列惟《風鼓六甲》、《風后孤虛》而已，于奇遁尚無明文。至梁簡文帝樂府始有'三門應遁甲'語。《陳書·武帝紀》遁甲之名遂見于史。則其學殆盛于南北朝。"《陳書·武帝紀》下似有敚文。

嘉定錢大昕《養新錄》曰："奇門之式，古人謂之遁甲，即《易》八卦方位，加以中央，與《乾鑿度》太一下行九宮之法相合。《史記·龜策傳》載宋元王召博士衛平語所夢，'衛平乃援式而起，仰天而視月之光，觀斗所指，定日處鄉，規矩爲輔，副以權衡。四維已定，八卦相望。視其吉凶，介蟲先見。乃對元王曰：今昔壬子，宿在牽牛'云云。此遁甲式也。"

遁甲決一卷　吳相伍子胥撰

遁甲文一卷　伍子胥撰

《史記》列傳：伍子胥者，楚人也，名員。員父曰伍奢。兄曰伍尚。楚平王殺奢及尚，伍胥亡，奔宋，奔鄭，至晉，復還鄭。入吳，吳王闔廬召爲行人。闔廬九年，與孫武伐楚，乘勝而前，五戰遂入郢。夫差既立，屢諫不聽，因太宰嚭之讒，賜屬鏤之劍，自剄死。吳王取其尸，盛以鴟夷革，浮之江中。吳人憐之，爲立祠于江上，因命曰胥山。

《四庫·陰陽五行家·遁甲演義提要》曰："《漢志》唯有《風鼓六甲》、《風后孤虛》，于奇遁尚無明文。《隋志》載有《伍子胥遁甲文》，世不概見。”

案《漢志》雜家《伍子胥》八篇，名員，春秋時爲吳將，忠直遇讒死。兵技巧家《伍子胥》十篇，《圖》一卷。伍子胥之書可見者惟此。此《遁甲》兩書猶在錢氏所舉宋元王博士衞平之前，真僞不可考。《唐志》惟有《遁甲文》一卷。

遁甲經要鈔一卷

不著撰人。

《唐日本國見在書目》：《遁甲經要鈔》一卷，抱朴子撰。

案枹朴子別有《遁甲肘後立成》，詳見後三條。

遁甲萬一決二卷

不著撰人。

《唐書·經籍志》：《遁甲萬一訣》三卷。《藝文志》同。

晁氏《讀書志》：《遁甲萬一訣》一卷，題云唐李靖所纂黄帝書。案遁甲之書見于《隋志》凡十三家，則其學之來亦不在近世矣。以休、生、傷、杜、景、死、驚、開八門，推國家之吉凶。通其學者，以爲有驗，未之嘗試也。

案《萬一決》見《隋》、《唐志》，皆不著撰人。其書在唐以前，而術家必欲實其人，遂以爲李靖云。

遁甲九元九局立成法一卷

不著撰人。

遁甲肘後立成囊中祕一卷　葛洪撰

葛洪有《喪服變除》，詳見經部禮類。

《抱朴子·登涉篇》曰：“案《玉鈐經》云，欲入名山，不可不知遁甲之術。余少有入山之志，由此乃行學遁甲書，乃有六十餘卷，事不可卒精，故鈔集其要，以爲《囊中立成》。”又是篇引《遁甲中經》，本志不見，似泛言遁甲中之經。

遯甲囊中經一卷

不著撰人。

《唐書·經籍志》：《遁甲囊中經》一卷。《藝文志》同。

遯甲囊中經疏一卷

遯甲立成六卷

並不著撰人。

遯甲敍三元玉曆立成一卷　郭引遠撰

郭引遠一作郭弘遠，始末並未詳。

遯甲立成一卷

不著撰人。

遯甲立成法一卷　臨孝恭撰

臨孝恭有《風角鳥情》，見前。

案兩《唐志》有《遁甲立成法》三卷，不著撰人。似即是書。

孝恭撰《遁甲》書本有十卷也。

遯甲穴隱祕處經一卷

不著撰人。

黃帝九元遯甲一卷　王琛撰

王琛有《九宮行棊立成法》一卷，《太一飛鳥曆》一卷，並見前。

黃帝軍出遯甲式法一卷

遯甲法一卷

遯甲術一卷

並不著撰人。

陽遯甲用局法一卷　臨孝恭撰

臨孝恭有《風角鳥情》、《遯甲立成法》各一卷，見前。

案《隋書·藝術傳》："孝恭著《遯甲月令》十卷。"《北史》作《遯甲錄》。似所錄不止一種，惟《月令》爲其自出新意所撰耳。此前後所載兩書似皆十卷中散出者。

雜遁甲鈔四卷
三元遁甲上圖一卷

並不著撰人。

案《唐·藝文志》有《三元遁甲立成圖》二卷，不著撰人，疑
即是書。此一卷稱上圖，尚有下卷之圖，唐時復出，故二
卷也。

三元遁甲圖三卷

不著撰人。

《唐書·經籍志》：《三元遁甲圖》三卷，葛洪撰。

《唐書·藝文志》：葛洪《三元遁甲圖》三卷。

案《抱朴子·自序篇》云："晚學風角、望氣、三元、遁甲、六
壬、太一之法，粗知其旨，又不研精，遂又廢焉。"又云："又
抄兵事、方伎、短雜奇要三百一十卷，別有目錄。"其目錄今
不傳，無由考見。《唐志》惟載《三元遁甲圖》三卷，本志前
後所載遁甲凡書凡六種，并他類所載諸書，大抵皆三百十
卷中散出者也。

遁甲九宮八門圖一卷

不著撰人。

《唐書·經籍志》：《遁甲九宮八門圖》一卷。《藝文志》同。

案八門者，殆即所謂休、生、傷、杜、景、死、驚、開也。

遁甲開山圖三卷　榮氏撰

榮氏不詳何人。

《唐書·經籍志》：《遁甲開山圖》又二卷，榮氏撰。

《唐書·藝文志》：榮氏《遁甲開山圖》二卷。

《玉海·陰陽·五行篇》：《文選注》引《遁甲開山圖》榮氏解。

《水經注》引《開山圖》。

《孫氏祠堂書目》：《遁甲開山圖》一卷，洪頤煊集本。

遯甲返覆圖一卷　葛洪撰

葛洪有《遯甲肘後立成囊中祕》一卷、《三元遁甲圖》三卷，並見前。

遯甲年録一卷

遯甲支手决一卷

遯甲肘後立成一卷

遯甲行日事一卷

並不著撰人。

遯甲孤虛記一卷　伍子胥撰

伍子胥有《遯甲决》、《遯甲文》各一卷，並見前。孤虛詳見兵家。

案本志兵家有《六甲孤虛兵法》一卷，不著撰人，《舊》、《新唐志》兵家有《伍子胥兵法》一卷，疑與此皆一書。

遯甲孤虛注一卷

不著撰人。

東方朔歲占一卷

東方朔有《別傳》，見史部雜傳類。

案《開元占經·八穀占》所引諸條似出是書。又東方諸占不僅此一種，詳見後第十五類中。此亦當與後五種相類從，雜置于此，殊爲不倫。蓋所據書目如此也。

斗中孤虛圖一卷

孤虛占一卷

並不著撰人。

遯甲九宮亭亭白姦書一卷　戰鬭博戲等法一卷

不著撰人。

案《太平御覽·工藝部》：《遁甲經》曰："天一游亭，六行亭亭，天一之貴神也。戰鬭博戲漁獵，但可背，不可向也。"此所云云，似即此兩書之事，知此二卷當合爲一書。天一游亭,豈即太一游九宮之比歟？

玉女反閉局法三卷

《宋書·符瑞志》：玉女,天賜妾也。《禮含文嘉》曰："禹卑宮室,盡力溝洫,百穀用成,神龍女降。"

《唐日本國見在書目》：《玉女返閉》四卷,《玉女返閉局抄》一卷。

《通志·藝文略》五行遁甲類：《遁甲玉女反閑局法》一卷。"閑"當爲"閉"。又有《玉女遁甲祕訣》一卷,疑即是書。又六壬類中亦有玉女書三種。

《宋史·藝文志》：《遁甲玉女返閉局》一卷。

案《釋名》："襦,煖也。言溫煖也。"又曰："反閉,襦之小者也。卻向著之,領含于項,反于背後閉其襟也。"反閉之義,蓋如此。其製殆如今之小兒衣,斜其領,使圍裹于身而束縛之。此不過謂玉女藏于反閉間耳,猶肘後、領中、袖中、枕中、囊中之類。玉女殆亦如玄女、素女之流。據《符瑞志》則亦祥瑞圖中之一品。《抱朴子·遐覽篇》云："其變化之術,大者唯有《墨子五行紀》,其次有《玉女隱微》一卷。"此言隱遁之術,大抵亦即其類歟？

以上自《黃帝陰陽遁甲》至此,凡三十七部,皆遁甲之屬。其間皆不引《七録》所有,蓋從諸家見存書目鈔入者。是爲第五類。

逆刺一卷　京房撰

京房有《風角要占》、《風角五音占》、《風角雜占五音圖》,並見前。

《唐書·經籍志》：《逆刺》三卷,京房撰。

《唐書·藝文志》：京房《刺逆》三卷。

案京房別有《周易逆刺占災異》十二卷,詳見後第十三類。

此其別本也。逆刺即逢占，説見《漢書・東方朔傳》贊顔氏注。

逆刺占一卷

逆刺總決一卷

壬子決一卷　《通志》作"王子"，似寫誤。

並不著撰人。

以上四部皆逆刺之屬，爲第六類。《壬子》疑《逆刺》之音誤。

鳥情占一卷　王喬撰

王喬有《別傳》一卷，詳見史部雜傳類。

《唐書・經籍志》：《鳥情占》一卷。不著撰人。《藝文志》同。

鳥情逆占一卷

不著撰人。

《魏志・管輅傳》："輅字公明，平原人也。冀州刺史裴徽辟爲文學掾，遷治中別駕。正始九年，舉秀才。正元二年八月，爲少府丞。明年二月卒，年四十八。"注引《輅別傳》曰："利漕民郭恩，字義博，善《周易》、《春秋》。從輅學鳥鳴之候，輅言君雖好道，天才既少，又不解音律，恐難爲師也。輅爲説八風之變，五音之數，以律吕爲衆鳥之商，六甲爲時日之瑞，反覆譜曲，出入無窮。義博静然沈思，馳精數日，卒無所得而止。"又載其與人論鳥鳴事，文繁不録。

《唐書・經籍志》：《鳥情逆占》一卷，管輅撰。

《唐書・藝文志》：管輅《鳥情逆占》一卷。

鳥情書二卷

不著撰人。

鳥情雜占禽獸語一卷

不著撰人。

案《北齊書·方技·張子信傳》:子信善易卜風角。武衞奚永洛與子信對坐,有鵲鳴于庭樹,鬭而墮焉。子信曰"鵲言不善,向夕若有風從西南來,歷此樹,拂堂角,則有口舌事。今夜有人喚,必不得往"云云。此即《鳥情雜占禽獸語》之術也。

占鳥情二卷

不著撰人。

案《隋書·藝術·耿詢傳》:"詢字敦信,丹陽人。煬帝時守太史丞,爲宇文化及所殺。著《鳥情占》一卷,行于世。"又《唐日本書目》有京房《占六情百鳥鳴》一卷。以上三書皆無撰人,或有京房、耿詢之書在其間焉。

六情法一卷　王琛撰

王琛有《九宮行棊立成法》、《太一飛鳥曆》、《黄帝九宮遁甲》各一卷,並見前。

唐李淳風《乙巳占·論六情法》曰:"六情者,好、惡、喜、怒、哀、樂也。"

《唐書·經籍志》:《風角六情訣》一卷,王琛撰。

《唐書·藝文志》:王琛《風角六情訣》一卷。

六情鳥音内祕一卷　焦氏撰

焦氏當即焦延壽,有《易林》,別詳後第十三類中。

《漢書·翼奉傳》:"奉上封事曰:'臣聞之于師,治道要務,在于知下之邪正。知下之術,在于六情十二律而已。北方之情,好也,好行貪狼,申子主之;東方之情,怒也,怒行陰賊,亥卯主之;南方之情,惡也,惡行廉貞,寅午主之;西方之情,喜也,喜行寬大,己酉主之。上方之情,樂也,樂行姦邪,辰未主之;下方之情,哀也,哀行公正,戌丑主之。執十二律而御六情,于以知下參實,亦甚優矣,萬不失一,自然之道也。唯奉能用之,學者莫能行.'"

　案翼奉與焦延壽同時,故亦有六情之説。焦氏之書,今惟傳《易林》一種。見于本志者,亦唯《變占》及此書,凡三種。此以鳥音參六情,合二術爲一術。唐時與《變占》俱亡矣。

　以上七部皆鳥情之屬,亦風角之一端。爲第七類。

孝經元辰決九卷

　不著撰人。

　《後漢書·張衡傳》:"衡作《應間》云:'占既吉而無悔兮,簡元辰而俶裝.'"章懷太子曰:"元辰,吉辰也。"

　　案《困學紀聞·禮記篇》:"《祭法》注:'司命,主督察三命.'《孝經援神契》謂'命有三科:有受命以保慶,方樸山篆云:"慶,一作度。"有遭命以謫暴,有隨命以督行'。《孟子注》云:'命有三名:行善得善曰受命,行善得惡曰遭命,行惡得惡曰隨命.'孫子荆詩云:'三命皆有極.'皆本《援神契》."然則《孝經元辰》亦本之《援神契》。其後第十八類引《七録》又有《孝經元辰決》一卷,亡。則相傳爲此決者,不止一家也。

孝經元辰二卷

　不著撰人。

　《唐書·經籍志》:《孝經元辰》二卷。《藝文志》同。

　　案《經義考·毖緯篇》:"《孝經元辰》,《唐志》二卷,佚."蓋未考先見于《隋志》也。術數家之書,亦有從讖緯而出,此其一端歟?

元辰本屬經一卷

　不著撰人。

　　案此似言禄命。白雲霽《道藏》階字號有《六十甲子本命元辰曆》一卷,不著撰人。注云有六十甲子姓諱,似又附以五姓之説,疑即此書。

推元辰厄會一卷

不著撰人。

《唐書·經籍志》:《推元辰厄命》一卷。《藝文志》同。"厄命"當爲"厄會"。

案此《元辰厄會》似即《漢書·李尋傳》所謂"漢家有中衰陀會之象"。《王莽傳》所謂"陽九之厄"、"百六之會"是也。

元辰事一卷
元辰救生削死法一卷
推元辰要祕次序一卷

並不著撰人。

元辰章用二卷

不著撰人。

《唐書·經籍志》:《元辰章》三卷。無"用"字,《藝文志》同。

雜推元辰要祕立成六卷
元辰立成譜一卷

並不著撰人。

以上十部皆元辰之屬,爲第八類。《史記·日者傳》褚先生言,孝武時,聚會占七家,問娶婦日,有叢辰家。或引舊注云叢辰,猶今之以五行生剋擇日也。《漢書·藝文志》五行家有《鍾律叢辰日苑》二十二卷。叢辰似即元辰。又《日者傳》言宋忠、賈誼對司馬季主言人禄命,《論衡·命義》等篇亦數言星位、禄命、三命。是元辰禄命之説秦漢時已有之。

方正百對一卷　京房撰

京房有《風角要占》、《風角五音占》、《風角雜占五音圖》、《逆刺》,並見前。

案此似即京氏《別對災異》之書也。考《漢書·元帝本紀》,初元三年,詔舉明陰陽災異之士,于是言事者衆。以《京房傳》證之,知房以孝廉應是舉。次年,授爲郎。後三歲,爲永光二年,詔舉賢良直言之士。或即賢良方正,史略之也。又二年,詔公卿大夫對。時房在朝。後三年,拜魏郡太守。去月餘,徵下獄,棄市。本傳云:“永光、建昭間,西羌反,日蝕,又久青亡光,陰霧不精。房數上疏,先言其將然,近數月,遠一歲,所言屢中;天子説之。數召見問。”此書名《方正百對》,或其門弟子所録存,題以此目歟?《藝文類聚》諸書多引京房《別對災異》,嚴氏《全漢文編》輯存三十二條。又有《律術對》五條,或亦在是書。

晉災祥一卷　京房撰

案下文梁有《後漢災異》十五卷,《晉災異簿》二卷,《宋災異簿》四卷,亡。豈此即《晉災異簿》之佚存,因上文而誤題撰人歟?《通志略》載之陰陽家,亦無撰人。

災祥集七十六卷

不著撰人。

地形志八十七卷　庾季才撰

庾季才有《垂象志》,見前天文家。

《隋書·藝術傳》:“高祖謂季才曰:‘朕自今已後,信有天道矣。’于是令季才與其子質撰《垂象》、《地形》等志。及書成奏之,賜米千石,絹六百段。”又曰:“撰《靈臺祕苑》、《垂象志》各若干卷,《地形志》八十七卷,並行于世。”

案其後又出是書作八十卷,與相宅圖墓爲伍,得其倫矣。列之此,殊不類,亦所據書目如此也。

海中仙人占災祥書三卷

不著撰人。

案《漢志》天文家有海中占六家,凡一百三十六卷。此三卷及後雜占類所載《海中仙人書》兩部,或皆其殘賸歟?

周易占事十二卷　漢魏郡太守京房撰

京房有《風角要占》、《風角五音占》、《風角雜占五音圖》、《逆
刺》、《方正百對》、《晉災祥》,並見前。

案《漢志》易家《災異孟氏京房》六十六篇,《京氏段嘉》十二
篇,此與後諸書似多有從《易傳》中析出別行者,此十二卷
則又似後之《周易逆刺占災異》十二卷也。

以上自《方正百對》至此,凡六部,皆災祥之屬,爲第九類。
《漢書·眭弘夏侯始昌夏侯勝京房翼奉李尋列傳》贊曰:
"漢興,推陰陽言災異者,孝武時有董仲舒、夏侯始昌,昭、
宣則眭孟、夏侯勝,元、成則京房、翼奉、劉向、谷永,哀、平
則李尋、田終術。此其納説時君著明者也。察其所言,彷
彿一端。假經設誼,依託象類。或不免乎'億則屢中'。仲
舒下吏,夏侯囚執,眭孟誅戮,李尋流放,此學者之大戒也。
京房區區,不量淺深,危言刺譏,構怨彊臣,罪辜不旋踵,亦
不密以失身,悲夫!"

遯甲三卷。梁有《遯甲經》十卷,《遯甲正經》五卷,《太一遯甲》一卷,亡。

並不著撰人。

遯甲要用四卷　葛洪撰

遯甲祕要一卷　葛洪撰

遯甲要一卷　葛洪撰

葛洪有《遯甲肘後立成囊中祕》一卷、《三元遯甲圖》三卷、《遯
甲返覆圖》一卷,並見前。

案《唐·藝文志》有《遁甲祕要》一卷,不著撰人,不知是否
即葛氏書。《祕要》疑即前《囊中祕》。《日本書目》有《遁甲祕要》一
卷,葛洪撰。

遞甲三十三卷　　後魏信都芳撰

信都芳有《樂書》，見經部樂類。

《北史·藝術傳》：芳精專不已，又多所關涉，著《樂書》、《遁甲經》。

《唐書·藝文志》：信都芳《遁甲經》二卷。

　案此三十三卷似并他所著言之。

三元遞甲六卷　　許昉撰

許昉有《軍勝見》、《戎決》、《黃帝複姓符》，並見兵家。

《唐書·藝文志》：許昉《三元遁甲》六卷。

三元遞甲六卷　　陳員外散騎常侍劉毗撰

劉毗，始末未詳。

三元遞甲二卷。梁《太一遁甲》一卷，《遞甲三元》三卷。三元九宮遞甲二卷。梁有《遞甲三元》三卷，亡。

並不著撰人。

三正遞甲一卷　　杜仲撰

杜仲，始末未詳。

《唐書·藝文志》：杜仲《三元遁甲》一卷。

遞甲三十五卷
遞甲時下決三十三卷
陰陽遞甲十四卷

並不著撰人。

遞甲正經三卷　　梁五卷
遞甲經十卷

並不著撰人。

《後漢書·方術傳序》注：今書《七志》有《遁甲經》。

《唐書·藝文志》：《遁甲經》十卷。

晁氏《讀書志》曰："《遁甲經》一卷。《李氏書目》云：'此九天玄女之術，推九星、八門、三奇、六儀之法。'"

案此類首一條注云"梁有《遯甲經》十卷，《遯甲正經》五卷，
亡"。此兩書即前注梁所有者是也。惟《遯甲正經》五卷亡
其二卷耳。既已著録，此兩條則前注重複，可删。

遯甲開山圖一卷

不著撰人。

唐張彥遠《歷代名畫記》曰："古來祕畫珍圖，有《遁甲開山圖》
一卷，王粲撰。"案"王粲"當是"王琛"。或從王琛《新撰陰陽書》三十卷析出，亦
未可知耳。

《唐書·經籍志》：《遁甲開山圖》一卷，王琛撰。

《唐書·藝文志》：王琛《遁甲開山圖》一卷。

錢塘汪師韓《文選理學權輿》曰："《選注》所引群書有《遁甲開
山圖》，王琛撰。"

案唐已前爲《遁甲開山圖》者，唯榮氏及王琛兩家，榮氏圖
已見于前，故知此爲王琛之圖。琛有《九宮行棊立成法》、
《太一飛鳥曆》、《黄帝九宮遁甲》、《六情決》四書，並
見前。

梁有《遁甲開山經圖》一卷。

不著撰人。

案此似即前所載榮氏之圖。

遯甲九星曆一卷
遯甲三奇三卷
遯甲推時要一卷
遯甲三元九甲立成一卷

並不著撰人。

《唐書·藝文志》：《遁甲九星曆》一卷，《遁甲三奇》三卷，《遁
甲推要》一卷，《遁甲三元九甲立成》一卷。

雜遁甲九卷。梁九卷。《遁甲經外篇》一百卷,《六甲隱圖遁甲圖》二卷,亡。

並不著撰人。

陽遁甲九卷　釋智海撰

智海,始末未詳。

《唐書·藝文志》:《陽遁甲》九卷。不著撰人。

陰遁甲九卷

不著撰人。

《唐書·藝文志》:《陰遁甲》九卷。

案此九卷似亦智海所撰。晁《志》有曰:"遁甲之書見于《隋志》凡十三家。"《四庫提要》亦云《隋志》載有伍子胥《遁甲文》,信都芳《遁甲經》,葛洪《三元遁甲圖》等十三家。考本志載遁甲之書實有六十九部,而云十三家者,蓋據撰人可見者而言。其一黃帝,二伍子胥,三葛洪,四郭引遠,五臨孝恭,六王琛,七榮氏,八信都芳,九許昉,十劉毗,十一杜仲,十二釋智海,尚闕其一,似晁氏以李靖《萬一訣》并計之也。以上二十三部,附梁有九部,又爲遁甲之屬。案前第五類已載遁甲諸書四十七部矣,此又別出遁甲一類,同爲一類之書而前後兩起,不相統一,莫詳其旨。及觀元辰一類、災祥一類,亦前後分兩起。又醫家類中于《黃帝素問》之書亦分前後兩起,于是知其編次之故矣。蓋前類所載皆據諸家見存書目鈔入,不與《七錄》相關,故其間無一條有梁有之注。此類則又據《七錄》所載次第,故仍注梁有諸書。此皆由類例不熟,分隸不清,鈔取見存及《七錄》動爲瞀亂,故凌雜複沓至于如此也。是又爲重出遁甲第十類。

武王須臾二卷

《後漢書·方術傳》序曰:"其流又有風角、遁甲、七政、元氣、六日七分、逢占、日者、挺專、須臾、孤虛之術。"注:"須臾,陰陽吉凶立成之法也。今書《七志》有武王《須臾》一卷。"

《唐書·經籍志》:《武王須臾》二卷。《藝文志》同。

案《唐日本國書目》五行家有《武王竿方》一卷。竿方即算法,其即此書?《通志略》載之五行雜占家。

六壬式經雜占九卷

不著撰人。

《唐六典》:太卜令掌卜筮之法,四曰式,凡式占,辨三式之同異,一曰雷公式,二曰太乙式,並禁私家畜,三曰六壬式,士庶通用之。

《唐書·藝文志》:《六壬式經雜占》九卷。

梁有《六壬式經》三卷,亡。

不著撰人。

案《唐·藝文志》,《六壬式經雜占》之次有《雷公式經》一卷,《太一式經》二卷,似即此《六壬式經》三卷也。《唐六典》言三式,曰雷公,曰太一,曰六壬。

六壬釋兆六卷

不著撰人。

《唐書·藝文志》:《六壬釋非經》六卷。"非"爲"兆"之誤。一本作"擇非","擇"又爲"釋"之誤。

晁氏《讀書志》曰:"《隋志》載六壬之書兩種。今世龜筮道息,而此術獨存。"

《四庫提要》著録《六壬大全》曰:"六壬與遁甲、太一,世謂之三式,而六壬其傳尤古。或謂出于黃帝玄女,固屬無稽。要其爲術,固非後世方伎家所能造,大抵數根于五行,而五行始于水。舉陰以起陽,故稱壬焉。舉成以該生,故用六焉。其有天地盤與神將加臨,雖漸近奇遁九宮之式,而由干支而有四課,則亦兩儀四象也。由發用而有三傳,則亦一生三,三生萬物也。以至六十四課,莫不原本義爻,蓋亦易象之支流,推而衍之者矣。考《國語》伶州鳩對七律以所稱夷則上宮、大吕上宮推之,皆有合于六壬之義,然特以五音十二律定數,未可即指爲六壬之源。《吳越春秋》載伍員及范蠡雞鳴、日出、日昳、禺中四課,則時將加乘與龍蛇刑德之用,一如今世所傳。而《越絶書》載公孫聖亦有'今日壬午時加南方'之語,其事雖不見經傳,似出依託。然趙曄、袁康皆後漢人,知其法著于漢代也。其書之見于史者,《隋志》二家。"

錢氏《養新録》曰:"六壬之占,載于正史者,惟《晉書·戴洋傳》。然史但云洋善風角,亦不稱六壬。《隋志》五行類有《六壬式經雜占》九卷,梁有《六壬式經》三卷,亡;《六壬釋兆》六卷。六壬之名始見于此。"

案梁元帝《洞林序》曰:"韓終六壬常所寶愛。"案韓終亦云韓眾,秦方士,見《史記·秦始皇三十五年本紀》,是古爲六壬之最著者。梁元帝或有其書。

破字要決一卷

不著撰人。

《顔氏家訓·書證篇》:"若潘、陸諸子《離合詩》、《賦》、《拭卜》、《破字經》,及鮑昭《謎字》,皆取會流俗,不足以形聲論之也。"江陰趙曦明注曰:"沈氏考證:《隋書·經籍志》有《破字要決》一卷。《拭卜》、《破字經》未詳。"段玉裁曰:"拭乃栻字之譌,是卜者所用之盤本,亦作式。破字,即今之坼字也。"

《唐日本國見在書目》:《破子》一卷。"子"當爲"字"。

案《拭卜》、《破字經》乃泛言拭卜家所用之《破字經》,六朝時流俗有《破字經》名目也。今之爲坼字術者,每字皆著一課于其端,即借課以为之说,其课即所谓六壬是也。盖坼字亦依附于六壬,六壬爲三式之一,故稱式卜。《四庫存目》有《神機相字法》一卷,即是類之書。

桓安吳式經一卷

桓安吳,始末未詳。

《唐書・藝文志》:《桓公式經》一卷。

案桓安吳,《新唐志》作桓公,必有轉寫之誤。無由取證,疑"桓宣武"之字誤音誤。

梁有《雜式占》五卷,《式經雜要決》、《式立成》各九卷,亡。

並不著撰人。

梁有《式王曆》二卷,亡。"王曆"當是"玉曆"。

不著撰人。

案《唐日本國書目》有赤松子《玉曆》一卷,似即此《式玉曆》。《開元占經》數引《玉曆》,似即其書。蓋依託赤松子者也。

梁有《伍子胥式經章句》、《起射覆式》、《越相范蠡玉笥式》各二卷,亡。

伍子胥有《遁甲決》、《遁甲文》、《遁甲孤虛記》,並見前。范蠡有《陶朱公養魚經》,見前農家。

案《漢志》雜家、兵技巧、兵權謀家並有伍子胥、范蠡之書,《文選注》亦引《伍子胥兵法》、《范蠡兵法》,此不知是否即李善所見之書。《四庫提要》言《吳越春秋》載伍員及范蠡雞鳴、日出、日昳、禺中四課,一如今世所傳六壬。或後世術者因此而附益爲是書。《起射覆式》或別爲一書,不與《式經章句》合。《通志略》于此等疑異之處皆削而不載焉。

光明符十二卷　錄一卷　梁簡文帝撰

梁簡文帝有《毛詩十五國風義》,見經部詩類。

《南史》本紀:所著《光明符》十二卷。

《唐書·藝文志》：梁主榮《光明符》十二卷。一本作"梁王榮"。"榮"當是"綱"之誤。

《通志·藝文略》五行六壬家：梁簡文帝《光明符》十二卷。

　　以上自《武王須臾》至此，凡六部，梁有七部，皆六壬及六壬式之屬。《須臾》或非六壬，疑遁甲家之支流，而托之武王，姑以爲是類之首。是爲第十一類。

龜經一卷　晉掌卜大夫史蘇撰。梁有《史蘇龜經》十卷，亡。

《左·僖十五年傳》："初，晉獻公筮嫁伯姬于秦，遇《歸妹》之《睽》。史蘇占之，曰：'不吉。'"杜預注曰："史蘇，晉卜筮之史。"

《漢書·人表》第五等中中：史蘇。錢塘梁玉繩考曰："史蘇始見《左·僖十五》、《晉語一》，晉卜筮之史。宋徽宗大觀三年，封爲晉陽伯。《抱朴子·辨問篇》曰：'史蘇、辛廖，卜筮之聖也。'"

晁氏《讀書志》：《靈龜經》一卷，史蘇撰。論龜兆之著凶。

《崇文總目》：三卷。

《宋史·藝文志》五行家："史蘇《五兆龜經》一卷。"又著龜類："《靈龜經》一卷。"不著撰人。兩書似皆晁《志》之《靈龜經》。

《四庫提要》術數類著錄《卜法詳考》曰："古者大事多用卜，故《尚書》言龜者居多。《漢書·藝文志》載《龜書》五十二卷，《夏龜》二十六卷，《南龜書》二十八卷，《巨龜》三十六卷，《雜龜》十六卷，則漢時其書猶多。漢文帝大橫之兆，即其繇詞。褚少孫補《龜策傳》所述，即其占法也。《隋書·經籍志》僅載《龜經》一卷，注晉掌大夫史蘇撰。"

　　案《七錄》載史蘇《龜經》十卷，至隋僅存一卷，或即《漢志》五種龜龜之遺。《說郛》有《龜經》一卷，不著撰人。南匯吳省蘭刊入《藝海珠塵》叢書中，未知即史蘇書否也。《五行大義・論刑篇》、《論五靈篇》並引史蘇《龜經》。

梁有《龜決》二卷,葛洪撰,亡。

葛洪有《遯甲肘後立成》等書六種,並見前。

梁有《管郭近要決》、《龜音色》、《九宮蓍龜序》各一卷,亡。

並不著撰人。

案管、郭當是魏之管輅、晉之郭璞。此殆郭璞以後人所作。

《龜音色》、《九宮蓍龜序》不知爲一書爲兩書。

梁有《龜卜要決》、《龜圖五行九親》各四卷,亡。

並不著撰人。

案《龜圖五行九親》亦不知爲一書爲兩書也。

梁又有《龜親經》三十卷,周子曜撰,亡。

周子曜,始末未詳。

史蘇沈思經一卷

史蘇有《龜經》,見前。

《唐書・藝文志》:史蘇《沈思經》一卷。

龜卜五兆動搖決一卷

不著撰人。

《周禮・大宗伯・占人》疏:卜筮有金、木、水、火、土五種之兆。凡卜灼龜之四足,依四時而灼之,其兆直上向背者爲木兆,直下向足者爲水兆,邪向背者爲火兆,邪向下者爲金兆,橫者爲土兆。

案《唐・藝文志》有孫思邈《龜經》一卷,又《五兆算經》一卷,《龜上五兆動搖經訣》一卷。此"卜"字或"上"字之誤。其即孫思邈之書。思邈,京兆華原人,周宣帝時隱居太白山。入隋,至唐高宗永淳元年乃卒,年百餘歲,見《舊唐書・方技傳》、《新書・隱逸傳》。此猶雜家載《書鈔》而不著虞世南姓名同例,或皆以其人尚存故歟?

以上自《龜經》至此，凡三部，附著梁有六部，皆龜卜之屬，爲第十二類。

周易占十二卷　京房撰。梁《周易妖占》十三卷，京房撰。

京房有《風角要占》、《風角五音占》、《風角雜占五音圖》、《逆刺》、《方正百對》、《晉災祥》、《周易占事》，並見前。

晁氏《讀書志》：元祐八年，高麗進書，有《京氏周易占》十卷，疑隋《周易占》十二卷是也。

《玉海》陰陽五行類：《乾象新書》引京房《易傳妖異占》。

《經義考》曰：“《周易妖占》，《晉書》、《宋書·五行志》及《水經注》、《太平御覽》俱引之。”案《開元占經》引之尤多。

鄞縣全祖望《讀易別錄》曰：“《隋志》五行家京房《周易妖占》十三卷，《周易占事》十二卷，又有《周易占》十二卷。疑即《妖占》、《占事》二書之重出。”

周易守林三卷　京房撰

周易集林十二卷　京房撰。《七録》云：“伏萬壽撰。”

《經義考》曰：“案《太平御覽》引《集林》文云：‘占天雨否，外卦得陰爲雨，得陽不雨。其爻發變。得《坎》爲雨，得《離》不雨，《坎》化爲《巽》，先雨後風。’”

案《法苑珠林·至誠篇》引王琰《冥祥記》曰：“宋伏萬壽，平昌人也。元嘉十九年，在廣陵爲衛府行參軍。”不知即此伏萬壽否也。然考《唐·藝文志》有“伏曼容《周易集林》十二卷。伏氏《周易集林》一卷”，《舊唐志》同，而本志皆不見，則又疑十二卷者，爲伏曼容之書。一卷者，或其節本，或爲伏萬壽撰。曼容亦仕宋入齊，至梁初卒，亦平昌人，殆與萬壽昆季行。有《周易注》，見經部易家。

周易飛候九卷　京房撰。梁有《周易飛候六日七分》八卷，亡。

《漢書·京房傳》：房治《易》，事梁人焦延壽。其説長于災變，分六十卦,更直日用事,以風雨寒温爲候,各有占驗。房用之尤精。"孟康曰:"分卦直日之法,一爻主一日,六十四卦爲三百六十日。餘四卦,《震》、《離》、《兑》、《坎》,爲方伯監司之官。所以用《震》、《離》、《兑》、《坎》者,是二至二分用事之日,又是四時各專王之氣。各卦主時,其占法各以其日觀其善惡也。"《後漢書·郎顗傳》注:《易稽覽圖》曰:"甲子卦氣起中孚,六日八十分日之七。"鄭玄注云:"六以候也。八十分爲一日之七者,一卦六日七分也。"

又《方術傳》序云:"其流又有七政、元氣、六日七分。"

《經義考》曰:"京氏《飛候》,《太平御覽》每引之。"

全氏《讀易別録》曰:"案《飛候》者,京房以風角附會于《易》之書。"

周易飛候六卷　京房撰

《唐書·經籍志》:《京氏周易飛候》六卷。《藝文志》同。

案此蓋即前九卷之別本。金谿王謨《漢魏遺書鈔》輯存一卷。嚴氏可均亦有輯本,編入《京氏易》八卷中。

周易四時候四卷　京房撰

《唐書·經籍志》:《京氏周易四時候》二卷。《藝文志》同。

案此似即《飛候》九卷、六卷中析出者,或言春、夏、秋、冬四時,或言《震》、《離》、《兑》、《坎》四候。

周易錯卦七卷　京房撰

《唐書·經籍志》:《京氏周易錯卦》八卷,京房撰。《藝文志》同。

全氏《讀易別録》曰:"《隋志》五行家京房《周易錯卦》七卷,案經部又有《周易錯》八卷,疑即是書之重出。"

案經部注云:"梁有《周易錯》八卷,京房撰,亡。"蓋《七録》入易部也。此又從隋代見存目録著録,則亡而不亡。不過缺其一卷耳。至唐而八卷之數,與《七録》同。

周易混沌四卷　　京房撰

《唐書·經籍志》：《京氏周易混沌》四卷。《藝文志》同。

　　案《靈棋經》以純陰鏝卦爲混沌未明，此或亦猶是也。

周易委化四卷　　京房撰

唐段成式《酉陽雜俎·貶誤篇》曰：“梁元帝作《連山》，每卦引《委化》、《集林》。”

《通志·藝文略》五行易占家：《周易委化》四卷，京房撰。

周易逆刺占災異十二卷　　京房撰

《唐書·藝文志》：“《費氏周易逆刺占災異》十二卷。”注云費直。

《通志·藝文略》五行易占家：《周易逆刺占災異》十二卷，京房撰。一云費氏。案此云京房撰者，據本志。一云費氏者，據《唐志》。考本志無費氏書，《唐志》無京氏書，故鄭氏以爲即是一書。然《舊唐志》無費氏此書，而京氏則本志有明文，是鄭漁仲謂爲一書者，良信。又疑此即上文之《妖占》、《占事》。

晁氏《讀書志》：《京房易傳》四卷。《隋·經籍志》有《京氏占候》十種七十三卷。今傳者曰：京氏《積算易傳》三卷，《雜占條例法》一卷，名與古不同。所謂《積算易傳》疑《隋》、《唐志》之《錯卦》是也。《雜占條例法》者，疑《隋志》《逆刺占災異》是也。案此謂十種七十三卷者，即此以上所載十條是也。

《四庫》術數類提要曰：“房所著，今惟《易傳》三卷存，晁氏以《易傳》爲即《錯卦》、《雜占條例》爲即《逆刺災異》，則未免臆斷無據耳。”

烏程嚴可均《鐵橋漫稾》《京氏易》輯本序曰：“《京氏易》八卷，無錫王氏保訓輯本也。《漢魏叢書》有《京氏易傳》三卷，王氏于三卷外采録遺文，得四萬許言，尋以病卒于都下。其同年友嚴可均理而董之，正其訛，補其闕，仍分八卷，繕寫而爲之序曰：《易》以道陰陽，有陰陽即有五行。孟喜受易家陰陽，立十二月辟卦，其說本于气，以準天时，明人事，授之焦贛。焦贛又得隐士之说，五行消復，授之京房。京房兼而用之，长于災變，布六十四卦于一歲中，卦直六日七分，迭更用事，以風雨寒温爲候，各有占驗，獨成一家。孝元立博士，迄東漢末，費直行而京氏衰。晉代猶有傳習者，至《隋志》亡《段嘉》十二篇，《唐志》又亡《實災》六十六篇之四十三篇。案此謂《漢志》六十六篇，《新唐志》唯存《四時候》、《飛候》、《混沌》、《錯卦》、《逆刺》五種二十三卷，其餘四十三篇亡也。歷宋入明，而《漢志》之八十九篇僅存三卷，蓋京氏學久廢絶矣。《易》道至大，無所不該。王弼以道家言解《易》，楊簡以佛家言解《易》，尚得名家。況京氏爲漢《易》之宗，聽其廢絶，不可惜哉。今輯《易傳》、《易占》、《飛候》、《五星》、《風角》等篇，雖京氏占候不盡此，亦大端具矣。其世應、飛伏、建、積、互、游魂、歸魂之説，晁説之能言之，據叢書本三卷，亦略可尋求，至六日七分之法，見《漢書》本傳孟康注。僧一行《大衍曆議》則雖謂《京氏易》亡，而不亡可也。”

又《自編四録堂類集總目》曰：“《京氏易》八卷，王保訓輯，可均校補。《敍録》、《傳述》、《論證》三篇列于卷首，《易章句》一，《易傳》二，《易占上》三，《易占下》四，《易妖占》、《易飛候》五，《別對》、《災異》、《易説》、《五星占》、《風角要占》六，《外傳》七，《災異後序》、《易集林》、《易逆刺》、《律術》八。叢書本三卷，見存不録。”

　　案京氏之書，除見存《易傳》三卷外，本志易家有《易章句》，兵家有《征伐軍候》，天文家有《五星災異傳日占圖》，及此類前載《風角要占》等七部。此一段所載十部，後文又有《易律曆》、《推偷盜書》、《占夢書》，見于本志者如此。其間或亦有後世術者所推演，不盡出于《易傳》。《唐日本國書目》又有京房《占六情百鳥鳴》一卷，《雜占》一卷。《宋志》

有陳襄校定京房《婚書》三卷。《玉海》引《乾象新書》云：
"京房有《易備》、《易坤靈圖》、《通卦驗》、《通統》。"洪氏《容
齋三筆》有《孝經雌雄圖》，云出京房《易傳》，而《太平御覽》
九百三十一引京房《易緯》，則讖緯家亦有所附託，其散見
于諸書記載者又如此。要其遺文佚句大都略盡于王、嚴二
家之所輯，而余未得見也。

周易占一卷　　張浩撰

《經義考》曰："案《南史》，張暢子浩，官至義陽王昶征北諮議
參軍，融之兄也。"張融有《少子》五卷，見前道家。

案《南史》張浩附見其父暢傳，不言其有是書，朱氏殆約略
言之。考兩《唐志》有張滿《周易林》七卷，本志不見。朱氏
以張滿爲東漢初人，亦約略之言。余竊以爲即此張浩。
《易占》、《易林》，皆林占之書，初無所異。一卷，七卷，則
隋、唐傳本不同，亦所恒有。唯浩與滿則未詳孰是焉。

周易占雜十三卷
周易雜占十一卷

並不著撰人。

周易雜占九卷　　尚廣撰

《吳志·孫晧傳》注：干寶《晉紀》曰："王濬治船于蜀，吾彦取
其流柹以呈孫晧，曰：'晉必有攻吳之計，宜增建平兵。建平
不下，終不敢渡江。'晧弗從。陸抗之克步闡，晧意張大，乃使
尚廣筮并天下，遇《同人》之《頤》，對曰：'吉。庚子歲，青蓋當
入洛陽。'故晧不脩其政，而恒有窺上國之志。及晧降之歲，
實在庚子。"尚廣，蓋吳、晉時人也。

《唐書·經籍志》：《周易雜占》八卷，尚廣撰。《藝文志》著錄同。

梁有《周易雜占》八卷，武靖撰，亡。

武靖，始末未詳。

《唐書·經籍志》：《武氏周易雜占》八卷，武氏撰。下"武氏"字當
是"武靖"之寫誤。

《唐書·藝文志》：《武氏周易雜占》八卷。

案《七錄》卜筮一類別爲部分，本志併入五行，故此類載書
特多，尋其章法，分爲數起。亦與史部雜傳家中間劉向《列士傳》、《列
仙傳》以下兩段章法相似。蓋所據書目不止一家，各有所取，故亦
各有起訖，跬跡略可尋案也。自京房《周易》至此爲一起。

易林十六卷　焦贛撰。梁又本三十二卷。

《漢書·京房傳》：房治《易》，事梁人焦延壽。延壽字贛。贛
貧賤，以好學得幸梁王，王共其資用，令極意學。既成，爲郡
史，察舉補小黃令。以候司先知姦邪，盜賊不得發。愛養吏
民，化行縣中。舉最當遷，三老官屬上書願留贛，有詔許增秩
留，卒于小黃。贛常曰："得我道以亡身者，京生也。"其説長
于災變，分六十卦，更直日用事，以風雨寒温爲候，各有占驗。
又《儒林傳》：京房受《易》梁人焦延壽。延壽云嘗從孟喜問
《易》。會喜死，房以爲延壽《易》即孟氏學，翟牧、白生不肯，
皆曰非也。至成帝時，劉向校書，考《易》説，以爲諸《易》家説
皆祖田何、楊叔、丁將軍，大誼略同，唯京氏爲，異黨焦延壽獨
得隱士之説，託之孟氏，不相與同。

《太平御覽·職官部》：《陳留風俗傳》曰："昭帝時蒙人焦貢
爲小黃令，路不拾遺，圄圉空虛。詔遷貢，百姓揮涕守闕，求
索還貢。天子聽，增貢之秩千石。貢之風化猶存，其民好學
多貧，此其風也。"案此則貢爲梁國蒙縣人，可補史傳之闕略。小黃縣屬陳留
郡，故《風俗傳》載其事。

唐王俞序曰："予嘗讀班、史列傳及歷代名臣譜系，諸家雜説
之文，盛稱自夫子授《易》于商瞿，僅十餘輩，延壽經傳于孟
喜，固是同時。當西漢元、成之間，凌夷厥政，先生或出或處，

輒以《易》道上干梁王，遂爲郡察舉，詔補小黃令，而邑中隱伏之事皆預知其情，得以寵異蒙遷秩，亦卒于官次。"案此則貢卒于元、成之間，在京房死後數年也。

《唐書‧經籍志》：《焦氏周易林》十六卷，焦贛撰。《藝文志》同。

《宋史‧藝文志》著龜家：焦贛《易林傳》十六卷。

《崇文總目》卜筮類：《周易林》十六卷，焦贛撰。以一卦轉之六十四卦，各有繇言，著吉凶占驗。然不傳推用之法。一本作十八卷，似誤。

晁氏《讀書志》經部易家：《焦氏易林》十六卷。漢天水焦贛延壽傳《易》于孟喜，行事見《儒林傳》中，此其所著書也。費直題其前曰六十四卦變。又有唐王俞序。其書每卦變六十四，綜四千九十六首，皆爲韻語，與《左氏傳》載"鳳皇于飛，和鳴鏘鏘"，《漢書》所載"大橫庚庚，予爲天王"之語絕相類，豈古之卜者各有此等書耶？案此稱漢天水者，蓋據書首偽費直題辭之語也。

陳氏《書錄》卜筮類：《易林》十六卷，漢小黃令梁焦延壽贛撰。又名《大易通變》。唐會昌丙寅越五雲谿王俞序："凡四千九十六卦，其辭假出于經史，其意雅通于神祇。蓋一卦可以變六十四也。舊見沙隨程迥所記，南渡諸人以《易林》筮國事，多奇驗。求之累年，寶慶丁亥始得之莆田，皆韻語古雅，頗類《左氏》所載繇辭，或時援引古事。間嘗筮之，亦驗。頗恨多脫誤。嘉熙庚子，從湖守王寺丞侑借本，兩相校，十得八九，其中亦多重複，或諸卦數爻共一繇，莫可考也。"

《經義考》曰："《隋志》五行家《易林》十六卷。《新》、《舊唐書‧志》、《崇文總目》同《七錄》，作三十二卷，殆合《變占》十六卷言之。"

《四庫提要》數術占卜類曰："延壽字贛，梁人。昭帝時由郡吏舉爲小黃令。京房師之，故《漢書》附見《房傳》。黃伯思《東觀餘論》以爲名贛,字延壽,與史不符。又據後漢小黃門譙君碑,稱贛之後裔,疑贛爲譙姓,然史傳無不作焦,未可執爲確證。舊本《易林》首有費直之語,稱王莽時建信天水焦延壽。其詞蓋出僞託,鄭曉嘗辨之審矣。案並見《經義考》易家。贛嘗從孟喜問《易》,然其學不出于孟喜。《漢書·儒林傳》記其始末甚詳。蓋《易》于象數之外別爲占候一派者,實自贛始。所撰《易林》十六卷,以一卦變六十四,六十四卦之變共四千九十有六,各繫以詞,皆四言韻語。《崇文總目》言其推用之法不傳,而黃伯思記王伋占,程迥記宣和、紹興二占,皆有奇驗,則其術尚有知之者。惟伯思謂《漢書》稱延壽《易》分六十四卦更直日用事者,乃變占法,非《易林》法。薛季宣《易林序》則謂《易林》正用直日法,辨伯思之説爲謬。並爲圖例以明之,其説甚辨。王俞序本名《大易通變》,與諸本不同,疑爲後來卜筮家所改,非其舊也。"

又曰:"案《漢書·儒林傳》,陰陽災異之説始于孟喜,別得書而託之田王孫,焦延壽又別得書而託之孟喜,其源實不出于經師。朱彝尊《經義考》備列焦、京二家之書,蓋欲備易學宗派,不得不爾,實則以《隋志》列五行家爲允也。"

案此爲焦氏林占之書,非説易之書。《漢志》耆龜家《周易》三十八卷,是其類也。推之于古,則《連山》、《歸藏》各有繇辭,亦即其類,皆史卜之官所有事。焦氏是書殆亦取古林之辭,故有與《左傳》相同者。

易林變占十六卷　焦贛撰

《經義考》曰:"李鼎祚《易集解》,于《隨卦》采贛之説,云漢高帝與項籍,其明徵也。當屬《變占》中語。"

《四庫提要》曰:"贛所撰有《易林》十六卷,又《易林變占》十六卷,並見《隋志》。《變占》久佚,惟《易林》尚存。"

案《開元占經·五星占》、《歲星占》、《中官星占》、《外官星占》、《客星占》諸篇引焦延壽説二十餘條,皆非韻語,疑是《變占》中文。

又案《北堂書鈔·地部》引焦贛《易林》曰:“雷風泥塞,常水不溫,淩人隋怠,大電爲災。”焦贛《易林變占》曰:“深水難涉,塗泥在轂,漫溮不進,虎嚙我足。”《初學記·地部》引焦贛《易林》曰:“江河淮海,天之奧府,衆利所聚,可以饒有。”焦贛《易林變占》曰:“江河淮海,天之都市,商人受福,國家富有。”兩書互引而各異其辭,知《變占》亦各有繇辭。據李鼎祚及瞿曇悉達所引,或其中有解釋之文,并及天文星占歟?

易林二卷　費直撰。梁五卷。

費直有《周易注》,見經部易家。

《唐書·經籍志》:《費氏周易林》二卷,費直撰。《藝文志》同。

案馬氏玉函山房輯本序云:“費氏有《周易林》二卷,今佚。考焦氏《易林》卷首載東萊費直説一節,又《禮記·月令》正義引《易林》一節,不見焦氏《易林》,定爲費氏《易林》之語。”案焦《林》卷首費直序,固屬僞詞,已詳于前。《正義》一節不著姓名,漢以來爲《易林》者,焦、京、費氏之外又有崔篆、許峻、管輅、郭璞、伏萬壽、魯洪度諸家,何由知其定爲費氏乎?馬氏此輯可省。

易内神筮二卷　費直撰。梁有《周易筮占林》五卷,費直撰,亡。

《左·僖十五年》疏:“筮之畫卦,從下而始,故以下爲内,上爲外。”又曰:“筮者先爲下體,而以上卦重之,先爲其内,後爲其外。”

《唐書·藝文志》:《周易内卦神筮法》二卷。《周易雜筮占》四卷。並不著撰人。蓋即費氏。此兩書,唐時傳本佚其姓名耳。《通志略》亦云《周易內卦神筮法》二卷,費直撰。

案全氏祖望《讀易別錄》又有費直《易外神筮》二卷,注云見《隋志》五行家。今考本志實無此目,全氏誤也。《漢書·儒林傳》言費直長于卦筮,故有此類筮占之書。

易新林一卷　後漢方士許峻等撰。梁十卷。

《後漢書·方術傳》:許曼者,汝南平輿人也。祖父峻,字季山,善占卜之術,多有顯驗,時人方之前世京房。自云少嘗篤病,三年不愈,乃謁太山請命,行遇道士張巨君,授以方術。所著《易林》,至今行于世。

案《左·僖十五年傳》注云:凡筮者,用《周易》則其象可推,非此而往,則臨時占者或取于象,或取于氣,或取于時日旺相,以成其占。此《易新林》之類是也。

易災條二卷　許峻撰

《經義考》曰:"《北堂書鈔》引許氏《易災條》云:'母病,腹脹,蛇在井旁,當破缾甕,井沸泥浮,五色玄黃。'又《初學記》引《易災條》云:'井中有魚,似蟲出流,若當井沸,五色玄珠。'蓋亦《焦氏易林》類也。"

易決一卷　許峻撰

《宋史·藝文志》:許季山《易決》一卷。

全氏《讀易別錄》曰:"後漢方士汝南許峻《易決》一卷。案《宋志》有許季山《易決》一卷。季山即峻字。《經義考》不審而兩列之。"

梁有《易雜占》七卷,許峻撰。又《易要決》三卷,亡。

《唐書·經籍志》:《許氏周易雜占》七卷,許峻撰。《藝文志》同。

案《易要決》即前所載之《易決》,梁時三卷,至隋存一卷。

周易通靈决二卷　魏少府丞管輅撰

周易通靈要决一卷　管輅撰

管輅有《鳥情逆占》，見前。

元胡一桂《易學啓蒙翼傳》曰："公明精于卦筮，窮極幽微，占言吉凶禍福，無毫髮爽，雜以射覆説相，一皆神妙。"

案兩《唐志》無《通靈决》，惟有《周易林》四卷，意即此也。然此又似龜卜之書。

周易集林律曆一卷　虞翻撰

虞翻有《周易注》，見經部易家。

《吳志》本傳注：《翻別傳》曰："翻放棄南方，自恨疏節，骨體不媚，犯上獲罪，當長没海隅，生無可與語，死以青蠅爲弔客，使天下一人知己者，足以不恨。以典籍自慰，依《易》設象，以占吉凶。"

《唐書·藝文志》：虞翻《周易集林律曆》一卷。

案虞翻別有《京房易律曆注》一卷，詳見于後。證以《別傳》之言，則翻亦自有占卜之書，似即此《集林》是也。《集林》即集所占之卦林爲一書，此既云"集林"，又云"律曆"，似合兩書爲一編者。

梁有《周易筮占》二十四卷，晉徵士徐苗撰，亡。

《晉書·儒林傳》：徐苗字叔胄，高密淳于人也。累世相承，皆以博士爲郡守。苗少家貧，晝則鉏耒，夜則吟誦。弱冠，與弟賈就博士濟南宋鈞受業，遂爲儒宗。作《五經同異評》，又依道家著《玄微論》，前後所造數萬言，皆有義味。郡察孝廉，州辟從事、治中、別駕，舉異行，公府五辟，博士再徵，並不就。武惠時計吏至臺，帝輒訪其安不。永寧二年卒。

《唐書·經籍志》：《徐氏周易筮占》二十四卷，徐苗撰。《藝文志》同。

周易新林四卷　郭璞撰

郭璞有《毛詩拾遺》,見經部詩家。

《晉書》本傳:璞妙于陰陽算曆。有郭公者,客居河東,精于卜筮,璞從之受業。公以青囊中書九卷與之,由是遂洞五行、天文、卜筮之術,禳災轉禍,通致無方,雖京房、管輅不能過也。

抄京、費諸家要最,更撰《新林》十篇、《卜韻》一篇。

《唐日本國見在書目》:《周易新林占》三卷,郭璞撰。

梁有《周易雜占》十卷,葛洪撰。

葛洪有《遁甲肘後立成》等六書,又《龜決》二卷,並見前。

周易新林九卷　郭璞撰。梁有《周易林》五卷,郭璞撰,亡。

案此兩書似皆相傳之別本。《日本書目》有《周易亨氏占》九卷,似"郭氏"之誤。

易洞林三卷　郭璞撰

《晉書》本傳:璞既好卜筮,多占驗。撰前後筮驗六十餘事,名爲《洞林》。

《左·莊二十二年傳》疏:卜人所占之語,古人謂之爲繇,其辭視兆而作,出于臨時之占,或是舊辭,或是新造,猶如筮者引《周易》或別造辭。其辭也韻,則繇辭法當韻也。郭璞撰自所卜事謂之《辭林》,其辭皆韻,習于古也。阮文達《校勘記》曰:"案《隋書·經籍志》有《周易新林》、《易洞林》,皆郭璞撰,此作《辭林》,誤。"

《唐書·經籍志》:《周易洞林解》三卷,郭璞撰。

《唐書·藝文志》:郭璞《洞林解》三卷。

《宋史·藝文志》蓍龜家:郭璞《周易洞林》一卷。

元胡一桂《易學啓蒙翼傳》曰:"景純得《青囊書》,遂洞五行天文卜筮之術,嘗撰前後筮驗六十餘事,名爲《洞林》。斷法用青龍、朱雀、勾陳、騰蛇、白虎、玄武六神及太歲諸煞神、時日旺相等推算,靈驗無比。"

《經義考》曰："郭氏《洞林》,《初學記》嘗引之。雙湖胡氏撰《啓蒙翼傳》云:'世罕有其書,從王楚翁才古鈔得之。'則元時此書尚存也。《洞林》之文有三言者,有四言者,有七言者,驗其占法,靡不奇中。所謂林者,自謂韻語占決之辭,猶存《左氏傳》遺意。"

案郭璞《周易洞林》一卷,王氏《漢魏遺書鈔》、馬氏《玉函山房》並據胡氏《啓蒙易傳》、陶氏《説郛》及《初學記》、《書鈔》、《御覽》、《晉書》本傳所載輯存一本。

周易新林一卷
周易新林二卷

並不著撰人。

案兩《唐志》有《周易新林》一卷,亦無撰人,或即此前一卷也。

易林三卷　魯弘度撰

魯弘度,始末未詳。

周易林十卷。梁《周易林》三十三卷,録一卷。

不著撰人。

案此十卷即梁三十三卷之殘帙,故不注云亡,似鈔合衆家林占之書。《唐日本國見在書目》有《易林》十八卷,京房、郭璞等七人雜撰,明是鈔集之書。兩《唐志》有《易林》十四卷,《宋志》有諸家《易林》一卷,皆不著撰人,似皆是此書之佚存者,蓋至宋而僅存一卷矣。

易讚林二卷

不著撰人。

《通志·藝文略》五行易占家:《易贊林》二卷。

易立成二卷　郭氏撰

《經義考》曰："郭氏璞《易立成林》,《隋志》五行家二卷,佚。"

案此似後人鈔郭氏《新林》、《洞林》之尤驗者以爲立成。

易立成四卷

易玄成一卷

並不著撰人。

案“玄成”似亦“立成”之刊誤，《酉陽雜俎·貶誤篇》言梁元帝作《連山》，每卦引《立成》，似即此《立成》也。

周易立成占三卷　　顏氏撰

顏氏不知何人。

《唐日本國見在書目》：《顏氏易占》三卷。

案此顏氏疑是北魏末顏惡頭，章武郡人。妙于易筮，後爲爾朱仲遠所殺，見《北史·藝術傳》。兩《唐志》有《周易立成占》六卷，亦似此書。經部易家有《顏氏周易大衍通統》一卷，疑亦即此顏氏也。

又案自焦氏《易林》至此，又爲一起，如前例。

神農重卦經二卷

神農有《本草》，別詳後醫家。

宋王應麟《漢書藝文志考證》曰：“重卦之人有四説：王輔嗣等以爲伏羲；鄭康成之徒以爲神農，淳于俊曰庖犧因燧皇之圖而制八卦，神農演之爲六十四；孫盛以爲夏禹；史遷等以爲文王。楊繪曰：‘筮非八卦之可爲，必六十四之，然後爲筮。舜、禹之際曰龜筮協從，則何文王重卦之有乎？八卦成列，象在其中矣；因而重之，爻在其中矣。案是而言，重卦之始，其在上古乎？’京房引夫子曰：‘神農重乎八純。’”

《經義考》曰：“《神農重卦經》，《隋志》二卷，佚。”

案《易緯》篇目有《八墳文》，鄭康成氏注曰：“公孫我名軒轅，依大庖之制作《易八墳文》，釋八卦之理。”此謂黃帝作《八墳文》也。此《重卦經》殆以京房、鄭氏、淳于俊諸家之説，乃託之神農，其即《八墳文》之流亞歟？《八墳文》本推演庖犧氏之制,或亦稱《重卦經》,術家詭異百出,未可知也。

文王幡音一卷

《崇文總目》卜筮類:《文王版詞》一卷。

《宋史·藝文志》五行類:《文王版詞》一卷。

陳氏《書錄》卜筮類:《周易版詞》一卷,不知名氏,當是漢魏以前人所爲,其間官名皆東京制也。

全氏《讀易別録》曰:"《崇文目》、《宋志》有《文王版詞》一卷,殆即《通考》所謂《周易版詞》者也。"

案刊本書往往以章爲音,此"幡音"似"幡章"之譌,"幡章"又似"版章"之譌。"版章"即"版詞"之異名。輾轉傳譌,遂致書名不可以解。又文王之書雖爲依託,而史志不概見。《崇文目》、《宋志》但有《文王版詞》,無《文王幡音》,是亦"幡音"即"版詞"之一證。《通志略》雖有《幡音》,又有《版詞》,乃鈔拾前後史志,故致重複,不足爲據。

又案《宋志》管公明《隔山照》一卷,《文王版詞》一卷。其上下文所載各有撰人,皆一人一書,獨以此二書屬之管公明,似非無因。疑古有是書,爲管輅所傳録,宋人有知其源委者,因類從于一處。修志者仍其舊第歟? 并附識其疑于此。

易三備三卷
易三備一卷

並不著撰人。

《唐書·經籍志》:《易三輔》三卷,又一卷。

《唐書·藝文志》:《易三備》三卷,又三卷。

《宋志》蓍龜家:《周易三備》三卷。題孔子師徒所述,蓋依託也。

《通志·藝文略》五行易占家:《周易三備》三卷。上備言天文,中備卜筮,下備地理。

案《玉海》天文附陰陽五行類云:"《乾象新書》引京房《易

傳》、《妖異占》。"又注云："京房有《周易逆剌占》外,又有《易備》、《易坤靈圖》,則此兩書中或有京房所撰者在焉。"

易占三卷

不著撰人。

案《舊》、《新唐志》有杜氏《新易林占》三卷,本志不見,疑即是書。杜氏或即郭璞外孫杜不愆,《晉書·藝術》有傳。

易射覆二卷

易射覆一卷

並不著撰人。

《經義考》曰:"《易射覆》,《隋志》二卷,又一卷,俱佚。"

案《漢志》著龜家有《周易隨曲射匿》五十卷,蓋合諸家射覆之術錄爲一編者。《漢書·東方朔傳》:"上嘗使諸數家射覆,覆守宫盂下,射之,皆不能中。朔自贊曰:'臣嘗受《易》,請射之。'迺別著布卦而對曰:'臣以爲龍又無角,謂之爲虵,又有足,跂跂脈脈善緣壁,是非守宫即蜥蜴。'上曰:'善。'賜帛十四。復使射他物,連中。"是射覆亦從筮占而得,故本志附入此類。此兩書或猶是《漢志》五十卷之殘膡。《宋志》有東方朔《射覆經》三卷,《通志略》一卷,殆即本之此二書。

周易孔子通覆決三卷　　顔氏撰

顔氏似即爲《周易立成占》者,見前。

《通志·藝文略》五行覆射家:《孔子通覆決》三卷,顔氏撰。

案《隋書·藝術傳》:"臨孝恭撰《孔子馬頭易卜書》一卷,行于世。"臨少後于顔,蓋即其類。《宋志》有《孔子金鑣記》一卷,疑即是書。

又案《日本書目》五行家有《孔子讖記》一卷,又有《讖書》一卷,《新圖讖緯》一卷,《雜書讖緯鈔》一卷,知此類所載如神

農、黃帝、文王、武王、孔子之書，大都旨本于讖緯，由讖緯
而輾轉附益流爲術數者也。

易林要決一卷

不著撰人。

案此蓋以《易林》占卜之術法爲口決，與前所載諸家《易林》
不同。凡言決者，大抵皆七言歌決。此一段所載皆雜卜法，故知此
非前《易林》之類。

易要決二卷。梁有《周易曆》、《周易初學筮要法》各一卷。

不著撰人。

案此《易要決》二卷似即梁之《周易曆》一卷，《初學筮要法》
一卷也，故不注云亡。

周易髓腦二卷

不著撰人。

《唐書·經籍志》：《易髓》一卷。不著撰人。《易腦》一卷，郭氏
撰。《藝文志》同。

案《通志·藝文略》易家《周易髓》十卷，郭璞撰。《宋志》八
卷，注云晉人撰，不知姓名。又《通志》五行易占家郭氏《易
腦》一卷，是《易髓》、《易腦》皆郭氏之書，此蓋合而爲一。
然證以《唐志》所載，而下文又有郭氏《易腦經》，則又似此
"腦"字爲誤衍也。

易腦經一卷　　鄭氏撰　　"鄭"當爲"郭"。

《唐書·經籍志》：《易腦》一卷，郭氏撰。

《唐書·藝文志》：郭氏《易腦》一卷。

周易玄品二卷

不著撰人。

案經部易家有《周易玄品》二卷，亦不著撰人。《册府元龜》
以爲干寶撰，不知何據。全氏《讀易別録》謂《隋志》誤入經

部,蓋以複見于此故也。考易類敍次在宋、齊人之間,其時玄學盛行,以《周易》、《老》、《莊》爲三玄,此殆三玄之一,列之于此,豈亦占卜之流歟? 若但泛論玄義,品評得失,則自王輔嗣已來相沿已久,入經部不誤,列此反誤矣。

易律曆一卷　虞翻撰

虞翻有《周易集林律曆》一卷,見前。

《唐書‧經籍志》:《易律曆》一卷。不著撰人。《藝文志》同。

《宋史‧藝文志》:虞翻注京房《周易律曆》一卷。《崇文總目》:《周易律曆》一卷,京房撰。

宋王欽臣《談録》曰:"《京氏律曆》一卷,虞翻爲之解。其書雖存,學者罕究。公從祕府傳其書,究習遂通,屢以占卦,甚效。"案欽臣稱公者,謂其父洙也。

陳氏《書録解題》:《京氏參同契律曆志》一卷,虞翻注。專言占象而不可盡通,字亦多誤,未有別本校。案此稱"參同契",似後人所加,非王氏傳本。

《經義考》:王弘撰曰:"納甲之説,京氏《易傳》、魏氏《參同契》皆有之,而虞氏之説較備。"

易曆七卷
易曆決疑二卷

並不著撰人。

《經義考》曰:"《周易曆》《隋志》七卷,《易曆決疑》《隋志》二卷,俱佚。"

案《經義考‧毖緯篇》曰:"《乾坤鑿度》引《易曆》文云:'陽紀天心。'鄭康成注曰:'孔子以曆説《易》,名曰象。今《易象》四篇,是紀古説。又《易曆》文云:'別序聖人,題録興亡,州土名號,姓輔友符。'鄭注曰:'言孔子將此應之而作讖三十六卷。'其言闇昧,不可曉。"要之,《易曆》之家,大抵亦緣起于讖緯,《易緯·乾坤鑿度》引之。

周易卦林一卷

不著撰人。

《宋史·藝文志》:《易卦林》一卷。

《經義考》曰:“《周易卦林》,《隋志》一卷,佚。”

案《東觀漢記·沛獻王輔傳》:“永平五年秋,京師少雨,上御雲臺,召尚席取卦具自爲卦,以《周易卦林》卜之。”則漢時已有《周易卦林》。《漢志》著龜家《易卦八具》即卦具是也。又有《周易》三十八卷,《大筮衍易》二十八卷,似即《周易卦林》之類。此一卷,或猶是漢代所遺歟?

又案李石《續博物志》云:“後漢崔篆著《易林》六十四篇。”或曰《卦林》,或曰《象林》。兩《唐志》載崔篆《易林》十六卷。本志不見其書。亦名《卦林》,或此爲崔氏之書,亦未可知。

洞林三卷　梁元帝撰

梁元帝有《漢書注》,見史部正史類。

帝自序略曰:“余幼學星文,多歷歲稔,海中之書,略皆尋究,巫咸之説,偏得研求。雖紫微迢遞,如觀掌握;青龍顯晦,易乎窺覽。羨門五將,巫經玩習;韓終六壬,常所寶愛。至如周王白雉之筮,殷人飛燕之卜。著名聚雪,非關地極之山;卦有密雲,能擁西郊之氣。爻通七聖,世經三古。山陽王氏,直解談玄;河東郭生,纔能射覆。兼而兩之,竊自許矣。”

《金樓子·自序篇》:“余將冠,方好易卜。及至射覆,十中乃至八九。”又曰:“余初至荆州卜雨,欣然有自得之意。”

《南史》本紀:“承聖三年十一月丁亥,魏軍至柵下。庚子夜,有流星墜城中,帝援著筮之,卦成,取龜式驗之,因抵于城曰:‘吾若死此下,豈非命乎?’”又曰:“帝于技術無所不該,常不得南信，筮之，遇《剝》之《艮》。曰：'南信已至，今當遣左右季心往看。'果如所説，賓客咸驚其妙。凡所占決皆然。"又曰："著《詞林》三卷。"_{案"詞林"爲"洞林"之誤。}

《梁書》本紀曰："著《洞林》三卷。"

《唐書·經籍志》：《洞林》三卷，梁元帝撰。

《唐書·藝文志》：梁元帝《洞林》三卷。

案今本《金樓子·著書篇》無《洞林》之目，唯有《玉子訣》一秩三卷，金樓付劉緩撰，豈即《洞林》之異名歟？似不然也。又《洞林自序》見《藝文類聚》，《金樓子·著書篇》亦不載，則今輯本遺漏也。

連山三十卷　梁元帝撰

《金樓子·立言篇》曰："案《周禮》'筮人掌三易，夏曰《連山》，殷曰《歸藏》，周曰《周易》'，解此不同。案杜子春云：'《連山》，伏羲也；《歸藏》，黃帝也。'予曰案《禮記》云：'我欲觀殷道，得坤乾焉。'今《歸藏》先坤後乾，則知是殷明矣。推《歸藏》既是殷制，《連山》理是夏書。"_{案此似《連山自序》之佚文。}

又《著書篇》曰："《連山》三秩三十卷。金樓年在弱冠，著此書，至于立年，其功始就，躬親筆削，極有其勞。"

《梁書》、《南史》本紀：著《連山》三十卷。

唐段成式《酉陽雜俎·貶誤篇》曰："梁元帝《易連山》，每卦引《歸藏》、《斗圖》、《立成》、《委化》、《集林》及焦贛《易林》。"_{案段氏以此貶是書之誤，蓋膠柱之見也。}

《唐書·經籍志》：《連山》三十卷，梁元帝撰。

《唐書·藝文志》：梁元帝《連山》三十卷。

雜筮占四卷

不著撰人。

《唐書·藝文志》：《周易雜筮占》四卷。

案上文注云：“梁有《周易筮占林》五卷，費直撰，亡。”案此類之書，以筮占名者，唯費氏與徐、苗二家。《唐志》次于《內卦神筮法》之後，皆以爲無名氏書，不知《神筮法》實費氏書。唐代相傳，與此書相連屬，蓋即費氏《筮占林》之殘本。隋時已佚其一卷，并佚其姓名矣。亦詳見于前。

五兆算經一卷

不著撰人。

《唐六典》：“太卜令掌卜筮之法，一曰龜，二曰兆。凡五兆之策三十有六。”注云：“用三十六算，六變而成卦：一變爲兆，再變成卦，二爲甲乙，三爲丙丁，四爲戊己，五爲庚辛，六爲壬癸。其用五行相生、相剋、相扶、相拆，大抵與卦同占。”

案《唐·藝文志》有孫思邈《龜經》一卷，又《五兆算經》一卷，《龜上五兆動搖經訣》一卷。《龜經》本志不載，《動搖訣》已見前，亦不著撰人，此亦似孫氏書。

十二靈棊卜經一卷

不著撰人。

宋劉敬叔《異苑》曰：“《十二棊卜》出自張文成，受法于黃石公。行師用兵，萬不失一。逮至東方朔，密以占衆事，自此以後，祕而不傳。晉寧康初，襄城寺法昧道人忽見一老公，著黃皮衣，竹筒盛此書，以授法昧。無何，失所在。遂復流于世。”案此言是書之最先者，蓋晉、宋之時已有，此不經之談也。黃帝、太公、老子、黃石公、東方朔、諸葛亮，爲流俗所附託之書，不知凡幾，甚可厭矣。

《唐日本國見在書目》：《靈易》一卷，東方朔撰。《八公靈棊經》一卷。《八公靈棊卜經》二卷。

晁氏《讀書志》：《靈棊經》二卷，漢東方朔撰。又云張良、劉安，未知孰是。晉顏幼明、宋何承天注。有唐李遠敍。歸來子以爲黃石公書，豈即以授張良者耶？案《南史》載‘客從南來,遺我良材,寶貨珠璣,金椀玉杯'之繇,則古之遺書也明·矣。凡百二十卦,皆有繇辭。

《宋史·藝文志》:《靈碁經》一卷。李進注《靈碁經》一卷。

明白雲霽《道藏目録》:"《靈棋經》上、下二卷,宋駕部郎中顏幼明注,御史中丞何承天續注。"又曰:"占數之學。"

《四庫提要》曰:"《靈棋經》二卷。舊題漢東方朔撰。或又以爲出自張良,本黄石公所授,後朔傳其術。《漢書》所載朔射覆無不奇中,悉用此書。或又謂淮南王劉安所撰。其説紛紜不一,大抵皆術士依託之詞。惟考《隋·經籍志》即有《十二靈棋卜經》一卷。而《南史》所載'客從南來,遺我良材'之繇,實爲今經中第三十七卦象詞。則是書本出自六朝以前,其由來亦已古矣。卦凡一百二十有四,合以純陰鎪卦十二棋皆覆者爲混沌未明,尚不在此數。晁公武僅載一百二十繇,殆不及檢而偶遺之也。舊傳晉顏幼明、宋何承天皆爲之注,李遠爲之敍,元廬山陳師凱又爲作解。而《宋志》別有李進注《靈棋經》一卷,則今已失傳。明初劉基復仿《周易象傳》體作注以申明其義。其後序稱《靈棋》象《易》而作,以三爲經,四爲緯,三以上爲君,中爲臣,下爲民。四以一爲少陽,二爲少陰,三爲太陽,四爲老陰。少與少爲耦,老陰與太陽爲敵。得耦而悦,得敵而爭。或失其道而耦反爲仇,或得其行而敵反爲用。陽多者道同而助,陰盛者志異而乖。數語足盡茲經之要,大抵與《易》筮相爲表裏。觀其詞簡義,誠異乎世之生剋制化以爲術者矣。故録而存之,以備古占法之一種焉。"

又《簡明目録》曰:"其法以棋十二枚,以所擲面背相乘得一百二十四卦,各有繇辭。其文雅奧,非後世術家所能僞。劉基之注,似亦非依託。"

梁有《管公明算占書》一卷,亡。

管公明即管輅,有《鳥情逆占》、《周易通靈決》,並見前。

案《崇文總目》卜筮類有管公明《隔山照》一卷,《宋志》五行家亦載之,疑即是書。

梁有《五行雜卜經》十卷,亡。

不著撰人。

《史記・龜筴傳》:太史公曰:"蠻夷氐羌雖無君臣之序,亦有決疑之卜。或以金石,或以草木。各信其神,以知來事。"案此言雜卜之最先者。

唐段公路《北戶録》曰:"愚見卜之流雜書傳有虎卜、紫姑卜、牛蹄卜、灼骨卜、烏卜,雖不法于蓍龜,亦有可以稱者。子路見孔子曰:'猪肩、牛膊可以得兆,何必蓍龜?'又有螺段卜遺。"

案《漢志》蓍龜家有《鼠序卜黃》二十五卷,蓋言鼠卜、雞卜、諸雜卜之法。《太平御覽・方術部》載諸雜卜,有蠱卜、虎卜、雞卜、鳥卜、樗蒲卜、十二棋卜、竹卜、牛蹄卜、雞卜,即越巫所傳。《漢書・郊祀志》載其事。《十二棋卜》即《靈棋經》,見前。竹卜,即范書《方術傳》序所謂"挺專"者是也。"挺"亦作"筵"。此十卷所載大抵皆此類,或亦有《漢志》二十五卷之殘文在其間也。

又案《七録》卜巫一類,別爲一部。據本志所載,知其始于史蘇《龜經》十卷,終于此書也。

京君明推偷盜書一卷

京君明即京房,有《風角要占》等書凡十七部,並見前。

案《漢書・京房傳》:"房事梁人焦延壽。延壽補小黃令。以候司先知姦邪,盜賊不得發。"唐王俞《大易通變序》亦謂邑中隱伏之事,皆預知其情,蓋亦因筮占而得。其師亦嘗

用之也。房有《風角要占》,《御覽》七百十七引《風角要占》
厭盜賊法,蓋別爲厭勝之法,與此候伺爲術不同。然亦疑
在風角書中,後人鈔出別行者也。《論衡·變動篇》云:“六情風家
言:‘風至,爲盜賊者感應之而起。’”六情風家,即風角家,上文所載焦氏《六情鳥
音内祕》一卷是也。此本風角中之一術也。

又案自《神農重卦經》至此,又爲一起,如前例,其間亦約略
以類相從。

以上自京房《周易占》至此,凡三起,綜五十九部。附著梁
有十五部,皆漢以來易占、林占、諸雜卜之屬,爲第十三類。

天皇大神氣君注曆一卷

不著撰人。

《通志·藝文略》五行陰陽家:《天皇大神氣君注曆》一卷。

案此似假託神人書,天皇大神氣君之號,亦不詳爲何神。
《唐日本書目》有《四天王讖》一卷,疑即是書。似本于圖
讖。又范書《方術傳》序言術家者流有元氣一術,疑即
其類。

太史公萬歲曆一卷

《史記·自序》:司馬氏世典周史。談爲太史公。太史公學天
官于唐都,受《易》于楊何,習道論于黃子。仕于建元、元封之
間,愍學者之不達其意而師悖,乃論六家之要指。太史公既
掌天官,不治民。有子曰遷。

《唐書·經籍志》:《太史公萬歲曆》一卷,司馬談撰。《藝文
志》同。

千歲曆祠一卷　　任氏撰

任氏不知何人。

《唐六典·太卜令篇》注:凡陰陽雜占,吉凶悔吝,其類有九,
決萬民之猶豫,七曰祠祭。

《唐書·經籍志》:《千歲曆祠》二卷,任氏撰。

《唐書·藝文志》:任氏《千歲曆祠》二卷。

萬歲曆祠二卷

不著撰人。

《唐書·經籍志》:《萬歲曆祠》二卷。《藝文志》同。

萬年曆二十八宿人神一卷

不著撰人。

六甲周天曆一卷　　孫僧化撰

孫僧化有《星占》,見前天文家。

《唐書·經籍志》:《六甲周天曆》一卷,孫僧化作。

《唐書·藝文志》:孫僧化《六甲開天曆》一卷。一本作二卷。

六十甲子曆一卷

不著撰人。

曆祀一卷

不著撰人。

案《論衡·解除篇》云:"世信祭祀,謂祭祀必有福。"又《譏
日篇》云"祭祀之曆,亦有吉凶。假令血忌、殺之日固凶,以
殺牲設祭,必有患禍"云云。案祭祀之曆,似即此書,及以
前《千歲曆祀》、《萬歲曆祀》,及後《六甲祀書》之類,皆
是也。

田家曆十二卷

不著撰人。

案《齊民要術》所載似多本于是書,今田家相傳口頭歌訣時
有所聞者,當亦出于是書。

三合紀饑穰一卷

不著撰人。

案《史記·天官書》云:"夫自漢之爲天數者,星則唐都,氣

則王朔,占歲則魏鮮。"此占歲之類也。《宋書·大且渠蒙遜傳》:"元嘉十四年,河西王茂虔奉表獻方物,并獻《皇帝王曆三合紀》一卷。"《唐日本書目》有《九宮飢穰曆》一卷,頗似此書。

以上自《天皇大神氣君注曆》至此,凡十部,皆五行曆紀之屬,爲第十四類。

師曠書三卷

《左·襄十四年傳》:"師曠侍于晉侯。"杜預曰:"師曠,晉樂大師子野。"

《孟子·離婁篇》:"師曠之聰。"趙岐曰:"師曠,晉平公之樂太師也。其聽至聰。"

《漢書·藝文志》小説家:"《師曠》六篇。見《春秋》,其言淺薄,本與此同,似因託也。"又兵陰陽家:"《師曠》八篇。晉平公臣。"

又《人表》第五等中中:師曠。錢塘梁玉繩考曰:"師曠,始見《逸書·太子晉解》、《左·襄十四》、《晉語八》,晉主樂太師,字子野,冀州南和人。生而無目,故自稱瞑臣,又稱盲臣,亦曰晉野。葬右扶風漆縣。"《廣韻》注:"以師爲姓,非也。"

《後漢書·方術傳》序"師曠之書"注:《師曠》,占災異之書也。今書《七志》有《師曠》六篇。

又《蘇竟傳》:"竟與劉歆兄子龔書曰:猥以《師曠雜事》,輕自炫惑。"章懷太子曰:"《師曠雜事》,雜占之書也。《前書》陰陽書十六家,有《師曠》八篇也。"

《唐書·經籍志》:《師曠占書》一卷。《藝文志》同。

《宋史·藝文志》:《師曠擇日法》一卷。

《孫氏祠堂書目》:《師曠占》一卷,洪頤煊集本。

案據范書傳注所引《七志》,似宋齊時小説家之六篇猶傳,而兵陰陽家之八篇亡矣。本志後文雜占類中引《七録》又有《師曠占》五卷,此三卷殆即五卷之佚存。蓋自漢至齊六卷,梁五卷,隋三卷,唐一卷,宋僅存《擇日法》,今惟有洪氏輯本焉。又《金樓子‧志怪篇》言師曠有《地鏡經》,詳見後第二十七類。

海中仙人占災祥書三卷

《通志‧校讎略》曰《海中仙人占災祥書》,五行類中兩出。

案前第九類災祥諸書中已載是書,此類亦近是災祥之書而重出其目,是亦可知前類所取據一家書目,此又別據一家書目鈔入也。

東方朔占二卷

東方朔書二卷

東方朔書鈔二卷

東方朔曆一卷

東方朔占候水旱下人善惡一卷　"下人"當爲"卜人"。

東方朔有《歲占》一卷,見前第五類遁甲諸書中。

《漢書》本傳:"朔之文辭,凡劉向所録朔書具是矣,世所傳他事皆非也。"師古曰:"謂如《東方朔別傳》及俗用五行時日之書,皆非實事也。"案顔氏此注即指此類所載者是也。

又傳贊曰:"朔喜爲庸人誦説,故今後世多傳聞者。朔之詼諧,逢占射覆,其事浮淺,行于衆庶,童兒牧豎莫不眩燿。"如淳曰:"逢占,逢人所問而占之也。"師古曰:"此説非也。逢占,逆占事,猶云逆剌也。"范書《方術傳》序注:《前書》班固曰:東方朔之逢占覆射。《音義》云:"逢人所問而占之也。"此所引《音義》,即如淳説。章懷蓋猶用舊義也。

《唐書‧經籍志》:《東方朔占書》一卷。《藝文志》同。

《四庫》術數類存目提要曰:"《東方朔占書》三卷。天一閣藏本。原本前後無序跋。所載皆測候風雲星月及太歲六十年豐凶占驗之法,其詞皆鄙俚不文。案《隋志》有《東方朔占》二卷,《東方朔書》二卷,《東方朔書鈔》二卷,《東方朔占候水旱卜人善惡》一卷。蓋古來雜占之事,託于朔者甚多。此又僞本中之僞本也。"案本志及《通志略》皆作"下人善惡",幾以爲僕隸下人。唯《提要》引作"卜人",礄不可易。"卜人善惡",即翼奉所謂"五音六情"之術。

嚴氏《全漢文編》曰:"《隋志》五行家有《東方朔歲占》一卷,又有《東方朔書》等凡六種。《開元占經》引見統稱《東方朔占》,凡九條。"

梁有《擇日書》十卷,亡。

不著撰人。

案《史記·日者列傳》褚先生言"孝武時,聚會占七家,問取婦日",知七家皆兼及擇日之術也。故王充《論衡·譏日篇》云:"時日之書,衆多非一。"此殆梁代民間日用之書。

梁有《太歲所在占善惡書》一卷,亡。

不著撰人。

《史記·天官書》:"凡候歲美惡,謹候歲始。而漢魏鮮集臘明正月旦決八風。其爲天下占候,竟正月。月所離列宿,韋昭曰:"離,歷也。"日、風、雲,占其國。然必察太歲所在。在金,穰;水,毀;木,饑;火,旱。此其大經也。"《正義》曰:"案月列宿,日、風、雲有變,占其國,并太歲所在,則知其歲豐稔、水旱、饑饉。"又《貨殖列傳》索隱曰:"五行不說土者,土,穰也。"

案此蓋亦占歲善惡者,似放"歲"字,或相傳魏鮮之占法。

以上自《師曠書》至此,凡七部,附著梁有二部,皆雜占吉凶災祥,與前第九類相似,爲第十五類。

雜忌曆二卷　魏光祿勳高堂隆撰

高堂隆有《魏臺雜訪議》,見史部刑法篇。

案此蓋其爲太史令時所作。《論衡·譏日》、《詰術》等篇屢言時俗禁忌之妄。范書《蔡邕傳》：“邕上七事表曰：‘近者以來，更任太史。忘禮敬之大，任禁忌之書，拘信小故，以虧大典。’”則其前已早有之矣。

百忌大曆要鈔一卷

百忌曆術一卷

百忌通曆法一卷。梁有《雜百忌》五卷，亡。

曆忌新書十二卷

並不著撰人。

太史百忌曆圖一卷。梁有《太史百忌》一卷，亡。

並不著撰人。

案《續漢・百官志》：“太史令一人，六百石。凡國祭祀、喪、娶之事，掌奏良日及時節禁忌。”此即時節禁忌之書也。今《時憲書》載《凶星諸忌》一篇，凡二十九條。又載“百忌日甲不開倉”至“癸不詞訟”十條，“子不問卜”至“亥不嫁娶”十二條，皆節要紀載，爲民間日用所須。其初皆有專書。此類是已。

雜殺曆九卷

不著撰人。

案此似言煞氣，今《欽定協紀辨方書》載有劫煞、災煞、月煞，謂之三煞，避忌最多。《時憲書》亦每月皆有三煞方位，此其專書。大抵亦言宜忌也。兵家書中有《兵殺曆》一卷，亦不著撰人，似即從此書鈔出者。

梁有《秦災異》一卷，後漢中郎郗萌撰。

郗萌有《春秋災異》，詳見經部異説家。

案此一卷似即從《春秋災異》十五卷中析出者。

梁有《後漢災異》十五卷，亡。

不著撰人。

案《續漢·五行志》序:"故泰山太守應劭、給事中董巴、散
騎常侍譙周並撰建武以來災異。今合而論之。"是撰《後漢
災異》者唯此三家爲最著。又《百官志》云:"太史令,凡國
有瑞應、災異,掌記之。"則亦太史之職掌。此或魏晉以來
故府所留遺者。觀《七録》後文所載,略可尋案焉。

梁有《晉災異簿》二卷,《宋災異簿》四卷,亡。

並不著撰人。

案此似亦晉、宋兩朝故府所遺之簿籍。

梁有《雜凶妖》一卷,《破書》、《玄武書契》各一卷。

並不著撰人。

案《破書》,似即言歲破、月破、破日之類。玄武者,今《時憲
書》凶星。《詳注篇》第一條載天刑、朱雀、白虎、天牢、元
武、勾陳六神,與吉神並則吉,與凶神並則凶,蓋凶星之一
也。《玄武書契》或專言玄武用事出游之類。

以上自高堂隆《雜忌曆》至此,凡七部,附著梁有九部,皆禁
忌及災祥之屬。《續漢·百官志》云:"太史令,奏時節禁
忌,凡國有瑞應、災異,掌記之。"是皆太史官所有事。此以
災異附禁忌諸書後,蓋《七録》舊第如此,意或有在。是爲
第十六類。《通志略》以上三類之書彙次爲一,曰陰陽。陰陽所包者,廣于本
志。章段節目未盡分明,故不從之也。

二儀曆頭堪餘一卷

堪餘曆二卷

注曆堪餘一卷

地節堪餘二卷

堪餘曆注一卷

堪餘四卷　《唐日本國見在書目》:"《黃帝金匱疏》四卷,陳氏撰。"疑即是書。《漢
志》本稱《堪輿金匱》,而《堪輿》又自來託之黃帝也。

大小堪餘曆術一卷。梁《**大小堪餘**》**三卷**。案此一卷即《七錄》之三卷，故不注云亡。

並不著撰人。

《史記·日者列傳》：褚先生曰：“孝武帝時，聚會占家，問之：某日可取婦乎？五行家曰可，堪輿家曰不可。”

《漢書·藝文志》：“《堪輿金匱》十四卷。”師古曰：“許慎云：堪，天道；輿，地道也。”

又《揚雄傳》注張晏曰：“堪輿，天地總名。”孟康曰：“堪輿，神名，造圖宅書者。”師古曰：“堪輿，張說是也。”案圖宅書疑在《漢志》十四卷中，《論衡·詰術篇》數引圖宅術。

《論衡·譏日篇》：《堪輿曆》，曆上諸神非一，聖人不言，諸子不傳，殆無其實。天道難知，假令有之，諸神用事之日也，忌之何福？不諱何禍？案《堪輿曆》當亦在《漢志》十四卷中。

《風俗通佚文》：《堪輿書》云：“上朔會客必鬭爭。”案劉君陽爲南陽牧，嘗上朔設盛饌，了無鬭者。

《周禮·保章氏》注：“九州諸國中之封域，于星亦有分焉，其書亡矣。堪輿雖有郡國所入度，非古數也。”賈公彥曰：“古黄帝時《堪輿》亡，故其書亡矣。後人有作《堪輿》者，非古數也。”案此則《漢志》所載《堪輿》，已非黄帝時古《堪輿》之書。

《唐書·經籍志》：《堪輿曆注》二卷。

《唐書·藝文志》：《地節堪輿》二卷。《堪輿曆注》二卷。《宋志》有《堪輿經》一卷，《太史堪輿》一卷，不知是否即《唐志》之遺。

《四庫提要》術數家案語曰：“相宅、相墓，自稱堪輿家。考《漢志》有《堪輿金匱》十四卷，列于五行。顏師古引許慎曰：‘堪，天道。輿，地道。’其文不甚明。而《史記·日者列傳》有‘武帝聚會占家，問某日可娶婦否，堪輿家言不可’之文。《隋志》則作‘堪餘’，亦皆日辰之書。則堪輿占家也。”

案此作“堪餘”似音聲之誤。“注曆堪輿”亦似“堪輿曆注”之誤。此八種一十五卷，其間或亦有《漢志》十四卷所留遺者。

又案《唐日本書目》無《堪輿》書，唯有《黃帝金匱經》十卷。此所載前五部七卷、梁有一部三卷，十卷之數略相符合，疑即此類散見之書。

四序堪餘二卷　殷紹撰

《魏書·術藝傳》：殷紹，長樂人也。少聰敏，好陰陽術數，游學諸方，達《九章》、《七曜》。世祖時爲算生博士，給事東宮西曹。太安四年夏，上《四序堪輿》，表曰：“臣以姚氏之世，行學伊川，時遇遊遁大儒成公興，從求《九章》要術。興字廣明，自云膠東人。山居隱跡，希在人間。興時將臣南到陽翟九崖巖沙門釋曇影間。興即北還，臣獨留住，依止影所，求請《九章》。影復將臣向長廣東山見道人法穆。法穆時共影爲臣開述，復以先師和公所注《黃帝四序經文》三十六卷，合有三百二十四章，專說天地陰陽之本。其第一《孟序》，九卷八十一章，說陰陽配合之原；第二《仲序》，九卷八十一章，解四時氣王休殺吉凶；第三《叔序》，九卷八十一章，明日月辰宿交會相生爲表裏；第四《季序》，九卷八十一章，具釋六甲刑禍福德：以此等文傳授于臣。山神禁嚴，不得齎出，尋究經年，粗舉綱要。以甲寅之年，奉辭影等。自爾至今，四十五載。臣前在東宮，以狀奏聞，奉被景穆皇帝，敕臣撰錄，集其要最。仰奉明旨，謹審先所見《四序經文》，抄撮要略，當世所須吉凶舉動，集成一卷。上至天子，下及庶人，又貴賤階級、尊卑差別、吉凶所用，罔不畢備。未及内呈，先帝晏駕。停廢以來，遂由八載。每懼殂殞，填仆溝壑，先帝遺志，不得宣行。夙夜悲憤，理難違匿，依先撰錄奏，謹以上聞。請付中祕通儒達士，定其得失。事若可施，乞即班用。"其《四序堪輿》遂大行于世。案北魏文成帝太安四年，當南朝宋孝武帝大明二年也。

《唐書·經籍志》：《黃帝四序堪輿》二卷，殷紹撰。

《唐書·藝文志》：殷紹《黃帝四序堪輿》一卷。

《宋史·藝文志》：商紹《太史堪輿曆》一卷，《黃帝四序堪輿經》一卷。

宋王應麟《漢書藝文志考證》：唐呂才曰："案《堪輿經》，黃帝對天老始言五姓。後魏殷紹以《黃帝四序經文》撮要爲《四序堪輿》。"

梁《堪餘天赦有書》七卷，《雜堪餘》四卷，亡。案"有"字似當在"梁"下。

並不著撰人。

謹案《時憲書·吉星詳注篇》："天德、歲德、月德、天德合、歲德合、月德合，天赦、天願。"注云："百事宜用，能解諸凶。"又載《天赦上吉日》云："春戊寅、夏甲午、秋戊申、冬甲子。"天赦，蓋吉神中之一。堪輿家之天赦，其書乃多至七卷云。

八會堪餘一卷

不著撰人。

《周禮·占夢》注："必以日月星辰占夢者，其術則今八會其遺象也。"賈公彥曰："案堪輿，大會有八也，小會亦有八。"

《欽定協紀辨方書·義例篇》有曰："漢時已有堪輿八會，見于經史。今曆家大會八，即其傳也。又有小會八，又有行狼、了戾、孤陰、單陽等名。要之，皆爲不吉之日。"又《考原》曰："大會者，陽會于陰也。小會者，陰會于陽也。"

《唐六典·大卜令篇》：凡曆注之用六：一曰大會，二曰小會，三曰雜會，四曰歲會，五曰除建，六曰人神。

錢氏《隋書考異》曰："《經籍志》：《八會堪餘》一卷。案《周禮

疏》引《堪輿》大會有八，小會有八，即此書也。'輿'、'餘'
音同。"

案此似即前大、小《堪餘》之異名，又似前載梁大、小《堪餘》
三卷之佚存。

雜要堪餘一卷

不著撰人。

案此不知何人抄撮成編，亦似前載梁有《雜堪餘》四卷之
佚存。

以上自《二儀曆頭堪餘》至此，凡十部，附梁有三部，皆堪輿
之屬，爲第十七類。

元辰五羅算一卷

不著撰人。

案晁氏《讀書志》云："《秤星經》以日、月、五星、羅睺、計都、
紫炁、月孛十一曜，演十二宫宿度，以推人之貴賤、壽夭、休
咎。"是羅睺爲十一曜之一。此五羅或即羅睺，亦五星之異
名歟？

孝經元辰四卷。梁有《五行元辰厄會》十三卷，《孝經元辰會》九卷，《孝經元辰決》一卷，亡。

並不著撰人。

案前第八類元辰諸書中有《孝經元辰決》九卷，《孝經元辰》
二卷，《推元辰厄會》一卷，大抵皆此所載之別本，此猶在其
前所行者。

元辰曆一卷

不著撰人。

案《唐·藝文志》有《元辰》一卷，似即此《元辰曆》，敓"曆"
字。《唐志》所載元辰書皆見于本志前後二類，唯此《元辰》一卷本志不見，逐條
勘驗，知是此書。

雜元辰禄命二卷

不著撰人。

《唐書·藝文志》:《雜元辰禄命》二卷。

《四庫·術數類·星命溯原提要》曰:"王充《論衡》稱天施氣而衆星布精,天所施氣而衆星之氣在其中矣。人稟氣而生,含氣而長,得貴則貴,得賤則賤,貴或秩有高下,富或貲有多少,皆星位尊卑大小之所授也。是漢末已以星位言禄命。"又案語曰:"人生時值星貴賤,見王充《論衡》。《隋志》有《雜元辰禄命》等書,則其來已久矣。"

澀河禄命三卷

不著撰人。

《唐六典·太卜令篇》曰:"凡禄命之義六:一曰禄,二曰命,三曰驛馬,四曰納音,五曰澀河,六曰月之宿也。"

《唐書·藝文志》:《澀河禄命》二卷。

宋沈括《夢溪筆談》曰:"《唐六典》述五行有禄命、驛馬、澀河之目,人多不曉澀河之義。案字書:澀亦作堲。案古文:堲,深泥也。術書有澀河者,蓋謂陷運,如今之空亡也。"

梁有《五行禄命厄會》十卷,亡。

不著撰人。

以上自《元辰五羅算》至此,凡五部,附梁有四部,與前第八類相同,猶重出《遁甲》之類也,是爲重出《元辰禄命》第十八類。《唐·藝文志》有王琛《禄命書》二卷,本志不見。

乾坤氣法一卷　許辯撰

許辯,始末未詳。《通志略》列之是類之末,似隋、唐間人。

全氏《讀易別録》曰:"許辯《乾坤氣法》一卷,《隋志》入五行家,又入兵家。"案兵家載是書不著撰人。

易通統卦驗玄圖一卷

不著撰人。

《顏氏家訓・書證篇》：案《易統通卦驗玄圖》曰：“苦菜生于寒秋，更冬歷春，得夏乃成。”又曰：“荔挺不出，則國多火災。”案《月令》，孟夏之月，苦菜秀。仲冬之月，荔挺出。

《經義考》曰：“《易統卦驗玄圖》，《隋志》一卷，佚。”又《毖緯篇》曰：“案《通卦驗》，大都占候之辭。其占雲，則《杜氏編珠》引之；占風、占日暈，則《太平御覽》引之。又《顏氏家訓》、陸氏《釋文》皆引其文。”

案此或即《易緯・統卦驗》之別本，此題《易通統卦驗》，又似後人通其書中之玄圖。“通”、“統”二字相同。范書《方術・樊英傳》注作《通卦驗》。《宋志》有《易玄圖》一卷，或即是書。

易通統圖二卷

不著撰人。

《經義考》曰：“《易通統圖》，《隋志》二卷，佚。”又《毖緯篇》曰：“《易通統圖》，《太平御覽》引其文曰：‘春行東方青道曰東陸，夏行南方赤道曰南陸，秋行西方白道曰西陸，冬行北方黑道曰北陸。’”

易新圖序一卷

不著撰人。

《唐書・藝文志》：《周易雜圖序》一卷。此作“雜圖”，未詳孰是。

案經部易類引《七録》有《周易新圖》一卷，亦不著名氏。全氏《讀易別録》謂此即《新圖》之序。《唐日本書目》有《新圖讖緯》一卷，疑即是書。

易通統圖一卷

不著撰人。

《經義考》曰：“《易通統圖》《隋志》又一卷，佚。”

案經部易家梁有《周易大衍通統》一卷，顏氏撰，列在圖譜一類中，似即此書。顏氏有《周易立成占》、《周易孔子通覆決》，並見前第十三類，殆即其人也。

又案《玉海》陰陽五行類引《乾象新書》注云：“京房又有《易備》、《易坤靈圖》、《通卦驗》、《通統》。”則此類所載《通卦驗》及《通統圖》或亦出于京氏。

又案《唐日本國書目》五行家有《讖書》、《孔子讖紀新圖》、《讖緯雜書》、《讖緯鈔》四部各一卷，似亦此類之書。

易八卦命録斗内圖一卷　郭璞撰
易斗圖一卷　郭璞撰

郭璞有《周易新林》、《洞林》，又有《郭氏易立成林》、《易髓》、《易腦經》，並見前。

《經義考》：郭氏璞《易八卦命録斗内圖》，《隋志》五行家一卷，佚。《易斗圖》，《隋志》一卷，佚。

案段成式《酉陽雜俎》言，梁元帝《易連山》每卦引《斗圖》。蕭吉《五行大義》又引《黃帝斗圖》，不知是否即此《斗圖》也。

易八卦斗内圖二卷
八卦斗内圖二卷

並不著撰人。

《唐書·藝文志》：《周易八卦斗内圖》一卷，又三卷。

《經義考》：《易八卦斗内圖》，《隋志》二卷，又二卷，佚。

梁有《周易八卦五行圖》、《周易斗中八卦絶命圖》、《周易斗中八卦推游年圖》各一卷，亡。

並不著撰人。

《經義考》：《周易八卦五行圖》，《七録》一卷，佚。《周易斗中
八卦絶命圖》，《七録》一卷，佚。《周易斗中八卦推游年圖》，
《七録》一卷，佚。

周易分野星圖一卷

不著撰人。

《經義考》：《周易分野星圖》，《隋志》一卷，佚。

案《晉書·天文志上》言費直説《周易》，以十二次配十二
野，引費直《周易分野》十二條。又載京房言州郡躔次。此
或本二家《易傳》以爲之圖。

以上自《乾坤氣法》至此，凡十部，附梁有三部，《通志略》名
之曰易圖，是爲第十九類。此類似皆本之于圖讖，前五家
顯而易見者也。

舉百事略一卷

不著撰人。

《唐書·藝文志》：《舉百事要略》一卷。

《通志·藝文略》五行陰陽家：《舉百事要略》一卷。

案前載《百忌曆》諸書，蓋言百事之所忌，此則舉百事之所
宜也。《欽定協紀辨方書·用事篇》載修造動土，豎柱上
梁，入學會親友諸事宜。《時憲書》則每日分載之，又載吉
星所宜二十九條，皆所以便日用也。此其專書也。

五姓歲月禁忌一卷

不著撰人。

王氏《漢志考證》曰：“《左傳》史龜曰：‘是謂沈陽，可以興兵，
利以伐姜，不利于商。’姓之有五音，蓋已見于此。”

《新唐書·呂才傳》：近世乃有五姓，謂宮也，商也，角也，徵
也，羽也。以爲天下萬物悉配屬之，以處吉凶，然言皆不類。

如張、王爲商，武、庾爲羽，是以音相諧附；至柳爲宮，趙爲角，則又不然。其間一姓而兩屬，復姓數字不得所歸。是直野人巫師之說爾。案《堪輿經》，黄帝對天老，始言五姓。且黄帝時獨姬、姜數姓耳，後世賜族者寖多。因官命氏，因邑賜族，本同末異，叵爲配宮商哉？春秋以陳、衛、秦爲水姓，齊、鄭、宋爲火姓，或所出之祖，所分之星，所居之地，以著由來，非宮、商、角、徵、羽相管攝也。

案《五星歲月禁忌》大抵謂五姓之家于歲建、月建各有禁忌。《論衡·詰術篇》所謂“五音之家”是也。《漢志》五行家有《五音定名》十五卷。此或其中之一事歟？吕才謂其配姓不倫，其所造《陰陽書》不取其說。此其所敍卜宅篇之文也。

又案今《時憲書》每年載五姓修宅五條，云宮姓屬土，商姓屬金，角姓屬木，徵姓屬火，羽姓屬水。有小通、大通、氣絶、鬼賊、害財等名目，每年分注于五姓之下，下載宜某某月，不宜某某月，似即此書之節要，此書或亦爲修造而設歟？

舉百事要一卷

不著撰人。

案《唐·藝文志》唯有《舉百事要略》一卷，知《百事要》、《百事略》實爲一書。此似前《百事略》之重出。以所見書目一本無“要”字，一本無“略”字，遂以爲兩書而各列其目。其不與前《百事略》相類從，則所據非一家書目可知。及刪除後，遂與《百事略》相去止一部，亦從可知。

以上三書列之此，前後俱不類，若移列于前《雜殺曆》之後，則倫貫矣。今又別出爲第二十類。

嫁娶經四卷

陰陽婚嫁書四卷

雜陰陽婚嫁書三卷

婚嫁書二卷

婚嫁黄籍科一卷

六合婚嫁曆一卷。梁《六合婚嫁書》及圖各一卷。

嫁娶迎書四卷

雜婚嫁書六卷

嫁娶陰陽圖二卷

陰陽嫁娶圖二卷

雜嫁娶房內圖術四卷

九天嫁娶圖一卷

　　並不著撰人。

　　《唐六典·太卜令》注：凡陰陽雜占，吉凶悔吝，其類有九，決萬民之猶豫：一曰嫁娶。

　　《唐書·經籍志》：《婚嫁書》二卷。《藝文志》同。案《唐志》唯載此一部。

　　　案《史記·日者列傳》褚先生言，孝武時聚五行家、堪輿家、建除家、叢辰家、曆家、天人家、蓋“天文家”之誤。太乙家凡七家，問取婦日，各言吉凶。辯訟不決，以狀聞。制曰：“避諸死忌，以五行爲主。”以人禀五行而生也。案此七家之書皆見于《漢志》數術略中，惟建除家不見，蓋即《轉位十二神》二十五卷也。然無婚嫁書。蓋婚嫁在術家，特其一端耳。漢時不以爲專書，大抵皆散見于七家諸書中也。《隋書·藝術·劉祐傳》：“祐撰《婚姻志》三卷。”《宋史·藝文志》載陳襄校定《京房婚書》三卷。此類中或有京房、劉祐兩家之書在其間焉。

　　　謹案《欽定協紀辨方書·用事篇》有言：“嫁娶宜忌云：嫁

娶宜天德、月德、天德合、月德合、天赦、天願、三合、天喜、六合、不將。忌月破、平日、收日、閉日、劫煞、炎煞、月煞、月刑、月害、月厭、厭對、大時、天吏、四廢、四忌、四窮、五墓、往亡、八專、亥日。"又卷首《奏議》載男女合婚嫁娶,用大利月及周堂日名目,皆術士不經妄説。而今《時憲書》亦每逢良日各載宜結婚姻嫁娶,卷末亦載嫁娶周堂圖,或其後又議准通行歟? 是皆此類《婚嫁書》之大略也。

又蕭吉《五行大義·論支干雜篇》曰:"《五行書》云:甲以女弟乙嫁庚爲妻,故乙中有雜金。丙以女弟丁嫁壬爲妻,故丁中有雜水。戊以女弟己嫁甲爲妻,故己中有雜木。庚以女弟辛嫁丙爲妻,故辛中有雜火。壬以女弟癸嫁戊爲妻,故癸中有雜土。甲丙戊庚壬,爲男剛強,故自有德不雜。乙丁己辛癸,爲女柔弱,不自專,從夫,故有雜云云。"是五行家亦以嫁娶爲推測比喻之辭。此類或亦有其説歟? 莫得而詳已。

以上十二部,附梁有一部,《通志略》亦彙次爲一門,曰婚嫁。是爲第二十一類。

六甲貫胎書一卷

不著撰人。

産乳書二卷

不著撰人。

錢氏《隋書考異》曰:"《經籍志》:《産乳書》二卷,不著撰人。《藝術傳》劉祐著《産乳志》二卷,疑即此。"

案劉祐有《金韜》、《陰策》,並見前兵家。祐所撰又有《觀臺飛候》六卷、《玄象要記》五卷、《律曆術文》一卷、《婚姻志》三卷、《式經》四卷、《四時立成法》一卷、《安曆志》十二卷、《歸正易》十卷,《隋書》云並行于世,而本志多不見也。

産經一卷

不著撰人。

推産婦何時産法一卷　　王琛撰

王琛有《九宮行綦立成》、《太乙飛鳥曆》、《黄帝九宮遁甲》、《六情决》、《遁甲開山圖》五書，並見前。

《唐書·經籍志》：《推産婦何時産法》一卷，王琛撰。

《唐書·藝文志》：王琛《風角六情訣》一卷，又《推産婦何時産法》一卷。

推産法一卷

雜産書六卷

生産符儀一卷

産圖二卷

雜産圖四卷

並不著撰人。

《唐六典·太卜令》注：凡陰陽雜占，吉凶悔吝，其類有九，一曰嫁娶，二曰生産。

案《北史·藝術·許遵傳》：“遵在北齊文宣末死。子暉，亦學術數。遵謂曰：‘汝聰明不及我，不勞多學。’唯授以婦人産法，豫言男女及産日，無不中。武成時，以此數獲賞焉。”許暉與劉祐同時，祐亦撰《産乳志》，是當北齊、周、隋時産乳一術盛行于世。此類之書，大抵多起于其時。

以上九部，《通志略》亦類次爲一門，曰産乳。是爲第二十二類。《唐志》于王琛書外唯有崔知悌《産圖》一卷。知悌，唐初人。此所載《産圖》二卷，《雜産圖》四卷，内或有其書。

拜官書三卷

臨官冠帶書一卷

並不著撰人。

仙人務子傳神通黃帝登壇經一卷

仙人務子不知何人。

案"仙人務子傳神通"七字，似術家之淺妄者所加。"務子"疑是"務成子"，《漢志》小説家有《務成子》十一篇，五行家又有《務成子災異應》十四卷。此一卷或猶是《漢志》殘闕之餘，因而加以此名歟？

壇經一卷　四等撰

四等不知何人。

登壇經三卷

五姓登壇經一卷

登壇文一卷

並不著撰人。

《唐書·經籍志》：《登壇經》一卷。《藝文志》同。

《唐六典·太卜令》注曰："凡陰陽雜占，其類有九：一曰嫁娶，二曰生產，三曰曆注，四曰屋宅，五曰禄命，六曰拜官。"

梁有《二公地基》一卷，《雜地基立成》五卷，《八神圖》二卷，《十二屬神圖》一卷，亡。

並不著撰人。

唐張彥遠《歷代名畫記》曰："古來祕畫珍圖，有《十二屬神圖》。"

謹案《欽定協紀辨方書·義例篇》有《建除十二神考原》曰："十二神者，除危定執成開爲吉，建破平收滿閉爲凶。"又《五行大義》載九宮十二神，各有主名。術家又有太歲十二神，博士十二神，六壬所使十二神。《漢志》五行家有《轉位十二神》二十五卷，其詳不可得而聞矣。二公、八神，並未詳，疑是人神。

又案是類之書，其事有見于傳記者。《史記·淮陰侯列傳》：“蕭何曰：‘王必欲拜信爲大將，擇良日，齋戒，設壇場，具禮，乃可耳。’”《漢書·王莽傳》：“莽下書曰：‘以戊辰直定，御王冠，即真天子位。’”師古曰：“于建除之次，其日當定。”《晉書·藝術·戴洋傳》：“元帝將登阼，使洋擇日。洋以爲宜用三月二十四日景午，太史令陳卓奏用二十二日。”《隋書·藝術·庾季才傳》：“大定元年正月，季才上言：‘人君正位，宜用二月，其月十三日甲子。昔周武王以二月甲子定天下，享年八百。漢高帝以二月甲午即帝位，享年四百。故知甲子、甲午爲得天數。今月甲子宜應受命。’上從之。”是皆斯類事體之最大者。陳氏《書録》曰：“《彈冠必用》一卷，專爲宦游擇日。”蓋即其類。《欽定協紀辨方書·用事篇》載上冊受封宜忌，上表章宜忌，襲爵受封宜忌，冠帶宜忌，上官赴任宜忌，臨政親民宜忌。今散見于《時憲書》中者亦其類也。

沐浴書一卷

不著撰人。

案《論衡·譏日篇》引《沐書》曰：“子日沐，令人愛之。卯日沐，令人白頭。夫人之所愛憎，在容貌之好醜；頭髮白黑，在年歲之稚老。且沐者，去首垢也。洗去足垢，盥去手垢，浴去身垢，皆去一形之垢，其實等也。洗、盥、浴不擇日，而沐獨有日。爲沐立日曆者，不可用也。”是王充所見但有《沐書》，無《浴書》，此或後人所增演。《南史·梁簡文帝本紀》有《沐浴經》三卷，此一卷或即其書之佚存者。《欽定協紀辨方書·用事篇》載“沐浴宜忌”曰：“宜除日、解神、除神、亥子日。忌伏社日。”亦是書之一事。《時憲書》亦載洗頭日一條，又每日分載宜沐浴剃頭，蓋亦本之于是書。而剃頭亦沐浴之一事，王充《論衡》曰：“浴亦治面。”

梁有《裁衣書》一卷，亡。

不著撰人。

案《論衡·譏日篇》又曰："裁衣有書，書有吉凶。凶日製衣則有禍，吉日則有福。"是漢時已有之矣。《漢志》雜占家有《武禁相衣器》十四卷，此或其中之一事歟？《欽定協紀辨方書·用事篇》載裁製宜忌，注云："與裁衣同，宜天德、月德、天德合、月德合、天赦、天願、月恩、四相、時德、王日、三合、滿日、開日、復日。忌月破、平日、收日、劫煞、災煞、月煞、月刑、月厭、四廢。"《時憲書》中亦每日載沐浴、剃頭、裁衣之宜，皆是書之大略歟？

以上九部，附梁有四部，《通志略》目之曰登壇。而《沐浴》、《裁衣》兩書不之及，今考前後次序，此兩書當屬此類之末。是爲第二十三類。

占夢書三卷　京房撰

京房有《風角要占》等書凡三十餘種，詳見前第十三類《周易逆刺占》條下。

案《漢志·雜占家敍》曰："衆占非一，而夢爲大，故周有其官。而《詩》載熊羆、虺蛇、衆魚、旐旟之夢，著明大人之占，以考吉凶，蓋參卜筮。"言亦參之卜筮，以爲之占也。《漢志》雜占一門以占夢爲之首云。

占夢書一卷　崔元撰

崔元，始末未詳。

竭伽仙人占夢書一卷

婆羅竭伽仙人有《天文説》三十卷，詳見前天文家。

占夢書一卷　周宣等撰

《魏志》本傳：宣字孔和，樂安人。爲郡吏。太守楊沛、東平劉楨數使占夢。文帝亦數問之，以爲中郎，屬太史。宣之敍夢，

十中八九,世以比朱建平之相。明帝末年卒。<small>案朱建平相書,本志、</small>
<small>《七録》皆不見。</small>

《唐書‧經籍志》:《占夢書》三卷,周宣撰。

《唐書‧藝文志》:周宣《占夢書》三卷,又二卷。

案本傳載宣爲楊沛、劉楨占各一事,爲文帝占三事,爲或人
占同夢芻狗三事,末云"宣之敍夢,凡此類。其餘效不次
列"。則其所次列者,皆本之此書。《太平御覽》九百二十
四引周宣《夢書》占鸚鵡一事,亦傳所不次列也。此一卷題
"周宣等",則附有他家之術,與唐本不同。

新撰占夢書十七卷并目録

不著撰人。

案此疑是隋煬帝所敕撰者。此以上五種從一家書目鈔入,
以下又從別一家書目鈔入。

夢書十卷

解夢書二卷

並不著撰人。

海中仙人占體瞤及雜吉凶書三卷

案《字書》引《黄帝素問》曰:"肉瞤瘲。"注云:"動掣也。"案
俗言肉跳者是也。類篇云:"或作瞤,與瞤、瞚、眹、眴
並同。"

海中仙人占吉凶要略二卷

案前第九類載《海中仙人占災祥書》三卷,第十五類又重出
一部。此與前《雜吉凶書》三卷疑即一書之別本稍異者。

雜占夢書一卷

不著撰人。

案此類載占夢書凡八部,宋洪邁《容齋續筆》曰:"《漢‧藝
文志》雜占十八家,以《黄帝長柳占夢》十一卷、《甘德長柳

占夢》二十卷爲之首。魏晉方伎猶或有之，今人不復留意。此卜雖市井妄術所在，方伎亦無一箇以占夢自名者，其學殆絕矣。"《孫氏祠堂書目》:《夢書》一卷，洪頤煊集本。

梁有《師曠占》五卷，亡。

師曠有《書》三卷，見前。

案前第十五類載《師曠書》三卷，即此五卷之殘帙。此所云亡，實未盡亡也。蓋既據見存書目著録于前，復從《七録》鈔附于此耳。

梁有《東方朔占》七卷，亡。

東方朔有《歲占》等書凡六種，並見前。

案《日本國見在書目》有《東方朔書》十一卷，似并此及前所載爲一帙。梁、隋、唐傳本各不同，外藩傳本又不同也。

梁有《黄帝太一雜占》十卷，亡。

案太一家書見前第四類，此《七録》載之雜占家，不與前同類也。

梁有《和菀鳥鳴書》、《王喬解鳥語經》各一卷，亡。

和菀，始末未詳。王喬有《鳥情占》一卷，見前。

案鳥情一術，《七録》載之雜占家，而本志所據見存書目有附入風角類者，有自爲一類者。本志各依其類，合而次之，刪除之後，不復修治。故鳥情之書，一篇之中凡三見焉。此《王喬解鳥語經》即前第七類所載《王喬鳥情占》一卷，亦亡而不亡也。

梁有《嚏書》、《耳鳴書》、《目瞤書》各一卷，亡。

並不著撰人。

案《漢志》雜占家有《嚏耳鳴雜占》十六卷，《體瞤》、《目瞤》之類殆亦在其中。此猶漢時流傳者歟？桂氏《説文義證》曰:"《一切經音義》引《説文》云:'瞤，目摇動也。'《西京雜記》：‘夫目瞤，得酒食，故目瞤則祝之。’蔡邕《廣連珠》：‘臣聞目瞤耳鳴，近夫小戒。’馥案北俗謂之眼跳，占小吉凶。”宗案流俗所行，有所謂許真君《玉匣記》者，亦載鼻嚏、耳鳴、目跳諸占，并繪以圖。是傳久而後失之者。

以上自《占夢書》至此，凡十部，附著梁有八部，皆雜占家之不名一格者，是爲第二十四類。

梁有《董仲舒請禱圖》三卷，亡。

董仲舒有《春秋繁露》，見經部春秋公羊家。

案《漢志》雜占家有《請雨止雨》二十六卷，不著撰人。《漢書・董仲舒傳》言：“仲舒推陰陽所以錯行，故求雨，閉諸陽，縱諸陰，其止雨反是，未嘗不得所欲。”是《請雨止雨》二十六卷中容或有董氏之書。此三卷或猶是漢代留遺者。

《續漢・百官志》注：“《漢官儀》曰：‘太史待詔三十七人，嘉法、請雨、解事各二人。’”則亦太史官之職事也。

竈經十四卷　梁簡文帝撰

梁簡文帝有《文明符》，見前第十一類。

《南史・梁簡文帝本紀》：所著《光明符》十二卷，《竈經》二卷。

案《梁書》本紀不載是書，唯《南史》云二卷，此作十四卷，卷數懸殊，或後人附益者，多非其本書。

梁又《祀竈書》一卷，亡。

不著撰人。

《唐書・經籍志》：《祀竈經》一卷。《藝文志》同。

《史記・封禪書》：李少君以祠竈、穀道、卻老方見上，上尊之。少君言上曰：“祠竈則致物，致物而丹砂可化爲黃金，黃金成以爲飲食器則益壽，益壽而海中蓬萊僊者乃可見，見之以封禪則不死，黃帝是也。”于是天子始親祠竈。居久之，少君死。天子以爲化去不死，而使黃錘、史寬舒受其方。

《漢書·郊祀志》注：如淳曰：“祠竈可以致福。”李奇曰：“穀道，辟穀不食之道也。”師古曰：“致物謂鬼物。”孟康曰：“黃錘、史寬舒二人，皆方士也。”

案《史》、《漢》所載則祠竈乃神仙家之一術，始于李少君。後爲其術者，有黃、史二人。此不知即其書否也。范書《陰識傳》末載宣帝時陰子方黃羊祀竈事，則又在黃、史之後矣。

梁又有《六甲祀書》二卷，亡。

不著撰人。

以上自董仲舒《請禱圖》至此，凡一部，附梁有三部。《漢志》雜占家有《請禱致福》十九卷，此皆其類。又有《攘祀天文》十八卷，亦近似之。是爲第二十五類。

梁又有《太玄禁經》一卷，亡。

不著撰人。

案《後漢書·方術傳》：“徐登者，閩中人也。本女子，化爲丈夫。善爲巫術。又趙炳，字公阿，東陽人，能爲越方。登禁溪水，水爲不流，炳禁枯樹，樹即生荑，二人相視而笑，共行其道焉。”元和惠棟《後漢書補注》孫汝澄曰：“越方，即《封禪書》所謂越巫。越，祝者也。”此《太玄禁經》蓋其類焉。

又《抱朴子·至理篇》曰：“吳越有禁咒之法，甚有明驗，多炁耳。”又《釋滯篇》云：“行炁有數法，或可以治百病，或可以入瘟疫，或可以禁蛇虎，或可以止瘡血，或可以居水中，或可以行水上，或可以辟飢渴，或可以延年命。其大要者，胎息而已。”又《遐覽篇》載諸道書中有《斷虎狼禁山林記》一卷，《唐日本書目》有《三五神禁治一切病存法》一卷，《三五禁法》十卷，《三五神禁》一卷，《三五大禁咒禁決》一卷，皆此類之書。

梁又有《白獸七變經》一卷,亡。

不著撰人。

《抱朴子・遐覽篇》曰:"其變化之術,大者又有白虎七變法,取三月三日所殺白虎頭皮,生駏血、虎血,紫綬,履組,流萍,以三月三日合種之。初生草似胡麻,有實,即取此實種之,一生輒一異。凡七種之,則用其實合之,亦可以移形易皃,飛沈在意,與《墨子》及《玉女隱微》略同。"又曰:"道書中有《白虎七變經》一卷,又有《玉女隱微》一卷,亦言變化之術云。"

案此作白獸者,唐人諱虎,故改焉。

梁又有《墨子枕中五行要記》一卷,亡。

《抱朴子・遐覽篇》曰:"其變化之術大者,唯有《墨子五行記》,本有五卷,昔劉安未仙去時鈔取其要,以爲一卷。其法用藥用符。"

案此稱劉安者,謂淮南王也。據所言則此一卷爲淮南王所鈔節神仙家不經之談,不可究詰。原本五卷,亦見後。

梁又有《淮南萬畢經》一卷,亡。

《史記・龜筴傳》褚先生曰:"臣爲郎時,見《萬畢・石朱方》。"

《索隱》曰:"案《萬畢術》中有《石朱方》。"

葛洪《神仙傳》曰:"漢淮南王篤好儒學,兼占候方術,作《內書》二十二篇。又《中篇》八章,言神仙黃白之事,名爲《鴻寶萬畢》三章,論變化之道,凡十萬言。"

王子年《拾遺記》蕭綺附錄曰:"《淮南子》云:'含雷吐火之術,出于萬畢之家。'方翟羽于洪鑪,炎烟火于冰水,漏海螺船之屬,飛珠沈霞之類,千途萬品,書籍之所未詳。自神化以來,神奇莫與爲例,豈末代浮誣所能窺仰,天齡修短之所效哉!"

《唐書・經籍志》:《淮南王萬畢術》一卷,劉安撰。

《唐書·藝文志》：《淮南王萬畢術》一卷。

高郵茆泮林輯本序曰：“《漢書·藝文志》有《淮南內篇》、《外篇》，而不言《中篇》。意神仙之術説多隱秘，故當時未著《萬畢》之名。惟《隋》、《唐志》有《淮南萬畢經》、《萬畢術》各一卷。今其書久佚。散見于《初學記》、《藝文類聚》、《太平御覽》者，其説詭異，撮而録之，以竊擬中篇之遺蹟云。”

《孫氏祠堂書目》：《淮南萬畢經》一卷，孫馮翼集本。

張氏《書目答問》：《淮南萬畢術》一卷，孫馮翼輯，《問經堂》本。又茆輯十種本。

案《抱朴子·遐覽篇》云：“道書中有《萬畢高丘先生法》三卷。”則其書有數家之説，非一人之言。又云：“諸符中有《萬畢符》一卷。”案萬畢，當是人姓名，神仙家以爲八公之流歟？

梁又有《淮南變化術》一卷，亡。

案《抱朴子·遐覽篇》有《八公黄白經》一卷，又有《鴻寶經》一卷，疑即是書。

梁又有《陶朱變化術》一卷，亡。

陶朱即陶朱公，范蠡自號也，有《玉笥式》，見前第十一類。

案范蠡事蹟，《史記·越世家》、《貨殖列傳》載之甚明，而神仙家又以爲仙去，有變化術，所未喻也。

梁又有《三五步剛》三十卷，亡。

不著撰人。

謹案《康熙字典》：“罡，音剛。天罡，星名。”《參同契》注云：“天罡，即北斗也。”又引白玉蟾《太霄琅書序》云：“作爲符圖、印訣、罡咒之文。”蓋罡字始見于《參同契》，道家皆據以爲説。此云步剛，即步罡，亦即步斗，亦即禹步。《通志略》有《太上三五禁氣步罡法》一卷。《抱朴子·遐覽篇》有《步三罡六紀經》一卷,又有《六陰行廚龍胎石室三金五木防終符》,合五百卷,皆是類之書。

梁又有《五行變化墨子》五卷,亡。

《抱朴子·遐覽篇》曰:"其變化之大者,唯有《墨子五行記》。其法用藥用符,乃能令人飛行上下,隱淪無方,含笑即爲婦人,蹙面即爲老翁,踞地即爲小兒,執杖即成林木,種物即生瓜果可食,畫地爲河,撮壤爲山,坐致行廚,興雲起火,無所不有也。"又曰:"道書中有墨子《枕中五行記》五卷。"又曰:"余師鄭君,弟子五十餘人,唯余見受《金丹》之經及《三皇内文》、《枕中五行記》。"

梁又有《淮南中經》四卷,亡。

《漢書》本傳:淮南王安招致賓客方術之士數千人,作爲《内書》二十一篇,《外書》甚衆,又有《中篇》八卷,言神仙黄白之術,亦二十餘萬言。安入朝,每宴見,談説方技。

又《劉向傳》:"是時,宣帝循武帝故事,復興神仙方術之事,而淮南有《枕中鴻寶》、《苑秘書》。書言神僊使鬼物爲金之術,世人莫見,更生父德,武帝時治淮南獄,得其書。更生幼而讀誦,以爲奇,獻之,言黄金可成。上令典尚方鑄作事,費甚多,方不驗。上乃下更生吏。"師古曰:"《鴻寶》、《苑秘書》,並道術篇名。臧在枕中,言常存録之不漏泄也。"

又《郊祀志》:"大夫劉更生獻淮南枕中洪寶苑秘之方,令尚方鑄作。事不驗,更生坐論。"師古曰:"洪,大也。苑秘者,言秘術之苑囿也。"

《抱朴子·論仙篇》曰:"夫作金皆在《神仙集》中,淮南王鈔出,以作《鴻寶枕中書》。"又《神仙傳》:"淮南王作《中篇》八章,言神仙黄白之事,名爲《鴻寶萬畢》三章,論變化之道凡十萬言。"

案《淮南》中篇,宣帝時劉更生獻上。其後典校經傳,唯著《淮南》内、外五十四篇于《七略》雜家,而中篇不見。疑并在《淮南》外三十三篇中,或并入方伎神仙家《泰壹雜子黄冶》三十一卷中。

梁又有《六甲隱形圖》五卷,亡。

不著撰人。

《抱朴子·黄白篇》曰:"夫變化之術,何所不爲。蓋人身本見,而有隱之之法。鬼神本隱,而有見之之方。能爲之者往往多焉。"又《雜應篇》曰:"或問:'魏武帝曾收左元放而桎梏之,而得自然解脱,以何法乎?'抱朴子曰:'左君變化無方,自用六甲變化,其真形不可得執也。'"又《對俗篇》曰:"《仙經》曰,服丹守一,與天相畢。"《地真篇》曰:"人能守一,一亦守人。所以白刃無所指其鋭,百害無所容其凶。若爲兵寇所圍,無復生地,急入六甲陰中,伏而守一,則五兵不能犯之也。"

張彦遠《歷代名畫記》曰:"古之秘畫珍圖,有《六甲隱形圖》。"

案前第十類遁甲諸書中,梁有《六甲隱圖》并《遁甲圖》二卷,似即是書之别本。

梁有太史公《素王妙議》二卷。"議"當爲"論"。

宋王應麟《漢志考證》:《素王妙論》,《藝文志》不著録。《七略》云司馬遷撰,《史記正義》云二卷。今僅見于《太平御覽》、《越世家》注。《隋志》:梁有《太史公素王妙議》二卷。

又《困學紀聞·雜識篇》:"太史公《素王妙論》曰:'諸稱富者,非貴其身得志也,乃貴恩覆子孫,澤及鄉里也。黄帝設五法,布之天下,用之無窮。蓋世有能知者,莫不尊親。如范子,可謂曉之矣。管子設輕重九府,行伊尹之術,則桓公以霸。范蠡行十術之計,二十一年之間,三致千萬,再散與貧。

原注《史記正義》、《七略》云司馬遷撰。利者，夫子所罕言。'又曰：'如不可求，從吾所好。'太史著論，以素王名，而言求富之術，豈以家貧無財賂，有激而云，如《貨殖傳》之意歟？然何足以爲妙論？"何氏焯箋注云："妙論，意者猶云戲論也。"閻氏若璩云："王氏所引《素王妙論》，見《太平御覽》。"案王氏《漢志考證》及此所稱《史記正義》引《七略》，皆《七錄》之誤。云司馬遷撰者，即此條《七錄》之文。又凡《正義》他所引《七略》，亦皆《七錄》之誤，詳見前法家《管子》條下。

嚴氏《全漢文編》曰："司馬遷《素王妙論》，見《太平御覽》四百四，又四百七十二引，凡二條。"

馬氏玉函山房輯本序曰："《隋志》：梁有《太史公素王妙議》二卷，亡。今從王充《論衡》采得《太史公》一節，從《御覽》得《素王妙論》三節，合錄爲卷。書題素王，蓋以孔子爲嚮往而推詳貧富，有取于計然、范蠡諸人，則亦發憤著書，與《貨殖列傳》同一微意。《隋志》入五行，必有故，惜不得全書以徵之也。"案《七錄序目》，此書列《術伎錄》雜占部，本志并入五行。王氏《漢志考證》補入諸子略道家。

　案《史記·貨殖傳》序有云："耳目欲極聲色之好，口欲窮芻豢之味，身安逸樂，而心誇矜勢能之榮使。俗之漸民久矣，雖戶說以眇論，終不能化。"是太史公以前已有《妙論》。又《越世家》載范蠡事，《集解》引太史公曰："《素王妙論》曰：'蠡，南陽人。'"則太史公引《素王妙論》甚明，而《妙論》載范蠡事又甚曉然也。《殷本紀》云："伊尹從湯，言素王及九主之事。"《索隱》曰："太素上皇，其道質素，故稱素王。"素王之義本如此。以孔子爲素王，七十子爲素臣，乃讖緯家之言，史公之時或尚未有此説。考《漢志》道家首載《伊尹》五十一篇，疑《素王妙論》出《伊尹書》，即尹言素王之事。後人推論其説，故又有計然、范蠡之事，而史公引之也。王氏《考證》補入道家，或以此。又《論衡・命禄篇》引太史公曰：“夫富貴不欲爲貧賤，貧賤自至；貧賤不求爲富貴，則富貴自得也。春夏囚死，秋冬旺相，非能爲之也；日朝出而暮入，非求之也，天道自然。”案囚死、旺相爲術數家言，或其書大旨亦近似術數，此《七録》、本志所以入之此類歟？大抵此書因史公論述以傳，非盡出于史公也，審矣。

以上自《太玄禁經》至此，凡十一部，《七録》皆入之術技録雜占部。考《唐日本國書目》五行家，其分目有咒禁、符印、仙術三門，此類實近似之。唯《素王妙論》爲不類，疑本志鈔録有移易前後之誤。是爲第二十六類。

瑞應圖二卷
瑞圖贊二卷

並不著撰人。

《西京雜記》：樊將軍噲問陸賈曰：“自古人君皆云受命于天，云有瑞應，豈有是乎？”賈應之曰：“有之。瑞者，寶也，信也。天以寶爲信，應人之德，故曰瑞應。無天命，無寶信，不可以力取也。”

　案古來爲《瑞應圖》者，不止一家。《玉海・祥瑞篇》引《中興書目》云：“初世傳《瑞應圖》一篇，云周公所制。”此《瑞應圖》之最古者。《漢書・藝文志》易家《神輸》五篇，《圖》一。《七略別録》云：“神輸者，王道失則災害生，得則四海輸之祥瑞。”蓋亦《瑞應圖》之類。晉崔豹《古今注・雜注篇》：“孫亮作琉璃屏風，鏤作瑞應圖，凡一百二十種。”此又一《瑞應圖》。不知何本，疑即孫柔之之圖。見後。梁庾元威《論書》云：“宋中庶宗炳造畫《瑞應圖》，千古卓絶。王元長頗加增定，乃有虞舜獬廌、周穆狻猊、漢武神鳳、衛君舞鶴、五城、九井、螺杯、魚硯、金縢、玉英、玄圭、朱草等凡二百一十物。

余經取其善草、嘉禾、靈禽、瑞獸、樓臺、器服可爲贙對者，盈縮其形狀，參詳其動植，制一部焉。是宋、齊時宗炳、王融、庚元威又各有一《瑞應圖》。《南齊書·祥瑞志序》言："永明中，庚溫撰《瑞應圖》。"疑即庚元威之圖。張彦遠《歷代名畫記》敍古來秘畫珍圖，有《古瑞應圖》二卷，卷數與此相同，不知即此《瑞應圖》否也。《瑞圖贊》亦不知何人撰。

梁有孫柔之《瑞應圖記》、《孫氏瑞應圖贊》各三卷，亡。

孫柔之，始末未詳。

《唐書·經籍志》雜家：《瑞應圖記》二卷，孫柔之撰。《瑞應圖贊》三卷，熊理撰。

《唐書·藝文志》雜家：孫柔之《瑞應圖記》三卷，熊理《瑞應圖贊》三卷。

《玉海·祥瑞篇》：《中興書目》曰："初，世傳《瑞應》一篇，云周公所制。魏、晉間孫氏、熊氏合之爲三篇。"又曰："《瑞應圖》十卷，載天地瑞應諸物，以類分門。或題王昌齡。又云孫柔之。"

馬氏玉函山房輯本序曰："案崔豹《古今注》，孫亮作琉璃屏風，鏤作瑞應圖凡百二十種。孫柔之，不詳何人，或孫亮之族歟？《隋志》五行家，梁有孫柔之《瑞應圖記》、《孫氏瑞應圖贊》各三卷，今佚。從諸書所引輯録凡一百二十一條，較舊多其一種。意神鼎、寶鼎，引者殊題，當同一瑞器也。諸引不言記，故止題《瑞應圖》，而圖實散亡不可見矣。《開元占經》引有注語，未知誰作。觀其亟引宋事，又述及沈約《宋書》，則知梁、陳儒者所爲矣。"案《占經》所引注文，据《中興書目》，似即顧野王之書，詳後。

祥瑞圖十一卷

不著撰人。

張氏《歷代名畫記》曰：“古來秘畫珍圖，有《祥瑞圖》十卷，起天有黄道，失撰者。又《符瑞圖》十卷，起日月揚廷光，并集孫氏、熊氏圖。”《宋書·符瑞志》：日月揚光。日者，人君象也。人君，不假臣下之權，則日月揚光明。

《唐書·經籍志》雜家：《祥瑞圖》十卷，《符瑞圖》十卷，顧野王撰。

《唐書·藝文志》雜家：顧野王《符瑞圖》十卷，又《祥瑞圖》十卷。

《玉海·祥瑞篇》：《中興書目》曰：“野王以孫氏、熊氏所載叢舛，去其重複，益采圖緯，起三代，止梁大同中，凡四百八十二目。時有援據，以爲註釋。”

案此十一卷據諸家記載似出顧氏爲多，疑相傳有兩本，其一稱《符瑞》，一稱《祥瑞》歟？

祥瑞圖八卷　侯寘撰

侯寘，始末未詳。

《唐書·藝文志》雜家：侯寘《祥瑞圖》八卷。

案《南史·侯安都傳》：“安都，始興曲江人，爲郡著姓。陳武帝、文帝時，以功累封桂陽郡公，仕至征南大將軍、江州刺史。以罪賜死。太建三年，宣帝追封安都陳集縣侯。子寘爲嗣。”不知即此侯寘否也。

又案《瑞應圖》、《祥瑞圖》之類，《七録》入《雜伎録》之雜占部，本志所據見存書目，亦有列之史部雜傳家者，故雜傳類末亦有《嘉瑞記》、《祥瑞記》、《符瑞記》三種。

芝英圖一卷

不著撰人。

《宋書·符瑞志》：芝英者，王者親近耆老，養有道，則生。漢章帝元和中，芝英生郡國。

祥異圖十一卷
災異圖一卷

並不著撰人。

地動圖一卷

不著撰人。

錢氏《隋書考異》曰："《經籍志》子部《地動圖》一卷，不著撰人。《藝術傳》：臨孝恭著《地動銅儀經》一卷。"

案後漢張衡始作候風地動銅儀，詳見范書順帝陽嘉元年《本紀》及本傳，後大抵毀于董卓之亂。臨孝恭蓋始師其遺法而爲之者。孝恭有《風角鳥情》，見前第二類。

張掖郡玄石圖一卷　　高堂隆撰

高堂隆有《雜忌曆》，見前第十六類。

《魏志·明紀》青龍三年注：《魏氏春秋》曰："是歲張掖郡刪丹縣金山玄川溢涌，寶石負圖，狀象靈龜，廣一丈六尺，長一丈七尺一寸，圍五丈八寸，立于川西。有石馬七，其一仙人騎之，其一羈絆，其五有形而不善成。有玉匣關蓋于前，上有玉字，玉玦二，璜一。麒麟在東，鳳鳥在南，白虎在西，犧牛在北，馬自中布列四面，色皆蒼白。其南有五字，曰'上上三天王'；又曰'述大金，大討曹，金但取之，金立中，大金馬一匹在中，大告開壽，此馬甲寅述水'。凡'中'字六，'金'字十；又有若八卦及列宿孛彗之象焉。"《世語》曰："又有一雞象。"

又《管寧附張璆傳》：青龍四年辛亥，詔書："張掖郡玄川溢涌，激波奮蕩，寶石負圖，狀像靈龜，宅于川西，嶷然磐峙，蒼質素章，麟鳳龍馬，煥炳成形，文字告命，粲然著明。"太史令高堂隆上言："古皇聖帝所未嘗蒙，實有魏之禎祥，東序之世寶。"事班天下。任令于綽連齋以問璆，璆密謂綽曰："夫神以知來，不追已往，禎祥先見而後廢興從之。漢已久亡，魏已得之，何所追興禎祥乎！此石，當今之變異而將來之禎瑞也。”

《晉書·五行志》：魏時張掖石瑞，雖是晉之符命，而于魏爲妖。好攻戰，輕百姓，飾城郭，侵邊境，魏氏三祖皆有其事。石圖發于非常之文，此金不從革之異也。晉定大業，多斃曹氏，石瑞文“大討曹”之應也。案劉歆以《春秋》“石言于晉”爲金石同類也，是爲金不從革，失其性也。劉向以爲石白色爲主，屬白祥。

《唐書·經籍志》雜家：《張掖郡玄石圖》一卷，高堂隆撰。

《唐書·藝文志》雜家：高堂隆《張掖郡玄石圖》一卷。

案《通典·吉禮·告禮篇》：魏尚書薛悌奏：“涼州刺史所上《靈命瑞圖》，當下洛陽留臺，使太尉醮告太祖廟。”即此事也，亦稱《靈命瑞圖》。由是知《名畫記》所載《靈命本圖》者，亦即此《玄石圖》也，詳見後二條。

張掖郡玄石圖一卷　　孟衆撰

孟衆，始末未詳。

《唐書·經籍志》雜家：《張掖郡玄石圖》一卷，孟衆撰。

《唐書·藝文志》雜家：孟衆《張掖郡玄石圖》一卷。

案此次高堂隆之後，不云《晉玄石圖》，兩《唐志》並列在隆之前，則猶在魏時，似即薛悌所謂“涼州刺史所上之圖”。

梁有《晉玄石圖》一卷，《晉德易天圖》二卷，亡。

並不著撰人。

《晉書·武帝本紀》：泰始三年夏四月戊午，張掖太守焦勝上言，氐池縣大柳谷有玄石一所，白畫成文，實大晉之休祥，圖之以獻。詔以制幣告于太廟，藏之天府。

《魏志·明紀》青龍三年注：《搜神記》曰：“初，漢元、成之世，先識之士有言曰，魏年有和，當有開石于西三千餘里，繫五馬，文曰‘大討曹’。及魏之初興也，張掖之柳谷，有開石，始見于建安，形成于黄初，文備于太和，周圍七旬，中高一仞，蒼質素章，龍馬、麟鹿、鳳皇、仙人之象，粲然咸著，此一事者，魏、晉代興之符也。至晉泰始三年，張掖太守焦勝上言，以留郡本國圖校今石文，字多少不同，謹具圖上。案其文有五馬象，其一有人平上幘，執戟而乘之，其一有若馬形而不成，其字有‘金’，有‘中’，有‘大司馬’，有‘王’，有‘大吉’，有‘正’，有‘開壽’，其一成行，曰‘金當取之’。”

又《漢晉春秋》曰：“氏池縣大柳谷口夜激波涌溢，其聲如雷，曉而有蒼石立水中，長一丈六尺，高八尺，白石畫之，爲十三馬，一牛，一鳥，八卦玉玦之象，皆隆起，其文曰‘大討曹，適水中，甲寅’。帝惡其‘討’也，使鑿去爲‘計’，以蒼石窒之，宿昔而白石滿焉。至晉初，其文愈明，馬象皆煥徹如玉焉。”

　　案張氏《名畫記》敍古來秘畫珍圖，有《靈命本圖》一卷，即此所載《晉玄石圖》，亦即焦勝所謂《留郡本國圖》。“國”字似衍。《名畫記》又有《易狀圖》一卷，似即此《晉德易天圖》，“天”當爲“狀”字之誤。皆焦勝所并上者。《名畫記》又有《辯靈命圖》二卷，或合魏晉諸家之圖而辨明之，是則本志所不載焉。

天鏡二卷

不著撰人。

馬氏玉函山房輯本序曰：“《隋志》五行類：《天鏡》二卷。又云梁有《天鏡》、《地鏡》、《日月鏡》各一卷，亡。據此則《天鏡》當有兩本也，今佚。《開元占經》引之，輯録尚可成卷。書中專言災異，取照將來之應，故以鏡名。與妖占、飛候頗相似，意京房之徒所撰述歟？”

乾坤鏡二卷

不著撰人。

《唐日本國見在書目》：《乾坤鏡》一卷。《明鏡要經》一卷。案《明鏡要經》一卷疑即此第二卷。又有《乾坤經》一卷，司馬遷撰。

梁《天鏡》、《地鏡經》各一卷，亡。

並不著撰人。

《唐日本國見在書目》：《天鏡經》一卷，《地鏡經》一卷。

《金樓子·志怪篇》：《地鏡經》凡出三家，有《師曠地鏡》，有《白澤地鏡》，有《六甲地鏡》，三家之經，但說珍寶光氣，前嵩高道士多游名山尋丹砂，于石壁上見有古文，照見寶物之秘方，用以照寶，遂獲金玉。案三家《地鏡經》當在《漢志》"《三法積貯寶藏》"中。

馬氏玉函山房輯本序曰："《隋志》五行類注云梁有《天鏡》、《地鏡》各一卷，亡。今從《開元占經》所引《地鏡》輯録成卷。其書言地石、山水、草木、鳥獸之變異，占其吉凶，大較與《天鏡》同。"案《占經》所引如此耳。其原書當如《金樓子》之説。

梁《日月鏡》、《四規鏡經》各一卷，亡。

並不著撰人。

《抱朴子·登涉篇》："萬物之老者，其精悉能假託人形，以眩惑人目而常試人，惟不能于鏡中易其真形耳。是以古之入山道士，皆以明鏡徑九寸已上者，懸于背後。"又《雜應篇》云"明鏡或用一，或用二，謂之日月鏡。或用四，謂之四規。四規者，照之時前後左右各施一也。用四規所見來神甚多。或縱目，或乘龍駕巾，冠服彩色，不與世同，皆有經圖"云云。又《遐覽篇》云："道書中有《日月臨鏡經》一卷，《四規經》一卷。"

梁有《地鏡圖》六卷，亡。

不著撰人。

馬氏玉函山房輯本序曰："《隋志》五行類注云梁有《天鏡》、《地鏡》、《日月鏡》、《四規鏡經》各一卷。《地鏡圖》六卷，亡。《地鏡》與《地鏡圖》各爲書。《初學記》、《太平御覽》每引《地鏡圖》，《説郛》亦載有十餘條。合輯爲卷，而其圖則不可見矣。"

《孫氏祠堂書目》：《地鏡圖》一卷，洪頤煊集本。

望氣書七卷

雲氣占一卷。梁《望氣相山川寶藏秘記》一卷，《仙寶劍經》二卷，亡。

並不著撰人。

案《管子·地數篇》："桓公問于管子曰：'請問天財所出，地利所在。'管子對曰：'山上有赭者其下有鐵，上有鉛者其下有銀，上有丹砂者其下有鈺金，上有慈石者其下有銅金。此山之見榮者也。苟山之見榮者，謹封而爲禁。有動封山者，罪死而不赦。'"又《地鏡圖》曰："凡觀金玉寶劍銅鐵，皆以辛之日，待雨止，明日平旦，及黃昏夜半，觀之，所見光白者，玉也；赤者，金；黃者，銅；黑者，鐵。"又《地鏡圖》曰："夫寶物在城郭丘墟之中，樹木爲之變，視柯偏有折枯，是其候也。"《史記·天官書》："王朔望氣，大水處，敗軍場，破國之虛，下有積錢。金寶之上，皆有氣，不可不察。"又《漢志》雜占家有《三法積貯寶藏》二十三卷，一本作"五法"，皆此等之書之所由來者。《仙寶劍經》或即《晉書·張華傳》所載豐城劍氣之事，"仙"或是"相"字之誤。《漢志》有《相寶劍刀》二十卷，此其殘賸，亦未可知也。

以上自《瑞應圖》至此，凡十四部，附著梁有十一部，《漢志》雜占家有《禎祥變怪》、《人鬼精物六畜變怪》各二十一卷，《五法積貯寶藏》二十三卷，此皆其類。是爲第二十七類。

地形志八十卷　庾季才撰

庾季才有《垂象志》，見前天文家。

錢氏《隋書考異》曰：“《經籍志》中一書而兩出者，如庾季才《地形志》，兩收于五行類，而前云八十七卷，後云八十卷。”

案前載八十七卷，見第九類中《通志略》，以此書列五行葬書類之首。

宅吉凶論三卷

不著撰人。

案《論衡·四諱篇》曰：“俗有大諱四：一曰諱西益宅。西益宅謂之不祥，不祥必有死亡。相懼以此，故世莫敢西益宅。防禁所從來者遠矣。”又曰：“諸工伎之家，説吉凶之占，皆有事狀。宅家言治宅犯凶神，人不避忌，有病死之禍。”是當西漢之時已有言宅舍之吉凶者。此三卷大抵所論不一，其人故不著姓名。

相宅圖八卷

不著撰人。

案《周禮》：“大司徒之職，以土宜之法，辨十有二土之名物，以相民宅而知其利害，以阜人民。”注云“相，占視也”，疏云“使之得所也”。此言相宅之始。《續漢·百官志》注：《漢官儀》曰：“太史待詔三十七人，廬宅四人。”則漢時亦設官，屬于太史，蓋亦史卜之官之一家。《論衡·詰術篇》兩引圖宅術云：“宅有八術，以六甲之名，數而第之，第定名立，宮商殊別。宅有五音，姓有五聲。”《漢書·揚雄傳》注：“堪輿，神名，造圖宅書者。”則相宅之術始于堪輿家。堪輿爲術家之最古，故亦托之黃帝。今相傳有《黃帝宅經》二卷，分二十四路，考尋休咎，以陰陽相得者爲吉。疑出古堪輿書。張氏《名畫記》敘古來秘畫珍圖，有《周公成壞吉凶圖》、《相宅園地圖》、《陰陽宅相圖》各一卷，疑出是書。又蕭吉有《宅經》八卷，疑亦即是此書。

五姓墓圖一卷。梁有《冢書》、《黄帝葬山圖》各四卷,《五音相墓書》五卷,《五音圖墓書》九十一卷,《五姓圖山龍》及《科墓葬不傳》各一卷,《雜相墓書》四十五卷,亡。

並不著撰人。

《唐書·吕才傳》曰:"《經》曰:'葬者,藏也,欲人之弗得見也。'又曰:'卜其宅兆,而安厝之。'以是爲感慕之所也,魂神之宅也。朝市貿遷不可知,石泉頹齧不可常,是以謀及卜筮,庶無後艱,斯則備于慎終之禮也。後代葬説出于巫史,一物有失,便謂災及死生,多爲防禁,以售其術,附妄憑妖,至其書乃有百二十家。"

《四庫》術數類郭璞《葬書》提要曰:"葬地之説,莫知其所自來。《周官》冢人、墓大夫之職,皆稱以族葬,是三代以上葬不擇地之明證。《漢書·藝文志》形法家始以《宫宅地形》與相人、相物之書並列,則其術自漢始萌,然尚未專言葬法也。《後漢書·袁安傳》載安父没,訪求葬地,道逢三書生,指一處,當世爲上公,安從之,故累世貴盛。是其術盛傳于東漢以後。其特以是傳名者,則璞爲最著。"云案《七録》及本志俱無郭氏書。

案《周禮》春官宗伯之屬:"冢人,掌公墓之地,辨其兆域,而爲之圖。"注曰:"圖謂畫其地形,及丘壟所處而藏之。"又曰:"墓大夫,掌凡邦墓之地域,爲之圖。"注曰:"凡邦中之墓地,民所葬也。"是圖墓周有其官,所由來者遠,特無所謂五音、五姓之法術耳。《抱朴子·極言篇》曰:"黄帝相地理則書青烏之説。"《御覽·人事·聖人篇》引《圖墓書》曰:"青烏乃默,皆聖人也。記人生死所由。"又《禮儀·冢墓篇》引《圖墓書》五條,《藝文類聚·地部》亦引《圖墓書》二條,似皆《七録》所載《五音圖墓書》九十一卷之遺。本志著録《五姓墓圖》一卷,亦似其殘佚僅存者。《舊》、《新唐志》

載《青烏子》以下十二種，皆與本志不合，大抵亦是九十一卷及《雜相墓書》四十五卷之佚存。今相傳《青烏子葬經》一卷，乃後人依託。《四庫存目》言之詳矣。

以上自《地形志》至此，凡四部，附著梁有七部，蓋依仿《漢志》形法家《國朝》七卷、《宮宅地形》二十卷兩書之例，以類次之者。《通志略》目之曰宅經葬書，《四庫》術數類謂之相宅相墓。是爲第二十八類。

相書四十六卷

不著撰人。

謹案《四庫》術數類案語曰："案相人見《左傳》。《漢書・藝文志》形法有《相人》二十四卷。其説亦本五行，故古與相宅、相墓之屬均合爲一。"今考《左・文元年傳》："元年春，王使内史叔服來會葬。公孫敖聞其能相人也，見其二子焉。叔服曰：'穀也食子，難也收子。穀也豐下，必有後于魯國。'"杜預曰："公孫敖，魯大夫慶父之子，穀文伯。難，惠叔。食子，奉祭祀供養者也。收子，葬子身也。豐下，蓋面方。"是爲言相人術之最初者。《荀子・非相篇》云："相人，古之人無有也，學者不道也。"是則古之人未嘗無有，特爲儒者所不道耳。晁氏《讀書志》有《三十二家相書》三卷，集許負以下。《宋志》有《十七家集衆相書》一卷，皆不著撰人，疑即此四十六卷之叢殘者。魏朱建平相書或在此書中。

相經要録二卷　蕭吉撰

蕭吉有《樂書》，見經部樂類。

《北史・藝術傳》：吉著《金海》三十卷，《相經要録》一卷及《相手版要決》、《太一立成》各一卷，並行于時。

《相經》三十卷，鍾武隸撰。亡。此條上敓"梁有"二字，下四條同。

鍾武隸，始末未詳。

案《陶隱居集》有《相經序》殘文一篇，《藝文類聚》有劉孝標《相經序》，皆不言《相經》爲何人所作。二家之序，豈皆爲是書歟？恐未然也。

《相書》十一卷，樊、許、唐氏，亡。

樊氏，始末未詳。

《北史·藝術傳》序曰："相術所以辯貴賤，明分理者也。昔之言相術者，則有内史叔服、姑布子卿、唐舉、許負。"

《太平御覽·人事部第七》：《樊氏相法》曰："耳門不容麥，歲至百，兼富。"

《漢書·游俠傳》："郭解，温善相人許負外孫也。"又《周勃傳》注：應劭曰："許負，河内温人，老嫗也。"案《周勃傳》載其相周亞夫事。又《外戚傳》載其相薄太后事。

《史通·書志篇》曰："至若許負《相經》、揚雄《方言》，並當時所重，見傳流俗。"

《唐日本國見在書目》：《許負相男女經》三卷。

《通志·藝文略》：《許負相書》三卷，又《許負金歌》一卷。

《宋史·藝文志》：許負《相訣》三卷，許負《形神心鑑圖》一卷。

《荀子·非相篇》："古者有姑布子卿，今之世梁有唐舉，相人之形狀顏色，而知其吉凶妖祥，世俗稱之。"楊倞注曰："姑布子卿，相趙襄子者。唐舉，相李兑、蔡澤者。"案唐舉相李、蔡見《史記·蔡澤傳》。

《崇文總目》：《肉眼通神論》三卷，唐舉撰。

《通志·藝文略》：唐舉《相顯骨法》一卷。

《宋史·藝文略》：唐舉《肉眼通神論》三卷。

《武王相書》一卷，亡。

案《通志·藝文略》有《武侯相書》一卷。此"武王"疑"武侯"之寫誤。

《雜相書》九卷，《相書圖》七卷，亡。

並不著撰人。

案張氏《名畫記》敍古來秘畫珍圖，有《黃帝樊薛許氏相圖》，不著卷數。疑在此《相書圖》七卷中。樊、薛二家並未詳也。

以上自《相書》至此，凡二部，附著梁有五部，皆依仿《漢志》形法家《相人》二十四卷之例，以類次之者。是爲第二十九類。

相手版經六卷

不著撰人。

劉熙《釋名》曰："笏，忽也。君有教命，及所啓白，則書其上，備忽忘也。"畢沅《疏證》曰："《禮記·玉藻》曰：'史進象笏，書思對命。'"鄭注云："思所思，念將以告君者也，對所以對君者也。命所受君命也，書之于笏，爲失忘也。"即手板也。

《太平御覽·服章部》：周遷《車服雜事》曰："應仲遠云：'昔荊軻逐秦王，其後謁者持匕首以備不虞，從此侍官執刀劍。漢高祖偃武修文，始制以手版代焉。'"

《魏志·夏侯玄傳》注：陳長文曰："漢世有《相印》、《相笏經》。"

梁有《相手版經》、《受版圖》各一卷，亡。

並不著撰人。

梁有韋氏《相板印法指略鈔》、魏征東將軍程申伯《相印法》各一卷，亡。

《魏志·劉邵附傳》注：《文章敍録》曰："韋誕字仲將，京兆杜陵人。建安中，爲郡上計吏，特拜郎中，稍遷侍中中書監，以光禄大夫遜位，年七十五卒于家。"

又《杜恕管寧傳》：程喜字申伯，青龍中爲青州刺史，齊王時爲征北將軍。

又《夏侯玄傳》注:《魏氏春秋》云:"《相印書》曰:'相印法本出陳長文,長文以語韋仲將,印工楊利從仲將受法,以語許士宗。利以法術占吉凶,十可中八九。仲將又問長文:從誰得法?長文曰:本出漢世,有《相印》、《相笏經》。印工宗養以法語程申伯,故有一十二家相法。'"

案《魏氏春秋》引《相印書》云云,似其序文。陳群字長文,許允字士宗。《魏氏春秋》言允善相印,《七録》稱韋氏《相板印法指略鈔》,則其書亦兼言相手版,爲後人所鈔節者。

以上一部,附著梁有四部,《漢志》雜占家有《武禁相衣器》十四卷,形法家有《相寶劍刀》二十卷,序云"舉器物之形容,以求其吉凶",此類是已。是爲第三十類。

大智海四卷

不著撰人。

案此不知何書,兩《唐志》及《藝文略》皆不載。觀其與《白澤圖》爲類,似亦言怪異之物之形相者。張氏《名畫記》紋古來秘畫珍圖,有《妖怪圖》四卷。疑《大智海》即《妖怪圖》之異名。兩《唐志》有《百怪書》一卷,疑亦是類之書。

白澤圖一卷

《宋書・符瑞志》:澤獸,黄帝時巡狩至于東濱,澤獸出,能言,達知萬物之精,以戒于民,爲時除害。賢君明德幽遠則來。

《開元占經・獸休徵篇》:"《瑞應圖》曰:'黄帝巡于東海,白澤出,能言語,達知萬物之精,以戒于民,爲除災害。賢君德及幽遐則出。'"注《抱朴子》云:"黄帝窮神知奸者,出于白澤之辭也。"

張氏《歷代名畫記》曰:"古來秘畫珍圖中有《白澤圖》一卷,三百二十事,出《抱朴子》,黄帝巡東海而遇之。"

《唐書·經籍志》："《白澤圖》一卷。"《藝文志》著録同。

馬氏玉函山房輯本序曰："孫氏《瑞應圖》謂白澤能言語，知萬物之精。《抱朴子》論黄帝云，窮神姦則記白澤之辭。蓋古有是説也。《南史》梁簡文帝有《新增白澤圖》五卷，《隋》、《唐志》並有《白澤圖》一卷，今佚。從諸書所引輯得四十餘節，合録爲帙。圖則佚矣。書於諸物之精，能詳其名狀，似涉玄怪，然夏禹鑄九鼎，使民知神姦，不逢不若。如無所本，豈能鑿空言之？則聖人實能知鬼神之情狀也。"

《孫氏祠堂書目》：《白澤圖》一卷，洪頤煊集本。

案《漢志》雜占家有《人鬼精物六畜變怪》二十一卷，此兩書實近似之。本志次于形法類中，蓋亦以爲形狀之變異者，故類從于相六畜之前。是爲第三十一類。

相馬經一卷

不著撰人。

案晁氏《讀書志》："《相馬經》一卷。未詳撰人。述相馬法式，并著馬之疾狀及治療之術。《李氏書目》有之。"不知即此一卷否也。

梁有《伯樂相馬經》二卷，亡。

《唐日本國見在書目》：《伯樂相馬圖》七卷。

《唐書·經籍志》農家：《相馬經》一卷，伯鑾撰。又二卷。"鑾"爲"樂"之誤。

《唐書·藝文志》農家：《相馬經》三卷。《伯樂相馬經》一卷。案唐時相傳有兩本。

晁氏《讀書志》雜藝術類：《相馬經》二卷，伯樂撰。

錢氏《三史拾遺》曰："《漢書·古今人表》王良、伯樂、郵無卹，一人而並列，此注而誤入正文者。"

梁氏《人表考》曰："《人表》第五等郵無卹，始見《左·哀二》。

王良,始見《孟子》、《戰國·秦策》。伯樂,始見《晉語九》,亦曰伯樂氏,亦曰郵無正,亦曰子良,亦曰郵良,亦曰尤良,亦曰良樂,亦曰王梁,亦曰孫無正,亦曰孫明,亦曰王子期,亦曰王子於期。冢在濟陰定陶縣東南。案《通志·氏族略四》言,秦穆公子有孫陽伯樂,善相馬。考《莊子·馬蹄篇》釋文,謂孫陽是伯樂姓名,蓋又別爲孫氏,伯樂乃其號。《莊子》釋文又云,伯樂,星名,主典天馬。孫陽善馭,故以爲名。此指秦之伯樂。而郵無卹之稱伯樂者,緣其善馭,同于孫陽,遂以爲號,如后羿、扁鵲之比。且王良亦星名,《史·天官書》:‘王良策馬。’因其字子良,便目爲王良,説者謂死而託精于天駟星。蓋郵其氏,初名無卹,後改無正,案當是避趙襄子名而改。字子良,一字子期也。班氏雙注以定其疑,傳寫誤爲大字耳。”

　　案此《伯樂相馬經》不知爲秦之伯樂,趙之伯樂。《呂氏春秋·觀表篇》有云:“古之善相馬者,若趙之王良,尤盡其妙。”則趙之伯樂爲多。《御覽·獸部》引《伯樂相馬經》五條。本志醫方家有《伯樂治馬雜病經》一卷。

梁有《關中銅馬法》二卷,亡。

　　不著撰人。

　　《後漢書·馬援傳》:援好騎,善別名馬,于交阯得駱越銅鼓,乃鑄爲馬式,還上之。因表曰:“夫行天莫如龍,行地莫如馬。馬者甲兵之本,國之大用。安寧則以別尊卑之序,有變則以濟遠近之難。昔有騏驥,一日千里,伯樂見之,昭然不惑。近世有西河子輿,亦明相法。子輿傳西河儀長孺,長孺傳茂陵丁君都,君都傳成紀楊子阿,臣援嘗師事子阿,受相馬骨法。考之于行事,輒有驗效。臣愚以爲傳聞不如親見,視景不如察形。今欲形之于生馬,則骨法難備具,又不可傳之于後。考武皇帝時,善相馬者東門京鑄作銅馬法獻之,有詔立馬于魯班門外，則更名魯班門曰金馬門。臣謹依儀氏鞍，中帛氏口齒，謝氏脣鬐，丁氏身中，備此數家骨相以爲法。"馬高三尺五寸，圍四尺四寸。有詔置于宣德殿下，以爲名馬式焉。

又《董卓傳》："卓又壞五銖錢，更鑄小錢，悉取洛陽及長安銅人、鍾虡、飛廉、銅馬之屬，以充鑄焉。"章懷太子曰："明帝永平五年，長安迎取飛廉及銅馬置上西門外，名平樂館。銅馬則東門京所作，致于金馬門外者也。"

> 案《關中銅馬相法》，前漢有東門京，後漢有馬援，范書《馬援傳》注引援《銅馬相法》。《御覽》八百九十六引之尤詳。

> 此二卷不知是否合兩家之書爲一編者也。

梁有《周穆王八馬圖》二卷，亡。

《史記・秦本紀》："造父以善御幸于周繆王，得驥、温驪、驊騮、騄耳之駟，西巡狩，樂而忘歸。"案"驥"上似敚"赤"字，"温"亦似"盜"字之誤。《集解》曰："駰案《穆天子傳》穆王有八駿之乘，此紀不具者也。八駿皆因其毛色以爲名號。"《索隱》曰："案《穆天子傳》曰：赤驥、盜驪、白義、渠黄、驊騮、騄駵、騄耳、山子。"

《穆天子傳》曰："天子命駕八駿之乘：右服驊騮而左綠耳，右驂赤驥而左白義。天子主車，造父爲御，次車之乘，右服渠黄而左騄駵，右驂盜驪而左山子。"

《太平御覽・獸部》：《王子年拾遺記》曰："周穆王即位，巡行天下，馭八龍之駿，名曰絶地、翻羽、奔宵、越影、踰暉、超光、騰霧、挾翼。"

張彦遠《歷代名畫記》：晉史道碩有《八駿圖》，宋史粲有《八駿圖》，並傳于代。

《崇文總目》小説家："《八駿圖》一卷，史道規畫。"錢侗校輯曰："諸家書目，並上標'周穆王'三字。"

> 案《八駿圖》大抵皆後人意造，六朝時相傳可考見者以史道

碩所圖爲最古,然不知即此二卷否也。

梁有《齊侯大夫寧戚相牛經》二卷,亡。

《後漢書·蔡邕傳》:"邕作《釋誨》曰:'寧子有清商之歌,百里有豢牛之事。'"注:《淮南子》曰:"寧戚欲干齊桓公,窮困無以自達,于是爲商旅,將車以適于齊,暮宿于郭門,飯牛車下,望見桓公,乃擊牛角而商歌。桓公聞之,曰:'異哉!歌者非常人也。'命後車載之。"《三齊記》載其歌曰:"南山矸,白石爛,生不遭堯與舜禪,短布單衣適至骭,從昏飯牛薄夜半,長夜漫漫何時旦!"公悅之,以爲大夫。又曰:"百里奚,虞大夫也。《史記》趙良曰:'百里奚自鬻于秦,衣褐食牛。期年而後穆公知之,舉之牛口之下。'"

《魏志·夏侯玄傳》注:《魏氏春秋》曰:"陳長文曰:'漢世有《相印》、《相笏經》,又有《鷹經》、《牛經》、《馬經》。'

《唐書·經籍志》農家:《相牛經》一卷,寧戚撰。

《唐書·藝文志》農家:寧戚《相牛經》一卷。

晁氏《讀書志》雜藝術類:《相牛經》一卷。題曰寧戚。傳之百里奚,漢世河西薛公得其書以相牛,千百不失其一。至魏世高堂生又傳晉宣帝,其後秘之。細字,薛公注也。

梁玉繩《人表考》:寧戚見人表第三等,始見《齊語·管子》、《小匡》諸篇。衛人亦曰齊寧葬萊州膠水縣西鳴角皐。

梁有《王良相牛經》二卷,亡。

案王良即伯樂,有《相馬經》,見前諸書。但言王良善相馬,不聞又善相牛。《初學記》、《藝文類聚》、《文選注》皆引《相馬經》,亦未見有引《王良相牛經》者。此或非王良,因上文而誤題撰人者。

梁有《高堂隆相牛經》二卷,亡。

高堂隆有《雜忌曆》及《張掖郡玄石圖》,並見前。

《世説·汰侈篇》注：“《相牛經》曰：‘牛經出寧戚，傳百里奚。漢世河西薛公得其書，以相牛，千百不失。本以負重致遠，未服輀軿，故文不傳。至魏世，高堂生又傳以與晉宣帝，其後王愷得其書焉。’”

案《世説》注引《相牛經》，蓋其序文中語，與晁《志》同據。所云云則此《相牛經》特爲高堂生所傳録，亦即前寧戚之本也，或高堂生亦有所論著于其間者。

梁有《八公相鵠經》、《浮丘公相鶴書》各二卷，亡。

《史記·淮南王列傳》索隱：《淮南要略》云：“養士數千，高材者八人：蘇非、李尚、左吳、田由、雷被、伍被、毛被、晉昌，號曰八公。”

劉向《列仙傳》：王子喬者，周靈王太子晉也。好吹笙，作鳳皇鳴。游伊洛之間，道士浮丘公接以上嵩高山。<small>案神仙家以浮丘公爲王子喬之師。</small>

《華陽真逸瘞鶴銘》曰：“相此胎禽，浮丘著經。”《文選·舞鶴賦》注：“《相鶴經》者，出自浮丘公，公以自授王子晉。崔文子者，學仙于子晉，得其文，藏于嵩高山石室。及淮南八公采藥得之，遂傳于世。”<small>案此是其序文，知八公所傳者，即浮丘公之書，二而一者也。</small>

《唐書·經籍志》農家：《相鶴經》一卷，浮丘公撰。

《唐書·藝文志》農家：浮丘公《相鶴經》一卷。

《宋史·藝文志》五行家：趙浮丘公《相鶴經》一卷。

案“鵠”、“鶴”，古通用字。《初學記·鳥部》及《御覽》所引稱《淮南八公相鶴經》，知“鵠”亦“鶴”字之誤。晁、陳二家亦載《浮丘公相鶴經》一卷，與史志同。無《八公相鵠經》之目，此《八公相鵠經》即《浮丘公相鶴書》，本一書，而撰人各異。宋本《意林》第六卷亦但載《浮丘公相鶴經》一卷，無《八公相鵠經》也。

梁有《相鴨經》、《相雞經》、《相鵝經》各二卷，亡。

並不著撰人。

《西京雜記》：魯恭王好鬥雞、鴨及鴻鴈、孔雀、鵁鶄，俸穀一年費二千石。

洪氏《容齋續筆》曰：“今時相馬者間有之，相牛者殆絶。所謂雞、狗、彘者，不復聞之矣。劉向《七略》《相六畜》三十八卷，謂骨法之度數，今無一存。”

案《漢志》形法家有《相六畜》三十八卷。六畜之名數謂馬、牛、羊、雞、犬、豕。又古有鬥雞之戲，是相雞之書，或當在《漢志》三十八卷中。

又《御覽·羽族部》引《江表傳》曰：“魏文帝遣使求鬥鴨。”

又《吳志·陸遜傳》：“建昌侯慮于堂前作鬥鴨欄，頗施小巧。”張氏《名畫記》載陸探微有《鬥鴨圖》，傳于代。此相鴨之所以有經歟？

又《御覽》引《俗記》曰：“京下劉光禄養好鵝，純蒼色，頸長四尺許，頭似龍。此一只鵝可堪五萬。自後不復見有此類。”又引沈充《鵝賦序》曰：“先大夫俞穎川者，殊精意于養鵝。求得駿鵝，類于張猛虎，亦多好者，于時有緑眼、黄喙、折翼、赤頸。焦叔明以太康中得大蒼鵝，從喙至足，四尺九寸，體色豐麗，鳴聲驚人，三年而爲暴犬所害。惜其不終，故爲賦云。”張氏《名畫記》云：“晉史道碩善畫，工人、馬、鵝，有《鵝圖》傳于代。”此相鵝之所以有經歟？

梁有《相貝經》二卷，亡。

不著撰人。

《説文》：貝，海介蟲也。居陸名猋，在水名蜬。象形。古者貨貝而寶龜，至周而有泉，至秦廢貝行錢。

《宋書·符瑞志》：大貝，王者不貪財寶則出。

《藝文類聚・寶玉部》：《相貝經》曰："《相貝經》，朱仲受之于琴高。琴高乘魚，浮于海河，水産必究。仲學仙于高，而得其法。又獻珠于漢武，去不知所之。嚴助爲會稽太守，仲又出，遺助以經尺之貝，并致此文于助云云。"案琴高，趙人，朱仲，會稽人，並漢初人，見《列仙傳》。此所引爲《相貝經》之序。

《唐書・經籍志》農家：《相貝經》一卷。《藝文志》同。

陳氏《書録解題》形法類："《相貝經》一卷，不知作者。"《宋志》五行家同。

明楊慎《丹鉛總録》曰："馬總《意林》引《相貝經》，不著作者。讀《初學記》始知爲嚴助作。"案見《初學記・居處部》。

按《隋》、《唐志》載《相貝經》不著撰人。宋本《意林》第六卷有《相貝經》一卷，題曰琴高。高似孫《子略》鈔《意林》目録作《貝書》十卷，不著名氏。陶宗儀《説郛》云朱仲撰。汪氏《文選注引目録》云嚴助撰。按貝之爲物，上古三代以爲貨幣，又以爲藥物，爲器具，爲珍飾，其用至廣。其書自周秦時已有之，不始于琴高、朱仲，亦不始于嚴助，特爲助所校録，觀《藝文類聚》所引序從可知矣。《漢武故事》云："上少好學，招求天下遺書，親自省校，使莊助、司馬相如等以類分別之。"則此爲助校書時所傳，良信。其撰人則終不可考。其佚文，《初學記》、《文選注》所引率不過一二語，《御覽・鱗介部》引凡二條，《藝文類聚》所引凡三百餘言，最爲詳悉。《説郛》則有録無書。

以上自《相馬經》至此，凡一部，附著梁有十二部，皆依仿《漢志》《相六畜》之例，以類次之者。是爲第三十二類。

梁有《祖暅權衡記》、《稱物重率術》二卷，亡。

祖暅有《天文録》，見前天文家。

《漢書・律志》曰："五曰權衡。衡，平也；權，重也，衡所以任

權而均物平輕重也。”又曰：“權者，銖、兩、斤、鈞、石也，所以
稱物平施，知輕重者也。”

案此是實學，非如術數家之憑虛探索者。與形法家固不相
涉，與五行家亦不相蒙，即偶及于五行，不過借端發揮，非
五行家之正軌。是當列之曆算家之末，而次之于此，所未
喻也。

梁有《劉潛泉圖記》三卷，亡。

《梁書》本傳：潛字考儀，彭城安上里人，秘書監孝綽弟也。仕
至明威將軍、豫章内史。侯景寇京邑，失郡。大寶元年，病
卒，年六十七。案傳不言有是書，而《七録》與祖暅相先後，則出此劉潛爲多。
潛卒年在阮孝緒之後，孝緒已著，其書則成于普通之前。或此所謂“梁有”，爲梁代別
家書目，非指《七録》。

《周禮·外府》注：泉始蓋一品，周景王鑄大泉而有二品。後
數變易，不復識本制。至漢，惟有五銖久行。王莽改貨而異
作泉布，多至十品。今存于民間多者，有貨布、大泉、貨泉。
貨布云云。

案此殆以古來泉幣爲圖而記之，當與錢譜、錢圖同列譜系
類之末。若其言銖兩涉于算學者爲多，則當與前書同入曆
數家。此與前一部列之于此，不知是否《七録》舊第，恐阮
氏不如是之謬也。

以上兩部，附五行形法家之末，實爲不倫。是爲第三十三
類。終焉。

右二百七十二部，合一千二十二卷。實在著録三百三十六部，附著梁有一
百四十七部，合計四百八十三部。

案《七録序目·術伎録第四》曰：“五行部凡八十四種，第五
曰卜筮部，凡五十種。第六曰雜占部，凡十七種。第七曰
形法部，凡四十七種。綜四部合一百九十八種。”本志合并

爲一,存佚并計有四百八十三部,增益者凡二百八十五部,視他類爲特多云。

又案《漢志》數術一略分爲六類,曰天文,曰曆譜。《七録》及本志各自爲篇,已見于前。餘四類曰五行,曰蓍龜,曰雜占,曰形法。《七録》分目同,惟蓍龜改爲卜筮耳。本志以此四類通謂之曰五行,故五行類之書較他類爲多,其中節目亦較他類爲雜。究其本源,皆從《七録》以下陳、隋間官私簿籍節節鈔入者,雖如《藝文略》之別類分門,而亦有不能盡。今就其所次,亦節節分析,釐爲三十三類,庶幾有端緒可尋,前後章段略可循覽。若其大致終不越《七略》、《七録》四類之例,以爲次第,其起訖亦有可言者。自《黃帝飛鳥曆》至梁簡文《光明符》十一類,皆五行之屬也。自《史蘇龜經》至《京君明推偷盜書》二類,則蓍龜卜筮之屬。自《天皇大神氣君注曆》至《仙寶劍經》十四類,皆雜占家之所有事。自《地形志》以迄《相貝經》五類,則形法家之所由繫。末附一類,似因算數而誤會爲數術,是則不明類例之故歟?

卷三十七

子部十四
醫方家上

是篇章法顯分上、下,與他類不同,因從而釐析之,上篇五類,下篇六類。

黃帝素問九卷。梁八卷。

《漢書・藝文志》方伎醫經家:《黃帝內經》十八卷,《外經》三十七卷。

晉皇甫謐《帝王世紀》曰:"岐伯,黃帝臣也。帝使岐伯嘗味草木,典主醫病,經方,《本草》、《素問》之書咸出焉。"

又《甲乙經序》曰:"案《七略》、《藝文志》,《黃帝內經》十八卷,今有《鍼經》九卷,《素問》九卷,二九十八卷,即《內經》也。《素問》原本《經脈》,其義深奧不可容易覽也。"

《唐書・經籍志》:《黃帝素問》八卷。

晁氏《讀書志》曰:"昔人謂《素問》者,以素書黃帝之問,猶言'素書'也。唐王砅謂《漢書・藝文志》有《黃帝內經》十八卷,《素問》即其經之九卷。"

陳氏《書錄解題》曰:"黃帝與岐伯問答,醫書之祖也。案《漢志》但有《黃帝內外經》,至《隋志》乃有《素問》之名。"

《四庫提要》曰:"《漢志》載《黃帝內經》十八篇,無《素問》之名。後漢張機《傷寒論》引之,始稱《素問》。晉皇甫謐《甲乙經序》稱《素問》九卷,則《素問》之名起于漢、晉間矣,故《隋書・經籍志》始著錄也。然《隋志》所載祇八卷,全元起所注已闕其第七。唐寶應中王冰得舊藏之本，補足此卷。宋林億等校正，謂《天元紀大論》已下，卷帙獨多，與《素問》餘篇絕不相通，疑即張機《傷寒論》序所稱《陰陽大論》之文，冰取以補所亡之卷，理或然也。其《刺法論》、《本病論》則冰本亦闕，不能復補矣。”

又《簡明目錄》曰：“其書云出上古，固未必然。然亦必周、秦間人傳述舊聞，著之竹帛，故通貫三才，包括萬變，雖張、李、劉、朱諸人終身鑽仰，竟無能罄其蘊奧焉。”

黃帝甲乙經十卷　音一卷。梁十二卷。

不著撰人。

晉皇甫謐《鍼灸甲乙經序》曰：“案《七略》、《藝文志》，《黃帝內經》十八卷，今有《鍼經》九卷，《素問》九卷，二九十八卷，即《內經》也。《素問》原本《經脈》，其義深奧，不可容易覽也。又有《明堂孔穴鍼灸治要》，皆黃帝岐伯遺事也。三部同歸，文多重複，錯互非一，乃譔集三部，使事類相從，删其浮辭，除其重複，論其精要，至為十二卷。”

《唐日本國見在書目》：《黃帝甲乙經》十二卷，玄晏先生撰。

《唐書·經籍志》：《黃帝三部針經》十三卷，皇甫謐撰。

《唐書·藝文志》：皇甫謐《黃帝三部針經》十二卷，《黃帝甲乙經》十二卷。

《宋史·藝文志》：皇甫謐《黃帝三部鍼灸經》十二卷。即《甲乙經》。又云：“林億《黃帝三部鍼灸經》十二卷。”

宋林億等《甲乙經新校正序》曰：“晉皇甫謐取《黃帝素問》、《鍼經》、《明堂》三部之書，為《鍼灸經》十二卷。”又曰：“《黃帝內經》十八卷，《鍼經》三卷，最出遠古。皇甫士安能譔而集之。”案皇甫氏序言《鍼經》九卷，在《內經》十八卷中。此言《鍼經》三卷，在十八卷之外。其說不同，疑此三卷即《鍼灸治要》，在《外經》三十七卷中。

《四庫提要》曰："《甲乙經》，晉皇甫謐撰。皆論鍼灸之道。《隋書·經籍志》稱《甲乙經》十卷，注云《音》一卷，梁十二卷，不著撰人姓名。考此書首有謐自序，乃謐裒合舊文而成，故《隋志》冠以黃帝。然刪除謐名，似乎黃帝所自作，則于文爲謬。《舊唐志》稱《黃帝三部鍼經》十三卷，始著謐名，然較梁本多一卷，其併《音》一卷計之歟？《新唐志》既有《黃帝甲乙經》十二卷，又有皇甫謐《三部鍼經》十三卷，兼襲二《志》之文，則更舛誤矣。書凡一百一十八篇，內分子目，實一百二十八篇。"

又《簡明目錄》曰："《甲乙經》八卷，晉皇甫謐撰。據其自序蓋合《鍼經》、《素問》、《明堂孔穴鍼灸治要》三書，撮其精要以成是經，言鍼灸之法最悉。或曰王冰所撰。《靈樞經》即割裂此書之文僞爲古書也。"

黃帝八十一難二卷

不著撰人。

《史記》列傳："扁鵲者，勃海郡鄭人也，姓秦氏，名越人。少時爲人舍長。舍客長桑君過，扁鵲獨奇，常謹遇之。長桑君亦知扁鵲非常人也。出入十餘年，乃出其懷中藥，飲以上池之水。悉取其禁方書盡以與扁鵲。忽然不見，殆非人也。扁鵲以其言飲藥，視見垣一方人。《索隱》曰："言能隔牆見人也。"以此視病，盡見五藏癥結，特以診脈爲名耳。爲醫或在齊，或在趙，名聞天下。後入咸陽。秦太醫令李醯自知伎不如扁鵲也，使人刺殺之。至今天下言脈者，由扁鵲也。"《正義》曰："《黃帝八十一難》序云：'秦越人與軒轅時扁鵲相類，仍號之扁鵲。又家于盧國，因命之曰盧醫也。'"

晉皇甫謐《帝王世紀》曰："黃帝有熊氏命雷公、岐伯論經脈，旁通問難八十一，爲《難經》。"

唐王勃《八十一難經序》曰：“岐伯以授黄帝，黄帝歷九師以授伊尹，伊尹以授湯，湯歷六師以授太公，太公以授文王，文王歷九師以授醫和，醫和歷六師以授秦越人，秦越人始定立章句。”案此二條似非事實。王勃序見《漢書藝文志考證》。《宋志》有王勃《醫語纂要》一卷。王伯厚所據或本諸此。

《唐書·經籍志》：《黄帝八十一難經》一卷，秦越人撰。

《唐書· 藝文志》：秦越人《黄帝八十一難經》二卷。

《宋史·藝文志》：扁鵲注《黄帝八十一難經》二卷，秦越人撰。

《崇文總目》：秦越人采《黄帝内經》精要之説，凡八十一章，編次爲十三類，理趣深遠，非易了，故名《難經》。

晁氏《讀書志》：秦越人生于渤海，家于盧，受桑君秘術，洞明醫道。世以其與黄帝時扁鵲相類，乃號之爲扁鵲。采《黄帝内經》精要之説，凡八十一章，名曰《難經》。唐楊玄操編次爲十三類。

陳氏《書録》曰：“《難經》二卷，渤海秦越人撰。《漢志》亦但有《扁鵲内外經》而已，《隋志》始有《難經》，《唐志》遂題云秦越人，皆不可考。”

《四庫提要》曰：“《難經》八十一篇，《漢書· 藝文志》不載。《隋》、《唐志》始載，二卷。其曰《難經》者，謂經文有疑，各設問難以明之。其中有此稱經云而《素問》、《靈樞》無之者，則今本《内經》傳寫敚誤也。基文辨析精微，詞旨簡遠，讀者不能遽曉，故歷代醫家多有註釋。”

梁有《黄帝衆難經》一卷，吕博望注，亡。

《太平御覽·方術部》：《玉匱鍼經序》曰：“吕博少以醫術知名，善診脈論疾，多所著述。吴赤烏二年爲太醫令。撰《玉匱鍼經》及注《八十一難經》，大行于代。”

晁氏《讀書志》曰：“《八十一難經》，秦越人撰，吴吕廣注。”

陳氏《書録》曰："《難經》二卷,渤海秦越人撰,濟陽丁德用補
注,序言太醫令吕廣重編此經。"

案晁、陳二家皆稱吕廣,似本名。廣,隋人,避煬帝諱改爲
"博"。猶《廣雅》改《博雅》之類也。本志稱吕博望,似即
其字。

黃帝鍼經九卷

不著撰人。

《唐書·經籍志》:《黃帝鍼經》十卷。<small>《藝文志》同。</small>

案皇甫謐《甲乙經》序云:"《七略》、《藝文志》:《黃帝内經》
十八卷。今有《鍼經》九卷。"其即此書歟？是爲皇甫氏未
經譔集之前之傳本。

梁有《黃帝鍼灸經》十二卷,亡。

不著撰人。

《唐書·經籍志》:《黃帝鍼灸經》十二卷。<small>《藝文志》。</small>

案此似即皇甫氏《甲乙經》之别本。

梁有徐悦、龍銜素《鍼并孔穴蝦蟆圖》三卷,亡。<small>"鍼"下敚"經"字。</small>

徐悦、龍銜素,始末並未詳。

《太平御覽·天部》:《抱朴子》曰:"《黃帝醫經》有《蝦蟆圖》,
言月生始二日蝦蟆始生,人亦不可針灸其處。"

《唐書·經籍志》:《龍銜素針經并孔穴蝦蟆圖》三卷。<small>《藝文
志》同。</small>

《通志·藝文略》明堂鍼灸類:《徐悦龍銜素鍼并孔穴蝦蟆圖》
三卷。

案徐悦疑即徐道度,徐叔嚮之族。東莞徐氏以醫術傳家,
盛行于南北朝。悦與叔嚮同撰方書,並詳于後。

梁有《雜鍼經》四卷,亡。

不著撰人。

梁有程天祚《鍼經》六卷 。《灸經》五卷，亡。

《宋書·魯爽傳》：先是，程天祚爲虜所没，虜主拓跋燾引置左右。天祚，廣平人，爲殿中將軍，有武力。元嘉二十七年，助戍彭城，天祚戰敗，爲虜所獲。天祚妙善針術，燾深加愛賞，封爲南安公。燾北還蕃，天祚因其沈醉，僞若受使，因得逃歸。後爲山陽太守。後應晉安王子勛同舉兵反，見明帝泰始二年。《本紀》：是年八月，平定江、郢、荆、雍、湘五州，子勛等並賜死伏誅。

梁有《曹氏灸方》七卷，亡。

曹氏不詳何人。

梁有秦承祖《偃側雜鍼灸經》三卷，亡。

秦承祖有《藥方》，別見于後。

《唐書·經籍志》：《明堂圖》三卷，秦承祖撰。

《唐書·藝文志》：秦承祖《明堂圖》三卷。

徐叔嚮鍼灸要鈔一卷

《南史·張融傳》：融與東海徐文伯兄弟厚。文伯字德秀，濮陽太守熙曾孫也。熙好黄、老，隱于秦望山，有道士過家飲，留一瓠瓠與之，曰：“君子孫宜以道術救世，當得二千石。”熙開之，乃《扁鵲鏡經》一卷，因精心學之，遂名震海内。生子秋夫，彌工其術，仕至射陽令。秋夫生道度、叔嚮，皆能精其業。道度生文伯。

《唐書·藝文志》：《徐叔嚮鍼灸要鈔》一卷。

案叔嚮爲熙之孫秋夫之次子，史不言其字。下文本草類中引《七録》稱其官爲宋大將軍參軍，蓋宋文帝時人也。

又按《太平御覽·方術部》引張太素《齊書》曰“徐子才，字士茂，高平金鄉人。五葉祖仲融隱于秦望山”云云。文與《南史·張融附傳》同，則熙字仲融。徐氏自熙以迄齊、周之時，世以醫術顯。之才有八代家傳效驗方，蓋傳業已八

世矣。熙當在晉時,本東海東莞人,後居丹陽,居錢塘。在
北朝者,居高平金鄉。北朝有徐謇字成伯,文伯之弟,魏孝
文時中散大夫。文伯子雄,雄子之才,並以醫術著聞于南
北,可謂盛矣。

玉匱鍼經一卷

不著撰人。

《太平御覽·方術部》:《玉匱鍼經序》曰:"呂博少以醫術知
名,多所著述。吳赤烏二年,爲太醫令,撰《玉匱鍼經》。"

《唐書·經籍志》:《玉匱針經》十二卷。不著撰人。《藝文志》同。

《崇文總目》:《金縢玉匱針經》三卷,呂博撰。

《宋史·藝文志》:呂博《金縢玉匱鍼經》三卷。

　　按《唐志》十二卷者,或後人注本,或分析別本,或《舊志》誤
　　衍"十"字,皆不可知。要之爲呂廣之書,不得以卷數泥也。
　　呂廣有《難經注》,見前。《宋志》又有呂廣《金韜玉鑑經》二
　　卷,似別本。

赤烏神鍼經一卷

不著撰人。

《唐六典》:"太醫署鍼博士一人,掌教鍼生以經脈孔穴。"注:
"鍼生習《素問》、《黃帝鍼經》、《明堂》、《脈訣》,兼習《流注》、
《偃側》等圖、《赤烏神鍼》等經。"

《唐書·經籍志》:《赤烏神針經》一卷,張子存撰。

《唐書·藝文志》:張子存《赤烏神針經》一卷。

　　案此似即本呂廣《玉匱針經》而論述之,故冠以赤烏年號。
　　《御覽·資産部》引《敦煌實錄》曰:"張存善針。有奴,好逃
　　亡,存宿行針縮奴腳,欲使則針解之。"似即此張子存,河
　　西人。

岐伯經十卷

《漢書·人表》第二等岐伯，梁玉繩考曰：“岐伯始見《黃帝內經素問》《靈樞》、《史·封禪書》。《司馬相如傳》亦曰：‘天師黃帝太醫。’《路史·國名紀》六以岐爲國名，則伯其爵也。”

皇甫謐《帝王世紀》曰：“岐伯，黃帝臣也。帝使岐伯嘗味草木，典主醫病，經方、《本草》、《素問》之書咸出焉。”

案《漢志》醫經家，唯有黃帝、扁鵲、白氏三家內、外經各若干篇及旁篇，凡七部。白氏不知何人。《集韻》言“白”與“伯”同，疑即伯氏。伯氏或即岐伯，此《岐伯經》豈《漢志》《白氏內外篇》之留遺者歟？又疑即王叔和《脈經》之異名。《脈經》本纂岐伯諸家之説者也。

脈經十卷　王叔和撰

《太平御覽·方術部》：高湛《養生論》：王叔和性沈靜，好著述，考覈遺文，采摭群論，撰成《脈經》十卷。編次張仲景方論，爲三十六卷，大行于世。

《唐書·藝文志》：《脈經》十卷。不著撰人。

《宋史·藝文志》：王叔和《脈經》十卷。

晁氏《讀書志》：《脈經》十卷，晉王叔和撰。按唐甘伯宗《名醫傳》曰：“叔和，西晉高平人，性度沈靖，博通經方，精意診處，尤好著述。”其書纂岐伯、華佗等論脈要訣所成，敍陰陽表裏，辨三部九候，分人迎、氣口、神門，條十二經，二十四氣、奇經八脈、五臟六腑、三焦四時之疴，纖悉備具，咸可案用。凡九十七篇。皇朝林億等校正。

阮氏《四庫未收書目》曰：“《脈經》十卷，西晉王叔和撰，宋林億等校定。叔和，高平人，官太醫令。是編從宋嘉定何大任刻本影鈔，林億序云：‘臣等博求衆本，據經爲斷，去取非私。’又云：‘今考以《素問》、《靈樞》、《太素》、《難經》、《甲乙》、仲景之書，并《千金方》及《翼》説脈之篇以校，除去重複，補其脱漏云云，用力可謂勤摯。世傳叔和《脈訣》一卷，乃後人依託爲之，爲此絶不相同也。”

金山錢熙祚《守山閣叢書》本有跋曰：“西晉王叔和取《素》、《難》以下諸家論脈之文，分類編次爲《脈經》十卷。宋林億稱其‘若網在綱，有條不紊，使人占外以知内，視死而別生’，可謂推崇之至矣。而西昌喻氏則謂于彙脈之中，間一彙證，不該不貫，抑知形有盛衰，邪有微甚，一證恒兼數脈，一脈恒兼數證。故論證不論脈，不備；論脈不論證，不明。王氏彙而編之，深得古人微旨。又西晉時去古未遠，所據醫書皆與今本不同。今去叔和又千餘載，古書日漸散佚，賴是以略存梗概，洵爲醫林中不可多得之書。明有吴勉學校本刊入《醫統》，多脱誤，不可讀。惟袁景從校本稍爲完善，然或以意删改，彌失本真。此書不著録于《四庫》，恐其久而遂亡，故彙集諸書，重爲校正付梓，以廣其傳。”

脈經二卷

不著撰人。

《唐書·經籍志》：《脈經》二卷。

《唐書·藝文志》：《脈經》十卷，又二卷。

按晁氏《讀書志》《脈經》二卷，題云黄帝論診脈之要，凡二十一篇，疑即此書。

梁有《脈經》十四卷，又《脈生死要訣》二卷，亡。

並不著撰人。

梁又有《脈經》六卷，黄公興撰，亡。

黄公興，始末未詳。

案《崇文總目》有《黄氏脈訣》一卷，疑即此書。

梁又有《脈經》六卷，秦承祖撰，亡。

秦承祖有《藥方》，別見于後。又有《偃側雜鍼灸經》，見前。

梁又有《脈經》十卷，康普思撰，亡。

康普思，始末未詳。

黃帝流注脈經一卷。梁有《明堂流注》六卷，亡。

不著撰人。

《唐書·藝文志》：《黃帝流注脈經》一卷。

按此《流注脈經》一卷，即梁時《明堂流注》六卷之僅存者。

明堂孔穴五卷。梁《明堂孔穴》二卷，《新撰鍼灸穴》一卷，亡。

並不著撰人。

《唐書·藝文志》：《明堂孔穴》五卷。

明堂孔穴圖三卷

明堂孔穴圖三卷。梁有《偃側圖》八卷，又《偃側圖》二卷。

並不著撰人。

《抱朴子·雜應篇》曰："世人多令人以針治病，其灸法又不明處所分寸，而但説身中孔穴榮輸之名。自非舊醫備覽《明堂》、《流注》、《偃側圖》者，安能曉之哉？"

案《四庫簡明目録》《明堂灸經》條曰："其曰明堂者，《素問》稱雷公問黃帝以人身經絡，黃帝坐明堂以授之，故《舊唐書·經籍志》以《鍼灸》諸書別爲明堂經脈一類。又錢遵王《讀書敏求記》曰：'昔黃帝問岐伯以人之經絡，盡書其言，藏于靈蘭之室。洎雷公請問，乃坐明堂授之。後世言明堂者以此。'今醫家記鍼灸之穴，爲偶人點志其處名明堂，非也。案二家之説，則所謂明堂者，即天子明堂，猶明堂班宣月令遂稱明堂月令，託以爲重耳。"

以上十四部，附梁有十八部，蓋依仿《漢志》醫經一門，以類次之者。兩《唐志》目之曰明堂經脈，《通志·藝文略》分二門曰《脈經》，曰《明堂鍼灸》。是爲第一類。

神農本草八卷。梁有《神農本草》五卷，《神農本草屬物》二卷，《神農明堂圖》一卷，亡。

皇甫謐《帝王世紀》曰："炎帝神農氏，長于江水，始教天下耕種五穀而食之，以省殺生。嘗味草木，宣樂療疾，救夭傷人命。百姓日用而不知，著《本草》四卷。"案"江水"，蓋"姜水"之傳誤。

宋寇宗奭《本草衍義序》曰："《帝王世紀》云：'黃帝使岐伯嘗味草木，定《本草經》，造醫方，以療衆疾。'乃知本草之名，自黃帝始。"

韓保昇《蜀本草》曰："藥有玉石、草木、蟲獸，而云本草者，謂諸藥中草類最多也。"

王應麟《漢志考證》曰："《藝文志》《本草》不著録。《淮南子》云：'神農嘗百草之滋味，一日而七十毒。'張仲景《金匱》云：'神農能嘗百藥。'案《平帝紀》：'元始五年，舉天下通知方術本草者。'《郊祀志》：'成帝初，有本草待詔。'又《樓護傳》：'少誦醫經本草方術數十萬言。'本草之名，見于此。梁《七録》：《神農本草》三卷。陶弘景云，疑仲景、元化等所記。舊經三卷，藥止三百六十五種。弘景以《名醫別録》亦三百六十五種，合七百三十種，因而注釋，分爲七卷。唐于志寧曰：'世謂神農氏嘗藥以拯含氣，而黃帝以前文字不傳，以識相付至桐雷，乃載篇册。然所載郡縣多是漢時，疑張仲景、華佗所記云。'"

嚴氏《全上古文編》曰："炎帝生于姜水，因姓姜，以火德王，稱炎帝。一云有焱氏。始作耒耜，號神農氏。一云農皇。以起烈山，亦號烈山氏。一云厲山氏，一云連山氏，一云朱襄氏。初都陳，後居曲阜，在位一百二十年，傳八世五百三十年。一云傳十七世，一云七十世。謹案《漢·藝文志》農家有《神農》

二十篇，兵陰陽家有《神農兵法》一篇，五行家有《神農大幽五行》二十七卷，雜占家有《神農教田相土耕種》十四卷，經方家有《神農黃帝食禁》七卷，神仙家有《神農雜子技道》二十三家。獨《本草》不見，見《平帝紀》及《樓護傳》。《周禮・醫師》疏引《食禁》作《食藥》，蓋《食禁》、《食藥》即《本草》矣。”

《孫氏祠堂書目》：《神農本草經》三卷，名醫藥性。吳普《本草》，附星衍集刊本。

案《神農本草》止三卷，此八卷者，似後人合諸家本草爲帙也。注云梁有《神農本草》五卷者，《玉海》引《七錄》作三卷。此“五”爲“三”字之譌。《本草屬物》二卷者，“屬物”疑“食物”之譌。《漢志》醫方家末有《神農黃帝食禁》七卷，或即其遺。《神農明堂圖》，蓋即《本草圖》。張氏《名畫記》敍古來秘畫珍圖，有《神農本草例圖》一卷。例圖即圖例，所以明本草之用也，疑即此《明堂圖》也。

梁有《蔡邕本草》七卷，亡。

蔡邕有《月令章句》，見經部禮類。

案范書本傳不言有是書。明李時珍《本草綱目》卷首備載歷代諸家《本草》，亦無蔡氏。本志後半篇據見存書目有《本草經》四卷，蔡英撰。蓋即是書之佚存本。是“蔡邕”爲“蔡英”之訛，然蔡英亦不知何許人。考《本草》，自陶弘景始廣爲七卷，此卷數與之相同，或當在陶氏之後矣。

梁有《華佗弟子吳普本草》六卷，亡。

《魏志・華佗傳》：廣陵吳普、彭城樊阿皆從佗學。普依準佗治，多所全濟。佗語普曰：“人體欲得勞動，但不當使極耳。動搖則穀氣得消，血脈流通，病不得生，譬猶戶樞不朽是也。是以古之仙者爲導引之事，熊頸鴟顧，引輓腰體，動諸關節，以求難老。吾有一術，名五禽之戲，一曰虎，二曰鹿，三曰熊，四曰猨,五曰鳥,亦以除疾,並利蹄足,以當導引。體中不快,起作一禽之戲,沾濡汗出,因上著粉,身體輕便,腹中欲食。"普施行之,年九十餘,耳目聰明,齒牙完堅。

《後漢書·方術傳》注:《佗別傳》曰:"吳普從佗學,微得其方。魏明帝呼之,使爲禽戲,普以年老,手足不能相及,粗以其法語諸醫。普今年將九十,耳不聾,目不冥,牙齒完堅,飲食無損。"

《唐書·經籍志》:《吳氏本草因》六卷,吳普撰。《藝文志》同。

明李時珍《本草綱目·序例》:韓保昇曰:"吳氏《本草》,魏吳普撰,廣陵人,華佗弟子,凡一卷。"時珍曰:"其書分記神農、黃帝、岐伯、桐君、雷公、扁鵲、華佗、李氏所說,性味甚詳,今亦失傳。"

案《御覽·百穀部》、《菜部》、《藥部》引吳氏《本草》數十條,其中有引醫和者,在李時珍所舉諸家之外。孫氏星衍已輯入《神農本草》三卷之後。兩《唐志》作《本草因》,豈其本名歟?

梁有《陶隱居本草》十卷,亡。

陶隱居名弘景,有《毛詩序注》,見經部詩類。

案下文第九條注云:梁有陶弘景《本草集注》七卷,亡。案弘景與阮孝緒皆卒于梁武帝大同二年,在普通四年,《七錄》成書,後十三歲,《七錄》曾否載及弘景之書,不可詳考。而此一段所注梁有亡書,陶氏《本草》乃前後兩見,不相比附。豈《七錄》所載果如是乎?然則本志所注"梁有",不盡是《七錄》。觀于此,尤可信也。十卷或附合隱居他書,或"十"爲"七"之寫誤。

梁有《隨費本草》九卷,亡。

隨費,始末未詳。

案此似隨氏、費氏兩家之書,合爲九卷也。

梁有《秦承祖本草》六卷,亡。

秦承祖有《偃側雜鍼灸經》、《脈經》,並見前。

梁有《王季璞本草經》三卷,亡。

王季璞,始末未詳。

案下文方書類中注云:梁有王季琰《藥方》一卷。季琰亦不
詳何人。此季璞或其昆季行,或璞爲琰之誤。

梁有《李譡之本草經》、《談道術本草經鈔》各一卷,亡。

《唐書·經籍志》:《李氏本草》三卷。不著名,《藝文志》同。

明李時珍《本草綱目·序例》:韓保昇《蜀本草》曰:"李當之,
華佗弟子,修《神農本草》三卷,而世少行。"時珍曰:"其書散
見吳氏、陶氏《本草》中,頗有發明。"

案此即李當之《藥錄》六卷之鈔節本也。前一卷不知何人
所鈔,後一卷則談道術所鈔也。談道術,始末未詳。術亦
作述,據下文方書類中載徐叔嚮、談道述、徐悦《體療雜病
疾源》三卷,則與徐叔嚮、徐悦同時,宋時人也。《藥錄》別
見于後。

梁有《宋大將軍參軍徐叔嚮本草病源合藥要鈔》五卷,亡。

徐叔嚮有《鍼灸要鈔》,見前。

案兩《唐志》有《本草病源合藥節度》五卷,不著撰人,似即
此書。

梁有《徐叔嚮等四家體療雜病本草要鈔》十卷,亡。 一本"家"誤
爲"冢"。

《唐六典》:"太醫署,醫博士一人,掌以醫術教授諸生習《本
草》、《甲乙脈經》,分而爲業:一曰體療。"注:"諸醫生既議諸
經,乃分業教習,率二十人以十一人學體療。"又曰:"學體療
者七年成。"

案下文方書類中注云：梁有徐叔嚮、談道述、徐悦《體療雜病疾源》三卷。似即從此書摘出者。四家者，或即徐道度、徐叔嚮、談道述、徐悦四人歟？

梁有《王末鈔小兒用藥本草》二卷。

王末，始末未詳。

案下文方書類中注云：梁有王末《療小兒雜方》十七卷。似即從十七卷中析出者。又王末疑即宋之王微，詳見于後。

梁有《甘濬之癰疽耳眼本草要鈔》九卷，亡。

甘濬之，始末未詳。

《唐六典》："醫博士教授諸生分而爲業：其二曰瘡腫，其四曰耳目口齒。"注云："諸醫生分業教習率二十人以三人學瘡腫，二人學耳目口齒。"又曰："學瘡腫者五年成，耳目口齒之疾二年成。"

《唐書·經籍志》："《療癰疽耳眼本草要妙》五卷。"不著撰人。《藝文志》同。

案下文方書類中注"梁有甘濬之療癰疽金創耳眼諸方，凡五部"，則甘氏長于外科傷科者也。

梁有《陶弘景本草經集注》七卷，亡。

陶弘景已有《本草》十卷，見前第九類。

弘景自序略曰："隱居先生在于茅山巖嶺之上，以吐納餘暇，頗游意方伎，覽本草藥性，以爲盡聖人之心。故撰而論之。舊説皆稱《神農本經》，余以爲信然。但軒轅以前文字未傳，當以識識相因，至于桐雷，乃著在編簡。此書應與《素問》同類，但後多更修飾之爾。今之所存有此四卷，是其本經。所出郡縣，乃後漢時制，疑仲景、元化等所記。魏晉以來吳普、李諨之等更復損益，或五百九十五，或四百四十一，或三百一十九，或三品混糅，冷熱舛錯，草石不分，蟲獸無辨。且所主

治互有得失，醫家不能備見。則知識有淺深，輒苞綜諸經，研
括煩省。以《神農本經》三品，合三百六十五種爲主，又進名
醫副品，亦三百六十五，合七百三十種，精粗皆取，無復遺落。
分別例條，區畛物類，兼注名時用土地所出，及仙經道術所
須，并此序錄，合爲七卷。雖未足追蹤前良，蓋亦一家撰製。
吾去世之後，可貽諸如音耳。"

《南史・隱逸傳》：弘景性好著述，尤明陰陽五行、風角星算、
山川地理、方圓産物、_{案當是"方國物産"。}醫術本草。所著有《本
草集注》。

《唐日本國見在書目》：《神農本草》七卷，陶隱居撰。

《唐書・經籍志》：《本草集經》七卷，陶弘景撰。<sub>"集經"似"集注"
之誤。</sub>

《唐書・藝文志》：陶弘景集注《神農本草》七卷。

明李時珍《本草綱目・序例》曰："《神農本草》藥分三品，計三
百六十五種，以應周天之數。梁陶弘景復增漢魏以下名醫所
用藥三百六十六種，謂之《名醫別錄》，凡七卷。首敍藥性之
源，論病名之診，次分玉石一品，草一品，木一品，菓菜一品，
米食一品，有名未用三品，以朱書《神農》，墨書《別錄》，進上
梁武帝。其書頗有裨補，亦多謬誤。"

**梁有《趙贊本草經》一卷，《本草經輕行》、《本草經利用》各一
卷，亡。**

趙贊，始末未詳。

神農本草四卷　雷公集注

晁氏《讀書志》曰："《雷公炮炙》三卷，宋雷斅撰，胡洽重定。
述百藥性味，炮熬煿炙之方，其論多本之于乾寧晏先生。斅
稱'内究守國安正公'，當是官名，未詳。"<sub>案此等官名蓋與《真靈位業
圖》相類，又似其自號。</sub>

明李時珍《本草綱目·序例》曰："《雷公炮炙論》，劉宋時雷斆所著，非黃帝時雷公也。自稱内究守國安正公，或是官名也。胡洽居士重加定述，藥凡三百種，爲上、中、下三卷，其性味、炮炙、熬煑、修事之法，多古奧，文亦古質，別是一家。多本于乾寧晏先生。其首序論述物理，亦甚幽玄，録載于後。乾寧先生名晏封，著《制伏草石論》六卷，蓋丹石家書也。"晏封，《唐·藝文志》作晏卦，列之唐代，似誤。《宋志》有郭晏封《草食論》六卷，則其人姓郭。

案本志及兩《唐志》皆無《雷公炮炙》之書，以是證知此四卷即是其書，如謂黃帝時雷公，則上古之時不聞有注《本草》者，安得有集注之名乎？古雷公別有《藥對》四卷，見後。

甄氏本草三卷

《舊唐書·方技傳》：甄權，許州扶溝人也。嘗以母病，與弟立言專醫方，得其旨趣。隋開皇初爲秘書省正字，後稱疾免。貞觀十七年，權年一百三歲，太宗幸其家，視其飲食，訪以藥性，因授朝散大夫，賜几杖衣服。其年卒。撰《脈經》、《鍼方》、《明堂人形圖》各一卷。

《唐書·經籍志》：《本草藥性》三卷，甄立言撰。案此作立言者，因《本草音義》而傳譌也。

《唐書·藝文志》：甄立言一作"權"。《本草音義》七卷。又《本草藥性》三卷。案此兩書唐時傳譌，或以爲立言，或以爲權，實則《音義》爲立言書，見下半篇。《藥性》三卷則權書，李時珍言之詳矣。

明李時珍《本草綱目·序例》曰："《藥性本草》即《藥性論》，乃唐甄權所著也。權，扶溝人，唐太宗時年百二十歲。帝幸其第，訪以藥性，因上此書，授朝散大夫。其書論主治亦詳。又著《脈經》、《明堂人形圖》各一卷，詳見《唐史》。

桐君藥録三卷

陶隱居《本草集注序》曰："舊説皆稱《神農本經》，但軒轅以前文字未傳。當以識識相因,至于桐雷,乃著在于編簡。又云有《桐君采藥録》,説其花葉形色。"

《唐書·經籍志》:《桐君藥録》三卷,桐君撰。

《唐書·藝文志》:《桐君藥録》三卷。《日本書目》:二卷。

明李時珍《本草綱目·序例》曰:"桐君,黄帝時臣也。書凡二卷,紀其花葉形色,今已不傳。"

　　案《御覽》八百六十七引《桐君録》曰:"酉陽、武昌、晉陵皆出好茗。"又曰:"茶花狀似梔子,其色稍白。"似皆出後人所羼,非本文也。

梁有《雲麾將軍徐滔新集藥録》四卷,亡。

徐滔,始末未詳。

　　案此殆即東海徐氏之族。

梁有《李譜之藥録》六卷,亡。

李譜之有《本草經》一卷,見前。

　　案前一卷爲鈔節本,此其原書也。同爲一書皆曰梁有,而前後隔越不相類從者,則以前書稱《本草》,此稱《藥録》故也。實于敍次之例無當也。

梁有《藥法》四十二卷,《藥律》三卷,亡。

不著撰人。

梁有《藥性》、《藥對》各二卷,亡。

不著撰人。

陶隱居《本草集注序》曰:"又云桐君有《采藥録》,説其花葉形色。《藥對》四卷,論其佐使相須。"案此云四卷,即《藥性》、《藥對》各二卷,《藥對》蓋其總名也。

又《藥總訣序》曰:"其後雷公、桐君更增衍《本草》二家《藥對》,廣其主治,繁其類族,既世改情移,生病日深,或未有此病而遂設彼藥,或一藥以治衆疾,或百藥共愈一病,欲以排邪還正,爲之原防故也。"案陶氏在梁代所見《藥對》猶在徐之才録本之前。

《唐書·經籍志》:《雷公藥對》二卷。

《唐書·藝文志》:徐之才《雷公藥對》二卷。

明李時珍《本草綱目·序例》:掌禹錫曰:"《雷公藥對》,北齊時徐之才撰。以衆藥名品、君臣、性毒、相反及所主疾病,分類記之,凡二卷。"時珍曰:"陶氏前已有此書,吳氏《本草》所引《雷公》是也。蓋黄帝時雷公所著,之才增飾之爾。"案此稱梁有,蓋猶在徐之才之前,非即之才之本。

梁有《藥目》三卷,亡。

不著撰人。

梁有《神農采藥經》二卷,《藥忌》一卷,亡。

不著撰人。

案《抱朴子·仙藥篇》:"《神農四經》曰:'上藥令人身安命延,中藥養性,下藥除病。'"其稱《神農四經》者,陶隱居《藥總訣序》云:"神農之時,未有文字。至于黄帝,書記乃興。"于是《神農本草》別爲四經,蓋相傳有四家之經。此殆四家之一,別其名曰《采藥經》。上品、中品爲二卷,下品多毒藥,故云《藥忌》一卷,其實仍是《本草經》三卷也。

又案四家之經,疑即前所注梁有《神農本草》五卷,當是"三卷"之誤。《神農本草屬物》二卷,疑是"食物"。《神農明堂圖》一卷,當是"本草圖"。并此《采藥經》,爲四家也。又《采藥經》疑出神仙家。《抱朴子·仙藥篇》引《神農四經》,文皆神仙家言。《漢志》神仙家有《神農雜子技道》二十三卷,《采藥經》疑即出于此。

太清草木集要二卷　陶隱居撰

陶隱居有《本草集注》兩部,並見前。

陶翊《隱居先生本起録》曰:"尤好五行陰陽、風角氛候、太一遁甲、星曆算數、山川地理、方國所産及醫方香藥分劑、蟲鳥草木,考核名類,莫不該悉。"又曰:"《服草木雜藥法》一卷。"

《唐書・經籍志》:《太清諸草木方集要》三卷,《太清玉石丹藥要集》三卷,陶弘景撰。案此合兩書總題撰人,亦見後半篇第三類。

《唐書・藝文志》:陶弘景《太清玉石丹藥要集》三卷,《太清諸草木方集要》三卷。

案太清者,丹經之號也。始自張道陵、左慈、葛玄等,詳見《雜傳篇》張君、葛君《内傳》。此與前《神農采藥經》皆神仙家服食本草也。

又案《本草綱目・序録》引掌禹錫曰:"《藥總訣》,梁陶隱居撰,凡二卷,論藥品五味寒熱之性,主療疾病及采蓄時月之法。一本題曰《藥象口訣》,不著撰名。"案《七録》、本志皆無《藥總訣》之目,而隱居集中有《藥總訣序》,其文殘泐不完,無由考見。或即是書之異名,未可知也。《崇文總目》有《藥總訣》一卷,不著撰人。

右本草之屬,爲經方類中第一段。

張仲景方十五卷。仲景,後漢人。

張仲景有《辨傷寒》十卷,別詳于後。

《太平御覽・方術部》:高湛《養生論》曰:"王叔和撰成《脈經》十卷,編次張仲景方論,爲三十六卷,大行于世。"又引張仲景《方》序言衞汎事。

《唐日本國見在書目》:《張仲景方》九卷。

《唐書・經籍志》:《張仲景藥方》十五卷,王叔和撰。

《唐書・藝文志》:王叔和《張仲景藥方》十五卷。

王氏《漢志考證》:《藝文志》經方家:《湯液經法》三十二卷。《内經・素問》有《湯液醪醴論》。《事物紀原》:"《湯液經》出于商伊尹。"皇甫謐曰:"仲景論伊尹《湯液》爲十數卷。"案此則仲景是書，其源蓋出于《漢志》之《湯液經法》也。

梁有《黄素藥方》二十五卷，亡。

不著撰人。

《唐書·經籍志》：《黄素方》十五卷。不著名氏。似敚"二"字。

《唐書·藝文志》："謝泰《黄素方》二十五卷。

案《抱朴子·雜應篇》云："余見崔中書《黄素方》。"則此崔中書所撰也。其人在葛稚川之前，不詳其名字。而《新唐志》以爲謝泰，殆謝泰因《崔中書方》而重訂之，如尹穆重訂《范東陽方》之類歟？黄素不知何謂，或是黄帝、素女。

華佗方十卷　吳普撰。佗，後漢人，梁有《華佗内事》五卷，亡。

《後漢書·方術傳》：華佗字元化，沛國譙人也，一名旉。游學徐土，兼通數經。曉養性之術，年且百歲而猶有壯容，時人以爲仙。沛相陳珪舉孝廉，太尉黄琬辟，皆不就。精于方藥，處齊不過數種，心識分銖，不假稱量。針灸不過數處，裁七八九。若疾發結于内，針藥所不能及者，乃令先以酒服麻沸散，既醉無所覺，因刳破腹背，抽割積聚。若在腸胃，則斷截湔洗，除去疾穢，既而縫合，傅以神膏，四五日創愈，一月之間皆平復。曹操聞而召佗，常在左右。操積苦頭風眩，佗針，隨手而差。爲人性惡難得意，且恥以醫見業，又去家思歸，乃就操求還取方，因託妻疾，數期不反。操累書呼之，又勑郡縣發遣，佗恃能厭事，猶不肯至。操大怒，使人廉之，知妻詐疾，乃收付獄訊，考驗首服。荀彧請曰："佗方術實工，人命所懸，宜加全宥。"操不從，竟殺之。佗臨死，出一卷書與獄吏，曰："此可以活人。"吏畏法不敢受，佗亦不強，索火燒之。

《魏志》本傳：佗死後，太祖頭風未除。太祖曰："佗能愈此。小人養吾病，欲以自重，然吾不殺此子，亦終當不爲我斷此根原耳。"及後愛子倉舒病困，太祖歎曰："吾悔殺華佗，令此兒彊死也。"案《魏志·武文世王公傳》:"鄧哀王沖字倉舒,年十三,建安十三年病亡。"則佗之被殺,在是年之前矣。

《唐書·經籍志》:《華氏藥方》十卷,華佗方,吳普集。

《唐書·藝文志》:吳普集《華氏藥方》十卷。注云華佗。

《宋史·藝文志》:《華佗藥方》一卷。又曰:"《黃氏中藏經》一卷,靈寶洞主探微真人撰。""黃氏","華氏"之譌。

陳氏《書錄解題》:《中藏經》一卷,漢譙郡華佗元化撰。其序稱應靈洞主少室山鄧處中,自言爲華先生外孫,莫可考也。

《孫氏祠堂書目》:《華氏中藏經》三卷,漢華佗撰。一元趙孟頫寫本,缺中卷。一明江澄中刊本,一明《古今醫統》本,一星衍依趙孟頫兩寫本校足刊本。

張氏《書目答問》:《華氏中藏經》一卷,《平津館》本。案當爲三卷。

案華氏之書今惟傳《中藏經》《醫統》本八卷,《平津館》本三卷,上虞徐氏近刻本八卷,附《華氏内照法》一卷,凡五篇。似即《内事》五卷之遺,皆論五藏六府者也。

梁又有《耿奉方》六卷,亡。

耿奉,始末未詳。

案《後漢書·耿弇傳》:"弇,扶風茂陵人。耿氏自中興已後迄建安之末,大將軍二人,將軍九人,卿十三人,尚公主三人,列侯十九人,中郎將、護羌校尉及刺史、二千石數十百人,遂與漢興衰云。"此耿奉殆即其族,漢、魏時人歟?又疑是董奉,見《吳志·士燮傳》注引《神仙傳》云:"奉字君異,侯官人。"亦見明區大任《百越先賢傳》。

集略雜方十卷

不著撰人。

雜藥方一卷。梁有《雜藥方》四十六卷。

不著撰人。

案此一卷即四十六卷之殘帙,故不注云亡。

雜藥方十卷

不著撰人。

《唐書·經籍志》:《雜藥方》十卷,陳山提撰。

《唐書·藝文志》:陳山提《雜藥方》十卷。

案陳山提,始末未詳。《唐志》列之宋、齊人之間,知即是書。

右漢、魏以來諸家方書,爲經方類中第二段。

寒食散論二卷。梁有《寒食散湯方》二十卷,《寒食散方》一十卷,亡。

並不著撰人。

《世説·言語篇》:何平叔云:"服五石散,非唯治病,亦覺神明開朗。"注引秦丞相《寒食散論》曰:"寒食散之方,雖出漢代,而用之者寡,靡有傳焉。魏尚書何晏首獲神效,由是大行于世。服者相尋也。"案注稱秦丞相者,當是秦承祖之誤。此《論》二卷,或即其書。

《太平御覽·方術部》:《晉書》曰:"靳邵,性明敏,有才術,本草經方,誦覽通究,裁方治療,意出衆表。創制五石散方,晉朝士大夫無不服餌,皆獲奇效。"

案《御覽》又引《何顒別傳》曰:"王仲宣年十七,嘗遇張仲景,仲景曰:'君有病,宜服五石湯。'"是五石散及湯出于仲景,故秦承祖以爲出漢代。《御覽》引《晉書》謂靳邵創制,殆未然,邵或又節度之耳。

梁有《皇甫謐、曹歙論寒食散方》二卷,亡。"歙"當爲"翕"。

皇甫謐有《甲乙經》,見前。

《晉書·皇甫謐傳》:武帝頻下詔敦逼不已,謐上疏自稱草莽臣,言:"久嬰篤疾,軀半不仁,右脚偏小,十有九載,又服寒食藥,違錯節度,辛苦荼毒,于今七年。隆冬裸袒食冰,當暑煩悶咳逆，浮氣流種，四肢酸重。”謐言辭切至，遂見聽許。謐初服寒食散，而性與之忤，每委頓不倫，嘗悲恚，叩刃欲自殺，叔母諫之而止。

《魏志·武文世王公傳》：“武帝二十五男，東平靈王徽正始三薨。子翕嗣。”臣松之案：“翕入晉，封廩丘公。魏宗室之中，名次甄城公。案甄城公志，陳思王植之子也。泰始二年，翕遣世子琨奉表來朝。詔曰：‘翕秉德履道，魏宗之良。今琨遠至，其依世子印綬，加騎都尉，賜服一具，錢十萬，隨才敍用。’翕撰《解寒食散方》，與皇甫謐所撰並行于世。”

黟縣俞正燮《癸巳存稾》曰：“《通鑑》注言，寒食散始于何晏。又云煉鍾乳、硃砂等藥爲之，言可避火食，故云寒食。言服者，食宜涼，衣宜薄，惟酒微溫飲，非不火食。其方漢張機制，在《金匱要略》中，發解制度，備見隋巢元方《諸病源候》卷六所載皇甫謐語。皇甫謐深受其毒，故知之最詳。”

寒食散對療一卷　釋道洪撰

道洪，始末未詳。

解寒食散方二卷　釋智斌撰。梁《解散論》二卷。

智斌，始末未詳。

案此《解寒食散方》即梁目之《解散論》也。此注其異名，故不云亡。類此者，時或有焉。

解寒食散論二卷

不著撰人。

梁有《徐叔嚮解寒食散方》六卷，亡。

徐叔嚮有《鍼灸要鈔》、《本草病源合藥要鈔》、《四家體療雜病本草要鈔》三書，並見前。

梁有《釋慧義寒食解雜論》七卷，亡。

梁釋慧皎《高僧傳》：釋慧義姓梁，北地人。少出家，風格秀舉,志業強正。初游學于彭宋之間,備通經義。後出京師。宋武加接尤重。永初元年,住車騎范泰所,立祇洹寺。後與慧叡同住烏衣寺。元嘉二十一年,終于寺,春秋七十三。

案《高僧傳》不言有是書,不知是否即此慧義。然慧皎《傳》例于諸僧所撰外學之書,多從其略,或爲其略而不載焉。今姑識于此,自後又有人爲之解釋者。詳下四條。則其書頗盛行。

雜散方八卷

不著撰人。

梁有《解散方》、《解散論》各十三卷,亡。

並不著撰人。

梁有《徐叔嚮解散消息節度》八卷,亡。

徐叔嚮有《解寒食散方》六卷,見前。

《唐書·經籍志》:《寒食散方并消息節度》二卷,《解寒食散方》十三卷,徐叔和撰。案《舊志》"叔嚮"皆誤作"叔和"。

《唐書·藝文志》:徐叔嚮《解寒食方》十五卷。

案《舊唐志》以此八卷合前六卷爲二部,合十五卷,《新志》并而爲一,亦十五卷,視本志兩部卷數多出一卷。此梁本與《唐志》不同者。然前六卷無《消息節度》二卷,此八卷即爲全書,而前爲別本之不全者。同爲一家之書,而前後岐出不相屬,恐《七録》不若是之冗複,是必從他家書目采入,與前陶隱居《本草》同也。

梁有《范氏解散方》七卷,亡。

常熟丁國鈞《晉書藝文志》曰:"《七録》醫方類有范汪《東陽方》一百七十六卷,《隋志》東陽外無別有姓范者,此《解散方》七卷亦爲汪書可以意决,當爲百七十餘卷中傳録別行之本。"

梁有《解釋慧義解散方》一卷，亡。

不著撰人。

案《慧義解散雜論》七卷，見前，此不知何人解釋其書。

右寒食散方，爲經方類之第三段。黟縣俞正燮《癸巳存稿》曰："《隋書·經籍志》載寒食散方論甚多。"又曰："寒食散，本避傷寒卒病法也。士大夫不問疾否服之爲風流，則始于何晏。魏、晉人服散至死不悟，寔人子，飢寒致病，謬云散發，其時以爲笑譃。晉人之散，唐、宋人之丹，其爲鄙惡，直近時鴉片烟之比云。"案《晉書·裴秀傳》："服寒食散，當飲熱酒，而飲冷酒，薨。"此服散致死之一事。

湯丸方十卷

雜丸方十卷

並不著撰人。

梁有《百病膏方》十卷。

不著撰人。

《唐書·經籍志》：《百病膏方》十卷。《藝文志》同。

梁有《雜湯丸散酒煎薄帖膏湯婦人少小方》九卷。

不著撰人。

《唐書·經籍志》：《雜湯方》八卷。《藝文志》同。

梁有《羊中散雜湯丸散酒方》一卷。

羊中散即羊欣，有《藥方》三十卷，見後。

案此殆從三十卷中析出別行者。

梁有《療下湯丸散方》十卷。

不著撰人。

案此似亦羊中散書。

石論一卷

不著撰人。

案後半篇有《服石論》一卷,似即此書。

醫方論七卷

不著撰人。

梁有《張仲景辯傷寒》十卷,亡。

張仲景有《藥方》十五卷,見前。

宋林億校上《傷寒論》序:《名醫別錄》曰:"仲景,南陽人,名機。仲景,其字也。舉孝廉,官至長沙太守。以宗族二百餘口,建安紀年以來,未及十稔,死者三之二,而傷寒居其七,乃著論二十二篇,證外合三百九十七法,除重複,定有一百一十三方。"

《湖廣舊志·方技門》:"張機,字仲景,棘陽人。學醫于同郡張伯祖,盡得其傳。靈帝時,舉孝廉,官至長沙太守。少時與同郡何顒客游洛陽。顒謂人曰:'仲景之術,精于伯祖。'著《傷寒論》十卷行世。華佗讀而喜曰:'此真活人書也。'又著《金匱玉函經》,推爲醫中亞聖。"又曰:"晉王叔和纂次仲景《傷寒論》爲三十六卷,行于世。"吳江徐大椿《傷寒類方》曰:"後漢張機《傷寒論》乃晉王叔和蒐采成書,本非機所編次。"

《唐書·藝文志》:王叔和《張仲景藥方》十五卷,又《傷寒卒病論》十卷。[①] 案"卒"讀如"猝然"之"猝"。

《宋史·藝文志》:張仲景《傷寒論》十卷。

陳氏《書錄解題》:《傷寒論》十卷,漢長沙太守南陽張機仲景撰。建安中人。其文辭簡古奧雅。又名《傷寒卒病論》,凡一百一十二方,古今治傷寒者,未有能出其外者也。

南昌喻昌《尚論·張仲景傷寒論重編三百九十七法》曰:"張仲景《卒病傷寒論》十六卷,其《卒病論》六卷已不可復睹,即《傷寒論》十卷亦劫火之餘,僅得之口授,其篇目先後差錯,賴

---

① "卷又",原誤乙,據殿本《新唐書》改。

有三百九十七法，一百一十三方之名目，可爲校正。晉太醫令王叔和附以己意，編集成書，共二十二篇。今世所傳乃宋直秘閣林億所校正，宋人成無己所詮注。”

《四庫提要》曰：“《傷寒論注》十卷，漢張機撰，晉王叔和編，金成無己注。前有宋高保衡、孫奇、林億等校上序，稱自仲景于今八百餘年，惟王叔和能學之云云。而明方有執作《傷寒論條辨》，則詆叔和所編與無己所注所改易竄亂，併以序例一篇爲叔和僞託而删之。國朝喻昌作《尚論篇》，于叔和編次之舛，序例之謬，及無己所注，林億等所校之失，攻擊尤詳。皆重爲考定，自謂復長沙之舊本。其書盛行于世，而王氏、成氏之書遂微。然叔和爲一代名醫，又去古未遠，其學當有所受。無己于斯一帙，研究終身，亦必深有所得，似未可概從屏斥，盡以爲非。夫朱子改《大學》爲一經十傳，分《中庸》爲三十三章，于學者不爲無裨；必以謂孔門之舊本如是，則終無確證可憑也。今《大學》、《中庸》列朱子之本于學官，亦列鄭玄之本于學官，原不偏廢，又烏可以後人重定此書，遂廢王氏、成氏之本乎？”

梁有《療傷寒身驗方》、《徐方伯辯傷寒》各一卷，《傷寒總要》二卷，亡。

徐方伯，始末未詳。《通志·藝文略》作“徐文伯”。

案東海徐氏，有徐文伯、徐成伯、徐嗣伯，並昆季行，皆善醫。方伯殆亦其群從，別有《辨脚弱方》一卷，見後。此條前後兩書或非徐氏。

梁有《支法存申蘇方》五卷，亡。

《太平御覽·方術部》：《千金方序》曰：“沙門支法存，嶺表人。性敦方藥。自永嘉南渡，士大夫不習水土，多患脚弱，惟法存能拯濟之。”案脚弱即軟脚病，時有仰道士，亦嶺表僧，善療此疾，天下聞名云。見明程伊《醫林外傳》。

梁有《王叔和論病》六卷,《張仲景評病要方》一卷,亡。

王叔和有《脈經》,張仲景有《藥方》十五卷,《辨傷寒》十卷,並見前。

晁氏《讀書志》:《金匱玉函經》八卷,漢張仲景撰,晉王叔和集。設答問雜病形證脈理,參以療治之方。仁宗朝,王洙得于館中,用之甚效。合二百六十二方。案此似即王叔和《論病》、張仲景《評病要方》二書合爲帙者也,至宋王洙始得而傳之,猶是王叔和編定《仲景方論》三十六卷中之一。其八卷者,疑《評病要方》是二卷也。

陳氏《書錄解題》:《金匱要略》三卷,張仲景撰,王叔和集,林億等校正。此書王洙于館閣蠹簡中得之,曰《金匱玉函要略方》。上卷論傷寒,中論雜病,下載其方,并療婦人。乃錄而傳之。今書以《逐方》次于《證候》之下,以便檢用。所論傷寒,文多節略,故但取《雜病》以下止《服食禁忌》二十五篇,二百六十二方,而仍其舊名。案王洙所傳者八卷,見晁氏《志》。今尚有傳本。此三卷又後人所錄別本,并下半篇所載《療婦人方》二卷,亦入之焉。林億校八卷,又補注《要略》三卷,並見陳《錄》。

《宋史·藝文志》:《金匱玉函》八卷,王叔和集。《金匱要略方》三卷,張仲景撰,王叔和集。又有張仲景《脈經》一卷,《五藏榮衛論》一卷,《療黃經》一卷,《口齒論》一卷,與《金匱要略》皆後人從三十六卷中析出別行,非王叔和原編舊第。《宋志》又有張叔和《新集病總要略》三卷,即《金匱要略》之異名。

南昌喻昌《尚論篇》曰:"張仲景著《卒病傷寒論》十六卷,其《卒病論》六卷已不可復睹。"案王叔和《論病》六卷,似即喻氏所謂《卒病論》,即在叔和所編三十六卷中也。後人與《評病要方》合爲《金匱玉函經》八卷。

《四庫提要》曰:"《欽定醫宗金鑑》,乾隆十四年奉敕撰,首爲訂正《傷寒論注》十七卷,次爲訂正《金匱要略》注八卷。蓋醫書之最古者無過《素問》,次則《八十一難經》,然皆有論無方。

《素問》有半夏湯等一二方，然偶然及之，非其通例也。其有論有方者自張機始，講傷寒及雜證者亦以機此二書爲宗。然《傷寒論》爲諸醫所亂，幾如爭《大學》之錯簡，改本愈多而義愈晦，病其説之太雜。《金匱要略》雖不甚聚訟，然注者罕所發明。又病其説之不詳。是以首訂二書，糾謬補漏，以標證之正軌焉。"

梁有《徐叔嚮、談道述、徐悦體療雜病疾源》三卷，亡。

徐叔嚮有《鍼灸要鈔》、《本草病源合藥要鈔》、《四家體療雜病本草要鈔》、《解寒食散方》并《消息節度》凡五書，並見前。談道述有《本草經鈔》、徐悦有《鍼經并孔穴蝦蟇圖》，亦見前。

案前載張仲景《辨傷寒》之後，次以《療傷寒身驗方》、徐方伯《辨傷寒》及《傷寒總要》三書，知爲《傷寒論》而作。此三人之書次《論病》、《評病要方》之後，亦即爲仲景《卒病論》而作。可知其書名與前《病源合藥》、《四家體療雜病》相同，似當時合爲一帙，薄録家分別著録焉。《通志略》載是書但云徐悦撰，不及前兩人，似誤讀此條注文也。

梁有《甘濬之癰疽部黨雜病疾源》三卷，《府藏要》三卷，亡。

甘濬之有《癰疽耳眼本草要鈔》九卷，見前。

右雜湯丸酒煎薄帖及傷寒方論癰疽治療之類，爲經方家之第四段。

肘後方六卷　葛洪撰。梁二卷。《陶弘景補闕肘後百一方》九卷，亡。

葛洪有《喪服變除》，見經部三禮類。陶弘景有《本草集注》、《太清草木集要》，見前。

《抱朴子·雜應篇》曰："余所撰百卷，名曰《玉函方》，皆分別病名，以類相續，不相雜錯，其救卒參卷，皆單行徑易，約而易驗，籬陌之間，顧盼皆藥，衆急之病，無不畢備。家有此方，可不用醫。醫多承襲世業，有名無實，但養虛聲，以圖財利。寒

白退士，所不得使，使之者乃多誤人，未若自閑其要，勝于所
迎無知之醫。且暴急之病，而遠行借問，率多枉死矣。”

《太平御覽·方術部》：《晉中興書》曰：“葛洪自號抱朴子，善
養性之術，撰經用救驗方三卷，號曰《肘後方》。又撰《玉函
方》一百卷，于今行用。”

《陶隱君集·肘後百一方序》曰：“太歲庚辰，隱居曰：‘余宅
身幽嶺，迄將十載，雖每植德施工，多止一時之設，可以傳芳
遠裔者，莫過于撰述。見葛氏《肘後救卒方》，殊足申一隅之
思。夫方術之書，卷帙徒煩，拯濟蓋寡。就欲披覽，回感多
端。抱朴此製，實爲深益。然尚有闕漏，未盡其善。輒更采
集補闕，凡一百一首，以朱書甄別，爲《肘後百一方》，于雜病
單治，略爲周遍矣。昔應璩爲《百一詩》，以箴規心行。今予
撰此，蓋欲輔衛我躬。且佛經云：人用四大成身，一大輒有一
百一病。是故身宜自想，上自通人，下逮衆庶，莫不各加繕寫
而究括之。故備論節度，使曉然無滯，一披條領，無使過差
也。’”案序言太歲庚辰，乃東昏侯永元二年也。

《太平御覽·方術部》：《梁書》曰：“陶弘景好著述，性好醫
方，專以拯濟。欲利益群品，故修撰《神農本草經》三卷爲七
卷，廣《肘後》爲百一之製，世所行用，多獲異效焉。”

《唐書·經籍志》：《肘後救卒方》四卷，葛洪撰。《補肘後救卒
備急方》六卷，陶弘景撰。

《唐書·藝文志》：葛洪《肘後救卒方》六卷。陶弘景《補肘後
救卒備急方》六卷。

《宋史·藝文志》：葛洪《肘後備急百一方》三卷。

陳氏《書錄》曰：“《肘後百一方》三卷，晉葛洪撰。梁陶隱居增
補本名《肘後救卒方》，率多易得之藥，凡八十六首，陶併七
首，加二十二首，共爲一百一首。取佛書人有四大，一大輒有

一百一病之義名之。"

《四庫簡明目録》曰："《肘後備急方》八卷，晉葛洪撰。凡分五十三類，但有方而無論。其書經梁陶弘景、金楊用道增修。用道所增猶注附方字，弘景所增則不可考矣。然弘景亦妙解醫理者也。"

姚大夫集驗方十二卷

《北史·藝術傳》：姚僧垣字法衛，吳興武康人，吳太常信之八世孫也。父菩提，梁高平令。嘗嬰疾疹歷年，乃留心醫藥。梁武帝召與討論方術，言多會意，由是頗禮之。僧垣幼通洽，年二十四，即傳家業。仕梁爲太醫正。及魏軍剋荊州，隨于謹至長安。屢遷，周大象二年，除太醫下大夫，至上開府儀同大將軍，封長壽縣公。隋開皇初，進爵北絳郡公。三年，卒，年八十五。僧垣醫術高妙，爲當時所推，前後效驗，不可勝紀。聲譽既盛，遠聞邊服，至于諸蕃外域，咸請託之。僧垣乃參校徵效者爲《集驗方》十二卷，又撰《行記》三卷，行于世。長子察，《南史》有傳。次子最，隨僧垣入關。

《唐日本國見在書目》：《雜藥方》一卷，姚大夫撰。《集驗方》十二卷，姚僧垣撰。《集驗》十二卷，姚大夫撰。

《唐書·經籍志》：《集驗方》十卷，姚僧垣撰。

《唐書·藝文志》：姚僧垣《集驗方》十卷。

范陽東方一百五卷　　録一卷　范汪撰。梁一百七十六卷。"陽東"當爲"東陽"。

范汪有《祭典》，見經部禮類。又有《范氏解散方》七卷，見前。

《太平御覽·方術部》：《晉書》曰："范汪字元平，性仁愛，善醫術，常以拯恤爲事。凡有疾病，不限貴賤，皆爲治之，十能愈其八九。撰方五百餘卷，又一百七卷。後人詳用，多獲其效。"

《唐書·經籍志》:"《雜藥方》一百七十卷,范汪、方尹穆撰。"

《唐書·藝文志》:"尹穆纂《范東陽雜藥方》一百七十卷。注云范汪。"

梁又有《阮河南藥方》十六卷,阮文叔撰,亡。

《魏志·杜恕傳》注:"陳留阮武者,亦拓落大才也。案《阮氏譜》:武父諶,字士信,徵辟無所就,造《三禮圖》傳于世。"《杜氏新書》曰:"武字文業,位止清河太守。武弟炳,字叔文,河南尹。精意醫術,撰藥方一部。"

《唐書·經籍志》:《阮河南方》十六卷,阮炳撰。

《唐書·藝文志》:"《阮河南方》十六卷。"注云阮炳。又曰:"《阮河南藥方》十七卷。"

梁又有《釋僧深藥方》三十卷,亡。

《太平御覽·方術部》:《千金方序》曰:"僧深,齊、宋間道人,善療腳弱氣之疾,撰録法存等諸家醫方三十餘卷,經用多效,時人號曰深師方焉。"明程伊《醫林外傳》引作"腳弱腳氣",此"弱"下敓"腳"字。

《唐書·經籍志》:《僧深集方》三十卷,釋僧深撰。

《唐書·藝文志》:① 僧《僧深集方》三十卷。

梁又有《孔中郎雜藥方》二十九卷,亡。

《晉書·孔愉傳》:愉,會稽山陰人也。中子汪,字德澤,好學有志行,孝武帝時位至侍中。時茹千秋以佞媚見幸于會稽王道子,汪屢言之于帝,帝不納。遷尚書太常卿,以不合意,求出,爲假節、都督交廣二州諸軍事、征虜將軍、平越中郎將、廣州刺史,甚有政績,爲嶺表所稱。太元十七年卒。案孔愉有《晉咸和咸康故事》四卷,見史部舊事篇。史載汪事,不言其有是書,此稱孔中郎者,即指其

---

① "藝",原誤作"經",據殿本《新唐書》改。

刺史兼官平越中郎將也。

曲阜孔繼汾《孔氏著述考》：二十六代孫、晉都督交、廣二州諸
軍事、廣州刺史汪，有《雜藥方》二十九卷。

梁又有《宋建平王典術》一百二十卷，亡。

不著撰人。

> 案《宋書·文九王傳》："建平宣簡王宏字休度，文帝第七子
> 也。元嘉二十一年，年十一，封建平王。少而閑素，篤好文
> 籍。太祖寵愛殊常，爲立第于雞籠山，盡山水之美。建平
> 王國職，高他國一階。宏少而多病，大明二年薨，時年二十
> 五。"又《百官志》："王國置典醫丞、典府丞各一人。"此蓋建
> 平王國典醫丞所作，名其書曰《典術》云。《太平御覽圖書綱目》載
> 王建平《典術》，似傳譌也。

梁又有《羊中散藥方》三十卷，羊欣撰。

《宋書》本傳：欣字敬元，泰山南城人。仕晉，入宋爲新安義興
太守。自免歸。除中散大夫。素好黃老，兼善醫術，撰《藥
方》十卷。元嘉九年，卒，年七十三。

《太平御覽·方術部》：《宋書》曰："羊欣性好文儒，兼善醫
藥，撰方三十卷，爲代所宗焉。"

梁又有《褚澄雜藥方》二十卷，齊吳郡太守褚澄撰，亡。

《南齊書·褚淵傳》：淵字彥回，河南陽翟人也。淵弟澄，字彥
道，尚宋文帝女廬江公主，拜附馬都尉。歷官清顯。善醫術。
建元中，爲吳郡太守，豫章王感疾，太祖召澄爲治，立愈。遷
左民尚書，侍中，領右軍將軍。永明元年卒。

《南史·張融傳》：融謂徐文伯、嗣伯曰："褚侍中澄當貴，亦
能療人疾。"

《唐書·經籍志》：《雜藥方》十二卷，褚澄撰。

《唐書·藝文志》：褚澄《雜藥方》十二卷。

案宋儲泳《袪疑説》云："褚澄察脈如神，著書十篇，曰《尊生秘經》。"《宋史·藝文志》有褚澄《褚氏遺書》一卷。《四庫提要》曰："其書分《受形》、《本氣》、《平脈》、《津潤》、《分體》、《精血》、《除疾》、《審微》、《辨書》、《問子》十篇，大旨發揮人身氣血陰陽之奧。《宋史》始著于録。前有後唐清泰二年蕭淵序，云黄巢時群盜發冢，得石棄之，先人偶見，載歸，後遺命即以褚石爲槨。又有釋義堪序，云石刻得之蕭氏冢中，凡十有九片，其一即蕭淵序也。又有嘉泰元年丁介跋，稱此書初得蕭氏父子護其石而始全，繼得僧義堪筆之紙而始存，今得劉義先鋟之木而始傳。則始刻于嘉泰中也。其書于《靈樞》、《素問》之理頗有發明，李時珍、王肯堂俱采用之。"又《簡明目録》曰："其論寡婦僧尼之異治，發前人所未發。論吐血、便血、戒飲、寒涼尤爲精識。"案此即儲氏所謂《尊生秘經》，或即此二十卷中之方論，未可知也。

秦承祖藥方四十卷。見三卷。

秦承祖有《偃側雜鍼灸經》、《脈經》、《本草》三書，並見前。《世説·言語篇》注又引《寒食散論》，見前第三段之第一條。

《太平御覽·方術部》：《宋書》曰："秦承祖性耿介，專好藝術。于方藥不問貴賤，皆治療之，多所全獲，當時稱之爲上手。撰方二十卷，大行于世。"《唐六典·醫博士》注：宋元嘉二十年，太醫令秦承祖奏置醫學博士，以廣教授。至三十年省。

《唐書·經籍志》：《藥方》十七卷，秦承祖撰。

《唐書·藝文志》：秦承祖《藥方》四十卷。

案此條注見三卷者，據隋代見存書目所載也。見存三卷而云四十卷，知此書世有全本，故變例著録全卷。疑前載三書及《寒食散論》皆編入此書。

梁有《陽眄藥方》二十八卷，亡。

陽眄，始末未詳。

梁有《夏侯氏藥方》七卷，亡。

夏侯氏，不知何人。

梁有《王季琰藥方》一卷，亡。

王季琰，始末未詳。前注梁有王季璞《本草經》三卷，疑即其人。

梁有《徐叔嚮雜療方》二十一卷，《徐叔嚮雜病方》六卷，亡。

徐叔嚮有《鍼灸要鈔》、《本草》、《寒食散方》等書凡六種，並見前。

《唐書·經籍志》：《雜療方》二十卷，徐叔和撰。《體療雜病方》六卷，徐叔和撰。案"和"當爲"嚮"，因"向"字之誤也。

《唐書·藝文志》：徐叔嚮《雜藥方》二十卷，又《體療雜病方》六卷。

梁有《李譜之藥方》一卷，亡。

李譜之有《本草經》一卷，《藥錄》六卷，並見前。

梁有《徐文伯藥方》二卷，亡。

《南史·張融傳》：融與東海徐文伯兄弟厚。文伯字德秀，濮陽太守熙曾孫也。熙生子秋夫，秋夫生道度，道度生文伯。文伯亦精其業，兼有學行，倜儻不屈意于公卿，不以醫自業。融謂文伯曰："昔王微、嵇叔夜並學而未能，殷仲堪之徒故所不論。得之者由神明洞澈，然後可致，故非吾徒所及。且褚侍中澄當貴，亦能救人疾，卿此更成不達。"答曰："惟達者知此可崇，不達者多以爲深累，既鄙之何能不恥之。"文伯爲效與嗣伯相埒。嗣伯，其從弟也，見後。

《北史·藝術·徐謇傳》：謇字成伯，與兄文伯等皆善醫藥。文伯仕南齊，位東莞、太山、蘭陵三郡太守。子雄，員外散騎侍郎，醫術爲江左所稱，事並見《南史》。雄子之才。之才見後半篇。

胡洽百病方二卷。梁有《治卒病方》一卷,亡。

胡洽,始末未詳。

《唐書·經籍志》:《胡居士方》三卷,胡洽撰。

《唐書·藝文志》:《胡居士治百病要方》三卷。注云胡洽。

案兩《唐志》皆三卷者,有《卒病方》一卷在内也。《崇文目》作《胡道洽方》三卷。

梁有《徐奘要方》一卷,無錫令徐奘撰。

徐奘,始末未詳。

案《梁書·沈約傳》:"約病,高祖遣上醫徐奘視約疾。"則梁武帝時人也。上醫,似即尚藥局之醫,有侍御醫、司醫、醫佐諸官。《唐六典》云:"梁、陳、後魏皆太醫兼其職。"

梁有《遼東備急方》三卷,都尉臣廣上。

臣廣,始末未詳。

梁有《殷荆州要方》一卷,殷仲堪撰,亡。

殷仲堪有《毛詩雜義》,見經部詩類。

《晉書》本傳:"仲堪父病積年,衣不解帶,躬學醫術,究其精妙,執藥揮淚,遂眇一目。"又曰:"仲堪善取人情,病者自爲診脈分藥。"

俞氏療小兒方四卷

俞氏不知何人。

《唐六典》:"醫博士,以醫術教授諸生,分而爲業:一曰體療,二曰瘡腫,三曰少小。"注云:"諸生分業教習,率二十人以三人學少小,五年成。"

《唐書·經籍志》:《少小節療方》一卷,俞寶撰。

《唐書·藝文志》:《俞氏治小兒方》四卷,《俞寶小女節療方》一卷。

案俞寶或即俞氏之本名,或其後子姓鈔節其書者。

梁有《范氏療婦人藥方》十一卷,亡。

范氏有《解散方》七卷,見前第三段。

常熟丁國鈞《補晉書藝文志》曰:"《范氏療婦人藥方》十一卷,見《七録》。考《隋志》醫方類無別有姓范者,此亦爲范汪書,當爲《東陽方》百七十餘卷中傳録別行之本,可以意決。"

案兩《唐志》有《婦人方》十卷,皆不著撰人,似即此書。

梁有《徐叔嚮療少小百病雜方》三十七卷,亡。

徐叔嚮有《鍼灸要鈔》等諸書凡八種,並見前。

梁有《療少小雜方》二十卷,《療少小雜方》二十九卷,亡。

並不著撰人。

《唐書·經籍志》:《少小方》十卷,《少小雜方》二十卷。

《唐書·藝文志》:《少女方》十卷,《少女雜方》二十卷。

案《舊志》作"少小",與本志所注同。《新志》作"少女",未詳孰是。

梁有《范氏療小兒藥方》一卷,亡。

范氏有《解散方》七卷、《療婦人方》十一卷,並見前。

常熟丁國鈞《補晉書藝文志》曰:"《范氏療小兒藥方》一卷,見《七録》。此與《解散方》、《療婦人藥方》三種當爲范汪《東陽方》百七十餘卷中別行之本。阮孝緒据所見各著于録耳。"

梁有《王末療小兒雜方》十七卷,亡。

王末有《鈔小兒用藥本草》二卷,見前第一段。

案命名曰末,于義何取?疑是宋王微。後人因避諱而改爲末歟?微有集,別見集部。《宋書》本傳云"微報廬江何偃書曰:至于生平好服上藥,起年十二時病虚耳。所撰《服食方》中,粗言之矣。自此始信攝養有徵,故門冬昌术,隨時參進。寒温相補,欲以扶護危羸,見冀白首。家貧乏役,至于春秋令節,輒自將兩三門生,入草采之。吾實倦游醫部,頗曉和藥,尤信《本草》,欲其必行,是以躬親,意在取精"云云。案《服食方》,本志不見。而《本草》則有《鈔取爲小兒服食者》二卷在焉。以其自幼疾疹,故用意于小兒方藥。尋繹所至,頗似其人。并疑所謂《服食方》者,亦即是書。而所鈔《本草》二卷,舊亦在是書中也。今姑附識其疑于此。又晉謝道韞言,群從兄弟有封、胡、羯、末。末爲謝川小字。見《晉書·謝萬傳》。疑末亦王微小字。

徐嗣伯落年方三卷

《南史·張融傳》:"濮陽太守熙生子秋夫,秋夫生道度、叔嚮,叔嚮生嗣伯,皆精其業。嗣伯字叔紹,亦有孝行,善清言,位正員郎,諸府佐,彌爲臨川王映所重。"又傳論曰:"徐氏妙理通靈,蓋非常所至,雖古之和、鵲,何以加諸。"

《唐書·經籍志》:《徐氏落年方》三卷,徐嗣伯撰。

《唐書·藝文志》:徐嗣伯《雜病論》一卷,又《徐氏落年方》三卷。

案"落年"二字未詳其義。後半篇有《墮年方》二卷,徐大山撰。《唐日本書目》作《隨手方》,知"墮年"爲"隨手"之誤,疑此因"墮年"而作"落年",爲誤中之誤,似即徐嗣伯之《隨手方》。"大山"《日本書目》作"太山",蓋徐文伯嘗爲太山太守,兄弟二人各有《隨手方》也。

梁有《徐叔嚮療腳弱雜方》八卷,亡。

徐叔嚮見前。

《唐書·經籍志》:《腳弱方》八卷,徐叔嚮撰。

《唐書·藝文志》:徐叔嚮《腳弱方》八卷。

案徐氏唯叔嚮著書最多,本志所載有《鍼灸要鈔》一卷,《本草病源合藥要鈔》五卷,《四家體療雜病本草要鈔》十卷,《解寒食散方》六卷,《解散消息節度》八卷,與談道述、徐悅

《體療雜病疾源》三卷,《雜療方》二十一卷,《雜病方》六卷,《療少小百病雜方》三十七卷,并此《腳弱方》,凡十種,一百五卷。唯《鍼灸要鈔》據隋代見存書目,餘皆從梁代目錄鈔入。其間亦不無重複互見者,今并彙次其目于此。

梁有《徐方伯辯腳弱方》一卷,亡。

徐方伯有《辨傷寒》三卷,見前。

案《通志·藝文略》載此書及《辨傷寒》兩書皆作"徐文伯",豈所見《隋志》果如是,今本作"方伯"爲轉寫之誤歟?

梁有《甘濬之療癰疽金創要方》十四卷,《甘濬之療癰疽毒惋雜病方》三卷。

甘濬之有《癰疽耳眼本草要鈔》九卷,見前。

《唐書·經籍志》:《療癰疽金創要方》十四卷,甘濬之撰。

《唐書·藝文志》:甘濬之《療癰疽金創要方》十四卷。

案其後三卷《唐志》不載。"毒惋"《通志略》作"埼",其義未詳,疑是"毒蛇"之誤。

梁有《甘伯齊療癰疽金創方》十五卷,亡。

甘伯齊,始末未詳。唐有甘伯宗撰《名醫傳》七卷,見《新唐志》,或其群從也。

《唐書·經籍志》:《療癰疽金創要方》十二卷,甘伯齊撰。

《唐書·藝文志》:甘伯齊《療癰疽金創要方》十二卷。

陶氏效驗方六卷。梁五卷。梁又有《療目方》五卷。

陶氏弘景有《本草集注》、《太清草木集要》、《肘後百一方》,並見前。

陶隱居《肘後百一方序》曰:"余又別撰《效驗方》五卷,具論諸病證候,因藥變通,而並是大治,非窮居所資,若華軒鼎室,亦宜修省耳。"

《南史·逸隱傳》:所著《本草集注》、《効驗方》、《肘後百一方》。

《唐書·經籍志》：《効驗方》十卷，陶弘景撰。

《唐書·藝文志》：陶弘景《効驗方》十卷。案二《志》皆十卷者，并《療目方》五卷在内也。

梁又有《甘濬之療耳眼方》十四卷，亡。

甘濬之有《癰疽耳眼本草要鈔》九卷、《癰疽部黨雜病疾源》三卷、《府藏要》三卷、《療癰疽金創要方》十四卷、《療癰疽毒惋雜病方》三卷，並見前。

案甘氏所著見于本志所注者，前後凡六種四十六卷，皆外科、傷科之書，其間亦不無重複互見，今并彙次于此。其書至隋代存一部，唐時復出二部。

右自《肘後方》已下皆晉、宋、齊、梁諸家之方書，爲經方之第五段。

梁又有《神枕方》一卷，亡。

不著撰人。

案下文有《墨子枕内五行紀要》一卷，注云"梁有《神枕方》一卷"，疑此即是。此蓋《墨子五行紀要》之異名也，詳見後方。

梁又有《雜戎狄方》一卷，宋武帝撰，亡。

案兵家載《皇帝兵法》一卷，注云"宋武帝所傳神人書"。而《宋書》、《南史》本紀皆不載其事，此《雜戎狄方》兩史本紀亦不見，或義熙中滅南燕慕容超、後秦姚泓時所得，因而傳之歟？

梁又有《摩訶出胡國方》十卷，摩訶胡沙門撰。

摩訶胡沙門不知何人。

又《范曄上香方》一卷，《雜香膏方》一卷，亡。

范曄有《後漢書》，見史部正史類。

《南史·范泰附傳》：曄性精微，有思致，觸類多善，衣裳器服，莫不增損制度,世人皆法學之。撰《和香方》,其序之曰:"麝本多忌,過分必害。沉實易和,盈斤無傷。零藿虛燥,詹唐黏溼。甘松、蘇合、安息、鬱金、奈多、和羅之屬,並被珍于外國,無取于中土。又棗膏昏鈍,甲煎淺俗,非唯無助于馨烈,乃當彌增于尤疾也。"所言悉以比類朝士:麝本多烈,比庾仲文;零藿虛燥,比何尚之;詹唐黏溼,比沈演之;棗膏昏鈍,比羊玄保;甲煎淺俗,比徐湛之;甘松蘇合,比慧琳道人;沉實易和,以自比也。

右自《神枕方》已下皆附之末簡,爲經方家之第六段。

以上自《神農本草》八卷至此,凡六段二十七部,附梁有九十部,蓋依仿《漢志》經方一門之例以類次之者,是爲第二類。

彭祖養性經一卷

《列仙傳》:彭祖者,殷大夫也。姓籛名鏗,帝顓頊之孫陸終氏之中子,歷夏至殷末八百餘歲。常食桂芝,善導引行氣。歷陽有彭祖仙竇,前世禱請風雨,莫不輒應。

《唐書·藝文志》:《彭祖養性經》一卷。

明白雲霽《道藏目錄詳注》:"《彭祖攝生養性論》。"注云:"食息起居,四時調養法。"

烏程嚴可均《全上古三代文編》曰:"彭祖姓彭名翦,一云名籛鏗,一云姓籛名鏗,陸終第三子,祝融之孫,顓頊之玄孫。歷事唐、虞、夏,至商爲守藏史,年七百餘歲,一云八百歲。有《養性經》一卷。"

又曰:"《淮南子·說林訓》:'莫壽于殤子,而彭祖爲夭矣。'高誘注:'一說彭祖蓋黃帝時學仙者。'葛洪《神仙傳》:'彭祖諱鏗,帝顓頊之玄孫。至殷末年已七百六十七歲,而不衰老,遂往流沙之西,非壽終也。'謹案經傳無神仙之說。《論語》'竊比于我老彭',包曰:'老彭,殷賢大夫。'《釋文》引鄭曰:

'老,老聃。彭,彭祖。'皇偘《疏》曰:'老彭,彭祖也。年八百歲,故曰老彭也。老彭亦有德無位。'皇習見神仙家言,故以八百歲釋'老',非經意也。《鄭語》史伯曰:'祝融後八姓,大彭、豕韋爲商伯,彭姓彭祖、豕韋諸稽,商滅之。'韋昭曰:'大彭,陸終第三子,曰籛,爲彭姓,封于大彭,謂之彭祖。'又曰:'彭祖,大彭也。'《史記·楚世家》:'陸終生子六,三曰彭祖。'《索隱》引《世本》:'三曰籛鏗,是爲彭祖。'《周書·嘗麥解》:'皇天哀禹,賜以彭壽,思正夏略。'《竹書紀年》:'帝啓十五年,武觀以西河叛,彭伯壽帥師征西河。'合而斷之,知彭祖國名即大彭,夏、商爲方伯,古五霸之一,唐、虞封國,傳數十世八百歲而滅于商,此其實事。《論語》之老彭,未知何人。即如鄭説,或是彭祖國之支族,入仕商,因以名名之,後世傅會,乃謂彭祖以房中術壽八百歲,此不經之談也。"

又曰:"《道藏》臨字五號有《攝生養性論》。"此秦、漢已後養生家言,託之彭祖。又盡字號有《彭祖導引圖》一篇。《御覽》七百二十引《神仙傳》彭祖云"養壽之道"一篇。《文選·嵇叔夜養生論》注引彭祖《養生要》,皆後人依託。宗案《養生要》似即從張湛《養生要集》中采出者,非其本名也。

養生要集十卷　張湛撰

《唐書·經籍志》:《養生要集》十卷,張湛撰。又見道家。

《唐書·藝文志》:張湛《養生要集》十卷。又見神仙家。

常熟丁國鈞《補晉書藝文志》曰:"張湛《養生要集》見《隋志》。疑此係《魏書》列傳中之張湛,非注《列子》者。"

案晉張湛,孝武帝時光禄勳,《晉書》無傳,有《列子注》,見前道家。魏張湛,太武帝時中書侍郎,賜爵南浦男,寧遠將軍,當南朝宋文帝元嘉中,在其後二三十年,然《魏書》、《北史》列傳皆不言其有是書。丁氏之説,疑以存疑而已。

又案晉張湛爲王弼外甥之孫，習于道家之言。《晉書·袁山松傳》："時張湛好爲齋前種松柏。"《南史·陶弘景傳》："特愛松風，庭院皆植。"松與弘景有同好，亦養生家靜攝之一事。又《范寧傳》"寧常患目痛，就中書侍郎張湛求方。湛因嘲之，有損讀書，減思慮，專内視，簡外觀，且晚起，夜早眠，非但明目，乃亦延年"之語，純爲養生之言。由是知此書出于晉之張湛爲多。

玉房秘決十卷

不著撰人。

《唐書·經籍志》：《房玉秘録訣》八卷，沖和子撰。岑刻本作《房秘録訣》，敚"玉"字，又誤"録"爲"禄"。

《唐書·藝文志》：沖和子《玉房秘訣》十卷。注云張鼎。

案張鼎自號沖和子，所著別有《太清璿璣文》七卷，見下篇第三類中。始末未詳。《抱朴子·釋滯篇》、《遐覽篇》言房中之法有《玄女經》、《素女經》、《彭祖經》、《子都經》、《容成經》各一卷，此類殆皆在此十卷中也。張鼎有《補孟詵食療本草》，初唐時人，似神仙家流。

以上三部蓋依仿《漢志》房中一門之例以類次之者，是爲第三類。《抱朴子·釋滯篇》曰："房中之法十餘家，或以補救傷損，或以攻治衆病，或以采陰益陽，或以增年延壽，其大要在于還精補腦之一事耳。此法乃真人口口相傳，本不書也，雖服名藥，而復不知此要，亦不得長生也。人復不可都絶陰陽，陰陽不交，則坐致壅閼之患。故幽閉怨曠，多病而不壽也；任情肆意，又損年命。唯有得其節宣之和，可以不損。若不得口訣之術，萬無一人爲之而不以此自傷煞也。玄、素、子都、容成公、彭祖之屬，蓋載其麁事，終不以至要者著于紙上者也。"又曰："房中之術，近有百餘事焉。"又

《微旨篇》曰：“彭祖之法，最其要者。其他經多煩勞難行，而其爲益不必如其書。人少有能爲之者。口訣亦有數千言云。”其言皆恍惚不經。案《七略》方技四家，房中在其三，特方技之一術，欲其制節禁度，以期和平壽考。而種子方、養陽方所從出焉。與神仙家不相蒙，後世乃合而一之。

墨子枕内五行紀要一卷。梁有《神枕方》一卷，疑此即是。

《神枕方》，前第八條。

案《五行變化墨子》五卷，神仙家鈔出一卷，名曰《墨子枕中五行要記》，皆變化之術，詳見前五行家第廿六類中。此一卷與前名目略同，或是黄冶藥物之類，亦神仙家鈔出者。

如意方十卷

不著撰人。

《唐書·藝文志》：梁武帝《坐右方》十卷，《如意方》十卷。

案《南史·梁簡文帝本紀》載所著有《如意方》十卷，則實爲簡文帝所撰。《唐志》“《坐右方十卷》”之下敓“簡文帝”三字耳。

練化術一卷

不著撰人。

案下篇載《煉化雜術》一卷，陶隱居撰。蓋即此書。

神仙服食經十卷

雜仙餌方八卷　服食諸雜方二卷

並不著撰人。

《唐書·經籍》、《藝文志》：《神仙服食方》十卷，《神仙服食藥方》十卷。

案此八卷、二卷唐時行本，并合爲一，即《服食藥方》十卷也。

梁有《仙人水玉酒經》一卷。

不著撰人。

案《唐·藝文志》：王超《仙人水鏡圖訣》一卷，注云貞觀人。
似即因是書而爲圖訣。"水鏡"疑"水經"之誤。《道藏目
錄》"如"字號有《軒轅黄帝水經藥法》一卷，則頗似此書也。

老子禁食經一卷

案《日本書目》有《老子神仙服食經》，《崇文總目》有《老子
服食經》，皆一卷，疑即此書。

以上七部，附梁有一部，蓋依仿《漢志》神仙家之例以類次
之者，是爲第四類。

崔氏食經四卷

《魏書·崔浩傳》：浩母盧氏，諶孫女也。盧諶有集，見集部。浩著
《食經》敍曰："余自少及長，耳目聞見，諸母諸姑所修婦功，無
不蘊習酒食。朝夕養舅姑，四時祭祀，雖有功力，不任僮使，
常手自親焉。昔遭喪亂，饑饉仍臻，不能具其物用，十餘年間
不復備設。先姚慮久廢忘，後生無知見，而少不習業書，乃占
授爲九篇，文辭約舉，婉而成章，聰辨強記，皆此類也。親没
之後，值國龍興之會，平暴除亂，拓定四方。余備位台鉉，與
參大謀，賞獲豐厚，牛羊蓋澤，貨累巨萬。衣則重錦，食則粱
肉。遠惟平生，思季路負米之時，不可復得，故序遺文，垂示
來世。"

《唐書·經籍志》：《食經》九卷，崔浩撰。

《唐書·藝文志》：崔浩《食經》九卷。

《通志·藝文略》：《崔氏食經》四卷，崔浩撰。

案崔浩有《周易注》，見經部易家。《唐志》載此書九卷，蓋
以篇爲卷。此四卷似合并。《唐日本書目》亦四卷。注云
崔禹錫撰，似因劉禹錫《傳信方》而譌。

食經十四卷。梁有《食經》二卷,又《食經》十九卷,亡。

並不著撰人。

梁有《劉休食方》一卷,齊冠軍將軍劉休撰,亡。

《南齊書》本傳:休字弘明,沛郡相人也。初爲駙馬都尉,奉朝請,宋明帝湘東國常侍。明帝頗有好尚,尤嗜飲食,休多藝能,爰及鼎味,問無不解。後宮孕者,帝使筮其男女,無不如占。齊建元初,爲御史中丞。四年,出爲豫章内史,加冠軍將軍。卒,年五十四。"

食饌次第法一卷

不著撰人。

梁有《黄帝雜飲食忌》二卷。

不著撰人。

案《漢志》經方家之末有《神農黄帝食禁》七卷,嚴氏以爲本草,未有碻證。案《食禁》即《食忌》。此二卷或即《漢志》七卷之遺。《通志略》無"忌"字,豈所見《隋志》果如是乎?

四時御食經一卷

不著撰人。

《唐書·藝文志》:《四時御食經》一卷。

案此似即魏武《四時食制》。嚴氏《全三國文編》曰:"《文選·海賦注》、《初學記》卷三十、《太平御覽》九百三十六、七、八、九至四十引魏武《四時食制》凡十四條。"《舊唐志》又有《四時食法》一卷,趙氏撰。《新志》作趙武,似皆因曹氏魏武而傳譌,非别一書。《御覽》引用書目與《四時食制》分别著目,亦非也。

梁有《太官食經》五卷,又《太官食法》二十卷,亡。

並不著撰人。

《唐書·經籍》、《藝文志》:《太官食法》一卷,《太官食方》十九卷。

《通志·藝文略》：《梁太官食經》五卷，《梁太官食法》二十卷。

案鄭氏以此二書皆屬之梁代，未詳所據，然亦頗近似。

梁有《食法雜酒食要方白酒》并《作物法》十二卷，《家政方》十二卷。

並不著撰人。

案"食法雜酒食要方白酒并作物法"，此不似書名，似誤鈔梁目解題之文，亦即似《家政方》十二卷解題之語也，詳見下文。

《食圖》、《四時酒要方》、《白酒方》、《七日麵酒法》、《雜酒食要法》、《雜藏釀法》、《雜酒食要法》、《酒并飲食方》、《鯗及鐉蟹方》、《羹臛法》、《菹腤胘法》、《北方生醬法》各一卷，亡。《雜酒食要法》凡兩見，似有敓誤。

並不著撰人。

案此云各一卷者，《食圖》一卷，《四時酒要方》一卷，《白酒方》一卷，《七日麵酒法》一卷，《雜酒食要法》一卷，《雜藏釀法》一卷，《雜酒食要法》一卷，《酒并飲食方》一卷，《鯗及鐉蟹方》一卷，《羹臛法》一卷，《菹腤胘法》一卷，《北方生醬法》一卷，凡十二卷。證以前一條所載，似即《家政方》之篇目。其首一卷爲食物之圖，故云《食圖》。而此之《食圖》即前條之《食法》也，此《四時酒要方》即前條之《雜酒食要方》也，此《白酒方》即前條之《白酒》也，此《七日麵酒法》以下諸種即前條《作物法》之省文也。蓋亦如前條誤鈔梁目解題之文，非《家政方》之篇目，即《作物法》之子卷斷可識矣。天文家云《録軌象以頌其章》一卷，亦誤鈔解題之語，與此相同。

療馬方一卷。梁有《伯樂療馬經》一卷，疑與此同。

案梁目《伯樂療馬經》即此《療馬方》，亦即下篇《伯樂治馬雜病經》一卷也。本志注其疑似者，唯此與前《墨子枕內五行紀要》各一條。此亦可知修志者唯見書目,不見本書,故有此疑辭也。

以上自《崔氏食經》至此,凡五部,附梁有二十部,除去複重十三部,止有七部。皆飲饌及獸醫之屬附諸篇末者,爲第五類,是爲上篇。

醫方家下

黄帝素問八卷　全元越注

全元越當爲全元起,始末未詳。

《南史·王僧孺傳》:僧孺多識古事。侍郎金元起欲注《素問》,"金"當爲"全"。訪以砭石。僧孺答曰:"古人當以石爲針,必不用鐵。《説文》有此砭字,許慎云:'以石刺病也。'《東山經》:'高氏之山多針石。'郭璞云:'可以爲砭針。'《春秋》:'美疢不如惡石。'服子慎注云:'石,砭石也。'季世無復佳石,故以鐵代之爾。"

《唐日本國見在書目》:《黄帝素問》十六卷,全元起注。

《唐書·藝文志》:全元起注《黄帝素問》九卷。

《宋史·藝文志》:《素問》八卷,隋全元起注。

陳氏《書録》曰:"《隋志》又有全元起《素問注》八卷。嘉祐中,林億、高保衡承詔校定補注。王砅注本亦頗采元起之説,附見其中。"

《四庫提要》曰:"全元起所注已闕其第七。王冰,寶應中人,乃自謂得舊藏之本,補足此卷。"又曰:"冰本頗更其篇次,然每篇之下必注全元起本第幾字,猶可考見其舊第。"

脈經二卷　徐氏撰

徐氏不詳何人。

華佗觀形察色并三部脈經一卷

華佗有《方》十卷、《内事》五卷,見上篇經方類第二段。

脈經决二卷　徐氏新撰

徐氏不詳何人。

《唐書·經籍志》：《脈經訣》三卷，徐氏撰。

《唐書·藝文志》：徐氏《脈經訣》三卷。

脈經鈔二卷　許建吳撰

許建吳，始末未詳。

黃帝素問女胎一卷

不著撰人。

案此似論胎脈，本之于《素問》者。

三部四時五藏辨診色决事脈一卷

不著撰人。

《唐書·經籍》、《藝文志》：《三部四時五藏辨候診色脈經》一卷。

脈經略一卷
辨病形證七卷
五藏决一卷

並不著撰人。

論病源候論五卷　目一卷　吳景賢撰

吳景賢亦作吳景，始末未詳。

《唐書·經籍志》：《諸病源候論》五十卷，吳景撰。

《唐書·藝文志》：吳景《諸病源候論》五十卷。巢氏《諸病源候論》五十卷。注云巢元方。

《宋史·藝文志》：巢元方《巢氏諸病源候論》五十卷。

晁氏《讀書》：《巢氏病源候論》五卷，隋巢元方等撰。元方，大業中被命與諸醫共論眾病所起之源。皇朝舊制，監局用此書課試醫生。昭陵時，詔校本刻牘頒行，宋綬爲序。

陳氏《書錄》曰："《巢氏病源論》五十卷，隋太醫博士巢元方等撰，大業六年也。惟論病證，不載方藥。今案《千金方》諸論多本此書，業醫者可以參考。”

《四庫提要》曰：“《巢氏諸病源候論》五十卷，隋大業中太醫博士巢元方等奉詔撰。考《隋志》有《諸病源候論》五卷，目一卷，吳景賢撰。《舊唐志》有《諸病源候論》五十卷，吳景撰。皆不言巢氏書。《宋志》有巢元方《巢氏諸病源候論》五十卷，又無吳氏書。惟《新唐志》二書並載，書名卷數並同。不應如是之相複，疑當時本屬官書，元方與景一爲監修，一爲編撰，故或題景名，或題元方名，實止一書，《新唐志》偶然重出。觀晁公武稱隋巢元方等撰，足證舊本所列不止一名。然則《隋志》吳景作吳景賢，‘賢’或‘監’字之誤。其作五卷，亦當敓一‘十’字。如止五卷，不應目録有一卷矣。”

又《簡明目録》曰：“凡六十七門，一千七百二十論，但論病源，不載方藥。唐王燾作《外臺秘要》，宋太平興國中撰《聖惠方》，皆采是書，冠諸門之首，則歷代寶爲圭臬矣。”

服石論一卷

不著撰人。

案上篇著録《石論》一卷，亦無名氏，似即其書。

癰疽論方一卷

五藏論五卷

瘕論并方一卷

并不著撰人。

以上十五部，亦如上篇醫經之例，爲第一類。

神農本草經三卷

《唐書·經籍》、《藝文志》：《神農本草》三卷。

案此三卷本或猶是相傳本經之舊。

本草經四卷　蔡英撰

蔡英，始末未詳。

案此似即上篇所注“梁有《蔡邕本草》七卷”也。此或非其全也。

藥目要用二卷

不著撰人。

《唐書·經籍》、《藝文志》：《藥目要用》二卷。

案上篇注云“梁有《藥目》三卷，亡”，此或其節要本。

本草經略一卷

不著撰人。

本草二卷　徐大山撰。“大山”當爲“太山”，下並同。

徐大山即徐文伯，有《藥方》，見上篇。文伯嘗爲太山、東莞、蘭陵三郡太守，故有此稱。

本草經類用三卷

不著撰人。

案兩《唐志》有《藥類》二卷，似即此書。

本草音義三卷　姚最撰

姚最有《梁後略》，見史部古史類。

《北史·藝術·姚僧垣傳》：僧垣次子最，年十九，隨僧垣入關。未習醫術。天和中，齊王憲奏遣最習之。憲又謂最曰：“博學高才，何如王褒、庾信？王、庾名重兩國，吾視之蔑如，接待資給，非爾家比也。勿不存心。且天子有勅，彌須勉勵。”最于是始受家業，十許年中，略盡其妙。每有人告請，効驗甚多。

本草音義七卷　甄立言撰

《舊唐書·方技傳》：甄權，許州扶溝人也。嘗以母病，與弟立言專醫方，得其旨趣。立言，武德中累遷太常丞，尋卒。撰《本草音義》七卷，《古今録驗方》五十卷。甄權有《甄氏本草》，見上篇。

《唐書·藝文志》：甄立言《本草音義》七卷。注云一作“權”。

謝氏《小學考》曰：“《唐志》‘立言’下注云一作‘權’。《通志·藝文略》則直作甄權，誤。”

本草集録二卷

本草鈔四卷

本草雜要决一卷

并不著撰人。

本草要方三卷　　甘濬之撰

甘濬之有《癰疽耳眼本草要鈔》等書凡六種，並見上篇經方家第五段。

案此似即上篇所注“梁有九卷”之佚存本。

依本草録藥性三卷　　録一卷

不著撰人。

《唐六典》太醫令注：醫博士教諸醫生讀《本草》者，即令識藥形而知藥性。博士月一試，太醫令、丞季一試，太常丞年終總試。

案唐制，大率仍前代，據《六典》所載，則藥性之書爲博士弟子課試之學，此從來本草録諸家所言性味，大抵是太醫署肄業之書，又頗似甄權《藥性本草》也。

靈秀本草圖六卷　　原平仲撰

原平仲，始末未詳。

唐張彥遠《歷代名畫記》曰：“古之秘畫珍圖，有《靈秀本草圖》六卷，起赤箭，終蜻蜓，源平仲撰。”此作“源”，未詳孰是。

《唐書·經籍志》：《靈秀本草圖》六卷，原平仲撰。

《唐書·藝文志》：原平仲《靈秀本草圖》六卷。

芝草圖一卷

不著撰人。

《唐書·經籍》、《藝文志》：《芝草圖》一卷。

入林采藥法二卷

不著撰人。

太常采藥時月一卷　　四時采藥及合目録四卷

并不著撰人。

《唐六典》："太常卿，以八署分而理焉：其六曰太醫署。太醫令，掌諸醫療之法。凡藥有陰陽配合，子母兄弟，根葉花實，草石骨肉之異，及有毒無毒，陰乾，采造時月，皆分別焉。皆辨其所出州土，每歲貯納，擇其良者而進焉。"又曰："凡醫師、醫正、醫工療人疾病，每歲常合傷寒、時氣、瘧痢、傷中、金瘡之藥，以備人之疾病者。"

又曰："殿中監之屬，尚藥奉御掌合和御藥，凡藥有上中下三品：上藥爲君，養命以應天；中藥爲臣，養性以應人；下藥爲佐，療病以應地。遞相宣攝而爲用。凡合藥宜用一君、三臣、九佐，方家之大經也。必辨其五味、三性、七情，然後爲和劑之節。其用又有四焉，曰：湯、丸、膏、散。"

《唐書·經籍》、《藝文志》：《四時采取諸藥及合和》四卷。

　　案太醫署屬太常，故此兩書以太常名，大抵是其簿籍爲醫正、醫師、醫工之職業，而尚藥局亦有其事焉。

藥録二卷　　李密撰

《北齊書·李元忠傳》：元忠，趙郡柏人人也。族弟密，字希邕，平棘人。密少有節操，屬爾朱兆殺逆，陰結豪右，以兵從高祖舉義，遥授并州刺史，封容城縣侯，除建州、襄州刺史。天保初，以舊功授散騎常侍，卒。密性方直，有行檢。因母患疾，名醫治療不愈，精習經方，洞曉針藥，母疾得除。當世皆服其名解，由是亦以醫術知名。亦見《北史·李裔傳》後。

諸藥異名八卷　　沙門行矩撰。本十卷，今闕。

行矩一作行智，始末未詳。

《唐書·經籍志》:《諸藥異名》十卷,釋行智撰。

《唐書·藝文志》:僧行智《諸藥異名》十卷。

案明李時珍《本草綱目》每藥必備載釋名一條,蓋權輿于是書。

諸藥要性二卷

不著撰人。

種植藥法一卷

不著撰人。

《唐六典》:"太醫署,太醫令之屬,藥園師二人,生八人。藥園師以時種蒔、收采諸藥。"注曰:"京師置藥園一所,擇良田三頃,取庶人十六已上、二十已下,充藥園生,業成,補藥園師。"

種神芝一卷

不著撰人。

《抱朴子·黄白篇》云:"曰:夫芝菌者,自然而生,而仙經有以五石五木種芝,芝生,取而服之,亦與自然芝無異,俱令人長生。"

案此與《種植藥法》似皆爲藥園師、生所職業。_{兩《唐志》有《種芝經》九卷。}

右亦如上篇之例,皆本草之屬,爲經方家之一門。

藥方二卷　徐文伯撰

徐文伯有《藥方》,見上篇經方家第五段。

案上篇注云"梁有徐文伯《藥方》二卷,亡",此復著録亦二卷,實未亡也。

解散經論并增損寒食節度一卷

不著撰人。

張仲景療婦人方二卷

張仲景見上篇經方家。

案《書録解題》曰：“《金匱要略》三卷，下卷載方并療婦人。”
蓋後人已析入《金匱要略》中也。仲景之書，自王叔和編次
三十六卷之後，其原編舊第遂不可考。今則并叔和所編之
篇目，亦不可見。本志所載有《仲景方》十五卷，《論傷寒》
十卷，《王叔和論病》六卷，《評病要方》一卷，并此二卷，凡三
十四卷。明方有執言，仲景有《序例》一篇，爲三十五，尚闕其
一。若以叔和《論病》及《評病要方》兩書合并爲《金匱玉函
經》八卷計之，則正合三十六卷之數，然不知是否如此也。

徐氏雜方一卷　少小方一卷　療小兒丹法一卷

徐氏不詳何人。

案兩《唐志》有徐嗣伯《雜病論》一卷，本志不見，疑即是書。
《新唐志》《雜病論》之後又次以徐氏《落年方》三卷，并疑此
三書即上篇所載徐嗣伯《落年方》三卷也。

徐大山試驗方二卷

“大山”當爲“太山”，有《本草》二卷，見前。

徐文伯療婦人瘕一卷

徐文伯有《藥方》二卷，兩見于前。

《説文》：“瘕，女病也。”桂氏《義證》曰：“馥案華氏《中藏經·
癥瘕論》云：‘癥者，系于氣也。瘕者，系于血也。’《御覽》引
《宋書·徐文伯傳》：‘明帝宫人患腰痛牽心，衆醫以爲肉瘕。
文伯曰：此髮瘕。以油投之，即吐，得物如髮。引之，長三尺，
頭已成蛇。懸柱上，水滴盡，一髮而已，病都差。’馥案《隋書
·經籍志》：徐文伯《療婦人瘕》一卷。”

案《南史·張融附傳》亦載此事，而誤“瘕”爲“癥”。此一卷
即載其事，蓋其治驗之一端。

徐大山巾箱中方三卷

徐太山有《本草》及《試驗方》，並見前。

藥方五卷　徐嗣伯撰

徐嗣伯有《落年方》,見上篇經方家。

墮年方二卷　徐大山撰

《唐日本國見在書目》:徐太山《隨手方》一卷。

　　案徐太山即徐文伯。此"墮年"爲"隨手"之誤,"墮"、"隨"
　　二字易混,"年"、"手"草寫相似。《通志略》亦作"墮年",則
　　宋本已然。微《日本書目》,幾莫辨其致誤之由矣。

効驗方三卷　徐氏撰

徐氏不詳何人。

雜要方一卷

不著撰人。

玉函煎方五卷　葛洪撰

葛洪有《肘後方》,見上篇經方家。

《抱朴子·雜應篇》曰:"余所撰百卷,名曰《玉函方》,皆分別
病名,以類相續,不相雜錯。"

《太平御覽·方術部》:《晉中興書》曰:"葛洪撰經用救驗方
三卷,號曰《肘後方》。又撰《玉函方》一百卷,于今行用。"

　　案此稱《煎方》者,蓋從《玉函》百卷中鈔出編爲五卷也。

小品方十二卷　陳延之撰

陳延之,始末未詳。

《唐書·經籍志》:《小品方》十二卷,陳延之撰。

《唐書·藝文志》:陳延之《小品方》十二卷。

陳氏《書録》曰:"《外臺秘要方》四十卷,唐王燾撰。天寶十一
年也。其書博采諸家方論,如《肘後》、《千金》,世尚多有之。
至于《小品》,深師、崔氏、許仁則、張文仲之類,今無傳者,猶
間見于此書。"案深師方及崔中書、黄素方,並見前。許仁則,似即高陽許智藏
之族,陳、隋時人。張文仲,唐武后時人,又《選注》引《經方小品》,即此書。

千金方三卷　范世英撰

范世英,始末未詳。

《唐書·藝文志》:范世英《千金方》三卷。

案《千金方》之名始于唐初孫思邈。本志五行家已載思邈《龜上五兆動搖決》一卷,《五兆算經》一卷,以其人尚存,故不著姓名。此亦疑孫氏《千金方》三十卷,敓"十"字,而又誤題撰人爲范世英,或世英鈔《千金方》爲三卷,其前敓《千金方》三十卷一條也。

徐王方五卷
徐王八世家傳効驗方十卷
徐氏家傳秘方二卷

并不著撰人。

《唐書·經籍志》:《徐王八代効驗方》十卷,徐之才撰。《徐氏家秘方》二卷,徐之才撰。

《唐書·藝文志》:徐之才《徐王八代効驗方》十卷,又《家秘方》三卷。

《北史·藝術·徐謇傳》:謇字成伯,丹陽人也,家本東莞。與兄文伯等皆善醫藥。謇因至青州,慕容白曜平東陽,獲之,送京師。仕獻文、孝文,至大鴻臚卿,封金鄉縣伯。正始元年,以老爲光禄大夫。卒,謚曰靖。子踐,字景昇,襲爵。位建興太守。文伯仕南齊,位三郡太守。子雄,員外散騎侍郎,醫術爲江左所稱。雄子之才,幼而雋發,仕梁豫章王綜鎮北主簿。及綜入魏,之才爲魏軍所止。綜入魏旬月,位至司空。魏聽綜收斂僚屬,乃啓魏帝,云之才大善醫術,兼有機辨,詔徵之才。孝昌二年,至洛,勑居南館,禮遇甚優。謇子踐啓求之才還宅。之才藥石多效,又闕涉經史,發言辨捷,朝賢競相要引,爲之延譽。武帝時,封昌安縣侯。天平中,齊神武徵赴晉

陽，常在內館。既博識多聞，于方術尤妙。針藥所加，應時必
効。文宣登阼，封池陽縣伯。武平中，仕至尚書令，封西陽郡
王。年八十，卒，贈司徒公、錄尚書事，謐曰文明。弟之範亦
醫術見知，位太常卿。

明李梴《醫學入門・姓氏考》曰：“徐熙，南宋東海人，官至濮
陽太守。世醫，徐秋夫、道度、文伯、徐雄、之才等皆其子孫
也。”又曰：“之才撰《藥對》。之才弟之範，以醫官太常卿。之
範子敏齊，亦工醫。”

案此稱徐王者，以之才仕北齊封西陽王故也。前五卷爲之
才自撰，後十卷又二卷皆其所集錄。徐氏自濮陽太守熙，
以醫術名家，傳子秋夫，秋夫傳子道度、叔嚮，道度傳子文
伯，叔嚮傳子嗣伯，文伯傳子雄，皆仕于南朝者。其入北
朝，則有文伯之弟謇，謇子踐，雄子之才、之範，之範子敏
齊，凡七代十一人。此云八世者，或自熙至之才之父雄，八
人世其家學者言之。之才同時昆季踐及之範以下，皆不在
其內也歟？

藥方五十七卷　後齊李思祖撰。本百一十卷。<small>案當爲後魏。</small>

《北史・藝術傳》：李脩字思祖，本陽平館陶人也。父亮，少學
醫術，未能精究。太武時奔宋，又就沙門僧坦，略盡其術。針
灸授藥，罔不有効。徐、兗間，多所救恤。脩兄元孫隨畢衆敬
赴平陽，亦遵父業而不及，以功拜奉朝請。脩略與兄同，晚入
代京，歷位中散令，以功賜爵下蔡子，遷給事中。太和中，常
在禁內，文明太后時有不豫，脩侍針藥多効。集諸學士及工
書者百餘人，在東宮撰諸藥方百卷，皆行于世。<small>案《魏書》云百餘
卷。</small>後卒于太醫令，贈青州刺史。

《唐書・經籍志》：《雜湯丸散方》五十七卷，孝思撰。<small>岑本又作
“孝燕”。</small>

《唐書·藝文志》：孝思《雜湯丸散方》五十七卷。二《志》並誤"李"爲"孝"，又敓"祖"字也。

案李脩在《魏書·術藝傳》。傳末云："遷洛，爲前軍將軍，領太醫令。後數年卒。"案孝文遷洛，在太和十九年。後數年，仍當在孝文、宣武之時。遠在北齊之前。此列在徐王書後，題曰後齊，皆非也。《太平御覽·方術部》引《後魏書》載其診高允事，作李循，誤也。今《魏書·高允傳》作"李脩"。

稟丘公論一卷

不著名氏。

案曹翕入晉改封稟丘公，有《寒食散方》，與皇甫謐書合并爲帙，見上篇經方家。此即曹翕所論之一卷也。

太一護命石寒食散二卷　　宋尚撰

宋尚，始末未詳。

案此或是神仙家之《寒食散方》也。

皇甫士安依諸方撰一卷

案上篇注云"梁有《皇甫謐、曹歙論寒食散方》二卷，亡"，此與前所載《稟丘公論》一卷，即梁有之二卷，實未亡也，而敘次雜亂乃如此。

序服石方一卷

不著撰人。

案此或即皇甫氏、曹氏《寒食方論》之序，又或是前載《服石論》一卷之序。

服玉方法一卷

不著撰人。

《唐書·經籍》、《藝文志》：《服玉法并禁忌》一卷。

劉涓子鬼遺方十卷　　龔慶宣撰

《太平御覽·方術部》：龔慶宣《鬼遺方序》曰："劉涓子，不知何許人也。晉末于丹陽郊外較射，忽見一物，高二丈許，因射而中之，走而電激，聲若風雨，夜不敢追。明旦，率門人弟子隣伍數十人，尋其蹤跡。至山，見一小兒，問之何往，小兒云：'主人昨夜爲涓子所射，今欲取水以洗瘡。'因問小兒主人是誰，答曰：'是黃父鬼。'乃將小兒還，未至，聞擣藥聲，遙見三人：一人臥，一人開書，一人擣藥。比及隨叫突而前，三人並走，遺一帙《癭疽方》并一臼藥。人有癭者，塗之，隨手而愈。"

《唐日本國見在書目》：《劉涓子》十一卷，龍慶宣撰。_{"龍"當}爲"龔"。

《唐書·經籍志》：《劉涓子男方》十卷，龔慶宣撰。一本又作"南方"，疑皆是"鬼"字之誤。

《唐書·藝文志》：《劉涓子男方》十卷。

《崇文總目》："《劉涓子鬼遺方》十卷。"又曰："《劉涓子鬼論》一卷。"

陳氏《書録》曰："《劉涓子神仙遺論》十卷，東蜀刺史李頔録。案《中興書目》引《崇文總目》云宋龔慶宣撰。劉涓子者，晉末人，于丹陽縣得《鬼遺方》一卷，略治癭疽之法。慶宣得而次第之。今案《唐志》有龔慶宣《劉涓子男方》十卷。未知即此書否。卷或一版，或數行，名爲十卷，實不多也。"

明程伊《醫林外傳》曰："涓子從宋武帝北征，有被創者，以藥塗之，隨手而愈。論者謂聖人作事天必助之，蓋天以此授武帝也。涓子用方爲治，千無一失，演爲十卷，號《鬼遺方》。"

歸安陸心源《群書校補》曰："《劉涓子男方》十卷，宋龔慶宣撰。《舊》、《新唐志》同。《直齋書録》有《劉涓子神仙遺論》十卷，似即一書。今衹存《鬼遺方》五卷，石門顧脩刊入《讀畫齋叢書》中。《神仙遺論》一卷，惟見錢氏《讀書敏求記》。六朝著述傳世日希，余藏有舊鈔本，今録如左，以補顧刻之缺。"

案《晉書‧譙忠王尚之傳》：“王國寶之誅也，彭城內史劉涓
子以同黨被收。尚之爲言于會稽王道子，得釋。”《宋書‧
宗室傳》：“營浦侯遵考，高祖族弟也。曾祖淳，皇曾祖武原
令混之弟，官至正員郎。祖巖，海西令。父涓子，彭城內
史。”蓋即此劉涓子，爲宋武帝共高祖從父。王國寶被誅，
事在晉安帝隆安二年，時涓子爲彭城內史。後十三歲，義
熙六年，從宋武北征慕容超，以所得藥療被創軍士。則其
在丹陽射獵得此方書，在是年之前，其事固在晉末，與龔氏
序言合，此其人之略可考見者。今本首有齊永元元年龔慶
宣序，永元爲東昏侯年號，則齊末梁初人，知與涓子非同
時，不得謂之宋人。其首一卷爲黃父曰，以下論説凡四十
九條，所謂鬼論、神仙遺論者，即此。餘載方一百五十五
首。其改稱《神仙遺論》，殆李頔録本始。編爲五卷，則宋
已後人爲之也。

療癰經一卷
療三十六瘻方一卷

并不著撰人。

《説文》：“癰，腫也。瘻，頸腫也。”桂氏《義證》曰：“顏注《急
就篇》：‘瘻，久瘡也。’《一切經音義》：‘瘻，癰屬也。中有蟲，
頸腋急處皆有，或作漏血，如水上也。’《隋書‧經籍志》：《療
三十六瘻方》一卷。”明李樾曰：“瘻音漏，瘡久成孔也。”

王世榮單方一卷

《北史‧藝術傳》：王顯字世榮，陽平樂平人。自言本東海郯
人，王朗之後也。父安上，少與李亮同師，俱受醫藥，而不及
亮。案李亮，李脩之父。見前李思祖《藥方》條。顯少歷本州從事，雖以
醫術自通，而明敏有決斷才用。後宣武詔撰《藥方》三十五
卷，班布天下，以療諸疾。累遷御史中尉。以營療功，封魏國

縣伯。及宣武崩，明帝即位，朝宰託以侍療無効，執之禁中。詔削爵位，徙朔州。臨執呼冤，直閣以刀鐶撞其腋下，傷中吐血，至右衛府，一宿死。

《唐日本國見在書目》：《雜藥方》一卷，中尉王榮撰。敚“世”字。

案王顯與李脩同時，其卒後李脩十餘年，時爲南朝梁武帝天監十五年也。此一卷殆即三十五卷中之一。

集驗方十卷　姚僧垣撰　　一本作“僧坦”，誤。又作“僧圮”，尤誤。

姚僧垣有《姚大夫集驗方》十二卷，見上篇經方家。

案姚氏《集驗方》，隋、唐時相傳有兩本，其一十二卷，上篇所載者是其一十卷，與《舊》、《新唐志》著錄同，即此是也。

集驗方十二卷

不著撰人。

案此似即上篇所載姚大夫《集驗方》十二卷之本。《日本書目》載姚氏《集驗方》亦有兩本，皆十二卷，與本志同。

備急草要方三卷　許證撰　　“草”當爲“單”，“證”當爲“澄”。

《北史·藝術·許智藏傳》：“智藏，高陽人也。祖道幼，時號名醫，世相傳授。智藏以醫自達，仕陳。入隋爲員外散騎侍郎。宗人許澄，亦以醫術顯。澄父奭，仕梁，爲中軍長史，隨柳仲禮入長安，與姚僧垣齊名。澄有學識，傳父業，尤盡其妙。歷位尚藥典御、諫議大夫，封賀川縣伯。父子俱以藝術名重于周、隋二代，史失其事，故附云。

明李梴《歷代醫學姓氏考》：許澄，智藏宗人，以醫術與姚僧垣齊名，拜士承局三司。案士承局三司，周、隋時罕見有此官名，疑是上儀同三司之誤，隋從四品官也。

藥方二十一卷　徐辨卿撰

徐辨卿，始末未詳。

案《北史·藝術·徐之才傳》：“之才長子林，字少卿，太尉司馬。次子同卿，太子庶子。之才以其無學術，每歎曰：
'終恐同《廣陵散》矣。'弟之範亦醫術見知，位太常卿，特聽
襲之才爵西陽王。"此辨卿與之才之子少卿、同卿似同輩，
或之範之子敏齊之字歟？李梴《醫學姓氏考》云："徐敏齊，
之範之子，工醫，博覽多藝，隋贈朝散大夫。"

名醫集驗方六卷

不著撰人。

《唐書·經籍》、《藝文志》：《名醫集驗方》三卷。

名醫別録三卷　　陶氏撰

陶氏弘景有《本草集注》、《太清草木集要》、《肘後百一方》、
《効驗方》、《療目方》凡五書，並見上篇經方家。

《唐書·經籍》、《藝文志》：《名醫別録》三卷。皆不著名氏，並類從
于本草之内。

　　案明李時珍《本草綱目·序例》云："《神農本草》三百六十
五種，梁陶弘景復增漢、魏以下名醫所用藥三百六十五種，
謂之《名醫別録》。"然則此爲陶氏新集《本草》，其後作《集
注》並散入七卷之中，以朱書《神農》、墨書《別録》爲識別。
其首當有漢、魏已來名醫姓名，故宋林億校上《傷寒論序》
引《名醫別録》，言張仲景本末。唐甘伯宗輯《名醫傳》七
卷，本于此書。今皆不可得見矣。汪氏《文選注引群書目録》有《名醫
別録》、《本草名醫》。案《本草名醫》亦即是書之《姓名考》也。

　　又案此當移列于前《神農本草經》三卷之次。

删繁方十三卷　　謝士秦撰

《唐日本國見在書目》：《删繁論》十卷，謝云泰撰。

《唐書·經籍志》：《删繁方》十二卷，謝士太撰。一本作"士文"。

《唐書·藝文志》：謝士太《删繁方》十二卷。

　　案"士秦"當是"士泰"之誤。《日本書目》以"士"爲"云"，

《唐志》又轉“泰”爲“太”，以“太”爲“文”。《新唐志》別有謝
泰《黄素方》二十五卷，見上篇經方類中，疑即此謝士泰，始
末並未詳也。

吴山居方三卷

吴山居不知何人。

新撰藥方五卷

不著撰人。

療癰疽諸瘡方二卷　秦政應撰

秦政應，始末未詳。

單複要驗方二卷　釋莫滿撰

莫滿，始末未詳。

案單複之義，聞之醫學名家駱氏衛生曰：“單者，如生甘草
湯、甘桔湯之類，以一二品爲法也。複者，如五苓散合小柴
胡湯柴苓湯，平胃散合五苓散爲胃苓湯之類是也。”

釋道洪方一卷

道洪有《寒食散對療》一卷，見上篇經方家。

小兒經一卷

不著撰人。

散方一卷　雜散方八卷

并不著撰人。

案上篇寒食散類中亦著録《雜散方》八卷，疑即一書。

療百病雜丸方三卷　釋曇鸞撰

曇鸞，始末未詳。

案《陶隱居集》有《答釋曇鸞書》云：“去月耳聞音聲，兹長眼
受文字，將由頂禮歲積，故使真隱來儀。正爾整拂藤蒲，
具陳花水，端襟斂思，竚聆警錫也。”則曇鸞乃梁時高
僧也。

療百病散三卷

不著撰人。

案此似亦爲前人一家之書。

雜湯方十卷　　成毅撰

成毅，始末未詳。

雜療方十三卷

雜藥酒方十五卷

并不著撰人。

趙婆療漯方一卷

趙婆不知何時人。

案《説文·水部》"漯"字注，引桑欽説"漯水出高唐"，蓋桑欽《古文尚書》説也。《康熙字典》"漯，《説文》本作濕，後以濕爲乾溼之濕"云云，則"漯"爲古文"濕"字，亦通爲"溼"字。此《療漯方》即《療濕方》之異名歟？又疑爲"瘰"字之誤。《字典》云："瘰癧，筋結病也。又瘍繞頸項糸糸也。"《方書》云："瘰癧，或在耳後，頸項缺盆，手少陽三焦經主之。或在胸及胸之側，皆爲馬刀瘡，足少陽膽經主之。"明李梴《醫學入門·音字》云："漯音㗂。"則瘰癧之瘰爲多。《宋志》有《療癧方》一卷，或即是書。

議論備豫方一卷　　于法開撰

《世説·文學篇》注：《名德沙門題目》曰："于法開，才辯縱橫，以數術弘教。"《高逸沙門傳》曰："法開初以義學著名，後與支遁有競，故遁居剡縣，更學醫術。"

梁釋慧皎《高僧傳》：于法開，不知何許人。事于法蘭爲弟子，又祖述耆婆，妙通醫法，住白山靈鷲寺，每與支道林爭即色空義。哀帝時徵入京，講《放光經》。謝安、王文度悉皆友善。年六十卒于山寺。

扁鵲陷冰丸方一卷

扁鵲有《黄帝八十一難》,見上篇醫經類。

《漢書·郊祀志》:“成帝末年頗好鬼神,亦以無繼嗣故,多上書言祭祀方術者,皆得待詔,祠祭上林苑中長安城旁。費用甚多,谷永説上曰:‘臣聞明于天地之性,不可惑以神怪;知萬物之情,不可罔以非類。諸背仁義之正道,不遵《五經》之法言,而盛稱奇怪鬼神,廣崇祭祀之方,求報無福之利,及言世有僊人,服食不終之藥,遙興輕舉,登遐倒景,覽觀縣圃,浮游蓬萊,耕耘五德,朝種暮穫,與山石無極,黄冶變化,堅冰淖溺,化色五倉之術者,皆姦人惑衆,挾左道,懷詐僞,以欺罔世主。聽其言,洋洋滿耳,若將可遇;求之,盪盪如係風捕景,終不可得。’”晉灼曰:“方士詐以藥石若陷冰丸投之冰上,冰即消液,因假爲神仙道使然也。”

案此據谷永及晉灼言,則漢武、宣時方士所作,而託之扁鵲。且非真正方藥,乃左道惑衆之術。當與後神仙黄白方諸書爲伍,列之于此,非其類也。

扁鵲肘後方三卷

案《宋·藝文志》有《扁鵲療黄經》三卷,又《枕中秘訣》三卷,似皆由此書輾轉傳述者。

療消渴衆方一卷　謝南郡撰

謝南郡不知何人。

《唐日本國見在書目》:《治消渴方》一卷。

案此當是治三消病之諸方也。

論氣治療方一卷　釋曇鸞撰

曇鸞有《療百病雜丸方》,見前。

《唐書·經籍志》:《調氣方》一卷,釋鸞撰。

《唐書·藝文志》:僧鸞《調氣方》一卷。《志》並敚“曇”字。

案《宋志》神仙家魏曇鸞法師《服氣要訣》一卷，疑即是書。知曇鸞乃北魏僧來游江南者。

梁武帝所服雜藥方一卷

梁武帝《淨業賦序》有曰："朕蔬食不噉魚肉，復斷房室，不與嬪侍同屋而處四十餘年矣。于是四體小惡，問上省師劉澄之、姚菩提疾候所以。劉澄之云：'澄之知是飲食過所致。'答劉澄之云：'我是布衣，甘肥恣口。'劉澄之云：'官昔日食，那得及今日食？'姚菩提含笑搖頭云：'唯菩提知，官房室過多，所以致爾。'于時久不食魚肉，亦斷房室。以其智非和緩，術無扁華，默然不言，不復詰問，猶令爲治。劉澄之處酒，姚菩提處丸。服之病逾增甚，以其無所知，故不復服。因爾有疾常自爲方，不服醫藥，亦四十餘年矣。"

案此似梁代太醫署所留遺者，劉澄之不知是否即撰《永初山川郡國記》者，見史部地理記。似別爲一人。姚菩提即姚僧垣之父察及最之祖父也。

大略丸五卷
靈壽雜方二卷

并不著撰人。

案此二種亦似梁代太醫署所留遺者。

經心錄方八卷　宋候撰 "候"當爲"俠"。

《舊唐書·方技傳》：宋俠者，洺州清漳人，北齊東平王文學孝正之子也。亦以醫術著名。官至朝散大夫、藥藏監。撰《經心錄》十卷，行于代。

《唐書·經籍志》：《經心方》八卷，宋俠撰。

《唐書·藝文志》：宋俠《經心方》十卷。

黃帝養胎經一卷　療婦人產後雜方三卷

並不著撰人。

以上自《神農本草經》三卷至此，凡八十三部，亦如上篇經
方之例，爲第二類。

黃帝明堂偃人圖十二卷

黃帝鍼灸蝦蟆忌一卷

明堂蝦蟆圖一卷

鍼灸圖要決一卷

鍼灸圖經十一卷。本十八卷。

十二人圖一卷

鍼灸經一卷

并不著撰人。

案上篇載《黃帝鍼經》九卷，梁有《黃帝鍼灸經》十二卷，徐
悅、龍銜素《鍼并孔穴蝦蟆圖》三卷，《雜鍼經》四卷，又載
《明堂孔穴》及《偃側圖》等凡七部，與此類所載不無重複互
見，莫得而詳焉。

扁鵲偃側鍼灸圖三卷　流注鍼經一卷

扁鵲即秦越人，有《八十一難經》，見上篇醫經類。

案《宋史·藝文志》有《扁鵲鍼傳》一卷，疑即此《流注鍼經》
一卷之留遺，而譌經爲傳也。或別爲一家，與三卷之圖不
相屬，今姑比附于此。

曹氏灸經一卷

曹氏不詳何人。

案王伯厚氏《漢藝文志考證》引王勃《難經序》言岐伯以《內
經》授黃帝，歷世相傳授，至秦越人始定立章句。詳見上篇《八
十一難經》條。又言："秦越人歷九師以授華佗，華佗歷六師以
授黃公，黃公以授曹元。"曹元不知何許人，疑即此曹氏也。
上篇注云：梁有《曹氏灸方》七卷，亡。此一卷，其散佚僅
存者。

偃側人經二卷　秦承祖撰

秦承祖有《藥方》等書凡四種,見上篇經方家。

案上篇醫經類中注云"梁有秦承祖《偃側雜鍼灸經》三卷,亡",此二卷即其亡而不亡者。

華佗枕中灸刺經一卷

華佗有《方》十卷、《內事》五卷,見上篇經方類。又有《觀形察色并三部脈經》一卷,見本篇醫經家。

謝氏鍼經一卷

謝氏不詳何人。疑即前撰《消渴方》之謝南郡。

殷元鍼經一卷

殷元,始末未詳。

案兩《唐志》有殷子嚴《本草音義》二卷。殷子嚴,不詳何人,或即此殷元之字。

要用孔穴一卷　九部鍼經一卷

不著撰人。

《唐六典》:"太醫署,鍼博士掌教鍼生以經脈孔穴,使識浮、沉、澀、滑之候,又以九鍼爲補瀉之法。"注:"一曰鑱鍼,長一寸六分,大其頭,銳其末,令不得深入,主熱在皮膚者。二曰圓鍼,長一寸六分,主療分間氣。三曰鍉鍼,長二寸半,主邪氣出入。四曰鋒鍼,長一寸六分,丸三隅,主決癰出血。五曰劍鍼,令其末如劍鋒,廣二分半,長四寸,主決大癰腫。六曰圓利鍼,且圓且銳,長一寸六分,主取四肢癰、暴痺。七曰豪鍼,長一寸六分,主寒熱痺在胳者。八曰長鍼,長七寸,主取深邪遠痺。九曰火鍼,長四寸,主取火氣不出關節。凡此九鍼,以法九州九野之分。九鍼之形及所主疾病,畢矣。"

釋僧匡鍼灸經一卷

僧匡,始末未詳。

三奇六儀鍼要經一卷

不著撰人。

黄帝十二經脈明堂五藏人圖一卷

案此似即前《十二人圖》，亦即今所傳《明堂銅人圖》也。

以上自《黄帝明堂偃人圖》至此，凡一十九部，又是醫經之屬。因從别家書目或别處簿籍節節鈔取，故致隔越。若移列全元起《素問》之次，徐氏《脈經》之前，則與上半篇編次之例一律，自然有條不紊矣。是又爲重出醫經之類。

老子石室蘭臺中治癩符一卷

《説文》：“癩，惡疾也。從疒蠆省聲。”桂氏《義證》曰：“《史記·刺客列傳》：‘豫讓又漆身爲厲。’《索隱》：‘癩，惡瘡病也。凡漆有毒，近之多患瘡腫，若癩病然，故豫讓以漆塗身，令其若癩耳。然厲、賴聲相近，古多假厲爲賴。’《隋書·經籍志》：《老子石室蘭臺中治癩符》一卷。”

案以符治病，今尚有之。燒灰入水，又畫符于水中，使病人焚香禱祝而飲之，或效或否。六朝時有直服其所畫之符，有人食符致病。名醫治療下紙一捲，余嘗于他書中見其所載如此。

龍樹菩薩藥方四卷

《通志·藝文略》：“《龍樹菩薩藥方》四卷。”又曰：“《龍樹眼論》一卷。”

晁氏《讀書志》：《龍樹眼論》三卷。佛經，龍樹大士者，能治眼疾，假其説集治七十二種目病之方。

案晁《志》所載三卷，似即此四卷而佚其《論》一卷歟？

西域諸仙所説藥方二十三卷　目一卷。本二十五卷。

《通志·藝文略》：《西域諸仙所説藥方》二十三卷。

香山仙人藥方十卷

《通志·藝文略》：《香山仙人藥方》二十卷。

西録波羅仙人方三卷　"録"當爲"域"。

《通志·藝文略》：《西域波羅仙人方》三卷。

西域名醫所集要方四卷。本二十卷。

《通志·藝文略》：《西域名醫所集要方》四卷。

波羅門諸仙藥方二十卷

波羅門藥方五卷

《通志·藝文略》：《婆羅門諸仙藥方》二十卷，《婆羅門藥方》五卷。

案婆羅門，西域高行人之通稱。本志所載有《字書》一卷，見經部小學家。又有《外國傳》五卷，《天文》一卷，《算法》三卷，《陰陽算曆》一卷，《算經》三卷。其稱主名者，則有《婆羅門捨仙人所説天文經》二十一卷，《婆羅門竭伽仙人天文説》三十卷，《占夢書》一卷，並見地理、天文、曆數、五行家，并此凡十一種。

耆婆所述仙人命論方二卷　目一卷。本三卷。

《通志·藝文略》：《耆婆所述仙人命論方》二卷。

案《宋史·藝文志》載《耆婆脈經》三卷，《耆婆六十四問》一卷，《耆婆要用方》一卷，《耆婆五藏論》一卷，大抵皆本于是書而增長附益者。慧皎《高僧傳》言"于法開祖述耆婆，妙通醫法"，則其人在東晉以前。《日本書目》又有《耆婆茯苓散方》一卷，《耆婆脈訣》十二卷，釋羅什注。

乾陀利治鬼方十卷　新録乾陀利治鬼方四卷。本五卷，闕。

乾陀利，始末未詳。

《通志·藝文略》：《乾陀利治鬼方》十卷，《新録乾陀利治鬼方》四卷。

案《四庫提要》載《巢氏諸病源候論》曰：“第二十六卷貓鬼病候，見于《北史》及《太平廣記》者惟周、齊時有之。”又載王燾《外臺秘要》，曰：“其二十八卷載貓鬼野道方，與《巢氏病源》同。亦南北朝時鬼病，唐以後絕不復聞云云。”蓋已略見于巢、王二家之書。

右自《龍樹菩薩》至此，皆外國方書，爲一段。

伯樂治馬雜病經一卷

伯樂有《相馬經》二卷，見五行家第三十二類。

案上篇之末載《療馬方》一卷，注云“梁有伯樂《療馬經》一卷”，疑與此同。此即前之《療馬方》，亦即《相馬經》之下卷也。

治馬經三卷　俞極撰亡。此“亡”字衍。

俞極，始末未詳。

治馬經四卷

治馬經目一卷

治馬經圖二卷

馬經孔穴圖一卷

雜撰馬經一卷

并不著撰人。

《唐六典》：“殿中省尚乘局之屬，獸醫七十人，掌療馬病。”注曰：“凡馬病，灌而行之，觀其病之所發。療馬病有五勞：一曰筋勞，二曰骨勞，三曰皮勞，四曰氣勞，五曰血勞。久步則生筋勞，久立則生骨勞，久汗不乾則生皮勞，汗未差燥而飼飲之則生氣勞，驅馳無節則生血勞。有傷寒者，有傷熱者，有瘍者，咸據經方以療焉。”

治馬牛駝騾等經三卷　目一卷

不著撰人。

右自《伯樂治馬雜病經》至此,皆獸醫之屬,爲一段。

香方一卷　　宋明帝撰

宋明帝有《論語補闕》,見經部。

雜香方五卷

不著撰人。

　　案《日本書目》有《諸香方》一卷,疑即是書。

龍樹菩薩和香法二卷

龍樹菩薩有《藥方》四卷,見前。

《唐日本國見在書目》:《龍樹井和香方》一卷。

　　右香方三種,爲一段。

食經三卷　　馬琬撰

馬琬,始末未詳。

《唐日本國見在書目》:《食經》三卷,馬院撰。

會稽郡造海味法一卷

不著撰人。

　　案《南齊書・虞悰傳》:"悰,會稽餘姚人也。仕宋,入齊爲
　　豫章内史。悰治家富殖,奴婢無游手,雖在南土,而會稽海
　　味無不畢致。善爲滋味,和齊皆有方法"云云。此或即虞
　　氏所傳,或會稽郡職貢之程式,爲尚食局簿籍之一種。

論服餌一卷

不著撰人。

淮南王食經并目百六十五卷　　大業中撰　　"王"當爲"玉"。

不著撰人。

宋晁伯宇《續談助》鈔《大業雜記》曰:"大業五年,吳郡送扶芳
二百樹。其樹蔓生,纏繞它樹,葉圓而厚,凌冬不凋。夏月取
其葉,微火炙使香,煑以飲,碧渌色,香甚美,令人不渴。先有
籌禪師,仁壽間常在内供養,造五色飲,以扶芳葉爲青飲,拔

楔根爲赤飲，酪漿爲白飲，烏梅漿爲玄飲，江筓—作“柱”。爲黃飲。又作五香飲，第一沈香飲，次丁香飲，次檀香飲，次澤蘭香飲，次甘松香飲，皆有別法，以香爲主。尚食直長謝諷造《淮南玉食經》，有四時飲。春有扶芳飲，桂飲，江筓—作“柱”。飲，竹葉飲，薺苨飲，桃花飲。夏有酪飲，烏梅飲，加蜜沙糖飲，薑飲加蜜穀葉飲，皂李飲，麻飲，麥飲。秋有蓮房飲，瓜飲，香茅飲，加沙糖荼飲，麥門冬飲，葛花飲，檳榔飲。冬有茶飲，白草—作“革”。飲，苟杞飲，人參飲，茗飲魚茬飲，蘇子飲，並加米䊩。”《集韻》：䊩，音佩，研米以糝羹也。

《唐書·經籍志》：《淮南王食經》一百三十卷，諸葛穎撰。《淮南王食目》十卷。《淮南王食經音》十三卷。

《唐書·藝文志》：諸葛穎《淮南王食經》一百三十卷，《音》十三卷，《食目》十卷。“王”並當爲“玉”。

案唐杜寶《大業雜記》載尚食直長謝諷造《淮南玉食經》。《唐六典》：“尚食奉御，案隋制作“典御”。掌供天子之常膳，隨四時之禁，適五味之宜。凡天下諸州進甘滋珍異，皆辨其名數，而謹其儲供。直長爲之貳。”注曰：“隋開皇初，置尚食直長四人，從七品下。大業三年，加置六人，增品爲正第七上。”蓋官尚食局直長，他始末未詳。《唐志》題諸葛穎撰，或其所典領者。穎有《北伐記》、《巡撫揚州記》，見史部地理類。是書稱淮南者，考《隋書·煬帝本紀》，開皇元年，立爲晉王，拜柱國并州總管，尋授武衛大將軍，進位上柱國，河北道行臺尚書令。六年，轉淮南道行臺尚書令。蓋即淮南總管府，豈謝諷始作于是時，其後重修而仍用其初名歟？

膳羞養療二十卷

不著撰人。

案此列《淮南玉食經》之次，似亦隋代故府所留遺者。《唐

六典》：“尚食局食醫掌和齊所宜。”注曰：“《周禮》有食醫
中士二人，掌和王之六食、六飲、六膳、百羞、百醬、八珍之
齊。後周置主食、主膳等。”隋尚食局有食醫。案《隋志》，
尚食局屬門下省，疑此其簿籍也。

右食經，又爲一段。

以上自《老子治癲符》至此，凡二十七部，又是經方之屬。
案上篇第二類經方之末附以香方，第四類神仙家之末附以
食經、馬經，蓋依據梁《七録》之例，故倫貫有敍。此篇爲脩
志者所自纂，乃先之以馬經，次香方，次食經，與前篇迴殊。
此皆由類例不熟，故分隸部居動輒雜亂無章焉。是又爲重
出經方，附焉經、香方、食饌之類。

金匱録二十三卷　目一卷　京里先生撰

京里先生，始末未詳。

《唐書·經籍志》：《金匱仙藥録》三卷，京里先生撰。《神仙服
食經》十二卷，京里先生撰。

《唐書·藝文志》：京里先生《金匱仙藥録》三卷，《神仙服食
經》十二卷。錢塘汪師韓曰：“《文選注引群書》有《金匱仙藥録》。”

　　案《唐志》載兩書共十五卷，即此二十三卷之佚存。又白雲
霽《道藏目録》有京里先生《神仙服餌丹石行藥法》一卷，亦
即是書之僅存。

煉化雜術一卷　陶隱居撰

陶隱居有《本草集注》等書凡五種，見上篇經方家。又下篇有
《名醫別録》，見前。

　　案上篇神仙類中梁簡文《如意方》之次載《煉化術》一卷，不
著撰人，頗似此書。

玉衡隱書七十卷　目一卷　周弘讓撰

周弘讓有《續高士傳》，見史部雜傳篇。

案弘讓爲周弘正之弟，以仕不得志，隱于句容之茅山。此殆其隱居茅山時所作。《舊》、《新唐志》及《通志略》醫家、道書兩類中皆不見，亡佚久矣。

太清諸丹集要四卷　陶隱居撰

陶隱居見前。

《唐書・經籍志》：《太清諸丹藥錄集》四卷。

《唐書・藝文志》：《太清諸丹藥要錄》四卷。二《志》皆不著名氏。

案上篇本草類末有《太清草木集要》二卷，兩《唐志》又有《太清玉石丹藥要集》三卷，草木、玉石分爲二書，此似集合一編者。

雜神丹方九卷

合丹大師口訣一卷

并不著撰人。

合丹節度四卷　陶隱居撰

陶隱居見前。

陶翊《隱居先生本起錄》曰：“《合丹藥諸法式節度》一卷，皆細書大卷，貪易提錄。若大書，可得數四云。”

合丹要略序一卷　孫文韜撰

宋高似孫《剡錄》引《真誥》曰：“孫韜字文藏，會稽剡人。入山師潘四明參受真法。陶隱居手爲題，握中秘訣。門人罕能見，唯傳韜及柏闓二人。”

《書畫譜書家傳》：《書史會要》曰：“道士孫文韜，一名韜，字文藏，會稽剡縣人。陶真白弟子也。其書初學楊許，後學大王，殊有深分。有所書九錫碑及舊館壇碑在茅山。”

仙人金銀經并錢生方一卷

不著撰人。

狐剛子萬金決二卷　葛仙公撰

葛仙公名玄，有《老子序次》，見道家。

《唐書·經籍志》：《狐子方金訣》二卷，葛仙公撰。

《唐書·藝文志》：葛仙公錄《狐子方金訣》二卷。"方"因俗寫"万"之誤。

案狐剛子不知何人，《崇文總目》小說家有狐剛子《感應類從譜》、《靈圖感應歌》各一卷。又道書類有《狐剛子粉圖》四卷。《唐志》稱狐子，本志下文亦有《狐子雜決》三卷。又稱剛子，《崇文目》有《剛子丹訣》一卷，張道陵撰。又一卷，不著撰人。疑是神仙家藥物之別名，未必實有其人也。

雜仙方一卷

不著撰人。

神仙服食經十卷

不著撰人。

案上篇亦載《神仙服食經》十卷。

神仙服食神秘方二卷

不著撰人。

神仙服食藥方十卷　抱朴子撰

抱朴子，葛洪，有《肘後方》、《玉函煎方》，並見上、下篇經方家。

《唐書·經籍志》：《太清神仙服食經》五卷，又一卷，抱朴子撰。

《唐書·藝文志》：抱朴子《太清神仙服食經》五卷。

案《新唐志》又有《太清神仙服食經》五卷，不著撰人。兩書合并似即此十卷也。

神仙餌金丹沙祕方一卷

不著撰人。

衛叔卿服石雜方一卷

《太平御覽·道部四》：《三洞珠囊》曰："衛叔卿，中山人，服
雲母。子度世入山見父，叔卿語曰：'吾齋書室西北墉大柱下
有玉函，中有書，取而案合服之。'度世歸，果如言。餌五色雲
母，仙去。"

金丹藥方四卷

雜神仙丹經十卷

并不著撰人。

雜神仙黃白法十二卷

不著撰人。

《漢書·郊祀志》：成帝時，谷永說上曰："秦始皇初并天下，
甘心于神僊之道，遣徐福、韓終之屬，多齎童男童女，入海求
神采藥，因逃不還，天下怨恨。漢興，新垣平、齊人少翁、公孫
卿、欒大等，皆以僊人黃冶祭祀事鬼使物，其後皆以術窮詐
得，誅夷伏辜。"晉灼曰："黃者，鑄黃金也。道家言冶丹砂令
變化，可鑄作黃金也。"

《抱朴子·黃白篇》曰："《神仙經》黃白之方千有餘首。黃者，
金也。白者，銀也。或題篇曰庚辛，庚辛亦金也。然率多深
微難知，其可解分明者少許爾。"又《遐覽篇》云："道經中有
《黃白要經》、《八公黃白經》各一卷，《枕中黃白經》五卷。"《宋
志》神仙家有《神仙庚辛經》一卷。

《唐書·經籍》、《藝文志》：《黃白秘法》二十卷。"二十"爲"十二"
之誤。

神仙雜方十五卷

神仙服食雜方十卷

神仙服食方五卷

并不著撰人。

服食諸雜方二卷

不著撰人。

案上篇亦載《服食諸雜方》二卷。

服餌方三卷　　陶隱居撰

陶隱居詳見前《名醫別録》條。

案《南史·隱逸傳》：“弘景所著《合丹法式》，秘密不傳，唯弟子得之。”今案本志上、下篇所載，如《太清草木集要》、《煉化雜術》、《太清諸丹集要》、《合丹節度》及此書，凡五種，皆其弟子傳出者。

真人九丹經一卷

太極真人九轉還丹經一卷

太極真人即葛仙公玄，有《内傳》一卷，見史部雜傳家。

《抱朴子·金丹篇》曰：“案《黄帝九鼎神丹經》云：‘黄帝服之，遂以昇仙。’又云：‘黄帝以傳元子。’又云：‘合時當祭，祭時自有《圖法》一卷。’又云：‘第一之丹名曰丹華，第二名曰神丹，第三亦曰神丹，四曰還丹，五曰餌丹，六曰鍊丹，七曰柔丹，八曰伏丹，九曰寒丹。又有立成丹，亦有九首，似九鼎而不及也。’”

又《遐覽篇》曰：“從祖仙公從左元放受《太清丹經》三卷及《九鼎丹經》一卷。”

練寳法二十五卷　　目三卷。本四十卷，闕。

不著撰人。

太清璇璣文七卷　　沖子　　敚“和”字、“撰”字。　　一本又誤作“沖子”。

《唐書·經籍志》：《太清璇璣文》七卷，沖和子撰。

《唐書·藝文志》：沖和子《太清璇璣文》七卷。

案沖和子有《玉房祕决》，見上篇房中家。

陵陽子説黃金祕法一卷

《列仙傳》曰：“陵陽子明者，銍鄉人也。好釣魚于旋溪，得白龍，子明懼，解釣拜而放之。後得白魚，腹中有書，教子明服食之法。子明遂上黃山，采五石脂，沸水而服之。三年，龍來迎去，止陵陽山上百餘年。”《抱朴子·仙藥篇》又有陵陽子仲，似亦即此陵陽子。

《唐書·經籍志》：《陵陽子祕訣》一卷，明月公撰。

《唐書·藝文志》：明月公《陵陽子祕訣》一卷。

案王逸《楚辭·遠游篇》章句、《文選·甘泉賦》張揖注、《思玄賦》、《江賦》、《琴賦》、《七命》注數引《陵陽子明經》。其言類皆服氣道引之術。又《抱朴子·黃白篇》云：“凡方書所名藥物，又或與常藥物同而名異者，如河上姹女，非婦人也；陵陽子明，非男子也。”則陵陽子明又爲藥物之異名。此稱陵陽子及明月公者，或皆是丹竈家之寓言。而《列仙傳》之説，固不足憑也。

神方二卷

不著撰人。

《唐書·經籍志》：《神臨藥祕經》一卷，黃公撰。

《唐書·藝文志》：黃公《神臨藥祕經》一卷。

《宋史·藝文志》神仙家：《黃老神臨藥經》一卷。

案《神臨藥祕經》者，大抵謂神降臨時所示之丹藥，得之乩壇中也。陶氏《真誥》二十卷中或當有此事。

狐子雜決三卷

狐子即狐剛子，有《萬金決》二卷，見前。

《唐書·經籍》、《藝文志》：《狐子雜訣》三卷。

太山八景神丹經一卷

不著撰人。或是徐太山之書。

太清神丹中經一卷

不著撰人。

《唐書·經籍》、《藝文志》：《太清神丹中經》三卷。

案《抱朴子·金丹篇》云："太清神丹，其法出于元君。元君者，老子之師也。《太清觀天經》有九篇，其上三篇不可教授，其中三篇世無足傳，常沉之三泉之下。其下三篇，正是丹經上、中、下，凡三卷也。"案兩《唐志》載是書三卷，與葛氏所言合，似即此書。又謂："余從祖仙公，從左元放受《太清丹經》三卷。"又謂："江東先無此書，書出左元放。元放以授余從祖，從祖以授鄭君，鄭君以授余，故他道士了無知者。"蓋亦傳于抱朴子者焉。

養生注十一卷　目一卷

不著撰人。

養生術一卷　翟平撰

翟平，始末未詳。

龍樹菩薩養性方一卷

龍樹菩薩有《藥方》四卷，見前。

引氣圖一卷

不著撰人。

道引圖三卷。立一，坐一，臥一。

不著撰人。

晁氏《讀書後志》：《道引養生圖》一卷，梁陶弘景撰。分三十六勢，如"鴻鶴徘徊"、"鴛鷺戢羽"之類，各繪圖于其上。田偉家本少八勢。

《通志·藝文略》道家道引類：《道引圖》三卷，陶弘景撰。《宋志》神仙家一卷。

案此據晁、鄭二家所載，似出弘景爲多。弘景所著見前《名醫別録》條、《服餌方》條,凡經方家書五種、神仙家書六種。

養身經一卷

養生要術一卷

養生服食禁忌一卷

養生傳二卷

并不著撰人。

帝王養生要方二卷　蕭吉撰

蕭吉有《樂譜》,見經部樂家。

《北史・藝術傳》:吉著《金海相經要録》、《宅經》、《葬經》、《樂譜》及《帝王養生方》二卷,並行于世。

以上自京里先生《金匱録》至此,凡四十三部,亦如上篇神仙家之例,爲第三類。上篇依《漢志》神仙家爲第四類。

素女祕道經一卷并玄女經素女方一卷

高誘注《淮南子》曰:"素女,黄帝時方術之女也。"

《抱朴子・極言篇》曰:"黄帝論道,養則資玄、素二女。"

孫氏平津館《素女經四季方序》曰:"《素女方》一卷,見《隋書・經籍志》。其名不載《漢・藝文志》,然即神仙家《黄帝雜子十九家方》二十卷之一也。其書隋、唐猶有傳本,王燾取入《外臺祕録》卷十七中,云出《古今録驗》,真古書也。書稱黄帝與素女高陽問答述交接之禁忌,敍四時之藥物,以爲房中卻病之術。文句有韻,以逆爲迎,以和爲愈,皆古字古義,審非後人僞作。房中之術,古有傳書,《容成》、《務成》、《堯舜陰道》俱一家之學。班氏所云:'樂而有節,則和平壽考。迷者弗顧,以生疾而隕性命。'誠哉,斯言!《千金翼方》卷五云'行房法一依《素女經》'云云,亦此書佚文,并附識之。"

彭祖養性一卷

案上篇已載《彭祖養性經》一卷。

郯子説陰陽經一卷

案此列彭祖之後，殆即依托春秋時之郯子。梁氏玉繩《漢書人表考》，郯子列第四等，始見《春秋》宣四年《經》、昭十七年《傳》，自言祖少昊，葬沂州郯城縣南十里。《通志·藝文略》五行雜占家又有《郯子占鳥語經》一卷，亦依託也。

序房内秘術一卷　　葛氏撰

《唐書·經籍志》：《玉房祕術》一卷，葛氏撰。

《唐書·藝文志》：葛氏《房中祕術》一卷。

案葛氏即葛稚川，有《肘後方》、《玉函煎方》、《神仙服食藥方》，並見前。

玉房祕決八卷

不著撰人。

案上篇已載《玉房祕決》十卷，亦不著名氏。《舊唐志》八卷，與此同，注云冲和子撰。《新志》十卷，與上篇同，注云張鼎。並詳見于前。

徐太山房内祕要一卷

案徐太山即徐文伯，本志所載有《本草》二卷、《藥方》二卷、《試驗方》二卷、《療婦人瘕》一卷、《巾箱中方》三卷、《墮年方》二卷，蓋《隨手方》之誤。又有《辨傷寒》三卷、《辨腳弱方》一卷，本志題徐方伯，《通志略》作徐文伯，似《通志》爲得其實，并此一卷凡九種一十七卷。

新撰玉房祕訣九卷

不著撰人。

案此稱新撰，似隋煬帝時所勑撰者。

以上自《素女祕道經》至此，凡八部，亦如上篇房中家之例，爲第四類。上篇依《漢志》房中家爲第三類，此反是。

四海類聚方二千六百卷

不著撰人。

《唐書·經籍志》：《類衆方》二千六百卷。

《唐書·藝文志》：《類聚方》二千六百卷。

《通志·藝文略》：隋朝《四海類聚方》二千六百卷。

四海類聚單要方三百卷

不著撰人。

《唐書·經籍志》：《四海類聚單方》十六卷，隋煬帝撰。

《唐書·藝文志》：隋煬帝勑撰《四海類聚單方》十六卷。

《通志·藝文略》：隋煬帝勑撰《四海類聚單方》三百卷，唐只存十六卷。

案晁載之鈔杜寶《大業雜記》云：“製成新書，凡三十一部，總一萬七千餘卷。入觀文殿寶廚。”此兩書與新撰《玉房祕訣》、《淮南玉食經》殆即三十一部中之四部。

右二書以總括古今單複方書，故以居是類之殿，是爲下篇。下篇似雜采太醫署、尚食局諸官府所有簿籍以充數，猶經部樂家取太樂署部籍以充類。其間與上篇重複有顯而易見者，有不可盡曉者。其編次凡醫經一類、經方一類，此與上篇相同者也。又重出醫經一類，重出經方一類，與前兩類別爲起訖，此與上篇違異者也。其後則爲神仙家一類、房中家一類，與上篇之例又復倒置。蓋下篇爲脩志者所自篡，不復步趨于《七録》，而類例不熟，率意比附，故致如此。《通志·校讎略》有《編次不明論》曰：“班固《藝文志》出于《七略》者也。《七略》雖疏而不濫，若班氏步步趨趨不離于《七略》，未見其失也。間有《七略》所無而班氏雜出者，則躓矣。”案鄭氏以此言譏班氏，全非其實。若移以譏本志之于《七録》，則礭不可易矣。

右二百五十六部,合四千五百一十卷。實在著録二百五十三部,附著梁有一百廿九部,通計三百八十二部。

　　案《七録敍目・術技録第八》曰:"醫經部凡八種,第九曰經方部,凡一百四十種。綜兩部一百四十八種。"本志合而爲一曰醫方,上半篇存佚併計一百八十五部,下半篇皆見存一百九十七部,增益者凡二百三十四部。與五行家相埒。考《隋書・牛弘傳》:開皇初,授散騎常侍、祕書監,以典籍遺逸。上表請開獻書之路,有曰"今御書部帙殘缺,比梁之舊目,止有其半。至于陰陽河洛之篇,醫方圖譜之説,彌復爲少。臣以載籍須令大備,不可王府所無,私家乃有"云云。蓋隋代蒐書,于五行、醫方兩類有意廣爲收聚。故本志亦于此二類所載視他類爲特多。

凡諸子合八百五十三部,六千四百三十七卷。實在著録一千一百七十四部,附著梁有四百七十九部,通計一千六百五十三部。

王承略　劉心明　主編

二十五史藝文經籍志

考補萃編

第十五卷

隋書經籍志考證

（第四冊）

〔清〕姚振宗　撰

劉克東　董建國　尹承　整理

清華大學出版社　北京

卷三十八

集部一
楚辭類

楚辭十二卷并目録　後漢校書郎王逸注

王逸有《正部論》,見子部儒家。

逸《自序》略曰:"屈原履忠被譖,憂悲愁思。獨依詩人之義而作《離騷》,上以諷諫,下以自慰。遭時闇亂,不見省納,不勝憤懣,遂復作《九歌》以下凡二十五篇。楚人高其行義,瑋其文采,以相教傳。至于孝武帝,恢廓道訓,使淮南王安作《離騷經章句》,則大義粲然。後世雄俊,莫不瞻慕,舒肆妙慮,纘述其詞。逮至劉向典校經書,分爲十六卷。孝章即位,深弘道藝。而班固、賈逵復以所見,改易前疑,各作《離騷經章句》。其餘十五卷,闕而不説。又以'壯'爲'狀',義多乖異,事不要括。今臣復以所識所知,稽之舊章,合之經傳,作十六卷《章句》。雖未能究其微妙,然大指之趣略可見矣。"

《後漢書·文苑傳》:逸著《楚辭章句》,行于世。

本志叙曰:"《楚辭》者,屈原之所作也。自周室衰亂,詩人寢息,諂佞之道興,諷刺之辭廢。楚有賢臣屈原,被讒放逐,乃著《離騷》八篇,言己離別愁思,申抒其心,自明無罪,因以諷諫,冀君覺悟,卒不省察,遂赴汨羅死焉。弟子宋玉,痛惜其師,傷而和之。其後,賈誼、東方朔、劉向、揚雄,嘉其文采,擬之而作。蓋以原楚人也,謂之'楚辭'。然其氣質高麗,雅致清遠，後之文人，咸不能逮。始漢武帝命淮南王爲之章句，且受詔，食時而奏之，其書今亡。後漢校書郎王逸，集屈原以下，迄于劉向，逸又自爲一篇，并叙而注之，今行于世。”

《唐書·經籍志》：《楚辭》十六卷，王逸撰。

《唐書·藝文志》：王逸注《楚辭》十六卷。

《宋史·藝文志》：《楚辭》十六卷，楚屈原等撰。又十七卷，後漢王逸章句。

《四庫提要》曰：“裒屈、宋諸賦，定名《楚辭》，自劉向始也。初，向集屈原《離騷》、《九歌》、《天問》、《九章》、《遠游》、《卜居》、《漁父》，宋玉《九辯》、《招魂》，景差《大招》，而以賈誼《惜誓》，淮南小山《招隱士》，東方朔《七諫》，嚴忌《哀時命》，王褒《九懷》及向所作《九歎》，共爲《楚辭》十六篇。是爲總集之祖。王逸又益以己作《九思》一篇，與班固二叙爲十七卷，而各爲之注。其《九思》之注，宋洪興祖疑其子延壽所爲。逸注雖不甚詳核，而去古未遠，多傳先儒之訓詁。故李善注《文選》，全用其文。《抽思》以下諸篇注中，往往隔句用韻，如‘哀憤結縎，慮煩冤也。哀悲太息，損肺肝也。心中結屈，如連環也’之類，不一而足。蓋仿《周易·象傳》之體，亦足以考證漢人之韻。而吳棫以來談古韻者，皆未徵引，是尤宜表而出之矣。”

錢塘汪師韓《文選理學權輿》曰：“《文選》有周屈原平《離騷經》、《九歌》六首、《九章》一首、《卜居》、《漁父》。”

案《文選》所録凡百三十家，以卜子夏《毛詩序》爲之首，次屈原《楚辭》十首，餘百二十八家。本志載有其集者，百一十有三。今就汪氏所次《文選撰人目録》，附記諸家本集條下。此選家之首出，皆文章之瓌寶，亦考鏡之所必資也。謹發其凡于此。

又案王逸《自序》稱：“臣則當時嘗進于朝，其本十六卷。”自序言之甚明，是爲經進本。其十七卷者，蓋私家別行本也。又本志作十二卷，與《唐》、《宋志》及今傳本皆不合。然考下文皇甫遵解本七卷、何偃删注本十一卷，而郭景純注本本志三卷，《唐志》乃十卷。是知卷數分合多不齊一，無從覈實，置之不論可矣。

楚辭三卷　郭璞注

郭璞有《毛詩拾遺》，詳見經部詩類。

《晉書》本傳：璞又注《三倉》、《方言》、《穆天子傳》、《山海經》及《楚辭》。

《唐書·經籍志》：《楚辭》十卷，郭璞撰。

《唐書·藝文志》：郭璞注《楚辭》十卷。

梁有《楚辭》十一卷，宋何偃删，王逸注，亡。

何偃有《毛詩釋》，詳見經部詩類。

案此殆删補王逸注本，《唐志》不載，蓋亡于江陵淪陷之時。

楚辭九悼一卷　楊穆撰

楊穆始末未詳。

《唐書·經籍志》：《楚辭九悼》一卷，楊穆撰。

《唐書·藝文志》：楊穆《楚辭九悼》一卷。

《四庫提要》楚辭類小序曰：“楊穆有《九悼》一卷，至宋已亡。”

案《後漢書·梁統傳》：“統，安定烏氏人。子松，松弟竦，少習孟氏《易》。弱冠，能教授，後坐兄松事，與弟恭俱徙九真。既徂南土，歷江湖，濟沅湘，感悼子胥、屈原，以非辜沈身，迺作《悼騷賦》，繫玄石而沈之。”《傳》注引《東觀漢記》載其文，宋洪興祖補注《楚辭·九思篇》曰：“揚雄有《廣騷》，梁竦有《悼騷》，不知王逸奚罪其文，不以二家之述爲《離騷》之兩派也。”此《九悼》一卷，疑即梁竦《悼騷》，而楊穆爲之注歟？後周有楊穆，字紹叔，弘農華陰人，仕至車騎將軍、都督并州刺史。附見其弟楊寬傳。不知是否即此楊穆也。

參解楚辭七卷　皇甫遵訓撰

皇甫遵有《吳越春秋傳》，詳見史部雜史類。

案此殆取王逸、郭璞、何偃三家注本，而參考爲訓解也。

楚辭音一卷　徐邈撰

徐邈有《周易音》，詳見經部周易類。

《唐書·經籍志》：《楚辭音》一卷，徐邈撰。

《唐書·藝文志》：徐邈《楚辭音》一卷。

楚辭音一卷　宋處士諸葛氏撰

諸葛氏始末未詳。

《册府元龜·學校部·注釋門》：宋諸葛氏撰《楚辭音》一卷。

案此疑即諸葛璩，字幼玟，琅邪陽都人。世居京口，事徵士關康之，復師徵士臧榮緒。榮緒著《晉書》，有發摘之功者也，見《梁書·處士傳》、《南史·隱逸傳》。

楚辭音一卷　孟奧撰

孟奧始末未詳。

《唐書·經籍志》：《楚辭音》一卷，孟奧撰。

《唐書·藝文志》：孟奧《楚辭音》一卷。

楚辭音一卷

不著撰人。

楚辭音一卷　釋道騫撰

本志叙曰："隋時有釋道騫，善讀《楚辭》，能爲楚聲，音韻清切。至今傳《楚辭》者，皆祖騫公之《音》。"

《唐書·經籍志》：《楚辭音》一卷，釋道騫撰。

《唐書·藝文志》：僧道騫《楚辭音》一卷。

朱子《楚辭集注》序有曰："然自原著此辭，至漢未久，而説者已失其趣，如太史公蓋未能免。而劉安、班固、賈逵之書世復不傳。及隋、唐間爲訓解者，尚五六家。又有僧道騫者能爲楚聲之讀，今亦漫不復存，無以考其説之得失。"

離騷草木疏二卷　　劉杳撰

劉杳有《壽光書苑》，見子部雜家。

《梁書·文學傳》：杳博識彊記，自少至長，多所著述，撰《要雅》五卷，《楚辭草木疏》一卷，《高士傳》二卷，《東宮新舊記》三十卷，《古今四部書目》五卷，並行于世。

《唐書·經籍志》：《離騷草木蟲魚疏》二卷，劉杳撰。

《唐書·藝文志》：劉杳《離騷草木蟲魚疏》二卷。

宋吴仁傑《離騷草木疏》序曰："昔劉杳爲《草木疏》二卷，見于本傳。其書今亡矣。杳疏，凡王逸所集者皆在焉。"

右十部二十九卷，通計亡書十一部四十卷。案此部數不誤。

案《七録叙目·文集録第一》曰："楚辭部凡五種五帙二十七卷。"本志存佚併計十一部，增輯者凡六部。

卷三十九之一

集部二之一

別集類一　楚漢

楚蘭陵令荀況集一卷　殘缺。梁二卷。

荀況有《荀卿子書》,詳見子部儒家。

《漢書·藝文志·詩賦略》:孫卿賦十篇。叙曰:"春秋之後,周道寖壞,聘問歌詠不行于列國,學《詩》之士逸在布衣,而賢人失志之賦作矣。大儒孫卿及楚臣屈原離讒憂國,皆作賦以諷,咸有惻隱古詩之義。"

晉摯虞《文章流別論》曰:"賦者,敷陳之稱,古詩之流也。前世爲賦者,有孫卿、屈原,尚頗有古之詩義。"案《流別論》佚文,嚴氏可均皆輯入《西晉文編》。

梁劉勰《文心雕龍·詮賦篇》曰:"賦也者,受命于詩人,拓宇于《楚辭》也。於是荀況《禮》、《智》,宋玉《風》、《釣》,爰錫名號,與詩畫境,六義附庸,蔚成大國。遂客主以首引,極聲貌以窮文。斯蓋别詩之原始,命賦之厥初也。至于草區禽族,庶品雜類,則觸興致情,因變取會。斯又小制之區畛,奇巧之機要也。觀夫荀結隱語,事數自環。"又《諧隱篇》云:"魏代以來,嘲隱化爲謎語。謎也者,迴護其辭,使昏迷也。荀卿《蠶賦》,已兆其體。"又《才略篇》云:"荀況學宗,而象物名賦,文質相稱,固巨儒之情也。"

《唐書·經籍》、《藝文志》:《趙荀況集》二卷。《舊》、《新唐志》著録往往相同,故合并爲一條。

朱子《楚辭辯證》曰："荀卿《成相》之篇，本擬工誦箴諫之辭。其言奸臣蔽主，擅權馴致，移國之禍，千古一轍，可爲流涕。"《荀子·成相篇》楊倞注曰："《漢書·藝文志》謂之成相雜辭，蓋亦賦之流也。"

王氏《漢書藝文志考證》曰："《荀子·賦篇》：《禮》、《知》、《雲》、《蠶》、《箴》五篇，又有《佹詩》。"案荀卿《遺春申君書》曰："天下不治，請陳《佹詩》。"注："佹"與"詭"同，佹異激切之詩也。蓋即《遺春申君賦》。

會稽章學誠《校讎通義》曰："《漢書·藝文志》荀卿賦十篇，居詩賦第三種之首，當日必有取義也。案荀卿之書有《賦篇》，列于三十二篇之内。不知所謂賦十篇者，取其《賦篇》與否。"

嘉善謝墉序《荀子》曰："《漢志》又孫卿賦十篇，今所存僅《禮》、《智》、《雲》、《蠶》、《箴》五篇。"

烏程嚴可均《全三代文編》曰："荀卿有集二卷。荀子有《禮賦》、《智賦》、《雲賦》、《蠶賦》、《箴賦》。《國策》及《韓詩外傳》有《爲書謝春申君》。今存凡六篇。"案《成相辭》三篇或亦編入本集。

謹案《四庫提要》言，劉向哀《楚辭》爲總集之祖，而不言別集始于何人。以余考之，亦始于劉中壘也。中壘《詩賦略》五篇，皆諸家賦集、詩歌集，固別集之權輿。至輯東方朔所著諸篇于《別錄》，諸體畢備，見下東方集條。則明明爲別集之類。或謂集始于東漢，蓋但據《後漢書·儒林》、《文苑傳》所載篇籍，約略言之，實則劉中壘之時已具此體類矣。楚漢諸集，大抵以《七略》、《藝文志》所載爲本，而附益以他文。其集録人姓名，皆不可考。此集亦不知起于何時。觀劉氏以《賦篇》、《成相辭》編入荀子書，則其時尚無是集也。

楚大夫宋玉集三卷

宋玉有《宋玉子》，見子部小説家。

《史記·屈原列傳》：屈原既死之後，楚有宋玉、唐勒、景差之徒者，皆好辭而以賦見稱。然皆祖屈原之從容辭令，終莫敢直諫。

《漢書·地理志》：始楚賢臣屈原被讒放流，作《離騷》諸賦以自傷悼。後有宋玉、唐勒之屬，慕而述之，皆以顯名。

又《藝文志》：宋玉賦十六篇。楚人，與唐勒並時，在屈原後也。叙曰："孫卿、屈原，咸有惻隱古詩之義。其後宋玉、唐勒，漢興枚乘、司馬相如，下及楊子雲，競爲侈麗閎衍之辭，没其風諭之義。是以楊子悔之，曰：'詩人之賦麗以則，辭人之賦麗以淫。'"

《文章流别論》曰："孫卿、屈原頗有古之詩義，至宋玉則多淫浮之病矣。"

梁沈約《宋書·謝靈運傳》論曰："周室既衰，風流彌著，屈平、宋玉，導清源于前。"

《文心雕龍·詮賦篇》曰："于是荀況《禮》、《智》，宋玉《風》、《釣》，爰錫名號，與詩畫境。"又曰："觀夫荀結隱語，事數自環，宋發巧談，實始淫麗。"又《雜文篇》曰："宋玉含才，頗亦負俗，始造對問，以申其意，放懷寥廓，氣實使之。"又《夸飾篇》云："文辭所被，夸飾恒存。自宋玉、景差，夸飾始盛。"又《才略篇》云："戰代任武，而文士不絶。諸子以道術取資，屈宋以《楚辭》發采。"

《唐書·經籍》、《藝文志》：《楚宋玉集》二卷。

宋洪邁《容齋三筆》曰："宋玉《高唐》、《神女》二賦，其爲寓言託興甚明。予嘗即其詞而味其旨，蓋所謂發乎情，止乎禮義。真得詩人風化之本。玉之意可謂正矣。今人詩詞，顧以襄王藉口，考其實則非是。"

陳氏《書録解題》曰："《宋玉集》一卷，楚大夫宋玉撰。《史記·屈原傳》言楚人宋玉、唐勒、景差之徒，蓋皆原之弟子也。而玉之辭賦獨傳。至以屈、宋並稱于後世，餘人皆莫能及。案

《隋志》《集》三卷，《唐志》二卷，今書乃《文選》及《古文苑》中錄出者，未必當時本也。"

汪氏《文選撰人篇目》曰："周宋玉有《風賦》、《高唐賦》、《神女賦》、《登徒子好色賦》、《九辯》五首、《招魂》、《對楚王問》。"此例詳見前楚辭條下。

嚴氏《全三代文編》曰："宋玉有集三卷。案《漢書·藝文志》《宋玉賦》十六篇，今存者《風賦》、《大言賦》、《小言賦》、《諷賦》、《高堂賦》、《神女賦》、《登徒子好色賦》、《釣賦》、《笛賦》、《九辯》、《招魂》凡十一篇，《對楚王問》、《高唐對》不在此數。如《九辯》爲九篇，則多出《漢志》三篇，所未審也。或云《笛賦》有宋意送荊卿之語，非宋玉作。然隋、唐已前本集有之，誤收久矣，不必刪耳。又原本《北堂書鈔》三十三引《宋玉集序》。"案嚴氏所輯有全文完善無缺者，有殘文唯存一二語者，今唯就其所分篇目，皆以篇數計之，并發其凡于此。

漢武帝集一卷。梁二卷。

《漢書·孝武皇帝本紀》：元狩元年冬十月，行幸雍，祠五時，獲白麟，作《白麟之歌》。

又：六年夏四月乙巳，廟立皇子閎爲齊王，旦爲燕王，胥爲廣陵王。初作誥。《史記·三王世家》："太史公曰：文辭爛然，甚可觀也。"索隱曰："武帝策此三王，皆自手製。"

又：元鼎四年六月，得寶鼎后土祠旁。秋，馬生渥洼水中。作《寶鼎》、《天馬之歌》。

又：元封二年夏四月，祠泰山。至瓠子，臨決河，命從臣將軍以下皆負薪塞河隄，作《瓠子之歌》。六月，甘泉宮內中產芝，九莖連葉。作《芝房之歌》。

又：五年冬，行南巡狩，至于盛唐。自尋陽浮江，親射蛟江中，獲之。舳艫千里，薄樅陽而出，作《盛唐樅陽之歌》。

又：太初四年春，貳師將軍廣利斬大宛王首，獲汗血馬來，作《西極天馬之歌》。

又：太始三年二月，行幸東海，獲赤雁，作《朱雁之歌》。

又：四年四月，幸不其，祠神人于交門宮，若有鄉坐拜者。作《交門之歌》。

又本紀贊曰："漢承百王之弊，高祖撥亂反正，文景務在養民，至于稽古禮文之事，猶多闕焉。孝武初立，卓然罷黜百家，表章六經。遂疇咨海內，舉其俊茂，與之立功。興大學，修郊祀，改正朔，定曆數，協音律，作詩樂，建封壇，禮百神，紹周後。號令文章，煥焉可述。"

又《儒林傳》：太常孔臧等議曰："臣謹案詔書律令下者，明天人分際，通古今之誼，文章爾雅，訓辭深厚。"

又《藝文志》："上所自造賦二篇。"師古曰：①"武帝也。"案此似班氏本注。何義門《讀書記》曰："上所自造賦，不以冠趙幽王之上，而介于壽王、兒寬之中，此漢人所以近古也。"章學誠《校讎通義》曰："上所自造，必武帝時人標目，劉向從而著之。"案詩賦略第一篇二十家，尋其章法，皆楚騷之體，師範屈、宋者也，故此止二篇。

又《外戚傳》：上思懷李夫人不已，爲作詩，又自爲賦傷悼。王子年《拾遺記》曰："武帝思懷李夫人不可復得，因賦《落葉哀蟬》之曲。"

《初學記·職官部》：《漢武帝集》曰："武帝作《柏梁臺》，詔群臣二千石有能爲七言者，乃得上坐。"案所載皇帝首倡，餘自梁王以迄郭舍人、東方朔凡二十五人。

《藝文類聚·雜文部》：《漢武帝集》曰："奉車子侯暴病，一日死，上甚悼之，乃自爲歌詩。"案事見《漢書·郊祀志》，服虔曰："子侯，霍去病子也。"

《漢武故事》："帝行幸河東，祀后土，作《秋風辭》。"又曰："上

---

① "師"，原誤作"思"，據清乾隆武英殿本《漢書》改。

好辭賦，每行幸及奇獸異物，輒命相如等賦之。上亦自作詩賦數百篇，下筆即成，初不留思。”

《文心雕龍·明詩篇》曰：“孝武愛文，柏梁列韻。”又云：“聯句共韻，則柏梁餘製。”又《詔策篇》曰：“兩漢詔誥，職在尚書。王言之大，動入史策，其出如綍，不反若汗。是以淮南有英才，武帝使相如視草。”又云：“武帝崇儒，選言弘奧。策封三王，文同訓典；勸戒淵雅，垂範後代。及制誥嚴助，即云‘厭承明廬’，蓋寵才之恩也。”又《哀弔篇》曰：“漢武封禪，而霍子侯暴亡，帝傷而作詩，亦哀辭之類也。”

《唐書·經籍》、《藝文志》：《漢武帝集》二卷。

《玉海·聖文·御集篇》曰：“西都號令文章，煥焉可述。史氏稱焉。故武帝之文則以集著。”又曰：“孝武右文，紀述至富，哀爲鉅集，乃出後代。”

明馮惟訥《詩紀》輯存《瓠子歌》、《秋風辭》、《天馬歌》、《李夫人歌》、《落葉哀蟬曲》、《柏梁詩》，凡六篇。

汪氏《文選撰人篇目》：漢武帝有《詔》一首，《賢良詔》一首，《秋風辭》。

嚴氏《全漢文編》曰：“武帝諱徹，景帝中子。四年封膠東王，七年立爲皇太子，後三年正月即位。改元十一。在位五十四年，諡曰孝武皇帝，廟號世宗，有集二卷。今輯存《李夫人賦》、《秋風辭》、制詔、冊書、策書、勑書、璽書、報書及雜文綜一百篇，編爲二卷。”

漢淮南王集一卷。梁二卷。

淮南王安有《淮南子》，見子部雜家。

《漢書》本傳：時武帝方好藝文，以安屬爲諸父，辯博善爲文辭，甚尊重之。每爲報書及賜，常召司馬相如等視草迺遣。初，安入朝，使爲《離騷傳》。旦受詔，日食時上。又獻《頌德》

及《長安都國頌》。每宴見，談説得失及方技賦頌，昏暮然後罷。

劉向《別録》曰："淮南王有《熏籠賦》。"

《漢書·藝文志》："淮南王賦八十二篇。"又六藝略樂家注云："出淮南劉向等《琴頌》七篇。"_{案淮南《琴頌》當在此八十二篇中，班氏以其重複，出之。}

《唐書·經籍志》：《漢淮南王集》二卷。

《唐書·藝文志》：《漢淮南王安集》二卷。

王氏《漢書藝文志考證》曰："淮南王有《成相篇》，見《藝文類聚》。"

馮氏《詩紀》曰："淮南王有《八公操》一篇。"_{疑即《漢志》所謂《琴頌》之一。}

嚴氏《全漢文編》曰："淮南王有集二卷。《藝文類聚》、《初學記》、《御覽》有《屏風賦》，《嚴助傳》有《上書諫伐南越》，凡二篇。"

梁又有《賈誼集》四卷，録一卷，亡。

賈誼有《賈子》十卷，見子部儒家。

《史記·屈賈列傳》：自屈原沈汩羅後百有餘年，漢有賈生，爲長沙王太傅，過湘水，投書以弔屈原。

劉向《別録》曰："賈生《弔屈原賦》，因以自諭自恨也。"

《漢書》本傳：賈生，年十八，以能誦詩書屬文稱于郡中。及爲博士，年二十餘，最爲少。每詔令議下，諸老先生未能言，誼盡爲之對，人人各如其意所出。爲傅三年，有服飛入誼舍，止于坐隅。服似鴞，不祥鳥也。誼自傷悼，以爲壽不得長，迺爲賦以自廣。數上疏陳政事，多所匡諫。

又傳贊曰："劉向稱賈誼言三代與秦治亂之意，其論甚美，通達國體，雖古之伊、管未能遠過也。"又曰："凡所著述五十八篇。"案此五十八篇見《漢志》儒家，非謂是集也。

又《藝文志》：賈誼賦七篇。

王逸《楚辭章句》：《惜誓》者，不知誰所作也。或曰賈誼，疑不能明也。惜者，哀也。誓者，信也，約也。言哀惜懷王與己信約而復背之也。古者君臣將共爲治，必以信誓相約，然後言乃從，而身以親也。蓋刺懷王有始而無終也。

魏文帝《典論》曰："余觀賈誼《過秦論》，發周秦之得失，通古今之滯義，洽以三代之風潤，以聖人之化，斯可謂作者矣。"

《文章流別論》曰："《楚辭》之賦，賦之善者也。故揚子稱賦莫深于《離騷》，賈誼之作，則屈原儔也。"

《文心雕龍·詮賦篇》曰："秦世不文，頗有雜賦。漢初辭人，順流而作。陸賈扣其端，賈誼振其緒。"又云："賈誼《鵩鳥》，致辨于情理。"又《哀弔篇》曰："自賈誼浮湘，發憤弔屈。體同而事覈，辭清而理哀，蓋首出之作也。"又《奏啓篇》曰："若夫賈誼之務農，可謂識大體矣。"又《議對篇》曰："若賈誼之遍代諸生，可謂捷于議也。"又《體性篇》曰："吐納英華，莫非情性。是以賈生俊發，故文潔而體清。"又《事類篇》曰："觀夫屈宋屬篇，號依詩人，雖引古事，而莫取舊辭。唯賈誼《鵩賦》，始用鶡冠之説。"案此或爲《鶡冠子》轉襲《鵩賦》之語。又《才略篇》曰："賈誼才穎，陵軼飛兔，議愜而賦清，豈虛至哉！"

《唐書·經籍》、《藝文志》：《前漢賈誼集》二卷。

《崇文總目》：《賈誼集》二卷。

王氏《漢書藝文志考證》：朱文公曰："賈太傅以卓然命世，英傑之才，俯就騷律。所出三篇，《惜誓》、《弔屈原》、《服鳥》。皆非一時諸人所及。"《古文苑》有《旱雲》、《筍虡賦》。

明張溥《漢魏六朝百三家》：《賈長沙集》輯本一卷，凡賦四篇，騷一篇，疏六篇，《過秦論》上、中、下三篇。

汪氏《文選撰人篇目》：漢賈誼有《鵩鳥賦》、《過秦論》、《弔屈原文》。

嚴氏《全漢文編》曰：“賈誼有集四卷。案賈生諸疏散見《新書》者十六篇，小有異同，見存不録。録其所無者，曰《旱雲賦》、《虡賦》、《鵩鳥賦》、《惜誓》、《上疏陳政事》、《上疏請封建子弟》、《上疏諫封淮南諸子》、《説積儲》、《諫除盗鑄錢令使民放鑄》、《過秦論》、《弔屈原文》，凡十一篇。”又曰：“《過秦論》，《文選》分上、中、下三篇，《史記·秦始皇本紀》但爲一篇，不分上、中、下而次第全異，文亦小異，最爲古本，今據録之。”又曰：“《弔屈原文》，《史》、《漢》本傳並以爲賦，今據《文選》編入并録其序，蓋本集所題如此。”

梁又有《漢晁錯集》三卷，録一卷。

晁錯有《晁氏新書》三卷，見子部法家。

《漢書》本傳：孝文時，天下亡治《尚書》者，獨聞齊有伏生，故秦博士，治《尚書》，年九十餘，老不可徵。迺詔太常，使人受之。太常遣錯受《尚書》伏生所，還，因上書稱説。再遷，爲博士。案此爲尚書博士，在三家未起之先。拜爲太子家令。以其辯得幸太子，太子家號曰智囊。上言兵體三章，文帝嘉之，賜璽書寵答焉。後舉賢良。時賈誼已死，對策者百餘人，唯錯爲高第，繇是遷中大夫。錯又言宜削諸侯事，及法令可更定者，書凡三十篇。孝文雖不盡聽，然奇其才。案此言書三十篇，即《藝文志》法家《晁錯》三十一篇，本志法家梁有《晁氏新書》三卷是也。與是集無涉也。

《文心雕龍·奏啓篇》曰：“自漢以來，奏事或稱‘上疏’，儒雅繼踵，殊采可觀。若夫賈誼之務農，晁錯之兵事，理既切至，辭亦通暢，可謂識大體矣。”又《議對篇》曰：“漢文中年，始舉賢良，晁錯對策，蔚爲舉首。觀晁氏之對，證驗古今，辭裁以辯，事通而贍，超升高第，信有徵矣。”

嚴氏《全漢文編》曰：“鼂錯有集三卷。《漢書》本傳有《賢良文學對策》、《上書言皇太子宜知術數》、《上書言兵事》、《言守邊備塞務農力本當世急務二事》、《復言募民徙塞下》，《食貨志》又有《説文帝令民入粟受爵》、《復奏勿收農民租》，《吳王濞傳》又有《説景帝削吳》、《請誅楚王戊》，凡九篇。”

梁又有《漢弘農都尉枚乘集》二卷，録一卷，亡。

《漢書》本傳：枚乘字叔，淮陰人也，爲吳王濞郎中。吳王之初怨望謀爲逆也，乘奏書諫，吳王不納。乘等去而之梁，從孝王游。及吳與六國反，以誅鼂錯爲名，漢斬錯以謝諸侯，枚乘復説吳王，令還兵疾歸。吳王不用乘策，卒見禽滅。漢既平七國，乘由是知名。景帝召拜乘爲弘農都尉。乘久爲大國上賓，與英俊並游，得其所好，不樂郡吏，以病去官。復遊梁，梁客皆善屬辭賦，乘尤高。孝王薨，乘歸淮陰。武帝自爲太子聞乘名，及即位，乘年老，廼以安車蒲輪徵，乘道死。

又《藝文志》：《枚乘賦》九篇。

《文章流別論》曰：“《七發》造于枚乘，借吳楚以爲客主。此因膏粱之常疾以爲匡勸，雖有甚泰之辭而不没其諷諭之義也。其流遂廣，其義遂變，率有辭人淫麗之尤矣。”

《文心雕龍·明詩篇》曰：“古詩佳麗，或稱枚叔。觀其結體散文，直而不野，婉轉附物，怊悵切情，實五言之冠冕也。”案謂《古詩十九首》也。或雲不盡是枚叔。又《詮賦篇》曰：“枚乘《菟園》，舉要以會新。”又《雜文篇》曰：“枚乘摘豔，首製《七發》，腴辭雲搆，夸麗風騷。蓋七竅所發，發乎嗜欲，始邪末正，所以戒膏粱之子也。”又云：“自《七發》以下，作者繼踵，觀枚氏首唱，信獨拔而偉麗矣。”又《才略篇》曰：“枚乘之《七發》，鄒陽之《上書》，膏潤于筆，氣形于言矣。”又《章句篇》曰：“若乃改韻從調，所以節文辭氣。賈誼、枚乘，兩韻輒易，亦各有其志也。然兩韻輒易,則聲韻微躁。"

《唐書·經籍》、《藝文志》:《枚乘集》二卷。《宋史·志》:一卷。

陳氏《書録解題》曰:"《枚叔集》一卷,漢弘農都尉淮陰枚乘撰。叔,其字也。《隋志》梁時有二卷,亡。《唐志》復著録,今本乃于《漢書》及《文選》諸書鈔出者。"

汪氏《文選撰人篇目》:漢枚叔乘有《七發》八首,《奏書諫吴王》、《重諫吴王舉兵》。

嚴氏《全漢文編》曰:"枚乘有集二卷。案《漢志》枚乘賦九篇。《文選》謝朓《休沐重還道中詩》注引《枚乘集》,有《臨灞池遠訣賦》,今亡。本傳及《説苑》、《西京雜記》、《初學記》、《藝文類聚》、《文選》、《古文苑》諸書有《梁王菟園賦》、《柳賦》、《上書諫吴王》、《上書重諫吴王》、《七發》,凡五篇。"案《文選·西京賦》注、謝玄暉詩注並引枚乘《樂府詩》。

漢中書令司馬遷集一卷

司馬遷,見史部正史類。又有《素王妙論》,見子部五行家。

《漢書》本傳:遷既被刑之後,爲中書令,尊寵任職。故人益州刺史任安予遷書,責以古賢臣之義,教以慎于接物,推賢進士爲務。遷報之。

又《東方朔傳》:是時朝廷多賢材,上復問朔:"方今公孫丞相、兒大夫、董仲舒、夏侯始昌、司馬相如、吾丘壽王、主父偃、朱買臣、嚴助、汲黯、膠倉、終軍、嚴安、徐樂、司馬遷之倫,皆辯知閎達,溢于文辭,先生自視,何與比哉?"

又《公孫弘等傳》贊曰:"漢之得人,于兹爲盛,儒雅則公孫弘、董仲舒、兒寬,文章則司馬遷、相如。"

又《藝文志》:《司馬遷賦》八篇。

《文心雕龍·書記篇》曰:"漢來筆札,辭氣紛紜。觀史遷之《報任安》,東方朔之《難公孫》,楊惲之《酬會宗》,子雲之《答劉歆》，志氣盤桓，各含殊采，並抒軸乎尺素，抑揚乎寸心。"

《唐書·經籍》、《藝文志》：《司馬遷集》二卷。

汪氏《文選撰人篇目》：漢司馬子長遷有《報任少卿書》。

嚴氏《全漢文編》："司馬遷字子長，河內人。元封中爲太史令，天漢中坐罪宮刑，後爲中書令。有《史記》一百三十卷，集一卷。《藝文類聚》有《悲士不遇賦》，本傳有《報任少卿書》，《高士傳》有《與摯伯陵書》，凡三篇，附《素王妙論》二條。"又曰："摯峻字伯陵，京兆長安人，隱于岍山，見《高士傳》。有《報司馬子長書》。"案董仲舒先有《士不遇賦》。

漢太中大夫東方朔集二卷

東方朔有《別傳》，見史部雜傳篇。

《漢書》本傳："朔上書陳農戰彊國之計，因自訟不得大官，欲求試用。辭數萬言，終不見用。因著論，設客難，以自慰諭。又設非有先生之論。朔之文辭，此二篇最善。其餘有《封泰山》，《責和氏璧》及《皇太子生禖》，《屛風》，《殿上柏柱》，《平樂觀賦獵》，八言、七言上下，《從公孫弘借車》，凡劉向所錄朔書具是矣。"師古曰："劉向《別錄》所載。"案此言"上書陳農戰彊國之計"，"辭數萬言"者，即《漢志》雜家《東方朔》二十篇是也。"自著論，設客難"以下諸篇，皆劉向所錄，見于《別錄》。然則《七略》、《別錄》載有朔集審矣。其文諸體皆有，明是後世別集之類，由是知別集之體亦始于向也。又《文選·蜀都賦》注引東方朔六言詩，此"八言"疑"六言"之譌。

《文心雕龍·詮賦篇》曰："賈誼振其緒，枚馬同其風，皋朔以下，品物畢圖。"《雜文篇》曰："自宋玉《對問》以後，東方朔效而廣之，名爲《客難》，託古慰志，疏而有辨。"又《諧隱篇》曰："昔楚莊、齊威，性好隱語。至東方曼倩，尤巧辭述。但謬辭詆戲，無益規補。"又《詔策篇》曰："戒者，慎也。君父至尊，在三罔極。漢高祖之《敕太子》，案見《古文苑》。東方朔之《戒子》，亦顧命之作也。”

《史通・雜說篇》曰：“《漢書・東方朔傳》委瑣煩碎，不類諸篇。且不述其亡歿歲時及子孫繼嗣，正如司馬相如、司馬遷、揚雄傳相類。尋其傳體，必曼倩之自叙也。但班氏脱略，故世莫之知。”

《唐書・經籍》、《藝文志》：《東方朔集》二卷。

明吕兆禧輯本一卷，凡《七諫》、《據地歌》、《戒子詩》、《柏梁詩》、《應詔上書》、《諫起上林苑》、《諫止董偃入宣室》、《臨終諫天子》、《劾董偃罪狀》、《與公孫弘書》、《與公孫弘借車馬書》、《與友人書》、《侏儒對》、《化民有道對》、《劇武帝對》、《劇群臣對》、《伯夷叔齊對》、《善哉瞿所對》、《上天子壽》、《上壽謝過》、《割肉自責》、《答客難》、《答驃騎難》、《旱頌》、《非有先生論》、逸句，綜二十六篇。

張氏《百三家集》輯本一卷，凡《七諫》、疏、書、序、論、設難、頌、銘、詩，綜十五篇。

汪氏《文選撰人篇目》：漢東方曼倩朔有《答客難》，《非有先生論》。

嚴氏《全漢文編》曰：“東方朔有集二卷。今存《七諫》、《嗟伯夷》、《上書自薦》、《諫除上林苑》、《化民有道對》、《對詔》、《臨終諫天子》、《與公孫弘借車書》、《與友人書》、《非有先生論》、《隱真論》、《答客難》、《答驃騎難》、《十洲記序》、《旱頌》、《寶甕銘》、《誡子》凡六七篇，附《東方朔占》九條。”

梁有《漢光禄大夫吾丘壽王集》二卷，亡。

《漢書》本傳：吾丘壽王字子贛，趙人也。年少，以善格五召待詔。詔使從中大夫董仲舒受《春秋》，高材通明。遷侍中中郎，坐法免。上書謝罪，願養馬黄門，上不許。後願守塞捍寇難，復不許。久之，上疏願擊匈奴，詔問狀，壽王對良善，復召爲郎。稍遷，拜爲東郡都尉。上以壽王爲都尉，不復置太守。是時，軍旅數發，年歲不熟，多盜賊。詔賜壽王璽書曰："子在朕前之時，知略輻湊，以爲天下少雙，海內寡二。及至連十餘城之守，任四千石之重，師古曰："郡守、都尉皆二千石，以壽王爲都尉，不置太守，兼總二任，故云四千石也。"職事並廢，盜賊從橫，甚不稱在前時，何也？"壽王謝罪，因言其狀。後徵入爲光祿大夫侍中。丞相公孫弘奏言"民不得挾弓弩"。上下其議。壽王對，以爲不便。書奏，上以難丞相弘。弘詘服焉。及汾陰得寶鼎，武帝嘉之，薦見宗廟，藏于甘泉宮。群臣皆上壽賀曰："陛下得周鼎。"壽王獨曰："非周鼎。"上召問之，壽王對上。王善。賜黃金十斤。後坐事誅。

又《東方朔傳》：迺使太中大夫吾丘壽王與待詔能用算者二人，舉籍阿城以南，盩厔以東，宜春以西，提封頃畝，及其賈直，欲除以爲上林苑。吾丘壽王奏事，上大説稱善。遂起上林苑，如壽王所奏云。

又《劉向傳》：向上事，曰："孝武帝時，兒寬有重罪繫，案道侯韓説諫曰：'前吾丘壽王死，陛下至今恨之；今殺寬，後將復大恨矣！'上感其言。"

又《藝文志》：吾丘壽王賦十六篇。《諸子略》儒家有《吾丘壽王》六篇。

《文心雕龍·議對篇》曰："迄至有漢，始立駁議。駁者，雜也，雜議不純，故曰駁也。至如吾丘之駁挾弓，得事要矣。"

王氏《漢書藝文志考證》：吾丘壽王賦十五篇。《藝文類聚》有壽王《驃騎論功論》，而賦不傳。

嚴氏《全漢文編》曰："吾丘壽王有集二卷。本傳有《挾弓弩議對》一篇，《藝文類聚》有《驃騎論功論》一篇，又《文選注》、《北堂書鈔》有失題佚文各一條。"

漢文園令司馬相如集一卷　　"文園令"上當有"孝"字。

司馬相如有《凡將篇》,見經部小學家。

《史》、《漢》本傳:相如爲郎,事孝景帝,爲武騎常侍,非其好也。會景帝不好辭賦,是時梁孝王來朝,從游說之士鄒陽、枚乘、嚴忌夫子之徒,相如見而說之,因病免,客游梁,得與諸侯游士居,數歲,乃著《子虛之賦》。又數歲,上讀《子虛賦》,善之,乃召問相如。相如曰:"此乃諸侯之事,未足觀,請爲天子游獵之賦。"上令尚書給筆札,相如以"子虛",虛言也,爲楚稱;"烏有先生"者,烏有此事也,爲齊難;"亡是公"者,亡是人也,欲明天子之義。故虛籍此三人爲詞,以推天子諸侯之苑囿。其卒章歸之于節儉,因以風諫。奏之天子,天子大悅。又奉使諭告巴蜀民,難蜀父老。嘗從上至長楊獵。天子好自擊熊豕,馳逐野獸,因上疏諫。上善之。還過宜春宮,奏賦以哀二世行失。見上好仙,因奏《大人賦》。既病免,天子曰:"司馬相如病甚,可往從悉取其書。"使所忠往,而相如已死,家無遺書。問其妻,對曰:"長卿時時著書,人又取去。長卿未死時,爲一卷書,曰有使來求書,奏之。"其遺札書言封禪事,所忠奏焉,天子異之。相如它所著,若《遺平陵侯書》、《與五公子相難》、《草木書篇》,不采,采其尤著公卿者云。

又傳贊曰:"相如雖多虛辭濫說,然要其歸引之于節儉,此亦《詩》之風諫何異?揚雄以爲靡麗之賦,勸百而諷一,猶騁鄭衛之聲,曲終而奏雅,不已戲乎!"

又《藝文志》:"司馬相如賦二十九篇。"叙曰:"揚子曰:'如孔氏之門人用賦也,則賈誼登堂,相如入室矣,如其不用何!'"

又諸子雜家:"《荆軻論》五篇。軻爲燕刺秦王不成而死,司馬相如等論之。"

《西京雜記》曰:"長卿素有消渴疾,及返成都,悅文君之色,遂以發痼疾,乃作《美人賦》以自刺。而終不能改,卒以此疾至死。文君爲誄，傳于世。”又曰：“相如將聘茂陵人女爲妾，卓文君乃作《白頭吟》以自絕，相如乃止。”

《蜀志·秦宓傳》：宓與治中同郡王商書，請立司馬相如祠堂，曰：“蜀本無學士，文翁遣相如東受七經，還教吏民，于是蜀學比于齊、魯。《地理志》曰：‘文翁倡其教，相如爲之師。’漢家得士，盛于其世。仲舒之徒，不達封禪，相如制其禮。夫能制禮造樂，移風易俗，非禮所稱有益于世者乎！”案此引《地理志》，見秦地域分風俗篇，皆成帝時劉向、朱贛之説也。班氏取以附《地理志》之末，言風俗者莫先焉。諸書引地理、風俗記即此。

晉李充《翰林論》曰：“盟檄發于師旅，相如《喻蜀父老》可謂德音者矣。”

《宋書·謝靈運傳》論曰：“屈平、宋玉，導清源于前，賈誼、相如，振芳塵于後。英辭潤金石，高義薄雲天。”又曰：“相如巧爲形似之言。”

《文心雕龍·詮賦篇》曰：“相如《上林》，繁類以成豔。”《頌贊篇》云：“相如屬筆，始贊荆軻。”《哀弔篇》云：“相如之弔二世，全爲賦體。桓譚以爲其言惻愴，讀者歎息。及卒章要切，斷而能悲也。”《檄移篇》云：“相如之《難蜀老》，文曉而喻博，有移檄之骨焉。”《封禪篇》云：“相如《封禪》，蔚爲唱首。爾其表權輿，序皇王，炳元符，鏡鴻業。驅前古于當今之下，騰休明于列聖之上。歌之以禎瑞，贊之以介丘。絕筆兹文，固維新之作也。”《風骨篇》云：“相如賦仙，氣號淩雲，蔚爲辭宗，廼其風力遒也。”《才略篇》云：“相如好書，師範屈宋，洞入夸豔，致名辭宗。然覆取精意，理不勝辭，故揚子以爲‘文麗用寡者長卿’，誠哉是言也！”

《史通·序傳篇》曰：“司馬相如始以自叙爲傳。然其所叙者，但記自少及長立身行事而已。逮于祖先所出，則蔑爾無聞。”

又曰:"相如自序,乃記其客游臨邛,竊妻卓氏,以《春秋》所諱,持爲美談。雖事或非虛,而理無可取。載之于傳,不其愧乎!"又《雜説篇》曰:"馬卿爲《自叙傳》,具在其集中。子長因録斯篇,即爲列傳,班氏仍舊,曾無改奪。尋固于馬、揚傳末,皆云遷、雄之自叙如此。至于《相如》篇下,獨無此言。蓋止憑太史之書,未見文園之集,故使言無畫一,其例不純。"

《唐書·經籍》、《藝文志》:《司馬相如集》二卷。

明汪士賢《二十名家集》輯本一卷,凡賦六篇,《琴歌》二首,書二篇,檄一篇,難一篇,附《白頭吟》。

張氏《百三名家集》輯本一卷,凡賦、書、檄、難、《封禪文》、《琴歌》,綜十二篇。

汪氏《文選撰人篇目》:漢司馬長卿相如有《子虛賦》、《上林賦》、《長門賦》、《上疏諫獵》、《喻巴蜀檄》、《難蜀父老》、《封禪文》。

嚴氏《鐵橋漫稿》序曰:"《司馬長卿集》,《隋志》、《唐志》皆二卷。今世所見有明汪士賢、吕兆禧二本,蓋從《史記》、《漢書》、《文選》、《古文苑》新輯者。又有張溥本,增多《答盛擎問》、《報卓文君書》,餘同汪、吕。案《長卿集》,魏、晉時早有散亡。隋、唐之二卷,當是六朝重輯,其多出于今本者僅僅耳。何以明之?《漢志》長卿賦二十九篇,今存《子虛》、《上林》、《哀秦二世》、《大人》、《長門》、《美人》六賦。徧索群書,惟得《魏都賦》張載注引《梨賦》一句,《北堂書鈔》引《魚葅賦》,有題無文;餘二十一賦莫考,其諸體軼篇遺句,絶無引見者,足證隋、唐本非魏、晉以前舊集。如謂不然,二十九賦加雜文并《遺平陵侯書》、《與五公子相難》、《屮木書》,不當四五卷乎?今彙聚群書所載,重加編次,仍爲二卷。《凡將篇》專行久亡,僅存五事,亦附集末。校讎讎定,而爲之叙録曰:《三百篇》後,屈原爲辭賦之宗,宋玉亞之,長卿之與宋玉在伯仲之間,揚子雲云:'如孔氏之門用賦也,相如入室。'此爲定論。集雖殘剩,二千年内邈焉寡儔,然而長卿不徒以辭賦見,後世鮮有知之者。《蜀志》秦宓與王商書云云,如宓此言,蜀地經師長卿爲鼻祖,而《史》、《漢》叙儒林授受,不一及之,以辭賦揜其名耳。古之振奇人,文章必從經出,故援《蜀志》以發其端。"又《四録堂類集總目》曰:"《司馬長卿集》二卷,可均校編。"

案本志載是集實一卷,嚴氏云《隋志》二卷,豈所見本異耶?

又隋、唐時集本有相如自序,即《史記·列傳》,《史通》有明文,則亦本集中之一篇也。

漢膠西相董仲舒集一卷。梁二卷。

董仲舒有《春秋繁露》,見經部春秋公羊家。

《漢書》本傳:仲舒以賢良對策,相江都、膠西兩國,輒事驕王,數上疏諫爭,教令國中,所居而治。及去位歸居,終不問家産業,以修學著書爲事。《藝文志》儒家:《董仲舒》百二十三篇。

《文心雕龍·議對篇》曰:"仲舒對策,祖述《春秋》,本陰陽之化,究列代之變,煩而不恩者,事理明也。"又《才略篇》曰:"仲舒專儒,子長純史,而麗縟成文,亦詩人之告哀也。"

《唐書·經籍》、《藝文志》:《董仲舒集》二卷。《宋史·志》:一卷。《崇文總目》同。

陳氏《書録解題》:《董仲舒集》一卷,漢膠西相廣川董仲舒撰。

案《隋》、《唐志》皆二卷,今惟録本傳中三策,及《古文苑》所載《士不遇賦》、《詣公孫弘記室書》二篇而已,其叙篇略本傳語,亦載《古文苑》。案古書舊序往往略本傳語,若此者,疑皆王儉《七志》之文,後人録以冠諸篇首。

明張溥《百三家·董膠西集》輯本一卷,凡賦一篇,策三篇,章一篇,書一篇,對三篇,頌一篇,《春秋陰陽》一篇。案《春秋陰陽》凡七十條,從《漢書‧五行志》錄出者。

《四庫存目提要》曰:"《董子文集》一卷,漢董仲舒撰。《隋志》載《仲舒集》一卷,注云梁有二卷,亡。《舊》、《新唐志》仍載二卷,《宋志》一卷,後兩本並佚。明正德己亥,巡案御史盧雍行部至景州,爲仲舒故里。因修復廣川書院,祀仲舒,並哀其遺文成是集。然自采錄本傳外,僅益以《西京雜記》、《古文苑》所載數篇。"案汪士賢所刻《二十名家集》輯本一卷即據此本,凡九篇。李東陽爲之序。

嚴氏《全漢文編》曰:"董仲舒有集二卷。案《文選‧北山移文》注引《董仲舒集》,有《七言琴歌》二首,今亡。本傳、《食貨志》、《五行志》、《匈奴傳贊》、《春秋繁露》、《抱朴子》、《古文苑》諸書有《士不遇賦》、《舉賢良對策》、《郊祀對》、《說武帝使關中民種麥》、《又言限民名田》、《廟毀火災對》、《雨雹對》、《粵有三仁對》、《奏江都王求雨》、《請雨書》、《詣公孫弘記室書》、《論禦匈奴》、《山川頌》、《救日食祝》、《請雨祝》、《止雨祝》、《李少君家錄》凡十七篇。"

梁又有《漢太常孔臧集》二卷,亡。

《漢書‧功臣侯表》:蓼夷侯孔聚,以執盾前元年從起碭,以左司馬入漢,爲將軍,三以都尉擊項籍,屬韓信。高帝六年正月丙午封,三十年薨。孝文九年,侯臧嗣,四十五年,元朔三年,坐爲太常衣冠道橋壞不得度,免。師古曰:"前元年,謂初起之年,即秦胡亥元年也。"

又《藝文志》:《太常蓼侯孔臧賦》二十篇。又儒家:"《太常蓼侯孔臧》十篇。"注云:"父聚,高祖時以功臣封,臧嗣爵。"

《文選‧兩都賦序》注:《孔臧集》曰:"臧,仲尼之後,少以才博知名。稍遷御史大夫。辭曰:'臣代以經學爲宗,乞爲太常，專修家業。'武帝遂用之。"

《連叢子》曰："臧嘗爲賦二十四篇，四篇別不在集，似其幼時之作也。"案《孔叢子》、《連叢子》皆作于魏時，其言四篇別不在集，則其在集者即《七略》、《藝文志》所載賦二十篇。魏時《孔臧集》如此也。由是證知，西漢人之集有即據《詩賦略》所載以爲別集單行者。亦有不盡爲賦，諸體皆有，如劉中壘所録《東方朔集》者。而《詩賦略》五篇，則漢時一大總集，合之爲總集，分之即爲別集，《孔臧集》其一也。

《唐書·經籍》、《藝文志》：《孔臧集》二卷。

嚴氏《全漢文編》曰："孔臧，孔鮒從曾孫。文帝九年，嗣父聚爵蓼侯。元朔二年，拜太常。五年，坐事免。《連叢子》有《諫格虎賦》、《楊柳賦》、《鴞賦》、《蓼蟲賦》、《與侍中從弟安國書》、《與子琳書》凡六篇。"

漢騎都尉李陵集二卷

《漢書·李廣傳》：廣，隴西成紀人也。廣子當户蚤死，有遺腹子陵，字少卿，少爲侍中建章監。善騎射，愛人，謙讓下士，甚得名譽。武帝以爲有廣之風，拜爲都尉，將勇敢五千人，教射酒泉、張掖以備胡。天漢二年，將步兵五千人出居延，北行三十日，至浚稽山，與單于相直。戰敗不得脱，遂降匈奴。群臣皆罪陵，上以問太史令司馬遷，遷盛言："陵事親孝，與士信，常奮不顧身，以殉國家之急，其素所畜積也，有國士之風。今舉事一不幸，全軀保妻子之臣隨而媒櫱其短，誠可痛也！且陵提步卒不滿五千，深輮戎馬之地，抑數萬之師，虜救死扶傷不暇，悉舉引弓之民共攻圍之。轉鬭千里，矢盡道窮，士張空拳，冒白刃，北首爭死敵，得人之死力，雖古名將不過也。身雖陷敗，然其所摧敗亦足暴于天下。彼之不死，宜欲得當以報漢也。"上以遷誣罔，爲陵游説，下遷腐刑。歲餘，族陵家，母弟妻子皆伏誅。隴西士大夫以李氏爲愧。陵在匈奴，單于以女妻之，立爲右校王，貴用事。在匈奴二十餘年，元平元年病死。

宋顏延之《庭誥》曰：“李陵衆作，摠雜不類，是假託，非盡陵制。至其善篇，有足悲者。”

梁鍾嶸《詩品》曰：“《夏歌》曰：‘鬱陶乎予心。’《楚謠》曰：‘名予曰正則。’雖詩體未全，然是五言之濫觴也。逮漢李陵，始著五言之目。”又云：“漢都尉李陵詩，其源出于楚辭，文多悽怨者之流。陵，名家子，有殊才，生命不諧，聲穨身喪。使陵不遭辛苦，其文亦何能至此。”

《史通·雜説篇》曰：“《李陵集》有《與蘇武書》，詞采壯麗，音句流靡。觀其文體，不類西漢人，殆後來所爲，假稱陵作也。遷史缺而不載，良有以焉。編于李集中，斯爲謬矣。”

《唐書·經籍》、《藝文志》：《李陵集》二卷。

明馮氏《詩紀》輯存《與蘇武詩》三篇，《別蘇武歌》一篇。

汪氏《文選撰人篇目》：漢李少卿陵有《與蘇武詩》三首，《答蘇武書》。

嚴氏《全漢文編》曰：“李陵有集二卷。今存《令》一條，《表》一條，《與蘇武書》八條，《重報蘇武書》一篇。又蘇武《報李陵書》三條。”

梁有《漢丞相魏相集》二卷，録一卷，亡。

《漢書》本傳：相字弱翁，濟陰定陶人也，徙平陵。少學《易》，爲郡卒史，舉賢良，對策高第，爲茂陵令、揚州刺史、諫大夫，再爲河南太守。宣帝即位，徵爲大司農，遷御史大夫，代韋賢爲丞相，封高平侯。相明《易經》，有師法，好觀漢故事及便宜章奏，以爲古今異制，方今務在奉行故事而已。數條漢興已來國家便宜行事，及賢臣賈誼、鼂錯、董仲舒等所言，奏請施行之。上故事詔書凡二十三事。又數表采《易陰陽》及《明堂月令》奏之。數陳便宜，上納用焉。時丙吉爲御史大夫，同心輔政。視事九歲，神爵三年薨，諡曰憲侯。

又《藝文志·六藝略》樂家：《雅琴趙氏》七篇，宣帝時丞相魏相所奏。《雅琴龍氏》九十九篇，劉向《別錄》云亦魏相所奏也。

《唐書·經籍》、《藝文志》：《魏相集》二卷。

嚴氏《全漢文編》：魏相有集二卷。今存《賢良對策》、《上封事薦張安世》、《上封事奪霍氏權》、《上書諫擊匈奴右地》、《上書自陳》、《條奏便宜》、《表奏采易陰陽明堂月令》凡七篇。

梁有《漢左馮翊張敞集》一卷，錄一卷，亡。

《漢書》本傳：敞字子高，本河東平陽人，徙茂陵。敞後隨宣帝徙杜陵。以鄉有秩補太守卒史，再遷太僕丞。以諫昌邑王顯名，擢爲豫州刺史。以數上事有忠言，宣帝徵爲太中大夫，與于定國並平尚書事。復出爲函谷關都尉，山陽太守，膠東相，拜京兆尹。免爲庶人。復召敞拜冀州刺史，太原太守。元帝初即位，徵以爲左馮翊，會病卒。敞本治《春秋》，以經術自輔，其政頗雜儒雅。敞孫竦，王莽時至郡守，封侯，博學文雅過于敞，然政事不及也。竦死，敞無後。

又《儒林傳》：漢興，北平侯張倉及梁太傅賈誼、京兆尹張敞、大中大夫劉公子皆修《春秋左氏傳》。

又《藝文志》六藝小學家叙曰："《倉頡》多古字，俗師失其讀。宣帝時徵齊人能正讀者，張敞從受之。傳至外孫之子杜林，爲作訓詁云。"

又《郊祀志》：時，美陽得鼎，獻之。下有司議，多以爲宜薦見宗廟，如元鼎時故事。張敞好古文字，案鼎銘勒而上議曰："臣愚不足以迹古文，竊以傳記言之，此鼎殆周之所以褒顯大臣，大臣子孫刻銘其先功，藏之于宮廟。鼎細小，又有款識，不宜薦見于宗廟。"制曰："京兆尹議是。"案治《左氏》者，不廑張敞一人。治《倉頡篇》者,實敞爲之首也。

《文心雕龍·書記篇》曰:"戰國以前,君臣同書。秦漢立議,
始有表奏;王公國内,亦稱奏書。張敞奏書于膠后,其義美
矣。"又《練字篇》曰:"及宣成二帝,徵集小學,張敞以正讀傳
業,揚雄以奇字纂訓,並貫練《雅》、《頌》,總閲音義。"

《唐書·經籍》、《藝文志》:《張敞集》二卷。

嚴氏《全漢文編》曰:"張敞有集二卷。今存《告絮舜教》、《上
書諫昌邑王》、《上書自請治膠東勃海盗賊》、《奏書諫膠東王
太后數出游獵》、《詣公車上書》、《上書請令入穀贖罪》、《爲霍
氏上封事》、《上疏諫用方術》、《奏劾黃霸》、《條奏故昌邑王居
處狀》、《美陽鼎不宜薦見議》、《答兩府入穀贖罪難問》、《爲膠
東相與朱邑書》、《與嚴延年書》、《答宋登遺蟹醬書》凡一十
五篇。"

漢諫議大夫王褒集五卷

《漢書》本傳:褒字子淵,蜀人也。宣帝時,益州刺史王襄欲宣
風化于衆庶,使褒作《中和》、《樂職》、《宣布詩》。褒既爲刺史
作頌,又作其傳,上徵褒,詔褒爲聖主得賢臣頌其意。令褒與
張子僑等並待詔,數從放獵,所幸宫觀,褒爲歌頌,第其高下,
以差賜帛。議者多以爲淫靡不急,上曰:"'不有博奕者乎,爲
之猶賢乎已!'辭賦大者與古詩同義,小者辯麗可喜。辟如女
工有綺縠,音樂有鄭衛,今世俗猶皆以此虞悦耳目,辭賦比
之,尚有仁義風諭,鳥獸草木多聞之觀,賢于倡優博弈遠矣。"
頃之,擢褒爲諫大夫。其後太子體不安,苦忽忽善忘,不樂。
詔使褒等皆之太子宫虞侍太子,朝夕誦讀奇文及所自造作。
疾平復,迺歸。太子喜褒所爲《甘泉》及《洞簫頌》,令後宫貴
人左右皆誦讀之。後方士言益州有金馬碧雞之寶,可祭祀致
也。宣帝使褒往祀焉,于道病死,上閔惜之。案《碧雞頌》佚文,蓋死

于歸道中。

又《何武傳》：“宣帝時，天下和平，四夷賓服，神爵、五鳳之間婁蒙瑞應。而益州刺史王襄使辯士王褒頌漢德，作《中和》、《樂職》、《宣布詩》三篇。武年十四五，與成都楊覆衆等共習歌之。是時，宣帝循武帝故事，求通達茂異士，召見武等于宣室。上曰：‘此盛德之事，吾何足以當之哉！’以褒爲待詔。”師古曰：“中和者，言政教隆平，得中和之道也。樂職，謂百官萬姓樂得其常道也。宣布，德化周洽，徧于四海也。”

又《藝文志》：《王褒賦》十六篇。

王逸《楚辭章句》曰：“《九懷》者，諫議大夫王褒之所作也。懷者，思也，言屈原雖見放逐，猶思念其君，憂國傾危，而不能忘也。褒讀屈原之文，追而愍之，故作《九懷》以裨其辭。史官錄第遂列于篇。”案此稱史官錄第者，即謂劉中壘錄上《楚辭》之篇第也。

《文心雕龍・詮賦篇》曰：“子淵《洞簫》，窮變于聲貌。”又《書記篇》曰：“古有鐵券，以堅信誓。王褒髯奴，則券之楷也。”又《才略篇》曰：“王褒構采，以密巧爲致，附聲測貌，泠然可觀。”

《唐書・經籍》、《藝文志》：《王褒集》五卷。《宋史・志》同。

張溥《百三家・王諫議集》輯本一卷，凡賦、騷、論、頌、移、約文八篇。

汪氏《文選撰人篇目》：漢王子淵褒有《洞簫賦》、《聖主得賢臣頌》、《四子講德論》。

嚴氏《全漢文編》曰：“王褒有集五卷。今存《洞簫賦》、《九懷》、《四子講德論》、《聖主得賢臣頌》、《甘泉宮頌》、《碧雞頌》、《僮約》、《責髯奴辭》凡八篇。《責髯奴辭》，《古文苑》以爲後漢黃香作。”

漢諫議大夫劉向集六卷

劉向有《洪範五行傳論》，見經部尚書家。

《漢書·楚元王附傳》：“宣帝循武帝故事，招選名儒俊材置左右。更生以通達能屬文辭，與王褒、張子僑等並進對，獻賦頌凡數十篇。案此即《藝文志》所載劉向賦三十三篇也。成帝即位，更生乃復進用，更名向。數奏封事。數上疏言得失，陳法戒。時上無繼嗣，政由王氏，災異寖甚。向獨謂陳湯曰：‘災異如此，而外家日盛，其漸必危劉氏。’遂上封事極諫。每召見，數言權在外家，常譏刺王氏。其言多痛切，發于至誠。年七十二卒。卒後十三歲而王氏代漢。

又傳贊曰：“仲尼稱‘才難，不其然與’。自孔子後，綴文之士眾矣，唯孟軻、孫況、董仲舒、司馬遷、劉向、揚雄。此數公者，皆博物洽聞，通達古今，其言有補于世。傳曰‘聖人不出，其間必有命世者’，豈近是乎？嗚虖！向言山陵之戒，于今察之，哀哉！指明梓柱以推廢興，昭矣！豈非直諒多聞，古之益友與！”案梓柱者，向《封事》有曰：“今王氏先祖墳墓在濟南者，其梓柱生枝葉，扶蘇上出屋，根垂地中，雖立石起柳，無以過此之明也。”

又《藝文志》曰：“《劉向賦》三十三篇。”又《六藝略》樂家附注曰：“出淮南、劉向等《琴頌》七篇。”

《七略》、《別錄》曰：“向有《芳松枕賦》，有《合賦》，有《麒麟角杖賦》，有《行過江上弋雁賦》、《行弋賦》、《弋雌得雄賦》。”

班固《兩都賦》序曰：“大漢初定，日不暇給。至于武、宣之世，乃崇禮官，考文章，内設金馬石渠之署，外興樂府協律之事，以興廢繼絕，潤色鴻業，是以眾庶悦豫，福應尤盛，《白麟》、《赤鴈》、《芝房》、《寶鼎》之歌薦于郊廟，神雀、五鳳、甘露、黃龍之瑞以爲年紀。故言語侍從之臣，若司馬相如、虞丘壽王、東方朔、枚臯、王褒、劉向之屬，朝夕論思，日月獻納。而公卿大臣御史大夫倪寬、太常孔臧、太中大夫董仲舒、宗正劉德、太子太傅蕭望之等，時時間作，或以抒下情而通諷諭，或以宣上德而盡忠孝。雍容揄揚，著于後嗣，抑亦雅頌之亞也。故孝成之世，論而録之。蓋奏御者千有餘篇，而後大漢之文章炳焉，與三代同風。"案"孝成以下"云云，即劉中壘輯《詩賦略》之事。班氏此序雖不爲《詩賦略》而作，而適足以爲《詩賦略》之序。此後世集部之緣起也。

王逸《楚辭章句》曰："《九歎》者，護左都水使者光禄大夫劉向之所作也。向以博古敏達，典校經書，辯章舊文，追念屈原忠信之節，故作《九歎》也。"

又《楚辭·天問篇》叙曰：①"昔屈原所作凡二十五篇，世相教傳而莫能説。《天問》以其文義不次，又多奇怪之事，自太史公口論道之，多所不逮。至于劉向、揚雄援引傳記以解説之，亦不能詳悉，所闕者衆，日無聞焉。"

《宋書·謝靈運傳》論曰："屈平、宋玉導清源于前，賈誼、相如振芳塵于後。自茲以降，情志愈廣。王褒、劉向、揚、班、崔、蔡之徒，異軌同奔，遞相師祖。雖清辭麗曲，時發乎篇，而蕪音累氣，固亦多矣。"

《文心雕龍·徵聖篇》曰："徵之周孔，則文有師矣，是以子政論文必徵于聖。"又《體性篇》曰："子政簡易，故趣昭而事博。"

又《才略篇》曰："劉向之奏議，旨切而調緩。"又云："自卿、淵以前，多俊才而不課學；雄、向以後，頗引書以助文。"

《唐書·經籍》、《藝文志》：《劉向集》五卷。《宋史·志》同。

《黄氏日鈔》曰："楚元王以好學禮賢開國，故戊雖以叛誅，而辟疆、德、向皆世濟其美，漢之宗英，于斯爲盛。"

《玉海·藝文》曰："《中興書目》：《劉向集》五卷。集者，云晉八卷，隋本六卷，今所有十八篇。"案晉八卷者，謂《中經簿》也。

---

①　"問"，原誤作"文"，據文意改。

陳氏《書録》：《劉中壘集》五卷，漢中壘校尉劉向子政撰。前四卷、《封事》並見《漢書》，《九歎》見《楚辭》，末《請雨華山賦》見《古文苑》。

張溥《百三家·劉子政集》輯本一卷，凡賦、疏、上書、封事、議、對、頌、銘、序、騷綜二十二篇，附以《洪範五行傳》。

嚴氏《全漢文編》輯本五卷，弟一卷曰《請雨華山賦》、《雅琴賦》、《圍棋賦》、《九歎》，凡四篇；弟二卷曰《使外親上變事》、《條災異封事》、《極諫用外戚封事》、《理甘延壽陳湯疏》、《諫營昌陵疏》、《復上奏災異》、《奏劾甘忠可》、《對成帝甘泉泰畤問》、《日食對》、《説成帝定禮樂》、《誡子歆書》，凡十一篇；弟三卷曰《戰國策》、《管子》、《晏子》、《孫卿書》、《韓非子》、《列子》、《鄧析書》、《關尹子》、《子華子》、《説苑》叙録，《高祖頌》、《杖銘》、《熏鑪銘》、《五紀説》、《五紀論》，凡十五篇；注云《關尹子》、《子華子》疑皆是宋人僞託，今姑録之。弟四卷《别録》佚文；弟五卷《新序》佚文、《説苑》佚文。

梁有《漢射聲校尉陳湯集》二卷，亡。

《漢書》本傳：湯字子公，山陽瑕丘人也。少好書，博達善屬文。西至長安，爲太官獻食丞。數歲，舉茂才，復以薦爲郎，數求使外國。久之，遷西域副校尉，與甘延壽俱出。建昭三年，矯制發城郭諸國兵，斬郅支單于、閼氏、太子、名王以下千五百一十八級，生虜百四十五人，降虜千餘人。封關内侯，拜射聲校尉。後奪爵爲士伍。數歲，大將軍王鳳奏以爲從事中郎，又免爲庶人。卒。王莽秉政，追諡湯爲破胡壯侯，封湯子馮爲破胡侯，勳爲討狄侯。

又《劉向傳》：向雅奇陳湯智謀，與相親友。

嚴氏《全漢文編》曰："陳湯有集二卷。今存《上疏自理》、《上封事請徙初陵》各一篇。"

梁有《丞相韋玄成集》二卷,亡。

《漢書·韋賢傳》:"賢字長孺,魯國鄒人也。其先韋孟,家本彭城,爲楚元王傅,傅子夷王及孫王戊。戊荒淫不遵道,孟作詩風諫。後去位,徙家于鄒,又作《在鄒詩》一篇。孟卒于鄒。或曰其子孫好事,述先人之志而作是詩也。自孟至賢五世。賢兼通《禮》、《尚書》,以《詩》教授,號稱鄒魯大儒。宣帝時,代蔡義爲丞相,封扶陽侯。諡曰節侯。少子玄成,字少翁,以父任爲郎,常侍騎。少好學,修父業。以明經擢爲諫大夫。父賢病薨。受扶陽侯爵,遷太常。坐免官,又削爵爲關內侯。玄成自傷貶黜父爵,作詩自劾責。久之,召拜爲淮陽中尉。受詔與太子太傅蕭望之及五經諸儒雜論同異于石渠閣,條奏其對。及元帝即位,以玄成爲少府,太子太傅,御史大夫。永光中,代于定國爲丞相。貶黜十年之間,遂繼父相位,封侯故國,榮當世焉。玄成復作詩,自著復玷缺之艱難,因以戒示子孫。爲相七年,守正持重不及父賢,而文采過之。建昭三年薨,諡曰共侯。"《文心雕龍·明詩篇》曰:"漢初四言,韋孟首唱,匡諫之義,繼軌周人。"玄成二詩亦見本傳。

《唐書·經籍》、《藝文志》:《韋玄成集》二卷。

嚴氏《全漢文編》曰:"韋玄成有集二卷。今存《劾劉更生》、《奏發陳咸朱雲事》、《罷郡國廟議》、《毀廟議》、《毀廟遷主議》、《復言罷文昭太后寢祠園》凡六篇。"

漢諫議大夫谷永集二卷

《漢書》本傳:永字子雲,長安人也。少爲長安小史,後博學經書。建昭中,御史大夫繁延壽除補屬,舉爲太常丞,數上疏言得失。擢光禄大夫,安定太守,涼州刺史,北地太守,徵入爲大司農。病卒。永于經書,汎爲疏達,與杜欽、杜鄴略等,不能洽浹如劉向父子及揚雄也。其于天官、《京氏易》最密,故善言災異,前後所上四十餘事,略相反覆,專攻上身與後宮而已。黨于王氏,上亦知之,不甚親信也。本名並,以尉氏樊並反,更名永云。<small>案本傳不言爲諫議大夫官,此題諫議大夫,似因上文劉向、王襃而誤。</small>

又《游俠·樓護傳》:護字君卿。與谷永俱爲五侯上客,長安號曰"谷子雲筆札,樓君卿脣舌",言其見信用也。

王充《論衡·別通篇》曰:"若董仲舒、唐子高、谷子雲、丁伯玉,策既中實,文說美善,博覽膏腴之所生也。"又《効力篇》曰:"谷子雲、唐子高章奏百上,筆有餘力,極言不諱,文不折乏,非夫才知之人不能爲也。"

《唐書·經籍》、《藝文志》:《谷永集》五卷。

嚴氏《全漢文編》曰:"谷永有集二卷。今存《舉方正對策》、《復言災異》、《復對》、《又對》、《三月雨雪對》、《黑龍見東萊對》、《日食對》、《星隕對》、《又日食對》、《災異對》、《鬥牡自亡對》、《日蝕上書》、《上疏訟陳湯》、《上疏薦薛宣》、《請賜謚鄭寬中》、《上疏理梁王立》、《受降議》、《塞河議》、《諫成帝微行》、《說成帝距絶祭祀方術》、《説王音》、《謝王鳳書》、《與王譚書》、《與王音書》、《戒段會宗書》凡二十五篇。"

梁有《漢涼州刺史杜鄴集》二卷,亡。

《漢書》本傳:鄴字子夏,本魏郡繁陽人也。武帝時徙茂陵。鄴少孤,其母張敞女。鄴壯,從敞子吉學問,得其家書。以孝廉爲郎。王商爲大司馬,除鄴主簿,舉侍御史。哀帝即位,遷爲涼州刺史。數年,以病免。元壽元年,舉方正,對策,未拜,病卒。鄴言民訛言行籌,及谷永言王者買私田,彗星隕石牡飛之占,語在《五行志》。初,鄴從張吉學,吉子竦又幼孤,從鄴學問,亦著于世,尤長小學。鄴子林,清靜好古,亦有雅材,建武中歷位列卿,至大司空。其正文字過于鄴、竦,故世言小學者由杜公。案漢末傳小學者,張氏、杜氏、揚雄,此三家最著,而張敞爲之始焉。

《唐書·經籍》、《藝文志》:《杜鄴集》五卷。

嚴氏《全漢文編》:杜鄴有集二卷。今存《舉方正直言對》、《災異對》、《説王音》、《説王商》、《臨終作墓石文》凡五篇。

梁有《漢騎都尉李尋集》二卷,亡。

《漢書》本傳:尋字子長,平陵人也。治《尚書》,與張孺、鄭寬中同師。案《儒林傳》:同師平陵張山拊。寬中等守師法教授,尋獨好《洪範》災異,又學天文月令陰陽。哀帝初即位,召尋待詔黄門,遷侍郎,以尋言且有水災,故拜尋爲騎都尉,使護河隄。後以助夏賀良事下吏,坐誣罔不道,減死一等,徙敦煌郡。

又《五行志》序末有曰:"是以攬仲舒,別向、歆,傳載眭孟、夏侯勝、京房、谷永、李尋之徒所陳行事。案"傳載"當爲"傳載",顏氏曰:"傅讀曰附,謂附著。"訖于王莽,舉十二世,以傳《春秋》,著于篇。"

嚴氏《全漢文編》曰:"李尋有集二卷。今存《對詔問災異》、《又對問災異》、《塞河議》、《奏記翟方進》、《説王根》凡五篇。"

漢司空師丹集一卷。梁三卷。録一卷。

《漢書》本傳:丹字仲公,琅邪東武人也。治《詩》,事匡衡。舉孝廉爲郎。元帝末,爲博士,免。建始中,州舉茂才,復補博士。成帝末,至太子太傅。哀帝即位,爲左將軍,領尚書,代王莽爲大司馬,封高樂侯。徙爲大司空。書數十上,多切直之言。免爲庶人,廢歸鄉里者數年。平帝即位,王莽白太皇太后,封丹爲義陽侯。月餘,薨,謚曰節侯。

《唐書·經籍》、《藝文志》:《師丹集》五卷。

嚴氏《全漢文編》:師丹有集三卷。今存《上書言封丁傅》、《建言限民田奴婢》、《劾奏董宏》、《共皇廟議》凡四篇。

漢光禄大夫息夫躬集一卷

《漢書》本傳:躬字子微,河内河陽人也。少爲博士弟子,受

《春秋》，通覽記書。哀帝初即位，與長安孫寵俱上書，召待詔。躬與寵謀，告東平王雲及其后日夜祠祭祝詛上，欲求非望。下有司案驗，雲及后皆坐誅。擢躬爲光禄大夫左曹給事中。是時侍中董賢愛幸，上欲侯之，遂下詔云：“躬、寵因賢以聞，封賢爲高安侯，寵方陽侯，躬宜陵侯。”使護三輔都水。免官，遣就國。以祝盜方事坐祝詛逮，繫洛陽詔獄。欲掠問躬，躬仰天大謼，因僵仆。吏就問，云咽已絶，血從鼻耳出。食頃，死。家屬徙合浦。初，躬待詔，數危言高論，自恐遭害，著《絶命辭》。後數年乃死，如其文。案其文亦見本傳，躬封侯事亦見《哀帝本紀》及《佞幸董賢傳》。

又傳贊曰：“仲尼‘惡利口之覆邦家’，江充造蠱，太子殺；息夫作姦，東平誅：皆自小覆大，緜疏陷親，可不懼哉！”

《唐書·經籍》、《藝文志》：《息夫躬集》五卷。

嚴氏《全漢文編》：息夫躬有集一卷。今存《上疏詆公卿大臣》、《上言開京渠》、《奏開匈奴烏孫》、《建言厭應變異》，凡四篇。”

漢太中大夫揚雄集五卷

揚雄有《方言》，見經部小學家。

雄《答劉歆書》曰：“雄先作《縣邸銘》、《王佴頌》、《階闥銘》及《成都城四隅銘》，蜀人有楊莊者，爲郎，誦之于成帝。成帝好之，以爲似相如，雄遂以此得外見。此數者，皆都水君常見，故不復奏。雄爲郎之歲，自奏少不得學，而心好沈博絶麗之文，願不受三歲之奉，且休脱直事之縣，得肆心廣意，以自克就，有詔可不奪奉。令尚書賜筆墨錢六萬，得觀書于石渠。如是後一歲，作《繡補》、《靈節》、《龍骨》之銘，詩三章。成帝好之，遂得盡意。”

劉歆《七略》曰：“揚雄賦四篇：《甘泉賦》，永始三年待詔臣雄上。《羽獵賦》，永始三年十二月上。《長楊賦》，綏和元年上。"案《河東賦》，永始三年三月上者，《七略》佚文不具焉。

《漢書》本傳：雄博覽無所不見。顧嘗好辭賦。先是，蜀有司馬相如，作賦甚弘麗溫雅，雄心壯之，每作賦，常擬之以爲式。又怪屈原文過相如，至不容，作《離騷》，投江而死，悲其文，讀之未嘗不流涕也。以爲君子得時則大行，不得時則龍蛇，遇不遇命也，何必湛身哉！迺作書，往往摭《離騷》文而反之，自崏山投諸江流以弔屈原，名曰《反離騷》；又旁《離騷》作重一篇，名曰《廣騷》；又旁《惜誦》以下至《懷沙》一卷，名曰《畔牢愁》。孝成帝時，客有薦雄文似相如者，上方郊祀甘泉泰畤、汾陰后土，以求繼嗣，召雄待詔承明之庭。正月，從上甘泉，還奏《甘泉賦》以風。天子異焉。其三月，將祭后土，還，上《河東賦》以勸。其十二月羽獵，雄從。故聊因《校獵賦》以風。明年，上將大誇胡人以多禽獸，令胡人手搏之，自取其獲，上親臨觀焉。雄從至射熊館，還，上《長楊賦》以風。哀帝時，雄方草《太玄》，有以自守，泊如也。或嘲雄，而雄解之，號曰《解嘲》。客有難《玄》太深，衆人之不好也，雄解之，號曰《解難》。其意欲求文章成名于後世，以爲箴莫善于《虞箴》，作《州箴》；賦莫深于《離騷》，反而廣之；辭莫麗于相如，作四賦。皆斟酌其本，相與依放而馳騁去。

又《藝文志》："揚雄賦十二篇。"又篇末附注云："入揚雄八篇。"王氏《考證》曰："蓋《七略》所載止四賦：《甘泉》、《河東》、《校獵》、《長楊》也。"

後漢崔瑗《叙箴》曰："昔揚子雲讀《春秋傳》、《虞人箴》而善之，于是作《九州》及《二十五官箴》，規匡救言君德之所宜，斯乃體國之宗也。"案《漢志·儒家》"揚雄所叙"條下注云："樂四，箴二。"蓋箴二卷，與《太玄》、《法言》、樂、箴四種，班孟堅之時合而爲帙者。

《後漢書·胡廣傳》：“初，揚雄依《虞箴》作《十二州二十五官箴》，其九箴亡闕。”案王氏《考證》：“《館閣書目》：《二十四箴》一卷，《州箴》十二，《衛尉》等箴十二。”蓋至宋僅存廿四，亡其十三篇也。

梁沈約《注制旨連珠》曰：“竊聞《連珠》之作始自子雲，放《易》象論，動模經誥，班固謂之命世桓譚，以爲絕倫。”

《文心雕龍·詮賦篇》曰：“子雲《甘泉》，構深瑋之風。”《銘箴篇》云：“揚雄稽古，始範《虞箴》，作《卿尹》、《州牧》二十五。”《誄碑篇》云：“揚雄之誄元后，文實煩穢，沙麓撮其要，而挈疑成篇，注云有敓誤。安有累德述尊，而闕略四句乎！”《哀弔篇》云：“揚雄弔屈，思積功寡，意深文略，故辭韻沈腴。”《雜文篇》云：“揚雄覃思文閣，業深綜述，碎文瑣語，肇爲《連珠》，其辭雖小而明潤矣。”又曰：“揚雄《解嘲》，雜以諧謔，迴環自釋，頗亦爲工。”《封禪篇》云：“揚雄《劇秦》，影寫長卿，詭言遹辭，故兼包神怪。然骨掣靡密，辭貫圓通，自稱極思，無遺力矣。”《書記篇》云：“子雲之《答劉歆》，志氣槃桓。”《體性篇》云：“子雲沈寂，故志隱而味深。”《才略篇》云：“子雲屬意，辭人最深，觀其涯度幽遠，搜選詭麗，而竭才以鑽思，故能理贍而辭堅矣。”

《唐書·經籍》、《藝文志》：《揚雄集》五卷。《宋史·志》六卷。

晁氏《讀書志》：《揚雄集》三卷。古無雄集，皇朝譚愈好雄文，患其散在諸篇籍，離而不屬，因綴輯之，得四十餘篇。案此“三卷”似“五卷”之寫誤。

陳氏《書錄》曰：“《揚子雲集》五卷，漢黃門郎成都揚雄子雲撰。大抵皆錄《漢書》及《古文苑》所載。蓋古本已不存，好事者于史傳類書中鈔錄，以備一家之作，充藏書之數而已。”又曰：“《二十四箴》一卷，揚雄撰。今廣德軍所刊本校集中無《司空》、《尚書》、《博士》、《太常》四箴。集中所有皆據《古文苑》，而此四篇或云崔駰，或云崔子玉，疑不能明也。"

《四庫提要》曰："《隋》、《唐志》皆載雄集五卷。其本久佚。宋
譚愈始取《漢書》及《古文苑》所載四十餘篇，仍輯爲五卷，已
非舊本。明萬曆中，遂州鄭樸又取雄所撰《太玄》、《法言》、
《方言》書及類書所引《蜀王本紀》、《琴清英》諸條，與諸文賦
合編之，釐爲六卷，而以逸篇之目附卷末。即此本也。"又汪氏
《二十名家集》、張氏《百三家集》亦各有輯本。

汪氏《文選撰人篇目》：漢楊子雲雄有《甘泉賦》、《羽獵賦》、
《長楊賦》、《解嘲》、《趙充國頌》、《劇秦美新》。

嚴氏《鐵橋漫稾·重編揚子雲集叙》曰："《揚子雲集》，《隋》、
《唐志》皆五卷，亡于唐末。宋譚愈輯爲三卷，或作五卷，余未
見之。明鄭樸補輯爲六卷，即《四庫》所收也。余又重編爲四
卷，凡六十一篇。卷視隋、唐差少，篇視鄭樸增多。拾遺訂
誤，皆注明出處，以便覆查，疑者闕之。《漢志》著録賦十二
篇，今得《蜀都》、《甘泉》、《河東》、《羽獵》、《長楊》、《覈靈》、
《太玄》、《逐貧》、《酒》、《反騷》十篇。其《廣騷》、《畔牢愁》僅
見篇名，似即《反騷》之子目。據許氏《説文》引《解嘲》：'響若
氏隤，謂之賦。'則視《漢志》亡其一篇。案子雲自叙言："旁《離騷》作
重一篇，曰《廣騷》。旁《惜誦》以下至《懷沙》一卷，曰《畔牢愁》。"則明明爲二篇，與
《反騷》爲三篇。嚴氏《全漢文編》以此二篇數在十二篇之内，是十二篇之目已全。
《文編》之言是也。此所云云，蓋駁文而失于刊正者。後漢胡廣傳稱《十二
州箴》、《二十五官箴》，其九篇亡闕。今除《初學記》之《潤州
箴》、《御覽》之《河南尹箴》誤入不録外，得整篇二十八，如後
漢原數。案此已較宋二十四箴爲完善。又五篇有缺文，四篇亡，知所
謂亡闕者，有亡有闕，非九篇俱亡之謂。《蜀都賦》爲集中鉅
製，校讎再四，從順良難。《連珠》及《琴清英》皆不全。《覈靈
賦》、《與桓譚書》、《爲益州刺史作節度》，章段畸零，觕存崖

略,將欲復隋、唐本之舊,斷斷不能。視鄭樵本,則後來者居上矣。繕寫而爲之叙録曰:自古言儒術者曰孟荀,曰荀揚,而桓譚、陸續推揚爲聖人,未免過當,要是荀子後第一人。宋儒以《劇秦美新》爲詢病,大書'莽大夫',《春秋》責備賢者,于世教有功,固非鮮淺。然而革除之際,實難言之。漢承秦,賈生《過秦》,千古名論。新承漢,子雲不劇漢而劇秦,有微詞焉,亦非苟作。後儒學問文章,曾不及子雲千一。其于仕莽,悲其遇焉可也。"又自編《四録堂類集總目》:"《揚子雲集》四卷,可均校編。"

漢太中大夫劉歆集五卷

劉歆有《爾雅注》,見經部論語家。

《漢書・劉向傳》:"向三子,少子歆最知名。父子俱好古,博見彊志,過絶于人。及歆親近,欲建立《左氏春秋》及《毛詩》、《逸禮》、《古文尚書》皆列于學官。哀帝令歆與五經博士講論其義,諸博士或不肯置對,歆因移書太常博士,責讓之。其言甚切,諸儒皆怨恨。"案《儒林傳》:五官中郎將房鳳、光禄勳王龔、奉車都尉劉歆三人共移書。又《王莽傳》:"平帝時,莽爲大司馬,以劉歆典文章。"

《古文苑・遂初賦》序曰:"《遂初賦》者,劉歆所作也。歆少通詩書,能屬文。成帝召爲黄門侍郎、中壘校尉、侍中、奉車都尉、光禄大夫。歆好《左氏春秋》,欲立于學官。時諸儒不聽,歆乃移書太常博士,責讓深切,爲朝廷大臣非疾。求出補吏,爲河内太守。又以宗室不宜典三河,徙五原太守。是時朝政已多失矣。歆以論議見排擯志,意不得之官,經歷故晉之域,感今思古,遂作斯賦,以歎征事而寄己意。"亦見《藝文類聚》。案此文章叙録之文也,不知出誰氏。

《傅子》曰:"或問劉歆、劉向孰賢,傅子曰:'向才學俗而志

忠，歆才學通而行邪。《詩》之《雅》、《頌》，《書》之典、謨，文質
足以相副。玩之若近，尋之益遠，陳之若肆，研之若隱。浩浩
乎，其文章之淵府也！’”

《文心雕龍·檄移篇》曰：“劉歆之《移太常》，辭剛而義辨，文
移之首也。”又《議對篇》曰：“如吾丘之駁挾弓，劉歆之辨祖
宗，雖質文不同，得事要矣。”又《事類篇》曰：“揚雄《百官箴》，
頗酌于《詩》、《書》；劉歆《遂初賦》，歷叙于紀傳。”又《章句篇》
曰：“若乃改韻易調，所以節文辭氣。賈誼、枚乘，兩韻輒易；
劉歆、桓譚，百句不遷。亦各有其志也。”

《唐書·經籍》、《藝文志》：《劉歆集》五卷。

張氏《百三家·劉子駿集》輯本一卷，凡賦、書、議各三篇，奏、
說、論各一篇，附《洪範五行傳》佚文。

汪氏《文選撰人篇目》：漢劉子駿歆有《移書讓太常博士》。

嚴氏《全漢文編》輯本二卷，弟一卷曰《遂初賦》、《甘泉宮賦》、
《燈賦》、《上山海經表》、《孝武廟不毁議》、《惠景及太上皇寢
園議》、《功顯君喪服議》、《移太常博士書》、《答文學》、《與揚
雄書從取方言》、《新序論》、《斛銘》凡十二篇。弟二卷曰《三
統曆說》、《七略佚文》、《鍾律書佚文》凡三篇。

漢成帝班婕妤集一卷

《漢書·外戚傳》：孝成班倢伃，帝初即位，選入後宮。始爲少
使，蛾而大幸，爲倢伃，居增成舍。再就館，有男，數月失之。
成帝游于後庭，嘗欲與倢伃同輦載，倢伃辭曰：“觀古圖畫，賢
聖之君皆有名臣在側，三代末主迺有嬖女，今欲同輦，得毋近
似之乎？”上善其言而止。太后聞之，喜曰：“古有樊姬，今有
班倢伃。”其後失寵，求共養太后長信宮，上許焉。倢伃退處
東宮，作賦自傷悼。至成帝崩，倢伃充奉園陵。薨，因葬
園中。

又《成帝本紀》贊曰："臣之姑充後宮爲倢伃。"晉灼曰："班彪之姑也。"《續列女傳》曰："左曹越騎校尉班況之女。"

鍾嶸《詩品》曰："逮漢李陵,始著五言之目。自王、揚、枚、馬之徒,辭賦競爽,而吟詠靡聞。從李都尉迄班婕妤,百年間,有婦人焉,一人而已。詩人之風,頓已缺喪。"又曰："漢婕妤班姬詩,其源出于李陵。《團扇》短章,辭旨清捷,怨深文綺,得匹婦之致。徐儒一節,可以知其工矣!"

《文心雕龍·明詩篇》曰："至成帝品録,三百餘篇,朝章國采,亦云周備。而辭人遺翰,莫見五言,所以李陵、班婕妤見疑于後代也。"案成帝品録三百餘篇者,《藝文志》《歌詩》二十八家三百一十四篇,其中無五言詩,故後世疑李、班之詩或非本真。

唐吳兢《樂府古題要解》曰："《倢伃怨》者,爲漢成帝班倢伃作也。倢伃,徐令彪之姑,況之女,美而能文,初爲帝所寵愛,後幸趙飛燕姊娣,冠于後宮。倢伃自知恩薄,懼得罪,求供養皇太后于長信宮。因爲賦及《紈扇詩》以自傷。後人傷之,爲《倢伃怨》及擬其詩。"

汪氏《文選撰人篇目》:漢班倢伃有《怨歌行》。

嚴氏《全漢文編》:班倢伃有集一卷。今存《自悼賦》、《擣素賦》、《報諸姪書》,凡三篇。

梁有《班昭集》三卷,亡。

班昭即曹大家,有《列女傳注》,見史部雜傳家。《後漢書·列女傳》:"昭博學高才。和帝數召入宮,令皇后諸貴人師事焉,號曰大家。每有貢獻異物,輒詔大家作賦頌。"又曰："所著賦、頌、銘、誄、問、注、哀辭、書、論、上疏、遺令,凡十六篇。子婦丁氏爲撰集之,又作《大家讚》焉。"

《唐書·經籍》、《藝文志》:《曹大家集》二卷。《舊志》列別集類之末,《新志》列唐人之前。

汪氏《文選撰人篇目》：後漢曹大家班昭有《東征賦》。

嚴氏《後漢文編》輯本有《東征賦》、《鍼縷賦》、《大雀賦》、《蟬賦》、《爲兄超求代疏》、《上鄧太后疏》、《欹器頌》、《女誡》凡八篇。

　案曹大家實後漢人，列之于此者，或《七録》以二班同出一家，故變例附其祖姑之次歟？

梁有《王莽建新大尹崔篆集》一卷，亡。

《後漢書·崔駰傳》：駰，涿郡安平人也。高祖父朝，昭帝時侍御史。生子舒，歷四郡太守。舒小子篆，王莽時爲郡文學，以明經徵詣公車。太保甄豐舉爲步兵校尉，投劾歸。莽嫌諸不附己者，多以法中傷之。時篆兄發以佞巧幸于莽，位至大司空。母師氏能通經學、百家之言，莽寵以殊禮，賜號義成夫人，金印紫綬，文軒丹轂，顯于新世。後以篆爲建新大尹，篆不得已，乃歎曰："吾生無妄之世，值澆、羿之君，上有老母，下有兄弟，安得獨潔己而危所生哉？"遂單車到官，後稱疾去。建武初，朝廷多薦言之者，幽州刺史又舉篆賢良。篆自以宗門受莽僞寵，慚愧漢朝，遂辭歸不仕。客居滎陽，閉門潛思，著《周易林》六十四篇，用決吉凶，多所占驗。臨終作賦以自悼，名《慰志》。篆生毅，隱身不仕。毅生駰，與班固、傅毅同時齊名云。

又傳注曰："莽改千乘郡曰建新，守曰大尹。"

《唐書·經籍》、《藝文志》：《崔篆集》一卷。

嚴氏《全漢文編》："崔篆有集一卷。《後漢書·崔駰傳》載《慰志賦》一篇。"

梁有《保成師友唐林集》一卷，亡。

《漢書·鮑宣附傳》：自成帝至王莽時，清名之士，沛郡則唐林子高、唐尊伯高，皆以明經飭行顯名于世。兩唐皆仕王莽，封侯貴重，歷公卿位。唐林數上疏諫正，有忠直節。

又《王莽傳》：始建國三年，爲太子置師友各四人，以故尚書令唐林爲胥附。天鳳四年五月，莽曰：“保成師友祭酒唐林，孝弟忠恕，敬上愛下，博通舊聞，德行醇備，至于黃髮，靡有愆失。其封林爲建德侯，位特進，見禮如三公。賜第一區，錢三百萬，授几杖焉。”

《論衡·超奇篇》曰：“觀谷永之陳説，唐林之宜言，劉向之切議，以知爲本，筆墨之文，將而送之，豈徒彫文飾辭，句爲華葉之言哉？精誠由中，故其文語感動人深。”又《効力篇》曰：“谷子雲、唐子高章奏百上，筆有餘力。”

《玉海·藝文類》：《中興書目》曰：“《漢名臣奏》二卷，其一卷唐林在新莽時奏凡十篇。”

嚴氏《全漢文編》：唐林有集一卷。今存《上哀帝疏請復師丹爵邑》，又《奏事》，凡二篇。

梁有《中謁者史岑集》二卷，亡。

《後漢書·文苑·王隆附傳》：初，王莽末，沛國史岑子孝亦以文章顯，莽以爲謁者，著頌、誄、《復神》、《説疾》，凡四篇。

又傳注曰：“岑，一字孝山，著《出師頌》。”《文選·出師頌》注云：“漢有二史岑，字孝山者當和、熹之際，字子孝者仕莽末。”章懷此注誤爲一人。又案《班彪傳》注云：“好事者謂揚雄、劉歆、陽城衡、褚少孫、史孝山之徒也。”此史孝山亦當爲史子孝。章懷誤兩人爲一人，前後凡兩見。

《博物志》：元始元年，中謁者沛郡史岑上書，訟王宏奪董賢璽綬之功。案王宏即王閎，王莽叔父平阿侯譚之子，略見《漢書·元后傳》，又見《東觀漢記》、范書《張步傳》。王氏之良也。

《史通·正史篇》：《史記》所書，年止漢武。其後劉向、向子歆及諸好事者，若揚雄、史岑等，相次撰續，迄于哀平間，猶名《史記》。案此則史岑于漢末嘗續《太史公書》。《史通·史官篇》云：“司馬遷既没，後之續《史記》者，若褚先生、劉向、馮商、揚雄之徒，並以別職來知史務。"是王莽時嘗爲史官，劉歆所典領也。

《唐書·經籍志》："《後漢史岑集》二卷。"《藝文志》同。

右楚、漢人文迄王莽，凡楚二家，漢十五家，附注梁有十一家，王莽時三家，又比附後漢班昭一家，綜三十二家，是爲別集類分篇第一。

卷三十九之二

集部二之二

別集類二　後漢

梁有《後漢東平王蒼集》五卷，亡。

《後漢書・光武十王傳》：光烈皇后生顯宗、東平憲王蒼。蒼，
建武十五年封東平公，十七年進爵爲王。少好經書，雅有智
思，顯宗甚愛重之。及即位，拜爲驃騎將軍，置長史掾史員四
十人，位在三公上。是時，中興三十餘年，四方無虞，蒼以天
下化平，宜修禮樂，乃與公卿共議定南北郊、冠冕、車服制度，
及光武廟登歌八佾舞數，語在《禮樂》、《輿服志》。注云：“其志今
亡。”蓋謂范氏之志也。在朝數載，自以至親輔政，聲望日重，意不自
安，上疏歸職。帝優詔不聽。其後數陳乞，辭甚懇切。五年，
乃許還國，而不聽上將軍印綬。以驃騎長史爲東平太傅，掾
爲中大夫，令史爲王家郎。十五年，行幸東平。帝以所作《光
武本紀》示蒼，蒼因上《光武受命中興頌》。帝甚善之，以其文
典雅，特令校書郎賈逵爲之訓詁。肅宗即位，尊重恩禮踰于
前世，諸王莫與爲比。朝廷每有疑政，輒驛使諮問。蒼悉心
以對，皆見納用。建初八年正月薨，詔告中傅，封上蒼自建武
以來章奏及所作書、記、賦、頌、七言、別字、歌詩，並集覽焉。
立四十五年，子懷王忠嗣。傳國至魏受禪，以爲崇德侯。

《南齊書・樂志》：永平三年，東平王蒼造《光武廟登歌》，一章
二十六句，其辭稱述功德。

本志經部異説篇叙曰："起王莽好符命，光武以圖讖興，遂盛行于世。漢時，又詔東平王蒼，正五經章句，皆命從讖。俗儒趨時，益爲其學，篇卷第目，轉加增廣。言五經者，皆憑讖爲説。"案范書《樊儵傳》："永平元年，拜長水校尉，與公卿雜定郊祀禮儀，以讖記正五經異説。"蓋即東平王在朝議修禮樂之時。時并詔東平定五經章句，樊儵與其事，而本傳略之也。

《北堂書鈔》卷七十引《劉蒼集序》曰："體長大美鬚眉。"又引《東平王集》曰："言出爲論，下筆成章。"

《唐書·經籍志》：《漢東平王集》二卷。

《唐書·藝文志》：《東平王蒼集》二卷。

明馮氏《詩紀》輯存《武德舞歌詩》一篇。

嚴氏《全後漢文編》：東平王有集五卷。今見于本傳、《吳良傳》、《東觀記》、《續漢志》、袁《紀》、《通典》諸書，有疏、議、上書、上言凡九篇。

案《漢·藝文志》小學家有《別字》十三篇，東平王所作。《別字》，蓋即其類。崑山顧氏、元和惠氏言別字之義甚詳。已備著于《漢志條理》中，文繁不録。

梁有《後漢桓譚集》五卷，亡。

桓譚有《新論》，見子部儒家。

《新論·道賦篇》佚文曰："余少時好《離騷》，博觀他書，輒欲反學。"又曰："余少好文，見揚子雲工爲賦頌，欲從之學。子雲曰：'能讀千賦則善爲之矣。'"又云："諺曰：'侏儒見一節而長短可知。'孔子言：'舉一隅足以三隅反。'觀吾小時二賦，亦足以揆其能否。"又曰："余少時爲奉車郎，從孝成帝出祠甘泉河東，見部先置華陰集靈宫。宫，武帝所造，欲以懷集仙者王喬、赤松子，故名殿曰存仙。端門南向山，署曰望仙門。余居此焉，竊有樂高眇之志，即書壁爲小賦，以頌二仙之行。"

《後漢書》本傳：譚博學多通，能文章，尤好古學，數從劉歆、揚雄辯析疑異。傅皇后父孔鄉侯晏深善于譚。譚説以脩己正家避禍之道故傅氏終全于哀帝之時。及董賢爲大司馬，聞譚名，欲與之交。譚先奏書于賢，説以輔國保身之術，賢不能用，遂不與通。著書言當世行事，曰《新論》。《琴道》一篇未成，肅宗使班固續成之。所著賦、誄、書、奏，凡二十六篇。元和中，肅宗行東巡狩，至沛，使使者祠譚冢，鄉里以爲榮。《文心雕龍·才略篇》曰："桓譚著論，富號猗頓，宋弘稱薦，爰比相如，而《集靈》諸賦，褊淺無才，故知長于諷論，不及麗文也。"

《唐書·經籍志》："《後漢桓譚集》二卷。"《藝文志》同。

嚴氏《全後漢文編》：桓譚有集五卷。本傳有《陳時政疏》、《抑讖重賞疏》各一篇，《北堂書鈔》、《藝文類聚》有《仙賦并序》一篇，《文選注》有《上便宜》、《陳便宜》、《啓事》、《答揚雄書》各一條。

後漢司隸從事馮衍集五卷

《後漢書》本傳：衍字敬通，京兆杜陵人也。祖野王，元帝時大鴻臚。衍幼有奇才，年九歲，能誦《詩》，至二十而博通群書。王莽時，諸公多薦舉之者，衍辭不肯仕。時天下兵起，莽遣更始將軍廉丹討伐山東。丹辟衍爲掾。丹與赤眉戰死，衍乃亡命河東。更始遣尚書僕射鮑永行大將軍事，安集北方，以衍爲立漢將軍，領狼猛長，屯太原。後審知更始殁，乃與永罷兵，幅巾降于河內。帝怨衍等不時至，永以立功得贖罪，遂任用之，而衍獨見黜。頃之，以爲曲陽令。後爲司隸從事。數爲人讒毀，得罪。西歸故郡，閉門自保，不敢復與親故通。建武末，上書自陳。猶以前過不用。衍不得志，退而作賦自厲，名其篇曰《顯志》。顯志者，言光明風化之情，昭章玄妙之思也。顯宗即位，又多短衍以文過其實，遂廢于家。衍娶北地女任氏，悍忌，不得畜媵妾，兒女常自操井臼，老竟逐之，遂坎壈于時。居貧年老，卒于家。所著賦、誄、銘、説、《問交》、《德誥》、《慎情》、書記説、自序、官録説、策五十篇，肅宗甚重其文。

又傳注曰：“《衍集》有《與新陽侯陰就書》、《又與陰就書》、《與婦弟任武達書》、《與宣孟書》，有《問交》一篇，《慎情》一篇。”又曰：“《衍集》見有二十八篇。”

《文心雕龍·才略篇》：“敬通雅好辭説，而坎壈盛世，《顯志》自序，亦蚌病成珠矣。”又《銘箴篇》曰：“至如敬通雜器，準矱戒銘，而事非其物，繁略違中。”又《論説篇》曰：“敬通之説鮑鄧，事緩而文繁，所以歷騁而罕遇也。”

《史通·正史篇》：《史記》所書，年止漢武。太初已後，闕而不録。其後劉向、向子歆及諸好事者，若馮商、衞衡、揚雄、史岑、梁審、肆仁、晉馮、段肅、金丹、馮衍、韋融、蕭奮、劉恂等，相次撰續，迄于哀平間，猶名《史記》。至建武中，司徒掾班彪，以爲其言鄙俗，不足以踵前史。案此殆指好事者以下諸人而言，非一概斥爲鄙俗也。又雄、歆褒美僞新，誤後惑衆，不當垂之後代者也。案此則馮衍亦嘗修史，續《太史公書》，本傳不載其事。元和惠棟《後漢書補注》亦無述焉。班彪之時，前代修史諸人尚有衍及晉馮、段肅三人，晉、段二人至明帝永平之初。彪子固猶奏記于東平王蒼，見固傳。段審又注《穀梁傳》，與劉向同經，見經部春秋家。又《班彪集》輯本有《與金昭卿書》，疑即金丹字。

《唐書·經籍》、《藝文志》：《馮衍集》五卷。

張氏《百三家集》馮敬通《曲陽集》輯本一卷，凡賦、疏、奏、記、牋、書、論、銘一十七篇。

元和惠棟《後漢書補注》：《潛夫論》曰：“衍篤學重義，諸儒號曰‘德行雍雍馮敬通’。”《北堂書鈔》九十八引馮敬通自序，

《文選注》引《德誥》。任昉《文章緣起》曰：“誥，漢司隸從事馮
衍作。”

嚴氏《全後漢文編》：馮衍有集五卷。今見于本傳、傳注及袁
《紀》、《選注》、《初學記》、《類聚》、《御覽》，有賦、上疏、上書、
說、書、《德誥》、銘凡二十七篇，編爲一卷。

案《馮衍傳》：“建武末，上疏自陳，有曰：‘昔在更始，太原
執財貨之柄，居倉卒之間，據位食禄二十餘年，而財産歲
狹，居處日貧。’”又《顯志賦自序》亦云：“歷位食禄二十餘
年。”又傳末述其自言云：“衍少事名賢，經歷顯位，懷金垂
紫，揭節奉使。”凡此所云，歸降之後，未見斯事。似皆在建
武之前，知其當哀平王莽之時，嘗與劉歆同事修史。或亦
爲國師公官屬，其後出守太原。所謂“少事名賢，經歷顯
位”者，殆以此。其謂“更始太原二十餘年”者，蓋并王莽時
言之。不然，更始至建武不過二三年間事，安得有二十餘
年乎？而范書皆不載其事。反謂王莽時諸公多薦舉，衍辭
不肯仕，自相矛盾，欲蓋彌彰矣。今并識其疑異于此。

後漢徐令班彪集二卷。梁五卷。

《後漢書》本傳：彪字叔皮，扶風安陵人也。祖況，成帝時越騎
校尉。父稚，哀帝時廣平太守。彪性沈重好古。年二十餘，
更始敗，三輔大亂。時隗囂擁衆天水，彪乃避難從之。囂問
彪從橫之事。彪疾囂言，又傷時方艱，乃著《王命論》，以爲漢
德承堯，有靈命之符，王者興祚，非詐力所致，欲以感之，而囂
終不寤，遂避地河西。河西大將軍竇融以爲從事，深敬待之，
接以師友之道。彪乃爲融畫策事漢，總河西以拒隗囂。及融
徵還京師，光武問曰：“所上章奏，誰與參之？”融對：“皆從事
班彪所爲。”帝雅聞彪名，因召入見，舉司隸茂才，拜徐令，以
病免。後數應三公之命，輒去。彪既才高而好述作，遂專心

史籍之間。乃繼采前史遺事，傍貫異聞，作《後傳》數十篇，因斟酌前史譏正得失，而略論之。後辟司徒王況府。王，音肅。察廉爲望都長。建武三十年，年五十二，卒官。所著賦、論、書、記、奏事合九篇。二子：固、超。

又傳論曰："班彪以通儒上才，傾側危亂之間，行不踰方，言不失正，仕不急進，貞不違人，敷文華以緯國典，守賤薄而無悶容。彼將以世運未弘，非所謂賤焉恥乎？何其守道恬淡之篤也！"

《文心雕龍·才略篇》曰："二班兩劉，奕葉繼采，舊說以爲固文優彪，歆學精向，然《王命》清辨，《新序》該練，璠璧産于崑岡，亦難得而踰本矣。"又《哀弔篇》曰："自賈誼浮湘，發憤弔屈，首出之作也。班彪、蔡邕，並敏于致語。然影附賈氏，難爲並驅耳。"

《唐書·經籍志》："《班彪集》二卷。"《藝文志》三卷。

《文獻·經籍考》：①夾漈鄭氏曰："善學司馬遷者，莫如班彪。彪續遷書，自武昭至于後漢，其書不可得而見。所可見者，元成二帝《贊》耳，皆于本紀之外別紀所聞，可謂深入太史公之奧閫矣。"案叔皮論贊今可見者，尚有韋賢、翟方進、元后三傳，不盡如鄭氏所指二篇。

汪氏《文選撰人篇目》曰："後漢班叔皮彪有《北征賦》、《王命論》。"

嚴氏《全後漢文編》曰："班彪有集五卷。今諸書所引有《覽海賦》、《北征賦》、《冀州賦》、《悼離騷》、《復護羌校尉疏》、《上言宜復置烏桓校尉》、《上言宜選東宮及諸王國官屬》、《奏事》、《上事》、《奏議答北匈奴》、《與京兆丞郭季通書》、《與金昭卿

---

① "獻"，原作"選"，據清咸豐九年謝氏刻本馬端臨《文獻通考》改。

書》、《王命論》、《史記論》,凡一十四篇。"

　　案史言竇融所上章奏皆班彪所爲,然則《融傳》及袁宏《紀》所載《上書歸誠》、《上書請征隗囂》、《與隗囂書》並在河西時事,大抵皆叔皮之辭。

　　又案《漢書·藝文志》春秋家韋昭注曰:"馮商受詔續《太史公》十餘篇,在班彪《別錄》。"案班彪《別錄》,本傳及他傳記罕見記述,惟韋氏得見之,疑即叔皮所集諸家之史稿,馮商爲其中之一。此外如《史通》所舉劉向以下十四家,又褚少孫一家,凡十六家,所脩所續之史胥在其間歟?此雖非其自撰,亦絕大手筆,且泯没無聞久矣。因并附記于此。本傳言"不足躋繼前書",《史通》言"雄、歆褒美偽新",皆據此《別錄》,故有是斷語。

梁又有《司徒掾陳元集》一卷。

《後漢書》本傳:"元字長孫,蒼梧廣信人也。父欽,習《左氏春秋》。王莽從欽受《左氏》學,以欽爲厭難將軍。元少傳父業,爲之訓詁。以父任爲郎。案此爲王莽時。後其父爲莽僞令自殺。建武初,元與桓譚、杜林、鄭興俱爲學者所宗。時議欲立《左氏傳》博士,范升奏以爲《左氏》淺末,不宜立。元聞之,乃詣闕上疏。疏奏,下其議。范升復與元相辨難,凡十餘上。帝卒立《左氏》學,太常選博士四人,元爲第一。帝以元新忿爭,乃用其次司隸從事李封,于是諸儒以《左氏》之立,論議讙譁,自公卿以下,數廷爭之。會封卒,《左氏》復廢。元以才高著名,辟司空李通府。通罷,復辟司徒歐陽歙府,數陳當世便事,郊廟之禮,帝不能用。以病去,年老,卒于家。子堅卿,有文章。"又《儒林·歐陽歙傳》:"歙封爲夜侯,坐事下獄死。獄中,歙掾陳元上書追訟之,言甚切至,帝乃賜棺木,贈印綬,賻縑三千匹。子復嗣。"

嚴氏《全後漢文編》:"陳元有集一卷。本傳有《上疏難范升奏左氏不宜立博士》、《上疏駁江馮奏司隸督察三公議》各一篇。"

案《蜀志·尹默傳》："默專精《左氏春秋》，自劉歆條例，鄭衆父子、賈逵、陳元方注説，咸略誦述。"此"方"字，史衍文，即謂此陳元也。元方，潁川陳紀之字，遠在其後。《釋文·叙録》春秋家亦誤衍"方"字。

梁又有《王隆集》二卷，亡。

《後漢書·文苑傳》：王隆字文山，馮翊雲陽人也。王莽時，以父任爲郎，後避難河西，爲竇融左護軍。建武中，爲新汲令。能文章，所著詩、賦、銘、書凡二十六篇。

《續漢書·百官志》序曰："故新汲令王隆作《小學漢官篇》。"

劉昭注："案胡廣注隆此篇，曰：'顧見故新汲令王文山《小學》爲《漢官篇》，略道公卿内外之職，旁及四夷，博物條暢，多所發明，足以知舊制儀品。是以聊集所宜，爲作詁解。'"孫氏平津館輯本序云："《漢官篇》仿《凡將》、《急就》，四字一句，故在小學中。"

《唐書·經籍》、《藝文志》：《王文山集》二卷。

惠氏《後漢書補注》曰："案胡廣《漢官解詁序》言王文山《小學漢官篇》多所發明，而本傳不載。"

案王文山無他著述，《漢官篇》當在本集。然本傳載其集惟詩、賦、銘、書四類，則又似集外別行者。

梁又有雲陽令《朱勃集》二卷，亡。

《後漢書·馬援傳》：援同郡朱勃，字叔陽，年十二能誦《詩》、《書》。常候援兄況。勃衣方領，能矩步，辭言嫺雅，援裁知書，見之自失。況知其意，乃自酌酒慰援曰："朱勃小器速成，智盡此耳，卒當從汝稟學，勿畏也。"朱勃未二十，右扶風請試守渭城宰，及援爲將軍，封侯，而勃位不過縣令。援後雖貴，常待以舊恩而卑侮之，勃愈身自親，及援遇讒，唯勃能終焉。

肅宗即位,追賜勃子穀二千斛。

《東觀漢記》曰:"朱勃,扶風平陵人。章帝下詔曰:'告平陵令、丞:縣人故雲陽令朱勃,建武中以伏波將軍爵土不傳,上書陳狀,不顧罪戾,懷旌善之志,有烈士之風。其以縣見穀二千石賜勃子若孫,勿令遠詣闕謝。'"

《唐書·經籍》、《藝文志》:《朱勃集》二卷。

嚴氏《全後漢文編》:朱勃有集二卷。今見袁《紀》載勃《詣闕上書理馬援》一篇,亦見援傳。

梁又有《後漢處士梁鴻集》二卷,亡。

《後漢書·逸民傳》:梁鴻字伯鸞,扶風平陵人也。父讓,王莽時為城門校尉,封脩遠伯,使奉少昊後,寓于北地而卒。鴻受業太學,家貧而尚節介,博覽無不通,而不為章句。學畢,歸鄉里。勢家慕其高節,多欲女之,鴻並絕不娶。同縣孟氏有女,狀肥醜而黑,力舉石臼,擇對不嫁,至年三十。父母問其故。女曰:"欲得賢如梁伯鸞者。"鴻聞而聘之。及嫁七日,乃更為椎髻,著布衣,操作而前。鴻大喜曰:"此真梁鴻妻也。能奉我矣!"字之曰德曜,名孟光。共入霸陵山中,以耕織為業,詠《詩》、《書》,彈琴以自娱。仰慕前世高士,而為四皓以來二十四人作頌。因東出關,過京師,作《五噫之歌》。肅宗聞而非之,求鴻不得。乃易姓運期,名燿,字侯光,與妻子居齊魯之間。有頃,又去適吳。將行,作詩。至吳,依大家皋伯通,居廡下,為人賃舂。每歸,妻為具食,不敢于鴻前仰視,舉案齊眉。伯通察而異之,曰:"彼傭能使其妻敬之如此,非凡人也。"乃方舍之于家。鴻潛閉著書十餘篇。及卒,伯通等為求葬地,葬之于要離冢傍。妻子歸扶風。初,鴻友人京兆高恢,隱于華陰山中。及鴻東游思恢,作詩。二人遂不復相見云。傳注引《高士傳》曰:"恢字伯通,與皋伯通音字相同,故鴻依之。其詩云:'鳥嚶嚶兮友之期，念高子兮僕懷思，想念恢兮爰集茲。'情見乎詞矣。"

《唐書·經籍》、《藝文志》：《梁鴻集》二卷。

馮氏《詩紀》輯存《五噫歌》、《適吳詩》、《思友詩》。

惠氏《後漢書補注》：《東觀記》曰："鴻少孤，以童幼詣太學受業，治《禮》、《詩》、《春秋》。耕耘織作，以供衣食，彈琴誦書，以娛其志。嘗閉門吟詠書記，遂潛思著書十餘篇。"

又曰："鴻所作頌今不傳，惟李善《文選》十九卷引梁鴻《安丘嚴平頌》，此其一也。"

嚴氏《全後漢文編》曰："《安丘嚴平頌》蓋頌安丘望之、嚴君平二人也。皇甫謐《高士傳序》云'梁鴻頌逸民'即此。見《雪賦注》、《補亡詩注》。"

後漢車騎從事杜篤集一卷

《後漢書·文苑傳》：杜篤字季雅，京兆杜陵人也。高祖延年，宣帝時御史大夫。篤少博學，不修小節。居美陽，與美陽令游，數從請託，不諧，頗相恨。令怨，收篤送京師。會大司馬吳漢薨，光武詔諸儒誄之，篤于獄中爲誄，辭最高，帝美之，賜帛免刑。篤以關中表裏山河，先帝舊京，不宜改營洛邑，乃上奏《論都賦》。後仕郡文學掾，以目疾，二十餘年不闚京師。女弟適扶風馬氏。建初三年，車騎將軍馬防擊西羌，請篤爲從事中郎，戰沒于射姑山。所著賦、誄、弔、書、贊、《七言》、《女誡》及雜文，凡十八篇。又著《明世論》十五篇。《馬防傳》云："防賓客奔湊，四方畢至，京兆杜篤之徒數百人，常爲食客，居門下。"

《文心雕龍·才略篇》曰："杜篤、賈逵，亦有聲于文，跡其爲才，崔、傅之末流也。"又《誄碑篇》曰："杜篤之誄，有譽前代。吳誄雖工，而他篇頗疏。豈以見稱光武，而改盼千金哉！"

《唐書·經籍》、《藝文志》：《杜篤集》五卷。

嚴氏《全後漢文編》："杜篤有集一卷。今存《祓禊賦》、《首陽山賦》、《論都賦》、《書搤賦》、《衆瑞賦》、《衆瑞頌》、《通邊論》、《展武論》、《連珠》、《迎鍾文》、《祺祝》、《吳漢誄》、《弔比干文》凡十四篇。"又曰："篤有《明世論》十五篇,《通邊論》、《展武論》即十五篇之二。"

後漢車騎司馬傅毅集二卷。梁五卷。

《後漢書·文苑傳》:傅毅字武仲,扶風茂陵人也。少博學。永平中,于平陵習章句,因作《迪志詩》。以顯宗求賢不篤,士多隱處,故作《七激》以爲諷。建初中,肅宗博召文學之士,以毅爲蘭臺令史,拜郎中,與班固、賈逵共典校書。毅追美孝明皇帝功德最盛,而廟頌未立,乃依《清廟》作《顯宗頌》十篇奏之,由是文雅顯于朝廷。車騎將軍馬防,外戚尊重,請毅爲軍司馬。及馬氏敗,免官歸。永元元年,車騎將軍竇憲復請毅爲主記室,崔駰爲主簿。及憲遷大將軍,復以毅爲司馬,班固爲中護軍。憲府文章之盛,冠于當世。毅早卒,著詩、賦、誄、頌、祝文、《七激》、連珠凡二十八篇。

《文章流別傳》曰："傅毅《顯宗頌》,文與周頌相似,而雜以風雅之意。"

《文心雕龍·明詩篇》曰："古詩佳麗,或稱枚叔,其《孤竹》一篇,則傅毅之詞。"黃叔琳曰："謂《古詩十九首·冉冉孤生竹篇》也。"又《雜文篇》曰："傅毅《七激》,會清要之工。"又《頌贊篇》曰："至于班傅之《北征》、《西巡》,變爲序引,豈不褒過而謬體哉!"又《誄碑篇》曰："傅毅所製,文體倫序。至于序述哀情,則觸類而長。毅之誄北海,云'白日幽光,雾霧杳冥'。始序致感,遂爲後式,景而效者,彌取于工矣。"

《唐書·經籍》、《藝文志》:《傅毅集》五卷。

馮氏《詩紀》輯存《迪志詩》一篇。

汪氏《文選撰人篇目》:後漢傅武仲毅有《舞賦》。

嚴氏《全後漢文編》：傅毅有集五卷。今諸書所引有《洛都賦》、《反都賦》、《舞賦》、《雅琴賦》、《扇賦》、《與荊文姜書》、《七激》、《顯宗頌》、《竇將軍北征頌》、《西征頌》、《扇銘》、《明帝誄》、《北海王誄》凡一十三篇。

　　案本志總集篇又有《神雀賦》一卷，後漢傅毅撰，似合諸家神雀頌爲一編，詳見本條。

後漢大將軍護軍司馬班固集十七卷

班固有《太甲篇》、《在昔篇》、《漢書》，見經部、小學、史部正史類。

《漢書‧叙傳》曰：“彪有子曰固，弱冠而孤，作《幽通》之賦，以致命遂志。”李善曰：“幽通，謂與神遇也。”

《後漢書‧班彪傳》：“彪二子：固、超。固九歲，能屬文誦詩賦，及長，博貫載籍，九流百家之言，無不窮究。所學無常師，不爲章句，舉大義而已。永平初，東平王蒼以至戚爲驃騎將軍輔政，開東閣，延英雄。時固始弱冠，奏記説蒼。薦故司空掾桓梁、京兆祭酒晉馮、扶風掾李育、京兆督郵郭基、涼州從事王雍、弘農功曹史殷肅注云：“固集，‘殷’作‘段’。”六人，蒼納之。自爲郎後，遂見親近。時京師脩起宫室，濬繕城隍，而關中耆老猶望朝廷西顧。固感前世相如、壽王、東方之徒，造搆文辭，終以諷勸，乃上《兩都賦》，盛稱洛邑制度之美，以折西賓淫侈之論。及肅宗雅好文章，固愈得幸，數入讀書禁中，或連日繼夜。每行巡狩，輒獻上賦頌，朝廷有大議，使難問公卿，辯論于前，賞賜恩寵甚渥。固自以二世才術，位不過郎，感東方朔、揚雄自論，以不遭蘇、張、范、蔡之時，作《賓戲》以自通焉。後遷玄武司馬。天子會諸儒講論五經，作《白虎通德論》，令固撰集其事。又作《典引篇》，述叙漢德。”又曰：“所著《典引》、《賓戲》、《應譏》、詩、賦、銘、誄、頌、書、文、記、論、議、六言,在者凡四十一篇。"又王逸《離騷序》曰:"班固、賈逵,各作《離騷經章句》。"

《文章流別傳》曰:"昔班固爲《安豐戴侯頌》,與《魯頌》體意相類。"案竇融封安豐侯。

鍾嶸《詩品》曰:"自王、揚、枚、馬之徒,詞賦競爽,而吟詠靡聞。詩人之風,頓已缺喪。東京二百載中,惟有班固《詠史》,質木無文。"又曰:"孟堅才流,而老于掌故。觀其《詠史》,有感歎之詞。"

《文心雕龍·詮賦篇》曰:"孟堅《兩都》,明絢以雅贍。"又《祝盟篇》曰:"班固之祀濛山,祈禱之誠敬也。"《銘箴篇》曰:"若班固《燕然》之勒,序亦盛矣。"《雜文篇》曰:"班固《賓戲》,含懿采之華。"

《史通·申左篇》:《班固集》有難《左氏》九條三評等科。

本志總集篇:"梁有項氏注《幽通賦》一卷。"又曰:"梁有班固《典引》一卷,蔡邕注。"

《唐日本國見在書目》:《班固集》十二卷。

《唐書·經籍志》:"《班固集》十卷。"又總集類:"《幽通賦》一卷,班固撰,曹大家注。"

《唐書·藝文志》:"《班固集》十卷。"又總集類:"曹大家注班固《幽通賦》一卷。"

馮氏《詩紀》輯存詩歌七篇。

張氏《百三家集·班蘭臺集》輯本一卷,凡賦、表、奏記、牋、書、議、符命、設難、頌、銘、論、哀辭、連珠、文、詩二十九篇。

汪氏《文選撰人篇目》:後漢班孟堅固有《兩都賦》、《幽通賦》、《答賓戲》、《典引》、《公孫弘傳贊》、《漢書·述高紀》、《述成紀》、《述韓彭等傳》、《封燕然山銘》。《述高紀》等三篇,即《漢書·叙傳》中篇目,《文選》分類標目,謂之史述贊,實非贊也。其云贊者,以范書論贊之例例之耳。然班書既云傳贊，不得又云述贊。

嚴氏《全後漢文編》輯本三卷，凡賦、頌、詩、歌、疏、議、箋、奏記、書、論、序、連珠、銘、《典引》、《弈旨》、哀辭、祝文凡三十二篇。附班超遺文五篇，班勇遺文四篇。

梁有《魏郡太守黃香集》二卷，亡。

《後漢書·文苑傳》：黃香字文彊，江夏安陸人也。年九歲，失母，思慕憔悴，殆不免喪，鄉人稱其至孝。年十二，太守劉護召，署門下孝子。博學經典，究精道術，能文章，京師號曰“天下無雙江夏黃童”。初除郎中，肅宗詔香詣東觀，讀所未嘗見書。後召詣安福殿言政事，拜尚書郎，數陳得失。累遷左丞尚書令。延光元年，遷魏郡太守。後坐水潦事免，數月，卒于家。所著賦、牋、奏、書、令，凡五篇。

《文心雕龍·書記篇》曰：“黃香奏牋于江夏，亦肅恭之遺式矣。”

《唐書·經籍》、《藝文志》：《黃香集》二卷。

嚴氏《全後漢文編》：黃香有集二卷。今見本傳諸書者有《九宮賦》、《讓東郡太守疏》、《留爲尚書令上疏》、《樂成王萇罪議》、《天子冠頌》、《屏風銘》凡六篇。案頌銘在本傳所載賦、牋、奏、書、令之外，《罪議》或在奏之內，凡此歧異，莫得而詳矣。又前漢王褒輯文內云：“《責髯奴辭》，《古文苑》以爲黃香作。”今案本傳亦不相屬，而王褒有《僮約》，實相近，故嚴氏不從《文苑》也。

後漢長岑長崔駰集十卷

《後漢書》本傳：駰字亭伯，涿郡安平人也。年十三，能通《詩》、《易》、《春秋》，博學有偉才，盡通古今訓詁百家之言，善屬文。少游太學，與班固、傅毅同時齊名。常以典籍爲業，未遑仕進之事。時人或譏其太玄靜，將以後名失實。駰擬揚雄《解嘲》，作《達旨》以答焉。元和中，肅宗始脩古禮，巡狩方

岳。駰上《四巡頌》以稱漢德,辭甚典美。後侍中竇憲以爲上
客。竇太后臨朝,憲以重戚出納詔命。駰獻書誡之。及憲爲
車騎將軍,辟駰爲掾。憲擅權驕恣,駰數諫之。及出擊匈奴,
道路愈多不法,駰爲主簿,前後奏記數十,指切長短。憲不能
容,因察駰高第,出爲長岑長。駰自以遠去,不得意,遂不之
官而歸。永元四年,卒于家。所著詩、賦、銘、頌、書、記、表、
《七依》、《婚禮結言》、《達旨》、《酒警》合二十一篇。

《文心雕龍·銘箴篇》曰:"崔駰品物,贊多戒少。"又《雜文篇》
曰:"崔駰《達旨》,吐典言之裁。"又曰:"崔駰《七依》,入博雅
之巧。"又《才略篇》曰:"傅毅、崔駰,光采比肩。"

《唐書·經籍》、《藝文志》:《崔駰集》十卷。

馮氏《詩紀》輯存《安豐侯詩》。

張氏《百三家·崔亭伯集》輯本一卷,凡賦、著、述、書、牋、箴、
銘、頌、議、論、七、雜文、詩三十五篇。

惠氏《後漢書補注》曰:"鄭仲師有《婚禮謁文》,駰因之作《婚
禮結言》,蓋納徵、問名之辭也。"

嚴氏《全後漢文編》輯本一卷,凡賦、謚議、奏記、箋、書、《達
旨》、《博徒論》、《明帝頌》、四《巡頌》、《七依》、箴、銘、《婚禮結
言》綜四十篇。

常熟曾樸《補後漢書藝文志》曰:"《北堂書鈔》一百二十三引
《刀劍韜銘》,嚴氏失采。又《書鈔》九十七有《三言詩》。"

後漢侍中賈逵集一卷。梁二卷。

賈逵有《毛詩議難》,見經部詩家。

《後漢書》本傳:"顯宗時,有神雀集宮殿官府,冠羽有五采色,
帝異之,以問臨邑侯劉復,復不能對,薦逵博物多識,帝乃召
見逵,問之。對曰:'昔武王終父之業,鸑鷟在岐,宣帝威懷戎
狄,神雀仍集,此胡降之徵也。'帝勑蘭臺給筆札,使作《神雀

頌》，拜爲郎，與班固並校祕書，應對左右。肅宗立，降意儒術。詔逵入講北宮白虎觀、南宮雲臺。”又曰：“逵所著經傳義詁及論難百餘萬言，又作詩、頌、誄、書、連珠、酒令凡九篇，學者宗之，後世稱爲通儒。”又《東平王蒼傳》：蒼上《光武受命中興頌》，帝甚善之。以其文典雅，特令校書郎賈逵爲之訓詁。

又傳論曰：“鄭、賈之學，行乎數百年中，遂爲諸儒宗。”

王充《論衡·佚文篇》：永平中，神爵群集，孝明詔上《神爵頌》，百官上頌，文比瓦石，惟班固、賈逵、傅毅、楊終、侯諷五頌金玉，孝明覽焉。

王逸《離騷經叙》曰：“孝章即位，深弘道藝，而班固、賈逵復以所見改易前疑，各作《離騷經》章句。”

《北堂書鈔》九十六《賈逵集序》曰：“弱冠誦《春秋》，能爲古今學。”

《唐書·經籍》、《藝文志》：《賈逵集》二卷。

嚴氏《全後漢文編》曰：“賈逵有集二卷。今見本傳者有《條奏左氏長義》，案當爲《大義》，詳見春秋家《左氏長經》條。《劉愷傳》有賈逵《上書》，《北堂書鈔》有《永平頌》、《文選注》有《連珠》，凡四篇。”

　　案《續漢書·曆志》首一篇曰賈逵論曆，所載凡四篇，皆章帝、和帝時論列奏上者。嚴氏從《曆志》已輯邊韶、蔡邕等文，獨于賈氏此四篇棄而不取，則失之眉睫也。

後漢校書郎劉騊駼集一卷。梁二卷。録一卷。

《後漢書·宗室北海靖王興傳》：“建武三十年，封興子復爲臨邑侯。”又曰：“初，臨邑侯復好學，能文章。永平中，每有講學事，輒令復典掌焉。與班固、賈逵共述漢史，傅毅等皆宗事之。復子騊駼及從兄平望侯毅，並有才學。永寧中，鄧太后召毅及騊駼入東觀，與謁者僕射劉珍著中興以下名臣列士傳。騊駼又自造賦、頌、書、論凡四篇。”

《唐書・經籍》、《藝文志》：《劉騊駼集》二卷。

嚴氏《全後漢文編》：劉騊駼有集二卷。今見《文選注》、《北堂書鈔》、《類聚》、《御覽》、《後漢書注》有《玄根賦》、《上書諫鑄錢事》、《與竇季瑋書》、《與李子堅書》、《郡太守箴》，凡五篇。又曾氏《補志》：《六帖》十引劉騊駼詩。

梁又有《樂安相李尤集》五卷，亡。

《後漢書・文苑傳》：李尤字伯仁，廣漢雒人也。少以文章顯。和帝時，侍中賈逵薦尤有相如、揚雄之風，召詣東觀，受詔作賦，拜蘭臺令史。稍遷，安帝時爲諫議大夫，受詔與謁者僕射劉珍等俱撰《漢記》。後帝廢太子爲濟陰王，尤上書諫爭。順帝立，遷樂安相。年八十三卒。所著詩、賦、銘、誄、頌、《七歎》、《哀典》凡二十八篇。

《華陽國志・廣漢人士贊》：明帝召作東觀、辟雍、德陽諸館賦銘、范書云和帝時。《懷戎頌》、百二十銘，著《政事論》七篇。帝善之。

《文章流別傳》曰：“李尤爲銘，自山河都邑，至于刀筆笀契，無不有銘，而文多穢病，討論潤色，言可采録。”

《文心雕龍・銘箴篇》曰：“李尤積篇，義儉辭碎。蓍龜神物，而居博弈之中；衡斛斗量，而在杅臼之末。曾名品之未暇，何事理之能閑哉！”又《才略篇》曰：“李尤賦銘，志慕鴻裁，而才力沈膇，垂翼不飛。”

《文選・竟陵文宣王行狀》注：《李尤集序》曰：“尤好爲銘、贊、門階、户席，莫不有述。”

《宋史・藝文志》：《李尤集》二卷。案此大抵亦是輯本。

馮氏《詩紀》輯存《九曲歌》。曾氏《補後漢藝文志》云：“《書鈔》百二十一有《武功歌》。”

張氏《百三家・蘭臺令李伯仁集》輯本一卷，凡賦七，銘、序、詩九十三篇。

嚴氏《全後漢文編》曰：“李尤有集五卷。今搜輯群書，有《函谷關賦》、《辟雍賦》、《德陽殿賦》、《平樂館賦》、《東觀賦》、《七款》，凡六篇。”又《華陽國志》云：“尤作百二十銘，今得八十四銘，其餘三十七銘亡。”

曾氏《補後漢志》曰：“《書鈔》百十二引《平硯賦》，《水經・河水注》一引《孟津銘》，《類聚》九亦引。《御覽》七百五十四引《博銘》，《初學記・人事部》引《九賢・管徵君頌》。嚴失采。”案《初學記》但有人部，無人事部，《人部・賢人篇》有李尤九賢，《郭有道頌》、《管徵君頌》、《陳太丘頌》、《華太尉頌》、《嵇中散頌》，凡五條。蓋頌郭泰、管寧、陳寔、華歆、嵇康也，並在李尤之後，尤安得爲之作頌？此“李尤”蓋“李充”之誤。充，東晉時人，即爲晉元帝撰《四部書目》者。嚴氏以《九賢頌》五條輯入《全晉文編》李充佚文之內，此非嚴失采，實曾失考矣。嚴氏考訂精密，非前後檢照未可輕議其失也。又《御覽》所引《博銘》亦見李充文內。

梁又有《大鴻臚竇章集》二卷，亡。

《後漢書・竇融傳》：融，扶風平陵人也。玄孫章，字伯向。少好學，有文章，與馬融、崔瑗更相推薦。時學者稱東觀爲老氏藏室，道家蓬萊山。太僕鄧康薦章入東觀，爲校書郎。順帝初，章女年十二，能屬文，以才貌選入掖庭，有寵，與梁皇后並爲貴人。擢章爲羽林郎將，遷屯騎都尉。章謙虛下士，收進時輩，甚得名譽。貴人早卒，帝追思之無已，詔史官樹碑頌德，章自爲之辭。貴人歿後，帝禮待之無衰。遷少府，轉大鴻臚。建康元年，梁后稱制，章自免，卒于家。

《唐書・經籍》、《藝文志》：《竇章集》二卷。

嚴氏《全後漢文編》輯存《移書勸葛龔》一篇。

曾氏《補後漢志》曰：“《北堂書鈔》三十三引《薦馬融文》。嚴失采。”

後漢濟北相崔瑗集六卷。梁五卷。

崔瑗有《飛龍篇》,見經部小學家。

《後漢書·崔駰傳》:駰中子瑗,早孤,銳志好學,盡能傳其父業。年十八,至京師,從侍中賈逵質正大義,逵善待之,瑗因留游學,遂明天官、曆數、京房《易傳》、六日七分。諸儒宗之。與馬融、張衡特相友好。漢安初,大司農胡廣、少府竇章共薦瑗宿德大儒,從政有迹,不宜久在下位,由此遷濟北相。時李固爲太山太守,美瑗文雅,奉書禮致殷勤。歲餘,光禄大夫杜喬爲八使,徇行郡國,以臧罪奏瑗,徵詣廷尉。瑗上書自訟,得理出。會病卒。瑗高于文辭,尤善爲書、記、箴、銘,所著賦、碑、銘、箴、頌、《七蘇》、《南陽文學官志》、《歎辭》、《移社文》、《悔祈》、《草書勢》、七言,凡五十七篇。其《南陽文學官志》稱于後世,諸能爲文者皆自以弗及。

又傳論曰:"崔氏世有美才,兼以沈淪典籍,遂爲儒家文林。駰、瑗雖先盡心于貴戚,而能終之以居正,則其歸旨異夫進趣者乎!李固,高潔之士也,與瑗鄰郡,奉贄以結好。由此知杜喬之劾,殆其過矣。"

《文章流別傳》曰:"揚雄依《虞箴》,作十二州二十五官箴,而傳于世,不具九官。崔氏累世彌縫其闕。"又曰:"後世以來之器銘之嘉者,有王莽《鼎銘》、崔瑗《机銘》。"

《文心雕龍·頌贊篇》曰:"崔瑗《文學》,蔡邕《樊渠》,並致美乎序,而簡約乎篇。"又《書記篇》曰:"後漢書記,則崔瑗尤善。"《雜文篇》曰:"崔瑗《七蘇》,植義純正。"又《哀弔篇》曰:"漢武封禪,而霍子侯暴亡,帝傷而作詩,亦哀辭之類也。及後漢,汝陽王亡,崔瑗哀辭,始變前式。卒章五言,頗似歌謠,亦彷彿乎漢武也。"

唐張懷瓘《書斷》曰:"子玉,文章蓋世,善章草,師于杜度,點畫之間，莫不調暢。"又曰："子玉書遺跡絕少，又妙小篆。今有《張平子碑》。"又曰："子玉章草入神，小篆入妙。"

《唐書·經籍》、《藝文志》：《崔瑗集》五卷。

汪氏《文選撰人篇目》：後漢崔子玉瑗有《座右銘》。

嚴氏《全後漢文編》：崔瑗有集六卷。今存《上言察舉孝廉》、《與葛元甫書》、《雜帖》、《七蘇》、《南陽文學頌》、《叙箴》、《尚書箴》、《博士箴》、《東觀箴》、《關都尉箴》、《河隄謁者箴》、《郡太守箴》、《北軍中候箴》、《司隸校尉箴》、《中壘校尉箴》，凡九篇。《座右銘》、《竇大將軍鼎銘》、《遺葛龔珮銘》、《三珠釵銘》、《杖銘》、《柏枕銘》、《和帝誄》、《竇貴人誄》、《司農卿鮑德誄》、《汲縣太公廟碑》、《河間相張平子碑》、《草書勢》，凡二十九篇。

曾氏《補後漢志》云："《廣韻》上平十虞引崔子玉《清河王誄》。嚴失采。"

後漢劉珍集二卷　錄一卷

劉珍有《東觀漢記》，見史部正史類。

《後漢書·文苑傳》：著誄、頌、連珠凡七篇。又撰《釋名》三十篇，以辯萬物之稱號云。今傳劉熙《釋名》，詳見經部論語家。

《文心雕龍·雜文篇》曰："自揚雄《連珠》以下，擬者間出。杜篤、賈逵之曹，劉珍、潘勗之輩，欲穿明珠，多貫魚目。"

《唐書·經籍》、《藝文志》：《劉珍集》二卷。

嚴氏《全後漢文編》曰："劉珍有集二卷。今見袁宏《紀》者，有《上言鄧太后宜獻廟》一篇。見《太平御覽》者，有《東觀漢記光武叙》、《章帝叙》、《和帝叙》、《殤帝叙》四篇。"又曾氏《補志》云："《書鈔》一百引劉珍《賈逵碑》，又十六引'劉珍曰'二句。"

後漢河間張衡集十一卷。梁十二卷。又一本十四卷。"間"下敓"相"字。

張衡有《靈憲》，見子部天文家。

《後漢書》本傳：衡少善屬文，游于三輔，因入京師，觀太學，遂通五經，貫六藝。雖才高于世，而無驕尚之情。常從容淡靜，不好交接俗人。永元中，舉孝廉不行，連辟公府不就。時天下承平日久，自王侯以下，莫不踰侈。衡乃擬班固《兩都》，作《二京賦》，因以諷諫。精思傅會，十年乃成。順帝初，再轉，復爲太史令。衡不慕當世，所居之官，輒積年不徙。自去史職，五載復還，乃設客問，作《應間》以見其志。陽嘉元年，復造候風地動儀。驗之以事，合契若神。自書典所記，未之有也。初，光武善讖，顯宗、肅宗因祖述焉。自中興之後，儒者爭學圖緯，兼復附以妖言。衡以圖緯虛妄，非聖人之法，乃上疏，請禁絶之。及遷侍中，帝引在左右。嘗問衡天下所疾惡者。宦官懼其毀己，皆共目之，衡乃詭對而出。閹豎恐終爲其患，遂共讒之。衡常思圖身之事，以爲吉凶倚伏，幽微難明，乃作《思玄賦》，以宣寄情志。著《周官訓詁》，崔瑗以爲不能有異于諸儒也。所著詩、賦、銘、七言、《靈憲》、《應間》、《七辯》、《巡誥》、《懸圖》凡三十二篇。永初中，劉珍、劉騊駼等著作東觀，撰集《漢記》，因定漢家禮儀，上言請衡參論其事，會並卒，而衡常歎息，欲終成之。及爲侍中，上疏請得專事東觀，收檢遺文，畢力補綴。又條上司馬遷、班固所叙與典籍不合者十餘事。又以爲王莽本傳但應載篡事而已，至于編年月，紀災祥，宜爲元后本紀。又更始居位，人無異望，光武初爲其將，然後即真，宜以更始之號建于光武之初。書數上，竟不聽。及後之著述，多不詳典，時人追恨之。案《靈憲》、《懸圖》並見子部天文家。

《文心雕龍·明詩篇》曰：“張衡《怨篇》，清典可味；《仙詩》、《緩歌》，雅有新聲。”又云：“四言、五言，平子得其雅。”《詮賦篇》曰：“張衡《二京》，迅發以宏富。”《雜文篇》曰：“張衡《應間》，密而兼雅。”又云：“張衡《七辯》，結采綿靡。”《論説篇》曰：“張衡《譏世》，韻似俳説。”

《唐書·經籍》、《藝文志》：《張衡集》十卷。

《宋史·藝文志》：《張衡集》六卷。

馮氏《詩紀》輯存《怨篇》、《同聲歌》、《定情歌》、《四愁詩》、《思玄詩》五篇。

張氏《百三家·張河間集》二卷，凡賦、誥、疏、策、表、書、七、設難、議、説、銘、贊、誄、樂府、詩，綜三十八篇。

汪氏《文選撰人篇目》：後漢張平子衡有《二京賦》、《南都賦》、《思玄賦》、《歸田賦》、《四愁詩》。

嚴氏《文編》輯本四卷，凡賦、《東巡誥》、對策、表、奏、封事、疏議、書、《應間》、《七辯》、序、贊、銘、誄及《靈憲》、《渾天儀》、《玄圖》，凡三十八篇。

曾氏《補後漢志》曰：“案《玉燭寶典》五引《逍遙賦》，嚴未采。又《御覽》二十：‘浩浩陽春發，楊柳何依依。百鳥自南歸，翱翔萃我枝。’稱張衡歌。”案《玉燭寶典》近始從日本傳出，還歸中夏，嚴氏未及見也。

梁又有《郎中籍順集》二卷，録二卷。“籍”當爲“蘇”。

《後漢書·文苑傳》：蘇順字孝山，京兆霸陵人也。和、安間以才學見稱。好養生術，隱處求道。晚乃仕，拜郎中，卒于官。所著賦、論、誄、哀辭、雜文凡十六篇。

《文章流別傳》曰：“哀辭者，誄之流也。崔瑗、馬融、蘇順等爲之率，以施于童殤夭折不以壽終者。”

《文心雕龍·誄碑篇》曰：“孝山、崔瑗，辨絜相參。觀其序事如傳，辭靡律調，固誄之才也。”

《唐書·經籍》、《藝文志》：《蘇順集》二卷。

嚴氏《全後漢文編》：《藝文類聚》有蘇順《歎懷賦》、《和帝誄》，《文選注》有《陳公誄》，《初學記》有《賈逵誄》，凡四篇。

梁又有《後漢太傅胡廣集》二卷，録一卷，亡。

胡廣有《漢官解詁》，見史部職官篇。

《後漢書》本傳：廣舉孝廉。既到京師，試以章奏，安帝以廣爲天下第一。性温柔謹素，常遜言恭色。達練事體，明解朝章。雖無謇直之風，屢有補闕之益。故京師諺曰：“萬事不理問伯始，天下中庸有胡公。”及共李固定策，大議不全，又與中常侍丁肅婚姻，以此譏毁于時。初，揚雄依《虞箴》作《十二州二十五官箴》，其九箴亡闕，後涿郡崔駰及子瑗又臨邑侯劉騊駼增補十六篇，廣復繼作四篇，文甚典美。乃悉撰次首目，爲之解釋，名曰《百官箴》，凡四十八篇。其餘所著詩、賦、銘、頌、箴、弔及諸解詁，凡二十二篇。熹平六年，靈帝思感舊德，乃圖畫廣及太尉黃瓊于省内，詔議郎蔡邕爲其頌云。案此則《漢官解詁》亦在二十二篇中。

謝承《書》曰：“廣有雅才，學究五經，古今術藝，皆畢覽之。”又曰：“太傅胡廣，博綜舊儀，立漢制度。蔡邕因以爲志，譙周後改定，以爲《禮儀志》。”

《續漢書·曆志》注：蔡邕戍邊上章曰：“自臣在布衣，常以爲《漢書》十《志》下盡王莽而止，世祖以來唯有《紀》、《傳》，無續《志》者。臣所師事故太傅胡廣，知臣頗識其門户，略以所有舊事與臣，雖未備悉，粗見首尾。”

《文心雕龍·銘箴篇》曰：“揚雄稽古，始範《虞箴》。及崔胡補綴，總稱《百官》。指事配位，鬐鑑可徵，信所謂追清風于前古，攀辛甲于後代者也。”又《章表篇》曰：“胡廣章奏，天下第一，當時之傑筆也。觀伯始謁陵之章，足見其典文之美也。”

《唐書·經籍》、《藝文志》：《胡廣集》二卷。

嚴氏《全後漢文編》曰：“胡廣有《漢官解詁》三卷，集二卷。今存《上書駁左雄察舉議》、《諫探策立后疏》、《書》、《漢官解詁叙》、《百官箴叙》、《侍中箴》、《邊都尉箴》、《陵令箴》、《印衣銘》、《綬笥銘》、《徵士法高卿碑》、《弔夷齊文》，凡十二篇。”

後漢黃門郎葛龔集六卷。梁五卷。一本七卷。

《後漢書·文苑傳》：葛龔字元甫，梁國寧陵人也。和帝時，以善文記知名。性慷慨壯烈，勇力過人。安帝永初中，舉孝廉，爲太官丞，上便宜四事，拜蕩陰令。辟太尉府，病不就。州舉茂才，爲臨汾令。居二縣，皆有稱績。著文、賦、碑、誄、書記十二篇。

又傳注曰：“龔善爲文奏。或有請龔奏以干人者，龔爲作之，其人寫之，忘自載其名，因并寫龔名以進之。故時人爲之語曰：‘作奏雖工，宜去葛龔。’事見《笑林》。”

《唐書·經籍》、《藝文志》：《葛龔集》五卷。

嚴氏《全後漢文編》曰：“葛龔字元甫，州舉茂才，爲臨汾令，入拜黃門郎。有集七卷。今存《遂初賦》、《與梁相張府君箋》、《薦黃鳳文》、《薦郝彥文》、《薦戴昱文》、《讓州辟文》、《與張略書》、《答竇章書》、《喪伯父還傳記》，凡九篇。”

後漢司空李固集十二卷。梁十卷。

《後漢書》本傳：固字子堅，漢中南鄭人，司徒郃之子也。少好學，究覽墳籍，結交英賢。四方有志之士，多慕其風而來學。京師咸歎曰：“是復爲李公矣。”陽嘉二年，有地動、山崩、火災之異，公卿舉固對策，詔又特問當世之敝，爲政所宜。順帝覽其對，多所納用。以固爲議郎。大將軍梁商請固爲從事中郎。歷荊州刺史，太山太守，將作大匠，大司農。沖帝即位，以固爲太尉，與梁冀參録尚書事。及質帝遇鴆，固引司徒胡廣、司空趙戒、大鴻臚杜喬，皆以爲宜立清河王蒜。冀不從，乃説太后先策免固，竟立桓帝。後歲餘，甘陵劉文、魏郡劉鮪各謀立蒜爲天子，梁冀因此誣固，下獄誅。時年五十四。固所著章、表、奏、議、教令、對策、記、銘凡十一篇。弟子趙承等悲歎不已，乃共論固言迹，以爲《德行》一篇。《桓帝本紀》：建和元年十一月，清河劉文反，殺國相謝暠，欲立清河王蒜爲天子。事覺，伏誅。蒜坐貶爲尉氏侯，徙桂陽，自殺。前太尉李固、杜喬皆下獄死。

又傳注：《謝承書》曰：“固所授弟子，潁川杜訪、汝南鄭遂、河内趙承等七十二人，相與哀歎悲憤，以爲眼不復瞻固形容，耳不復聞固嘉訓，乃共論集《德行》一篇。”《唐志》史部傳記類有《李固別傳》七卷。

《唐書·經籍》、《藝文志》：《李固集》二卷。

嚴氏《全後漢文編》輯存對策、上疏、上書、議、教、奏記、書、勑，凡十九篇。

曾氏《補後漢志》曰：“《水經·江水》一注引固《與弟圖書》卷子殘本。《文館詞林》九十九引《恤奉高令喪事教》，又《祀胡母先生教》。嚴均未采。”案《水經注》所引《與弟圖書》乃別一李固。嚴氏《後漢文編》已輯入八十六卷中，辨證極明。即此一條，亦足見嚴氏考訂之密。其序云：“肆力九年而粗定，又肆力十八年而竣事。”非虛言也。《文館詞林》兩篇，近始傳于日本，則嚴氏所未見。其文亦首尾完具，足以補所未備焉。

案《文館詞林》載其《祀胡母先生教》，有曰：“自宣尼没，七十子亡，經義乖散，秦復火之，然胡母子都稟天淳和，沈淪大道，深演聖人之旨，始爲《春秋》製造章句，是故嚴、顏有所祖述徵微，後生得以光啓，斯所謂法施于人者也。故宣尼豫表之日，胡母生知事情匿書自藏，不敢有聲。”案《儒林傳》云：“孝文本好刑名之學，及至孝景，不任儒。竇太后又好黃老術，諸博士具官待問，未有進者。”蓋其時經學不講，故胡母生匿書自藏。“豫表”二字，未詳其義。

又曰：“太守以不材嘗學《春秋》胡母章句，每讀其書，思覿其人，不意千載來臨此邦，是乃太守之先師。又法施于人，禮宜有祀。"蓋永和中由荆州刺史徙爲泰山太守，所下教令也。李子堅學《公羊春秋》，固爲本傳所未言。而胡母生，齊之泰山郡人，泰山郡，兩漢皆治奉高，則又似泰山之奉高人。有《春秋公羊章句》，亦《史》、《漢·儒林傳》、《七略》、《藝文志》所未見。其云當時匿書自藏，不敢有聲，則未爲博士官所習。可知其後歸教于齊，傳之民間，至後漢猶存。何休《解詁序》曰："往者，略依胡母生條例，多得其正。"徐彦曰："胡母生雖以《公羊經傳》授董氏，猶自別作條例。故何氏取之，則其書亦爲何邵公所祖述也。"此文于春秋公羊家頗有本末可尋，又亡佚已久，爲諸家所未見，故附識于此。

後漢南郡太守馬融集九卷

馬融有《周易註》，見經部易家。

《後漢書》本傳：永初時，鄧太后臨朝，騭兄弟輔政。而俗儒世士，以爲文德可興，武功宜廢，遂寢蒐狩之禮，息戰陳之法，故滑賊從橫，乘此無備。融乃感激，以爲文武之道，聖賢不墜，五才之用，無或可廢。元初二年，上《廣成頌》以諷諫，重述蒐狩之義。安帝東巡岱宗，上《東巡頌》，帝奇其文。陽嘉二年，詔舉敦樸，徵詣公車，對策。善鼓琴，好吹笛。所著賦、頌、碑、誄、書、記、表、奏、七言、琴歌、對策、遺令，凡二十一篇。初，融懲于鄧氏，不敢復違忤勢家，遂爲梁冀草奏李固，又作大將軍《西第頌》，以此頗爲正直所羞。

《文章流別傳》曰："頌詩之美者也，若馬融《廣成》、《上林》之屬，純爲今賦之體，而謂之頌，失之遠矣。"

《文心雕龍·頌贊篇》曰："馬融之《廣成》、《上林》，雅而似賦，何弄文而失質乎！"《雜文篇》曰："馬融《七厲》，植義純正。"又云："唯《七厲》叙賢，歸于儒道，雖文非拔群，而意實卓爾矣。"

又《才略篇》曰：“馬融鴻儒，思洽識高，吐納經範，華實相符。”
《唐書·經籍》、《藝文志》：《馬融集》五卷。

張氏《百三家·馬季長集》輯本一卷，凡賦、疏、頌、書十二篇，而繫以《忠經》序及文。

汪氏《文選撰人篇目》曰：“後漢馬季長融有《長笛賦》。”

嚴氏《全後漢文編》曰：“馬融有集九卷。今存《琴賦》、《長笛賦》、《圍棋賦》、《樗蒲賦》、《龍虎賦》、《舉敦樸對策》、《飛章誣李固》、《上疏乞自効》、《上書請赦龐參梁懂》、《延光四年日蝕上書》、《又上書陳星孛》、《奏馬賢事》、《與竇伯向書》、《與謝伯世書》、《書序》，似《泰誓篇》序，非總序。《廣成頌》、《竇大將軍西第頌》、《遺令》、《自敘》，凡二十篇。”又曰：“張溥本有《忠經序》。案《忠經》及《序》，皆宋人依託，不錄。”

曾氏《補後漢志》曰：“《玉燭寶典》三引《上林頌》。嚴未采。”案此亦嚴所未見也。

案賈公彥《序周禮廢興》有云：“《周禮》後出者，以始皇特惡之故也。是以《馬融傳》云：‘秦自孝公已下，用商君之法云云。至年六十有六，目瞑意倦，自力補之，謂之《周官傳》也。’”此一段凡四百餘言，皆賈所引馬氏《周官傳序》。篇中亦雜有賈氏之說。或以賈疏稱《馬融傳》謂爲史傳，見范書本傳無此文，則又以爲別家《後漢書》所載，謬之甚矣。馬序所云，知所作諸經疏皆在六十歲守武都七年中，而《周禮注》成書最後，此其佚事之僅見者。嚴氏失采此文，則甚爲可惜也。又案范書《鄭玄傳》云：“范升、陳元、李育、賈逵之徒，爭論古今學，後馬融答北地太守劉瓌及玄答何休，義據通深，由是古學遂明。”則馬氏有答劉瓌論古學書，當在是集，而惜乎亡散無徵也。

梁有《外黃令高彪集》二卷，錄一卷，亡。

《後漢書·文苑傳》：高彪字義方，吳郡無錫人也。家本單寒，

至彪爲諸生，游太學。有雅才。常欲從馬融訪大義，融疾不
獲見，乃覆刺遺融書而去。後郡舉孝廉，試經第一，除郎中。
校書東觀，數奏賦、頌、奇文，因事諷諫，靈帝異之。時京兆第
五永爲督軍御史，使督幽州，百官大會，祖餞于長樂觀。議郎
蔡邕等皆賦詩，彪乃獨作箴。邕等甚美其文，以爲莫尚也。
後遷內黃令，帝勑同僚臨送，祖于上東門，詔東觀畫彪像以勸
學者。彪到官，有德政，上書薦縣人申屠蟠等。病卒于官，文
章多亡。子岱，亦知名。

《唐書·經籍》、《藝文志》：《高彪集》二卷。

惠氏《後漢書補注》：《外黃令高君碑》曰："光和七年六月丙
申卒。"碑作外黃，傳云內黃令，蓋傳之誤。案本志亦作外黃，與碑合。
又申屠蟠，陳留外黃人，范書有傳，是亦足以證非內黃也。

嚴氏《全後漢文編》曰："高彪有集二卷。今存《覆刺遺馬融
書》、《督軍御史箴》、《清誡》，凡三篇。"

曾氏《補後漢志》曰："《書鈔》一百引'五經爲府藏，雜藝爲庖
廚'，稱《高彪集》。"案此文體似《清誡》，或其佚句。

梁有《王逸集》二卷，錄一卷，亡。

王逸有《正部論》，見子部儒家。

《後漢書·文苑傳》：逸著《楚辭章句》，行于世。其賦、誄、書、
論及雜文凡二十一篇，又作《漢詩》百二十三篇。

《文心雕龍·才略篇》曰：王逸博識有功，而絢采無力。

《唐書·經籍》、《藝文志》：《王逸集》二卷。

馮氏《詩紀》輯存《琴思楚歌》一篇。

張氏《百三家·王叔師集》輯本一卷，凡賦、序、論、騷、詩廿
二篇。

嚴氏《全後漢文編》輯本一卷，凡《機婦賦》、《荔支賦》、《九
思》、《折武論》并《楚辭章句篇叙》，合二十一篇。

梁有《司徒掾桓鱗集》二卷，録一卷，亡。

《後漢書·桓榮傳》：榮，沛國龍亢人也。玄孫郴，郴父麟，字
元鳳，早有才惠。桓帝初，爲議郎，入侍講禁中，以直道牾左
右，出爲許令，病免。會母終，麟不勝喪，未祥而卒，年四十
一。所著碑、誄、讚、說、書凡二十一篇。

又傳注曰："案摯虞《文章志》，麟文見在者十八篇，有碑九首，
誄七首，《七說》一首，《沛相郭府君書》一首。"

皇甫謐《高士傳》：京兆摯恂，伯陵十二世孫也。摯峻字伯陵，見前
漢《司馬遷集》。治五經，通百家之言，善屬文，渭濱弟子，扶風馬
融、沛國桓驎，自遠方至者十餘人。恂以女妻融，後果爲大
儒。文冠當世，三輔稱焉。案此則驎與馬季長同師摯恂。

《文心雕龍·雜文篇》曰："自桓麟《七說》以下，左思《七諷》以
上，枝附景從，十有餘家。或文麗而義暌，或理粹而辭駁。"

《唐書·經籍》、《藝文志》：《桓驎集》二卷。

馮氏《詩紀》輯存《答客》四言詩一首。

嚴氏《全後漢文編》："桓榮少子郁，郁孫麟，辟司徒掾，爲議
郎，許令，以母喪哀毀卒。有集二卷。今存《七說》八條，《太
尉劉寬碑》一篇。附桓彬《七說》，桓儼《遺書》。"

後漢徵士崔琦集一卷。梁二卷。

《後漢書·文苑傳》：崔琦字子瑋，涿郡安平人，濟北相瑗之宗
也。少游學京師，以文章博通稱。初舉孝廉，爲郎。河南尹
梁冀聞其才，請與交。冀行多不軌，琦數引古今成敗以戒之，
冀不能受。乃作《外戚箴》。琦以言不從，失意，復作《白鵠
賦》以爲風。冀因遣琦歸。後除爲臨濟長，不敢之職，解印綬
去。冀遂令刺客陰求殺之。客見琦耕于陌上，懷書一卷，息
輒偃而詠之。客哀其志，以實告琦，得脱走，冀後竟捕殺之。
所著賦、頌、銘、誄、箴、弔、論、《九咨》、《七言》，凡十五篇。惠氏

《補注》：《華嶠書》：“冀知琦刺己，大怒，幽之室谷，數月得出。”傳不載也。

《唐書·經籍》、《藝文志》：《崔琦集》二卷。

嚴氏《全後漢文編》：崔琦有集一卷。今存《七蠲》、《四皓頌序》、《外戚箴》三篇。《琦傳》有《白鵠賦》，亡。

案崔琦舉孝廉爲郎，除臨濟長，不知本志何以題爲徵士。疑此徵士別有其人，轉寫敚誤，以兩條爲一條歟？范書《文苑·蘇順附傳》有“扶風曹衆伯師著誄、書、論四篇。又有曹朔，不知何許人，作《漢頌》四篇。”本志皆不見。或徵士曹衆集附曹朔《頌》爲一編，未可知也。

梁又有《酈炎集》二卷，錄二卷。

《後漢書·文苑傳》：酈炎字文勝，范陽酈食其之後也。炎有文才，解音律，言論給捷，多服其能理。靈帝時，州郡辟命，皆不就。有志氣，作詩二篇。後風病慌忽。性至孝，遭母憂，病甚發動。妻始産而驚死，妻家訟之，收繫獄。炎病不能理對，熹平六年，遂死獄中，時年二十八。尚書盧植爲之誄讚，以昭其懿德。

《古文苑·酈炎遺令》有曰：“嗟哉！邈之遺孤，其名曰止。孤，人之孤也，齔齒其少矣。汝之孤也，曾未滿兩旬。汝無自以爲微弱，物有微弱于汝者，及其長而繁焉。消息汝躬，調和汝體，思乃考言，念乃考訓，必博學以著書，以續受父業。我十七而作《酈篇》矣，二十四而《州書》矣，二十七而作《七平》矣。其賦頌誄，自少爲之。”注云《酈篇》、《州書》皆字學之書，《七平》蓋《七發》之類。又曰：“下邳衞府君，我之諸曹掾；督郵濟北寧府君，我鬷之成就；陳留韓府君，察我孝廉；陳留楊使君，辟我右北平從事祭酒。”注云四人皆舉辟炎者。又云：“熹平六年冬十二月，乃裂裳書。”惠氏《後漢書補注》：當于是月死獄中也。

《北堂書鈔》：盧植《酈文勝誄》曰：“自齔未成童，著書十餘箱，文體思奧，爛有文章，箴縷百家。”

鍾嶸《詩品》曰：“文勝託詠靈芝，懷寄不淺。”

《唐書・經籍》、《藝文志》：《酈炎集》二卷。

馮氏《詩紀》輯存《見志詩》二首，見本傳。

嚴氏《全後漢文編》曰：“酈炎有集二卷。今存《對事》一篇，《遺令書》四首，並見《古文苑》。”

曾氏《補後漢志》曰：“《書鈔》一百二十一引《角賦》，嚴失采。”

梁又有《陳相邊韶集》一卷，録一卷，亡。

《後漢書・文苑傳》：邊韶字孝先，陳留浚儀人也。以文學知名，教授數百人。桓帝時，爲臨潁侯相，徵拜太中大夫，著作東觀。再遷北地太守，入拜尚書令。後爲陳相，卒官。著詩、頌、碑、銘、書、策凡十五篇。

《史通・正史篇》：至元嘉元年，復令太中大夫邊韶、大軍營司馬崔寔、議郎朱穆、曹壽雜作孝穆、崇二皇及順烈皇后傳，又增《外戚傳》入安思等后，《儒林傳》入崔篆諸人。

《唐書・經籍》、《藝文志》：《邊韶集》二卷。

嚴氏《全後漢文編》曰：“邊韶有集一卷。今存《塞賦》、《上言四分曆之失》、《對嘲》、《河激頌》、《老子銘》并序，凡五篇。”

梁又有《益州刺史朱穆集》二卷，録一卷，亡。

《後漢書・朱暉傳》：暉，南陽宛人也。章和時，尚書令。子頡，脩儒術，安帝時至陳相。頡子穆，字公叔。初舉孝廉。順帝末，梁冀辟之，使典兵事，甚見親任。及桓帝即位，順烈太后臨朝，穆以冀勢地親重，望有以扶持王室，因推災異，奏記以勸戒冀。冀舉穆高第，爲侍御史。穆常感時澆薄，慕尚敦篤，乃作《崇厚論》。又著《絕交論》，亦矯時之作。梁冀驕暴不悛，朝野嗟毒，穆以故吏，懼其釁積招禍，復奏記諫。冀不納，而縱放日滋。穆又奏記極諫，冀終不悟，然亦不甚罪也。擢穆爲冀州刺史。徵詣廷尉,輸作左校。太學書生劉陶等數千人詣闕上書訟穆,乃赦之。徵拜尚書。穆既深疾宦官,及在臺閣,旦夕共事,志欲除之。乃上疏言漢故事,中常侍參選士人。建武以後,乃悉用宦者。請悉罷,更選海內清淳之士,明達國體者,以補其處。帝不納。憤懣發疽。延熹六年,卒,時年六十四。策詔襃贈益州太守。案《朱公叔鼎銘》載詔曰:"今使灌謁者中郎楊賁贈益州刺史印綬。"此云太守,非也。所著論、策、奏、教、書、詩、記、嘲凡二十篇。初,穆父卒,穆與諸儒考依古義,謚曰貞宣先生。及穆卒,蔡邕復與門人共述其體行,謚爲文忠先生。

又傳論曰:"朱穆見比周傷義,偏黨毀俗,志抑朋游之私,遂著《絕交》之論。蔡邕以爲穆貞而孤,又作《正交》而廣其志焉。"

又傳注曰:"《穆集》載《絕交論》,又《與劉伯宗絕交書》及詩,蓋因此而著論也。《袁山松書》曰:'穆著論甚美,蔡邕嘗至其家自寫之。'"

《唐書·經籍》、《藝文志》:《朱穆集》二卷。

惠氏《後漢書補注》:《朱公叔鼎銘》曰:"再拜博士,高第,作侍御史。矯枉董直,罔肯阿順,以黜其位。潛于郎中,群公並表,乃遷議郎,登于東觀,纂業前史。"案穆爲侍御史,以不肯阿順免官。復爲郎中,及遷議郎,與邊韶、崔寔、曹壽增脩《漢記》。范史皆不載也。案《朱公叔鼎銘》,蔡邕撰。見後《蔡中郎集》。

嚴氏《全後漢文編》:朱穆有集二卷。今存《鬱金賦》、《上疏請罷省宦官》、《奏劾馮緄》、《奏記大將軍梁冀》、《復奏記》、《又奏記》、《與劉伯宗絕交書》、《留板示冀州從事書》、《崇厚論》、《絕交論》,凡十一篇。

後漢京兆尹延篤集一卷。梁二卷,錄一卷。

延篤有《戰國策論》,見史部雜史類。

《後漢書》本傳："篤少從唐溪典受《左氏傳》，又從馬融受業，博通經傳及百家之言，能文章，有名京師。桓帝以博士徵，拜議郎，與朱穆、邊韶共著作東觀。篤論解經傳，多所駁正，後儒服虔等以爲折中。所著詩、論、銘、書、應訊、表、教令，凡二十篇。"傳注曰："訊，問也。蓋《答客難》之類。"

《釋文・叙録》：京兆尹延篤，受《左氏》于賈逵之孫伯升，因而注之。

《史記索隱序》曰："太史公之書，古今爲注解者絶省，音義亦稀。始後漢延篤乃有《音義》一卷。"延叔堅《左氏注》、《史記音》，本志皆不著録。

《史通・正史篇》：崔寔、曹壽又與議郎延篤雜作《百官表》，順帝功臣孫程、郭願及鄭衆、蔡倫等傳，凡百十有四篇，號曰《漢記》。

《唐書・經籍》、《藝文志》：《延篤集》二卷。

嚴氏《全後漢文編》：延篤有集二卷。今存《答張奐書》、《與張奐書》、《與高彪書》、《與段紀明書》、《貽劉祐書》、《與李文德書》、《仁孝論》七篇。

梁又有《司農卿皇甫規集》五卷，亡。

《後漢書》本傳：規字威明，安定朝那人。郡將知規有兵略，命爲功曹，舉上計掾。沖質之間，舉賢良，對策。梁冀忿其刺己，以爲下第，拜郎中。託疾免歸。以《詩》、《易》教授，門徒三百餘人，積十四年。後梁冀誅，拜泰山太守，爲中郎將，持節監關西兵。徵還拜議郎。坐繫廷尉，赦，歸家。徵拜度遼將軍。永康元年，徵爲尚書，遷弘農太守，封壽成亭侯，讓封不受。再轉爲護羌校尉。熹平三年，以疾召還，未至，卒于穀城，年七十一。所著賦、銘、碑、贊、禱文、弔、章表、教令、書、檄、牋記，凡二十七篇。

《唐書‧經籍》、《藝文志》：《皇甫規集》五卷。

武威張澍二酉堂輯本序曰："司農卿《皇甫規集》五卷，《七錄》、《隋》、《唐志》卷數同。本傳言所著凡二十七篇，今輯得十一篇，而趙壹《報書》、蔡邕《薦章》並綴諸末。"

嚴氏《全後漢文編》曰："皇甫規爲護羌校尉，卒，贈司農卿。有集五卷。本傳有《建康元年舉賢良方正對策》、《永康元年舉賢良方正對詔問日食》，又有《求自效疏》、《上疏言西羌事》、《上疏自訟》、《上疏薦張奐自代》、《上言宜豫黨錮》，凡七篇。又《御覽》諸書有《與劉司空箋》、《與馬融書》、《追謝趙壹書》、《女師箴》，凡四篇。"

梁又有《太常卿張奐集》二卷，錄一卷，亡。

《後漢書》本傳：奐字然明，敦煌酒泉人也。少游三輔，師事太尉朱寵，學《歐陽尚書》。初，《牟氏章句》浮辭繁多，有四十五萬餘言，奐減爲九萬言。注云："時牟卿受《書》于張堪，爲博士，故有《牟氏章句》。"以爲前漢之牟卿。案牟卿見《漢書‧儒林傳》，習《大夏侯尚書》，亦不言其有章句。且牟卿所從受者，乃周堪，亦非張堪。而張奐所減定《牟氏章句》爲東漢初博士牟長之書，范書《儒林傳》有明文。章懷此注非是。《經義考》據以著錄牟卿《章句》一家，亦失之不考。後辟大將軍梁冀府，乃上書桓帝，奏其章句，詔下東觀。以疾去官，復舉賢良，對策第一，擢拜議郎。永壽元年，遷安定屬國都尉。延熹二年，梁冀誅，奐以故吏免官禁錮。奐與皇甫規友善，奐既被錮，凡諸交舊莫敢爲言，唯規薦舉前後七上。在家四歲，復拜武威太守。遷度遼將軍。九年，徵拜大司農。復拜爲護匈奴中郎將。舊制，邊人不得內移，唯奐因功特聽，徙屬弘農華陰，故始爲弘農人焉。後遷少府，轉太常。以黨罪，禁錮歸田里。時禁錮者多不能守靜，或死或徙。奐閉門不出，養徒千人，著《尚書記難》三十餘萬言。光和四年卒，年七十八。所著銘、頌、書、教、誡述、志、對策、章表二十四篇。長子芝，字伯英，最知名。芝及弟昶，字文舒，並善草書，至今稱之。

《唐書·經籍》、《藝文志》：《張奐集》二卷。

武威張澍二西堂輯本序曰：“然明以賢良爲將，率卒使奠鞬、伯德服，乃威化屠各、鮮卑，失其酋豪。非由學該群籍，兼立志節用，能還鑅立功，閉門守靜乎？獨其《記難》、章句不傳于後，弗知仲威之源淵，太尉朱寵字仲威，見《鄧騭傳》。以爲歎息。《隋》、《唐志》載《太常卿集》二卷，本傳言所著二十四篇。今采輯群書，都爲一卷。其子伯英、文舒書銘亦附于末。”

嚴氏《全後漢文編》：張奐有集二卷。今存《扶藜賦》及上書、上言、奏記、書、遺令凡十五篇。附芝書四篇，昶碑銘一篇。

梁又有《王延壽集》三卷，亡。

《後漢書·文苑·王逸傳》：逸子延壽，字文考，有儁才。少游魯國，作《靈光殿賦》。後蔡邕亦造此賦，未成，及見延壽所爲，甚奇之，遂輟翰而已。曾有異夢，意惡之，乃作《夢賦》以自厲。後溺水死，時年二十餘。

又傳注：張華《博物志》曰：“王子山與父叔師到泰山，從鮑子真學算，到魯賦靈光殿，歸渡湘水溺死。”文考一字子山也。

《文心雕龍·詮賦篇》曰：“延壽《靈光》，含飛動之勢。”又《才略篇》曰：“延壽繼志，環穎獨標，其善圖物寫貌，豈枚乘之遺術歟？”

惠氏《後漢書補注》：《博物志》曰：“魯靈光殿初成，案此下似有敓文。逸語其子：‘汝寫狀歸，吾欲爲賦。’文考遂以韻寫簡，其父曰：‘此即爲賦，吾固不及矣。’又《水經注》曰：“子山年二十而得惡夢，二十一溺死于湘浦。”一作二十四。

汪氏《文選撰人篇目》：後漢王文考延壽有《魯靈光殿賦》。

嚴氏《全後漢文編》曰：“王延壽《魯靈光殿賦并序》，見《文選》。又《藝文類聚》有《夢賦》、《王孫賦》，亦見《初學記》、《御覽》。案其文賦獼猴也。《古文苑》、《隸釋》有《桐柏淮源廟碑》，延熹六年正月。凡四篇，並全文，無所缺佚。”

梁又有《五原太守崔寔集》二卷，錄一卷，亡。

崔寔有《政論》，見子部法家。又有《四民月令》，見農家。

《後漢書·崔駰附傳》：寔與邊韶、延篤等著作東觀。及卒，大鴻臚袁隗樹碑頌德。所著碑、論、箴、銘、答、七言、祠文、表、記、書凡十五篇。“答”下似敚“讖”字。

《文心雕龍·書記篇》曰：“崔寔奏記于公府，則崇讓之德音矣。”又《雜文篇》曰：“崔寔《客譏》，整而微質。”又《才略篇》曰：“傅毅、崔駰，光采比肩，瑗、寔踵武，能世厥風者矣。”

《唐日本國見在書目》：《崔寔集》二卷。

嚴氏《全後漢文編》曰：“寔有《政論》五卷，《四民月令》一卷，集二卷。今輯《大赦賦》、《答譏》、《諫議大夫箴》、《太醫令箴》，凡四篇；《政論》佚文、《四民月令》佚文各一卷。”

梁又有《上計趙壹集》二卷，錄一卷，亡。

《後漢書·文苑傳》：趙壹字元叔，漢陽西縣人也。恃才倨傲，爲鄉黨所擯。後屢抵罪，幾至死，友人救得免。壹貽書謝恩。爲《窮鳥賦》一篇。又作《刺世疾邪賦》，以舒其怨憤。光和元年，舉郡上計。河南尹羊陟、司徒袁逢共稱薦之。名動京師，士大夫想望其風采。及西還，州郡爭致禮命，十辟公府，並不就，終于家。著賦、頌、箴、誄、書、論及雜文十六篇。

鍾嶸《詩品》曰：“元叔散憤蘭蕙，指斥囊錢，苦言切句，良亦勤矣。斯人也而有斯困，悲夫！”

《文心雕龍·才略篇》曰：“趙壹之辭賦，意繁而體疏。”

《唐書·經籍》、《藝文志》：《趙壹集》二卷。

惠氏《後漢書補注》：《文士傳》曰：“壹肩高二尺，高自抗竦，爲鄉黨所擯。"今集中有《解擯賦》。

嚴氏《全後漢文編》：趙壹有集二卷。今輯存《迅風賦》、《解擯賦》、《刺世疾邪賦》、《窮鳥賦》、《報羊陟書》、《報皇甫規書》、《非草書》，凡七篇。

後漢諫議大夫劉陶集三卷。梁二卷，錄一卷。

《後漢書》本傳：陶字子奇，一名偉，潁川潁陰人，濟北貞王勃之後。游太學，舉孝廉，除順陽長。以病免。陶明《尚書》、《春秋》，爲之訓詁，推三家《尚書》及古文，是正文字三百餘事，名曰《中文尚書》。惠氏《補注》：北宋本作"七百餘事"。《藝文志》曰："劉向以中古文校三家經文，文字異者七百有餘。"蓋古文與今文異者本有此數，故陶從而是正也。頃之，拜侍御史。靈帝宿聞其名，數引納之。時張角謀反，陶上疏言之。帝殊不悟，方詔陶次第《春秋》條例。明年，張角反亂，海內鼎沸，帝思陶言，封中陵鄉侯，三遷侍中，徙京兆尹，拜諫議大夫。時天下日危，陶憂致崩亂，復上疏，陳當今要急八事，大較言天下大亂，皆由宦官。宦官事急，共讒陶與賊通情。收陶，下黃門北寺獄，掠按日急。遂閉氣而死。陶著書數十萬言，又作《七曜論》、《匡老子》、《反韓非》、《復孟軻》，及上書言當世便事、條教、賦、奏、書、記、辯疑，凡百餘篇。

《文心雕龍·誄碑篇》曰："至如崔駰誄趙，劉陶誄黃，並得憲章，工在簡要。"

唐張懷瓘《書斷》曰："後漢杜伯山，嘗于西河得漆書《古文尚書》一卷。靈帝時，劉陶刪定古文、今文《尚書》，號《中文尚書》，以北山本爲正。陶亦工古文。"

《唐書·經籍志》：《劉陶集》二卷。

《唐書·藝文志》：《劉白集》二卷。此"白"字乃刊誤。

惠氏《後漢書補注》曰："韓非有《解老》、《喻老》之篇，故陶作書匡《老子》之失，反《韓非》之説，而折中于《孟子》也。"

嚴氏《全後漢文編》曰："劉陶有集三卷。今從袁宏《紀》及本傳輯存《上疏陳事》、《上疏言張角》、《上疏陳要急八事》、《上書訟朱穆》、《上議改鑄大錢》，凡五篇。"

梁又有《外黄令張升集》二卷，錄一卷，亡。

《後漢書・文苑傳》：張升字彦真，陳留尉氏人，富平侯放之孫也。放，湯六代孫也。少好學，多閱覽，而任情不羈。仕郡爲綱紀，以能出守外黄令。遇黨錮去官，後竟見殺，年四十九。著賦、誄、頌、碑、書，凡六十篇。

《文心雕龍・哀弔篇》曰："蘇順、張升，并述哀文，雖發其情華，而未極心實。"

《唐書・經籍》、《藝文志》：《張升集》二卷。

嚴氏《全後漢文編》：張升有集二卷。今存《白鳩賦》、《與任彦堅書》、《友論》，凡三篇。其《友論》一作《反論》，一作《反論語》，皆誤。又或引作《張叔皮論》，尤誤。

梁又有《侯瑾集》二卷，亡。

侯瑾有《漢皇德紀》，見史部雜史類。

《後漢書・文苑傳》：瑾作《矯世論》以譏刺當時。而徙入山中，覃思著述。以莫知于世，故作《應賓難》以自寄。又案《漢記》撰中興以後行事，爲《皇德傳》三十篇，行于世。餘所作雜文數十篇，多亡失。西河人皆稱爲侯君云。

《唐書・經籍》、《藝文志》：《侯瑾集》二卷。

嚴氏《全後漢文編》曰："瑾，桓帝時徵有道，復徵博士，皆不至。有集二卷。今存《箏賦》、《皇德頌序》各一篇。"

梁又有《盧植集》二卷，亡。

盧植有《禮記注》，見經部禮類。

《後漢書》本傳：植常懷濟世志，不好辭賦。時皇后父大將軍

竇武援立靈帝,初秉機政,朝議欲加封爵。植雖在布衣,以武
素有名譽,乃獻書以規之,謂宜辭大賞,以全身名。又宜徵王
侯愛子,宗室賢才,簡其良能,爲彊幹弱枝之道。武並不能
用。作《尚書章句》、《三禮解詁》。時始立太學《石經》,上書
請詣東觀,研精《尚書》、《禮記》失得,刊正碑文。又言古文厭
抑流俗,降在小學。中興以來,通儒達士班固、賈逵、鄭興父
子,並敦悅之。宜爲《毛詩》、《左氏》、《周禮》置博士,立學官。
光和元年,有日食之異,上封事諫陳八事。植素善蔡邕,邕前
徙朔方,植獨上書請之。所著碑、誄、表、記凡六篇。諸書引盧植
《冀州風土記》、《七錄》、本志皆不見,或在本集六篇中。

《唐書·經籍》、《藝文志》:《盧植集》二卷。

嚴氏《全後漢文編》:盧植有《禮記解詁》二十卷,集二卷。今
存上書、上封事、奏事、《獻書規竇武》、《酈文勝誄》,凡五篇。

梁又有《議郎廉品集》二卷,亡。

廉品始末未詳。《魏志·杜恕傳》有樂安廉昭,以才能好言事,爲尚書郎。似廉
氏爲樂安人,昭或其後歟?

嚴氏《全後漢文編》曰:"廉品爲議郎。有集二卷。《太平御
覽》五百三十卷引廉品《大儺賦》。"

後漢司空荀爽集一卷。梁三卷,錄一卷。

荀爽有《周易傳》,見經部易類。

《後漢書》本傳:延熹元年,太常趙典舉爽至孝,拜郎中。對策
陳便宜。奏聞,即棄官去。後司空袁逢舉有道,不應。及逢
卒,爽制服三年,當世往往化以爲俗。時人多不行妻服,雖在
親憂猶有弔問喪疾者,又私諡其君父及諸名士,爽皆引據大
義,正之經典,雖不悉變,亦頗有改。著《禮》、《易傳》、《詩
傳》、《尚書正經》、《春秋條例》,又集漢事成敗可爲鑒戒者,謂
之《漢語》。又作《公羊問》及《辯讖》,并它所論叙,題爲《新

書》。凡百餘篇，今多所亡缺。

荀悦《漢紀》曰：“臣悦叔父故司空爽，著《詩傳》皆附正義，無他説，通人學者多好尚之。然希得立于學官也。”

又《申鑒·俗嫌篇》曰：“世稱緯，仲尼之作也。臣悦叔父故司空爽辯之。蓋發其僞也，有起于中興之前，終張之徒之作乎。”

《唐書·經籍》、《藝文志》：《荀爽集》二卷。

嚴氏《全後漢文編》輯存《對策陳便宜》、《奏記讓孝廉》、《貽李膺書》、《與郭叔都書》、《女誡》，凡五篇。

> 案荀氏經説惟《易傳》見載本志，《公羊問》見《七録》。其《漢語》，章氏《考證》謂晉灼引四事。此集一卷，梁三卷，不及《新書》十分之一二。據本傳所載，有宜爲舉主行服、宜爲妻行服、不宜在親憂弔問喪疾、不宜爲君父名士私謚諸論議。又徐幹《中論》引荀爽《壽夭論》。范書《朱穆傳》注云：“穆子野，字子遼，見荀爽薦文。”則又有《壽夭論》、《薦朱野文》。凡斯皆不可知矣。

後漢野王令劉梁集三卷。梁二卷。録一卷。

《後漢書·文苑傳》：劉梁字曼山，一名岑，東平寧陽人也。梁宗室子孫，而少孤貧，賣書于市以自資。常疾世多利交，以邪曲相黨，乃著《破群論》。時之覽者，以爲仲尼作《春秋》，亂臣知懼，今此論之作，俗士豈不愧心。其文不存。又著《辯和同》之論。桓帝時，舉孝廉，除北新城長。特召入拜尚書郎，累遷。後爲野王令，未行。光和中，病卒。孫楨，亦以文才知名。劉楨有集，見後。《文士傳》云：“梁之子也。”

《唐書·經籍》、《藝文志》：《劉梁集》二卷。

嚴氏《全後漢文編》：劉梁有集三卷。今存《除北新城長告縣人教》、《七舉》、《辨和同論》，凡三篇。《書鈔》引《劉梁碑》附。

梁又有《鄭玄集》二卷，録一卷，亡。

鄭玄有《周易注》，見經部易類。

《後漢書》本傳：初，中興之後，范升、陳元、李育、賈逵之徒爭論古今學，後馬融答北地太守劉瓌及玄答何休，義據通深，由是古學遂明。嘗疾篤，自慮，以書戒子益恩。又著《天文七政論》、《魯禮禘祫義》、《六藝論》、《毛詩譜》、《駁許慎五經異義》、《答臨孝存周禮難》，凡百餘萬言。

《太平御覽·百穀部》：《鄭玄别傳》曰："玄年十六，號曰神童。民有獻嘉禾者，欲表府，文辭鄙略。玄爲改作，又著頌一篇。侯相高其才，爲脩冠禮。"又見《文部》頌類云："嘉瓜異本同實，著頌二篇。"

《唐書·經籍》、《藝文志》：《鄭玄集》二卷。

遵義鄭珍《鄭學録》曰："《鄭玄集》，《唐志》二卷。案康成平生雜著，必皆萃此集中。自佚其書而注釋以外文字十不存一，惜哉！乾隆間，盧氏見曾刻《周易鄭注》，後附《康成集》。其首爲《相風賦》，考此賦，《藝文類聚》卷六十八所載，是晉傅玄作，不知何以誤歸康成，或因名同，一時失檢歟？"

嚴氏《全後漢文編》：鄭玄有集二卷。今輯存《皇后敬父母議》、《戒子益恩書》、《周易》、《尚書大傳序》、《詩譜叙》、《孝經注叙》、《論語叙》、《自叙》，凡八篇。附《六藝論》三十八條。

曾氏《補後漢志》曰："《北堂書鈔》九十四引《舊君名諱論》，嚴失采。"案《舊君名諱論》起于同時應劭，本志史部儀注類《汝南君諱議》二卷即其事也。諸家論斯事者甚多，豈鄭氏亦有此議歟？嚴氏未采，不能無疑。

案賈公彦《序周禮廢興》既引馬融《周官傳序》，其後又引鄭玄序云云，至"周公定之，致隆平龍鳳之瑞"，此一段，凡三百四十餘言，皆鄭氏《周禮序》。中有加〇間隔者，乃寫刊之誤，相承如此。阮氏《校勘記》已言之。嚴氏失采此文，則甚爲可惜也。嚴氏輯唐以前文，自不經意于唐人疏、序，而不知其中有馬、鄭《周官序》在焉。以是知輯佚欲其一無遺漏，事必有所不能者矣。

後漢左中郎將蔡邕集十二卷。梁有二十卷。録一卷。

蔡邕有《月令章句》，見經部禮類。

《後漢書》本傳：邕少博學，師事太傅胡廣。好辭章、數術、天文，妙操音律。閑居玩古，不交當世。感東方朔《客難》及揚雄、班固、崔駰之徒設疑以自通，乃斟酌群言，韙其是而矯其非，作《釋誨》以戒厲。熹平中，連上疏，上封事，陳七事，又對詔問，又上書自陳，及徙朔方，又上書自陳，奏其所著十意，分別首目，連置章左。所著詩、賦、碑、誄、銘、贊、連珠、箴、弔、論議、《獨斷》、《勸學》、《釋誨》、《叙樂》、《女訓》、《篆執》、祝文、章表、書記，凡百四篇，傳于世。案《勸學》見經部小學家。

《文心雕龍‧銘箴篇》曰：“蔡邕銘思，獨冠古今。橋公之鉞，吐納典謨；朱穆之鼎，全成碑文，溺所長也。”又《誄碑篇》曰：“自後漢以來，碑碣雲起。才鋒所斷，莫高蔡邕。觀楊賜之碑，[①]骨鯁訓典；陳郭二文，詞無擇言；周胡衆碑，莫非精允。其叙事也該而要，其綴采也雅而澤；清詞轉而不窮，巧義出而卓立；察其爲才，自然而至。”又《雜文篇》曰：“蔡邕《釋誨》，體奧而文炳。”又《才略篇》曰：“張衡通贍，蔡邕精雅，文史彬彬，隔世相望。是則竹柏異心而同貞，金玉殊質而皆寶也。”案裴啓《語林》曰：“衡之初死，蔡邕母始孕，此二人才貌相類，時人方邕是衡之後身，故劉緦有是言。”

《唐日本國見在書目》：“《蔡邕集》廿卷。”又雜家：“《獨斷》一卷。”注云：“今案蔡邕撰。”案《獨斷》集外別行見于著録者，莫先于此。其

---

①　“碑”，原脱，據清光緒思賢書局刻本《文心雕龍轉注》補。

云"今案"者，知其前不著撰人也。

《唐書·經籍》、《藝文志》：《蔡邕集》二十卷。

《崇文總目》："《蔡邕文集》五卷。"又史部儀注類："《獨斷》二卷，蔡邕撰。"

《通志·藝文略》："蔡邕《外文》一卷。"又儀注類："蔡邕《獨斷》二卷。"

《宋史·藝文志》："《蔡邕集》十卷。"又史部故事類："蔡邕《獨斷》二卷。"

晁氏《讀書志》："《蔡中郎集》十卷。所著文章百四篇，今録止存九十篇，而銘墓居其半。或曰碑銘，或曰神誥，或曰哀贊，其實一也。嘗自云'爲《郭有道碑》，獨無愧辭'，則其他可知已。"又經部經解類："《獨斷》二卷，漢左中郎將蔡邕纂。雜記自古國家制度及漢朝故事。王莽無髮，蓋見于此。"

陳氏《書録》曰："《蔡中郎集》十卷，《唐志》二十卷。今本闕亡之外纔六十四篇，其間有稱建安年號及爲魏宗廟頌述者，非邕文也。卷末有天聖癸亥歐陽静所書，辨證甚詳，以爲好事者雜編他人之文相混，非本書。又史部禮注類《獨斷》二卷，言漢世制度、禮文、車服及諸帝世次，而兼及前代禮樂。"

《四庫簡明目録》曰："《蔡中郎集》六卷。邕集久佚，今因裒輯而成者凡有二本，一爲張溥《百三家集》本，一爲陳留新刻本，此即陳留本也。凡詩文九十四首，與張本互有增損。張本《薦董卓表》一篇，此本删去。考劉克莊《後村詩話》已論邕此表，則宋本已有之。此本蓋爲鄉曲諱也。"又子部雜家雜考類："《獨斷》二卷，皆考論舊制，綜述遺文，與《白虎通義》、《風俗通義》俱爲講漢學者之資糧。《風俗通義》多説雜事，不及二書之字字皆爲典據焉。"

汪氏《文選撰人篇目》曰："後漢蔡伯喈邕有《郭林宗碑文》、

《陳仲弓碑文》。"

嚴氏《鐵橋漫稾·重編蔡中郎集叙》曰："漢魏六朝文集傳于今世者，多近代新輯。《蔡邕集》則舊本殘闕，北宋增補，前明又屢增補者也。案《隋志》十二卷，梁有二十卷，録一卷，《舊》、《新唐志》二十卷，《崇文總目》五卷，《書録解題》、《通考》、《宋志》十卷，晁氏《志》亦十卷，云九十篇已上本皆不存。天聖中，歐靜本十卷，六十四篇。明初，小板九行本十卷，外傳一卷。及錫山活字本、蘭雪堂活字別本即歐靜本增補六篇，凡六十九篇。俞汝成增入《獨斷》，復增補爲九十二篇。汪士賢删《獨斷》，餘同俞本。張溥復删補爲百二十四篇。搜羅尚未賅備，又失落《楊賜第一碑》，而《劉鎮南碑》各本皆未删。案本傳所著詩、賦、碑、誄、《獨斷》、《勸學》等凡百四篇，是晉、宋古本《獨斷》在集中。《隋志》無《獨斷》入集，故不載。_{案兩《志》亦然。}《續漢·禮儀志上》注有《車駕上原陵記》，_{案此似即所擬禮意中之一事。}《隸釋》有《陳球碑》、《劉寬後碑》，皆鉅篇。《北堂書鈔》、《文選注》、《御覽》徵引短篇章段，爲張溥所罣漏者甚多。今統鈔六朝、唐、宋各書所載，以校勘明刻本，正其譌誤，補其闕遺，得百四十六篇。重加編次爲十四卷，録一卷。卷數少于梁、唐，篇數溢于本傳，皆注明出處，以便覆覈。其注稱本集者，明初小板本也。本集有而各書未引見者二十五篇。_{此等處亦考出，其縝密人所難能。}或當是舊本，其中或雜以他人之文，既無顯據，宜仍其舊。張溥本有《琴贊》，俟考出處。《説郛》載《月令問答》、《明堂月令》、《月令篇名》，皆《月令章句》之文，其書久亡，明刻本入集，今亦附集末。東漢學問文章首推班、張、崔、蔡，實則蔡在崔上。蔡之《月令章句》、《靈紀》、《十意》、四十二《列傳》不存，集雖存而殘缺不全，收聚散亡，尚見古本崖略。蔡文不盡此而盡于此。"又自編《四録堂

類集總目》："《蔡中郎集》十四卷，録一卷，可均校編。"_{曾氏《補}
_{志》曰："楊氏《外集》有《琴贊考》。《書鈔》一百九則嵇康作也。"馮氏《詩紀》輯存《飲}
_{馬長城窟行》等詩歌六首，其《樊惠渠歌》即《樊渠頌琴歌》，即《釋誨文》。除此二首，}
_{合以嚴氏輯文，是蔡集之善本。}

張氏《書目答問》：《蔡中郎集》六卷，聊城楊氏仿宋本。附《獨
斷》二卷。通行三本皆遜此本。嚴可均校補《蔡中郎集》十四
卷，録一卷，未刊。_{案今刊入《全後漢文編》中，省《獨斷》二卷，故止十二卷，其}
_{録一卷亦省之。}

　案范書本傳有《篆埶》，無《隸埶》。嚴輯本《隸勢篇》下注
云："案此篇當是衛恒作，本集有之，姑不删。"考衛恒《四體
書勢》，惟首一篇《汲冢古文贊》爲恒所自作，以《汲冢書》新
出，前人無有爲古文書埶者故也。其餘篆、隸二《埶》皆取
之蔡邕，《草書埶》取之崔瑗，恒序言之甚明。唐張懷瓘《書
斷》亦引蔡邕《隸埶》，此尤爲顯證。或多以爲衛恒作，嚴氏
亦爲所惑。皆以《晉書》所載《四體書埶》中間敚一"邕"字
故也。

梁又有《士孫瑞集》二卷，亡。

《後漢書・王允傳》："允見董卓禍毒方深，篡逆已兆，密謀共
誅之。乃上執金吾士孫瑞爲南陽太守，將兵出武關道，以討
袁術爲名，實欲分路征卓，而後拔天子還洛陽。卓疑而留之，
允乃引内瑞爲博士"。又曰："士孫瑞字君策，扶風人，頗有才
謀。瑞以允自專討董卓之勞，故歸功不侯，所以獲免于難。_免
_{催、汜、稠、濟陷長安，殺王允之難也。}後爲國三老、光禄大夫。每三公
缺，楊彪、皇甫嵩皆讓位于瑞。興平二年，從駕東歸，爲亂兵
所殺。"_{《獻帝本紀》："興平二年十一月庚午，李催、郭汜等追乘輿戰于東澗，王師}
_{敗績，殺衛尉士孫瑞。"《魏志・獻帝紀》注曰："時尚書令士孫瑞爲亂兵所殺。"}
《魏志・董卓傳》："初平三年四月，司徒王允、尚書僕射士孫
瑞、卓將呂布共謀誅卓，遂殺卓，夷三族。"裴松之曰："《三輔

決録注》：‘瑞字君策，扶風人，世爲學問。瑞少傳家業，博達
無所不通，仕歷顯位。卓既誅，遷大司農，爲國三老。每三公
缺，瑞嘗在選中。天子都許，追論瑞功，封瑞子萌澹津
亭侯。’”

唐林寶《元和姓纂》：士孫氏：《漢書》：“平陵士孫張，爲博士，
揚州牧，明《梁丘易》。”六代孫睅，後漢弘農太守。生瑞，尚書
令。瑞生萌，字文始，議郎，灌津侯。生賢穎。案《漢書·儒林》易家
《梁丘賀傳》：“賀傳子臨，臨授五鹿充宗，充宗授平陵士孫張仲方，爲博士，至揚州
牧、光禄大夫、給事中，家世傳業。由是梁丘有士孫之學。”蓋世傳《易》，至漢魏時猶
未失墜者。平陵，右扶風縣也。

《唐書·經籍》、《藝文志》：《士孫瑞集》二卷。

嚴氏《全後漢文編》曰：“士孫瑞，字君策，扶風人。中平末，以
處士擢鷹揚校尉。獻帝初，爲執金吾，出爲南陽太守，未行，
留拜尚書僕射、大司農、衛尉、國三老、光禄大夫、尚書令。興
平二年，從駕東歸，爲亂兵所殺。有集二卷。《書鈔》有《理王
允等事》，《通典》有《日蝕行冠禮議》，《藝文類聚》有《劍銘》，
各一條。”

後漢泰山太守應劭集二卷。梁四卷。

應劭有《漢書集解》，見史部正史類。

《後漢書·應奉傳》：奉子劭，博覽多聞。爲駁議三十篇。又
删定律令爲《漢儀》二百五十篇。又綴集所聞，爲《漢官禮儀
故事》。録郡國所上前人像贊，爲《狀人紀》。論當時行事，著
《中漢輯序》，撰《風俗通》。凡所著述百三十六篇。又集解
《漢書》，皆傳于時。弟子瑒、璩，並以文才稱。應氏諸子宦
學，並有才名，至瑒七世通顯。

又傳論曰：“應氏七世才聞，而奉、劭采章爲盛。及撰著篇籍，
甄紀異知，雖云小道，亦有可觀者焉。”

《唐書·經籍》、《藝文志》：《應劭集》四卷。

嚴氏《全後漢文編》：應劭有集四卷。今輯存《貢藥物表》、《奏上刪定律令》、《駁韓卓募兵鮮卑議》、《鮮卑胡市議》、《追駁尚書陳忠議》、《舊名諱議》、《營陵令到官移書申約吏民》、《風俗通義序》，凡八篇。

梁又有《別部司馬張超集》五卷，亡。

《後漢書·文苑傳》：張超字子並，河間鄚人也，留侯良之後。有文才。靈帝時，從車騎將軍朱儁征黄巾，爲別部司馬。著賦、頌、碑文、薦、檄、牋、書、謁文、嘲，凡十九篇。超又善于草書，妙絶時人，世共傳之。

《唐書·經籍》、《藝文志》：《張邵集》五卷。《玉海·藝文》謂此即“張超”，而誤爲“邵”。

《宋史·藝文志》：《張超集》三卷。

嚴氏《全後漢文編》：張超有集五卷。今引見諸書有《誚青衣賦》、《與某公牋》、《與太尉朱儁書》、《尼父頌》、《楊四公頌》、《靈帝河間舊廬碑》，凡六篇。

後漢少府孔融集九卷。梁十卷。錄一卷。

孔融有《春秋雜疑難》，見經部春秋左氏學家。

《後漢書》本傳：魏文帝深好融文辭，歎曰：“揚、班儔也。”募天下有上融文章者，輒賞以金帛。所著詩、頌、碑文、論、議、六言、策文、表、檄、教令、書、記，凡二十五篇。

《魏志·王粲傳》注：《典論》曰：“今之文人，魯國孔融、廣陵陳琳、山陽王粲、北海徐幹、陳留阮瑀、汝南應瑒、東平劉楨，斯七子者，于學無所遺，于辭無所假，咸自騁騏驥于千里，仰齊足而並馳。”又曰：“孔融體氣高妙，有過人者，然不能持論，理不勝辭，至于雜以嘲戲。及其所善，揚、班之儔也。”

《文心雕龍·才略篇》曰：“孔融氣盛于爲筆。”又《誄碑篇》曰：

“後漢碑碣，莫高蔡邕。孔融所創，有慕伯喈。張陳兩文，辨給足采，亦其亞也。”又《詔策篇》曰：“孔融之守北海，文教麗而罕于理，乃治體乖也。”又《論説篇》曰：“孔融《孝廉》，但談嘲戲。”又《章表篇》曰：“文舉之《薦禰衡》，氣揚采飛。”又《書記篇》曰：“文舉屬章，半簡必録。”

《唐書·經籍》、《藝文志》：《孔融集》十卷。

《四庫提要》曰：“《孔北海集》一卷，漢孔融撰。案魏文帝《典論·論文》稱‘孔氏卓卓，信含異氣。筆墨之性，殆不可勝’。其集《隋志》九卷，梁十卷，録一卷。《新》、《舊唐書》皆十卷，蓋猶梁時之舊本。《宋史》始不著録，此本乃明人所掇拾。凡表一篇、疏一篇、上書三篇、奏事二篇、議一篇、對一篇、教一篇、書十六篇、碑銘一篇、論四篇、詩六篇，共三十七篇。其《聖人優劣論》蓋一文而析爲兩篇，實三十六篇也。張溥《百三家》亦載是集，而較此本少二篇。大抵掇拾史傳類書，多斷簡殘章，首尾不具。不但非隋、唐之舊，即蘇軾所稱《楊氏四公贊》，今本亦無之。則宋人所及見者，今已不具矣。然人既國器，文亦鴻寶。雖闕佚之餘，彌可珍也。其六言詩見于本傳，今所傳三章，詞多凡近。又皆盛稱曹操功德，斷以融之生平，可信其義不出此。即使舊本有之，亦必黄初間購求遺文，贋託融作以頌曹操，未可定爲真本也。”

汪氏《文選撰人篇目》：後漢孔文舉融有《薦禰衡表》、《論盛孝章書》二篇。

嚴氏《全後漢文編》曰：“融與劉楨、王粲、陳琳、阮瑀、徐幹、應瑒爲建安七子。有《春秋雜疑難》五卷，集十卷。今輯存疏、議、教、書、論、碑銘三十九篇，編爲一卷。”

後漢侍御史虞翻集二卷。梁三卷。録一卷。

虞翻有《周易注》，見經部易家。

《吳志》本傳：“州舉茂才，漢召爲侍御史，曹公爲司公辟，皆不就。翻與少府孔融書，并示以所著《易注》。融答書曰：‘觀象雲物，察應寒溫，原其禍福，與神合契，可謂探賾窮通者也。’會稽東部都尉張紘又與融書曰：‘虞仲翔前頗爲論者所侵，美寶爲質，彫摩益光，不足以損。’及徙交州，雖處罪放，而講學不倦，門徒常數百人。又爲《老子》、《論語》、《國語》訓注，皆傳于世。”又評曰：“虞翻古之狂直，固難免乎末世，然權不能容，非曠宇也。”

《唐書・經籍志》：後漢《虞翻集》三卷。

《唐書・藝文志》：吳《虞翻集》三卷。

嚴氏《全三國文編》曰：“虞翻有《周易注》九卷，《周易集林律曆》一卷，《國語注》二十一卷，《論語注》十卷，《老子注》二卷，《太玄經注》十四卷，集三卷。《隋志》以翻屬後漢，今考翻卒在權稱尊號之後，宜編入吳。傳注及《御覽》諸書有《上吳主書》、《奏上〈易〉注》、《奏鄭玄解〈尚書〉違失事因》、《追與客書》、《與丁固同僚書》、《與徐陵書》、《與士仁書》、《與所親書》、《與某書》、《與弟書》、《又與弟書》，凡十二篇。”

　　案本志易家稱吳侍御史，與此稱後漢者異。考本傳，翻仕孫策、孫權，未嘗爲侍御史，亦未嘗入漢朝應召爲侍御史。而其後孫亮時會稽太守濮陽興書佐朱育皆稱翻爲侍御史。見傳注引《會稽典録》。韋昭注《國語》，稱故侍御史，《釋文・叙録》亦稱後漢侍御史，豈後人以翻仕吳不得志，因以漢所授官號稱之歟？翻實始終于吳，稱後漢殊不然也。

　　又案傳注引《會稽典録》有虞仲翔對《對太守王朗問士》一篇，嚴氏未采，失之眉睫。亦有朱育《對太守濮陽興問》一篇，嚴亦未采。則《三國文編》中並失去朱育一家，殊可惜也。

後漢討虜長史張紘集一卷。梁二卷，録一卷。

《吳志·列傳》：張紘字子綱，廣陵人。少游學京都，還本郡，舉茂才，公府辟，皆不就，避難江東。孫策創業，遂委質焉。表爲正議校尉。建安四年，策遣紘奉表至許宮，留爲侍御史。少府孔融等皆與親善。策薨，曹公表權爲討虜將軍，領會稽太守。欲令紘輔權内附，出紘爲會稽東部都尉。後權以紘爲長史，紘建計宜出都秣陵，權從之。令還吳迎家，道病卒。時年六十。紘著詩、賦、銘、誄十餘篇。案《吳志》：“權徙治秣陵。城石頭，改秣陵爲建業。”在建安十六七年，紘之卒當在此兩年中。

又傳注：《吳書》曰：“紘入太學，事博士韓宗，治《京氏易》、《歐陽尚書》，又于外黃從濮陽闓受《韓詩》及《禮記》、《左氏春秋》。大將軍何進、太尉朱儁、司空荀爽三府辟爲掾，皆不就。權初承統，每有異事密計及章表書記，與四方交接，常令紘與張昭草創撰作。紘以破虜有破走董卓，扶持漢室之勳，討逆平定江外，建立大業，宜有紀頌以昭公義。既成，呈權，權省讀悲感，曰：‘君真識孤家門閥閲也。’”破虜將軍孫堅、討逆將軍孫策紀其事，而係以頌也。又曰：“紘見柟榴枕，愛其文，爲作賦。陳琳在北見之，以示人曰：‘此吾鄉里張子綱所作也。’紘既好文學，又善楷篆，書與孔融書，自書。融遺紘書曰：‘前勞手筆，多篆書。每舉篇見字，欣然獨笑，如復覩其人也。’”

《唐書·經籍》、《藝文志》：《張紘集》一卷。

嚴氏《全後漢文編》曰：“張紘，《吳志》有傳，《隋志》及《藝文類聚》、《御覽》皆列于後漢，今從之。紘有集二卷。今存《瓌材枕賦》、《瓌材枕銘》、《爲孫會稽責袁術僭號書》、《與孔融書》、《臨困授子靖留牋》，凡五篇。傳注有《柟榴枕賦》，未知即《瓌材枕賦》否也。”

梁有《後漢處士禰衡集》二卷,録一卷,亡。

《後漢書·文苑傳》:禰衡字正平,平原般人也。少有才辨,而氣尚剛傲,好矯時慢物。興平中,避難荊州。建安初,來游許下。唯善孔融、楊修。融深受其才。衡始弱冠,而融年四十,遂與爲交友。上疏薦之。融既愛衡才,數稱述于曹操。操欲見之,而衡素相輕疾,而數有恣言。乃召爲鼓史。後送與劉表。表及荊州士大夫先服其才名,甚賓禮之,文章言議,非衡不定。後復侮慢于表,表送與黄祖,祖亦善待焉。衡爲作書記,輕重疏密,各得體宜。祖長子射爲章陵太守,尤善于衡。人有獻鸚鵡者,射舉巵于衡,曰:"願先生賦之。"衡覽筆而作,文無加點,辭采甚麗。後大罵黄祖,祖恚,即時殺焉。射徒跣來救,不及。時年二十六,其文章多亡云。

《文心雕龍·哀弔篇》曰:"禰衡之弔平子,縟麗而輕清。"又《書記篇》曰:"禰衡代書,親疏得宜,斯又尺牘之偏才也。"又《才略篇》曰:"孔融氣盛于爲筆,禰衡思鋭于爲文,有偏美焉。"

《唐書·經籍》、《藝文志》:《彌衡集》二卷。

汪氏《文選撰人篇目》:後漢彌正平衡有《鸚鵡賦》。

嚴氏《全後漢文編》:彌衡有集二卷。今存《鸚鵡賦》、《魯夫子碑》、《顔子碑》、《弔張衡文》,凡四篇。又《選注》引彌衡《書》一條。

後漢尚書右丞潘勖集二卷。梁有録一卷,亡。

《魏志·衛覬傳》:"建安末,尚書右丞河南潘勖,亦與覬並以文章顯。"《文章志》曰:"勖字元茂,初名芝,後避諱,改名勖。或曰勖獻帝時爲尚書郎,遷右丞。詔以勖前在二千石曹,才敏兼通,明習舊事,勑并領本職,數加特賜。二十年,遷東海相。未發,留拜尚書左丞。其年病卒,時年五十餘。魏公九錫策命，勗所作也。"

又《武紀》："建安十八年五月丙申，天子使御史大夫郗慮持節策命公爲魏公，加九錫。"裴松之曰："後漢尚書左丞潘勗之辭也。勗字元茂，陳留中牟人。"

《太平御覽·文部》：殷洪《小說》曰："魏國初建，潘勗爲策命文。自漢武以來，未有此制。勗乃依商、周憲章，唐、虞辭義，溫雅與典、誥同風。"案"殷洪"當是"殷芸"之誤。其云"漢武以來"，見《漢書·武紀》元朔元年。有司奏議言九錫者，蓋始于此；其見諸行事，則自王莽始。

《文心雕龍·銘箴篇》曰："潘勗《符節》，要而失淺。"又《才略篇》曰："潘勗憑經以騁才，故絕群於錫命。"

《唐書·經籍》、《藝文志》：《潘勗集》二卷。

汪氏《文選撰人篇目》：後漢潘元茂勗有《册魏公九錫文》。

嚴氏《全後漢文編》：潘勗有集二卷。今存《玄遠賦》、《册魏公九錫文》、《擬連珠》、《尚書令荀彧碑》，凡四篇。

後漢丞相倉曹屬阮瑀集五卷。梁有録一卷，亡。

《魏志·王粲傳》：陳留阮瑀，字元瑜，少受學于蔡邕。建安中，都護曹洪欲使掌書記，瑀終不爲屈。太祖以爲司空軍謀祭酒，管記室，軍國書檄，多瑀與陳琳所作。瑀以十七年卒。文帝書與元城令吳質，曰："元瑜書記翩翩，致足樂也。"

又傳注：《典略》曰："太祖嘗使瑀作書與韓遂，時太祖適近出，瑀隨從，因于馬上具草，書成呈之。太祖寧筆欲有所定，而竟不能增損。"臣松之案魚氏《典略》、摯虞《文章志》並云瑀建安初辭疾避役，不爲曹洪屈。得太祖召，即投杖而起。又《典略》載太祖初征荆州，使瑀作書與劉備，及征馬超，又使瑀作書與韓遂，此二書今具存。案瑀子籍，《晉書》有傳，蓋陳留尉氏人也。

鍾嶸《詩品》曰："魏倉曹屬阮瑀詩平典不失古體。"

《文心雕龍·才略篇》曰："琳、瑀以符檄擅聲。"又《哀弔篇》

曰:"胡阮之弔夷齊,褒而無間,仲宣所制,譏呵實工。然則胡阮嘉其清,王子傷其隘,各其志也。"案胡廣、王粲並有《弔夷齊文》。

《唐書·經籍》、《藝文志》:《阮瑀集》五卷。

馮氏《詩紀》輯存《樂府琴歌》及《詠史詩》、《七哀詩》等凡十篇。

張氏《百三家·阮元瑜集》輯本一卷,凡賦、論、書、牋、文、詩十九篇。

汪氏《文選撰人篇目》:魏阮元瑜瑀有《與孫權書》。

嚴氏《全後漢文編》:阮瑀有集五卷。今存《紀征賦》、《止欲賦》、《箏賦》、《鸚鵡賦》、《謝曹公牋》、《爲曹公作書與孫權》、《爲曹公與劉備書》、《文質論》、《弔伯夷》,凡九篇。

魏太子文學徐幹集五卷。梁有録一卷,亡。

徐幹有《中論》,見子部儒家。

《魏志·王粲傳》注:《典論》曰:"今之文人,北海徐幹,如幹之《玄猨》、《漏巵》、《圓扇》、《橘賦》,雖張、蔡不過也,然于他文未能稱是。"

晉殷基《通語》逸文曰:"才貴精,學貴講。質勝文石建,文勝質蔡邕。文質彬彬,徐幹庶幾也。"

鍾嶸評魏文學徐幹詩曰:"偉長與公幹往復,雖曰'以莛扣鍾',亦能閒雅矣。"

《文心雕龍·才略篇》曰:"徐幹以賦論標美。"又《詮賦篇》曰:"偉長博通,時逢壯采。"《哀弔篇》曰:"建安哀辭,惟偉長差善,《行女》一篇,時有惻怛。"

《唐書·經籍》、《藝文志》:魏《徐幹集》五卷。《唐志》入魏代者非也,並詳後《丁儀》、《丁廙集》條下。

馮氏《詩紀》輯存《答劉公幹詩》、《情詩》、《雜詩》凡五篇,九首。

嚴氏《全後漢文編》曰："徐幹爲五官將文學。有《中論》六卷，集五卷。今存《齊都賦》、《西征賦》、《序征賦》、《哀別賦》、《嘉夢賦》、《冠賦》、《團扇賦》、《車渠椀賦》、《七喻》、《失題》，凡十篇。"

魏太子文學應瑒集一卷。梁有五卷。錄一卷。亡。

《魏志·王粲傳》：始文帝爲五官將，及平原侯植皆好文學。粲與汝南應瑒字德璉並見友善。太祖辟爲丞相掾屬，轉爲平原侯庶子，後爲五官將文學。咸著文賦數十篇。瑒以建安二十二年卒，文帝書與元城令吳質曰："德璉常斐然有述作意，其才學足以著書，美志不遂，良可痛息！"

又傳注：華嶠《漢書》曰："瑒祖奉，爲世儒者。延熹中，至司隸校尉。子劭，亦博學多識，官至泰山太守。劭弟珣，字季瑜，司空掾，即瑒之父也。"

《文心雕龍·才略篇》曰："應瑒學優以得文。"又《序志篇》曰："詳觀近代之論文者，若應瑒文論，華而疏略。"

《唐書·經籍》、《藝文志》：魏《應瑒集》二卷。案此入魏代，亦非。

馮氏《詩紀》輯存《公讌詩》、《五官中郎將建章臺集詩》、《別詩》、《鬭雞詩》凡五篇，六首。

張氏《百三家·應德璉集》一卷，凡賦、書、論、雜文、詩二十篇。

汪氏《文選撰人篇目》：魏應德璉瑒有《建章臺詩》。原作《建立宋臺詩》，誤也。

嚴氏《全後漢文編》曰："應瑒爲五官將文學。有集五卷。今存《愁霖賦》、《靈河賦》、《正情賦》、《撰征賦》、《西征賦》、《西狩賦》、《馳射賦》、《校獵賦》、《神女賦》、《車渠椀賦》、《竦迷迭賦》、《楊柳賦》、《鸚鵡賦》、《慜驥賦》、《報龐惠恭書》、《釋賓》、《文質論》、《弈勢》，凡一十八篇。"

後漢丞相軍謀掾陳琳集三卷。梁十卷。録一卷。

《魏志·王粲傳》:"廣陵陳琳字孔璋,前爲何進主簿。進欲誅宦官,太后不聽,進乃召四方猛將,並使引兵向京城,欲以劫恐太后。琳諫進,進不納其言,竟以取禍。琳避難冀州,袁紹使典文章。袁氏敗,琳歸太祖。太祖謂曰:'卿昔爲本初移書,但可罪狀孤而已,惡惡止其身,何乃上及父祖耶?'琳謝罪,太祖愛其才而不咎。與阮瑀並爲司空軍謀祭酒,管記室,軍國書檄,多琳、瑀所作。琳徙門下督,著文賦數十篇。建安二十二年卒。文帝書與元城令吳質曰:'孔璋章表殊健,微爲繁富。'"注又引《典論》曰:"琳、瑀之章表書記,今之儁也。"

又傳注:《典略》曰:"琳作諸書及檄,草成呈太祖。太祖先苦頭風,是日疾發,臥讀琳所作,翕然而起曰:'此愈我病。'數加厚賜。"

又《吳志·張紘傳》注:《吳書》曰:"紘見陳琳作《武庫賦》、《應譏論》,與琳書深歎美之。琳答書。"

《文心雕龍·檄移篇》曰:"陳琳之檄豫州,壯有骨鯁。雖奸閹攜養,章密太甚,發丘摸金,誣過其虐。然抗辭書釁,皭然露骨矣。敢指曹公之鋒,幸哉免袁黨之戮也。"又《書記篇》曰:"陳琳諫辭,稱'掩目捕雀',引俗説而爲文辭者也。"

《唐書·經籍》、《藝文志》:《陳琳集》十卷。《宋史·藝文志》同。

《崇文總目》:《陳琳文集》九卷。

陳氏《書録解題》:《陳孔彰集》十卷,魏丞相軍謀掾廣陵陳琳孔彰撰。魏文帝《典論》以孔融、王粲、徐幹、陳琳、阮瑀、應瑒、劉楨七人所謂'建安七子'者也。今諸家詩文散見于《文選》及諸類書,其以集傳者,仲宣、孔璋而已。案陳氏稱魏丞相軍謀掾,謬甚。此丞相即曹操也,"魏"當爲"漢"。

馮氏《詩紀》輯存《飲馬長城窟行》、《游覽》、《宴會詩》三篇,四首。

張氏《百三家·陳記室集》一卷，凡賦、上書、書、牋、檄、版文、設難、樂府、詩二十二篇。

汪氏《文選撰人篇目》：魏陳孔璋琳有《答東阿王牋》、《上魏文帝書》、《檄豫州》、《檄吳將校》。

嚴氏《全後漢文編》輯本一卷，凡《大暑賦》、《止欲賦》、《武庫賦》、《神武賦》、《神女賦》、《大荒賦》、《迷迭賦》、《馬瑙勒賦》、《柳賦》、《鸚鵡賦》、《諫何進召外兵》、《答東阿王箋》、《更公孫瓚與子書》、《答張紘書》、《爲曹洪與魏太子書》、《爲袁紹檄豫州》、《檄吳將校部典》、《應譏》、《韋端碑》，十九篇。

魏太子文學劉楨集四卷　錄一卷

劉楨有《毛詩義問》十卷，見經部詩類。

《魏志·王粲傳》：“粲與東平劉楨等咸著文賦數十篇。”注引《典論》曰：“琳、瑀之章表書記，今之儁也。應瑒和而不壯，劉楨壯而不密。”又《魏略》曰：“建安二十三年，太子又與吳質書曰：‘孔璋章表殊健，公幹有逸氣，但未遒耳。至其五言詩，妙絕當時。’”

鍾嶸《詩品》曰：“魏文學劉楨詩，其源出于古詩，仗氣愛奇，動多振絶，真骨凌霜，高風跨俗。但氣過其文，彫潤恨少，然自陳思以下，楨稱獨步。”

《文心雕龍·才略篇》曰：“劉楨情高以會采。”又《書記篇》曰：“公幹箋記，麗而規益，子桓弗論，故世所共遺。若略名取實，則有美于爲詩矣。”

《唐書·經籍》、《藝文志》：魏《劉楨集》二卷。案此入魏代亦非。

馮氏《詩紀》輯存《公讌詩》、《雜詩》、《鬥雞》、《射鳶》、《失題》凡八篇，十四首。

張氏《百三家·劉公幹集》一卷，凡賦、書、碑、詩十七篇。

汪氏《文選撰人篇目》：魏劉公幹楨有《公讌詩》、《贈五官中郎將詩》、《贈徐幹詩》、《贈從弟詩》、《雜詩》一首。《雜詩》本二首，此錄其一也。

嚴氏《全後漢文編》曰："劉楨爲平原侯庶子五官將文學。有《毛詩義問》十卷，集四卷。今存《大暑賦》、《黎陽山賦》、《魯都賦》、《遂志賦》、《清慮賦》、《瓜賦》、《與曹植書》、《諫曹植書》、《答魏太子丕借廓落帶書》、《處士國文甫碑》，凡十篇。"

後漢丞相主簿繁欽集十卷。梁録一卷，亡。

《魏志·王粲傳》："自潁川邯鄲淳、繁欽等，亦有文采。"裴松之曰："繁音婆。《典略》：'欽字休伯，以文才機辨，少得名于汝、潁。欽既長于書記，又善爲詩賦。其所與太子書，記喉轉意，率皆巧麗。爲丞相主簿。建安二十三年卒。'"

《文選·繁休伯與文帝牋》注：《文章志》曰："繁欽字休伯，潁川人，少以文辨知名，豫州從事，稍遷至丞相主簿，病卒。"《文帝集》序云："上西征，余守譙，繁欽從，時薛訪車子能喉轉，與笳同音。欽牋還與余，而盛歎之，雖過其實，而其文甚麗。"亦見汪氏《文選撰人篇目》。

《唐書·經籍》、《藝文志》：《繁欽集》十卷。

馮氏《詩紀》輯存四五言詩凡六篇。

嚴氏《全後漢文編》曰："繁欽有集十卷。今有《暑賦》、《抑檢賦》、《明□賦》、《愁思賦》、一作《秋思》。《弭愁賦》、《述征賦》、《述行賦》、一作《遂行》。《避地賦》、《征天山賦》、一作《撰征賦》。《建章鳳闕賦》、《三胡賦》、《桑賦》、《柳賦》、《與魏太子牋》、《爲史叔良作移零陵檄》、《川里先生訓》、《硯頌》、《硯贊》、《尚書箴》、《威儀箴》、《嘲應德璉文》、《丘雋碑》，凡二十二篇。"

後漢丞相主簿楊修集一卷。梁二卷。録一卷。

《後漢書·楊震傳》：震，弘農華陰人也。中子秉，秉子賜，賜子彪，彪子修，字德祖，好學，有俊才，爲丞相曹操主簿。操忌修，且以袁術之甥，慮爲後患，遂因事殺之。修所著賦、頌、碑、贊、詩、哀辭、表、記、書凡十五篇。

又傳注：《續漢書》曰：“人有白修與臨淄侯曹植飲醉共載，從司馬門出，謗訕鄢陵侯章。太祖聞之大怒，故遂收殺之，時年四十五矣。”

《魏志·陳思王植傳》注：《典略》曰：“修，建安中，舉孝廉，除郎中，丞相請署倉曹屬主簿。是時，軍國多事，修總知外內，事皆稱意。自魏太子以下，並爭與交好。臨菑侯植後以驕縱見疏，而植故連綴修不止，修亦不敢自絕。至二十四年秋，公以修前後漏泄言教，交關諸侯，乃收殺之。修臨死，謂故人曰：‘我固自以死之晚也。’其意以爲坐曹植也。修死後百餘日而太祖薨。”

《文心雕龍·才略篇》曰：“路粹、楊修，懷筆記之工。”

《唐書·經籍》、《藝文志》：《楊修集》二卷。

汪氏《文選撰人篇目》：後漢楊德祖修有《答臨淄侯牋》。

嚴氏《全後漢文編》：楊修有集二卷。今存《節游賦》、《出征賦》、《許昌宮賦》、《神女賦》、《孔雀賦》、《答臨淄侯箋》、《司空荀爽述贊》，凡七篇。

後漢侍中王粲集十一卷

王粲有《尚書釋問》四卷，見經部書類。

《魏志》本傳：魏國既建，拜侍中。博物多識，問無不對。時舊儀廢弛，興造制度，粲恒典之。性善算，作算術，略盡其理。善屬文，舉筆便成，無所改定，時人常以爲宿構，然正復精意覃思，亦不能加也。著詩、賦、論、議垂六十篇。文帝書《與元城令吳質》曰：“仲宣獨自善于辭賦，惜其體弱，不起其文。至于所善，古人無以遠過也。”

又傳注：《典論》曰：“粲長于辭賦。如粲之《初征》、《登樓》、《槐賦》、《征思》，雖張、蔡不過也。”又《典略》曰：“粲才既高，辯論應機。鍾繇、王朗等雖各爲魏卿相，至于朝廷奏議，皆閣筆不能措手。”

又傳：評曰：“昔文帝、陳王博好文采，同聲相應，才士並出，惟粲等六人最見名目。而粲特處常伯之官，興一代之制，然其沖虛德宇，未若徐幹之粹也。”

《宋書·樂志》：“太和初，侍中繆襲奏：‘《安世歌》本漢時歌名。魏國初建，故侍中王粲作登歌《安世詩》，專以思詠神靈及鑒享之意。’”又曰：“漢《巴渝舞》之曲四篇，其辭既古，莫能曉其句度。魏初，乃使王粲改創其辭。”又曰：“魏國初建，使王粲改作登歌及《安世》、《巴渝》詩。”又曰：“王粲所撰《安世詩》，今亡。”

《文章流別傳》曰：“後世器銘之佳者，有王莽《鼎銘》、崔瑗《机銘》、朱公叔《鼎銘》、王粲《硯銘》。”又曰：“王粲所與蔡子篤、睦。 及文叔良、穎。 士孫文始、萌。 楊德祖修。 詩及《爲潘文則作思親詩》，其文當而整，皆近乎雅矣。”

鍾嶸《詩品》曰：“魏侍中王粲詩，其源出于李陵，發愀愴之詞，文秀而質羸，在曹劉間別構一體，方陳思不足，比魏文有餘。”

《文心雕龍·詮賦篇》曰：“仲宣靡密，發端必遒。”又《雜文篇》曰：“仲宣《七釋》，致辯于事理。”又《才略篇》曰：“仲宣溢才，捷而能密，文多兼善，辭少瑕累，摘其詩賦，則七子之冠冕乎！”

《金樓子·雜記篇》曰：“王仲宣昔在荆州，著書數十篇。荆州壞，盡焚其書，今存者一篇。知名之士咸重之。見虎一毛，不知其斑。”案此所云，他書不概見，其事莫得而詳。其所存一篇，亦不知何書。

《顏氏家訓·勉學篇》曰：“吾初入鄴，與博陵崔文彥交游，嘗説《王粲集》中難鄭玄《尚書》事。崔轉爲諸儒道之，始將發口，懸見排蹙，云：'文集止有詩賦銘誄，豈當論經書事乎？且先儒之中，未聞有王粲也。'崔笑而退，竟不以粲集示之。"

《唐書·經籍》、《藝文志》：《王粲集》十卷。_{《宋史·志》八卷。}

晁氏《讀書志》：《王粲集》八卷。粲著詩、賦、論、議垂六十篇。今集有八十一首。案《唐志》粲集十卷，今亡兩卷，其詩文反多于史所紀二十餘篇。_{案史所言篇數，或以卷分，或以類分。晁氏以首數爲篇數，似不然。又云"亡兩卷"者，蓋即《尚書問》析出別行。其後鄭氏門人田瓊、韓益爲解釋之，即《七録》所載《尚書釋問》四卷是也，詳見本條。}

馮氏《詩紀》輯存樂府及四、五言詩十二篇，二十六首。

張氏《百三家·王侍中集》一卷，凡賦、書、檄、七記、論、連珠、贊、銘、祭文、樂府、詩綜五十六篇。

汪氏《文選撰人篇目》：魏王仲宣粲有《登樓賦》、《公讌詩》、《詠史詩》、《七哀詩》、《贈蔡子篤詩》、《贈士孫文始詩》、《贈文叔良詩》、《從軍詩》五首、《雜詩》一首。

嚴氏《全後漢文編》：王粲有《去伐論集》三卷，《漢末英雄記》十卷，集十一卷。今存賦、書、檄、《七釋》、頌、贊、論、《荆州文學官志》、《倣連珠》、銘、弔綜四十六篇，編爲二卷。

　　案《王粲傳》云："魏國既建，拜侍中。"又《武紀》："建安十八年十一月初置尚書、侍中、六卿。"注引《魏氏春秋》曰："以王粲、杜襲、衛覬、和洽爲侍中。"是王粲爲魏國侍中，非漢侍中。經部書類題"魏侍中"，"魏"下當增"國"字。此題"後漢侍中"則全非事實矣。

梁有《魏國郎中令路粹集》二卷，録一卷，亡。

《魏志·王粲傳》注：《典略》曰："粹字文蔚，少學于蔡邕。初平中，隨車駕至三輔。建安初，以高才與京兆嚴像擢拜尚書郎。粹後爲軍謀祭酒，與陳琳、阮瑀等典記室。及孔融有過，

太祖使粹爲奏,承指數致融罪。融誅之後,人覩粹所作,無不
嘉其才而畏其筆也。至十九年,粹轉爲祕書令,從大軍至漢
中,坐違禁賤請轡伏法。太子素與粹善,聞其死,爲之歎惜。
及即位,特用其子爲長史。"案此則路粹官至祕書令,本志引《七錄》題尚書
令,未詳孰是。

《文心雕龍·奏啓篇》曰:"觀孔光之奏董賢,則實其奸回;路
粹之奏孔融,則誣其釁惡。名儒之與憸士,固殊心焉。"

《唐書·經籍》、《藝文志》:魏《路粹集》二卷。案此入魏代,亦非。

嚴氏《全後漢文編》曰:"路粹有集二卷。今惟存《枉狀奏孔
融》、《爲曹公與孔融書》各一篇,並見融傳。"

梁有《行御史大夫袁渙集》五卷,錄一卷,亡。

《魏志》本傳:渙字曜卿,陳郡扶樂人也。父滂,爲漢司徒。渙
初爲郡功曹,後辟公府,舉高第,遷侍御史。劉備之爲豫州,
舉渙茂才。後避地江淮間,爲袁術所命。呂布擊術于阜陵,
渙往從之。布破,歸太祖,拜爲沛南部都尉,遷梁相。病去
官。後徵爲諫議大夫,丞相軍祭酒。魏國初建,爲郎中令,行
御史大夫事。居官數年卒。

《唐書·經籍》、《藝文志》:魏《袁渙集》五卷。案此入魏代,亦非。

嚴氏《全後漢文編》:袁渙有集五卷。今存《與主簿孫徽等
教》、《説曹公》、《與曹子建書》,凡三篇。

梁有《魏國奉常王修集》二卷,亡。

《魏志》本傳:修字叔治,北海營陵人也。初平中,北海相孔融
召以爲主簿,守高密令,舉孝廉,不行。復署功曹,守膠東令。
融每有難,常賴修以免。袁譚在青州,辟修爲治中從事。袁
紹又辟,除即墨令。紹、譚死,遂詣太祖,爲司空掾,行司金中
郎將,遷魏郡太守。魏國既建,爲大司農郎中令,徙奉常。病
卒官。

《唐書·經籍》、《藝文志》：《魏王修集》三卷。案此入魏代,亦非。

嚴氏《全後漢文編》：王修有集三卷。今存《四孤議》、《奏記曹公陳黃白異議》、《誡子書》各一篇。

後漢尚書丁儀集一卷。梁二卷。錄一卷。

後漢黃門郎丁廙集一卷。梁二卷。錄一卷。

《魏志·王粲傳》：自潁川邯鄲淳、繁欽、陳留路粹、沛國丁儀、丁廙、弘農楊修、河內荀緯等,皆有文采,而不在此七人之列。謂此亦七人,而不在文帝所論"建安七子"之列也。"建安七子"亦云"鄴下七子",見前《孔融集》條。

又《陳思王植傳》：植既以才見異,而丁儀、丁廙、楊修等為之羽翼。太祖狐疑,幾為太子者數矣。而植任性而行,不自彫勵,飲酒不節。文帝御之以術,矯情自飾,宮人左右,並為之說,故遂定為嗣。植嘗乘車行馳道中,開司馬門出。太祖大怒,公車令坐死。由是重諸侯科禁,而植寵日衰。太祖既慮終始之變,以楊修頗有才策,又袁氏之甥也,于是以罪誅修。文帝即王位,誅丁儀、丁廙,并其男口。

又傳注：《魏略》曰："丁儀,字正禮,沛郡人也。父沖,宿與太祖親善。太祖嘗德之。聞儀為令士,辟為掾。與臨淄侯親善,數稱其奇才。太祖既有意立植,而儀又共贊之。及太子立,欲治儀罪,轉儀為右刺姦掾,欲儀自裁而儀不能。乃對中領軍夏侯尚叩頭求哀,尚為涕泣而不能救。後遂因職事收付獄,殺之。廙字敬禮,儀之弟也。"《文士傳》曰："廙少有才姿,博學洽聞。初辟公府,建安中為黃門侍郎。"

《唐書·經籍》、《藝文志》：《魏丁儀集》二卷,《丁廙集》二卷。案此入魏代,亦非。

嚴氏《全後漢文編》輯存丁儀《厲志賦》、《周成漢昭論》、《刑禮論》凡三篇。又丁廙《蔡伯喈女賦》、《彈棊賦》二篇。

案《舊唐志》以袁渙、應瑒、徐幹、劉楨、路粹、丁儀、丁廙、王修八家皆入之魏代，《新唐志》因之，不知此八人皆卒于建安之時。其時雖魏國已建，而漢天子猶在位。所謂魏公、魏王者，猶是漢之諸侯王，故比之諸侯王官屬，仍隸後漢。此本志據《七錄》限斷之例之最善者。《唐志》不究其所以然，遽爾更易，觕疏甚矣。其他諸家記載，于漢、魏之際，亦復多所依違，莫衷一是。唯本志此一類及嚴氏《文編》則具有斷制，無所遷就，可爲定讞。

梁又有《婦人後漢黃門郎秦嘉妻徐淑集》一卷，亡。

鍾嶸《詩品》曰：“漢上計秦嘉妻徐淑詩，夫妻事既可傷，文亦悽怨。爲五言者，不過數家，而婦人居二。徐淑敘別之作，亞于《團扇》矣。”

馮氏《詩紀》曰：“秦嘉字士會，隴西人。有《留郡贈婦詩》三首。其序云：‘嘉爲上計掾，其妻徐淑寢疾還家，不獲面別，贈詩云爾。’又有《贈婦詩》一首，《述昏詩》二章。徐淑有《答秦嘉詩》一首。”

嚴氏《鐵橋漫稾·後漢秦嘉妻徐淑傳序》曰：“嘉字士會，後漢桓帝時人，官黃門郎。作《秦嘉妻傳》，其文多拾成言，可補范書《列女傳》之闕。其略曰：隴西秦嘉妻者，同郡徐氏女也。名淑，有才章，適嘉。嘉仕郡，淑居下縣，有疾。嘉舉上計掾，將行，以車迎淑爲別，而與淑書。淑答書，以疾未能行。嘉重報淑書，淑又報嘉書。嘉遂行入洛，尋除黃門郎。居數年，病卒于津鄉亭。初，淑生一女，無子。及嘉奉使，淑乞子而養之。尋守寡。時猶豐少，兄弟將嫁之。誓而不許，爲書與兄弟，竟毀形不嫁，哀慟傷生亡。後子還所生，朝廷通儒移其鄉邑，録淑所養子還繼秦氏之祀。淑所著詩文有集一卷。”

又《全後漢文編》曰：“秦嘉字士會，隴西人。桓帝時，仕郡，舉上計掾入洛，除黃門郎。病卒于津鄉亭。有《與妻徐淑書》、《重報妻書》各一篇。徐淑有集一卷。今存《答夫秦嘉書》一篇、《又報嘉書》一篇、《爲誓書與兄弟》一篇。”

案秦嘉有詩文傳世，而本志無其集。古來文集多附載他人往還之作，或嘉之詩文并在徐淑集中，未可知也。《元和姓纂》曰：“後漢上計掾《秦嘉集叙》，下邳皮仲固撰。”則嘉亦有集，抑《姓纂》“嘉”下敓“妻”字，亦即《徐淑集》，而皮仲固爲之叙也。

梁又有《後漢董祀妻蔡文姬集》一卷，亡。

《後漢書·列女傳》：陳留董祀妻者，同郡蔡邕之女也，名琰，字文姬。博學有才辯，又妙于音律。適河東衛仲道。夫亡無子，歸寧于家。興平中，天下喪亂，文姬爲胡騎所獲，没于南匈奴左賢王，在胡中十二年，生二子。曹操素與邕善，痛其無嗣，乃遣使者以金璧贖之，而重嫁于祀。祀爲屯田都尉，犯法當死，文姬詣曹操請之。時公卿名士及遠方使驛坐者滿堂，操謂賓客曰：“蔡伯喈女在外，今爲諸君見之。”及文姬進，蓬首徒行，叩頭請罪，音辭清辨，旨甚酸哀，衆皆爲改容。操感其言，乃追原祀罪。時且寒，賜以頭巾履襪。操因問曰：“聞夫人家先多墳籍，猶能憶識之不？”文姬曰：“昔亡父賜書四千許卷，流離塗炭，罔有存者。今所誦憶，裁四百餘篇耳。”操曰：“今當使十吏就夫人寫之。”文姬曰：“妾聞男女之別，禮不親授。乞給紙筆，真草唯命。”于是繕書送之，文無遺誤。後感傷亂離，追懷悲憤，作詩二章。案范書此傳載其詩之後，絕無一語，其文似不完。故其所著若干篇及其餘事皆不得而詳。丁廙有《蔡伯喈女賦》，當在此時作。同作者，當不止丁廙一人。王粲得蔡氏家書之事，雖中郎有是言，觀于此傳，亦未必實有其事也。

《魏文帝集》：《蔡伯喈女賦序》曰：“家公與蔡伯喈有管鮑之

好,乃命使者周近持玄璧于匈奴贖其女還,以妻屯田都尉使者。"

《宋書·藝文志》經部樂類:蔡琰《胡笳十八拍》四卷。

《書畫譜·書家傳》:《黄山谷集》曰:"蔡琰《胡笳引自書》十八章,極可觀。"

馮氏《詩紀》:[①]蔡琰有《悲憤詩》二首,又《胡笳引》十八章。

梁又有《傅石甫妻孔氏集》一卷。

傅石甫及孔氏始末並未詳。

右後漢人文凡三十五家,附梁有三十六家,綜七十一部,是爲別集類分篇第二。内誤入吴人虞翻一家。

---

① "詩",原誤作"世",據明萬歷刻本《詩紀》改。

卷三十九之三

集部二之三
別集類三　　三國

魏武帝集二十六卷。梁三十卷。録一卷。梁又有《武皇帝逸集》十卷，亡。

魏武帝集新撰十卷

《魏志》本紀注：《魏書》曰："太祖御軍三十餘年，手不捨書，晝則講武策，夜則思經傳，登高必賦，及造新詩，被之管絃，皆成樂章。"

又《文帝紀》注：《典論自叙》曰："上雅好詩書文籍，雖在軍旅，手不釋卷，每每定省從容。常言人少好學則思專，長則善忘，長大而能勤學者，唯吾與袁伯業耳。"袁遺，字伯業，袁紹從兄。見《武紀》初平元年裴氏注。

鍾嶸《詩品》曰："曹公古直，甚有悲涼之句。"

《文心雕龍·時序篇》曰："建安之末，區宇方輯。魏武以相王之尊，雅愛詩章。"

《唐書·經籍》、《藝文志》：《魏武帝集》三十卷。

馮氏《詩紀》輯存《樂府》、《度關山》、《短歌行》、《善哉行》、《碣石篇》、《薤露》、《蒿里行》、《苦寒行》、《善哉行》、《卻東西門行》、《氣出唱精列》、《對酒》、《陌上桑》、《秋胡行》凡十四篇，二十一首。

張溥《百三家·魏武帝集》一卷，凡令、教、表、奏事、策、書、尺牘、序、祭文、樂府歌辭，綜一百四十五篇。

汪氏《文選撰人篇目》：魏武帝操有《樂府》二首。

嚴氏《全三國文編》曰：“魏武帝有《孫子略解》一卷、《兵書接要》十卷、《兵法接要》三卷、《兵書要略》九卷、《兵法》一卷、《集》三十卷、《逸集》十卷。今存賦、策、表、奏、上書、上事、教、令、書、序、《家傳》、《四時食制》、《祀故太尉橋玄文》，凡一百五十篇，編爲三卷。”

魏文帝集十卷。梁二十三卷。

魏文帝有《典論》，見經部小學家、子部儒家。

《魏志》本紀：“初帝好文學，以著述爲務，自所勒成垂百篇。”

又本紀評曰：“文帝天資文藻，下筆成章，博聞強識，才藝兼該。”

又本紀注：《魏書》曰：“帝八歲能屬文，有逸才，博貫古今經傳、諸子百家之書。初在東宮，疫癘大起，時人彫傷。帝深感歎，與素所敬者大理王郎書曰：‘生有七尺之形，死爲一棺之土。唯立德揚名，可以不朽，其次莫如著篇籍。疫癘數起，士人彫落，余獨何人，能全其壽？’故論撰所著《典論》、詩賦，蓋百餘篇。胡沖吳曆曰：‘帝以素書所著《典論》及詩賦餉孫權，又以紙寫一通與張昭。’”

鍾嶸《詩品》曰：“魏文帝詩，其源出於李陵，頗有仲宣之體。則所訂百許篇，率皆鄙質如偶語，惟《西北有浮雲》十餘首，殊美贍可翫，始見其工矣。不然，何以銓衡群彥，對揚厥弟者耶？”

《文心雕龍·才略篇》曰：“魏文之才，洋洋清綺。舊談抑之，謂去植千里，然子建思捷而才儁，詩麗而表逸。子桓慮詳而力緩，故不競于先鳴。而樂府清越，《典論》辨要，迭用短長，亦無懵焉。但俗情抑揚，雷同一響，遂令文帝以位尊減才，思王以勢窘益價，未爲篤論也。”又《銘箴篇》曰：“魏文九寶，器利辭鈍。”《序志篇》云：“近代論文，若魏文述典，密而不周。”

《唐書·經籍》《藝文志》:《魏文帝集》十卷。

《宋史·藝文志》:《魏文帝集》一卷。

《玉海·藝文類》:《中興書目》曰:"《魏文帝集》六卷,賦、詩各二,書、表、詔一,雜文一。"

馮氏《詩紀》輯存樂府十八篇二十二首,詩十六篇二十首。

張氏《百三家·魏文帝集》二卷,凡賦、詔、令、策、教、表、書、序、論、議、連珠、銘文、哀策、誄、制、樂府、詩綜一百九十餘篇。

汪氏《文選撰人篇目》:魏文帝丕有《芙蓉池詩》,樂府二首,《與吳質書》《與鍾大理書》《典論·論文》。

嚴氏《全三國文編》:魏文帝有《典論》五卷,《列異傳》三卷,集二十三卷。今存賦、制、詔、策、令、教、上書、議、書、叙、論、連珠、銘、誄、哀策文、《受禪告天文》凡一百六十九篇,編爲四卷。繫以《典論》佚文。

魏明帝集七卷。梁五卷或九卷。録一卷。

《魏志》本紀注:《魏書》曰:"帝好學多識,特留意于法理。自在東宮,不交朝臣,不問政事,唯潛思書籍而已。"

鍾嶸《詩品》曰:"曹公古直,甚有悲涼之句。叡不如丕,亦稱三祖。"

《文心雕龍·時序篇》:明帝纂戎,制詩度曲,徵篇章之士,置崇文之館,何劉群才,迭相照耀。

《唐書·經籍》《藝文志》:《魏明帝集》十卷。

馮氏《詩紀》輯存樂府十篇。

嚴氏《全三國文編》曰:"魏明帝諱叡,字元仲,文帝太子。黃初七年五月即位,改元三:太和、青龍、景初。在位十三年,謚曰明皇帝,廟號烈祖。有集七卷,《唐志》作十卷。今存賦、詔、璽書、露布、論、哀册文,凡九十篇。"

梁又有《高貴鄉公集》四卷,亡。

高貴鄉公有《春秋左氏傳音》,見經部春秋家。

《魏志》本紀:甘露元年夏四月丙辰,帝幸太學,問諸儒夏《連山》、殷《歸藏》、周《周易》之書。《易》博士淳于俊對講《易》畢,復命講《尚書》,博士庾峻對,復命講《禮記》,博士馬照對。二年五月辛未,帝幸辟雍,會命群臣賦詩。侍中和逌、尚書陳騫等作詩稽留,有司奏免官,詔曰:"吾以暗昧,愛好文雅,廣延詩賦,以知得失,而乃爾紛紜,良用反仄。其原逌等。主者宜勅自今以後,群臣皆當玩習古義,修明經典,稱朕意焉。"_案太學講義,見載本紀者,尚千數百言。蓋節錄,非本文。此必陳承祚從本集或當時注記所有采以入史者。

又本紀評曰:"高貴公才慧夙成,好問尚辭,蓋亦文帝之風流也。"注引《魏氏春秋》曰:"公神明爽儁,德音宣朗。罷朝,司馬景王私曰:'上何如主也?'鍾會對曰:'才同陳思,武類太祖。'"

又紀注:《魏氏春秋》曰:"甘露元年二月丙辰,帝宴群臣於太極東堂,與侍中荀顗、尚書崔贊、袁亮、鍾毓、給事中中書令虞松等並講述禮典,遂言帝王優劣之次。'因問顗等:'夏少康,漢高祖,功德誰先?'顗等對以高祖為優。帝曰:'宜高夏康,而下漢祖,諸卿具詳論之。'翌日丁巳,講業既畢,顗、亮等議,少康為優,宜如詔旨。中書令松進曰:'少康之事,去世久遠,自古及今,議論之士莫有言者,德美隱而不宣。陛下既垂心遠鑒,考詳古昔,又發德音,贊明少康之美,使顯于千載之上,宜錄以成篇,永垂于後。'於是侍郎鍾會退論次焉。"_{嘉定錢大昕}《三國志考異》曰:"案少康之論,意常在司馬氏也。聰明太露,終為權臣所忌,失韜貞自晦之義。能處此者,其後周武帝乎?"案此論當在本集。

又紀注:傅暢《晉諸公贊》曰:"帝常與中護軍司馬望、侍中王沈、散騎常侍裴秀、黃門侍郎鍾會等講宴於東堂，并屬文論。名秀爲儒林大人，沈爲文籍先生，望、會亦各有名號。帝性急，請召欲速。秀等在內職，到得及時，以望在外，特給追鋒車，虎賁卒五人，每有集會，望輒奔馳而至。”

《文心雕龍‧時序篇》曰：“少主相仍，唯高貴英雄，顧盼合章，動言成論。于時正始餘風，篇體輕澹，而稽阮應繆，並馳文路矣。”又《諧讔篇》曰：“讔者，隱也。漢世《隱書》，十有八篇，歆、固編文，錄之歌末。自魏代以來，化爲謎語。謎也者，迴護其辭，使昏迷也。或體目文字，或圖象品物，纖巧以弄思，淺察以衒辭，義欲婉而正，辭欲隱而顯。荀卿《蠶賦》，已兆其體。至魏文、陳思，約而密之。高貴鄉公，博舉品物，雖有小巧，用乖遠大。然文辭之諧讔，譬九流之有小說云。”案此則《文帝集》、《陳思王集》及是集皆有謎語一類，惟此集又博舉品物，尤多于前云。

《初學記‧職官部》：《魏高貴鄉公集》曰：“幸華林，賜群臣酒。酒酣，上援筆賦詩，群臣以次作。二十四人不能著詩，授罰酒，黃門侍郎鍾會爲上。”《金樓子‧雜記篇》：高貴鄉公賦詩，給事中甄歆、陶成嗣各不能著詩，受罰酒。

《唐書‧經籍》、《藝文志》：《魏高貴鄉公集》二卷。

嚴氏《全三國文編》曰：“公諱髦，字彥士，文帝孫，東海王霖子。正始五年，封郯縣高貴鄉公。嘉平六年十月即位，改元二：正元、甘露。在位六年，爲司馬昭所殺。有集四卷。今存賦、詔、《顏子論》及《魏志‧紀》注引帝集《自叙始生禎祥》，凡十四篇。”其《東堂會群臣論夏少康、漢高祖優劣》，嚴氏編入《鍾會集》。《魏氏春秋》所載即鍾會撰次是論之序文。

　案張彥遠《歷代名畫記》曰：“曹髦之迹，獨高魏代。有《祖二疏圖》、《盜跖圖》、《黃河流勢圖》、《新豐放雞犬圖》傳于代。又有《於陵子黔婁夫妻圖》。”宋郭若虛《圖畫見聞志》

云："魏曹髦有《卞莊子刺虎圖》。"案帝被殺，年僅二十。以弱冠之年而才藝流傳後世有如此。鍾會對司馬師言"才同陳思"，非虛譽也。

魏陳思王曹植集三十卷

陳思王有《列女傳頌》，見史部雜傳篇。

植《文章序》曰："故君子之作也，儼乎若高山，勃乎若浮雲，質素也如秋蓬，摛藻也如春葩，氾乎洋洋，光乎皢皢，與雅頌爭流可也。余少而好賦，其所尚也，雅好慷慨，所著繁多，雖觸類而作，然蕪穢者衆，故删定別撰，爲前録七十八篇。"案傳注引《典略》："臨菑侯植與楊修書云：'今往僕少小所著辭賦一通相與。'修答書云：'猥受顧賜，教使刊定。'"似即此前録嘗以屬楊修審定者，時爲建安十九年，徙封臨菑之後事也。

《魏志》本紀：明帝景初中，詔曰："陳思王昔雖有過失，既克己慎行，以補前闕，且自少至終，篇籍不離于手，誠難能也。其收黃初中諸奏植罪狀，公卿已下議，尚書、中書、祕書三府、大鴻臚者皆削除之。撰録植前後所著賦、頌、詩、銘、雜論凡百餘篇，副藏内外。"案此稱"前後所著"蓋并前録自定之七十八篇，合爲百餘篇也。《晉書·曹志傳》：志曰："先王有手所作目録。"

鍾嶸《詩品》曰："陳思王詩，其源出於《國風》。骨氣奇高，詞采華茂，情兼雅怨，體被文質，粲溢今古，卓爾不群。嗟乎！陳思之于文章也，譬人倫之有周孔，鱗羽之有龍鳳，音樂之有琴瑟，女工之有黼黻。俾爾懷鉛吮墨者，抱篇章而景慕，暎餘暉以自燭。故孔氏之門如用詩，則公幹升堂，思王入室，景陽、潘、陸自可坐於廊廡之間矣。"張協字景陽，有集，見西晉人集中。

《文心雕龍·明詩篇》："暨建安之初，五言騰踊，文帝陳思，縱轡以騁節；王、徐、應、劉，望路而爭馳。並憐風月，狎池苑，述恩榮，叙酣宴，慷慨以任氣，磊落以使才。造懷指事，不求纖密之巧；驅辭逐貌，唯取昭晰之能：此其所同也。"又曰："四言、五言，兼善則子建、仲宣。"又《章表篇》曰："陳思之表，獨冠群才。觀其體贍而律調，辭清而旨顯，應物制巧，隨變生趣，執轡有餘，故能緩急應節矣。"又《封禪篇》曰："陳思《魏德》，假論客主，問答迂緩，且已千言，勞深勣寡，飆炎缺焉。"又《誄碑篇》曰："陳思叨名，而體實繁緩。文皇誄末，旨言自陳，其乖甚矣！"《雜文篇》曰："陳思《七啓》，致美于宏壯。陳思《客問》，辭高而理疏。"《頌贊篇》云："陳思所綴，以《皇子》爲標。"謂所作《皇太子生頌》也。《論説篇》云："曹植《辯道》，體同書鈔。"《序志篇》云："詳觀近代之論文者，若陳思序書，辨而無當。"

《唐日本國見在書目》：魏《曹植集》三十卷。

《唐書‧經籍》、《藝文志》：魏《陳思王集》二十卷，又三十卷。案此兩疑前後錄分編，或猶是景初舊第。

《宋史‧藝文志》：《曹植集》十卷。

晁氏《讀書志》：《曹植集》十卷。魏曹植子建也。太祖子，文帝封植爲陳王，卒年三十一。案"文帝"當云"明帝"。三十一，"三"當爲"四"。案《魏志》："景初中，撰録植所著賦、頌、詩、銘、雜論，凡百餘篇。"《隋志》三十卷，《唐志》二十卷。今集十卷，比隋、唐本有亡逸者。而詩文二百篇，返溢于本傳所載，不曉其故。

陳氏《書録》曰："《陳思王集》二十卷。卷數與前志合。其間亦有采取《御覽》、《書鈔》、《類聚》諸書中所有者，意皆後人附益。然則亦非當時全書矣。其間或引摯虞《流別集》，此書國初已亡，猶是唐人舊傳也。"

《四庫提要》曰："《曹子建集》十卷。目録後有'嘉定六年癸酉'字，猶從宋寧宗時本翻雕。蓋即《通考》所載也。凡賦四十四篇，詩七十四篇，雜文九十二篇，合二百十篇。殘篇斷

句,錯出其間。《棄婦篇》見《玉臺新詠》。《鏡銘》八字,反覆
顛倒,皆叶韻成文,實爲迴文之祖,見《藝文類聚》,皆未收入,
亦不免有所舛漏。"

汪氏《文選撰人篇目》:魏曹子建植有《洛神賦》、《責躬詩》、
《應詔詩》、《公讌詩》、《送應氏詩》、《三良詩》、《七哀詩》、《贈
徐幹詩》、《贈丁儀詩》、《贈王粲詩》、《贈丁儀王粲詩》、《贈白
馬王詩》、《贈丁翼詩》、《樂府》四首、《朔風詩》、《雜詩》六首、
《情詩》、《七啓》、《求自試表》、《求通親親表》、《與楊德祖書》、
《與吳季重書》、《王仲宣誄》。

嚴氏《文編》卷首《叙目》曰:"《曹植集》十卷,明郭萬程刻本。
又二卷,明張溥《百三家集》本。"又《四録堂類集總目》:"《陳
思王集》十卷,可均校編。"又《全三國文編》輯本七卷,凡賦五
十六篇,及令、章、表、疏、書、序、頌、畫贊、論説、銘、誄、雜文
百四十三篇。馮氏《詩紀》樂府、詩各一卷。

張氏《書目答問》:《曹子建集》十卷,明仿宋刻附《音義》本,明
安氏活字版本,漢陽朝宗書室活字版本。

梁又有《司徒華歆集》二卷,亡。

《魏志》本傳:歆字子魚,平原高唐人也。初爲郡吏,靈帝時舉
孝廉,除郎中,病去官。何進徵爲尚書郎。董卓遷天子長安,
歆求出爲下邽令。袁術留歆,歆説術進軍討卓,術不能用。
太傅馬日磾安集關東,辟爲掾。東至徐州,詔拜豫章太守。
孫策略地江東,乃幅巾迎策。策死,太祖在官渡,徵拜議郎,
參司空軍事,入爲尚書,轉侍中,代荀彧爲尚書令。表爲軍
師。魏國既建,爲御史大夫。文帝即王位,拜相國,封安樂鄉
侯。及踐阼,改爲司徒。明帝即位,進封博平侯。轉拜太尉。
太和五年薨,謚曰敬侯。子表嗣。

《魏書》曰:"歆時年七十五。"

《唐書·經籍志》：“《魏華歆集》二十卷。”《藝文志》：三十卷。案兩《志》卷數與《七録》懸殊，必有一誤，即益以《漢魏名臣奏》，恐亦無二三十卷之多也。

嚴氏《全三國文編》：華歆，唐有集三十卷。今存《請叙鄭小同表》、《諫伐蜀疏》、《請受禪上言》、《奏討孫吳》，凡四篇。

魏司徒王朗集三十四卷。梁三十卷。

王朗有《左氏釋駁》，見經部春秋家。

《魏志》本傳：朗著《易》、《春秋》、《孝經》、《周官》傳，奏議論記，咸傳于世。

《文心雕龍·奏啓篇》曰：“魏代名臣，文理迭興。若高堂天文，王朗節省，亦盡節而知治矣。”又《銘箴篇》曰：“王朗《雜箴》，乃置巾履，得其戒慎，而失其所施。觀其約文舉要，憲章戒銘，而水火井竈，繁辭不已，志有偏也。”又《才略篇》曰：“王朗發憤以託志，亦致美于序銘。”

《唐書·經籍》、《藝文志》：《王朗集》三十卷。

嚴氏《全三國文編》輯存表、疏、上事、奏、議、書、論、《雜箴》、《貧窶語》、《塞勢》，凡三十二篇。

梁又有《司徒陳群集》五卷，亡。案“司徒”當爲“司空”。

《魏志》本傳：群字長文，潁川許昌人也。祖父寔，父紀，叔父諶，皆有盛名。魯國孔融高才倨傲，年在紀、群之間，先與紀友，後與群交，更爲紀拜，由是顯名。劉備臨豫州，辟群爲別駕。後隨紀避難徐州。屬呂布破，太祖辟爲司空西曹掾屬。以司徒掾舉高第，爲治書侍御史，參丞相軍事。魏國既建，爲御史中丞，轉侍中，領丞相東西曹掾。文帝即王位，封昌武亭侯，徙爲尚書。制九品官人之法，群所建也。及踐阼，進爵潁鄉侯。明帝即位，晉封潁陰侯，爲司空，録尚書事。青龍四年薨，謚曰靖侯。”《明紀》：青龍四年十二月癸巳，司空陳群薨。

又傳注：《魏書》曰：“群前後數密陳得失，每上封事，輒削其
草，時人及其子弟莫能知也。論者或譏群居位拱默，正始中
詔群臣上書，以爲《名臣奏議》，朝士乃見群諫事，皆歎息焉。”
魏何晏《論語集解序》曰：“近故司空陳群、太常王肅、博士周
生烈皆爲義説。”案汪氏《文選理學權輿》曰：“《選注》所引群書，有陳群《論語
義説》。”是其書唐初猶傳，李善得見而據之。本志不著録。何氏《集解》所引止三條。
馬氏《玉函山房》輯以備一家云。

《通典·選舉門》：魏文帝爲魏王時，三方鼎立，士流播遷，四
人錯雜，詳覈無所。延康元年，吏部尚書陳群以天朝選用不
盡人才，乃立九品官人之法，州郡皆置中正，以定其選，擇州
郡之賢有識鑒者爲之，區別人物，第其高下。又制：“郡口十
萬以上，歲察一人，其有秀異，不拘户口。”其武官之選，俾護
軍主之。黄初三年，始除舊漢限年之制，令郡國貢舉，勿拘老
幼，儒通經術，吏達文法，則皆試用。”杜佑曰：“案九品之制，初因後漢
建安中天下興兵，衣冠士族多離于本土，欲徵源流，遽難委悉，魏氏革命，州郡縣俱置
大小中正，各以本處人任諸府公卿及臺省郎吏有德充才盛者爲之，區別所管人物，定
爲九等。其有言行脩著，則升進之。儻或道義虧缺，則降下之。是以吏部不能審定
天下士庶人才，故委中正銓第等級，憑之授受，謂免乖戾及其弊也。唯能知其閥閲，
非復辨其賢愚。所以劉毅云：‘上品無寒門，下品無勢族。’南朝至于梁、陳，北朝至
于周、隋，選舉之法，雖互相損益，而九品及中正至開皇中方罷。”案九品官人之法始
于陳群，行于魏晉，南北朝最久。而譜學家一派亦由是斷而復續，故附著其大略
于此。

《唐書·經籍》、《藝文志》：《陳群集》三卷。

嚴氏《全三國文編》：陳群有集五卷。今存疏、諫、奏、議、書及
《汝潁人物論》佚文，凡一十三篇。

魏給事中邯鄲淳集二卷。梁有録一卷。

邯鄲淳有《笑林》，見子部小説家。

《魏志·王粲附傳》：“潁川邯鄲淳等亦有文采。”注引《魏略》
曰：“黄初初，以淳爲博士、給事中。淳作《投壺賦》千餘言，奏

之，文帝以爲工，賜帛千匹。"案千匹似非實事。

《後漢・列女・曹娥傳》注：《會稽典録》曰："上虞長度尚弟子邯鄲淳，字子禮，時甫弱冠，時，謂漢桓帝元嘉元年也。而有異才。尚先使魏朗作《曹娥碑》，文成未出，會朗見尚，尚與之飲宴，而子禮方至督酒。尚問朗碑文成未，朗辭不才。因試使子禮爲之，操筆而成，無所點定。朗嗟嘆不暇，遂毀其草。其後蔡邕又題八字曰：'黃絹幼婦，外孫虀臼。'"

《文心雕龍・才略篇》曰："丁儀、邯鄲，亦合論述之美。"又《封禪篇》曰："至于邯鄲《受命》，攀響前聲，風末力寡，輯韻成頌，雖文理順序，而不能奮飛。"

《唐書・經籍》、《藝文志》：《邯鄲淳集》二卷。

馮氏《詩紀》輯存《答贈臨菑侯詩》一篇。

嚴氏《全三國文編》輯存《投壺賦》、《受命述》及《上表》、《漢鴻臚陳紀碑》、《孝女曹娥碑》，凡五篇。

梁又有《劉廙集》二卷，亡。

劉廙有《政論》，見子部法家。

《魏志》本傳：廙著書數十篇，及與丁儀共論刑禮，皆傳于世。

《吳志・孫晧傳》注：《江表傳》曰："初，丹陽刁玄使蜀，得司馬徽與劉廙論運命曆數事。"

又《陸遜傳》：黃龍元年，徵遜輔太子。南陽謝景善劉廙先刑後禮之論，遜呵景曰："禮之長于刑久矣，廙以細辯而詭先聖之教，皆非也。君今侍東宮，宜遵仁義，以彰德音。若彼之談，不須講也。"

《文心雕龍・書記篇》曰："劉廙謝恩，喻切以至，箋之爲善者也。"

《唐書・經籍》、《藝文志》：《劉廙集》二卷。

嚴氏《全三國文編》：劉廙有《政論》五卷，集二卷。今存表、疏、上言、奏、議、箋、答、難、《戒弟書》，凡二十篇。附《政論》佚文八篇。

梁又有《侍中吳質集》五卷，亡。

《魏志·王粲附傳》：吳質，濟陰人，以文才爲文帝所善。官至振威將軍，假節都督河北諸軍事，封列侯。

又傳注：《魏略》曰：“質字季重，以才學通博，爲五官將及諸侯所禮愛。出爲朝歌長，遷元城令。始質爲單家，少遊傲貴戚間，不與鄉里相沉浮。故雖已出官，本國猶不與之士名。及魏有天下，文帝徵質，與車駕會洛陽。到，拜北中郎將，封列侯，使持節督幽、并諸軍事，治信都。及文帝崩，質思慕作詩。太和四年，入爲侍中。其年夏卒。質先以怙威肆行，謚曰醜侯。質子應仍上書論枉，至正元中乃改謚威侯。”

《唐書·經籍》、《藝文志》：《吳質集》五卷。

汪氏《文選撰人篇目》：魏吳季重質有《答魏太子箋》、《與魏太子箋》、《答東阿王書》。

嚴氏《全三國文編》輯存《魏都賦》、箋、書、論，凡七篇。馮氏輯存《思慕詩》一首。

梁又有《新城太守孟達集》三卷，亡。

《蜀志·劉封傳》：初，劉璋遣扶風孟達副法正，各將兵迎先主。蜀平後，以達爲宜都太守。建安二十四年，命達北攻房陵，進攻上庸。遣封下統達軍。自關羽圍樊城、襄陽，連呼封、達發兵自助。封、達不承羽命。會羽覆敗，先主恨之。又封與達忿爭不和，封尋奪達鼓吹。達既懼罪，又忿恚封，遂發表辭先主，率所領降魏。魏文帝善達之姿才容觀，以爲散騎常侍、建武將軍，封平陽亭侯。合房陵、上庸、西城三郡，達領新城太守。遣征南將軍夏侯尚、右將軍徐晃與達共襲封。封破，走還成都。達字子敬，改字子度。

《魏志·文紀》："延康元年秋七月，蜀將孟達率衆降。"《明紀》："太和元年十二月，新城太守孟達反，詔驃騎將軍司馬宣王討之。二年春正月，宣王攻破新城，斬達，傳其首。"達反事詳見《明紀》注，又略見《劉曄傳》。

《唐書·經籍》、《藝文志》：《孟達集》三卷。一本或誤作"逹"。

嚴氏《全三國文編》：蜀孟達，字子度，扶風人，初字子敬，避先主叔父諱改。先主領荆州，以爲宜都太守。後降魏，爲散騎常侍、建武將軍，封平陽亭侯，領新城太守，徙安定，復還新城。建興中，丞相亮數書招之，遂通款，事露，司馬懿討斬之。有《辭先主表》、《在魏奏薦王雄》、《在魏與劉封書》、《在魏與諸葛亮書》、《兵到又告諸葛亮》，凡五篇。

梁又有《魏徵士管寧集》三卷，錄一卷，亡。

《魏志》本傳：寧字幼安，北海朱虛人也。與平原華歆、同縣邴原相友，俱遊學于異國，並敬善陳仲弓。天下大亂，與原及平原王烈等至于遼東。文帝即位，徵以爲太中大夫。明帝詔以爲光禄勳。自黄初至于青龍，徵命相仍，並固辭不受。正始二年，特具安車蒲輪，束帛加璧聘焉。會卒，年八十四。

又傳注：《傅子》曰："寧以衰亂之時，世多妄變氏族者，違聖人之制，非禮命姓之意，故著《氏姓論》，以原本世系，文多不載。"

《唐書·經籍》、《藝文志》：《管寧集》二卷。

嚴氏《全三國文編》曰："寧避亂遼東三十七年，文帝時還，就徵以爲太中大夫，固辭。明帝及齊王屢徵不出。正始二年卒。有集三卷。今存《辭疾上書》、《辭徵命上疏》、《辭辟別駕文》、《答桓範書》，凡四篇。"

魏光禄勳高堂隆六卷。梁十卷。錄一卷。"隆"下攷"集"字。

高堂隆有《魏臺雜訪議》，見史部刑法篇。

《魏志》本傳評曰："高堂隆學業修明，志存匡君，因變陳戒，發于懇誠，忠矣哉！及至必改正朔，俾魏祖虞，所謂意過其通者歟！"

又傳注：習鑿齒曰："高堂隆可謂忠臣矣。君侈每思諫其惡，將死不忘憂社稷，正辭動于昏主，明戒驗于身後，謇諤足以勵物，德音沒而彌彰，可不謂忠且智乎！《詩》云：'聽用我謀，庶無大悔。'又曰：'曾是莫聽，大命以傾。'其高堂隆之謂也。"

《唐書·經籍》、《藝文志》：《高堂隆集》十卷。

嚴氏《全三國文編》：高堂隆有集十卷。今存對、詔、表、疏、上言、奏、議、對問，凡二十九篇，編爲一卷。

梁又有《光禄勳劉邵集》二卷，魏一卷，亡。 "魏"當爲"録"。

劉邵有《孝經注》，見經部孝經類。

《魏志》本傳：黃初中，受詔集五經群書，以類相從，作《皇覽》。明帝時，與議郎庾嶷、荀詵等定科令，作《新律》十八篇，著《律略論》。嘗作《趙都賦》，明帝美之，詔邵作《許都》、《洛都賦》。時外興軍旅，内營宮室，邵作二賦，皆諷諫焉。景初中，受詔作《都官考課》七十二條，又作《説略》一篇。又以爲宜制禮作樂，以移風俗，著《樂論》十四篇，事成未上。會明帝崩，不施行。正始中，執經講學。凡所撰述，《法論》、《人物志》之類百餘篇。

又傳評曰："劉邵該覽學籍，文質周洽。"

《文心雕龍·才略篇》曰："劉邵《趙都》，能攀于前修。"

《唐書·經籍》、《藝文志》：《劉邵集》二卷。

嚴氏《全三國文編》：劉邵有《人物志》三卷，《法論》十卷，集二卷。今存《趙都賦》、《嘉瑞賦》、《龍瑞賦》、疏、議、序、《七華》、《飛白序勢》，凡十三篇。本傳有《許都賦》、《洛都賦》及《樂論》十四篇，文俱佚。

魏散騎常侍繆襲集五卷。梁有録一卷。

繆襲有《列女傳贊》，見史部雜傳類。

《晉書·樂志》：漢時有《短簫鐃歌》之樂，其曲列于鼓吹，多叙戰陳之事。及魏受命，改其十二曲，使繆襲爲辭，述以功德代漢。

《宋書·樂志》：魏《鼓吹曲》十二篇，繆襲造：第一曲《初之平》，言魏也；第二曲《戰榮陽》，言曹公也；第三曲《獲呂布》，言曹公東圍臨淮，生捦呂布也；第四曲《克官渡》，言曹公與袁紹戰，破之于官渡也；第五曲《舊邦》，言曹公勝袁紹于官渡，還譙收藏士卒死亡也；第六曲《定武功》，言曹公初破鄴，武功之定始乎此也；第七曲《屠柳城》，言曹公越北塞，歷白檀，破三郡烏桓于柳城也；第八曲《平南荆》，言曹公南平荆州也；第九曲《平關中》，言曹公征馬超，定關中也；第十曲《應帝期》，言文帝以聖德受命，應運期也；第十一曲《邕熙》，言君臣邕穆，庶績咸熙也；第十二曲《太和》，言魏明帝繼體承統，太和改元，德澤流布也。

《文心雕龍·樂府篇》曰：“軒岐鼓吹，並入樂府，繆襲所製，亦有可算焉。”

鍾嶸《詩品》曰：“熙伯《挽歌》，唯以造哀爾。”

《唐書·經籍》、《藝文志》：《繆襲集》五卷。

馮氏《詩紀》録存《鼓吹曲》十二篇，《挽歌》一篇。

汪氏《文選撰人篇目》：魏繆熙伯襲有《挽歌》一首。

嚴氏《全三國文編》曰：“繆襲有《列女傳贊》一卷，集五卷。今存賦、表、奏對、奏、議、贊、《祭儀》，凡一十四篇。”

梁又有《散騎常侍王象集》一卷，亡。

《魏志·揚俊傳》：俊，河内人也。以兵亂，避地并州。本郡王

象,少孤特,爲人僕隸,年十七八,見使牧羊而私讀書,因被箠
楚。俊嘉其才質,即贖象著家,娉娶立室,然後與別。文帝踐
阼,俊仕歷南陽太守。時王象爲散騎常侍,疏薦俊宜還朝,宣
力轂轂。初,臨菑侯與俊善,太祖適嗣未定,密訪群司。俊稱
臨菑猶美,文帝常以恨之。黃初三年,車駕至宛,發怒收俊。
象請俊,叩頭流血,帝不許。俊曰:"吾知罪矣。"遂自殺。衆
寃痛之。案楊俊之死不以罪,蓋與楊修、丁儀、丁廙同爲臨菑故也。又《衛覬傳》
末云:"黃初時,散騎常侍河內王象亦與覬並以文章顯。"

又傳注:《魏略》曰:"王象字羲伯。既爲俊所知拔,果有才
智。建安中,與同郡荀緯等俱爲魏太子所禮待。及王粲、陳
琳、阮瑀、路粹等亡後,新出之中,惟象才最高。魏有天下,拜
象散騎侍郎,遷爲常侍,封列侯。受詔撰《皇覽》,使領祕書
監。象既性氣和厚,又文采溫雅,用是京師歸美,稱爲儒宗。
及文帝殺楊俊,象自恨不能濟俊,遂發病死。"

嚴氏《全三國文編》:象以救楊俊不許,發病死。有集一卷。
今惟見《薦楊俊》一篇。

梁又有《光禄大夫韋誕集》三卷,録一卷,亡。

韋誕有《韋氏相板印法指略鈔》,見子部五行家。

《魏志·劉邵附傳》:邵同時光禄大夫京兆韋誕等,亦著文賦,
頗傳于世。

又傳注:《文章叙録》曰:"初,邯鄲淳、衛覬及誕並善書,有
名。覬孫恒撰《四體書勢》。其序篆書曰:'韋誕師淳而不
及。太和中,誕爲武都太守,以能書留補侍中,魏氏寶器銘題
皆誕書云。'"

《三輔决録》佚文曰:"韋誕字仲將,除武都太守,以書不得之
郡,轉侍中,典作《魏書》,號《散騎書》,一名《大魏書》,凡五十
篇。"案此蓋《决録》注文,其稱《散騎書》者,當時號仲將所書。又云《大魏書》五十

篇者，似因與脩王沈《魏書》之事，其間似有敬文也。

《世説·巧藝篇》注：《文章叙録》曰："誕有文學，善屬辭。"衞恒《四體書勢》曰："誕善楷書，魏宫多誕所題。明帝立凌霄觀，誤先釘牓，乃籠盛誕，轆轤長絙引上，使就題之。去地二十五丈，誕甚危懼。乃戒子孫，絶此楷法，箸之家令。"

唐張懷瓘《書斷》曰："誕伏膺于張芝，兼邯鄲淳之法，諸書並善，尤精題署。青龍中，洛陽、許、鄴三都宫觀始成，詔令仲將大爲題署，以爲永制。給御筆墨，皆不任用。因曰：'蔡邕自矜能書，兼斯、喜之法，非流紈體素，不妄下筆。夫工欲善其事，必先利其器，若用張芝筆、左伯紙及臣墨，兼此三具，又得臣手，然後可以建徑丈之勢，方寸千言。'嘉平五年卒。"

宋刻全本《意林》第六卷：韋仲將《筆墨法》一卷。

《唐書·經籍》、《藝文志》："《韋誕集》三卷。"又經部小學類："《筆墨法》一卷。"

嚴氏《全三國文編》：韋誕有集三卷。今存賦、奏、駁、頌、誄及《墨方》、《筆方》凡八篇。

梁又有《散騎常侍麋元集》五卷，亡。

麋元始末未詳。

《唐書·經籍》、《藝文志》：《麋元集》五卷。

嚴氏《全三國文編》曰："麋元爲散騎常侍，有集五卷。《藝文類聚》三十六有魏麋元《讓許由》一篇，又三十七及《御覽》五百九十六有元《弔夷齊文》一篇。"

按麋元不知何許人，魏有麋信，蜀有麋竺、麋芳，並東海朐人，殆其族歟？《類聚》《弔夷齊文》有王粲、阮瑀、麋元三家，劉勰謂仲宣傷其隘，讓呵實工。今觀麋作，實亦與之同。《御覽》此卷又有麋元《弔比干文》，嚴氏不取，或審定非元文。

梁又有《游擊將軍卞蘭集》二卷,録一卷,亡。

《魏志·武宣卞皇后傳》:后,琅邪開陽人,文帝母也。本倡家。后弟秉以功封都鄉侯,進封開陽侯。工秉薨,子蘭嗣。少有才學。爲奉車都尉,游擊將軍,加散騎常侍。薨。

又傳注:《魏略》曰:"蘭獻賦贊述太子德美,由是遂見親近。明帝時,蘭見外有二難,而帝留意于宫室,常因侍從數切諫。帝雖不能從,猶納其誠款。後苦酒消渴以亡。"

《唐書·經籍》、《藝文志》:《卞蘭集》二卷。

嚴氏《全三國文編》輯存《贊述太子賦》、《許昌宫賦》、《七牧》、《座右銘》,凡四篇。

梁又有《隰陽侯李康集》二卷,録一卷,亡。

《太平御覽·文部》詩類:《魏書》曰:"李康字蕭遠,性介立不和俗,爲鄉里所嫉,故官不進。嘗作《游九疑》詩,明帝異其文,問左右:'斯人安在?吾欲擢之。'因起家爲隰陽長,卒。"

《文選·運命論》注:宋劉義慶《集林》曰:"李康字蕭遠,中山人也。著《游山九吟》。魏明帝異其文,遂起家爲尋陽長,政有美績,病卒。"汪氏《文選撰人篇目》:魏李蕭遠康有《運命論》。

《文心雕龍·論説篇》曰:"李康《運命》,同《論衡》而過之。"案《論衡》先有《命運》等篇。

《唐書·經籍》、《藝文志》:《李康集》二卷。

嚴氏《全三國文編》曰:"李康字蕭遠,中山人。明帝時爲尋陽長,後封閣陽侯。有集二卷。今存《髑髏賦》、《遊山九吟序》、《運命論》,凡三篇。《世説·德行篇》注有李康《家誡》,乃'李秉'之誤。李秉,即李景,晉李重之父也。今定以《家誡》編入晉文。"案《魏書》及《集林》所載自不得有封侯之事,不知嚴氏何以云爾。

梁又有《陳郡太守孫該集》二卷,録一卷,亡。

《魏志·劉邵傳》:邵同時陳郡太守任城孫該等,亦著文賦,頗傳于世。

又傳注：《文章叙録》曰：“該字公達。彊志好學。年二十，上計掾，召爲郎中。著《魏書》。遷博士司徒右長史，復還入著作。景元二年，卒官。”

《唐書·經籍》、《藝文志》：《孫該集》二卷。

嚴氏《全三國文編》曰：“該爲司徒右長史、著作郎，出爲陳郡太守。有集二卷。今存《三公山神祠賦》、《琵琶賦》各一篇。”

梁又有《尚書傅巽集》二卷，録一卷，亡。

《魏志·劉表傳》：表大將蒯越、從事中郎韓嵩及東曹掾傅巽等，説劉琮歸太祖。太祖軍到，襄陽琮舉州降。以琮爲青州刺史，封列侯。蒯越等侯者十五人。

又傳注：《傅子》曰：“巽字公悌，瓌偉博達，有知人鑒。辟公府，拜尚書郎。後客荆州，以説劉琮之降賜爵關内侯。文帝時，爲侍中。太和中卒。弟子嘏。”

《唐書·經籍》、《藝文志》：《傅巽集》二卷。

嚴氏《全三國文編》：傅巽字公悌，北地泥陽人。黄初中爲侍中，遷尚書。有集二卷。今存《槐賦》、《蚊賦》、《七誨》、《奢儉論》、《筆銘》，凡五篇。

魏章武太守殷褒集一卷。梁二卷。

殷褒始末未詳。

《唐書·經籍》、《藝文志》：《殷褒集》二卷。

宋郭茂倩《樂府詩集》：《殷氏世傳》曰：“殷褒爲滎陽令，廣築學館，會集朋徒，民知禮讓。乃歌之曰：‘滎陽令，有異政。脩立學校人易性，令我子弟恥訟爭。’”

《唐書·經籍》、《藝文志》：“《殷褒集》二卷。”①

---

①　此條重出，當删。

嚴氏《全三國文編》曰："殷褒字元祚,爲章武太守。有集二
卷。《藝文類聚》五十三有《薦同郡朱儉表》,又二十三有《誡
子書》。"

魏司空王昶集五卷。**梁有録一卷**。<small>王氏出太原、琅邪二族者,各注條下,以</small>
<small>識別之。此太原王氏也。</small>

《魏志》本傳:昶字文舒,太原晉陽人也。少與同郡王淩俱知
名。文帝在東宮,昶爲太子文學,中庶子。及踐阼,徙散騎侍
郎,爲洛陽典農,兗州刺史。明帝即位,加揚烈將軍,賜爵關
内侯。昶雖在外任,心存朝廷,以爲魏承秦、漢之弊,法制苛
碎,不大釐改國典以準先王之風,而望治化復興,不可得也。
乃著《治論》,略依古制而合於時務者二十餘篇,又著《兵書》
十餘篇,言奇正之用,青龍中奏之。其爲兄子及子作名字,皆
依謙實,以見其意,故兄子默字處靜,沈字處道,其子渾字玄
沖,深字道沖。遂書戒之曰:"欲使汝曹立身行己,遵儒者之
教,履道家之言,故以玄默沖虛爲名,欲使汝曹顧名思義,不
敢違越也。"正始中,轉在徐州,封武觀亭侯,遷征南將軍,假
節都督荆、豫諸軍事。嘉平初,太傅司馬宣王既誅曹爽,乃奏
博問大臣得失。昶陳治略五事,詔書褒贊。因使撰百官考課
事。遷征南大將軍,儀同三司,進封京陵侯。進位驃騎將軍。
遷司空,持節、都督如故。甘露四年薨,謚曰穆侯。子渾嗣。

《唐書·經籍》、《藝文志》:《王昶集》五卷。

嚴氏《全三國文編》輯存《謝榮戟表》、《考課疏》、《卿考課事》、
《尚書侍中考課事》、《陳治略五事》、《奏吳蜀事狀》、《白晉文
王牋》、《檄吳將校部曲》、《家誡》、《三戲論》,凡八篇。<small>案《三戲</small>
<small>論》謂投壺博弈也,似亦《家誡》中之一則。</small>

　　案太原王氏自司空昶而大,琅邪王氏自晉初太保祥而大,
　　二王盛于魏晉六朝,天下莫與比倫焉。本志總集篇注云梁

又有《太原王氏家碑誄頌贊銘集》二十六卷,史部雜傳篇又有《太原王氏家傳》二十三卷,其人文從可知已。

魏衛將軍王肅集五卷。梁有錄一卷。

王肅有《周易注》,見經部易類。

《魏志》本傳:其所論駁朝廷典制、郊祀、宗廟、喪紀、輕重,凡百餘篇。

《宋書·樂志》:散騎常侍王肅私造宗廟詩頌十二篇,不被歌。

<small>《玉海·樂舞篇》:《齊志》云:"王肅作宗廟詩頌十二篇,不入于樂。"</small>

《唐書·經籍》、《藝文志》:《王肅集》五卷。

嚴氏《全三國文編》曰:"肅有《詩》、《書》、《論語》、三《禮》、《左氏》解,及撰定父朗所作《易傳》,皆列于學官。又有《聖證論》、《家語解》各若干卷,《政論》十卷,集五卷。<small>案又有《尚書議駁》、《毛詩議駁》、《奏事》、《問答》、《祭法》、《明堂議》、《國語章句》、《太玄經注》各若干卷,並見本志經部、子部。</small>今存賦、表、疏、議、答難、答問、教、書、序、頌、《賀正儀》、《納徵辭》、《家誡》,凡三十五篇,編爲一卷。"

梁又有《桓範集》二卷,亡。

桓範有《世要論》,見子部法家。

《唐書·經籍》、《藝文志》:《桓範集》二卷。

嚴氏《全三國文編》:範有《世要論》十二卷,集二卷。今存《兗州刺史謝表》、《薦管寧表》、《薦徐宣表》、《陳兵事》、《與管寧書》,凡五篇,繫以《世要論》佚文,合爲一卷。

梁又有《中領軍曹羲集》五卷,錄一卷,亡。

《魏志·曹真傳》:真字子丹,太祖族子也。明帝時,爲大將軍,封邵陵侯。子爽嗣。又詔封真五子羲、訓、則、彥、皚皆爲列侯。齊王即位,爽以大將軍加侍中,輔少主。弟羲爲中領軍。爽飲食車服,擬于乘輿。作窟室,綺疏四周,數與何晏等會其中,縱酒作樂。羲深以爲大憂,數諫止之。又著書三篇,陳驕淫盈溢之致禍敗,辭旨甚切,不敢斥爽,託以戒諸弟以示爽。爽知其爲己發也,甚不悦。羲或以時諫喻不納,涕泣而起。後與爽、訓等皆誅夷。時正始十年也。

《傅子》佚文曰:"安鄉亭侯曹羲爲領軍將軍,慕周公之下士,賓客盈坐。"

《晉書·王接傳》:接父蔚,世脩儒史之學。魏中領軍曹羲作《至公論》,蔚善之,而著《至機論》。

《唐書·經籍》、《藝文志》:《曹羲集》五卷。

嚴氏《全三國文編》曰:"曹羲爲司馬懿所誅。有集五卷。今存《爲兄爽表司馬懿爲太傅大司馬》、《申蔣濟叔嫂服議》、《九品議》、《至公論》、《肉刑論》,凡五篇。"

魏尚書何晏集十一卷。梁十卷。録一卷。

何晏有《孝經注》,見經部。

《魏志·曹爽附傳》:晏以才秀知名,好老、莊言,作《道德論》及諸文賦,著述凡數十篇。

又《管輅傳》注:《輅別傳》曰:"裴使君問:'何平叔一代才名,其實何如?'輅曰:'其説《易》生義美而多僞,僞則神虚。輅以爲少功之才也。'裴使君曰:'吾素與平叔共説《老》、《莊》及《易》,常覺其辭妙于理,不能折之。又時人吸習,皆歸服之焉,益令不了。相見得清言,然後灼灼耳。'又曰:'何尚書神明清徹,自言不解《易》中九事。'"

《南齊書·張緒傳》:緒長于《周易》,言精理奥,見宗一時。常云何平叔所不解《易》中七事,諸卦中所有時義,是其一也。

《梁書·儒林·伏曼容傳》曰:"何晏疑《易》中九事。以吾觀之,晏了不學也。"故知平叔有所短。番禺侯康《補三國藝文志》引王應麟曰:"晏以《老》、《莊》談《易》,係小子觀朵頤。所不解者,豈止七事哉?"案九事、七事，自來傳説不一，無以詳知。其《易》説或當編入本集。

《世説‧規箴篇》曰："何晏令管輅作卦，云：'不知位至三公不？'卦成，輅稱引古義，深以戒之。"注：《名士傳》曰："是時曹爽輔政，識者慮有危機，晏有重名，與魏姻戚，内雖懷憂，而無復退也。著五言詩以見志，蓋因輅言懼而賦詩。"

鍾嶸《詩品》曰："平叔《鴻雁》之篇，風規見矣，宜居中品。"

《文心雕龍‧明詩篇》曰："及正始明道，詩雜仙心。何晏之徒，率多浮淺。"又《才略篇》曰："何晏《景福》，克光于後進。"

《唐書‧經籍》、《藝文志》：《何晏集》十卷。

馮氏《詩紀》輯存五言詩二首。

汪氏《文選撰人篇目》：魏何平叔晏有《景福殿賦》。

嚴氏《全三國文編》曰："何晏有《論語集解》十卷，《老子道德論》二卷，集十一卷。今存賦、奏、議、論、叙、頌、銘，凡一十四篇。"

魏衛尉卿應璩集十卷。梁有録一卷。

《魏志‧王粲傳》：汝南應瑒爲五官將文學，建安二十二年卒。瑒弟璩，璩子貞，咸以文章顯。璩官至侍中。

又傳注：《文章叙録》曰："璩字休璉，博學好屬文，善爲書記。文、明帝世，歷官散騎常侍。齊王即位，稍遷侍中、大將軍長史。曹爽秉政，多違法度，璩爲詩以諷焉。其言雖頗諧合，多切時要，世共傳之。復爲侍中，典著作。嘉平四年卒，追贈衛尉。"

《晉書‧涼武昭王李玄盛傳》：于是寫諸葛亮訓誡以勖諸子曰："覽諸葛《訓厲》，應璩《奏諫》，尋其終始，周孔之教盡在中矣。"案《訓厲》爲《諸葛集》篇目，《奏諫》或亦是此集中篇名。

《文選‧百一詩》注：張方賢《楚國先賢傳》曰："汝南應休璉作百一篇詩，譏切時事，編以示在事者，咸皆怪愕。或以爲應

焚棄之。何晏獨無怪也。然方賢之意,以有百一篇,故曰《百
一》。"李充《翰林論》曰:"應休璉五言詩,百數十篇,以風規治
道。蓋有詩人之旨焉。"又孫盛《晉陽秋》曰:"應璩作五言詩
百三十篇,言時事頗有補益,世多傳之。"璩此二文,不得以一
百一篇而稱《百一》也。《今書七志》曰:"應璩集謂之新詩,以
百言爲一篇,或謂之《百一詩》。"然以字名詩,義無所取。據
《百一詩序》云:"時謂曹爽曰:公今聞周公巍巍之稱,安知百
慮有一失乎?"百一之名,蓋興于此也。案本集有《百一詩序》可據,而
張方賢、李充、孫盛、王儉記述紛紛乃若此。至唐初李善始考定其實,斯亦異已。

鍾嶸《詩品》曰:"魏侍中應璩詩,祖襲魏文,善爲古語,指事殷
勤,雅意深篤,得詩人激刺之旨。"

《文心雕龍·明詩篇》曰:"若乃應璩《百一》,獨立不懼,辭譎
義貞,亦魏之遺直也。"又《才略篇》曰:"休璉風情,則《百一》
標其志。"

本志總集篇注,梁又有應貞注應璩《百一詩》八卷,《百一詩》
二卷,晉蜀郡太守李彪撰,亡。

《唐書·經籍》、《藝文志》:《應瑗集》十卷。蓋即《應璩集》。馮氏《詩
紀》、張氏《百三家集》、嚴氏《文編》皆輯有應瑗《雜詩》、《侍公宴詩》、《與桓元則書》佚
句,共十句。《雜詩》似即《新詩》,亦即應璩《百一詩》之佚文,並錄附于後,似皆"應
璩"之誤。

馮氏《詩紀》輯存《百一詩》三首,《雜詩》三首,《三叟詩》一首。
又曰:"《唐·藝文志》有《應瑗集》十卷,《初學記》載瑗《雜詩》
云:'貧子語窮兒,無錢可把撮。耕自不得粟,采彼北山葛。
簞瓢恒自在,無用相呵喝。'"

張氏《百三家》:"《應休璉集》一卷,凡牋、書、詩四十餘篇。末
附應瑗遺句云:'有酒流如川,有肴積如岑。'"注云:"此二句
一作應瑗《侍公宴詩》。"

汪氏《文選撰人篇目》：魏應休璉璩有《百一詩》、《與滿公琰書》、《與曹長思書》、《與岑文瑜書》、《與從弟君苗君冑書》。

嚴氏《全三國文編》輯存賤四篇，書二十九篇。又曰："應瑗未詳。有集十卷。《文選・七命注》引瑗《與桓元則書》，曰：'敢不策勵，敬尋後塵。'"桓範字元則，汪氏《文選注引書目》有應璩《與桓元則書》，是汪所見者乃應璩，非應瑗也。

按應休璉有從弟曰君苗，曰君冑。陸雲與兄書云："君苗見兄文，輒欲自焚其筆硯。"豈即瑗之字歟？然本志無瑗集，《唐志》無璩集，而卷數皆同爲十卷。馮氏、張氏所采瑗之詩句又甚似《百一詩》佚文，則璩之集爲多。

梁又有《王弼集》五卷，錄一卷，亡。

王弼有《易注》，見經部易家。

《魏志・鍾會傳》注：何邵爲弼傳曰："弼幼而察惠，年十餘，好《老氏》。吏部郎裴徽見而異之，尋亦爲傅嘏、何晏所知。淮南人劉陶善論縱橫，爲當時所稱。每與弼語，嘗屈弼。弼天才卓出，當其所得，莫能奪也。性和理，樂游宴，解音律，善投壺。頗以所長笑人，故時爲士君子所疾。弼與鍾會善，會論議以校練爲家，然每服弼之高致。"

《唐書・經籍》、《藝文志》：《王弼集》五卷。

嚴氏《全三國文編》曰："弼有《周易注》六卷，《略例》一卷，《老子注》二卷，集五卷。今存《戲答荀融書》一篇，《難何晏聖人無喜怒哀樂論》一篇，並見《魏志・鍾會傳》注。"

梁又有《中書令劉階集》二卷，亡。

劉階始末未詳。

案此疑是劉放。《魏志》本傳："放字子棄，涿郡人。文帝即位，爲祕書令。改祕書爲中書，以放爲監。太原孫資爲令，遂掌機密。放善爲書檄，三祖詔命有所招喻，多放所爲。

齊王嘉平二年，薨，謚曰敬侯。"與此題中書令者頗合，或即其集。嚴氏《文編》據《書鈔》引《魏名臣奏》一條。又疑是劉陶，見《劉曄傳》末。又疑是劉脩，見《陳思王傳》注。然皆非中書令官也。或又疑桓階，《魏志》有傳，嚴氏《文編》亦輯其佚文數篇，然亦非中書令官也。

梁又有《太常卿傅嘏集》二卷，錄一卷，亡。

《魏志》本傳："嘏字蘭石，北地泥陽人，傅介子之後也。伯父巽，黃初中爲侍中尚書。嘏弱冠知名，司空陳群辟爲掾。正始初，遷尚書郎，黃門侍郎。何晏等與嘏不平，因微事免嘏官。太傅司馬宣王請爲從事中郎。曹爽誅，爲河南尹，遷尚書。正元二年春，毋丘儉、文欽作亂。嘏及王肅勸司馬景王自行，以嘏守尚書僕射，俱東。以功進封陽鄉侯，是歲薨。時年四十七，追贈太常，謚曰元侯。嘏常論才性同異，鍾會集而論之。"注：《傅子》曰："嘏既達治好正，而有清理識要，好論才性，原本精微，尠能及之。鍾會年甚少，嘏以明智交會。"又曰："嘏自少與裴徽、荀顗善，徽、顗早亡。又與何曾、陳泰、荀顗、鍾毓並善，相與綜朝事，俱爲名臣。"案嘏論才性同異，詳見後《鍾會集》。

又傳評曰："劉廙以清鑒著，傅嘏以才達顯。"臣松之以爲傅嘏識量名輩，實當時高流。而此評但云"用才達顯"，既于題目爲拙，又不足以見嘏之美也。

《唐書·經籍》、《藝文志》：《傅嘏集》二卷。

嚴氏《全三國文編》：傅嘏字蘭石，一字昭先，巽弟充之子。今存對詔、表、議、《難劉劭考課法論》、《皇初頌》，凡五篇。

梁又有《樂安太守夏侯惠集》二卷，錄一卷，亡。

《魏志·夏侯淵傳》："淵字妙才，沛國譙人，惇族弟也。建安二十四年戰死漢中。黃初中，賜淵中子霸。太和中，賜霸弟，爵皆關內侯。霸弟威，威弟惠，官至樂安太守。"《文章叙錄》

曰："惠字稚權，幼以才學見稱，善屬奏議。歷散騎黃門侍郎，與鍾毓數有辯駁，事多見從。遷燕相、樂安太守。年三十七卒。"

《唐書·經籍》、《藝文志》：《夏侯惠集》二卷。

嚴氏《全三國文編》：夏侯惠字稚權，征西將軍淵子，爲散騎黃門侍郎，遷燕相、樂安太守。有集二卷。今存《景福殿賦》、《薦劉邵表》各一篇。

魏校書郎杜摯集二卷

《魏志·劉劭傳》："劭同時郎中令河東杜摯等，亦著文賦，頗傳于世。"《文章敘錄》曰："摯字德魯。初上《笳賦》，署司徒軍謀吏。後舉孝廉，除郎中，轉補校書。摯與毋丘儉鄉里相親，故爲詩與儉，求仙人藥一丸，欲以感切儉求助也。摯竟不得遷，卒于祕書。"

《唐書·經籍志》："《杜摯集》一卷。"《藝文志》：二卷。

馮氏《詩紀》錄存《贈毋丘儉詩》一篇。

嚴氏《全三國文編》錄存《笳賦并序》一篇。

梁有《毋丘儉集》二卷，錄一卷，亡。

毋丘儉有《別傳》三卷，詳見史部雜傳類。

《唐書·經籍》、《藝文志》：《毋丘儉集》二卷。

馮氏《詩紀》錄存《答杜摯詩》一篇。

嚴氏《全三國文編》：儉爲平原侯文學。明帝初爲尚書郎，至鎮東將軍都督揚州。正元二年，矯明元郭太后詔討司馬師，衆潰見殺。有集二卷。今存《承露盤賦》、《罪狀司馬師表》、《諫明帝治宮室疏》、上疏、上言、《與曹爽書薦裴秀》、《報弟書》、《承露盤銘》，凡八篇。

梁有《征東軍司馬江奉集》二卷，亡。

江奉始末未詳。

《唐書·經籍》、《藝文志》：《江奉集》二卷。

案魏有江衞，嚴氏《文編》云“爵里未詳”。《文選·齊安陸昭王碑文》注有衞《與荀仲茂牋》。案荀仲茂，荀閎字，荀彧之兄子。不知李善所據何書，疑即據是集。是集或本江衞，而轉寫譌爲江奉歟？

魏太常夏侯玄集三卷

《魏志·齊王本紀》：嘉平六年二月庚戌，中書令李豐與皇后父光禄大夫張緝等謀廢易大臣，以太常夏侯玄爲大將軍。事覺，諸所連及者皆伏誅。

又《夏侯尚傳》：尚字伯仁，淵從子也，封昌陵鄉侯。子玄嗣。玄字太初。少知名，弱冠爲散騎黃門侍郎。嘗進見，與皇后弟毛曾並坐，玄恥之，不悦形之于色。明帝恨之，左遷羽林監。正始初，曹爽輔政。玄，爽之姑子也。累遷散騎常侍、中護軍。頃之，爲征西將軍，假節都督雍、涼州。與曹爽共興駱谷之役，時人譏之。爽誅，徵爲大鴻臚，數年徙太常。玄以爽抑絀，内不得意。中書令李豐等謀誅大將軍，以玄代之。大將軍微聞其謀，事下有司，收玄等，皆夷三族。玄格量弘濟，臨斬東市，顏色不變，舉動自若，時年四十六。

又傳注：《世語》曰：“玄世名知人，爲中護軍，援用武官，參戟牙門，無非俊傑，多牧州典郡。立法垂教，于今皆爲後式。”又《魏氏春秋》曰：“玄嘗著《樂毅》、《張良》及《本無肉刑論》，辭旨通遠，咸傳于世。”

《世説·文學篇》注：《晉諸公贊》曰：“自魏太常夏侯玄、步兵校尉阮籍等皆著《道德論》。”

《唐書·經籍》、《藝文志》：《夏侯玄集》二卷。

嚴氏《全三國文編》：玄字太初，淵從孫。嘉平六年爲司馬師所殺，夷三族。有集三卷。今存《皇胤賦》、《時事議》、《答司馬宣王書》、《肉刑論》、《答李勝難肉刑論》、《樂毅論》、《辨樂論》凡七篇。又從《太平御覽》輯存《夏侯子》佚文凡三條。

梁有《車騎將軍鍾毓集》五卷，錄一卷，亡。

《魏志·鍾繇傳》：繇字元常，潁川長社人也。仕漢，入魏至太傅，封定陵侯。子毓嗣。毓字稚叔。年十四，爲散騎侍郎，機捷談笑，有父風。遷黃門侍郎，散騎常侍，侍中，魏郡太守，御史中丞，侍中廷尉。聽君父已没，臣子得爲理謗，及士爲侯，其妻不復配嫁，毓所創也。正元中，爲尚書，青州刺史，加後將軍，都督徐州、荆州。景元四年薨，追贈車騎將軍，諡曰惠侯。毓弟會。

又《管輅傳》注：《輅別傳》曰：“魏郡太守鍾毓，清逸有才，難輅《易》二十餘事，自以爲難之至精也。”《世説·言語篇》注：《魏志》曰：“繇字元常，家貧好學，爲《周易》、《老子訓》。”又鍾會爲母傳曰：夫人明于教訓，勤見規誨，十一誦《易》，十四誦成侯《易記》。”成侯，繇諡也。是毓于《易》固家學也。

《唐書·經籍》、《藝文志》：《鍾毓集》五卷。

嚴氏《全三國文編》：鍾毓有集五卷，今存《果然賦》、《諫西征疏》、《奏誅李豐等》、《與曹爽書止增兵伐蜀》，凡四篇。

魏步兵校尉阮籍集十卷。梁十三卷。錄一卷。

《魏志·王粲附傳》：陳留阮瑀字元瑜，爲丞相倉曹掾屬。建安十七年卒。子籍，才藻豔逸，而倜儻放蕩，行己寡欲，以莊周爲模則。官至步兵校尉。

《晉書》本傳：籍字嗣宗，陳留尉氏人也。志氣宏放，任性不羈。太尉蔣濟辟之，謝病歸，復爲尚書郎，少時，又以病免。及曹爽輔政，召爲參軍。宣帝爲太傅，命爲從事中郎。復爲景帝大司馬從事中郎。高貴鄉公即位，封關内侯，徙散騎常侍。籍少有濟世志，屬魏、晉之際，天下多故，名士少有全者。籍由是不與世事，遂酣飲爲常。文帝輔政，拜東平相。到郡，旬日而還。帝引爲大將軍從事中郎。聞步兵廚營人善釀，有貯酒三百斛，乃求爲步兵校尉。遺落世事，雖去佐職，恒游府内，朝宴必與焉。會帝讓九錫，公卿將勸進，使籍爲其辭。籍沈醉忘作，臨詣府，使取之，見籍方據案醉眠。使者以告，籍便書案，使寫之，無所改竄。辭甚清壯，爲時所重。嘗登廣武，觀楚、漢戰處。登武牢山，望京邑而嘆，于是賦《豪傑詩》。景元四年冬卒，時年五十四。籍能屬文，初不留意。作《詠懷詩》八十餘篇，爲世所重。著《達莊論》，叙無爲之貴。又著《大人先生傳》，亦籍之胸懷本趣也。

《文選》顔延年《五君詠》注：臧榮緒《晉書》曰：“籍拜東平相，不以政事爲務，沈醉日多。善屬文論，初不苦思，率爾便成，作五言詩《詠懷》八十餘篇，爲世所重。”

《文選》阮嗣宗《詠懷詩》顔延年、沈約等注：顔延年曰：“説者阮籍在晉文代，常慮禍患，故發此詠耳。”又曰：“嗣宗身仕亂朝，常恐罹謗遇禍，因兹發詠，故每有憂生之嗟，雖志在譏刺，而文多隱避。百代之下，難以情惻，故粗明大意，略其幽旨也。”

鍾嶸《詩品》曰：“晉步兵阮籍詩，其源出於《小雅》。無雕蟲之功。而《詠懷》之作，可以陶性靈、發幽思。言在耳目之内，情寄八荒之表。洋洋乎會于《風》、《雅》，使人忘其鄙近，自致遠大，頗多感慨之詞。厥旨淵放，歸趣難求。顔延之注解，怯言其志。”

《文心雕龍·明詩篇》曰：“嵇志清峻，阮志遥深。”又《才略篇》云：“阮籍使氣以命詩。”

《唐日本國見在書目》：《阮嗣宗集》五卷，又《阮步兵集》十卷。

《唐書·經籍》、《藝文志》：《阮籍集》五卷。

《宋史·藝文志》：“《阮籍集》十卷。”—一本阮籍誤作阮林。又經部易家:"阮嗣宗《通易論》一卷。"_{案此一卷似即從本集中析出者。元胡一}桂曰:"《易通論》一卷,凡五篇。"

《崇文總目》:《阮步兵集》十卷,阮籍撰。

晁氏《讀書志》:《阮籍集》十卷。籍志氣宏放,博覽群籍,尤好莊、老,屬文不留思,嗜酒,能嘯,善彈琴。當其得意,忽忘形體。雖不拘禮數,而發言玄遠。

陳氏《書錄》別集類:"《阮步兵集》十卷,魏步兵校尉陳留阮籍嗣宗撰。籍,瑀之子也。"又詩集類:"《阮步兵集》四卷。其題皆曰《詠懷》,首卷四言十三篇,餘皆五言八十篇,通爲九十三篇。《文選》所收十七篇而已。"

馮氏《詩紀》曰:"京師曹氏家藏《阮步兵詩》一卷,唐人所書,與世所傳多異。孔宗翰亦有本,與此多同,凡詩歌八十七首。"

張氏《百三家·阮步兵集》一卷,凡賦、箋、奏記、書、論、傳、贊、誄、文帖二十篇,《詠懷》三首,又八十二首,歌二首。"

汪氏《文選撰人篇目》:"晉阮嗣宗籍有《詠懷詩》十七首,《勸晉王牋》,《奏記詣蔣公》。"

嚴氏《全三國文編》曰:"阮籍有集十三卷。今存賦、箋、奏記、書、贊、論、傳、帖、誄、弔,凡二十篇。"又卷首叙錄曰:《阮籍集》十卷,明黃省曾刻本。又一卷,張溥《百三家集》本。"

案《太平御覽·地部七·金門山》引阮籍《宜陽記》曰:"金山之竹,堪爲笙管。"案《宜陽記》當在本集。_{洪氏《魏疆域記》曰:}_{"司州,弘農郡,宜陽,漢舊縣。"}又《御覽·經史圖書綱目》有阮籍《秦記》,疑是《奏記》之寫誤。又《世説·文學篇》注引晉諸公贊言阮籍著《道德論》,疑即《通老論》,今惟存佚文三條。

魏中散大夫嵇康集十三卷。梁十五卷。錄一卷。

嵇康有《左氏傳音》,見經部春秋家。

《魏志·王粲附傳》注：《魏氏春秋》曰："初，康采藥汲郡山中，遇隱者孫登。登曰：'子才多識寡，難乎免于今之世。'及遭吕安事，爲詩自責曰：'欲寡其過，謗議沸騰。性不傷物，頻致怨憎。昔慚柳下，今愧孫登。内負宿心，外恧良朋。'康所著諸文論六七萬言，皆爲世所玩詠。"又《邴原傳》注："荀綽《冀州記》曰：'鉅鹿張邈，字遼叔，遼東太守。著《自然好學論》，在《嵇康集》。'"案今本集中有《難張遼叔自然好學論》、《難張遼叔宅無吉凶攝生論》、《答張遼叔釋難宅無吉凶攝生論》，凡三篇，而張之本論俱亡矣。

《晉書》本傳："康有奇才，遠邁不群。著《養生論》，又爲《君子無私論》。蓋其胸懷所寄，以高契難期，每思郢質。山濤將去選官，舉康自代。康乃與濤書告絶。東平吕安以事繫獄，辭相證引，遂復收康。康性慎言行，一旦縲紲，乃作《憂憤詩》。"又曰："康善談理，又能屬文，其高情遠趣，率然玄遠。撰上古以來高士爲之傳贊，欲友其人于千載也。又作《太師箴》，亦足以明帝王之道焉。復作《聲無哀樂論》，甚有條理。"

鍾嶸《詩品》曰："晉中散嵇康詩，頗似魏文，過于峻切，訏直露才，傷淵雅之致。然託喻清超，良有鑒裁，亦未失高流矣。"

《文心雕龍·明詩篇》曰："嵇志清峻。"又曰："四言、五言，叔夜含其潤。"《才略篇》云："嵇康師心以遣論。"《書記篇》云："嵇康《絶交》，實志高而文偉。"

《唐書·經籍》、《藝文志》：《嵇康集》十五卷。案此十五卷或并《左傳音》、《聖賢高士傳》、《嵇荀錄》及他家贈答詩文合爲一編者。

《崇文總目》：《嵇康集》十卷。《宋史·志》同。

晁氏《讀書志》：《嵇康集》十卷。康美詞氣，有丰儀，土木形骸，不自藻飾。學不師受，博覽該通，長好莊、老，屬文玄遠。景元初，鍾會譖於晉文帝，遇害。

陳氏《書録》曰："《嵇中散集》十卷，魏中散大夫譙嵇康叔夜撰。所著文論六七萬言，今存于世者僅如此。《唐志》猶有十五卷。”

馮氏《詩紀》曰：“山濤爲吏部，舉康自代。康答書言不堪流俗，非薄湯、武。大將軍司馬昭聞之而怒。景元三年，以鍾會譖殺之。今存《秋胡行》七首，《幽憤詩》一首，《贈秀才入軍》十九首，《酒會詩》七首，《雜詩》一首，《答二郭》三首，《與阮德如》一首，《遊仙詩》一首，《述志詩》二首，《六言》十首，《思親詩》一首。以上凡五十三首，《百三家集》作五十四首。又《嵇喜答嵇康》四首，《郭遐周贈嵇康》三首，《郭遐叔贈》五首，《阮德如答》二首。”合前正符宋本六十八首之數，其相傳本集所有如此也。

張氏《百三家·嵇中散集》一卷，凡賦、書、設難、論、贊、箴、誡二十二篇，樂府詩五十四篇。

《四庫提要》曰：“《嵇中散集》十卷，舊本題晉嵇康撰。案康爲司馬昭所害，時當塗之祚未終，則康當爲魏人，不當爲晉人。《晉書》立傳，實房喬等之舛誤。本集因而題之，非也。《隋志》載康集十五卷。《新》、《舊唐書》並同。至《書錄解題》則已作十卷。宋時已無全本矣。王楙《野客叢書》云：‘毘陵賀方回家所藏繕寫《嵇康集》十卷，有詩六十八首。’今此本凡詩四十七篇、賦一篇、書二篇、雜著二篇、論九篇、箴一篇、家誡一篇。而雜著中《嵇荀録》一篇，有録無書。實共詩文六十二篇，又非宋本之舊，蓋明嘉靖乙酉吳縣黃省會所重輯也。”

汪氏《文選撰人篇目》：晉嵇叔夜康有《琴賦》、《幽憤詩》、《贈秀才入軍詩》、《雜詩》一首、《與山巨源書》、《養生論》。又《文選注引書目》有《嵇康文集録》。

嚴氏《全三國文編》曰：“康尚魏宗室長樂亭主。除郎中，拜中散大夫。景元二年，以《答山濤書》忤司馬昭，尋坐呂安事誅。有集十五卷。今存《琴賦》、《酒賦》、《蠶賦》、《懷香賦》、《卜

疑》、《與山巨源書》、《與呂長悌絕交書》、《琴贊》、《養生論》、
《答向子期難養生論》、《聲無哀樂論》、《釋私論》、《管蔡論》、
《明膽論》、《難張遼叔自然好學論》，又《難宅無吉凶攝生論》，
又《答釋難論》、《太師箴》、《燈銘》、《家誡》。附《嵇康集目錄》
一條。凡二十一篇，編爲五卷。附《聖賢高士傳贊》一卷。”

梁又有《魏徵士呂安集》二卷，錄一卷，亡。

《魏志·王粲附傳》注：《魏氏春秋》曰：“初，康與東平呂昭子
巽及巽弟安親善。會巽淫安妻徐氏，而誣安不孝，囚之。安
引康爲證，康義不負心，保明其事，安亦至烈，有濟世志力。
鍾會勸大將軍因此除之，遂殺安及康。”案《嵇康集》載康《與呂長悌絕
交書》，即言其事，可謂黮無天日、冤沈海底者矣，巽之肉其足食乎！昭字子展，明帝
時爲鎮北將軍，領冀州刺史，見《杜恕傳》。

又《杜恕傳》注：《世語》：“昭長子巽，字長悌，爲相國掾，有寵
于司馬文王。次子安，字仲悌，與嵇康善，與康俱被誅。”

《晉書·嵇康傳》：東平呂安服康高致，每一相見，輒千里命
駕，康友而善之。後安爲兄所枉訴，以事繫獄，辭相證引，遂
復收康。

《唐書·經籍》、《藝文志》：《呂安集》二卷。

嚴氏《全三國文編》曰：“呂安字仲悌，東平人，徵士。景元中，
坐事與嵇康俱誅。有集二卷。今惟見諸書引安《髑髏賦》
二條。”

魏司徒鍾會集九卷。梁十卷，錄一卷。

鍾會有《周易盡神論》，見經部易家。

《魏志》本傳：初，以鄧艾爲太尉，會爲司徒，皆持節、都督諸軍
如故，咸未受命而斃。會嘗論《易》無互體，才性同異。

《世說·文學篇》：“鍾會撰《四本論》，始畢，甚欲使嵇公一見，
畏其難，懷不敢出，於户外遙擲，便回急走。”注：《魏志》曰：

"會論才性同異傳于世。四本者，言才性同，才性異，才性合，才性離也。尚書傅嘏論同，中書令李豐論異，侍郎鍾會論合，屯騎校尉王廣論離。"傅嘏有集，見前。李豐，見《魏志·夏侯玄傳》。王廣，字公淵，王凌子，見凌傳。

《文心雕龍·檄移篇》：鍾會檄蜀，徵驗甚明，壯筆也。

《唐書·經籍》、《藝文志》：《鍾會集》十卷。

張氏《百三家·鍾司徒集》一卷，凡賦、檄、奏、書、記、傳十一篇，繫以《芻蕘論》一條。

汪氏《文選撰人篇目》：魏鍾士季有《檄蜀文》。

嚴氏《全三國文編》曰："會以定蜀功進司徒，封縣侯。尋謀據蜀，爲亂兵所殺。有《老子注》二卷，《芻蕘論》五卷，集十卷。今存賦、上言、書、檄、論、傳，凡十三篇，繫以《芻蕘論》七條。"

魏汝南太守程曉集二卷。梁錄一卷。

《魏志·程昱傳》：昱字仲德，東郡東阿人也。仕漢入魏，文帝時至衛尉，進封安鄉侯，分封少子及孫曉列侯。曉，嘉平中爲黃門侍郎。時校事放橫，曉上疏言其狀。于是遂罷校事官。曉遷汝南太守。年四十餘薨。

又傳注：《世語》曰："曉字季明，有通識。"又《別傳》曰："曉大著文章，多亡失。今之存者，不能十分之一。"

《文心雕龍·議對篇》曰："若乃程曉之駁校事，事實允當，可謂達議體矣。"

《唐書·經籍》、《藝文志》：《程曉集》二卷。

嚴氏《全三國文編》：程曉字季明，東郡東阿人，衛尉昱之孫。黃初中封列侯，嘉平中爲黃門侍郎，後爲汝南太守。有集二卷。今存《請罷校事官疏》、《與傅玄書》、《女典篇》，凡三篇。

案《文編》又云："《藝文類聚》四有晉程曉詩。"或晉受禪後，其人尚在，或別是一人也，俟考。今案馮氏《詩紀》云："程曉,《古文苑》作晉人,有《贈傅奕詩》二首,《嘲熱客》一首。"
不知即此程曉否也。其《嘲熱客》詩足爲世之好交遊、鶩馳
逐不知檢束者戒焉。

以上三國曹魏人文凡一十九家,附梁有二十五家,綜四十
四家四十六部。

蜀丞相諸葛亮集二十五卷。梁二十四卷。

諸葛亮有《論前漢事》,見史部正史篇。

《蜀志》本傳:"亮初躬耕隴畝,好爲《梁父吟》。"又曰:"亮言
教書奏多可觀,別爲一集。集録曰:《開府作牧》第一,《權制》
第二,《南征》第三,《北出》第四,《計算》第五,《訓厲》第六,
《綜覈上》第七,《綜覈下》第八,《雜言上》第九,《雜言下》第
十,《貴和》第十一,《兵要》第十二,《傳運》第十三,《與孫權
書》第十四,《與諸葛瑾書》第十五,《與孟達書》第十六,《廢李
平》第十七,《法檢上》、《下》第十八、十九,《科令上》、《下》第
二十、二十一,《軍令上》、《中》、《下》第二十二至二十四。右
二十四篇,凡十萬四千一百一十二字。"《傳》注云"漢賊不兩立,王業
不偏安"之表,亮集所無,出張儼《默記》。

臣壽等言:"臣前在著作郎,侍中領中書監濟北侯臣荀勖、中
書令關內侯臣和嶠奏,使臣定故蜀丞相諸葛亮故事。輒删除
複重,隨類相從,凡爲二十四篇,篇名如右。論者或怪亮文采
不豔,而過于丁寧周至。臣愚以爲咎繇大賢也,周公聖人也,
考之《尚書》,咎繇之謨略而雅,周公之誥煩而悉。何則?咎
繇與舜、禹共談,周公與群下矢誓故也。亮所與言,盡衆人凡
士,故其文指不得及遠也。然其聲教遺言,皆經事綜物,公誠
之心,形于文墨,足以知其人之意理,而有補于當世。謹録寫
上詣著作。泰始十年二月一日癸巳,平陽侯相臣陳壽上。"

《華陽國志・後賢志・陳壽傳》:中書監荀勖、令張華又表令

次定《諸葛亮故事集》爲二十四篇。時壽良亦集，故頗不同。案此則晉初有陳、壽二家所集本。壽良字文叔，蜀郡成都人，仕晉至散騎常侍、大長秋，亦見《後賢志》。

《文心雕龍・詔策篇》：“戒者，慎也。教者，效也。若諸葛孔明之詳約，理得而辭中，教之善者也。”又《章表篇》曰：“孔明之辭後主，志盡文暢，表之英也。”

《唐日本國見在書目》雜家：《諸葛武侯上事》九卷。案此殆亦從本集析出，表奏疏議之屬。

《唐書・經籍》、《藝文志》：《蜀諸葛亮集》二十四卷。

《宋史・藝文志》：《諸葛亮集》十四卷。

《玉海・藝文類》：《中興書目》曰：“《亮集》十四卷，後二卷録傳及碑記，其前十二篇，章句頗多，字數乃少。”

張氏《百三家・諸葛丞相集》一卷，凡詔、表、奏、疏、公文、教、書、牋、議、法、論、記、碑、令、詩，七十五篇。

汪氏《文選撰人篇目》：季漢諸葛孔明亮有《出師表》一首。

武威張澍輯本序曰：“《晉書・陳壽傳》，壽撰蜀相《諸葛亮集》奏之，即《蜀志》之二十四篇也，非獨哀其文，並其言與事而亦載之。《隋志》二十五卷，《唐志》二十四卷，《中興書目》十四卷。明王士祺集《武侯全書》二十卷，楊時偉以王書蕪累，更撰《諸葛全書》十卷，亦無財擇。本朝朱璘輯《諸葛武侯集》二十卷，遂寧張鵬翮之《忠武志》全襲之，庸俗詩文盈汙篇牘，侯之著作反多遺漏。張氏又增《白浮鳩》一篇，乃吳人苦孫晧之暴而吟者，亦混簡編，其疏可知。澍搜采散逸，較諸本增益倍蓰，編文集四卷，附録二卷，別撰《諸葛故事》五卷，都爲十一卷。昔司空張華謂李密曰：‘孔明言教何碎？’密曰：‘昔舜、禹、皋陶相與語，故得簡。《大》、《雅誥》，與凡人言，宜碎。“大雅”當是“大雒”之誤。孔明與言者無己敵，言教是以碎耳。’嗚呼！

讀忠武文者，當以是求之。"案此所云王士祺、楊時偉、朱璘、張鵬翩四家之書，並詳見《四庫提要》史部傳記名人類中。四本之外，又有明崇禎時武侯三十六世孫羲輯本二十三卷，《道藏輯要》中刻之。

嚴氏《全三國文編》輯本二卷，凡教、軍令、表、疏、上書、上言、公文、箋、書、誠、《甘戚論》、文亡。《正議》、《算計》、《兵要》、《兵法》、《木牛流馬法》，并《黃陵廟記》、《陰符經序》等依託之文，綜五十五篇，九十一首。

張氏《書目答問》：《諸葛忠武侯文集》四卷，附錄二卷，《諸葛故事》五卷。張澍編。沔縣祠堂本。

梁又有《蜀司徒許靖集》二卷，錄一卷，亡。

《蜀志》本傳：靖字文休，汝南平輿人。少與從弟劭俱知名，並有人倫臧否之稱。靈帝時，郡舉計吏，察孝廉，除尚書郎，典選舉。董卓秉政，補御史中丞。靖懼誅，奔豫州刺史孔伷。伷卒，依揚州刺史陳禕，吳郡都尉許貢，會稽太守王朗。孫策東渡江，走交州。既至交阯，太守士燮厚加敬待。陳國袁徽以寄寓交州，與尚書荀彧書曰："許文休英才偉士，智略足以計事。自流宕已來，與群士相隨，每有患急，常先人後己，與九族中外同其飢寒。其紀綱同類，仁恕惻怛，皆有效事，不能復一二陳之耳。"後劉璋使使招靖，靖來入蜀。璋以爲巴郡、廣漢太守。南陽宋仲子于荊州與蜀郡太守王商書曰："文休倜儻瑰瑋，有當世之具，足下當以爲指南。"建安十六年，轉在蜀郡。十九年，先主克蜀，以爲左將軍長史。先主爲漢中王，靖爲太傅。及即尊號，策爲司徒。靖雖年逾七十，愛樂人物，誘納後進，清談不倦。丞相諸葛亮皆爲之拜。章武二年卒。始靖兄事潁川陳紀，與陳郡袁煥、平原華歆、東海王朗等親善，歆、朗及紀并子群，魏初爲公輔大臣，咸與靖書，申陳舊好，情義款至。

《唐書‧經籍》、《藝文志》：《蜀許靖集》二卷。

嚴氏《全三國文編》：蜀許靖有集二卷。《蜀志》本傳注及《先主傳》注有《奔孔伷自表》、《因衆瑞上表勸進》、《與曹公書》，凡三篇。案《自表》在董卓時，《勸進表》在漢中王太傅時，《與曹公書》在流寓交州時。書中備言經歷艱苦，當時亂離情狀，亦從可知矣。

梁又有《蜀征北將軍夏侯霸集》二卷，亡。

《魏志‧夏侯淵附傳》：黃初中，賜淵中子霸爵關內侯。正始中，爲討蜀護軍右將軍，進封博昌亭侯，素爲曹爽所厚。聞爽誅，自疑，亡入蜀。以淵舊勳赦霸子，徙樂浪郡。

又傳注：《魏略》曰：“霸字仲權，淵爲蜀所害，故霸嘗切齒，有報蜀意。黃初中，爲偏將軍。子午之役，霸召爲前鋒，後爲右將軍，屯隴西，其養士和戎，並得其歡心。正始中，代夏侯儒爲征蜀護軍，統屬征西。時征西將軍夏侯玄，于霸爲從子，而玄于曹爽爲外弟。及司馬宣王誅曹爽，遂召玄，玄來東。霸聞爽被誅而玄又徵，以爲禍必轉相及，心既内恐。又霸先與雍州刺史郭淮不和，而淮代玄爲征西，霸益不安，故遂奔蜀。南趣陰平而失道，入窮谷中，糧盡，殺馬步行，足破，臥巖石下，使人求道，未知何之。蜀聞之，乃使人迎霸。初，建安五年，時霸從妹年十三四，在本郡，出行樵采，爲張飛所得。飛知其良家女，遂以爲妻，產息女，爲劉禪皇后。故淵之初亡，飛妻請而葬之。及霸入蜀，禪與相見，釋之曰：“卿父自遇害于行間耳，非我先人之手刃也。”指其兒子以示之曰：“此夏侯氏之甥也。”厚加爵寵。

《蜀志‧後主傳》：延熙十二年春正月，魏誅大將軍曹爽等。右將軍夏侯霸來降。

《華陽國志》：劉後主延熙十二年，魏嘉平元年也。魏誅大將軍曹爽。右將軍夏侯霸來降，淵子也，拜車騎將軍。

《晉書·羊祜傳》：祜，泰山南城人。美鬚眉，善談論。郡將夏侯威異之，以兄霸之子妻之。及霸之降蜀也，姻親多告絕，祜獨安其室，恩禮有加焉。

《唐書·經籍》、《藝文志》：魏《夏侯霸集》二卷。案《舊志》列于魏人桓範、鍾毓之間。《新志》同。

案《七錄》題征北將軍，尋《蜀志》未見，自是爲車騎將軍之後終于是官歟？

以上三國季漢人文凡一家，附梁有二家，綜三家三部。

吳輔義郎將張温集六卷

張温有《三史略》，見史部雜史類。

《吳志》本傳：將軍駱統表理温曰：“温雖智非從横，武非虓虎，然其弘雅之素，英秀之德，文章之采，論議之辯，卓躒冠群，煒燁曜世，世人未有及之者也。故論温才即可惜，言罪則可恕。若忍威烈以赦盛德，宥賢才以敦大業，固明朝之休光，四方之麗觀也。”權終不納。

又傳注：《會稽典録》曰：“餘姚虞俊嘆曰：‘張惠恕才多智少，華而不實，怨之所聚，有覆家之禍，吾見其兆矣。’諸葛亮聞俊憂温，意未之信，及温放黜，亮乃嘆俊之有先見。”臣松之以爲莊周云“名者公器也，不可以多取”。張温之廢，豈其取名之多乎！多之爲弊，古賢既知之矣。是以遠見之士，退藏于密，不使名浮于德，不以華傷其實，既不能被褐韞寶，挫廉逃譽，使才映一世，聲蓋人上，沖用之道，庸可暫替！温則反之，能無敗乎？權既疾温名盛，而駱統方驟言其美，至云“卓躒冠群，煒燁曜世，世人未有及之者也”。斯何異燎之方盛，又撟膏以熾之哉！’

《唐書·經籍》、《藝文志》：吳《張温集》五卷。

嚴氏《全三國文編》：吳張温，字惠恕，吳郡人。黃武初徵拜議

郎選曹尚書,徙太子太傅。以輔義中郎將使蜀,還斥免。有
《三史略》二十九卷,集六卷。本傳有《奉使至蜀詣闕拜章》一
篇,《文選注》、《類聚》、《御覽》有表二條,《自理》一條。

梁有《士燮集》五卷,亡。

士燮有《春秋經注》,見經部春秋家之首。

《唐書·經籍》、《藝文志》:吳《士燮集》五卷。

> 案《史通·雜説篇》云:“交阯遠居南裔,越裳之俗也;敦煌
> 僻處西域,昆戎之鄉也。求諸人物,自古闕載。蓋由地居
> 下國,路絶上京,史官記注,所不能及也。既而士燮著録,
> 劉昞裁書,則磊落英才,粲然盈矚者矣。向使兩賢不出,二
> 郡無記,彼邊隅之君子,何以取聞于後世乎? 是知著述之
> 功,其力大矣,豈與夫詩賦小技,校其優劣者哉?”按“劉昞
> 裁書”,謂《敦煌實録》,見史部霸史類。“士燮著録”,則本
> 志及《七録》皆不見。當在是集。集中有言交州人物,如傳
> 記之類者,劉子玄氏所見,或本諸此。

吳偏將軍駱統集十卷。梁有録一卷。

《吳志》本傳:統字公緒,會稽烏傷人也。孫權以將軍領會稽
太守,統年二十,試爲烏程相。召爲功曹,行騎都尉,妻以從
兄輔女。統志在補察,苟所見聞,夕不待旦。常勸權以尊賢
接士,勤求損益,權納用焉。出爲建忠郎將。以隨陸遜破蜀
軍于宜都,遷偏將軍。黄武初,封新陽亭侯,後爲濡須督。數
陳便宜,前後書數十上,所言皆善,尤以占募在民間長惡敗
俗,生離叛之心,急宜絶置,權與相反覆,終遂行之。年三十
六,黄武七年卒。

《唐書·經籍》、《藝文志》:《吳駱統集》十卷。

嚴氏《全三國文編》:吳駱統有集十卷。本傳有《民户損耗上
疏》一篇,《張温傳》有《表理張温》一篇,《北堂書鈔》未改本有

《陳諸將舟船飾嚴箋》。

梁又有《太子少傅薛綜集》三卷,録一卷,亡。

《吳志》本傳:綜字敬文,沛郡竹邑人也。少依族人避地交州,從劉熙學。士燮既附孫權,召綜爲五官中郎,除合浦、交阯太守。還都,守謁者僕射。出爲建昌侯慮長史。慮卒,入守賊曹尚書,遷尚書僕射。正月乙未,權勑綜祝祖不得用常文,案此言正月乙未,上有敬文。以其事考之《孫權傳》,則似黃龍三、四、五、六年。綜承詔,卒造文義,信辭粲爛。權曰:"復爲兩頭,使滿三也。"綜復再祝,辭令皆新,衆咸稱善。赤烏三年,徙選曹尚書。五年,爲太子少傅,領選職如故。六年春,卒。凡所著詩、賦、難、論數萬言,名曰《私載》。又定《五宗圖述》、《二京賦解》,皆傳于世。孫晧嘗追歎綜遺文,且命綜子瑩繼作云。

又傳注:《吳録》曰:"薛氏世典州郡,爲著姓。綜少明經,善屬文,有秀才。"《吳書》曰:"權賜綜紫綬囊,時綜以名儒居師傅之位,仍兼選舉,甚爲優重。"

《唐書·經籍志》:"《吳薛綜集》二卷。"《藝文志》三卷。

嚴氏《全三國文編》:吳薛綜有集三卷。今存表、疏、文移、頌,凡十一篇,《述鄭氏禮五宗圖》一篇。

吳選曹尚書暨豔集二卷。梁三卷。録一卷。

《吳志·張溫傳》:權既陰銜溫稱美蜀政,思有以中傷之。會暨豔事起,遂因此發舉。豔字子休,亦吳郡人也。溫引致之,以爲選曹郎,至尚書。豔性狷厲,好爲清議,見時郎署混濁淆雜,多非其人,欲臧否區別,賢愚異貫。彈射百僚,覈選三署,率皆貶高就下,降損數等,其守故者十未能一,其居位貪鄙,志節卑污者,皆以爲軍吏,置營府以處之。而怨憤之聲積,浸潤之譖行矣。競言豔及選曹郎徐彪,專用私情,憎受不由公理,豔、彪皆坐自殺。溫宿與豔、彪同意,數交書疏,問往還,即罪温。幽之有司,下令斥免。

《唐書‧經籍》、《藝文志》:《吳暨豔集》二卷。

嚴氏《全三國文編》曰:"暨豔字子休,吳郡人。爲選曹郎,進尚書,爲怨家所誣,自殺。有集三卷。《御覽》三百四十八引《暨豔集‧雜移》一條,云:'角弩既調,射者又工,多獲鶉鳥,能無懇傷?'"

案王應麟《姓氏急就篇》云:"元豐中,進士唱名,有暨陶,主司三呼去聲不應。蘇頌進曰:'當以入聲呼之。'果出應。神宗問:'何以知之?'頌對:'三國時,吳有暨豔,造營府之論,恐其後。'問陶鄉里,乃崇安人。上喜曰:'果吳人也。'"案營府之論,即所置營府,以處志節卑污之士者。宋蘇魏公猶見之。其論當在是集中,今泯滅無聞矣。

梁又有《姚信集》二卷,録一卷,亡。

姚信有《易注》,見經部易家。

《唐書‧經籍》、《藝文志》:《姚信集》十卷。案此十卷或并他所著《士緯新書》合爲一裒者。

武進張惠言《易義別録》曰:"《吳興志》有《德祐文集輯易注》一卷,明人爲之。"

嚴氏《全三國文編》曰:"信字元道,寶鼎初爲太常,有《士緯》十卷,《姚氏新書》二卷,集二卷。《吳志‧陸績傳》注引《姚信集》有《請襃陸績女鬱生表》一篇,《晉》、《宋》、《隋書‧天文志》有《昕天論》一篇,《藝文類聚》二十三有《誡子》一篇。"

梁又有《謝丞集》四卷,今亡。"丞"當爲"承"。

謝承有《後漢書》,見史部正史篇。

《唐書‧經籍》、《藝文志》:《謝承集》四卷。

嚴氏《全三國文編》曰:"吳謝承字偉平,會稽山陰人,孫權謝夫人之弟。爲吳都督郵,拜郎中,遷長沙東部都尉武陵太守。

有《後漢書》一百三十卷,集四卷。《初學記》、《類聚》、《御覽》諸書有《賀靈龜表》、《上丹砂表》、《與步子山書》、《三夫人箴》,凡四條。"

吳人楊厚集二卷。梁又有録一卷。

楊厚始末未詳。

《唐書·經籍志》:《吳楊厚集》二卷。

《唐書·藝文志》:《漢楊厚集》二卷。

《通志·藝文略》:《吳楊文厚集》二卷。

案《唐·藝文志》載是集於後漢劉珍、張衡之間,以爲漢之楊厚。考順帝時有侍中楊厚,廣漢新都人,家世圖緯,深于陰陽消復之術,桓帝時卒。范書及《華陽國志》並有傳。此明著吳人楊厚,又引《七録》有録一卷,不致舛誤,其非蜀人楊厚,可知。《通志略》以爲楊文厚,豈今本《隋志》敚"文"字歟?不可知已。

吳丞相陸凱集五卷。梁有録一卷。

陸凱有《吳先賢傳》,見史部雜傳篇。

《吳志》本傳:凱乃心公家,義形于色。表疏皆指事不飾,忠懇內發。建衡元年,疾病,晧遣中書令董朝問所欲言,凱陳:"姚信、樓玄、賀卲、張悌、郭逴、薛瑩、滕修及族弟喜、抗,皆社稷之楨幹,國家之良輔,願重留神思,訪以時務,各盡其忠,拾遺萬一。"

又傳末《附記》曰:"予連從荆、揚來者得凱所陳二十事,博問吳人,多云不聞凱有此表。又案其文殊甚切直,恐非晧之所能容忍也。或以爲凱藏之篋笥,未敢宣行,病困,晧遣董朝省問欲言,因以付之。虛實難明,故不著于篇,然愛其指摘晧事,足爲後戒,故鈔列于凱傳左云。"

《唐書·藝文志》:《陸凱集》五卷。<small>一本作"陸凱",刊誤也。《經籍志》</small>

不載。

嚴氏《全三國文編》：陸凱有《吳先賢傳》四卷，《太玄經注》十三卷，集五卷。今存《上表言宜優卹功臣後》、《上表諫吳主皓》、《重表諫起宮》、《疏悼王蕃》、《疏諫吳主皓》、《疏諫吳主皓不遵先帝二十事》、《奏重備西陵》、《奏事》，凡八篇。附《吳先賢傳贊》三條。

吳侍中胡綜集二卷。梁有錄一卷。

《吳志》本傳：綜字偉則，汝南固始人也。少孤，將母避難江東。孫策領會稽，綜年十四，爲門下循行，留吳與孫權共讀書。策薨，權爲討虜將軍，以綜爲金曹從事，從討黃祖，拜鄂長。權爲車騎將軍，都京，召綜還，爲書部，與是儀、徐詳俱典軍國密事。爲解煩右部督。加建武中郎將。魏拜權爲吳王，封綜、儀、詳皆爲亭侯。黃武八年夏，黃龍見夏口，于是權稱尊號，因瑞改元。又作黃龍大牙，常在中軍，諸軍進退，視其所向，命綜作賦。蜀聞權踐阼，遣使重申前好。綜爲盟文，文義甚美。權下都建業，詳、綜並爲侍中，進封鄉侯，兼左右領軍。時魏降人或云魏都督河北振威將軍吳質，頗見猜疑，綜乃僞爲質作降文三條。此文既流行，而質已爲侍中矣。後拜綜偏將軍，兼左執法，領辭訟。凡自權統事，諸文誥策命，鄰國書符，略皆綜之所造也。赤烏六年卒，子沖嗣。胡沖有《吳朝人士品秩狀》八卷，《吳曆》六卷，本志不著錄，見《唐志》雜史類。

又傳評曰："是儀、徐詳、胡綜，皆孫權時幹興事業者也。儀清恪貞素，詳數通使命，綜文采才用，各見信任，辟之廣夏，其榱椽之佐乎！"

《唐書・經籍》、《藝文志》：《胡綜集》二卷。

嚴氏《全三國文編》：吳胡綜有集二卷。今存《黃龍大牙賦》、《中分天下盟文》、《請立諸王表》、《議奔喪》、《僞爲吳質作降文》、《太子賓友目》，凡六篇。

梁又有《東觀令華覈集》五卷，録一卷，亡。一本作"華覆"，誤。

《吳志》本傳：覈字永先，吳郡武進人也。始爲上虞尉、典農都尉，以文學入爲祕府郎，遷中書丞。孫晧即位，封徐陵亭侯。後遷東觀令，領右國史，覈上疏辭讓，晧答曰："得表，以東觀儒林之府，當講校文藝，處定疑難，漢時皆名學碩儒乃任其職，乞更選英賢。聞之，以卿研精墳典，博覽多聞，可謂悅禮樂敦詩書者也。當飛翰騁藻，光贊時事，以越揚、班、張、蔡之疇，怪乃廉光，厚自菲薄，宜勉脩所職，以邁先賢，勿復紛紛。"晧以覈年老，勅令草表，覈不敢。又勅作草文，停立待之。覈爲文草對。覈前後陳便宜，及貢薦良能，解釋罪過，書百餘上，皆有補益。天册元年以微譴免，數歲卒。所論事章疏，咸傳于世。

又傳評曰："胡沖以爲華覈文賦之才，有過于韋曜，而典誥不及也。予觀覈數獻良規，期于自盡，庶幾忠臣矣。"

《唐書·經籍志》："《華覈集》三卷。"《藝文志》五卷。

嚴氏《全三國文編》曰："華覈有集五卷。今存《車賦》、《奏薦陸胤》、《表薦陸禕》、《聞蜀亡詣宫門上表》、《諫吳主晧盛夏興工疏》、《上務農禁侈疏》、《乞赦樓玄疏》、《疏請召還薛瑩》、《疏救韋曜》、《奉勅草對》，凡十一篇。"

吳侍中張儼集一卷。梁二卷。録一卷。

張儼有《默記》，見子部雜家。

《唐書·經籍》、《藝文志》：《張儼集》二卷。

嚴氏《全三國文編》曰："張儼字子節，吳人，官大鴻臚，有《默記》三卷，集一卷。《文士傳》有《賦犬》一條，《藝文類聚》有《請立太子師傅表》一篇，又《蜀志·諸葛亮傳》注引《默記·述佐篇》，《北堂書鈔》引《默記》佚文一條。"

梁又有《韋昭集》二卷，録一卷，亡。

韋昭有《毛詩答問》，見經部詩類。

《吳志》本傳："皓收曜付獄，華覈連上疏救曜曰：'曜自少勤學，雖老不倦，探綜墳典，温故知新，及意所經識古今行事，外吏之中少過曜者。'"又《華覈傳》末云："曜、覈所論事章疏，咸傳于世也。"

又傳評曰："薛瑩稱韋曜篤學好古，博見群籍，有記述之才。胡沖以爲華覈文賦之才有過于曜，而典誥不及也。"

《晉書·樂志》：漢時有《短簫鐃歌》之樂，其曲列于鼓吹，多序戰陳之事。及魏受命，改其十二曲，使繆襲爲辭。是時吳亦使韋昭製十二曲名，以述功德受命。

《宋書·樂志》：韋昭于孫休世上《鼓吹鐃歌》十二曲表曰："當付樂官善歌者習歌。曰《炎精缺》者，言漢室衰，武烈皇帝孫堅。奮迅猛志，念在匡救，王迹始乎此也；曰《漢之季》者，武烈皇帝悼漢之微，痛卓之亂，興兵奮擊，功蓋海内也；曰《攄武師》者，言大皇帝權卒武烈之業而奮征也；曰《烏林》者，言曹操既破荆州，從流東下，大皇帝命將周瑜逆擊之于烏林而破走也；曰《秋風》者，言大皇帝説以使民，民忘其死；曰《克皖城》者，言曹操志圖兼并，令朱光爲廬江太守。上親征光，破之于皖城也；曰《關背德》者，言蜀將關某背棄吳德，大皇帝引師浮江而擒之也；曰《通荆門》者，言大皇帝與蜀交好齊盟，終復初好也；曰《章洪德》者，言大皇帝章其大德，遠方來附也；曰《從曆數》者，言大皇帝從圖籙之符，而建大號也；曰《承天命》者，言上以聖德踐位，道化至德盛也；曰《玄化》者，言上脩文訓武，則天而行，仁澤流洽，天下喜樂也。"

《唐書·經籍》、《藝文志》：《韋昭集》二卷。

馮氏《詩紀》輯存《鼓吹鐃歌》十二曲。

汪氏《文選撰人篇目》：吳韋弘嗣昭有《博弈論》。案《吳志·孫和傳》：“和常言當世士人宜講修術學，校習射御，以周世務，而但交游博弈以妨事業，非進取之謂。乃命侍坐者八人各著論以矯之。于是中庶子韋曜退而論奏，和以示賓客。”案此則當時奉令而作者凡八人，《文選》所錄止韋昭一家。其時闞澤、薛綜、張純、封俌、嚴維、吾粲、顧譚等皆爲太子侍從，意此數人亦皆有所作。

嚴氏《全三國文編》曰：“韋昭字弘嗣，陳壽避司馬文王諱，追改名‘曜’。孫皓鳳凰二年，忤旨，下獄誅。有《國語注》二十二卷，《吳書》五十五卷，集二卷。今存《雲陽賦》、《上鼓吹鐃歌表》、《因獄吏上辭》、《國語解敍》、《博弈論》，凡五篇。”

吳中書令紀騭集三卷。梁有録一卷。

《吳志·孫晧傳》：元興元年，是歲十二月，晉文帝爲魏相國，遣使齎書，陳時勢利害，以申喻晧。甘露元年三月，晧遣光禄大夫紀陟、五官中郎將弘璆報書。陟、璆至洛，遇晉文帝崩。十一月，乃遣還。十二月，晉受禪。案“騭”，“陟”並相通。范書鄧騭，章懷太子注云：“《東觀記》作鄧陟。”與此相類。

又傳注：《吳録》曰：“陟字子上，丹陽人。初爲中書郎。孫休時，父亮爲尚書令，而陟爲中書令，每朝會，詔以屏風隔其坐。出爲豫章太守。陟子孚，晧封都亭侯。孚弟瞻，字思遠，入仕晉驃騎將軍。”《晉書·紀瞻傳》：瞻，丹陽秣陵人也。祖亮，吳尚書令。父陟，光禄大夫。

《唐書·經籍志》：《吳紀騭集》三卷。”《藝文志》二卷。

嚴氏《全三國文編》曰：“紀騭，丹陽人，尚書令亮子，累官至中書令。有集三卷。《太平御覽》有《上吳主晧表》一條。”

梁又有《陸景集》一卷,亡。

陸景有《典語》，見子部儒家。

《吳志·陸抗傳》：抗子晏，晏弟景、玄、機、雲，分領抗兵。景澡身好學，著書數十篇也。

嚴氏《全三國文編》曰：“陸景有《典語》十卷，《典語別》二卷，集一卷。《藝文類聚》、《北堂書鈔》有《與兄書》三條,《誡盈》一篇。"

以上三國孫吳人文凡八家,附梁有七家,綜一十五家。

大凡三國人文二十八家,附梁有三十四家,通計六十二家,六十四部,是爲别集類分篇第三。内魏武帝一家三部。

卷三十九之四

集部二之四
別集類四　晉

晉宣帝集五卷。梁有録一卷。

《晉書》本紀：宣皇帝諱懿，字仲達，河南温縣人，姓司馬氏。漢建安六年，郡舉上計掾。魏武爲丞相，辟爲文學掾。歷文帝、明帝，至齊王時，累遷侍中、持節都督中外諸軍、録尚書事，進太傅。嘉平元年，進丞相，加九錫。三年，策命爲相國，進封安平郡公。並固讓不受。是年秋八月戊寅，崩于京師，時年七十三，謚曰文貞，後改謚文宣。先是，預作終制，作《顧命》三篇。晉國初建，追尊曰宣王。武帝受禪，上尊號曰宣皇帝，廟號高祖。

又曰：“魏武聞帝有狼顧相，欲驗之。乃召使前行，令反顧，面正向後而身不動。及平公孫文懿，大行殺戮。誅曹爽之際，支黨皆夷及三族，男女無少長，姑姊妹之適人皆殺之。明帝時，王導侍坐。帝問前世所以得天下，導乃陳帝創業之始，及文帝末高貴鄉公事。明帝以面覆牀曰：‘若如公言，晉祚復安得長遠！’迹其猜忍，蓋有符于狼顧也。”公孫淵，字文懿，惟見于此。唐人避諱，故稱其字。

《唐書·經籍志》：“《晉宣帝集》十卷。”《藝文志》五卷。

馮氏《詩紀》：《晉書》曰：“高祖伐公孫淵，過温，見父老故舊，讌飲累日。悵然有感，爲《讌飲歌》一篇。”

嚴氏《全晉文編》：晉宣帝有集五卷。據《三國志·紀》、《傳》

注及《晉書》、《御覽》諸書，有遺詔、令、教、上書、上言、奏事、議、書，凡一十五篇。

晉文帝集三卷

《晉書》本紀：文帝諱昭，字子上，景帝母弟也。魏正元二年，景帝崩，進位大將軍加侍中，都督中外諸軍、錄尚書事，輔政。景元四年，進封晉公，加九錫，以相國總百揆。咸熙元年，進爵爲王。二年，天子命帝冕十有二旒，建天子旌旗，出警入蹕，如帝者之儀。秋八月辛卯，崩，年五十五，謚曰文王。武帝受禪，追尊曰文皇帝，廟號太祖。

《唐書·經籍志》："《晉文帝集》一卷。"《藝文志》二卷。

嚴氏《全晉文編》：文帝有集三卷。今存《讓謚兄司馬師爲武公表》、《請魏帝親征諸葛誕表》、《奏收成濟》、《與鄭袤書》、《與王基書》、《報王基書》、《與山濤書》、《與鍾會書》，凡八篇。

齊王攸集二卷。梁三卷。

《晉書·文六王傳》：文帝文明皇后生武帝、齊獻王攸。攸字大猷。少而岐嶷。及長，清和平允，親賢好施，愛經籍，能屬文，善尺牘，爲世所楷。才望出武帝之右，宣帝每器之。景帝無子，命攸爲嗣。武帝踐阼，封齊王。時朝廷草創，而攸總統軍事，撫寧内外，莫不景附焉。遷驃騎將軍，開府辟召，禮同三司。轉鎮軍大將軍，加侍中，行太子少傅。數年，授太傅，獻箴于太子。世以爲工。咸寧二年，代賈充爲司空。太康三年詔以爲大司馬、都督青州。明年，策攸就國。攸知荀勖、馮統搆己，憤怨發疾，歐血薨，年三十六。子冏立。攸以禮自拘，鮮有過事。就人借書，必手刊其謬，然後反之。加以至性過人，有觸其諱者，輒泫然流涕。武帝亦敬憚之，每引之同處，必擇言而後發。

《唐書·經籍志》：《晉齊王集》二卷。

《唐書·藝文志》：《齊王攸集》二卷。

嚴氏《全晉文編》輯存令、教、議、書及《太子箴》凡八篇。

晉王沈集五卷　太原。

王沈有《魏書》，見史部正史篇。

《晉書》本傳：沈好書，善屬文。魏高貴鄉公好學有文才，引沈及裴秀數于東堂講讌屬文，號沈爲文籍先生，秀爲儒林丈人。

《唐書·經籍》、《藝文志》：《晉王沈集》五卷。

嚴氏《全晉文編》：王沈有《魏書》四十八卷，集五卷。今存賦五篇、表、教、書、頌、祭文，凡十四篇。

梁有《鄭袤集》二卷，亡。

《晉書》本傳：袤字林叔，滎陽開封人也。高祖衆，漢大司農。父泰，揚州刺史，有高名。袤早有識鑒。魏武帝初封諸子爲侯，精選賓友，袤與徐幹俱爲臨菑侯文學。案陳思王初封臨菑侯。後爲廣平太守。以德化爲先，善作條教，郡中愛之。魏景元初，疾病失明，屢乞骸骨，不許。拜光禄大夫。武帝踐阼，進爵密陵侯。泰始九年薨，年八十五。謐曰元。有子六人，長子默嗣，次質、舒、詡、稱、予，位並列卿。鄭氏《孝經注》或疑爲鄭偁撰，即此鄭稱，袤第五子也。

《唐書·經籍》、《藝文志》：《鄭袤集》二卷。

晉宗正嵇喜集一卷。殘缺。梁二卷。錄一卷。本"嵇"，作"稽"非也。

《魏志·王粲附傳》注：《嵇氏譜》曰："康兄喜，字公穆，晉揚州刺史，宗正。"喜爲康傳曰："家世儒學。"

《晉書·嵇康傳》：康兄喜，有當世才，歷太僕、宗正。又《忠義·嵇含傳》：祖喜，徐州刺史。

《唐書·經籍》、《藝文志》：《嵇喜集》二卷。

嚴氏《全晉文編》曰："嵇喜字公穆，譙國銍人。魏中散大夫嵇康兄，爲衛軍司馬。入晉拜揚州刺史，遷太僕、宗正。有集二卷。《魏志·王粲傳》注引所作《嵇康傳》。”

晉散騎常侍應貞集一卷。梁五卷。

《魏志·王粲附傳》：“始文帝爲五官將，及平原侯植皆好文學。粲與汝南應瑒等並見友善。瑒弟璩，璩子貞，咸以文章顯。貞，咸熙中參相國軍事。”注：《文章叙録》曰：“貞字吉甫，少以才聞，能談論。正始中，夏侯玄盛有名勢，貞常在玄坐作五言詩，玄嘉玩之。舉高第，歷顯位。晉武帝爲撫軍大將軍，以貞參軍事。晉室踐阼，遷太子中庶子、散騎常侍。又以儒學與太尉荀顗撰定新禮，事未施行。”

《晉書·文苑傳》：貞字吉甫，汝南南頓人，魏侍中璩之子也。自漢至魏，世以文章顯，軒冕相襲，爲郡盛族。貞善談論，以才學稱。武帝踐阼，遷給事中。帝于華林園宴射，貞賦詩最美。太始五年卒，文集行于世。

又史臣曰：“應貞宴射之文，極形言之美，華林群藻罕或儔之。”

《釋文·叙録》曰：“晉張璠《周易集解》二十二家，有應貞《明易論》。”

《唐書·經籍》、《藝文志》：《應貞集》五卷。

馮氏《詩紀》輯存《華林園詩》九章。

汪氏《文選撰人篇目》：晉應吉甫貞有《華林集詩》。

嚴氏《全晉文編》：應貞有集五卷。今存《臨丹賦》、《安石榴賦》、《蒲桃賦》、《釋左雜論》、《七華》、《杖箴》、《朱杖銘》、《華覽》、《革林》，凡九篇。

晉司隸校尉傅玄集十五卷。梁五十卷。録一卷。亡。

傅玄有《傅子》，見子部雜家。

《晉書》本傳：“玄博學善屬文，解鍾律。數上書陳便宜，多所匡正。”又曰：“玄少時避難于河內，專心誦學，後雖顯貴，而著述不廢。撰《傅子》數十萬言，并文集百餘卷，行于世。”

《太平御覽·文部》：摯虞《文章流別論》曰：“傅子集古今七篇品之，署曰《七林》。”案此條嚴氏輯《流別論》遺之。

《文心雕龍·樂府篇》曰：“逮于晉世，則傅玄曉音，創定雅歌，以詠祖宗。”又《才略篇》曰：“傅玄篇章，義多規鏡。”

《唐書·經籍》、《藝文志》：《傅玄集》五十卷。

《宋史·藝文志》：《傅玄集》一卷。

馮氏《詩紀》曰：“休奕諸詩文句多闕，不能盡析。姑從類次之，其不成章者列于卷末，凡五十三篇七十三首。”

又曰：“《晉書·樂志》：‘武帝受命，泰始二年，詔郊祀明堂禮樂權用魏儀，但改樂章，使傅玄爲之辭，凡一十九篇。又泰始五年，傅玄造《四廂樂歌》三篇。”又曰：“武帝令傅玄製《鼓吹曲》二十二首。又泰始九年，傅玄造《正德舞歌》、《大豫舞歌》各一篇。又有《宣武舞歌》四首，《宣文舞歌》二首。又有《鼙舞歌》五首，《鐸舞歌》一首。”案《晉》、《宋》、《齊書·樂志》所載樂章，或不盡著撰人。馮氏據諸書皆一一考訂之，故不取史志，唯以《詩紀》爲斷。其下成公綏、荀勖、張華諸家並同此。

張氏《百三家·傅鶉觚集》一卷，凡賦、墓誌、疏、奏、議、序、論、贊、箴、銘、誡、頌、設難、誄、祝文九十五篇，樂府三十八篇，詩二十五篇。

汪氏《文選撰人篇目》：晉傅休奕玄有《雜詩》一首。

嚴氏《全晉文編》輯存賦五十三篇，擬、騷、表、疏、議、《客難》、《七謨序》、頌、《古今畫贊》、箴、銘、《口誡》、墓誌、誄、祝文，凡四十篇，綜九十三篇，編爲二卷。

晉著作郎成公綏集九卷。殘缺。梁十卷。

《晉書·文苑傳》：成公綏，字子安，東郡白馬人也。幼而聰敏，博涉經傳。性寡欲，不營資産，家貧歲飢，嘗晏如也。少有俊才，辭賦甚麗，閑默自守，不求聞達。時有孝烏，每集其廬舍，綏謂有反哺之德，以爲祥禽，乃作賦美之。又以爲賦者貴能分賦物理，敷演無方，天地之盛，可以致思矣。歷觀古人未之有賦，豈獨以至麗無文，難以辭贊。不然，何其闕哉？乃爲《天地賦》。綏雅好音律，嘗當暑承風而嘯，泠然成曲，因爲《嘯賦》。張華雅重綏，每見其文，歎伏以爲絕倫，薦之太常，徵爲博士。歷祕書郎，轉丞，遷中書郎。每與華受詔並爲詩賦，又與賈充等參定法律。泰始九年卒，年四十三，所著詩、賦、雜筆十餘卷行世。

又史臣曰：“子安幼標明敏，少蓄清思，懷天地之寥廓，賦辭人之所遺，特購新情，豈常均之所企！”

《文心雕龍·詮賦篇》曰：“太沖安仁，策勳于鴻規；士衡子安，底績于流制。”又《才略篇》曰：“成公子安，選賦而時美。”

《唐書·經籍》、《藝文志》：《成公綏集》十卷。

馮氏《詩紀》輯存《中宮詩》二首，《行路詩》、《游仙詩》各一首。

又曰：“《晉書·樂志》：‘武帝太始五年，使傅玄、荀勗、張華等各造正旦行禮及王公上壽酒食舉樂歌詩。後又詔成公綏亦作焉。綏造《王公上壽酒歌》一篇，《正旦大會行禮歌》十五章。’”

張氏《百三家·成公子安集》一卷，凡賦、頌、銘、箴、誄、七唱、雜文三十篇，樂歌二篇，詩二篇。

汪氏《文選撰人篇目》：晉成公子安綏有《嘯賦》。

嚴氏《全晉文編》曰：“成公綏有集十卷。今存《天地賦》以迄《螳蜋賦》凡二十四篇，《七唱》、頌、贊、《錢神論》、箴、銘、誄、《戒火文》、《隸書體》十二篇，綜三十六篇。”

梁又有《裴秀集》三卷，錄一卷，亡。

《魏志·裴潛傳》：“潛字文行，河東聞喜人。子秀，咸熙中爲

尚書僕射。"注:《文章叙録》曰:"秀字季彦。弘通博濟,八歲
能屬文,遂知名。大將軍曹爽辟。累遷散騎常侍、尚書僕射
令、光禄大夫。咸熙中,晉文王始建五等,命秀典爲制度,封
廣川侯。晉室受禪,進左光禄大夫,改封鉅鹿公,遷司空。著
《易》及《樂論》,又畫《地域圖》十八篇,傳行於世。《盟會圖》
及《典治官制》皆未成。年四十八,泰始七年薨,謚元公,配食
宗廟。"

《晉書》本傳:"秀少好學,有風操。叔父徽,有盛名,賓客甚
衆。秀年十歲,有詣徽者,出則過秀。魏咸熙初,釐革憲司。
時荀顗定禮儀,賈充正法律,而秀改官制焉。武帝受禪,詔以
秀爲司空。秀儒學洽聞,且留心政事,當禪代之際,總納言之
要,其所裁當,禮無違者。又以職在地官,以《禹貢》山川地
名,從來久遠,多有變易。後世説者或彊牽引,漸以暗昧。于
是甄摘舊文,疑者則闕,古有名而今無者,皆隨事注列,作《禹
貢地域圖》十八篇,奏之,藏于祕府。案此圖必亡于永嘉之亂。秀創
制朝儀,廣陳刑政,朝廷多遵用之,以爲故事。在位四載,爲
當世名公。服寒食散,當飲熱酒而飲冷酒。泰始七年薨。
初,秀以尚書三十六曹統事準例不明,宜使諸卿任職,未及
奏而薨。其友人料其書記,得表草言平吳之事,乃封以
上聞。

《唐書·經籍》、《藝文志》:《裴秀集》三卷。

馮氏《詩紀》輯存《大蜡詩》一篇。

嚴氏《全晉文編》:裴秀有集三卷。本傳載《平吳表草》、《禹貢
九州地域圖序》,《北堂書鈔》載《奏事》、《與山濤書》,凡四篇。

晉金紫光禄大夫何禎集一卷。梁五卷。"禎"當爲"楨"。

《太平御覽·文部》:《文士傳》曰:"何楨字元幹。青龍元年,
天子特詔曰:'揚州別駕何楨有文章才,試使作《許都賦》,成,

封上，不得令人見。’楨遂造賦，上甚異之。"嚴氏録入《魏明帝集》載此詔云："使作《許都賦》，成，上，不封，得令人見。"

《唐書‧經籍》、《藝文志》：《何楨集》五卷。

嚴氏《全晉文編》曰："何楨字元幹，廬江灊人，魏太和中爲揚州別駕，正始中爲弘農太守，歷幽州刺史，拜廷尉，入晉爲尚書光禄大夫。有集五卷。今存《許都賦》佚文及表、議、贊、叙凡五篇。"

梁又有《袁準集》二卷，録一卷，亡。

袁準有《喪服經傳》，見經部禮類。

《唐書‧經籍》、《藝文志》：《袁準集》二卷。

嚴氏《全晉文編》：袁準有《儀禮喪服經注》一卷，《袁子正論》十九卷，《正書》二十五卷，集二卷。《藝文類聚》有《招公子》、一名《觀殊俗》。《才性論》，《魏志‧齊王紀》注有《獻言于曹爽宜捐淮漢已南》凡三篇。

晉少傅山濤集九卷。梁五卷。録一卷。又一本十卷，齊奉朝請裴律注。

《晉書》本傳：濤字巨源，河内懷人也。少有器量，介然不群。性好《莊》、《老》，每隱身自晦。與嵇康、呂安善，後遇阮籍，便爲竹林之游，著忘年之契。魏正元初，司隸舉秀才，除郎中。歷驃騎王昶從事中郎，趙國相，尚書吏部郎，大將軍從事中郎，行軍司馬。咸熙初，封新沓子。泰始初，進爵爲伯。咸寧初，轉太子少傅，加散騎常侍，尚書僕射，加侍中，領吏部，拜司徒。太康四年薨，年七十九，謚曰康。

《唐書‧經籍》、《藝文志》：《山濤集》五卷。

嚴氏《全晉文編》：山濤有集九卷。今惟見本傳所載表、疏四篇，《通典》載《答詔問郊祀事》二條，及諸書所引《啓事》五十一條。

案別有《山公啓事》,見後總集類,或亦編入十卷本中也。

齊奉朝請裴津始末未詳,本志所載爲詩文集注者始見于此。

梁又有《向秀集》二卷,録一卷,亡。

向秀有《莊子注》,見子部道家。

《晉書》本傳:秀清悟有遠識,少爲山濤所知,既爲《莊子》隱解,發明奇趣,又與嵇康論養生,辭難往復,蓋欲發康高致焉。康既被誅,秀應本郡計入洛。秀乃自此役,作《思舊賦》。

《世説·言語篇》注:《向秀別傳》曰:"秀少爲同郡山濤所知,又與譙國嵇康、東平吕安友善。並有拔俗之韻,其進止無不同,而造事營生業亦不異。常與嵇康偶鍛于洛邑,與吕安灌園于山陽,不慮家之有無,外物不足拂其心。弱冠著《儒道論》,棄而不録,好事者或存之。或云是其族人所作,困于不行,乃告秀,欲假其名。秀笑曰:'可復爾耳。'"

《文心雕龍·指瑕篇》曰:"崔瑗之《誄李公》,比行于黃虞,向秀之《賦嵇生》,方罪于李斯。與其失也,雖寧僭毋濫,然高厚之詩,不類甚矣。凡巧言易標,拙辭難隱,斯言之玷,實深白圭。"

《釋文·叙録》曰:"晉張璠《周易集解》有向秀《易義》,璠序云依向秀本。"

《唐書·經籍》、《藝文志》:《向秀集》二卷。

汪氏《文選撰人篇目》:晉向子期秀有《思舊賦》。

嚴氏《全晉文編》:向秀有集二卷。今惟本傳及《文選》所載《思舊賦》、《嵇中散集》載《難養生論》各一篇。

梁又有《平原太守阮种集》二卷,録一卷,亡。

《晉書》本傳:种字德猷,陳留尉氏人,漢侍中胥卿八世孫也。弱冠有殊操,爲嵇康所重。康著《養生論》,所稱阮生,即种也。察孝廉,爲公府掾。詔舉賢良方正直言之士,于是太保何曾舉种賢良對策。种與濟陰郤詵、東平王康俱居上第,即除尚書郎。然毀譽之徒,或言對者因緣假託,帝乃更延群士,庭以問之。策奏,帝親覽焉,又擢爲第一。轉中書郎。進止有方,正己率下,朝廷咸憚其威容。每爲駁議,事皆施用,遂爲楷則。遷平原相。卒于郡。

《唐書・經籍》、《藝文志》:《阮沖集》二卷。"沖"並當爲"种"。

嚴氏《全晉文編》:阮种有集二卷。今唯見本傳所載《泰始七年舉賢良對策》、《廷試對策》各一篇。

梁又有《阮侃集》五卷,録一卷,亡。

阮侃有《攝生論》二卷,見子部道家。

《唐書・經籍》、《藝文志》:《阮侃集》五卷。

> 案阮侃事蹟不概見,惟《世説・賢媛篇》注引《陳留志》,知爲魏衞尉阮共之少子,亦與嵇康爲友。康集載《宅無吉凶攝生論》,與張遼叔相反覆者,意侃集。其論爲二卷,《七録》列之道家,或亦編入本集五卷中也。又阮种字德猷,侃字德如,皆陳留尉氏人,殆與种兄弟行。德如妹爲魏領軍許允婦,奇醜,而才識在允之上。交禮竟,允無復入理。桓範謂允曰:"阮家既嫁醜女與卿,故當有意,卿宜察之。"遂相敬重云。

晉太傅羊祜集一卷。殘缺。梁二卷。録一卷。

羊祜有《老子傳》,見子部道家。

《晉書》本傳:"祜,蔡邕外孫。博學能屬文,善談論。時高貴鄉公好屬文,在位者多獻詩賦,祜在其間焉。"又曰:"祜歷職二朝,任典樞要,政事損益,皆諮訪焉。其嘉謨讜議,皆焚其草,故世莫得聞。"又曰:"祜樂山水,每風景,必造峴山,置酒言詠,終日不倦。嘗慨然嘆息,顧謂從事中郎鄒湛等曰:'自

有宇宙,便有此山。由來賢達勝士,登此遠望,如我與卿者多
矣! 皆湮没無聞,使人悲傷。'湛曰:'公德冠四海,道嗣前哲,
令聞令望,必與此山俱傳。至若湛輩,乃當如公言耳。'祜所
著文章及爲《老子傳》並行于世。襄陽百姓于峴山祜平生游
憩之所建碑立廟焉。"

李充《翰林論》曰:"表宜以遠大爲本,不以華藻爲先。若諸葛
之表劉主,裴公之辭侍中,羊公之辭開府,可謂德音矣!"案裴
公,似謂裴成公頠也,久任侍中,又使專任門下,頠辭讓不許,又上言云云。見《晉書
・裴秀附傳》。祜本傳云:"開府累年,謙讓不辟士。"

《文心雕龍・章表篇》曰:"羊公之辭開府,有譽于前談。"

《唐書・經籍》、《藝文志》:《羊祜集》二卷。

汪氏《文選撰人篇目》曰:"晉羊叔子祜有《讓開府表》。"

嚴氏《全晉文編》曰:"羊祜有集二卷。今見諸書所引有《鴈
賦》、《讓開府表》、《讓封南城侯表》、《請伐吴疏》、《與從弟琇
書》、《與吴都督陸抗書》、《誡子書》,凡七篇。"

梁又有《蔡玄通集》五卷,亡,

蔡玄通始末未詳。

梁又有《太宰賈充集》五卷,録一卷,亡。

《晉書》本傳:充字公閭,平陽襄陵人。父達,魏豫州刺史、陽
里亭侯。充襲父爵爲侯。拜尚書郎,典定科令,兼度支考課。
辯章節度,事皆施用。與裴秀、王沈、羊祜、荀勖同受腹心之
任。文帝又命充定法律。晉受禪,以建明大命更封魯郡公,
累遷司空、太尉、録尚書事。太康三年四月薨,年六十六,追
贈太宰,謚曰武,配饗廟庭。

又史臣曰:"賈充以諂諛陋質,刀筆常材,幸屬昌辰,濫叨非
據。抽戈犯順,曾無猜憚之心;杖鉞推亡,遽有知難之請,非
唯魏朝之悖逆,抑亦晉室之罪人者歟! 然猶身極寵光,任兼

文武，存荷台衡之寄，没有從享之榮，可謂無德而禄，殃將及矣。逮乎貽厥，乃乞丐之徒，嗣惡稔之餘基，縱姦邪之凶德。煽茲哲婦，索彼惟家，雖及誅夷，曷云塞責。昔當塗闕翦，公閭實肆其勞，典午分崩，南風亦盡其力，可謂‘君以此始，必以此終’，信乎其然矣。”賈后名南風，充女也。

《唐書·經籍》、《藝文志》：《賈充集》二卷。

馮氏《詩紀》輯存《與李夫人聯句》一首。

嚴氏《全晉文編》：“賈充有集五卷。今惟本傳及《裴頠傳》有表三篇，議一篇。”

梁又有《荀勖集》三卷，錄一卷，亡。

荀勖有《晉中經》，見史部簿錄篇。

《晉書》本傳：勖岐嶷夙成，年十餘歲能屬文。既長，博學，達于從政。時將發使聘吳，並遣當時文士作書于孫晧，文帝用勖所作。晧既報命和親，帝謂勖曰：“君前作書，使吳思順，勝十萬之衆也。”武帝受禪，領著作，與賈充共定律令。既掌樂事，又脩律呂，並行于世。時帝知太子闇弱，恐後亂國，遣勖及和嶠往觀之。勖還，盛稱太子之德，而嶠云太子如初。于是天下貴嶠而賤勖。帝將廢賈妃。勖與馮紞等諫請，故得不廢。時議以勖傾國害時，孫資、劉放之匹云。

《唐書·經籍》、《藝文志》：《荀勖集》二十卷。案“十”字衍。

馮氏《詩紀》輯存《從武帝宴華林園詩》二篇。又曰：“《晉書·樂志》：‘泰始中，使傅玄、荀勖、張華各造正旦大會行禮及王公上壽酒食舉樂歌詩。勖乃更作《行禮詩》四篇，又爲《正旦大會王公上壽歌詩并食舉樂歌詩》合十三篇，又造《正德》、《大豫舞歌》二首。’”

嚴氏《全晉文編》：荀勖有集三卷。《藝文類聚》載有《蒲萄賦》，餘所引有表、奏、議、書及《上穆天子傳序》，凡十六篇。

晉征南將軍杜預集十八卷

杜預有《喪服要集》，見經部禮類。

《晉書》本傳：預博學，明于興廢之道，常言“德不可以企及，立功立言可庶幾也”。泰始中，守河南尹。受詔爲黜陟之課，拜度支尚書。奏立籍田，建安邊，論處軍國之要。又作人排新器，興常平倉，定穀價，較鹽運，制課調，內以利國、外以救邊者五十餘條，皆納焉。又以時曆差舛，不應晷度，奏上《二元乾度曆》，行于世。咸寧四年秋，大霖雨，蝗蟲起。預上疏多陳農要，事在《食貨志》。在內七年，損益萬機，不可勝數，朝野稱美，號曰杜武庫，言其無所不有也。及鎮荊州，數請伐吳，表陳至計。孫晧既平。于公家之事，知無不爲。凡所興造，必考度終始，鮮有敗事。好爲後世名，常言“高岸爲谷，深谷爲陵”，刻石爲二碑，記其勳績，一沈萬山之下，一立峴山之上，曰：“焉知此後不爲陵谷乎！”又爲遺令，欲以儉自完。子孫一以遵之。

又史臣曰：“杜預不有生知，用之則習，振長策而攻取，兼儒風而轉戰。孔門稱四，則仰止其三；《春秋》有五，而獨擅其一，不其優歟！”

《唐書·經籍》、《藝文志》：《杜預集》二十卷。

張氏《百三家·杜征南集》一卷，凡奏、疏、表、議、書、序、論、說、譜、令、雜文凡三十一篇。

汪氏《文選撰人篇目》：晉杜元凱預有《左氏傳序》。

嚴氏《全晉文編》：杜預有《春秋左氏經傳集解》三十卷，《春秋釋例》十五卷，集十八卷。諸書所引有表、奏、疏、議、答問、書、《七規》、_{一作《七矯》。}《律序》、《春秋左氏傳序》、《後序》、《長曆》、《宗譜》、《遺令》、《集要》、《自述》，凡二十八篇。又《北堂書鈔》一百十九引《杜預集序》一條。

晉輔國將軍王濬集一卷。殘缺。梁二卷。**錄一卷**。

《晉書》本傳：濬字士治，弘農湖人也。家世二千石。博涉典墳。州郡辟河東從事，後參征南軍事。羊祜雅知濬有奇略，密表爲益州刺史。尋拜龍驤將軍，大舉伐吳。受孫晧降，拜輔國大將軍，領步兵校尉，封襄陽縣侯。濬自以功大，而爲王渾父子及豪強所抑，屢爲有司所奏，每進見，陳其功伐之勞，及見枉之狀，或不勝忿憤，徑出不辭。帝每容恕之。時人咸以濬功重報輕，博士秦秀等並表訟濬之屈。帝乃遷濬鎮軍大將軍，加散騎常侍，領後軍將軍。後又轉濬撫軍大將軍、開府儀同三司，加特進。太康六年卒，時年八十，謚曰武。

《唐書·經籍》、《藝文志》：《王濬集》二卷。

馮氏《詩紀》輯存《祖道應令詩》一篇。

嚴氏《全晉文編》：王濬有集二卷。今惟見本傳及《書抄》、《御覽》所載《上疏請平吳》、《上書自理》、《復上表自理》，凡三篇。

晉徵仕皇甫謐集二卷　錄一卷　"仕"當爲"士"。

皇甫謐有《帝王世紀》，見史部雜史類。

《晉書》本傳：謐博綜典籍百家之言，以著述爲務，著《禮樂》、《聖真》之論。或勸謐脩名廣交，謐以爲居田里之中亦可以樂堯、舜之道，何必崇接世利，事官鞅掌，然後爲名乎。作《玄守論》以答之。時魏郡召上計掾，舉孝廉；景元初，相國辟，皆不行。其後鄉親勸令應命，謐爲《釋勸論》以通志焉。後武帝頻下詔敦逼不已，謐上疏稱草莽臣，自陳久嬰篤疾，辭切言至，遂見聽許。歲餘，又舉賢良方正，並不起。自表就帝借書，帝送一車書與之。著論爲葬送之制，名曰《篤終》。所著詩、賦、誄、頌、論難甚多，並行于世。

又史臣曰："皇甫謐素履幽貞，閑居養疾，留情筆削，敦悅丘墳，軒冕未足爲榮，貧賤不以爲恥，確乎不拔，斯固有晉之高人者歟！洎乎《篤終》立論，薄葬昭儉，既戒奢于季氏，亦無取乎王孫，可謂達存亡之機矣。"

《唐書·經籍》、《藝文志》：《皇甫謐集》二卷。

馮氏《詩紀》輯存《女怨詩》殘文一條。

汪氏《文選撰人篇目》曰："晉皇甫士安謐有《三都賦序》。"

嚴氏《全晉文編》：皇甫謐有集二卷。今見本傳及《藝文》、《御覽》所載有《讓徵聘表》、《答辛曠書》、《玄守論》、《釋勸論》、《篤終論》、《帝王世紀·漢高祖論》、《光武論》、《高士傳·焦先論》、《列女傳·龐娥親論》、《三都賦序》、《高士傳序》、《自序》、《闕題》，凡十三篇。

晉侍中程咸集三卷

《唐書·經籍》、《藝文志》：《程咸集》二卷。

嚴氏《全晉文編》曰："程咸字延休，魏正元中爲司隷校尉府主簿。入晉，歷黃門郎、散騎常侍、左通直郎，累遷至侍中。有集二卷。今見《通典》、《類聚》、《書鈔》所引有《已出女不從坐議》、《王昌前母服議》、《華林園詩序》，凡三篇。"

梁有《光祿大夫劉毅集》二卷，錄一卷，亡。

《晉書》本傳：毅字仲雄，東萊掖人。漢陽城景王章之後。魏末，同郡王基薦毅於公府，太常鄭袤舉博士。文帝辟爲相國掾。武帝受禪，爲尚書郎、附馬都尉、散騎常侍、國子祭酒、司隷校尉。毅言議切直，無所屈撓，爲朝野之所式瞻。遷尚書左僕射，以光祿大夫致仕，爲青州大中正。太康六年卒。

《唐書·經籍》、《藝文志》：《劉毅集》二卷。

嚴氏《全晉文編》：劉毅有集二卷。今見本傳、《通典》、《群書治要》所引有表、疏、上言、駁、奏凡五篇。案《群書治要》中有《晉書》二卷也。

梁有《晉侍中庾峻集》二卷，録一卷，亡。

《晉書》本傳：峻字山甫，潁川鄢陵人也。少好學，有才思。歷郡功曹，舉計掾，州辟從事。太常鄭袤舉博士。時重《莊》、《老》而輕經史，峻懼雅道陵遲，乃潛心儒典。屬高貴鄉公幸太學，問《尚書》義，峻援引師説，發明經旨，申暢疑滯，對答詳悉。案亦見《魏志》本紀，時峻爲尚書博士也。遷祕書丞。武帝踐阼，賜爵關中侯，遷司空長史、祕書監、御史中丞、侍中、諫議大夫。常侍帝講《詩》，中庶子何劭論《風》、《雅》正變之義，峻起難往反，四坐莫能屈。是時，風俗趨競，禮讓陵遲。峻上疏曰云云。又疾世浮華，不修名實，著論以非之。九年卒。案當是泰始九年也。

《唐書·經籍》、《藝文志》：《庾峻集》三卷。

嚴氏《全晉文編》：庾峻有集二卷。本傳有《上疏請易風俗興禮讓》，《類聚》有《祖德頌》，《御覽》有《遺敕子珉》，凡三篇。

晉巴西太守郤正集一卷

《蜀志》本傳：正字令先，河南偃師人也。祖父儉，靈帝時益州刺史，爲盜賊所殺。父揖留蜀，爲孟達營都督，隨達降魏，爲中書令史。正本名纂。少以父死母嫁，單煢隻立，而安貧好學，博覽墳籍。弱冠能屬文，入爲祕書吏，轉爲令史，遷郎，至令。澹于榮利，而尤耽意文章，自司馬、王、揚、班、傅、張、蔡之儔遺文篇賦，及當世美書善論，益部有者，則鑽鑿推求，略皆寓目。自在内職，與宦人黃皓比屋周旋，經三十年。不爲皓所愛憎。官不過六百石，而免于憂患。依則先儒，假文見意，號曰《釋譏》，其文繼于崔駰《達旨》。景耀六年，後主從譙周之計，遣使請降于鄧艾，其書，正所造也。明年正月，鍾會作亂成都，後主東遷洛陽，時擾攘倉卒，蜀之大臣無翼從者，惟正及殿中督汝南張通，捨妻子單身隨侍。後主賴正相導宜適，舉動無闕，乃慨然嘆息，恨知正之晚。時論嘉之。賜爵關內侯。泰始中，除安陽令。八年，詔以正爲巴西太守。咸寧四年卒。凡所著述詩論賦之屬，垂百篇。

又傳評曰：“譙周詞理淵通，爲世碩儒，有董、揚之規，郤正文辭粲爛，有張、蔡之風，加其行止，君子有取焉。二子處晉事少，在蜀事多，故著于篇。”

《唐書·經籍》、《藝文志》：《郤正集》一卷。

嚴氏《全晉文編》録存《爲後主作降書》、《姜維論》、《釋譏》，凡三篇。

晉散騎常侍薛瑩集三卷

薛瑩有《後漢記》，見史部正史類。

《吳志·薛綜傳》：綜子珝，珝弟瑩。孫晧建衡三年，晧追歎瑩父綜遺文，且命瑩繼作。瑩獻詩一篇。出爲武昌左部督。下獄，徙廣州。右國史華覈疏請瑩還，續修《吳書》。遂召還爲左國史。復以微事爲人所白，徙廣州。未至，召還，復職。是時，法政多謬，舉措煩苛，瑩每上便宜，陳緩刑簡役，以濟育百姓，事或施行。天紀四年，晉軍征晧，晧奉書于司馬伷、王渾、王濬請降，其文，瑩所造也。瑩既至洛陽，特先見叙，爲散騎常侍，答問處當，皆有條理。太康三年卒。著書八篇，名曰《新議》。

又傳注：干寶《晉紀》曰：“武帝從容問瑩曰：‘孫晧之所以亡者何也？’瑩對曰：‘歸命侯臣晧之君吳也，昵近小人，刑罰妄加，大臣大將，無所親信，人人憂恐，各不自保，危亡之釁，實由于此。’帝遂問吳士存亡者之賢愚，瑩各以狀對。”

《唐書·經籍志》：晉《薛瑩集》二卷。

《唐書·藝文志》：吳《薛瑩集》二卷。列吳《薛綜集》三卷之前，綜，瑩之父也，叙次失當。

嚴氏《全晉文編》：薛瑩有《後漢紀》一百卷，《新議》八篇，集三卷。今存《爲吳主晧請降書》、《後漢紀》光武、明帝、章帝、安帝、桓帝、靈帝贊各一篇，《條例吳事》一則。案《世說·規箴篇》注引《條列吳事》曰："孫休在位兢兢無有遺事，唯射雉可譏。"殆即薛瑩所條之一事。又《吳志》第二十評曰"薛瑩稱王蕃、樓玄、賀邵、韋曜四人"云云，亦是《條列吳事》中之四事，嚴氏皆未采。或亦當在國史中也。又《條列吳事》或即《新議》八篇。《新議》，本志及《七錄》皆不見，疑編入本集。

梁又有《散騎常侍陶濬集》二卷，録一卷，亡。

《晉書·陶璜傳》：璜字世英，丹陽秣陵人。仕吳爲交州牧。孫晧既降，手書勑璜歸，順詔，復其本職，封宛陵侯。璜在南三十年，威恩著于殊俗。璜弟濬，吳鎮南大將軍，荆州牧。濬弟抗，濬子淔，淔弟猷，並有名。

《吳志·孫晧傳》：天紀三年夏，郭馬反，攻殺廣州督虞授，自號都督交、廣二州諸軍事，安南將軍。八月，遣徐陵督陶濬將七千人從西道，命交州牧陶璜部伍所領共擊馬。陶濬至武昌，聞晉軍大出，停駐不前。四年春，晉軍所在戰克。三月戊辰，陶濬從武昌還，即引見，問水軍消息，對曰："蜀船皆小，今得二萬兵，乘大船戰，自足擊之。"于是合衆，授濬節鉞。明日當發，其夜衆悉逃走。而王濬順流將至，司馬伷、王渾皆臨近境。晧用光禄勳薛瑩、中書令胡沖等計，分遣使奉書于濬、伷、渾請命。案《晉書》載晉事甚略，《吳志》載濬事如此，所謂"合衆，授節鉞"者，蓋即授鎮南大將軍、荆州牧之官。入晉，終于散騎常侍者。

《唐書·經籍》、《藝文志》：《陶濬集》二卷。

案《吳志·孫晧傳》注："《江表傳》載晧將敗，與舅何植書曰：'得陶濬表云武昌以西並復不守。不守者，非糧不足，非城不固，兵將背戰耳。'"濬之佚文得考見者唯此一表。

晉通事郎江偉集六卷

《唐書·經籍》、《藝文志》：《江偉集》五卷。

馮氏《詩紀》曰:"江偉,爵里無考,有《正元二年答弟廣平賀蜡
詩》一首。《藝文類聚》作晉人,然晉無正元之號,或誤也。"

嚴氏《全晉文編》曰:"江偉,陳留襄邑人。仕魏,官爵未詳。
武帝時爲通直郎,有集六卷。《藝文類聚》有《答弟廣平賀蜡
詩序》、《襄邑令傅渾頌》各一篇。"

案偉之詩序云"正元二年冬臘,家君在陳郡,余別在國舍,
不得集會。弟廣平作詩以貽余,余答之"云。案正元,魏高
貴鄉公年號也,是詩蓋猶在魏時作。《文選·齊安陸昭王
碑文》注引江衞與荀仲茂牋,似即此江偉也。

梁有《宣舒集》五卷,亡。

宣舒有《宣子》二卷,見子部道家。

《唐書·經籍志》:《宣聘集》三卷。

《唐書·藝文志》:《宣騁集》三卷。<small>"宣騁"、"宣聘"皆"宣舒"之誤,詳見</small>
<small>道家。</small>

嚴氏《全晉文編》曰:"宣舒字幼驥,陳郡人。爲宜城令。有集
五卷。《經典叙錄》有《通知來藏往論》,今亡。《通典》九十二
有《申袁準從母服論》一篇。"

梁有《散騎常侍曹志集》二卷,録一卷,亡。

《魏志·陳思王植傳》:"植發病薨,遺令以小子志保家之主
也,欲立之。志嗣,徙封濟北王。累增邑,并前九百九十户。"
注引《志別傳》曰:"志字允恭,好學有才行。晉武帝爲中撫
軍,迎常道鄉公于鄴,志夜與帝相見,帝與語,從暮至旦,甚器
之。及受禪,改封甄城公。詔以爲樂平太守,歷章武、趙郡,
遷散騎常侍、國子博士祭酒。及齊王攸當之藩,下禮官議崇
錫之典,志嘆曰:'安有如此之才,如此之親,而不得樹本助
化,而遠出海隅者乎?'乃建議以諫,辭旨甚切。帝大怒,免志
官。後復爲散騎常侍。太康九年卒,謚曰定公。"

《晉書》本傳：志，譙國譙人，魏陳思王之孽子也。武帝受禪，詔曰：“前濟北王曹志履德清純，才高行潔，好古博物，爲魏宗英。”咸寧初，詔曰：“甄城公志，篤行履素，達學通識，宜在儒林，以弘胄子之教。”齊王攸將之國，博士秦秀等以齊王宜内匡朝政，不可之藩。志又常恨其父不得志於魏，因愴然嘆息。乃奏議，以爲當如博士等議。議成當上，見其從弟高邑公嘉。嘉曰：“兄議甚切，百年之後必書晉史，目下將見責耶。”案嘉有《晉紀》十卷，見史部古史篇。

《唐書·經籍》、《藝文志》：《曹志集》二卷。

嚴氏《全晉文編》：曹志有集二卷。本傳載《奏議齊王攸之藩》、《藝文類聚》載《肉刑論》各一篇。

梁有《鄒湛集》三卷，錄一卷，亡。

鄒湛有《周易統略》，見經部易家。

《晉書·文苑傳》：湛少以才學知名，爲征南從事中郎。深爲羊祜所器重。所著詩及論事議二十五首，爲時所重。子捷，字太應，亦有文才。

又史臣曰：“鄒湛之持論，實南陽之人傑。”

《唐書·經籍》、《藝文志》：《鄒湛集》四卷。

嚴氏《全晉文編》：鄒湛有集三卷。今僅見《文選注》所引《爲諸葛穆答晉王令》一條。

晉汝南太守孫毓集六卷

孫毓有《毛詩異同評》，見經部詩類。

《唐書·經籍志》：“《孫毓集》二卷。”《藝文志》五卷。

嚴氏《全晉文編》：孫毓有《毛詩異同評》十卷，《春秋左氏傳注》二十八卷，《孫氏成敗志》三卷，集六卷。《藝文類聚》有《賀封諸侯王表》，《通典》載《廟志議》諸禮議凡十二篇，《五禮駁》一篇，《書鈔》有《七誘》，綜凡一十五篇。

晉處士楊泉集二卷　録一卷

楊泉有《物理論》，見子部儒家。

《金樓子·立言篇》曰：“楊泉《賦序》曰：‘古人作賦者多矣，而獨不賦鹽，乃爲《鹽賦》，是何言歟？楚蘭陵令荀況有《鹽賦》，近不見之，有文不如無述也。’”

《唐書·經籍》、《藝文志》：《楊泉集》二卷。

嚴氏《全三國文編》曰：“吳楊泉有《太玄經》十四卷，《物理論》十六卷，集二卷。《書鈔》、《類聚》、《御覽》、《文選注》引有《五湖賦》、《贊善賦》、《養性賦》、《鹽賦》、《織機賦》、《草書賦》、《請辭》，凡七篇。”

梁有《司徒王渾集》五卷，亡。太原。

《晉書》本傳：渾字玄沖，太原晉陽人也。父昶，魏司空。渾沈雅有器量。襲爵京陵侯。仕魏至越騎校尉。武帝受禪，泰始中，遷東中郎將，督淮北諸軍事，鎮許昌。數陳損益，多見納用。轉征虜將軍、監豫州諸軍、假節、領刺史，都督揚州，鎮壽春。及大舉伐吳，渾率師出横江。既而王濬破石頭，降孫晧。明日，渾始濟江，登建業宮，釃酒高會。自以先據江上，破晧中軍，案甲不進，致在王濬之後。意甚愧恨，有不平之色，頻奏濬罪狀，時人譏之。以平吳功進爵爲公。齊王攸當之藩，渾上書諫，不納。太熙初，遷司徒。惠帝常訪渾，元會問郡國計吏方俗之宜，渾奏陳其事。帝然之，詔録尚書事。元康七年薨，年七十五，謚曰先。

《唐書·經籍》、《藝文志》：王渾集五卷。

嚴氏《全晉文編》：王渾有集五卷。

本傳及《通典》諸書所載有表、奏、奏對、上書凡九篇。

梁有《冀州刺史王深集》五卷，亡。太原。

《魏志·王昶傳》：“昶爲子作名字，皆依謙實，以見其意，故其子渾字玄沖，深字道沖，遂書戒之曰：'欲思汝曹顧名思義，不敢違越也。'"注：案《晉書》曰："渾弟深，冀州刺史。深弟湛，字處沖，汝南太守。"案《晉書》無王深傳，其事迹遺文亦罕見著録。

《唐書·經籍》、《藝文志》：《王深集》四卷。

晉徵士閔鴻集三卷

《晉書·陸雲傳》：雲幼時，吳尚書廣陵閔鴻見而奇之，曰："此兒若非龍駒，當是鳳雛。"後舉雲賢良，時年十六。

《唐書·經籍》、《藝文志》：晉《閔鴻集》二卷。

嚴氏《全三國文編》：吳閔鴻，廣陵人。仕吳爲尚書。入晉，徵不就。有集三卷。《初學記》、《御覽》、《書鈔》、《文選注》有《親蠶賦》、《琴賦》、《羽扇賦》、《芙蓉賦》、《與劉子雅書》，凡五篇。

梁有《光禄大夫裴楷集》二卷，録一卷，亡。

《晉書·裴秀傳》：秀，河東聞喜人也。從弟楷，字叔則，父徽，魏冀州刺史。楷明悟有識量，弱冠知名，尤精《老》、《易》，少與王戎齊名。鍾會薦之于文帝，辟相國掾，遷吏部郎。楷風神高邁，容儀儁爽，博涉群書，特精理義，時人謂之玉人，又稱見裴叔則爲近玉山，昭暎人也。平吳之後，帝乃修太平之化，每延公卿，與論政道。楷陳三五之風，次序漢魏盛衰之迹。帝稱善，坐者嘆服焉。惠帝時，封臨海侯，爲中書令、侍中，與張華、王戎並管機要。加光禄大夫，儀同三司。卒年五十五，諡曰元。

又史臣曰："秀則聲蓋朋僚，稱爲領袖。楷則機神幼發，目以清通。俱爲晉代名臣，良有以也。"

《唐書·經籍》、《藝文志》：《裴楷集》二卷。

嚴氏《全晉文編》：裴楷有集二卷。今惟見本傳所載《與石崇書》一條。

晉司空張華集十卷　録一卷

張華有《博物志》,見子部雜家。

《晉書》本傳:華學業優博,辭藻温麗,朗贍多通,器識弘曠,時人罕能測之。初未知名,著《鷦鷯賦》以自寄。陳留阮籍見之,嘆曰:"王佐之才也!"由是聲名始著。及兼中書郎,朝議表奏,多見施用。武帝嘗問漢宫室制度及建章千門萬户,華應對如流,聽者忘倦,畫地成圖,左右屬目。帝甚異之。名重一世,衆所推服,晉史及儀禮憲章並屬于華,多所損益,當時詔誥皆所草定。惠帝時,懼后族之盛,作《女史箴》以爲諷。初,陸機兄弟志氣高爽,自以吳之名家。初入洛,不推中國人士,見華一面如舊,欽華德範,如師資之禮焉。華見害後,作誄,又爲《詠德賦》以悼之。華著《博物志》及文章並行于世。

鍾嶸《詩品》曰:"晉司空張華詩,其源出于王粲。其體華豔,興託不奇,巧用文字,務爲研冶。雖名高曩代,而疏亮之士,猶恨其兒女情多,風雲氣少。謝康樂云:'張公雖復千篇,猶一體耳。'今置之中品疑弱,處之下科恨少,季孟之間矣。"

《文心雕龍·樂府篇》曰:"張華新篇,亦充庭萬。"又《詔策篇》云:"魏晉誥策,職在中書。劉放張華,互管斯任,施命發號,洋洋盈耳。"又《章表篇》云:"晉初筆札,則張華爲儁。其三讓公封,理周辭要,引義比事,必得其偶,世珍《鷦鷯》,莫顧章表。"又《才略篇》云:"張華短章,奕奕清暢,其《鷦鷯》寓意,即韓非之《説難》也。"

《唐日本國見在書目》:《張華集》十卷。

《唐書·經籍》、《藝文志》:《張華集》十卷。

《宋史·藝文志》:《張華集》二卷,又《詩》一卷。

《崇文總目》:《小象千字詩》一卷,張華撰。一名《小象賦》。

晁氏《讀書志》：《張華集》三卷。晉張華茂先也。范陽人。惠帝時爲司空，趙王倫，孫秀黨謀害之。華博物洽聞，世無與比。集有詩一百二十，哀辭、册文二十一，賦三。

陳氏《書録解題》：《張司空集》三卷，前二卷爲四言、五言詩，後一卷爲祭祝、哀誄等文。

馮氏《詩紀》輯存詩二十篇，就四十三首。又曰："《晉書·樂志》有張華《四廂樂歌》十六首，又有《冬至初歲小會歌》、《宴會歌》、《中宮所歌》、《宗親會歌》各一首，又有《凱歌》二首，《正德》、《大豫舞歌》二首。"

張氏《百三家》輯本序曰："晁氏載《張司空集》有詩百二十，哀詞、册文廿一，賦三，今余所綴緝賦數過之，文不及全。詩歌八十餘，中間《拂舞》、《白紵舞》、《杯槃舞》諸篇，晉代無名氏之作。藏書家本亦有繫之《張司空集》者，然觀其壯健頓挫，類非司空溫麗之素。餘詩平雅，近代詩家深貶其博學爲累，豈所謂聽古樂而臥乎？壯武文章賦最蒼深，文次之，詩又次之，大抵去漢不遠，猶存張、蔡之遺。凡賦八篇，表二篇，議三篇，哀策二篇，誄三篇，箴四篇，銘二篇，書三篇，問、序、贊各一篇，樂歌三十一首，詩四十五首。"

汪氏《文選撰人篇目》：晉張茂先華有《鷦鷯賦》、《勵志詩》、《答何劭詩》、《雜詩》一首、《情詩》二首、《女史箴》。

嚴氏《全晉文編》曰："案張溥本有《璚材枕賦》、《璚材枕箴》，今編入《張紘集》。又有《豆羹賦》，今編入《張翰集》。今輯存賦六，表一，議三，書四，問、序、贊各一，箴四，銘三，誄三，哀策文二，并《縱橫篇》，凡三十篇。"

晉尚書僕射裴頠集九卷

《晉書·裴秀傳》：秀，河東聞喜人。二子：濬、頠。濬嗣位，卒。少弟頠嗣。頠字逸民。弘雅有遠識，博學稽古，自少知

名。御史中丞周弼見而嘆曰："頠若武庫,五兵縱橫,一時之
傑也。"累遷侍中。時天下暫寧,頠奏修古學,刻石寫經。皇
太子既講,釋奠祀孔子,飲饗射侯,甚有儀序。又令荀藩終父
勖之志,鑄鍾鑿磬,以備郊廟朝享禮樂。頠通博多聞,兼明醫
術。荀勖之修律度也,檢得古尺,短世所用四分有餘。頠上
言:"宜改諸度量,若未能悉革,可先改太醫權衡。此若差違,
遂失神農、岐伯之正。藥物輕重,分兩乖互,所可傷夭,爲害
尤深。古壽考而今短折者,未必不由此也。"卒不能用。樂廣
嘗與頠清言,欲以理服之,而頠辭論豐博,廣笑而不言。時人
謂頠言談之林藪。遷尚書,加光禄大夫。每受一職,未嘗不
殷勤固讓,表疏十餘上,博引今古成敗以爲言,覽之者莫不寒
心。遷尚書左僕射。頠深患時俗放蕩,不尊儒術,何晏、阮籍
素有高名于世,口談浮虛,不遵禮法,尸禄躭寵,仕不事事;至
王衍之徒,聲譽太盛,位高勢重,不以物務自嬰,遂相放效,風
教陵遲,乃著崇有之論以釋其蔽。王衍之徒攻難交至,並莫
能屈。又著《辯才論》,古今精義皆辨釋焉,未成而遇禍。初,
趙王倫諂事賈后,頠甚惡之,倫數求官,頠與張華復固執不
許,由是深爲倫所怨。倫又潛懷篡逆,欲先除朝望,因廢賈后
之際遂誅之,時年三十四。惠帝反正,追復本官,謚曰成。
《魏志·裴潛傳》注:臣松之案陸機《惠帝起居注》稱"頠雅有
遠量,當朝名士也",又曰"民之望也"。頠理具淵博,贍于論
難,著《崇有》、《貴無》二論,以矯虛誕之弊,文辭精富,爲世
名論。
《世説·文學篇》:"裴成公作《崇有論》,時人攻難之,莫能折,
唯王夷甫來,如小屈。時人即以王理難裴,理還復申。"注:
《晉諸公贊》曰:"自魏太常夏侯玄、步兵校尉阮籍等皆著《道
德論》,于是侍中樂廣、吏部郎劉漢亦體道而言約,尚書令王

夷甫講理而才虛，散騎常侍戴奧以學道爲業，後進庾敳之徒，皆希慕簡曠。頠疾世俗尚虛無之理，故著《崇有》二論以折之。才博喻廣，學者不能究。後樂廣與頠清閒欲説理，而頠辭喻豐博，廣自以體虛無，笑而不復言。”

《文心雕龍·論説篇》曰：“夷甫、裴頠，交辯于有無之域，獨步當時，流聲後代。然滯有者，全繫于形容；貴無者，專守于寂寥。徒鋭偏師，莫詣正理。動極神源，其般若之絶境乎？”

《唐書·經籍》、《藝文志》：《裴頠集》十卷。

嚴氏《全晉文編》：裴頠有集九卷。諸書引見有表、疏、上言、諫、議、答問及《崇有論》、《女史箴》凡一十三篇。案頠有《辨才論》未成，見本傳。又有《貴無論》，見《魏志·裴潛傳》注，今亡。

梁有《太子中庶子許孟集》三卷，録一卷，亡。

《唐書·經籍》、《藝文志》：《許孟集》二卷。

案此似即許猛也。《魏志·夏侯玄傳》中領軍高陽、許允與玄親善，後玄等事覺，徙允爲鎮北將軍，假節，督河北諸軍事。未發，以放散官物收付廷尉，徙樂浪，道死。《世語》曰：“允二子：奇，字子泰；猛，字子豹。並有治理才學。晉元康中，奇爲司隸校尉，猛幽州刺史。”傅暢《晉諸公贊》曰：“猛禮樂儒雅，當時最優。”嚴氏《文編》曰：“許猛字子豹，高陽人，魏鎮北將軍許允次子。泰康初，吏部郎，守國子博士。元康中，爲幽州刺史。”《晉書·禮志》及《通典》引猛所作《王昌前母服議》，答或，《答步熊問》，凡六條。

梁有《太宰何邵集》二卷，録一卷，亡。 “邵”當爲“劭”。

《晉書·何曾傳》：曾，陳國陽夏人也。二子：遵、劭。劭嗣。字敬祖，少與武帝同年。有總角之好。帝爲王太子，以劭爲中庶子，及即位，轉散騎常侍，甚見親待。遷侍中尚書。惠帝即位,累遷尚書左僕射。劭博學,善屬文,陳說近代事,若指諸掌。永康初,遷司徒。趙王倫篡位,以劭爲太宰。及三王交爭,劭以軒冕而游其間,無怨之者。優游自足,不貪權勢。常語鄉人王詮曰:"僕雖名位過幸,少無可書之事,惟與夏侯長容諫授博士,可傳史册耳。"所撰《荀粲》、《王弼傳》及諸奏議文章並行于世。永寧元年薨,贈司徒,謚曰康。

鍾嶸《詩品》評石崇、曹攄、何劭詩曰:"季倫、顔遠,並有英篇。篤而論之,朗陵爲最。"劭父曾封朗陵公,劭襲爵。石崇、曹攄,並有集,見後。

《唐書·經籍》、《藝文志》:《何劭集》二卷。

馮氏《詩紀》輯存《應詔詩》、《贈張華詩》、《游仙詩》、《雜詩》各一篇。

汪氏《文選撰人篇目》曰:"晉何敬祖劭有《游仙詩》、《贈張華詩》、《雜詩》一首。"

嚴氏《全晉文編》:何劭有集二卷。《晉書·楊駿傳》有劭所作《武帝遺詔》,《魏志·荀彧》、《鍾會傳》注引劭所撰《荀粲傳》、《王弼傳》各一篇。

梁有《光禄大夫劉頌集》三卷,録一卷,亡。

《晉書》本傳:頌字子雅,廣陵人,漢廣陵屬王胥之後也。世爲名族。少能辯物理,爲時人所稱。文帝辟爲相府掾。武帝踐阼,拜尚書三公郎,累遷中書侍郎、黃門郎、議郎、守廷尉、河內太守、淮南相。在郡,上疏。詔答曰:"得表陳封國之制,宜如古典,任刑齊法,宜復肉刑,及六州將士之役,居職之宜,諸所陳聞,具知卿之乃心爲國也。動静數以聞。"元康初,從淮南王入朝。詔以頌爲三公尚書。又上疏論律令事,爲時論所美。轉吏部尚書。趙王倫專政,以爲光禄大夫。尋病卒,謚曰貞。永康元年,詔以頌誅賈謐督攝衆事有功,追封梁鄒縣侯。

又史臣曰："子雅束髮登朝，竭誠奉國，廣陳封建，深中機宜，詳辯刑名，該覈政體。雖文慚華婉，而理貴切要。游目西京，望賈誼而非遠；眷言東國，顧郎顗而有餘。"

《文心雕龍・奏啓篇》曰："劉頌殷勤于時務，體國之忠規也。"

《唐書・經籍》、《藝文志》：《劉頌集》三卷。

嚴氏《全晉文編》：劉頌有集三卷。今見本傳及《刑法志》、《通典》、《類聚》、《群書治要》諸書有《除淮南相在郡上疏》、《上疏議復肉刑》、《上疏言斷獄宜守律令》、《趙王倫加九錫議駁》，凡四篇。

梁有《劉寔集》二卷，錄一卷，亡。

劉寔有《春秋條例》，見經部春秋左氏學家。

《晉書》本傳：寔博通古今。以世多進趣，廉遜道闕，乃著《崇讓論》以矯之。弟智爲潁川太守。平原管輅嘗謂人曰："吾與劉潁川兄弟語，神思清發，昏不假寐。自此之外，殆白日欲寢矣。"

《唐書・經籍》、《藝文志》：《劉寔集》二卷。

嚴氏《全晉文編》曰："劉寔有集二卷。今唯見本傳所載《崇讓論》，亦見《群書治要》二十九、《通典》十六。"

晉散騎常侍王佑集三卷　錄一卷　太原。

《晉書・王湛傳》：湛，司徒渾之弟也。湛子承，承族子嶠。嶠父佑，以才智稱，爲楊駿腹心。駿之排汝南王亮，退衛瓘，皆佑之謀也。位至北軍中候。

又《王濟傳》：濟爲侍中時，渾爲僕射。主者處事或不當，濟性峻厲，明法繩之。濟素與從兄佑不平，佑黨頗謂濟不能顧其父，由是長同異之言。出爲河南尹，未拜，坐鞭王官吏免官。而王佑始見委任。

又《楊駿傳》：駿弟珧、濟，皆有儁才。深慮盛滿，共切諫。駿斥出王佑爲河南太守。

《唐書·經籍志》：《王祐集》二卷。

《唐書·藝文志》：《王祜集》三卷。二《志》作"王祜"，皆非也。

梁有《晉驃騎將軍王濟集》二卷，亡。太原。

《晉書·王渾傳》：渾次子濟，字武子。少有逸才，風姿英爽，氣蓋一時，好弓馬，勇力絕人，善《易》及《莊》、《老》，文辭秀茂，伎藝過人，有名當世，與姊夫和嶠及裴楷齊名。尚常山公主。年二十，起家拜中書郎，累遷侍中。與侍中孔恂、王恂、楊濟同列，爲一時秀彦。每侍見，未嘗不諮論人物及萬幾得失。濟善于清言，脩飾辭令，諷議將順，朝臣莫能尚焉。然外雖弘雅，而内多忌刻，好以言傷物，儕類以此少之。以其父之故，每排王濬，時議譏焉。後以忤旨，左遷，又坐事免官。尋使白衣領太僕。年四十六，先渾卒，追贈驃騎將軍。

鍾嶸《詩品》曰："永嘉以來，清虛在俗。王武子輩詩，貴道家之言。爰洎江表，玄風尚備。真長、仲祖、桓、庾諸公猶相襲。"

《文心雕龍·銘箴篇》曰："王濟《國子》，引廣事雜。"案濟以諫齊王攸之國忤旨，左遷國子祭酒。据此所云則其集有《國子祭酒》、《博士》等箴，今已不傳矣。"

《釋文·叙錄》曰："張璠《周易集解》引王濟《易義》。"

《唐書·經籍》、《藝文志》：《王濟集》二卷。

馮氏《詩紀》輯存《平吴後三月三日華林園詩》一篇。

嚴氏《全晉文編》：王濟有集二卷。今《初學記》、《通典》、《文選注》、《孫楚傳》所引有《槐樹賦》、《太常郭奕謚議》、《鍾夫人序德頌》、《銓孫楚品狀》凡四條。

華嶠集八卷。梁二卷。

華嶠有《後漢書》，見史部正史篇。

《晉書》本傳：嶠博聞多識，轉祕書監，加散騎常侍，班同中書。寺爲内臺，中書、散騎、著作及治禮音律，天文數術，南省文章，門下撰集，皆典統之。後爲臺郎，典官制事。所著論議難駁詩賦之屬數十萬言，其所奏官制、太子宜還宮及安邊、雩祭、明堂辟雍、浚導河渠，巡禹之舊跡置都水官，修蠶宮之禮置長秋，事多施行。嶠三子：頤、徹、暢。暢有才思，所著文章數萬言。遭寇亂，避難荆州，爲賊所害，時年四十。

《唐書·經籍志》："《華嶠集》一卷。"《藝文志》：二卷。

嚴氏《全晉文編》："華嶠有集八卷。《魏志·華歆傳》注、《世説·德行篇》注、《太平御覽》引譜序凡五條，餘見諸書所引有表、奏及《後漢書·江革毛義論》、《丁鴻論》、《郎顗論》、《王允論》，凡九篇。

晉祕書丞司馬彪集四卷。梁三卷。録一卷。

司馬彪有《續漢書》，見史部正史篇。

《晉書》本傳：彪篤學不倦，而專精學習，故得博覽群籍，終其綴集之務。注《莊子》，作《九州春秋》、《續漢書》。泰始初，武帝親祠南郊，彪上疏定議，語在《郊祀志》。

又史臣曰："紹統戚藩之胤，研機載籍。綜緝遺文，垂諸不朽。"

《唐書·經籍》、《藝文志》：《司馬彪集》三卷。

馮氏《詩紀》輯存《贈山濤詩》、《雜詩》各一首。

汪氏《文選撰人篇目》：晉司馬紹統彪有《贈山濤詩》。

嚴氏《全晉文編》：司馬彪有集四卷。本傳及《續漢·祭祀志》注、《太平御覽》載有《駁祀六宗表》、《與山巨源書》、《續漢書叙》、《續漢書·光武紀》論、《和帝紀》論，凡五篇。

梁又有《尚書庾儵集》二卷，録一卷，亡。

《唐書·經籍》、《藝文志》：《庾儵集》三卷。

嚴氏《全晉文編》曰："庾儵字玄默,潁川鄢陵人。侍中峻從弟。_{案庾峻有集見前。}仕魏未詳,入晉爲尚書。有集二卷。《藝文類聚》、《初學記》、《太平御覽》引儵《冰井賦》、《大槐賦》、《安石榴賦》,凡三篇。"

梁又有《國子祭酒謝衡集》二卷,亡。

《晉書·謝鯤傳》:鯤,陳國陽夏人也。父衡,以儒素顯,仕至國子祭酒。_{鯤有集,見後江左人文中。鯤弟褒,褒第三子安,即文靖,江左桂石,數世賴之。衡爲謝氏發軔之初,史略無其事,并其字亦不傳也。}

《世説·方正篇》注:《永嘉流人名》曰:"謝褒字幼儒,陳郡人。父衡,博士。"又曰:"歷侍中、吏部尚書、吳國内史。"《晉書·謝安傳》云父褒,太常卿。褒,《晉書》亦無傳。

鄧氏《古今姓氏書辯證》:陳郡陽夏謝氏,典農中郎將纘。生衡,國子祭酒。二子:鯤、褒。褒六子:奕、據、安、萬、石、鐵。

《晉書·王接傳》:接論《汲冢書》,詳其得失。摯虞、謝衡皆博物多聞,咸以爲允當。_{案衡在惠帝時,嘗與摯仲洽諸人討論《汲冢竹書》,詳見後《束晳集》條下。衡之事迹可見者惟此。}

《唐書·經籍》、《藝文志》:《謝衡集》二卷。

嚴氏《全晉文編》:謝衡,陳國陽夏人。泰康初國子博士,惠帝時進祭酒。有集二卷。《晉》、《宋書·禮志》及《通典》引《王昌前母服議》、《蘇宙事議》、《爲皇太孫服齊衰期議》,凡三篇。

晉漢中太守李虔集一卷。梁二卷。錄一卷。

《晉書·孝友傳》:李密字令伯,犍爲武陽人也。一名虔。父早亡,母改醮。密時年數歲,感戀彌至。祖母劉氏,躬自撫養,密奉事以孝謹聞。有暇則講學忘疲,師事譙周,周門人方之游夏。少仕蜀,爲郎。數使吳,有才辯,吳人稱之。蜀平,泰始初,徵爲太子洗馬。密以祖母年高,無人奉養,遂不應命,上疏願乞終養。帝覽之,曰:"士之有名,不虛然哉!"乃停召。後劉終,服闕，復以洗馬徵至洛。出爲溫令。密有才能，常望内轉，而朝廷無援，乃遷漢中太守，自以失分懷怨。及賜餞東堂，詔普令賦詩，末章曰："人亦有言，有因有緣。官無中人，不如歸田。明明在上，斯語豈然！"武帝忿之，于是都官從事奏免密官。後卒于家。二子：賜、興。賜少能屬文，爲《玄鳥賦》，詞甚美。興亦有文才，爲諸葛孔明、羊叔子碣文，甚有辭理。

《華陽國志·後賢志》：宓治《春秋左傳》，博覽五經，多所通涉。機警辨捷，辭義響起。及上疏陳情，武帝覽之曰：'宓不空有名也。'嘉其誠款，賜奴婢二人，下郡縣供其祖母奉膳。年六十四，卒。著《述理論》，論中和仁義、儒學道化之事，凡十篇。安東將軍胡熊與皇甫士安深善之。又與士安論夷、齊，及司馬文中、杜超宗、郄令先、文廣休等議論往返，言經訓詁。釋河内趙子聲議、詩、賦之屬二十餘篇。

《唐書·經籍》、《藝文志》：《李虙集》十卷。

汪氏《文選撰人篇目》：晉李令伯密有《陳情表》。

嚴氏《全晉文編》輯存《陳情事表》、《薦壽良表》、《與中山王牋》，凡三篇。又曰："密少子興，一名安。永興中爲太傅掾。有《諸葛丞相故宅碣表》、《晉太傅鉅平成侯羊公碑》各一篇。"

晉司隸校尉傅咸集十七卷。梁三十卷。録一卷。

《晉書·傅玄傳》：玄子咸，字長虞。剛簡有大節，風格峻整，識性明悟，疾惡如讎，推賢樂善。好屬文論，雖綺麗不足，而言成規鑒。穎川庾純常嘆曰："長虞之文，近乎詩人之作矣！"咸寧初，襲父爵清泉侯，拜太子洗馬，累遷尚書右丞、冀州刺史、司徒左長史。時帝留心政事，詔訪朝臣政之損益。咸在位多所執正。轉車騎司馬，尚書左丞。惠帝即位，爲御史中丞，再爲本部中正，以議郎長兼司隸校尉。咸累上事稱引故事，條理灼然，朝廷無以易之。吳郡顧榮常與親故書曰："傅長虞爲司隸,勁直忠果,劾案驚人。雖非周才,偏亮可貴也。"
元康四年,卒官,時年五十六,詔贈司隸校尉,謚曰貞。

李充《翰林論》曰:"駁不以華藻爲先,世以傅長虞每奏駁事爲
邦之司直矣。"

《文心雕龍·奏啓篇》曰:"傅咸勁直,而按辭堅深。"又《議對
篇》曰:"漢世善駁,則應劭爲首;晉代能議,則傅咸爲宗。然
仲瑗博古,而銓貫有叙;長虞識治,而屬辭枝繁。"又《才略篇》
曰:"傅玄篇章,義多規鏡;長虞筆奏,世執剛中。並楨幹之
實才,非群華之韡萼也。"

鍾嶸《詩品》曰:"長虞父子,繁富可嘉。"

《唐書·經籍》、《藝文志》:《傅咸集》三卷。

馮氏《詩紀》曰:"《春秋》正義:傅咸《七經詩》,王羲之寫。然
今所存者,《孝經》、《論語》、《毛詩》、《周易》、《周官》、《左傳》
六經耳。并《贈答雜詩》十篇,凡十六篇二十首。"

張氏《百三家》輯本序曰:"傅氏諸賦,不尚綺麗,長虞短篇,時
見正性。"又曰:"休奕四部、六録、文集百餘,湮闕者多,長虞
著述,不富傅文。亦與父埒爲彪爲固,不能短長。凡賦及賦
序、疏、表、奏、上書、牋、教、草、書、尺牘、頌、箴、銘、碑、誄七
十五篇,詩十五篇。"

汪氏《文選撰人篇目》:晉傅長虞咸有《贈何劭王濟詩》。

嚴氏《全晉文編》:傅咸有集三十卷。案張溥本有《燭銘》。今
據《御覽》改入《傅玄集》。凡賦三十六篇,表七篇,上言、上
書、奏劾、奏事、上事十四篇,教、牋各二篇,書、草五篇,詩序
五篇,頌、銘、箴、碑、誄七篇,綜七十六篇。

梁又有《太子中庶子棗據集》二卷,録一卷,亡。

《晉書·文苑傳》:棗據字道彦,潁川長社人也。本姓棘,其先
避讎改焉。據善文辭,弱冠,辟大將軍府,出爲山陽令。遷尚

書郎,轉右丞。賈充伐吳,爲從事中郎。軍還,徙黃門侍郎、冀州刺史、太子中庶子。太康中卒,時年五十餘。所著詩、賦、論四十五首,遇亂多亡失。子腆,弟嵩,並以文章顯。腆及嵩並有集,見後。

《唐書·經籍》、《藝文志》:《棗據集》二卷。

馮氏《詩紀》輯存《答阮德猷詩》、《游覽詩》、《雜詩》、《無題詩》凡四篇。

汪氏《文選撰人篇目》:晉棗道彥據有《雜詩》一首。

嚴氏《全晉文編》:棗據有集二卷。《藝文類聚》諸書有《表志賦》、《逸民賦》、《登樓賦》、《船賦》、《追遠詩序》,凡五篇。

梁又有《劉寶集》三卷,亡。

劉寶有《漢書駁義》,見史部正史篇。

《唐書·經籍》、《藝文志》:《劉寶集》三卷。

嚴氏《全晉文編》:劉寶爲安北將軍,有《漢書駁議》二卷,集三卷。《通典》八十八引寶所作《孫爲祖持重議》一篇。

晉馮翊太守孫楚集六卷。梁十二卷。錄一卷。

《晉書》本傳:楚字荆,太原中都人也。才藻卓絶,爽邁不群,多所陵傲,缺鄉曲之譽。年四十餘,始參鎮東軍事。文帝遣符卲、孫郁使吳,《吳志·孫皓傳》及《晉書·文帝紀》並作“徐紹”、“孫彧”。將軍石苞令楚作書遺孫皓,要其北面稱臣,永爲魏藩。卲等至吳,不敢爲通。後遷佐著作郎,復參石苞驃騎軍事。楚既負其材氣,頗侮易于苞。又與郭奕忿爭。遂湮廢積年。初,參軍不敬府主,楚既輕苞,遂制施敬,自楚始也。征西將軍扶風王駿與楚舊好,起爲參軍,轉梁令,遷衛軍司馬。惠帝初,爲馮翊太守。太康三年卒。案當是元康。初,楚與同郡王濟友善。濟爲本州大中正,訪問銓邑人品狀,至楚,濟曰:“此人非卿所能目,吾自爲之。”乃狀楚曰:“天才英博,亮拔不群。”楚少所推服,惟雅敬濟。初,除婦服,作詩以示濟,濟曰:"未知文生于情,情生于文,覽之悽然,增伉儷之重。"三子:衆、洵、纂。惟纂子統、綽並知名。統、綽亦並有集,見後東晉人文中。

又史臣曰:"孫楚體英絢之姿,超然出類,見知武子,覽其貽孫晧之書,諒曩代之佳筆也。而負才陵傲,蔑苞忿奕,違遜讓之道,十年沈廢,蓋自取矣。"

鍾嶸《詩品》曰:"子荆零雨之外,雖有累札,良亦無聞。"

《文心雕龍·才略篇》曰:"孫楚綴思,每直置以疏通。"

《唐書·經籍》、《藝文志》:《孫楚集》十卷。

馮氏《詩紀》輯存《除婦服詩》、《征西官屬送于陟陽侯作詩》及《贈答》、《祖道》等詩凡六首。

張氏《百三家·孫馮翊集》一卷,凡賦、論、頌、贊、銘、碑、疏、牋、書、哀文四十篇,詩六篇。

汪氏《文選撰人篇目》:晉孫子荆楚有《送于陟陽侯詩》,又有《與孫晧書》。

嚴氏《全晉文編》輯存賦十七篇、上言、奏、牋、書、頌、贊、銘、《論屈建文》、誄、碑、哀文、哀辭、祭文二十八篇,綜四十五篇。"

晉散騎常侍夏侯湛集十卷。梁有録一卷。

夏侯湛有《新論》,見子部儒家。

《晉書》本傳:湛幼有盛才,文章宏富,善構新詞,而美容觀,與潘岳友善。泰始中,舉賢良,對策上第,拜郎中,累年不調,乃作《抵疑》以自廣。後出爲野王令,優游多暇,乃作《昆弟誥》。

又史臣曰:"孝若挨蔚春華,時標麗藻。觀其《抵疑》詮理,本窮通于自天;作誥敷文,流英聲于孝悌,旨深致遠,殊有大雅之風烈焉。"

《世説·文學篇》:夏侯湛作《周詩》成示潘安仁。安仁曰:

"此非徒温雅,乃别見孝悌之性。"注引《湛集敍》曰:"《周詩》者,《南陔》、《白華》、《華黍》、《由庚》、《崇丘》、《由儀》六篇,有其義而亡其辭。湛續其亡,故云《周詩》也。"案同時束晢亦有《補亡詩》,詳見後。

《文心雕龍·才略篇》曰:"夏侯孝若,具體而皆微。"

《唐書·經籍》、《藝文志》:《夏侯湛集》十卷。

馮氏《詩紀》輯存《周詩》一條,又《山路吟》、《江上泛歌》、《離親詠》、《長夜謠》、《寒苦謠》凡六篇。

張氏《百三家·夏侯常侍集》一卷,凡賦二十三篇、《抵疑》、《昆弟誥》、序、贊、傳十五篇,詩七篇。

汪氏《文選撰人篇目》:晉夏侯孝若湛有《東方朔畫贊》。

嚴氏《全晉文編》輯存賦二十五篇,謠、歌、辭、對策十篇,《昆弟誥》、《抵疑》、敍、贊、傳、碑、銘并《新論》佚文十九篇。

梁又有《弋陽太守夏侯淳集》二卷,亡。

《晉書·夏侯湛傳》:湛弟淳,字孝沖,亦有文藻,與湛俱知名。官至弋陽太守,遭中原傾覆,子姪多没胡寇,唯息承渡江。

《唐書·經籍》、《藝文志》:《夏侯淳集》十卷。

嚴氏《全晉文編》:夏侯淳有集二卷。《藝文類聚》、《文選注》有《懷思賦》、《笙賦》、《彈棊賦》、《馳射賦》凡四篇。

梁又有《散騎侍郎王讚集》五卷,亡。

《文選·雜詩》注:臧榮緒《晉書》曰:"王讚字正長,義陽人也。博學有俊才,辟司空掾,歷散騎侍郎,卒。"

《晉書·李胤傳》:胤以太子少傅,累遷爲司徒。太康三年薨。太子命舍人王讚誄之,文義甚美。

鍾嶸《詩品》評晉馮翊守孫楚、晉著作王讚詩曰:"子荆零雨之外,正長朔風之後,雖有累札,良亦無聞。宜居中品。"零雨、朔風之詩,即《文選》所録是。

《唐書·經籍志》：“《王讚集》三卷。”《藝文志》二卷。

馮氏《詩紀》輯存《三月三日侍皇太子宴詩》，又《侍宴始平王》、《祖道楚淮南二王》及《雜詩》凡四篇。

汪氏《文選撰人篇目》：晉王正長瓚有《雜詩》一首。

嚴氏《全晉文編》曰：“王讚，太康中爲太子舍人。惠帝時拜侍中，永嘉中爲陳留內史，加散騎常侍，有集五卷。《藝文類聚》八十六載有《黎樹頌》，其敍云‘太康十年，黎樹四枝，其條與中枝合生于園圃。皇太子令侍臣作頌云’。”

晉衛尉卿石崇集六卷。梁有錄一卷。

《晉書·石苞傳》：苞，渤海南皮人也。第六子崇，子季倫。少敏惠，勇而有謀。年二十餘，爲修武令，有能名。伐吳有功，封安陽鄉侯。好學不倦。穎悟有才氣，累遷散騎常侍、侍中、南中郎將、荆州刺史，又數遷至衛尉。與潘岳諂事賈謐。謐與之親善，號“二十四友”。謐誅，以黨與免官。後與歐陽建、潘岳謀誅趙王論、孫秀。秀覺，矯詔收崇、岳、建等，皆被害。時年五十二。惠帝復祚，詔以卿禮葬之。

《唐日本國見在書目》：《石季倫集》五卷。

《唐書·經籍》、《藝文志》：《石崇集》五卷。

馮氏《詩紀》輯存《大雅吟》、《楚妃歎》、《王明君辭》、《思歸引》、《答曹嘉詩》、《贈答棗腆詩》凡八篇。

汪氏《文選撰人篇目》：晉石季倫崇有《王明君詞》、《思歸引序》。

嚴氏《全晉文編》：石崇有集六卷。諸書所引有《思歸歎》、表、奏、《楚妃歎序》、《琵琶引序》、《金谷詩序》、《許巢論》、《奴券》凡九篇。

晉尚書郎張敏集二卷。梁五卷。

《唐書·經籍》、《藝文志》：《張敏集》二卷。《宋史·藝文志》同。

宋洪邁《容齋五筆》曰：“故篋中得舊書一帙，題爲《晉代名臣文集》，凡十四家。有張敏者，太原人，仕歷平南參軍、太子舍人、濟北長史。其一篇曰《頭責子羽文》，極爲尖新，古來文士皆無此作。其文九百餘言，頗有東方朔《客難》、劉孝標《絶交論》之體。《太平廣記》所載《神女》、《成公》、《智瓊傳》，蓋敏之作。”

嚴氏《全晉文編》曰：“張敏，太原中都人。咸寧中爲尚書郎，領秘書監。太康初出爲益州刺史。有集二卷。《初學記》有《奇士劉披賦》，《藝文類聚》有《神女賦》，《北堂書鈔》有《神女傳》，《世説・排調篇》注有《頭責秦子羽文》，凡四篇。”案秦子羽者，張敏姊夫也，其文作于泰始元年。

梁又有《黃門郎伏偉集》一卷，亡。

伏偉始末未詳。

晉黃門郎潘岳集十卷

《晉書》本傳：岳字安仁，滎陽中牟人也。少以才穎見稱，鄉邑號爲奇童，謂終賈之儔也。早辟司空太尉府，舉秀才。泰始中，武帝躬耕籍田，岳作賦以美其事。出爲河陽令，轉懷令。調補尚書度支郎，遷廷尉評，以公事免。楊駿引爲太傅主簿。駿誅，除名。未幾，選爲長安令，作《西征賦》，述所經人物山水，文清旨詣。尋爲著作郎，轉散騎侍郎。岳性輕躁，趨世利，與石崇諂事賈謐。構愍懷之文，岳之辭也。謐二十四友，岳爲其首。謐《晉書》限斷，亦岳之辭也。其母數誚之曰：“爾當知足，而乾没不已乎？”而岳終不能改。既仕宦不達，乃作《閑居賦》。趙王倫輔政，孫秀爲尚書令。誣岳與石崇、歐陽建謀奉淮南王允、齊王冏爲亂，誅之，夷三族。岳辭藻絶麗，尤善爲哀誄之文。

李充《翰林論》曰：“潘安仁之爲文也，猶翔禽之羽毛，衣被之綃縠。"案鍾嶸《詩品》知此下尚有"淺于陸機"之語。

《世説·文學篇》曰："夏侯湛作《周詩》，潘安仁因此作《家風》詩。"注云："岳《家風》詩載其宗祖之德及自戒也。"

又曰："孫興公云：'潘文爛若披錦，無處不善；陸文若排沙簡金，往往見寶。'"注：《續文章志》曰："岳爲文，選言簡章，清綺絶倫。"《晉陽秋》曰："岳善屬文，清綺絶世，蔡邕未能過也。"

鍾嶸《詩品》曰："晉黃門郎潘岳詩，其源出於仲宣。《翰林》歎其翩翩然如翔禽之有羽毛，衣服之綃縠。猶淺于陸機。謝混云：'潘詩爛若舒錦，無處不佳；陸文如披沙簡金，往往見寶。'嶸謂益壽輕華，故以潘爲勝。《翰林》篤論，故歎陸爲深。余常言陸才如海，潘才如江。"案輕華，謂張華也，詳見後《陸機集》條下。據《世説》"益壽"云云乃孫綽之言也。

《文心雕龍·詮賦篇》曰："太沖安仁，策勳於鴻規。"又《祝盟篇》曰："潘岳之祭庾婦，奠祭之恭哀也。"黃氏注云："潘集有《爲諸婦祭庾新婦文》"。又《誄碑篇》曰："潘岳構意，專師孝山，巧于序悲，易入新切，所以隔代相望，能徵厥聲者也。"後漢蘇順字孝山，有集見前。又《哀弔篇》曰："建安哀辭，惟偉長差善，《行女》一篇，時有惻怛。及潘岳繼作，實踵其美。觀其慮善辭變，情洞悲苦，敍事如傳，結言摹詩，促節四言，鮮有緩句。故能義直而文婉，體舊而趣新，《金鹿》、《澤蘭》，莫之能繼也。"黃注："潘集有《金鹿哀辭》、《澤蘭哀辭》。"又《指瑕篇》曰："潘岳爲才，善于哀文，然悲内兄，則云'感口澤'，傷弱子，則云'心如疑'，《禮》文在尊極，而施之下流，辭雖足哀，義斯替矣。"又《才略篇》曰："潘岳敏給，辭自和暢，鍾美于《西征》，賈餘於哀誄，非自外也。"

《唐書·經籍》、《藝文志》：《潘岳集》十卷。《宋史·藝文志》七卷。

馮氏《詩紀》輯存《關中詩》、《家風詩》、《悼亡詩》等十四篇四十四首。

張氏《百三家·潘黃門集》一卷，凡賦、表、議、頌、贊、箴、訓、碑、哀文、祭文、誄五十二篇，詩十四篇，謠一篇。

汪氏《文選撰人篇目》曰："晉潘安仁岳有《籍田賦》、《射雉賦》、《西征賦》、《秋興賦》、《閒居賦》、《懷舊賦》、《寡婦賦》、《笙賦》、《關中詩》、《金谷集詩》、《悼亡詩》三首、《贈陸機詩》、《河陽縣詩》、《懷縣詩》、《楊荆州誄》、《楊仲武誄》、《夏侯常侍誄》、《馬汧督誄》、《哀永逝文》。"

嚴氏《全晉文編》輯存賦二十有二，表一，議二，訓、頌、贊、箴各一，誄十四，碑三，哀策文等十二，弔、祭、禱神文各一，凡六十一篇。

又《文編》卷首敍目曰："《潘岳集》六卷，明人纂輯本。"案舊藏叢殘書中有明河東呂兆禧校《潘黃門集》六卷，殆即此本也。凡賦三卷十九篇，詩一卷十四篇四十五首，議、頌、箴、贊、訓、誄、哀文、哀辭、碑、弔祭合二卷三十篇，其本與汪氏賢《二十名家集》相似。又兩《唐志》有潘岳《關中記》一卷，本志不著錄，或亦編入本集。

晉太常卿潘尼集十卷

《魏志·衛覬傳》："建安末，尚書右丞河南潘勗，亦以文章顯。"《文章志》曰："勗子滿，平原太守，亦以學行稱。滿子尼，字正叔。"《尼別傳》曰："少有清才，文辭溫雅。尼嘗贈陸機詩，機答之，其四句曰：'猗歟潘生，世篤其藻，仰儀前文，丕隆祖考。'位終大常。尼從父岳，爲孫秀所殺。尼、岳文翰，並見重于世。"

《晉書·潘岳傳》：岳從子尼，字正叔，少與岳俱以文章見知。性靜退不競，唯以勤學著述爲事。著《安身論》以明所守。太康中，舉秀才，爲博士。元康初，拜太子舍人，上《釋奠頌》。

數遷著作郎，爲《乘輿箴》。及趙王倫篡位，孫秀專政，忠良之士皆罹禍酷。尼遂疾篤，取假拜掃墳墓。聞齊王冏起義，乃赴許昌。冏引爲參軍，事平，封安昌公。歷黄門侍郎、散騎常侍、侍中、秘書監。永興末，爲中書令。時三王戰爭，皇家多故，尼職居顯要，從容而已。雖憂虞不及，而備嘗艱難。永嘉中，遷太常卿。洛陽將没，攜家還鄉里。道遇賊，不得前，病卒于塢壁，年六十餘。

又史臣曰：“安仁蔑棄倚門之訓，乾没不逞之間，斯才也而有斯行也，天之所賦，何其駁歟！正叔合咀藝文，履危居正，安其身而後動，契其心而後言，著論究人道之綱，裁箴縣乘輿之鑒，可謂玉質而金相者矣。”

《太平御覽·文部》：《文士傳》曰：“潘尼曾與同僚飲，主人有琉璃盃，使客賦之。尼於坐立成。”

《文心雕龍·銘箴篇》曰：“潘尼乘輿，義正體蕪。”

《唐書·經籍》、《藝文志》：《潘尼集》十卷。

馮氏《詩紀》輯存詩二十篇二十六首。

張氏《百三家·潘太常集》一卷，凡賦、頌、箴、論、序、銘、碑二十三篇，詩二十首。

汪氏《文選撰人篇目》：晉潘正叔尼有《贈陸機詩》、《贈河陽詩》、《贈侍御史王元貺詩》、《迎大駕詩》。

嚴氏《全晉文編》輯存賦十四，詩序三，頌二，論一，箴二，銘一，碑二，碣一，凡二十六篇。

晉頓丘太守歐陽建集二卷

《晉書·石崇傳》：時趙王倫專權，崇甥歐陽建與倫有隙。孫秀以求綠珠不得，乃勸倫誅崇、建，遂與潘岳皆被害。建字堅石，世爲冀方右族。雅有理思，才藻美贍，擅名北州。時人爲之語曰：“渤海赫赫，歐陽堅石。”辟公府，歷山陽令、尚書郎、馮翊太守，甚得時譽。及遇禍，莫不悼惜之，年三十餘。臨命作詩，文甚哀楚。

《唐書·經籍》、《藝文志》：《歐陽建集》二卷。

馮氏《詩紀》輯存《臨終詩》、《答棗腆詩》。

汪氏《文選撰人篇目》曰：“晉歐陽堅石建有《臨終詩》。”

嚴氏《全晉文編》：歐陽建有集二卷。《藝文類聚》六十三載有《登櫓賦》、《世說·文學篇》注有《言盡意論》，凡二篇。案《世説》云：“王丞相過江左，止道‘聲無哀樂’、‘養生’、‘言盡意’三理而已，然宛轉關生，無所不入。”案“聲無哀樂論”、“養生論”，嵇叔夜諸人所撰也。“言盡意論”則歐陽堅石所作，蓋亦名論。

梁有《宗正劉許集》二卷，錄一卷，亡。

《魏志·劉放傳》：放子正。臣松之案，《頭責子羽》曰：“士卿劉許，字文生，正之弟也。與張華六人並稱文辭可觀，意思詳序。晉惠帝世，許爲越騎校尉。”案《頭責子羽文》見前《張敏集》。

《世説·排調篇》注：《晉百官名》曰：“劉許字文生，涿鹿郡人。父放，魏驃騎將軍。許，惠帝時爲宗正卿。”

《唐書·經籍志》：“《劉訏集》二卷。”《藝文志》：“《劉許集》二卷。”

梁有《散騎常侍李重集》二卷。亡。

《晉書》本傳：重字茂曾，江夏鍾武人也。少好學，有文辭。爲始平王文學，上疏陳九品。遷太子舍人、尚書郎。太熙中，遷廷尉平，駁廷尉奏邯鄲醳等，文多不載。再遷中書郎，每大事及疑議，輒參以經典處決，多皆施行。爲尚書吏部郎，平陽太守。永康初，趙王倫用爲相國左司馬，以憂偪成疾而卒，時年四十八。追贈散騎常侍，謚曰成。

《唐書·經籍志》：《李重集》二卷。

《唐書·藝文志》：《李黃集》二卷。“黃”當爲“重”。

嚴氏《全晉文編》：李重有集二卷。《書鈔》、《類聚》、《通典》、《御覽》諸書有疏、奏、奏駁、雜奏、議、《薦曹嘉表》、《吏部尚書箴序》，凡八篇。

梁有《光録大夫樂廣集》二卷，録一卷，亡。

《晉書》本傳：廣字彦輔，南陽淯陽人也。僑居山陽，寒素爲業。性沖約，有遠識，與物無競。尤善談論，每以約言析理，以厭人之心。王戎爲荆州刺史，聞廣爲夏侯玄所賞，乃舉爲秀才。又薦于賈充，拜太尉掾，歷太子舍人，元城令，累遷侍中、河南尹。廣善清言而不長于筆，將讓尹，請潘岳爲表。岳曰："當得君意。"廣乃作二百句語，述己之志。岳因取次比，便成名筆。時人咸云："若廣不假岳之筆，岳不取廣之旨，無以成斯美也。"廣與王衍俱宅心事外，名重于時。故天下言風流者，謂王、樂爲稱首焉。是時，王澄、胡母輔之等，亦皆任放爲達，或至裸體。廣聞而笑曰："名教內自有樂地，何必乃爾！"代王戎爲尚書令。始戎薦廣，而終踐其位，時人美之。成都王穎，廣之壻也，穎與長沙王乂遘難，廣以憂卒。

《唐書·經籍》、《藝文志》：《樂廣集》二卷。

梁有《阮渾集》三卷，録一卷，亡。

阮渾有《周易論》，見經部易家。

《唐書·經籍》、《藝文志》：《阮渾集》二卷。

晉侍中嵇紹集二卷　録一卷

《魏志·王粲傳》注：嵇康子紹，字延祖，少名知。山濤啓以爲秘書郎，稱紹平簡溫敏，有文思，又曉音，當成濟者。帝曰："紹如此，便可以爲丞。不足復爲郎也。"遂歷顯位。《晉諸公贊》曰："紹與山濤子簡、弘農楊準同好友善，而紹最有忠正之情。以侍中從惠帝北伐成都王穎，王師敗績，百官奔步，惟紹獨以身扞衛，遂死於帝側。故累見襃崇，追贈太尉，謚曰忠穆公。"

《唐書・經籍》、《藝文志》：《嵇紹集》二卷。

馮氏《詩紀》輯存《贈石季倫詩》一篇。

嚴氏《全晉文編》：嵇紹有集二卷。《晉書・忠義傳》載有《上惠帝疏》、《陳準謚議》、《張華不宜復爵議》、《諫齊王冏書》，《世說・言語篇》有《敍趙至》，凡五篇。

梁有《錢唐令楊建集》九卷，亡。

楊建始末未詳。

梁有《長沙相盛彥集》五卷，亡。

《晉書・孝友傳》：盛彥字翁子，廣陵人也。少有異才。年八歲，詣吳太尉戴昌，昌贈詩以觀之，彥于坐答之。辭甚慷慨。仕吳至中書侍郎，吳平，陸雲薦之于刺史周浚，本邑大中正劉頌又舉彥爲小中正。太康中卒。

嚴氏《全晉文編》曰："彥入晉爲長沙相、本邑小中正。有集五卷。《書鈔》、《御覽》有《擊壤賦》、《藏弧賦》、《與劉頌書》，《通典》有《通桑梓敬義》，凡四篇。"

梁有《左長史楊乂集》三卷，錄一卷，亡。

楊乂有《卦序論》，見經部易家。

嚴氏《全晉文編》：楊乂有集三卷。《類聚》、《御覽》有《雲賦》、《刑禮論》凡二篇。

晉尚書盧播集一卷。梁二卷。錄一卷。

《阮籍集》：籍《與晉文王書薦盧播》曰："伏見鄱州別駕同郡盧播，年三十二，字景宣，少有才秀之異，長懷淑茂之量。研精墳典，聰鑒物理。潛心圖籍，文學之宗；敷藻載述，良史之表。誠後門之秀偉，當時之利器。"

《晉書・周處傳》：處與振威將軍盧播、雍州刺史解系攻齊萬年于六陌。自旦及暮，斬首萬計，絃絶矢盡，播、系不救，處遂力戰而没。

《唐書·經籍》、《藝文志》：《盧播集》二卷。

嚴氏《全晉文編》：盧播字景宣，陳留人。爲本州别駕，元康中遷梁王肜征西長史，進振威將軍，後爲尚書。有集二卷。《藝文類聚》三十六引播《阮籍銘》一篇。

梁又有《欒肇集》五卷，録一卷，亡。

欒肇有《周易象論》，見經部易家。

《唐書·經籍》、《藝文志》：《欒肇集》五卷。

梁又有《南中郎長史應亨集》二卷，亡。

《唐書·經籍》、《藝文志》：《應亨集》二卷。

嚴氏《全晉文編》曰：“應亨，應貞從孫，爲著作郎，累遷南中郎長史。有集二卷。《書鈔》有《讓著作表》，《初學記》、《御覽》有《與州將箋》、《應翊像贊序》、《贈四王冠詩序》，凡五篇。”案亨《讓著作表》云：“自司隸校尉奉至臣父，五世著作不絶，邦族以爲美談。”則後漢應奉之六世孫也。奉有《漢書後序》，見子部儒家。

晉國子祭酒杜育集二卷

《世説·品藻篇》注：《晉諸公贊》曰：“杜育字方叔，襄城鄧陵人，杜襲孫也。育幼便岐嶷，號神童。及長，美風姿，有才藻，時人號曰杜聖。累遷國子祭酒。洛陽將没，爲賊所殺。”

《釋文·敍録》曰：“杜育字方叔，襄城人，國子祭酒，爲《易義》。”

《唐書·經籍》、《藝文志》：《杜育集》二卷。

馮氏《詩紀》輯存《贈摯仲洽詩》一篇。

嚴氏《全晉文編》曰：“育初與石崇等爲賈謐二十四友，永興中拜汝南太守，永嘉中進右將軍，後爲國子祭酒。有《易義》若干卷，集二卷。《類聚》、《書鈔》、《御覽》有《荈賦》、《菽賦》各一篇。"

晉太常卿摯虞集九卷。梁十卷。録一卷。

摯虞有《決疑要注》，見史部儀注篇。

《晉書》本傳：虞少事皇甫謐，才學通博，著述不倦。嘗以死生有命，富貴在天。怵迫之徒，不知所守，蕩而積憤，或迷或放。故借之以身，假之以事。作《思游賦》。舉賢良，與夏侯湛等十七人策爲下第。武帝又詔會東堂策問。時吳寇新平，天下乂安，上《太康頌》以美晉德。又表論對禪，見《禮志》。又議玉輅、兩社事，見《輿服志》。性愛人士，有表薦者，恒爲其辭。

《文心雕龍·才略篇》曰："摯虞述懷，必循規以溫雅。"

《唐書·經籍志》："《摯虞集》二卷。"《藝文志》十卷。

馮氏《詩紀》輯存《答杜育詩》、《雍州詩》二篇。

張氏《百三家》輯本序曰："仲洽爲玄晏高弟，知名當世，遭亂餒死，傷哉，貧也！張茂先聚書三十乘，仲洽撰定官書，皆資以取。正茂先寃死，仲洽致牋齊王，事漸表白，可云不負知己。集詩甚少，賦亦遠遜茂先。議禮諸文，最稱宏辯。與杜元凱、束廣微並生一時，勢猶鼎足，二荀弗如也。東堂策對，其生平致身之文，中少壯氣，沿爲卑響，靡靡之句。當日作者，得毋自恨其率爾乎？凡賦、策、表、奏、議、駁、書、牋、頌、箴、贊、銘、誥五十三篇，《文章流別論》十二，《條對》一篇，詩二篇，《愍騷》一篇。"

嚴氏《全晉文編》輯存賦、騷、誥、册文、對策、表、奏、議、駁、對、箋、書、頌、贊、銘、箴、《決疑》、《理疑》、《文章流別論》，凡六十篇。"

梁又有《秘書監繆徵集》二卷，録一卷，亡。

《魏志·劉邵傳》："邵同時東海繆襲。"《文章志》曰："襲歷仕魏四世。正始六年卒。子悅，字孔懌，晉光禄大夫。襲孫紹、播、徵、胤等,並皆顯達。"

《晉書・賈充傳》:充無子,以外孫韓謐爲嗣,襲封魯公,權過
人主。渤海石崇、歐陽建、滎陽潘岳、吳國陸機、陸雲、蘭陵繆
徵等,皆傅會于謐,號曰二十四友。

又《張軌傳》:秘書監繆世徵、少府摯虞夜觀星象,相與言曰:
"天下方亂,避難之國唯涼土耳。"<small>案此作"繆世徵",豈其字歟?又疑"世應"之誤。</small>

《唐書・經籍》、《藝文志》:《繆徵集》二卷。

案嚴氏《文編》云:"繆世應,一作應世,爵里未詳,當在惠帝
時。《書鈔》六十二引有所作《石鑒碑》一條。"按世應頗似
徵之字,疑即其人也。

晉齊王府記室左思集二卷。梁有五卷。録一卷。

《晉書・文苑傳》:左思字太沖,齊國臨菑人也。家世儒學。
少學鍾、胡書及鼓琴,並不成。遂感激勤學,兼善陰陽之術。
貌寢,口訥,而辭藻壯麗。不好交游,惟以閒居爲事。造《齊
都賦》,一年乃成。復欲賦三都,會妹芬入宮,移家京師,乃詣
著作郎張載訪岷邛之事。遂構思十年,門庭藩溷皆著紙筆,
遇得一句,即便疏之。自以所見不博,求爲秘書郎。及賦成,
時人未之重。思以其作不謝班張,恐以人廢言,安定皇甫謐
有高譽,思造而示之。謐稱善,爲其賦序。張載爲注《魏都》,
劉逵注《吳》、《蜀》而序之,陳留衛瓘又爲思賦作《略解》。自
是之後,盛重于時。司空張華見而歎曰:"班張之流也。使讀
之者盡而有餘,久而更新。"于是豪貴之家競相傳寫,洛陽爲
之紙貴。初,陸機入洛,欲爲此賦,聞思作之,撫掌而笑,與弟
雲書曰:"此間有傖父,欲作《三都賦》,須其成,當以覆酒甕
耳。"及思賦出,機絶歎服,以爲不能加也,遂輟筆焉。秘書監
賈謐請講《漢書》,謐誅,退居宜春里,專意典籍。齊王冏命爲

記室督。及張方縱暴都邑，舉家適冀州。數歲，以疾終。

鍾嶸《詩品》曰：“迄于有晉太康中，三張、二陸、兩潘、一左，勃爾復興，踵武前王，風流未沫，亦文章之中興也。”又曰：“晉記室左思詩，其源出於公幹。文典以怨，頗爲精切，得諷諭之致。雖野于陸機，而深于潘岳。謝康樂常言：‘左太沖、潘安仁詩，古今難比。’”

《文心雕龍·明詩篇》曰：“四言、五言，兼善則子建、仲宣，偏美則太沖、公幹。”又《詮賦篇》曰：“仲宣、偉長，太沖、安仁，士衡、子安，景純、彦伯，亦魏、晉之賦首也。”又《雜文篇》曰：“枚乘《七發》以下，作者繼踵。自桓麟《七説》以下，左思《七諷》以上，枝附影從，十有餘家。或文麗而義暌，或理粹而辭駁。”

又《指瑕篇》云：“左思《七諷》，説孝而不從，反道若斯，餘不足觀矣。”又《才略篇》云：“左思奇才，業深覃思，盡鋭于《三都》，拔萃於《詠史》，無遺力矣。”

本志總集篇：“梁有《齊都賦》二卷并《音》，左思撰。”案此有敚誤，詳見本條。又曰：“梁有張載及晉侍中劉達、晉懷令衞瓘注左思《三都賦》三卷，綦母邃注《三都賦》三卷。”

《唐書·經籍志》：“《左思集》五卷。”又總集類：“《齊都賦》一卷，左太沖撰。《齊都賦音》一卷，李軌撰。又《三都賦》三卷，左太沖撰。”

《唐書·藝文志》：“《左思集》五卷。”又總集類：“左太沖《齊都賦》一卷，李軌《齊都賦音》一卷，左太沖《三都賦》三卷。”

馮氏《詩紀》輯存《贈妹九嬪悼離詩》、《詠史詩》、八首。《招隱詩》、《雜詩》、《嬌女詩》凡五篇十四首。”

汪氏《文選撰人篇目》：晉左太沖思有《三都賦》、《詠史詩》、《招隱詩》、《雜詩》。

嚴氏《全晉文編》：左思有集五卷。今存《齊都賦》五條及《三都賦并序》、《白髮賦》、《七諷》，凡七篇。

梁又有《晉豫章太守夏靖集》二卷，録一卷，亡。

《唐書・經籍》、《藝文志》：《夏侯靖集》二卷。

　　按《晉書・熊遠傳》：“遠，豫章南昌人，太守會稽夏靜辟爲功曹。及靜去職，遠送至會稽以歸。”蓋即此夏靖，會稽人也。“靜”與“靖”通，兩《唐志》作夏侯靖，非是。

梁又有《吳王文學鄭豐集》二卷，録一卷，亡。

《吳志》“孫權赤烏二年”注：《文士傳》曰：“鄭胄字敬先，沛國人，仕吳爲執金吾。子豐，字曼季，有文學操行，與陸雲善，與雲詩辭往返。司空張華辟，未就，卒。”案武帝諸子中有吳敬王晏，太康十年封洛京，傾覆遇害，年三十一。此稱吳王文學，殆太康十年以後，豐嘗爲此吳王文學掾者，陸機兄弟嘗爲吳王郎中令，蓋與之同時。

《唐書・經籍》、《藝文志》：《鄭豐集》二卷。

馮氏《詩紀》《陸士龍詩》後附《鄭曼季答詩》四篇，凡二十首。

嚴氏《全晉文編》曰：“鄭豐字曼季，沛國人。司空張華辟未就。有《答陸士龍詩序》三篇，並見《陸雲集》。”

梁又有《大司馬東曹掾張翰集》二卷。録一卷，亡。

《晉書・文苑傳》：張翰字季鷹，吳郡吳人也。父儼，吳大鴻臚。翰有清才，善屬文，而縱任不拘，時人號爲江東步兵。齊王冏辟爲大司馬東曹掾。冏時執權，翰謂同郡顧榮曰：“天下紛紛，禍難未已。夫有四海之名者，求退良難。吾本山林間人，無望于時。子善以明防前，以智慮後。”榮執其手，愴然曰：“吾亦與子采南山蕨，飲三江水耳。”翰因見秋風起，乃思吳中菰菜、蓴羹、鱸魚膾，曰：“人生貴得適志，何能羈宦數千里以要名爵乎？”遂命駕而歸。著《首丘賦》，文多不載。府以其輒去，除吏名。翰任性自適，不求當世。年五十七卒。其文筆數十篇行於世。

鍾嶸評張翰、潘尼詩曰：“季鷹‘黃花’之唱，正叔‘綠蘩’之章，[①]雖不具美，而文采高麗，並得虬龍片甲，鳳皇一毛。”

《文心雕龍·才略篇》曰：“曹攄清靡于長篇，季鷹辨切于短韻，各其善也。”

《唐書·經籍》、《藝文志》：《張翰集》二卷。

馮氏《詩紀》輯存《周小史詩》一首、《雜詩》二首、《秋風歌》一首。

汪氏《文選撰人篇目》：晉張季鷹翰有《雜詩》一首。

嚴氏《全晉文編》：張翰有集二卷。案翰有《首丘賦》，今亡。《藝文類聚》有《杖賦》、《豆羹賦》，《初學記》有《詩序》，凡三篇。又《類聚》十七有張韓《不用舌論》一篇。韓，爵里未詳。疑“翰”之誤。

梁又有《清河王文學陳略集》二卷，錄一卷，亡。

陳略始末未詳。清河康王遐、嗣王覃並見《晉書·武十三王傳》。

《唐書·經籍》、《藝文志》：《陳略集》二卷。

梁又有《揚州從事陸沖集》二卷，錄一卷，亡。

陸沖始末未詳。

《唐書·經籍》、《藝文志》：《陸沖集》二卷。

馮氏《詩紀》輯存陸沖《雜詩》二首。文不完，自述其長途旅行。

嚴氏《全晉文編》曰：“陸沖為揚州從事，有集二卷。《藝文類聚》卷一有沖《風賦》。”

晉平原內史陸機集十四卷。梁四十七卷。錄一卷，亡。

陸機有《吳章篇》，見經部小學家。

·《晉書》本傳：機年二十而吳滅，退居舊里，閉門勤學，積有十

---

① “章”，原誤作“良”，據《學津討原》本鍾嶸《詩品》改。

年。以孫氏在吳，而祖父世爲將相，有大勳於江表，深慨孫皓
舉而棄之，乃論權所以得，皓所以失，又欲述其祖父功業，遂
作《辯亡論》二篇。及齊王冏矜功自伐，受爵不讓，作《豪士
賦》以刺焉。又以聖王經國，義在封建，因采其遠指，著《五等
論》。機天才秀逸，辭藻宏麗，張華嘗謂之曰：“人之爲文，常
恨才少，而子更患其多。”弟雲嘗與書曰：“君苗見兄文，輒欲
燒其筆硯。”後葛洪著書，稱“機文猶玄圃之積玉，無非夜光
焉，五河之吐流，泉源如一焉。其弘麗妍贍，英鋭漂逸，亦一
代之絶乎”！其爲人所推服如此。然好游權門，與賈謐親善，
以進趣獲譏。所著文章凡三百餘篇，並行於世。

李充《翰林論》：或問曰：“何如斯可謂之文？”答曰：“孔文舉
之書，陸士衡之議，斯可謂成文矣。”又曰：“在朝辯政而議奏
出，宜以遠大爲本，陸機議晉斷，亦名其美矣。”

鍾嶸《詩品》曰：“陸機爲太康之英，安仁、景陽爲輔。五言之
冠冕，文辭之名世也。”又曰：“晉平原相陸機詩，其源出於陳
思。才高辭贍，舉體華美。氣少於公幹，文劣於仲宣。尚規
矩，不貴綺錯，有傷直致之奇。然其咀嚼華英，厭飫膏澤，文
章之淵泉也。張公歎其大才，信矣！”

《文心雕龍·明詩篇》曰：“晉世群才，稍入輕綺。張潘左陸，
比肩詩衢，采縟於正始，力柔於建安。或析文以爲妙，或流靡
以自妍，此其大略也。”又《頌贊篇》云：“陸機積篇，惟《功臣》
最顯。其褒貶雜居，固末代之訛體也。”黃注云：“陸集有《漢高祖功臣
頌》。”又《雜文篇》云：“自楊雄《連珠》以下，擬者間出。唯士衡
運思，理新文敏，而裁章置句，廣于舊篇，豈慕朱仲四寸之璫
乎！”又《哀弔篇》云：“陸機之弔魏武，序巧而文繁。”又《論説
篇》云：“陸機《辯亡》，效《過秦》而不及。”又《檄移篇》云：“陸
機之《移百官》，言約而事顯，武移之要者也。”又《議對篇》云：

"陸機斷議,亦有鋒穎,而腴辭弗剪,頗累文骨。亦各有美,風骨存焉。"又《書記篇》云:"劉廙謝恩,喻切以至,陸機自理,情周而巧,箋之爲善者也。"

本志總集篇:梁有《連珠》一卷,陸機撰,何承天注,亡。案《文選》有陸士衡《演連珠》,劉孝標注,《七録》、本志皆不見。

《唐書·經籍》、《藝文志》:《陸機集》十五卷。《宋史·藝文志》:十卷。

晁氏《讀書志》:《陸機集》十卷。機所著文章三百餘篇。案"三百"或"二百"之誤。今存詩、賦、論、議、箋、表、碑、誄百七十餘首。以《晉書》、《文選》校正外,餘多舛誤。

馮氏《詩紀》輯存樂府一卷三十八篇四十五首,詩一卷四十五篇八十首。張氏《百三家》輯存文一卷,樂府詩一卷。

汪氏《文選撰人篇目》:晉陸士衡機有《歎逝賦》、《文賦》、《讌玄圃詩》、《招隱詩》、《斥丘令詩》、《答賈謐詩》、《與士龍詩》、《贈顧彦先詩》、《贈顧交阯詩》、《贈車騎詩》、《答張士然詩》、《爲顧贈婦詩》、《贈馮文熊詩》、《贈士龍詩》、《赴洛詩》、《赴洛道中詩》、《從梁陳詩》、樂府十七首、挽歌三首、《園葵詩》、《擬古》十二首、《謝內史表》、《豪士詩序》、《漢高功臣頌》、《辯亡論》、《五等諸侯論》、《演連珠》五十首、《弔魏武文》。

《四庫未收書目》曰:"《陸士衡文集》十卷。案宋慶元庚申,奉議郎知華亭縣事徐民瞻合刻二陸文集,取張華之語目之曰《晉二俊文集》。此即影鈔民瞻之本,與七閣所收《陸士龍集》相合,計賦二十五篇,爲四卷;詩五十八篇,爲二卷;樂府十首,百年歌十首,爲一卷;《演連珠》一首,《七徵》一首,爲一卷;頌、箴、贊、牋、表、文、誄、哀辭共十篇,爲一卷;議、論、碑五首,爲一卷,共一百七十四首,與晁《志》數正同。知民瞻所刻即公武之本也,文句譌敓,北宋時已如此,而機集之傳于今者,莫古于此本矣。"

嚴氏《文編》敍録曰:"《陸機集》十卷,明都穆《二俊文集》本。其序言宋舊本,其實從群書纂輯,非舊本也。"又《全晉文編》輯本四卷,凡七十四篇。

張氏《書目答問》:《陸士衡集》十卷。明汪士賢刻《漢魏六朝二十名家集》本。

晉清河太守陸雲集十二卷,梁十卷。録一卷。

陸雲有《陸子》十卷,見子部道家。

《晉書》本傳:雲六歲能屬文,清正,有才理,少與兄機齊名,雖文章不及機,而持論過之,號曰二陸。所著文章三百四十九篇行于世。

《抱朴子》佚文曰:"嵇君道問二陸優劣。抱朴子曰:'吾見二陸之文百許卷,似未盡也。'"又嵇君道曰:"每讀二陸之文,未嘗不廢書而歎,恐其卷盡也。"

《文心雕龍·鎔裁篇》曰:"士衡才優,而綴辭尤繁;士龍思劣,而雅好清省。及雲之論機,亟恨其多。而稱'清新相接,不以爲病',蓋崇友于耳。"又《才略篇》曰:"陸機才欲窺深,辭務索廣,故思能入巧而不制繁。士龍朗練,以識檢亂,故能布采鮮淨,敏于短篇。"

《唐書·經籍》、《藝文志》:《陸雲集》十卷。《宋史·藝文志》同。晁氏《讀書志》同。

《崇文總目》:《陸雲集》八卷。

陳氏《書録解題》:《陸士龍集》十卷,晉清河内史陸雲撰。太康平吳,二陸入洛,張茂先所謂"利獲二俊"者也。遜、抗之後而有機、雲,可謂代不乏人矣。然皆不免其身。才者,身之累也,況居亂世乎?機好游權門,抑又有以取之耶?

馮氏《詩紀》輯存詩二卷,凡二十九篇一百三十七首,附鄭曼季《答詩》四篇。

張氏《百三家》輯本凡賦、啓、書、疏、頌、贊、箴、碑、誄文、騷爲一卷，詩一卷。

《四庫提要》曰："《陸士龍集》十卷。史謂其文章不及機，而持論過之。今觀集中諸啓，其執辭諫諍，陳議鯁切，誠近於古之遺直。至其文藻麗密，詞旨深雅，與機亦相上下。平吳二俊，要亦未易優劣也。《唐志》作十卷，則隋時十二卷本已不復見。至南宋時，十卷之本又漸湮没。慶元間，信安徐民瞻始得之于秘書省，與機集並刊以行。然今亦未見宋刻，世所行者惟此本。史稱雲所著三百四十九篇，此僅録二百餘篇，蓋明人所重編，敍次頗爲叢雜。"

汪氏《文選撰人篇目》：晉陸士龍雲有《大將軍讌會詩》、《爲顧贈婦詩》、《答兄詩》、《答張士然詩》。

嚴氏《文編》敍録曰："《陸雲集》十卷，宋刊本，又明都穆《二俊文集》本，又《全晉文編》輯本五卷，凡五十四篇。"

張氏《書目答問》：《陸士龍集》十卷。明汪士賢刻《二十名家集》本。

梁又有《少府丞孫極集》二卷，録一卷，亡。

《唐書·經籍》、《藝文志》：《孫極集》二卷。

嚴氏《全晉文編》曰："《藝文類聚》三十六有孫承《嘉遯賦》一篇。承，爵里未詳。案《吳志·孫桓傳》注，桓從孫丞，字顯世。《文士傳》曰：'丞作《螢火賦》，行于世。仕孫晧，爲黄門侍郎，吳平赴洛，爲范陽涿令。永安中，陸機請爲司馬，與機俱被害。'《晉書·陸機傳》作孫拯，未知即其人否。"

案《晉書·陸機附傳》云："孫拯者，字顯世，吳郡富春人也。能屬文。孫晧世，侍臣多得罪，惟拯與顧榮以智全。機既爲孟玖等所誣收拯考掠，兩踝骨見，終不變辭。門生費慈、宰意二人詣獄明拯，拯譬遣之曰：'吾義不可誣枉知故，卿何宜復爾？'二人曰：'僕亦安得負君！'拯遂死獄中，而慈、意亦死。"其人其事固足爲千載痛傷者也。此"孫極"大抵是"孫拯"之誤，故《七録》附其集於二陸之後。拯殆以少府丞爲陸機後將軍河北大都督司馬歟？馮氏《詩紀》輯存拯《贈陸士龍詩》十章。

晉中書郎張載集七卷。梁一本二卷。録一卷

《晉書》本傳：載字孟陽，安平人也。父收，蜀郡太守。載性閑雅，博學有文章。太康初，至蜀省父，道經劍閣。載以蜀人恃險好亂，因著銘以作誡。益州刺史張敏見而奇之，乃表上其文，張敏有集，見前。武帝遣使鐫之於劍閣山焉。載又爲《榷論》，又爲《濛汜賦》，司隸校尉傅玄見而嗟歎，以車迎之，言談盡日，爲之延譽，遂知名。起家佐著作郎，數遷至中書侍郎，領著作。載見世方亂，無復進仕意，遂稱疾告歸，卒於家。

又史臣曰："孟陽鏤石之文，見奇於張敏；《濛汜》之詠，取重於傅玄，爲名流之所挹，亦當代之文宗矣。"

鍾嶸《詩品》曰："孟陽詩，乃遠慚厥弟，而近超兩傅。"

《文心雕龍·銘箴篇》曰："張載《劍閣》，其才清采。迅足駸駸，後發前至，勒銘岷漢，得其宜矣。"

《唐書·經籍》、《藝文志》：《張載集》三卷。

馮氏《詩紀》輯存詩十篇十四首。

張氏《百三家》輯本一卷，凡賦、論、頌、銘、詩一十八篇。

汪氏《文選撰人篇目》曰："晉張孟陽載有《七哀詩》、《擬四愁詩》、《劍閣銘》。"

嚴氏《全晉文編》：張載有集七卷，存《濛汜池》等賦七篇，頌二，論一，銘三，凡一十三篇。

晉黃門郎張協集三卷。梁四卷。録一卷。

《晉書·張載傳》：載弟協，字景陽，少有儁才，與載齊名，辟公府掾，數遷至河間內史。于時天下已亂，所在寇盜，協遂棄絕人事，屏居草澤，守道不競，以屬詠自娛。擬諸文士作《七命》，世以爲工。永嘉初，復徵爲黃門侍郎，託疾不就，終於家。協弟亢，字季陽。才藻不逮二兄，亦有屬綴。時人謂載、協、亢、陸機、雲曰二陸、三張。

又史臣曰：“景陽摛光王府，棣萼相耀。洎乎二陸入洛，三張減價。考覈遺文，非徒語也。”

鍾嶸《詩品》曰：“晉黃門郎張協詩，其源出於王粲。文體華淨，少病累。又巧構形似之言。雄於潘岳，靡於太沖。風流調達，實曠代之高手。辭采葱蒨，音韻鏗鏘，使人味之亹亹不倦。”

《文心雕龍·才略篇》曰：“孟陽、景陽，才綺而相埒，可謂魯衛之政，兄弟之文也。”

《唐書·經籍》、《藝文志》：《張協集》二卷。

馮氏《詩紀》輯存《詠史詩》一首、《雜詩》十一首、《游仙詩》一首。

張氏《百三家》輯本一卷，凡賦、銘、《七命》及詩一十七首。序曰：“晉代文人有二陸、三張之名，景陽詩獨勁出，二子守道，嫉衆貪位，高尚之懷，每形詩詠。時或疵其玄之尚白。及觀二鳳齊傾，金谷並損華亭上蔡，嗟呼歎晚！然後知達人蚤識長謠，二疏高歌招隱，所以能自脱於巫山之火也。”案長謠、二疏，即所作《詠史詩》。高歌招隱，其兄載《招隱詩》有云：“不見巫山火，芝艾豈相離。”故此云爾。

汪氏《文選撰人篇目》曰：“晉張景陽協有《詠史詩》、《雜詩》十首、《七命》一篇。”

嚴氏《全晉文編》：張協有集四卷。今存賦六篇，《七命》一篇，頌一篇，銘七篇。

晉著作郎束晳集七卷。梁五卷。録一卷。

束晳有《發蒙記》，見經部小學家。

《晉書》本傳：晳嘗爲《勸農》及《餅》諸賦，文頗鄙俗，時人薄之。而性沈退，不慕榮利，作《玄居釋》以擬《客難》。張華見而奇之，又上議大興田農。在著作，得觀竹書，隨宜分釋，皆有議證。所著《五經通論》、《發蒙記》、《補亡詩》、文集數十篇，行於世云。

又《王接傳》：秘書丞衛恒考正《汲冢書》，未迄而遭難。佐著作郎束晳述而成之，事多證異義。時東萊太守陳留王庭堅難之，亦有證據。晳又釋難，而庭堅已亡。散騎侍郎潘滔謂接曰：“卿才學理議，足解二子之紛，可試論之。”接遂詳其得失。摯虞、謝衡皆博物多聞，咸以爲允當。

《文心雕龍·諧讔篇》曰：“魏晉滑稽，盛相驅扇。懿文之士，未免枉轡。潘岳醜婦之屬，束晳賣餅之類，尤而效之，蓋以百數。”

《唐書·經籍》、《藝文志》：《束晳集》五卷。《宋史·藝文志》一卷。

馮氏《詩紀》輯存《補亡詩》六首，曰《南陔》，曰《白華》，曰《華黍》，曰《由庚》，曰《崇丘》，曰《由儀》。

張氏《百三家·束廣微集》一卷，凡賦、論、議、封、奏、書、牋、文、雜文、《補亡詩》，二十五篇。序曰：“晉世笑束先生《勸農》及《餅》諸賦，文辭鄙俗，今雜置賦苑，反覺其質致近古，由彼彫繢少也。《玄居釋》痛言周漢衰時，禍福無轍，朝卿相夕鼎烹功名之士，可爲嚙指出血。集中數議《爾雅》之文，不愧典册，《補亡詩》志大而辭淺，欲以續經罷不勝任也。”

汪氏《文選撰人篇目》：晉束廣微晳有《補亡詩》。

嚴氏《全晉文編》：束晳有集七卷。今存賦、奏、議、書、《玄居釋》、《補亡詩序》、《失題》、弔文、《發蒙記論》，凡二十篇，爲一卷。

梁又有《征南司馬曹攄集》三卷，録一卷，亡。

《魏志·曹休傳》：“休，太祖族子也。子肇，肇子興。”張隱《文士傳》曰：“肇孫攄，字顏遠，少厲志操，博學有才藻。仕晉，辟公府，歷洛陽令。齊王冏輔政，攄與齊人左思俱爲記室督。從中郎出爲襄陽太守、征南司馬。值天下亂，攄討賊向吳，戰死。”

《晉書·良吏傳》：曹攄字顏遠，譙國譙人也。少好學，善屬文，太尉王衍見而器之。永嘉二年，高密王簡鎮襄陽，以攄爲征南司馬。其年流人王逌等聚衆，寇掠城邑。簡遣參軍崔曠討之，令攄督護曠。曠，奸凶人也，譎攄前戰，期爲後繼，既而不至。攄獨與逌戰，軍敗死之。

鍾嶸評石崇、曹攄詩曰：“季倫、顏遠，並有英篇。”

《文心雕龍·才略篇》曰：“曹攄清靡於長篇。”

《唐書·經籍》、《藝文志》：《曹攄集》二卷。

馮氏《詩紀》輯存《思友詩》、《感舊詩》、《贈石崇詩》。

汪氏《文選撰人篇目》曰：“晉曹顏遠攄有《思友人詩》、《感舊詩》。”

嚴氏《全晉文編》：曹攄有集二卷。《藝文類聚》、《文選注》有《述志賦》、《感舊賦》、《圍棋賦》，凡三篇。

梁又有《散騎常侍江統集》十卷，録一卷，亡。

《晉書》本傳：統字應元，陳留圉人也。祖蕤，譙郡太守，封亢父男。父祚，安南太守。統靜默有遠志，與鄉人蔡克俱知名。襲父爵，除山陰令。時關隴屢爲氐、羌所擾，孟觀西討，自捷氐帥齊萬年。統深惟四夷亂華，宜杜其萌，乃作《徙戎論》。帝不能用。未及十年，而夷狄亂華，時服其深識。遷中郎。轉太子洗馬。太子頗闕朝覲，又奢費過度，多諸禁忌，統上書諫陳五事，朝廷善之。及太子廢，徙許昌，薨。統作誄敍哀，爲世所重。後爲博士、尚書郎，參大司馬、齊王冏事。冏驕荒將敗，統切諫。成都王穎請爲記室，多所箴諫。申論陸雲兄弟，亂甚切至。累遷黃門侍郎、選騎常侍。永嘉四年，避難奔於成皋，病卒。凡所造賦、頌、表、奏皆傳於後。

又史臣曰："江統風檢操行，良有可稱，陳留多士，斯爲其冠。《徙戎》之論，實是經國遠圖。然運距中衰，陵替有漸，假其言見用，恐速禍招怨，無救於將顛也。逮愍懷廢徙，冒禁拜辭，所謂命輕鴻毛，義貴熊掌。

《唐書·經籍》、《藝文志》：《江統集》十卷。《宋史·藝文志》：一卷。

嚴氏《全晉文編》："江統有集十卷。今存《徂淮賦》、《函谷關賦》、《酒誥》、疏、議、書、《徙戎論》、銘，凡十四篇。"

梁又有《著作郎胡濟集》五卷，錄一卷，亡。

《唐書·經籍》、《藝文志》：《胡濟集》五卷。

嚴氏《全晉文編》曰："胡濟，元康中爲尚書郎，領著作。有集五卷。今存《灃谷賦》、《黃甘賦》、《奏薦伍朝》、《改葬前母服議》，凡四篇。"

晉中書令卞粹集一卷。梁五卷。

《晉書·卞壼傳》：壼，濟陰冤句人也。父粹，以清辨鑒察稱。兄弟六人，並登宰府，世稱"卞氏六龍，玄仁無雙"。玄仁，粹字也。惠帝初，爲尚書郎。楊駿執政，人多附會，而粹正直不阿。及駿誅，超拜右丞，封成陽子，稍遷至右軍將軍。張華之誅，粹以華壻免官。齊王冏輔政，爲侍中、中書令，進爵爲公。及長沙王乂專權，粹立朝正色。乂忌而害之。《長沙王乂傳》：河間王顒潛使侍中馮蓀、河南尹李含、中書令卞粹等襲乂，乂並誅之。

《唐書·經籍》、《藝文志》：《卞粹集》二卷。

嚴氏《全晉文編》：卞粹有集五卷。《晉》、《宋書·禮志》引《王昌前母服議》、《爲皇太孫服議》各一篇。

梁又有《光禄勳閭丘沖集》二卷，録一卷，亡。

《世説·品藻篇》注：荀綽《兗州記》曰：“閭丘沖，字賓卿，高平人。家世二千石。沖清平有鑒識，博學有文義。累遷太傅、長史。操持文案，必引經誥，飾以文采，未嘗有滯。性尤通達，不矜不假。至於白首，而清名令望，不渝于始。爲光禄勳，京邑未潰，乘車出，爲賊所害，時人皆痛惜之。”

《唐書·經籍》、《藝文志》：《閭丘沖集》二卷。

馮氏《詩紀》輯存《三月三日應詔詩》二首、《招隱詩》一首。

嚴氏《全晉文編》曰：“閭丘沖，懷帝初爲光禄勳。有集二卷。《晉書·禮志》有《武悼楊皇后服議》一篇。”

晉太傅從事中郎庾敳集一卷。梁五卷。録一卷。

《晉書·庾峻傳》：峻，潁川鄢陵人。二子：珉、敳。敳字子嵩，雅有遠韻。爲陳留相，未嘗以事嬰心，從容酣暢，寄通而已。嘗讀《老》、《莊》，曰：“正與人意闇同。”太尉王衍雅重之。敳見王室多難，終知嬰禍，乃著《意賦》以豁情，衍賈誼之《服鳥》也。從子亮見賦，問曰：“若有意也，非賦所盡；若無意也，復何所賦？”答曰：“在有無之間耳！”遷吏部郎。參東海王越太傅軍事，轉軍諮祭酒。越府多儁異，敳在其中，常自袖手。敳有重名，爲搢紳所推。石勒之亂，與王衍俱被害，年五十。案敳有數音，以其字子嵩言之，則敳音當讀如鬼。

《唐書·經籍》、《藝文志》：《庾敳集》二卷。

嚴氏《全晉文編》：庾敳有集五卷。本傳有《意賦》，《藝文類聚》有《幽人箴》，凡二篇。

梁又有《太子中舍人阮瞻集》二卷，録一卷，亡。

《晉書·阮籍傳》：籍兄子咸，咸子瞻，字千里。清心寡欲，自得于懷。讀書不甚研求，而默識其要，遇理而辨，詞不足而旨有餘。見司徒王戎，戎問曰：“聖人貴名教，老莊明自然，其旨同異?”瞻曰：“將毋同。”戎咨嗟良久，即命辟之。時人謂之三語掾。太尉王衍亦雅重之。東海王越鎮許昌，以瞻爲記室參軍，與王承、謝鯤、鄧攸俱在越府。永嘉中，爲太子舍人。瞻素執無鬼論，物莫能難，每自謂此理足可以辨正幽明。後病卒於倉垣，時年三十。

《唐書·經籍》、《藝文志》：《阮瞻集》二卷。

嚴氏《全晉文編》：阮瞻有集二卷。《初學記》、《書鈔》、《御覽》有《上巳會賦》一篇。

梁又有《太子洗馬阮脩集》二卷，録一卷，亡。

《晉書·阮籍傳》：“籍兄子咸，咸子瞻，瞻弟孚，從子脩，字宣子。好《易》、《老》，善清言。嘗有論鬼神有無者，皆以人死者有鬼，脩獨以爲無，曰：“今見鬼者云着生時衣服，若人死有鬼，衣服亦有鬼耶?”論者服焉。性簡任，不修人事。家無儋石之儲，晏如也。與兄弟同志，常自得於林阜之間。王衍當時談宗，自以論《易》略盡，然有所未了，研之終莫悟，每云“不知比没當見能通之者不”。衍族子敦謂衍曰：“阮宣子可與言。”衍曰：“吾亦聞之，但未知羣羣之處定何如耳!”及與脩談，言寡而旨暢，衍乃歎服焉。脩居貧，年四十餘未有室，王敦等斂錢爲婚，皆名士也，時慕之者求入錢而不得。脩所著述甚寡，嘗作《大鵬贊》。王敦引爲鴻臚丞，轉太傅行參軍、太子洗馬。避亂南行，至西陽期思縣，爲賊所害，時年四十二。

《唐書·經籍》、《藝文志》：《阮脩集》二卷。《舊志》岑氏刻本誤作“阮循”。

馮氏《詩紀》輯存《上巳會詩》一篇。

嚴氏《全晉文編》：阮脩有集二卷。本傳有《大鵬贊》，《北堂書
鈔》有《患雨賦》，凡二篇。

梁又有《廣威將軍裴邈集》二卷，録一卷，亡。

《魏志·裴潛傳》："潛，河東聞喜人。子秀嗣。"《文章敍録》
曰："秀少子頠，頠從父弟邈，字景聲，有雋才，爲太傅司馬越
從事中郎，監中外營諸軍事。"又《劉輿傳》：時稱越府有三才，潘滔大才，
劉輿長才，裴邈清才。

《晉書·裴秀傳》末曰："初，裴、王二族盛於魏、晉之世，時人
以爲八裴方八王：徽比王祥，楷比王衍，康比王綏，綽比王澄，
瓚比王敦，遐比王導，頠比王戎，邈比王玄云。"

《唐書·經籍》、《藝文志》：《裴邈集》二卷。

嚴氏《全晉文編》曰："《藝文類聚》、《初學記》、《御覽》引裴邈
《文身斂銘》、《文身刀銘》各一篇。"

晉太傅郭象集二卷。梁五卷。録一卷。 錢氏《隋書考異》曰："袁廷檮曰：
'"太傅"下敚"主簿"二字。'"

郭象有《論語體略》，見經部論語家。

《晉書》本傳：象少有才理，好《老》、《莊》，能清言。太尉王衍
每云："聽象語，如懸河瀉水，注而不竭。"州郡辟召，不就。常
閑居，以文論自娱。及爲東海王越主簿，任職當權，熏灼内
外，由是素論去之。著碑論十二篇。

《唐書·經籍》、《藝文志》：《郭象集》五卷。

嚴氏《全晉文編》：郭象有集二卷。今惟見《莊子注序》一篇。

梁又有《廣州刺史嵇含集》十卷，録一卷，亡。

《晉書·忠義·嵇紹傳》：紹，康之子也。從子含，字君道。
祖喜，徐州刺史。父蕃，太子舍人。含好學能屬文。家在鞏
縣亳丘，自號亳丘子，門曰歸厚之門，室曰慎終之室。舉秀
才，除郎中，時弘農王粹以貴公子尚主，館宇甚盛，圖莊周于

室，廣集朝士，使含爲之贊。含援筆爲弔文，以謂託非其所，可弔不可贊。粹有愧色。齊王冏辟爲參軍，襲爵武昌鄉侯。長沙王乂召爲記室督、尚書郎。後鎮南將軍劉弘表爲平越中郎將、廣州刺史、假節。未發，會弘卒。含性剛躁，素與弘司馬郭勱有隙，勱夜掩殺之，時年四十四。懷帝即位，諡曰憲。

《唐書・經籍》、《藝文志》：《嵇含集》十卷。

馮氏《詩紀》輯存《悦晴詩》、《伉儷詩》各一篇。

嚴氏《全晉文編》曰：“嵇含有《南方草木狀》三卷，集十卷。今存賦十六篇，誥、上言、《詩序》、《草木狀序》、銘、誄、弔文、《失題》九篇，凡二十五篇。”案今所傳《南方草木狀》三卷殆編入此集，故《隋》、《唐志》皆不別著于錄。

晉安豐太守孫惠集八卷。梁十一卷。錄一卷。

《晉書》本傳：惠字德施，吳國富陽人。父、祖並仕吳。惠好學有才識，寓居蕭沛之間。永寧初，赴齊王冏義，討趙王倫，以功封晉興縣侯。冏驕矜僭侈，惠獻言，諷以五難、四不可，勸令歸藩，辭甚切至。冏不納。惠懼罪，辭疾去。東海王越舉兵下邳，惠以書干越。越即以爲記室參軍，專掌文疏，豫參謀議。越遷太傅，以爲軍諮祭酒，數咨訪得失。每造書檄，越或驛馬催之，應命立成，皆有文采。轉彭城内史、廣陵相、廣武將軍、安豐内史。以迎大駕功，封臨湘縣公。元帝初，以廬江何銳爲安豐太守，惠權留郡境。銳以他事收惠下人推之，惠既非南朝所授，常慮讒間，因此大懼，遂攻殺銳，奔入蠻中。尋病卒，年四十七。

《吳志・宗室・孫賁傳》注：賁曾孫惠，字德施。《惠別傳》曰：“惠與陸機鄉里親厚。及機、雲、耽見殺，甚傷恨之。”又曰：“惠以書干越，詭其姓名，自稱南岳逸民秦祕之，勉以勤王匡世之略,辭義甚美。越省其書,牓題道衢,推求其人。惠乃出見。"惠文翰凡數十篇。寶,孫堅兄羌之子也。

《唐書·經籍》、《藝文志》:"《孫惠集》十卷。"

嚴氏《全晉文編》:孫惠有集十一卷。今存賦、諫、書、檄、《三馬哀辭序》、《祭金鼓文》,凡十篇。

梁又有《松滋令蔡洪集》二卷,錄一卷,亡。

蔡洪有《化清經》,見子部儒家。

《晉書·文苑·王沈傳》:沈有俊才,出於寒素,不能隨俗沈浮,爲時豪所抑。鬱鬱不得志,作《釋時論》。元康初,松滋令蔡洪作《孤奮論》,與《釋時》意同,讀之者莫不歎息焉。

《唐書·經籍志》:"《蔡洪集》三卷。"《藝文志》二卷。

嚴氏《全晉文編》:蔡洪有集二卷。《藝文類聚》、《御覽》有《圍碁賦》、《鬭鴨賦》,《世說·賞譽篇》注有《與刺史周俊書》,凡三篇。又洪有《孤奮論》,見《文苑·王沈傳》,亡。

晉平北將軍牽秀集四卷。梁三卷。錄一卷。

《晉書》本傳:秀字成叔,武邑觀津人也。祖招,魏雁門太守。秀博辯有文才,性豪俠,弱冠得美名,爲太保衞瓘、尚書崔洪所知。數遷爲司空張華長史。後奔成都王穎。諂事黄門孟玖,證成陸機之罪。惠帝西幸長安,以爲尚書。河間王顒以爲平北將軍,鎮馮翊。爲顒長史楊騰殺之於萬年。

《魏志·牽招傳》:"招子嘉,嘉子秀。"荀綽《冀州記》曰:"秀有儁才,在馮翊遇害。世人玩其辭賦,惜其才幹。"

《唐書·經籍》、《藝文志》:《牽秀集》五卷。

嚴氏《全晉文編》:牽秀有集四卷。今存《相風賦》、《黄帝頌》、《老子頌》、《彭祖頌》、《王喬赤松頌》、《皇甫陶碑》,凡六篇。

梁又有《車騎從事中郎蔡克集》二卷,錄一卷,亡。

《晉書·蔡謨傳》:謨,陳留考城人也。世爲著姓。父克,字子

尼，少好學，博涉書記，爲邦族所敬。爲成都王穎大將軍記室
督、丞相東曹掾。克以朝政日弊，遂絕不仕。東嬴公騰爲車
騎將軍，鎮河北，以克爲從事中郎，知必不就，以軍期致之。
克不得已，至數十日。騰爲汲桑所攻，城陷，克見害。

《唐書・經籍》、《藝文志》：《蔡克集》二卷。

嚴氏《全晉文編》曰：“蔡充一作蔡克，有集二卷。《晉書・梁
王肜傳》，永康二年，肜薨。博士陳留、蔡充《議謚》一篇，又
《重議》一篇，《通典》八十二有《沖太孫殤服議》一篇。”

梁又有《游擊將軍索靖集》三卷，亡。

《晉書》本傳：靖字幼安，敦煌人也。累世宦族。靖少有逸群
之量，與鄉人汜衷、張甝、索紒、索永俱詣太學，馳名海內，號
稱敦煌五龍。四人並早亡，惟靖該博經史，兼通內緯。州辟
別駕，郡舉賢良方正，對策高第。傅玄、張華皆厚與之相結。
拜駙馬都尉，尚書郎。與襄陽羅尚、河南潘岳、吳郡顧榮同
官，咸器服焉。靖與尚書令衛瓘俱以善草書知名，武帝愛之。
在臺積年，除雁門太守，魯相，酒泉太守。惠帝即位，賜爵關
內侯。太安末，河間王顒舉兵向洛陽，拜靖使持節監洛城諸
軍事、游擊將軍，與賊戰，大破之，靖亦被傷而卒，追贈太常，
時年六十五。後又贈司空，進封安樂亭侯，謚曰莊。靖著《五
行三統正驗論》，辯理陰陽氣運。又撰《索子》、《晉詩》各二十
卷。又作《草書狀》。

《唐書・經籍》、《藝文志》：《索靖集》二卷。《宋史・藝文志》一卷。

嚴氏《全晉文編》：索靖有集三卷。今存《書》三條，《月儀帖》
十八條，《草書狀》一篇。

梁又有《隴西太守閻纘集》二卷，錄一卷，亡。

《晉書・閻纘傳》：纘字續伯，巴西安漢人也。僑居河南新安，
少游英豪，多所交結，博覽墳典，該通物理。爲太傅楊駿舍

人,轉安復令。國子祭酒鄒湛以纘才堪著作,薦於秘書監華嶠。嶠曰:"此職閑廩重,貴勢多爭之,不暇求其才。"遂不能用。河間王顒引爲西戎校尉司馬,有功,封平樂鄉侯。愍懷太子之廢也,纘輿棺詣闕,上書理太子之冤。不省。及皇太孫立,纘復上疏,請著令,宜開來防,以安後嗣。又陳宜選擇東宮師傅。又陳賈謐二十四友宜皆齊黜,以肅風教。朝廷善其忠烈,擢爲漢中太守。卒於官。時年五十九。

《唐書·經籍》、《藝文志》:《閻纘集》二卷。

嚴氏《全晉文編》曰:"閻纘有表、疏五篇。按《隋志》梁有隴西太守《閻纂集》二卷,未知即此閻纘否也。"案"纘"與"纂"通,似無可疑者。猶後文《殷巨集》,《文士傳》云蒼梧太守,《七錄》作交阯太守。此但漢中、隴西之不合耳,未足爲異也。

梁又有《秦州刺史張輔集》二卷,録一卷,亡。

《晉書》本傳:輔字世偉,南陽西鄂人,漢河間相衡之後也。少有幹局,與從母兄劉喬齊名。初補藍田令,轉山陽令。累遷尚書,封宜昌亭侯。轉御史中丞,馮翊太守。河間王顒以爲秦州刺史。爲天水帳下督富整所殺。初,輔常著論云:"管仲不如鮑叔。"又論班固不如司馬遷,又論魏武不如劉備,樂毅減於諸葛亮,辭多不載。

《唐書·經籍》、《藝文志》:《張輔集》二卷。

嚴氏《全晉文編》:張輔有集二卷。《通典》有《上司徒府言楊俊》,本傳有《與孫秀箋》,《類聚》、《御覽》有《名士優劣論》,凡三篇。

梁又有《交阯太守殷巨集》二卷,録一卷,亡。

《吳志·顧劭傳》注:《文士傳》曰:"雲陽殷基,以才學知名,著《通語》數十篇。有三子。巨字元大,有才器,初爲吳偏將軍,統家部曲,城夏口,吳平後,爲蒼梧太守。"案殷基亦作殷興,有

《春秋釋滯》，見經部。

《唐書·經籍》、《藝文志》：《殷巨集》二卷。

嚴氏《全晉文編》曰："殷巨，入晉歷蒼梧、交阯二郡太守。有集二卷。《藝文類聚》有《鯨魚燈賦》、《奇布賦》，凡二篇。"

梁又有《太子洗馬陶佐集》五卷，録一卷，亡。

陶佐始末未詳。

《唐書·經籍》、《藝文志》：《陶佐集》五卷。

梁又有《東晉鄱陽太守虞溥集》二卷，録一卷，亡。案此稱東晉，非是。

《晉書》本傳：溥字允源，高平昌邑人也。專心墳籍。郡察孝廉，除郎中，補尚書都令史。尚書令衛瓘、尚書褚䂮並重之。稍遷公車司馬令，除鄱陽內史。大脩庠序，廣招學徒，移告屬縣。乃具爲條制，于是至者七百餘人。溥乃作誥以獎訓之，風化大行。注《春秋經》、《傳》，撰《江表傳》及文章詩賦數十篇。卒于洛，時年六十二，子勃，過江上《江表傳》于元帝，詔藏於祕書。

《唐書·經籍》、《藝文志》：《虞溥集》二卷。"溥"或作"傅"，或作"浦"，並寫刊之誤也。

嚴氏《全晉文編》曰："虞溥有《江表傳》若干卷，集二卷。《晉書·禮志》有《王昌前母服義》、《駮卞粹議》，本傳載《移告屬縣》、《獎訓學徒誥》，凡四篇。《獎訓誥》，《御覽》作《厲學篇》。"

梁又有《益陽令吳商集》五卷，亡。

吳商有《禮難》等書，見經部禮類。

《唐書·經籍》、《藝文志》：《吳商集》五卷。

嚴氏《全晉文編》曰："吳商有集五卷。《通典》載其議及答問、論難等凡六篇。《續漢·祭祀志》注載《禋祀六宗說》一篇。"

梁又有《仲長敖集》二卷,亡。

仲長敖始末未詳。

《唐書·經籍》、《藝文志》:《仲長敖集》二卷。

嚴氏《全晉文編》曰:"仲長敖,爵里未詳。有集二卷。《藝文類聚》二十一載有《覈性賦》一篇。"

梁又有《晉太常卿劉弘集》三卷,録一卷,亡。

《晉書》本傳:弘字和季,沛國相人也。祖馥,魏揚州刺史。父靖,鎮北將軍。弘有幹略政事之才,少家洛陽,與武帝同居永安里,又同年,共研席,以舊恩起家太子門大夫,遷率更令、寧朔將軍、監幽州諸軍事。以勳德兼茂,封宣城公。太安中,轉使持節、南蠻校尉、荆州刺史。永興中,拜侍中、鎮南大將軍、開府儀同三司,進車騎將軍。卒贈新城郡公,謚曰元。案始終不著,爲太常史略之歟?

《魏志·劉馥傳》:"馥子靖,靖子熙。"《晉陽秋》曰:"劉弘字叔和,熙之弟也。其在江、漢,值王室多難,得專命一方,盡其器能。推誠群下,屬以公義,簡刑獄,務農桑。每有興發,手書郡國,丁寧款密,故莫不感悦,顛倒奔赴,咸曰:'得劉公一紙書,賢于十部從事也。'"《晉諸公贊》曰:"於時天下雖亂,荆州安全。弘有劉景升保有江漢之志,不附太傅司馬越。越甚銜之。會病卒。子璠,北中郎將。"

《唐書·經籍》、《藝文志》:《劉弘集》三卷。

嚴氏《全晉文編》:劉弘有集三卷。今存表、教、箋、書,凡十篇。

梁又有《開府山簡集》二卷,録一卷,亡。

《晉書·山濤傳》:濤,河内懷人也。有五子:該、淳、允、謨、簡。簡字季倫。性温雅,有父風,初爲太子舍人,累遷尚書左僕射、領吏部。上疏欲令朝臣各舉所知,以廣得才之路。朝廷從之。永嘉三年,爲征南將軍、都督荆湘廣交四州、假節,鎮襄陽。于時天下分崩，朝野危懼。簡優游卒歲，唯酒是耽。
尋加督寧、益軍事。及洛陽陷没，簡爲賊嚴嶷所偪，乃遷於夏
口。招納流亡，江漢歸附。年六十卒，追贈征南大將軍，儀同
三司。

《唐書·經籍》、《藝文志》：《山簡集》二卷。

嚴氏《全晉文編》：山簡有集二卷。今存《上懷帝疏》、《與王衍
書》，凡二篇。

梁又有《兗州刺史宗岱集》二卷。

宗岱或作宋岱，有《周易論》，見經部易家。

《太平御覽·文部》：《語林》曰：“宋岱爲青州刺史，著《無鬼
論》甚精，人莫能屈。”宋晁伯宇《續談助》鈔殷芸《小説》云：“宋岱爲青州刺
史，禁淫祀，著《無鬼論》，人莫能屈，鄰州化之。”注云：“出《雜記》。”

本志總集篇：《明真論》一卷，晉兗州刺史宗岱撰。

《唐書·經籍》、《藝文志》：《宗岱集》三卷。

梁又有《侍中王峻集》二卷，録一卷，亡。

王峻始末未詳。

《唐書·經籍》、《藝文志》：《王峻集》二卷。

按馮氏《詩紀》載王浚《從幸洛水餞王公歸國詩》一篇。浚，
司空沈子也，字彭祖，襲父爵博陵郡公。太康初，與諸王侯
俱就國。是詩蓋作于其時。浚歷仕至懷帝時爲大司馬，加
侍中、大都督，督幽、冀諸軍事。因亂擁衆自立，謀將僭號。
石勒詐而殺之。《晉書》附見其父傳後。或即此王浚而誤
爲“峻”歟？

梁又有《濟陽内史王曠集》五卷，録一卷，亡。琅邪。

《晉書·王羲之傳》：羲之，司徒導之從子也。父曠，淮南太
守，元帝之過江也，曠首創其議。

《唐書·世系表》：王氏避秦亂，徙琅邪、臨沂都鄉南仁里。晉

宗正卿、即丘貞子覽，第四子正，晉尚書郎。三子：廙、曠、彬。
覽，太保王祥弟。廙有集，見後江左人文中。

《唐書·經籍》、《藝文志》：《王曠集》五卷。

嚴氏《全晉文編》曰：“王曠，王廙弟。惠帝時侍中，出爲丹陽
太守，永嘉中爲淮南内史。有集五卷。《魏志·裴潛傳》注有
《與東海王越書》、《御覽》三百三十七有《與揚州論討陳敏計》
二條。”案《顧榮傳》：“廣陵相陳敏反，南渡江，逐揚州刺史劉機、丹陽内史王曠。”
則此題“濟陽”當爲“丹陽”。懷帝永嘉三年《紀》又稱淮南内史。

晉散騎常侍棗嵩集一卷。梁二卷。録一卷。

《晉書·文苑·棗據傳》：據，潁川長社人也。子腆。弟嵩，字
臺產。才藝尤美，爲太子中庶子、散騎常侍，爲石勒所殺。又
《王浚傳》：“浚欲討石勒，使棗嵩督諸軍屯易水。”又曰：“劉琨爲劉聰所迫，諸避亂游
士多歸于浚。浚日以彊盛，乃設壇告類，建立皇太子，備置衆官。浚自領尚書令，以
棗嵩、裴憲並爲尚書，又使嵩監司冀并兗諸軍事、行安北將軍。”此嵩爲散騎常侍以後
事也，後與浚並爲石勒所殺，時愍帝建興二年也。

《太平御覽·文部》：《文士傳》曰：“棘嵩見陸雲作《逸民賦》，
嵩以爲丈夫出身不爲孝子則爲忠臣，必欲建功立策爲國宰
輔，遂作《官人賦》以反雲之賦。”

《唐書·經籍》、《藝文志》：《棗嵩集》二卷。

梁又有《襄陽太守棗腆集》二卷，録一卷，亡。

《晉書·文苑·棗據傳》：據子腆，字玄方，亦以文章顯。永嘉
中，爲襄城太守。

《唐書·經籍》、《藝文志》：《棗腆集》二卷。

馮氏《詩紀》輯存《贈答石季倫詩》各一篇。

晉太尉劉琨集九卷。梁十卷。劉琨别集十二卷。

《晉書》本傳：琨字越石，中山魏昌人，漢中山靖王勝之後也。
琨少得儁朗之目，與范陽祖納俱以雄豪著名。年三十六，爲
司隸從事。時征虜將軍石崇河南金谷澗中有别廬，冠絕時

輩，引致賓客，日以賦詩。琨預其間，文詠頗爲當時所許。祕書監賈謐參管朝政，京師人士無不傾心。石崇、歐陽建、陸機、陸雲之徒，並以文才降節事謐，琨兄弟亦在其間，號曰二十四友。累以勳封廣武侯，進司空、都督並冀幽三州諸軍事。爲石勒所敗，奔匈奴段匹磾。匹磾與琨結婚，約爲兄弟。喢血載書，期討石勒。元帝初，轉侍中、太尉。後爲匹磾所拘，自知必死，爲五言詩，贈其別駕盧諶。琨詩託意非常，攄暢幽憤，遠想張陳，感鴻門、白登之事，用以激諶。諶素無奇略，以常辭酬和，殊乖琨心。大興元年，爲匹磾所害，時年四十八，謐曰愍。

鍾嶸《詩品》曰：“郭景純用儁上之才，變創其體。越石仗清剛之氣，贊成其美。然彼衆我寡，未能動俗。”

《文心雕龍·祝盟篇》曰：“劉琨鐵誓，精貫霏霜，而無補于晉，反爲仇讎。故知信不由衷，盟無益也。”又《章表篇》曰：“劉琨《勸進》，陳事之美表也。”

《唐書·經籍》、《藝文志》：《劉琨集》十卷。《宋史·藝文志》同。

《崇文總目》：“《劉琨集》十卷。”又曰：“《劉琨詩集》十卷。”

陳氏《書錄解題》曰：“《劉司空集》十卷，晉司空中山劉琨越石撰。前五卷差全可觀，後五卷闕誤，或一卷數行，或斷續不屬，殆類鈔節者。末卷《劉府君誄》尤多訛，未有別本可以是正。”

馮氏《詩紀》輯存《答盧諶詩》八首，《重贈盧諶詩》一首，《扶風歌》一首，《胡姬年十五》一首。

張氏《百三家》輯本一卷，表、牋、書、盟文、誄、詩四十餘篇。

序曰：“《劉司空集》在宋時已多闕誤，今日欲覩全書未可得也。晉元渡江，無心北伐。越石再三上表，辭雖勸進，義切復讎，讀者苟有胸腹，能毋慷慨。”

汪氏《文選撰人篇目》：晉劉越石琨有《答盧諶詩》、《贈盧諶詩》、《扶風歌》、《勸進表》。

嚴氏《全晉文編》：劉琨有集十卷，別集十二卷。今存表八篇，上言一篇，《薦任光文》一篇，牋三篇，書七篇，檄、誄、盟文各一篇。

晉司空從事中郎盧諶集十卷。梁有錄一卷。

盧諶有《雜祭法》，見經部禮類。

《晉書·盧欽附傳》：諶清敏有理思，好《老》、《莊》，善屬文。注《莊子》及文集皆行於世。

《魏志·盧毓傳》注：毓，植之第四子。毓子欽珽，珽次子志，志子諶，字子諒。温嶠表稱諶清飭有文思。《諶別傳》曰：“諶善著文章。”

鍾嶸《詩品》曰：“晉太尉劉琨、中郎劉湛詩，其源出於王粲。“劉湛”當爲“盧諶”。善爲悽戾之辭，自有清拔之氣。琨既體良才，又罹厄運，故善敍喪亂，多感恨之辭。中郎仰之，微不逮者矣。”

《文心雕龍·才略篇》曰：“劉琨雅壯而多風，盧諶情發而理昭，亦遇之於時勢也。”

《唐書·經籍》、《藝文志》：《盧諶集》十卷。《舊志》誤作“盧諜”。

馮氏《詩紀》輯存《贈劉琨詩》、《重贈劉琨》等詩凡八篇二十七首。

汪氏《文撰撰人篇目》：晉盧子諒諶有《覽古詩》、《贈劉琨詩》、《贈崔温詩》、《答魏子悌詩》、《時興詩》。

嚴氏《全晉文編》：盧諶有集十卷。今存賦十篇，表、書各一篇，誄二篇，《祭法》六條。

晉秘書丞傅暢集五卷。梁有錄一卷。

傅暢有《晉諸公贊》，見史部雜史類。

《唐書·經籍》、《藝文志》：《傅暢集》五卷。

嚴氏《全晉文編》："傅暢有集五卷。今惟見《御覽》引《自敍》二條。"

右晉中朝人文凡五十四家，附梁有七十家，通計一百二十四家，一百二十六部，是爲別集類分篇第四。內山濤、劉琨二家各有別本一部。

卷三十九之五

集部二之五

別集類五　東晉

梁又有《晉明帝集》五卷，録一卷，亡。

《晉書》本紀：帝諱紹，字道畿，元帝長子。元帝爲晉王，立爲晉太子。及即尊號，立爲皇太子。有文武才略，欽賢愛客，雅好文辭。當時名臣，自王導、庾亮、温嶠、桓彝、阮放等，咸見親待。嘗論聖人真假之意，導等不能屈。又習武藝，善撫將士。於時東朝濟濟，遠近屬心焉。永昌元年閏月庚寅，即皇帝位，改元太寧。在位三年，崩，年二十七。帝聰敏有機斷，尤精物理。時兵凶歲飢，死疫過半，虛弊既甚，事極艱虞。屬王敦挾震主之威，將移神器。帝崎嶇遵養，以弱制强，潛謀獨斷，廓清大祲。改授荆、湘等四州，以分上流之勢，撥亂反正，强本弱枝。雖享國日淺，而規模弘遠矣。

《文心雕龍·時序篇》曰：“元皇中興，披文建學。逮明帝秉哲，雅好文會，升儲御極，孳孳講藝，練情於誥策，振采於辭賦，庾以筆才逾親，温以文思益厚，揄揚風流，亦彼時之漢武也。”

《唐書·經籍》、《藝文志》：《晉明帝集》五卷。

嚴氏《文編》曰：“晉明帝有集五卷。今存《蟬賦》及詔、册、書凡二十九篇，編爲一卷。”

梁又有《簡文帝集》五卷，録一卷，亡。

簡文帝有《談疏》六卷，見子部道家。

《晉書》本紀：“帝少有風儀，善容止，留心典籍，不以居處爲意，凝塵滿席，湛如也。遺詔以桓温輔政。温威振内外，帝雖處尊位，拱默守道而已。”又史臣曰：“簡皇以虛白之姿，在屯如之會，政自桓氏，祭則寡人。”

《文心雕龍·時序篇》曰：“簡文勃興，淵乎清峻，微言精理，函滿玄席，澹思濃采，時灑文囿。”

《唐書·經籍》、《藝文志》：晉《簡文帝集》五卷。

嚴氏《全晉文編》：簡文帝有集五卷。今存詔、表、奏、箋、書凡十二篇。

梁又有《孝武帝集》二卷，録一卷，亡。

《晉書》本紀：帝諱曜，字昌明，簡文帝第三子也。咸安二年秋七月乙未，立爲皇太子。是日，簡文帝崩。帝即位，改元二：曰寧康，曰太元。在位二十四年，爲張貴人所弑，暴崩，時年三十五。

又《王珣傳》：孝武帝雅好典籍。珣與殷仲堪、徐邈、王恭、郗恢等並以才學文章見昵於帝。

又《殷仲堪傳》：仲堪善屬文，孝武帝召爲太子中庶子，甚相親愛。帝嘗示仲堪詩，乃曰：“勿以己才而笑不才。”

又《徐邈傳》：孝武帝始覽典籍，招延儒學之士。邈處西省，前後十年。帝宴集酣樂之後，好爲手詔詩章以賜侍臣，或文詞率爾，所言穢雜，邈每應時收斂，還省刊削，皆使可觀，經帝重覽，然後出之。是時侍臣被詔者，或宣揚之，故時議以此多邈。案《謝邈傳》亦有是事，疑即徐邈本事，而傳譌爲謝邈也。又徐邈弟廣，孝武世典校祕書省，增置省職。《崇文總目》舊序云：“東晉三千一十四卷，李充校。孝武增益三萬餘卷，徐度校。”“徐度”似“徐廣”之誤，蓋當時亦踵漢孝成故事大收篇籍也。

《文心雕龍·時序篇》曰：“元皇中興，披文建學，明帝秉哲，雅好文會。及成康促齡，穆哀短祚，簡文勃興，淵乎清峻。至孝武不嗣，安恭已矣。自中朝貴玄，江左稱盛，因談餘氣，流成文體。是以世極迍邅，而辭意夷泰，詩必柱下之指歸，賦乃漆園之義疏。故知文變染乎世情，興廢繫乎時序者矣。”

嚴氏《全晉文編》：孝武帝有集二卷。今存詔、書、帖凡三十八篇。

梁又有《彭城王紘集》二卷，亡。

《晉書·宗室傳》：彭城穆王權，宣帝弟馗之子也。武帝受禪，封彭城王。薨，子元王植立。薨，子康王釋立。釋子紘，字偉德。元帝即位，拜散騎侍郎、翊軍校尉、前將軍。既嗣立，拜國子祭酒、散騎常侍、大宗正、祕書監。有風疾，性理不恒。或欲上疏陳事，歷示公卿。又杜門讓還章印貂蟬，著《杜門賦》以顯其志。由是更拜光祿大夫，領大宗師，常侍如故。後疾甚，馳騁無度。詔解職養疾，咸康八年薨。

《唐書·經籍》、《藝文志》：《彭城王集》八卷。案此八卷似與下《譙王集》三卷互誤。

嚴氏《全晉文編》：彭城王紘有集二卷。《御覽》六百五十七引《晉書》有《上言宜勅作樂賢堂佛像頌》一篇。案《晉書·蔡謨傳》：彭城王紘上言，樂賢堂有先帝手畫佛像，經歷寇難，而此堂猶存，宜勅作頌。帝下其議。謨議寢之。

梁又有《譙烈王集》九卷，錄一卷，亡。

《晉書·宗室傳》：譙剛王遜，宣帝弟進之子也。武帝受禪，封譙王。次子閔王承，渡江嗣父遜爲譙王。承子烈王無忌，字公壽。咸和中，拜散騎侍郎、屯騎校尉、中書、黃門侍郎。建元初，遷御史中丞，出爲輔國將軍，長沙、江夏相，南郡、河東太守。隨桓溫伐蜀，以勳進號前將軍。永和六年薨。

本志總集類：梁有晉中丞司馬無忌《奏事》十三卷，亡。

《唐書·經籍》、《藝文志》：晉《譙王集》三卷。案譙王不止一人，此但題譙王，若非《七録》明著其謚，幾莫辨爲何人之作矣。又此三卷似與前《彭城王集》八卷卷數互易。又章氏《考證》謂《世説注》引《司馬無忌傳》，蓋即此《譙烈王別傳》也。

嚴氏《全晉文編》：譙王無忌有集九卷。《北堂書鈔》有《圓竹扇賦》，《宋書·禮志》有《京兆府君遷主議》，《通典》有《王允之表郡名與祖名同乞改授議》，凡三篇。

晉會稽王司馬道子集八卷。梁九卷。

《晉書·簡文三子傳》：會稽文孝王道子，字道子。少以清澹爲謝安所稱。年十歲，封琅邪王。後封會稽王。安帝即位，累進太傅、揚州牧，領司徒。元興元年，桓玄奏道子酗縱不孝，當棄市。詔徙安成郡，使御史杜竹林防衛，竟承玄旨酖殺之。時年三十九。玄敗，追贈丞相。

《唐書·經籍志》：晉《會稽王集》八卷。岑刻本不著卷數。

《唐書·藝文志》：晉《會稽王道子集》八卷。

嚴氏《全晉文編》：會稽王道子謚曰文孝王。《世説·言語篇》注作“孝文王”。有集八卷。今存疏、啓、書七篇。

梁又有《鎮東從事中郎傅毅集》五卷，亡。

傅毅始末未詳。

《唐書·經籍志》：《傅毅集》五卷。

晉衡陽内史曾瓔集三卷。梁四卷。録一卷。

“瓔”當爲“環”，始末未詳。

《唐書·經籍》、《藝文志》：《曾瓔集》五卷。

嚴氏《全晉文編》曰：“曾環爲衡陽内史。有集三卷。《通典》卷九十有《爲舊君服議》一篇。”

梁又有《驃騎將軍顧榮集》五卷，録一卷，亡。

《晉書》本傳：榮字彦先，吳國吳人也，爲南土著姓。祖雍，吳丞相。父穆，宜都太守。榮機神朗悟，弱冠仕吳，爲黃門郎、太子輔義都尉。吳平，與陸機兄弟同入洛，時人號爲三俊。例拜爲郎中，歷尚書郎、太子中舍人、廷尉正、中書侍郎。以討葛旟功封嘉興伯。後還吳。元帝鎮江東，以爲軍司，加散騎常侍。凡所謀畫，皆以諮焉。榮既南州望士，躬處右職，朝野甚推敬之。永嘉六年卒官。以討陳敏功表贈侍中、驃騎將軍、開府儀同三司，謚曰元。及帝爲晉王，追封爲公，開國，食邑。子毗嗣。

《唐書·經籍志》：“晉《顧榮集》二卷。”《藝文志》五卷。

嚴氏《全晉文編》：顧榮有集五卷。今存《上安東將軍箋》、《上書言南土人士》、《與親故書》、《與楊彥明書》、《鄉人書》，凡五篇。

晉司空賀循集十八卷。梁二十卷，錄一卷。

賀循有《喪服要》，見經部禮類。

《晉書》本傳：“循操尚高厲，言行進止，必以禮讓。”又曰：“少玩篇籍，善屬文。”

又史臣曰：“元帝樹基淮海，夢想群材，共康庶績。顧、紀、賀、薛等並南金東箭，世胄高門。而循位登保傅，朝望特隆，遂使鑾蹕降臨，承明下拜。雖西漢之恩崇張禹，東都之禮重桓榮，弗是過也。”《晉書·列傳》二十八以顧榮、紀瞻、賀循、薛兼爲一卷也。

又《王導傳》：元帝徙鎮建康，導進計曰：“顧榮、賀循，此土之望。未若引之，以結人心。二子既至，則無不來矣。”帝乃使導躬造循、榮，二人皆應命而至。由是吳會風靡，百姓歸心也，導又言：“顧榮、賀循、紀瞻、周玘皆南土之秀，願盡優禮。”帝納焉。

《唐書·經籍》、《藝文志》：《賀循集》二十卷。

嚴氏《全晉文編》：賀循有集二十卷。今存上表、上言、答問、答難、議、書、論、《祭儀》、《宗義》、《葬禮》、《喪服要記》等凡四十一篇。

梁又有《散騎常侍張杭集》二卷，録一卷，亡。"杭"當爲"亢"。

《晉書·張載傳》：載，安平人也。載弟協，協弟亢，字季陽。才藻不逮二昆，亦有屬綴，又皆音樂伎術。時人謂載、協、亢、陸機、雲曰二陸、三張。中興初過江，拜散騎侍郎。祕書監荀崧舉亢領佐著作郎，出補烏程令，入爲散騎常侍，復領著作。述《曆贊》一篇，見《律曆志》。

《唐書·經籍》、《藝文志》：《張杭集》二卷。《新志》一本作三卷。

梁又有《車騎長史賈彬集》三卷，録一卷，亡。

賈彬或作賈霖，始末並未詳。

《唐書·經籍》、《藝文志》：《賈霖集》三卷。

嚴氏《全晉文編》：賈彬爲車騎長史。有集三卷。《藝文類聚》、《初學記》引《箏賦》一篇。

晉光禄大夫衛展集十二卷。梁十五卷。

《晉書·衛瓘傳》：瓘，河東安邑人也。子恒，恒族弟展，字道舒。歷尚書郎、南陽太守。永嘉中，爲江州刺史，累遷晉王大理。詔有考子證父，或鞭父母問子所在，展以爲恐傷正教，並奏除之。中興建，爲廷尉，上疏宜復肉刑，語在《刑法志》。卒，贈光禄大夫。

《唐書·經籍》、《藝文志》：《衛展集》十四卷。

嚴氏《全晉文編》："衛展有集十五卷。《初學記》有《陳諫言表》，《刑法志》及《通典》有《上書言祖父不合從坐》、《上言宜復肉刑》，凡三篇。"

梁又有《東晉太尉荀俎集》三卷，録一卷，亡。"俎"當爲"組"。

《晉書·荀勖傳》：勖，潁川潁陰人。有十子，其達者輯、藩、組。組字大章。弱冠，太尉王衍見而稱之曰："夷雅有才識。"初爲司徒左西屬，累遷。至愍帝時，進封臨潁縣公，位太尉，領豫州牧。及西都不守，組乃遣使移檄天下共勸進。元帝以組爲司徒，録尚書事。永昌初，遷太尉，未拜，薨，年六十五，謐曰元。

《唐書·經籍》、《藝文志》：《荀組集》二卷。<small>《新志》別本作一卷。</small>

嚴氏《全晉文編》：荀組有集三卷。今存表二篇，議一篇。

晉祕書郎張委集九卷。梁五卷。

張委始末未詳。

案嚴氏《全宋文編》云：“《太平御覽》三百五十八有張委《九愍》一篇。張委爵里未詳，《御覽》列於顏延之後、殷琰之前，知是宋人。”宗案或即此張委，未可知也。

梁又有《關内侯傅珉集》一卷，亡。

傅珉始末未詳。

梁又有光禄大夫《周顗集》二卷，録一卷，亡。

《晉書·周浚傳》：浚，汝南安成人也。以平吴功封成武侯。代王渾爲使持節、都督揚州諸軍事、安東將軍。卒於位。三子：顗、嵩、謨。顗嗣爵。字伯仁，少有重名，神采秀徹。人士宗附之。弱冠，襲父爵，拜祕書郎，累遷尚書吏部郎。元帝鎮江左。爲軍諮祭酒。中興建，補吏部尚書左僕射，領吏部。王敦搆逆，與戴若思俱被害。時年五十四。敦卒，追贈左光禄大夫，議同三司，謐曰康。

《唐書·經籍》、《藝文志》：《周顗集》二卷。

嚴氏《全晉文編》：周顗有集二卷。本傳載《讓太子少傅表》，《刑法志》及《通典》載《復肉刑議》，凡二篇。

晉太常謝鯤集六卷。梁二卷。

《晉書》本傳：鯤字幼輿，陳國陽夏人。少知名，通簡有高識，不修威儀，好《老》、《易》，能歌，善鼓琴，王衍、嵇紹並奇之。左將軍王敦引爲長史，以討杜弢功封咸寧亭侯。爲敦大將軍長史。敦不臣之迹顯於朝野,鯤知不可以道匡弼,乃優游寄寓,不屑政事,從容諷議,卒歲而已,每與畢卓、王尼、阮放、羊曼、桓彝、阮孚等縱酒。後敦出鯤爲豫章太守,卒官,年四十三。敦死後,追贈太常,謚曰康。

《唐書‧經籍志》:《謝鯤集》二卷。

《唐書‧藝文志》:《謝琨集》二卷。

嚴氏《文編》曰:"謝琨,爵里未詳。《藝文類聚》三引琨《秋夜長》一條。以爲宋人。下文稱蘇彦、何瑾、伏系之皆爲宋人,知諸'宋'字皆'晉'之誤。'琨'與'混'形相近,今姑編於謝混之後,俟考。"

　　案《晉書‧王廙傳》:"明帝與大將軍溫嶠書曰:'痛謝琨未絶於口,世將復至於此。並盛年儁才,不遂其志。廙明古多通,鯤達有識致。'"史文於此數語之中已"琨"、"鯤"互見。《舊》、《新唐志》亦"鯤"、"琨"互異,知琨即爲鯤,即此謝鯤,非兩人。謝衡之子也。衡有集,見前中朝人文中。又《溫嶠傳》亦以"鯤"爲"琨"。又《世說‧賞譽篇》注有謝鯤《元化論序》,嚴氏未采。又有《樂廣別傳》。

晉驃騎將軍王廙集十卷。梁三十四卷。錄一卷。 琅邪。

王廙有《周易注》,見經部易家。

《晉書》本傳:廙少能屬文,多所通涉,工書畫,善音樂、射御、博弈、雜伎。元帝即位,上疏曰:"臣少好文學,志在史籍,而飄放遐外,常與桀寇爲對。臣犬馬之年四十三矣,未能上報天施,而訾負屢彰。恐先朝露,填溝壑,令微情不得上達,謹竭其頑,獻《中興賦》一篇。雖未足以宣揚盛美,亦是嗟歎之義也。"又曰:"臣還京都,陛下見臣白兔,命臣作賦。"

唐張彦遠《歷代名畫記》曰:"廙善屬詞,工書畫。過江後,爲晉代書畫第一。"又曰:"廙畫爲晉明帝師,書爲右軍法。時右

軍亦學畫於廙。廙畫孔子十弟子，贊云：'余兄子羲之幼而岐
嶷，必將隆余堂構。今始年十六，學藝之外，書畫過目便能。
就余請書畫法。余畫《孔子十弟子圖》以勵之，嗟爾，羲之可
不勗哉！畫乃吾自畫，書乃吾自書，吾餘事雖不足法，而書畫
固可法。欲汝學書，則知積學可以致遠，學畫，可以知師弟子
行己之道。'又各爲汝贊之。"注云："見廙本集。"案此即所作《畫贊序》也，
嚴氏輯文遺之。又嚴氏據《初學記》十七輯存《宰我贊》四句，即此十贊中之一。

《唐書·經籍》、《藝文志》：《王廙集》十卷。

嚴氏《全晉文編》：王廙有集三十四卷。今存《洛都賦》、《思逸
民賦》、《笙賦》、《白兔賦》、《春可樂》、《中興賦》、《上疏》、書
帖、《宰我贊》、《保傅箴》、《婦德箴》，凡十篇。

梁又有《華譚集》二卷，亡。

華譚有《新論》，見子部儒家。

《晉書》本傳：譚好學不倦，爽慧有口辯，爲鄰里所重。太康
中，刺史嵇紹舉譚秀才，將行，別駕陳總餞之，因問曰："思賢
之主以求才爲務，進取之士以功名爲先，何仲舒不仕武帝之
朝，賈誼失分漢文之世？此吳、晉之滯論，可辯此理而後別。"
至洛陽，武帝親策之。時九州秀孝策無逮譚者。譚素以才學
爲東土所推。同郡劉頌時爲廷尉，見之歎息曰："不圖鄉里乃
有如此才也！"爲甄城令，過濮水，作《莊子贊》以示功曹。而
廷掾張延爲作答教，其文甚美。譚異而薦之。又舉寒族周訪
爲孝廉。領郡大中正，薦干寶、范珧於朝。爲祕書監時，晉陵
朱鳳、吳郡吳震並學行清修，老而未調，譚皆薦爲著作佐郎。
戴若思弟邈，譚女壻也，譚平時常抑若思而進邈，若思每銜
之。迨用事，恒毀譚於帝，由是官塗不至，每懷觖望云。

《唐書·經籍》、《藝文志》：《華譚集》二卷。二《志》皆列之西晉人中，
非是。

嚴氏《全晉文編》：華譚有集二卷。今存《尚書二曹論》、《舉秀才對策》、《上箋求退》、《對別駕陳總問》、《遺顧榮等書》、《移前松滋令袁甫》并《新論》佚文凡七篇。

晉御史中丞熊遠集十二卷。梁五卷，錄一卷。

《晉書》本傳：遠字孝文，豫章南昌人也。有志尚，州舉秀才，除監軍華軼司馬，領武昌太守、寧遠護軍。元帝作相，引爲主簿。累遷御史中丞、侍中，補會稽內史。王敦作逆，諷朝廷徵遠，還拜太常。敦深憚其正而有謀，引爲長史。數月病卒。

《唐書·經籍》、《藝文志》：《熊遠集》五卷。

嚴氏《全晉文編》：熊遠有集十二卷。今存表、疏、奏、議、啓凡九篇。

梁又有《湘州秀才谷儉集》一卷，亡。

《晉書·甘卓傳》：卓，遷湘州刺史。中興初，以邊寇未靜，學校陵遲，特聽不試孝廉，而秀才猶依舊策試。卓上疏以爲："答問損益，當須博古通今，明達政體，必求諸《墳》、《索》，乃堪其舉。臣所忝州往遭寇亂，學校久替，人士流播，不得比之餘州。策試之由，當藉學功，謂宜同孝廉例，申與期限。"疏奏，朝議不許。卓於是精加隱括，備禮舉桂陽谷儉爲秀才。儉辭不獲命，州厚禮遣之。諸州秀才聞當考試，皆憚不行，惟儉一人到臺，遂不復策試。儉恥其州少士，乃表求試，以高第除中郎。儉少有志行，寒苦自立，博涉經史。於時南土凋荒，經籍道息，儉不能遠求師友，唯在家研精。雖所得實深，未有名譽，又恥衒耀取達。遂歸，終身不仕，卒於家。

嚴氏《全晉文編》曰："谷儉字士風，湘州桂陽人。中興初，刺史甘卓舉秀才，策試高第，除中郎，尋歸不復仕。有集一卷。《太平御覽》引《角賦》，《通典》有《夫沒歸宗未嫁而亡爲服議》，凡二篇。"

梁又有《大鴻臚周嵩集》三卷，錄一卷，亡。

《晉書·周浚傳》：浚，汝南安成人。三字：顗、嵩、謨。嵩字
仲智，狷直果俠，每以才氣陵物。元帝作相，引爲參軍。及帝
爲晉王，拜奉朝請。以諫稱尊號忤旨，出爲新安太守。更拜
御史中丞。是時，帝以王敦勢盛，漸疏忌王導等。嵩上疏奏，
帝感悟，故導等獲全。王敦既害顗而使人弔嵩，用爲從事中
郎。後誣嵩及周筵潛相署置，遂害之。又《王敦傳》：明帝下詔罪狀敦
曰："周嵩亮直，讜言致禍；周札、周筵，累世忠義，聽受讒構，殘夷其宗。"

《唐書·經籍》、《藝文志》：《周嵩集》三卷。

嚴氏《全晉文編》曰："嵩爲王敦所害。敦平，追贈大鴻臚。有
集三卷。今惟見本傳載《上晉王疏》、《諫疏忌王導等疏》凡
二篇。"

晉弘農太守郭璞集十七卷。梁十卷。錄一卷。

郭璞有《毛詩拾遺》，見經部詩家。

《晉書》本傳：璞好經術，博學有高才，而訥於言論，辭賦爲中
興之冠。著《江賦》，其辭甚偉，爲世所稱。後復作《南郊賦》，
帝見而嘉之。數言便宜，多所匡益。明帝在東宮，與溫嶠、庾
亮並有布衣之好，璞亦以才學見重，埒於嶠、亮，論者美之。
自以才高位卑，乃著《客傲》。所撰注數十萬言，所作詩歌誄
頌亦數萬言，皆傳於世。

《世説·文學篇》注：《續晉陽秋》曰："魏正始中，王弼、何晏
好《莊》、《老》玄勝之談，而世遂貴焉。至過江，佛理尤盛，故
郭璞五言始會合道家之言而韻之，其後許詢、孫綽轉相
祖尚。"

鍾嶸《詩品》曰："永嘉時，貴黃老，稍尚虛談。於時篇什，理過
其辭，淡乎寡味。爰及江表，微波尚傳。郭景純用儁上之才，

變創其體。”又曰：“晉弘農太守郭璞詩，憲章潘岳，文體相輝，
彪炳可翫。始變永嘉平淡之體，故稱中興第一。《翰林》以爲
詩首。但《游仙》之作，辭多慷慨，乖遠玄宗。而云：‘奈何虎
豹姿。’又云：‘戢翼棲榛梗。’乃是坎壈詠懷，非列仙之趣也。”
《文心雕龍·明詩篇》曰：“江左篇製，溺乎玄風，嗤笑徇務之
志，崇盛亡機之談，袁孫已下，雖各有彫采，而辭趣一揆，莫與
爭雄，所以景純《仙篇》挺拔而爲俊矣。”又《詮賦篇》曰：“景純
綺巧，縟理有餘。”《雜文篇》云：“景純《客傲》，情見而采蔚。”
《才略篇》云：“景純艷逸，足冠中興，《郊賦》既穆穆以大觀，
《仙詩》亦飄飄而凌雲矣。”

《唐書·經籍》、《藝文志》：《郭璞集》十卷。《宋史·藝文志》六卷。

馮氏《詩紀》輯存《贈溫嶠》、《贈潘尼》、《游仙詩》、《無題詩》十
九首。

張氏《百三家·郭弘農集》輯本，凡賦、疏、表、序、設難、哀策
文爲一卷，《山海經圖贊》、《爾雅圖贊》及詩爲一卷。

汪氏《文選撰人篇目》：晉郭景純璞有《江賦》、《游仙詩》。

嚴氏《全晉文編》輯存《巫咸山賦》、《江賦》、《鹽池賦》、《井
賦》、《流寓賦》、《南郊賦》、《登百尺樓賦》、《蜜蜂賦》、《蚍蜉
賦》、《鼃賦》凡十篇，表一篇，疏五篇，奏二篇，《客傲》，《爾
雅》、《方言》、《山海經注》序，《爾雅圖贊》四十八，《山海經圖
贊》二百六十六，《元皇帝哀策文》，編爲四卷。

晉張駿集八卷。殘缺。

《晉書·張軌傳》：軌，安定烏氏人，漢常山王耳十七代孫也。
以惠帝永寧初出爲護羌校尉、涼州刺史。由是遂霸河西。在
州十五年卒。子寔嗣，在位六年卒。弟茂攝州事，在位五年
卒。寔子駿嗣位。駿字公庭，幼而奇偉。十歲能屬文，卓越
不羈，有計略，勤脩庶政，總御文武，咸得其用，遠近嘉詠，號

曰積賢君。自軌據涼州，屬天下之亂，所在征伐，軍無寧歲。至駿，境内漸平。在位二十二年卒，時年四十，私謐曰文公，穆帝追謐忠成公。

《文心雕龍‧章表篇》曰：“劉琨《勸進》張駿《自序》，文致耿介，並陳事之美表也。”

馮氏《詩紀》輯存《薤露行》、《東門行》各一篇。

嚴氏《全晉文編》：前涼張駿，建興末封霸城侯，太寧二年嗣茂位，劉曜拜爲涼州牧涼王，猶奉愍帝年號稱建興十二年。後又稱藩於李雄石勒，至咸和八年猶稱建興二十一年。至永和二年卒，在位二十三年。有集八卷。本傳載《上疏請討石虎李期》、《下令境中》，《御覽》載《山海經圖贊》二條，凡三篇。

晉大將軍王敦集十卷　琅邪。

《晉書‧叛逆傳》：王敦字處仲，司徒導之從父兄也。眉目疏朗，性簡脱，有鑒裁，學通《左氏》，尤好清談，時人莫知，惟族兄戎異之。洗馬潘滔見而目之曰：“處仲蜂目已露，但豺聲未振，若不噬人，亦當爲人所噬。”明帝太寧二年，病死。有司議曰：“王敦滔天作逆，有無君之心，宜依崔杼、王淩故事，剖棺戮尸，以彰元惡。”於是發瘞出尸，焚其衣冠，跽而刑之。懸於南桁，觀者莫不稱慶。史臣曰：“琅邪之初鎮建業，龍德猶潛，雖當璧膺圖預定於冥兆，豐功厚利未被於黎氓。王敦歷官中朝，威名夙著，作牧淮海，望實逾隆，遂能弼成王度，光佐中興，此功固不細也。既而負勳高而圖非望，恃勢偪而肆驕陵。釁隙起自刁劉，禍難成於錢沈。興晉陽之甲，纏象魏之兵。蜂目既露，豺聲又發，擅竊國命，殺害忠良，遂欲篡盜乘輿，逼遷龜鼎。賴嗣君英略，股肱戮力，用能運茲廟算，殄彼凶徒，載清天步。”

《唐書‧經籍》、《藝文志》：《王敦集》五卷。

嚴氏《全晉文編》曰："王敦,祥弟覽之孫。有集十卷。今存表、疏、書凡十篇。"

梁有《吳興太守沈充集》二卷,亡。

《晉書·叛逆·王敦傳》："永昌元年,敦率衆内向,以誅劉隗爲名,又上表罪狀刁協。敦黨吳興人沈充起兵應敦。敦以沈充、錢鳳爲謀主,諸葛瑤、鄧嶽、周撫、李恒、謝雍爲爪牙。充等並凶險驕恣,其相驅扇,殺戮自己。又大起營府,侵人田宅,發掘古墓,剽掠市道,士庶解體,咸知其禍敗焉。後周光斬錢鳳,吳儒斬沈充,並傳首京師。於是戮敦尸,與充首同日懸於南桁。"又曰："充字士居,好兵書,頗以雄豪聞於鄉里。敦引爲參軍,充因薦同郡錢鳳。敦以爲鎧曹參軍,數得進見。知敦有不臣之心,因進邪説,遂相朋搆,專弄威權,言成禍福。充敗歸吳興,亡失道,誤入其故將吳儒家。儒誘充殺之。"

嚴氏《全晉文編》曰："沈充,吳興武康人,爲王敦參軍,遷吳興太守,從敦舉兵,敗歸,爲故將吳儒所殺。有集二卷。《類聚》、《御覽》引充《鵝賦序》一篇。"

梁有《散騎常侍傅純集》二卷,錄一卷,亡。

傅純始末未詳。

《唐書·經籍》、《藝文志》:《傅純集》二卷。

嚴氏《全晉文編》曰："傅純,元帝初爲太常博士,累遷散騎常侍。有集二卷。《類聚》有《雉賦》,《通典》有議及難凡四篇。"

晉光禄大夫梅陶集九卷。梁二十卷,錄一卷,亡。

梅陶有《梅子新論》一卷,見子部儒家。

《唐書·經籍》、《藝文志》:《梅陶集》十卷。

馮氏《詩紀》輯存《怨詩行》一篇。

嚴氏《全晉文編》:梅陶有集二十卷。《御覽》有《鵬鳥賦序》、《自敍》,《陶侃傳》有《與曹識書》,凡三篇。

梁又有《金紫光禄大夫荀邃集》二卷，錄一卷，亡。

《晉書·荀勖傳》：勖子藩，藩子邃，字道玄。解音樂，善談論。弱冠，辟趙王倫相國掾。數遷。至愍帝時，加左將軍，爲陳留相。襲父爵西華縣公。東渡江，元帝以爲軍諮祭酒，拜侍中。歷太常、尚書。卒贈金紫光禄大夫，謚曰靖。

《唐書·經籍》、《藝文志》：《荀邃集》二卷。《舊志》誤作“荀遂”。

晉散騎常侍王覽集九卷。梁五卷。 “覽”當爲“鑒”。

《晉書》本傳：鑒字茂高，堂邑人也。父瀶，御史中丞。鑒少以文筆著稱，初爲元帝琅邪國侍郎。時杜弢作逆，江湘流弊，王敦不能制，朝廷深以爲憂。鑒上疏勸帝征之。帝深納焉，即命中外戒嚴。會弢已平，而止。中興建，拜駙馬都尉、奉朝請，出補永興令。卒時年四十一。文集傳於世。弟濤。

《唐書·經籍》、《藝文志》：《王鑒集》五卷。

馮氏《詩紀》輯存《七夕詩》一篇。

嚴氏《全晉文編》曰：“《書鈔》、《御覽》有《竹簟賦》，本傳有《勸親征杜弢疏》，凡二篇。”

梁又有《晉著作佐郎王濤集》五卷，亡。

王濤有《三國志序評》，見史部正史類。

《唐書·經籍》、《藝文志》：《王濤集》五卷。

梁又有《廷尉卿阮放集》十卷，錄一卷，亡。

《晉書·阮籍附傳》：阮孚族弟放，字思度。少與孚並知名。中興，除太學博士、太子中舍人、庶子。時雖戎車屢駕，而放侍太子，常説《老》、《莊》，不及軍國。明帝甚友愛之。轉黄門侍郎、吏部郎，除監交州軍事、揚威將軍、交州刺史。到州少時，卒，朝廷甚悼惜之，年四十四，追贈廷尉。

《唐書·經籍》、《藝文志》：《阮放集》五卷。

梁又有《宗正卿張俊集》五卷,錄一卷,亡。"俊"當爲"悛"。

《文選·張士然表》注:孫盛《晉陽秋》曰:"張悛字士然,吳國
人也。元康中,吳令謝詢表爲孫氏置守冢人,悛爲其文,詔從
之。"《晉百官名》曰:"悛爲太子庶子。"汪氏《文選撰人篇目》曰:"晉張
士然悛《求爲諸孫置守冢表》。"

《唐書·經籍志》:《張俊集》二卷。

《唐書·藝文志》:"《張悛集》二卷。"一本又誤作"張峻"。

嚴氏《全晉文編》曰:"張悛字士然,吳國人。有《爲吳令謝詢
求爲諸孫置守冢人表》。"又曰:"張悛一作俊,爲宗正卿。有
集五卷。《藝文類聚》九十五引《白兔頌》一篇。"案嚴氏以張俊、張
悛爲二人,蓋未詳考"張俊"即"張悛"之誤也。然非《唐·藝文志》,明脩宋版本亦幾
無以諟正矣。悛官中朝至太子庶子,過江左至宗正歟?又王廙《奏中興賦表》曰"及
臣還京都,陛下見臣白兔,命臣作賦"云云。此《白兔頌》當亦作於其時。又《通志·
藝文略》作張悛,是宋本《隋書》不誤。

梁又有《汝南太守應碩集》二卷,亡。

應碩始末未詳。

《唐書·藝文志》:《應碩集》二卷。

嚴氏《全晉文編》曰:"應碩爲汝南太守。有集二卷。《藝文類
聚》五有《祝祖文》一篇。"

梁又有《金紫光禄大夫張闓集》二卷,錄一卷,亡。

《晉書》本傳:闓字敬緒,丹陽人,吳輔吳將軍昭之曾孫也。少
有志操。太常薛兼進之於元帝,言闓才幹貞固,當今之良器。
即引爲安東參軍。轉丞相從事中郎。帝爲晉王,拜給事黃門
侍郎。以佐翼勳,賜爵丹陽縣侯,遷侍中。帝踐阼,出補晉陵
內史。免官後詔爲大司農,遷尚書。蘇峻之役,王導潛與闓
謀,招集三吳義兵以討峻。峻平,賜爵宜陽伯。遷廷尉,以疾解
職,拜金紫光禄大夫。尋卒,時年六十四。闓牋表文議傳於世。

《唐書·經籍》、《藝文志》:《張闓集》三卷。

嚴氏《全晉文編》：張闓有集三卷。今存表、議、難凡三篇。

梁又有《揚州從事陸沈集》二卷，錄一卷，亡。

陸沈始末未詳。案前注“梁有揚州從事《陸沖集》二卷，錄一卷”，此陸沈似即陸沖，故《唐·經籍志》不重出。

《唐書·藝文志》：《陸沈集》二卷。

梁又有《驃騎將軍卞壺集》二卷，錄一卷，亡。

《晉書》本傳：壺字望之，濟陰冤句人也。父粹，中書令，封成陽公，爲長沙王乂所害。壺弱冠有名譽。永嘉中，除著作郎，襲父爵。累遷御史中丞。以滅王含功，封建寧縣公。明帝不豫，領尚書令，與王導等俱受顧命。成帝即位，皇太后臨朝，與庾亮對直省中，共參機要。亮徵蘇峻，壺固爭不得。峻果稱兵。六軍敗績。壺苦戰，死之，時年四十八。贈待中、驃騎將軍、開府儀同三司，謚曰忠貞。二子眕、盱見父没，相隨赴賊，同時見害。贈眕散騎侍郎，盱奉車都尉。

又史臣曰：“卞壺束帶立朝，以匡正爲己任；褰裳衛主，蹈忠義以成名。遂使臣死於君，子死於父，惟忠與孝，萃其一門。古稱社稷之臣，忠貞之謂矣。”

《唐書·經籍》、《藝文志》：《卞壺集》二卷。

嚴氏《全晉文編》曰：“卞壺有集二卷。今存表、奏、議、牋凡十一篇。”

梁又有《光禄勳鍾雅集》一卷，亡。

《晉書》本傳：雅字彦胄，潁川長社人。好學有才思，舉四行，除汝陽令，入爲佐著作郎，尚書郎。避亂東渡，元帝以爲丞相記室參軍，累遷侍中。蘇峻之難，王師敗績，雅與劉超並侍衛天子。明年，並與超爲賊所害。賊平，追贈光禄勳。

嚴氏《全晉文編》曰：“《鍾雅傳》有《奏改太廟祝文》、《奏劾尚書梅陶》各一篇。"

梁又有《衛尉卿劉超集》二卷,亡。

《晉書》本傳:超字世瑜,琅邪臨沂人,漢城陽景王章之後也。超少有志尚,爲琅邪國記室掾。以忠謹清慎爲元帝所拔,遂從渡江,轉安東府舍人,專掌文檄。以左右勤勞,賜爵原鄉亭侯。中興建,爲中書舍人,拜騎都尉、奉朝請。時臺閣初建,庶績未康,超職典文翰,而畏慎靜密,彌見親待。後從明帝征錢鳳,封零陵伯。蘇峻謀逆,超爲右衛將軍,與侍中鍾雅並遇害。追贈衛尉,謚曰忠。超天性謙慎,歷事三帝,恒在機密,並蒙親遇,而不敢因寵驕諂,故士人皆安而敬之。

又史臣曰:"鍾雅正直當官,劉超勤肅奉上。屬巨猾滔天,幼群危偪,乃崎嶇寇難,契闊艱虞。雖高赫在難彌恭,苟息繼之以死,方之二子,會何足云!"又贊曰:"鍾劉入仕,忠貞攸履。竭其股肱,繼之以死。"

《唐書·經籍》、《藝文志》:《劉超集》二卷。

嚴氏《全晉文編》:劉超有集二卷。《御覽》、《書鈔》、《淳化閣帖》存表二條、書一條。

梁又有《衛將軍戴邈集》五卷,錄一卷,亡。

《晉書·戴若思傳》:若思,名淵,唐人避諱,故稱其字。廣陵人也。弟邈,字望之。少好學,尤精《漢》、《史》,才不逮若思,儒博過之。弱冠,舉秀才,遷太子洗馬。永嘉中,元帝版行邵陵内史、丞相軍諮祭酒。於時凡百草創,學校未立,邈上疏言之。於是始脩禮學。代劉隗爲丹陽尹。王敦作逆,加左將軍。及敦得志,而若思遇害,邈坐免官。敦誅,拜尚書僕射。卒官,贈衛將軍,謚曰穆。

《唐書·經籍》、《藝文志》:《戴邈集》五卷。

嚴氏《全晉文編》:戴邈有集五卷。今惟本傳及《宋書·禮志》

載《上表請立學校》一篇。

梁又有《光禄大夫荀崧集》一卷,亡。

《晉書》本傳：崧字景猷,潁川臨潁人,魏太尉彧之玄孫也。志操清純,雅好文章。與王敦、顧榮、陸機等友善。泰始中,襲父顗爵安陵鄉侯。累遷侍中、中護軍。後以勸進爵舞陽縣公,改封曲陵公。元帝踐阼,徵拜尚書僕射,使崧與刁協共定中興禮儀。轉太常。太寧初,以平王敦功,更封平樂伯。遷右光禄大夫、開府儀同三司,録尚書,領祕書監。年雖衰老,而孜孜典籍,世以此嘉之。咸和三年薨,年六十七,贈侍中,諡曰敬。

嚴氏《全晉文編》：荀崧有集一卷。今存疏、議、答問、書凡六篇。

晉大將軍溫嶠集十卷。梁録一卷。

《晉書》本傳：嶠字太真,司徒羨弟,憺之子也。_{羨,太原祁人,懷帝時司徒。}性聰敏,有識量,博學能屬文,少以孝悌稱於邦族。風儀秀整,美於談論。大將軍劉琨妻,嶠之從母也。屢爲琨將兵討石勒,爲之謀主,琨所憑恃焉。屬二都傾覆,元帝初鎮江左,琨使嶠奉表勸進,帝器而嘉之。王導、周顗、謝琨、庾亮、桓彝等並與親善。會琨爲段匹磾所害。除散騎侍郎,歷驃騎侍郎,歷驃騎王導長史,遷中庶子。太子與爲布衣之交。數陳規諷,又獻《侍臣箴》,甚有弘益。明帝即位,拜侍中,機密大謀皆所參綜,詔命文翰亦悉豫焉。王敦平,封建寧縣開國公。是時天下凋弊,國用不足,詔公卿以下詣都坐論時政之所先,嶠因奏軍國要務七事,多納之。帝疾篤,與王導、郄鑒、庾亮、陸曄、卞壼等同受顧命。咸和初,代應詹爲江州刺吏、持節、都督、平南將軍,鎮武昌。蘇峻反,京師傾覆,而庾亮來奔,乃遣督護王愆期奉陶侃爲盟主。於是列上尚書,陳峻罪

狀,灑泣登舟,移告四方征鎮。侃雖爲盟主,而處分規略一出
於嶠,及賊滅,拜驃騎將軍、開府儀同三司,加散騎常侍,封始
安郡公。還鎮武昌。未旬而卒,時年四十二,贈侍中、大將
軍、持節、都督、刺史,公如故。謚曰忠武。陶侃上表曰:"故
大將軍嶠忠誠著於聖世,勳義感於神人,非臣筆墨所能稱陳。
臨卒之際,與臣書別,臣藏之篋笥,時時省視。每一思述,未
嘗不中夜撫膺,臨飯酸噎。'人之云亡',嶠實當之。謹寫嶠
書上呈。"案是書今不傳。

又史贊曰:"太真懷貞,勤宣乃誠。謀敦翦峻,奮節擒名。"

《文心雕龍·銘箴篇》曰:"溫嶠《傅臣》,博而患繁。"又《詔策
篇》曰:"晉氏中興,唯明帝崇才,以溫嶠文清,故引入中書,自
斯以後,體憲風流矣。"又《奏啓篇》曰:"晉氏多難,災屯流移。
劉頌殷勤於時務,溫嶠懇惻於費役,並體國之忠規矣。"又《才
略篇》曰:"庾元規之表奏,靡密以閑暢;溫太真之筆記,循理
而清通,亦筆端之良工也。"

《唐書·經籍》、《藝文志》:《溫嶠集》十卷。

嚴氏《全晉文編》:溫嶠有集十卷。今存《蟬賦》、表、疏、《奏軍
國要務七事》、上言、議、教、箋、書、《移告四方征鎮》、《釋奠
頌》、《侍臣箴》,凡二十二篇。

晉侍中孔坦集十七卷,梁五卷。録一卷。

《晉書·孔愉傳》:愉,會稽山陰人也。其先世居梁國。曾祖
潛,漢末避地會稽,因家焉。愉從子坦,字君平。少方直,有
雅望,通《左氏傳》,解屬文。元帝爲晉王,以爲世子文學。數
遷。至咸和初,爲尚書左丞。平蘇峻,封晉陵男。遷侍中、廷
尉。卒年五十一,謚曰簡。

《唐書·經籍》、《藝文志》:《孔坦集》五卷。

曲阜孔繼汾《闕里文獻考》:孔氏別集有先聖二十六代孫晉廷

尉坦集十七卷，梁《錄》、《宋史》皆五卷，錄一卷。案《宋史》當是《唐書》之誤。

嚴氏《全晉文編》曰：“孔坦有集十七卷。今存對策、表、奏、議、書凡五篇。”

梁又有《臧沖集》一卷，亡。

臧沖始末未詳。

梁又有《晉鎮南大將軍應瞻集》五卷，亡。“瞻”當爲“詹”。

應詹有《沔南故事》，見史部舊事篇。

《晉書》本傳：詹，弱冠知名，性質素弘雅，犯而弗校，以學藝文章稱。司徒何劭見之曰：“君子哉若人！”及洛陽傾覆，王澄爲荊州，詹攘袂流涕，勸澄赴援。澄使詹爲檄，下筆便成，辭義壯烈，見者慷慨，然竟不能從也。元帝雅重其才云。

又史臣曰：“應詹行業聿修，文史足用，入居列位，則嘉謀屢陳；出撫藩條，則惠政斯洽。”

《唐書·經籍志》：“《應詹集》三卷。”《藝文志》：五卷。

嚴氏《全晉文編》：應詹有集五卷。今存表、疏、上言、書凡七篇。

晉太僕卿王嶠集八卷　太原。

《晉書·王湛傳》：湛子承，承族子嶠，字開山。父佑，以才智稱。嶠少有風尚，并、司二州交辟，不就。永嘉末，攜其二弟避亂渡江。時元帝鎮建鄴，教曰：“王佑三息始至，名德之冑，並有操行，宜蒙飾敘。”後爲王敦參軍，爵九原縣公。明帝時，累遷御史中丞、祕書監，拜廬陵太守。卒官，謚曰穆。案本傳不言嶠爲太僕卿，或其贈官史略之歟？

《唐書·藝文志》：《王嶠集》二卷。

梁有《衛尉荀闓集》一卷，亡。

《晉書·荀勖傳》：勖子藩，藩子邃、闓。闓字道明，亦有名稱，京師爲之語曰：“洛中英英荀道明。”與邃俱渡江。明帝從容問王廙曰：“二荀兄弟孰賢？”廙答以闔才明過邃。歷御史中丞、侍中、尚書，封射陽公。太寧二年卒，贈衛尉，諡曰定。

梁有《鎮北將軍劉隗集》二卷，亡。

《晉書》本傳：隗字大連，彭城人，楚元王交之後也。少有文翰，起家祕書郎，稍遷冠軍將軍、彭城內史。避亂渡江，元帝以爲從事中郎。隗雅習文史，善求人主意，帝深器遇之。遷丞相司直，委以刑憲。彈奏不畏彊禦。晉國既建，拜御史中丞。太興初，長兼侍中，賜爵都鄉侯，代薛兼爲丹陽尹，與尚書令刁協並爲元帝所寵，欲排抑豪強。諸刻碎之政，皆云隗、協所建。拜鎮北將軍、都督青徐幽平四州軍事、假節，鎮泗口。初，隗以王敦威權太盛，終不可制，勸帝出腹心以鎮方隅，故以譙王承爲湘州，續用隗及戴若思爲都督。敦甚惡之。及敦作亂，以討隗爲名，詔徵隗還京師。及入見，與刁協奏請誅王氏。不從，有懼色，率衆屯金城。及敦剋石頭，隗攻之不拔，入宮告辭，帝雪涕與之別。至淮陰，爲劉遐所襲，攜妻子及親信二百餘人奔於石勒，勒以爲從事中郎、太子太傅。卒年六十一。

又《刁協傳》：及王敦構逆，上疏罪協。帝使協出督六軍。既而王師敗績，協與劉隗俱侍帝於太極東除，帝執協、隗手，流涕嗚咽，勸令避禍。協曰：“臣當守死，不敢有貳。”帝曰：“今事逼矣，安可不行！”乃令給協、隗人馬，使自爲計。協年老，不堪騎乘，素無恩紀，募從者，皆委之行。至江乘，爲人所殺，送首於敦，敦聽刁氏，收葬之。帝痛協不免，密捕送協首者誅之。

《文心雕龍·奏啓篇》曰：“若夫傅咸勁直，而按辭堅深；劉隗切正，而劾文闊略，各其志也。”

本志總集篇：梁有《劉隗奏》五卷，亡。

《唐書·經籍》、《藝文志》：《劉隗集》三卷。

嚴氏《全晉文編》：劉隗有集二卷。今存上言、奏劾及《答王敦書》凡九篇。

梁有《大司馬陶侃集》二卷，錄一卷，亡。

陶侃有《大司馬故事》，見史部舊事篇。

《晉書》本傳：侃性聰敏，勤於吏職，恭而近禮，愛好人倫。閫外多事，千緒萬端，罔有遺漏。遠近書疏，莫不手答，筆翰如流，未嘗壅滯。引接疏遠，門無停客。常語人曰：“大禹聖者，乃惜寸陰，至於衆人，當惜分陰，豈可逸遊荒醉，生無益於時，死無聞於後，是自棄也。”諸參佐或以談戲廢事者，乃命取其酒器、蒲博之具，悉投之於江，將吏則加鞭扑，曰：“樗蒲者，牧豬奴戲耳！《老》、《莊》浮華，非先王之法言，不可行也。君子當正其衣冠，攝其威儀，何有亂頭養望自謂宏達耶！”

《唐書·經籍》、《藝文志》：《陶侃集》二卷。

嚴氏《全晉文編》：陶侃有集二卷。今存《相風賦》、表、疏、書凡十二篇。

晉丞相王導集十一卷。梁十卷。錄一卷　琅邪。

《晉書·王祥傳》：祥，琅邪臨沂人，漢諫議大夫吉之後也。弟覽，字玄通。母朱，遇祥無道。屢以非理使祥，覽輒與祥俱。又虐使祥妻，覽妻亦趨而共之。孝友恭恪，名亞於祥。晉初，封即丘子。以太中大夫歸老。有六子：裁、基、會、正、彦、琛。裁字士初，撫軍長史。初，呂虔有佩刀，工相之，以爲必登三公，可服此刀。虔謂祥曰：“苟非其人，刀或爲害。卿有公輔之量，故以相與。”祥固辭，彊之乃受。祥臨薨，以刀授覽，曰：“汝後必興，足稱此刀。”覽後奕世多賢才，興於江左。裁子導，別有傳。

又本傳：導字茂弘，光禄大夫覽之孫也。父裁，鎮軍司馬。元帝爲琅邪王，與導素相親善，契同友執。及徙鎮建康，情好日隆，朝野傾心，號爲仲父。帝嘗從容謂導曰：“卿，吾之蕭何也。”咸和五年薨，時年六十四，謚曰文獻。案“咸和”當爲“咸康”。初，導渡淮，使郭璞筮之，卦成，璞曰：“吉，無不利。淮水絶，王氏滅。”其後子孫繁衍，竟如璞言。導六子：悦、恬、洽、協、劭、薈。

又《成帝本紀》：咸康四年夏六月，改司徒爲丞相，以太傅王導爲之。五年秋七月庚申，使持節、侍中、丞相、領揚州刺史、始興公王導薨。八月壬午，復改丞相爲司徒。

又史臣曰：“茂弘策名枝屏，叶情交好，負其才智，恃彼江湖，思建剋復之功，用成翼宣之道。於時王敦内侮，蘇峻連兵。實賴元宰，潛運忠謨，竟剪吞沙之寇。提挈三世，終始一心，稱爲仲父，蓋其宜矣。恬珣踵德，副吕虔之贈刀也。”

《唐書・經籍》、《藝文志》：《王導集》十卷。《舊志》誤作“王道”。

嚴氏《全晉文編》曰：“王道有集十一卷。《通典》、《御覽》並引《王丞相集》。今存教、表、疏、議、啓、箋、書、銘，凡二十一篇。”

晉太尉郗鑒集十卷　録一卷

“郗”當爲“郄”。郗鑒有《尚書令故事》，見史部舊事篇。

《晉書》本傳：鑒少孤貧，博覽經籍，躬耕隴畝，吟咏不倦。以儒雅著名。明帝以其有器望，萬幾動靜輒問之，乃詔鑒特草上表疏，以從簡易。案《成帝本紀》：“元康五年八月辛酉，太尉南昌公郗鑒薨。”蓋後王導一月而卒。

《唐書・經籍》、《藝文志》：《郗鑒集》十卷。《新志》亦誤作“郄”。

嚴氏《全晉文編》：郗鑒有集十卷。本傳有討蘇峻誓師文，《藝文類聚》以爲庾闡作，今編入闡集。存疏、議、駁、書凡四篇。

晉太尉庾亮集二十一卷。梁二十卷。録一卷。

庾亮有《雜鄉射等議》，見經部禮類。

《晉書》本傳：亮美姿容，善談論，性好《莊》、《老》，風格峻整，動由禮節，閨門之内，不肅而成，時人或以爲夏侯太初、陳長文之倫也。中興初，侍講東宫。其所論釋，多見稱述。與温嶠俱爲太子布衣之好。時帝方任刑法，以《韓子》賜皇太子，亮諫以申、韓刻薄傷化，不足留聖心，太子甚納焉。時王敦在蕪湖，帝使亮詣敦籌事。敦與亮談論，不覺改席而前，退而歎曰：“庾元規賢於裴頠遠矣！”

《文心雕龍·章表篇》曰：“羊公之《辭開府》有譽於前談；庾公之《讓中書》，信美於往載。序志顯類，有文雅焉。”又《才略篇》云：“庾元規之表奏，靡密以閑暢。”又《程器篇》云：“庾元規才華清英，勳庸有聲，故文藝不稱。苦非臺岳，則正以文才也。”

《唐書·經籍》、《藝文志》：《庾亮集》二十卷。

汪氏《文選撰人篇目》：晉庾元規亮有《讓中書令表》。

嚴氏《全晉文編》：庾亮有集二十一卷。今存表、疏、議、教凡十篇。

梁又有《虞預集》十卷，録一卷，亡。

虞預有《晉書》，見史部正史篇。

《晉書》本傳：預少好學，有文章。雅好經史，憎疾玄虛，其論阮籍裸袒，比之伊川被髮，所以胡虜遍於中國，以爲過衰周之時。所著詩、賦、碑、誄、論、難數十篇。

《唐書·經籍》、《藝文志》：《虞預集》十卷。

嚴氏《全晉文編》：虞預有集十卷。今存表、疏、議、奏記、箋、書及《晉書宣帝述》，凡九篇。

梁又有《平越司馬黄整集》十卷，録一卷，亡。

黄整始末未詳。

《唐書·經籍》、《藝文志》:《黄整集》十卷。

嚴氏《全晉文編》曰:"黄整,永和初爲平越司馬。有集十卷。《通典》六十七引《群臣敬太後議》一篇。"

晉護軍長史庾堅集十三卷。梁十卷。録一卷。

庾堅始末未詳。

案此似《范堅集》之誤。《晉書·范汪傳》:"汪叔堅,字子常,博學善屬文。永嘉中,避亂江東,拜佐著作郎、撫軍參軍。討蘇峻,賜爵都亭侯,累遷尚書右丞,成帝時,遷護軍長史,卒官。子啓。父子並有文筆傳於世。"堅,蓋范寧之從祖也。兩《唐志》有《范宣集》十卷。考其前後次敍,亦似即此范堅之集,而誤"堅"爲"宣"。范宣亦有集,別見於後。嚴氏《文編》輯存范堅《蠟燈賦》、《安石榴賦》各一篇,《駁議》一篇。又此作庾堅者,因下文庾冰、庾闡而寫誤歟?《通志略》亦作庾堅,是宋本《隋書》已如此。堅別有《春秋釋難》三卷,見經部春秋左氏學家。

晉司空庾冰集七卷。梁二十卷。録一卷。

《晉書·庾亮附傳》:冰字季堅。兄亮以名德流訓,冰以雅素垂風,諸弟相率莫不好禮,爲世論所重,亮常以爲庾氏之寶。歷中書監、揚州刺史、都督揚豫兗三州、征虜將軍、假節。是時王導新喪,人情恟然。冰兄亮既固辭不入,衆望歸冰。冰既當重任,經綸時務,不舍晝夜,賓禮朝賢,升擢後進,由是朝野注心,咸曰賢相。康帝時,出爲都督江荆寧益梁交廣七州豫州之四郡軍事、領江州刺吏、假節,鎮武昌。尋卒,時年四十九,贈侍中、司空,謚曰忠成。

《宋書·天竺迦毗黎國傳》:先是,晉世庾冰始創議,欲使沙門敬王者,後桓玄復述其義,並不果行。

《唐書·經籍》、《藝文志》:《庾冰集》二十卷。

嚴氏《全晉文編》:庾冰有集二十卷。今存《爲成帝詔》及詔草、疏、書凡七篇。

晉給事中庾闡集九卷。梁十卷。錄一卷。

《晉書·文苑傳》：庾闡字仲初，潁川鄢陵人。好學，九歲能屬文。爲太宰、西陽王羕掾，累遷尚書郎。蘇峻之難，闡出奔郄鑒，爲司空參軍。峻平，以功賜爵吉陽縣男。數遷，爲零陵太守，入湘川，弔屈原。徵拜給事中，復領大著作。吳國內史虞潭爲太伯立碑，闡製其文。又作《揚都賦》，爲世所重。年五十四卒，諡曰貞。所著詩、賦、銘、頌十卷行於世。

《唐書·經籍》、《藝文志》：《庾闡集》十卷。

馮氏《詩紀》輯存《孫登隱居詩》、《臨曲水》、《三月三日》、《觀石鼓》、《登楚山》、《衡山》、《江都遇風》、《采藥詩》、《游仙詩》凡九篇十八首。

嚴氏《全晉文編》曰："庾闡，亮族人，有集十卷。今存賦、箋、檄、頌、贊、論、戒文、盟文、弔文凡二十二篇。《揚都賦》存八條。又有《楊都賦注》四條，未審他人爲之注抑闡自注也。"

晉著作郎王隱集十卷。梁二十卷。錄一卷。

王隱有《晉書》，見史部正史篇。

《唐書·經籍》、《藝文志》：《王隱集》十卷。

嚴氏《全晉文編》：王隱有集二十卷。今存議、論、銘各一篇。

晉散騎常侍干寶集四卷。梁五卷。

干寶有《易注》，見經部易家。

《晉書》本傳：寶少勤學，博覽書記，爲《春秋左氏義外傳》，注《周易》、《周官》凡數十篇，及雜文集皆傳於世。

《文心雕龍·才略篇》曰："孫盛、干寶，文勝爲史，準的所擬，志乎典訓，戶牖雖異，而筆采略同。"

《唐書·經籍》、《藝文志》：《干寶集》四卷。

汪氏《文選撰人篇目》：晉干令升寶有《晉革命論》、《晉紀總論》。

嚴氏《全晉文編》：干寶有集五卷。今存表、議、論、序及《司徒儀》三條，凡九篇。

晉太常卿殷融集十卷

《晉書‧殷仲堪傳》：仲堪，陳郡人也。祖融，太常、吏部尚書。

《世說‧文學篇》注：《中興書》曰：“殷融字洪遠，陳郡人。桓彝有人倫鑒，見融，甚歎美之。著《象不盡意》、《大賢須易論》，理義精微，談者稱焉。兄子浩，亦能清言，每與浩談，有時而屈。退而著論，融更居長。爲司徒左西屬。飲酒善舞，終日嘯詠，未嘗以世務自嬰。累遷吏部尚書、太常卿，卒。”

《唐書‧經籍》、《藝文志》：《殷融集》十卷。

嚴氏《全晉文編》曰：“殷融字洪遠，陳郡長平人，咸和初爲庾亮都督府司馬，後爲丹陽尹，遷尚書。穆帝時拜太常卿，吏部尚書。有集十卷。今存上言、奏、議凡六篇。”案殷浩父羨，字洪喬。融爲羨之弟，浩之叔父也。

梁有《衞尉張虞集》十卷，亡。

張虞始末未詳。

《唐書‧經籍》、《藝文志》：《張虞集》五卷。

嚴氏《全晉文編》曰：“張虞，咸康中東陽太守，累遷爲衞尉卿。有集十卷。今存《請旌孝子許孜疏》一篇，見《晉書‧孝友傳》。”

梁有《光禄大夫諸葛恢集》五卷　録一卷，亡。

《晉書》本傳：恢字道明，琅邪陽都人。祖誕。魏司空。恢弱冠知名，試守即丘長，轉臨沂令。避地江左，名亞王導、庾亮。於時潁川荀闓字道明、陳留蔡謨字道明，與恢俱有名譽，號曰中興三明。人爲之語曰：“京都三明各有名，蔡氏儒雅荀葛清。”討周馥有功，封博陵亭侯。數遷元帝從事中郎，兼統記

室。時四方多務，箋疏殷積，恢斟酌酬答，咸稱折中。於時王
氏爲將軍，而恢兄弟及顏含並居顯要，劉超以忠謹掌書命，時
人以帝善任一國之才。討王含功進封建昌伯。累遷吏部尚
書、散騎常侍、尚書令。成帝踐阼，加侍中、金紫光禄大夫。
卒，年六十二，謚曰敬。恢兄頤，字道回，亦爲元帝所器重，終
於太常。

《唐書·經籍》、《藝文志》：《諸葛恢集》五卷。

嚴氏《全晉文編》：諸葛恢有集五卷。今惟《類聚》、《御覽》引
表四條。

晉車騎將軍庾翼集二十二卷。梁二十卷。録一卷。

庾翼有《春秋公羊論》，見經部春秋家。

《文心雕龍·詔策篇》曰：“教者，效也，言出而民效也。若諸
葛孔明之詳約，庾稚恭之明斷，並理得也而辭中，教之善也。”

《唐書·經籍》、《藝文志》：《庾翼集》二十卷。

嚴氏《全晉文編》：庾翼有集二十二卷。今存表、疏、教、書十
三篇。

晉司空何充集四卷。梁五卷。

《晉書》本傳：充字次道，廬江灊人，魏光禄大夫禎之曾孫也。
充風韻淹雅，文義見稱。初解大將軍王敦掾。少與王導善，
早歷顯官。蘇峻平，封都鄉侯。穆帝時，至驃騎將軍、都督揚
豫徐州、領揚州刺史、録尚書事。輔幼主，爲宰相。永和二年
卒，年五十五，贈司空，謚曰文穆。

《唐書·經籍》、《藝文志》：《何充集》五卷。

嚴氏《全晉文編》：何充有集五卷。今存表、疏、奏、議、書凡
七篇。

梁又有《御史中丞郝默集》五卷，亡。

郝默始末未詳。

《唐書・經籍》、《藝文志》:《郝默集》五卷。

梁又有《征西諮議甄述集》十二卷,亡。

甄述始末未詳。

《唐書・經籍》、《藝文志》:《甄述集》五卷。

案《晉書・王尼傳》:"尼初爲護軍府軍士,胡母輔之與王澄、傅暢、劉輿、苟邃、裴遐迭屬河南功曹甄述及洛陽令曹攄請解之。攄等以制旨所及,不敢。"蓋即此甄述。初爲河南尹功曹,與曹攄同官。後渡江,爲征西將軍府諮議參軍也。此征西或是庾亮。

梁又有《武昌太守徐彦則集》十卷,亡。

徐彦則始末未詳。

嚴氏《全晉文編》曰:"徐彦,永和初爲武昌太守。有集十卷。《隋志》注作'徐彦則'。《通典》九十九有徐彦《與征西桓温牋》。"

晉散騎常侍王愆期集七卷。梁十卷。録一卷。

王愆期有《公羊傳注》,見經部春秋家。

《唐書・經籍》、《藝文志》:《王愆期集》十卷。

嚴氏《全晉文編》:王愆期有集十卷。今存《懷秋賦》及議凡四篇。

梁又有《司徒左長史王濛集》五卷,亡。 太原。

王濛有《論語義》,見經部。

《晉書・外戚傳》:濛祖佑,北軍中候。濛以清約見稱,善隸書,美姿容。與沛國劉惔齊名友善。簡文帝之爲會稽王也,嘗與孫綽商略諸風流人,綽言曰:"劉惔清蔚簡令,王濛温潤恬和。而濛性和暢,能言理,辭簡而有會。"

《唐書・經籍》、《藝文志》:《王濛集》五卷。

嚴氏《全晉文編》:王濛有集五卷。今存議、箋各二篇。

梁又有《丹陽尹劉恢集》二卷，錄一卷，亡。

　　案此似《劉惔集》之誤也。惔字真長，沛國相人，尚明帝女廬陵公主，歷官至丹陽尹。年三十六卒。《世説》諸篇稱劉尹者是也。《晉書》有傳，兩《唐志》有《劉惔集》二卷。《舊志》或誤作俠。與此卷數相合。又《世説·賞譽篇》數稱王、劉，即此王濛、劉惔。當時言風流者，舉濛、惔爲宗也。觀《七録》敍次，則此爲惔，非恢，審矣。《唐志》亦以此二家相類從。嚴氏《文編》輯存惔《答范汪問》及《酒箴》各一篇。

　　又案本志是處既碻有《劉惔集》，亦碻有《劉恢集》，因誤"惔"爲"恢"，遂敓去一條。兩《唐志》於《劉惔集》二卷之外，別有《劉恢集》五卷，是其證也。《世説·賞譽篇》注："宋明帝《文章志》曰：'劉恢字道生，沛國人。識局明濟，有文武才。王濛每稱其思理淹通，蕃屏之高，選爲車騎司馬。年三十六卒，贈前將軍。'"嚴氏《文編》云："劉恢爲丹陽尹。"蓋沿本志此一條誤文，未及詳究也。馮氏《詩紀》輯恢詩一首。嚴氏亦輯存其文二條。

梁又有《益州刺史袁喬集》七卷，亡。

　　袁喬有《論語注》，見經部。

　　《晉書·袁瓌附傳》：瓌子喬，博學有文才。注《論語》及《詩》并諸文筆，皆行於世。

　　《唐書·經籍》、《藝文志》：《袁喬集》五卷。

　　嚴氏《全晉文編》：袁喬有集七卷。《御覽》有《江賦序》，本傳有《與褚裒書》、《勸桓溫伐蜀議》，凡三篇。

晉尚書令顧和集五卷。梁有録一卷。

　　《晉書》本傳：和字君孝，侍中衆之族子也。總角便有清操，族叔榮雅重之，曰："此吾家麒麟，興吾宗者，必此子也。"王導爲揚州，辟從事。累遷御史中丞、尚書令。多所獻納。永和七

年,以疾篤辭位,拜左光禄大夫、儀同三司。卒,年六十四,追
贈侍中、司空,謚曰穆。

《唐書·經籍》、《藝文志》:《顧和集》五卷。

嚴氏《全晉文編》:顧和有集五卷。今存表、疏、奏、議凡八篇。

梁又有《尚書僕射劉遐集》五卷,亡。

劉遐始末未詳。

《唐書·經籍》、《藝文志》:《劉遐集》五卷。

嚴氏《文編》曰:"劉遐爲尚書僕射,永和初爲吏部尚書見《褚裒
傳》。案《晉書》別有《劉遐傳》,非即此。《通典》一百四右將軍
王遐司馬劉曇父名遐,未審即其人否。遐有集五卷。《通典》
七十八引其《冬夏至寢鼓兵議》一篇。"

梁又有《徵士江淳集》三卷,録一卷,亡。"淳"當爲"惇"。

江惇有《公羊音》,見經部春秋家。

《晉書·江統附傳》:統次子惇,孝友淳粹,高節邁俗。性好
學,儒玄並綜。每以爲君子立行,應依禮而動,雖隱顯殊途,
未有不傍禮教者也。若乃放達不羈,以肆縱爲貴者,非但動
違禮法,亦道之所棄也。乃著《通道崇檢論》,世咸稱之。邑
里宗其道,有事必諮而後行。東陽太守阮裕、長山令王濛,皆
一時名士,並與惇游處,深相欽重。及卒,友朋相與刊石立
頌,以表德美云。

梁皇侃《論語義疏敍録》曰:"晉江熙集解《論語》,有江惇説。"

《唐書·經籍志》:《江淳集》五卷。

《唐書·藝文志》:《江惇集》五卷。

梁又有《魏興太守荀述集》一卷,亡。

荀述始末未詳。

梁又有《平南將軍賀翹集》五卷,亡。

賀翹始末未詳。

梁又有《李軌集》八卷,亡。

李軌有《周易音》,見經部易家。

案李軌在晉代著述頗多,可謂一大作手。其學長於音訓,明習故事,有《周易》、《尚書》、《毛詩》、《三禮音》、《春秋左氏》、《穀梁音》、《老子音》、《莊子音》、《二京賦音》、《二都賦音》、《齊都賦音》,又有《小爾雅略解》、《法言解》,又有泰始、咸寧、泰康、永平、永嘉、建興、咸和、咸康歷代《起居注》,自武帝以迄成帝七朝《注記》,皆其所撰。似嘗官著作郎,終於祠部郎中。案軌字弘範,江夏人。李充字弘度,亦江夏人。似與充爲昆季行。而本志依《七錄》敍次,列其集於李充之前,則充猶稍在其後者也。其所撰可考見者凡二十三種,《晉書》不爲立傳。《文苑·李充傳》亦未附見其人。若非《釋文·敍錄》略載巔末,幾無從而知之矣。此唐修《晉書》,無怪爲後人所指摘也。

晉李充集二十二卷。梁十五卷。錄一卷。

李充有《論語集解》,見經部。

《晉書·文苑傳》:充善楷書,妙參鍾索,世咸重之。幼好刑名之學,深抑虛浮之士,嘗著《學箴》,又注《尚書》及《周易旨》六篇、《釋莊論》上、下二篇、詩賦表頌等雜文二百四十首,行於世。

《唐書·經籍》、《藝文志》:《李充集》十四卷。

馮氏《詩紀》輯存《嘲友人詩》、《七月七日詩》、《送許從詩》三首。

嚴氏《全晉文編》曰:“李充有《翰林論》五十四卷,集二十卷。今存賦、頌、誡、箴、銘、弔文及《翰林論》凡十五篇。”

晉司徒蔡謨集十七卷。梁四十三卷。

蔡謨有《喪服譜》,見經部禮類。

《晉書》本傳:謨博學,於禮儀宗廟制度多所議定。文筆論議,有集行於世。

梁皇侃《論語義疏敍録》曰：“晉江熙《集解》十三家有蔡謨説。”

唐張彦遠《歷代名畫記》曰：“明帝善書畫，最善畫佛像。《蔡謨集》云：‘帝畫佛於樂賢堂，經歷寇亂而堂獨存。顯宗效著作爲頌。’”顯宗，成帝廟號也。“效”當是“敕”之誤，其事亦見《蔡謨傳》。

《唐書·經籍》、《藝文志》：《蔡謨集》十卷。

嚴氏《全晉文編》：蔡謨有集四十三卷。今存表、疏、上言、奏、議、檄、書、問難、論凡三十二篇。

晉揚州刺史殷浩集四卷。梁五卷，録一卷。

《晉書》本傳：浩字深源，陳郡長平人也。父羨，光禄勳。浩識度清遠，弱冠有美名，尤善玄言，與叔父融俱好《老》、《易》。融與浩口談則辭屈，著篇則融勝，浩由是爲風流談論者所宗。征西將軍庾亮引爲記室參軍，累遷司徒左長史。後稱疾不起，屏居墓所，將十年，於時擬之管、葛。王濛、謝尚猶伺其出處，以卜江左興亡。建元初，簡文帝時在藩，始綜萬幾，徵爲建武將軍、揚州刺史。出爲中軍將軍、假節、督揚豫徐兗青五州。後姚襄反，爲襄所敗，坐廢爲庶人，徙東陽之信安縣。浩少與桓温齊名，而每心競。温既以雄豪自許，每輕浩，浩不之憚也。至是，温謂郗超曰：“浩有德有言，向使作令僕，足以儀刑百揆，朝廷用違其才耳。”浩雖被黜放，口無怨言，夷神委命，談詠不輟。永和十二年卒。案浩廢於永和十年二月，見《穆帝本紀》。

《唐書·經籍》、《藝文志》：《殷浩集》五卷。

嚴氏《全晉文編》：殷浩有集五卷。今存《遺王羲之書》、《遺褚裒書》、《易象論》，凡三篇。

梁又有《吳興孝廉鈕滔集》五卷，録一卷，亡。

鈕滔始末未詳。

《唐書・經籍》、《藝文志》：《鈕滔集》五卷。

　　案本志下文晉代婦人集中，有《松陽令鈕滔母孫瓊集》二卷，似即此鈕滔。

梁又有《宣城内史劉系之集》五卷，録一卷，亡。

劉系之始末未詳。

《唐書・經籍》、《藝文志》：《劉系之集》五卷。

　　案《通典》八十二、九十五有劉系之問苟訥二條，又九十六、九十八劉系之問王冀二條。訥、冀皆穆帝時太常。

庾赤王集四卷。“王”當爲“玉”，既是隸寫，不得例以篆法。

《晉書・庾亮傳》：亮弟懌，懌子統，字長仁。少有令名，司空、太尉辟，皆不就。調補撫軍、會稽王司馬，出爲建威將軍、寧夷護軍、尋陽太守。年二十九，卒，時人稱其才器，甚痛惜之。

《世説・賞譽篇》曰：“簡文目庾赤玉省率治除，謝仁祖云：‘庾赤玉胸中無宿物。’”注：“赤玉，庾統小字，衛將軍懌子也。少有令名，仕至尋陽太守。”

晉尋陽太守庾純集八卷。“純”當爲“統”。

《唐書・經籍》、《藝文志》：《庾統集》二卷。

嚴氏《全晉文編》曰：“庾統爲尋陽太守。有集八卷。《隋志》誤作‘庾純’。《初學記》十七引《三人贊》之《朱明張臣尉贊》凡二條。”

　　案此即《庾赤玉集》之別本。

梁有《驃騎司馬王脩集》二卷，録一卷，亡。太原。

《晉書・外戚・王濛傳》：濛子脩，字敬仁，小字苟子。案《世説新語》作“苟子”。明秀有美稱，號曰流弈清舉。年十二，作《賢全論》。案“全”當爲“人”。濛以示劉恢曰：“敬仁此論，便足以參微言。”案“恢”下當更有“恢”字。起家著作郎、琅邪王文學，轉中軍司馬，未拜而卒，年二十四。臨終，歎曰：“無愧古人，年與之齊矣。"案後漢王延壽、魏王弼並卒年二十四,亦各有集見前。

《唐書·經籍》、《藝文志》:《王脩集》二卷。

嚴氏《全晉文編》曰:"《世説·文學篇》引《王脩集》有《賢人論》。"

梁有《衛將軍謝尚集》十卷,録一卷,亡。

《晉書》本傳:尚字仁祖,豫章太守鯤之子也。鯤,陳國陽夏人,有集見前。幼有至性,神悟夙成。及長,開率穎秀,辨悟絶倫,脱略細行,不爲流俗之事。遂知名。善音樂,博綜衆藝。司徒王導深器之,比之王戎,常呼爲小安豐,辟爲掾。襲父爵咸亭侯。累遷鎮西將軍,鎮壽陽。尚於是采拾樂人,并制石磬,以備太樂。江表有鍾石之樂,自尚始也。升平初,又進都督豫、冀、幽、并四州。徵拜衛將軍。未至,卒於溧陽,時年五十。謚曰簡。

《唐書·經籍》、《藝文志》:《謝尚集》五卷。

馮氏《詩紀》輯存《大道曲》一篇。

嚴氏《全晉文編》:謝尚有集十卷。今存《談賦》一條及議、書三篇。

梁有《青州刺史王俠集》二卷,亡。

王俠一作王浹,始末並未詳。

《唐書·經籍》、《藝文志》:《王浹集》二卷。

案《晉書·穆帝本紀》:"永和五年夏四月,石季龍死,子世嗣僞位。五月,石遵廢世自立。六月,石遵、揚州刺史王浹以壽陽來降。"兩《唐志》亦皆作王浹,疑即此王俠。又《唐志》與《王度集》相類從,度亦仕石氏。歸降者與此王俠尤相近,殆歸晉終於青州刺史歟?

晉西中郎將王胡之集十卷。梁五卷,録一卷。琅邪。

《晉書·王廙傳》:廙子頤之,頤之弟胡之,字脩齡。弱冠有聲譽，歷郡守、侍中、丹陽尹。素有風眩疾，發動甚數，而神明不損。石季龍死，朝廷欲綏輯河洛，以胡之爲西中郎將、司州刺史，以疾固辭，未行而卒。

《世説・品藻篇》注：《王胡之別傳》曰：“胡之好談諧，善屬文辭，爲當世所重。”

《唐書・經籍》、《藝文志》：《王胡之集》五卷。

嚴氏《全晉文編》：王胡之有集十卷。今存表、疏、牋、書凡四篇。

晉中書令王洽集五卷　録一卷　琅邪。

《晉書・王導傳》：洽字敬和，導諸子中最知名，與荀羨俱有美稱。弱冠，歷散騎、中書郎。數遷至領軍，尋加中書令，固讓，表疏十上。穆帝詔曰：“敬和清裁貴令，昔爲中書郎，吾時尚小，數呼見，意甚親之。今所以用爲令，既機任須才，且欲時時相見，共講文章，待以友臣之義。而累表固讓，甚違本懷。其催洽令拜。”苦讓，遂不受。升平二年卒於官，年三十六。

《唐書・經籍》、《藝文志》：《王洽集》三卷。

嚴氏《全晉文編》：王洽有集五卷。今存表、書凡四篇。

梁有《宜春令范保集》七卷，亡。

范保始末未詳。

梁有《徵士范宣集》十卷，録一卷，亡。

范宣有《擬周易説》，見經部易家。

《晉書・儒林傳》：宣少尚隱遁，加以好學，手不釋卷，以夜繼日，遂博綜衆書，尤善三《禮》。著《禮》、《易論難》，皆行於世。

《唐書・經籍》、《藝文志》：《范宣集》五卷。案二《志》上文已有《范宣集》十卷，此又云《范宣集》五卷，蓋前十卷爲《范堅集》之誤，本志又誤爲《庚堅集》，已詳於前。此五卷與本志前後敍次相對勘，似即此《范宣集》十卷也。

嚴氏《全晉文編》曰：“《通典》及《宋書・禮志》有范宣答殷浩

等問及議、論凡七篇。"

梁有《建安太守丁纂集》四卷,録一卷,亡。

丁纂始末未詳。

《唐書·經籍》、《藝文志》:《丁纂集》二卷。

　　案《晉書·蔡謨傳》:"穆帝臨軒,遣侍中紀璩、黄門郎丁纂
　　徵謨,拜司徒。自旦至申,使者十餘反,而謨不至。"或即此
　　丁纂,時爲黄門郎,後至建安太守歟?

晉金紫光禄大夫王羲之集九卷。梁十卷。録一卷。琅邪。

《晉書》本傳:羲之字逸少,司徒導之從子也。祖正,尚書郎。
案正字士則,太保祥弟覽之第四子。父曠,淮南太守。曠有集,見前。羲之
幼知名,尤善隸書,爲古今之冠。起家祕書郎,征西將軍庾亮
請爲參軍,遷長史。亮臨終,上疏稱羲之清貴有鑒裁。遷寧
遠將軍、江州刺史。羲之既少有美譽,朝廷公卿皆愛其才器,
頻召爲侍中、吏部尚書,皆不就。復授護國將軍。既拜,又苦
求宣城郡,不許,乃以爲右軍將軍、會稽内史。時殷浩與桓温
不協,羲之以國家之安在於内外和,因與浩書以誡之,浩不
從。及浩北伐,羲之以爲必敗,以書止之,言甚切至。浩遂
行,果爲姚襄所敗,復圖再舉,又遺浩書。又與會稽王箋陳浩
不宜北伐,并論時事。性不樂京師,初渡浙江,便有終焉之
志。會稽有佳山水,名士多居之,謝安未仕時亦居焉。孫綽、
李充、許詢、支遁等皆以文義冠世,並築室東土,與羲之同好。
嘗與同志宴集於會稽山陰之蘭亭,羲之自爲之敍以申其志。
或以潘岳《金谷詩序》方其文,羲之比於石崇,聞而甚喜。素
與王述不協,及述爲揚州刺史,羲之恥爲其下,遂稱病去郡。
謝萬爲豫州都督,又遺萬書誡之。萬不能用,故敗。年五十
九卒,贈金紫光禄大夫。諸子遵父先志,固讓不受。

唐張彦遠《歷代名畫記》曰:"王羲之,王廙從子。廙畫爲明帝

師，書爲右軍法，右軍亦學畫於廙。書既爲古今之冠冕，丹青亦妙。穆帝升平五年卒。有《雜獸圖》、《臨鏡自寫其圖》、扇上畫小人物，傳於前代。”

《唐書·經籍》、《藝文志》：《王羲之集》五卷。又有《許先生傳》，即《仙人許遠游傳》，見史部雜傳家。

《宋史·藝文志》：《蘭亭詩》一卷。《崇文總目》總集類：《王右軍蘭亭詩集》一卷，王羲之編。

馮氏《詩紀》：《蘭亭集詩》一卷，凡右將軍王羲之四、五言詩各一首。琅邪王友謝安二首，司徒左西屬謝萬二首，前餘杭令孫統二首，左司馬孫綽二首，中軍參軍孫嗣一首，散騎常侍郗曇一首，潁川庾友一首，庾蘊一首，行參軍曹茂之一首，上虞令華茂一首，榮陽桓偉一首，陳郡袁嶠之二首，王玄之一首，王凝之二首，王肅之二首，王徽之二首，王渙之一首，王彬之二首，王蘊之一首，行參軍王豐之一首，郡功曹魏滂一首，鎮軍司馬虞説一首，郡五官謝繹一首，行參軍徐豐之二首，徐州西平曹肇一首。孫綽後序。

張氏《百三家·王右軍集》二卷，録一卷。序曰：“殷洪源與桓温不協，王逸少移書苦諫，欲畫廉藺於屏風。又曲止北伐，皆不見聽，果敗於姚襄。謝豫州才非將帥，違逸少之言，後亦狼狽。世謂其形神在名山滄海之間，於天下事，抑何明若觀火也。琅邪南渡，江左粗安，王謝雖賢，未敢以區區吳越經緯天下。褚裒殷浩志奢才短，動而輒蹶。若復不守江東，遠慕諸葛、伍員之憂，爲期彌促。卒觀喪晉，釁發強臣，非由外寇。逸少早識，善察百年。此數札者，誠東晉君臣之良藥，非同平原辨亡，令升論晉，追覽既往，奮其縱横也。”

嚴氏《全晉文編》曰：“王羲之有集十卷。今存《用筆賦》、《臨護軍教》、《與會稽王箋》、《與桓温箋》、《與殷浩書》、《遺謝安書》、《與謝萬書》、《與人書》、《與所知書》、《蘭亭詩敍》、《臨河敍》、《游四郡記》、《自誓文》、《書論》、《題筆陳圖後》、《月儀》、《筆經》，凡二十一篇。《雜帖》六百三十一條。編爲五卷。”案《雜帖》即張彥遠《法書要録》所載《右軍書記》一卷是也。

晉散騎常侍謝萬集十六卷。梁十卷。

謝萬有《繫辭注》，見經部易家。

《晉書·謝安傳》：安弟萬，才器儁秀，雖器量不及安，而善自衒曜，故早有時譽。工言論，善屬文，敍漁父、屈原、季主、賈誼、楚老、龔勝、孫登、嵇康四隱四顯爲《八賢論》，其旨以處者爲優，出者爲劣，以示孫綽。綽往反，以體公識遠者則出處同歸云。

《唐書·經籍》、《藝文志》：《謝方集》十卷。案此因寫爲“万”而誤爲“方”也。

嚴氏《全晉文編》曰：“謝萬有集十六卷。今存《春游賦》、《與子朗等疏》、《七賢嵇中散贊》、《駙馬都尉劉真長誄》。又《世説·文學篇》注引萬集載其敍四隱四顯爲《八賢》之論。《初學記》十七引萬《八賢頌·屈原》一條、《楚老》一條，蓋即繫於論後也，其論今亡。”

晉司徒長史張憑集五卷。梁有録一卷。

張憑有《論語注》，見經部。

《世説·文學篇》曰：“謝太傅問主簿陸退：‘張憑何以作母誄，而不作父誄？’退答曰：‘故當是丈夫之德，表於事行；婦人之美，非誄不顯。’”注：《陸氏譜》曰：“退，憑壻也。”

《唐書·經籍》、《藝文志》：張憑集五卷。“憑”或作“馮”，同。

馮氏《詩紀》輯存《合歡詩》、《雜詩》二篇五首。

嚴氏《全晉文編》：張憑有集五卷。《宋書·禮志》及《通典》載憑議、答問凡五篇。

梁有《高涼太守楊方集》二卷，[1]**亡。**

楊方有《五經鉤沈》，見經部論語家。

《晉書》本傳：方少好學，有異才，著《五經鉤沈》，撰《吳越春秋》，并雜文筆，皆行於世。

《唐書・經籍》、《藝文志》：《楊方集》二卷。

嚴氏《全晉文編》：楊方有集二卷。《初學記》有《笘箕賦》，《御覽》有《薦張道順文》，凡二篇。

晉徵士許詢集三卷，梁八卷，錄一卷。

《晉書・王羲之傳》：“孫綽、李充、許詢、支遁等皆以文義冠世，並築室東土，與羲之同好。”又曰：“劉惔爲丹陽尹，許詢嘗就惔宿，牀帷新麗，飲食豐甘。詢曰：‘若此保全，殊勝東山。’”

《世説・言語篇》注：《續晉陽秋》曰：“許詢字玄度，高陽人，魏中領軍允玄孫。總角秀惠，衆稱神童，長而風清簡素。司徒掾辟，不就。蚤卒。”

《世説・文學篇》：“簡文稱許掾云：‘玄度五言詩，可謂妙絶時人。’”注：《續晉陽秋》曰：“詢有才藻，善屬文。自司馬相如、王襃、揚雄諸賢，世尚賦頌，皆體則《詩》、《騷》，旁綜百家之言。及至建安，而詩章大盛。逮乎西朝之末，潘、陸之徒雖時有質文，而宗歸不異也。正始中，王弼、何晏好《莊》、《老》玄勝之談，而世遂貴焉。至過江，佛理尤盛。故郭璞五言始會合道家之言而韻之。詢及太原孫綽轉相祖尚，又加以三世之辭，而《詩》、《騷》之體盡矣。詢、綽並爲一時文宗，自此作者悉體之。至義熙中，謝混始改。”

《唐書・經籍》、《藝文志》：《許詢集》三卷。

馮氏《詩紀》輯存《竹扇詩》一首。

---

① “梁”，原誤作“涼”，據清乾隆武英殿刻本《隋書》改。

　　嚴氏《全晉文編》曰：“許詢，高陽新城人，咸安中徵士。有集
　　八卷。《書鈔》、《御覽》引《黑塵尾銘》、《白塵尾銘》各一篇。”

晉征西將軍張望集十卷。梁十二卷。錄一卷。

　　張望始末未詳。

　　《唐書・經籍》、《藝文志》：《張望集》三卷。

　　馮氏《詩紀》曰：“張望，爵里無考，一作晉人。有《蠟除詩》一
　　首，《貧士詩》一首。”馮氏編入宋代之末，非也。

　　嚴氏《全晉文編》曰：“張望爲征西將軍。有集十二卷。《書
　　鈔》有《枕賦》，《類聚》有《鷺鵜賦》，《御覽》有《蜘蛛賦》，凡
　　三篇。”

晉餘姚令孫統集二卷。梁九卷。錄一卷。

　　《晉書・孫楚傳》：楚，太元中都人也。子纂，纂子統、綽，並知
　　名。統字承公，幼與綽及從弟盛過江。誕任不羈，而善屬文，
　　時以爲有楚風。家於會稽。性好山水，乃求爲鄞令，轉在吳
　　寧。居職不留心碎務，縱意游肆，名山勝川，靡不窮究。後爲
　　餘姚令，卒。

　　《唐書・經籍》、《藝文志》：《孫統集》五卷。

　　嚴氏《全晉文編》：孫統有集九卷。《世説・輕詆篇》注有《高
　　柔集敍》，《政事篇》注有《吏部郎虞存誄》，凡二篇。

梁又有《晉陵令戴元集》三卷，錄一卷，亡。

　　戴元始末未詳。

晉衞尉卿孫綽集十五卷。梁二十五卷。

　　孫綽有《論語集解》，見經部。

　　《晉書・孫楚附傳》：“綽博學善屬文，少與高陽許詢俱有高尚
　　之志。居於會稽，游放山水十有餘年，乃作《遂初賦》以致其
　　意。絕重張衡、左思之賦，每云‘《三都》、《二京》，五經之鼓吹
　　也’。嘗作《天台山賦》，辭致甚工。時大司馬桓溫欲經緯中

國，以河南粗平，將移都洛陽。朝廷畏溫，不敢爲異，而北土蕭條，人情疑懼，雖並知不可，莫敢先諫，綽乃上疏言之。桓溫見綽表，不悦，曰：‘致意興公，何不尋君《遂初賦》，知人家國事耶！’綽少以文才垂稱，於時文士，綽爲其冠。溫、王、郗、庾諸公之薨，必須綽爲碑文，然後刊石焉。”又史臣曰：“統、綽棟華秀發，名顯中興，可謂無忝爾祖。統竟淪跡下邑，窮觀勝地，會其心焉。綽獻直論辭，都不憎元子，有匪躬之節，元子，桓溫字。豈徒文雅而已哉！”

鍾榮《詩品》曰：“永嘉時，貴黄老，尚虚談。於時篇什，理過其辭，淡乎寡味。爰及江表，微波尚傳，孫綽、許詢、桓庾諸公詩，皆平典似《道德論》，建安風力盡矣。”

又評晉驃騎王濟、征南將軍杜預、廷尉孫綽、徵士許詢詩云：“永嘉以來，清虚在俗。王武子輩詩，貴道家之言。爰泊江表，玄風尚備。真長、仲祖、謂劉惔、王濛也。桓、庾諸公猶相襲。世稱孫許，彌善恬淡之詞。”

《文心雕龍·誄碑篇》曰：“孫綽爲文，志在碑誄。溫王郗庾，辭多枝雜。《桓彝》一篇，最爲辨裁。”又《才略篇》曰：“孫綽規旋以矩步，故倫序而寡狀。”

《唐書·經籍》、《藝文志》：《孫綽集》十五卷。新《志》或誤作孫紳。

馮氏《詩紀》輯存《表哀詩并序》一篇，《三月三日詩》、《秋日詩》各一首，《情人碧玉歌》二首。

張氏《百三家·孫廷尉集》一卷，凡賦、疏、論、序、碑、銘、頌、贊、誄、詩合三十三篇。

汪氏《文選撰人篇目》曰：“晉孫興公綽有《天台山賦》。”

嚴氏《全晉文編》曰：“孫綽有集二十五卷。今存《游天台山賦》、《望海賦》、《遂初賦序》、《諫移都洛陽疏》、議、箋、序、頌、贊、《至人高士傳贊》、《名德沙門論目》、《難謝萬八賢論》、《喻道論》、《道賢論》、以天竺七僧方當世之竹林七賢。銘、誄、《丞相王導碑》、《太宰郗鑒碑》、《太尉庾亮碑》、《太傅褚裒碑》、《司空庾冰碑》,凡四十四篇。附《孫子》佚文二十三條。編爲二卷。"

晉太常江逌集九卷

《晉書》本傳:逌字道載,陳留圉人也。少孤,與從弟灌共居,甚相友悌,由是獲當時之譽。爲蔡謨參軍、何充功曹、試守太末令,稍遷吳令。又爲殷浩長史,軍中書檄皆以委逌。升平末,至太常。在職多所匡諫。著《阮籍序贊》、《逸士箴》及詩賦奏議數十篇,行於世。卒年五十八。

《唐書·經籍》、《藝文志》:《江逌集》五卷。

馮氏《詩紀》輯存《詠秋》、《詠貧》各一首。

嚴氏《全晉文編》:江逌有集九卷。今存《風賦》、《述歸賦》、《井賦》、《羽扇賦》、《竹賦》、表、疏、奏、《逸民箴》,凡十篇。

梁有《謝沈集》十卷,亡。

謝沈有《尚書注》,見經部書類。

《晉書》本傳:"康帝即位,朝議疑七廟迭毀,乃以太學博士徵,以質疑滯。"又曰:"沈先著《後漢書》及《毛詩》、《漢書外傳》,所著述及詩賦文論皆行於世。其才學在虞預之右云。"

《唐書·經籍》、《藝文志》:《謝沈集》五卷。

嚴氏《全晉文編》:謝沈有集十卷。《通典》引《祥禫議》及答問三篇。

晉李顒集十卷　錄一卷

李顒有《卦象數旨》六卷,見經部易家。

《晉書·文苑·李充傳》:充子顒,亦有文義,多所述作。

《唐書·經籍》、《藝文志》:《李顒集》十卷。

馮氏《詩紀》輯存《經渦路詩》、《涉湖詩》、《夏日詩》、《感冬篇》凡四首。

嚴氏《全晉文編》曰：“李顒有《尚書注》十卷，集十卷。今存《雪賦》、《雷賦》、《悲四時賦》、《感興賦》、《淩仙賦》、《龜賦》、《鏡論》、《阮彥倫誄》，凡八篇。”

晉光祿勳曹毗集十卷。梁十五卷。録一卷。

曹毗有《論語釋》，見經部。

《晉書·文苑傳》：毗少好文籍，善屬辭賦。時桂陽張碩爲神女杜蘭香所降，毗因以二篇詩嘲之，并續蘭香歌詩十篇，甚有文采。又著《揚都賦》，亞於庾闡。以名位不至，著《對儒》以自釋。凡所著文筆十五卷傳於世。

《唐書·經籍》、《藝文志》：《曹毗集》十五卷。

馮氏《詩紀》輯存《詠史詩》、《詠冬詩》、《夜聽擣衣詩》、《正朝詩》、《霖雨詩》凡五篇。又曰：“《晉書·樂志》：永嘉之亂，伶官樂器皆没於劉、石。是後累代增益。至太元中，破苻堅，獲其樂工，於是四廂金石始備。使曹毗、王珣增造宗廟歌詩，凡十三首。毗造十一首，珣造二首。”

嚴氏《全晉文編》：曹毗有集十五卷。今存賦十三篇、《對儒》、詩序、《黃帝贊》、《神女杜蘭香傳》、《請雨文》，綜凡一十九篇。又有《玉鼎頌》，見《宋書·符瑞志》，亡。案諸書引曹毗志怪似即所記杜蘭香事。

梁又有《郡主簿王篾集》五卷，亡。

王篾始末未詳。

《唐書·經籍》、《藝文志》：《王篾集》五卷。

案本志雜史類《史漢要集》二卷，晉祠部郎王篾撰。鈔《史記》入《春秋》者不録。疑即此王篾也。

晉沙門支遁集八卷。梁十三卷。

梁釋慧皎《高僧傳》：支遁字道林，本姓關氏，陳留人，或云河東林慮人。幼有神理，聰明秀徹。家世事佛。隱居餘杭山，年二十五出家。初至京師，太原王濛甚重之，曰："造微之功，不減輔嗣。"殷融、謝安、王洽、劉恢、殷浩、許詢、郄超、孫綽、桓彦表、王敬仁、何次道、王文度、謝長遐、袁彦伯等並一代名流，皆著塵外之狎。遁常在白馬寺，與劉系之等談《莊子·消遥篇》，於是退而爲注，群儒莫不歎服。王羲之時在會稽，請住靈嘉寺，意存相近。行道僧衆百餘常隨稟學，時或有惰者，遁乃著坐右銘以勖之。時論以遁才堪經濟，而潔己拔俗，有違兼濟之道。遁乃作《釋矇論》，又作《即色游玄論》、《聖不辨知論》、《道行旨歸》、《學道誡》等。太和元年終，春秋五十有三。遁善草隸，郄超爲之序傳，袁宏爲之銘贊，周曇寶爲作誄。凡遁所著文翰集有十卷，盛行於世。

《唐書·經籍》、《藝文志》：沙門《支遁集》十卷。

阮氏《揅經室外集》曰："《支遁集》二卷，晉釋支遁撰。案《隋志》八卷，注云梁十三卷，《唐志》十卷，《宋志》不著録。《讀書敏求記》及《述古堂書目》作二卷，知缺佚多矣。是編依毛扆汲古閣舊鈔本過録，上卷詩凡十八首，下卷書、銘及贊凡十五首。錢遵王跋稱'支公養馬，愛其神駿，胸中未必無事在'。皎然云'山陰詩友喧四座，佳句縱橫不廢禪'云云。晉代沙門多墨名而儒行，若支遁，尤矯然不群，宜其以辭翰著也。"

嚴氏《全晉文編》曰："支遁居吳之支山，後居剡之沃州。哀帝徵講於東安寺，尋歸，太和初卒。有集十三卷。《釋藏》、《弘明集》、《高僧傳》載書、論、序、贊、銘凡二十六篇。"又《文編》卷首敍録曰："《支遁集》二卷，《釋藏》本。"

梁又有《劉彧集》十六卷，亡。

劉彧有《長沙舊傳贊》，見史部雜傳篇。

張重華酒泉太守謝艾集七卷。梁八卷。

《晉書·張重華傳》："重華以永和二年自稱持節、大都督、太

尉、護羌校尉、涼州牧、西平公、假涼王。牧府相司馬張玖言
於重華曰：“主簿謝艾，兼資文武，明識兵略，若授以斧鉞，委
以專征，必能折衝禦侮。”重華召艾，以爲中堅將軍，大破石虎
將麻秋等。封福祿伯，善待之。諸寵貴惡其賢，共毀譖之，乃
出爲酒泉太守。後以使持節、軍師將軍，復破麻秋，以爲太府
左長史，進封福祿縣侯。又以爲都督征討諸軍事、行衛將軍。
《宋書·大且渠蒙遜傳》：元嘉十四年，涼州刺史河西王茂虔
奉表獻方物，并獻《謝艾集》八卷。

《文心雕龍·鎔裁篇》曰：“昔謝艾、王濟，西河文士，張駿以爲
艾繁而不可删，濟略而不可益。若二子者，可謂練鎔裁而曉
繁略矣。”案張駿有集，見前。重華之父也。

《唐書·經籍》、《藝文志》：《謝艾集八卷》。《舊志》或誤作“謝文”。

嚴氏《全晉文編》曰：“謝艾，敦煌人，仕張重華至使持節都督
征討諸軍事，行衛將軍，後爲張祚所殺。有集七卷。《十六國
春秋》及《御覽》有《獻晉帝表》、《上疏言趙長張祚事》、《密令
與楊初》，凡三篇。”

梁又有《撫軍長史蔡系集》二卷，亡。

蔡系有《論語釋》，見經部。

《唐書·經籍》、《藝文志》：《蔡系集》二卷。

梁又有《護軍將軍江彬集》五卷，錄一卷，亡。“彬”當爲“彪”。

《晉書·江統傳》：統子彪，字思玄，本州辟舉秀才，爲溫嶠別
駕，郗鑒司馬，庾冰、庾翼長史。又數遷，代王彪之爲尚書僕
射。哀帝即位，疑周貴人名號所宜，彪議見《禮志》。帝欲於
殿庭立鴻祀，彪以爲禮廢日久，儀注不存，中興以來所不行，
謂宜停之。爲僕射積年，簡文帝爲相，每訪政事，彪多所補
益。轉護軍將軍，領國子祭酒。卒官。

又史臣曰：“彪位隆端右，竭誠獻替。郭遺忽榮利，聿修天爵。

雖出處異塗，俱難兄弟矣。"

《唐書·經籍》、《藝文志》：《江霖集》五卷。"霖"並當爲"彪"。

嚴氏《全晉文編》曰："江彪有集五卷。《晉書·禮志》、《通典》
載其議及答訪凡四篇。"

晉范汪集一卷　梁十卷。

范汪有《祭典》，見經部禮類。

《唐書·經籍》、《藝文志》：《范汪集》八卷。

嚴氏《全晉文編》：范汪有集十卷。今存表、疏、議、書、答問并
《祭典》、《棋品》，凡九篇。案諸書引范汪《荆州記》，當是爲庾亮、桓温佐吏
時所作，或在本集。

晉尚書僕射王述集八卷　太原。

《晉書·王湛傳》：湛子承，承子述，字懷祖。少襲父爵藍田縣
侯。歷會稽内史，代殷浩爲揚州刺史，加征虜將軍，都督揚州
徐州之琅邪諸軍事、衛將軍，尋遷散騎常侍、尚書令。簡文帝
每言述才既不長，直以直率便敵人耳。謝安亦歎美之。太和
二年卒，年六十六，謚曰簡。

《唐書·經籍》、《藝文志》：《王述集》五卷。

嚴氏《全晉文編》：王述有集八卷。今存表、疏、議、箋、教凡
九篇。

梁又有《王度集》五卷，録一卷，亡。太原。

王度有《二石傳》二卷、《二石僞治時事》二卷，見史部霸史類。

《唐書·經籍》、《藝文志》：《王度集》五卷。

嚴氏《全晉文編》：王度，太原人，仕石虎，爲中書著作郎。《高
僧傳》、《廣弘明集》有《奏禁奉佛》一篇，《初學記》有《扇上銘》
一篇。

梁又有《中領軍庾龢集》二卷，録一卷，亡。

《晉書·庾亮傳》：亮三子：彬、羲、龢。龢字道季。好學有文

章。叔父翼將遷襄陽，龢年十五，以書諫，翼甚奇之。升平
中，代孔嚴爲丹陽尹，表除重役六十餘事。太和初，代王恪爲
中領軍。卒官。

《唐書‧經籍》、《藝文志》：《庾龢集》二卷。

嚴氏《全晉文編》：庾龢有集二卷。今惟見本傳《諫叔父翼徙
鎮襄陽書》一篇。

梁又有《將作大匠喻希集》一卷，亡。

嚴氏《全晉文編》曰："喻希字益期，豫章人，升平末爲治書侍
御史，累遷至將作大匠。有集一卷。《水經注》、《藝文》、《書
鈔》、《御覽》有《與韓豫章牋》凡六條。案韓康伯爲豫章太
守也。"

案宋晁伯宇《續談助》鈔殷芸《小説》云："俞益期，豫章人，
與韓康伯道至交州，聞馬援故事云云。"末注云："出俞益期
《牋》。"此一節與嚴氏所輯文小有異同，諸書引俞益期
《牋》，其源蓋出於此，皆誤以"喻"爲"俞"。"

梁又有《吳興太守孔嚴集》十一卷，録一卷，亡。

《晉書‧孔愉傳》：愉從子坦、嚴，嚴字彭祖，少仕州郡，歷尚
書左丞。多所匡益。太和中，拜吳興太守，以疾去職，卒
於家。

《世説‧品藻篇》注：《中興書》曰："孔巖字彭祖，會稽山陰
人。有才學，歷丹陽尹、尚書、西陽侯。在朝多所匡正，爲吳
興太守，大得民和。後卒於家。"案此作孔巖，與史異。

《唐書‧經籍》、《藝文志》：《孔嚴集》五卷。

孔繼汾《闕里文獻考》曰："孔氏別集有先聖二十六代孫晉吳
興太守嚴集五卷，梁録十一卷，録一卷。"

嚴氏《全晉文編》："孔嚴有集十一卷。本傳有《諫鴻祀》，《通
典》有《與王彪之論蔡謨謚書》各一篇。"

晉大司馬桓温集十一卷。梁有四十三卷。又有《桓温要集》二十卷，録一卷，亡。

《晉書·叛逆傳》：温字元子，宣城太守彝子也。少與沛國劉惔善，惔嘗稱之曰：“孫仲謀、晉宣王之流亞也。”選尚南康長公主，拜駙馬都尉，襲爵萬寧男。與庾翼友善，恒相期以寧濟之事。翼嘗薦温於明帝曰：“桓温少有雄略，原陛下弗以常人遇之，常壻畜之，宜委以方召之任，託其弘濟艱難之勳。”翼卒，即代爲荆州刺史。永和二年，平蜀，封臨賀郡公。後殷浩至洛陽，經涉數年，屢戰屢敗，器械都盡。乃奏廢浩，自此内外大權一歸於温矣。升平中，改封南郡公。哀帝初，加侍中、大司馬、都督中外諸軍事、假黄鉞、揚州牧、録尚書事。移鎮姑孰。温既負其才力，久懷異志，欲先立功河朔，還受九錫。及枋頭覆敗，名實頓減，於是參軍郗超進廢立之計，乃廢帝爲海西公，而立簡文帝。及帝崩，遺詔家國事一稟之於温，如諸葛武侯、王丞相故事。温初望簡文臨終禪位於己，不爾便爲周公居攝。事既不副所望，故甚憤怨，與弟仲書曰：‘遺詔使吾依武侯、王公故事耳。’孝武即位，徵温入輔。温入朝，停京師十有四日，歸於姑孰。遂寢疾，諷朝廷加己九錫，累相催促。謝安、王坦之聞其病篤，密緩其事。錫文未及成而薨，時年六十二。追贈丞相。第六子玄嗣爵。

《文心雕龍·檄移篇》曰：“鍾會檄蜀，徵驗甚明；桓公檄胡，觀釁尤切，並壯筆也。”

《唐書·經籍》、《藝文志》：《桓温集》二十卷。

馮氏《詩紀》輯存《八陳圖詩》一首。

汪氏《文選撰人篇目》曰：“晉桓元子温有《薦譙元彦表》。”

嚴氏《全晉文編》曰：“桓彝，譙國龍亢人，漢五更榮之九世孫，仕至宣城内史，成帝初死蘇峻之難。彝子温，孝武初卒，謚曰宣武。有集四十三卷，要集二十卷。今存表、疏、《檄胡文》、牋、書凡十八篇。”

梁又有《豫章太守車灌集》五卷，録一卷，亡。

車灌有《脩復山陵故事》，見史部舊事篇。

《唐書·經籍》、《藝文志》：《車灌集》五卷。

晉尚書僕射王坦之集七卷。梁五卷，録一卷，亡。太原。

《晉書·王湛傳》：湛，司徒渾之弟也。子承，承子述，述子坦之，字文度。弱冠與郗超俱有重名。時人爲之語曰：“盛德絶倫郗嘉賓，江東獨步王文度。”簡文帝爲撫軍將軍，辟爲掾。累遷參軍、從事中郎，仍爲司馬，加散騎常侍。出爲大司馬桓溫長史。父憂，服闋。徵拜侍中，襲父爵，領左衛將軍。坦之有風格，尤非時俗放蕩，不敦儒教，頗尚刑名學，著《廢莊論》。簡文帝臨崩，詔大司馬桓溫依周公居攝故事。坦之自持詔入，於帝前毀之。帝曰：“天下，儻來之運，卿何所嫌！”坦之曰：“天下，宣元之天下，陛下何得專之！”帝乃使坦之改詔焉。溫薨，坦之與謝安共輔幼主，遷中書令，領丹陽尹。俄督徐兗青三州、北中郎將、徐兗二州刺史，鎮廣陵。將之鎮，上表言：“僕射臣安、中軍臣沖，並智竭忠貞，周旋舉動，皆應諮此二臣。”又言：“宜數引侍臣，詢求讜言。”帝納之。初，謝安愛好聲律，期功之慘，不廢妓樂，頗以成俗。坦之非而苦諫之。書往反數四，安竟不從。坦之又嘗與殷康子書論公謙之義。康子及袁宏並有疑難，坦之標章摘句，一一申而釋之，莫不厭服。又孔嚴著《通葛論》，坦之與書贊美之。其忠公慷慨，標明賢勝，皆此類也。卒年四十六。臨終，與謝安、桓沖書，言不及私，惟憂國家之事，朝野甚痛惜之。追贈安北將軍，謚曰獻。

《唐書·經籍》、《藝文志》：《王坦之集》五卷。

嚴氏《全晉文編》：王坦之有集七卷。今表、書、論凡六篇。

晉左光禄王彪之集二十卷。梁有録一卷。琅邪。

《晉書·王廙傳》：廙弟彬，彬子彪之，子叔武。年二十，鬚鬢皓白，時人謂之王白鬚。初，除佐著作郎、東海王文學、尚書郎。累遷尚書左丞、司徒左長史、御史中丞、侍中、廷尉。孝武帝時，爲尚書令，與謝安共掌朝政。安每曰：“朝之大事，衆不能決者，諮王公，無不得判。”加光禄大夫、儀同三司。未拜，疾篤。太安二年卒，年七十三，諡曰簡。

《唐書·經籍》、《藝文志》：《王彪之集》二十卷。

馮氏《詩紀》輯存四五言詩各一首。

嚴氏《全晉文編》曰：“王彪之字叔虎，見《淳化閣帖》七，本傳作‘叔武’，乃唐人避諱改耳。有集二十卷。《晉書·禮志》、《通典》、《初學記》、《御覽》諸書所引有《廬山賦》、《水賦》、《井賦》、《閩中賦》、《納皇后禮文》、《納采》、《問名》、《納吉》、《納徵》、《請期》、《迎后版文璽書》、册文、《整市教》、上書、上言、奏、議、啓、答問、牋、書、序、贊凡四十三篇。”

晉中書郎郄超集九卷。梁十卷。“郄”當爲“郗”。

《晉書·郄鑒傳》：鑒，高平金鄉人。鑒子愔，愔子超，字景興，一字嘉賓。少卓犖不羈，有曠世之度，交游士林，每存勝拔，善談論，義理精微。愔事天師道，而超奉佛。桓溫辟爲參軍。溫英氣高邁，罕有所推，與超言，常謂不能測，遂傾意禮待。超亦深自結納。溫懷不軌，欲立霸王之基，超爲之謀。溫定計廢立，亦超始謀也。遷中書侍郎、司徒左長史。年四十二，先愔卒。初，超雖實黨桓氏，以愔忠於王室，不令知之。將亡，出一箱書，付門生曰：“本欲焚之，恐公年尊，必以傷愍爲弊。我亡後，若大損眠食，可呈此箱。不爾，便燒之。”愔後果哀悼成疾，門生依旨呈之，則悉與溫往返密計。愔於是大怒曰："小子死恨晚矣！"更不復哭。凡超所與交友，皆一時美秀，雖寒門後進，亦拔而友之。及死之日，貴賤操筆而爲誄者四十餘人。

《唐書·經籍》、《藝文志》：《郗超集》十五卷。《新志》或誤"郗"爲"郄"。

嚴氏《全晉文編》：郗超有集十卷。今存《與桓温箋》、《與親友書》凡四篇。

梁有《南中郎桓嗣集》五卷，亡。

《晉書·桓彝傳》：彝，沛國龍亢人，漢五更榮之九世孫也。有五子：温、雲、豁、秘、沖。沖長子嗣，字恭祖。少有清譽，與豁子石秀並爲桓氏子姪之冠。督荆州三郡豫州四郡軍事、建威將軍、江州刺史。莅事簡約，轉西陽、襄城二郡太守，鎮夏口。後領江夏相，卒官。追贈南中郎將，謚曰靖子。[1]

《唐書·經籍》、《藝文志》：《桓嗣集》五卷。

梁又有《平固令邵毅集》五卷，録一卷，亡。

邵毅始末未詳。

《唐書·經籍》、《藝文志》：《邵毅集》五卷。

梁又有《太學博士滕輔集》五卷，録一卷，亡。

滕輔始末未詳。

《唐書·經籍》、《藝文志》：《滕輔集》五卷。

晉苻堅丞相王猛集九卷　録一卷

《晉書·苻堅載紀》：王猛，字景略，北海劇人也。家於魏郡。瓌姿儁偉，博學好兵書，謹重嚴毅，氣度雄遠，細事不干其慮，自不參其神契，略不與交通，是以浮華之士咸輕而笑之。隱於華陰山。懷佐世之志，斂翼待時。苻堅將有大志，聞猛名，招之，一見便若平生，語及興廢大事，異符同契，若玄德之遇

---

① 《晉書》於"子"下有"胤嗣"二字，則"子"屬下讀。

孔明也。及堅僭位，以猛爲中書侍郎。轉始平令，遷尚書左
丞、咸陽内史、京兆尹、吏部尚書、太子詹事、尚書左僕射、輔
國將軍、司隸校尉，加騎都尉，居中宿衞。時猛年三十六，歲
中五遷。又遷尚書令、太子太傅，加散騎常侍，轉司徒，録尚
書事，進爵清河郡侯，鎮冀州。入爲丞相、中書監、都督中外
諸軍事。後數年，復授司徒。軍國内外，事無鉅細，莫不歸
之，猛宰政公平，流放尸素，拔幽滯，顯賢才，外脩兵革，内崇
儒學，勸課農桑，教以廉恥。於是兵彊國富，垂及升平，猛之
力也。其年寢疾死，年五十一。贈侍中、丞相，餘如故。謚曰
武侯。

　　嚴氏《全晉文編》曰：王猛有集五卷。《苻堅載記》及《十六國春
秋》有《渭原誓》及上疏、遺書凡九篇。<small>案嚴氏謂此集五卷，未詳所据。</small>

梁有《顧夷集》五卷，亡。

　　顧夷有《周易難王輔嗣義》，見經部易家。

　　《世説・文學篇》曰："謝萬作《八賢論》，與孫興公往返，小有
利鈍。謝後以示顧君齊，顧曰：'我亦作，知卿當無所名。'"

　　《唐書・經籍》、《藝文志》：《顧夷集》五卷。

梁有《散騎常侍鄭襲集》四卷，亡。

　　《南史・宋鄭鮮之傳》：鮮之，滎陽開封人。祖襲，大司農，經
爲江乘令，因居縣境。

　　嚴氏《全晉文編》曰："鄭襲，寧康初散騎常侍。有集四卷。
《通典》有《喪遇閏議》、《難范寧論喪遇閏》各一篇。"

梁有《撫軍掾劉暢集》一卷，亡。

　　《世説・品藻篇》注：《劉瑾集》序曰："瑾，南陽人。父暢，娶
王羲之女，生瑾。"<small>劉瑾别有集，見後。</small>

　　案此集與《韓康伯集》相屬。康伯嘗爲簡文撫軍掾，劉暢殆
與同時，亦爲會稽王撫軍將軍掾屬者。

晉太常卿韓康伯集十六卷

韓康伯即韓伯，有《繫辭注》，見經部易家。

《晉書》本傳：伯，清和有思理，留心文藝。舅殷浩稱之曰：
"康伯能自標置，居然是出群之器。"潁川庾龢名重一時，少所
推服，常稱伯及王坦之曰："思理倫和，我敬韓康伯；志力彊
正，吾愧王文度。自此以還，吾皆百之矣。"王坦之著《公謙
論》，袁宏作論以難之。伯覽而美其辭旨，以爲是非既辨，誰
與正之，遂作《辨謙》以折中云。

《唐書·經籍》、《藝文志》：《韓康伯集》五卷。

嚴氏《全晉文編》：韓伯有集十六卷。今存議、答問、《辨謙
論》、《王述碑》凡四篇。

梁有《黃門郎范啓集》四卷，亡。

《晉書·范堅傳》：堅子啓，字榮期。雖經學不及堅，而以才義
顯於當世。於時清談之士庾龢、韓伯、袁宏等，並相知友。爲
祕書郎，累居顯職，終於黃門侍郎。父子並有文筆傳於世。

《唐書·經籍》、《藝文志》：《范起集》五卷。"起"當爲"啓"。

梁有《豫章太守王恪集》十卷，亡。

王恪始末未詳。

　案《晉書·外戚傳》，王遐，簡順皇后父，驃騎將軍述之從叔
　也。長子恪，領軍將軍。恪子欣之，豫章太守，秩中二千
　石。不知是否即此王恪。

梁有《零陵太守陶混集》七卷，亡。

陶混始末未詳。

梁有《海鹽令祖撫集》三卷，亡。

祖撫始末未詳。

梁有《吳興太守殷康集》五卷，錄一卷，亡。

《晉書·殷顗傳》：顗，陳郡人。祖融，太常卿。父康，吳興太

守。融有集，見前。

《唐書·經籍》、《藝文志》：《殷康集》五卷。

嚴氏《全晉文編》曰："康爲武康令，遷吳興太守。有集五卷。《御覽》八百五十九引《殷康集》有《爲武康縣教》，又《御覽》四百三十及三十一引《明慎》二條。"

晉太傅謝安集十卷。梁十卷。錄一卷。

《晉書》本傳：安字安石，尚從弟也。尚，鯤之子，並有集，見前。父衷，太常卿。安少有重名。寓居會稽，與王羲之、許詢、支遁游處，出則漁弋山水，入則言詠屬文，無處世意。有司奏安被召，歷年不至，禁錮終身，遂棲遲東土。時安弟萬爲西中郎將，總藩任之重。安雖處衡門，其名猶出萬之右，自幼有公輔之望，處家常以儀範訓子弟。及萬廢黜，始有時進志，時年已四十餘矣。桓溫請爲司馬，尋除吳興太守，徵拜侍中，遷吏部尚書、中護軍。溫嘗以安所作簡文謚議以示坐賓，曰："此謝安石碎金也。"尋爲尚書僕射，領吏部，後將軍。總關中書事。人皆比之王導，謂文雅過之。時苻堅強盛，諸將敗退相繼。安遣弟石及兄子玄等應機征討，所在剋捷。拜衛將軍、開府儀同三司，封建昌縣侯。堅後率衆，號百萬，次於淮肥，京師震恐。加安征討大都督。既破賊，進太保。安方欲混一文軌，上疏求自北征，乃進揚、江、荊、司、豫、徐、兗、青、冀、幽、并、寧、益、雍、梁十五州軍事，加黃鉞，其本官悉如故。後會稽王道子專權，頗相扇構，安出鎮廣陵之步丘，築壘曰新城以避之。遇疾薨，年六十六，贈太傅，謚曰文靖。又以平苻堅勳，更封廬陵郡公。《孝武本紀》：太元十年八月丁酉，使持節、侍中、中書監、大都督十五州諸軍事、衛將軍、太保謝安薨。

又史臣曰："建元之後，時政多虞，巨猾陸梁，權臣橫恣。其有

兼將相於中外，系存亡於社稷，負扆資之以端拱，鑿井賴之以
晏安者，其惟謝氏乎！文靖始居塵外，高謝人間，嘯詠山林，
浮泛江海，當此之時，蕭然有陵霞之致。暨於襆薜蘿而襲圭
組，去衡泌而踐丹墀，庶績於是用康，彝倫以之載穆。苻堅百
萬之衆已瞰吳江，桓溫九五之心將移晉鼎，衣冠易慮，遠邇崩
心。從容而杜姦謀，宴衍而清群寇，宸居獲太山之固，維揚去累
卵之危，斯爲盛矣。”

《世説·文學篇》曰：“支道林、許、謝盛德，共集王家，_{許詢、謝安、王}
_{濛。}謝顧謂諸人：‘今日可謂彦會，時既不可留，此集固亦難常，
當共言詠，以寫其懷。’許便問主人：‘有《莊子》不？’正得《漁父》
一篇。謝看題，便各使四坐通。支道林先通，作七百許語，敍致
精麗，才藻奇拔，衆咸稱善。於是四坐各言懷畢。謝問曰：‘卿
等盡不？’皆曰：‘今日之言，少不自竭。’謝後麤難，因有自敍其
意，作萬餘語，才峯秀逸，既自難干，加意氣擬託，蕭然自得，四
坐莫不厭心。支謂謝曰：‘君一往奔詣，故復自佳耳。’”《文字
志》曰：“安神清秀悟，善談玄理。”

《唐書·經籍》、《藝文志》：《謝安集》五卷。

嚴氏《全晉文編》：謝安有疏、議、《簡文帝謚議》、《遺王坦之
書》、《與某書》、《與支遁書》，凡六篇。

梁又有《中軍參軍孫嗣集》三卷，録一卷，亡。

《晉書·孫綽傳》：綽子嗣，有綽風。文章相亞，位至中軍參
軍。早亡。

《唐書·經籍》、《藝文志》：《孫嗣集》三卷。

梁又有《司徒左長史劉惔集》三卷，亡。

劉惔始末未詳。

晉御史中丞孔欣時集八卷，梁七卷。

孔欣時始末未詳。

晉伏滔集十一卷并目録。梁五卷。録一卷。

《晉書·文苑傳》：伏滔字玄度，平昌安丘人也。有才學，少知名。大司馬桓溫引爲參軍，深加禮接，每宴集，必命滔同游。從溫伐袁真，至壽陽，以淮南屢叛，著論二篇，名曰《正淮》。壽陽平，以功封聞喜縣侯，除永世令。溫薨，征西將軍桓豁引爲參軍，領華容令。太元中，拜著作郎，專掌國史，領本州大中正。遷游擊將軍，著作如故。卒官。

《唐書·經籍》、《藝文志》：《伏滔集》五卷。

嚴氏《全晉文編》：伏滔有集十一卷。今存《望濤賦》、《長笛賦》、《登故臺詩序》、《正淮論上、下》、《論青楚人物》、《帝堯功德銘》，凡七篇。案伏滔有《大司馬寮屬名》，《世説·賞譽篇》注引之，當在本集。又諸類書引《北征記》。

晉滎陽太守習鑿齒集五卷

習鑿齒有《漢晉陽秋》，見史部古史篇。

《晉書》本傳：“鑿齒少有志氣，博學洽聞，以文筆著稱。桓溫辟爲從事，江夏相袁喬深器之，數稱其才。溫出征伐，或從或守，所在任職，每處機要，莅事有績，善尺牘論議，溫甚器遇之。時清談文章之士韓伯、伏滔等並相友善。溫弟祕亦有才氣，素與鑿齒相親善。使至京師，簡文爲相王，亦雅重焉。後以腳疾廢於里巷。臨終上疏曰：‘臣每謂皇晉宜越魏繼漢，不應以魏後爲三恪。而身微官卑，無由上達，懷抱愚情，三十餘年。今沈淪重疾，性命難保。區區之情，竊所悼惜，謹力疾著論一篇，寫上如左。願陛下考尋古義，求經常之表，超然遠覽，不以臣微賤廢其所言。’子辟疆，才學有父風。”

《唐書·經籍》、《藝文志》：《習鑿齒集》五卷。

馮氏《詩紀》輯存《詠燈》一首。

嚴氏《全晉文編》：習鑿齒有集五卷。今存《臨終上疏》、《與謝安書》、《與燕王書》、《與桓祕書》、《與釋道安書》、《晉承漢統論》、《漢晉春秋論》、《諸葛武侯宅銘》，凡二十七篇。

晉秘書監孫盛集五卷。殘缺。梁十卷。錄一卷。

孫盛有《魏氏春秋》、《晉陽秋》，並見史部古史篇。

《晉書》本傳：盛博學，善言名理。於時殷浩擅名一時，與抗論者，惟盛而已。盛嘗詣浩談論，對食，奮擲麈尾，毛悉落飯中，食冷而復煖者數四，至暮忘飡，理竟不定。盛又著醫卜及《易象妙於見形論》，浩等竟無以難之。篤學不倦，自少至老，手不釋卷，著《魏氏春秋》、《晉陽秋》，并造詩賦論難復數十篇。

《文心雕龍·才略篇》曰：“孫盛、干寶，文勝爲史，志乎典訓，而筆采略同。”

《唐書·經籍》、《藝文志》：《孫盛集》十卷。

嚴氏《全晉文編》曰：“盛字安國，統從弟也。有集十卷。今存《鏡賦》、奏事、教、書、論及《魏氏春秋評》、《魏氏春秋異同評》、《晉陽秋評》、《老子疑問反訊》，凡六十九篇。”

晉東陽太守袁宏集十五卷。梁二十卷。錄一卷。

袁宏有《集議孝經》，見經部。

《晉書·文苑傳》：宏有逸才，文章絕美。曾爲《詠史詩》，是其風情所寄。爲桓溫府記室。溫重其文筆，專綜書記。後爲《東征賦》，賦末列稱過江諸名德，而獨不載桓彝。時伏滔先在溫府，又與宏善，苦諫之。宏笑而不答。溫知之甚忿。宏賦又不及陶侃，亦爲侃子胡妖所窘。後爲《三國名臣頌》。從桓溫北征，作《北征賦》，皆其文之高者。又見漢時傅毅作《顯宗頌》，辭甚典雅，乃作頌九章，頌簡文之德，上之於孝武。撰《後漢記》、《竹林名士傳》、詩、賦、誄、表等雜文凡三百首，傳於世。

又《王彪之傳》：桓溫疾，諷朝廷求九錫。袁宏爲文，以示彪之。彪之視訖，歎其文辭之美，謂宏曰："卿固大才，安可以此示人？"時謝安見其文，又頻使宏改之，宏遂逡巡其事。既屢引日，乃謀於彪之。彪之曰："聞彼病日增，亦當不復支久，自可更小遲迴。"宏從之，溫亦尋薨。又《儒林·范弘之傳》：弘之與會稽王道子牋曰："溫又逼脅袁宏，使作九錫，備物光赫，其文具存，朝廷畏怖，莫不景從，惟謝安、王坦之以死守之，故得稽留耳。"

《世説·文學篇》：桓宣武北征，袁虎時從，被責免官。會須露布文，喚袁倚馬前令作。手不輟筆，俄得七紙，皆可觀。王東亭在側，極歎其才。袁虎云："當令齒舌間得利。"袁虎，宏小字。東亭，王珣也。

梁皇侃《論語義疏敍録》曰："晉江熙《論語集解》有袁宏説。"

鍾嶸《詩品》曰："彦伯《詠史》，雖文體未遒，而鮮明緊健，去凡俗遠矣。"

《文心雕龍·詮賦篇》曰："彦伯梗概，情韻不匱。"又《才略篇》曰："袁宏發軫以高驤，故卓出而多偏。"

《唐書·經籍》、《藝文志》：《袁宏集》二十卷。

馮氏《詩紀》輯存《從征行方頭山》一首、《詠史》二首、《擬古》、《失題》各一首。

汪氏《文選撰人篇目》曰："晉袁彦伯宏有《三國名臣序贊》。"

嚴氏《全晉文編》曰："袁宏有集二十卷。今存《東征賦》、《北征賦》各四條，《酎宴賦》、《夜酣賦》、表、書、《後漢紀序》、《七賢序》、《三國名臣序贊》、《單道開贊》、《去伐論》、《明謙論》、《祖逖碑》、《桓溫碑銘》、《孟處士銘》、《祭牙文》、《羅山疏》，凡十八篇。"

梁又有《晉黄門郎顧淳集》一卷，亡。

《晉書·顧和傳》：和子淳，歷尚書吏部郎、給事黄門侍郎、左衛將軍。顧和有集，見前。

梁又有《尋陽太守熊鳴鵠集》十卷，亡。

《晉書·熊遠傳》：遠弟緝，名亞於遠，終於鄱陽太守。緝子鳴鵠，位至武昌太守。熊遠有集，見前。

梁又有《車騎司馬謝韶集》三卷，亡。

《晉書·謝萬傳》：萬子韶，字穆度。少有名。時謝氏尤彥秀者，稱封、胡、羯、末。封謂韶，[1]胡謂朗，羯謂玄，末謂川，皆其小字也。韶、朗、川並早卒，惟玄以功名終。韶至車騎司馬。案《世說》有“胡兒”、“羯奴”、“末婢”之稱，唯封不見其下一字。四人之中唯川無集。

嚴氏《全晉文編》曰：“《世說·輕詆篇》注引謝歆《金昌亭詩序》。歆，爵里未詳。案《隋志》注，梁有車騎司馬《謝韶集》三卷。‘歆’、‘韶’形近，或即其人。”案《晉書·列女·謝道韞傳》亦言封、胡、羯、末，云：“封謂謝歆。”與《謝萬傳》末稱謝韶者異。是“歆”爲“韶”之誤無疑。

梁又有《金紫光禄大夫王獻之集》十卷，錄一卷，亡。 琅邪。

《晉書·王羲之傳》：羲之有七子，知名者五人：玄之、凝之、徽之、操之、獻之。獻之字子敬，少有盛名，高邁不羈，雖閑居終日，容止不怠，風流爲一時之冠。起家州主簿、祕書郎，轉丞，以選尚新安公主。爲謝安衛將軍、長史。尋除建威將軍、吳興太守，徵拜中書令。卒官。安僖皇后立，以后父追贈侍中、特進、光禄大夫、太宰，謚曰憲。時議者以爲羲之草隸，江左中朝莫有及者。獻之骨力遠不及父，而頗有媚趣云。

唐張彥遠《歷代名畫記》曰：“獻之草隸繼父之美，丹青亦工。桓溫嘗請畫扇，誤落筆，因就成烏駮牸牛，極妙絶。又書《牸牛賦》於扇上，此扇義熙中猶在。太元十一年卒，年四十三。”

馮氏《詩紀》輯存《桃葉歌》二首。

---

① “韶”，原作“朗”，據清乾隆武英殿刻本《晉書》改。

嚴氏《全晉文編》：王獻之有集十卷。今存表、疏、啓、書及《保母磚志》凡六篇，《雜帖》八十七條。

梁又有《琅邪內史袁質集》二卷，録一卷，亡。

《晉書·袁瓌傳》：瓌，[①]陳郡陽夏人，魏郎中渙之曾孫也。[②]從祖準，準子沖，沖子耽，耽子質，字道和。自渙至質五世，並以道素繼業，惟其父耽以雄豪著。及質又以孝行稱。官至琅邪內史、東陽太守。

《唐書·經籍》、《藝文志》：《袁質集》二卷。

梁又有《太宰從事中郎袁邵集》五卷，録一卷，亡。

袁邵始末未詳。

《唐書·經籍》、《藝文志》：《袁邵集》三卷。_{《舊志》或誤作"袁紹"。}

梁又有《車騎長史謝朗集》六卷，録一卷，亡。

《晉書·謝安傳》：安弟萬，萬弟石，石兄子朗，朗字長度。父據，早卒。朗善言玄理，文義豔發，名亞於玄。總角時，病新起，體甚羸，未堪勞，於叔父安前與沙門支遁講論，遂至相苦。其母王氏再遣信令還，安欲留，使竟論，王氏因出云："新婦少遭艱難，一生所寄惟在此兒。"遂流涕攜朗去。安謂坐客曰："家嫂辭情慷慨，恨不使朝士見之。"朗終於東陽太守。_{《世説·簡傲篇》注：謝據，小字虎子，奕弟也。}

《唐書·經籍》、《藝文志》：《謝朗集》五卷。

梁又有《車騎將軍謝頠集》十卷，録一卷，亡。_{"頠"當爲"玄"。}

《晉書·謝安傳》：安兄奕，三子：泉、靖、玄。玄字幼度。少穎悟，與從兄朗俱爲叔父安所器重。及長，有經國才略。爲大司馬桓溫掾、征西桓豁司馬、領南郡相、監北征諸軍事。時

---

① "瓌"，原誤作"焕"，據清乾隆武英殿刻本《晉書》改。

② "渙"，原誤作"焕"，據清乾隆武英殿刻本《晉書》改。

苻堅彊盛，邊境數被侵寇，朝廷求文武良將，安乃以玄應舉。數以功封東興縣侯。及苻堅自率衆號百萬，次於項城，詔以玄爲前鋒、都督，與叔父征虜將軍石、從弟輔國將軍琰、西中朗將桓伊、龍驤將軍檀玄、建威將軍載熙、揚武將軍陶隱等距之。玄與琰、伊等以精銳八千進，決戰肥水南。堅中流矢，陣斬苻融，堅衆奔潰，肥水爲之不流。聞風聲鶴唳，皆以爲王師。以勳封康樂縣公。後以疾轉授散騎常侍、左將軍、會稽內史。玄既興疾之郡。太元十三年，卒官，時年四十六。追贈車騎將軍、開府儀同三司，謚曰獻武。

又史臣曰：「康樂才兼文武，志存匡濟，淮肥之役，勍寇望之而土崩；渦潁之師，中州應之而席卷。方欲西平鞏洛，北定幽燕，廟算有餘，良圖不果，降齡何促，功敗垂成，拊其遺文，經綸遠矣。贊曰：偉哉獻武，功宣授斧。剋剪凶渠，幾清中寓。」

《唐書・經籍》、《藝文志》：《謝玄集》十卷。

嚴氏《文編》輯存疏五篇，書五條。

　案兩《唐志》，《謝朗集》五卷之後，次以《謝玄集》十卷，《唐志》無《謝顗集》，本志無《謝玄集》，此謝顗列謝朗之後確爲謝玄之誤。徧檢《晉書》，無謝顗，不知何以誤"玄"爲"顗"也。本志此處似敚誤一條。《通志・藝文略》亦作謝顗，則北宋本已然矣。

晉新安太守郗愔集四卷。殘缺。梁五卷。"郡"當爲"郗"。

《晉書・郗鑒傳》：鑒二子：愔、曇。愔字方回。少不交競。襲爵南昌公，拜中書侍郎，爲驃騎何充、征北褚裒長史，再遷黃門侍郎，臨海太守。會弟曇卒，益無處世意，在郡優游，頗稱簡默，與姊夫王羲之、高士許詢並有邁世之風，俱棲心絕穀，修黃老之術。後以疾去職，乃築室章安，有終焉之志。十許年間，人事頓絕。簡文帝輔政，徵爲會稽內史。及帝踐阼，累遷鎮軍將軍、都督浙江東五郡軍事。以老年乞骸骨，因居會稽。徵拜司空，固辭不起。太元九年卒，年七十二。追贈侍中、司空，諡曰文穆。<small>案本傳不言爲新安太守，或有所略也。</small>

《唐書·經籍》、《藝文志》：《郭愔集》五卷。<small>"郭"當爲"郄"。</small>

嚴氏《全晉文編》：郄愔有集五卷。《通典》有《上言魏隤事》一篇，又《論喪遇閏》一篇，《淳化閣帖》有《雜帖》四條。

梁又有《吴郡功曹陸法之集》十九卷，亡。

陸法之始末未詳。

晉太常卿王岷集十卷。梁錄一卷。<small>琅邪。"岷"當爲"珉"。</small>

《晉書·王導傳》：導第三子洽，洽二子：珣、珉。珉字季琰。少有才藝，善行書，名出珣右。時有外國沙門，名提婆，妙解法理，爲珣兄弟講《毗曇經》。珉時尚幼，講未半，便云已解，即於別室與法門法綱等數人自講。法綱歎曰："大義皆是，但小未精耳。"歷著作、散騎郎、國子博士、黄門侍郎、侍中，代王獻之爲長兼中書令。二人素齊名，世謂獻之爲大令，珉爲小令。太元十三年卒，年二十八，追贈太常。

梁皇侃《論語義疏敍錄》曰："晉江熙《集解》十三家，有王珉説。"

嚴氏《全晉文編》：王珉有集十卷。今存《告廟議》、《答徐邈書》、《雜帖》、《論序高座師》，凡四篇。

晉中散大夫羅含集三卷

《晉書·文苑傳》：羅含字君章，桂陽耒陽人也。爲庚亮荆州部從事、桓温征西參軍。温與寮屬讌會，含從至。温問衆坐曰："此何如人？"或曰："可謂荆楚之才。"温曰："此自江左之秀，豈唯荆楚而已。"累遷宜都太守、散騎常侍、侍中、廷尉、長沙相。年老致仕，加中散大夫。年七十七卒。所著文章行於世。

《唐書·經籍》、《藝文志》：《羅含集》三卷。

嚴氏《全晉文編》曰："羅含有集三卷。《廣弘明集》有《答孫安國書》、《更生論》，凡二篇。"案諸類書引羅含《湘中記》，或編入本集。

梁有《太宰長史庾蒨集》二卷，亡。"蒨"當爲"倩"。

《晉書·庾冰傳》：冰七子：希、襲、友、蘊、倩、邈、柔。希爲后之戚屬，冰女又爲海西公妃，故希兄弟並顯貴。太和中，希爲北中郎將、徐兗二州刺史，蘊廣州刺史，友東陽太守，倩太宰長史，邈會稽王參軍，柔散騎常侍。倩最有才器，桓溫深忌之。及海西公廢，溫陷倩及柔以武陵王黨，殺之。

《世說·賞譽篇》曰：[①]"庾公云：'逸少國舉。'故庾倪爲碑文云：'拔萃國舉。'"注：倪庾，倩小字也。徐廣《晉紀》曰："倩字少彥，司空冰子，皇后兄也。有才具，仕至太宰長史。桓溫以其宗彊，使下邳王晃誣與謀反而誅之。"案此則其集中有《王逸少碑文》。

《唐書·經籍》、《藝文志》：《庾蒨集》二卷。

梁有《大司馬參軍庾悠之集》三卷，亡。

《晉書·庾希傳》：桓溫諷有司劾希，以罪免，家於暨陽。及海西公廢，桓溫陷倩及柔，殺之。希聞難，與弟邈及子攸之逃於海陵陂澤中。與武遵聚衆於海濱，夜入京口城。討桓溫，兵敗，被擒。希、邈及子姪五人斬於建康市。案悠之，史作攸之，希之子，冰之孫也，似亦同死於五人之中矣。

梁有《司徒右長史庾凱集》二卷，亡。

庾凱始末未詳。

《文心雕龍·雜文篇》曰："至於陳思《客問》，辭高而理疏；庾凱《客咨》，意榮而文悴。斯類甚衆，無所取裁矣。"或改"庾凱"爲"庾敳"，然庾敳作《客咨》今亦無可考，故仍從原文。或凱集有《客咨》一篇也。

---

① "賞譽"，原作"識鑒"，據清光緒思賢書局刻本《世說新語》改。

《唐書・經籍》、《藝文志》：《庾軌集》二卷。"軌"並當爲"凱"。

晉國子博士孫放集一卷。殘缺。梁十卷。

《晉書・孫盛傳》：盛子放，字齊莊。幼稱令慧。年七八歲，在荆州，與父俱從庾亮獵。亮曰："君亦來耶？"應聲答曰："無小無大，從公於邁。"亮又問："欲齊何莊耶？"放曰："欲齊莊周。"亮曰："不慕仲尼耶？"答曰："仲尼生而知之，非希企所及。"亮大奇之曰："王輔嗣弗過也。"終於長沙相。

《唐書・經籍》、《藝文志》：《孫放集》十五卷。

嚴氏《全晉文編》曰："放字齊莊，盛次子。國子博士，出爲長沙太守。《水經・廬江水》注有《廬山賦》，《初學記》、《御覽》有《西寺銘序》。"

晉聘士殷叔獻集四卷并目録。梁三卷。録一卷。

《晉書・殷顗傳》：顗字伯通，陳郡人也。弟仲文、叔獻，別有傳。案殷仲文見《晉書・叛逆傳》，殷叔獻今本《晉書》無其傳。案顗字伯通，則仲文、叔獻皆其字。

《唐書・經籍》、《藝文志》：《殷叔獻集》三卷。

晉湘東太守庾肅之集十卷　録一卷

《晉書・文苑・庾闡傳》：闡子肅之，亦有文藻著稱。歷給事中、相府記室、湘東太守。太元中卒。

《唐書・經籍》、《藝文志》：《庾肅之集》十卷。

嚴氏《全晉文編》：庾肅之有集十卷。《初學記》、《類聚》、《御覽》有《雪贊》、《山贊》、《水贊》、《玉贊》、《松贊》，凡五篇。

梁有《晉北中郎參軍蘇彦集》十卷，亡。

蘇彦有《蘇子》七卷，見子部道家。

《唐書・經籍》、《藝文志》：《蘇彦集》十卷。

馮氏《詩紀》輯存《七夕詠織女詩》、《西陵觀濤詩》各一篇。

嚴氏《全晉文編》：蘇彦有集十卷。《書鈔》、《類聚》、《御覽》有

《芙蕖賦》、《浮萍賦》、《秋夜長》、《鵝詩序》、《舜華詩序》、《女貞頌序》、《語箴》、《隱貞銘》、《邛竹杖銘》、《楠榴枕銘》、《柏枕銘》，凡十一篇。

梁有《太子左率王肅之集》三卷，錄一卷，亡。琅邪。

《世說・排調篇》注：《王氏譜》曰：“肅之字幼恭，右將軍羲之第四子，歷中書郎、驃騎咨議。”案右軍七子，知名者五人，肅之不在五人之列。

梁有《黃門郎王徽之集》八卷，亡。琅邪。

《晉書・王羲之傳》：羲之子徽之，字子猷。性卓犖不羈，爲大司馬桓溫、車騎桓沖參軍。雅性放誕，好聲色。嘗與弟獻之讀《高士傳》，獻之賞井丹高潔，徽之曰：“未若長卿慢世也。”其傲達若此，時人皆欽其才而穢其行。後爲黃門侍郎，棄官東歸，與獻之俱病篤。未幾，獻之卒。月餘，徽之亦卒。

嚴氏《全晉文編》曰：“《淳化閣帖》卷三有王徽之《書》一篇。”

梁有《徵士謝敷集》五卷，錄一卷，亡。

《晉書・隱逸傳》：謝敷字慶緒，會稽人也。性澄靖寡欲。入太平山十餘年。鎮軍郗愔召爲主簿，臺徵博士，皆不就。

嚴氏《全晉文編》曰：“《文選・褚淵碑》文注引謝敷《答郗敬輿書》，《出三藏記集》六有《安般守意經序》，凡二篇。”

梁有《太常卿孔汪集》十卷，亡。

孔汪有《孔中郎雜藥方》，見子部醫家。

孔繼汾《闕里文獻考》：孔氏別集有先聖二十六代孫、晉都督交廣二州諸軍事、廣州刺史汪集十卷。

嚴氏《全晉文編》：孔汪有集十卷。《宋書・禮志》引《四府君郊配議》，《通典》有《答范寧問》，凡二篇。

梁有《陳統集》七卷，亡。

陳統有《難孫毓毛詩評》四卷、《毛詩表隱》二卷，見經部。

梁有《太常王愷集》十五卷，亡。<small>太原。</small>

《晉書・王坦之傳》：坦之四子：愷、愉、國寶、忱。愷，字茂仁。少踐清階，襲父爵。太元末，爲侍中，領右衛將軍，多所獻替。及王恭等討國寶，愷、愉並請解識。以與國寶異生，又素不協，故得免禍。國寶既死，出愷爲吳國內史，徵爲丹陽尹。及桓玄等至江寧，愷領兵守石城。玄等走，復爲吳郡。病卒，追贈太常。

梁有《右將軍王忱集》五卷，**録一卷**，**亡。**<small>太原。</small>

《晉書・王坦之傳》：坦之第四子忱，字元達。弱冠知名，與王恭、王珣俱流譽一時。歷位驃騎長史。嘗造其舅范寧，寧謂曰："卿風流儁望，真後來之秀。"太元中，出爲荆州刺史、都督荆益寧三州。忱自恃才氣，放酒誕節，慕王澄之爲人，<small>澄字平子，衍之弟也。</small>又年少居方伯之任，談者憂之。及鎮荆州，威風肅然，殊得物和。桓玄時在江陵，常以才雄駕物。忱每裁抑之，玄憚而服焉。性任達不拘，末年尤嗜酒，一飲連月不醒，或裸體而游，每歎三日不飲，便覺形神不相親。數年卒官。贈右將軍，謚曰穆。

嚴氏《全晉文編》曰："王忱有集五卷。《宋書・禮志》載忱《郊祀明堂議》一篇。"

梁有《太常殷允集》十卷，**亡。**

《世説・賞譽篇》注：《中興書》曰："殷允字子思，陳郡人，太常康第六子。<small>案"康"似"融"之誤。</small>恭素謙退，有儒者之風，歷吏部尚書。"

《唐書・經籍》、《藝文志》：《殷允集》十卷。

嚴氏《全晉文編》曰："殷融，陳郡長平人。融子允，孝武時爲豫章太守，後拜太常。有集十卷。《御覽》、《通典》、《書鈔》、《類聚》有《石榴賦》、《與徐邈書》、《杖銘》、《祭徐孺子文》，凡四篇。"

晉徵士戴逵集九卷，殘缺，梁十卷，錄一卷，亡。

戴逵有《五經大義》，見經部論語篇。

《晉書·隱逸傳》：逵少博學，好談論，善屬文，能鼓琴，工書畫，其餘巧藝靡不畢綜。總角時，以雞卵汁溲白瓦屑作《鄭玄碑》，又爲文而自鐫之，辭麗器妙，時人莫不驚歎。性不樂當世，常以禮度自處，深以放達爲非道，乃著論云。

《唐書·經籍》、《藝文志》：《戴逵集》十卷。

嚴氏《全晉文編》曰："逵有集十卷。今存《流火賦》、《離興賦》、《棲林賦》三篇，書五篇，贊九篇，《放達爲非論》、《釋義論》、《答周居士難釋疑論》各一篇，凡二十篇。附《竹林七賢論》三十三條。"

梁有《晉光禄大夫孫廞集》十卷，亡。 似"孔廞"之誤。

案《闕里文獻考》云："孔氏別集有先聖二十七代孫、晉廷尉廞集十一卷。"案《孔廞集》，《隋》、《唐志》皆不見，似即此集誤"孔"爲"孫"也。《晉書·孔群傳》："群子沈，沈子廞，位吳興太守、廷尉。"與《文獻考》稱官位合。《南史·孔琳之傳》："琳之父廞，光禄大夫。"與此所題官位亦合。似出孔廞爲多。

梁又有《尚書左丞徐禪集》六卷，亡。

徐禪始末未詳。

嚴氏《全晉文編》曰："徐禪，咸康中爲博士，永和初轉尚書郎，累遷尚書左丞。有集六卷。《晉》、《宋書·禮志》及《通典》載禪有上事及雜議、《告廟文》凡八篇。"

晉太子前率徐邈集九卷并目録。梁二十卷。録一卷。

徐邈有《周易音》，見經部易家。

《晉書·儒林傳》："邈姿性端雅，勤行勵學，博涉多聞，以慎密自居。少與鄉人臧壽齊名，下帷讀書，不游城邑。及孝武帝始覽典籍，招延儒學之士，謝安始舉以應選。處西省，前後十年，每被顧問，輒有獻替，多所匡益。帝宴集酣樂之後，好爲手詔詩章以賜侍臣，或文詞率爾，所言穢雜，邈每應時收斂，還省刊削，皆使可觀，經帝重覺覽，然後出之。是時侍臣被詔者，或宣揚之，故時議以此多邈。及遷中書侍郎，專掌綸詔，帝甚親昵之。邈蒞官簡惠，達於從政，論精議密，當時多諮稟之，觸類辨釋，問則有對。"又史臣曰："邈協和主相，刊削繁辭，可謂將順其美，匡救其惡。"案《宋書》，邈弟廣，與東莞臧燾合傳。此臧壽知爲"臧燾"之誤。

《唐書・經籍》、《藝文志》：《徐邈集》八卷。

嚴氏《全晉文編》：徐邈有集二十卷。《晉》、《宋・禮志》及《通典》諸書有奏、議、書、答問凡二十五篇。

晉給事中徐乾集二十一卷并目録。梁二十卷。録一卷。

徐乾有《穀梁傳注》，見經部春秋家。

嚴氏《全晉文編》：徐乾有集二十一卷。《宋書・禮志》及《通典》有《褚爽表稱太子名議》、《殷祭議》各一篇。

梁又有《晉冠軍將軍張玄之集》五卷，録一卷，亡。

《晉書・謝玄傳》：玄以疾轉授左將軍、會稽内史。時吳興太守晉寧侯張玄之亦以才學顯，自吏部尚書與玄同年之郡，而玄之名亞於玄，時人稱爲南北二玄，論者美之。案玄之妹亦與謝道韞齊名。

《世説・言語篇》注：《續晉陽秋》曰："張玄之字祖希，吳郡太守澄之孫也。少以學顯，歷吏部尚書，出爲冠軍將軍、吳興太守，卒於郡。"案諸書引張玄之《吳興山墟名》，烏程嚴可均有輯本，《隋》、《唐志》皆不見，當編入本集。

梁又有《員外常侍荀世之集》八卷，亡。

荀世之始末未詳。

梁又有《袁崧集》十卷,亡。

袁崧即袁山松,有《後漢書》,見史部正史篇。

《晉書·袁瓌附傳》:山松少有才名,博學有文章。矜情秀遠,善音樂。舊歌有《行路難》曲,辭頗疏質,山松好之,乃文其辭句,婉其節制,每因酣醉縱歌之。聽者莫不流涕。初,羊曇善唱樂,桓伊能挽歌,及山松《行路難》繼之,時人謂之三絕。

馮氏《詩紀》輯存《詠菊》一首。

嚴氏《全晉文編》:袁崧有集十卷。《書鈔》、《類聚》、《御覽》引有《歌賦》、《酒賦》、《圓扇賦》、《答桓南郡書》、《白鹿詩序》及《後漢書·光武紀論》、《章帝紀論》、《獻帝紀論》,凡八篇。案諸書引袁山松《宜都記》、《勾將山記》或編入本集。

梁又有《黃門郎魏邈之集》五卷,亡。

《世說·賞譽篇》曰:“魏隱兄弟少有學義。”注:《魏氏譜》曰:“隱字安時,會稽上虞人,歷義興太守、御史中丞。弟邈,黃門郎。”

梁又有《驃騎參軍卞湛集》五卷,亡。

卞湛始末未詳。

《唐書·經籍》、《藝文志》:《卞湛集》五卷。

梁又有《金紫光祿大夫褚爽集》十六卷,錄一卷,亡。

《晉書·外戚傳》:褚爽字弘茂,小字期生,恭思皇后父也。祖裒,父歆。爽少有令稱,謝安甚重之,嘗曰:“若期生不佳,我不復論士矣。”爲義興太守,早卒。以后父,追贈金紫光祿大夫。

《世說·識鑒篇》注:《續晉陽秋》曰:“爽,河南人,太傅裒之孫,祕書監韶之子。案《外戚·褚裒傳》末云:“子歆,字幼安。”則“韶”當爲“歆”。俊邁有風氣,好《老》、《莊》之言。當世榮譽弗之屑也,唯與殷仲堪善。累遷中書郎、義興太守。女爲恭帝皇后。”

嚴氏《全晉文編》：褚爽有集十六卷。《藝文類聚》四引爽《襖賦》。

晉豫章太守范寧集十六卷

范寧有《古文尚書注》，見經部書類。

《晉書》本傳：寧少篤學，多所通覽。時以浮虛相扇，儒雅日替，寧著論以爲其源始於王弼、何晏，二人之罪深於桀紂。拜中書郎，在職多所獻替，有益政道。時更營新廟，博求辟雍、明堂之制，寧據經傳奏上，皆有典證。孝武帝雅好文學，甚被親愛，朝廷疑議，輒諮訪之。爲豫章太守，臨發，上疏言得失。又陳時政。帝善之。既免官，家於丹陽，猶勤經學，終年輟。

本志總集類：《范寧啓事》三卷，梁十卷。

《唐書·經籍》、《藝文志》：《范寧集》十五卷。

嚴氏《全晉文編》：范寧有集十六卷。本傳及《通典》、《類聚》諸書引表、疏、奏、議、啓、教、書、答問、序、論凡二十四篇。

梁有《晉餘杭令范弘之集》六卷，亡。

《晉書·儒林傳》：范弘之，字長文，安北將軍汪之孫也。襲爵武興侯。雅正好學，以儒術該明，爲太學博士。時衞將軍謝石薨，請謚，下禮官議。弘之議云：“案謚法，因事有功曰襄，貪以敗官曰墨，宜謚曰襄墨公。”又論殷浩宜加贈謚，不得因桓溫之黜以爲國典，仍多敍溫移鼎之迹。時謝族方顯，桓宗猶盛，尚書僕射王珣，溫故吏也，素爲溫所寵，三怨交集，乃出弘之爲餘杭令。將行，與會稽王道子牋，又與王珣書。詞雖亮直，終以溫、謝之故不調。卒於餘杭令，年四十七。《南史·范泰傳》：“泰第四子曄，最知名，出繼從伯弘之，後襲封武興縣五等侯。”

又史臣曰：“弘之抗言立論，不避朝權，貶石抵溫，斯爲當矣，遂乃厄於三怨，以至陵遲，悲夫！”

嚴氏《全晉文編》：范弘之有集六卷。今惟存本傳所載《謝石謚議》、《與會稽王牋》、《與王珣書》，凡三篇。

晉司徒王珣集十一卷并目錄。梁十卷，錄一卷，亡。案此"亡"字衍。
琅邪。

《晉書·王導傳》：導第三子洽，最知名。洽二子：珣、珉。珣字元琳。弱冠，與陳郡謝玄爲桓温掾，俱爲温所敬重。時温經略中夏，竟無寧歲，軍中機務並委珣焉。從討袁真，封東亭侯。孝武帝雅好典籍，珣與殷仲堪、徐邈、王恭、郄恢等並以才學文章見昵於帝。帝崩，哀册謚議，皆珣所草。王恭謂珣曰："此來視君，一似胡廣。"隆安初，仕至尚書令、衞將軍、散騎常侍。四年，以疾解職。歲餘，卒，年五十二。贈車騎將軍、開府，謚曰獻穆。桓玄與會稽王道子書曰："珣神情朗悟，經史明徹，風流之美，公私所寄。雖偪嫌謗，才用不盡。然君子在朝，弘益自多。時事艱難，忽爾喪失，歎懼之深，豈但風流相悼而已！"玄輔政，改贈司徒。

《世説·文學篇》注：《續晉陽秋》曰："珣，學涉通敏，文高當世。"

《唐書·經籍》、《藝文志》：《王珣集》十卷。

馮氏《詩紀》曰："《晉書·樂志》：太元中，使曹毗、王珣增造宗廟歌詩。珣造《簡文皇帝》、《孝武皇帝歌》二首。"

嚴氏《全晉文編》：王珣有集十一卷。今存奏、書、序、贊、銘、哀策文、祭文凡九篇。

晉處士薄蕭之集九卷。梁十卷。

薄蕭之亦作薄肅之，始末並未詳。

《唐書·經籍》、《藝文志》：《薄蕭之集》十卷。

梁又有《晉安北參軍薄要集》九卷，亡。

薄要始末未詳。

案本志春秋家有《薄叔玄問穀梁義》四卷。馬國翰曰："叔玄與范寧同時,治《穀梁》之學者也。"案薄叔玄似即此薄要,爲范汪安北參軍,即范寧《穀梁集解序》所爲門生故吏之一歟?

梁又有《薄邕集》七卷,亡。

薄邕始末未詳。

梁又有《延陵令唐邁之集》十一卷,錄一卷,亡。

唐邁之始末未詳。

晉孫恩集五卷

《晉書·叛逆傳》:孫恩字靈秀,琅邪人,孫秀之族也。世奉五斗米道。恩叔父泰,師事錢唐杜子恭。子恭有祕術,往往神效。泰傳其術,誑誘百姓。後謀作亂,會稽王道子誅之。恩逃於海,聚亡命,自海攻上虞,襲會稽,害內史王凝之等,遂據會稽。隆安四年,復寇刑浦,害內史謝琰。又寇扈瀆,害吳國內史袁山松。浮海向京口。又集衆,欲向京都。北寇廣陵,陷之。劉裕緣海要截,累戰敗之。復大破恩於扈瀆,遂遠迸海中。及桓玄用事,恩復寇臨海,臨海太守辛景討破之。恩窮蹙,赴海自沈。餘衆復推恩妹夫盧循爲主。自恩初入海,前後數十戰,殺百姓數萬人。

案孫恩至不足道,不知何人爲編其集,至隋時猶行於世,甚可怪也。

梁有《晉殿中將軍傅綽集》十五卷,亡。

傅綽始末未詳。

梁有《驍騎將軍弘戎集》十六卷,亡。

弘戎始末未詳。

嚴氏《全晉文編》曰:"《北堂書鈔》、《太平御覽》各卷中引弘君舉《食檄》四條。君舉,始末未詳,案《隋志》注梁有驍騎將軍《弘戎集》十六卷,疑即此。"

梁有《御史中丞魏叔齊集》十五卷，亡。

魏叔齊始末未詳。

案《世說·排調篇》注引《魏氏譜》有魏顗，字長齊，會稽人，
仕至山陰令。叔齊，或其昆季行，大抵與魏遑之同族。遑
之，會稽上虞人，有集見前。

梁有《司徒右長史劉寧之集》五卷，亡。

劉寧之始末未詳。

晉臨海太守辛德遠集五卷。梁四卷。

辛德遠名昺，始末未詳。

《晉書·安帝本紀》：元興元年三月，臨海太守辛景擊孫恩，斬
之。唐人避諱，改“昺”爲“景”。

又《叛逆·孫恩傳》：恩復寇臨海，臨海太守辛景討破之。恩
窮蹙，赴海自沈。

《唐書·經籍》、《藝文志》：《辛昺集》四卷。

嚴氏《全晉文編》曰：“辛昺，爵里未詳。《御覽》三百三十七有
辛昺《洛戌時與桓郎牋》一條，云：‘桓宣武令下官將千二百人
奄襲某營，值天洪雨，器仗沾濕，塹廣深丈餘，鹿角五重，樓櫓
嚴設，自四更三唱攻逼，至小食時不剋。’”案此則昺嘗爲桓溫故吏也。
常熟丁國鈞《補晉書藝文志》曰：“《辛德遠集》，《舊唐志》作
《辛昺集》。昺，德遠名，即本書《孫恩傳》之臨海太守辛
景也。”

梁又有《晉車騎參軍何瑾之集》十一卷，亡。

何瑾之始末未詳。

嚴氏《全晉文編》曰：“何瑾，一作瑾之，爲車騎參軍。有集十
一卷。《類聚》、《御覽》有《悲秋夜》一篇。”

梁又有《太保王恭集》五卷，錄一卷，亡。太原。自魏王昶以迄於恭，有集
見本志凡十六人。

《晉書》本傳：恭字孝伯，光禄大夫蘊子，_{蘊，王長史濛之次子。}孝武定皇后之兄也。少有美譽，清操過人，自負才地高華，恒有宰輔之望。與王忱齊名友善，慕劉惔之爲人。太元中，累遷中書令，領太子詹事。孝武帝以恭后兄，深相欽重。以恭都督兗青冀幽并徐州晉陵諸軍事、平北將軍、兗青二州刺史、假節、鎮京口。旋改號前將軍。及帝崩，會稽王道子執政，寵昵王國寶，委以機權。恭每正色直言，道子深憚而忿之。於是國難始結。恭乃謀誅國寶，抗表京師，內外戒嚴。用王珣計，請解職，道子收國寶，賜死，深謝愆失，恭乃還京口。譙王尚之復説道子以藩伯強盛，宰相權弱，宜多樹置以自衛。道子然之，乃以其司馬王愉爲江州刺史，割庾楷豫州四郡使愉督之。由是楷怒，説恭曰：“尚之兄弟專弄相權，欲假朝威貶削方鎮。及其議未成，宜早圖之。”恭以爲然，復以謀告殷仲堪、桓玄。玄等從之，推恭爲盟主，剋期同赴京師。恭乃舉兵，上表以討王愉、司馬尚之兄弟爲辭。朝廷使會稽世子元顯及王珣、謝琰等距之。恭兵敗，單騎奔曲阿。湖浦尉收送京師，斬之。桓玄執政，上表理恭，詔贈侍中、太保，謐曰忠簡。腰斬湖浦尉。

嚴氏《全晉文編》：王恭有集五卷。今存表、書各二篇。

梁又有《殷覬集》十卷，録一卷，亡。

《晉書》本傳：覬字伯通，陳郡人也。祖融，太常卿。父康，吳興太守。_{殷融、殷康，並有集，見前。}覬性通率，有才氣，少與從弟仲堪俱知名。太元中，以中書郎擢爲南蠻校尉。蒞職清明，政績蕭舉。及仲堪得王恭書，將興兵內伐，覬，欲同舉。覬不平之，曰：“夫人臣之義，慎保所守。朝廷是非，宰相之務，豈藩屏之所圖也。晉陽之事，宜所不豫。”仲堪要之轉切，覬怒曰：“吾進不敢同，退不敢異。”仲堪甚以爲恨。猶密諫仲堪，辭甚切至。仲堪志望無厭，謂覬言爲非。覬知仲堪當逐異己，樹置所親，因出行散，託疾不還。仲堪出省之，謂曰：“兄病殊可憂。”覬曰：“我病不過身死，但汝病在滅門，幸熟爲慮，勿以我爲念也。”仲堪不從，卒與楊佺期、桓玄同下。覬遂以憂卒。隆安中，贈冠軍將軍。弟仲文、叔獻。

又史臣曰：“仲堪反常之舉，殷覬以正色折之，求諸古烈，何以加焉！”史文皆“顗”、“覬”互見，今從本志。

晉荊州刺史殷仲堪集十二卷并目録。梁十卷，録一卷，亡。

殷仲堪有《毛詩雜義》，見經部詩家。

《晉書》本傳：仲堪能清言，善屬文，每云三日不讀《道德論》，便覺舌本間強。其談理與韓康伯齊名，士咸愛慕之。爲晉陵太守時，所下條教甚有義理。在荊州答桓玄論四皓，玄屈之。每語子弟云：“人物見我受任方州，謂我豁平昔時意，今吾處之不易。貧者士之常，焉得登枝而捐其本？爾其存之！”

《唐書·經籍》、《藝文志》：《殷仲堪集》十卷。

嚴氏《全晉文編》：殷仲堪有集十二卷。今存《游園賦》、《將離賦》、《太子令》、表、奏、牋、書、答問、贊、論、銘、誄、《合社文》，凡十七篇。案梁皇侃《論語義疏》引殷仲堪説，或在本集。

晉驃騎長史謝景重集一卷

《晉書·謝朗傳》：朗子重，字景重，明秀有才名，爲會稽王道子驃騎長史。

《南史·謝晦傳》：晦，陳郡陽夏人，晉太常裒之玄孫也。裒子奕、據、安、萬、鐵，並著名前史。據子朗，字長度，位東陽太守。朗子重，字景重，位會稽王道子驃騎長史。案《晉書》：萬弟石，石弟鐵，永嘉太守。

晉桓玄集二十卷

桓玄有《繫辭注》，見經部易類。

《晉書・叛逆傳》：玄形貌瓌奇，風神疏朗，博綜藝術，善屬文。常負其才地，以雄豪自處，衆咸憚之。及篡位，義兵起，出奔，於道作起居注，敍其距義軍之事，自謂經略指授，筭無遺策，諸將違節度，以致虧喪，非戰之罪。於是不遑與群下謀議，唯躭思誦述，宣示遠近。史部舊事篇有《桓玄僞事》三卷，疑即此起居注。

《世說・文學篇》：“桓玄嘗登江陵城南樓云：‘我今欲爲王孝伯作誄。’孝伯，王恭字也。因吟嘯良久，隨而下筆。一座之間，誄以之成。”又曰：“玄初并西夏，領荆、江二州、二府、一國。於時始雪，五處俱賀，五版並入。玄在聽事上，版至，即答版後，皆粲然成章，不相揉雜。”注：《晉安帝紀》曰：“玄文翰之美，高於一世。《玄集》載《王孝伯誄》云。”

《唐書・經籍》、《藝文志》：《桓玄集》二十卷。

馮氏《詩紀》輯存《登荆山詩》、《南陵彈詩》各一首。

嚴氏《全晉文編》：桓玄有集二十卷。今存《鳳賦》、《鶴賦》、《鸚鵡賦》、教、疏、箋、書、論、難、序、誄及矯詔、僞詔、《下書受禪》、《下書封晉帝爲王》、《受禪告天文》凡三十五篇。

梁有《晉丹陽令卞範之集》五卷，錄一卷，亡。“令”當爲“尹”。

《晉書・叛逆傳》：卞範之字敬祖，濟陰宛句人也。識悟聰敏，見美於當世。太元中，自丹陽丞爲始安太守。桓玄少與之游，及玄爲江州，引爲長史，委以心膂之任，潛謀密計，莫不決之。後玄將爲篡亂，以範之爲丹陽尹。範之與殷仲文陰撰策命。玄僭位，以爲侍中，進號後將軍，封臨汝縣公。其禪詔，即範之文也。義軍起，隨玄西走，斬於江陵。《劉毅傳》：毅推鋒進江陵，執玄黨卞範之等五人，皆斬之。

嚴氏《全晉文編》曰：“《北堂書鈔》有卞範之《杖贊》、《無患枕贊》二篇。”

梁有《光禄勳卞承之集》十卷，録一卷，亡。

《晉書·叛逆·桓玄傳》：“玄曾祖以上名位不顯，故不欲序列，且以王莽九廟見譏於前史，遂以一廟矯之。祕書監卞承之曰：‘祭不及祖，知楚德之不長也。’”又曰：“義熙三年，東陽太守殷仲文與永嘉太守駱球謀反，欲建桓胤爲嗣，曹靖之、桓石松、卞承之、劉延祖等潛相交結，劉裕以次收斬之，並誅其家屬。”

嚴氏《全晉文編》曰：“卞承之，字敬宗，安帝時爲光禄勳。有集十卷。今存《鶡賦序》、《溝井贊》、《無患枕贊》、《杜樹贊》、《甘焦贊》、《懷香贊》。”

晉東陽太守殷仲文集七卷。梁五卷。

殷仲文有《孝經注》，見經部。

《晉書·叛逆傳》：仲文少有才藻。桓玄將爲亂，使總領詔命。玄九錫，仲文之辭也。仲文善屬文，爲世所重。謝靈運嘗云：“若殷仲文讀書半袁豹，則文才不減班固。”言其文多而見書少也。

《世説·文學篇》注：《續晉陽秋》曰：“仲文雅有才藻，著文數十篇。”

《唐書·經籍》、《藝文志》：《殷仲文集》七卷。

馮氏《詩紀》輯存《南州桓公九井詩》一首，《送東陽太守詩》一首。

汪氏《文選撰人篇目》：晉殷仲文有《桓公九井詩》、《自解表》。

嚴氏《全晉文編》：殷仲文有集七卷。今惟見本傳及《文選》所載《抗表自解》一篇。

晉司徒王謐集十卷　録一卷 琅邪。

《晉書·王導傳》：導第四子協，元帝撫軍參軍，襲爵武岡侯。早卒，無子，以弟劭子謐爲嗣。謐字稚遠，少有美譽，與譙國

桓胤、太原王綏齊名。拜祕書郎，襲父爵，遷祕書丞，歷中軍
長史、黃門郎、侍中。及桓玄舉兵，詔謐銜命詣玄，玄深敬昵
焉。以爲中書監，領司徒。及玄將篡，以謐兼太保，奉璽册
詣玄。玄篡，封武昌縣開國公。初，劉裕爲布衣，衆未之識
也。惟謐獨奇貴之，常謂裕曰："卿當爲一代英雄。"及裕破
桓玄，謐以本官加侍中，領揚州刺史、錄尚書事。謐既受寵
桓氏，常不自安。懼而出奔。裕遣人追躡，既還，委任如先，
加班劍二十人。義熙三年卒，年四十八。追贈侍中、司徒，謐
曰文恭。

《唐書·經籍》、《藝文志》：《王謐集》十卷。

嚴氏《全晉文編》：王謐有集十卷。今存疏、議、書、答難凡
七篇。

梁有《晉光禄大夫伏系之集》十卷，錄一卷，亡。

《晉書·文苑·伏滔傳》：孝武帝嘗會於西堂，滔豫坐，還，下
車先呼子系之謂曰："百人高會，天子先問伏滔在坐不，此故
未易得。爲人作父如此，定何如也？"系之亦有文才，歷黃門
郎、侍郎、侍中、尚書、光禄大夫。

《世説·寵禮篇》注：丘淵之《文章録》曰："伏系字敬魯，仕至
光禄大夫。"

馮氏《詩紀》：伏系之爵里無考，有《咏椅桐詩》一篇，文殘缺。
案馮氏列之宋代，又以爲爲無考，皆非也。

嚴氏《全晉文編》：伏系之，伏滔子。有集十卷。《御覽》十二
有《雪賦》，《類聚》三有《秋懷賦》，凡二篇。

晉右軍參軍孔璠集二卷

孔璠亦作孔璠之，始末未詳。

《唐書·經籍》、《藝文志》：《孔璠之集》二卷。

嚴氏《全宋文編》曰："孔璠之，爵里未詳，疑是孔琳之昆季。

《藝文類聚》八十二有《艾賦》、《艾贊》各一篇。"案嚴氏編入《宋文》，蓋據《藝文類聚》所題孔琳之有集，見後宋代人文中。

晉衛軍諮議湛方生集十卷　錄一卷

湛方生始末未詳。

《唐書・經籍》、《藝文志》：《湛方生集》十卷。

馮氏《詩紀》輯存《廬山神仙詩》、《諸人共講老子詩》、《懷歸謠》、《秋夜詩》、《游圓詠》等詩凡九篇。

嚴氏《全晉文編》曰："湛方生爲衛軍諮議參軍，有集十卷。《藝文類聚》載有《風賦》、《懷春賦》、《秋夜賦》、《游園詠》、《懷歸謠》、《上貞女解》、《修學校教》、《七歡》及序、贊、銘、《弔鶴文》凡十八篇。"

晉光禄大夫祖台之集十六卷。梁二十卷。

祖台之有《志怪》二卷，見史部雜傳類。

嚴氏《全晉文編》：祖台之有集二十卷。《類聚》、《初學記》、《書抄》、《御覽》、《文選注》有《荀子耳賦》、《與王忱書》、《議錢耿殺妻事》、《道論》、《語命》，凡五條。

晉通直常侍顧愷之集七卷。梁二十卷。

顧愷之有《启矇記》，見經部小學類。

《晉書・文苑傳》：愷之博學有才氣，嘗爲《箏賦》。每重嵇康四言詩，因爲之圖，恒云："手揮五絃易，目送歸鴻難。"桓温引爲大司馬參軍，甚見親昵。後爲殷仲堪參軍，亦深被眷接。尤善丹青，圖寫特妙，謝安深重之，以爲有蒼生以來未之有也。所著文集及《启矇記》行於世。

《世説・文學篇》曰："或問顧長康：'君《箏賦》何如嵇康《琴賦》？'顧曰：'不賞者，以後出相遺；深識者，亦以高奇見貴。'"

又《巧藝篇》注曰："愷之歷畫古賢，皆爲之贊。"

唐張彥遠《歷代名畫記》曰："顧愷之小字虎頭，晉陵無錫人。多才藝，尤工丹青。傳寫形勢，莫不妙絕。嘗畫中興帝相列像，妙極一時。著《魏晉名臣畫贊》，評量甚多。又有《論畫》一篇，皆模寫要法。義熙初，爲散騎常侍。"

馮氏《詩紀》輯存《神情詩》一首。

嚴氏《全晉文編》：顧愷之有集二十卷。《藝文類聚》諸書有《雷電賦》、《觀濤賦》、《冰賦》、《湘中賦》、《湘川賦》、《箏賦》、《鳳賦》、表、箋、序、《畫贊》、《父悅之傳》、《祭牙文》，凡十五篇。

按《四庫提要》曰："張彥遠《名畫記》徵引繁富，佚文舊事，往往而存。如顧愷之《論畫》一篇，魏晉勝流《名畫贊》一篇，《畫雲臺山記》一篇，皆他書之所不載。"案此三篇嚴氏輯文皆遺之，甚可惜也。又張彥遠中晚唐時人，尚見顧集，而《經籍》、《藝文》兩志皆不載，蓋民間所有官庫所無也。

晉太常卿劉瑾集九卷。梁五卷。

《世說·品藻篇》注：《劉瑾集》敍曰："瑾字仲章，南陽人。祖宗，父暢。暢娶王羲之女，生瑾。瑾有才力，歷尚書、太常卿。"案劉暢亦有集，見前。

《唐書·經籍》、《藝文志》：《劉瑾集》八卷。

嚴氏《全晉文編》曰："劉瑾，元興末爲太常卿。有集九卷。《初學記》有《甘樹賦》，以爲宋人，今從《隋志》。《通典》有《殷祭議》、《又議》。凡三篇。"

晉左僕射謝混集三卷。梁五卷。

《晉書·謝安傳》：安次子琰，琰子混，字叔源。少有美譽，善屬文。初，孝武帝爲晉陵公主求壻，謂王珣曰："主壻但如劉真長、王子敬便足。如王處仲、桓元子誠可，才小富貴，便豫人家事。"謂劉惔、王獻之、王敦、桓温也。珣對曰："謝混雖不及真長，不減子敬。”帝曰：“如此便足。”遂尚主，襲父爵望蔡公。歷中書令、中領軍、尚書左僕射、領選。以黨劉毅誅，國除。及宋受禪，謝晦謂劉裕曰：“陛下應天受命，登壇日恨不得謝益壽奉璽紱。”裕亦歎曰：“吾甚恨之，使後人不得見其風流！”益壽，混小字也。《安帝本紀》：義熙八年九月己卯，太尉劉裕害右將軍兗州刺史劉藩、尚書左僕射謝混。庚辰，裕矯詔大赦。己丑，劉裕率師討毅。裕參軍王鎮惡陷江陵城，毅自殺。

《宋書・謝靈運傳》論曰：“有晉中興，玄風獨振，爲學窮於柱下，博物止乎七篇，馳騁文辭，義單乎此。自建武暨乎義熙，歷載將百，雖綴響聯辭，波屬雲委，莫不寄言上德，託意玄珠，遒麗之辭，無聞焉爾。仲文始革孫、許之風，謂孫綽、許詢。叔源大變太元之氣。”

《世說・文學篇》注：《續晉陽秋》曰：“魏正始中，王弼、何晏好《莊》、《老》玄勝之談。至過江，佛理尤盛。故郭璞五言，始會合道家之言而韻之。許詢、孫綽轉相祖尚，自此作者悉體之。至義熙中，謝混始改。”

鍾嶸《詩品》曰：“晉宋之際，殆無詩乎！義熙中，以謝益壽、殷仲文爲華綺之冠，殷不競矣。”

《文心雕龍・才略篇》曰：“殷仲文之孤興，注云“孤”疑作“秋”。謝叔源之閑情，并解散辭體，縹緲浮音，雖滔滔風流，而大澆文意。”

馮氏《詩紀》輯存《游西池詩》、《送二王在領軍府集詩》各一首，《誡族子靈運等五人詩》一篇。其事見《謝弘微集》條下，在宋代人文中。

汪氏《文選撰人篇目》：宋謝叔源混有《游西池詩》。案以爲宋人，非也。

嚴氏《全晉文編》：謝混有集五卷。《宋書・禮志》三載其《殷祭議》一篇。

晉祕書監滕演集十卷　録一卷

《宋書·傅亮傳》:"義熙元年,亮直西省,典掌詔命。轉領軍長史,以中書郎滕演代之。七年,亮復代演直西省。"又曰:"高祖登庸之始,文筆皆是記室參軍滕演。演字彦將,南陽西鄂人,官至黄門郎、祕書監。義熙八年卒。"

《唐書·經籍》、《藝文志》:《滕演集》一卷。

晉司徒長史王誕集二卷　琅邪。

《宋書》、《南史》本傳:誕字茂世。祖恬,晉中軍將軍,案恬,王導第二子也。父混,太常卿。誕少有才藻,晉孝武帝崩,從叔尚書令珣爲哀策文,出本示誕,曰:"猶恨少序節物。"誕攬筆便益之,接其秋冬代變後云:"霜繁廣除,風迴高殿。"珣歎美,因而用之,襲爵雉鄉侯,爲會稽王世子後軍長史、琅邪内史。及桓玄得志,將見誅,誕甥桓修爲陳請,乃徙廣州。後得還。爲宋武帝太尉長史,盡心歸奉。帝甚仗之。北伐廣固,領齊郡太守。後爲吳國内史。義熙九年卒,年三十九。以南北從征,追封作唐縣五等侯。

《宋書·傅亮傳》:高祖登庸之始,文筆皆是記室參軍鄧演。北征廣固,悉委長史王誕。案宋武北征慕容超起於廣固事,在晉義熙五六年。嚴氏《全晉文編》曰:"王誕,《宋書》有傳。《藝文類聚》六十有《伐廣固祭牙文》,亦以爲宋人,今以卒年爲斷編入晉文。"

梁有《晉太尉諮議劉簡之集》十卷,亡。

《宋書》、《南史·劉康祖傳》:康祖,彭城吕人也,世居京口。父虔之,伯父簡之,有志幹,爲宋武帝所知。帝將謀興復,收集才力之士,嘗再造簡之,會有客,不得語。簡之悟其意,使虔之往見之。及虔之至,武帝已剋京口。虔之即投義軍。簡之聞之,殺耕牛,會衆以赴之。簡之歷官至通直常侍,少府,太尉諮議參軍。簡之弟謙之,好學,撰《晉紀》二十卷。案劉謙之

《晉紀》,見史部古史篇。

《世説・方正篇》："劉簡作桓宣武别駕,後爲東曹參軍,頗以剛直見疏。"注:《劉氏譜》曰:"簡字仲約,南陽人。祖喬,豫州刺史。父挺,潁川太守。簡仕至大司馬參軍。"

《唐書・世系表》:南陽劉氏,裔孫廙,魏侍中、關内侯,子阜嗣。阜生喬,喬生挺,挺二子:簡、耽。案《晉書》,劉挺、劉耽俱附見《劉喬傳》。簡不及焉,據《世系》,蓋耽之兄。

晉丹陽太守袁豹集八卷。梁十卷。録一卷。

《晉書・袁瓌附傳》:瓌從子質,質子湛,湛弟豹,字士蔚,博學善文辭,有經國才。爲劉裕所知,爲太尉長史、丹陽尹。卒。袁質有集,見前。

《宋書・袁湛傳》:湛,陳郡陽夏人也。父質,琅邪内史。弟豹,爲謝安所知。好學博聞,多覽典籍。爲劉毅撫軍參軍。毅時建議大田,豹上議其事。善言雅俗,每商較古今,兼以誦詠,聽者忘疲。高祖遣益州刺史朱齡石伐蜀,使豹爲檄文。義熙九年卒官,年四十一。次年,以參伐蜀之謀封爲南昌縣五等子。

《唐書・經籍》、《藝文志》:《袁豹集》十卷。

嚴氏《全晉文編》曰:"《宋書・禮志》三引袁豹《四府君還主議》,《宋書・袁湛傳》引《大田義》、《爲宋公檄蜀文》,凡三篇。"

梁又有《晉廬江太守殷遵集》五卷,録一卷,亡。

殷遵始末未詳。

梁又有《興平令荀軌集》五卷,亡。

荀軌始末未詳。

晉西中郎長史羊徽集九卷。梁十卷。録一卷。

《宋書・羊欣傳》:欣字敬元,泰山南城人也。義興中,弟徽被遇於高祖,高祖曰:"羊徽一時美器。"徽字敬猷,世譽多欣。

高祖鎮京口,以爲記室參軍掌事。八年,遷中書郎,直西省。
後爲太祖西中郎長史、河東太守。《宋書·王韶之傳》云:"西省郎管詔
誥。義熙中,傅亮、羊徽相代在職。"

《唐書·經籍》、《藝文志》:《羊徽集》一卷。

嚴氏《全晉文編》:羊徽有集十卷。《藝文類聚》有《木槿賦》
一篇。

晉國子博士周祗集十一卷。梁二十卷。録一卷。

《唐書·經籍》、《藝文志》:《周祗集》十卷。

嚴氏《全晉文編》曰:"周祗字穎文,陳郡人,義熙初爲國子博
士。有集二十卷。《宋書·劉敬宣傳》有《與劉裕書諫伐蜀》,
《藝文類聚》有《月賦》、《枇杷賦》、《執友箴》、《祭梁鴻文》,以
爲宋人,今從《隋》、《唐志》列於晉。"案周祗有《隆安記》二卷,兩《唐志》
雜史類避諱作"崇安",或在本集。

梁又有《晉相國主簿殷闡集》十卷,録一卷,亡。

《晉書·殷仲文傳》:仲文素有名望。忽遷爲東陽太守,何無
忌甚慕之。東陽,無忌所統。時無忌爲會稽内史,督江東五郡軍事。仲
文許當便道脩謁,無忌故益欽遲之,令府中文人殷闡、孔寧之
徒撰義構文,以俟其至。

嚴氏《全晉文編》曰:"殷闡,義熙初會稽内史,何無忌引爲掾
屬,後爲相國主簿。有集十卷。《藝文類聚》三十八有《祭王
東亭文》一篇。"案《晉書·安帝本紀》:"義熙十四年夏六月,劉裕爲相國,進封
宋公,殷闡爲主簿。"即在是時。

梁又有《太常傅迪集》十卷,亡。

《晉書·劉柳傳》:柳歷尚書左右僕射。時右丞傅迪好廣讀書
而不解其義,柳唯讀《老子》而已,迪每輕之。柳云:"卿讀書
雖多,而無所解,可謂書簏矣。"時人重其言。

《宋書·傅亮傳》:亮,北地靈州人也。祖咸,司隸校尉。咸有

集,見前。父瑗,以學業知名,與郄超善,超嘗造瑗,瑗見其二子迪及亮,超曰:"卿小兒才名位宦,當遠踰於兄。然保家傳祚,終在大者。"迪字長猷,亦儒學,官至五兵尚書。永初二年卒,追贈太常。

《南史·傅亮傳》曰:"亮之方貴,兄迪每深誡焉,而不能從。"

　　案永初,宋武受禪改元之號。此集當入宋人中,與《謝瞻集》爲伍。

晉始安太守卞裕集十三卷。梁十五卷。

卞裕始末未詳。

《唐書·經籍》、《藝文志》:《卞裕集》十四卷。

馮氏《詩紀》輯存《送桓竟陵詩》、《失題詩》殘文各一首。

梁又有《韋公藝集》六卷,亡。

韋公藝始末未詳。

晉毛伯成集一卷

《世説·言語篇》曰:"毛伯成既負其才氣,常稱:'寧爲蘭摧玉折,不作蕭敷艾榮。'"注:《征西寮屬名》曰:"毛玄字伯成,潁川人,仕至征西行軍參軍。"

本志總集篇:《毛伯成詩》一卷。伯成,東晉征西將軍。案"將軍"爲"參軍"之誤。此詩一卷,當在是集中。

　　案鍾嶸品齊參軍毛伯成、齊朝請吳邁遠、齊朝請許謠之詩云:"伯成文不全佳,亦多惆悵。"以爲齊人,誤也。

晉沙門支曇諦集六卷

梁釋慧皎《高僧傳》:釋曇諦,姓康。其先康居人。漢靈帝時移附中國。獻帝末,亂,移止吳興。案吳興立郡在孫皓時,獻帝時未有此郡。諦父肜嘗爲冀州別駕。諦十歲出家。學不從師,悟自天發。游覽經籍,過目斯記。晚入吳虎邱寺,講《禮》、《易》、《春秋》各七遍,《法華》、《大品》、《維摩》各十五遍。又善屬文翰,

集有六卷，亦行於世。性愛林泉，後還吳興，入故章崑山。閑
居澗飲，二十餘載。以宋元嘉末卒於山，春秋六十餘。

《唐書·經籍志》：《沙門曇諦集》六卷。

《唐書·藝文志》：《僧曇諦集》六卷。

嚴氏《全晉文編》曰：“支曇諦，本康居人，居吳興烏程之千秋
里，後徙故鄣之崑山。義熙七年卒。案丘道護作《曇諦誄》，
以爲義熙七年五月卒。道護與曇諦友善，必不有誤。《高僧
傳七·神僧傳三》作‘宋元嘉末卒’，恐未可據。《隋志·曇諦
集》、《丘道護集》皆列於晉，不列於宋，足以明之。曇諦有集
六卷。《類聚》、《御覽》有《廬山賦》、《赴火蛾賦》、《燈贊》、《靈
烏山銘序》，凡存四篇。”

晉沙門釋惠遠集十二卷

慧皎《高僧傳》：釋慧遠本姓賈氏，雁門樓煩人也。少爲諸生，
博綜六經，尤善《莊》、《老》。師事道安。後至潯陽之廬山，江
州刺史桓伊爲起東林寺居焉。彭城劉遺民、豫章雷次宗、雁
門周續之、新蔡畢穎之、南陽宗炳、張萊民、張季碩等，並棄世
遺榮依遠游止。遠卜居廬阜三十餘年，影不出山，迹不入俗。
每送客，游履常以虎谿爲界焉。晉義熙十二年八月初六終，
年八十三。尋陽太守阮侃於山西嶺鑿壙開塚。謝靈運爲造
碑銘，宗炳又立碑寺門。初，遠善屬文章，所著論、序、銘、贊、
詩、書集爲十卷五十餘篇，見重於世。

《唐書·經籍志》：《沙門惠遠集》十五卷。

《唐書·藝文志》：《僧惠遠集》十五卷。

馮氏《詩紀》輯存《廬山東林雜詩》、《報羅什偈》、《廬山諸道人
詩》、《諸沙彌詩》凡四篇。

嚴氏《全晉文編》曰：“慧遠，慕客雋時師事道安，後隨道安奔
襄陽。孝武初，襄陽陷，移居廬山。有集十二卷。今存書十

三篇,論五篇,《廬山記》、《游山記》各一篇,序五篇,頌、贊各一篇,銘三篇,編爲二卷。"

晉姚萇沙門釋僧肇集一卷

慧皎《高僧傳》:僧肇,京兆人,家貧,以傭書爲業,遂因繕寫歷觀經史,備盡墳籍,志好玄微,每以《莊》、《老》爲心要。後見《舊維摩經》,歡喜頂受,因此出家,從鳩摩羅什入長安。姚興命肇與僧叡等入逍遥園,助詳定經論。晉義熙十年卒於長安,年三十一。

嚴氏《全晉文編》曰:"僧肇師事鳩摩羅什於姑臧,尋從入長安,弘始中爲姚興所害。有集一卷。《釋藏》及《弘明集》、《高僧傳》有《答劉遺民書》及論、序、《羅什法師誄》,凡十一篇。"

晉王茂略集四卷

《唐書·經籍》、《藝文志》:《王茂略集》四卷。

案王濤字茂略,王鑒弟也。本志前載《王鑒集》原作王覽,非是。條下注云:"梁又有晉著作佐郎《王濤集》五卷,亡。"此殆即五卷之殘本,實亡而未盡亡也。兩《唐志》與《王濤集》亦前後兩見,豈別有其人乎?抑唐時兩本並行,誤以爲兩人也。

晉曹毗集四卷

曹毗有集,見前。

案前載晉光禄勳《曹毗集》十卷,注云:"梁十五卷,録一卷。"此四卷,殆其別本。

晉宗欽集二卷

《唐書·經籍志》:"《後魏宗欽集》二卷。"《藝文志》同。

案北魏太武帝時,宗欽撰《蒙遜記》十卷,見史部霸史類。欽仕北涼且渠氏,涼亡,入魏,死崔浩之難。其時並在宋元嘉中。又欽仕且渠蒙遜爲世子洗馬,時上《東宫侍臣箴》。入魏後,與高允書、贈詩十二首及允答書并詩相褒美,見

《魏書》本傳。馮氏《詩紀》、嚴氏《文編》皆録存之。兩《唐志》載其集入後魏人中，本志後魏諸人集無宗欽，知即是集，誤以爲晉人也。以上三家似又從別家見存書目鈔入。

梁有《晉中軍功曹殷曠之集》五卷，亡。

《晉書·殷仲堪傳》：仲堪子簡之，率弘僮客隨義軍躡桓玄。玄死，簡之食其肉。桓振之役，簡之没陳。弟曠之，有父風，任至剡令。

梁有《太學博士魏説集》十三卷，亡。

魏説始末未詳。

案《世説·排調篇》注引《魏氏譜》曰：“魏覬字長齊，會稽人。祖胤，處士。父説，大鴻臚卿。”似即此魏説，後至大鴻臚歟？

梁有《征西主簿丘道護集》五卷，録一卷，亡。

唐張懷瓘《書斷》曰：“齊建元時，有丘道護，善隸書，便書素。時司馬殉之以道護素書《洛神賦》示羊欣，欣嗟咨其工，以爲勝己。道護，烏程人也，官至相國主簿。”案此謂齊建元時，非也。

唐張彦遠《法書要録》：南齊王僧虔《論書》曰：“羊欣、丘道護並親授於子敬。丘殊在羊欣前。”

嚴氏《全晉文編》曰：“岳道護，義熙中爲征西主簿。有集五卷。《廣弘明集》二十六有道人《支曇諦誄》一篇。”

梁有《柴桑令劉遺民集》五卷，録一卷，亡。

劉遺民有《老子玄譜》，見子部道家。

慧皎《高僧·慧遠傳》：彭城劉遺民等並棄世遺榮，依遠游止。遠乃於精舍無量壽像前立誓，共期西方。乃令劉遺民著其文，文有云：“息心貞信之士，百有二十三人，集於廬山之陰，般若雲臺精舍阿彌陀像前，以香華敬薦而誓焉。”

嚴氏《全晉文編》：劉遺民有集五卷。《釋藏》、《高僧傳》有《廬山精舍誓文》、《致僧肇書》各一篇。

梁有《郭澄之集》十卷，亡。

郭澄之有《郭子》，見子部小説家。

《晉書·文苑傳》：澄之少有才思，所著文集行於世。

梁有《徵士周桓之集》一卷。"桓之"當爲"續之"。

周續之有《高士傳注》，見史部雜傳類。

《宋書》、《南史·隱逸傳》：續之居豫章，就太守范寧受業。居學數年，通五經、五緯，號曰十經，名冠同門，稱爲顏子。既而閑居讀《老》、《易》，入廬山事慧遠。宋武踐阼，問《禮記》"傲不可長"、"予我九齡"、"射於矍圃"三義，辨析精奧，稱爲名通。

嚴氏《全晉文編》曰："周續之有集一卷。《隋志》作周桓之，乃傳寫之誤。《通典》有《答孟氏問》三條，《廣弘明集》有《答戴處士書》、《難釋論》，存凡三篇。"

梁有《孔瞻集》九卷，亡。

孔瞻始末未詳。

晉江州刺史王凝之妻謝道韞集二卷

《晉書·列女傳》：王凝之妻謝氏，字道韞，安南將軍奕之女也。聰識有才辨。初適凝之，還，甚不樂。叔父安曰："王郎，逸少子，不惡，汝何恨也？"答曰："一門叔父則有阿大、中郎，群從兄弟復有封、胡、羯、末，不意天壤之中乃有王郎！"及遭孫恩之亂，夫及諸子爲賊所害。其事見《王羲之傳》後。自爾鰲居會稽，家中莫不嚴肅。所著詩賦誄頌並傳於世。

馮氏《詩紀》輯存《登山詩》、《詠松詩》、《詠雪聊句》凡三首。

嚴氏《全晉文編》：謝道韞有集二卷。《藝文類聚》五十五有《論語贊》一篇。

梁有《婦人晉司徒王渾妻鍾夫人集》五卷。

《晉書·列女傳》：王渾妻鍾氏，字琰，穎川人，魏太傅繇曾孫也。父徽，黃門郎。琰數歲能屬文，及長，聰慧弘雅，博覽記籍。美容止，善嘯詠，禮儀法度爲中表所則。既適渾，生濟。渾弟湛妻郝氏亦有德行，琰雖貴門，與郝雅相親重，郝不以賤下琰，琰不以貴陵郝，時人稱鍾夫人之禮，郝夫人之法云。

《世説·貴媛篇》注："《王氏譜》曰：'鍾夫人名琰之，太傅繇之孫，黃門侍郎鍾琰女。'案此"琰"字當是"徽"之誤。《婦人集》曰：'夫人有文才，其詩、賦、頌、誄行於世。'"

《唐書·經籍》、《藝文志》：《鍾夫人集》二卷。

嚴氏《全晉文編》曰："《藝文類聚》三十四有鍾琰《遐思賦》，又九十二有《鶯賦》，存凡二篇。"

梁有《晉武帝左九嬪集》四卷，亡。

《晉書·后妃傳》：左貴嬪，名芬。兄思，別有傳。芬少好學，善綴文，名亞於思，武帝聞而納之。泰始八年，拜修儀。受詔作愁思之文，因爲《離思賦》。後爲貴嬪，姿陋無寵，以才德見禮。體嬴多患，常居薄室，帝每游華林，輒回輦過之。言及文義，辭對清華，左右侍聽，無不稱美。泰始十年，武元楊皇后崩，芬獻誄。咸寧二年，納悼后，芬於座受詔作頌。及帝女萬年公主薨，帝痛悼不已，詔芬爲誄，其文甚麗。帝重芬詞藻，每有方物異寶，必詔爲賦頌，以是屢獲恩賜焉。答兄思詩、書及雜賦頌數十篇，並行於世。

《太平御覽·皇親部》：《左貴嬪集》有《離思賦》、《相風賦》、《孔雀賦》、《松柏賦》、《涪漚賦》、《納皇后頌》、《楊后登阼頌》、《芍藥花頌》、《鬱金頌》、《菊花頌》、《神武頌》、四言詩四首、《武元皇后誄》、《萬年公主誄》。案此所載止十四篇，非其全録。

《唐書·經籍志》：《九嬪集》一卷。敓"左"字。

《唐書·藝文志》：《左九嬪集》一卷。

馮氏《詩紀》：《藝文類聚》曰："宋袁淑《俳諧集·左氏詩》、

《彤管集》作左九嬪,有《啄木詩》四言一首,《感離詩》五言一首。《感離》一作《離思》,答左思贈妹之作也。"案此則左九嬪之稱,蓋本之《彤管集》。《彤管集》本志總集篇不見。

嚴氏《全晉文編》:左九嬪有集四卷。今存賦六篇、頌四篇、贊十二篇、誄二篇,附以《目錄》,凡存二十四篇。《御覽》引《左貴嬪集》目錄有《相風賦》、《楊皇后登阼頌》、《芍藥花頌》、《神武頌》,今並亡。

梁有《晉太宰賈充妻李扶集》一卷,亡。

《晉書·賈充傳》:初,充前妻李氏淑美有才行,生二女:褒、裕。褒一名荃,裕一名濬。父豐誅,李氏坐流徙。後娶城陽太守郭配女,即廣城君也。武帝踐阼,李以大赦得還,帝特詔充置左右夫人,充母亦敕充迎李氏。郭槐怒,攘袂數充曰:"刊定律令,爲佐命之功,我有其分。李那得與我並!"充乃答詔,託以謙沖,不敢當兩夫人盛禮,實畏槐也。乃爲李築室於永年里而不往來。荃、濬每號泣請充,充竟不往。及充薨後,李氏二女乃欲令其母祔葬,賈后弗之許也。及后廢,李氏乃得合葬。

《世說·賢媛篇》:"賈充前婦,是李豐女。豐被誅,案李豐死事見《魏志·夏侯玄傳》。離婚徙邊。後遇赦得還,充先已取郭配女,武帝特聽置左右夫人。李氏別住外,不肯還充舍。郭氏語充,欲就省李,充曰:'彼剛介有才氣,卿往不如不去。'郭氏於是盛威儀,多將侍婢。既至,入戶,李氏起迎,郭不覺腳自屈,因跪再拜。"又曰:"賈充妻李氏作《女訓》,行於世。李氏女,齊獻王妃。郭氏女,惠帝后。充卒,李、郭女各欲令其母合葬,經年不決。賈后廢,李氏乃祔,葬遂定。"

又注:"《婦人集》曰:'充妻李氏,名婉,字淑文。豐誅徙樂浪。'又曰:'李氏至樂浪,遺二女《典式》八篇。'《晉諸公贊》曰:'李氏有才德,世稱李夫人訓者。'《充別傳》曰:'李氏有淑性令才也。’”

梁有《晉武平都尉陶融妻陳窈集》一卷，亡。

陶融、陳窈始末並未詳。

嚴氏《全晉文編》曰：“陳窈，武平都尉陶融妻。有集一卷。《藝文類聚》、《初學記》引有《箏賦》一篇。”

梁有《晉都水使者妻陳芬集》五卷，亡。_{“使者”下敓二字。}

嚴氏《全晉文編》曰：“陳玢，都水使者徐藻妻。有集五卷。《御覽》九百七十有《石榴賦》，《類聚》二十二有《與妹劉氏書》，存凡二篇。”

案《晉書·儒林·徐邈傳》：“邈，東莞姑幕人也。祖澄之爲州治中屬，永嘉之亂，與鄉人臧琨等率子弟并閭里士庶千餘家，南渡江，家於京口。父藻，都水使者。”是陳玢者，徐邈、徐廣之母也。_{臧琨當是臧榮緒之先。又嚴氏《文編》刊本《與妹劉氏書》屬之陳珍，今從蔣氏。《文編》目刊本寫失也。}

梁有《晉海西令劉驥妻陳珍集》七卷，亡。_{“驥”當爲“臻”。}

《晉書·列女傳》：劉臻妻陳氏者，亦聰辯能屬文。嘗正旦獻《椒花頌》，又撰元日及冬至進見之儀，行於世。

《唐書·經籍》、《藝文志》：劉臻妻《陳氏集》五卷。

嚴氏《全晉文編》曰：“陳珍，海西令劉臻妻。有集七卷。《類聚》、《御覽》、《初學記》有《答舅母書》、《椒花頌》、《獻春頌》、《五時畫扇頌》、《進見儀》存凡五篇。”

梁有《晉劉柔妻王邵之集》十卷，亡。

劉柔、王邵之始末並未詳。_{馮氏《詩紀》有劉和妻王氏《正朝詩》一首，疑後人避諱，改“柔”爲“和”。}

嚴氏《全晉文編》曰：“王邵之，劉柔妻。有集十卷。《藝文類聚》有《懷思賦》、《春花賦》、《姜源頌》、《啓母塗山頌》、《靈壽杖銘》、《夫誄》，凡六篇。”

梁有《晉散騎常侍傅优妻辛蕭集》一卷,亡。

傅优或作傅統,與辛蕭始末並未詳。

嚴氏《全晉文編》曰:"辛蕭,散騎常侍傅統妻。有集一卷。《藝文類聚》有《芍藥花頌》、《菊花頌》、《燕頌》,凡存三篇。"

案馮氏《詩紀》有傅充妻辛氏《元正詩》一首。辛氏似即此辛蕭。"傅充"、"傅优"以皆"傅統"之輾轉寫誤者。

梁有《晉松陽令鈕滔母孫瓊集》二卷,亡。

鈕滔、孫瓊始末並未詳。

嚴氏《全晉文編》曰:"孫瓊,松陽令鈕滔母。有集二卷。《類聚》、《御覽》、《初學記》有《悼艱賦》、《箜篌賦》及《與人書》四篇、《公孫夫人序贊》一篇,存凡七篇。"

案本志注云:"梁有吳興孝廉《鈕滔集》五卷,錄一卷。"殆即此鈕滔。又《唐志》史部傳記類有孫夫人《列女傳序贊》一卷,丁氏《補晉書藝文志》謂即此孫瓊。今考嚴氏輯文所載《公孫夫人序贊》即《列女傳序贊》之一。蓋孫瓊自撰《列女傳序贊》記同時列女。本志不著錄,當在本集二卷中。

梁有《晉成公道賢妻龐馥集》一卷,亡。

成公道賢及龐馥始末並未詳。

梁有《晉宣城太守何殷妻徐氏集》一卷,亡。

何殷及徐氏始末並未詳。

右晉江左人文凡一百一家,附梁有一百四十九家,通計二百五十家,二百五十一部,是爲別集類分篇第五。内桓溫一家二部,又別出庾赤玉、王茂略、曹毗三家別本三部,又誤入後魏文宗欽一家,實正二百四十六家一百五十部。

卷三十九之六

集部二之六

別集類六　宋

宋武帝集十二卷。梁二十卷。録一卷。

《宋書》、《南史》本紀：高祖武皇帝諱裕，字德輿，小字寄奴，彭城縣綏輿里人，漢高帝弟楚元王交之後也。晉恭帝元熙二年六月，受禪，改元永初。在位三年。年六十七。

《太平御覽・文部・御製篇》：《宋書》曰："高祖過彭城，置酒命紙，爲詩曰：'先蕩臨淄穢，卻清河洛塵。華陽有逸驥，桃林無伏輪。'于是群才並作也。"《宋書・謝晦傳》謂此詩乃晦代作。

顔師古《匡謬正俗》五：余家嘗得《宋高祖集》十卷，是宋元嘉時祕閣官書。

《唐日本國見在書目》：《劉裕帝集》十五卷。

《唐書・經籍》、《藝文志》：《宋武帝集》二十卷。

嚴氏《全宋文編》曰："宋武帝有集二十卷。案《傅亮傳》云：'高祖登庸之始，文筆皆是參軍滕演。北征廣固，悉委長史王誕。滕、王三人並有集，見前。自此之後，至于受命，表策文誥，皆亮辭也。'然帝既有集，難盡分別。今除《文選》、《藝文類聚》確指爲王誕、傅亮外，仍編入《武帝集》中。凡制、詔、敕、策、令、下書、表、上言、牋、書、檄、銘、《兵法》，凡六十九篇，編爲一卷。"

宋文帝集七卷。梁十卷，亡。

《宋書》、《南史》本紀：太祖文皇帝諱義隆，小字車兒，武帝第三子也。永初元年，封宜都王，位鎮西將軍、荆州刺史，加都督，時年十四。博涉經史，善隸書。景平二年七月中，少帝廢。百官備法駕奉迎，入奉皇統。八月，即位，改元元嘉。元嘉三十年二月甲子，元凶劭搆逆，帝崩于合殿，年四十七。帝聰明仁厚，雅重文儒，躬勤政事，孜孜無怠。加以在位日久，惟簡靖爲心。于時政平訟理，朝野悦睦。自江左之政，所未有也。昔漢時東京常稱建武、永平故事，自兹厥後，亦每以元嘉爲言，斯固盛矣！

《南史·隱逸·顧歡傳》：歡爲術數，多効驗。初以元嘉中出都，寄住東府。忽題柱云“三十年二月二十一日”，因東歸。後元凶弑逆，是其年月日也。

《唐書·經籍》、《藝文志》：《宋文帝集》十卷。

馮氏《詩紀》輯存《登景陽樓詩》、《北伐詩》各一篇。

嚴氏《全宋文編》：文帝有集十卷。今存詔、手勑、策命、書、答、《詰讓太子劭》，凡一百十五篇，編爲三卷。

宋孝武帝集二十五卷。梁三十一卷。録一卷。

孝武帝詳見史部《孝建起居注》、《大明起居注》條。

《宋書》、《南史》本紀：帝諱駿，字休龍，小字道民。少機穎，神明爽發，讀書七行俱下，才藻甚美。雄決愛武，長于騎射。

《宋書·鮑照傳》：“上好爲文章，自謂人莫能及。”又《始平王子鸞傳》：“子鸞母殷貴妃，寵傾後宮，班亞皇后，謚曰宣。上痛愛不已，擬漢武《李夫人賦》。又諷有司立新廟。”又《建平王宏傳》：“宏薨，上痛悼甚至，自爲墓誌銘并誄。”又撰江夏王義恭傳及臧質、魯爽、王僧達傳，見《宋書》及《史通》。

梁裴子野《雕蟲論》曰：“宋初迄於元嘉，多爲經史，大明之代，實好斯文，高才逸韻，頗謝前哲，波流相尚，滋有篤焉。自是閭閻年少，貴游總角，罔不擯落六藝，吟咏情性。深心主卉木,遠致極風雲,其興浮,其志弱,巧而不要,隱而不深,討其宗途,亦有宋之遺風也。"

鍾嶸《詩品》曰:"孝武詩,彫文織采,過爲精密,爲南平、建平二藩希慕,見稱輕巧矣。"

《文心雕龍·時序篇》曰:"孝武多才,英采雲構。"

陳氏《書録解題》詩集類:《宋武帝集》一卷。孝武,駿也。"宋"下當有"孝"字。

馮氏《詩紀》輯存《丁督護歌》迄《華林聊句》凡一十九篇二十五首。案此似即陳《録》所載《詩集》一卷也。

嚴氏《全宋文編》曰:"孝武帝有集三十一卷。今存《華林清暑殿賦》、《傷宣貴妃擬漢武李夫人賦》、制、詔、賜、戒、答、教、表、頌、贊、銘、墓誌、祈晴文,凡一百十四篇,編爲二卷。"

梁又有《宋廢帝景和集》十卷,録一卷,亡。

前廢帝詳見史部《景和起居注》條。

《宋書》、《南史》本紀:"帝諱子業。幼而狷急,在東宮每爲孝武所責。孝武西巡,帝啓參承起居,書跡不謹,上詰讓之。子業啓事陳謝,上又答曰:'書不長進,此是一條耳。聞汝素都懈怠,狷戾日甚,何以頑固乃爾耶!'"又曰:"帝少好讀書,頗識古事,粗有文才,自造《孝武帝誄》及雜篇章,往往有辭采。其餘事跡,分見諸《列傳》。"又論曰:"廢帝之事行著於篇。霍光書昌邑之過,未足舉其毫釐。假以中才之君,有一於此,足以致實,況乎兼斯衆惡,不亡其可得乎?"

嚴氏《全宋文編》:前廢帝有集十卷。今存詔、手詔、敕凡十一篇。

案本紀:"永光元年秋八月癸酉,帝自率宿衞兵,誅太宰江夏王義恭、尚書令、驃騎大將軍柳元景、尚書僕射顏師伯、廷尉劉德願。改元爲景和元年。"是歲十一月二十九日夜,即爲阮佃夫等十一人所殺。此以“景和”名集，殆以別於後廢帝。亦集類之別有名稱所自始也。

梁又有《明帝集》三十三卷，亡。

宋明帝有《周易義疏》及《泰始》、《泰豫起居注》，見經部易家、史部起居注類。

《宋書》本紀：帝少而和令，風姿端雅。好讀書，愛文藝。才學之士，多蒙引進，參侍文籍，應對左右。末年好鬼神，多忌諱。宮内禁忌尤甚，移牀治壁，必先祭土神。使文士爲文詞祝策，如大祭饗。其餘事迹，別見衆篇。

梁裴子野《雕蟲論》序曰：“宋明帝博好文章，才思朗捷。常讀書奏，號稱七行俱下。每有禎祥及行幸讌集，輒陳詩展義，且以命朝臣。其戎士武夫，則託請不暇。困於課限，或買以應詔焉。於是天下向風，人自藻飾，雕蟲之藝，盛於時矣。”

《文心雕龍·時序篇》：有宋武愛文，文帝彬雅，秉文之德，孝武多才，英采雲構。自明帝以下，文理替矣。

馮氏《詩紀》曰：“明帝有《昭太后室》、《宣太后室樂舞歌》各一首，又《泰始歌舞曲》十篇。”

嚴氏《全宋文編》：明帝有集三十三卷。今存詔、令、書、報書凡六十二篇。

宋長沙王道憐集十卷　録一卷　“道憐”當爲“義欣”。

《宋書》、《南史·宗室傳》：長沙景王道憐，武帝中弟也。謝琰爲徐州，命爲從事史。後以軍功封新渝縣男。從武帝征廣固，改封竟陵縣公。武帝受命，遷太尉，封長沙王。永初三年薨。子義欣嗣位，豫州刺史，鎮壽陽。境内畏服，道不拾遺，遂爲威藩強鎮。薨，謚曰成王。子悼王瑾嗣，傳爵至子，纂齊受禪，國除。

《唐書·經籍志》：《宋長沙王集》十卷。

《唐書·藝文志》：《宋長沙王義欣集》十卷。

嚴氏《全宋文編》曰："義欣，長沙王道憐長子，永初三年嗣封，元嘉十六年薨。《宋書》本傳有《陳江淮事宜》一篇，又《索虜傳》有元嘉七年；出鎮彭城，《檄司兗二州》一篇；又《王歆之傳》有元嘉九年，爲豫州刺史，《上言申季歷治績》一篇。"

案本志作"道憐"，《新唐志》作"義欣"。考本傳不言道憐能文章，而諸列傳頗載義欣文。是此集爲義欣，非道憐。《唐·藝文志》爲得其實也。

梁有《宋臨川王道規集》四卷，録一卷，亡。

《宋書》、《南史·宗室傳》：臨川烈武王道規，字道則，武帝少弟也。儻儻有大志，預謀誅桓玄。以起義勳，封華容縣公，累遷荆州刺史，加都督。善於刑政，士庶畏而愛之。進號征西大將軍、開府儀同三司。義熙八年薨於都，年四十三。贈司徒，進封南郡公。武帝受命，贈大司馬，追封臨川王。無子，以長沙景王第二子義慶嗣。史臣曰：烈武王挈群才，揚盛策，一舉磔勃寇，非曰天時，抑亦人謀也。降年不永，遂不得與大業始終，惜矣哉！

宋臨川王義慶集八卷

臨川王有《徐州先賢傳贊》，見史部雜傳篇。

《宋書》、《南史》本傳：義慶幼爲武帝所知，常曰："此吾家豐城也。"在荆州撰《徐州先賢傳》，奏上之。又擬班固《典引》爲《典敍》，以述皇代之美。愛好文義，文辭雖不多，然足爲宗室之表。太尉袁淑、吳郡陸展、東海河長瑜、鮑照等並爲辭章之美，引爲佐史國臣。文帝每與義慶書，常加意斟酌焉。

《唐書·經籍志》：《宋臨川王集》八卷。

《唐書·藝文志》：《臨川王義慶集》八卷。

馮氏《詩紀》輯存《游鼉湖詩》殘篇一首。

嚴氏《全宋文編》：臨川王義慶有《世説》八卷，集八卷。本傳及《類聚》、《御覽》有《筿簜賦》、《鶴賦》、《山雞賦》、《薦庾實、龔祈、師覺授等表》、《啓事》、《黄初妻趙罪議》，凡六篇。

宋江夏王義恭集十一卷。梁十五卷，録一卷。又有《江夏王集别本》十五卷，亡。

《宋書》、《南史・武三王傳》：江夏文獻王義恭，幼而明穎，姿顏美麗，高祖特所鍾愛，諸子莫及也。元嘉元年，封江夏王。涉獵文義，而驕奢不節。文帝與書戒之。至孝武時，進位太傅，領大司馬，進太宰，領司徒。時孝武嚴暴，義恭慮不見容，乃卑辭曲意附會。每有祥瑞，輒上賦頌。大明元年，有三脊茅生石頭西岸，又勸封禪，上甚悦。大明中，撰國史，孝武自爲義恭作傳。義恭作《要記》五卷，起前漢迄晉太元，表上之，詔付祕閣。及孝武崩，前廢帝狂悖無道，義恭與柳元景謀廢立。永光元年八月，廢帝率羽林兵於第害之，并四子，時年五十三。

又傳論曰："江夏王，高祖寵子，位居上相，大明之世，親禮冠朝。屈體降身，歸於卑下。得使虐朝暴主，顧無猜色，歷載踰十，以尊戚自保。及在永光，幼主南面，公旦之重，屬有所歸。自謂踐冰之慮已除，太山之安可恃，曾未云幾，而磔體分肌。古人以隱微致戒，斯爲篤矣。"

《唐書・經籍志》：《宋江夏王集》十三卷。

《唐書・藝文志》：《江夏王義恭集》十五卷。

馮氏《詩紀》輯存《樂府詩》凡七首。

嚴氏《全宋文編》：江夏王義恭有集十五卷。今存《感春賦》、《華林清暑殿賦》、《桐樹賦》、《白馬賦》、表、奏、議、答詔、啓事、書、紋、頌、贊凡三十五篇。

梁又有《宋衡陽王義季集》十卷，録一卷，亡。

《宋書・武三王傳》：衡陽文王義季，幼而夷簡，無鄙近之累。

元嘉元年，封衡陽王。十六年，代臨川王義慶都督荆、湘八州、荆州刺史。義季素拙書，上聽使餘人書啓事，唯自署名而已。二十二年，進督豫州，遷徐州刺史。義季嗜酒，酣縱成疾，太祖累詔不改，以至於終。二十四年薨於彭城，年二十三。

《唐書·經籍志》：《宋衡陽王集》十卷。

《唐書·藝文志》：《衡陽王義季集》十卷。

嚴氏《全宋文編》：衡陽王義季有集十卷。今存《傷劉道產啓》、《與江夏王義恭書》各一篇。

宋南平王鑠集五卷

《南史·文帝諸子傳》：南平穆王鑠，字休玄，文帝第四子也。元嘉十六年，年九歲，封南平王。少好學，有文才，未弱冠，《擬古》三十餘首，時人以爲亞迹陸機。二十二年，爲南豫州刺史。元凶弑立，以爲侍中、録尚書事。及義軍入宫，鑠與始興王濬俱歸孝武。濬即伏法。上迎鑠入營，進侍中、司空。鑠既歸義最晚，常懷憂懼。爲人負才狡競，每與兄弟計度藝能，與帝又不能和，食中遇毒，尋薨，時年二十三。贈司徒，加以楚穆之謚。

《金樓子·説蕃篇》曰："劉休元好學，有文才，爲《水仙賦》，當時以爲不減《洛神》；《擬古詩》，時人謂陸士衡之流也。余謂《水仙》不及《洛神》、《擬古》勝於士衡矣。"以今輯本及《御覽·文部》合校。

《唐書·經籍志》：《宋南平王集》五卷。

《唐書·藝文志》：《南平王鑠集》五卷。

馮氏《詩紀》輯存《擬古詩》五首，又《三婦艷詩》、《白紵曲》、《過歷山湛長史草堂》、《七夕詠牛女》、《秋歌》凡十首，又有《壽陽樂》九曲。

汪氏《文選撰人篇目》曰：“文選有宋劉休元鑠《擬古詩》二首。”

嚴氏《全宋文編》：①南平王鑠有集五卷。《宋書・索虜傳》有《答移魏若庫仁樹蘭》一篇。

梁有《宋竟陵王誕集》二十卷，亡。

《宋書・文五王傳》：竟陵王誕字休文，文帝第六子也。元嘉二十年，年十一，封廣陵王。二十六年，改封隨郡王。孝武即位，改封竟陵王。明年，南郡王義宣舉兵反，有荊、江、兗、豫四州之力，勢震天下。上即位日淺，朝野大懼。上欲奉乘輿法物，以迎義宣，誕固執不可，然後處分。上流平定，誕之力也。初討元凶，與上同舉兵，有奔牛之捷，至是又有殊勳。上性多猜，頗相疑憚。後出爲南兗州刺史，鎮廣陵。大明三年，舉兵拒命，乃遣車騎大將軍討斬之，年二十七。貶姓留氏。

馮氏《詩紀》：《古今樂録》曰：“《襄陽樂》者，宋隨王誕所作也。誕始爲襄陽郡，元嘉二十六年仍爲雍州刺史。聞諸女歌謠，因而作之，凡九曲云。”

嚴氏《全宋文編》：竟陵王誕有集二十卷。今惟存本傳所載《奉表自陳》一篇。

梁有《建平王休祐集》十卷。 “休祐”當是“休度”之誤。

《宋書・文九王傳》：建平宣簡王宏，字休度，文帝第七子也。元嘉二十一年，年十一，封建平王。少而閑素，篤好文籍。太祖寵愛殊常，爲立第於雞籠山，盡山水之美。建平國職高他國一階。宏爲人謙儉周慎，禮賢接士，明曉政事。孝武時，歷衛將軍、中書監、尚書令。大明二年薨，年二十五。上痛悼甚至，自爲墓誌銘并诔。子景素嗣。

---

① “宋”，原作“晉”，據清光緒王氏刻本《全上古三代秦漢三國六朝文》改。

《唐書·經籍志》：宋《建平王集》十卷，宋《建平王小集》十五卷。

《唐書·藝文志》：《建平王宏集》十卷，又《小集》六卷。

嚴氏《全宋文編》：《宋書》本傳及《禮志》、《樂志》、《通典》有《駁丘遇之閏月周忌議》、《讜言陳時務議》、《廟樂議》、《天子爲皇后父服議》、《天子屬車十二乘議》，凡六篇。

梁有《新渝惠侯義宗集》十二卷，亡。

《宋書·宗室傳》：長沙景王道憐，高祖中弟也。道憐六子：義欣、義慶、義融、義宗、義賓、義綦。義宗幼爲高祖所愛，字曰伯奴，賜爵新渝縣男。永初元年，進爵爲侯。歷官至征虜將軍、南兗州刺史。元嘉二十一年卒官，諡曰惠侯。愛士樂施，兼好文籍，世以此稱之。

《唐書·經籍志》：《宋劉義宗集》十五卷。

《唐書·藝文志》：《新渝侯義宗集》十二卷。

梁有《宋散騎常侍祖柔之集》二十卷，亡。

祖柔之始末未詳。

宋豫章太守謝瞻集三卷

《南史·謝晦傳》：晦，陳郡陽夏人，晉太常裒之玄孫也。裒子據，據子朗，朗子重。重生絢、瞻、晦、嚼、遯。瞻字宣遠，一名檐，字通遠，晦次兄也。六歲能屬文，爲《紫石英贊》、《果然詩》，爲當時才士歎異。與從叔琨、《宋書》作“混”，是也。族弟靈運俱有盛名。嘗作《喜霽詩》，靈運寫之，琨詠之。王弘在坐，以爲三絕。歷宋武帝相國從事中郎、豫章太守。永初二年疾篤還都，卒年三十五。瞻文章之美，與從叔琨、族弟靈運相抗。

《文選》謝宣遠《張子房詩》注：沈約《宋書》曰：“姚泓新立，關中亂。義熙十三年正月，公以舟師進討，軍頓留項城，經張良廟。”王儉《七志》曰：“高祖游張良廟，並命僚佐賦詩，瞻之所造,冠於一時。"

《唐書·經籍》、《藝文志》:《謝瞻集》二卷。

汪氏《文選撰人篇目》曰:"《文選》有《宋謝宣遠瞻戲馬臺詩》、《庾西陽集別詩》、《張子房詩》、《答靈運詩》、《安城答靈運詩》凡五篇。"馮氏《詩紀》所載未有逸出在五篇之外者。

嚴氏《全宋文編》:謝瞻有集三卷。《藝文類聚》八十七有《枇杷樹賦》,本傳有《臨終遺弟晦書》,凡二篇。案瞻傳有《紫石英贊》,今亡。

梁有《宋征虜將軍林子集》七卷,亡。

沈約《宋書·自序》:林子,字敬士,田子弟也。年十三,遇家禍,案林子父穆夫,爲孫恩之黨,恩敗見誅。逃伏草澤。後歸高祖,盡室移京口。高祖分宅給焉,博覽衆書,留心文義。從高祖剋京城,進平都邑。高祖踐阼,以佐命功,封漢壽縣伯,位輔國將軍。永初三年薨,年四十六。元嘉二十五年,謚曰懷伯。所著詩、賦、贊、三言、箴、祭文、樂府、表、牋、書記、白事、啓事、論、老子一百二十一首。太祖後讀林子集,歎息曰:"此人作公,應繼王太保。"謂太保王弘也,亦有集,見後。

《梁書·沈約傳》:約,吳興武康人也。祖林子,宋征虜將軍。

《唐書·經籍》、《藝文志》:《沈林子集》七卷。

宋太常卿孔琳之集九卷并目録。梁十卷。録一卷。

《晉書·孔群傳》:群子沈,與魏顗、虞球、虞存、謝奉並爲四族之儁。沈子廞,廞子琳之,以草書擅名,又爲吳興太守、侍中。

《宋書》、《南史》本傳:琳之字彦琳,會稽山陰人。彊正有志力,好文義,解音律,能彈棋,妙善草隸。爲桓玄太尉、南閣祭酒。數遷。宋臺建,除侍中。永初二年,爲御史中丞,明憲直法,無所屈撓。奏劾尚書令徐羨之,百僚震肅,莫敢犯禁。武帝甚嘉之。遷祠部尚書。景平元年卒,追贈太常。"

《唐書‧經籍》、《藝文志》：《孔琳之集》十卷。別本《舊唐志》或重出一部，寫刊之誤也。

曲阜孔繼汾《闕里文獻考》曰：“孔氏別集有先聖二十八代孫、宋祠部尚書琳之集十卷，《隋志》九卷。”

嚴氏《全宋文編》：孔琳之有集十卷。今存奏、議、答難、書凡九篇。

宋王敨之集七卷　梁十卷，錄一卷。

王敨之即王叔之，有《莊子義疏》，見子部道家。

《唐書‧經籍》、《藝文志》：《王敨之集》十卷。

馮氏《詩紀》：王叔之，爵里無考。有《游羅浮山詩》、《擬古詩》各一首。

嚴氏《全宋文編》曰：“王叔之有集十卷。按《隋志》有《宋王敨之集》七卷，梁十卷。《舊唐志》作王叔之，群書引見作升之、叔之、叔元、淑之與敨之，名凡五異，疑止一人，今從《釋文‧敨錄》，列叔之名。《類聚》、《書鈔》、《御覽》有《翟雉賦》、《遂隱論》、《懷舊序》、《傷孤鳥詩序》、《續劉伯倫酒德頌》、《舟贊》、《筍贊》、《甘橘贊》、《蘭菊銘》，凡九篇。”

宋太中大夫徐廣集十五卷　錄一卷

徐廣有《毛詩背隱義》，見經部詩類。

《宋書》本傳：廣父藻，都水使者。兄邈，太子前衛率。家世好學，至廣尤精。性好讀書，老猶不倦。史臣曰：“臧燾、徐廣、傅隆、裴松之、何承天、雷次宗，並服膺聖哲，不爲雅俗推移，立名於世，宜矣。”

《唐書‧經籍》、《藝文志》：《徐廣集》十五卷。

嚴氏《全晉文編》曰：“《初學記》、《書鈔》有徐廣《秋賦》、《悼亡賦》、《釣賦》，《晉》、《宋書‧禮志》、本傳、《通典》有表、議、答問，總凡十四篇。”

宋祕書監盧繁集一卷。殘缺。梁十卷。錄一卷。

盧繁或作虞繁，始末並未詳。

嚴氏《全宋文編》曰：“虞繁，《隋志》作盧繁，仕晉官爵未詳，入宋爲祕書監。有集十卷。《藝文類聚》八十一、《御覽》九百九十四載繁有《蜀葵賦》一篇。”

宋侍中孔寧子集十一卷并目錄。梁十五卷。錄一卷。

《宋書·王華傳》：會稽孔寧子先爲高祖太尉主簿，陳損益曰云云。後爲太祖鎮西諮議參軍，以文義見賞。太祖即位，爲黃門侍郎，領步兵校尉。元嘉二年病卒。史臣曰：“元嘉初，誅滅宰相，蓋王華、孔寧子之力也。夫殺人而取其璧，不知在己興累；傾物而移其寵，不忌自我難持。若二子永年，亦未知來禍所止也。”案元嘉初誅宰相者，謂徐羨之、傅亮、謝晦也，事在元嘉三年。寧子已前一年卒。華四年五月亦卒。

《唐書·經籍》、《藝文志》：《孔寧子集》十五卷。

馮氏《詩紀》輯存《櫂歌行》一篇。

嚴氏《全宋文編》曰：“孔寧子，會稽山陰人，義熙初爲何無忌會稽掾屬，後爲武帝太尉主簿。永初中爲文帝鎮西諮議，丁艱去職。景平末，會稽太守褚淡之起爲將軍。文帝即位，以爲黃門侍郎，領步兵校尉，進侍中。元嘉二年卒。有集十五卷。《宋書·王華傳》有《陳損益》一篇，《初學記》、《類聚》有《犙牛賦》、《井頌》、《水贊》，凡四篇。”

宋建安太守卞瑾集十卷。梁十卷。案此注“梁十卷”，則著錄必非十卷可知。

卞瑾始末未詳。

《唐書·經籍》、《藝文志》：《卞瑾集》十卷。

宋太常卿蔡廓集九卷并目錄。梁十卷。錄一卷。

《宋書》、《南史》本傳：廓字子度，濟陽考城人，晉司徒謨之曾孫也。博涉群書，言行以禮，起家著作佐郎。後爲宋武帝太尉參軍。以方梗閑素，爲武帝所知。宋臺建，爲侍中。武帝以廓剛直，補御史中丞，多所糾奏，百寮震肅。數遷，爲祠部尚書。元嘉二年卒，年四十七。

《唐書·經籍》、《藝文志》：《蔡廓集》十卷。

嚴氏《全宋文編》：蔡廓有集十卷。今存奏、議、書凡六篇。

梁又有《宋王韶之集》二十四卷，亡。琅邪。

王韶之有《晉紀》十卷，見史部古史類。

《宋書》、《南史》本傳：晉帝自孝武以來常居内殿，武官主書於中通呈，以省官一人管詔誥，住西省，因謂之西省郎。傅亮、羊徽相代在職。義熙十一年，宋武帝以韶之博學有文辭，補通直郎，領西省事。晉安帝之崩，武帝使韶之與帝左右密加酖毒。恭帝即位，遷黄門侍郎，領著作，西省如故。凡諸詔奏皆其辭也。又宋七廟歌辭，韶之制也。文集行於世。

《唐書·經籍志》：“《王韶之集》二十四卷。”《藝文志》二十卷。

馮氏《詩紀》輯存《贈潘綜吳逵舉孝廉詩》六首、《詠雪離合詩》一首。又《宋書·樂志》曰：“武帝永初中，詔廟樂用王韶之所造《七廟登歌》七首。又有《七廟享神登歌》一首，并以歌章太后，其辭亦韶之造。”又曰：“黄門侍郎王韶之造《四廟樂歌》五篇，凡三十二章，又造《舞歌》二篇。”

嚴氏《全宋文編》：王韶之有集二十四卷。今存《詠雪離合》一篇，《爲晉恭帝禪詔》、《禪策》、《璽書禪位》各一篇，啓、駁、教各一篇。

宋尚書令傅亮集三十一卷。梁二十卷。録一卷。

傅亮有《應驗記》一卷，見史部雜傳篇。

《宋書》、《南史》本傳：亮博涉經史，尤善文辭。武帝登庸之始，文筆皆是參軍滕演，北征廣固，悉委長史王誕。自此之後至於受命，表策文誥，皆亮辭也。_{案"自此之後"，當在晉義熙六年四月還}_{都之後也。}初，亮見世路屯險，著論名曰《演慎》。既居宰輔，兼總重權。少帝失德，內懷憂懼。直宿禁中，睹夜蛾赴燭，作《感物賦》以寄意。初奉迎大駕，道路賦詩三首。其一篇有悔懼之辭。自知傾覆，求退無由，又作辛有、穆生、董仲道贊，稱其見微之美云。

鍾嶸《詩品》曰："季友文，余嘗忽而不察。今沈特進撰詩，載其數首，亦復平矣。"_{案此特進謂沈約也，其所撰詩即《集鈔》十卷，見後總}_{集篇。}

《唐書·經籍》、《藝文志》：《傅亮集》十卷。

馮氏《詩紀》輯存《從武帝平閩中詩》、_{案當爲"關中"。}《從征詩》、《奉迎大駕道路賦詩》、《冬至詩》凡四首。

張氏《百三家·傅光祿集》一卷，凡賦六篇、《宋國封建禪代詔策文》九篇、教三、表四、奏一、碑銘三、《演慎論》一、書三、贊二、詩四。序曰："晉宋禪受，成於傅季友，表策文誥，誦言滿堂。九錫諸篇，固傅氏之丹書帶礪也，無能救死，何哉？"

汪氏《文選撰人篇目》曰："文選有宋傅季友亮《脩張良廟教》、《修楚元王墓教》、《謁王陵表》、《求加贈劉前軍表》。"

嚴氏《全宋文編》曰："傅亮有集三十一卷。張溥本有《進劉裕侍中車騎將軍詔》、《封豫章郡公詔》、《封宋公詔》、《進宋王詔》、《禪宋詔》、《禪策》、《禪宋璽書》，今考前二詔必非亮作，唯《宋公》、《宋王》二詔當屬亮，而無左證，禪代詔策，則王韶之作也。今存《喜雨賦》、《登陵囂館賦》、《登龍岡賦》、《征思賦》、《感物賦》、《芙蓉賦》、《立學詔》、《策加宋公九錫文》、教、表、奏、書、贊、《演慎論》，碑凡二十五篇。"

梁又有《宋征南長史孫康集》十卷，亡。

《唐書·經籍》、《藝文志》：《孫康集》十卷。

嚴氏《全宋文編》曰："孫康，太原中都人，晉長沙太守放孫，_{放有集，見前東晉人文中。}元嘉中爲起部郎，遷征南長史。有集十卷。《北堂書鈔》一百三十四有《團扇銘》一篇。"

梁又有《左軍長史范述集》三卷，亡。

范述始末未詳。_{《宋書·隱逸·龔祈傳》有中書郎范述，當即其人。}

宋太常卿鄭鮮之集十三卷。梁二十卷。録一卷。

《宋書》、《南史》本傳：鮮之字道子，滎陽開封人。祖襲，爲江乘令，因居縣境。下帷讀書，絶交游之務。初爲桓偉輔國主簿。宋武帝起義兵，數遷，爲御史中丞。性剛直，甚得司直之體。武帝踐阼，遷太常，都官尚書。以從征功，封龍陽縣五等子。元嘉三年，王弘入爲相，舉爲尚書右僕射。四年卒，時年六十四。追贈散騎常侍、金紫光禄大夫。文集傳於世。

《唐書·經籍》、《藝文志》：《鄭鮮之集》二十卷。

馮氏《詩紀》輯存《行經張子房廟詩》殘文一首。

嚴氏《全宋文編》：鄭鮮之有集二十卷。今存表、議、《啓事》、書、論、《祭牙文》凡九篇。

宋徵士陶潛集九卷。梁五卷。録一卷。

陶潛有《搜神後記》，見史部雜傳類。

《宋書》、《南史·隱逸傳》：潛自以曾祖晉世宰輔，恥復屈身後代，自宋武帝王業漸隆，不復肯仕。所著文章，皆題其年月，義熙以前，明書晉氏年號，自永初以來，唯云甲子而已。與子書以言其志，并爲訓戒。又爲《命子詩》以貽之。其妻翟氏，志趣亦同，能安苦節，夫耕於前，妻鋤於後云。

鍾嶸《詩品》曰："宋徵士陶潛詩，其源出於應璩，又協左思風力。文體省靜，殆無長語。篤意真古，辭興惋惬。每觀其文，想其人德。世歎其質直。至於'歡言酌春酒'、'日暮天無雲'，風華清靡，豈直爲田家語耶？古今隱逸詩人之宗也。"

《唐日本國見在書目》:《陶潛集》十卷。

《唐書·經籍志》:《陶淵明集》五卷。

《唐書·藝文志》:《陶潛集》二十卷。又《集》五卷。

《宋史·藝文志》:《陶淵明集》十卷。

《崇文總目》:《陶潛集》十卷。

晁氏《讀書志》:《陶潛集》十卷。晉陶淵明元亮也，一名潛，潯陽人。蕭統云淵明字元亮。《晉書》云潛字元亮，《宋書》云潛字淵明。或云字深明，名元亮。按集《孟嘉傳》與《祭妹文》皆自稱淵明，當從之。今集有數本：七卷者，梁蕭統編，以序、傳、顏延之誄載卷首。十卷者，北齊陽休之編，以《五孝傳》、《聖賢群輔錄》、序、傳、誄分三卷，益之詩，篇次差異。案《隋·經籍志》潛集九卷，又云梁有五卷，錄一卷。《唐·藝文志》潛集五卷。今本皆不與二《志》同。獨吳氏《西齋書目》有潛集十卷，疑即休之本也。休之本出宋庠家云。江左名家舊書，其次第最有倫貫，獨《四八目》後《八儒》、《三墨》二條，以後人妄加。

陳氏《書錄解題》:《陶靖節集》十卷，晉彭澤令潯陽陶潛淵明撰。或云淵明字元亮，大司馬侃曾孫，自號五柳先生，世稱靖節徵士。

《四庫類書存目》曰:"《聖賢群輔錄》二卷，一名《四八目》。舊附載《陶潛集》中。唐宋以來相沿引用，承譌踵謬，莫悟其非。"又曰:"《五孝傳》及《四八目》實北齊陽休之所增，蕭統舊本無是也。統序稱深愛其文，故加搜校。則八卷以外不應更有佚篇。至書以《聖賢群輔》爲名，而魯三桓、鄭七穆、晉六卿、魏四友，以及仕莽之唐林、唐遵、叛晉之王敦，並列簡編，名實相迕，理乖風教，亦決非潛之所爲。昔宋庠校正此集，僅知《八儒》、《三墨》二條爲後人竄入，而全書之僞竟不能明。

潛之受誣,已逾千載。"又雜家《鬻子提要》曰:"《四八目》一書凡古來帝王輔佐有數可紀者,靡不俱載。而《鬻子》書所列禹七大夫皋陶、杜子業、既子、施子黯、季子寧、然子堪、輕子玉、湯七大夫慶誧、伊尹、湟里且、東門虛、南門蝡、西門疵、北門側,皆具有姓名,獨不見收。"

《四庫簡明目錄》曰:"今所傳六朝別集,惟此與《謝朓集》爲原書。然亦北齊陽休之所編,增入《聖賢群輔錄》、《五孝傳贊》二書,已非昭明太子八卷之舊。宋庠校正,又未能辨二書之依託,遂流傳至今。今删除二書,仍存八卷,雖未必合昭明之原第,而黜僞存真,庶幾猶爲近古焉。"

汪氏《文選撰人篇目》曰:"《文選》有晉陶淵明潛《經曲阿詩》、《夜行塗口詩》、《挽歌》一首、《雜詩》二首、《貧士詩》一首、《山海經詩》一首、《擬古詩》一首、《歸去來辭》。"

張氏《書目答問》:《陶淵明文集》十卷,汲古閣仿宋大字本,何氏成都刻繙毛本。《陶靖節詩注》四卷,宋湯漢注,拜經樓校本。案其書至多宋庠之時已云有數十本,今則陳陳相因悉數之不能盡。

梁又有《張野集》十卷,亡。

張野始末未詳。

嚴氏《全宋文編》曰:"張野仕晉入宋,官爵未詳。《世説·文學篇》注有《遠法師銘》一篇。"案《高僧·慧遠傳》云:"南陽宗炳、張萊民、張季碩並棄世遺榮依遠遁止。"疑張萊民即野之字。《御覽》諸書引張野《廬山記》,蓋即此張野。《廬山記》不詳若干卷,當編入是集。

梁又有《宋零陵令陶階集》八卷,亡。

陶階始末未詳。

梁又有《東莞太尉張元瑾集》八卷,亡。

張元瑾始末未詳。

梁又有《光禄大夫王曇首集》二卷,錄一卷,亡。琅邪。

《晉書·王導傳》:導第三字洽,洽長子珣。珣五子:弘、虞、柳、孺、曇首。宋世並有高名。

《宋書》、《南史》本傳：曇首，太保弘少弟也。幼有素尚。辟琅邪王大司馬屬。與從弟球俱詣宋武帝。至彭城，大會戲馬臺，賦詩，曇首文先成。爲文帝鎮西長史。武帝謂文帝曰："曇首，輔相才也，汝可每事諮之。"及文帝即位，以爲侍中，領驍騎將軍，遷太子詹事。元嘉七年卒，時年三十七。贈光禄大夫。九年，以預誅徐羨之等謀，追封豫寧縣侯。謐曰文侯。子僧綽嗣。

《唐書·經籍》、《藝文志》：《王曇首集》二卷。

嚴氏《全宋文編》：王曇首有集二卷。本傳有《南臺不開門啓》，《淳化閣帖》有《與釋某書》各一篇。

宋太常卿范泰集十九卷。梁二十卷。録一卷。

范泰《古今善言》，見子部雜家。

《宋書》、《南史》本傳：武帝受命，議建國學，以泰領國子祭酒，泰上表陳獎進之道。又言事者多以錢貨減少，國用不足，欲更造五銖錢。泰又諫，以謂損多益少。少帝在位，多諸愆失，泰上封事極諫。帝雖不納，亦不加譴。徐羨之、傅亮等與泰素不平，及少帝、盧陵王義真見害，泰謂所親曰："吾觀古今多矣，未有受遺顧託，而嗣君見殺，賢王嬰戮者也。"元嘉二年，泰表賀元正，并陳旱災，多所獎勸。三年，旱災未已，加以疾疫，泰又上表勸戒。泰博覽篇籍，好爲文章，撰《古今善言》及文集傳於世。

《唐書·經籍》、《藝文志》：《范泰集》二十卷。

馮氏《詩紀》輯存《經漢高廟》、《鸞鳥》、《詠老》凡三首。

嚴氏《全宋文編》：范泰有集二十卷。今存表、諫、封事、議、書、序、贊、祭文凡二十篇。

宋中書郎荀昶集十四卷。梁十五卷。録一卷。

荀昶有《集議孝經》，見經部。

《唐書·經籍》、《藝文志》：《荀昶集》十四卷。

馮氏《詩紀》輯存《擬相逢狹路間》、《擬青青河畔草》各一首。

梁又有《卞伯玉集》五卷，錄一卷，亡。

卞伯玉有《繫辭注》，見經部易類。

《唐書·經籍》、《藝文志》：《卞伯玉集》五卷。

馮氏《詩紀》曰："《初學記》有卞伯玉《中書郎詩》一首。"馮氏編入齊代，非也。

嚴氏《全宋文編》：卞伯玉有集五卷。《類聚》、《御覽》有《大暑賦》、《菊賦》、《薺賦》、《祭孫叔敖文》，凡四篇。

梁又有中散大夫《羊欣集》九卷，亡。

羊欣有《羊中散藥方》三十卷，見子部醫家。

《南齊書·王僧虔傳》：太祖善書。及即位，篤好不已。僧虔上羊欣所撰《能書人名》一卷。案《能書人名》當在本集，今見張彥遠《法書要錄》中。

嚴氏《全宋文編》：羊欣有集八卷。今惟見《淳化閣帖》《書》一篇。

宋司徒王弘集一卷。梁二十卷。錄一卷。琅邪。

王弘有《書儀》十卷，見史部儀注篇。

《宋書》、《南史》本傳："弘少好學，以清悟知名。與尚書僕射謝混善。博練政體，留心庶事，斟酌時宜，每存優允。弟曇首亡，文帝嗟悼不已，見弘流涕。"又傳論曰："語云'不有君子，其能國乎'！晉自中原沸騰，介居江左，以一隅之地，抗衡上國，年移三百，蓋有憑焉。其初諺云'王與馬，共天下'，蓋王氏人倫之盛，實始是矣。及夫休元弟兄，並舉棟梁之任，下逮世嗣，無虧文雅之風。其所以簪纓不替，豈徒然也！"

《唐書·經籍》、《藝文志》：《王弘集》二十卷。

嚴氏《全宋文編》：王弘有集二十卷。今存表、奏、疏、議、書十三篇。

梁又有《金紫光禄大夫沈演集》十卷。"演"下或敓"之"字。

《宋書》、《南史》本傳：沈演之字臺真，吳興武康人也。高祖充，晉車騎將軍，吳國内史。案沈充，王敦黨，有集見前。沈氏家世爲將，而演之折節好學，讀《老子》日百徧，以義理業尚知名。襲父别爵吉陽縣五等侯。舉秀才，爲嘉興令，累遷侍中，左、右衛將軍，吏部尚書，領太子右衛率。元嘉二十六年卒，年五十三。追贈散騎常侍、金紫光禄大夫。諡曰貞。

嚴氏《全宋文編》：沈演之有表、議、《嘉禾頌》、《白鳩頌》凡四篇。

梁又有《廣平太守范凱集》八卷，亡。

《春秋穀梁傳序》疏：案《晉書》："范寧字武子，順陽縣人。爲豫章太守。長子名泰，字伯倫。中子名雍，字仲倫。小子名凱，字季倫。"

宋沙門釋惠琳集五卷。梁九卷。録一卷。

惠琳即慧琳，有《孝經注》一卷，見經部。

慧皎《高僧·釋道淵附傳》：淵弟子慧琳，善諸經及《莊》、《老》。俳諧好語笑，長於製作，故集有十卷。而爲性傲誕，頗自矜伐。宋世祖雅重琳，引見常昇獨榻。顏延之每以致譏，帝輒不悦。著《白黑論》，乖於佛理。衡陽太守何承天與琳比狎，雅相激揚，著《達性論》，並拘滯一方，詆呵釋教。顏延之及宗炳難駁二論各萬餘言。琳既自毁其法，被斥交州。世云淵公見麻星者，即其人也。

《宋書·天竺迦毗黎國附傳》：宋世名僧有道生，沙門慧琳爲之誄。慧琳有才章，兼外内之學，嘗著《均善論》，案即《白黑論》。行於世。舊僧謂其貶黜釋氏，欲加擯斥。太祖見論賞之。元嘉中，遂參權要，勢傾一時。注《孝經》及《莊子·逍遥篇》、文論，傳於世。案梁皇侃《論語義疏》引惠琳說，則琳又有《論語》注。

《唐書·經籍志》：《沙門惠琳集》五卷。

《唐書·藝文志》：《僧惠琳集》五卷。

嚴氏《全宋文編》：釋慧琳有集九卷。《宋書·天竺迦毗黎國傳》有《均善論》，《廣弘明集》有《龍光寺竺道生法師誄》、《武丘法綱法師誄》，凡三篇。

梁又有《宋范晏集》十四卷，亡。

范晏有《陰德傳》，見史部雜傳篇。

宋司徒府參軍謝惠連集六卷。梁五卷。錄一卷。

《宋書》、《南史·謝方明傳》：方明，陳郡陽夏人。祖鐵，永嘉太守。父沖，中書侍郎。家在會稽。案晉太常袞六子：奕、據、安、萬、石、鐵。鐵，蓋太傅安之最少弟也。方明仕至會稽太守。永嘉三年卒官。子惠連，十歲能屬文，族兄靈運知賞之，云：「每有篇章，對惠連輒得佳語。」惠連先愛幸會稽郡吏杜德靈，及居父憂，贈以五言詩十餘首，《乘流遵歸路》諸篇是也。坐廢不豫榮伍。尚書僕射殷景仁愛其才，言次白文帝，言：「臣小兒時便見此文，而論者云是惠連，其實非也。」文帝曰：「若此便應通之。」元嘉七年，方爲司徒彭城王義康法曹行參軍。義康修東府城，城壍中得古冢，爲之改葬，使惠連爲祭文，留信待成，其文甚美。又爲《雪賦》，以高麗見奇。靈運見其新文，每曰：「張華重生，不能易也。」文章行於世。年三十七卒。既早亡，輕薄多尤累，故官不顯。

又《謝靈運傳》：靈運與族弟惠連、東海何長瑜、潁川荀雍、太山羊璿之以文章賞會，共爲山澤之游，時人謂之四友。惠連又有才悟，而輕薄不爲父方明所知。方明爲會稽郡，靈運造之，過視惠連，大相知賞，謂方明曰：「阿連才悟如此，而尊作常兒遇之。」

鍾嶸《詩品》曰："小謝才思富捷，恨其蘭玉風凋，故長轡未騁。《秋懷》、《搗衣》之作，雖復靈運銳思，亦何以加焉。又工爲綺麗歌謠，風人第一。《謝氏家錄》云：'康樂每對惠連，輒得佳語。後在永嘉、西堂，思詩竟日不就。寤寐間忽見惠連，即成《池塘生春草》。故常云：此語有神助，非吾語也。'"

《唐書·藝文志》：《謝惠連集》五卷。<small>《宋史·藝文志》同。</small>

晁氏《讀書志》：《謝惠連集》五卷。宋謝惠連，方明子也。

陳氏《書錄》詩集類：《謝惠連集》一卷，宋司徒參軍謝惠連撰。本集五卷，今惟詩二十四首。惠連得名早，死時才三十七歲。

馮氏《詩紀》輯存四、五言詩二十九篇，凡三十六首。

張氏《百三家》輯本序錄曰："謝法曹集，文字頗少。唯《祭古冢文》簡而有意，曹子建伏軾而問髑髏，辭不逮也。《雪賦》雖名高麗，與希逸《月賦》，僅雁序耳。詩則《秋懷》、《搗衣》二篇居最。《詩品》云康樂銳思，無以復加。若《西陵遇風》，則非敵矣。《乘流遵歸路》諸篇一生坎壈所由，今逸不存。豈自悔失言，先絕其傳歟？凡賦、贊、箴、連珠、祭文、樂府詩合四十七篇。"

汪氏《文選撰人篇目》曰："《文選》有宋謝惠連《雪賦》、《泛湖玩月詩》、《秋懷詩》、《西陵遇風詩》、《詠牛女詩》、《搗衣詩》、《祭古冢文》。"

嚴氏《全宋文編》："謝惠連有集六卷。《文選》、《類聚》有《雪賦》等五篇，《雪贊》等六篇，《連珠》、《目箴》、《口箴》、《祭禹廟文》、《祭周居士文》、《祭古冢文》，綜凡一十七篇。"又《文編》卷首敍錄曰："《謝惠連集》一卷。"<small>明刻本。</small>

石門顧脩《彙刻書目》：《謝惠連集》一卷，明汪士賢刊，《漢魏六朝二十名家集》本。

梁又有《宋太常謝弘微集》二卷，亡。

《宋書》、《南史》本傳：謝密，字弘微，陳郡陽夏人，晉西中郎萬
之曾孫。襲爵建昌縣侯。叔父混，風格高峻，少所交納，惟與
族子靈運、瞻、晦、曜、弘微並以文義賞會，常共宴處，在烏衣
巷，故謂之烏衣之游。瞻等才辭辨富，弘微每以約言服之，混
特所敬貴，號曰微子。謂瞻等曰："汝諸人雖才義豐辨，未必
皆愜衆心，至於領會機賞，言約理要，故當與我共推微子。"常
言"微子，吾無間然"。又嘗因酣晏之餘，爲韻語以獎勸靈運
等，唯弘微獨盡褒美。文帝即位，爲黃門郎，與王華、王曇首、
殷景仁、劉湛等號曰五臣。遷尚書吏部郎，參機密。歷右衞
將軍、侍中。元嘉十年卒，年四十二。贈太常。

《唐書·經籍》、《藝文志》：《謝弘微集》二卷。

宋臨川内史謝靈運集十九卷。梁二十卷。録一卷。

謝靈運有《晉書》，見史部正史類。

《晉書·謝玄傳》：玄以破苻堅功，封康樂縣公。子瑍嗣，早
卒。子靈運嗣。瑍少不惠，而靈運文藻豔逸。玄嘗稱曰："我
尚生瑍，瑍那得不生靈運！"永熙中，爲劉裕世子左衞率。

《宋書》、《南史》本傳：靈運少好學，博覽群書，文章之美，與顔
延之爲江左第一。縱橫俊發，過於延之，深密不如也。從叔
祖混特加愛之。奉使慰勞宋武帝於彭城，作《撰征賦》。少帝
時，出爲永嘉太守。既不得志，肆意游遨，所至輒爲詩咏以至
其意。及去職，與隱士王弘之、孔淳之等放蕩爲娛，有終焉之
志。每有一詩至都下，貴賤莫不競寫，宿昔間士庶皆徧，名動
都下。作《山居賦》，并自注以言其事。所著文章傳於世。

《南史》傳論曰："謝氏自晉以降，雅道相傳，可謂德門者矣。
靈運才名，江左獨振，而猖獗不已，自致覆亡。人各有能，兹
言乃信，惜乎！"

鍾嶸《詩品》曰："宋臨川太守謝靈運詩，其源出於陳思，雜有景陽之體。故尚巧似，而逸蕩過之，頗以繁蕪爲累。嶸謂若人興多才高，博寓目輒書，内無乏思，外無遺物，其繁富宜哉！然名章迥句，處處間起；麗典新聲，絡繹奔會。譬猶青松之拔灌木，白玉之暎塵沙，未足貶其高潔也。初，錢塘杜明師夜夢東南有人來入其館，是夕，即靈運生於會稽。其家以子孫難得，送靈運於杜治養之。十五方還都，故名'客兒。'"原注云："治，音稚，奉道之家靖室也。"

《唐書·經籍》、《藝文志》：《謝靈運集》十五卷。《宋史·藝文志》：九卷。

馮氏《詩紀》輯存《樂府詩》二卷。

張氏《百三家·謝康樂集》二卷，凡賦、表、牋、書、《游名山志》、論、頌、贊、銘、《七濟》、誄爲一卷，樂府詩爲一卷。"

汪氏《文選撰人篇目》：宋謝靈運有《述祖德詩》、《戲馬臺詩》、《方山詩》、《北固詩》、《西射堂詩》、《池上樓詩》、《南亭詩》、《帆海詩》、《石壁精舍詩》、《石門詩》、《南山往北山詩》、《斤竹澗詩》、《廬陵墓詩》、《還舊園詩》、《臨海嶠詩》、《酬惠連詩》、《初發都詩》、《過始興墅詩》、《富春渚詩》、《七里瀨詩》、《江中孤嶼詩》、《初去郡詩》、《石首城詩》、《憶山中詩》、《彭蠡湖口詩》、《華子岡詩》、《樂府》一首、《南樓詩》、《田南樹園詩》、《齋中讀書詩》、《石門新營詩》、《擬鄴中詩》八首。

嚴氏《全宋文編》輯存賦、表、牋、書、論、《七濟》、《游名山志》、序、頌、贊、銘、誄、祭文凡四十二篇，編爲四卷。"又《文編》卷首敍録曰："《謝靈運集》四卷，明沈道初刻本。"

顧氏《彙刻書目》曰："《謝康樂集》四卷，明汪士賢刊，《漢魏二十名家集》本。"

宋給事中丘深之集七卷。梁十五卷。

丘深之即丘淵之,有《晉義熙以來新集目錄》,見史部簿錄家。

《唐書·經籍志》:《丘泉之集》六卷。

《唐書·藝文志》:《丘淵之集》六卷。

案諸類書引丘淵之《征齊道里記》當編入本集。蓋義熙五六年間,從宋武帝北征慕容超時所作也。

梁又有《義成太守祖仚之集》五卷,亡。

祖仚之始末未詳。

案昭明太子《陶淵明傳》云:“時周續之入廬山,劉遺民亦遁跡匡山,淵明又不應徵命,謂之‘潯陽三隱’。後刺史檀韶苦請續之出州,與學士祖企、謝景夷三人,共在城北講禮加以讎校,所住公廨,近於馬隊。是故淵明示其詩云:‘周生述孔業,祖謝響然臻。馬隊非講肆,校書亦已勤。’”案祖企似即此祖仚之後,官義成太守歟?

梁又有《荆州西曹孫韶集》十卷,亡。

孫韶始末未詳。

梁又有《殷淳集》二卷,亡。

《宋書》本傳:“淳字粹遠,陳郡長平人。曾祖融,祖允,並晉太常。案融、允,並有集見前。淳少好學,有美名。少帝景平初,爲祕書郎,衡陽王文學,祕書丞,中書黃門侍郎。高簡寡慾,早有清尚,愛好文義,未嘗違捨。在祕書閣撰《四部書目》凡四十卷,行於世。元嘉十一年卒,年三十二,朝廷痛惜之。”又曰:“元凶妃即淳女也。”

《唐書·經籍》、《藝文志》:《殷淳集》三卷。

梁又有《揚州刺史殷景仁集》九卷,亡。

《宋書》、《南史》本傳:景仁,陳郡長平人也。曾祖融,晉太常。

景仁學不爲文,敏有思致,口不談義,深達理體,至於國典朝儀,舊章記注,莫不撰録,識者知其有當世之志也。嘗建議請百官舉才,以所薦能否黜涉。武帝甚知之。文帝即位,與土華、王曇首、劉湛四人並爲侍中,遷尚書僕射、中書令、護軍將軍,領吏部,代彭城王義康爲揚州刺史。卒年五十一。贈侍中、司空。謚曰文成公。

嚴氏《全宋文編》曰:"景仁名鐵,以字行。元嘉十七年卒。有集九卷。《宋書》本傳有《辭侍中表》、《章太后生母蘇氏喪禮議》各一篇,《廣弘明集》有《文殊像贊》一篇、《文殊師利贊》一篇。"

梁又有《國子博士姚濤之集》二十卷,録一卷,亡。

姚濤之始末未詳。

《唐書·經籍》、《藝文志》:《姚濤之集》二十卷。

梁又有《周祋集》十一卷,亡。

周祋始末未詳。

殷闡之集一卷

殷闡之始末未詳。

案本志前注云:"梁有晉相國主簿《殷闡集》十卷,録一卷,亡。"列在晉末,與此時代相近,疑此即其殘本。惟前作"殷闡",此作"闡之"者,六朝人名往往如此,此不足以爲疑也。

宋徵士宗景集十六卷。梁十五卷。即宗炳,唐人避諱改。

《宋書》、《南史·隱逸傳》:宗炳字少文,南陽涅陽人也。妙善琴書圖畫,精於言理,每游山水,往輒忘歸。入廬山就釋慧遠考尋文義。宋受禪,及元嘉中,頻徵並不應。元嘉二十年卒,年六十九。

《梁書·宗夬傳》:夬,南陽涅陽人也,世居江陵。祖景,宋時徵太子庶子,不就,有高名。

《唐書·經籍》、《藝文志》:《宗炳集》十五卷。

嚴氏《全宋文編》：宗炳有集十六卷。今存議、書、序、頌、《明佛論》凡八篇。<small>案《明佛論》蓋爲慧琳《白黑論》、何承天《達性論》而作，即慧皎《高僧傳》所爲"顏延之、宗炳難駁二論，各萬餘言"者是也。</small>

宋徵士雷次宗集十六卷。梁二十九卷。錄一卷。

雷次宗有《毛詩序義》，見經部詩家。

《宋書》、《南史·隱逸傳》：次宗少入廬山，事沙門慧遠，篤志好學。隱退不交世務，與子姪書以言所守。

《唐書·經籍》、《藝文志》：《雷次宗集》三十卷。

嚴氏《全宋文編》曰："次宗，本傳有《與子姪書》，《通典》有《答袁悠問》、《蔡廓問》、《論甥姪》，凡四篇。"

宋奉朝請伍輯之集十二卷

伍輯之始末未詳。

《唐書·經籍》、《藝文志》：《伍輯之集》十一卷。

馮氏《詩紀》曰："伍輯之，爵里無考，有《勞歌》二篇。"

嚴氏《全宋文編》曰："伍輯之，仕晉，爵里未詳，入宋爲奉朝請。有集十二卷。《藝文類聚》、《初學記》有《園桃賦》、《柳花賦》各一篇。"<small>案諸類書引伍輯之《從征記》，似與郭緣生、戴延之、裴松之、丘淵之並從宋武帝北征、西征者，義熙中同爲守武官屬也。</small>

梁有《宋南蠻主簿衞令元集》八卷，亡。

衞令元始末未詳。

《唐書·經籍》、《藝文志》：《衞令元集》八卷。

梁有《范曄集》十五卷，錄一卷，亡。

范曄有《後漢書》，見史部正史類。

《宋書》本傳："曄性精微有思致，觸類多善，衣裳器服，莫不增損制度，世人皆法學之。獄中與諸甥姪書以自序。"其略又曰："曄自序並實，故存之。"

鍾嶸《詩品》曰："宋記室何長瑜、羊曜璠、詹事范曄詩，乃不稱其才,亦爲鮮舉矣。"

馮氏《詩紀》輯存《樂游應詔詩》、《臨終詩》各一首。

汪氏《文選撰人篇目》曰:"《文選》有宋范蔚宗曄《樂游應詔詩》、《後漢書·皇后紀論》、《二十八將論》、《宦者傳論》、《逸民傳論》、《光武紀贊》。"

嚴氏《全宋文編》:范曄有集十五卷。本傳所載有《探時旨上言》一篇、《作彭城王義康與徐湛之書》一篇、《獄中與諸甥姪書》一篇、《和香方序》一篇,《藝文類聚》又有《雙鶴詩序》,凡存五篇。

梁有《撫軍諮議范廣集》一卷,亡。"范廣"當作"范廣淵",唐人避諱,節去"淵"字。

《宋書·范曄傳》:"元嘉元年冬,曄弟廣淵時爲司徒祭酒。"又《范泰傳》:"泰少子廣淵,善屬文,世祖撫軍諮議參軍,領記室,坐曄事從誅。"

梁有《右光禄大夫王敬集》五卷,録一卷,亡。當爲王敬弘。琅邪。

《宋書》、《南史》本傳:王裕之字敬弘,晉驃騎將軍廙之曾孫,司州刺史胡之之孫也。名與宋武帝諱同,故以字行。王廙、王胡之,並有集見前。敬弘少有清尚,仕晉,入宋,至尚書僕射、侍中、左光禄大夫、開府儀同三司。元嘉二十四年,薨於餘杭之舍亭山,年八十八。順帝時追謚文貞公。敬弘性恬靜,樂山水。所居舍亭山,林澗環周,備登臨之美,故時人謂之王東山。

嚴氏《全宋文編》曰:"《隋志》,梁有右光禄大夫《王敬集》五卷,録一卷,當是左光禄大夫王敬弘,轉寫有誤敓耳。今存表、奏、書凡六篇,並見本傳及《隱逸·王弘之傳》。"案王弘之,其從弟也。

梁有《任豫集》六卷,亡。

任豫有《禮論條牒》、《禮論帖》,見經部禮類。

嚴氏《全宋文編》曰："任豫有集六卷。《類聚》、《御覽》有《藉田賦》一篇。"案諸書引任豫《益州記》，《隋》、《唐志》皆不著，或編入本集。

宋御史中丞何承天集二十卷。梁三十二卷，亡。

何承天有《禮論》，見經部禮類。

《宋書》、《南史》本傳：承天五歲喪父。母，徐廣姊也，聰明博學，故承天幼漸訓義，儒史百家，莫不該覽。爲御史中丞，時魏軍南伐，文帝訪群臣捍禦之略。承天上《安邊論》，凡陳四事：其一，移遠就近，以實內地；其二，浚復城隍，以增阻防；其三，纂偶車牛，以飾戒機；其四，計丁課仗，勿使有闕。博見古今，爲一時所重。時帝每有疑議，必先訪之，信命相望於道。承天性褊促，嘗對主者厲聲曰："天何言哉，四時行焉，百物生焉。"文帝知之，應遣先戒曰："善候伺顏色，如其不悦，無須多陳。"文集傳於世。

《唐書‧經籍志》："《何承天集》三十卷。"《藝文志》二十卷。

馮氏《詩紀》：《宋書‧樂志》曰："《鼓吹鐃歌》十五篇，何承天晉義熙中私造。"

張氏《百三家‧何衡陽集》一卷，凡賦、表、議、奏、論、問、書、頌、贊及《鼓吹鐃歌》十五首。"

嚴氏《全宋文編》：何承天有集三十二卷。今存《木瓜賦》、表、奏、議、書、答、《渾天象論》、《安邊論》、《達性論》、序、頌、贊凡三十九篇。

宋太中大夫裴松之集十三卷。梁二十一卷。

裴松之有《集注喪服經傳》，見經部禮類。

《宋書》、《南史》本傳：松之博覽墳籍，立身簡素，所著文論及《晉紀》並傳於世。

《唐書‧經籍》、《藝文志》：《裴松之集》三十卷。

嚴氏《全宋文編》：裴松之有集二十一卷。今存表、奏、議、答及《難郭沖條諸葛亮五事》，凡七篇。<small>案諸類書引裴松之《述征記》、《西征記》、《北征記》當編入本集。</small>

梁又有《王韶之集》十九卷，亡。

王韶之有集二十四卷，已見前。

嚴氏《全宋文編》曰："《王韶之集》，《隋志》重出，前作十九卷，後作二十四卷。"<small>案此言"前"、"後"當互易。</small>

　案前後兩部皆注云梁有，卷數各不同，部居亦別異。是亦可證所據梁有書目非止《七録》一家矣。

梁又有《宋光禄大夫江湛集》四卷，録一卷，亡。

《宋書》、《南史》本傳：湛字徽淵，濟陽考城人，湘州刺史夷子也。愛好文義，嘉彈棊鼓琴，兼明算術。歷侍中、左衞將軍、吏部尚書。上將廢太子邵，使湛具詔草。及劭入弒，湛直上省，聞叫噪之聲，乃匿傍小屋中。兵士得之。湛據窗受害。時年四十六。孝武即位，追贈左光禄大夫、開府儀同三司，謚曰忠簡公。

宋太尉袁淑集十一卷并目録。梁十卷，録一卷。

《宋書》、《南史》本傳：淑字陽源，陳郡陽夏人，丹陽尹豹之子也。<small>案袁豹有集，見前卷。</small>不爲章句之學，而博涉多通，好屬文，辭采遒豔，縱橫有才辨。元嘉二十六年，累遷尚書吏部郎。其秋，大舉北征，淑侍坐從容曰："今當鳴鑾中岳，席捲趙、魏，檢玉岱宗，今其時也。臣逢千載之會，願上《封禪書》一篇。"文帝笑曰："盛德之事，我何足以當之。"魏軍南伐至瓜步，文帝使百官議防禦之術，淑上議，其言甚誕。淑喜誇，每爲時人所嘲。後遷太子左衞率。元凶爲逆，命淑同載，淑辭不上，劭命左右殺之。孝武即位，贈侍中、太尉，謚曰忠憲公，又詔淑及徐湛之、江湛、王僧綽、卜天與四家長給廩禄。淑文集行於世。<small>又《袁湛傳》：湛弟豹，豹子洵，洵弟濯，濯弟淑，别有傳。</small>

又《臨川王義慶傳》：義慶愛好文義，招聚文學之士，近遠必
至。太尉袁淑，文冠當時。義慶在江州，請爲衛軍諮議參軍。

又《何尚之傳》：“元嘉二十九年，尚之致仕，於方山著《退居
賦》，以明所守。而議者咸謂尚之不能固志。太子左衛率袁
淑與尚之書言其事，既而尚之還攝職任事，上待之愈隆，於是
袁淑乃録古來隱士有迹無名者，爲《真隱傳》以嗤焉。”《宋
書·隱逸傳》序曰：“陳郡袁淑集古來無名高士以爲《真隱
傳》。”案《真隱傳》，《唐志》二卷，本志不見，當編入本集。

《唐書·經籍》、《藝文志》：《袁淑集》十卷。

馮氏《詩紀》輯存《效子建白馬篇》等詩五首。

張氏《百三家·袁忠憲集》序曰：“陽源《禦虜議》，史譏其誕，
然文采遒豔，才辨鮮及。即不得爲儀、秦從橫，方諸燕然勒
銘、廣成作頌，意似欲無多讓。詩章雖寡，其摹古之篇，風氣
竟偪建安。此人不死，顏、謝未必能出其上也。凡賦、議、章、
書、傳、雜文、詩凡二十篇。”

汪氏《文選撰人篇目》曰：“《文選》有宋袁陽源淑《傲白馬篇》
一首、《傲古詩》一首。”

嚴氏《全宋文編》：袁淑有集十一卷。《藝文類聚》諸書有《秋
晴賦》、《正晴賦》、《桐賦》及謝、表、議、書、《游新亭曲水詩
序》、《弔古》文、《真隱傳》佚文、《俳諧集》佚文，總凡十五篇。

宋祕書監王微集十卷。梁有録一卷。琅邪。

《宋書》、《南史》本傳：微字景玄，太保弘弟，光禄大夫孺之子
也。少好學，善屬文，工書，解音律及醫方、卜筮、陰陽、數術
之事。起家司徒祭酒，主簿，始興王友。父憂去職。微素無
宦情，後數遷，除積，稱疾不就。既爲始興王濬府吏，濬數相
存慰，微奉答箋書，輒飾以辭采。微爲文好古，言頗抑揚，袁
淑見之，謂爲訴屈。報何偃書有云：“至於生平好服上藥，起

年十二時病虛耳。所撰服食方中，粗言之矣。自此始知攝養
有徵。"又云："吾實倦游醫部，頗曉和藥，尤信《本草》，欲其必
行。"案所撰服食方書，本志醫家類不見，或在本集。微常住門屋一間，尋
書玩古。如此者十餘年。元嘉二十年卒，時年二十九。所著
文集傳於世。世祖即位，詔曰："微棲志貞深，文行惇洽，生自
華宗，身安隱素，足以貴茲丘園，惇是薄俗。不幸蚤世，朕甚
悼之。可追贈祕書監。"

《唐書‧經籍》、《藝文志》：《王微集》十卷。

馮氏《詩紀》曰："王微有《雜詩》二首、《四氣詩》、《詠愁》各一
首。或作王徽。案別有王徽，仕宋文帝時廷尉、交州刺史。"

汪氏《文選撰人篇目》曰："《文選》有宋王景元微《雜詩》
一首。"

嚴氏《全宋文編》：王微有集十卷。本傳及《初學記》、《大觀本
草》有《與江湛書》、《與從弟僧綽書》、《報何偃書》、《以書告弟
僧謙靈》、《茯苓贊》、《禹餘糧贊》、《桃皰贊》、《黃連贊》、《遺
令》凡九篇。案張彥遠《歷代名畫記》有《敘畫》一篇，嚴氏未采。

梁又有《宋太子舍人王僧謙集》二卷，亡。 琅邪。

《宋書‧王微傳》：弟僧謙，亦有才譽，爲太子舍人。遇疾，微
躬自處治。而僧謙服藥失度，遂卒。微深自咎恨，發病不復
自治，哀痛謙不能已，以書告靈，有曰："吾素好醫術，不使弟
得全，又尋思不精，致有枉過，念此一條，特復痛酷。痛酷奈
何！吾罪奈何！"又云："萬世不復一見，奈何！惟十紙手迹，
封坼儼然。"又云："弟懷隨、和之寶，未及光諸文章，欲收作一
集，不知忽忽當辦此不？今已成服，吾臨靈，取常所共飲桮，酌
自釀酒，寧有仿像不？冤痛！冤痛！"僧謙卒後四旬而微終。

案景元卒時年二十九，則其弟病卒猶不及其兄之年。兄書
作於成服之時，集尚未編。其後殆力疾緒成之，或其子姓

爲編輯成之。

梁又有《金紫光禄大夫王僧綽集》一卷,亡。琅邪。

《宋書》、《南史·王曇首傳》:曇首子僧綽,幼有大成之度,衆便以國器許之。好學,練悉朝典。襲封豫寧縣侯。尚文帝長女東陽獻公主。累遷侍中,時年二十九。元嘉末,文帝大相付託,朝政大小皆參焉。會巫蠱事洩,上先召僧綽具言之。及將廢立,使尋求前朝舊典。劭於東宮夜饗將士,僧綽密以啓聞。上又令撰漢、魏以來廢諸王故事。劭弑立,轉僧綽吏部尚書。及檢文帝巾箱,得僧綽所啓饗士并廢諸王事,乃收害焉。時年三十一。世祖追贈散騎常侍、金紫光禄大夫,諡曰愍侯。

梁又有《征北行參軍顧邁集》二十卷,亡。

《宋書·沈慶之傳》:慶之從弟法系,討蕭簡於廣州。前征北參軍顧邁被徙在城内,善天文,云荆州有大兵,城内由此固守。法系攻拔之,斬蕭簡,廣州平。

又《劉穆之傳》:穆之孫瑀,爲始興王濬南徐州別駕。瑀性陵物,不欲人居己上。時濬征北府行參軍吴郡顧邁輕薄而有才能,濬待之甚厚,深言密事,皆與參之。瑀乃折節事邁,邁以瑀之款盡,濬所言密事悉以語瑀。瑀與邁共進射堂下,瑀忽顧左右索單衣幘,邁問其所以,瑀曰:“公以家人待卿,相與言無所隱,而卿於外宣洩,致使人無不知。我是公吏,何得不啓。”因而白之。濬大怒,啓太祖徙邁廣州。邁在廣州,值蕭簡爲亂,爲之盡力,與簡俱死。案劉瑀亦有集,見後。

梁又有《魚復令陳超之集》十卷,亡。

陳超之始末未詳。

梁又有《平南將軍何長瑜集》八卷,亡。

《宋書·謝靈運傳》:族弟惠連,幼有才悟,不爲父方明所知。

時方明爲會稽郡，靈運至會稽造方明，過視惠連，大相知賞。時東海何長瑜教惠連讀書，亦在郡内，靈運又以爲絕倫。謂方明曰："阿連才悟如此，而尊作常兒遇之；何長瑜當今仲宣，而給以下客之食。尊既不能禮賢，宜以長瑜還靈運。"遂載之而去。長瑜文才之美亞於惠連。臨川王義慶招集文士，長瑜自國侍郎至平西記室參軍。嘗於江陵寄書與宗人何勗，以韻語序義慶州府僚佐云："陸展染鬢髮，欲以媚側室，青青不解人，星星行復出。"如此者五六句。而輕薄少年遂演而廣之，凡厥人士並爲題目，皆加劇言苦句，其文流行。義慶大怒，白太祖，除爲廣州所統曾城令。廬陵王紹鎮尋陽，以長瑜爲南中郎行參軍，掌記室之任。行至板橋，遇暴風溺死。

馮氏《詩紀》輯存《嘲府僚詩》、《離合詩》各一首。

宋員外郎苟雍集二卷。梁四卷。

《宋書·謝靈運傳》："靈運既東還，與族弟惠連、東海何長瑜、潁川苟雍、太山羊璿之以文章賞會，共爲山澤之游，時人謂之四友。雍子道雍，官至員外散騎郎。長瑜文才之美亞於惠連，雍、璿之不及也。"案羊璿之亦有作羊濬之者，字曜璠，臨川内史，爲司空竟陵王誕所遇，誕敗坐誅。

《唐書·經籍》、《藝文志》：《苟雍集》十卷。

馮氏《詩紀》輯存《臨川亭詩一首》。

梁又有《宋國子博士范演集》八卷，亡。

范演始末未詳。

梁又有《錢唐令顧昱集》六卷，亡。

顧昱始末未詳。

案《宋書·孔覬傳》："泰始初，上流反叛，時鄧琬挾安王子勛反於江州也。覬與孔璪等據會稽五郡應之。及吳郡、吳興、義興、晉陵四郡平定，太宗留吳喜等東平會稽。喜等至錢唐，錢唐令顧昱及孔璪等奔渡江東。"殆即此顧昱也。

梁又有《臨成令韓濬之集》八卷，亡。

韓濬之始末未詳。疑即泰山羊濬之，見前《荀雍集》條下。

梁又有《南陽太守沈亮之集》七卷，亡。案即沈亮。

《宋書·自序》：林子第二子亮，字道明，清操好學，善屬文。
歷南陽太守，後爲隨王誕後軍中兵，領義成太守。元嘉二十
七年卒官，年四十七。所著詩、賦、頌、贊、三言、誄、哀辭、祭
告、請雨文、樂府、挽歌、連珠、教記、白事、箋、表、籤、議一百
八十九首。

嚴氏《全宋文編》：沈亮有集七卷。《宋書·自序》有《陳府事
啓》、《陳營創城府功課》、《救荒議》、《發冢不赴救議》、《修治
石碣籤》，凡五篇。

梁又有《國子博士孔欣集》九卷，亡。

孔欣始末未詳。

《唐書·經籍志》："《孔欣集》八卷。"《藝文志》十卷。

馮氏《詩紀》曰："孔欣，爵里無考，有《置酒高樓上》一首、《相
逢狹路間》一首、《祠太廟》一首。"又《品藻篇》：《升菴詩話》
曰："南朝孔欣樂府《相逢狹路間》云云，此詩高趣，可並淵明。
欣早歲辭榮，不負其言矣。"

嚴氏《全宋文編》曰："孔欣，會稽山陰人，仕晉，入宋爲國子博
士，後去職。景平中，會稽太守褚淡之以爲參軍。有集十卷。
《御覽》三百五十一引《七誨》一篇。"又曰："《南史·沈道虔
傳》有武康令孔欣之，與此同時。未審是兩人否。"

梁又有《臨海太守江玄叔集》四卷，亡。

《宋書·良吏傳》：江秉之字玄叔，濟陽考城人。祖逌，晉太
常。秉之初爲劉穆之參軍，高祖主簿。少帝時，歷都官郎，出
爲永世、烏程令，以善政著名東土。復爲建康令，山陰令，新

安太守。元嘉十二年，轉在臨海，並以簡約見稱。十七年，卒於官。

梁又有《尚書郎劉馥集》十一卷，亡。

劉馥始末未詳。

梁又有《太子中舍人張演集》八卷，亡。 "演"或作"寅"。

《宋書·張茂度傳》：茂度，吳郡吳人，名與高帝諱同，故稱字。茂度子演，太子中舍人。演弟鏡，新安太守。皆有盛名，並早卒。

又《張邵傳》："邵字茂宗，會稽太守裕之弟也。 裕即茂度。 子敷、演、鏡，有名於世。"案此又謂張邵子，與《茂度傳》異。又《張暢傳》云："暢少與從兄敷、演、鏡齊名，爲後進之秀。"

《南史·張裕傳》：亦即《張茂度傳》。 "裕子演，演四弟：鏡、永、辯、岱，俱知名，時謂之張氏五龍。"又曰："演、鏡兄弟中名最高，餘並不及。"又《張融傳》云："張氏前有敷、演、鏡、暢，後有充、融、卷、稷。"案永、辯、鏡、暢並有集，見後《融集》，在齊代中。

梁又有《南昌令蔡眇之集》三卷，亡。

蔡眇之始末未詳。

梁又有《太學博士顧雅集》十三卷，亡。

顧雅始末未詳。

梁又有《巴東太守孫仲之集》十一卷。 "仲"當爲"沖"。

孫沖之疑即孫嚴，有《宋書》六十五卷，見史部正史類。

梁又有《太尉諮議參軍謝元集》一卷，亡。

謝元有《內外書儀》四卷，見史部儀注類。

嚴氏《全宋文編》曰："謝元，靈運從祖弟。有集一卷。《宋書·禮志》四有《掖庭不舉祭議》，《王弘傳》有《刑法議》，凡二篇。"

梁又有《南海太守陸展集》九卷，亡。

《宋書·臨川王義慶傳》：義慶招聚文學之士，近遠必至，吳郡陸展、東海何長瑜、鮑照等並爲辭章之美,引爲佐史國臣。

又《良吏·陸徽傳》:徽,吳郡吳人也。元嘉二十九年,仕至益州刺史。卒。弟展,臧質車騎長史,尋陽太守。質敗從誅。

梁又有《棘陽令山謙之集》十二卷,亡。

山謙之有《吳興記》、《南徐州記》,見史部地理類。

梁又有《廣州刺史楊希集》九卷,亡。 "楊"當爲"羊"。

《宋書》、《南史·羊玄保傳》:玄保,泰山南城人。兄子希,字泰聞,少有才氣。大明初,爲尚書左丞,歷御史中丞。泰始三年,出爲寧朔將軍,廣州刺史。四年,行晉康太守劉思道不受命,率所領攻希,殺之。贈輔國將軍。

嚴氏《全宋文編》曰:"羊希有《奏劾謝沈》、《北征上計》、《殤服議》、《刊革山澤舊科議》、《與孫詵書》,凡存五篇。"

梁又有《員外常侍 周始之集》十一卷,亡。

周始之始末未詳。

梁又有《主客郎羊崇集》六卷,亡。

《宋書·羊玄保附傳》:玄保兄子希,爲廣州刺史,爲劉思道襲而殺之。希子崇,字伯遠,尚書主客郎。丁母憂,哀毀過禮。及聞廣州亂,即日便徒跣出新亭,不能步涉,頓伏江渚。門義以小船致之,於是進路。父葬畢,不勝哀。卒。

梁又有《太子舍人孔景亮集》三卷,亡。

孔景亮始末未詳。

宋中書郎袁伯文集十一卷并目録

袁伯文始末未詳。

《唐書·經籍》、《藝文志》:《袁伯文集》十卷。

馮氏《詩紀》:袁伯文,爵里無考,有《楚妃歎》、《述山貧》各一首。

嚴氏《全宋文編》曰:"袁伯文爲中書郎。有集十一卷。《文選》謝莊《宣貴妃誄》注引伯文《美人賦》。"

梁有《宋丞相諮議蔡超集》七卷,亡。

蔡超有《集注喪服經傳》,見經部禮類。

宋東中郎長史孫緬集八卷并目録。梁十一卷。

《南史·隱逸·漁父傳》:太康孫緬爲尋陽太守,緬字伯緒,太
子僕興曾之子也。有學義,宋明帝甚知之。位尚書左丞,東
中郎司馬。案"太康"疑"太原"之誤。

《唐書·經籍》、《藝文志》:《孫緬集》十卷。

嚴氏《全宋文編》曰:"孫緬字伯緒,太康人,大明初太常丞,出
爲尋陽太守。泰始中遷尚書左丞東中郎司馬。《宋書·禮
志》有《殷祭議》、《親執爵議》各一篇。"

梁又有《宋賀道養集》十卷,亡。

賀道養有《春秋序注》,見經部春秋左氏學家。

《唐書·經籍》、《藝文志》:《賀道養集》十卷。

嚴氏《全宋文編》:賀道養有集十卷。《太平御覽》卷二有《渾
天記》一篇。

梁又有《太子洗馬謝登集》六卷,亡。

謝登始末未詳。

梁又有《新安太守張鏡集》十卷,亡。

張鏡有《宋東宮儀記》,見史部儀注篇。

嚴氏《全宋文編》:《弘明集》十二有張鏡《答南譙王義宣書》
一篇。

梁又有《兼中書舍人褚詮之集》八卷,録一卷,亡。

褚詮之始末未詳。

《唐書·經籍》、《藝文志》:《褚詮之集》八卷。

案本志總集類"《百賦音》十卷,宋御史褚詮之撰",即此褚
詮之,或即以御史兼中書舍人者。

宋特進顏延之集二十五卷。梁三十卷,又有《顏延之逸集》一卷,亡。

顏延之有《逆降義》,見經部禮類。

《宋書》、《南史》本傳:晉義熙十二年,武帝北伐,有宋公之授,府遣延之慶殊命。行至洛陽,周視故宫室,盡爲禾黍,悽然詠《黍離篇》。道中作詩二首,爲謝晦、傅亮所賞。爲始安太守,之郡,道經汨潭,爲湘州刺史張卲《祭屈原文》,以致其意。後又出爲永嘉太守,甚怨憤,乃作《五君詠》,以述竹林七賢,山濤、王戎以貴被黜。詠嵇康云:"鸞翮有時鎩,龍性誰能馴?"詠阮籍云:"物故不可論,途窮能無慟。"詠阮咸云:"屢薦不入官,一麾乃出守。"詠劉伶云:"韜精日沈飲,誰知非荒宴。"此四句蓋自序也。閑居無事,爲《庭誥》之文以訓子弟。延之與謝靈運俱以辭采齊名,而遲速縣絕。文帝嘗各敕擬樂府《北上篇》,延之受詔便成,靈運久之乃就。是時論者以二人自潘岳、陸機之後文士莫及,江右稱潘、陸,江左稱顏、謝焉。所著並傳於世。

《宋書·謝靈運傳》:論曰:"爰逮宋氏,顏、謝騰聲。靈運之興會標舉,延年之體裁明密,並方軌前秀,垂範後昆。"

鍾嶸《詩品》曰:"宋光禄大夫顏延之詩,其源出於陸機。尚巧似。體裁綺密,情喻淵深,動無虛散,一句一字,皆致意焉。又喜用古事,彌見拘束,雖乖秀逸,是經綸文雅才。雅才減若人,則蹈於困躓矣。湯惠休曰:'謝詩如芙蓉出水,顏如錯采鏤金。'顏終身病之。"

《唐書·經籍》、《藝文志》:《顏延之集》三十卷。《宋史·藝文志》五卷。

馮氏《詩紀》輯存四、五言詩及《秋胡詩》、《五君詠》凡二十四篇。又《宋書·樂志》曰:"元嘉二十二年,詔顏延之造《天地郊夕牲》、《迎送神》、《饗神》雅樂登歌三篇。”

張氏《百三家・顏光禄集》輯本序曰：“延年文莫長於《庭誥》，詩莫長於《五君》。嵇中散任誕魏朝，獨《家戒》恭謹，教子以禮。顏誥立言，意亦類是。三十不婚，以文出仕。歷四主，陪兩王，浮沈上下，老不改性。詆尚之爲朽木，斥慧琳爲刑餘。顏彪之呼，亦牛馬應之，其閲世久矣。遠弔屈大夫，近友陶徵士，風流固可相見云。凡賦、詔、表、書、序、《七繹》、《庭誥》、頌、贊、箴、連珠、謚、議、哀册文、誄、祭文、銘、狀、樂府、詩總六十一篇。”

汪氏《文選撰人篇目》曰：“宋顏延年延之有《赭白馬賦》、《曲水讌詩》、《皇太子釋奠詩》、《秋胡詩》、《五君詠》、《觀北湖田收詩》、《蒜山詩》、《曲阿後湖詩》、《拜陵廟詩》、《贈王太常詩》、《呈從兄詩》、《直東宫詩》、《和謝監詩》、《北使洛詩》、《還梁城詩》、《巴陵城樓詩》、《宋郊祀歌》、《曲水詩序》、《陽給事誄》、《陶徵士誄》、《宋皇后哀策文》、《祭屈原文》。”

嚴氏《全宋文編》：“顏延之有集三十卷，逸集一卷。今存《行殣賦》、《赭白馬賦》、《寒蟬賦》、《贈謚袁淑詔》、《賜卹袁淑遺孤詔》、《庭誥》、《策秀才文》、表、謚議、《天馬狀》、書、答問、《七繹》、詩序、頌、贊、《釋何衡陽達性論》、《重釋達性論》、《又釋達性論》、《範連珠》、《大篋箴》、家傳、銘、誄、哀策、祭文凡三十七篇。”又敍録曰：“顏延之集一卷。明刻本，又明刻《二十名家集》本。”案皇侃《論語義疏》引顏延之之説，《隋》、《唐志》皆不見，或編入本集。

宋東揚州刺史顏峻集十四卷并目録

《宋書》、《南史》本傳：峻字士遜，延之長子也。早有文義，爲宋孝武帝撫軍主簿，甚被嘉遇，峻亦盡心補益。元凶殺立，孝武舉兵入討。轉諮議參軍，領軍録事，任總内外，并造檄書。

孝武踐阼，歷侍中、左衛將軍，封建城縣侯。大明元年，歷東揚州刺史。竣藉蕃朝之舊，每極陳得失。上自即吉之後，宮內頗有醜論，又多所興造。諫爭懇切，並無所回避。上意甚不悅，多不見從。及王僧達被誅，謂爲峻所讒構，臨死陳峻前後忿懟，恨言不見從。僧達所言，頗相符會。乃使御史中丞庾徽之奏峻，免官。峻頻啓謝罪，并乞性命。上愈怒。及竟陵王誕爲逆，因此陷之，言通於誕。召庾徽之於前立奏，奏成，詔先打折足，然後於獄賜死。峻文集行於世。

又《顔延之傳》：長子竣，爲孝武參軍。及義師入討，竣造書檄。劭召延之示以檄文，問曰："此筆誰造？"延之曰："竣之筆也。"又問："何以知之？"曰："竣筆體，臣不容不知。"劭又曰："言詞何至乃爾？"延之曰："竣尚不顧老臣，何能爲陛下？"劭意乃釋，由是得免。

《唐書·經籍》、《藝文志》：《顔竣集》十三卷。

馮氏《詩紀》輯存《七廟迎神辭》一首，《古意》一首。

嚴氏《全宋文編》：顔竣有集十四卷。今存表、奏、議、《爲世祖檄京邑》、《几贊序》，凡九篇。

宋大司馬録事顔測集十一卷并目録

《宋書》、《南史·顔延之傳》："文帝常問以諸子才能，延之曰：'竣得臣筆，測得臣文，𡙇得臣義，躍得臣酒。'何尚之嘲曰：'誰得卿狂？'答曰：'其狂不可及。'"又曰："竣弟測，《宋書》作惻。亦以文章見知，官至江夏王義恭大司馬録事參軍。以兄貴爲憂，先竣卒。"

《唐書·經籍》、《藝文志》：《顔測集》十一卷。

嚴氏《全宋文編》：顔測有集十一卷。《御覽》引《顔測集》有《大司馬江夏王賜絹葛啓》，《藝文類聚》有《山石榴賦》、《梔子贊》，存凡三篇。

宋護軍將軍王僧達集十卷。梁有録一卷。琅邪。

《宋書》、《南史》本傳：僧達，太保弘少子。幼聰敏，好學善屬文，爲太子舍人、宣城太守。元凶弑立，孝武發尋陽，僧達赴義，即以爲長史。及即位，爲尚書右僕射。僧達自負才地，三年間便望宰相。嘗答詔曰：“亡父亡祖，司徒司空。”其自負若此。後爲護軍將軍，不得志。大明中，以歸順功，封寧陵縣五等侯。累遷中書令。僧達屢經犯忤，以爲終無悛心，因高闍等爲亂事陷之，收付廷尉，獄賜死，年三十六。

鍾嶸《詩品》曰：“宋豫章太守謝瞻、宋僕射謝混、見前東晉末，非宋人。宋太尉袁淑、宋徵君王微、宋征虜將軍王僧達詩，其源出於張華。才力苦弱，故務其清淺，殊得風流媚趣。課其實録，則豫章僕射，宜分庭抗禮。徵君、太尉，可託乘後車。征虜卓卓，殆欲度驊騮前。”

《唐書·經籍》、《藝文志》：《王僧達集》十卷。《宋史·藝文志》同。

馮氏《詩紀》輯存《釋奠詩》、《答顏延年》、《和琅邪王》、《七夕》、《朱櫻》等詩凡五篇。

汪氏《文選撰人篇目》曰：“《文選》有宋王僧達《答顏延年詩》、《依古詩》一首、《祭顏光禄文》。”

嚴氏《全宋文編》：王僧達有集十卷。今存《答詔》、《表謝》、啓、書、《祭顏光禄文》，凡七篇。

梁又有《國子博士羊戎集》十卷，亡。

《宋書》、《南史·羊玄保傳》：玄保子戎，有才氣，而輕薄少行檢，玄保嘗嫌其輕脱，云：“此兒必亡我家。”官至通直郎。與王僧達謗議時政，賜死。死後孝武帝引見玄保，玄保謝曰：“臣無日磾之明，以此上負。”上美其言。

梁又有《江寧令蘇寶生集》四卷，亡。

《宋書·王僧達傳》：蘇寶者名寶生，本寒門，有文義之美。元嘉中立國子學，爲《毛詩》助教，爲太子所知，官至南臺侍御史，江寧令。坐知高闍反不即啓聞，與闍共伏誅。

又《恩倖·徐爰傳》：先是元嘉中，使著作郎何承天草創國史。世祖初，又使奉朝請山謙之、南臺御史蘇寶生踵成之。

又《戴法興傳》：世祖南中郎典籤董元嗣爲元凶考掠死，追贈員外散騎侍郎，使文士蘇寶生爲之誄焉。

《史通·正史篇》：孝建初，又敕蘇寶生續造諸傳。元嘉名臣，皆其所撰。

梁又有《兗州別駕范義集》十二卷，亡。

《宋書·竟陵王誕傳》：誕爲都督六州、南兗州刺史，據廣陵反，以州別駕范義爲中軍長史，加右司馬。范義母妻子並在城内，有勸義出降，義曰：“我人吏也，且豈能作何康活耶？”義字明休，濟陽考城人也。早有世譽。

又《蔡興宗傳》：竟陵王誕據廣陵爲逆，事平，興宗奉旨慰勞，州別駕范義與興宗素善，在城内同誅。興宗至廣陵，躬自收殯，致喪還豫章舊墓。案此知范義爲豫章人，東晉范宣之後歟？范宣有集見前。

梁又有《吳興太守劉瑀集》七卷，亡。

《宋書·劉穆之傳》：穆之，東莞莒人，漢齊悼惠王肥後也，世居京口。穆之爲宋武佐命，卒於晉義熙十三年，贈侍中、司徒。高祖受禪，進封南康郡公，謚曰文宣公。中子式之，式之第三子瑀，字茂琳，少有才氣，爲太祖所知。初爲始興王濬南徐州別駕從事史。瑀性陵物護前，不欲人居己上。後爲御史中丞，甚得志。彈蕭惠開云：“非才非望，非勳非德。”彈王僧達云：“蔭藉高華人，人品尤末。”朝士莫不畏其筆端。大明二年，累遷吳興太守。疽發背卒。謚曰剛子。

《唐書·經籍志》：“《劉瑀集》七卷。”《藝文志》十卷。

嚴氏《全宋文編》：劉瑀有集七卷。今存《奏彈蕭惠開》、《奏彈王僧達》、《與顏竣書》、《與親故書》，凡四篇。

案劉瑀既以計誘吳郡顧邁，邁坐宣洩徙死廣州。見本傳。又以故智誘羊希，希亦坐漏泄免官。見《羊玄保傳》。魏文帝云："文人類不獲細行。"若瑀者，陰賊乃至如此，是焉得謂之剛乎？

梁又有《本郡孝廉劉氏集》九卷，亡。

劉氏不詳何人。

案此稱本郡者，不知何郡。以下文稱本州秀才劉遂之例例之，則爲彭城郡，與宋武帝同郡，因稱本郡。此殆阮氏《七錄》沿宋人舊文歟？

宋會稽太守張暢集十二卷。殘缺。梁十四卷。錄一卷。

《宋書》、《南史》本傳：暢字少微，吳郡吳人，吳興太守邵兄偉之子也。少與從兄敷、演、鏡齊名，爲後進之秀。演、鏡並有集，見前。累遷太子中庶子。孝武鎮彭城，爲安北長史、沛郡太守。元嘉二十七年，索虜托跋燾南侵，暢於城上與魏尚書李孝伯語。孝伯辭辯，北土之美。暢隨宜應答，吐屬如流，音韻詳雅，風儀華潤。孝伯及左右人並相視歎息。後爲南譙王義宣司空長史、南郡太守。三十年，元凶弒立，義宣發哀之日，即便舉兵，暢位居僚首。舉哀畢，改服，出射堂簡人，音姿容止，莫不矚目，見者皆願爲盡命。事平，徵爲吏部尚書，封夷道縣侯。義宣爲逆，暢於兵亂自歸，下廷尉，見原，起爲都官尚書，轉侍中。孝建二年，出爲會稽太守。大明元年，卒官，時年五十。謚曰宣子。

《唐書·經籍》、《藝文志》：《張暢集》十四卷。

嚴氏《全宋文編》：張暢有集十四卷。《宋書》本傳有《棄彭城南歸議》，注云《宋書》暢有二傳，一在四十六，一在五十九。《張永傳》有《爲

南譙王義宣與從弟永書》，《初學記》有《河清頌》，《廣弘明集》
有《若邪山敬法師誄》，存凡四篇。

梁又有《司空何尚之集》十卷，亡。

《宋書》、《南史》本傳：尚之字彦德，廬江灊人也。以操立見
稱。爲陳郡謝混所知，與之游處。爲宋武帝征西主簿，從征
長安，賜爵都鄉侯。尚之雅好文義。從容賞會，甚爲文帝所
知。元嘉十三年，爲丹陽尹。立宅南郭外，置玄學，聚生徒。
東海徐秀、廬江何曇、黄回、潁川荀子華、太原孫宗昌、王延
秀、魯郡孔惠宣，並慕道來游，謂之南學。國子學建，領祭酒。
累遷尚書令，領太子詹事。二十九年，致仕，於方山著《退居
賦》以明所守。文帝不許，復攝職。愛尚文義，老而不休，與
太常顏延之論議往反，傳於世。大明四年薨於位，年七十九。
贈司空，侍中、中書令如故。諡曰簡穆公。子偃。

嚴氏《全宋文編》：何尚之有集十卷。今存《華林清暑殿賦》、
表、奏、上言、答問、議、書、《列敍元嘉贊揚佛教事》，凡十
五篇。

宋吏部尚書何偃集十九卷。梁十六卷。

何偃有《毛詩釋》，見經部詩家。

《宋書》、《南史》本傳：元凶弒立，以偃爲侍中，掌詔誥。時尚
之爲司空、尚書令，偃居門下，父子並處權要，時爲寒心。而
尚之及偃善攝機宜，曲得時譽。世祖即位，任遇無改。時責
百官讜言，偃以爲宜重農卹本，并官省事，考課以知能否，增
俸以除吏姦。責成良守，久於其職。都督刺史，宜別其任。
侍中顏竣與偃俱在門下，以文義賞會，相得甚歡。素好談玄，
注《莊子·逍遥篇》傳於世。

《唐書·經籍》、《藝文志》：《何偃集》八卷。

馮氏《詩紀》輯存《擬古詩冉冉孤生竹》一篇。

嚴氏《全宋文編》：何偃有集十九卷。今存《月賦》及議、書、銘六篇。

梁又有《廬江太守周朗集》八卷，亡。

《宋書》、《南史》本傳：朗字義利，汝南安成人也。兄嶠，以貴戚顯。朗少而愛奇，雅有風氣。爲江夏王義恭太尉參軍。元嘉二十七年春，朝議北侵魏，當遣義恭出鎮彭城，爲諸軍大統。府主簿羊希從行，與朗書戲之，勸令獻奇進策。朗報書援引古義，辭意儻儻。孝武即位，除建平王宏中軍録事參軍。時普責百官讜言，朗上書陳述得失，多自矜誇。書奏忤旨，自解去職。後爲廬陵内史，稱疾去官。尋丁母憂，每哭必慟，其餘頗不依居喪常節。大明四年，上使有司奏其居喪無禮，詔鎖付邊。於是傳送寧州，於道殺之。年三十六。族孫顒。

又史臣曰："宋時徒置乞言之旨，空下不諱之令，慕古飾情，義非側席，文士因斯，各存炫藻。周朗辯博之言，多切治要，而意在摛詞，文實忤主。文詞之爲累，一至此乎！"

嚴氏《全宋文編》曰："周朗有《上書獻讜言》、《報羊希書》各一篇，見《宋書》本傳。又略見《通典》、《廣弘明集》、《魏書·島夷》。《劉駿傳》以爲周殷。"

宋侍中沈懷文集十二卷。殘缺。梁十六卷。

沈懷文有《隨王入沔記》，見史部地理類。

《宋書》、《南史》本傳：懷文少妙玄理，善爲文章，嘗爲楚昭王二妃詩，見稱於世。隱士雷次宗被徵居鍾山，後南還廬岳，何尚之設祖道，文義之士畢集，爲連句詩，懷文所作尤美，辭高一座。隨王誕鎮襄陽，與諮議參軍謝莊共掌辭令。弟懷遠官至武康令。撰《南越志》及懷文文集，並傳於世。

《唐書·經籍》、《藝文志》：《沈懷文集》十三卷。

嚴氏《全宋文編》：沈懷文有集十六卷。本傳載《上言皇子不

宜置邸舍》、《省録尚書議》、《揚州移治會稽議》，《孔靖傳》載
《墾起湖田議》，《御覽》有《侍中趙倫之碑》，存凡五篇。

宋北中郎長史江智深集九卷并目一卷

《宋書》、《南史》本傳：江智淵，《南史》避諱，"淵"作"深"。濟陽考城
人。歷著作郎。隨王誕後軍參軍。在襄陽，時諮議謝莊、主
簿沈懷文與智淵友善。懷文每稱之曰："人所應有盡有，人所
應無盡無者，其江智淵乎！"誕將爲逆，智淵悟其機，請假先
反。誕事發。即除中書侍郎。智淵愛好文雅，辭采清贍，孝
武深相知待，恩禮冠朝。後恩寵大衰，出爲新安王子鸞北中
郎長史、南東海太守、行南徐州事。大明七年，以憂卒，年四
十六。

《唐書・經籍志》：《江智泉集》十卷。

《唐書・藝文志》：《江智淵集》十卷。

馮氏《詩紀》輯存《宣貴妃挽歌》一篇。"

宋太子中庶子殷琰集七卷

《宋書》、《南史》本傳：琰字敬珉，陳郡長平人也。少爲文帝所
知，見遇與琅邪王景文相埒。明帝泰始元年，晉安王子勛反，
以琰爲豫州刺史。土人前右軍杜叔寶等並勸琰同逆，琰素無
部曲，無以自立，受制於叔寶等。二年正月，帝遣輔國將軍劉
勔西討，圍攻。至十二月，琰始降，並撫宥之，無所誅戮。後
除少府，加給事中，卒官。琰性和雅靜素，寡嗜慾，諳前世舊
事。事兄甚謹，少以名行見稱。在壽陽被攻圍積時，爲城内
所懷附。揚州刺史王景文、征西將軍蔡興宗、司空褚彦回並
相與友善。

《唐書・經籍》、《藝文志》：《殷琰集》八卷。

嚴氏《全宋文編》曰："殷琰，《隋志》作太子中庶子，與本傳終
於少府不同。琰有集七卷。《御覽》引琰《宣貴妃誄》一篇。"

梁又有《宋武陵太守袁顗集》八卷，亡。<small>案"顗"當爲"覬"。</small>

《宋書·袁湛傳》：湛，陳郡陽夏人也。湛弟豹，豹子洵，洵長子顗，別有傳。少子覬，好學善屬文，有清譽於世，官至司徒從事中郎、武陵內史，蚤卒。

《南齊書·袁彖傳》：彖，祖洵，吳郡太守。父覬，武陵太守。覬兄顗，在雍州起事見誅。宋明帝投顗屍江中，不聽斂葬。彖與舊奴一人，微服潛行求屍，四十餘日乃得，密瘞石頭後岡，身自負土。懷其父集，未嘗離身。<small>案《南史》作"懷其文集"，則所懷爲《哀顗集》也。本志無《哀顗集》，疑此處傳寫有敓誤。</small>

《南史·袁彖傳》：彖，顗弟覬之子也。覬好學美才，早有清譽。仕宋，位武陵內史。

梁又有《荀欽明集》六卷，亡。

荀欽明有《百官階次》，見史部職官類。

《唐書·經籍》、《藝文志》：《荀欽明集》六卷。

梁又有《安北參軍王詢之集》五卷，亡。

王詢之始末未詳。

梁又有《越騎校尉戴法興集》四卷，亡。

《宋書》、《南史·恩倖傳》：戴法興，會稽山陰人。家貧，父以販紵爲業，兄延壽、延興，並修立，好學。法興爲尚書倉部令史，後爲孝武征虜將軍記室掾，南中郎典籤。帝於巴口建義，轉參軍督護。及即位，爲南臺侍御史，兼中書通事舍人，封吳昌縣男。與魯郡巢尚之等爲孝武腹心耳目所委寄。法興頗知古今，素見親待。前廢帝即位，遷越騎校尉。廢帝年漸長，凶志轉成，欲有所爲，法興每相禁制。帝意不能平。遂免法興官，於家賜死。法興能爲文章，頗行於世。

鍾嶸《詩品》評宋御史蘇寶生宋中書令史陵修之、宋典祀令任曇緒、宋越騎戴法興詩曰："蘇、陵、任、戴，並著篇章，亦爲揩紳之所嗟咏。人非文才,是愈甚可嘉焉。"

嚴氏《全宋文編》:戴法興有集四卷。《宋書·曆志》有法興《議祖沖之新曆》一篇。

宋黃門郎虞通之集十五卷。梁二十卷。

虞通之有《妒記》二卷,見史部雜傳類。

《唐書·經籍》、《藝文志》:《虞通之集》五卷。

馮氏《詩紀》輯存《贈傅昭詩》一首。編入齊代。

嚴氏《全宋文編》曰:"《藝文類聚》、《初學記》有虞通之《爲江斆讓尚公主表》、《明堂頌》各一篇。"

宋司徒左長史沈勃集十五卷。梁二十卷。

《宋書·沈演之傳》:演之,吳興武康人也。演之子睦,坐與弟西陽王文學勃忿鬩不睦,徙始興郡。勃免官禁錮。勃好爲文章,善彈琴,能圍棋,而輕薄逐利。歷尚書殿中郎。泰始中,爲太子右衛率,加給事中。時欲北討,使勃還鄉里募人,多受貨賄。上怒,下詔徙付梁州。廢帝元徽初,以例得還。結事阮佃夫、王道隆等,復爲司徒左長史。爲廢帝所誅。順帝即位,追贈本官。

《南史·後廢帝本紀》:孝武帝二十八子,明帝殺其十六,餘皆帝殺之。吳興沈勃,多寶貨,往劫之。揮刀獨前,左右未至,勃時居喪在廬,帝望見之,便投鋌,不中。勃知不免,手搏帝耳,唾罵之曰:"汝罪踰桀、紂,屠戮無日!"遂見害。帝自臠割。

《唐書·經籍》、《藝文志》:《沈勃集》十五卷。

嚴氏《全宋文編》:沈勃有集二十卷。《藝文類聚》有勃《秋羇賦》。

宋金紫光禄大夫謝莊集十九卷。梁十五卷。

《宋書》、《南史》本傳:莊字希逸,陳郡陽夏人,太常弘微子也。

弘微名密，有集見前。七歲能屬文，通《論語》。及長，詔令美容儀，分左氏《經傳》，隨國立篇，製木方丈，圖山川土地，各有分理，離之則州別郡殊，合之則寓內爲一。元嘉二十九年，累遷太子中庶子。時南平王鑠獻赤鸚鵡，普詔群臣爲賦。太子左衛率袁淑文冠當時，作賦畢，示莊，及見莊賦，歎曰："江東無我，卿當獨秀。我若無卿，亦一時之傑也。"遂隱其賦。元凶弒立，孝武入討，密送檄書與莊，令加改治宣布。莊遣腹心門生具慶奉啓事密詣孝武陳誠。莊有口辯，孝武嘗問顏延之曰："謝希逸《月賦》何如？"答曰："美則美矣，但莊始知'隔千里兮共明月'。"帝以語莊，莊應聲曰："延之作《秋胡詩》，始知'生爲久別離，没爲長不歸'。"帝撫掌竟日。王玄謨問莊何者爲雙聲，何者爲疊韻。答曰："玄護爲雙聲，碻磝爲疊韻。"其捷速如此。大明中，河南獻舞馬，詔群臣爲賦，莊所上甚美。又使莊作《舞馬歌》，令樂府歌之。前廢帝即位，繫於左尚方。明帝定亂得出，使爲赦詔，其文甚工。後爲尋陽王師，加中書令、金紫光禄大夫。泰始二年卒，年四十六。謚曰憲子。所著文章四百餘首行於世。

鍾嶸《詩品》曰："希逸詩，氣候清雅，不逮於王、袁。然興屬閒長，良無鄙促也。"案此王、袁大抵謂同時之王僧達袁淑也。

《唐日本國見在書目》：《謝莊集》廿卷。

《唐書·經籍》、《藝文志》：《謝莊集》十五卷。《宋史·藝文志》一卷。

馮氏《詩紀》輯存詩十四篇，又《宋明堂歌》九首。

《通典》曰："孝武建元元年，使謝莊造郊廟舞樂、明堂諸樂歌詩。"《南齊書·樂志》曰："明堂辭五帝。漢郊祀歌皆四言，宋孝武使謝莊造辭，莊依五行數，木數用三，火數用七，土數用五，金數用九，水數用六。《周頌·我將》祀文王，言皆四，其一句五,一句七。莊歌太祖亦無定句。莊又撰世祖廟歌二首。"《宋書·張永傳》:大明四年,立明堂,永以本官兼將作大匠。

張氏《百三家·謝光禄集》一卷,凡賦、詔、表、奏、章、啓事、牋、書、帖、議、贊、哀策文、誄、墓誌銘、樂府、詩、聊句共六十一篇。"汪氏《文選撰人篇目》:宋謝希逸莊有《月賦》、《宋孝武貴妃誄》。

嚴氏《全宋文編》:謝莊有集十九卷,今存《月賦》、《曲池賦》、《赤鸚鵡賦》、《舞馬賦》、《雜言咏雪》、《山夜憂吟》、《懷園引》、《泰始元年大赦詔》、章、表、奏、議、啓、牋、書、贊、誄、謚策文、哀策文、墓誌銘,凡三十六篇。

梁又有《金紫光禄大夫謝協集》三卷,亡。

謝協始末未詳。

梁又有《三巴校尉張悦集》十一卷,亡。

《宋書·張暢傳》:暢,吳郡吳人。弟悦,亦有美稱。歷侍中、臨海王子頊前軍長史、南郡太守。晉安王子勛建僞號,召拜爲吏部尚書,與鄧琬共輔僞政。及事敗,悦殺琬歸降,復爲太子中庶子。後拜雍州刺史。泰始六年,明帝於巴郡置三巴校尉,以悦補之,加持節、輔師將軍,領巴郡太守。未拜,卒。案《宋書》張暢有二傳,其一作"説"。又《鄧琬傳》云:"初,前廢帝使荆州録送前軍長史、荆州行事張悦下至湓口,琬稱子勛命,釋其桎梏,迎以所乘之車,以爲司馬,加征虜將軍。加琬冠軍將軍。二人共掌內外衆事。"

嚴氏《全宋文編》:張悦有集十一卷。《藝文類聚》六十九有悦《瑇瑁塵尾銘》一篇。

梁又有《揚州從事賀顗集》十一卷,亡。

賀顗始末未詳。

梁又有《領軍長史孔邁之集》八卷,亡。

孔邁之始末未詳。

梁又有《撫軍參軍賀弼集》十六卷，亡。

《宋書·竟陵王誕傳》：誕初閉城拒使，記室參軍賀弼固諫再三，誕怒，抽刃向之，乃止。或勸弼出降，弼曰：“公舉兵向朝廷，此事既不可從。荷公厚恩，又義無違背，唯當死明心耳。”乃服藥自殺。弼字仲輔，會稽山陰人也。有文才。贈車騎將軍、山陽、海陵二郡太守，長史如故。

梁又有《本州秀才劉遂集》二卷，亡。

劉遂始末未詳。

案《南齊書·劉瓛傳》“瓛，沛國相人。宋大明四年，舉秀才。兄璲，亦有名，先應州舉”云云。其言“先應州舉”者，先弟瓛應州刺史舉秀才，似即此劉璲轉寫誤爲“遂”歟？稱本州者，案《宋書·州郡志》沛郡屬徐州刺史，與宋室彭城郡同屬徐州，又同爲國姓，故宋人稱本州，與前稱“本郡孝廉劉氏集”同例，然不知是否也。

宋建平王景素集十卷

《宋書·文九王傳》：建平宣簡王宏，大明二年薨。子景素嗣。景素少愛文義，有父風。好文章書籍，招集才義之士，傾身禮接，以收名譽，由是朝野翕然，莫不屬意焉。爲南徐州刺史，鎮京口。時後廢帝狂悖日甚，或言景邑已潰亂。勸令速入。景素因舉兵，兵敗被殺。其後故主簿何昌㝢、故記室王摛等上書訟其冤。齊受禪，景素故秀才劉璡又上書，述其德美陳冤云。

案本志既以宋代帝王集彙次於前，則是集當列於《建平王休度集》之次，原作休祐，非是。蓋別家見存書目亦有依時代編次者，故本志爲所淆奪，例不畫一也。又《唐·藝文志》《建平王宏集》十卷之外，又有《小集》六卷。本志無之。《小集》疑即是集。

宋征虜記室參軍鮑照集十卷。梁六卷。

《南史·宋臨川烈武王道規傳》：“道規嗣子義慶，招聚才學之士，東海何長瑜、鮑照等並有辭章之美，引爲佐史國臣。"又曰："鮑照字明遠，東海人，文辭贍逸。嘗爲古樂府，文甚遒麗。元嘉中，河濟俱清，當時以爲美瑞。照爲《河清頌》，其序甚工。文帝以爲中書舍人。案此當云"孝武帝"。《宋書》作"世祖"是也。上好爲文章，自謂人莫能及。照悟其旨，爲文多鄙言累句。當時咸謂照才盡，實不然也。臨海王子頊爲荆州，照爲前軍掌書記。子頊敗，爲亂兵所殺。"

齊虞炎《集序》曰："鮑照字明遠，本上黨人，家世貧賤，少有文思。宋臨川王愛其才，以爲國侍郎。王薨，始興王濬又引爲侍郎。孝武初，除海虞令，遷太學博士，兼中書舍人。時上多忌，以文自高，趨侍左右，深達風旨，以此賦述，不復盡其才思。出爲秣陵令，又轉永嘉令。大明五年，除前軍行參軍，侍臨海王鎮荆州，掌知內命，尋遷前軍刑獄參軍事。宋明帝初，江外拒命，及義嘉敗，《宋書·晉安王子勛傳》：泰始二年正月，長史鄧琬奉子勛爲帝，即僞位於尋陽，年號義嘉。荆土震擾。江陵人宋景因亂掠城，爲景所殺，時年五十餘。身既遇難，篇章無遺，流遷人間者，往往見在。儲皇博採群言，游好文藝，片辭隻韻，罔不收集。照所賦述，雖乏精典，而有超麗，爰命陪趨，備加研訪，年代稍遠，零落者多，今所存者，僅能半焉。"案此言儲皇者，即齊文惠太子也。時在齊武帝永明中，照遇難後二十餘年也。炎亦有集，見後。

鍾嶸《詩品》曰："宋參軍鮑照詩，其源出於二張，蓋謂西晉張協、張華。善製形狀寫物之詞，得景陽之諔詭，含茂先之靡嫚。骨節強於謝混，驅邁疾於顏延。總四家而擅美，跨兩代而孤出。嗟其才秀人微，故取湮當代。然貴尚巧似，不避危仄，頗傷清雅之調。故言險俗者，多以附照。"

《唐書·經籍》、《藝文志》：《鮑照集》十卷。《唐日本國見在書目》云鮑集十卷，殆即此集。

《宋史·藝文志》：《鮑照集》十卷。

《崇文總目》：《鮑照詩集》一卷。

晁氏《讀書志》：《鮑照集》十卷。照，上黨人。臨海王子頊敗，爲亂兵所殺。事見沈約《宋書》。而李延壽以世祖爲文帝。集有唐虞炎序，云爲宋景所害。儻見於他書乎？唐人避武后諱，改“照”爲“昭”。案晁氏糾《南史》之誤，是也，而以虞炎爲唐人，則失之矣。

陳氏《書錄》曰：“《鮑參軍集》十卷，宋前軍行參軍東海鮑照明遠撰。世多云鮑昭以避唐武后諱也。沈約《宋書》、李延壽《南史》皆作鮑照，而《館閣書目》直以爲鮑昭。且云上黨人，非也。”案此以上黨人爲非，知未見虞炎之序。

馮氏《詩紀》輯存《樂府》一卷、詩二卷。

汪氏《文選撰人篇目》曰：“宋鮑明遠昭有《蕪城賦》、《舞鶴賦》、《詠史詩》、《行藥詩》、《還都道中詩》、《樂府》八首、《數詩》、《翫月詩》、《擬古詩》三首、《學劉公幹詩》、《君子有所思詩》。”

《四庫提要》曰：“照没於亂兵，遺文零落。齊散騎侍郎虞炎始編次成集。《隋志》著錄十卷，而注曰梁六卷，然則後人又續增矣。此本爲明正德庚午朱應登所刊，云得自都穆家。卷數與《隋志》合，而冠以炎序，未審即《隋志》舊本否。考其編次，既以樂府別爲一卷，而《采桑》、《梅花落》、《行路難》亦皆樂府，乃列入詩中。唐以前本不應荒陋至此，斷爲明人所重編。又往往曰某字集作某，是采自他書之明證。然文章皆有首尾，詩賦亦往往有自序、自注，與六朝他集從類書采出者不同。殆因相傳舊本而稍爲竄亂歟？”

嚴氏《文編》卷首敍錄曰：“《鮑照集》十卷。一影寫宋刻本，一明都穆集本。”

梁又有《宋武康令沈懷遠集》十九卷，亡。

沈懷遠有《南越志》，見史部雜史類。

嚴氏《全宋文編》：沈懷遠有集十九卷。《初學記》有《長鳴雞贊》、《博羅縣箽竹銘》各一條。

梁又有《裴駰集》六卷,亡。

裴駰有《史記集解》,見史部正史類。

嚴氏《全宋文編》曰："裴駰有《史記集解序》一篇。"

梁又有《删定郎劉鯤集》五卷,亡。

劉鯤或作劉緄,始末並未詳。

《唐書·經籍》、《藝文志》：《劉緄集》五卷。

嚴氏《全宋文編》曰："劉緄,泰始初太學博士。案《隋志》梁有《删定郎劉鯤集》五卷,疑即此。今存《祀孝武昭后二廟議》一篇,見《宋書·禮志》。"

梁又有《宜都太守費脩集》十卷,亡。

費脩始末未詳。

宋太中大夫徐爰集六卷。梁十卷。

徐爰有《繫辭注》,見經部易類。

《唐書·經籍》、《藝文志》：《徐爰集》十卷。

嚴氏《全宋文編》：徐爰有集十卷。《初學記》有《籍田賦》,本傳有《議國史限斷表》,《宋書·禮志》及《通典》諸書有《皇子出後告廟議》、《渾儀論》、《旄頭説》、《食箴》、《家儀》等,凡二十四篇。

梁又有《宋護軍司馬孫勃集》六卷,亡。

孫勃始末未詳。

梁又有《右光禄大夫張永集》十卷,亡。

《南史·張裕傳》："裕字茂度,吳郡吳人。子演,演四弟：鏡、永、辯、岱,俱知名,時謂之張氏五龍。永字景雲,涉獵書史,能爲文章,善隸書、曉音律、騎射、雜藝,觸類兼善,又有巧思,益爲文帝所知。紙、墨皆自營造,上每得永表啓,輒執玩咨嗟，自歎供御者了不及也。大明時，歷廷尉、侍中、右光禄大夫、南兗州刺史，封孝昌縣侯。後免官削爵，發病卒。"《宋書》本傳："元徽三年卒，年六十六。順帝昇明二年，追贈侍中、右光禄大夫。"

鍾嶸《詩品》評齊征北將軍張永詩曰："張景雲雖謝文體，頗有古意。"案鍾氏以張永列在齊高帝之後，以爲齊人，誤也。

嚴氏《全宋文編》：張永有集十卷。本傳有《將士休假議》一篇。

梁又有《陽羨令趙繹集》十六卷，亡。

趙繹始末未詳。

宋庾蔚之集十六卷。梁二十卷。

庾蔚之有《喪服》三十一卷，見經部禮類。

《唐書·經籍》、《藝文志》：《庾蔚之集》十一卷。

嚴氏《全宋文編》曰："《宋書·禮志》及《通典》有庾蔚之議及《喪服》佚文凡七十五篇。《禮志》又引庾亮之《皇子出後告廟儀》一篇。亮之，孝建中爲太常丞。官位時代與庾蔚之相值，未知是一人是二人也。"

梁又有《太子中舍人徵不就王素集》十六卷，亡。琅邪。

《宋書·隱逸傳》：王素字休業，琅邪臨沂人。少有志行，家貧母老。初爲廬陵國侍郎，母憂去職。乃輕身往東陽，隱居不仕，頗營田園之資，得以自立。愛好文義，不以人俗累懷。世祖即位，詔徵太子舍人。太宗泰始六年，又召爲太子中舍人，並不就。山中有蚿蟲，聲清長，聽之使人不厭，而其形甚醜，素乃爲《蚿蟲賦》以自況。七年，卒，年五十四。

馮氏《詩紀》輯存《學阮步兵體》一首。

宋豫章太守劉愔集八卷。梁十卷。

《宋書·符瑞志》：泰始六年十二月壬辰，木連理生豫章南昌，太守劉愔之以聞。

《南史·宋明帝本紀》:帝末年好鬼神,多忌諱。泰始、泰豫之際,左右失旨,往往有刳斮斷截,禁中懍懍若踐刀劍。夜夢豫章太守劉愔反,遣就郡殺之。

《唐書·經籍》、《藝文志》:《劉愔集》十卷。

梁又有《宋起部郎費鏡運集》二十卷,亡。

費鏡運始末未詳。

梁又有《光禄大夫孫夐集》十一卷,亡。

《南史·王僧虔傳》:泰始中,僧虔爲會稽太守。中書舍人阮佃夫家在東,請假歸,客勸僧虔以佃夫要幸,宜加禮接。僧虔曰:"我立身有素,豈能曲意此輩? 彼若見惡,當拂衣去耳。"佃夫言於宋明帝,使御史中丞孫夐奏僧虔,坐免官。

嚴氏《全宋文編》曰:"孫夐,泰始中尚書左丞,累遷至光禄大夫。有集十一卷。《南齊書·江謐傳》有夐《重奏江夏王女服》一篇。"

梁又有《太尉從事中郎蔡頤集》三卷,亡。

蔡頤始末未詳。

梁又有《司空劉緬集》二十卷,録一卷,亡。 "緬"當爲"勔"。

《宋書》、《南史》本傳:劉勔字伯猷,彭城安上里人也。少有志節,兼好文義。初仕爲廣州增城令。大明初,從平竟陵王誕,封金城縣五等侯。明帝時,從討晉安王子勛及豫州刺史殷琰,封鄱陽侯。累遷散騎常侍、中領軍。勔以世路糾紛,有懷止足。經始鍾嶺之南,以爲栖息,聚石蓄水,髣髴丘中,朝士雅素者,多往游之。明帝臨崩,顧命以爲守尚書右僕射。元徽初,桂陽王休範爲亂,奄至建鄴,加勔使持節、鎮軍將軍,鎮扞石頭。勔戰敗死之,年五十七。贈司空,謚曰忠昭公。

嚴氏《全宋文編》：劉勔有《條對賈友北攻懸瓠書》，見《宋書》。本傳又有《與殷琰書》、《再與殷琰書》，見琰傳。

梁又有《青州刺史明舊暠集》十卷，亡。"舊"當爲"僧"。

《宋書·明帝本紀》：泰始二年夏四月壬午，以散騎侍郎明僧暠爲青州刺史。

《南齊書·高逸傳》：明僧紹字承烈，平原鬲人也。弟僧暠，亦好學。宋孝武見之，迎頌其名。時人以爲榮。泰始初，爲青州刺史。

《南史·明僧紹傳》：僧紹長兄僧胤，僧胤次弟暠，亦好學，宋大明中再使魏，於時新誅司空劉誕。案即竟陵王誕也。孝武謂曰："若問廣陵之事，何以答之？"對曰："周之管、蔡，漢之淮南。"帝大悅。及至魏，魏問曰："卿銜此命，當緣上國無相踰者耶？"答曰："聰明特達，舉袂成帷，比屋之甿，又無下僕。晏子所謂看國善惡，故再辱此庭。"位至青州刺史。又云："僧紹弟慶符爲青州。"則其字慶符也。

梁又有《吳興太守蕭惠開集》七卷，亡。

《宋書》、《南史》本傳：惠開，南蘭陵人，征西將軍思話子也。少有風氣，涉獵文史，家雖貴戚，而居服簡素。初爲祕書郎，著作。轉太子舍人，與汝南周朗同官友善，以偏奇相尚。襲封陽縣侯。數遷爲御史中丞，拜益州刺史。惠開素有大志，至蜀，欲廣樹經略。善於叙述，聞其言者皆以爲大功可立。才疏意廣，竟無成功。明識過人，嘗三千沙門，一閱其名，退無所失。仕至少府、給事中。泰始七年卒，年四十九。

嚴氏《全宋文編》：蕭惠開有集七卷。《宋書》本傳有《求解職表》，《南史》本傳有《斬吉翰子啓》。

梁又有《沈宗之集》十卷，亡。

沈宗之始末未詳。案總集類：梁又有《誹諧文》一卷，沈宗之撰。

梁又有《大司農張辯集》十六卷，亡。

《宋書·張茂度傳》：茂度，吳郡吳人，名與高帝諱同，故稱字。茂度子演，演弟鏡，皆有盛名。鏡弟永，永弟辯，太宗亦見任遇。歷尚書吏部郎、廣州刺史、大司農。案演、鏡、永並有集，見前所謂"張氏五龍"者。唯辯弟俗集不見。

嚴氏《全宋文編》：張辯有集十六卷。《法苑珠林》有《廬山招提寺釋僧瑜贊》，《高僧傳》有《釋曇鑒贊》，各一篇。

梁又有《金紫光祿大夫王瓚集》十五卷，錄一卷，亡。琅邪。

《宋書·王敬弘傳》：敬弘，同高祖諱，故稱字。子恢之，新安太守，中大夫。恢之弟瓚之，世祖大明中吏部尚書，金紫光祿大夫，謚曰貞子。案王敬弘亦有集，見前。《梁書·王峻傳》："祖瓚之，金紫光祿大夫。父秀之，吳興太守。"

梁又有《郭坦之集》五卷，亡。

郭坦之始末未詳。

梁又有《會稽主簿辛湛之集》八卷，亡。

辛湛之始末未詳。

梁又有《太子舍人朱年集》二卷，亡。"朱年"當爲"朱百年"。

《宋書·隱逸傳》：朱百年，會稽山陰人也。少有高情，攜妻孔氏入會稽南山，以伐樵采箬爲業。頗能言理，時爲詠，往往有高勝之言。郡命功曹，州辟從事，舉秀才，並不就。隱跡避人，唯與同縣孔凱友善。《南史》作孔敳。百年家素貧，母冬月無絮，自此不衣綿帛。嘗就凱宿，凱以臥具覆之，百年不覺也。既覺，引臥具去體，謂凱曰："綿定奇温。"因流涕悲慟，凱亦爲之傷感。除太子舍人，不就。孝建元年卒山中，年八十七。妻孔氏，時人美之，以比梁鴻妻。《南齊書·竟陵文獻王子良傳》：昇明三年，子良爲都督五郡、會稽太守。郡民朱百年有至行，先卒，賜其妻米百斛，蠲一民給其薪蘇。

梁又有《東海王常侍鮑德遠集》六卷，亡。

鮑德遠始末未詳。

案宋代諸王無封東海王者，唯《廬江王褘傳》云：“褘，文帝第八子。元嘉二十二年，年十歲，封東海王。明帝踐阼，改封廬江。”自元嘉以迄明帝泰始之元，則褘爲東海王，凡二十一年。鮑德遠爲其國常侍，在泰始之前歟？

梁又有《會稽郡丞張緩集》六卷，亡。

張緩始末未詳。

宋寧國令劉薈集七卷

劉薈始末未詳。

宋江州從事吳邁遠集一卷。殘缺。梁八卷，亡。

《南史·文學·檀超傳》：又有吳邁遠者，好爲篇章。宋明帝聞而召之，及見，曰：“此人連絶之外，無所復有。”邁遠好自誇而蚩鄙他人，每作詩，得稱意語，輒擲地呼曰：“曹子建何足數哉！”超聞而笑曰：“昔劉季緒才不逮於作者，而好詆訶人文章。季緒瑣瑣，焉足道哉，案劉季緒名脩，此所云云皆《魏志·陳思王傳》注之言也。至於邁遠，何爲者乎？”案《南史》，上文附載豫章熊襄事，此云又有吳邁遠者，明邁遠亦是豫章郡人，爲本州從事也。

鍾嶸《詩品》曰：“齊朝請吳邁遠詩，善於風人答贈。”案此云齊朝請，考《齊書·文學·邱巨源傳》，巨源與袁粲書言：吳邁遠族誅之罰，則操筆大禍。似邁遠爲桂陽王休範造檄文，因而族誅。事在後廢帝元徽二年，無由入齊爲奉朝請。鍾氏誤也。

馮氏《詩紀》輯存《飛來雙白鵠》、《櫂歌行》、《陽春歌》、《胡笳曲》、《長相思》、《長別離》、《杞梁妻》、《楚朝曲》、《古意贈今人》、《游廬山》、《臨終詩》十一篇。

宋宛朐令湯惠休集三卷。梁四卷。

《宋書·徐湛之傳》：元嘉二十四年，湛之出爲南兗州刺史。

廣陵城舊有高樓,湛之更加脩整。招集文士,盡游玩之適,一時之盛也。時有沙門釋惠休,善屬文,辭采綺豔,湛之與之甚厚。世祖命使還俗。本姓湯,位至揚州從事史。

鍾嶸《詩品》評齊惠休上人詩曰:"惠休淫靡,情過其才。世遂匹之鮑照,恐商、周矣。羊曜璠云:'是顏公忌照之文,故立休、鮑之論。'"案此又以湯惠休爲齊人,或亦誤也。

《唐書·經籍》、《藝文志》:《湯惠休集》三卷。

馮氏《詩紀》曰:"湯惠休字茂遠,初入沙門,名惠休。孝武命使還俗。本姓湯。位至揚州刺史。今存《怨詩行》、《江南思》、《楊花曲》、《白紵歌》、《秋風》、《秋思》、《楚明妃曲》、《贈鮑侍郎》凡八篇十一首。"案此"揚州刺史"下當有"從事史"三字。

梁又有《南海太守孫奉伯集》十卷,亡。

《宋書·明帝本紀》:泰始四年三月戊辰,以譙南太守孫奉伯爲交州刺史。案"譙南"當是"淮南"之誤。《歷代名畫記》:"明帝時,虞龢、巢尚之、徐希秀、孫奉伯編次圖書,裝背爲妙。"

又《后妃傳》:後廢帝江皇后,泰始五年,太宗訪求太子妃,而卜筮最吉,故爲太子納之。諷朝士州郡令獻物,多者將直百金。始興太守孫奉伯止獻琴書,其外無餘物。上大怒,封藥賜死,既而原之。

《南史·循吏·孫謙傳》:謙,東莞酇也。從子廉,字思約。父奉伯,位少府卿、淮南太守。又《謝莊傳》:前廢帝將誅莊。孫奉伯說帝曰:"死人之所同,政復一往之苦,不足爲困。莊少長富貴,且繫之尚方,使知天下苦劇,然後殺之未晚。"帝曰:"卿言有理。"繫於左尚方。明帝定亂得出。

《南齊書·祥瑞志》:泰始七年,明帝遣前淮南太守孫奉伯往淮陰監元會。奉伯與太祖同寢,夢上乘龍上天,於下捉龍腳不得。覺,謂太祖曰:"兗州當大庇生民,弟不見也。"奉伯卒於宋。

梁又有《右將軍成元範集》十卷，亡。

　　成元範始末未詳。

梁又有《奉朝請虞喜集》十一卷，亡。

　　虞喜始末未詳。

　　　案東晉有虞喜，見《晉書·儒林傳》，此殆同姓名歟？

梁又有《延陵令唐思賢集》十五卷，亡。

　　唐思賢始末未詳。

梁又有《戴凱之集》六卷，亡。

　　戴凱之有《竹譜》，見史部譜系類。

　　鍾嶸《詩品》曰："晉處士郭泰機、晉常侍顧愷之、宋謝世基、宋參軍顧邁、宋參軍戴凱詩，觀此五子，文雖不多，氣調警拔，吾許其進，則鮑照、江淹未足逮止。越居中品，僉曰宜哉。"又曰："戴凱人實貧羸，而才章富健。"

宋司徒袁粲集十一卷并目録。梁九卷。

　　《宋書》、《南史》本傳：粲字景倩，陳郡陽夏人，太尉淑兄子也。父濯，揚州秀才，蚤卒。祖母哀其幼孤，名之曰愍孫。清整有風操，自遇甚厚，嘗著《妙德先生傳》，以續嵇康《高士傳》後以自況。幼慕荀奉倩爲人。明帝初，請改爲粲，字景倩。其外孫王筠又云："明帝多忌諱，反語袁愍爲'殞門'，帝意惡之，乃令改焉。"粲負才尚氣，愛好虛遠，雖位任隆重，不以事務經懷。獨步園林，詩酒自適。嘗作五言詩云："訪迹雖中宇，循寄乃滄洲。"蓋其志也。明帝臨崩，粲爲尚書令，與褚淵、劉勔並受顧命，加衛將軍、中書監、開府儀同三司，領司徒。順帝即位，出鎮石頭。時齊高帝方革命，粲自以身受顧託，不欲事二姓，密有異圖。事泄，謂其子最曰："本知一木不能支大廈之崩，但以名義至此耳。"最抱父乞先死。粲曰："我不失忠臣，汝不失孝子。"仍求筆作启云："臣義奉大宋，策名兩畢，今便歸魂墳壠，永就山丘。"遂父子俱殞，年五十八。最，字文高，時年十七。

《唐書·經籍》、《藝文志》：《袁粲集》十卷。

嚴氏《全宋文編》：袁粲有集十一卷。今存《臨終啓》、《與釋道明書》、《妙德先生傳》、《駁顧歡夷夏論》凡四篇。

梁又有《婦人牽氏集》一卷，亡。

牽氏始末未詳。

梁又有《宋後宮司儀韓蘭英集》四卷，亡。

《南齊書·武穆裴皇后傳》：吳郡韓蘭英，婦人有文辭。宋孝武世，獻《中興賦》，被賞入宮。明帝世，用爲宮中職寮。世祖謂齊武帝也。以爲博士，教六宮書學，以其年老多識，呼爲韓公。

《金樓子·箴戒篇》曰："齊鬱林王初欲廢明帝，其文則内博士韓蘭英所作也。蘭英號韓公，總内事，善於文章，始入爲後宮司儀。"又曰："齊鬱林王時，有顏氏女，夫嗜酒，父母奪之入宮爲列職。帝以春夜命後宮司儀韓蘭英爲顏氏賦詩曰：'絲竹猶在御，愁人獨向隅。棄置將已矣，誰憐微薄軀。'帝乃還之。"

鍾嶸《詩品》評齊鮑令暉、齊韓蘭英詩曰："蘭英綺密，甚有名篇。又善談笑，齊武謂韓云：'借使二媛生於上葉，則玉階之賦，紈素之詞，未詎多也。'"

案《宋書·后妃傳》："其後太宗留心後房，擬外百官，備位置内職。後宮司儀一人，官品第三，準左僕射，銓人士。"蓋宋時爲後宮司儀，至齊武帝時爲後宮博士，至鬱林王時又總知内事，則入齊久矣。鍾氏以爲齊人，是。本志以其集題宋後宮云云，故列於宋代之末。

右宋代人文凡五十七家，附梁有一百十家，通計一百六十七家，一百六十七部，是爲别集類分篇第六。内江夏王、顏延之二家各二部，又重出王韶之一家，實止一百六十四家。

卷三十九之七

集部二之七

別集類七 齊

齊文帝集一卷。殘缺。梁十一卷。

《齊書》、《南史·文惠太子長懋傳》：字雲喬，小字白澤，武帝長子也。武帝年未弱冠而生太子，姿容豐美，爲高帝所愛。仕宋歷中書、黃門侍郎。高帝受禪，封南郡王。江左嫡皇孫封王，始自此也。武帝即位，爲皇太子。初，高帝好《左氏春秋》，太子承旨諷誦，以爲口實。及正位東儲，善立名尚，解聲律，工射。從容有風儀，音韻和辯，引接朝士，人人自以爲得意。會稽虞炎、濟陽范岫、汝南周顒、陳郡袁廓，並以學行才能，應對左右。永明五年冬，太子臨國學，親臨策試諸生，於坐問少傅王儉《曲禮》“無不敬”、《說卦》義，儉及竟陵王子良等各有酬答。太子又以此義問諸學生，謝幾卿等一十人，並以筆對。太子又問王儉《周易·乾卦》義，儉又諮太子《孝經》“仲尼居曾子侍”義，臨川王映諮“孝爲德本”義，太子並應機酬答，甚有條貫。與竟陵王子良俱好釋氏，立六疾館以養窮人。十年，豫章王嶷薨，太子見上友于既至，造碑文奏之，未及鐫勒。十一年春正月，疾篤，上表告辭，薨於東宮崇明殿，時年三十六。斂以袞冕之服，謚曰文惠。鬱林立，追尊爲文帝，廟稱世宗。

《文選·竟陵王行狀》有曰：“文皇帝養德東朝，同符作者，爰

造《九言》，實該百行。命公注解，衛將軍王儉綴而序之。"注
云："《竟陵王集》有皇太子《九言》：言德、言賢、言親、言生、
言靜、言昭、言真、言儉、言義。"又曰："《竟陵王集》有皇太子
《九言注解》。"又云："衛將軍王儉爲《九言序贊》。"

《唐日本國見在書目》：《惠文太子集》十卷。<small>案此轉寫誤作"惠文"。</small>

嚴氏《全齊文編》曰："文惠太子，追尊爲文帝。有集十一卷。
今惟《南齊書》本傳所載《疾篤上表》一篇。"

梁又有《齊晉安王子懋集》四卷，錄一卷，亡。

子懋有《春秋例苑》，見經部。

《齊書》、《南史》本傳：子懋，武帝第七子也。諸子中最爲清
恬，有意思，廉讓好學。永明八年，撰《春秋例苑》三十卷，奏
之。爲雍州刺史。時啓求所好書，武帝曰："知汝常以書讀在
心，足深欣也。"賜以杜預手所定《左傳》及《古今善言》。

梁又有《隨王子隆集》七卷，亡。

《齊書》、《南史》本傳：隨郡王子隆，字雲興，武帝第八子也。
性和美，有文才。娶尚書令王儉女爲妃。武帝以子隆能屬
文，謂儉曰："我家東阿也。"海陵王延興元年，歷中軍大將軍、
侍中。子隆年二十一，而體過充壯，常使徐嗣伯合蘆茹丸以
自銷損，猶無益。明帝輔政，謀害諸王，武帝諸子中子隆最以
才貌見憚，故與鄱陽王鏘同夜先見殺。文集行於世。<small>又《海陵王
本紀》：延興元年九月癸未，誅新除司徒鄱陽王鏘、中軍大將軍隨郡王子隆。</small>

馮氏《詩紀》：齊隨郡王蕭子隆有《經劉瓛墓下詩》一首。

嚴氏《全齊文編》曰："隨郡王子隆，歷侍中、荊州刺史、中軍大
將軍。爲明帝所害。有集七卷。今存《山居序》一篇。"

齊竟陵王子良集四十卷

竟陵王有《淨住子》，見子部雜家。

《齊書》、《南史》本傳：子良少有清尚，禮才好士。善立勝事，

夏月客至，爲設瓜飲及甘果，著之文教。士子文章及朝貴辭翰，皆發教撰録。及正位司徒，移居雞籠山西邸，集學士鈔五經百家，依《皇覽》例爲《四部要略》千卷。又與文惠太子同好釋氏。子良敬信尤篤。所著内外文筆數十卷，雖無文采，多是勸戒。

《文選》任彦昇撰《行狀》曰："天才博贍，學綜該明。至若曲臺之《禮》，九師之《易》。《樂》分龍、趙，《詩》析齊、韓。陳農所未究，河間所未輯。有一於此，罔不兼綜者與！昔沛獻訪對於雲臺，東平齊聲於揚史，淮南取貴於食時，陳思見稱於七步，方斯蔑如也。"又曰："山宇初摛，超然獨往。其卉木之奇，泉石之美，公所製《山居四時序》，言之已詳。所造箴銘，積成卷軸，門階户席，寓物垂訓。從諫如順流，虚己若不足。至於言窮藥石，若味滋旨，貴而好禮，怡寄《典》、《墳》，雖牽以物役，孜孜無怠。弘洙泗之風，闡迦維之化。豈古人所謂立言於世，没而不朽者歟？"又注曰："《竟陵王集》有皇太子《九言注解》。"

《南齊書·樂志》曰："《永明樂歌》者，竟陵王子良與諸文士造奏之。人爲十曲。"

《唐書·經籍》、《藝文志》：《齊竟陵王集》三十卷。

馮氏《詩紀》輯存《侍宴》、《游園》、《行宅》、《登山》等詩凡五首。

張氏《百三家·南齊竟陵王集》二卷，凡啓、奏、序、《淨住子淨行法門》、《七要》及詩五十六篇。《題詞》曰："蕭雲英著内外文筆數十卷，史謂其無文采，多勸戒，比覽遺文斥臺，使憂早淰，獄圄泉鑄，動見規啓，仁哉言乎！何其痌瘝，乃心也。雲英敬信釋氏，撰《淨住子淨行法門》三十一條，苦言勸諷，愍泣如雨。射雉二啓，奏告君父，不離福業，觀其惻隱，懇誠身行，津渡斷欲，以王公努力建道場之幡，擊甘露之鼓，爲黔首先唱，而天年不永，其誰爲乎？齊武二十三男中，多賢令文惠，竟陵居長表率，皆病短折。晉安諸王安能復存父夢。曇華子罹刀酖，未知西昌毒固在，報應何等也。"

嚴氏《全齊文編》：竟陵王子良有集四十卷。今存《梧桐賦》、表、啓、書、《賓僚》、《七要》、《詩序》、《淨住子序》、《眼銘》、《耳銘》、《口銘》，凡二十八篇。

梁又有《齊聞喜公蕭遙欣集》十一卷，亡。

《齊書》、《南史·宗室傳》：始安王道生，高帝次兄也。子遙光，遙光弟遙欣，字重暉，髫齔中便嶷然。明帝謂江祐曰："遙欣雖幼，觀共神采，殊有局幹，必成令器。"年十五六，便博覽經史。弱冠，拜中書郎。明帝入輔，遙欣與遙光等參預政事，凡所談薦，皆得其人。建武元年，封聞喜縣公，遷荆州刺史，加都督，改封曲江公。永元元年卒，年三十一。贈司空，謚康公。

梁又有《領軍諮議劉祥集》十卷，亡。

《齊書》、《南史》本傳：祥字顯徵，東莞莒人，穆之曾孫也。少好文學，性韻風疏，輕言肆行，不避高下。仕宋入齊。建元中，爲正員郎。永明初，撰《宋書》，譏斥禪代。尚書令王儉密以啓聞，上銜而不問。爲臨川王驃騎從事中郎。於朝士多所貶忽。著《連珠》十五首以寄其懷。有以祥《連珠》啓上，上令御史中丞任遐奏其過惡，付廷尉。上別敕祥曰："我當原卿性命，令卿萬里思愆。卿能改革，當令卿得還。"乃徙廣州。不得意，終日縱酒，少時卒，年三十九。

鍾嶸《詩品》評齊黃門謝超宗、潯陽太守邱靈鞠、給事中郎劉祥、司徒長史檀超、正員郎鍾憲、諸暨令顏則、秀才顧則心詩曰："檀謝七君，並祖襲顏延，欣欣不倦，得士大夫之雅致乎！"

嚴氏《全齊文編》：劉祥有集十卷。《南齊書》本傳有《對獄鞫辭》及《連珠》十五首。

齊太宰褚彥回集十五卷

《齊書》、《南史》本傳：褚淵字彥回，河南陽翟人，祖秀之，宋太常。父湛之，驃騎將軍，尚宋武帝女。淵少有世譽，復尚文帝女。姑姪二世相繼。拜駙馬都尉，除著作佐郎。累遷祕書丞，襲爵都鄉侯。明帝即位，改封雩都伯。歷中書令、護軍將軍。與袁粲受顧命輔幼主，加尚書令，進爵爲侯。及袁粲事平，進中書監、司空。齊臺建，求爲齊官，高帝謙而不許。建元元年，進位司徒，改封南康郡公。高帝遺詔，以爲錄尚書事。薨，年四十八。詔贈太宰，侍中、錄尚書、公如故。謚曰文簡。世頗以名節譏之，百姓語曰："可憐石頭城，寧爲袁粲死，不作褚淵生。"

《南齊書·樂志》曰："宋昇明中，太祖爲齊王，令司空褚淵造太廟登歌二章。"

《唐書·經籍志》：《齊褚彥回集》十五卷。

《唐書·藝文志》：《褚淵集》十五卷。

嚴氏《全齊文編》：褚淵有集十五卷。今存《秋傷賦》、《爲宋順帝禪位詔》及奏、議、啓、書凡十篇。

梁又有《齊黃門侍郎崔祖思集》二十卷，亡。

《齊書》、《南史》本傳：祖思字敬元，清河東武城人，魏中尉崔琰七世孫也。少有志氣，好讀書。年十八，爲都昌令。齊高帝在淮陰，祖思聞風自結，爲上輔國主簿，甚見親待，豫參謀議。自相國從事中郎遷齊國内史。高帝受禪，除給事中、黃門侍郎。武帝即位，啓陳政事，後爲青冀二州刺史。未幾，卒。

嚴氏《全齊文編》：崔祖思有集二十卷。今惟存本傳所載《國名啓》、《陳政事啓》二篇。

梁又有《中軍佐鍾蹈集》十二卷,亡。

《南史‧文學‧鍾嶸傳》:鍾嶸,潁川長社人。晉侍中雅七世
孫也。父蹈,齊中軍參軍。

梁又有《餘杭令丘巨源集》十卷,録一卷,亡。

《齊書》、《南史‧文學傳》:丘巨源,蘭陵蘭陵人也。宋初土斷
屬丹陽,後屬蘭陵。少舉丹陽郡孝廉,爲宋孝武所知。大明
五年,敕助徐爰撰國史。江夏王義恭取掌書記。明帝即位,
使參詔誥,引在左右。自南臺御史爲王景文鎮軍參軍。元徽
中,桂陽事起,使於中書省撰符檄。事平,除奉朝請。巨源望
有封賞,既而不獲,乃與尚書令袁粲自陳,竟不被申。沈攸之
事起,高帝又使爲尚書符荆州。以此又望賞異,自是意常不
滿。後除武昌太守,拜竟,不樂江外行。武帝問之,巨源曰:
“古人云:‘寧飲建鄴水,不食武昌魚。’臣年已老,寧死於建
鄴。”乃以爲餘杭令。明帝爲吳興,巨源作《秋胡詩》,有譏刺
語,以事見殺。

馮氏《詩紀》輯存《詠扇詩》二首、《聽鄰伎詩》一首。

嚴氏《全齊文編》:丘巨源有集十卷。今存《爲尚書符荆州》、
《馳檄數沈攸之罪惡》、《與袁粲書》各一篇。

齊太尉王儉集五十一卷。梁六十卷。琅邪。

王儉有《喪服古今集記》,見經部禮類。

《齊書》、《南史》本傳:儉祖曇首,父僧綽,並宋光禄大夫。案皆
有集,見前。儉生而僧綽遇害,爲叔父僧虔所養。幼有神采,專
心篤學,手不釋卷。宋明帝時,爲祕書丞,上表求校墳籍。依
《七略》撰《七志》,上表獻之,表辭甚典。又撰定《元徽四部書
目》。少有宰相之志,物議咸相推許。時大典將行,儉爲佐命,
禮義詔策,皆出於儉。褚淵唯爲禪詔文,使儉參治之。朝廷初
基,制度草創,儉問無不決。上每曰:“《詩》云‘惟嶽降神,生甫

及申’。今天爲我生儉也。”儉寡嗜欲，惟以經國爲務。手筆典裁，爲當時所重。撰《古今喪服集記》并文集，並行於世。又《土擒傳》：儉嘗集义學士，總校虛實，類物隸之，謂之隸事。隸事，自此始也。

《南齊書·樂志》曰：“永明二年，尚書殿中曹奏：‘太祖高皇帝廟神室奏《高德宣烈之舞》，未有歌詩，郊應須歌辭。案“郊”下敚“配”字。穆皇后廟神室，亦未有歌辭。’詔尚書令王儉造太廟二室及郊配辭。”又曰：“《白紵》辭五曲，尚書令王儉造。”

《南史·王僧虔傳》：僧虔著《書賦》，儉爲注序甚工。

《文選》任彥昇撰《集序》略曰：“公字仲寶。自晉中興以來，六世名德，海内冠冕，古語云：‘仁人之利，天道運行。’故吕虔歸其佩刀，郭璞誓以淮水。公之生也，誕授命世。期歲而孤，叔父司空簡穆公，早所器異，年始志學，家門禮訓，皆折衷於公。孝友之性，豈伊橋梓；夷雅之體，無待韋弦。① 初宋明帝居蕃，與公母武康公主素不協。及即位，有詔廢毀舊塋。投棄棺枢，公以死固請，誓不遵奉，表啓酸切，義感人神。太宗聞而悲之，遂無以奪也。宋末艱虞，百王澆季，禮紊舊宗，樂傾恒軌，自朝章國紀，典彝備物，奏議符策，文辭表記，素意所不蓄，前古所未聞，皆取定俄頃，神無滯用。及國學初興，華夷慕義，經師人表，允資望實。立言必雅，未嘗顯其所長；持論從容，未嘗言人所短。弘長風流，許與氣類。昉行無異操，才無異能，得奉名節，迄將一紀，一言之譽，東陵侔於西山，一盼之榮，鄭璞踰於周寶，士感知己，懷此何極。公自幼及長，述作不倦，固以理窮言行，事該軍國，豈直彫章縟采而已哉。昉嘗以筆札見知，恩以薄技效德，是用綴緝遺文，永貽世範，爲如干秩如干卷，所撰《古今集記》、《今書七志》，爲一家言，不

① “弦”，原誤作“弘”，據清嘉慶胡克家刻本《文選》改。

列於集,集録如左。"案此序蓋著於本集目録之前者。是此集明明有録,爲梁任昉撰,而本志失載也。《南史・任昉傳》:"儉出自作文,令昉點正。昉因定數字。儉歡曰:'後世誰知子定吾文。'"

又任彦昇《竟陵王行狀》曰:"文皇帝養德東朝,爰撰《九言》,實該百行。命公注解。衛將軍王儉綴而序之。"李善曰:"《竟陵王集》云:'衛將軍王儉爲《九言序贊》。'"

鍾嶸《詩品》曰:"至如王師文憲,既經國遠圖,或忽是彫蟲。"案《梁書・文學・鍾嶸傳》:"齊永明中爲國子生,明《周易》。衛軍王儉領祭酒,頗資接之。"此稱王師者,蓋以此。

《唐書・經籍》、《藝文志》:《王儉集》六十卷。

馮氏《詩紀》輯存四、五言詩八首,又《太廟二室》及《郊配辭》三首,《白紵辭》五首。

張氏《百三家・王文憲集》一卷,凡賦、表、議、奏、啓、章、牋、書、經義、問答、贊、碑文、連珠、哀策、詩、樂歌綜五十三篇。"

汪氏《文選撰人篇目》曰:"《文選》有齊王仲寶儉《褚淵碑文》。"

嚴氏《全齊文編》:王儉有集六十卷。今存《高松賦》、《靈丘竹賦》、《策齊公九錫文》、《策命齊王》、《再命璽書》、《奏勸受禪》及章、表、議、啓、牋、書、《答王逡之問》、《竟陵王山居贊》、連珠、哀策文、碑文、《冠禮祝辭》,凡五十三篇,編爲三卷。

梁又有《齊東海太守謝顥集》十六卷,亡。

《南齊書・謝瀹傳》:瀹,陳郡陽夏人。祖弘微,宋太常。父莊,金紫光禄大夫。瀹四兄:颺、朏、顥、淪,世謂謝莊名兒爲風、月、景、山、水。顥字仁悠,少簡靜。解褐祕書郎,累至太祖驃騎從事中郎。建元初,爲吏部郎,至太尉從事中郎。永明初,高選文學,以顥爲竟陵王友。至北中郎長史,[①]卒。

---

① "郎長",原誤倒,據清乾隆武英殿本《南齊書》及上下文意改。

《南史·謝莊附傳》：宋末爲豫章太守，至石頭，遂白服登烽火樓，坐免官。詣齊高帝自占謝，言辭清麗，容儀端雅，左右爲之傾目，宥而不問。永明中，歷吏部郎，有簡秀之目。卒於北中郎長史。

梁又有《謝瀹集》十卷，亡。一本作"篇"，誤。

《齊書》、《南史》本傳：瀹弟瀹，字義潔。年七歲，王景文見而異之，言於宋孝武。召見於人眾中，瀹舉止閑祥，應對合旨。僕射褚彥回以女妻之。仕齊，累遷中書侍郎。衛軍王儉引爲長史，雅相禮遇，拜吏部尚書，領右軍將軍。兄朏在吳興，論啓公事稽晚，瀹輒代朏爲啓，上知非朏手迹，被問，見原。永泰元年卒於太子詹事，年四十五。贈金紫光禄大夫，謚簡子。齊武帝起禪林寺，敕瀹撰碑文。

梁又有《豫州刺史劉善明集》十卷，亡。

《齊書》、《南史》本傳：劉善明，平原人。父懷民，宋世爲齊北海二郡太守。善明少而靜處讀書。年四十，刺史劉道隆辟爲治中從事。父謂之曰："我已知汝立身，復欲見汝立官也。"善明應辟。仍舉秀才。宋孝武見其策強直，甚異之。歷北海太守、尚書金部郎、冀州刺史、直閣將軍。宋後廢帝新立，群臣執政，善明獨事齊高帝，委身歸誠。爲高帝驃騎諮議、太尉右司馬。高帝踐阼，爲淮南、宣城二郡太守，封新塗伯。善明至郡，上表陳事，凡一十一條。又撰《聖賢雜語》奏之，託以諷諫。上答曰："省所獻《雜語》，並列聖之明規，眾智之深軌。卿能憲章先範，纂鏤情識，忠款既昭，淵誠肅著，當以周旋，無忘聽覽也。"又諫起宣陽門。表陳宜明守宰賞罰。立學校，制齊禮。廣開賓館，以接荒民。上又優詔答之。少與崔祖思友善，祖思爲青、冀二州，善明遺書叙舊，因相勗以忠概。及聞祖思死，慟哭得病。建元二年卒，年四十九。贈左將軍、豫州刺史,謚烈伯。

嚴氏《全齊文編》:劉善明有集十卷。《南齊書》本傳有《上表陳事》、《遺崔祖思書》,《弘明集》有《答釋僧巖書》、《再答》、《三答》,凡五篇。

梁又有《侍中褚賁集》十二卷,亡。

《南齊書·褚淵傳》:淵長子賁,字蔚先。解褐祕書郎。昇明中,為太祖太尉從事中郎。歷齊世子中庶子,領翊軍校尉。建元初,仍為宮官,歷侍中。世祖永明六年,上表稱疾,讓封與弟蓁。世以為賁恨淵失節於宋室,故不復仕。

《南史》附傳:賁少耿介。父背袁粲等附高帝。賁深執不同,終身愧恨之,有棲退之志。位侍中。彥回薨,服闋。武帝以為侍中、領步兵校尉、左戶尚書。常謝病在外,上以此望之,遂諷令辭爵,與弟蓁。仍居墓下。永明七年卒。

梁又有《徵士劉虯集》二十四卷。

《南齊書·高逸傳》:"劉虯字靈預,南陽涅陽人也。徙居江陵。少而好學抗節,須得禄便隱。宋太始中,仕至晉平王驃騎記室,當陽令。罷官歸家,靜處斷穀、餌术及胡麻。精信釋氏,禮佛長齋。注《法華經》,自講佛義。建元初,州辟為別駕。永明三年,詔徵通直郎。建武二年,詔徵國子博士。並不就。其年卒,年五十八。"《南史》本傳云:"一字德明。晉豫州刺史喬七世孫。"

嚴氏《全齊文編》曰:"虯卒,謚文範先生。有集二十四卷。《南齊書》本傳有《答竟陵王子良書》,《釋藏》有《無量義經序》。"

梁又有《司徒主簿徵不就庾易集》十卷,亡。

《南齊書·高逸傳》:庾易字幼簡,新野新野人也。徙居屬江陵。志性恬隱,不交外物。以文義自樂。安西長史袁象欽其風，通書致遺。建元初，刺史豫章王辟，臨川王映又表薦之。永明三年，詔徵太子舍人。建武二年，復徵爲司徒主簿。並不就。卒。

又《劉虬傳》：建元初，豫章王爲荆州，教辟虬與同郡宗測、新野庾易並遣書禮請，虬等各修牋答而不應辟命。永明三年，刺史廬陵王子卿表虬及同郡宗測、宗尚之、庾易、劉昭五人，請加蒲車束帛之命。

梁又有《顧歡集》三十卷，亡。

顧歡有《尚書百問》，見經部書類。

《南史·隱逸傳》：歡好學。年六七歲，知推六甲。家貧，父使田中驅雀，歡作《黃雀賦》而歸。及長，篤志不倦。好黃、老，通解陰陽書，爲數術多効驗。齊高帝踐阼，上表進《政綱》一卷。詳見子部道家。詔稱美之。會稽孔珪嘗尋歡，共談《四本》。歡曰：“蘭石危而密，宣國安而疏，士季似而非，公深謬而是。總而言之，其失則同。”於是著《三名論》以正之。尚書劉澄、臨川王常侍、朱廣之，並立論難，與之往復。而廣之才理尤精詣也。《四本論》，詳見三國《鍾會集》條。初，歡以佛、道二家教異，學者互相非毀，乃著《夷夏論》。詳見子部道家。歡口不辯，善於著論。又注王弼《易》二《繫》，學者傳之。知將終，賦詩言志。及卒，武帝詔歡諸子撰歡文義三十卷。案梁皇侃《論語義疏》引顧歡説，《隋》、《唐志》不見，當編入本集。

馮氏《詩紀》輯存《臨終言志詩》一首。

嚴氏《全齊文編》：顧歡有集三十卷。今存本傳所載《獻治綱表》、《夷夏論》、《答袁粲駁夷夏論》、《題東府柱》，凡四篇。

梁又有《劉瓛集》三十卷，亡。

劉瓛有《周易乾坤義》，見經部易家。

《南齊書》本傳：瓛所著文集，皆是禮義，行於世。

《南史》本傳：梁武帝少時嘗經伏膺，及天監元年下詔爲瓛立
碑，謚曰貞簡先生。所著文集行於世。初，瓛講《月令》畢，謂
學生嚴植之曰："江左以來，陰陽律數之學廢矣，吾今講此，曾
不得其彷彿。"學者美其退讓。案《月令》講義殆亦編入本集。

嚴氏《全齊文編》曰："劉瓛字子珪，小名阿稱，沛國相人，晉丹
陽尹惔六世孫。有集三十卷。《南齊書》本傳有《與張融王思
遠書》一篇。"案本志敓去"丹陽尹"。《劉惔集》詳見東晉《劉惔集》條。

梁又有《射聲校尉劉璡集》三卷，亡。

《齊書》、《南史·劉瓛傳》：瓛與兄璲先後舉秀才。璡字子璥。
方軌正直，儒雅不及瓛而文采過之。宋泰豫中，爲明帝挽郎。
舉秀才。爲建平王景素征北主簿，深見禮遇。齊建元初，爲
武陵王曄冠軍征虜參軍。文惠太子召璡入侍東宮，每上事，
輒削草。尋署中兵，兼記室參軍大司馬軍事，射聲校尉。
卒官。

嚴氏《全齊文編》：劉璡有集三卷。《宋書·建平王宏傳》有
《上書理建平王景素》一篇。

齊中書郎周顒集八卷。梁十六卷。

周顒有《周易論》，見經部易類。

《齊書》、《南史》本傳：顒少爲族祖朗所知。朗有集，見前卷。宋明
帝頗好言理，以顒有辭義，引入殿內，親近宿直。帝所爲慘毒
之事，顒不敢顯諫，輒誦經中因緣罪福事，帝亦爲小止。齊高
帝輔政，引接顒。顒善尺牘，沈攸之送絕交書，高帝口授令顒
裁答。顒音辭辯麗，出言不窮，宮商朱紫，發口成句。汎涉百
家，長於佛理。著《三宗論》，言空假義。西涼州智林道人遺
顒書，深相贊美。兼善《老》、《易》，與張融相遇，輒以玄言相
滯，彌日不解。兼著作，撰起居注。始著《四聲切韻》，行
於時。

《南齊書·文學·陸厥傳》：永明末，盛爲文章。吳興沈約、陳郡謝朓、琅邪王融以氣類相推轂。汝南周顒善識聲韻。約等文皆用宮商，以平上去入爲四聲，以此制韻，不可增減，世呼爲永明體。案周、沈同時，故各有四聲之作。周之《四聲切韻》，本志不著錄。經部小學家韻書之首有周研《聲韻》若干卷，疑即其書。

《唐書·經籍》、《藝文志》：《周顒集》二十卷。

嚴氏《全齊文編》：周顒有集十六卷。今存言、議各一篇、《與杜京産書》、《與何點書》、《答張融書難門律》四條、《重答難門律》九條、《鈔成實論序》，凡七篇。

梁又有《齊左侍郎鮑鴻集》二十卷，錄一卷，亡。

鮑鴻始末未詳。

案《齊書·百官志》，唯王國官有左右常侍、侍郎，此“左侍郎”之上疑有敚文。

梁又有《雍州秀才韋瞻集》十卷，亡。

韋瞻始末未詳。余昔年代陶孝遹學使輯《湖北通志·藝文志》，有韋瞻事蹟，當時不留稿，今無從考補矣。

梁又有《正員郎劉懷慰集》十卷，錄一卷，亡。

《南齊書·良政傳》：劉懷慰字彥泰，平原平原人也。仕宋至尚書駕部郎。與宗從、善明等同爲太祖心腹。懷慰與沈攸之有舊，令爲書戒喻攸之，太祖省之稱善。齊臺建，置齊郡治瓜步，以懷慰爲輔國將軍、齊郡太守。上謂之曰：“齊邦是王業所基，吾方以爲顯任。經理之事，一以委卿。”懷慰至郡，修治城郭，安集居民。不受禮謁，民有餉其新米一斛者，懷慰出所食麥飯示之，曰：“旦食有餘，幸不煩此。”因著《廉吏論》以達其意。太祖聞之，手敕褒賞。進督秦、沛二郡。在郡二年，遷正員郎，領青、冀二州中正。懷慰本名聞慰，世祖即位，以與舅氏名同，敕改之。永明九年卒，年四十五。懷慰與濟陽江淹、陳郡袁彖善,亦著文翰。永明初,獻《皇德論》云。

《南史·劉懷珍傳》論曰:“懷珍宗族,文質斌斌,自宋至梁,時移三代,或以隱節取高,或以文雅見重。古人云立言立德,斯門其有之乎?”又《篇目》云:“懷珍從子懷慰,懷慰子霽、杳、歊。懷珍族弟善明。從父弟峻。從孫訏。”歊、峻、訏,並有集,見梁代。善明集見前。

梁又有《永嘉太守江山圖集》十卷,亡。

江山圖始末未詳。

> 案《南齊書·高逸·顧歡傳》:“歡,吳郡鹽官人。卒於剡,還葬舊墓,木連理生墓側,縣令江山圖表狀。”又《祥瑞志》云:“永明元年八月,鹽官縣内樂村木連理。”蓋即其事。則江山圖武帝初爲鹽官令。

梁又有《驃騎記室參軍荀憲集》十一卷,亡。

荀憲始末未詳。

齊前軍參軍虞羲集九卷。殘缺。梁十一卷。

《南史·王僧孺傳》:司徒竟陵王子良開西邸,招文學,僧孺與太學生虞羲、丘國賓、蕭文琰、丘令楷、江洪、劉孝孫並以善辭藻游焉。羲字士光,會稽餘姚人,盛有才藻,卒於晉安王侍郎。

《文選·虞子陽詩》注:《虞羲集叙》曰:“羲字子陽,會稽人也。七歲能屬文,後始安王引爲侍郎,尋兼建安征虜府主簿功曹,又兼記室參軍事。天監中卒。”

鐘嶸《詩品》評梁常侍虞羲詩曰:“子陽詩奇句清拔,謝朓嘗嗟誦之。”

《唐書·經籍》、《藝文志》:《虞羲集》十一卷。

馮氏《詩紀》輯存詩十首。編入梁代。

汪氏《文選撰人篇目》曰:“《文選》有梁虞子陽羲《咏霍將

軍詩》。”

嚴氏《全齊文編》曰：“虞羲字士光，建武初爲前軍參軍，卒於晉安王侍郎。有集十一卷。《藝文類聚》有《與蕭令王僕射書爲袁彖求謚》一篇，《廣弘明集》二十三有《廬山香爐峯寺景法師行狀》一篇。”刊本無後一篇，《文編》目有之。

梁又有《平陽令韋沈集》十卷，亡。

韋沈始末未詳。

梁又有《車騎參軍任文集》十一卷，亡。

任文始末未詳。

梁又有《卞鑠集》十六卷，亡。

《南史·文學·丘巨源傳》：初，袁仲明與劉融、卞鑠俱爲袁粲所賞，恒在坐席。粲爲丹陽尹，取鑠爲主簿。好詩賦，多譏刺世人。坐徙巴州。

梁又有《婁幼瑜集》六十六卷，亡。

婁幼瑜有《喪服經傳義疏》，見經部禮類。

梁又有《長水校尉祖沖之集》五十一卷，亡。

祖沖之有《綴術》，見子部曆數家。

《齊書》、《南史·文學傳》：沖之稽古有機思，宋孝武使直華林學省。始元嘉中，用何承天所製曆，比古十一家爲密。沖之以爲尚疏，乃更造新法，上表言之。孝武令朝士善曆者難之，不能屈。文惠太子在東宮，見沖之曆法，啓武帝施行。文惠尋薨，又寢。轉長水校尉，造《安邊論》，欲開屯田，廣農殖。建武中，明帝欲使沖之巡行四方，興造大業，可以利百姓者，會連有軍事，竟不行。著《易》、《老》、《莊》義，釋《論語》、《孝經》，注《九章》，造《綴術》數十篇。

嚴氏《全齊文編》：祖沖之有集五十一卷。《宋書·曆志》及本傳載《上新曆表》、《辯戴法興難新曆》各一篇。《南史》本傳有

《安邊論》，亡。

　　案祖沖之所著《易義》、《老子義》、《莊子義》、《論語釋》、《孝經釋》、《九章注》諸書，本志皆不見，維《綴術》六卷載之曆數家。觀史文連綴所著於傳末，似與所造新曆皆編入本集五十卷中也。

齊中書郎王融集十卷　　琅邪。

《齊書》、《南史》本傳：融字元長，祖僧達，中書令。有集見前卷。母，臨川太守謝惠宣女，惇敏婦人也。教融書學。少而神明警惠，博涉有文才。舉秀才。累遷太子舍人。啓齊武帝求自試。從叔儉，初有儀同之授，贈儉詩及書，儉甚奇之。永明末，武帝欲北侵，使毛惠秀畫《漢武北伐圖》，使融掌其事。融因此上疏，開張北侵之議。九年，上幸芳林園，禊宴朝臣，使融爲《曲水詩序》，文藻富麗，當世稱之。上以融才辯，十一年，使兼主客，接魏使房景高、宋弁。因問《曲水詩序》云："在北聞主客此製，勝於顏延年，實願一見。"融乃示之。後日，宋弁謂融曰："昔觀相如《封禪》，以知漢武之德；今覽王生《詩序》，用見齊主之盛。"融曰："皇家盛明，豈直比蹤漢武！更慚鄙製，無以遠匹相如。"融躁於名利，自恃人地，三十內望爲公輔。及爲中書郎，撫案歎曰："爲爾寂寂，鄧禹笑人。"及魏軍動，竟陵王子良板融寧朔將軍、軍主。融文辭捷速，有所造作，援筆可待。子良特相友好，情分殊常。特爲謀主。武帝病篤，融欲矯詔立子良。詔草已立，西昌侯鸞入，奉太孫上殿。子良不得立。鬱林深怨融，即位十餘日，收下廷尉。融獄辭中言"所上《甘露頌》及《銀甕啓》、《三日詩序》、《接虜使語辭》，竭思稱揚"云云。詔於獄賜死。融請救於子良，子良憂懼不敢救。時年二十七。文集行於世。

《南史·王摛傳》：永明八年，天忽黃色照地，衆莫能解。司徒法曹王融上《金天頌》。摘曰："是非金天，所謂榮光。"武帝大悅。

鍾嶸《詩品》曰："至乎吟咏性情，亦何貴於用事？'思君如流水'，既是即目。'高臺多悲風'，亦惟所見。'清晨登隴首'，羌無故實。'明月照積雪'，詎出經史。觀古今勝語，多非補假，皆由直尋。顏延、謝莊，尤爲繁密，於時化之。故大明、泰始中，文章殆同書鈔。近任昉、王元長等，辭不貴奇，競須新事，爾來作者，寖以成俗。遂乃句無虛語，語無虛字，拘攣補納，蠹文已甚。但自然英旨，罕值其人。詞既失高，則宜加事義。雖謝天才，且表學問，亦一理乎？"

又曰"千百年中，不聞宮商之辨，四聲之論。齊有王元長者，嘗謂余云：'宮商與二儀俱生，自古詞人不知之。唯顏憲子乃云律呂音調，而其實大謬。唯見范曄、謝莊頗識之耳。常欲進《知音論》，未就。'王元長創其首，謝朓、沈約揚其波"云云。

《唐日本國見在書目》：《王融集》十卷。

《唐書·經籍》、《藝文志》：《王融集》十卷。《宋史·藝文志》：七卷。

《崇文總目》：《王融文集》七卷。

馮氏《詩紀》輯存《樂府歌辭》四十首、四五言雜詩五十六首。

張氏《百三家·王寧朔集》一卷，凡賦、疏、表、策、間、啓、書、序、《淨住子頌》、哀策文、墓銘、樂府、詩、聯句九十餘篇。題詞曰："元長《曲水詩序》，有名當世。北使欽矚，擬於相如《封禪》，昭明登之《文選》。玄黃金石，斐然盈篇。即詞涉比偶，而壯氣不没。其焜燿一時，亦有繇也。竟陵王宗子長，賢元長，投許情分，法門贊頌，如祚篋。夫南齊王業，太孫壞之。孝武多男，西昌賊之。設元長志遂，竟陵當陽，蕭氏福祚，可世世也。"

汪氏《文選撰人篇目》曰："《文選》有齊王元長融《策秀才文》

五首,又五首《曲水詩序》。"

嚴氏《全齊文編》:王融有集十卷。今存《擬風賦》、《桐樹賦》、《策秀才文》、表、疏、啓、書、《下獄答辭》、《曲水詩序》、《淨住子頌》、《哀策文》、《墓誌銘》,凡五十八篇。"

齊吏部郎謝朓集十二卷[①]　謝朓逸集一卷 一本作脁,非。

《齊書》、《南史》本傳:朓字玄暉,陳郡陽夏人。祖述,吳興太守。父緯,散騎侍郎。朓少好學,有美名,文章清麗。爲隨王子隆鎮西功曹,轉文學。子隆在荆州,好辭賦,朓尤被賞愛,流連晤對,不舍日夕。長史王秀之以朓年少相動,欲以啓聞。朓知之,因事求還。道中爲詩寄西府曰:"常恐鷹隼擊,時菊委嚴霜。寄語蔚羅者,寥廓已高翔"是也。仍除新安王中軍記室。箋辭子隆。執筆便成,文無點易。明帝輔政,以爲驃騎諮議,領記室,掌霸府文筆。又掌中書詔誥。出爲宣城太守。數遷,爲尚書吏部郎。善艸隸,長五言。沈約常云二百年來無此詩也。敬皇后遷祔山陵,朓撰哀策文,齊世莫有及者。東昏失德,江祏與弟祀密謂朓,欲行廢立,立始安王遥光。遥光又遣親人劉渢致意於朓。朓自以受恩明帝,不肯答。遥光大怒,乃稱敕召朓,仍間車付廷尉,與徐孝嗣、江祏、劉暄等連名啓誅朓。又使御史中丞范岫奏收朓,下獄死。年三十六。朓及殷叡素與梁武以文章相得云。

鍾嶸《詩品》:齊吏部郎謝朓詩,其源出於謝混,微傷細密,頗在不倫。一章之中,自有玉石,然奇氣秀句,往往警遒,足使叔源失步,明遠變色。善自發詩端,而末篇多躓,此意銳而才弱也。至爲後進士子之所嗟慕。朓極與余論詩,感激頓挫過其文。

---

①　"部郎",原誤倒,據清乾隆武英殿刻本《隋書》乙正。

《唐日本國見在書目》：“《謝吏集》一卷。”又曰：“《謝朓集》十卷。”“吏”下當敚“部”字。

《唐書·經籍》、《藝文志》：《謝朓集》十卷。

《宋史·藝文志》：《謝朓集》十卷，又《詩》一卷。

《崇文總目》：《謝玄暉文集》十卷，謝朓撰。

晁氏《讀書志》：《謝朓集》十卷。齊謝朓玄暉也。明帝初，自中書郎出爲東海太守。東昏時，爲江祐黨譖害之。尤長五言詩。《文選》所録朓詩僅二十首，集中多不載，今附入。

陳氏《書録》曰：“《謝宣城集》五卷，齊中書郎陳郡謝朓玄暉撰。集本十卷，樓炤知宣州，止以上五卷賦與詩刊之。下五卷，皆當時應用之文，衰世之事。可采者已見本傳及《文選》，餘視詩劣焉，無傳可也。”

馮氏《詩紀》輯存《樂府詩》四卷，又《齊雩祭歌》八首。《南齊書·樂志》曰：“建武二年，雩祭明堂，謝朓造辭，一依謝莊，凡《迎神》八章，《世祖武皇帝》三章，《青帝》三章，《赤帝》三章，《黃帝》三章，《白帝》三章，《黑帝》三章，《送神》五章。”

張氏《百三家·謝宣城集題辭》曰：李青蓮論詩，目無往古，惟於謝玄暉三四稱服。泛月登樓，篇咏數見，至欲攜之上華山，問青天，余讀青蓮五言詩，情文駿發，亦有似玄暉者，知其興歡難再，誠心儀之，非臨風空憶也。梁武帝極重謝詩，云：‘三日不讀，即覺口臭。’簡文《與湘東書》推爲‘文章冠冕，述作楷模’。劉孝綽日置几案，沈休文每稱未有。其見貴當時，又復如是。今反覆誦之，益信古人知言。雖漸啓唐風，微遜康樂，要已高步諸謝矣。”

《四庫提要》曰：“《謝宣城集》五卷，齊謝朓撰。朓以中書郎出爲宣城太守，以選復爲中書郎。又出爲晉安王鎮北諮議、南東海太守、行南徐州事，遷爲尚書吏部郎，被誅。其官實不止於宣城太守。然詩家皆稱‘謝宣城’，殆以《北樓吟咏》爲世盛傳耶。張溥刻《百三家集》合朓詩賦五卷爲一卷。此本五卷即紹興二十八年樓炤所刻，前有炤序，猶南宋佳本也。”

又《簡明目録》曰：“原本十卷，宋樓炤惟刻其詩五卷。觀其附載王融和詩，知不由綴拾成也。朓詩爲沈約所推賞，而鍾嶸則抑揚參半，要皆愛憎之私。趙紫芝詩稱‘輔嗣《易》行無漢學，玄暉詩變有唐風’。於文質升降之際，獨得其平。”

汪氏《文選撰人篇目》：齊謝玄暉朓有《新亭渚詩》、《游東田詩》、《銅雀臺詩》、《答吕法曹詩》、《在郡臥病詩》、《夜發新林詩》、《酬王晉安詩》、《出新林浦向板橋詩》、《敬亭山詩》、《休沐詩》、《登三山詩》、《京路夜發詩》、《鼓吹曲》一首、《出尚書省詩》、《中書省詩》、《觀朝雨詩》、《郡内登望詩》、《孫權故誠詩》、《八公山詩》、《和徐都曹詩》、《怨情詩》、《辭隨王牋》、《皇後哀策文》）。

嚴氏《全齊文編》據本集、《文選》、《藝文類聚》輯存賦九篇、教二、章一、表三、牋一、啓三、謚策文一、哀策文一、墓誌銘四、祭文三，凡二十八篇。又《文編》卷首叙録曰：“《謝朓集》五卷。一明刻本，一吴騫刻本。”

梁又有王巾集十一卷，亡。琅邪。

王巾或作王屮，有《法師傳》十卷，見史部雜傳家。

鍾嶸《詩品》評齊記室王巾、齊綏遠太守卞彬、齊端溪令卞録詩曰：“王巾、二卞詩，並愛奇嶄絶。慕袁彦伯之風。雖不宏綽，而文體勤淨，去平美遠矣。”

《文選·頭陀寺碑文》注：王簡棲爲《頭陀寺碑文》，詞巧麗，爲世所重。碑在鄂州，題云“齊國録事參軍琅邪王巾製。”

嚴氏《全梁文編》曰：“王屮，卒於梁天監四年，似當入梁，而《隋志》注列於齊謝朓之下，豈入梁不仕者耶？有集十一卷。

今惟存《文選》《頭陀寺碑文》一篇。"

齊司徒左長史張融集二十七卷。梁十卷。又有張融《玉海集》十卷，《大澤集》十卷，《金波集》六十卷，亡。

張融有《少子》，見子部道家。

《齊書》、《南史》本傳：融弱冠有名，後浮海至交州，於海中作《海賦》，文辭詭激，獨與眾異。後以示鎮軍顧顗之，顗之曰："卿此賦實超玄虛，但恨不道鹽耳。"融即求筆注曰："漉沙構白，熬波出素。積雪中春，飛霜暑路。"此四句，後所足也。自序有曰："吾文章之體，多爲世人所驚。夫文豈有常體，但以有體爲常，當使常有其體。"又曰："吾之文章，體亦何異，何嘗顛溫涼而錯寒暑，綜哀樂而橫歌哭哉？政以屬辭多出，比事不羈，不阡不陌，非途非路耳。"又曰："吾義亦如文，吾無師無友，不文不句，頗有孤神獨逸耳。"又曰："吾昔嗜僧言，多肆法辯。"臨卒，又戒其子曰："吾文體英絕，變而屢奇，既不能遠至漢魏，故無取嗟晉宋。豈吾天挺，蓋不隨家聲。"融文集數十卷，行於世。自名其集爲《玉海》，司徒褚淵問其故，融云："蓋玉以比德，海崇上善耳。"張氏知名，前有敷、演、鏡、暢，後有充、融、卷、稷。案融，會稽太守暢子也。暢有集，見前卷。

又傳論曰："有晉自宅淮海，張氏無乏賢良。及宋、齊之間，雅道彌盛。其前則云敷、演、鏡、暢，蓋其尤著者也。然景胤敬愛之道，少微立履所由，其殆優矣。謂敷及暢也。思光行己卓越，非常俗所遵，齊高帝所云'不可有二，不可無一'，斯言其幾得矣。"

鍾嶸《詩品》曰："思光紆緩誕放，縱有乖文體，然亦捷疾豐饒，差不局促。"

《唐書·經籍》、《藝文志》：《張融玉海集》六十卷。

馮氏《詩紀》輯存《白日歌》、《蕭史曲》、《憂且吟》、《別詩》凡四首。

張氏《百三家・張長史集》一卷,凡賦、牋、書、門論、門律、自序、誡子詩凡一十四篇。《題詞》曰:"張氏世理音辭,修儀範,思光獨詭越驚人,似一狂士。然孝親敬嫂,感德重義,人倫之際,何亹亹也。自序文章云:'不阡不陌,非途非路。'後有狀者,不如其善自狀也。《海賦》文辭詭激,欲前無木華。雖體製未諧,藩籬已判。傳詩絶少,落落如之。白雲清風,孤臺明月,想見其人。"案張融《別詩》云:"白雲山上盡,清風松下歇。欲識離人悲,孤臺見明月。"

《四庫提要》別集類小序曰:"集始於東漢。荀況諸集,後人追題也。其自製名者,始於張融《玉海集》。"

嚴氏《全齊文編》:張融有集二十七卷。又《玉海集》十卷,《大澤集》十卷,《金波集》六十卷。今存《海賦》、牋、書、《門律自序》、《白日歌序》、《遺令》、《戒子》、《防墓評》,凡十三篇。案經部論語類梁有《當家語》二卷,魏博士張融撰,亡。此《防墓評》疑即其佚文。又疑是《聖證論》中之張融評也。

梁又有《齊羽林監庾韶集》十卷,亡。

庾韶始末未詳。

梁又有《黄門郎王僧祐集》十卷,亡。琅邪。

《南史・王弘傳》:弘弟子遠,遠子僧祐,字胤宗。幼聰悟,叔父微撫其首曰:"兒神明意用,當不作率爾人。"亦爲從兄儉所重。舉秀才,爲驃騎法曹。雅好博古,善《老》、《莊》,不尚繁華。工草隸,善鼓琴。亭然獨立,不交當世。沛國劉瓛上書薦爲著作佐郎,遷司空祭酒。謝病不與公卿游。齊高帝謂王儉曰:"卿從可謂朝隱。"答曰:"臣從非敢妄同高人,直是愛閑多病耳。"齊武帝數閲武,僧祐獻《講武賦》。時何點、王思遠之徒請交,並不降意。自天子至於侯伯,未嘗與一人游。

卒於黃門郎。子籍。

馮氏《詩紀》輯存《贈王儉詩》曰："汝家在市門，我家在南郭。汝家饒賓侶，我家多烏雀。"案此四句見本傳。

梁又有《太常卿劉悛集》二十卷，錄一卷，亡。

《齊書》、《南史》本傳：悛字士操，彭城安上里人。父勔，宋司空。勔有集，見前卷。隨父征竟陵王誕於廣陵，以功拜駙馬都尉。與齊武帝同直殿內，並爲宋明帝所親待，由是與武帝款好。本名忱，宋明帝多忌，反'劉忱'爲'臨讎'，改名悛焉。齊高帝霸業初建，悛先致誠節。歷仕高帝、武帝、鬱林王、明帝，至東昏即位，爲散騎常侍，領驍騎將軍，五兵尚書。卒年六十一。贈太常，常侍、都尉如故。謚曰敬。

嚴氏《全齊文編》：劉悛有集二十卷。今惟存本傳所載《蒙山采銅啓》一篇。

梁又有《祕書王寂集》五卷，亡。琅邪。

《齊書·王僧虔傳》：僧虔第九子寂，字子玄。性迅動，好文章。讀《范滂傳》，未嘗不歘扼。王融敗後，賓客多歸之。建武初，欲獻《中興頌》，兄志謂曰："汝膏粱年少，何患不達？不鎮之以靜，將恐貽譏。"寂乃止。初爲祕書郎，卒，年二十一。

齊金紫光禄大夫孔稚珪集十卷

孔稚珪有《陸先生傳》，見史部雜傳家。

《齊書》、《南史》本傳：稚珪少學涉，有美譽。高帝爲驃騎，以稚珪有文翰，取爲記室參軍，與江淹對掌辭筆。永明中，敕與公卿八座共刪注《律文》爲二十卷，錄敘一卷。稚珪表上其事。又請立律學助教，依五經例，詔報從之。建武初，以魏連歲南侵，征役不息，百姓死傷，乃上表陳通和之策。帝不納。稚珪風韻清疏，好文詠，飲酒七八斗。與外兄張融情趣相得，又與琅邪王思遠、廬江何點、點弟胤並款交。不樂世務，居宅

盛營山水，憑幾獨酌，傍無雜事。門庭之內，草萊不剪，中有
蛙鳴。以此當兩部鼓吹云。

鍾嶸《詩品》評齊司徒長史張融、詹事孔稚珪詩曰："德璋生於
封谿，而文爲雕飾，青於藍矣。"案張融嘗爲封溪令。

《唐日本國見在書目》：《孔稚珪集》十卷。

《唐書·經籍》、《藝文志》：《孔稚珪集》十卷。《宋史·藝文志》同。
《崇文總目》同。

晁氏《讀書志》：《孔稚珪集》十卷。稚珪，道隆孫，會稽山陰
人，爲東南冠族。少知名，有文采，辭章清拔，獨冠當世。集
有序云："所爲文章，雖行於世，竟未撰集。"今摭其遺佚分爲
十卷，然莫知其爲誰序也。

陳氏《書録解題》：《孔德璋集》十卷，齊太子詹事孔稚圭德璋
撰。《北山移文》，其所作也。

馮氏《詩紀》輯存《白馬篇》二首、《旦發青林》、《游太平山》各
一首。

張氏《百三家·孔詹事集》一卷，凡表、奏、啓、書、碑、《北山移
文》、祭文、詩十八篇。《題辭》曰："汝南周顒，結舍鍾嶺。後
出爲山陰令，秩滿入京，復經此山，稚珪代山移文絶之。昭明
取入《文選》中。孔、周二傳，俱不載此事。豈調笑之言，無關
紀録，如嵇康於山濤，徒有其書，交未嘗絶也。"

汪氏《文選撰人篇目》：《文選》有齊孔德璋稚珪《北山移文》。

孔氏《闕里文獻考》：孔氏別集有先聖二十九代孫、齊散騎常
侍稚珪集十卷。

嚴氏《全齊文編》：孔稚珪，《南史》作"孔珪"，有集。今存表、
奏、啓、《北山移文》、碑文、祭文凡十三篇。

齊後軍法曹參軍陸厥集八卷。梁十卷。

《南齊書·文學傳》：厥字韓卿，吳郡吳人，揚州別駕閑子也。

少有風概，好屬文，五言詩體甚新奇。永明九年，詔百官舉士，司徒左西掾顧㬭之表薦焉。州舉秀才，爲王晏少傅主簿，遷後軍行參軍。永安九年，始安王遙光反，厥父閑被誅，厥坐繫尚方。尋有赦令，厥恨父不及，感慟而卒，年二十八。文集行於世。

鍾嶸《詩品》評梁秀才陸厥詩曰："觀厥文緯，具識丈夫之情狀。自製未優，非言之失也。"

《唐書‧經籍志》、《藝文志》：《陸厥集》十卷。

馮氏《詩紀》輯存《蒲坂行》、《齊歌行》、《南郡歌》、《邯鄲行》、《左馮翊歌》、《京兆歌》、《李夫人及貴人歌》各一首、《中山王孺子妾歌》二首、《臨江王節士歌》一首，又《奉答內兄希叔》五首。案自《蒲坂行》至《臨江王節士歌》，皆擬《漢書‧藝文志》詩賦略中所載之題，詳見余所輯《漢志條理》第五卷中。

汪氏《文選撰人篇目》曰："《文選》有齊陸韓卿厥《答內兄希叔詩》、《孺子妾歌》。"

嚴氏《全齊文編》：《陸厥集》十卷。今惟存《齊書》、《南史》所載《與沈約論聲韻書》一篇。

齊太尉徐孝嗣集十卷梁七卷。

《齊書》、《南史》本傳：孝嗣字始昌，東海郯人也。祖湛之，宋司空。父聿之，著作郎。並爲太子劭所殺。孝嗣在孕得免。幼而挺立，風儀端簡。八歲，襲爵枝江縣公。見宋孝武帝，升階流涕，迄於就席。帝甚愛之，尚康樂公主，拜駙馬都尉，除著作郎。齊建元初，國除。累遷五兵尚書。武帝敕儀曹令史陳淑、王景之、朱玄真、陳義民撰江左以來儀典，令諮受孝嗣。竟陵王子良好佛法，使孝嗣及廬江何胤掌知齊講及衆僧。明帝謀廢鬱林，孝嗣即還家草太后令。以廢立功，封枝江縣侯。明帝即位，進爵爲公，位尚書令。孝嗣愛好文學，器量弘雅，不以權勢自居,故見容明帝之世。時連年魏軍動,國用虛乏,孝嗣表立屯田。明帝崩,受遺託,加中書監。永元初,輔政,進位司空。其冬,入華林省。東昏侯遣茹法珍賜藥。卒。和帝中興元年,贈太尉。二年,謚曰文忠,改封餘干縣公。

《梁書·徐勉傳》:勉上修五禮表曰:"伏尋所定五禮,起齊永明三年,製作歷年,未就。建武四年,齊明帝敕委尚書令徐孝嗣。舊事本末,隨在南第。永元中,孝嗣於此遇禍,又多零落。當時鳩斂所餘,權付尚書左丞蔡仲熊、驍騎將軍何佟之,共掌其事。

《唐書·經籍》、《藝文志》:《徐孝嗣集》十二卷。

馮氏《詩紀》輯存《白雪歌》一首。

嚴氏《全齊文編》:徐孝嗣有集十卷。今見本傳及《齊書·禮志》、《通典》有《表立屯田》、《奏劾蕭元蔚等》、《嗣君廟見議》、《冠婚禮議》四篇。

梁又有《侍中劉暄集》一十一卷,亡。

《齊書》、《南史·江祏傳》:明帝遺詔,轉祏尚書左僕射,弟衛尉祀爲侍中,敬皇后弟劉暄爲衛尉,與始安王遙光、尚書令徐孝嗣、領軍蕭坦之六人輔政,時呼爲六貴。東昏即位,遷散騎常侍、右衛將軍。暄字士穆,彭城人,出身南陽國常侍。遙光事起,以討暄爲名。事平,暄遷領軍將軍,封平都縣侯。其年,左右小人茹法珍、梅蟲兒、徐世標譖暄有異志,乃見殺。和帝中興元年,贈散騎常侍、撫軍將軍、開府儀同三司。梁又有通直常侍《裴昭明集》九卷,亡。

《南齊書·良政傳》:裴昭明,河東聞喜人,宋太中大夫松之孫也。父駰,南中郎參軍。昭明少傳儒史之業,宋泰始中,爲太學博士。議太子婚納徵禮,準的經誥,凡諸僻謬,一皆詳正。元徽中,出爲長沙郡丞。歷祠部通直郎。齊永明三年,使虜。

還爲始安内史。九年，復遣北使。建武初，爲王玄邈安北長史、廣陵太守。昭明歷郡皆有勤績。中興二年卒。《南史·裴松之附傳》曰：“昭明子子野。”

嚴氏《全齊文編》：裴昭明有集九卷。本傳及《宋書·禮志》、《通典》有《議皇太子納徵禮》、《郊殷議》各一篇。

梁又有《虞炎集》七卷，亡。

《南齊書·文學·陸厥附傳》：會稽虞炎，永明中以文學與沈約俱爲文惠太子所遇，意盼殊常。官至驃騎將軍。《南史》作“驍騎”，是也。

又《孝義·公孫僧遠傳》：太祖即位，遣兼散騎常侍虞炎十二部使行天下。建元三年，表列僧遠等二十三人，詔並表門閭。

馮氏《詩紀》輯存《玉階怨》一首，又附見《謝朓集》詩三首。

嚴氏《全齊文編》曰：“虞炎，會稽人，初爲博士，累遷散騎侍郎、驍騎將軍。有集七卷。《齊書·禮志》及《通典》有《郊壇瓦屋議》，宋本《鮑照集》有虞炎序，各一篇。”

梁又有《吏部郎劉瑱集》十卷，亡。

《南史·劉勔傳》：勔，彭城安上里人也。勔子悛，悛弟繪，繪弟瑱，字士溫。少有行業，文藻、篆隸、丹青並爲當世所稱。時有滎陽毛惠遠善畫馬，瑱善畫婦人，並爲當世第一。瑱妹爲齊鄱陽王妃，瑱仕齊歷尚書吏部郎、義興太守。先繪卒。

馮氏《詩紀》輯存《上湘度琵琶磯詩》一首。

梁又有《梁國從事中郎劉繪集》十卷，亡。

《南史·劉勔傳》：勔子悛，悛弟繪，字士章。初爲齊高帝行參軍。豫章王嶷鎮江陵，繪爲參軍，以文義見禮。歷中書郎，掌詔誥。敕助國子祭酒何胤撰脩禮儀。永明末，都下人士盛爲文章談義，皆湊竟陵王西邸，繪爲後進領袖。時張融以言詞辯捷，周顒彌爲清綺，而繪音采不贍麗，雅有風則。時人爲之語曰："三人共宅夾清漳，張南周北劉中央。"言其處二人間也。魚復侯子響誅後，豫章王嶷欲求葬之，召繪爲表言其事，繪須臾便成。嶷歎曰："禰衡何以過此。"唯足八字云："提攜鞠養，俯見成人。"後魏使至，繪以辭辯被敕接使。事畢，當撰語辭。繪謂人曰："無論潤色未易，但得我語亦難矣。"數遷爲建安王車騎長史，行府國事。及梁武起兵，東昏見殺，城內遣繪及國子博士范雲等齎其首詣梁武帝於石頭。轉大司馬從事中郎，卒。案此大司馬即梁武帝，故是集題"梁國從事中郎"。

《南齊書》本傳：繪聰警有文義，善隸書。撰《能書人名》，自云善飛白，言論之際，頗好矜詡。中興二年卒，年四十五。案齊和帝中興二年，亦即梁武帝天監元年，蓋卒於是年四月禪位之前也。

《梁書·劉孝綽傳》：父繪，齊大司馬霸府從事中郎。繪，齊世掌詔誥。孝綽年未志學，繪嘗使代草之。

鍾嶸《詩品》評齊寧朔將軍王融、齊中庶子劉繪詩曰："元長、士章，並有盛才。詞美英淨，至於五言之作，幾乎尺有所短。譬應變將略，非武侯所長，未足以貶臥龍。"

馮氏《詩紀》輯存《樂府》二首、詩五首。

嚴氏《全齊文編》：劉繪有集十卷。《魚復侯傳》有《爲豫章王嶷乞收葬蛸子響表》，《南史·齊宗室傳》有《與始安王遙光箋》，《禮志》有《難何佟之南北郊牲色議》，凡三篇。

齊侍中袁彖集五卷并錄

《齊書》、《南史》本傳：彖字偉才，陳郡陽夏人。父覬，武陵太守。覬有集，見前。彖少有風氣，好屬文及玄言。覬臨終與兄顗書曰："史公才識可喜，足慰先基矣。"史公，彖小字也。舉秀才，仕宋爲齊高帝太傅相國主簿，祕書丞。議駁檀超國史。入齊爲中書郎，兼御史中丞。數遷爲侍中。隆昌元年卒，年四十八。諡靖子。

馮氏《詩紀》輯存《贈庾易》一首、《游仙詩》二首。

嚴氏《全齊文編》：袁彖有集五卷。《齊書》本傳有《駁檀超國史條例議》，《南史·袁湛附傳》有《苟蔣之兄弟罪議》，《謝超宗傳》有《奏劾超宗》，凡三篇。

齊中書郎江奐集九卷并錄

江奐始末未詳。

《唐書·經籍》、《藝文志》：《江奐集》十一卷。_{《舊志》岑刊本作"汪奐"。}

馮氏《詩紀》曰："江朝請奐有《綠水曲》一首。"

齊平西諮議宗躬集十三卷

宗躬有《孝子傳》，見史家雜傳家。

《唐書·經籍》、《藝文志》：《宗躬集》十二卷。

齊太子舍人沈驎士集六卷。

沈驎士有《喪服經傳義疏》，見經部禮類。

《南史·隱逸傳》：驎士幼而篤敏。及長，博通經史，有高尚之心。居貧織簾誦書，口手不息，鄉里號爲織簾先生。宋元嘉末，文帝令僕射何尚之抄撰《五經》，訪舉學士，縣以驎士應選。尚之謂子偃曰："山藪故多奇士，沈驎士，黃叔度之流也，汝其師之。"或勸之仕，答曰："魚縣獸檻，天上一契。聖人玄晤，所以每履吉先。吾誠未能景行坐忘，何爲不希企日損？"乃作《玄散賦》以絕世。重陸機《連珠》，每爲諸生講之。以楊王孫、皇甫謐深達生死而終禮矯俗，乃自爲終制遺令。

嚴氏《全梁文編》曰："沈驎士，一作驎士，宋侍中懷文族子。元嘉末，舉學士，尋稱疾歸。終宋至齊，累徵不就。梁受禪，與何點同徵，又不就。天監二年卒，年八十五。《齊書》作八十六，今從《南史》。案鄭元慶《湖録·金石考》載《沈氏述祖德碑》云‘天監癸未’，蓋碑文作於臨卒之年也。有集六卷。今存《與沈約書辭表薦》一篇、《答張永使者辭功曹》一篇、《終制遺令》一篇、《沈氏述祖德碑》一篇，凡四篇。”

烏程蔣塈《文編目録》附注曰：“《述祖德碑》，其文謬妄百出，乃沈氏後人僞撰。”

　右南齊人文凡一十六家，附梁有三十六家，通計五十二家，五十六部，是爲別集類分篇第七。内謝朓一家二部，張融一家四部。

卷三十九之八

集部二之八

別集類八　梁

梁武帝集二十六卷。梁三十二卷。
梁武帝詩賦集二十卷
梁武帝雜文集九卷
梁武帝別集目録二卷

梁武帝有《周易大義》，見經部易家。

《金樓子‧興王篇》：梁高祖武皇帝，晚年探賾索隱，窮理盡性，究覽墳籍，神悟知機。讀書不待溫故，一閱皆能誦憶。所以馳騁古今，備該内外，辯解聯環，論精堅白。六義四始，尤解禮體；登高必賦，莫非警策。弱冠升朝，令聞籍甚。太尉王儉，欽上風雅。司徒竟陵王，待上賓友之禮。范雲時爲司徒記室，深慕上德，自結神游。

又曰：“作《連珠》五十首以明孝道。”

又《説蕃篇》曰：“竟陵蕭子良，好文學，我高祖、王元長、謝玄暉、張思光、何憲、任昉、孔廣、江淹、虞炎、何倜、周顒之儔，皆當時之傑，號士林也。”

《梁書》、《南史》本紀：齊竟陵王子良開西邸，招文學，高祖與沈約、謝朓、王融、蕭琛、范雲、任昉、陸倕等並游焉，號曰八友。天情睿敏，下筆成章，千賦百詩，直疏便就，皆文質彬彬，超邁今古。爰自在田，及登寶位，躬製贊序，詔誥銘誄，箴頌牋奏，凡諸文集，又百二十卷。歷觀古昔人君，恭儉莊敬，藝能博學，罕或有焉。

《隋書·音樂志》：初武帝之在雍鎮，有童謠云："襄陽白銅蹄，反縛揚州兒。"識者言，白銅蹄謂馬也。白，金色也。及義師之興，實以鐵騎，揚州之士，皆面縛，果如謠言。故即位之後，更造新聲，帝自爲之詞三曲，又令沈約爲三曲，以被管絃。帝既篤敬佛法，又制《善哉》、《大樂》、《大歡》、《天道》、《仙道》、《神王》、《龍王》、《滅過惡》、《除愛水》、《斷苦轉》等十篇，名爲正樂，皆述佛法。又有法樂童子伎、童子倚歌梵唄，設無遮大會則爲之。

《梁書·劉孝綽傳》：高祖爲《藉田詩》，使僕射徐勉先示孝綽。時奉詔作者數十人。

又《羊侃傳》：大同三年，車駕幸樂游苑。侃預宴。高祖製《武宴詩》三十韻以示侃，侃即席應詔。

又《王僧孺傳》：高祖製《春景明志詩》五百字，敕在朝之人沈約已下同作。

又《江革傳》：時高祖盛於佛教，朝賢多啓求受戒，革精信因果，而高祖未知，謂革不奉佛教，乃賜革《覺意詩》五百字，云："惟當勤精進，自彊行勝脩。豈可作底突，如彼必死囚。以此告江革，并及諸貴游。"又手敕云："世間果報，不可不信。豈得底突如對元延明耶？"革因啓乞受菩薩戒。底突、元延明事亦見本傳。

又《蕭子雲傳》：子雲答敕曰："臣年二十六，著《晉史》，至《二王列傳》，欲作論草隸法，言不盡意。十許年來，始見敕旨《論書》一卷，商略筆勢，洞澈字體。又以逸少之不及元常，猶子敬之不及逸少。自此研思，方悟隸式。"唐竇蒙《述書賦》注云："梁武帝撰《書評》。"又云："今見帶名行書及制草雜批等四十餘紙。"又宋郭若虛《圖畫見聞志》載梁武帝撰《昭公録》，蓋《畫品録》之類也，與《書評》當編入本集。

又《蕭子顯傳》：中大通三年，子顯啓撰高祖集，并《普通北伐記》。其年遷國子祭酒，於學遞述高祖《五經義》。

又《文學·任孝恭傳》：孝恭進直壽光省爲司文侍郎。勑遣製《建陵寺刹下銘》，又啓撰高祖集序文，並富麗。

沈約《武帝集序》略曰：“我皇誕縱自天，生知在御。清明内發，疏通外典。爰始貴游，篤志經術。究淹中之雅旨，盡曲臺之奥義，莫不因流極源，披條振藻。若前疑往滯，舊學罕通，而超然直詣，妙拔終古。善發談端，精於持論，置壘難踰，摧鋒莫擬。有同成誦，無假含豪，興絶節於高唱，振清辭於蘭畹。至於春風秋月，送別望歸，皇王高宴，心期促賞，莫不超挺睿興，潛發神衷。及登庸歷試，辭翰繁蔚，牋記風動，表議雲飛。懷君人之大德，有事君之小心。爲下奉上，形於辭旨。雖密奏忠規，遺稿必削，而國謨藩政，存者猶多。逮乎俯應歸運，仰脩乾録，載筆握簡，各有司存，如綸之旨，時或染翰。譬於設虛靈囿，愷樂在鎬，鹿鳴四牡，皇華棠棣之歌，伐木采薇，出車杕杜之謳。皆詠志摛藻，廣命群臣，上與日月爭光，下與鍾石比韻。事同觀海，義等窺天，觀之而不測，游之而不知者矣。竊維左史記言，右史記事，君舉必書，無論大小，況乎感而後思，思而後積，積而後滿，滿而後言，若斯而已哉。謹因事立名，隨源編次。”

《周書·蕭大圜傳》：保定二年，開麟趾殿，招集學士。大圜預焉。《梁武集》四十卷，止一本，江陵平後，藏祕閣。大圜既入麟趾，方得見之。乃手寫焉。

《南史·沈約傳》：約子旋，旋次子衆，字仲師。好學，有文辭。仕梁爲太子舍人。時梁武帝制《千文詩》，衆爲之注解。

本志總集類：“《圍棋賦》一卷，梁武帝撰。”又曰：“《梁武連珠》一卷，沈約注。《梁武帝制旨連珠》十卷，梁邵陵王綸注。
《梁武帝制旨連珠》十卷，陸緬注。”

《唐書·經籍》、《藝文志》：《梁武帝集》十卷。

《玉海·聖文·御集類》：《唐志》：《梁武帝集》四十卷。案此似
有敚文。

馮氏《詩紀》輯存《樂府》一卷三十八篇，詩一卷三十三篇，聯
句一篇。題云：清暑殿效伯梁體帝與新安太守任昉、侍中徐勉、丹陽丞劉汎、黃門
侍郎柳憕、吏部郎中謝覽、侍中張卷、太子中庶子王峻、御史中丞陸杲、右軍主簿陸
倕、司徒主簿劉治、司徒左西屬江曹凡十一人。

張氏《百三家》輯本序曰：“帝兼文武之才，制旨二百餘卷，五
禮一千餘卷，通史六百卷。後世無由誦讀，今得其詔令，書敕
諸篇，置帝王集中。則魏晉風烈，間有存者，凡賦、詔、敕、制、
册、璽書、令、檄、表、書、序、記、連珠、箋、銘、雜文凡百九十餘
篇，樂府、詩、聯句六十餘首。”

嚴氏《全梁文編》曰：“帝姓蕭，諱衍，齊高帝族孫。永明初，爲
巴陵王南中郎法曹行參軍，歷衞將軍王儉東閣祭酒，數遷。
至明帝即位，封建陽男，歷輔國將軍雍州刺史，又數遷。至和
帝時，假黃鉞，進中書監、大司馬、錄尚書、驃騎大將軍、揚州
刺史，都督中外諸軍事，封梁公，加九錫，位相國，進封梁王，
以中興二年四月受禪，改元七：天監、普通、大通、中大通、大
同、中大同、太清。在位四十八年，有《周易》、《尚書》、《毛
詩》、《禮記大義》、講疏，《鍾律緯》、《孝經義疏》、《孔子正言》、
《通史》、《老子講疏》、《兵書鈔》、《金策》、《圍棋品》，各若干
卷，集三十二卷，《詩賦集》二十卷，《雜文集》九卷，《別集目
錄》三卷。今存賦四篇、制七篇、詔一百四十七篇、敕三十七
篇、策一、册一、璽書一、宣旨二、令三、表二、議二、檄一、書
十、答三、《天象論》一、《輿駕東行記》一、序二、《連珠》四、《凡

百箴》一、《硯銘迴文》一、《論蕭子雲書》、《草書狀》、《觀鍾繇書法十二意》各一、碑文一、《即位告天文》、《捨道事佛疏文》各一、懺文二、《斷酒肉文》四、《鍾律緯》四，綜凡二百四十七篇，編爲七卷。"又卷首叙目曰："《梁武帝集》八卷，明閻光世《蕭梁文苑》本。"

梁武帝淨業賦三卷

帝《自序》略曰："朕布衣之時，唯知禮義，不知信向。烹宰衆生，以接賓客，隨物肉食，不識菜味。及至南面，富有天下，遠方珍羞，貢獻相繼，海内異食，莫不畢至。方丈滿前，百味盈俎，乃方食輟筋，對案流泣，恨不得以及温清，朝夕供養，何以獨甘此膳？因亦蔬食，不噉魚肉。復斷房室，不與嬪侍同屋而處，四十餘年矣。既不食衆生，無復殺害障；既不御内，無復欲惡障，除此二障，意識稍明，内外經書，讀便解悟，從是以來，始知歸向。《禮》云：'人生而靜，天之性也。感物而動，性之欲也。'有動則心垢，有靜則心淨。外動既止，内心亦明，始自覺悟，患累無所由生也。乃作《淨業賦》云爾。"

嚴氏《文編》曰："梁武帝有《淨業賦》三卷，《釋藏》策字七號、《廣弘明集》二十九上載之并賦序。"

梁簡文帝集八十五卷　陸罩撰并録

梁簡文帝有《毛詩十五國風義》，見經部詩家。

《梁書》本紀：太宗幼而敏睿，識悟過人，六歲便屬文，高祖驚其早就，弗之信也。乃於御前面試，辭采甚美。高祖歎曰："此子，吾家之東阿。"讀書十行俱下。九流百氏，經目必記；篇章辭賦，操筆立成。博綜儒書，善言玄理。引納文學之士，賞接無倦，恒討論篇籍，繼以文章。雅好題詩，其序云："余七歲有詩癖，長而不倦。"然傷於輕豔，當時號曰宮體。

又史臣曰："太宗幼年聰睿，令聞夙標，天才縱逸，冠於今古。

文則時以輕華爲累，君子所不取焉。受制賊臣，弗展所蘊，終
罹懷、愍之酷，哀哉！"

《南史》本紀："所著文集一百卷，行於世。"又曰："帝自幽縶
之後，賊乃撤内外侍衞，使突騎圍守，牆垣悉有枳棘。無復
紙，乃書壁及板郭爲文。自序云：'有梁正士蘭陵蕭世讚，立
身行道，終始若一。風雨如晦，雞鳴不已。弗欺暗室，豈況三
光？數至於此，命也如何！'又爲文數百篇。崩後，王偉觀之，
惡其辭切，即使刮去。有隨偉入者，誦其連珠三首，詩四篇，
絶句五篇，文並悽愴云。"

又論曰："太宗敏睿過人，神采秀發，多聞博達，富贍詞藻。
然文豔用寡，華而不實，體窮淫麗，義罕疏通，哀思之音，遂
移風俗，以此而貞萬國，異乎周誦、漢莊矣！我生不辰，載離
多難。始同牖里之拘，終類望夷之禍。悠悠蒼昊，其可
問哉！"

又《陸杲傳》：杲，吳郡吳人也。子罩，字洞元。少篤學，多所
該覽，善屬文。簡文居藩，爲記室參軍，撰帝集序。稍遷太子
中庶子，掌管記，禮遇甚厚。初，簡文在雍州，撰《法寶聯璧》，
罩與群賢並抄掇區分者數歲。中大通六年而書成，命湘東王
爲序。其作者有侍中、國子祭酒、南蘭陵蕭子顯等三十人，以
比王象、劉卲之《皇覽》焉。案《法寶聯璧》序云二百二十卷。《梁書》、《南
史》本紀皆云三百卷。本志不著録。湘東王序見《廣弘明集》，嚴氏輯入《梁元帝集》。
序末載作者名位年紀，自蕭子顯以下迄於蕭愷，凡三十七人，時陸罩年十八，爲最
少云。

《周書》、《北史·蕭大圜傳》：大圜，梁簡文帝之子也。江陵覆
没，隨于謹客長安。保定二年，封始寧縣公，邑千户。尋加車
騎大將軍，儀同三司，并賜田宅、奴婢、牛馬、粟帛等。俄而開
麟趾殿，招集學士。大圜預焉。《梁武帝集》四十卷，《簡文

集》九十卷,各止一本。江陵平後,並藏祕閣。大圜既入麟趾,方得見之。乃手寫二集,一年並畢。識者稱歎之。

《唐日本國見在書目》:《梁簡文帝集》八卷。案"八"下似敓"十"字。

《唐書·經籍》、《藝文志》:《梁簡文帝集》八十卷。

《宋史·藝文志》:《梁簡文帝集》一卷。

陳氏《書録解題》:《梁簡文帝集》五卷。案《隋志》八十五卷,唐已闕五卷。《中興書目》止存一卷,詩百篇又闕其三首。今五卷皆詩,總二百四十四篇。

張氏《百三家》輯本序曰:"梁簡文帝朱邸日久,會逢清宴,兼以昭明爲兄,湘東爲弟,文辭競美,增榮棠棣。儲極既正,宮體盛行,但務綺博,不避輕華,人挾曹丕之資,而風非黃初之舊。亦時世使然乎?帝誠當陽書'立身須謹重,文章須放蕩',是則其生平所處也。凡賦、詔、令、教、移、表、疏、章、啓、書、序、論、《七勵》、頌、銘、碑、連珠、墓誌、銘、誄、哀辭、雜文、祭文、疏文八十餘篇,爲一卷。樂府六十餘篇,詩一百八十篇,爲一卷。"馮氏《詩紀》輯存樂府一卷,詩二卷,篇數略同。

嚴氏《全梁文編》曰:"帝諱綱,武帝第三子。天監六年,封晉安王。中大通三年五月,立爲皇太子。太清三年五月,即位。明年,改元大寶。在位二年,爲侯景所廢,幽於永福省,遇弒。明年,侯景伏誅,追諡曰簡文皇帝,廟號太宗。有《毛詩十五國風義》、《長春義記》、《老子私記》、《莊子講疏》、《談疏》、《竈經》,各若干卷。案《談疏》六卷爲晉簡文帝之書,詳見子部道家。集八十五卷。今存賦二十三篇。詔六、令六、教九、章二、表十八、移文一、啓四十二、書十九、《勸醫論》一、《七勵》一、序九、頌五、連珠一、銘十三、《草堂傳》一、誄一、哀辭一、墓誌銘十三、碑九、雜文七、疏文三,凡一百九十一篇,編爲七篇。"又卷首敍録曰:"《梁簡文帝集》十四卷,明閻光世《蕭梁文苑》本。"

梁元帝集五十二卷
梁元帝小集十卷

梁元帝有《漢書注》,見史部正史類。

《金樓子·自序篇》:予六歲解爲詩,奉敕爲詩曰:"池萍生已合,林花發稍稠。風入花枝動,日映水光浮。"因亦稍學爲文也。

《梁書·本紀》:世祖聰悟俊郎,天才英發。既長,好學,博綜群書,下筆成章,出言爲論,才辨敏速,冠絕一時。性不好聲色,頗有高名,與裴子野、劉顯、蕭子雲、張纘及當時才秀爲布衣之交,著述辭章,多行於世。所著文集五十卷。

《南史·本紀》:魏師至凡二十八日,徵兵四方,未至而城見剋。在幽偪,求酒飲之,製詩四絕。梁王詧遣尚書傅準監行刑,帝謂之曰:"卿幸爲我宣行。"準捧詩,流涙不能禁,進土囊而殞之。

又論曰:"歷觀書契以來,蓋亦廢興代有,未見三葉遘愍,若蕭宗之酷。善乎,鄭文貞公論之曰:元帝篤志藝文,采浮華而棄忠信;戎昭果毅,先骨肉而後寇讎。口誦六經,心通百氏,有仲尼之學,有公旦之才,適足以益其驕矜,增其禍患,何補金陵之覆没,何救江陵之滅亡哉!"案梁元帝嘗以周、孔自命,故魏鄭公有是言。

《周書·蔡大寶傳》:蕭詧令大寶使江陵。梁元帝見之甚悅,乃示所制《玄覽賦》,令注解焉。三日而畢。

《金樓子·著書篇》:"《集》三秩三十卷。"四庫館輯録曰:"案《梁書·本紀》文集五十卷,《隋書·經籍志》作五十二卷。又有小集十卷。疑作此書時方三十卷,非訛也。"

《唐書·經籍志》:《梁元帝集》五十卷,《梁元帝集》十卷。

《唐書·藝文志》：《梁元帝集》五十卷，又《小集》十卷。

陳氏《書錄》詩集類：《梁元帝詩》一卷，即湘東王繹。

張氏《百三家集》輯本，凡賦、詔、令、敕、教、表、啓、書、檄、論、議、序、贊、銘、碑、墓誌、祭文、騷一百三十七篇，樂府二十一首，詩九十七首。馮氏《詩紀》輯存樂府詩二卷，篇數略同。

嚴氏《全梁文編》曰："帝諱繹，武帝第七子。天監十三年，封湘東王。以大寶三年十一月即位於江陵，改元承聖。在位三年。爲西魏所擒，遇害。明年，追尊爲孝元皇帝，廟號世祖。有《漢書注》、《孝德傳》、《忠臣傳》、《顯忠錄》、《丹陽尹傳》、《懷舊志》、《全德志》、《研神記》、《同姓名錄》、《補闕子》、《湘東鴻烈》、《金樓子》、《玉韜》、《連山》、《洞林》，各若干卷。案《顯忠錄》非元帝書，詳見史部雜傳家，《集》五十二卷，《小集》十卷。《南史》五十，劉轂字仲寶，隨湘東王，在藩十餘年。當時文檄，皆其所爲。張溥本有《秋興賦》、《臨秋賦》，今據《藝文類聚》編入《簡文帝集》。凡《春賦》、《玄覽賦》等八篇、詔七、敕四、令九、教二、表五、議一、檄一、啓二十四、書二十、論三、序十三、贊六、銘十一、碑十七、祭文三、附《山水松竹格》，綜一百三十五篇。"又《文編》卷首叙錄曰："《梁元帝集》八卷，明閭光世《蕭梁文苑》本。"案《唐志》有《職貢圖》一卷，本志不著錄，或在本集。

梁昭明太子集二十卷

昭明太子有《孝經講義》，見經部。

《梁書》、《南史》本傳：昭明太子美姿容，善舉止，讀書數行並行，過目皆憶。每游宴祖道，賦詩至十數韻，或作劇韻，皆屬思便成，無所點易。帝大弘佛教，親自講説。太子亦素信三寶，徧覽衆經。自立《三諦法義》。案即本集所載《二諦義》、《法身義》二篇也。性寬和容衆。引納才學之士，賞愛無倦。恒自討論墳籍，或與學士商搉古今，繼以文章著述，率以爲常。中大通三年四月乙巳薨,年三十一。謚曰昭明。詔司徒左長史王筠爲哀册文。所著文集二十卷。

又《劉孝綽傳》:孝綽再爲太子洗馬,掌東宮管記。又數遷,爲太子僕,復掌管記。時昭明太子好士愛文,孝綽與陳郡殷芸、吳郡陸倕、琅邪王筠、彭城到洽等,同見賓禮。太子文章繁富,羣才咸欲撰録,太子獨使孝綽集而序之。

劉孝綽撰《集序》曰:"粤我大梁之二十一載,盛德備乎東朝。承華肇建,濫齒時髦,居陪出從,逝將二紀。譬彼登山,徒仰峻極,同夫觀海,莫澄波瀾。但職官書記,預聞盛藻,歌詠不足,敢忘編次。謹爲一秩十卷,第目如左,日升松茂,與天地而偕長;壯思英詞,隨歲月而增廣。如其後録,以俟賢臣。"_案此見嚴氏《全梁文編》,序凡八百三十言,而不注所出。序云"大梁之二十一載",則編於普通三年。又云"一秩十卷,第目如左",則初編爲十卷,録一卷也。簡文帝《上昭明太子別傳文集表》曰:"臣以不肖,妄作明離。出入銅龍,瞻仰故實,思所以揄揚盛軌,宣記德音,謹撰昭明太子別傳文集,請備之延閣,藏諸廣内,永彰茂實,式表洪徽。"

簡文帝《昭明太子集序》曰:"至於登高體物,展詩言志,控引解騷,包羅比興,銘及盤盂,贊通圖象,七高愈疾之旨,表有殊健之則,碑窮典正,每出則車馬盈衢,議無失禮,纔成則列藩擊缶,近逐情深,言隨手變,麗而不淫。"_{案此亦見嚴氏《文編》,亦不注}所出,序凡一千三百五十六言,歷敍昭明十四德。其下尚有敍文,故卷數無由考見。大抵簡文正位東宮後爲撰,集其遺二十卷,與別傳五卷,同上者也。

《唐書·經籍》、《藝文志》:《梁昭明太子集》二十卷。《宋史·藝文志》五卷。

陳氏《書録解題》:《昭明太子集》五卷,梁太子蕭統德施撰。

張氏《百三家》輯本序曰:"昭明、簡文同母,令德、文學友於,曹子桓兄弟弗如也。昭明薨,簡文敍其遺,集頌德十四,合之史傳，俱非虛美。《南史》所云'埋鵝啓釁，蕩舟寢疾'，世疑其誣。於是論昭明者，斷以姚書爲質矣。昭明述作，《文選》最有名。後人見其選，即可以知其志。凡賦、疏、令、書、啓、序、《七契》、贊、《陶靖節傳》、《解二諦義》、《解法身義》三十五篇，樂府七篇，詩二十四篇。"馮氏《詩紀》輯存樂府詩一卷，篇數略同。

《四庫提要》曰："《昭明太子集》六卷。案《梁書》本傳二十卷，《隋》、《唐志》並同。《宋志》僅載五卷，已非其舊。此本爲明嘉興葉紹泰所刊，凡詩賦一卷，雜文五卷。賦每篇不過數句，蓋自類書采掇而成，皆非完本。"

又《簡明目錄》曰："此本較張溥本多《七召》等十三篇，而少《與明山賓令》等五篇，蓋兩本皆出掇拾，故互有出入。其詩亦誤收簡文帝作五首，當由不知《玉臺新詠》所題'皇太子'乃簡文，非昭明也。"謹案《七召》亦似誤收，嚴氏嘗辯之，詳見後《何遜集》條。

又子部類書《存目》曰："《錦帶》一卷，舊題梁昭明太子蕭統撰。《書錄解題》又云梁元帝撰。比事儷語，在法帖中《章草》、《月儀》之類。詳其每篇自敍之詞，皆山林之語，非帝冑所宜言。且詞氣不類六朝，亦復不類唐格，疑宋人案《月令》集爲駢句，以備牋啓之用，後來附會，題爲統作耳。今刻本《昭明集》中亦有之，題曰十二月啓。然《昭明集》乃後人所輯，非其原本，未可據以爲信也。"

嚴氏《全梁文編》曰："昭明太子統，武帝長子。宣帝建號，追尊爲昭明皇帝，廟號高宗。有《正序》、《文章英華》、《文選》，各若干卷，《集》二十卷。今存賦六篇、令六、疏一、啓十二、《錦帶書十二月啓》一、書七、《七契》一、序三、贊三、《陶淵明傳》、《祭達摩大師文》、《令旨解二諦義》、《令旨解法身義》，綜凡四十四篇，編爲三卷。"又卷首敍錄曰："《梁昭明太子集》六卷，一明閻光世《蕭梁文苑》本，一明楊慎五卷本。"

梁有《晉安成王集》三十卷，亡。"晉"當爲"梁"。

《梁書》、《南史》本傳：安成康王秀字彦達，文帝第七子也。武帝父順之，齊高帝族弟，參預佐命，封臨湘縣侯，歷官丹陽尹。武帝即位，追尊爲文皇帝。仕齊爲著作佐郎，歷太子舍人。天監元年，封安成郡王，二千户。十七年，累遷使持節、都督雍州刺史。薨，年四十四。册贈侍中、司空，謚曰康。秀於武帝布衣昆弟，及爲君臣，小心畏敬，過於疏賤者，帝益以此賢之。時諸王並下士，建安、安成二王尤好人物，世以二安重士，方之四豪。案建安王即簡文帝也。秀精意學術，搜集經記，招學士平原劉孝標，使撰《類苑》，書未及畢，而已行於世。及薨，故吏夏侯亶等表立墓碑誌，有詔許焉。當世高才游王門者，東海王僧孺、吳郡陸倕、彭城劉孝綽、河東裴子野，各製其文。欲擇用之，而咸稱實録，遂四碑並建。古未之有也。

嚴氏《全梁文編》曰："《梁書·安成王秀傳》有《臨江州下給船教》、《臨荆州下招隱逸教》，凡二篇。"

梁岳陽王詧集十卷

《後周書·蕭詧傳》：詧字理孫，蘭陵人也，梁武帝之孫，昭明太子第三子。幼而好學，善屬文，尤長佛義。特爲梁武帝所嘉賞。梁普通六年，封曲江縣公。大通三年，進封岳陽郡王。大同元年，除使持節，都督雍州刺史。後與江陵搆隙，恐不能自固。西魏大統十五年，時爲梁武帝太清三年。乃遣使稱藩，請爲附庸。太祖策命詧爲梁王。魏恭帝元年，太祖令柱國于謹伐江陵，詧以兵會之。及江陵平，太祖立詧爲梁主，居江陵東城，資以江陵一州之地。其襄陽所統，盡歸於我。詧乃稱皇帝於其國，年號大定。恥其威略不振，常懷憂憤。乃著《愍時賦》以見意。詧疆土既狹，居常怏怏。遂以憂憤發背。在位八載，年四十四，保定二年二月，薨。其群臣謚曰宣皇帝，廟號中宗。詧篤好文義，所著文集十五卷，內典《華嚴》、《般若》、《法華》、《金光明義疏》四十六卷，並行於世。又《蔡大寶傳》：大寶文辭瞻速，詧之章表、書記、教令、詔冊並大寶專掌之。

《隋書・外戚・蕭巋傳》：巋父詧，初封岳陽王，鎮襄陽。侯景之亂，其兄河東王譽與其叔父湘東王繹不協，爲繹所害。及繹嗣位，詧稱藩於西魏，乞師請討繹。周太祖以詧爲梁主，遣柱國于謹等率騎五萬襲繹，滅之。詧遂都江陵，有荊郡、其西平州延袤三百里之地，稱皇帝於其國，車服節文一同王者。仍置江陵總管，以兵戍之。

馮氏《詩紀》輯存《建除》等雜詩凡十首。

嚴氏《全梁文編》：後梁宣帝蕭詧有集十卷。今存《愍時賦》、《游七山寺賦》、《圍棋賦》、《櫻桃賦》、《臨雍州下教》、連珠，凡六篇。

梁王蕭巋集十卷

《後周書・蕭詧傳》：詧以憂憤發背而殂。高祖又命其太子巋嗣位，年號天保。巋字仁遠，詧之第三子也。機辯有文學。善於撫御，能得其歡心。在位二十三載，年四十四，隋開皇五年五月薨。其群臣謚曰孝明皇帝，廟號世宗。巋孝悌慈仁，有君人之量。性尤儉約，御下有方，境內稱治。所著文集及《孝經》、《周易義記》及《大小乘幽微》，並行於世。

《隋書・外戚傳》：巋俊辯有才學，兼好內典。著《孝經》、《周易義記》及《大小乘幽微》十四卷，行於世。

《唐書・經籍》、《藝文志》：《後梁明帝集》一卷。舊《志》岑刻本誤作後魏。

嚴氏《全梁文編》：後梁明帝蕭巋有集十卷。《隋書・外戚傳》有《臨終上隋文帝表》一篇。

梁邵陵王綸集六卷

《梁書》、《南史》本傳：邵陵攜王綸字世調，武帝第六子也。少
聰穎，博學善屬文，尤工尺牘。天監十三年，封邵陵郡王。普
通五年，以西中郎將權攝南兗州，坐事免官奪爵。大通元年，
復封爵。中大通四年，爲侍中、揚州刺史，坐免爲庶人。頃之
復封爵。太清二年，加征討大都督，率衆討侯景。三年春，進
位司空。臺城陷，奔禹穴。大寶元年，綸至郢州，刺史南平王
恪上綸爲假黃鉞、都督中外諸軍事。二年二月，爲西魏兵所
害，年三十三。後元帝追諡曰攜。

又史臣曰：“綸聰警有才學，性險躁，屢以罪黜，及太清之亂，
忠孝獨存，斯可嘉矣。”

《唐書·經籍志》：《梁邵平王集》四卷。“平”當爲“陵”。

《唐書·藝文志》：《邵陵王綸集》四卷。

馮氏《詩紀》輯存詩六首。

嚴氏《全梁文編》：邵陵王綸有集六卷。今存《贈言賦》及教、
表、啓、書、墓誌銘、碑文、《祀魯山神文》，凡一十篇。

梁武陵王紀集八卷

《梁書》本傳：武陵王紀字世詢，高祖第八子也。少勤學，有文
才，屬辭不好輕華，甚有骨氣。天監十三年，封爲武陵郡王。
歷授持節、都督益、梁等十三州諸軍事、益州刺史。太清中，
侯景亂，紀不赴援。高祖崩後，乃僭號於蜀，改元天正。司馬
王僧略、直兵參軍徐怦並固諫，紀以爲貳於己，皆殺之。太清
五年夏四月，紀率軍東下至巴郡，以討侯景爲名，將圖荆陝。
世祖命陸法和等破之。獲紀及其第三子圓滿，俱殺之於硤
口，時年四十六。有司奏絕其屬籍，世祖許之，賜姓饕餮氏。

《唐書·經籍志》：《梁武陵王集》八卷。

《唐書·藝文志》：《武陵王紀集》八卷。

馮氏《詩紀》輯存詩六首。

嚴氏《文編》卷首敍録曰："梁宣帝、邵陵王、豫章王、武陵王、南康王合集一卷，明閭光世《蕭梁文苑》本。"案豫章王綜、南康王績，本志皆無集。

梁蕭琮集七卷

《周書·蕭詧傳》：詧子巋，開皇五年薨。隋文帝又命其太子蕭琮嗣位，年號廣運。琮子溫文，性倜儻不羈，博學有文義，兼善弓馬。初封東陽王，尋立爲皇太子。及嗣位之二年，徵琮入朝。琮率其臣下二百餘人朝於長安。琮叔父巖及弟瓛等虜居民奔於陳。隋文帝於是廢梁國，拜琮爲柱國，封莒國公。自詧初即位，歲在乙亥，至是，歲在丁未，凡三十有三歲。時陳後主禎明元年，隋文帝開皇七年。後二年，陳亦亡。後梁及陳皆三十三年而亡。琮卒於隋煬帝時，入隋久矣。詧、巋、琮三集當移後《蕭欣集》之前。

《隋書·外戚·蕭巋傳》：高祖受禪，備禮納其女爲晉王妃。煬帝嗣位，以皇后之故甚見親重，拜琮内史令，改封梁公。琮之宗族，緦麻以上，並隨才擢用，於是諸蕭昆弟布列朝廷。琮雖羈旅，見北間豪貴，無所降下。嘗與賀若弼深相友善，弼既被誅，復有童謠云："蕭蕭亦復起。"帝由是忌之，遂廢於家，未幾而卒。贈左光禄大夫。

《唐日本國見在書目》：《蕭琮集》二卷。

馮氏《詩紀》曰："蕭琮有《奉和月夜觀星詩》一首。"

嚴氏《文編》：後梁後主蕭琮有集七卷。今惟見《國清百録》所載《與釋智顗書》一篇。

梁又有《安成煬王集》五卷，亡。

《梁書·安成康王秀傳》：秀有集，見前。秀世子機，字智通，普通元年襲封安成郡王。歷會稽太守、給事中、太子洗馬、中書侍郎、丹陽尹、湘州刺史。大通二年，薨於州，時年三十。機美姿容,善吐納。家既多書,博學彊記。然而好弄尚力,遠士子,近小人。爲州專意聚斂,無治績,頻被案劾。及將葬,有司請諡。高祖詔曰:"王好内怠政,可諡曰煬。"所著詩賦數千言,世祖集而序之。

《金樓子·著書篇》:"《安成煬王集》一袟四卷。"四庫館校録曰:"案《隋書·經籍志》,《安成煬王集》五卷。"

梁司徒諮議宗史集九卷并録　"史"當爲"夬"。

《梁書》、《南史》本傳:夬字明敦,南陽涅陽人,世居江陵。祖景,宋時徵太子庶子不就,有高名。即宗炳,有集見宋人文中。夬少勤學,有局幹。弱冠,舉郢州秀才,仕齊爲臨川王常侍。時竟陵王子良集學士於西邸,並見圖畫,夬亦預焉。永明中,與魏和親,夬與尚書郎任昉同接魏使,皆時選也。齊鬱林之爲南郡王居西州,使夬管書記,夬既以筆札見知,亦以貞正見許。及文惠太子薨,王爲皇太孫,夬仍管書記。太孫即位,多失德,夬頗自疏。少帝見誅,舊寵多被其禍,唯夬與傅昭以清正得免。梁武受禪,歷太子右衛率、五兵尚書,參掌大選。天監三年卒,時年四十九。

《唐書·經籍》、《藝文志》:《宗夬集》十卷。《舊志》亦誤作"宗史"。

馮氏《詩紀》輯存《荆州樂》三首,《遥夜吟》一首,《别蕭諮議衍》一首。

梁國子博士丘遲集十卷并録。梁十一卷。

《梁書·文學傳》:遲字希範,吳興烏程人也。父靈鞠,有才名,齊太中大夫。遲八歲便屬文,靈鞠嘗謂"氣骨似我"。黄門郎謝超宗、徵士何點並見而奇之。州辟從事,舉秀才,除太學博士。累遷殿中郎。高祖平京邑,霸府開,引爲驃騎主簿,甚被禮遇。時勸進梁王及殊禮,皆遲文也。高祖踐阼,拜散騎、中書侍郎,待詔文德殿。時高祖著《連珠》,詔群臣繼作者數十人,遲文最美。天監四年,臨川王宏北伐,遲爲諮議參軍,領記室。時陳伯之在北,與魏軍來距,遲以書喻之,伯之遂降。還拜中書郎,遷司徒從事中郎。七年,卒官,年四十五。所著詩賦行於世。

《南史·文學傳》:遲辭采麗逸。時有鍾嶸著《詩評》云:"范雲婉轉清便,如流風回雪。遲點綴映媚,似落花依草。雖取賤文通,而秀於敬子。"其見稱如此。案今本《詩評》末句云:"故當淺於江淹,而秀於任昉。"

《唐書·經籍》、《藝文志》:《丘遲集》十卷。

馮氏《詩紀》輯存《侍宴樂游苑》等詩凡十一首。

張氏《百三家·丘中郎集》輯本序曰:"《南史·文學傳》首吳興丘氏靈鞠,在宋孝武時獻殷貴妃挽歌,特蒙嗟賞。希範於梁王踐阼之日,勸進殊禮,專典文字,革命諸文,連珠唱和,世不多見。其最有聲者,《與陳將軍伯之》一書耳。凡賦、表、啓、教、書、銘、誄十三篇,詩十一篇。"

汪氏《文選撰人篇目》:《文選》有梁丘希範遲《樂游苑詩》、《漁浦潭詩》、《與陳伯之書》。

嚴氏《全梁文編》:丘遲有集鈔四十卷,案見後總集類。集十一卷。《文選》有《與陳伯之書》,《藝文類聚》有《思賢賦》、《還林賦》、教、表、啓、硯銘、誄,凡十三篇。

梁又有《謝朓集》十五卷,亡。

謝朓有《書筆儀》,見史部儀注類。

《梁書》本傳:朓父莊,宋光禄大夫,有名前代。莊有集見前。朓幼聰慧,莊器之,常置左右。十歲,能屬文。莊游土山,使朓命篇,攬筆便就。宋孝武帝游姑孰,敕莊攜朓從駕,詔爲《洞井讚》,於坐奏之。帝曰:"奇童也。"著書及文章並行於世。

嚴氏《全梁文編》:謝朓有集十五卷。本傳有《與弟瀹書》,《藝文類聚》二十六有《與王儉書》，各一篇。

梁金紫光禄大夫江淹集九卷。梁二十卷。江淹後集十卷

江淹有《齊史》，見史部正史篇。

《梁書》、《南史》本傳：淹少孤貧，常慕司馬長卿、梁伯鸞之爲
人，不事章句之學，留情於文章。早爲高平檀超所知，常升以
上席，甚加禮焉。宋建平王景素好士，淹隨景素在南兗州。
廣陵令郭彦文得罪，辭連淹，言受金，淹被繫獄。自獄中上
書，景素即日出之。尋舉南徐州秀才，對策上第。時少帝即
位，多失德，景素鎮京口，咸勸因此舉事。日夜謀議，淹知禍
機將發，乃贈詩十五首以諷焉。齊高帝輔政，沈攸之作亂，及
桂陽之役，是時軍書表記皆使淹具草。相府建，補記室參軍。
高帝讓九錫及諸章表，皆淹製也。齊建元二年，始置史官，淹
與司徒左長史檀超共掌其任，參掌詔策。淹少以文章顯，晚
節才思微退，時人謂之才盡。凡所著述百餘篇，自撰爲前後
集，并《齊史》十志，並行於世。嘗欲爲《赤縣經》以補《山海》
之闕，竟不成。

鍾嶸《詩品》曰："文通詩體總雜，善於摹擬，筋力於王微，成就
於謝朓。故君子貴自立，不可隨流俗。"案此據馮氏《詩紀》所引，今本
《詩品》無末二句，而有夢郭璞事。又江文通卒於梁天監四年，而鍾氏《詩品》稱爲齊
光禄並時之人，而記載失實乃如此。

本志總集篇：《江淹擬古》一卷，羅潛注。

《唐日本國見在書目》：《江文通集》一十卷。

《唐書·經籍志》：《江淹前集》十卷。《江淹後集》十卷。

《唐書·藝文志》：《江淹前集》十卷。《後集》十卷。

《宋史·藝文志》："《江淹集》十卷。"又子部小説家："江淹
《銅劍贊》一卷。"

晁氏《讀書志》：《江淹集》十卷。淹著述百餘篇，自撰爲前後

集。今集二百四十九篇。魏晉間名人詩文行於世者，往往羨於史所載。曹植、王粲及淹皆是也，豈後人妄益之歟？案此晃《志》誤會也，詳見後漢《王粲集》條下。

陳氏《書錄解題》：《江文通集》十卷，梁散騎常侍江淹文通撰。

《四庫提要》曰：“《江文通集》四卷。淹自序傳稱：‘自少及長，未嘗著書，惟集十卷。’考傳中所序官階，止於中書侍郎。校以史傳，正當建元之初。則永明以後所作，尚不在其內。今舊本散佚，行於世者惟歙縣汪士賢、太倉張溥二本。此本乃乾隆戊寅淹鄉人梁賓以汪本、張本參核異同，又益以睢州湯斌家抄本，參互成編。汪本闕賦二篇、《銅劍讚》一篇、詩二篇。張本闕表一篇，此皆補完。其餘字句，皆備錄異同，亦均校正，較他本爲善也。”案自序傳蓋作於齊初，與史傳所載略同。其自編前集十卷，後集不知編於何時。梁有二十卷，合前後爲一編也。

又子部譜錄類《存目》曰：“《銅劍讚》一卷，梁江淹撰。齊永明中，掘地得古銅劍，淹因詮次劍事，考古人鑄兵用銅、後世鑄兵用鐵原委，以爲之讚。雖文止一篇，然《宋史·藝文志》、《文獻通考》皆著於錄，故附存其目焉。”

汪氏《文選撰人篇目》曰：“《文選》有梁江文通淹《恨賦》、《別賦》、《香爐峯詩》、《望荆山詩》、《雜體詩》三十首，《詣建平王上書》。”

嚴氏《全梁文編》：“江淹有《齊史》十二卷，集二十卷，《後集》十卷。今輯存七卷。”又卷首敍錄曰：“《江淹集》十卷，一明汪士賢《二十名家集》本，一揚州江氏刻本。”

張氏《書目答問》：《江文通集彙注》十卷，明胡人驥注刻本。

梁尚書僕射范雲集十一卷并錄

《梁書》、《南史》本傳：雲字彥龍，南鄉舞陰人，晉平北將軍汪六世孫也。汪有集，見東晉文中。性機警，有識，善屬文，便尺牘，下筆輒成，時人每疑其宿構。仕宋入齊，爲竟陵王子良會稽太守丹陽尹府主簿。子良爲南徐州、南兗州，雲並隨府遷，每陳朝政得失於子良。動相箴諫，諫書存者百有餘紙。言皆切至。齊武帝視之，咨嗟良久，曰：“不意范雲乃爾。”子良爲司徒，又補記室。初，梁武與雲俱在竟陵王西邸，情好歡甚。後遂參贊謀謨，毗佐大業。拜黃門侍郎，與沈約同心翊贊。及受禪，遷散騎常侍、吏部尚書，封霄城縣侯。雲以舊恩，超居佐命，盡誠翊亮，知無不爲。帝亦推心仗之，所奏多允。尋遷尚書右僕射。二年，卒，時年五十三。贈侍中、衞將軍，僕射、侯如故。禮官請謚曰宣。敕賜謚曰文。有集三十卷。

鍾嶸《詩品》曰：“梁衞將軍范雲詩，清便宛轉，如流風迴雪。”

《唐書·經籍》、《藝文志》：《梁范雲集》十二卷。

馮氏《詩紀》輯存《雜詩》凡三十八首。

汪氏《文選撰人篇目》曰：“《文選》有梁范彥龍雲《贈張徐州詩》、《贈王中書詩》、《效古詩》一首。”

嚴氏《全梁文編》：范雲有集十一卷。本傳作三十卷。《藝文類聚》有《爲柳司空讓尚書令初表》、《第二表》、《除始興郡表》，凡三篇。

梁太常卿任昉集三十四卷

任昉有《雜傳》，見史部雜傳家。

《南史》本傳：昉幼而聰敏，早稱神悟。八歲能屬文，自製《月儀》，辭義甚美。齊永明初，衞將軍王儉每見其文必三復殷勤，以爲當時無輩，曰：“自傅季友以來，始復見於任子。若孔門是用，其入室升堂。”於是令昉作一文，及見，曰：“正得吾腹中之欲。”乃出自作文，令昉點正，昉因定數字。儉拊几歎曰：“後世誰知子定吾文！”其見知如此。後爲司徒竟陵王記室參軍。時琅邪王融有才儁，自謂無對，當時見昉之文，恍然自失。昉尤長載筆，頗慕傅亮，才思無窮，當時王公表奏無不請焉。昉起草即成，不加點竄。沈約一代辭宗，深所推挹。梁武帝剋建鄴，霸府初開，以爲驃騎記室參軍，專主文翰。每制書草，沈約輒求同署。嘗被急召，昉出而約在，是後文筆，約參製焉。梁臺建，禪讓文誥，多昉所具。昉好獎進士友，得其延譽者多見升擢，故衣冠貴游多與交好，坐上客恒有數十。時人慕之，號曰任君，言如漢之三君也。爲《家誡》，殷勤甚有條貫。既以文才見知，時人云“任筆沈詩”。昉聞甚以爲病。晚節轉好著詩，欲以傾沈。用事過多，屬辭不得流便，自爾都下士子慕之，轉爲穿鑿，於是有才盡之談矣。所著文章數十萬言，盛行於時。東海王僧孺嘗論之，以爲過於董生、楊子。昉樂人之樂，憂人之憂，虛往實歸，忘貧去吝，行可以厲風俗，義可以厚人倫，能使貪夫不取，懦夫有立。其見重如此。撰《雜傳》二百四十七卷，《地記》二百五十二卷，文章三十三卷。鍾嶸《詩品》曰：“彥昇少年爲詩不工，故世稱沈詩任筆，昉深恨之。晚節愛好既篤，文亦遒變。善詮事理，拓體淵雅，得國士之風。昉既博物，動輒用事，所以詩不得奇。少年士子，效其如此，弊矣。”

本志總集篇：梁有《文章始》一卷，任昉撰。案即《文章緣起》，詳見本條。

《唐日本國見在書目》：《任昉集》廿八卷。

《唐書・經籍》、《藝文志》：《任昉集》三十四卷。《宋史・藝文志》：六卷。

明萬曆庚寅河東呂兆禧輯本跋曰：“近檔李特哀沈文不及任集，慕古者闕焉。爰蒐載集得詩若文七十有奇，篇次爲六卷。”案所輯凡賦、詩、詔、令等文七十三篇。馮氏《詩紀》輯存四、五言詩二十篇二十二首，與此略同。

張氏《百三家·任中丞集》輯本，凡賦、詔、璽書、册、令、教、表、彈文、啓、牋、書、策、問、序、議、哀策文、碑、墓銘、行狀、弔文五十八篇，詩、聯句二十二篇。《題辭》曰："王僧孺之傳任敬子也，曰：'少孺速而未工，長卿工而未速，異哉！貶前修而昂任君，其東海之溢美乎？'案《藝文類聚》有王僧孺撰《太常敬子任府君傳》。江南文勝，古學日微，方軌詞苑，代有名人。大抵采死翟之毛，抉焚象之齒，生意盡矣。居今之世，爲今之言，違時抗往，則聲華不立，投俗取妍，則爾雅中絕。求其儷體行文無傷逸氣者，江文通、任彥昇庶幾近之。然後知僧孺所稱非盡謬也。《昭明文選》載彥昇令、表、序、狀、彈文，生平筆長，可悉推見。"

汪氏《文選撰人篇目》曰："梁任彥昇昉有《器范僕射詩》、《贈郭桐廬詩》、《宣德皇后令》、《策秀才文》三首、《讓宣城郡公表》、《讓封侯表》、《薦士表》、《讓襲封表》、《立太宰碑表》、《答七夕詩啓》、《修卞墓啓》、《辭奪禮啓》、《彈曹景宗》、《彈劉整》、《到記室牋》、《勸今上牋》、《王文憲集序》、《劉先生夫人墓誌》、《齊文宣行狀》。"案昭明取當代人文惟此爲獨多。

嚴氏《全梁文編》輯本四卷，凡賦、詔、《九錫文》、《禪位策》、《璽書》、令、《策秀才文》、教、表、奏彈文、議、牋、啓、書、《文章緣起序》、《王文憲集序》、《哀策文》、碑、銘、行狀、弔文，綜六十四篇。又卷首敍錄曰："《任彥昇集》二卷，明刻本。"

梁有《晉安太守謝纂集》十卷，亡。

《梁書·謝朓傳》：朓次子纂，頗有文才，仕至晉安太守，卒官。案謝朓有集，見前。"纂"與"纂"通。

梁有《撫軍將軍柳憕集》二十卷，亡。"憕"當爲"惔"。

《梁書》本傳：惔字文通，河東解人也。父世隆，齊司空。惔仕齊爲西戎校尉，梁、南秦二州刺史。及高祖起義兵，惔舉漢中應之。高祖踐阼，論功封曲江縣侯。高祖讌爲詩以貽惔曰：
"爾實冠羣后，惟余實念功。"累遷使持節、安南將軍、湘州刺
史。天監六年十月，卒于州，時年四十六。贈侍中、撫軍將
軍。謚曰穆。惔著《仁政傳》，及著詩賦，粗有辭義。

《南史·柳世隆傳》：世隆長子悦，早卒。次子惔，好學，工製
文，尤曉音律，少與長兄悦齊名。王儉謂人曰："柳氏二龍，可
謂一日千里。"嘗預齊武烽火樓宴，帝善其詩，謂豫章王嶷曰：
"惔非徒風韻清爽，亦屬文遒麗。"年六十，卒於湘州刺史。案
《南史》于卒年多從省，此云"年六十"者，蓋以"六年十月"之敚誤也。

梁有《中護軍柳惲集》十二卷，亡。

柳惲有《天監棋品》，見子部兵家。

《梁書》本傳：惲少有志行，好學，善尺牘。與陳郡謝瀹隣居，
瀹深所友愛。初，宋世有嵇元榮、羊蓋，並善彈琴，云傳戴安
道之法。惲幼從之學，特窮其妙。高祖至京邑，時東昏未平，
士猶苦戰。惲上牋陳便宜，請城平之日，先收圖籍，及遵漢祖
寬大愛民之義，高祖從之。惲立行貞素，早有令名，少工篇
什。始爲詩曰："亭皋木葉下，隴首秋雲飛。"琅邪王融見而嗟
賞，因書齋壁。至是預曲宴，被詔賦詩。嘗奉和高祖《登景陽
樓》中篇云："太液滄波起，長楊高樹秋。翠華承漢遠，彤輦逐
風游。"深爲高祖所美。當時咸共稱傳。惲既善琴，嘗以今聲
轉棄古法，乃著《清調論》，具有條流。

《南史·柳惔傳》：惔弟惲，仕齊爲太子洗馬。父憂去職。著
《述先頌》，申其罔極之心，文甚哀麗。後試守鄱陽相，聽吏屬
得盡三年喪禮，署之文教，百姓稱焉。初，惲父世隆彈琴，爲
士流第一，惲每奏其父曲，常感思。復變體備寫古曲。嘗賦
詩未就，以筆捶琴，坐客過，以筯扣之，惲驚其哀韻，乃製爲雅
音。後傳擊琴自於此。投壺梟不絕，博射必命中。弈棋第二

品。武帝謂周捨曰：“吾聞君子不可求備，至如柳惲，可謂具美。分其才藝，足了十人。”惲著《十杖龜經》。性好醫術，盡其精妙。

陳氏《書録》詩集類：《柳吴興集》一卷，梁吴興太守河東柳惲文暢撰。僅有十八首。

馮氏《詩紀》曰：“柳渾少有志學，工爲詩，‘亭皋木葉’之句，見《擣衣詩》五首之二章。輯存十五篇二十二首。”

嚴氏《全梁文編》：柳惲有集十二卷。《弘明集》有《答釋法雲書難范縝神滅論》一篇。

梁有《豫州刺史柳憕集》六卷，亡。

《梁書·柳恢傳》：恢第四弟憕，亦有美譽，歷侍中鎮西長史。天監十二年卒，贈寧遠將軍、豫州刺史。

《南史》本傳：惲弟憕，字文深。少有大意，好玄言，通《老》、《易》。梁武帝舉兵至姑熟，憕與兄惲及諸友朋於小郊候接。歷位給事黄門侍郎。與琅邪王峻齊名，俱爲中庶子。後爲鎮北始興王長史。王移鎮益州，復請憕。帝曰：“柳憕風標才氣，恐不能久爲少王臣。”王祈請數四，不得已，以爲鎮西長史、蜀郡太守。在蜀廉恪爲政，益部懷之。始興忠武王憺，武帝第十一子。天監八年秋，爲鎮北將軍、南兗州刺史。九年春，遷鎮西將軍、益州刺史。憕爲長史，帶太守，首尾凡四年而卒。

嚴氏《全梁文編》：柳憕有集六卷。《藝文類聚》有《賦體》，《弘明集》有《答釋法雲書難范縝神滅論》，凡二篇。

梁《尚書令柳忱集》十三卷，亡。

《梁書》本傳：忱字文若，恢第五弟也。齊和帝即位，爲尚書吏部郎、南平太守。尋遷侍中。高祖踐阼，論建義功，封州陵伯。累遷湘州刺史、祕書監。天監十年卒，時年四十一。追贈中書令。謚曰穆。

《南史》本傳：忱兄弟十五人，多少亡，唯第二兄惔、第三兄惲、第四兄憕及忱，三兩年間，四人迭爲侍中，復居方伯，當世罕比。

梁有《義興郡丞何僩集》三卷，亡。

《南史·何承天傳》：承天，東海郯人也。曾孫遜，遜從叔僩，字彦夷。亦以才著聞。宦游不達，作《拍張賦》以喻意。末云："東方曼倩發憤於侏儒，遂與火頭食子稟賜不殊。"位至臺郎。

梁有《撫軍參軍韋温集》十卷，亡。

韋温始末未詳。

梁有《鎮西録事參軍到洽集》十一卷，亡。

《梁書》本傳："洽字茂㳂，彭城武原人，宋驃騎將軍彦之曾孫也。少知名，清警有才學士行。謝朓文章盛於一時，見洽深相賞好，日引與談論。每謂洽曰："君非直名人，乃亦兼資文武。"朓爲吏部，欲薦之，洽覩世方亂，深相拒絶。遂築室巖阿，幽居者積歲。樂安任昉有知人之鑒，與洽兄沼、溉並善。嘗訪洽於田舍，見之歎曰："此子日下無雙。"遂申拜親之禮。天監初，沼、溉俱蒙擢用，洽尤見知賞，從弟沆亦與齊名。高祖問待詔丘遲曰："到洽何如沆、溉？"遲對曰："正情過於沆，文章不減溉。加以清言，殆將難及。"即詔爲太子舍人。御華光殿，詔洽及沆、蕭琛、任昉侍讌，賦二十韻詩，以洽辭爲工。高祖謂昉曰："諸到可謂才子。"昉對曰："臣嘗竊議，宋得其武，梁得其文。"天監九年，數遷國子博士，奉敕撰《太學碑》。普通五年，遷給事黄門侍郎，領尚書左丞。時鑾輿欲親戎，軍國容禮，多自洽出。六年，遷御史中丞，彈糾無所顧望，號爲勁直。七年，出爲雲麾長史、尋陽太守。大通元年，卒於郡，年五十一。贈侍中，謚曰理子。昭明太子與晉安王綱令曰：

"明北兗、到長史相係凋落，傷悒悲惋，下能已已。到子風神開爽，文義可觀，當官莅事，介然無私。皆海內之俊乂，東序之祕寶。"洽文集行於世。案昭明稱明北兗者，謂明山賓也。

《南史·到彥之傳》：彥之，彭城武原人。楚大夫屈到後也。洽美容質，善言吐，弱年聽伏曼容講，未嘗傍膝，伏深歎之。直待詔省，敕使抄甲部書爲十二卷。文集行於世。

嚴氏《全梁文編》：到洽有集十五卷。今存《奏劾劉孝綽》、《周弘正補太學博士議》各一篇，見《梁書·劉孝綽傳》、《陳書·周弘正傳》。

梁有《太子洗馬劉苞集》十卷，亡。

《梁書·文學傳》：苞字孝嘗，彭城人也。祖勔，宋司空。父恒，齊太子中庶子。苞少好學，能屬文。歷太子洗馬、掌書記，侍講壽光殿。自高祖即位，引後進文學之士，苞及從兄孝綽、從弟孺、同郡到溉、溉弟洽、從弟沆、吳郡陸倕、張率並以文藻見知，多預讌坐，雖仕進有前後，其賞賜不殊。天監十年卒，時年三十。臨終，呼友人南陽劉之遴託以喪事，士友咸歎惜之。

《南史·劉勔附傳》：苞一字孟嘗，悛弟子也。叔父繪，嘗歎服之。家有舊書，例皆殘蠹，手自編輯，筐篋盈滿。梁初，侍講壽安殿。及從兄孝綽等並以文藻見知，受詔詠《天泉池荷》及《采菱調》，下筆即成。案劉勔及子悛、悛弟繪、繪弟瑱，並有集，見前。孝綽集見後。

馮氏《詩紀》輯存《侍宴樂游苑詩》一首，《望夕雨》一首。

梁有《南徐州秀才諸葛璩集》十卷，亡。

《梁書·處士傳》：璩字幼玟，琅邪陽都人，世居京口。幼事徵士關康之，博涉經史。復師徵士臧榮緒。榮緒著《晉書》，稱璩有發摘之功，方之壺遂。璩性勤於誨誘，後生就學者日至，居宅狹陋，無以容之，太守張友爲起講舍。且夕孜孜，講誦不輟，時人益以此宗之。累辭徵聘。天監中，舉秀才，不就。七年，卒於家。璩所著文章二十卷，門人劉曒集而録之。《南史》作"劉暾"。

梁特進沈約集一百一卷并録

沈約有《謚法》，見經部論語類。

《梁書》、《南史》本傳：約祖林子，宋征虜將軍。有集，見前。父璞，淮南太守。元嘉末，被誅。約年十三而遭家難，流寓孤貧。篤志好學，晝夜不釋卷，遂博通群籍，善屬文。齊文惠太子入居東宫，爲步兵校尉，管書記，直永壽省，校四部圖書。梁武在西邸，與約有舊。建康城平，勳業既就，天人允屬。約嘗扣其端，勸早定大業。帝命草其事，約乃出懷中詔書并諸選置，帝初無所改。帝召范雲謂曰："生平與沈休文群居，不覺有異人處，今日才智縱横，可謂明識。我起兵於今三年矣，功臣諸將實有其勞，然成帝業者乃卿二人也。"天監中，奏尚書八條事。約居處儉素。立宅東田，矚望郊阜，嘗爲《郊居賦》以序其事。約歷仕三代，該悉舊章，博物洽聞，當世取則。謝玄暉善爲詩，任彦昇工於筆，約兼而有之，然不能過也。文集一百卷，行於世。

《梁書·王筠傳》：約製《郊居賦》，構思積時，猶未都畢，乃要筠示其草，筠讀至"雌霓五激反。連踡"，約撫掌欣抃曰："僕常恐人呼爲霓"。五雞反。次至"墜石磓星"及"冰懸垎而帶坻"，筠皆擊節稱賛。約曰："知音者希，真賞殆絶，所以相要，政在此數句耳。"

鍾嶸《詩品》曰："觀休文衆製，五言最優。詳其文體，察其餘論，固知憲章鮑明遠也。所以不閑於經綸，而長於清怨。永明相王愛文，謂齊竟陵王子良也。王元長等皆宗附之。約於時謝朓未逌,江淹才盡,范雲名級故微,故約稱獨步。雖文不至其工麗,亦一時之選也。見重閭里,誦詠成音。嶸謂約所著既多,今翦除淫雜,收其精要,允爲中品之第矣。故當詞密於范,意淺於江也。”

又曰:“昔曹、劉殆文章之聖,陸、謝爲體貳之才,銳精研思,千百年中,而不聞宮商之辨,四聲之論。齊有王元長者,嘗謂余云:‘宮商與二儀俱生,自古詞人不知之。唯見范曄、謝莊頗識之耳。’王元長創其首,謝朓、沈約揚其波。三賢或貴公子孫,幼有文辨,於是士流景慕,務爲精密,襞積細微,專相凌架。故使文多拘忌,傷其真美。余謂文製本須諷讀,不可蹇礙,但令清濁通流,口吻調利,斯爲足矣。至平上去入,余病未能;蜂腰鶴膝,閭里已具。”

《顏氏家訓·文章篇》:沈隱侯曰:“文章當從三易:易見事,一也;易識字,二也;易讀誦,三也。”邢子才常曰:“沈侯文章,用事不使人覺,若胸臆語也。”深以此服之。又曰:“邢子才、魏收俱有重名,時俗準的,以爲師匠。邢賞服沈約而輕任昉,魏收愛慕任昉而毀沈約,每於談讌,辭色以之。鄴下紛紜,各有朋黨。祖孝徵嘗謂吾:‘任、沈之是非,乃邢、魏之優劣也。’”

《唐日本國見在書目》:“《沈汋集》百卷。”又曰:“沈約《八詠》一卷。”“汋”當是“約”之誤。馮氏《詩紀》:《金華志》曰:“《八詠詩》,南齊隆昌元年太守沈約所作,題于玄暢樓,時號絕倡。後人因更玄暢樓爲八詠樓云。”

《唐書·經籍志》:《沈約集》一百卷,《沈約集略》三十卷。

《唐書·藝文志》:《沈約集》一百卷,又《集略》三十卷。

《宋史·藝文志》:《沈約集》九卷,又《詩》一卷。《崇文總目》無《詩》一卷。

陳氏《書錄解題》:《沈約集》十五卷,《別集》一卷,又九卷,梁特進吳興沈約休文撰。約有文集百卷，今所存惟此而已。十五卷者，前二卷爲賦，餘皆詩也。《別集》雜録詩文，不分卷。九卷者，皆詔草也。《館閣書目》但有此九卷及詩一卷，凡四十八首。

馮氏《詩紀》輯存《樂府》一卷、詩二卷，又《梁雅樂歌》十一首、《南郊登歌》二首、《北郊登歌》二首、《明堂登歌》五首、《宗廟登歌》七首、《三朝雅樂歌》六首、《相和歌辭》五首、《鼓吹曲》十二首、《大壯大觀舞歌》二首、《鞞舞歌》六首。

張氏《百三家·沈隱侯集》二卷，凡賦、詔、敕、制、疏、表、章、彈文、啓、書、序、論、義、頌、贊、銘、連珠、記、碑、哀策文、謚、議、墓誌銘、行狀、文、疏一百七十九篇，爲一卷。樂府一百六首、詩一百三十五首，爲一卷。《題詞》有曰："休文大手，史書居長，傳者獨宋文集百卷，僅存十三云。"

汪氏《文選撰人篇目》曰："沈休文約有《餞吕僧珍詩》、《別范安成詩》、《鍾山詩》、《宿東山詩》、《沈道士館詩》、《定山詩》、《新安江詩》、《和謝宣城詩》、《詠月詩》、《冬節後至丞相第詩》、《愁臥詩》、《湖中雁詩》、《三月三日詩》、《彈王源》、《宋書·謝靈運論》、《恩倖傳論》、《齊安陸王碑文》。"

嚴氏《全梁文編》："沈隱侯有《謚法》、《四聲》、《晉書》、《宋書》、《齊紀》、《高祖紀》、《宋世文章志》、《邇言》、《俗説》、《雜説》、《袖中記》、《袖中略集》、《珠叢》，各若干卷，《集鈔》十卷，《集》一百一卷。今存賦十一篇、制五篇、詔三十、敕三、令一、答詔一、章三、表廿三、疏一、上言一、奏彈六、謚議三、議一、啓十八、書十二、論十一、記二、序四、佛義三、頌一、贊六、連珠二、銘五、哀策文一、墓誌銘六、碑七、行狀三、雜文十，凡一百八十一篇，編爲八卷。"又卷首敍録曰："《沈約集》四卷，明沈道初刻本。"案又有明萬曆癸丑武陵楊鶴所刻《武康四先生集》本，四卷，似即据沈道初本,凡賦及樂府詩爲二卷,詔敕等雜文二卷,蒐輯既不備,編次亦未善。

梁又有《謝綽集》十一卷,亡。

謝綽有《宋拾遺》,見史部雜史類。

嚴氏《全梁文編》曰:"謝綽有《宋拾遺》十卷,集十一卷。《弘明集》卷十有《答釋法雲書難范縝神滅論》一篇。"

梁中軍府諮議王僧孺集三十卷

王僧孺有《百家譜》,見史部譜系類。

《梁書》本傳:僧孺六歲能屬文。既長,好學。家貧,常傭書以養母,所寫既畢,諷誦亦通。仕齊,爲太學博士。尚書僕射王晏深相賞好。晏爲丹陽尹,召補功曹,使撰《東宮新記》。僧孺與樂安任昉遇竟陵王西邸,以文學友會,昉贈詩推重。天監中,直文德省。撰《中表簿》及《起居注》。是時,高祖製《春景明志詩》五百字,敕在朝之人沈約已下同作。高祖以僧孺詩爲工。僧孺好墳籍,聚書至萬餘卷,率多異本,與沈約、任昉家書埒。少篤志精力,於書無所不睹。其文麗逸,多用新事,人所未見者,世重其富。文集三十卷。《兩臺彈事》不入集內爲五卷,及《東宮新記》,並行於世。

《南史》本傳:司徒竟陵王子良開西邸,招文學,僧孺與太學生虞羲、丘國賓、蕭文琰、丘令楷、江洪、劉孝孫並以善辭藻游焉。而僧孺與高平徐夤俱爲學林。工屬文,善楷隸,多識古事。入直西省,知撰譜事。武帝因詔僧孺改定《百家譜》。

《唐日本國見在書目》:《王僧殖集》十六卷。"殖"似"孺"之變體。

《唐書·經籍》、《藝文志》:《王僧孺集》三十卷。

馮氏《詩紀》輯存《樂府詩》共三十七首。

張氏《百三家·王左丞集》一卷,凡《賦體》、表、牋、啟、教、書、序、碑、墓誌、銘、傳、誄、祭文、佛事文二十八篇,《樂府詩》三十六首。

嚴氏《全梁文編》：王僧孺有《總集》十八，《州譜》六百九十卷，《百家譜》三十卷，《百家譜集鈔》十五卷，《兩臺彈事》五卷，集三十卷。今存《賦體》、教、表、牋、啓、書、論、序、傳、誄、墓誌、碑銘、《禮佛發願文》等，凡三十篇。

梁尚書左丞范縝集十一卷

《梁書·儒林傳》：范縝字子真，南鄉舞陰人，晉安北將軍汪六世孫。縝少孤貧。年未弱冠，從沛國劉瓛學。卓越不群，瓛甚奇之，親爲之冠。在瓛門下積年，博通經術，尤精《三禮》。性質直，好危言高論，不爲士友所安。唯與外弟蕭琛善，琛名曰口辨，每服縝簡詣。齊竟陵王子良盛招賓客，縝亦預焉。仕齊至宜都太守，母憂去職。義師至，縝墨縗來迎。高祖與縝有西邸之舊，見之甚悅，以爲晉安太守，徵爲尚書左丞。後坐王亮事，徙廣州。在南累年，追還京。以爲中書郎、國子博士，卒官。文集十卷。

《南史·范雲附傳》：雲從父兄縝，年二十九，髮白皤然，乃作《傷暮詩》、《白髮詠》以自嗟。齊竟陵王子良精信釋教，而縝盛稱無佛。子良問曰：“君不信因果，何得富貴貧賤？”縝答曰：“人生如樹花同發，隨風而墮，自有拂簾幌墜於茵席之上，自有關籬牆落於糞溷之中。墮茵席者，殿下是也；落糞溷者，下官是也。貴賤雖殊途，因果竟在何處？”子良不能屈，然深怪之。退論其理，著《神滅論》。論出，朝野諠譁。子良集僧難之而不能屈。太原王琰乃著論譏縝曰：“嗚呼范子！曾不知其先祖神靈所在。”欲杜縝後對。縝又對曰：“嗚呼王子！知其先祖神靈所在，而不能殺身以從之。”其險詣皆此類也。子良使王融謂之曰：“神滅既自非理，而卿堅執之，恐傷名教。以卿之大美，何患不至中書郎耶？而故乖剌爲此，可便毀棄之。”縝大笑曰：“使范縝賣論取官，已至今令僕矣，何但中書郎耶?"文集十五卷。

鍾嶸《詩品》曰:"齊雍州刺史張欣泰、梁中書郎范縝詩,並希古勝文,鄙薄俗製,賞心流亮,不失雅宗。"

嚴氏《全梁文編》:"范縝有集十一卷。今存擬騷、招隱士及表、書各一篇,又《神滅論》、《答曹思文難神滅論》各一篇。"

案《弘明集》載梁武帝《敕答臣下神滅論》有曰:"神滅之論,朕所未詳。"又《敕答曹思文》云:"縝既背經以起義,乖理以致談。滅聖難以聖責,乖理難以理詰。如此則言語之論,略或可息。"又有釋法雲《奉敕難范縝神滅論與王公朝貴書》。當時王公朝貴答書詰難者,有臨川王宏、南平王偉、長沙王淵業、蕭景、蕭昂、蕭眕素、蕭琛、蕭靡、沈約、伏暅、何炯、曹景宗、謝舉、韋叡、范岫、王茂、王瑩、范孝才、王志、王揖、王泰、王緝、王珍國、王暕、王彬、王緘、嚴植之、賀瑒、袁昂、徐勉、王僧孺、王僧恕、陸倕、陸杲、陸煦、殷鈞、庾曇隆、曹思文、丘仲孚、馬元和、蔡撙、司馬筠、柳惲、庾黔婁、明山賓、司馬褧、柳憕、謝綽、庾詠、王琳、張緬、陸璉、沈宏、顏繕、孫抱、劉洽、王仲欣、沈緄、張翻、徐緄、王靖、王筠、沈績凡六十三人,嚴氏並輯入《全梁文編》。案此皆在梁初所難,其在齊時相反覆如王琰諸人者,更不知其凡幾。自來著論詰難紛紜者,當無逾於此。其本論見《梁書》本傳。末一段問答,乃自叙,其本意非特當時之藥石,亦後世之炯戒,千古名言也。

梁護軍將軍周捨集二十卷

周捨有《禮義疑》,見經部禮類。

《南史》本傳:捨雖居職屢遷,而常留省內,罕得休下。國史詔誥,儀體法律,軍旅謀謨,皆兼掌之。日夜侍上,預機密,二十餘年未嘗離左右。與徐勉同參國政,勉小嫌中廢,捨專掌權轄，雅量不及勉而清簡過之，兩人俱稱賢相。時議國史，疑文帝紀傳之名。捨以爲帝紀之籠百事，如《乾象》之包六爻，今若追而爲紀，則事無所包，若直書功德，則傳而非紀。應於上紀之前，略有仰述。從之。初，帝銳意中原，群臣咸言不可，唯捨贊成之。大通中，累獻捷，帝思其功，下詔述其德美。捨集二十卷。

又《隱逸傳》：南嶽鄧先生，名郁，荆州建平人。隱居衡山极峻之嶺，斷穀三十餘載。梁武帝敬信殊篤。天監十四年，無疾而終。帝後令周捨爲《鄧玄傳》，具序其事。

又《庾肩吾傳》：簡文與湘東王書論文體曰："至如近世謝朓、沈約之詩，任昉、陸倕之筆，斯文章之冠冕，述作之楷模。張士簡之賦，謂張率也，有集見後。周升逸之辯，亦成佳手，難可復遇。"

《唐書·經籍》、《藝文志》：《周捨集》二十卷。

馮氏《詩紀》輯存《上雲樂》一篇，《還田舍》一篇，又《鞞舞歌》三首，《鐸舞曲》一首。

嚴氏《全梁文編》：周捨有集二十卷。今存議七篇、《鼎銘》一首。

梁有《祕書張熾金河集》六十卷，亡。

張熾始末未詳。

> 案庾肩吾《書品》下之下有張熾，而不著其爵里。孜張融始自名其集曰《玉海》，曰《大澤》，曰《金波》，詳見前卷。此又自號爲《金河集》，與融之《金波集》卷數相同，似即《金波集》，張熾爲祕書時所録，合《玉海》、《大澤》諸集爲一編歟？審如是，則前後所注梁有必有一條，非《七録》者矣。

梁有《劉歆集》八卷，亡。

劉歆有《古今文字序》，見經部小學類。

《南史·劉懷慰傳》："懷尉子：霽、杳、歊。歊幼有識慧，六歲誦《論語》、《毛詩》，意所不解，便能問難。十二讀《莊子·逍遙篇》，曰：'此可解耳。'客問之，隨問而答，皆有情理，家人每異之，謂爲神童。及長，博學有文才。不娶不仕，與族弟訏並隱居求志。天監十七年，忽著《革終論》。初，訏之疾，歊盡心救療，及卒哀傷，爲之誄。又著《悲友賦》，以序哀情。"又《梁書·處士傳》云："歊精心學佛，有道人釋寶誌者，時人莫測也，遇歊於興皇寺，驚起曰：'隱居學道，清淨登佛。'如此三說云。"

嚴氏《全梁文編》：劉歊有集八卷。《梁書》、《南史》本傳有《革終論》。

梁有《玄貞處士劉許集》一卷，亡。"許"當爲"訏"。

《梁書·處士傳》：劉訏字彥度，平原人也。父靈真，齊武昌太守。訏數歲，父母繼卒，爲伯父所養。長兄絜爲之娉妻，剋日成婚，訏聞而逃匿，事息乃還。本州刺史張稷辟爲主簿，不就。主者檄召，訏乃挂檄於樹而逃。善玄言，尤精釋典。曾與族兄劉歊聽講於鍾山諸寺，因共卜築宋熙寺東澗，有終焉之志。天監十七年，卒於歊舍，年三十一。臨終，執歊手曰："氣絕便斂，斂畢即埋，靈筵一不須立，勿設饗祀，無求繼嗣。"歊從而行之。宗人至友相與刊石立銘，謚曰玄貞處士。

《南史·劉懷珍附傳》：陳留阮孝緒，博學隱居，不交當世，恒居一鹿牀，環植竹木，寢處其中。時人造之，未嘗見也。訏經一造，孝緒即顧以神交。訏族兄歊又履高操，三人日夕招攜，故都下謂之三隱。案訏、歊卒于天監十七八年，阮氏卒于大同二年，後二劉卒十八九年。

嘉定錢大昕《隋書考異》曰："《經籍志》玄真處士《劉許集》一

卷。'許'當爲'訐'。"

梁蕭洽集二卷

《梁書・蕭介傳》：介，蘭陵人。性高簡，少交游，惟與族兄琛、
從兄眎素及洽、從弟淑等文酒賞會，時人以比謝氏烏衣之游。
洽字宏稱，介從父兄也。幼敏悟，七歲誦《楚辭》略上口。及
長，好學博涉，亦善屬文。仕齊入梁，至普通初，歷通直散騎
常侍。洽少有才思，高祖令製同泰、大愛敬二寺刹下銘，其文
甚美。出爲臨安太守，還拜司徒左長史。又敕撰《當塗堰
碑》，辭亦贍麗。六年，卒官，時年五十五。集二十卷，行
於世。

《南史・蕭思話傳》：思話，南蘭陵人。子惠開、惠明、惠基。
惠基子洽，司徒左長史，卒於官。文集二十卷，行於世。

《唐書・經籍》、《藝文志》：《蕭洽集》二卷。

梁隱居先生陶弘景集三十卷　陶弘景内集十五卷

陶弘景有《毛詩序注》，見經部詩家。

《南史・隱逸傳》：弘景性好著述，尚奇異，顧惜光景，老而彌
篤。以歷代皆取其先妣母配饗地祇，以爲神理宜然，碩學通
儒，咸所不悟。武帝既早與之游，及即位，恩禮愈篤，書問不
絕。國家每有吉凶征討大事，無不前以諮詢。月中常有數
信，時人謂爲山中宰相。自知亡日，爲《告逝詩》。所著《學
苑》百卷，《孝經》、《論語集注》、《帝代年歷》、《本草集注》、《效
驗方》、《肘後百一方》、《古今州郡記》、《圖像集要》及《玉櫃
記》、《七曜新舊術疏》、《占候》、《合丹法式》，其祕密及撰而未
訖又十部，唯弟子得之。

陳禎明二年侍中尚書令江總撰《陶貞白先生集序》曰："若夫
德行博敏，孔室四科；經術深長，鄭門六藝，丹陽陶先生備
斯矣。至如紫臺青簡，綠帙丹經，玉版祕文，瑤臺怪牒，靡不

貫彼精微，殫其旨趣。蓋非常之絕技，命世之異人也。文集缺亡，未有編録。門人補輯，若逢遼東之本；好事研搜，如誦河西之篋。奉敕校之鉛槧，緘以緹緗，藏彼鴻都，副在延閣。”

《唐書·經籍》、《藝文志》：《陶弘景集》三十卷。

明白雲霽《道藏目録》詳注“《華陽陶隱居集》二卷”，注云：“貞白先生集。”又注云：“仙詩。”案此似即宋傅霄所輯，而白氏之言如此，豈別有其本專載仙詩歟？莫得而詳已。

馮氏《詩紀》輯存詩六首、《華陽頌》十五首。

張氏《百三家·陶隱居集》一卷，凡賦、表、啓、書、序、論、誌、頌、銘、碑文二十九篇，詩六首。

儀徵阮元《揅經室外集》：“《華陽陶隱居集》二卷，梁陶弘景撰。弘景有《真誥》，《四庫全書》已著録。此其生平雜文及與武帝往復論書之剳。據集中《尋山誌》云：‘先生去世後，久無人編録文集。至陳武帝貞明二年，敕令侍中尚書令江總始撰文集。先生以梁大同二年解駕，至是五十二載矣。文章頗多散落云云。’然考《隋志》，梁隱居先生《陶弘景集》三十卷，又《内集》十五卷。至《唐志》僅載三十卷，疑所作《内集》已佚。自是以後，傳述愈微。晁公武、陳振孫皆未著録。是本從明《道藏》本録出，卷首載‘昭臺弟子傅霄編集，大洞弟子陳楠校勘。’蓋亦道家者流。惟集前有江總序一首，似尚存其舊。餘則存什一二而已。殘膏剩馥，足以沾溉後人。蓋弘景在道家亦號學者，其著述與抱樸抗衡，所謂列仙之儒也。”

嚴氏《全梁文編》輯存《雲上之仙風賦》、《水仙賦》、《十賚文》、《解官表》、《與梁武啓》、《尋山誌》、《難沈約均聖論》、《華陽頌》、《瘞鶴銘》及書、序、碑、《請雨詞》、《遺令》凡三十篇。案《瘞鶴銘》題華陽真逸撰，黃長睿《東觀餘論》、董逌《書跋》以爲陶隱居，胡仔《漁隱詩話》引《西清詩話》云《道藏·陶隱居外傳》號華陽真逸云。又卷首序録曰：“《陶弘景集》二卷，一《道藏》本，傅霜編。一明黃淮序刻本。”案此作“傅霜”，似刊誤。

金山錢熙祚《指海》叢書刊本跋曰：“《陶隱居集》二卷，從明《道藏》録出。考元劉大彬《茅山誌》有傅霄重編《隱居集》。霄字子昂，晉陵人，主常州天慶觀。高宗召主太乙宮祠，乞還茅山。紹興二十九年立春日化。南宋初距弘景時六百餘年，掇拾遺文，存什一于千百。蕭綸《陶隱居碑銘》載其與親友書，《雲笈七籤·本起録》載其與從兄書，《茅山誌》載其《請雨詞》，又《許長史舊館壇碑》後尚有《碑陰記》，《古今刀劍録》首有自序，此本均未采入。搜而補之，以俟好古者。”

梁徵士魏道微集三卷

魏道微始末未詳。

《唐書·經籍》、《藝文志》：《魏道微集》三卷。

梁黃門郎張率集三十八卷

《梁書》、《南史》本傳：“率字士簡，吳郡吳人。祖永，宋右光禄大夫。有集見前。率年十二，能屬文，常日限爲詩一篇，稍進作賦頌，至年十六，向作二千餘首。有虞訥者見而詆之，率乃一旦焚毀，更爲詩示焉，託云沈約。訥便句句嗟稱，無字不善。率曰：‘此吾作也。’訥慚而退。起家齊著作佐郎。建武三年，舉秀才，除太子舍人。與同郡陸倕、陸厥幼相友，又與任昉定交。天監初，直文德待詔省，敕使抄乙部書，又撰古婦人事二十餘條，勒成百卷。使工書人琅邪王深、吳郡范懷約、褚洵等繕寫，以給後宮。率取假東歸，論者謂爲傲世，率懼，乃爲《待詔賦》奏之，甚見稱賞。手敕答曰：‘省賦殊佳。相如工而不敏，枚皋速而不工，卿可謂兼二子於金馬矣。’又侍宴賦詩，帝乃別賜率詩曰：‘東南有才子，故能服官政。余雖慚古昔，得

人今爲盛。'率奏詩往返六首。尋以祕書丞,掌集書詔策。四
年三月,禊飲華光殿。其日,河南國獻舞馬,詔率與到洽、周
興嗣爲賦,帝以率及興嗣爲工。七年,有敕直壽光省,治丙丁
部書抄。累遷黃門侍郎、新安太守。大通元年卒,年五十三。
率少好屬文,而《七略》及《藝文志》所載詩賦,今亡其文者,並
補作之。所著《文衡》十五卷,文集三十卷。"《南史》云:"四十
卷,行於世。"

《唐書·經籍》、《藝文志》:《張率集》三十卷。

馮氏《詩紀》輯存四、五、七言、雜言諸體詩二十四首。

嚴氏《全梁文編》:張率有《文衡》十五卷,集三十八卷。本傳
有《河南國獻舞馬賦》,《初學記》有《繡賦》,凡二篇。

梁南徐州治中王囧集三卷

王囧始末未詳。

《唐書·經籍》、《藝文志》:《王囧集》三卷。

馮氏《詩紀》:王囧爵里無考。有《和簡文往虎窟山寺詩》一
篇,《長安有狹邪行》一篇。

梁都官尚書江革集六卷

《梁書》本傳:革字休映,濟陽考城人。幼而聰敏,有才思,六
歲解屬文,讀書精力不倦。詣太學,補國子生,舉高第。齊中
書郎王融、吏部謝朓雅相欽重。司徒竟陵王引爲西邸學士。
僕射江祏以革才堪經國,令參掌機務,詔誥文檄,皆委以具。
中興元年,高祖入石頭,時吳興太守袁昂據郡距義師,乃使革
製書於昂,辭義典雅,高祖深歎賞之,因令與徐勉同掌書記。
數遷。歷都官尚書,再遷爲度支尚書。謝病還家。除光祿大
夫、領步兵校尉、南北兗二州大中正,優游閑放,以文酒自娛。
大同元年,卒。謚曰彊子。有集二十卷,行於世。革歷官八
府長史,四王行事,三爲二千石,傍無姬侍,家徒壁立,世以此

高之。長子行敏，好學有才俊，官至通直郎，早卒，有集五卷。革次子德藻，有《聘北道里記》三卷，見史部地理類。

《唐書·經籍》、《藝文志》：《江革集》十卷。

馮氏《詩紀》：江革爵里無考。有《贈何記室聯句不成》一首，《又贈何記室》一首。

嚴氏《全梁文編》：“江革有《爲蕭僕射與袁昂書》，見《梁書·袁昂傳》。”案昂傳作“高祖手書”，考《江革傳》則書乃革所製也。

梁奉朝請吳均集二十卷

吳均有《齊春秋》，見史部古史類。

《梁書》、《南史·文學傳》：均有俊才，沈約嘗見均文，頗相稱賞。天監初，柳惲爲吳興，召補主簿，日引與賦詩。均文體清拔有古氣，好事者或斅之，謂爲吳均體。均嘗不得意，贈惲詩而去，久之復來，惲遇之如故。薦之臨川靖惠王，王稱之於武帝，即日召之賦詩，悦焉。著文集二十卷。

《顏氏家訓·文章篇》：《吳均集》有《破鏡賦》。破鏡乃凶逆之獸，事見《漢書》，爲文幸避此名也。《漢書·郊祀志》有言：“古天子嘗以春解祠，祠黃帝用一梟、破鏡。”孟康曰：“梟，鳥名，食母。破鏡，獸名，食父。黃帝欲絕其類，故使百吏祠皆用之。破鏡如貙而虎眼。”案即“梟獍”之“獍”也。

《唐書·經籍》、《藝文志》：《吳均集》二十卷。

《宋史·藝文志》：《吳均詩集》三卷。

《崇文總目》：《吳均集》十卷。

晁氏《讀書志》：《吳均集》三卷。梁吳均叔庠也。史稱均有集二十卷，唐世搜求止得十卷，案此則晁氏所見《唐志》作十卷，與《崇文目》同。今本作二十卷，似後人据《隋志》妄改也。今又亡其七矣。舊題誤曰吳筠。筠乃唐人，此詩殊不類，而其中有贈周興嗣、柳貞陽輩詩，固已知其非筠。又有蕭子雲《贈吳朝請入東詩》，蓋均在武帝時爲奉朝請，則知爲均也無疑矣。蕭子雲詩八，蕭子顯、朱異、王筠、王僧孺詩各一附。顏之推譏均集中有《破鏡賦》，今已亡之。

張氏《百三家·吳朝請集》序曰：“文中子云：‘吳均、孔珪，古之狂者也。其文怪以怒。’今叔庠集文鮮絶奇者，獨《餅説》、《責璧》二文頗詭博不經，似得之枚乘《七發》，行以排調。《與朱元思書》盛稱富陽、桐廬山水，微矜摹擬，則士龍鄮縣，明遠大雷，波瀾尚存，謂之怪怒，殆以此哉。詩什縈縈，樂府尤高，凡賦、表、書、檄、《餅説》、《連珠》一十三篇，《樂府》三十篇，詩六十七篇。”馮氏《詩紀》輯存樂府、詩篇數略同。

嚴氏《全梁文編》：吳均有集二十卷。今見於《藝文類聚》、《初學記》、《太平御覽》、《文苑英華》者有賦五篇、表一篇、書三篇、《檄江神責周穆王璧》一篇、《食移》一篇、《餅説》一篇、《連珠》二條。

梁光禄大夫庾曇隆集十卷并録

庾曇隆始末未詳。

《唐書·經籍志》：《庾景興集》十卷。

《唐書·藝文志》：《庾曇隆集》十卷。

嚴氏《全梁文編》曰：“庾曇隆，齊建武初通直散騎常侍。入梁爲太中大夫，遷光禄大夫。有集十卷。今存啓二篇，書一篇。”

案《南史·江淹傳》：“齊少帝初，兼御史中丞，奏彈永嘉太守庾曇隆。”則齊時嘗居是官，《舊唐志》作“庾景興”，似其字。齊有庾杲之，字景行，新野人。景興或其昆季行。

梁儀同三司徐勉前集三十五卷　　徐勉後集十六卷并序録

徐勉有《梁選簿》，見史部職官類。

《梁書》本傳：勉幼孤貧，早勵清節。年六歲，時屬霖雨，家人祈霽，率爾爲文，見稱耆宿。及長，篤志好學。起家國子生。

太尉文憲公儉時爲祭酒，每稱勉有宰輔之量。高祖義兵至京邑，勉於新林謁見，使管書記。天監中，王師北伐，候驛填委。勉參掌軍書，敏勞夙夜，既閑尺牘，兼善辭令，雖文案填積，坐客充滿，應對如流，手不停筆。又該綜百氏，皆爲避諱。每有奏表，輒焚藁草。博通經史，多識前載。朝儀國典，婚冠吉凶，勉皆與圖議。普通六年，上修五禮表。善屬文，勤著述，雖當機務，下筆不休。凡所著《左丞彈事》五卷，齊時撰《太廟祝文》二卷，前後二集四十五卷，又爲《婦人集》十卷，皆行於世。大同三年，故佐史尚書左丞劉覽等詣闕陳勉行狀，請刊石紀德，詔立碑於墓云。

《南史》本傳：凡所著前後二集五十卷，又爲人《章表集》十卷，《左丞彈事》五卷，齊時撰《太廟祝文》二卷。

《藝文類聚·雜文部》：梁王僧孺《詹事徐府君集序》曰："君年十八，見召爲國子生。未嘗投刺權門，驅車戚里，遨遊梁、董，去來賈、郭。時春秋猶少，人爵未崇，而清風嘉譽，震灼朝野。非直俯致貴仕，故可坐享通侯。而縶馬懸車，閉門高枕，聊爲詭遇，識此行藏。及皇運聿興，重氛載廓，君藏器待時，合猶符契，位隨德顯，任與時隆。自綢繆軒陛，十有餘載，行稱表綴，言成模楷，九德無遺，百行備舉。至於專心六典，精曠必深，汎游群籍，菁華無棄。搦札含豪，必弘靡麗，摛綺縠之思，鬱風霞之情，質不傷文，麗而有體。"

《唐書·經籍志》：《徐勉前集》三十五卷，《徐勉後集》十六卷。

《唐書·藝文志》：《徐勉前集》三十五卷，《後集》十六卷。

馮氏《詩紀》輯存《采菱曲》、《迎客曲》、《送客曲》等詩凡八首。

嚴氏《全梁文編》：徐勉有《前集》三十五卷，《後集》十六卷。

今存《萱草花賦》、《鵲賦》、《五禮表》及疏、議、啓各一篇，書三篇，《答客喻》一篇，《墓誌銘》四篇，碑一篇，綜凡十五篇。

梁吏部郎王錫集七卷并録　　琅邪。

《梁書·王份傳》：份仕齊入梁，位侍中、特進、左光禄。長子琳，司徒左長史。錫字公嘏，琳之第二子也。幼而警悟。母，義興公主。年七八歲，隨公主入宮，高祖嘉其聰敏，常爲朝士説之。精力不倦，致損右目。十二，爲國子生，舉清茂，除祕書郎，與范陽張伯緒齊名。以戚屬封永安侯，累遷中書郎、給事黄門侍郎、尚書吏部郎中，時年二十四。稱疾不拜。便謝遣胥徒，拒絶賓客，掩扉覃思，室宇蕭然。中大通六年卒，時年三十六。贈侍中，謚貞子。案王份兄奐，爲雍州刺史，爲齊武帝所誅。奐子肅及弟秉、兄子誦、翊、衍奔魏。肅子紹、紹弟理、誦子孝康、僑康、翊子淵，凡十人，並仕於魏，皆王導之後也。蓋琅邪王氏又有流入北朝者，唯肅爲最著云。

《南史·王份傳》：份長子琳，齊代娶梁武帝妹義興長公主，有子九人，並知名。長子銓，字公衡，雖學業不及弟錫，而孝行齊焉。時人以爲銓、錫二王，可謂玉昆金友。錫再遷太子洗馬。時昭明太子尚幼，武帝敕錫與張纘入宮，與太子游狎，情兼師友。又敕陸倕、張率、謝舉、王規、王筠、劉孝綽、到洽、張緬爲學士，十人盡一時之選。

《唐書·經籍》、《藝文志》：《王錫集》七卷。

馮氏《詩紀》輯存《大言應令》、《細言應令》各一首。

嚴氏《全梁文編》：王錫有《宿山寺賦》一篇，見《廣弘明集》。

梁尚書左僕射王暕集二十一卷　　琅邪。或作瑓者，[①]非。

《梁書》本傳：暕字思晦。父儉，齊太尉，南昌文憲公。暕年數歲，而風神驚拔，有成人之度。時文憲作宰，賓客盈門，見暕相謂曰：“公才公望，復在此矣。”弱冠，選尚淮南長公主，拜駙馬都尉，晉安王文學，廬陵王友、祕書丞。明帝詔求異士，始

---

① “瑓”字疑誤。

安王遙光表薦暕曰："竊見祕書丞暕,年二十一,七葉重光,海
内冠冕,暉暎先達,領袖後進。居無塵雜,家有賜書,辭賦清
新,屬言玄遠。"天監中,再爲侍中、吏部尚書,歷左僕射、領國
子祭酒。普通四年冬,暴疾卒,年四十七。諡曰靖。

《唐書·經籍》、《藝文志》:《王暕集》二十卷。

馮氏《詩紀》輯存《觀樂應詔》一首,《詠舞》一首。

嚴氏《全梁文編》:王暕有集二十一卷。《弘明集》有《答釋法
雲書難范縝神滅論》。

梁平西刑獄參軍劉孝標集六卷

劉孝標名峻,有《漢書注》,見史部正史類。

《梁書》、《南史》本傳:峻游東陽紫巖山,築室居焉。爲《山栖
志》,其文甚美。初,梁武帝招文學之士,擢以不次。峻率性
而動,不能隨衆浮沈。帝頗嫌之,故不任用。乃著《辨命論》
以寄其懷。論成,中山劉沼致書以難之,凡再反,峻並爲申析
以答之。會沼卒,不見峻後報者,乃爲書以序其事。其文論
並多不載。峻又嘗爲《自序》,自比馮敬通,而有同之者三,異
之者四云。峻自以少時未開晤,晚更屬精,明慧過人。博極
群書,文藻秀出。故其自序云:"黌中濟濟皆升堂,亦有愚者
解衣裳。"言其少年魯鈍也。

《南史·任昉傳》:昉有子東里、西華、南容、北叟,並無術業,
墜其家聲。兄弟流離不能自振,生平舊交莫有收卹。西華冬
月著葛帔練裙,道逢平原劉孝標,泫然矜之,謂曰:"我當爲卿
作計。"乃著《廣絕交論》,以譏其舊交。到溉見其論,抵之於
地,終身恨之。

《文選·廣絕交論》注:劉璠《梁典》云:"乃廣朱公叔《絕交
論》。"_{後漢朱穆有集,見第二卷。}又《辯命論》注:《梁典》曰:"《辯命
論》,蓋以自喻云。孝標植根淄右,流寓魏庭,冒履艱危,僅至

江左。負才矜地，自謂坐致雲霄，豈圖逡巡十稔，而榮慚一命，因茲著論，故辭多憤激，雖文越典謨，而足杜浮競也。"

張氏《百三家·劉户曹集》序曰："玄靖先生一世書淫，上有好文之君，朝多同學之彦，而引見無階，山栖竟老。德祖見忌於曹操，敬通觖望於光武，豈非命耶？辯命六蔽，善言天人。自序三同四異，悲憤交集，而又重以悍室司晨，若敖將餒，時窮而工，其然乎？凡啓、書、序、志、論十二篇，詩四篇。"馮氏《詩紀》篇數同。

汪氏《文選撰人篇目》曰："《文選》有梁劉孝標峻《答劉秣陵書》、《辯命論》、《廣絕交論》。"

嚴氏《全梁文編》：劉峻有《世説注》十卷，集六卷。今存啓、書、《辯命論》、《廣絕交論》、《山栖志》、《相經序》、《自序》，凡一十三篇。

梁鴻臚卿裴子野集十四卷

裴子野有《喪服傳》，見經部禮類。

《梁書》、《南史》本傳：子野少好學，善屬文，撰《宋略》二十卷。蘭陵蕭琛言其評論可與《過秦》、《王命》分路揚鑣。於是徐勉言之武帝，敕掌中書詔誥。子野與沛國劉顯、南陽劉子遴、陳郡殷芸、陳留阮孝緒、吳郡顧協、京兆韋稜皆博學，深相賞好，顯尤推重之。時長平侯蕭勵、范陽張纘每討論墳籍，咸折衷於子野。普通七年，大舉北侵，敕子野爲《移魏文》，受詔立成。武帝以其事體大，召徐勉、周捨、劉子遴、朱异集壽光殿觀之，時並歎服。俄又爲書喻魏相元叉。及奏，武帝深嘉焉。自是諸符檄皆令具草。子野爲文典而速，不尚靡麗之詞。其製作多法古，與今文體異，當時或有詆訶者，及其末翕然從之。文集二十卷，行於世。又欲撰《齊梁春秋》，始草創，未就而卒。及葬，湘東王爲之墓誌銘，陳於藏内。邵陵王又立墓誌，堙於羨道。羨道列誌，自此始焉。

陳吏部尚書姚察曰：“阮孝緒嘗言，仲尼論四科，始乎德行，終乎文學，有行者多尚質樸，有文者少蹈規矩。若夫憲章游夏，祖述囘騫，體兼文行，於裴幾原見之矣。”

《唐書‧經籍》、《藝文志》：《裴子野集》十四卷。

馮氏《詩紀》輯存詩三首。

嚴氏《全梁文編》：裴子野有集十四卷。今存《寒夜賦》、《游華林園賦》、《臥疾賦》、《喻虜檄文》、《彫蟲論》、《宋略總論》、《泰始三畔論》、《明帝誅諸弟論》、《選舉論》、《樂志敍》、碑文、行狀，凡十四篇。

梁仁威府長史司馬褧集九卷

《梁書》本傳：褧字元素，《南史》作“元表”。河内温人也。父燮，善《三禮》，齊國子博士。褧少傳家業，強力專精，手不釋卷，其禮文所涉書，略皆徧覩。沛國劉瓛爲儒者宗，嘉其學，深相賞好。少與樂安任昉善，昉亦雅重焉。初爲國子生，起家奉朝請。天監初，詔通儒治五禮，有司舉褧治嘉禮。是時創定禮樂，褧所議多見施行。褧學尤精於事數，國家吉凶禮，當世名儒明山賓、賀瑒等疑不能斷者，皆取決焉。累遷尚書右丞，出爲仁威長史、長沙内史、御史中丞。十七年，遷明威將軍、晉安王長史，未幾卒。王命記室庾肩吾集其文爲十卷，所撰《嘉禮儀注》一百一十二卷。案晉安王即簡文帝也。《嘉禮儀注》詳見史部儀注類。

《唐書‧經籍》、《藝文志》：《司馬褧集》九卷。

嚴氏《全梁文編》：司馬褧有《嘉禮儀注》一百十二卷，録三卷，集九卷。通典有《東宮樂議》一篇，《弘明集》有《答釋法雲書難范縝神滅論》一篇。

梁蕭子暉集九卷

《梁書》、《南史‧蕭子恪傳》：子恪字景沖，齊豫章文獻王嶷第二子也。兄弟十六人，並仕梁。有文學者，子恪、子質、子顯、子雲、子暉五人。子暉字景光，子雲弟也，少涉書史，亦有文才。嘗預重雲殿聽制講《三慧經》，退爲《講賦》奏之，甚見稱賞。卒於驃騎長史。_案案豫章文獻王，齊高帝第二子。子暉，高帝之孫，亦于梁爲宗室。五人中，子恪文集不傳。子質并不見於史。子顯有集二十卷，本志亦不見。惟子暉、子雲二人集在焉。五人外，又有子範有集，見後。子範外，又有子政撰《周易義疏》，見經部，史亦無其傳。不知是否在十六人之内也。

《唐書·經籍》、《藝文志》：《蕭子暉集》十一卷。

馮氏《詩紀》輯存《春霄》、《冬曉》、《春游詩》凡三首。

嚴氏《全梁文編》：蕭子暉有集九卷。《藝文類聚》有《冬草賦》、《反舌賦》各一篇。

梁始興内史蕭子範集十三卷

《梁書》、《南史》本傳：子範字景則，子恪第六弟也。齊永明十年，封祈陽縣侯。天監初，降爵爲子，除後軍記室參軍。數遷爲大司馬南平王户曹屬，從事中郎。王愛文學士，子範偏恩遇，嘗曰：“此宗室奇才也。”使製《千字文》，其辭甚美，王命記室蔡薳注釋之。自是府中文筆，皆使草定。遷護軍臨賀王正德長史。正德爲丹陽尹，復爲信威長史。歷官十餘年，不出蕃府，而諸弟並登顯列，意不能平，及是爲到府牋曰：“上蕃首僚，於茲再忝，河南雌伏，自此重叨。老少異時，盛衰殊日，雖佩恩寵，還羞年鬢。”子範少與弟子顯、子雲才名略相比，而風采容止不逮，故宦途有優劣。每讀《漢書·杜緩傳》云：“六弟五人至大官，惟中弟欽官不至，最知名。”常吟諷之，以况己也。後爲始興内史、太中大夫、祕書監。簡文即位，其年葬簡皇后，使製哀策，文理哀切，帝謂武陵侯蕭諮曰：“此段莊陵萬事零落，惟哀册尚有典刑。”敕賚米千石。子範無居宅，尋遇疾，卒於招提寺僧房。賊平，元帝追贈金紫光禄大夫，謚曰文。前後文集三十卷。

《唐書·經籍》、《藝文志》：《蕭子範集》三卷。案本志十三卷，似三十卷之誤。此三卷似又敓"十"字。

馮氏《詩紀》輯存《羅敷行》等詩凡九首。

嚴氏《全梁文編》：蕭子範有《千字文》一卷，集十三卷。《藝文類聚》、《初學記》、本傳有賦四篇、表三篇、牋一篇、《七誘》、《冠子箴》，凡十篇。

梁建陽令江洪集二卷

《梁書·文學·吳均傳》：先是，有廣陵高爽、濟陽江洪、會稽虞騫，並工屬文，並有文集。洪爲建陽令，坐事死。

《南史·王僧孺傳》：齊司徒竟陵王子良開西邸，招文學，僧孺與太學生虞羲、丘國賓、蕭文琰、丘令楷、江洪、劉孝孫，並以善辭藻游焉。子良嘗夜集學士，刻燭爲詩，四韻者則刻一寸，以此爲率。蕭文琰曰："頓燒一寸燭，而成四韻詩，何難之有？"乃與令楷、江洪等共打銅鉢立韻，響滅則詩成，皆可觀覽。

鍾嶸《詩品》曰："梁建陽令江洪詩，雖無多，亦能自迥出。"

馮氏《詩紀》曰："江洪有《巴陵王四詠》九首、《咏歌姬》、《咏舞女》、《和新浦侯咏竹》、《咏鶴》、《咏紅牋》、《江行》、《咏荷》、《咏美人治裝》凡八首。"

梁鎮西府記室鮑幾集八卷

《梁元帝集·薦鮑幾表》曰："臣誠識愧知才，職非選舉。竊以進賢上賞，閉賢顯戮，敢緣斯義，用舉所知。伏見鮑幾，門庭雍睦，立身貞退，博涉文史，頗閑刀筆，忠公抗直，出宰廉平，雅志弘深，安貧專靜，解巾入仕，三十餘年，自游臣府，一紀於茲。前宰東邑，實有二魯之風；近處南臺，欲尊兩鮑之則。"

《梁書·鮑泉傳》：泉，東海人也。父機，湘東王諮議參軍。

《南史・鮑泉傳》：泉父幾，字景玄。家貧，以母老詣吏部尚書
王亮干祿，亮一見嗟賞，舉爲舂陵令。後爲明山賓所薦，爲太
常丞。以外兄傅昭爲太常，依制緦服不得相臨，改爲尚書郎，
終於湘東王諮議參軍。

《隋書・鮑宏傳》：宏，東海郯人也。父機，以才學知名，仕梁，
官至治書侍御史。

《唐書・經籍》：《鮑畿集》八卷。

《唐書・藝文》：《鮑幾集》八卷。

馮氏《詩紀》輯存《咏伍子胥詩》一首。

　　案“畿”、“幾”、“機”記載不一，似當以梁元帝《薦表》及《南
史》、《新唐志》作“幾”爲近。此題鎮西府記室者，考《元帝
本紀》，大同三年，進號鎮西將軍，蓋即湘東王鎮西諮議領
記室參軍也。

梁尚書祠部郎虞矊集十卷

虞矊始末未詳。

《金樓子・聚書篇》曰：“法書初得韋護軍叡餉數卷，次又殷貞
子鈞餉，爾後又遣范普市得法書，又使潘菩提市得法書，並是
二王書也。郡五官虞矊大有古迹，可五百許卷，併留之。”案江
左虞氏大抵皆吳虞翻仲翔氏之後，會稽餘姚人。梁元帝稱郡五官，似即會稽郡五官
掾。其初爲是官也。案《梁書・元帝本紀》：“天監十三年，封湘東王。初爲寧遠將
軍，會稽太守。”矊爲郡職，當在斯時。

《唐書・經籍》、《藝文志》：《虞矊集》六卷。

嚴氏《全梁文編》曰：“虞矊，天監中爲治書侍御史，遷尚書祠
部郎。有集十卷。《梁書・良吏傳》有《奏彈伏暅》一篇。”

梁新田令費昶集三卷

《南史・文學・何思澄傳》：王子雲，太原人。及江夏費昶，並
爲閭里才子。昶善爲樂府，又作鼓吹曲。武帝重之，敕曰：

"才意新拔,有足嘉異。昔郎惲博物,卞蘭巧辭。束帛之賜,實惟勸善。可賜絹十匹。"

馮氏《詩紀》輯存《巫山高》、《芳樹》、《有所思》、《長門怨》、《采菱曲》、《思公子》、《發白馬》、《行路難》等樂府詩一十六首。

梁蕭機集二卷　<small>"機"當爲"幾"。</small>

《梁書》本傳:幾字德玄,齊曲江公遙欣子也。年十歲,能屬文。性溫和,與物無競,清貧自立。好學,善草隸書。湘州刺史楊公則,曲江之故吏也,每見幾,謂人曰:"康公此子,可謂桓靈寶重出。"及公則卒,幾爲之誄。時年十五。沈約見而奇之,謂其舅蔡撙曰:"昨見賢甥楊平南誄文,不減希逸之作,始驗康公積善之慶。"釋褐著作佐郎、廬陵王文學,數遷至中書侍郎、尚書左丞。末年,專尚釋教。爲新安太守,郡多山水,特其所好,適性游履,遂爲之記。卒于官。子爲,字元專,亦有文才。

梁東陽郡丞謝瑱集八卷

謝瑱始末未詳。

《唐書·經籍》、《藝文志》:《謝瑱集》十卷。

馮氏《詩紀》曰:"謝瑱,爵里無考,有《和蕭國子詠李花》一首。"<small>案此"謝瑱"似即"謝瑱"之誤。</small>

梁通直郎謝琛集五卷

謝琛始末未詳。

《唐書·經籍》、《藝文志》:《謝琛集》五卷。

梁仁威記室何遜集七卷

《南史·何承天附傳》:承天曾孫遜,字仲言。八歲能賦詩。弱冠,州舉秀才。南鄉范雲見其對策,大相稱賞,因結忘年交。謂所親曰:"頃觀文人,質則過儒,麗則傷俗,其能含清濁,中今古,見之何生矣。"沈約嘗謂遜曰:"吾每讀卿詩,一日三復,猶不能已。"其爲名流所稱如此。梁天監中,兼尚書水

部郎,南平王引爲賓客,掌記室事,後薦之武帝,與吳均俱進
倖。後稍失意,帝曰:"吳均不均,何遜不遜。未若吾有朱异,
信則異矣。"自是疏隔,希復得見。卒于仁威廬陵王記室。東
海王僧孺集其文爲八卷。初,遜文章與劉孝綽並見重,時謂
之何、劉。梁元帝著論論之云:"詩多而能者沈約,少而能者
謝朓、何遜。"

《唐日本國見在書目》:《何孫集》八卷。

《唐書·經籍》、《藝文志》:《何遜集》八卷。

《宋史·藝文志》:《何遜詩集》五卷。

晁氏《讀書志》:《何遜集》二卷。梁何遜仲言也。東海人。終
水部員外郎。與劉孝綽以文章見重於世,謂之"何劉"。王僧
孺集其文爲八卷,今亡佚不全。

宋黄伯思《東觀餘論》曰:"《隋·經籍志》、《唐·藝文志》《何
遜集》皆八卷,晉天福本但有詩兩卷,今世傳本是也。獨春明
宋氏有舊本八卷,特完,因借傳之。然少陵嘗引"昏鴉接翅
歸,金粟裹搔頭"等語,而此集無有,猶當有軼者。集中若"團
團月隱洲,輕燕逐風花","遠岸平沙合,連山遠霧浮","岸花
臨水發,江燕遶檣飛","游魚上急瀬,薄雲巖際宿"等語,子美
皆采爲己句,但小異耳。故曰"能詩何水曹",信非虛賞。案此
言《隋·經籍志》八卷,與今本《隋志》所載不合。

陳氏《書録解題》:《何仲言集》三卷,梁水部郎何遜仲言撰。
本傳集八卷,《館閣書目》同。今所傳止此。

張氏《百三家·何記室集》輯本序曰:"仲言文名齊劉孝綽,詩
名齊陰子堅。今集中文頗少,《爲衡山侯與婦》一書,詞林見
賞,亦閨房語耳,未可方阿士也。子堅長於近體,然風格遠不
逮仲言,不知何以比肩同聲也。少陵佳句多從仲言脱出,是
以有'能詩何水曹'之句。後世詩人即慕仲言,蓋古人詩名有

因後人而益貴者，陰、何其類也。凡賦、牋、書、《七召》共五篇，樂府四篇，詩九十二篇，聯句十二篇。"馮氏《詩紀》輯存二卷，篇數同。

《四庫提要》曰："《何水部集》一卷，梁何遜撰。遜官至水部員外郎，故自唐以來稱何水部。王僧孺嘗輯遜集爲八卷。黃伯思《東觀餘論》有遜集跋，稱爲春明宋氏本。蓋宋敏求家所傳，其卷數尚與梁書相符。今舊本久亡，所謂八卷者不可復覯。此本爲明正德丁丑松江張紘所刊。首列遜小傳，凡詩九十五首，附載范雲、劉孝綽同作《擬古》二首、《聯句》十三首。末載黃伯思跋。跋後附《七召》一篇。末復有紘跋，稱舊與《陰鏗集》偕刻。紘以二家體裁各別，不當比而同之，公暇獨取是集，刪其繁蕪。同寅毘陵陸懋之、永嘉李昇之捐俸共刻。然則是集又經紘刊削，有所去取歟？"

嚴氏《全梁文編》曰："何遜有集七卷。《初學記》、《藝文類聚》諸書有《窮鳥賦》、《與建安王謝秀才牋》、《爲孔導辭建安王牋》、《爲衡山侯與婦書》，存凡四篇。明張紘所刻集本有《七召》，張溥本從之。《七召》出《文苑英華》三百五十二，在簡文帝《七勵》之後，無名氏前，不言何遜作，葉紹泰又編入《昭明太子集》，皆無確據也，今編入梁闕名類。"又卷首叙錄曰："《何遜集》一卷，項道暉刻本。"

梁有《安西記室劉綏集》四卷，亡。"綏"當爲"緩"。

《梁書·文學·劉昭傳》：昭，平原高唐人，晉太尉寔九世孫也。昭子綯，綯弟緩，字含度。少知名。歷官安西湘東王記室，時西府盛集文學，緩居其首。除通直郎，俄遷鎮南湘東王中錄事，復隨府江州，卒。案《元帝本紀》："大同元年，進號安西將軍。六年，爲鎮南將軍、江州刺史。太清元年，徙荊州刺史。"緩蓋卒于元帝都督江州時，在太清之前。

《南史·文學·劉昭傳》：緱弟緩，爲湘東王中録事。性虚遠，有氣調，風流跌蕩，名高一府。常云："不須名位，所須衣食。不用身後之譽，唯重目前知見。"

《金樓子·著書篇》：乙部《繁華傳》一秩三卷，金樓使劉緩撰。又丙部《玉子訣》一秩三卷，金樓付劉緩撰。案此二書本志皆不見。

馮氏《詩紀》輯存詩八首。又《品藻篇》引《歷代吟譜》云："其生平之所作者，爲《英華集》二十卷，《文選》二十篇。"《歷代吟譜》，宋蔡傳選，見《四庫》詩文評存目。

嚴氏《全梁文編》：劉緩有集四卷。《藝文類聚》、《初學記》有緩《照鏡賦》一篇。

梁有《沙門釋智藏集》五卷，亡。

馮氏《詩紀》曰："釋智藏姓顧氏，吳郡吳人。太初六年，案齊梁二代皆無太初年號，此誤也。敕住興皇寺。梁武授戒，時時諮稟，皇太子尤加敬接。《廣弘明集》有《梁開善寺藏法師奉和武帝三教詩》一篇。"

嚴氏《全梁文編》曰："釋智藏本名淨藏，吳人，天監末居鍾山開善寺。《續高僧傳》六有《辭會啓》一篇。"

案別集類注"梁有"者，終於此二集。智藏卒年不可知，劉緩則卒於阮孝緒之後，疑此二集亦未必定在《七録》也。

梁太常卿陸倕集十四卷

《南史·陸慧曉傳》："慧曉，吳郡吳人。三子：僚、任、倕，並有美名，時人謂之三陸。初授慧曉兗州，三子依次第各作一讓表，辭並雅麗，時人歎服。倕字佐公，少勤學，善屬文。幼爲外祖張岱所異。十七，舉本州秀才。刺史竟陵王子良開西邸，延英俊，倕預焉。梁天監初，爲右軍安成王主簿，與樂安任昉友，爲《感知己賦》以贈昉，昉因此名以報之。及昉爲中丞，簪裾輻湊，預其讌者，殷芸、到溉、劉苞、劉孺、劉顯、劉孝

綽及偘而已，號曰龍門之游。雖貴公子孫不得預焉。梁武帝
雅愛偘才，乃敕撰《新漏刻銘》，其文甚美。又詔爲《石闕銘》，
敕褒之。累遷太常卿。"《梁書》本傳曰："普通七年，卒，年五
十七。文集二十卷，行於世。"

《唐日本國見在書目》：《陸偘集》八卷。

《唐書·經籍志》：《陸子偘集》二十卷。"子"字衍。

《唐書·藝文志》：《陸偘集》二十卷。

馮氏《詩紀》輯存《和昭明太子鍾山講解》一篇，《贈京邑僚友》
一篇，《贈任昉》一篇。

汪氏《文選撰人篇目》：《文選》有梁陸佐公偘《石闕銘》、《新漏
刻銘》。

嚴氏《全梁文編》：陸偘有集十四卷。今存《感知己賦》、《思田
賦》、賦體教、章、表、啓、書、銘、碑、《釋奠文》、《請雨文》，凡二
十四篇。

梁廷尉卿劉孝綽集十四卷

《南史·劉勔傳》：勔，彭城安上里人也。子繪，繪子孝綽，字
孝綽，本名冉。幼聰敏，七歲能屬文。舅王融深賞異之，與同
載以適親友，號曰神童。融每曰："天下文章若無我，當歸阿
士。"阿士，孝綽小字也。父繪，齊時掌詔誥，孝綽時年十四，
繪嘗代使草之。父黨沈約、任昉、范雲等聞其名，命駕造焉，
昉尤相賞好。天監初，起家著作佐郎。爲《歸沐詩》贈任昉，
昉報章相引重。武帝時，因宴幸令沈約、任昉等言志賦詩，孝
綽亦見引。嘗侍宴，於坐作詩七首，武帝覽其文，篇篇嗟賞。
昭明太子好士愛文，孝綽與殷芸、陸偘、王筠、到洽等同見禮。
後武帝爲《籍田詩》，使徐勉先示孝綽。時奉詔作者數十人，
帝以孝綽詩工。歷太子僕、兼廷尉卿、湘東王諮議、黃門侍
郎、尚書吏部郎、臨賀王長史。晚年忽忽不得志，後爲祕書

監。大同五年，卒官，年五十九。孝綽少有盛名，而仗氣負才，多所陵忽，意有不合，極言詆訿。由此多忤於物，前後五免。辭藻爲後進所宗，時重其文，每作一篇，朝成暮徧，好事者咸傳誦寫，流聞河朔，亭苑柱壁莫不題之。文集數十萬言，行於時。兄弟及群從子姪，當時有七十人，並能屬文，近古未之有也。

又論曰："劉勔出征久撫，所在流譽。悛至性過人，繪辭義克舉，諸子各擅彫龍，當年方駕，文采之盛，殆難繼乎！"

《唐書·經籍》、《藝文志》：《劉孝綽集》十二卷。《舊志》岑刊本作十一卷。

《宋史·藝文志》：《劉子綽集》一卷。"子"當爲"孝"。

陳氏《書錄》詩集類：《劉孝綽集》一卷，梁祕書監彭城劉孝綽撰。宋僕射勔之孫。本傳稱文集數十萬言，今所存止此。

張氏《百三家·劉祕書集》題詞曰："王元禮七葉之中，爵位文才蟬聯不絕。劉孝綽一家子姓，能文者七十人，門世之盛，足使安平無雀，汝南無鷹。孝綽文集數十萬言，存者無幾，零落之歎，無異元禮。書、啓、表、序，文采較優，詩乃兄弟爾。凡表、啓、書、序、碑十六篇，樂府六篇，詩五十九篇。"馮氏《詩紀》輯存樂府詩篇數略同。

嚴氏《全梁文編》：劉孝綽有集十四卷。今存表一篇、議一篇、啓九篇、書三篇、序一篇、碑銘二篇，凡十七篇。

梁都官尚書劉孝儀集二十卷

《南史·劉勔附傳》："孝綽弟潛，字孝儀。幼孤，與兄弟相勖以學，並工屬文。孝綽嘗云'三筆六詩'，三即孝儀，六謂孝威也。舉秀才，累遷尚書殿中郎。敕令製雍州《平等寺金像碑文》，甚宏麗。晉安王綱鎮襄陽，引爲安北功曹史。及王爲皇太子，仍補洗馬，遷中舍人。"《梁書》本傳云："中大同元年，入守都官尚書。太清元年，出爲豫章内史。二年，侯景寇京邑。三年，宮城不守，孝儀爲前歷陽太守莊鐵所偪，失郡。大寶元年，病卒，時年六十七。有文集二十卷，行於世。"

《唐書·經籍》、《藝文志》：《劉孝儀集》二十卷。

張氏《百三家·劉豫章集》輯本凡賦、表、彈文、啓、書、連珠、碑、銘三十六篇，樂府一篇，詩十一篇。馮氏《詩紀》輯存樂府詩篇數同。

嚴氏《全梁文編》：劉潛有集二十卷。《藝文類聚》、《太平御覽》、《文苑英華》所載有《歎別賦》一篇、表十二篇、彈文一篇、啓二十一篇、書一篇、《連珠》一篇、《平等寺刹下銘》一篇、《雍州金像寺無量壽佛像碑》一篇，凡三十九篇。

梁太子庶子劉孝威集十卷

《南史·劉勔附傳》：孝綽第六弟孝威，氣調爽逸，風儀俊舉。初爲安北晉安王法曹，後爲太子洗馬，中舍人，庶子，率更令，並掌管記。大同中，白雀集東宮，孝威上頌甚美。太清中，遷中庶子，兼通事舍人。及侯景寇亂，隨司州刺史柳仲禮至安陸，卒。

《唐日本國見在書目》：《劉孝威集》十卷。

《唐書·經籍志》：《劉孝威前集》十卷，《劉孝威後集》十卷。

《唐書·藝文志》：《劉孝威前集》十卷，《後集》十卷。

《宋史·藝文志》：《劉孝威集》一卷。

《崇文總目》：《劉孝威詩》一卷。

張氏《百三家·劉庶子集》輯本題辭曰："劉士章文章談義，領袖後進，七子三女多擅才學。孝綽品藻群弟嘗云三筆六詩，謂孝儀、孝威。第五弟孝勝、第七弟孝先無預焉。侯景寇亂，孝儀遣子入援，身受賊偪，失郡病亡。孝威困躓危城，自拔得出，崎嶇西上，亦抱疾不起。假使時清國晏，兄弟連騎，續玄

圃之舊游，領高齋之述作，重篇大帙，必偉觀聽。而長鯨疾
驅，逃死不暇，林焚池竭，遺章闕如，就所披涉。則孝儀筆勝，
孝威詩勝，伯兄之言良不謬也。凡啓、書、贊十五篇，樂府二
十四篇，詩三十三篇。馮氏《詩紀》輯存樂府詩篇數略同。

嚴氏《全梁文編》：劉孝威有集十卷。《藝文類聚》、《太平御
覽》有啓十二篇、書二篇、贊二篇，凡一十六篇。

梁東陽太守王揖集五卷　　琅邪。

《梁書·王筠傳》：筠祖僧虔，齊司空，簡穆公。父揖，太中
大夫。

《南史·王曇首傳》：曇首子僧綽，僧綽弟僧虔，僧虔子慈，慈
弟志。志家居建康禁中里馬蕃巷，兄弟子姪皆篤實謙和，時
人號馬蕃諸王爲長者。志弟揖，位太中大夫。揖子筠，揖弟
彬，彬弟寂。案曇首及僧綽及寂並有集，見宋齊人文中。僧綽子齊太尉文憲公
儉，揖之從昆季也。

嚴氏《全梁文編》曰：“王揖，《梁書》作楫。齊司空僧虔子。仕
齊，入梁，歷黃門侍郎、太中大夫，出爲東陽太守。有集五卷。
《弘明集》卷十有《答釋法雲書難范縝神滅論》一篇。”

梁黃門郎陸雲公十卷

《梁書·文學傳》：雲公字子龍，吳郡人也。祖閑，州別駕。父
完，寧遠長史。雲公九歲讀《漢書》，略能記憶。從祖倕與沛
國劉顯質問十事，雲公對無所失，顯歎異之。既長，好學有才
思。州舉秀才。累遷宣惠武陵王、平西湘東王行參軍。雲公
先製《泰伯廟碑》，吳興太守張纘罷郡經途，讀其文歎曰：“今
之蔡伯喈也。”纘言之於高祖，入直壽光省，除著作郎，累遷中
書黃門郎。太清元年，卒，年三十七。文集行於世。

《唐書·經籍》《藝文志》：《陸雲公集》四卷。

嚴氏《全梁文編》：雲公有集十卷。《初學記》有《星賦》，《廣弘

明集》有《御講般若經序》，《藝文類聚》有《太伯碑》，存凡
三篇。

梁國子祭酒蕭子雲集十九卷

蕭子雲有《千字文注》，見經部小學類。

《梁書》、《南史》本傳：子雲年十二，齊建武四年，封新浦侯。
自製拜章，便有文采。及長，勤學有文藻，撰《晉書》及《東宮
新記》，並表奏之。梁初，郊廟未革牲牷，樂辭皆沈約撰，至是
承用。子雲啓宜改之，敕答曰：“此是主者守株，宜急改也。”
仍使子雲撰定。敕曰：“郊廟歌辭，應須典誥大語，不得雜用
子史文章淺言。而沈約所撰，亦多舛謬。”子雲作成，敕並
施用。

《隋書·音樂志》曰：“梁氏之初，其樂歌詩辭並沈約所製。普
通中，薦蔬之後，改諸雅歌，蕭子雲製辭。”

《唐書·經籍》、《藝文志》：《蕭子雲集》二十卷。

馮氏《詩紀》輯存詩六首，又《三朝雅樂歌》六首，《相和歌》
五首。

嚴氏《全梁文編》：蕭子雲有集十九卷。《藝文類聚》有《歲暮
直廬賦》，《廣弘明集》有《玄圃講賦》，本傳有《請改郊廟樂辭
啓》、《答敕改撰樂辭》、《答敕論書》，存凡五篇。

梁征西府長史楊眺集十一卷并錄　　一本“眺”作“朓”。

《梁書·楊公則傳》：公則，天水西縣人也。仕齊入梁，至衛尉
卿，封寧都縣侯，謚曰烈公。則性好學，雖居軍旅，手不輟卷。
士大夫以此稱之。子臕嗣，有罪，國除。高祖以公則勳臣，特詔
聽庶長子朓嗣。朓固讓，歷年乃受。《南史》“臕”作“瞟”，“朓”作“眺”。

《唐書·經籍》、《藝文志》：《楊眺》十卷。

案楊眺見於史者唯此，史不著其歷官始末，不知是否即此
人也。

**梁太子洗馬王筠集十一卷并録　王筠中書集十一卷并録　王
筠臨海集十一卷并録　王筠左佐集十一卷并録　王筠尚書集
九卷并録** 琅邪。

《南史·王曇首附傳》：曇首孫志，志弟揖，揖子筠，字元
禮，一字德柔。幼而警悟，七歲能屬文。年十六，爲《芍藥
賦》，其辭甚美。及長，清靜好學，與從兄泰齊名。仕爲尚
書殿中郎。沈約每見筠文咨嗟，嘗謂曰："昔蔡伯喈見王
仲宣，稱曰：'王公之孫，吾家書籍悉當相與。'僕雖不敏，
請附斯言。自謝朓諸賢零落，平生意好殆絶，不謂疲暮復
逢於君。"約於郊居宅閣齋，請筠爲草木十咏，書之壁。皆
直寫文辭，不加篇題。約謂人曰："此詩指物程形，無假題
署。"筠又嘗爲詩呈約，約即報書歎咏，以爲後進擅美。筠
又能用強韻，每公宴並作，辭必研麗。約嘗啓上言："晚來
名家，無先筠者。"又於御筵謂王志曰："賢弟子文章之美，
可謂後來獨步。謝朓常見語云：'好詩圓美，流轉如彈
丸。'近見其數首，方知此言爲實。"累遷太子洗馬，中舍
人。後爲中書郎，奉敕製開善寺寶誌法師碑文，辭甚麗逸。
又敕撰《中書表奏》三十卷，及所上賦頌，都爲一集。大通
二年，爲司徒左長史。三年，昭明太子薨，敕製哀策文，復
見嗟賞。尋出爲臨海太守，歷祕書監，太府卿，度支尚書。
及簡文即位，爲太子詹事。及遇亂，舊宅先爲賊所焚，乃寓
居蕭子雲宅。夜忽有盜攻，懼墜井，卒，時年六十九。家人
十二口同遇害。筠性弘厚，不以藝能高人。而少擅才名，
與劉孝綽見重當時。其《自序》云："少好抄書，老而彌篤。躬
自抄録，大小百餘卷。"又與諸兒書論家門集云云。詳見史部雜傳
類《王氏江左世家傳》。自撰其文章，以一官爲一集，自《洗馬》、《中
書》、《中庶》、《吏部》、《左佐》、《臨海》、《太府》各十卷，《尚書》

三十卷，凡一百卷，行於世。

又論曰："王曇首之才器，王僧綽之忠直，其世禄不替也，豈徒然哉！仲寶雅道自居，早懷伊、吕之志，竟而逢時遇主，自致宰輔之隆，所謂衣冠禮樂，盡在是矣。齊有人焉，於斯爲盛。其餘文雅儒素，各禀家風，箕裘不墜，亦云美矣。"

《唐日本國見在書目》：《王中書集》十卷。

《唐書·經籍》、《藝文志》：《王筠洗馬集》十卷，《中庶子集》十卷，《左右集》十卷。"右"當爲"佐"。《臨海集》十卷，《中書集》十卷，《尚書集》十一卷。

張氏《百三家·王詹事集》輯本序曰："沈隱侯之知王元禮，猶蔡伯喈之知王仲宣。當日兩人情好相得，詩文互賞。郊居佳句，唯元禮能讀；詳見前《沈約集》條。好詩彈丸，非隱侯莫爲，知音也。隱侯遺文頗廣，元禮則寥寥鮮存。無論洗馬以來諸集斷闕，即傳中所稱《芍藥賦》與《草木》十詠俱歸烏有。其筆法似詩優於文。凡賦、表、牋、書、序、記、碑文、哀策文十七篇，樂府七篇，詩二十八篇。"馮氏《詩紀》輯存樂府詩篇數同。

嚴氏《全梁文編》曰："《藝文類聚》、《弘明集》諸書有王筠《蜀葵花賦》一篇、表五、牋一、書六、記一、序二、哀册文一、碑二，凡存十七篇。"

梁西昌侯蕭深藻集四卷并録

《南史》：長沙宣武王懿，文帝長子也。懿子業，業弟藻，字靖藝。仕齊位著作佐郎。天監元年，封西昌縣侯，爲益州刺史，再遷侍中。藻性謙退，不求聞達，善屬文，尤好古體。自非公宴，未嘗妄有所爲，縱有小文，成輒棄本。推善下人，常如弗及。帝每稱其小字，歎曰："子弟並如迦葉，吾復何憂？"性恬靜，宗室衣冠莫不楷則。簡文尤敬愛之。歷雍、兖二州刺史、太子詹事、丹陽尹、尚書佐僕射、中書令、開府儀同三司、南徐州刺史。侯景亂，據京口，因感氣疾，不食而薨。

《梁書》本傳曰：太清三年，薨，時年六十七。案長沙王懿，武帝兄也。

《梁書·鄧元起傳》：“元起爲益州刺史，以母老乞歸，詔以西昌侯蕭淵藻代之。唐人避諱，改爲深藻。史文或并去淵字。其兄長沙王淵業，或亦作深業，或但作業。”

梁中書郎任孝恭集十卷

《梁書》、《南史·文學傳》：任孝恭字孝恭，臨淮人也。精力勤學。外祖邱它與武帝有舊，帝聞其有才學，召入西省撰史。初爲奉朝請，進直壽光省，爲司文侍郎，俄兼中書通事舍人。敕遣製《建陵寺刹下銘》，又啓撰武帝集序文，並富麗。自是專掌公家筆翰。孝恭爲文敏速，若不留思，每奏稱善，累賜金帛。少從蕭寺雲法師讀經論，明佛理，至是蔬食持戒，信受甚篤。而性頗自伐，以才能尚人，于流輩中多有忽略，世以此少之。太清三年，侯景寇偪。走入東府。城陷，景斬剉之。文集行於世。

《唐日本國見在書目》：“《任孝泰集》十一卷。”“泰”爲“恭”之寫誤。又總集家：“《任司文孝恭集》一卷。”

《唐書·經籍》、《藝文志》：《任孝恭集》十卷。經部尚書家又有《古文大義》二十卷，本志不著錄。

嚴氏《全梁文編》：任孝恭有集十卷。《藝文類聚》有表一篇、檄文一篇、移文二篇、啓四篇、書一篇、碑文、祭文、賽文各一篇，凡存十二篇。其《武帝集序》、《建陵寺刹下銘》文並佚。

梁平北府長史鮑泉集一卷

鮑泉有《六經通數》，見經部論語類。

《南史》本傳：泉父幾，終於湘東王諮議參軍。有集見前。泉性警悟，博涉史傳，兼有文筆。少事元帝，早見擢任，謂曰：“我文之外無出卿者。”

《金樓子·著書篇》：丙部《補闕子》一秩十卷，金樓爲序，付鮑

泉東里撰。<small>案《補闕子》見子部從橫家。</small>

《唐書・經籍》、《藝文志》：《鮑泉集》一卷。

馮氏《詩紀》輯存《奉和湘東王春日》等詩九首。

梁雍州刺史張纘集十一卷并錄

《南史・張弘策傳》：“弘策，范陽方城人，梁文獻皇后之從父弟也。子緬，緬弟纘，字伯緒，出繼從伯弘籍。武帝舅也。纘年十一，尚武帝第四女富陽公主，拜駙馬都尉，封利亭侯。纘好學，兄緬有書萬餘卷，晝夜披誦，殆不輟手。與琅邪王錫齊名。<small>王錫有集見前。</small>普通初，魏使劉善明求識纘與錫。善明見而嗟服。河東裴子野相推重，因爲忘年交。數遷爲尚書僕射。在職議南郊御乘素輦，適古今之衷。又議印綬官若備朝服，宜並著綬。時並施行，改爲湘州刺史，述職經塗，作《南征賦》。太清二年，授雍州刺史。前刺史岳陽王詧不受代，後遂害之。元帝承制，贈開府儀同三司，謚簡憲公。元帝少時，纘便推誠委結。及即位，追思之，爲《詩序》云：‘簡憲之爲人也，不事王侯，負才任氣。見余則申旦達夕，不能已已。懷夫人之德，何日忘之。’”《梁書》本傳云：“年五十一，著《鴻寶》一百卷，文集二十卷。”<small>案《梁書・后妃傳》，纘爲晉司空張華八世孫。</small>

《唐書・經籍》、《藝文志》：《張纘集》十卷。

馮氏《詩紀》輯存《大言應令》、《細言應令》各一首。

嚴氏《全梁文編》：張纘有集十一卷。《藝文類聚》及本傳、《陸雲公傳》、《丁貴嬪傳》、《河東王譽傳》、《周書・蕭詧傳》所載有《秋雨賦》、《南征賦》、《離別賦》、《懷音賦》、《妬婦賦》、《瓜賦》、《擬若有人兮》及表、啓、書、哀策文、墓誌銘，存凡十六篇。

梁尚書僕射張綰集十一卷并錄

《南史・張弘策附傳》：纘第綰，字孝卿，少與纘齊名。湘東王繹嘗策之百事，綰對闕其六，號百六公。大同中，爲豫章内

史，在郡述《制旨禮記正言義》。城西開士林館，與朱异、賀琛
遞述《制旨禮記中庸義》。太清三年，爲吏部尚書，宮城陷，奔
江陵，位尚書右僕射。魏剋江陵，朝士皆俘入關，縮以疾免。"
《梁書》本傳云："後卒於江陵，年六十三。"

《周書·蕭詧傳》：詧之在藩及居帝位，以蔡大寶爲股肱，王操
爲腹心。張縮以舊齒處顯位，沈重以儒學蒙厚禮。多所獎
拔，咸盡其器能。

《唐書·經籍》、《藝文志》：《張縮集》十卷。

嚴氏《全梁文編》：張縮有集十一卷。《藝文類聚》有《龍樓寺
碑文》一篇。

梁度支尚書庾肩吾集十卷

庾肩吾有《采璧》，見子部雜家。

《南史·庾易傳》：易子黔婁，字子貞。子貞弟於陵，字子介。
子介弟肩吾，八歲能詩賦；爲兄於陵所友愛。初爲晉安王國
常侍。王每徙鎮，肩吾常隨府。在雍州被命與劉孝威、江伯
搖、孔敬通、申子悅、徐昉、徐摛、王囿、孔鑠、鮑至等十人抄撰
衆籍，豐其果饌，號高齊學士。王爲皇太子，開文德省置學
士，肩吾子信、徐摛子陵、吳郡張長公、北地傅弘、東海鮑至等
充其選。及簡文即位，以爲度支尚書。文集行於世。《梁書·文
學傳》：初太宗在藩，雅好文章士，時肩吾與東海徐摛，吳郡陸杲，彭城劉遵、劉孝儀、
儀弟孝威，同被賞接。

又論曰："庾易、劉虬取高一代，其所以行己，事兼隱德，諸子
學業之美，各著家聲。"

《唐日本國見在書目》：《庾肩吾集》十卷。

《唐書·經籍》、《藝文志》：《庾肩吾集》十卷。《宋史·藝文志》二卷。

張氏《百三家·庾度支集》輯本序曰："庾幼簡志性恬靜，風齊
臺尚。後漢臺佟、向長見《范書·逸民傳》。"向"亦作"尚"。長子子貞，孝感

北辰，次子介，清重洗馬。一家行義，誠足與劉子珪、明休烈同傳。《南史》與劉瓛、明僧紹同傳也。子慎後出，文采尤高，子山繼之，宮體競貴。予每讀《八關齋夜賦詩》，深羨中庶府君能陪帝子，又惜一時彥聚城門高唱，何偏以病老死。沙門爲題，臺城不祥，若有先識焉。湘東誌墓，稱爲瑚璉，其知子慎實深。《書品序論》王光祿答齊太祖類。琅邪王僧虔論書，見《法書要錄》。凡表、章、啓、《書品序》、《後序》、《書品論》、銘四十一篇，樂府八，詩七十六，《曲水聯句》一，《八關齋夜賦四城門聯句》十六。"其題云：東城門病，南城門老，西城門死，北城門沙門。同賦者，殿下、徐防、孔燾、諸葛嶷、王臺卿、李鏡遠并中庶府君凡七人。馮氏《詩紀》輯存一卷，篇數同。

嚴氏《全梁文編》：庾肩吾有集十卷。《初學記》、《藝文》、《御覽》諸書有章、表三篇，啓二十三篇，書一篇，銘二篇，書品敍錄十一篇，存凡四十篇。

梁太常卿劉之遴前集十一卷　劉之遴後集二十一卷

劉之遴有《神錄》五卷，見史部雜傳家。

《梁書》本傳：之遴父虬，齊國子博士，謚文範先生。有集見前卷。之遴八歲，能屬文。十五，舉茂才對策，沈約、任昉見而異之。吏部尚書王瞻辟爲太學博士。時張稷新除尚書僕射，託任昉爲讓表，昉令之遴代作，操筆立成。御史中丞樂藹，即之遴之舅，憲臺奏彈，皆之遴草焉。之遴篤學明審，博覽群籍。時劉顯、韋稜並強記，之遴每與討論，咸不能過也。累遷太常卿。之遴好古愛奇。時鄱陽嗣王範得班固所上《漢書》真本，獻之東宮，皇太子令之遴與張纘、到溉、陸襄等參校異同。之遴具畢狀十事。《南史》云：數十事。好屬文，多學古體，與裴子野、劉顯常共討論書籍，因爲交好。是時《周易》、《尚書》、《禮記》、《毛詩》並有高祖義疏，惟《左氏傳》尚缺。之遴乃著《春秋大意》十科，《左氏》十科，《三傳同異》十科，合三十事以上之。高祖大悦，詔答之。太清二年，侯景亂，之遴避難還鄉，未至，卒於夏口，時年七十二。前後文集五十卷，行於世。《四庫簡明目録》曰：“《漢書》次第備見於敍傳之中，而《南史·劉之遴傳》別有《漢書》真本之説，顛倒其篇目，竄亂其字句，實爲謬妄。按《梁書》本傳亦載是事，不僅見于《南史》。其事甚可怪。意之遴與劉顯諸人亦未必信其真也。特史文略其斷語耳。”《南史·劉虯附傳》：侯景以蕭正德爲帝，之遴時落景所，將使授璽紱。之遴預知，乃剃髮披法服以免。尋避難還鄉，湘東王繹嘗嫉其才學，聞其西上至夏口，乃密送藥殺之。不欲使人知，乃自製誌銘，厚其賻贈。

《唐書·經籍志》：《劉之遴前集》十卷，《劉之遴後集》三十卷。

《唐書·藝文志》：《劉之遴前集》十一卷，《後集》三十卷。

馮氏《詩紀》輯存《酬江總詩》一首。

嚴氏《全梁文編》：劉之遴有《前集》十一卷，《後集》二十一卷。

今存啓、書、《具古本漢書異狀十事》、《劉顯墓誌銘》，凡八篇。

梁豫章世子侍讀謝郁集五卷

謝郁始末未詳。

《唐書·經籍》、《藝文志》：《謝郁集》五卷。

嚴氏《全梁文編》曰：“謝郁，會稽人，爲豫章世子侍讀，有集五卷。《梁書·何敬容傳》有《致書戒敬容》一篇。”

梁安成蕃王蕭欣集十卷

《周書·蕭詧附傳》：蕭欣，梁武帝弟安成康王秀之孫，煬王機之子也。秀、機並有集，見前。幼聰警，博綜墳籍，善屬文。詧踐位，以欣襲機封。歷侍中、中書令、尚書僕射、尚書令。歸之二十三年，卒，贈司空。欣與柳信言，當歸之世，俱爲一時文宗。有集三十卷。又著《梁史》百卷，遭亂失本。

又曰：“詧居帝位，及歸纂業，親賢並用，宗室則蕭欣、蕭翼。”

《唐書·經籍》、《藝文志》：《蕭欣集》十卷。

馮氏《詩紀》曰：“蕭欣，爵里無考。有《還宅詩》一首，見梁詞人麗句。”

嚴氏《全梁文編》：蕭欣有集十卷。《初學記》有《賜甘露啓》一篇。

梁中書舍人朱超集一卷

朱超始末未詳。

馮氏《詩紀》曰：“朱超，爵里無考。”又曰：“朱超、朱超道、朱越，各詩集所載，名多互見，疑是一人之作。今從詩彙併載，而于各題下仍分注本名，以俟考訂。朱超有《采蓮曲》、《贈王僧辯詩》、《夜泊巴陵詩》、《對雨詩》、《咏同心芙蓉》、《舟中望月》、《咏孤石》、《咏貧》、《咏剪綵花》、《城上烏》、《獨棲烏》凡十一篇。朱超道有《別劉孝先詩》、《別席中兵詩》、《歲晚沈疴詩》、《和元帝懷荆楚詩》、《咏鏡》凡五篇。又題朱越、朱超道者，有《蕩子行未歸》一篇。”

案此敍於蕭欣、甄玄成之間，似亦在後梁，官中書舍人者。

梁護軍將軍甄玄成集十卷并錄

《周書·蕭詧附傳》：甄玄成字敬平，中山人。博達經史，善屬文。少爲簡文所知。以錄事參軍隨詧鎮襄陽。轉中記室參軍，掌書記，頗參政事。以江陵甲兵殷盛，遂懷貳，以密書與梁元帝，申其誠款。遂有得其書者，進之於詧。詧深信佛法，常願不殺誦《法華經》人。玄成素誦《法華經》，遂以此獲免。詧後見之，常曰：“甄公好得《法華經》力。”歷位中書侍郎、御史中丞、祠部尚書、吏部尚書。詧之六年，卒，贈侍中、護軍將軍。有文集二十卷。

《唐書·經籍》、《藝文志》：《甄玄成集》十卷。

嚴氏《全梁文編》：後梁甄玄成有集十卷。《初學記》有《車賦》一篇。

梁散騎常侍沈君攸集十三卷　"攸"當爲"游"。

《周書·蕭詧附傳》：沈君游，吳興人。博學有詞采，位至散騎常侍。歸之十二年，卒。有文集十卷。弟君公，有幹局，文章典正，特爲詧所重。歷都官尚書，爲義興王瓛師。從瓛奔陳，授侍中、太子詹事。隋平陳，以瓛同謀渡江，伏誅。

又《蕭琮傳》末曰："琮父詧篡業，親賢並用，宗室則蕭欣、蕭翼，文章則劉孝勝、范迪、沈君游、君公、柳信言。"

《唐書·經籍》、《藝文志》：《沈君攸集》十二卷。

馮氏《詩紀》曰："沈君攸，後梁人，爵里無考。有《采桑》、《采蓮曲》、《薄暮動弦歌》等詩凡十首。"

案本傳云"文集十卷"，本志云"十三卷"，兩《唐志》十二卷，似有其弟君公之集在其間也。

又案《梁書》不及後梁，以後梁屬于西魏，周隋統于北朝，故《周書》附載其事蹟，《北史》亦裁爲附庸。本志前載《岳陽王詧集》、《梁王蕭詧集》、《蕭琮集》、《張綰集》四家，若移列于《蕭欣集》之前，以見此八家皆後梁君臣之集，則有條不紊矣。

梁臨安恭公主集三卷。武帝女。

《南史·梁宗室臨川王宏傳》：帝諸女臨安、安吉、長城三主並有文才，而安吉最得令稱。

《藝文類聚·雜文部》：梁簡文帝《臨安公主集序》曰："四德之美，戚里仰以爲風；七行之奇，濯龍規以爲則。若夫託勾陳之貴，出玉臺之尊，鳳儀閒潤，神姿照朗，愛敬之道夙彰，柔嫺之才必備。鳳桐遐遠，清管遼亮，湘川寂寞，淚滌藏狋。北渚之句尚傳，仙靈之典不泯，況復文同積玉，韻比風飛，謹求散佚，貽厥于後。"案文則其集爲簡文帝所編。

《唐書·經籍》、《藝文志》：《臨安公主集》三卷。

梁征西記室范靖妻沈滿願集三卷

范靖及沈滿願始末並未詳。

《唐書·經籍志》：“范靖妻《沈滿願集》五卷。”《藝文志》三卷。

馮氏《詩紀》曰：“按《唐·藝文志》有范靖妻《沈滿願集》三卷，《樂府》及《玉臺新詠》所載有《昭君歎》二首，又《挾琴歌》、《映水曲》、《登樓曲》、《越城曲》、《晨風行》、《戲繡》、《咏殘燈》、《咏五采竹火籠》、《咏步搖花》，存凡十一首。”又《品藻篇》引《詩話補遺》，稱“陳范靜妻沈滿願”，以爲陳人。而馮氏仍編于梁代之末。

梁太子洗馬徐悱妻劉令嫺集三卷

《梁書》、《南史·劉孝綽傳》：孝綽兄弟及群從諸子姪，當時有七十人，並能屬文，近古未之有也。其三妹，一適琅邪王叔英，一適吳郡張嵊，一適東海徐悱，並有才學。悱妻文尤清拔，所謂劉三娘者也。悱，僕射徐勉子，爲晉安郡，卒，喪還京師，妻爲祭文，辭甚悽愴。勉本欲爲哀文，既覩此文，于是閣筆。案徐悱事蹟見《徐勉傳》。《文選》有徐悱《琅邪城詩》一首。昭明錄本朝人文，惟沈約、任昉、江淹、劉峻、范雲、邱遲、陸倕及徐悱，凡八家。悱最爲年少後起。考《選注》引何之元《梁典》曰：“徐勉第三息悱，字敬業，晉安內史，有學業，最知名。卒於郡府。”

《唐書·經籍》、《藝文志》：徐悱妻《劉氏集》六卷。

馮氏《詩紀》曰：“徐悱妻，劉氏孝綽之妹，稱劉三娘。《玉臺新咏》作‘劉令嫺’。有《答外》二首，又有《和婕好怨》及贈答等詩凡十一首。”

嚴氏《全梁文編》曰：“劉令嫺，彭城人，祕書監孝綽第三妹，適僕射徐勉子晉安太守悱。有集三卷。《藝文類聚》三十八載令嫺《祭夫文》。”

右梁代人文并後梁，凡六十五家，附梁有十九家，通計八十四家九十七部。是爲別集類分篇第八。內武帝、王筠並一家五部，元帝、江淹、陶弘景、徐勉、劉之遴並一家二部。

卷三十九之九

集部二之九

別集類九　後魏

後魏孝文帝集三十九卷

《魏書》本紀：高祖孝文皇帝，諱宏，顯祖獻文皇帝之長子。皇興元年生。三年，立爲皇太子。五年秋八月丙午，即皇帝位。太和二十三年夏四月丙午朔，崩於穀塘原之行宮，時年三十三。時爲南朝齊東昏侯永元元年也。帝雅好讀書，手不釋卷。五經之義，覽之便講。學不師授，探其精奧。史傳百家，無不該涉。善談《莊》、《老》，尤精釋義。才藻富贍，好爲文章。詩賦銘頌，任興而作。有大文筆，馬上口授，及其成也。不改一字。自太和十年已後，詔册皆帝之文也。自餘文章，百有餘篇。

又曰：“太和十有八年春正月癸亥，車駕南巡。戊辰，經殷比干之墓，祭以太牢。十一月丁丑，車駕幸鄴。甲申，經比干之墓，傷其忠而獲戾，親爲弔文，樹碑而刊之。”

又《劉芳傳》：高祖遷洛，路由朝歌，見殷比干墓，愴然悼懷，爲文以弔之。芳爲注解，表上之。詔曰：“覽卿注，殊爲富博。但文非屈宋，理慚張賈。既有雅致，便可付之集書。”

《北史·儒林傳》序：孝文欽明稽古，篤好墳籍，坐輿據鞍，不忘講道。劉芳、李彪諸人以經書進，崔光、邢巒之徒以文史達。其餘涉獵典章，閑集詞翰，莫不縻以好爵，動以賞眷。於是斯文鬱然，比隆周、漢。

又《文苑傳》序曰：“及太和在運，銳情文學，固以頡頏漢徹，跨躡曹丕，氣韻高遠，豔藻獨構。衣冠仰止，咸慕新風，律調頗殊，曲度遂改。辭罕泉源，言多胸臆，潤古彫今，有所未遇。是故雅言麗則之奇，綺合繡聯之美，眇歷歲年，未聞獨得。”

《唐書·經籍》、《藝文志》：《後魏文帝集》四十卷。

馮氏《詩紀》曰：“北魏孝文帝改姓元氏，遷都洛陽，風移俗易，北朝之盛未有過之者也。今存《縣瓠方丈竹堂饗侍臣與彭城王勰鄭懿鄭道昭邢巒宋弁聯句》一篇。”

嚴氏《後魏文編》曰：“孝文帝改元三：延興、承明、太和。在位二十九年。有集三十九卷。《魏書》本紀云：‘好爲文章。’自太和十年已後，詔册皆帝之文也。今録太和十年已前詔册爲一卷，十年已後別爲四卷。”

後魏司空高允集二十一卷

高允有《天文洪範日月變》等書，見子部天文家。

《魏書》、《北史》本傳：允性好文學，博通經史、天文、術數，尤好《春秋公羊》。曾作《塞上翁詩》，有混欣戚，遺得喪之致。文成時，轉太常卿。上《代都賦》，因以規諷，亦《二京》之流也。時中書博士索敞與侍郎傅默、梁祚論名字貴賤，著議紛紜。允遂著《名字論》以釋其惑，甚有典證。獻文時，允以老疾，頻上表乞骸骨，詔不許。於是乃著《告老詩》。又以昔歲同徵，零落將盡，感逝懷人，作《徵士頌》，蓋止於應命，其有命而不至，則闕焉。其著頌者，中書侍郎、固安侯范陽盧玄子真，以下凡三十四人，舉其梗概。從獻文北伐，大捷而還，至武川鎮，上《北伐頌》。帝覽而善之。自文成迄於獻文，軍國書檄，多允作也。末乃薦高閭以自代。太和二年，允年將九十矣。扶引就内，改定《皇誥》。文成馮皇后撰《皇誥》十八篇，見《后妃傳》。又被敕論集往世酒之敗德，以爲《酒訓》。孝文覽而悦之,常置左右。後又被召在方山作頌。允所製詩、賦、詠、頌、箴、論、表、贊、誄、《左氏釋》、《公羊釋》、《毛詩拾遺》、《論雜解》、《議何鄭膏肓事》,凡百餘篇,別有集行於世。尤明算法,爲算術三卷。

又史臣曰:"依仁游藝,執義守詰,其司空高允乎?宜事光寵四世,終享百齡!有魏以來,斯人而已。"殿本《考證》曰:"《玉篇》,'詰'同'哲',守詰即明哲保身之義也。"

《唐書·經籍》、《藝文志》:後魏《高允集》二十卷。

馮氏《詩紀》曰:"高允歷事五帝,出入三省,五十餘年。初無譴咎。有《羅敷行》、《王子喬歌》各一篇,答《宗欽》四言詩一篇十八章,《詠貞婦彭城劉氏》四言詩一篇八章。"

張氏《百三家·高令公集》輯本凡賦、表、疏、上書、書、頌、論、酒訓、祭文十二篇,詩四篇。《題詞》曰:"集中文字如《上書東宮諫起宮室》、《矯頹俗五異》及《樂平王箸論》,皆耿介有聲,餘亦整而不污。漢初張丞相箸壽吉祥事略彷彿。案漢北平侯張箸,年百餘歲,高允卒年九十八。惜年代久遠,筆札絶少。試列之北朝文苑中,雖逡步崔公,而開疆邢、魏,固當日之先正也。"

嚴氏《後魏文編》:高允有集二十一卷。今存《鹿苑賦》、《上天文災異八篇表》、《承詔議興學校表》、《諫皇太子營立田園》、《諫文成帝起宮室》、《又諫不釐改風俗》、《答宗欽書》、《箴論》、《塞上公亭詩序》、《徵士頌》、《北伐頌》、《酒訓》、《祭岱宗文》,凡一十三篇。

案《北史·崔浩傳》末云:"浩父宏始因苻氏亂,欲避地江南,爲張顧所獲,本圖不遂。乃作詩以自傷,而不行於時,蓋懼罪也。浩誅,中書侍郎高允受敕收浩家書,始見此詩,允知其意。允孫綽録于允集。"則是集似其孫高綽所編次,附有崔宏詩。

後魏司農卿李諧集十卷

李諧有《行記》，見史部地理類。

《魏書》本傳：“諧風流閑潤，博學有文辨，當時才俊咸相欽賞。元顥入洛，以爲給事黄門侍郎。顥敗，除名。乃爲《述身賦》。所著文集别有集録，行於世。”《北史》本傳云：“文集十餘卷。”

《唐書·經籍》、《藝文志》：《李諧集》十卷。

嚴氏《後魏文編》：李諧有集十卷。今惟見《魏書》本傳所載《述身賦》一篇。

後魏太常卿盧元明集十七卷

《魏書·盧玄傳》：玄，范陽涿人也。曾祖諶，晉司空劉琨從事中郎。劉琨、盧諶並有集，見前西晉人卷末。祖、父並仕慕容氏，皆以儒雅稱。神𪊨四年，辟召儒儁，以玄爲首。司徒崔浩，玄之外兄。玄子度世，度世子昶，昶第五子元明，字幼章。涉歷群書，兼有文義，風采閑潤，進退可觀。永安初，臨淮王彧引爲兼屬，仍領部曲。出帝登阼，以郎任行禮，封城陽縣子，遷中書侍郎。永熙末，居洛東緱山，乃作《幽居賦》焉。天平中，副李諧使蕭衍，南人稱之。還拜尚書右丞，散騎常侍，監起居。又兼黄門郎。元明善自標置，不妄交游，飲酒賦詩，遇興忘返。性好玄理，作史子新論數十篇，《北史》作“雜論”，“新”當爲“雜”。文筆别有集録。

《唐書·經籍》、《藝文志》：《盧元明集》六卷。

馮氏《詩紀》輯存《晦日泛舟應詔詩》四句。

嚴氏《後魏文編》：元明卒，贈太常卿。有集十七卷。《魏書》本傳云作《幽居賦》，今亡。《初學記》、《太平御覽》有《劇鼠賦》，《隋書·崔廓傳》有《嵩高山廟記》。案廓子頤答詔云：“臣見魏大司農盧元明撰《嵩高山廟記》。”案《魏書》及《北史》，元明未嘗爲大司農，當是漏落。

後魏司空祭酒袁躍集十三卷

《魏書·文苑傳》：袁躍字景騰，陳郡項人，尚書翻弟也。博學
儁才，性不矯俗，篤於交友。釋褐司空行參軍，歷尚書都兵郎
中，加員外散騎常侍。將立明堂，躍上議，當時稱其博洽。蠕
蠕主阿那瓌亡破來奔，朝廷矜之，送復其國。既而每使朝貢，
辭旨頗不盡禮。躍爲朝臣書與瓌，陳以禍福，言辭甚美。後
遷太傅、清河王懌文學，雅爲懌所愛賞。懌之文表多出於躍。
卒，贈冠軍將軍、吏部郎中。所制文集行於世。《北史·袁翻附
傳》同。

《唐書·經籍》、《藝文志》：《袁躍集》九卷。

後魏著作佐郎韓顯宗集十卷

韓顯宗有《燕志》，見史部霸史類。

《魏書》、《北史·韓麒麟傳》：麒麟子顯宗，有才學。孝文嘗謂
顯宗曰：“校卿才能，可居中第。”謂程靈虯曰：“卿與顯宗，復有
差降，可居下上。”顯宗以上表矜伐，白衣守諮議。既失意，乃爲
五言詩贈御史中尉李彪，以申憤結。太和二十三年，卒。撰馮
氏《燕志》及《孝友傳》各十卷。所作文章頗傳于世。

《唐書·經籍》、《藝文志》：《韓宗集》五卷。《舊志》以避諱節去“顯”
字，《新志》因之。

馮氏《詩紀》曰：“韓延之字顯宗，南陽堵陽人。仕晉，奔姚興，
入魏爲武牢鎮將，賜爵魯陽侯。一云韓顯宗字茂親，有《贈中
尉李彪詩》一首。”案韓延之，晉宋時人。《晉書》、《魏書》、《北史》並有傳。馮
氏以爲即此韓顯宗，非也。

嚴氏《後魏文編》：韓顯宗有集十卷。今唯存本傳所載《上書
陳時務》、《上言時務》兩篇。

後魏散騎常侍溫子昇集三十九篇

溫子昇有《永安記》，見史部地理類。

《魏書》、《北史・文苑傳》：子昇博覽百家，文章清婉。爲廣陽王淵賤客，在馬坊教諸奴子書。作《侯山祠堂碑文》，常景見而善之，故詣淵曰：「頃見溫生，是大才士。」淵由是稍知之。熙平初，中尉、東平王匡召辭人，以充御史，同時射策者八百餘人，子昇與盧仲宣、孫搴等二十四人爲高第，遂補御史，時年二十二。臺中文筆皆子昇爲之。正光末，廣陽王淵爲東北道行臺，召爲郎中，軍國文翰皆出其手。莊帝之殺爾朱榮也，子昇豫謀，當時敕詔，子昇詞也。梁使張皋寫子昇文筆，傳于江表。梁武稱之曰：「曹植、陸機復生於北土。恨我辭人，數窮百六。」陽夏守傅摽使吐谷渾，見其國主牀頭有書數卷，乃是子昇文也。濟陰王暉嘗云：「江左文人，宋有顏延之、謝靈運，梁有沈約、任昉，我子昇足以陵顏轢謝，含任吐沈。」楊遵彥作《文德論》，以爲古今辭人皆負才遺行，澆薄險忌，惟邢子才、王元景、溫子昇彬彬有德素。齊文襄引爲大將軍諮議。及元瑾、劉思逸、荀濟等作亂，文襄疑子昇知其謀。方使之作神武碑文，既成，乃餓諸晉陽獄，食弊襦而死，棄屍路隅，沒其家口。太尉長史宋游道收葬之，又爲集其文筆爲三十五卷。又撰《永安記》三卷。案三十五卷，《永安記》三卷，爲三十八卷，并錄一卷，爲三十九。與本志卷數適合。

《唐書・經籍》、《藝文志》：《溫子昇集》三十五卷。

張氏《百三家・溫侍讀集》輯本凡詔、敕、表、上書、銘、碑、墓誌、上梁文二十五篇，樂府六篇，詩三篇，挽歌一篇。題辭曰：「史言溫鵬舉外靜內險，好預事，故終致禍敗。今據史魏莊帝殺爾朱榮、元瑾等，背齊文襄作亂，鵬舉皆預謀。此二事者，柔順文明，志存討賊，設令功成無患，不庶幾其先大將軍之誅王敦乎？鵬舉初困馬坊，常公拂拭，始稱才士，縛於葛榮，和督脫之，逃死入京，貧薄狼顧，時恐不及。上黨善怒，幾遭鞭撻。後復賞愛,捐其前忿,徐紇小人,亦畏才藻,不輕下筆。
温生雖窮,天下豈少知己哉? 元顥之變,策復京師,計之上
也。上黨即不能爲桓文,鵬舉之言管狐許之矣。北人不稱其
多知,而徒矜斬將搴旗於文墨之間,猶皮相也。吐谷小國,畜
書牀頭。梁武知文,歎窮百六。濟陰寒士,何以得此。表碑
具在,頗少絶作。陵顔轢謝,含任吐沈,亦磽确自雄北方語
耳。桐華引仙露,槐景麗輕烟。鵬舉逸句尚佳,世以其詩少,
即云不長於詩。寒山片石,當不其然。"馮氏《詩紀》録樂府詩篇數同。
嚴氏《後魏文編》:温子昇有集三十九卷。今存孝莊帝、孝靜
帝詔三篇,孝武帝敕一篇,章一篇,表六篇,彈文一篇,《爲廣
陽王上書》、《又上言》、《言狀》,各一篇,銘一篇,碑六篇,墓誌
銘二篇,《上梁祝文》一篇,凡二十五篇。

後魏太常卿陽固集三卷

《魏書》、《北史·陽尼傳》:尼,北平無終人也。從孫承慶,撰
《字統》二十卷。見經部小學家。承慶從弟固,字敬安。性侐儻,
不拘小節。少任俠,好劍客。年二十六,始折節好學,博覽篇
籍,有文才。孝文時數遷書侍御史,多所劾奏。宣武廣訪得
失,固上讜言表。初,帝委任群下,不甚親覽,好桑門之法。
尚書令高肇以外戚權寵,專決朝事。又咸陽王禧等並有釁
故,宗室大臣,相見疏薄。而王畿人庶,勞弊益甚。固乃作
《南北二都賦》,稱恒代田漁聲樂侈靡之事,節以中京禮儀之
式,因以諷諫。宣武末,中尉王顯大不悦,固奏,免固官。遂
闔門自守,著《演賾賦》以明幽微通塞之事。又作《刺讒疾嬖
幸詩》二首。明帝時,累遷前軍將軍。正光四年九月,卒,年
五十七。贈輔國將軍、太常少卿,謚曰文。初,固著《終制》一
篇,務從儉約。臨終,又敕諸子一遵先制。長子休之。
《唐書·經籍》、《藝文志》:《陽固集》三卷。

馮氏《詩紀》輯存《刺讒詩》、《疾倖詩》各一篇。

嚴氏《後魏文編》曰：“陽固本傳有《演賾賦》、《上讜言表》各一篇。”又云：“有《南北二都賦》，文繁不録，今亡。”

　右後魏人文凡八家八部，是爲別集類分篇第九。本又有《宗欽集》，本志誤入東晉人末，見前。

卷三十九之十

集部二之十

別集類十　北齊

北齊特進邢子才集三十一卷

《北齊書》本傳：邢邵，字子才，河間鄭人。少時有避，遂不行名。十歲能屬文，日誦萬餘言，一覽便無所遺。文章典麗，既贍且速。年未二十，名動衣冠。嘗與右北平陽固、河東裴茂等至北海王昕舍宿飲，相與賦詩，凡數十首。釋巾爲魏宣武挽郎，除奉朝請，著作佐郎。自孝明之後，文雅大盛，邵彫蟲之美，獨步當時。每洛中貴人拜職，多憑邵爲謝表。永安初，爲中書侍郎，所作詔誥，文體宏麗。太昌中，累遷太常卿、中書監、攝國子祭酒。三職並是文學之首，當世榮之。世宗幸晉陽，路中頻有甘露之瑞，朝臣皆作《甘露頌》，尚書符令邵爲之序。及文宣帝崩，敕撰哀策。後授特進，卒。邵博覽墳籍，無不通曉。晚年尤以《五經》章句爲意，窮其指要。吉凶禮儀，公私諮稟，質疑去惑，爲世指南。每公卿會議，事關典故，邵援筆立成，證引該洽。帝命朝章，取定俄頃。與濟陰溫子昇爲文士之冠，世論謂之溫、邢。鉅鹿魏收，雖天才豔發，而言事在二人之後，故子昇死後，方稱邢、魏焉。有書甚多，而不甚校讎。見人校書，常笑曰：“何愚之甚，天下書至死讀不可遍，焉能始復校此。且誤書思之，更是一適。”妻弟李季節，才學之士，_{名概。有《音韻決疑》等書，見經部小學類中。}謂子才曰：“世間人多不聰明，思誤書何由能得。"子才曰："若思不能得，便不勞讀書。"有集三十卷，見行於世。

後魏羊衒之《洛陽伽藍記》曰："永熙中，詔國子祭酒邢子才撰景明寺碑文。子才志性通敏，風情雅潤，文宗學府，騰班、馬而孤上；英規勝範，淩許、郭而獨高。及皇居徙鄴，敕與溫子昇撰《麟趾新制》十五篇，省府以之決疑，州郡用爲治本。所製詩、賦、詔、策、章、表、碑、頌、贊、記五百篇，皆傳於世。鄰國欽其模楷，朝野以爲美談。"

《唐書·經籍志》：北齊《邢子才集》三十卷。

《唐書·藝文志》：北齊《邢邵集》三十卷。

張氏《百三家·邢特進集》輯本序曰："溫鵬舉、魏伯起、邢子才爲北朝文人稱首。楊遵彥《文德論》云：'古今辭人，皆負才遺行。惟子才、王元景、溫子昇彬彬有德素。'然則溫、邢在當日，兼以行顯，非伯起'驚蛺蝶'比也。子才異同交安，賢愚並接，抱此天姿，與物無忤。然在坐作表，袁翻怒爲小兒，言論相輕，崔暹奪其帝聽。甚哉，入世之不易也。凡賦、詔、表、奏等文二十九篇，樂府一首，詩七首。"馮氏《詩紀》輯樂府詩篇數同。

嚴氏《北齊文編》：邢邵有集三十卷。今存《新宮賦》一篇、《文宣帝受禪赦詔》一篇，表八篇，《奏立明堂太學》、《文宣諡議》各一篇，議四篇，上言一篇，書二篇，序一篇，《甘露頌》一篇，銘二篇，哀策文一篇，碑四篇，墓誌一篇。

北齊尚書僕射魏收集六十八卷

魏收有《後魏書》，見史部正史類。

《北齊書》本傳：魏節閔帝立，妙簡近侍，試收爲《封禪書》，收下筆便就，不立槁草，文將千言，所改無幾。孝武嘗大發士卒，狩于嵩少之南，旬有六日，時天寒，朝野嗟怨。帝與從官及諸妃主，奇伎異飾，多非禮度。收欲言則懼，欲嘿不能已，

乃上《南狩賦》以諷焉，時年二十七。雖富言淫麗，而終歸雅
正。帝手詔報焉，甚見褒美。初，神武固讓天柱大將軍，魏帝
敕收爲詔，令遂所請，欲加相國，問收相國品秩，收以實對，帝
遂止。收既未測主相之意，以前事不安，求解，詔許焉。久
之，除帝兄子廣平王贊開府從事中郎，收不敢辭，乃爲《庭竹
賦》以致已意。時孝武猜忌神武，尋而神武興晉陽之甲，帝西
入關。收副王昕使梁，在途作《聘游賦》，辭甚美盛，侯景叛入
梁，寇南境，文壤時在晉陽，令收爲檄五十餘紙，不日而就。
又檄梁朝，令送侯景，初夜執筆，三更便成，文過七紙。文襄
善之。魏帝曾季秋大射，普令賦詩，收詩末云：“尺書徵建鄴，
折簡召長安。”文襄壯之，顧諸人曰：“在朝今有魏收，便是國
之光采。雅俗文墨，通達縱橫，我亦使子才、子昇時有所作，
至於詞氣，並不及之。吾或意有所懷，忘而不語，語而不盡，
意有未及，收呈草皆以周悉，此亦難有。”侯景既陷梁，梁鄱陽
王範時爲合州刺史，文襄敕收以書喻之。範得書，乃率部伍
西上。文襄謂收曰：“今定一州，卿有其力，猶恨‘尺書徵建
鄴’未郊耳。”文襄崩，文宣如晉陽。時將受禪，楊愔奏收置之
別館，令撰禪代詔册諸文，遣徐之才守門不聽出。三臺成，文
宣曰：“臺成須有賦。”收上《皇居新殿臺賦》，其文甚壯麗。帝
曾游東山，敕收作詔，宣揚威德，譬喻關西，俄頃而訖，詞理宏
壯。帝對百僚大嗟賞之。收無子，魏太常劉芳孫女，中書郎
崔肇師女，夫家坐事，帝並賜收爲妻，時比之賈充置左右夫
人。然無子。後病甚，恐身後嫡媵不平，乃放二姬。及疾瘳
追憶，作《懷離賦》以申意。及帝崩于晉陽，與陽休之參議吉
凶之禮，并掌詔誥。文宣謚及廟號、陵名，皆收議也。及孝昭
居中宰事，命收禁中爲諸詔文。始收與温子昇、邢卲稍爲後
進，卲既被疏出，子昇以罪幽死，遂大被任用，獨步一時。議

論更相訾毀，各有朋黨。自武定二年已後，國家大事詔命，軍國文詞，皆收所作。每有警急，受詔立成。敏速之工，邢、溫所不逮，其參議典禮，與邢相埒。收以子伒少年，申以戒厲，著《枕中篇》。後主即位，復掌詔誥。有集七十卷。收稍與子才爭名，文宣貶子才曰："爾才不及魏收。"收益得志。自序云："先稱溫、邢，後曰邢、魏。"然收內陋邢，心不許焉。

又《高德政傳》：德政勸顯祖行禪代之事，敦勸不已。仍白帝追魏收。收至，令撰禪讓詔册、九錫建臺及勸進文表。

《唐書·經籍》、《藝文志》：《魏收集》七十卷。

張氏《百三家·魏特進集》輯本序曰："論邢、魏者，以魏彷任樂安，邢彷沈隱侯。餘謂伯起生平，文體得之樂安固多，若問史才，隱侯《宋書》亦其兄事也。魏齊文誥，典司最久，世罕流傳，作賦大才，雅自期許。乃《新殿》、《南狩》、《庭竹》、《離懷》諸篇，亦未得見。使無《魏書》，幾無以表著後代矣。且謗深陳壽而福踰崔浩，尤從來史官之極幸者也。凡詔、册、啓、移文、書、議、雜文、祭文十五篇，樂府四篇，詩八篇。"馮氏《詩紀》錄樂府詩篇數同。

嚴氏《北齊文編》：魏收有集七十卷。今存《魏孝靜帝禪位詔》、《册命齊王九錫文》、《禪位册》、《太子監國冬會議》、《上魏書十志啓》、《與李德林書論齊書起元事》、《爲侯景叛移梁朝文》、《枕中篇》、《祭文》、《願文》，凡一十四篇。案《藝文類聚》五十八又有魏收《檄梁文》，據《文苑英華》及《通鑑》，實杜弼撰。又收傳有《南狩賦》、《聘游賦》、《皇居新殿臺賦》、《懷離賦》、《庭竹賦》，《北史·文苑傳》有《庫狄干碑序》，今並亡。

北齊儀同劉逖集二十六卷

《北齊書·文苑傳》：劉逖字子長，彭城叢亭里人也。祖芳，魏太常卿。逖少而聰敏。魏末徵詣霸府。發憤自勵，專精讀書。晉陽都會之所，霸朝人士攸集，咸務于宴集。逖在游宴之中，卷不離手。亦留心文藻，頗工詩詠。武成時，至中書侍郎，歷爲聘陳使主，聘周使副。二國始通，禮儀未定，逖與周朝議論往復，斟酌古今，事多合禮，兼文詞可觀，甚得名譽。使還，拜儀同三司。武成崩，出爲江州、仁州刺史。徵還，待詔文林館，重除散騎常侍，奏門下事。未幾，與崔季舒等同時被戮，時年四十九。所制詩賦及雜文文筆三十卷。又《後主本紀》："武平四年冬十月辛丑，殺侍中崔季舒、張彫虎，散騎常侍劉逖、封孝琰，黃門侍郎裴澤、郭遵。"案其事見《崔季舒傳》，又《恩倖·韓鳳傳》。鳳於權要之中尤嫉人士，崔季舒等冤酷皆鳳所爲。

《北史·文苑傳》序曰："河清、天統之辰，杜臺卿、劉逖、魏騫亦參詔敕。唯撰述除官詔旨，期關涉軍國文翰，多是魏收作之。"

《唐書·經籍》、《藝文志》：《劉逖集》四十卷。

馮氏《詩紀》曰："劉逖有《對雨詩》、《秋朝野望詩》、《浴温泉詩》、《清歌發詩》凡四首。"

嚴氏《北齊文編》曰："劉逖有《薦辛德源表》一篇，見《隋書·德源傳》。"

右北齊人文凡三家三部，是爲別集類分篇第十。

卷三十九之十一

集部二之十一

別集類十一　後周

後周明帝集九卷

《周書》本紀：“世宗明皇帝諱毓，太祖長子也。魏大統十四年，封寧都郡公。十六年，行華州事。拜宜州刺史。魏恭帝三年，授大將軍，鎮隴右。孝閔帝受禪，進柱國，轉岐州刺史。晉公護廢孝閔帝，遣使迎帝於岐州。九月癸亥，至京師，即天王位。三年秋八月己亥，改天王稱皇帝，改元武成。明年夏四月，帝因食遇毒崩，亦爲宇文護所殺。詳見護傳。年二十七。帝寬明仁厚，敦睦九族，有君人之量。幼而好學，博覽群書，善屬文，詞采溫麗。及即位，集公卿以下有文學者八十餘人于麟趾殿，刊校經史。又捃采衆書，自羲、農以來，訖於魏末，敍爲《世譜》，凡五百卷云。所著文章十卷。”又曰：“遇毒後，庚子，大漸，詔曰云云。即帝口授也。”

《唐書·經籍》、《藝文志》：《後周明帝集》十卷。別本作一卷，似“十”字之誤。

《唐書·藝文志》：《後周明帝集五十卷》。案《舊志》是集之後即次以《陳後主集》五十卷，《新志》據《舊志》寫録，因上下文而錯誤歟？

馮氏《詩紀》曰：“北周明帝在位四年，有《貽韋居士詩》、《過舊宮詩》、《和王襃咏摘花》各一篇。”

嚴氏《後周文編》：明帝有集十卷。《隋志》作九卷，今存詔十三篇、敕一篇。

後周趙王集八卷

《周書·文帝十三子傳》：趙僭王招，字豆盧突。幼聰穎，博涉群書，好屬文。學庾信體，詞多輕豔。魏恭帝三年，封正平郡公。武成初，進爵趙國公。建德三年，進爲王。大象元年，出就國。二年，宣帝不豫，徵招及陳、越、代、滕五王赴闕。比招等至而帝已崩。隋文帝輔政，將遷周鼎，招密欲圖之，以匡社稷。後事覺，陷以謀反。其年秋，誅招及其子，國除。招所著文集十卷，行於世。

又《靜帝本紀》：大象二年六月戊午，趙王招、陳王純、越王達、代王盛、滕王逌來朝。案當爲越王盛、代王達。此誤。秋七月庚子，詔趙、陳、越、代、滕五王入朝，不趨，劍履上殿。壬子，趙王招、越王盛以謀執政被誅。

庾信《趙國公集序》曰：“柱國公發言爲論，下筆成章，逸態橫生，新情振起。文參曆象，即入天官之書；韻涉絲桐，咸歸總章之觀。論其壯也，則鵬起半天；語其細也，則鷦巢蚊睫。自魏建安之末，晉太康以來，彫蟲篆刻，其體三變，人人自謂握靈蛇之珠，抱荆山之玉矣。公斟酌雅頌，諧和律吕，若使言乖節目，則曲臺不顧，聲止操縵，則成均無取。遂得棟梁文囿，冠冕詞林，大雅扶輪，小生承蓋。”案此稱《趙國公集》，蓋作于建德三年未進王爵之前。

《唐日本國見在書目》：《後周趙王集》十卷。

《唐書·經籍志》：《後周趙王集》十卷。

《唐書·藝文志》：《後周趙平王集》十卷。

馮氏《詩紀》：趙王招，文帝第七子，有《從軍行》一首。

後周滕簡王集八卷

《周書·文帝十三子傳》：滕聞王逌，案《北史》亦作聞，似“簡”之誤。字爾固突。少好經史，解屬文。武成初，封滕國公。建德三年，進爵爲王。大象元年，出就國。二年，朝京師。其年冬，爲隋文帝所害，并其子。國除。逌所著文章頗行于世。

又《靜帝本紀》：大象二年十二月甲子，大丞相隋國公楊堅進爵爲王，以十郡爲國。辛未，代王達、滕王逌並以謀執政被誅。

《唐書·經籍志》：《後周滕王集》十二卷。

《唐書·藝文志》：《後周滕簡王集》十二卷。

馮氏《詩紀》：“滕王逌，文帝第十三子。有《至渭源詩》一首。”

嚴氏《後周文編》：“滕王逌謚曰簡王，有集九卷。《文苑英華》有《庾信集序》，《初學記》有《道教實花序》，各一篇。”

後周儀同宗懍集十二卷并錄

《周書》、《北史》本傳：懍字元懍，南陽涅陽人。少聰敏，好讀書。普通六年，舉秀才。梁元帝鎮荊州，令兼記室。使製《襄川廟碑》，元帝歎美之。元帝重牧荊州，以爲別駕、江陵令。及即位，擢爲尚書侍郎，封信安縣侯。累遷吏部尚書。初，侯景平後，梁元帝議還建鄴，惟懍勸都渚宮，以其鄉里在荊州故也。及江陵平，與王褒等入關。周文帝以懍名重南土，甚禮之。孝閔帝踐阼，拜車騎大將軍、儀同三司。明帝即位，又與王褒等在麟趾殿刊定群書。保定中卒，年六十四。有集二十卷，行於世。

《唐書·經籍志》：“《後周宗懍集》三十卷。”《藝文志》：十卷。

馮氏《詩紀》：宗懍有《和歲首寒望詩》、《早春詩》、《春望詩》、《麟趾殿詠新井》凡四篇。

案宗懍有《荊楚歲時記》一卷，至今猶傳。本志不別著錄，或當編入是集中。

後周沙門釋忘名集十卷　“忘”當爲“亡”。

《唐日本國見在書目》：《無名師集》十卷。又有《無名集》十卷，又十八卷，或别是一人。

《唐書·經籍志》：《沙門亡名集》十卷。

《唐書·藝文志》：《僧亡名集》十卷。

《法苑珠林·傳記篇》：周朝武帝時，沙門釋亡名著《至道論》、《淳德論》、《遣執論》、《不殺論》、《去是非論》、《修空論》、《影喻論》、《法界寶人銘》、《歇食想文》、《僧崖菩薩傳》、《韶法師傳》、《驗善知識傳》凡十二卷。

馮氏《詩紀》曰：“釋亡名，俗姓宋氏，南郡人。本名闕。弱齡，遁世吟嘯邱壑，長富才華。事梁元帝，深見禮待。梁亡，遠客岷蜀。會周氏跨有并洛，齊王鎮蜀，素加禮供。秩滿還雍，遂勅歸謁。帝朝省總議，將徵拔之。然雅亮卓然，曾無易節。多所著述，有集十卷，行于世。今存《五苦詩》五首，謂生苦、老苦、病苦、死苦、愛離也。又《五盛陰詩》一首，以佛書有五陰譬喻言皆空虚也。”又有《無名法師過徐君墓詩》一首，疑亦亡名作。

嚴氏《後周文編》曰：“釋亡名，俗姓宋，南郡人。本名闕逮，事梁元帝，官爵未詳。梁亡出家，爲夏州三藏。宇文護迎還咸陽，不知所終。《續高僧傳》有《答宇文護書》、又《列六不可十歇息書》。又《寶人銘》，《法苑珠林》作《自誡》，存凡三篇。”

案《寶人銘序》云“余十五而尚文，三十而重勢位。值京都喪亂，冠冕淪没，知識零落殆盡。乃喟然歎曰：‘夫以迴天倒日之力，一旦草彫；岱山磐石之固，忽焉爐滅，定知世相無常，浮生虚僞，譬如朝露，其停幾何。不如修禪定，足以養志；誦讀經，足以自娱。富貴名譽，徒榮人耳。’乃棄其簪弁，剃其鬚髮，衣衲杖錫，聽講談玄。戰國未寧，安身無地，思絶苦本，莫知其津。誓欲枯木其形，死灰其慮，降此患累，以求虚寂”云云。蓋恫江陵之覆亡，自擬以枯木、死灰，其心志亦重可悲矣。又《答宇文護書》云：“不曾妻息五十二年，自捨俗緣十有五載。"則梁亡之歲年五十二，後十五年爲周武帝天和三年，時年已六十七矣。可見者如此。

後周小司空王褒集二十一卷并録　琅邪。

王褒有《王氏江左世家傳》，見史部雜傳篇。

《梁書·王規附傳》：規子褒，字子漢。七歲能屬文。與沛國劉毅、南陽宗懍俱爲中興佐，同參帷幄。褒至尚書左僕射，參掌選事。世祖承聖三年，江陵陷，入于周。褒著《幼訓》，以誡諸子。其一章有云："吾始乎幼學，及于知命，既崇周、孔之教，兼循老、釋之談，江左以來，斯業不墜，汝能脩之，吾之志也。"

《周書》、《北史》本傳：褒曾祖儉，祖騫，父規，並有重名於江左。褒識量淵通，志懷沈靜，美風儀，善談笑，博覽史傳，尤工屬文。梁武帝嘉其才藝，以弟鄱陽王恢之女妻之。元帝與褒有舊，相得甚歡。及魏征江陵，元帝出降，褒遂與衆俱出，見柱國于謹。褒曾作《燕歌行》，妙盡關塞寒苦之狀，元帝及諸文士並和之，而競爲淒切之詞，至此方驗焉。褒與王克、劉毅、宗懍、殷不害等數十人俱至長安。明帝即位，篤好文學，時褒與庾信才名最高，特加親待。帝游宴，命褒賦詩談論，恒在左右。建德以後，頗參朝議，凡大詔册，皆令褒具草。後遷少司空，《周書》作"小"。仍掌綸誥。初，褒與梁處士汝南周弘讓相善，及讓兄弘正自陳來聘，帝許褒等通親知音問，褒贈弘讓詩并致書焉。

《唐書·經籍志》："《王褒集》三十卷。"《藝文志》二十卷。

馮氏《詩紀》：王褒樂府有《燕歌行》等十八篇，詩二十九篇。

張氏《百三家·王司空集》輯本凡詔、表、啓、書、序、箋、銘、碑、祭文、願文、《幼訓》二十五篇，樂府詩四十七篇。《題詞》有曰："周朝著作王、庾齊稱，其麗密相近，而子淵微弱。平日作《燕歌行》，能盡塞北苦寒。梁朝君臣競和其詞，竟成符讖。今觀子淵詩文，多燕歌類，建章樓閣，長安陵樹，傷心久矣。”

嚴氏《後周文編》曰：“案《王褒傳》，建德以後凡大詔册，皆令褒具草，張溥據之，以建德元年三月癸亥詔、三年二月乙卯詔、六月戊午詔凡三首，編入褒集。然建德詔見存三十二首而張溥僅取三首，何所據乎？今以建德詔編入武帝集。褒有集二十一卷。今存表四、啓二、《與周弘讓書》、《象經序》、《服要記序》、論、箴、銘、碑銘、祭文、《幼訓》、《願文》，凡二十六篇。”

後周少傅蕭撝集十卷

《周書》、《北史》本傳：撝字智遐，蘭陵人，梁武帝弟安成王秀之子也。_{秀有集，見前。}年十二，入國學，博觀經史，雅好屬文。在梁，封永豐縣侯。歷巴西、梓潼二郡守。及侯景作亂，武陵王紀稱尊號，封撝秦郡王。紀率衆東下，以撝爲益州刺史，守成都。周文帝知蜀兵寡弱，遣大將軍尉遲迥總衆討之。撝以城降，授侍中、開府儀同三司，封歸善縣公。周閔帝踐阼，進爵黃臺郡公。武成中，明帝令諸文儒于麟趾殿校定經史，仍撰《世譜》，撝亦預焉。後置露門學，以撝與唐瑾、元偉、王褒等四人俱爲文學博士。歷少保、少傅，改封蔡陽郡公。建德二年卒，時年五十九。謚曰襄。撝善草隷，名亞于王褒。算數醫方，咸亦留意。所著詩賦雜文數萬言，頗行于世。

《唐書·經籍》、《藝文志》：《蕭撝集》十卷。

馮氏《詩紀》：蕭撝有《嫗婦吟》、《日出行》、《勞歌》、《和武陵王望道館》、《上蓮山》等詩凡五首。

嚴氏《後周文編》：蕭撝有集十卷。《周書》本傳有《請歸養表》一篇。

後周開府儀同庾信集二十一卷并録

《北史·文苑傳》：庾信字子山，南陽新野人。幼而俊邁，聰敏絕倫，博覽群書，尤善《春秋左氏傳》。父肩吾，爲梁太子中庶子。東海徐摛爲右衞率。摛子陵及信並爲抄撰學士。父子東宮，出入禁闥，恩禮莫與比隆。既文並綺豔，故世號徐、庾體焉。當時後進，競相模範，每有一文，都下莫不傳誦。聘于東魏，文章辭令，盛爲鄴下所稱。還爲東宮學士，領建康令。臺城陷後，奔於江陵。梁元帝除御史中丞，右衞將軍，封武康縣侯，聘於西魏。屬大軍南討，遂留長安。周孝閔帝踐阼，封臨清縣子，除司水下大夫，弘農郡守，驃騎大將軍，開府儀同三司，司憲中大夫，進爵義城縣侯，拜洛州刺史，徵爲司宗中大夫。明帝、武帝並雅好文學，信特蒙恩禮。至於趙、滕二王，周旋款至，有若布衣之交。群公碑誌，多相託焉。唯王褒頗與信埒，自餘文人，莫有逮者。信雖位望通顯，常作鄉關之思，乃作《哀江南賦》以致其意。大象初，以疾去職。隋開皇元年卒。有文集二十卷。

又《文苑傳》序曰：“梁自大同之後，雅道淪缺，漸乖典則，爭馳新巧。簡文、湘東，啓其淫放，徐陵、庾信，分路揚鑣。其意淺而繁，其文匿而彩，詞尚輕險，情多哀思。格以延陵之聽，蓋亦亡國之音也。”

《周書》傳論曰：“王褒、庾信奇才秀出，牢籠于一代。是時，世宗雅詞雲委，滕、趙二王彫章間發。咸築宮虛館，有如布衣之交。由是朝廷之人，閭閻之士，莫不忘味于遺韻，眩精于末光。猶邱陵之仰嵩、岱，川流之宗溟渤也。然則子山之文，發源于宋末，盛行於梁季。其體以淫放爲本，其詞以輕險爲宗。故能誇目侈於紅紫，蕩心逾於鄭、衞。昔揚子雲有言：‘詩人之賦麗以則，辭人之賦麗以淫。’若以庾氏方之，斯又詞賦之罪人也。”

周滕簡王逌序曰：“自梁朝筮仕周氏，馳驅至今，歲在屠維，龍居淵獻,春秋六十有七,齒雖耆舊,文更新奇,才子詞人,莫不師教。王公名貴,盡爲虚襟。"又曰:"妙善文詞,尤工詩賦。窮緣情之綺靡,盡體物之瀏亮。誄奪安仁之美,碑有伯喈之情。箴似揚雄,書同阮籍。昔在揚都,有集十四卷,值太清罹亂,百不一存。及到江陵,又有三卷,即重遭軍火,一字無遺。今之所撰,止入魏以來,爰洎皇代,凡所著述,合二十卷,分成兩帙,付之後爾。余與子山,風期款密,情均縞紵,契比金蘭。欲余製序,聊命翰札云。"案序云"歲在屠維,龍居淵獻",則爲己亥之歲。是歲爲周宣帝即位之次年,改元大成。未幾,禪位于靜帝,改元大象。一歲凡兩改。元序蓋作于是年。時信年六十有七。明年,滕王被害。又明年辛丑,即爲隋開皇元年。信卒于是年,年六十有九。

《北史·魏澹傳》:隋初,除太子舍人,廢太子勇深禮之,令注《庾信集》,世稱博物。

《唐日本國見在書目》:《庾信集》廿卷。

《唐書·經籍》、《藝文志》:《庾信集》二十卷。

《宋史·藝文志》:"《庾信集》二十卷,又《哀江南賦》一卷。"又曰:"王道珪注《哀江南賦》一卷,張庭芳注《哀江南賦》一卷。"

晁氏《讀書志》:《庾信集》二十卷。周庾信子山也。孝閔時,終司憲中大夫。信在梁與徐陵文並綺麗,世號"徐庾體"。集有滕王逌序。案信終于司宗中大夫,隋開皇初卒。此云孝閔時終司憲中大夫,非也。

陳氏《書錄解題》:《庾開府集》二十卷,周司憲中大夫南陽庾信子山撰。信,肩吾之子,仕梁及周。其在揚都有集四十卷,及江陵又有三卷,皆兵火不存。今集止自入魏以來所作,而《哀江南賦》實爲首冠。案此亦云"司憲中大夫",誤與晁《志》同。或宋本集首所題如此也。揚都有集四十卷,據滕王序自是"十四卷"之誤。

《四庫提要》曰:"《庾開府集箋注》十卷,周庾信撰。國朝吳兆宜注。信駢偶之文,集六朝之大成,導四傑之先路。自古迄今，屹然爲四六宗匠。初在南朝，與徐陵齊名。王通《中説》曰：‘徐陵、庾信，古之夸人也，其文誕。’令狐德棻《周書》，至詆其‘誇目蕩心’，斥爲詞賦之罪人。然此自指臺城應教之日，二人以宮體相高耳。至信北遷以後，閲歷既久，學問彌深，所作皆華實相扶，情文兼至。抽黄對白之中，灝氣舒卷，變化自如，則非陵之所能及矣。張説詩曰：‘蘭成追宋玉，舊宅偶詞人。筆涌江山氣，文驕雲雨神。’其推挹甚至。杜甫詩曰：‘庾信文章老更成，凌雲健筆意縱橫。後來嗤點流傳賦，不覺前賢畏後生。’則諸家之論，甫固不以爲然矣。《北史》本傳稱有集二十卷，與周滕王之序合。《隋志》作二十一卷，皆已久佚。元末明初尚有重編之本，今亦未見此本。雖冠以滕王逌序，實由諸書鈔撮而成，非其原帙也。”又曰：“《庾子山集注》十六卷，錢塘倪璠撰。”

右後周人文凡八家八部，是爲別集類分篇第十一。

卷三十九之十二

集部二之十二

別集類十二　陳

陳後主集三十九卷

《陳書》本紀：後主諱叔寶，字元秀，小字黃奴，宣帝嫡長子也。天嘉三年，立爲安成王世子。太建元年，立爲皇太子。十四年正月甲寅，宣帝崩。乙卯，始興王叔陵作逆，伏誅。丁巳，即皇帝位。明年，改元至德。後五年，改元禎明。禎明二年十一月，隋遣晉王廣衆軍來伐。三年春正月乙丑，隋總管賀若弼、韓擒虎自南、北道並進。甲申，進攻宮城，自南掖門而入。後主自投于井。及夜，爲隋軍所執。三月己巳，後主與王公百司發自建業，入于長安。隋仁壽四年十一月壬子，薨於洛陽，時年五十二。追贈大將軍，封長城縣公，謚曰煬。葬河南洛陽之芒山。

又史臣侍中鄭國公魏徵曰：“古人有言，亡國之主，多有才藝，考之梁、陳及隋，信非虛論。然則不崇教義之本，偏尚淫麗之文，徒長澆僞之風，無救亂亡之禍矣。”

又《文學傳》序曰：“後主嗣立，雅尚文詞，傍求學藝，煥乎俱集。每臣下表疏及獻上賦頌者，躬自省覽，其有辭工，則伸筆賞激，加其爵位，是以搢紳之徒，咸知自勵。”

又《姚察傳》：後主所製文筆，卷軸甚多，乃別寫一本付察，有疑悉令刊定，察亦推心奉上，事在無隱。後主嘗從容謂朝士曰：“姚察達學洽聞，手筆典裁精當，自古尤難輩匹，在于今世，足爲師範。且訪對甚詳明，聽之使人忘倦。”

《南史》本紀：後主荒於酒色，常使張貴妃、孔貴人等八人夾坐，江總、孔範等十人預宴，號曰狎客。先令八婦人擘采箋，製五言詩，十客一時繼和，遲則罰酒。君臣酣飲，從夕達旦，以此爲常。及聞隋軍臨江，但奏伎縱酒，作詩不輟。既至京師，隋文帝給賜甚厚，數得引見，班同三品。後監守者奏言：“叔寶云：‘既無秩位，每預朝集，願得一官號。’”隋文帝曰：“叔寶全無心肝。”及從東巡，登芒山，侍飲，賦詩曰：“日月光天德，山川壯帝居。太平無以報，願上東封書。”并表請封禪，隋文帝優詔謙讓不許。後從至仁壽宮，常侍宴，及出，隋文帝目之曰：“此敗豈不由酒？將作詩工夫，何如思安時事？當賀若弼度京口，彼人密啓告急，叔寶爲飲酒，遂不省之。高熲至日，猶見啓在牀下，未開封。此亦是可笑，蓋天亡也。昔苻氏所征得國，皆榮貴其主。苟欲求名，不知違天命，與之官，乃違天也。”

《隋書·樂志》曰：“後主嗣位，尤重聲樂。遣宮女習北方簫鼓，謂之《代北》，酒酣則奏之。又於清樂中造《黄驪留》及《玉對後庭花》、《金釵兩鬢垂》等曲，與幸臣等製其歌詞，綺豔相高，極于輕薄。男女唱和，其音甚哀。”

《唐書·經籍志》：“《陳後主集》五十卷。”《藝文志》：五十五卷。案二志作五十卷、五十五卷者，似并《沈后集》十卷在内也。

《宋史·藝文志》：《陳后主集》一卷。

《崇文總目》：《陳后主集》十卷。

張氏《百三家》輯本序曰：“世言陳後主輕薄最甚者，莫如《黄鸝留》、《玉樹後庭花》、《金釵兩鬢垂》等曲。今曲不盡傳，惟見《玉樹》一篇，寥落寡致，不堪男女唱和，即歌之亦未極哀也。史稱後主標德儲宮，繼業允望，遵故典，弘六藝，金馬石

渠，稽古雲集，梯山航海，朝貢歲至，辭雖誇詡，審其平日，固
與鬱林、東昏殊趨矣。使其生當太平，次爲諸王，步竟陵之文
藻，賤臨川之黷貨，開館讀書，不失令譽。乃繫以大寶，困之
萬幾，豈所堪乎？鶴不能亡國，而國君不可好鶴。後主蓋與
衞懿公同類而悲矣。漢武《李夫人歌》與《落葉哀蟬曲》，憂傷
過于後代而四夷服威。陳主詞非絕淫，亡且忽焉。哀而不起
者，在聲音之間乎？非獨篇章已也，詔命書銘，秋東氣多，即
作者亦不自知日暮矣。凡賦、詔、敕、制、策、書、銘二十八篇，
樂府三十四篇，詩二十九篇。"馮氏《詩紀》輯存樂府詩篇數同。又附錄小
説家所載《隋渠詩》、《小窗詩》、《寄碧玉詩》、《戲贈沈后詩》各一首，其詞不類，皆後人
依託云。

嚴氏《全陳文編》：後主有集三十九卷。今存《棗賦》、《夜亭度
雁賦》各一篇，《報尚書八座奏治始興王叔陵罪制》一篇，詔二
十，敕十，册文一，《宣旨誡諭》一，書一，墓銘一，題墓銘後一，
綜凡三十八篇。

陳後主沈后集十卷

《陳書·皇后列傳》：後主沈皇后，諱婺華，儀同三司望蔡貞憲
侯君理女也。太建三年，納爲皇太子妃。後主即位，立爲皇
后。后性端靜，寡嗜慾，聰敏彊記，涉獵經史，工書翰。後主
遇后既薄，而張貴妃寵傾後宮，後宮之政，並歸之，后澹然未
嘗有所忌怨。而居處儉約，衣服無錦繡之飾，左右近侍纔百
許人，唯尋閱圖史、誦佛經爲事。陳亡，與後主俱入長安。及
後主薨，后自爲哀辭，文甚酸切。隋煬帝每所巡幸，恒令從
駕。及煬帝爲宇文化及所害，后自廣陵過江還鄉里，不知
所終。

《南史·后妃傳》："后數上書諫爭，後主將廢之，而立張貴妃。
會國亡不果。"又曰："及煬帝被殺，后自廣陵過江，于毗陵天

靜寺爲尼，名觀音。貞觀初卒。"

馮氏《詩紀》曰："《平陳録》及《朝野僉載》有後主《戲贈沈后》、沈后《答後主詩》各一首，爲後人依託也。"

嚴氏《全陳文編》：後主沈后有集十卷。《國清百録》有《與釋智顗手書》一篇。

陳大匠卿杜之偉集十二卷

《陳書·文學傳》：杜之偉字子大，吳郡錢塘人也。家世儒學，以《三禮》專門。之偉幼精敏，有逸才。七歲，受《尚書》，稍習《詩》、《禮》，略通其學。十五，遍觀文史及儀禮故事，時輩稱其早成。僕射徐勉嘗見其文，重其有筆力。中大同元年，梁武帝幸同泰寺捨身，<small>案梁武帝初次捨身在大通元年，此云中大同，史駮文。</small>敕勉撰儀注。勉以臺閣先無此禮，召之偉草具其儀。乃啓補東宮學士，與學士劉陟等抄撰群書，各爲題目。所撰《富教》、《政道》二篇，皆之偉爲序。梁皇太子釋奠於國學。時樂府無孔子、顏子登歌詞，尚書參議令之偉製其文，伶人傳習，以爲故事。侯景反，之偉逃竄山澤。及高祖爲丞相，素聞其名，召補記室參軍。遷中書侍郎，領大著作。高祖受禪，除鴻臚卿，尋轉大匠卿，遷大中大夫。永定三年卒，年五十二。之偉爲文，不尚浮華，而溫雅博贍。所製多遺失，存者十七卷。

嚴氏《全陳文編》：杜之偉有集十二卷。《陳書·文學傳》有《求解著作啓》一篇。

陳金紫光禄大夫周弘讓集九卷

陳周弘讓後集十二卷

周弘讓有《續高士傳》，見史部傳記類。

《陳書·周弘正傳》：弘正幼孤，及弟弘讓、弘直，俱爲叔父侍中護軍捨所養。<small>周捨有集，見梁文中。</small>弘正知玄象，善占候。大同末，嘗謂弟弘讓曰："國家厄運，數年當有兵起，吾與汝不知何

所逃之。”及梁武納侯景，弘正謂弘讓曰：“亂階此矣。”王僧辯
之討侯景也，弘正與弘讓自拔迎軍，僧辯得之甚善，即日啓元
帝，遣使迎之，謂朝士曰：“晉氏平吳，喜獲二陸。今我破賊，
亦得兩周。今古一時，足爲連類。”弘讓性簡素，博學多通。

《唐書・藝文志》：《周弘讓集》十八卷。

馮氏《詩紀》曰：“周弘讓，弘正之弟，始仕不得志，隱居茅山。
晚仕侯景，爲中書侍郎，獲譏于世。今存詩四首。”

嚴氏《全陳文編》：周弘讓有集九卷，後集十二卷。今存《山蘭
賦》、《奏宋齊故事》、《答王褒書》、《與徐陵書》，凡四篇。

陳侍中沈炯前集七卷　　一本作“烱”者，非也。

陳沈炯後集十三卷

《陳書》、《南史》本傳：炯字初明，吳興武康人也。少有儁才，
爲當時所重。仕梁爲尚書左民侍郎、吳令。侯景之難，景將
宋子仙逼令掌書記。及子仙敗，王僧辯購得之，自是羽檄軍
書，皆出於炯。及簡文遇害，四方岳牧上表於江陵勸進，僧辯
令炯制表，其文甚工，當時莫有逮者。陳武帝南下，與僧辯會
白茅灣，登壇設盟，炯爲其文。侯景平，梁元帝封原鄉侯，徵
爲給事黃門侍郎。魏剋江陵，被虜，甚見禮遇，授儀同三司。
以母在東，恒思歸國，恐以文才被留，閉門卻掃，無所交接。
時有文章，隨即毀棄，不令流布。嘗獨行經漢武通天臺，爲表
奏之，陳己思鄉之意。少日，便與王克等並獲東歸。紹泰二
年，至都，歷司農卿、御史中丞。陳武帝受禪，加通直散騎常
侍。帝嘗稱炯宜居王佐，軍國大政，多預謀謨。文帝又重其
才，欲使炯立功，加明威將軍，遣還鄉里，收徒眾。以疾卒于
吳中，時年五十九。贈侍中，謚曰恭子，有集二十卷，行於世。

姚思廉曰：“沈炯仕于梁室，年在知命，冀郎署之薄官，止邑宰
之卑職，及下筆盟壇，屬辭勸表，激揚旨趣，信文人之偉

者歟？”

李延壽曰：“沈烱才思之美，足以繼踵前良。然仕于梁朝，年已知命，主非不文而位裁邑宰。及于運逢交喪，驅馳戎馬，所在稱美，用捨信有時焉。”

《藝文類聚·雜文部》：陳劉師知《侍中沈府君集序》略曰：“余與夫子齒義懸絕，降德忘年，交情彌至，增榮廣價，知己難忘。夫盛烈清徹，便傳乎帝載，遺文餘論，被在乎民謠。斯所以沒而猶彰，死且不朽。今乃撰西還所著文章，名爲後集。”

《唐日本國見在書目》：《沈烱集》十卷，《沈烱後集》十卷。

《唐書·經籍》、《藝文志》：《沈烱前集》六卷，《後集》十三卷。

《宋史·藝文志》：《沈烱集》七卷。—本誤作“垌”。

張氏《百三家·沈侍中集》輯本序曰：“《勸進》三表，長聲慷慨，絕類劉越石。陳情辛宛，又有李令伯風。至《爲陳太傅讓表》，義正辭壯，即阮嗣宗《上晉王箋》曷加焉。恭子雋才，雅慕忠孝，冒危履險，情深指哀。行經通天臺，上表漢武，亦雀臺雍邱憑弔常事。何至發夢帝宮，還身故壞。鄧晨有云：‘忠信感靈，其事異，其志悲矣。’存詩頗少，《詠十二神》尤驚創體，亦戲謔類耳。江南文體入陳更衰，非徐僕射、沈侍中代無作者。乃故崎嶇其遇，俾光詞苑，斯文之際，天豈無意乎？凡賦、表、啓、書、銘、碑、哀策文、祭文、盟文二十二篇，樂府二篇，詩十六篇。”馮氏《詩紀》輯存樂府詩篇數同。

嚴氏《全陳文編》：沈烱有前集七卷，後集十三卷。今存《歸魂賦》、《幽庭賦》各一篇，表九篇，書、記、銘、哀、策文、碑文、盟文、祭文各一篇，凡十八篇。

又曰：“張溥誤取《文苑英華》書二首，又誤取《梁書·王僧辯傳》之啓二首，編入沈烱集，並無據也。”

陳沙門釋標集二卷　當作"釋慧摽"。

《陳書·虞寄傳》：時陳寶應據有閩中，結婚留異，潛有逆謀，寄每陳逆順之理，微以諷諫。及留異稱兵，寶應資其部曲，寄乃因書極諫。及寶應敗走，凡諸賓客微有交涉者，皆伏誅，唯寄以先識免禍。初，沙門慧摽涉獵有才思，及寶應起兵，作五言詩以送之，曰："送馬猶臨水，離騎稍引風。好看今夜月，當入紫微宮。"寶應得之甚悦。慧摽賫以示寄，寄一覽便止，正色無言。摽退，寄謂所親曰："摽公既以此始，必以此終。"後竟坐是誅。

馮氏《詩紀》曰："釋惠摽涉獵有文思，陳寶應反，以預謀坐誅。今存《詠山》、《詠水》、《詠孤石》、《贈陳寶應詩》四篇六首。"

陳沙門釋洪偃集八卷

馮氏《詩紀》曰："釋洪偃，俗姓謝氏，會稽山陰人。風神秀穎，弱齡悟道。梁太宗在東朝，愛其儁秀，欲令還俗，引爲學士。偃執志不從。會講重雲，抗言高論，甚爲武帝所優禮。梁亂，避地於縉雲。陳武革命，乃復出都。天嘉五年卒。偃始離俗，迄於還化，惟學是務，每緣情觸興，輒敍其致，而文采灑落，罕有嗣者。今存《游故苑》等詩凡三篇。"

陳沙門釋瑗集六卷　當作"釋曇瑗"。

釋曇瑗有《僧家書儀》，見史部儀注類。

《唐書·經籍志》：《沙門曇瑗集》六卷。

《唐書·藝文志》：《僧曇瑗集》六卷。

馮氏《詩紀》：《續高僧傳》曰："瑗每上鍾阜諸寺，修造道賢，觸興賦詩，覽物懷古，洪偃法師傲寄泉石，偏見朋從，把臂郊坰，同游故苑，瑗題樹爲詩。"今存此一首。案即《與洪偃同游故苑詩》也。

嚴氏《全陳文編》：釋曇瑗有集六卷。《廣弘明集》有瑗《答津律師書》、《與梁朝士書》各一篇。

陳沙門釋靈裕集四卷

《法苑珠林·傳記篇》：隋朝相州大慈寺沙門釋靈裕撰《安民論》十二卷，《陶神論》十卷，《因果論》二卷，《聖迹記》一卷。

《唐書·經籍志》：《沙門靈裕集》二卷。

《唐書·藝文志》：《僧靈裕集》二卷。

馮氏《詩紀》：《續高僧傳》曰：“靈裕俗姓趙，定州曲陽人。有道行，甚爲齊文宣、隋文帝之所尊禮。而清貞潔己，屢謝時榮。初居相州大慈寺，末又住演空寺。大業元年終。有《臨終詩》二首。”

案靈裕終于隋煬帝大業元年，則入隋久矣。此題陳沙門者，或從陳代諸家書目鈔入，不及詳考也。

陳尚書僕射周弘正集二十卷

周弘正有《周易義疏》，見經部易家。

《南史·周朗附傳》：弘正幼爲伯父捨所養。十歲通《老子》、《周易》，捨每與談論，輒異之，曰：“觀汝情理警發，後世知名，當出吾右。”河東裴子野深相賞納，請以女妻之。普通中，初置司文義郎，直壽光省，以弘正爲司義侍郎。大通三年，昭明太子薨，其嗣華容公不得立，乃以晉安王綱爲皇太子。弘正奏記，請抗目夷上仁之義，執子臧大賢之節。其抗直守正如此。常自稱有才無相，僕射徐勉掌選，以其陋不堪爲尚書郎，乃獻書於勉，其言甚切。時於城西立士林館，弘正居以講授，聽者傾朝野。弘正啓梁武帝《周易》疑義凡五十條，又請釋《乾》、《坤》、二《繫》，復詔答之。後有罪應流徙，敕以賜干陁利國。未去，寄繫尚方。于獄上武帝《講武詩》，降敕原罪，仍復本位。元帝嘗著《金樓子》曰：“余于諸僧重招提琰法師，隱士重華陽陶貞白，士大夫重汝南周弘正，其于義理情轉無窮，亦一時之名士也。”弘正善清談，梁末爲玄宗之冠。所著《周易講疏》、《論語》、《莊子》、《老子》、《孝經疏》若干卷，集二十卷，行於代。

《唐書·經籍》、《藝文志》：《周弘正集》二十卷。

馮氏《詩紀》曰：“周弘正仕梁入陳，宣帝時爲尚書右僕射。今存詩十三篇。”

陳鎮南府司馬陰鏗集一卷

《陳書·文苑·阮卓附傳》：時有武威陰鏗，字子堅，梁左衞將軍子春之子。幼聰慧，五歲誦詩賦，日千言。及長，博涉史傳，尤善五言詩，爲當時所重。釋褐梁湘東王法曹參軍。侯景之亂，鏗爲賊所擒，或救之獲免。陳天嘉中，爲始興王府中録事參軍。文帝嘗讌群臣賦詩，徐陵言之帝，即日召鏗預讌，使賦新成安樂公宫，鏗援筆便就，帝甚歎異之。累遷招遠將軍、晉陵太守、員外散騎常侍，頃之卒。有文集三卷，行於世。

宋黄伯思《東觀餘論》曰：“陰鏗風格流麗，與孝穆子山相長雄，沈宋近體之椎輪也。

晁氏《讀書志》：《陰鏗集》一卷。陳陰鏗字子堅，有集三卷，《隋志》已亡其二，今所存者十數詩而已。杜少陵贈李白詩有云：“李侯有佳句，往往似陰鏗。”今觀斯集，白蓋過之遠矣，甫之慎許可乃如此。

陳氏《書録》詩集類：《陰鏗集》一卷，陳散騎常侍南平陰鏗子堅撰，財三十餘篇。杜子美云：“李侯有佳句，往往似陰鏗。”今考之，未見鏗之所似太白者，太白固未易似也。子美云爾，殆必有説。

馮氏《詩紀·品藻篇》：《竹林詩評》曰：“陰鏗之作，體用兼優，神采融澈，辭精意切，名之弗浮也。”

韓子蒼曰：“陰鏗與何遜齊名，號陰何。今《何遜集》五卷，其詩清麗簡遠，正稱其名。鏗詩至少，又淺易無他奇，其格律乃似隋、唐間人所爲，疑非出於鏗。雖然，自隋、唐以來，謂鏗詩矣。”

武威張澍《陰常侍集》輯本序曰：“子堅以清麗之格與何遜齊名，而孝穆子山並深蟄服。梁陳之際，蓋一作者，鏗子灝，官虎門博士，著《瓊林》二十卷。灝子宏道，官臨渙令，雜采子夏、孟喜等十六家之説，爲《易新傳疏》十卷。今《瓊林》、《易傳》湮没無傳，而子堅詩句猶得于塵邈之餘，留其光氣，雖散佚過半，精華不存，而尋其梗概，可於灰裏撥之，宜爲少陵野老吟誦不置與。余從《文苑英華》及諸類書裒集得三十五首，較馮北海《詩紀》多一篇，復參校其字之同異，敍而刊之，以餉同好者。”

陳左衞將軍顧野王集十九卷

顧野王有《玉篇》，見經部小學家。

《陳書》、《南史》本傳：野王九歲能屬文，嘗制《日賦》，領軍朱異見而奇之。十二，隨父之建安，撰《建安地記》二篇。長而徧觀經史，精記默識，無所不通。所撰《玉篇》、《輿地志》、《符瑞圖》、《顧氏譜傳》、《分野樞要》、《續洞冥記》、《玄象表》各若干卷，並行于世。又撰《通史要略》一百卷，《國史紀傳》二百卷，未就而卒。有文集二十卷。

馮氏《詩紀》：顧野王有《羅敷行》、《芳樹》、《有所思》、《隴頭水》、《長安道》、《陽春歌》、《豔歌行》七篇凡九首。

嚴氏《全陳文編》：顧野王有集十九卷。今存《舞影賦》、《箏賦》、《笙賦》、《拂塵篠賦》、《上呈玉篇啓》、《玉篇序》、《虎邱山序》，凡七篇。

陳沙門策上人集五卷

策上人始末未詳。

陳尚書左僕射徐陵集三十卷

徐陵有《文府》，見子部雜家。

《南史·徐摛傳》：摛字士秀，東海郯人也。屬文好爲新變，不拘舊體。初爲梁皇太子家令，兼管記。摛文體既別，春坊盡學之，宮體之號，自斯而始。長子陵，字孝穆，八歲能屬文。及長，博涉史籍。梁簡文在東宮置學士，陵充其選。簡文撰《長春殿義記》，使陵爲序。太清二年，使魏，會齊受魏禪，而侯景入寇，梁元帝復通使於齊。陵累求復命，終拘留不遣，乃致書于齊僕射楊遵彥，不報。及西魏平江陵，齊送貞陽侯明爲梁嗣，乃遣陵隨還。太尉王僧辯初拒境不納，明往復致書，皆陵辭也。及明入，僧辯得陵大喜，以爲尚書吏部郎，兼掌詔誥。陳武帝受禪，領大著作。初，後主爲文示陵，云他日所作。陵嗤之曰：“都不成辭句。”後主銜之，至是謚曰章偽侯。案《陳書》本傳云：“謚曰章。”無“偽”字。

《陳書》本傳：陵少而崇信釋教，經論多所精解。後主在東宮，令陵講《大品經》，義學名僧，自遠雲集。自有陳創業，文檄軍書及禪讓授詔策，皆陵所製，而《九錫》尤美。爲一代文宗，亦不以此矜物，未嘗詆訶作者。其於後進之徒，接引無倦。世祖、高宗之世，國家有大手筆，皆陵草之。其文頗變舊體，緝裁巧密，多有新意。每一文出，好事者已傳寫成誦，遂被之華夷，家藏其本。後逢喪亂，多散失，存者三十卷。

又史臣曰：“徐孝穆挺五行之秀，稟天地之靈，聰明特達，籠罩今古。及締構興王，遭逢泰運，位隆朝宰，獻替謀猷，蓋亮直存矣。”

《唐日本國見在書目》：《徐陵筆集》十卷，《徐陵集》三十卷。

《唐書·經籍》、《藝文志》：《徐陵集》三十卷。

《宋史·藝文志》：《徐陵詩》一卷。

《崇文總目》：《徐陵文集》二卷。

陳氏《書録》詩集類：《徐孝穆集》一卷，陳太子太傅東海徐陵

孝穆撰。本傳稱其文喪亂散失，存者二十卷。今惟詩五十
餘篇。

馮氏《詩紀》輯存樂府十四篇，詩二十二篇。

張氏《百三家·徐僕射集》輯本序曰：“陳世祖時，安成王任威
福，孝穆爲御史中丞，彈之下殿。高宗議北伐，孝穆舉吳明徹
大將，裴忌副之，克淮南數十州地。周昌強諫，張華知人，殆
有兼稱，非徒以太史之辭，干將之筆，豪詡東海也。案安成王頊，
即高宗宣皇帝也。其勸進梁元帝表與代貞陽侯數書，感慨興亡，
聲淚並發。至羈旅篇牘，親朋報章，蘇李悲歌，猶見遺則。夫
三代以前，文無聲偶，八音自諧，司馬子長所謂‘鏗鏘鼓舞’
也。浸淫六季，制句切響，千英萬傑，莫能跳脫。所可自異
者，死生氣別耳。歷觀駢體，前有江、任，後有徐、庾，皆以生
氣別耳。歷觀駢體，前有江、任，後有徐、庾，皆以生氣見高，
遂稱俊物。《玉臺》一序，與《九錫》並美。天上石麟，青睛慧
相，亦何所不可哉？所輯文凡八十二篇，樂府詩三十六篇。”

《四庫提要》曰：“《徐孝穆集箋注》六卷，陳徐陵撰。吳江吳兆
宜注。《隋志》載《陵集》本三十卷，久佚不傳。此本乃後人從
《藝文類聚》、《文苑英華》諸書内采掇而成。陵文章綺麗，與
庾信齊名，世號徐庾體。《陳書》本傳稱其緝裁巧密，多有新
意，爲一代文宗。其集舊無注本，兆宜既箋《庾信集》，因并取
陵集箋之。未及卒業，其同里徐文炳續爲補緝，成是編。”

嚴氏《全陳文編》曰：“今本《陵集》有《陳武帝即位詔》、《陳武
帝下州郡璽書》、《陳武帝即位告天文》，並見《武紀》，未定是
徐陵作，宜編入武帝文。今存《鴛鴦賦》、詔、《九錫文》、《禪位
策》、《禪位璽》、表、議、啓、書、移文、檄文、《玉臺新詠序》、頌、
銘、哀策、墓誌、德政碑、佛寺碑、法師碑，凡七十九篇，編爲六
卷。”又《文編》卷首敍錄曰：“《徐陵集》四卷，明人纂輯本。”

陳右衞將軍張式集十四卷

張式有《書圖泉海》,見子部雜家。

《唐書·經籍》、《藝文志》:《張式集》十三卷。

陳尚書度支郎張正見集十四卷

《陳書·文學傳》:張正見字見賾,清河東武城人也。幼好學,有清才。梁簡文帝在東宮,正見年十三,獻頌,簡文深贊賞之。嘗預講筵,請決疑義。太清初,射策高第。梁元帝立,拜通直散騎侍郎,遷彭澤令。屬梁季喪亂,避地于匡俗山。高祖受禪,詔正見還都,累遷尚書度支郎、撰史著士。太建中卒,時年四十九。有集十四卷,其五言詩尤善,行於世。

《唐書本國見在書目》:《張正見集》三卷。

《唐書·經籍》、《藝文志》:《張正見集》四卷。

《宋史·藝文志》:《張正見集》一卷。

馮氏《詩紀》輯存樂府一卷,詩一卷。《品藻篇》:《滄浪詩話》曰:“六朝人詩,唯張正見最多,而最無所發明。所謂雖多亦奚以爲?”

張氏《百三家·張散騎集》輯本凡賦三篇,啓一篇,樂府四十一篇,詩四十四篇。序曰:“張見賾本集十四卷,詩賦間存,賦三首。又語致蕭條,則散騎著作得稱集者,恃有詩耳。史云‘見頤詩尤善五言’,篇中‘蜀郡隨金馬,天津應玉衡’,‘天路橫秋水,星橋轉夜流’,其著者也。夫陳、隋詩格風氣,開唐五言聲響,尤爲近之憎者,病其雖多奚爲喜者,謂其聲骨雄整。”

嚴氏《全陳文編》:張正見有集十四卷。《藝文類聚》、《初學記》有《石賦》、《山賦》、《衰桃賦》、《謝賜錢啓》凡四篇。

陳司農卿陸琰集二卷

《陳書·文學傳》:陸琰字温玉,吳郡吳人,吏部尚書瓊之從父弟也。父令公，梁中軍宣城王記室參軍。琰幼孤，好學，有志操。州舉秀才。解褐宣惠始興王參軍，直嘉德殿學士。文帝留心史籍，以琰博學，善占誦，引置左右。常使製《刀銘》，琰援筆即成，無所點竄，帝嗟賞久之。副琅邪王厚聘齊，至鄴而厚卒，琰自爲使主。時年二十餘，風神韶亮，占對閑敏，齊士大夫甚傾心焉。太建初，兼東宮管記。丁母憂去官。五年卒，時年三十四。太子甚傷悼之，自製誌銘。至德二年，追贈司農卿。琰寡嗜慾，鮮矜競，游心經籍，晏如也。所製文筆行不存，後主求其遺文，撰成二卷。有弟瑜。

陳少府卿陸玠集十卷　"玠"當爲"玠"。

《陳書·文學·陸瑜傳》：瑜從父兄玠，字潤玉，梁大匠卿晏之子。弘雅有識度，好學，能屬文。舉秀才，對策高第。超授衡陽王文學，直天保殿學士。遷長沙王友，領記室。後主在東宮，聞其名，徵爲管記。仍除中舍人，甚見親待。尋以疾失明，將還鄉里，太子解衣贈之，爲之流涕。太建八年卒，年三十七。至德二年，追贈少府卿。有集十卷。

《唐書·經籍》、《藝文志》：《陸珍集》五卷。案"珍"爲"玠"字之誤。北齊陽玠松有《解頤》二卷，見子部小説家。"玠"亦或作"珍"，或作"玠"，誤與此同。

馮氏《詩紀》曰："陸玠有《雜言詠栗》一首。""玠"亦當爲"玠"。

陳光禄卿陸瑜集十一卷并録

《陳書·文學·陸琰傳》：琰弟瑜，字幹玉。少篤學，美詞藻。舉秀才。數遷爲東宮學士。兄琰，時爲管記，並以才學娛侍左右，時人比之二應。太建二年，太子釋奠於太學，宮臣並賦詩，命瑜爲序，文甚贍麗。累遷尚書祠部郎，東宮管記，洗馬，中舍人。瑜幼長讀書，晝夜不廢，聰敏彊記，一覽無遺。嘗受《莊》、《老》於汝南周弘正，學《成實論》于僧滔法師，並通大旨。時皇太子好學，欲博覽群書，以子集繁多，命瑜抄撰。未

就而卒，年四十四。太子爲之流涕，親製祭文，遣使弔祭。仍
與詹事江總書，論述其美，詞甚傷切。至德二年，追贈光禄
卿。有集十卷。

又《陸瓊傳》：瓊第三子從典，有異才，爲從父瑜特所賞愛。及
瑜將終，家中墳籍皆付從典。從典乃集瑜文爲十卷，仍製集
序，其文甚工。

《唐書·經籍》、《藝文志》：《陸瑜集》十卷。

馮氏《詩紀》：陸瑜有《仙人篇》、《伯勞歌》、《獨酌謡》，存凡
三篇。

嚴氏《文編》：陸瑜有集十卷。《初學記》有《琴賦》一篇。

陳護軍將軍蔡景歷集五卷

《陳書》、《南史》本傳：景歷字茂世，濟陽考城人也。少俊
爽。家貧好學，善尺牘，工草隸。仕梁爲諸王府佐，海陽令。
侯景亂，客游京口。景平，陳武帝素聞其名，以書要之。景
歷對使人答書，筆不停輟，文不重改。帝得書甚加欽賞，即
日板征北府中記室參軍。武帝將討王僧辯，召令草檄，景歷
援筆立成，辭義感激，事皆稱旨。及受禪，遷祕書監，中書通
事舍人，掌詔誥。文帝即位，以定策功，封新都縣子，進爵爲
侯。宣帝即位，累遷通直散騎常侍，兼御史中丞，守度支尚
書。卒官，年六十。贈太常卿，諡曰敬。太建十三年，改葬，
重贈中領軍。禎明元年，配享武帝廟庭。三年，車駕親幸其
宅，重贈侍中、中撫軍將軍，諡曰忠敬。于墓所立碑。景歷
屬文，不尚彫靡，而長于敍事，應機敏速，爲當時所稱。有文
集三十卷。案《陳書》、《南史》未見所歷官有護軍將軍，疑是領軍撫軍將軍
之誤。

嚴氏《全陳文編》：蔡景歷有集五卷。《陳書·劉師知傳》有
《大行俠御服議》二條，本傳有《答陳征北書》，存凡三篇。

陳沙門釋曇集六卷

釋曇始末未詳。

陳御史中丞褚玠集十卷

《陳書·文學傳》：褚玠字溫理，河南陽翟人也。早有令譽，先達多以才器許之。及長，美風儀，善占對，博學能屬文，詞義典實，不好豔靡。起家王府法曹，歷太子庶子、中書侍郎。太建中，除戎昭將軍、山陰令，坐免官。皇太子愛玠文辭，令入直殿省。十二年，遷御史中丞，卒於官，時年五十二。玠剛毅有膽決，及爲御史中丞，甚有直繩之稱。自梁末喪亂，朝章廢弛，司憲因循，守而勿革，玠方欲改張，大爲條例，綱維略舉，而編次未訖，故不列於後焉。及卒，太子親製銘，以表惟舊。至德二年，追贈祕書監。所製章奏雜文二百餘篇，皆切事理，由是見重於時。

《唐書·經籍》《藝文志》：《褚介集》十卷。“介”當爲“玠”。

馮氏《詩紀》曰：“褚玠有《鬥雞東郊道詩》一篇。”曹子建《名都篇》曰：“鬥雞東郊道，走馬長楸間。”

嚴氏《全陳文編》：褚玠有集十卷。《初學記》有《風裏蟬賦》一篇。

陳安右府諮議司馬君卿集二卷

司馬君卿始末未詳。

陳著作佐郎張仲簡集一卷

張仲簡始末未詳。

右陳代人文凡二十四家二十六部，是爲別集類分篇第十二。內周弘讓、沈炯二家各有《後集》一部。

卷三十九之十三

集部二之十三
別集類十三

煬帝集五十五卷

《隋書》本紀：煬皇帝諱廣，一名英，小字阿㦖，高祖第二子也。少敏慧，好學，善屬文。在周以高祖勳封雁門郡公。開皇元年，立爲晉王。及太子勇廢，立爲皇太子。高祖崩，即皇帝位。明年，改元大業。大業十二年秋七月甲子，幸江都宮。十三年二月，河南諸郡相繼皆陷。五月甲子，唐公起義師於太原。十一月景辰，唐公入京師。辛酉，遙尊帝爲太上皇，立代王侑爲帝，改元義寧。上起宮丹陽，將遜於江左。義寧二年三月，右屯衞將軍宇文化及等作亂，入犯宮闈。上崩于溫室，時年五十。史臣曰：煬帝爰在弱齡，早有令聞，南平吳會，北卻匈奴，昆弟之中，獨著聲績。于是矯情飾貌，肆厥姦回，故得獻后鍾心，文皇革慮，天方肇亂，遂登儲兩，踐峻極之崇基，承丕顯之休命。地廣三代，威揚八紘。負其富强之資，思逞無厭之欲。恃才矜己，傲狠險躁。淫荒無度，海內騷然。普天之下，莫匪仇讎，左右之人，皆爲敵國。終然不悟，同彼望夷，遂以萬乘之尊，死於一夫之手。子弟同就誅夷，骸骨棄而莫掩，社稷顛隕，本枝殄絕，自肇有書契以迄於茲，宇宙崩離，生靈塗炭，喪身滅國，未有若斯之甚也。

又《柳𧪡傳》：晉王好文雅，招引才學之士諸葛穎、虞世南、王胄、朱瑒等百餘人以充學士，而晉爲之冠。王以師友處之，每有文什，必令其潤色，然後示人。嘗朝京師還，作《歸藩賦》，命晉爲序。初，王屬文，爲庾信體，及見晉已後，文體遂變。

又《文學傳》：庾自直解屬文，於五言詩尤善。性恭慎，不妄交游，特爲帝所愛。帝每有篇章，必先示自直，令其詆訶。自直所難，帝輒改之，或至於再三，俟其稱善，然後方出。

又《文學傳》序曰："煬帝初習藝文，有非輕側之論暨乎即位，一變其風。其《與越國公書》、《建東都詔》、《冬至受朝詩》及《擬飲馬長城窟》，並存雅體，歸於典制。雖意在驕淫，而詞無游蕩，故當時綴文之士，遂得依而取正焉。所謂能言者未必能行，蓋亦君子不以人廢言也。"

又《音樂志》曰："煬帝不解音律，略不關懷。後大製豔篇，辭極淫綺。令樂正白明達造新聲，剙《萬歲樂》、《藏鉤樂》、《七夕相逢樂》、《投壺樂》、《舞席同心髻》、《玉女行觴》、《神仙留客》、《擲磚續命》、《鬭雞子》、《鬭百草》、《汎龍舟》、《還舊宮》、《長樂花》及《十二時》等曲，掩抑摧藏，哀音斷絕。帝悅之無已，謂幸臣曰：'多彈曲者，如人多讀書。讀書多則能撰書，彈曲多即能造曲。此理之然也。'"

《唐日本國見在書目》：《煬帝集》廿八卷。

《唐書·經籍》、《藝文志》：《隋煬帝集》三十卷。《新志》一本作五十卷。

張氏《百三家》輯本序曰："隋煬帝志慕秦皇、漢武，而內行則劉聰、石虎，雖有文不善也。《隋書·文苑傳》稱帝'意在驕淫，詞無浮蕩。綴文之士，得依取正'，余疑其諛。比觀全集，多莊言，簡戲謔，似史評非誣也。《歸藩賦》，今集無有，知傳者多缺。他文自詔書外，雅深佞佛，毘曇學聖，黎耶悟真，自謂顏淵值宣尼，尹喜逢老氏也。身受法戒，而烝殺無慚，開士之談，豈足信哉？凡詔、敕、璽書、檄、令、書、誄、願文、願疏一百四篇，樂府十篇，詩三十二篇。"馮氏《詩紀》輯存樂府詩篇數同。

嚴氏《全隋文編》：煬帝有集五十五卷。今存制七條，詔四十八篇，敕十二篇，璽書、賜書、令書、下令、下教、手書、下書、上言、遺檄、遺書十三篇，《與釋智顗書》三十五篇，與諸寺僧書、敘、銘、誄、疏文、願文、弔文、祭文十六篇，綜凡一百三十首，編爲四卷。

王祐集一卷

王祐始末未詳。

武陽太守盧思道集三十卷

盧思道有《知己傳》，見史部雜傳家。

《隋書》、《北史》本傳：思道聰爽俊辯，通侻不羈。齊文宣帝崩，當朝文士各作挽歌十首，擇其善者而用之。魏收、陽休之、祖孝徵等不過得一二首，惟思道獨有八篇。故時人稱爲八米盧郎。《困學紀聞·雜識篇》云："或謂'米'當爲'采'。"何注云："見《猗覺寮雜記》。"後以事免歸家。嘗於薊北悵然感慨，爲五言詩見意，世以爲工。周武帝平齊，追赴長安，與同輩陽休之等數人作《聽蟬鳴篇》，思道所爲，詞意清切，爲時人所重。新野庾信徧覽諸同作者，而深歎美之。未幾，母疾，還鄉里。遇同郡舉兵作亂，思道預焉。柱國宇文神舉討平之，思道罪當斬，已在死中。神舉素聞其名，引出令作露布。援筆立成，文不加點，神舉嘉而宥之。隋文帝爲丞相，遷武陽太守。位下不得志，爲《孤鴻賦》以寄其情。開皇初，以母老，表請解職。思道恃才地，多所陵轢，由是宦途淪滯。既而又著《勞生論》，指切當世。有集三十卷，行於世。《北史》作二十卷。

《唐書·經籍》、《藝文志》：《隋盧思道集》二十卷。《新志》一本誤作盧忠道。

張氏《百三家‧盧武陽集》輯本序曰："盧子行自齊入周，作《聽蟬詩》；遷武陽太守，作《孤鴻賦》；淪滯官途，作《勞生論》。憂愁所寄，並爲時稱。論北齊毀武成，論後周天元，暴揚淫昏，發露諂惡，君百桀紂，臣百廉虎，陽秋直筆，殆云無隱。然生官其朝，没揚其醜，搜牀席以快見聞，貶朽骨以恣河漢，良史雖傳，臣心未順，異乎賈生《過秦》，陸機《辯亡》矣！子行詩兼工七言。唐玄宗自蜀囘，登勤政樓歌曰："庭前琪樹已堪攀，塞北征人去未還。"即盧薊北歌詞也。唐風近隋，盧、薛諸體，世尤宗尚，含蓄意寡，而音響無滯。自以爲昆吾莫邪爾。凡賦、檄、表、書、序、論、誄、祭文、願文十一篇，樂府十一篇，詩十四篇。《聽鳴蟬篇》在其末。馮氏《詩紀》輯樂府詩篇目同。

嚴氏《全隋文編》：盧思道有集三十卷。今存《納涼賦》、《孤鴻賦》、表、奏、檄書、《勞生論》、《北齊興亡論》、《後周興亡論》、詩序、誄、祭文、願文凡十三篇。

金州刺史李元操集十卷

《隋書》、《北史》本傳：李孝貞字元操，趙郡柏人人也。世爲著姓。少好學，能屬文。在齊釋褐司徒府參軍，與從兄儀曹郎中騊、太子舍人季節、博陵崔子武、范陽盧詢祖爲斷金之契。後待詔文林館。以美於詞令，勒與中書侍郎李若、李德林別掌宣傳詔敕。周武帝平齊，歷吏部下大夫。隋開皇初，拜馮翊太守。爲犯廟諱，於是稱字。後數歲，遷蒙州刺史，徵拜内史侍郎，與李德林參典文翰。出爲金州刺史，卒官。所著文集二十卷，行于世。《北史》云三十卷。

《唐書‧經籍》、《藝文志》：《李元操集》二十二卷。

馮氏《詩紀》：李孝貞，字元操，入隋爲犯廟諱，遂以字稱。有《巫山高》、《鳴雁行》等樂府詩凡六篇。

嚴氏《全隋文編》曰："李元操本名孝貞，避隋祖諱禎，因改稱

字。有集二十卷。《初學記》十七有《爲周宣帝祭比干文》
一篇。"

蜀王府記室辛德源集三十卷

辛德源有《正訓》、《内訓》，見子部雜家。

《隋書》本傳：德源沈靜好學。年十四，解屬文，及長，博覽書
記，少有重名。齊尚書僕射楊遵彦、殿中尚書辛術皆一時名
士，並虛襟禮敬，因同薦於文宣帝。中書侍郎劉逖上表薦德
源曰："弱齡好古，晚節逾屬。枕籍六經，漁獵百氏。文章綺
豔，體調清華。"高祖受禪，不得調者久之。隱於林慮山，鬱鬱
不得志，著《幽居賦》以自寄，文多不載。素與盧思道友善，時
相往來。有集二十集。

《唐書·經籍》、《藝文志》：《辛德源集》三十卷。

馮氏《詩紀》輯存《短歌行》等樂詩凡九篇。

嚴氏《全隋文編》：辛德源有集三十卷。《初學記》十七有《姜
肱贊》、《東晉庾統、朱明、張臣尉三人贊》，凡二篇。

太尉楊素集十卷

《隋書》本傳：素字處道，弘農華陰人也。與安定牛弘同志好
學，研精不倦，多所通涉。善屬文，工草隸，頗留意於風角。
周武帝命素爲詔書，下筆立成，詞義兼美。帝嘉之，顧謂素
曰："善自勉之，勿憂不富貴。"素應聲答曰："臣但恐富貴來
偪臣，臣無心圖富貴。"平齊之役，以功封清河縣子。及齊平，
改封成安縣公。宣帝即位，襲父爵臨貞縣公。高祖爲丞相，
深自結納，進封清河郡公。高祖受禪，數進取陳之計。及平
陳還，進爵郢國公，改封越國公，累遷上柱國、御史大夫、行軍
元帥、行軍總管、内史令、尚書僕射、尚書令、太子太師。煬帝
大業二年，拜司徒，改封楚公。其年卒官。謚曰景武，贈光禄
大夫、太尉公、弘農河東等十郡太守。下詔立碑。素嘗以五

言詩七百字贈番州刺史薛道衡，詞氣宏拔，風韻秀上，亦爲一時盛作。未幾而卒，道衡歎曰："人之將死，其言也善，豈若是乎！"有集十卷。

又史臣曰："楊素少而輕俠，俶儻不羈，兼文武之資，包英奇之略，志懷遠大，以功名自許。考其夷凶靖亂，功臣莫居其右；覽其奇策高文，足爲一時之傑。然專以智詐自立，不由仁義之道，阿諛時主，高下其心。營搆離宮，陷君於奢侈；謀廢冢嫡，致國於傾危。終使宗廟邱墟，市朝霜露。其禍敗之源，實乃素之由也。"

馮氏《詩紀》曰："晉王廣之殺立，素之謀也。有《出塞》二首，又《山齋獨坐贈薛內史》二首，又有《贈薛內史》一首，《贈薛播州》十四首。"案此十四首即七百字也，每首五十字。

嚴氏《全隋文編》：楊素有集十卷。今存表、奏、罪議、《蜀王秀僞檄》、《柳弘誄》凡七篇。

懷州刺史李德林集十卷

《隋書》、《北史》本傳：德林字公輔，博陵安平人也。該博墳典，陰陽緯候，無不通涉。善屬文，辭覈而理暢。齊天保八年，舉秀才，入鄴射策五條，考皆爲上，授殿中將軍。天保季世，謝病還鄉。皇建初，下詔搜揚人物，復追赴晉陽。撰《春思賦》一篇，代稱典麗。天統初，授給事中，直中書，參掌詔誥。魏收與陽休之論《齊書》起元事，百司會議。收與德林致書往復，詞多不載。是時中書侍郎杜臺卿上《世祖武成皇帝頌》，齊主以爲未盡善。德林乃上頌十六章并序，文多不載。武成覽而善之，除中書侍郎，仍詔修國史。齊後主留情文雅，召入文林館。又令與黃門侍郎顏之推二人同判文林館事。及周武帝克齊，從駕至長安，授內史上士、御正下大夫。大象初，賜爵成安縣男。高祖受顧命輔少主，以德林爲丞相府從事内郎。禪代之際，其《相國總百揆》、《九錫殊禮詔》、策、牋、表、璽書，皆德林之辭也。高祖登祚，授内史令，上儀同，進爵爲子。開皇元年，敕令同脩律令。五年，敕令撰録《霸朝雜集》。贈其父敬族定州刺史、安平縣公，以德林襲焉。德林既少有才名，重以貴顯，凡製文章，動行於世。或有不知者，謂爲古人焉。德林以梁士彦及元諧之徒頻有逆意，大江之南，抗衡上國。乃著《天命論》上之。後忤意，出爲湖州刺史，轉懷州刺史。歲餘，卒官，年六十一。贈大將軍、廉州刺史，諡曰文。所撰文集，勒成八十卷，遭亂亡失。見十五卷行於世。敕撰《齊史》未成。有子曰百藥。大業末，爲建安郡丞。

又史臣曰：“德林幼有操尚，學富才優，譽重鄴中，聲飛關右。王基締構，葉贊謀猷，羽檄交馳，絲綸間發，文誥之美，時無與二。君臣體合，自致青雲，不患莫己知，豈徒言也！”

《唐書·經籍》、《藝文志》：《李德林集》十卷。

張氏《百三家·李懷州集》輯本序曰：“公輔高名，少著鄴京，南北文士如魏常侍、江令君皆稱之河朔英靈，史云無二。凡詔、册、書、序、論十五篇，詩六篇。”馮氏《詩紀》篇目同。

嚴氏《全隋文編》：李德林有《霸朝集》五卷，集五十卷。案本傳，禪代之際，其詔册、牋表皆德林之辭。又案《霸朝集序》，靜帝詔册皆德林作。今據之，編入德林集中。其餘，齊天統初至武平初詔誥、入周以後詔誥、開皇初詔誥，未必出一人手，未敢編入。今輯《爲周靜帝誅尉遲迥大赦詔》、《以隋公爲大丞相詔》、《隋公進爵爲王詔》、《勸隋公受九錫詔》、《禪位詔》、《策隋公九錫文》、《禪位册》、《復魏收議齊書起元事書》、《霸朝雜集序》、《天命論》，凡十八篇。

吏部尚書牛弘集十二卷

牛弘有《周史》，見史部正史類。

《隋唐》本傳：弘好學博聞。開皇初，爲祕書監。以典籍遺逸，上表請開獻書之路。上納之。三年，請依古制修立明堂。上議以時事草創，未遑制作，寢不行。六年，除太常卿。九年，詔改定雅樂，又作樂府歌詞，撰定圜丘五帝凱樂，並議樂事。上甚善其議，詔弘與姚察、許善心、何妥、虞世基等正定新樂，事在《音律志》。是後議置明堂，詔弘條上故事，議其得失，事在《禮志》。時高祖又令弘與楊素、蘇威、薛道衡、許善心、虞世基、崔子發等并詔諸儒，論新禮降殺輕重。弘所立議，衆咸推服之。大業之世，委遇彌隆。性寬厚，篤志於學，雖職務繁雜，書不釋手。隋室舊臣，始終信任，悔吝不及，唯弘一人而已。有文集十三卷，行於世。

又史臣曰："牛弘篤好墳籍，學優而仕，有淡雅之風，懷曠遠之度，采百王之損益，成一代之典章，漢之叔孫，不能尚也。綢繆省闥，三十餘年，夷險不渝，始終無際。雖開物成務，非其所長，澂之不清，混之不濁，可謂大雅君子矣。"

《唐書·經籍》、《藝文志》：《牛弘集》十二卷。

馮氏《詩紀》曰："牛弘有《奉和冬至乾陽殿受朝應詔詩》一首。又《隋書·樂志》曰："開皇中，詔牛弘、劉臻等詳定雅樂。弘等奏：'博訪知音，旁求儒彦，研校是非，定其去就，取爲一代正樂，具在本司。'於是并撰歌辭三十首，詔并令施行。"《牛弘傳》曰：'開皇九年，奉詔改定雅樂。又作樂府歌辭。'案此則諸歌辭當爲牛弘所作也，凡《圜丘歌》八首，《五郊歌》五首，《感帝歌》、《雩祭歌》、《蜡祭歌》、《朝日歌》、《夕月歌》各一首，《方丘歌》四首，《神州歌》一首，《社稷歌》四首，《先農歌》、《先聖先師歌》各一首，《太廟樂歌》九首，《元會大饗歌》十一首，《宴群臣登歌》一首，《皇后房內歌》一首，《大射登歌》一首，《凱樂歌》三首，《文武舞歌》二首。"

張氏《百三家·牛奇章集》輯本序曰："隋楊二帝猜忌好殺勳伐，舊臣動遭誅廢。獨牛里仁始終恩任，悔吝不及，賜詩贊揚，内帳飲食，禮愛尤殊。生平文字，儀禮居優，南北用兵，典籍淪喪。里仁詳陳五厄，請開購賞，篇章稍備。其有功藝文，豈讓王儉《七志》、阮孝緒《七録》哉？案五厄者，謂書之厄運有五：一秦火，二王莽，三董卓，四永嘉，五江陵也。其文爲後世所重。凡表、奏、論、議九篇，樂府五十七首，詩一首。"

嚴氏《全隋文編》：牛弘有集十二卷。今存《上表請開獻書之路》及諸奏議凡十篇。

司隸大夫薛道衡集三十卷

《隋書》、《北史》本傳：道衡字玄卿，河東汾陰人也。六歲而孤，專精好學。年十三，講《左氏傳》，見子産相鄭之功，作《國僑贊》，頗有詞致，見者奇之。齊武平初，詔與諸儒修定五禮。陳使傅縡聘齊，以道衡兼主客郎接對之。縡贈詩五十韻，道衡和之，南北稱美。待詔文林館，與盧思道、李德林齊名友善。齊亡，入周，至邛州刺史。隋文帝受禪，除内史舍人。其年，爲聘陳使主。江東雅好篇什，陳主尤愛彫蟲，道衡每有所作，南人無不吟誦焉。及八年伐陳，拜淮南道行臺尚書吏部郎，兼掌文翰。還，除吏部侍郎、直内史，授内史侍郎，加上儀同，進上開府，檢校襄州總管。煬帝嗣位，轉潘州刺史。歲餘，上表求致仕。上《高祖文皇帝頌》，帝覽之不悦。顧謂蘇威曰："道衡致美先朝，此魚藻之義也。"於是拜司隸大夫，將置之罪。道衡不悟。後令自盡，乃縊殺之。妻子徙且末。時年七十。天下冤之。有集七十卷，行於世。

《北史·薛辯傳》論曰："道衡雅道奕葉，世擅文宗，令望攸歸，豈徒然矣。而運逢季叔，卒蹈誅戮，痛乎！"

《唐書·經籍》、《藝文志》：《薛道衡集》三十卷。

陳氏《書録》詩集類:《薛道衡集》一卷,隋内史侍郎河東薛道衡元卿撰。詩凡十九篇,本集三十卷,所存止此。大抵隋以前文集存全者亡幾,多好事者於類書中抄出,以備家數也。史言道衡每至構文,必隱空齋,蹋壁而卧,聞户外人聲便怒。其沈思如此。

馮氏《詩紀》輯存樂府四首,詩十六首。《品藻篇》曰:“《小説舊聞》曰:‘隋煬帝善屬文,不欲人出其右。薛道衡由是得罪,後因事誅之。曰:更能作空梁落燕泥否?’”宋王得臣《麈史》曰:“劉氏傳記載煬帝既誅薛道衡,乃云:‘尚能道空梁落燕泥否?’蓋道衡詩嘗有是句也。”

張氏《百三家·薛司隸集》輯本序曰:“玄卿才名蚤盛,高祖革命,久典文書,儲君國相,爭交引重。乃嶺表配防,襄州出鎮。仕路風雲,豈能盡如人意。煬帝宿卻成於江陵,而《文皇》一頌,致殞厥軀。今觀其文,鋪敍前徽,頌禱爲忠。何故召怒?蓋事非其主,言違其時。對子諫父,猶有罪焉。詩篇英麗,名下無虚。然得之蹋壁,失之馬足,遺亡如《國僑贊》、《辭盤石》諸制者,又不知幾何也。凡賦、表、書、碑、頌、祭文七篇,樂府詩二十篇。”

嚴氏《全隋文編》:薛道衡有集三十卷。今存《晏喜賦》及奏、狀、《弔延法師書》、《隋高祖文皇帝頌》、《老氏碑》、《祭淮文》、《祭江文》凡八篇。

國子祭酒何妥集十卷

何妥有《周易講疏》,見經部易家。

《隋書》、《北史·儒林傳》:妥少機警,性勁急,有口才,好是非人物。時蘇威兼領五職,上甚親重之,妥因奏威不可信任。又以掌天文律度,皆不稱職,妥又上八事以諫。書奏,威大銜之。其後上令妥考定鍾律,妥表上,末云:“謹具録三調、四五曲名,又制歌辭如別。有聲曲流宕,不可以陳於殿庭者,亦悉

附之於後。"書奏,別敕太常取妥節度。於是作清、平、瑟三調
聲,又作八佾、《鞞》、《鐸》、《巾》、《拂》四舞。後出爲龍州刺
史。爲《刺史箴》,敕於州門外。以疾請還,許之。復知樂事。
時上方使蘇夔在太常,參議鍾律。夔有所建議,朝士多從之,
妥獨不同,每言夔之短。復上封事,指陳得失,大抵論時政損
益,并指斥當世明黨。於是蘇威及吏部尚書盧愷、侍郎薛道
衡等皆坐得罪。妥撰《周易講疏》、《孝經》、《莊子義疏》、《樂
要》各若干卷,及與沈重等撰《三十六科鬼神感應等大義》九
卷,《封禪書》一卷,文集十卷,並行於世。

又史臣曰:"何妥通涉雋爽,神情警悟,雅有口才,兼擅詞筆,
然訐以爲直,失儒者之風焉。"

《唐書·經籍》、《藝文志》:《何妥集》十卷。《舊志》一本誤作"何安"。

馮氏《詩紀》:何妥有《長安道》、《昭君詞》及《奉敕於太常寺脩
正古樂》等詩凡六首。

嚴氏《全隋文編》:何妥有集十卷。《隋書·禮儀志》、《音樂
志》及本傳有《定樂舞表》、《上書諫文帝八事》、《受禪壇議》、
《非十二律旋相爲宮議》、《非七調議》凡五篇。

祕書監柳䛒集五卷

《隋書》本傳:䛒字顧言,本河東人也。永嘉之亂,徙家襄陽。
祖惔,梁侍中。《北史·文苑傳》作"憕",有集見前。䛒少聰敏,解屬文,
好讀書。仕梁,爲著作佐郎。蕭詧據荆州,爲侍中、國子祭
酒、吏部尚書。及梁國廢,爲晉王諮議參軍。王好文雅,招引
才學之士諸葛穎、虞世南、王冑、朱瑒等百餘人以充學士,而
䛒爲之冠。王朝京師,作《歸藩賦》。命䛒爲序,詞甚典麗。
仁壽初,引爲東宮學士。以其好內典,令撰《法華玄宗》,爲二
十卷,奏之。煬帝嗣位,拜祕書監,封漢南縣公。從幸揚州,
遇疾卒,年六十九。謚曰康。撰《晉王北伐記》十五卷,有集

十卷，行於世。

《唐日本國見在書目》：《柳顧言集》十卷。

《唐書·經籍》、《藝文志》：《柳顧言集》十卷。

馮氏《詩紀》：柳䛒有《奉和楊子江應教》、《應制》、《臨渭水應令》等詩凡五首。

嚴氏《全隋文編》：柳䛒有集十卷。今存《奏增房中樂鍾磬》、《與釋智顗書》、《徐則畫象贊》、《天台國清寺智者禪師碑文》凡四篇。

開府江總集三十卷　江總後集二卷

《陳書》本傳：總字總持，濟陽考城人。十世祖統，五世祖湛，祖蒨，並有名當代。父紑，在《梁書·孝行傳》。案江統、江湛並有集，見晉宋文中。總篤學有辭采，家傳賜書數千卷，晝夜勤讀。梁武帝撰《正言》始畢，製《述懷詩》，總預同此作，帝覽總詩，深降嗟賞。梁尚書張纘、王筠、劉之遴，並高才碩學，雅相推重，爲忘年友。仕梁至太子中舍人。侯景寇京都，總避難。累年，至會稽，憩於龍華寺，乃製《修心賦》，略序時事。後流寓嶺南積歲。天嘉四年，以中書侍郎徵還朝。累遷太子詹事。以與太子爲長夜之飲，養良娣陳氏爲女，太子微行總舍，上怒免之。後主即位，數遷至尚書令。京城陷，入隋，爲上開府。開皇十四年，卒於江都，年七十六。總嘗爲自敍，時人謂之實錄。總篤行義，寬和溫裕。能屬文，於五言、七言尤善。然傷於浮豔，故爲後主所愛幸。多有側篇，好事者相傳諷翫，於今不絕。後主之世，總當權宰，不持政務，日與後主游宴後庭，共陳暄、孔範、王瑗等十餘人，當時謂之狎客。由是國政日頹，綱紀不立，有言之者，輒以罪斥之，君臣昏亂，以至於滅。有文集三十卷，行於世。

又《姚察傳》：徐陵名高一代，每見察製述，尤所推重。尚書令江總與察尤篤厚善，每有製作，必先以簡察，然後施用。總爲詹事時，嘗製《登宮城五百字詩》，當時副君及徐陵以下諸名賢並同此作。徐公後謂江曰：“我所和弟五十韻，寄弟集内。”及江編次文章，無復察所和本，述徐此意，謂察曰：“高才碩學，庶光拙文，今須公所和五百字，用偶徐侯章也。”察謙遜未付，江曰：“若不得公此製，僕詩亦須棄本，復乖徐公所寄，豈得見令兩失。”察不獲已，乃寫本付之。案此則三十卷者，爲其自編集中有徐、姚兩人和作。

《南史·江夷傳》論曰：“茂遠自晉及陳，雅道相係，奕世載德，斯之謂也。而總溺於寵狎，反以文雅爲敗，然則士之成名，所貴彬彬而已。”

《唐日本國見在書目》：《江令君集》廿卷，又《江令集》三十卷。

《唐書·經籍》、《藝文志》：《江總集》二十卷。

《宋史·藝文志》：《江總集》七卷。

陳氏《書錄》詩集類：《江總集》一卷，陳尚書令考城江總總持撰。總在陳爲太子詹事，以宮端爲長夜之飲。及後主即位，當權任日爲豔詩，君臣昏亂，以至亡國。入隋爲上開府。《唐志》集二十卷，《中興書目》七卷。今惟存詩近百首云。

張氏《百三家·江令君集》輯本序曰：“後主狎客，江總持居首。國亡主辱，竟逃明刑，開府隋朝，眉壽無恙。《春秋》惡佞人，有厚福若是者哉。六宮謝章，美人應令，豔歌側篇，傳誦禁庭。餘則山寺穿碑，法師龕石，標記禪悅，寂不聞有。廟堂典議，關其筆札，其晏居則何如也。齊梁以來，華虛成風，士大夫輕君臣而工文墨，高談法王，脫略名節。雞足鷲頭，適爲朝秦暮楚者地耳。梁有江總，隋有裴矩，唐有馮道，三人皆醜婦所羞也。凡賦、詔、表、章、啓、序、碑、贊、頌、銘、哀策、誄、墓誌銘、讖文五十二篇，樂府二十九篇，詩六十一首。"馮氏《詩紀》樂府二十六篇，詩六十七首，輯爲二卷。

嚴氏《全隋文編》：江總有集三十卷，後集二卷。今存《貞女峽賦》、《修心賦》等九篇，詔、令、章各一篇，表八篇，啓五篇，序四篇，頌一篇，贊四篇，銘八篇，誄一篇，哀策文一篇，墓誌五篇，碑六篇，《群臣請贖武帝捨身文》一篇，綜五十六篇，編爲二卷。

記室參軍蕭愨集九卷

《北齊書・文苑・顏之推附傳》："蕭愨字仁祖，梁上黃侯曅之子。天保中入國，武平中太子洗馬。"又曰："愨工於詩詠。曾秋夜賦詩，其兩句云：'芙蓉露下落，楊柳月中疏。'爲知音所賞。"

《北史・文苑傳》序：齊後主頗好詠詩。初因畫屏風，敕通直郎蕭放等錄古賢烈士及近代輕豔諸詩，以充圖畫，帝彌重之。後復追齊州錄事參軍蕭愨、趙州功曹參軍顏之推同入撰錄，猶依霸朝，謂之館客。武平三年，祖珽奏立文林館。又奏撰《御覽》，并敕放、愨、之推等同入館撰書。

北齊邢劭《蕭仁祖集序》曰："蕭仁祖之文，可謂彫章間出。昔潘、陸齊軌，不襲建安之風；顏、謝同聲，遂革太原之氣。自漢逮晉，情賞猶自不諧；江北江南，意製本應相詭。"

《顏氏家訓・文章篇》：蘭陵蕭愨，梁室上黃侯之子，工於篇什。嘗有《秋思詩》云："芙蓉露下落，楊柳月中疏。"時人未之賞也。吾愛其蕭散，宛然在目。潁川荀仲舉、琅邪諸葛漢，亦以爲爾。而盧思道之徒，雅所不愜。

《唐書・經籍》、《藝文志》：《蕭愨集》九卷。

馮氏《詩紀》：蕭愨，齊後主時爲齊州錄事參軍，待詔文林館。後入隋。有《屏風詩》、《秋思詩》等凡一十七首。

嚴氏《全隋文編》：蕭愨字仁祖，梁武帝弟始興王憺之孫，上黄侯曄之子。梁末奔齊。武平中，爲太子洗馬。歷周入隋，爲記室參軍。有集九卷。邢劭爲集序。《初學記》三有《春賦》一篇。

著作郎魏彦深集三卷

魏彦深名澹，有《後魏書》，見史部正史類。

《隋書》本傳：澹祖鸞，父季景，世以文學自業。澹專精好學，博涉經史，善屬文，詞采贍逸。齊時與魏收、陽休之、熊安生同修五禮，又與諸學士撰《御覽》，與李德林俱修國史。有文集三十卷，行於世。

《唐書·經籍》、《藝文志》：《魏澹集》四卷。

馮氏《詩紀》：魏澹有《初夏應詔》、《詠萱草》、《詠石榴》、《詠鵲巢》、《詠桐》凡五首。

嚴氏《全隋文編》：魏澹有集三卷。今存《鷹賦》、《謝陳主餞送啓》、《啓用敬字義》、《魏史義例》，凡四篇。

著作郎諸葛穎集十四卷

諸葛穎有《北伐記》、《巡撫揚州記》，見史部地理類。

《隋書》、《北史·文苑傳》：穎清辯能屬文。仕梁，入齊，待詔文林館。周武平齊，不得調，杜門不出者十餘年。習《易》、圖緯、《蒼》、《雅》、《莊》、《老》，頗得其要。煬帝即位，甚見親幸。帝嘗賜穎詩，其卒章曰：“參翰長洲苑，侍講蕭成門。名理窮研覈，英華恣討論。實錄資平允，傳芳導後昆。”其待遇如此。穎性褊急，與柳䛒每相忿閱，帝屢責怒之而猶不止，於後帝亦薄之。有集二十卷，行於世。

《唐書·經籍》、《藝文志》：《諸葛穎集》十四卷。

馮氏《詩紀》：諸葛穎有《奉和月夜觀星詩》及《和煬帝春江花月夜》等詩凡六首。

劉子政母祖氏集九卷

劉子政及祖氏始末並未詳。

案自兩漢及晉、宋、梁，皆以婦人集次各代之末，而此又自亂其例。

著作郎王胄集十卷　琅邪。

《隋書》、《北史·文苑傳》：胄字承基，祖筍，父祥，並《南史》有傳。王筍有集，見梁代人文中。胄少有逸才，仕陳，歷太子舍人。陳滅，晉王廣引爲博士。大業初，爲著作佐郎，以文詞爲煬帝所重。帝嘗自東都還京師，賜天下大酺，因爲五言詩，詔群官詩成者奏之。帝覽胄詩而善之，因謂侍臣曰：“氣高致遠，歸之於胄；詞清體潤，其在虞世基；意密理新，則庾自直。過此者未可以言詩也。”帝所有篇什，多令繼和。與虞綽齊名，同志友善，於時後進之士，咸以二人爲準的。後以與楊玄感交游，與虞綽徙邊，胄亡匿，潛還江左，爲吏所捕，坐誅，時年五十六。所著詞賦多行於世。

《梁書·王瞻王志王峻王暕王泰王份等傳》論曰：“王氏自姬姓以降，及乎秦漢，繼有英哲。洎東晉王茂弘經綸江左，時人方之管仲。其後蟬冕交暎，台袞相襲，勒名帝籍，慶流子孫，斯爲盛族矣。”案琅邪王氏盛於六朝，其有集見本志，自晉王曠以迄于胄，凡三十五人。

《唐書·經籍》、《藝文志》：《王胄集》十卷。

馮氏《詩紀》輯存《白馬篇》、《奉和賜酺》等詩凡十八首。又《品藻篇》、《歷代吟譜》曰：“煬帝嘗爲《燕歌行》，文士皆和之。著作郎王胄獨不下帝，帝每啣之。終坐此見害。而誦其警句曰：‘庭草無人隨意綠，復能作此耶？’”

右隋代人文凡一十七家一十八部，是爲別集類分篇第十三。內江總一家二部。

右四百三十七部四千三百八十一卷，通計亡書合八百八十六部八千一百二十六卷。實在著録四百三十三家，附注梁有四百六十九家，綜九百二家九百二部。又後集、外集、別集等二十二部，通計九百二十三部。

案《七録叙目·文集録第二》曰：“別集部七百六十八種。”本志存佚并計九百二種，增輯者一百三十四種。

卷四十

集部三

總集類　<small>類中分類一十九</small>

文章流別集四十一卷。梁六十卷。　志二卷　論二卷　摯虞撰

文章流別志論二卷　摯虞撰

摯虞有《決疑要注》，見史部儀注類。

《晉書》本傳：虞撰《文章志》四卷，又撰古文章，類聚區分爲三十卷，名曰《流別集》，各爲之論，辭理愜當，爲世所重。

鍾嶸《詩品》曰：“摯虞《文志》，詳而博贍，頗曰知言。”

《文心雕龍·序志篇》：“詳觀近代之論文者多矣，至如魏文述典，陳思序書，應瑒文論，陸機《文賦》，仲洽《流別》，宏範《翰林》，或臧否當時之才，或銓品前修之文，或汎舉雅俗之旨，或撮題篇章之意。”又曰：“《流別》精而少功。”

顏師古《刊謬正俗》曰：“司馬子長撰《史記》，自敍作書本意，欲比擬《尚書敍》耳。及班孟堅爲《漢書》，亦放其意。摯虞撰《流別集》，全取孟堅書序爲一卷，謂之《漢述》。”

本志敍曰：“總集者，以建安之後，辭賦轉繁，衆家之集，日以滋廣，晉代摯虞，苦覽者之勞倦，於是采摘孔翠，芟剪繁蕪，自詩賦下，各爲條貫，合而編之，謂爲《流別》。是後又集總鈔，作者繼軌，屬辭之士，以爲覃奧，而取則焉。”

《唐書·經籍志》：《文章流別集》三十卷，摯虞撰。

《唐書·藝文志》：摯虞《文章流別集》三十卷。

《四庫提要·總集類》序曰："文籍日興，散無統紀，於是總集作焉。一則網羅放佚，使零章殘什，並有所歸；一則删汰繁蕪，使蕪稗咸除，菁華畢出。是固文章之鑒衡，著作之淵藪矣。《三百篇》既列爲經，王逸所哀又僅《楚辭》一家，故體例所成，以摯虞《流別》爲始。其書雖佚，其論尚散見《藝文類聚》中，蓋分體編録者也。"

嚴氏《全晉文編》：摯虞《文章流別論》今見於《北堂書鈔》、《藝文類聚》、《太平御覽》者存凡一十二條。

案本志史部薄録類有摯虞《文章志》四卷，與本傳所載同，似即此《七録》所有之《志》二卷也。本志又別著録《流別志論》二卷，似即《七録》之《志》二卷、《論》二卷，合并爲帙。

文章流別本十二卷　謝混撰

謝混有集，見前別集類東晉人中。

案此或是《文章流別》別本，爲謝益壽所删存者，轉寫敚下"別"字歟？

續文章流別三卷　孔寧撰

孔寧始末未詳。

案《北齊書·文苑·顏之推傳》，之推撰《觀我生賦》，自注云："齊武平中，署文林館待詔者僕射陽休之、祖孝徵以下三十餘人，之推專掌，其撰《修文殿御覽》、《續文章流別》等，皆詣進賢門奏之。"然則此書乃北齊文林館諸人所撰，孔寧或亦文林待詔，而《文苑傳》序存録文林待詔姓名，未見其人。

集苑四十五卷　梁六十卷。

不著撰人。

《唐書·經籍志》：《集苑》六十卷，謝混撰。—本"混"作"琨"。

《唐書·藝文志》：謝混《集苑》六十卷。謝混，見前一條。

集林一百八十一卷　宋臨川王劉義慶撰。梁二百卷。

劉義慶有《徐州先賢傳》，見史部雜傳家。

《南史·宋臨川烈武王道規附傳》：義慶所著《世説》十卷，撰《集林》二百卷，並行於世。

《唐書·經籍志》：《集林》二百卷，劉義慶撰。

《唐書·藝文志》：宋臨川王義慶《集林》二百卷。

集林鈔十一卷

不著撰人。

集鈔十卷　沈約撰

沈約有《謚法》，見經部論語類。

鍾嶸《詩品》評宋尚書令傅亮詩曰：“季友文，余嘗忽而不察。今沈特進撰詩，載其數首，亦復平矣。”

梁有《集鈔》四十卷。丘遲撰，亡。

丘遲有集，見前別集類梁代人文中。

《唐書·經籍志》：《集鈔》四十卷，不著撰人。

《唐書·藝文志》：丘遲《集鈔》四十卷。

集略二十卷

不著撰人。

撰遺六卷

不著撰人。

梁又有《零集》三十六卷，亡。

不著撰人。

翰林論三卷　李充撰　梁五十四卷。

李充有《論語集注》，見經部。

鍾嶸《詩品》曰：“陸機《文賦》通而無貶，李充《翰林》疏而不切。”

《文心雕龍·序志篇》：詳觀近代之論文者多矣：至如魏文述典，陳思序書，應瑒文論，陸機《文賦》，仲洽《流別》，宏範《翰林》，各照隅隙，鮮觀衢路。

又曰："《翰林》淺而寡要。"案宏範，李軌字，此當云宏度。

《唐書·經籍志》：《翰林論》二卷，李充撰。

《唐書·藝文志》文史類：李充《翰林論》三卷。

《宋史·藝文志》文史類：李允《翰林論》三卷。"允"當爲"充"，或又作"李元"，又作"李克"。

《崇文總目》文史類：《翰林論》三卷，李充撰。

《玉海·藝文篇》：《隋志》總集《翰林論》三卷，《中興書目》凡二十八篇，論爲文體要。

嚴氏《全晉文編》：李充有《翰林論》五十四卷，今《初學記》、《太平御覽》引見凡八條。

文苑一百卷　孔逭撰

《南史·文學·丘巨源附傳》：時又有會稽孔廣、孔逭，皆才學知名。逭抗直有才藻。陳郡謝瀹年少時游會稽還，父莊問："入東何見，見孔逭不?"見重如此。著《三吳決錄》，不傳。卒於衛軍武陵王東曹掾。

《唐書·經籍志》：《文苑》一百卷，孔逭撰。

《唐書·藝文志》：孔逭《文苑》一百卷。

《宋史·藝文志》：孔逭《文苑》十九卷。

《玉海·藝文類》：《中興書目》：孔逭集漢以後諸儒文章，今存十九卷。賦、頌、騷、銘、誄、弔、典、書、表、論凡十屬。目録有書寫校正官吏姓名，題龍朔二年或大中十年。蓋唐祕書所藏本也。

文苑鈔三十卷

不著撰人。

文選三十卷　梁昭明太子撰

昭明太子有集,見前別集類。

自序略曰:"余監撫餘間,居多暇日。歷觀文囿,泛覽辭林,未嘗不心游目想,移晷忘倦。自姬、漢以來,眇焉悠邈,時更七代,數逾千祀。辭人才子,則名溢於縹囊;飛文染翰,則卷盈乎緗帙。自非略其蕪穢,集其清英,蓋欲兼功太半,難矣! 故雜而集之。遠自周室,迄於聖代,都爲三十卷,名曰《文選》云耳。"

又曰:"凡次文之體,各以彙聚。詩賦體既不一,又以類分。類分之中,各以時代相次。"

《梁書》、《南史》本傳:又撰古今典誥文言爲《正序》十卷,《文選》三十卷。

《唐書·經籍志》:《文選》三十卷,梁昭明太子撰。

《唐書·藝文志》:梁昭明太子《文選》三十卷。

《宋史·藝文志》:蕭統《文選》六十卷,李善注。

晁氏《讀書志》:李善注《文選》六十卷,梁昭明太子蕭統纂。前有序,述其所以作之意。蓋選漢迄梁諸家所著賦、詩、騷、七、詔、册、令、教、策、秀才文、表、上書、啓、彈事、牋、記、書、移檄、難、問對、議論、序、頌、贊、符命、史論、連珠、銘、箴、誄、哀辭、碑、誌、行狀、弔、祭文,類之爲三十卷。竇常謂統著《文選》,以何遜在世,不録其文,蓋其人既往,而後其文克定,然則所録者前人作也。唐李善注析爲六十卷。

陳氏《書録解題》:《文選》六十卷,梁昭明太子蕭統德施撰。唐崇賢館學士江都李善注,北海太守邕之父也。

《四庫簡明目録》曰:"《文選》爲文章淵藪,善《注》又考證之資糧。一字一句,罔非瓊寶。古人總集以是書爲弁冕,良無忝焉。"

錢塘汪師韓《文選理學權輿序》曰：“總集自晉有之，而無以‘選’名者。梁昭明太子采自周訖梁百三十餘家之文爲《文選》，至唐而盛行。杜詩曰：‘熟精《文選》理。’《舊唐書》書列《文選》學於《儒林傳》，李善之《注》獨傳。又有五臣之注，竊取李氏未定之本，識者鄙之。與李氏同以《選》學教授者，曹憲、許淹、公孫羅，並作《音義》，而皆不傳。唐常寶鼎撰《文選著作人名》，其書不可得見。今考周四家：卜子夏、屈原、宋玉、荆軻。秦一家：李斯。漢十七家：高祖、武帝、淮南小山、賈誼、鄒陽、司馬相如、枚乘、東方朔、王褒、李陵、蘇武、司馬遷、孔安國、揚雄、楊惲、劉歆、班婕妤。後漢十六家：班彪、班固、張衡、韋孟，_{案此實入前漢。}孔融、彌衡、傅毅、楊修、馬融、崔瑗、朱浮、王延壽、蔡邕、史岑、潘勗、曹大家。季漢一家：諸葛亮。魏十六家：武帝、文帝、曹植、王粲、陳琳、阮瑀、劉楨、應瑒、應璩、吳質、曹冏、何晏、繁欽、鍾會、繆襲、李康。吳一家：韋昭。晉四十六家：羊祜、杜預、張華、傅咸、嵇康、阮籍、向秀、劉伶、皇甫謐、束晳、陸機、陸雲、庾亮、李密、成公綏、潘岳、潘尼、張載、張協、孫楚、何劭、孫綽、郭璞、劉琨、盧諶、干寶、左思、張翰、曹攄、趙至、袁宏、石崇、桓溫、傅玄、歐陽建、木華、夏侯湛、應貞、張悛、棗據、郭泰機、司馬彪、王讚、陶潛、王康琚、殷仲文。宋十三家：謝靈運、謝惠連、謝混、謝莊、謝瞻、鮑照、范曄、顏延之、袁淑、王微、王僧達、傅亮、劉鑠。齊六家：謝朓、王儉、王融、孔稚珪、陸厥、王巾。梁九家：任昉、江淹、邱遲、范雲、徐悱、劉峻、沈約、虞羲、陸倕。其名字爵里所未悉者，史岑、王康琚二人耳。更有無名氏之詩二十三篇，則古樂府三首、古詩十九首、古辭《君子行》一首也。”_{案所考撰人類多前後失次，今姑存其舊錄之。}

　　案《文選》撰人，據汪氏所考實一百三十家，合以無名氏之作，故云百三十餘家。所載文章大凡四百七十六篇，六百九十餘首。汪序又云：“《選注》所引諸經傳訓一百餘，小學三十七，緯候圖讖七十八，正史、雜史、人物別傳、譜牒、地理、雜術藝凡史之類幾及四百，諸子之類百二十，兵書二十，道釋經論三十二，詔、表、牋、啓、詩、賦、頌、贊、箴、銘、七、連珠、序、論、碑、誄、哀詞、弔、祭文、雜文、集幾及八百。其入選之文，互引者不與焉。其薈粹宏富有如此。”

詞林五十八卷

不著撰人。

《隋書·魏澹傳》：澹除太子舍人。廢太子勇深禮遇之，屢加優錫，令注《庾信集》，復撰《笑苑》、《詞林集》。世稱其博物。

《唐書·經籍》、《藝文志》：《小辭林》五十三卷。

案兩《唐志》亦不著撰人，亦次於《文選》之後。蓋即是書其稱小辭林者，大抵所録皆小文，如俳諧集之體，亦《笑苑》之類歟？魏澹有《魏書》，見史部正史類。《笑苑》見子部小説家。

文海五十卷

不著撰人。

《周書》、《北史·蕭圓肅傳》：圓肅有文集十卷。又撰時人詩筆爲《文海》四十卷，《廣堪》十卷，行於世。

《唐書·經籍志》：《文海集》三十六卷，蕭圓撰。

《唐書·藝文志》：蕭圓《文海集》三十六卷。二《志》並敚“肅”字。

馮氏《詩紀·品藻篇》：《歷代吟譜》曰：“蕭明恭風度甚雅，敏而好學，爲《文海》四十卷。”

錢氏《隋書考異》曰：“《經籍志》：《文海》五十卷，不著撰人。按《北史·蕭圓肅傳》撰時人詩筆爲《文海》四十卷即此。”

案蕭圓肅有《淮海亂離志》,見史部古史類。

吴朝士文集十卷。梁十三卷。《通志·藝文略》作"吴朝文士"。

不著撰人。

梁又有《漢書文府》三卷,亡。

不著撰人。

巾箱集七卷

不著撰人。

案《南史·齊宗室傳》:"衡陽嗣王鈞,高帝第十一子也。常手自細書寫《五經》,部爲一卷,置於巾箱中。侍讀賀玠問之,答曰:'巾箱中有《五經》,於檢閱既易,且一更手寫,則永不忘。'諸王聞而爭效爲巾箱《五經》。巾箱《五經》自此始也。"《金樓子·聚書篇》云:"又使孔昂寫得《前漢》、《後漢》、《史記》、《三國志》、《晉陽秋》、《莊子》、《老子》、《肘後方》、《離騷》等,合六百三十四卷,悉在一巾箱中,書極精細。"是巾箱本始於齊初,盛于梁代。此《巾箱集》蓋其類也。

梁有《文章志録雜文》八卷,謝沈撰。又《名士雜文》八卷,亡。

謝沈有《尚書注》,見經部書類。

《唐書·經籍志》:《名文集》四十卷,謝沈撰。

《唐書·藝文志》:謝沈《名文集》四十卷。

案《文章志録雜文》似即從摯虞《流別集》中鈔出者,《名士雜文》似即從張騭《文士傳》鈔出者。《唐志》通謂之《名文集》,凡四十卷,似後人增益本。

婦人集二十卷

不著撰人。

案《世説·賢媛篇》注:"《婦人集》載魏許允婦阮氏與允書,陳允禍患所起,辭甚酸愴。文多不録。"又載賈充妻李氏、王渾妻鍾夫人、王右軍夫人事凡五條，並引《婦人集》。當出是書。

梁有《婦人集》三十卷。殷淳撰。

殷淳有集二卷，見前別集類宋代人文中。

《唐書‧藝文志》：殷淳《婦人集》三十卷。

梁又有《婦人集》十一卷，亡。

不著撰人。

案《梁書‧徐勉傳》：“勉又爲《婦人集》十卷，行於世。”此十一卷或一卷是集録，疑即其書。

雜文十六卷　爲婦人作

不著撰人。

案《魏書‧崔光傳》：“時靈太后臨朝，每於後園親執弓矢。光乃表上中古婦人文章，因以致諫曰：‘謹上婦人文章録一帙，其集俱在内，伏願以時披覽，仰裨未聞。息彎挾之勞，納間拱之泰，頤精養壽，棲神翰林。’”本志於北朝人多不著作者姓名，此書似即崔光上靈太后者。

文選音三卷　蕭該撰

蕭該有《漢書音義》，見史部正史類。

《隋書‧儒林傳》：該撰《漢書》及《文選音義》，爲當時所貴。

《唐書‧經籍志》：《文選音》十卷，蕭該撰。

《唐書‧藝文志》：蕭該《文選音》十卷。

文心雕龍十卷　梁兼東宮通事舍人劉勰撰

《梁書‧文學傳》：勰字彦和，東莞莒人。早孤，篤志好學。家貧不婚娶，依沙門僧祐，與之居處，積十年餘。遂博通經論，因區別部類，録而序之。今定林寺經藏，勰所定也。天監初，起家奉朝請、記室、參軍。出爲太末令。除仁威記室，參東宮通事舍人。遷步兵校尉，兼舍人如故。昭明太子好文學，深愛接之。初,勰撰《文心雕龍》五十篇,論古今文體,引而次之。既成,未爲時流所稱。勰自重其文,欲取定於沈約。約時貴盛,無由自達,乃負其書,候約出,干之於車前,狀若貨鬻者。約便命取讀,大重之,謂爲深得文理,常陳諸几案。後有敕與慧震沙門於定林寺撰經證,功畢,遂啓求出家,敕許之。乃於寺變服,改名慧地。未朞而卒。文集行於世。

《唐日本國見在書目》雜家:"《文心雕龍》十卷,劉勰撰。"又總集家:"《文心雕龍》十卷。"注云劉勰,在雜家。

《唐書·經籍志》:《文心雕龍》十卷,劉勰撰。

《唐書·藝文志》文史類:劉勰《文心雕龍》十卷。《崇文總目》文史類同。

《宋史·藝文志》文史類:劉勰《文心雕龍》十卷,辛處信注《文心雕龍》十卷。

晁氏《讀書志》文説類:《文心雕龍》十卷,晉劉勰撰。評自古文章得失,別其體製,凡五十篇,各係以贊云。案此以爲晉人,誤。又袁本入別集類,亦誤。

陳氏《書録》文史類:《文心雕龍》十卷,梁通事舍人東莞劉勰彥和撰。勰後爲沙門,名慧地。

《四庫提要》詩文評類曰:"其書《原道》以下二十五篇,論文章體製;《神思》以下二十四篇,論文章工拙,合《序志》一篇,爲五十篇。據《序志篇》,稱上篇以下,下篇以上,本止二卷。然《隋志》已作十卷,蓋後人所分。又據《時序篇》中所言,此書實成於齊代。此本署梁通事舍人劉勰撰,亦後人追題也。"

又《簡明目録》曰:"舊分上下二篇,上篇二十有五,論體裁之別;下篇二十有四,論工拙之由;合《序志》一篇,亦爲二十五篇。其書於文章利病窮極微妙。摯虞《流別》久已散佚,論文之書莫古於是編,亦莫精於是編矣。"

文章始一卷　姚蔡撰　<small>"蔡"當爲"察"。</small>

姚察有《漢書訓纂》，見史部正史類。

《唐書·經籍志》子部雜家：《續文章始》一卷，姚察撰。

《唐書·藝文志》子部雜家：姚察《續文章始》一卷。

　案兩《唐志》並列於任昉《文章始》一卷之後，知即續任氏書，而本志敚"續"字也。

梁有《文章始》一卷，任昉撰，亡。

任昉有《雜傳》，見史部雜傳家。

任昉自序曰："六經素有歌、詩、書、誄、箴、銘之類，《尚書》帝庸作歌，《毛詩》三百篇，《左傳》叔向貽子產書，魯哀孔子誄，孔悝鼎銘，虞人箴，此等自秦漢以來，聖君賢士沿著爲文章名之始。故因暇錄之，凡八十四，題以新好事者之目云爾。"

《唐書·經籍志》雜家：《文章始》一卷，任昉撰，張績補。

《唐書·藝文志》雜家：任昉《文章始》一卷，張績補。

《宋史·藝文志》文史類：任昉《文章緣起》一卷。

陳氏《書錄》文史類：《文章緣起》一卷，梁太常卿樂安任昉彦昇撰。但取秦漢以來，不及六經。

宋王得臣《麈史》曰："梁任昉集秦漢以來文章名之始，目曰《文章緣起》。自詩、賦、《離騷》至於執約八十五題，可謂博矣。既載相如《喻蜀》不錄揚雄《劇秦》，錄《解嘲》而不收韓非《說難》，取劉向《列女傳》而遺陳壽《三國志評》。"又曰："任昉以三言詩起晉夏侯湛，唐劉存以爲始于'鷺于飛，醉言歸'；任以頌起漢之王襃，劉以始於周公《時邁》；任以檄起漢陳琳檄曹操，劉以始於張儀檄楚；任以碑起於漢惠帝作四皓碑，劉以管子謂無懷氏封太山刻石紀功爲碑；任以銘起於始皇登會稽山，劉以蔡邕銘論黃帝有金几之銘。若此者尚十餘條。"

《四庫提要》詩文評類：《文章緣起》一卷，舊題梁任昉撰。考

《隋志》載任昉《文章始》一卷，稱有録無書。《唐志》載任昉《文章始》一卷，注曰張績補。今檢其所列，引據頗疏。如以表與讓表分爲二類，騷與反騷別立兩體，挽歌云起繆襲，不知《薤露》之在前。至篇云起《凡將》，不知《倉頡》之更古；崔駰《達旨》，即揚雄《解嘲》之類，而別立旨之一名；崔瑗《草書勢》，乃論草書之筆勢，而強標勢之一目。皆不足據爲典要。至於謝恩曰章，《文心雕龍》載有明釋，乃直以謝恩兩字爲文章之名，尤屬未協，疑爲依託。然王得臣《麈史》論任昉《文章緣起》，一一與此本合。知北宋已有此本，其殆張績所補，後人誤以爲昉本書歟？明陳懋仁嘗爲之注，國朝方熊更附益之。

梁有《四代文章記》一卷，吳郡功曹張防撰，亡。

張防始末未詳。

　以上總集文章及評論之屬，凡廿三部，附梁有十一部，爲第一類。

賦集九十二卷　謝靈運撰

謝靈運有《晉書》，見史部正史類。

梁又有《賦集》五十卷，宋新喻惠侯撰。

新喻惠侯劉義宗有集，見前別集類。

梁又有《賦集》四十卷，宋明帝撰，亡。

宋明帝有《周易義疏》，見經部易類。

《唐書‧經籍志》：《賦集》四十卷，宋明帝撰。

《唐書‧藝文志》：宋明帝《賦集》四十卷。

梁又有《樂器賦》十卷，亡。

梁又有《伎藝賦》六卷，亡。

並不著撰人。

賦集鈔一卷

不著撰人。

賦集八十六卷　後魏祕書丞崔浩撰

崔浩有《周易注》,見經部易類。

續賦集十九卷。殘缺。

不著撰人。

案此次崔氏書後,似即續崔氏之集,皆北朝人之作。

歷代賦十卷　梁武帝撰

梁武帝有《周易大義》,見經部易類。

《梁書·文學·周興嗣傳》:天監十七年,興嗣復爲給事中,直西省。左衞率周捨奉敕注高祖所製歷代賦,啓興嗣助焉。

皇德瑞應賦頌一卷。梁十六卷。

不著撰人。

案兩《唐志》有《皇帝瑞應頌集》十卷,不著撰人,似即此十六卷之殘賸。

五都賦六卷并録　張衡及左思撰

《世説·文學篇》:孫興公云:“《三都》、《二京》,《五經》鼓吹。”言此五賦是經典之羽翼。

《文選》目録曰:“張平子《西京賦》一首,《東京賦》一首,左太沖《三都賦序》一首,又《蜀都賦》一首,《吳都賦》一首,《魏都賦》一首。”

《唐書·經籍》、《藝文志》:《五都賦》五卷。

雜都賦十一卷

不著撰人。

梁有《雜賦》十六卷,亡。

不著撰人。

案此次《雜都賦》之下,疑亦是《雜都賦》敚“都”字。又十六卷,亦似前條十一卷之原本。

梁又有《東都賦》一卷,孔逭作,亡。

　　孔逭有《文苑》,見前。

　　《南史·文學·丘巨源傳》:時又有會稽孔逭,有才藻,製《東
　　都賦》,于時才士稱之。

梁又有《二京賦》二卷,李軌、綦母邃撰,亡。"賦"下敓"音"字。

　　李軌有《周易音》,綦母邃有《列女傳》,見經部易家、史部雜傳家。

　　《唐書·經籍志》:《三京賦音》一卷,綦母邃撰。

　　《唐書·藝文志》:綦母邃《三京賦音》一卷。

　　　案此二卷者爲李軌《音》一卷,綦母邃《音》一卷,合爲一帙也。
　　　唐代惟存綦母氏一家,故止一卷。其云三京,似轉寫之誤。

梁又有《齊都賦》二卷,并音,左思撰,亡。

　　左思有集,見前別集類晉中朝人文中。

　　《晉書·文苑傳》:思造《齊都賦》,一年乃成。

　　《唐書·經籍志》:《齊都賦》一卷,左太沖撰。《齊都賦音》一
　　卷,李軌撰。

　　《唐書·藝文志》:左太沖《齊都賦》一卷,李軌《齊都賦音》
　　一卷。

　　汪氏《文選理學權輿》曰:"《選注》所引群書有左思《齊都賦》
　　及《齊都賦注》。"

　　嚴氏《全晉文編》曰:"《水經·巨洋水》注、《初學記》、《太平御
　　覽》引左思《齊都賦》佚文凡五條。"

　　　案此條"左思"下當有"李軌"字,轉寫失之,兩《唐志》可
　　　證也。

梁又有《相風賦》七卷,傅玄等撰,亡。

　　傅玄有《傅子》,見子部雜家。

　　《藝文類聚·儀飾部》:《晉令》曰:"輕駕出入,相風前引。"

　　　案《藝文類聚》載晉傅玄、張華、潘岳、陶侃、孫楚《相風賦》

凡五家。今考嚴氏《文編》有牽秀《相風賦》。秀嘗爲張華
寮屬，有集見前。又有杜萬年《相風賦》，其序云："太僕傅
侯命余賦之。"則與傅玄同時。又有傅咸《相風賦》，玄之子
也。其序曰："《相風》之賦，蓋以富矣，然辭義大同。惟中
書張令，以太史《相風》，獨無文飾，故特賦之。太僕寺丞武
君賓，樹一竹於前庭，其上頗有樞機，插以雞毛，於以占事
知來，與彼無異，斯乃簡易之至，有殊太史《相風》云云。"案
相風亦云相風烏，今尚有之，多施於舟舶帆檣之上。晉人
爲是賦可考見者，凡八家，大抵皆在此七卷中。以傅玄爲
首，故云傅玄等。晉之後罕見有是作，此殆東晉人所集録
也。又《御覽・皇親部》載《左貴嬪集》有《相風賦》。

梁又有《迦維國賦》二卷，晉右軍行恭軍虞干紀撰，亡。

虞干紀始末未詳。

本志《佛經篇》：佛經者，西域天竺之迦維衛國淨飯王太子釋
迦牟尼所説。釋迦當周莊王之九年四月八日，自母右脅而
生，姿貌奇異，有三十二相，八十二好。捨太子位，出家學道，
勤行精進，覺悟一切種智，而謂之佛，亦曰佛陀，亦曰浮屠，皆
胡言也。華言譯之爲淨覺云。

梁又有《遂志賦》十卷，亡。

不著著人。

《藝文類聚》：陸機《遂志賦》序曰："昔崔篆作詩，以明道述
志。而馮衍又作《顯志賦》，班固作《幽通賦》，皆相依仿焉。
張衡《思玄》，蔡邕《玄表》，張叔《哀系》，此前世可得言者也。
崔氏簡而有情，《顯志》壯而泛濫，《哀系》俗而時靡，《玄表》雅
而微素，《思玄》精練而何惠，欲麗前人，而優游清典，漏幽通
矣。班生彬彬，切而不絞，哀而不怨矣。崔、蔡沖虛溫敏，雅
人之屬也。衍抑揚頓挫，怨之徒也。豈亦窮達異事，而聲爲

情變乎？余備託作者之末，聊復用心焉。'"

　　案漢劉歆有《遂初賦》，魏劉楨有《遂志賦》，此大抵哀合諸
　　家之作，不知始于何人也。

梁又有《乘輿赭白馬》二卷，亡。"馬"下敓"賦"字。

　　不著撰人。

　　《文選》顏延年《赭白馬賦》序曰："我太祖之造宋也，五方率
　　職，四隩入貢，祕寶盈於玉府，文駟列乎華廐。乃有乘輿赭
　　白，特稟逸異之姿，妙簡帝心，用錫聖皁。注：皁，櫪也。服御順
　　志，馳驟合度，齒列雖衰，而藝美不忒。襲養兼年，恩隱周渥。
　　注：襲，受也。隱，私也。歲老氣殫，斃於内棧。少盡其力，有惻上
　　仁，乃詔陪侍，奉述中旨。末臣庸蔽，敢同獻賦。"

　　案同時奉詔作賦者不止顏氏一人，此殆哀爲一帙歟？時宋
　　文帝元嘉十七年也。

述征賦一卷

　　不著撰人。

　　蔡邕《述征賦》序曰："延熹二年秋，霖雨逾月。是時梁冀新
　　誅，而徐璜、左悺等五侯擅貴於其處，又起顯陽苑於城西。人
　　徒凍餓，不得其命者甚衆。白馬令李雲以直言死，鴻臚陳君
　　以救雲抵罪。璜以余能鼓琴，白朝廷，敕陳留太守發遣余。
　　到偃師，病不前，得歸。心憤此事，遂託所過述而成賦。"陽湖孫
　　氏《續古文苑》目錄曰："漢蔡邕《述行賦》，宋歐陽靜輯集外文。"嚴氏《後漢文編》附
　　注曰："本集及《文選・魏都賦》、《雪賦》、《舞鶴賦》注並作《述行賦》，《水經・濟水》
　　注、《文選》陸機《前緩聲歌》注引此題並作《述征賦》。"

　　案魏文帝有《述征賦》，曹植、繁欽亦各有《述行賦》、《述征
　　賦》。其佚文並見嚴氏《文編》，此或合此數家爲一編。

神雀賦一卷　　後漢傅毅撰

　　傅毅有集，見別集類後漢人文中。

《後漢書・明帝本紀》：“永平十七年春正月，甘露降於甘陵。”
又曰：“是歲，甘露仍降，樹枝内附，芝草生殿前，神雀五色翔
集京師。西南夷哀牢、儋耳、僬僥、槃本、白狼、勳黏諸種，前
後慕義貢獻。西域諸國遣子入侍。夏五月戊子，公卿百官以
帝威德懷遠，祥物顯慶，乃並集朝堂，奉觴上壽。太常擇吉日
策告宗廟。”

又《賈逵傳》：永平中，有神雀集宫殿官府，冠羽有五采色。帝
異之，以問臨邑侯劉復，復不能對，薦逵博物多識。帝乃召見
逵，問之。對曰：“昔武王終父之業，鸑鷟在岐，宣帝威懷戎狄，
神雀仍集，此胡降之徵也。”帝敕蘭臺給筆札，使作《神雀頌》。

王充《論衡・佚文篇》：永平中，神雀群集，孝明詔上《神雀
頌》。百官上頌，文比瓦石。惟班固、賈逵、傅毅、楊終、侯諷
五頌金玉，孝明覽焉。

《宋書・符瑞志》：“漢明帝永平十七年春，神雀五色集京師。”
又曰：“漢章帝元和中，神雀見郡國。”

　　案《論衡》言傅毅於永平中撰《神雀頌》，《符瑞志》言元和中
　　神雀見郡國。傅氏爲賦，或當在元和中也。

雜賦注本三卷

不著撰人。

梁有郭璞注《子虚上林賦》一卷，亡。

郭璞有《毛詩拾遺》，見經部詩類。

《晉書》本傳：又注《楚辭》、《子虚》、《上林賦》，皆傳於世。

顏師古《漢書・叙例》：郭璞字景純，河東人。晉贈弘農太
守。止注《相如傳序》及游獵詩賦。

《唐書・經籍志》：《上林賦》一卷，司馬相如撰。

《唐書・藝文志》：司馬相如《上林賦》一卷。

汪氏《文選理學權輿》曰：“《文選》舊注《子虚賦》、《上林賦》有

張揖注、司馬彪注、郭璞注。"

案《文選》李善注本此二賦篇首題郭璞注,似以郭注爲本,而別引他家及己説以附益之,實亡而未盡亡也。

梁有薛綜注張衡《二京賦》二卷,亡。

薛綜有集,見別集類三國人文中。

《吳志》本傳:綜又述《二京解》,傳於世。

《文心雕龍·指瑕篇》:若夫注解爲書,所以明正事理,然謬於研求,或率意而斷。《西京賦》稱"中黄"、"育獲"之疇,而薛綜謬注謂之"閹尹",是不聞執雕虎之人也。

《文選》李善注:楊泉《物理論》曰:"平子《二京》,文章卓然。"

《唐書·經籍志》:《二京賦音》二卷,薛綜撰。

《唐書·藝文志》:薛綜《二京賦音》二卷。

《通志·藝文略》:張衡《二京賦》二卷,薛綜注,并音。

汪氏《文選理學權輿》曰:"《文選》舊注《二京賦》有薛綜注。"

案《文選·西京賦》篇首題薛綜注,李善曰:"舊注是者,因而留之。其有乖謬,臣乃具釋。並稱臣善以別之。"今案篇中"中黄之士,育獲之儔"注,善曰:"《尸子》曰:'中黄伯曰:余左執泰行之,獲而右搏雕虎。'《戰國策》:'范雎説秦王曰:烏獲之力焉而死,夏育之勇也而死。'薛注所謂閹尹者,已削除之矣。"

梁有晁矯注《二京賦》一卷,亡。

晁矯始末未詳。

《通志·藝文略》:張衡《二京賦》又二卷,晁矯注。

案李善注《文選》但稱薛綜,不及晁矯及傅巽二家,蓋二家至隋、唐時已無存矣。

梁有武巽注《二京賦》二卷,亡。 "武"當爲"傅"。

《通志·藝文略》:張衡《二京賦》又二卷,傅巽注。

案本志引《七録》作武巽，《通志略》所據亦《隋志》乃作傅
巽，知“武”字因音聲而寫誤也。傅巽有集，見別集類三國
人文中。

梁有張載及晉侍中劉逵、晉懷令衞瓘注左思《三都賦》三卷，亡。

“衞瓘”當作“衞權”。

左思有《齊都賦》，見前。張載有集，見別集類。劉逵有《喪服
要記》，見經部禮類。

《魏志·衞臻傳》注：臻子楷，楷子權，字伯輿。晉大司馬汝南
王亮輔政，以權爲尚書郎。權作左思《吳都賦》叙及注，叙粗
有文辭，至於爲注，了無所發明，直爲塵穢紙墨，不合傳寫也。
《文選》左太沖《三都賦》序有曰：“相如賦上林而引‘盧橘夏
熟’，楊雄賦甘泉而陳‘玉樹青葱’，班固賦西都而歎以出比
目，張衡賦西京而述以游海若。注凡此四者，皆非西京之所有也。余
既思摩二京而賦三都，其山川城邑則稽之地圖，其鳥獸草木
則驗之方志。風謠歌舞，各附其俗；魁梧長者，莫非其舊。何
則？發言爲詩者，詠其所志也；升高能賦者，頌其所見也。美
物者貴依其本，讚事者宜本其實。匪本匪實，覽者奚信？且
夫任土作貢，《虞書》所著；辯物居方，《周易》所慎。聊舉其一
隅，攝其體統，歸諸訓詁焉。”
《文選》皇甫士安《三都賦》序有曰：“至若相如《上林》、揚雄
《甘泉》、班固《兩都》、張衡《二京》、馬融《廣成》、王生《靈光》，
皆近代辭賦之偉也。曩者，漢室内潰，四海圮裂，孫、劉二氏，
割有交、益。魏武撥亂，擁據幽夏。故作者先爲吳、蜀二客，
盛稱其本土險阻壞琦，可以偏王。而卻爲魏主述其都畿，弘
敞豐麗，奄有諸華之意。言吳、蜀以擒滅比亡國，而魏以交禪
比唐虞，既以述逆順，且以爲鑒戒。蓋蜀包梁岷之資，吳割荆
南之富，魏跨中區之衍，考分次之多少，計殖物之衆寡，比風

俗之清濁,課人士之優劣,亦不可同言而語矣。二國之士,各沐浴所聞。家自以爲我土樂,人自以爲我民良。作者又因客主之辭,正之以魏都,折之以王道。其物土所出,可得彼圖而校。體國經制,可得案記而驗,豈誣也哉!"

《晉書·文苑傳》:思賦三都成,安定皇甫謐爲其賦序,張載爲注《魏都》,劉逵注《吳》、《蜀》,而序之曰:"觀中古以來爲賦者多矣,相如《子虛》擅名於前,班固《兩都》理勝其辭,張衡《二京》文過其意。至若此賦,擬議數家,傅辭會義,抑多精致,非夫研覈者不能練其旨,非夫博物者不能統其異。世咸貴遠而賤近,莫肯用心於明物。斯文吾有異焉,故聊以餘思爲其引詁,亦猶胡廣之於《官箴》,蔡邕之於《典引》也。"

又曰:"陳留衞瓘案當爲"權"。又爲思賦作《略解》,序曰:'余觀《三都》之賦,言不苟華,必經典要,品物殊類,稟之圖籍,辭義瓌瑋,良可貴也。有晉徵士安定皇甫謐,覽斯文而慷慨,爲之都序。中書著作郎安平張載、中書郎濟南劉逵,並以經學洽博,才章茂美,咸皆悦玩,爲之訓詁。余嘉其文,不能默已,聊藉二子之遺忘,又爲之《略解》,祇增繁重,覽者闕焉。'"

又史臣曰:"太沖含豪歷載,以賦《三都》,士安見而稱善,平原覿而韜翰,匪惟高步當年,固以騰華終古。"

《唐書·經籍志》:《三都賦》三卷,左太沖撰。

《唐書·藝文志》:左太沖《三都賦》三卷。

嚴氏《全晉文編》曰:"《世説·文學篇》注引《左思別傳》云:'皇甫謐、張載、劉淵林、衞伯輿皆不爲思賦序注。凡諸注解,皆思自爲,欲重其文,故假時人名姓。'可均案《別傳》失實,《晉書》所棄,今皇甫序、劉注在《文選》,劉序、衞序在《晉書》,皆非苟作。《別傳》道聽塗説,無足爲憑。《晉書》彙十八家舊藉,兼收小説。獨棄《別傳》不采,斯史識也。"

梁有綦母邃注《三都賦》三卷，亡。

綦母邃有《二京賦音》，見前。

梁有項氏注《幽通賦》。 失著卷數。

《漢書·叙傳》曰：“彪字叔皮，有子曰固。弱冠而孤，作《幽通》之賦，以致命遂志。”劉德曰：“致，極也。陳吉凶性命，遂明己之志。”李善《文選注》曰：“幽通，謂與神遇也。”

《唐書·經籍志》：《幽通賦》一卷，班固撰，曹大家注。又一卷，項岱撰。

《唐書·藝文志》：項岱注《幽通賦》一卷。

汪氏《文選理學權輿》曰：“《文選》舊注《幽通賦》有曹大家注、項岱注。”又曰：“曹、項二注，皆顏師古《漢書注》所無。”

　　案項岱別有《漢書叙傳》五卷，見史部正史類。此即從所注《叙傳》中析出者。《文選》李善注本中引曹大家注最多，項岱注亦間存十餘條。

梁有蕭廣濟注木玄虛《海賦》一卷，亡。

蕭廣濟有《孝子傳》，見史部雜傳家。

《文選》李善注《今書七志》曰：“木華字玄虛。”《華集》曰：“爲楊駿府主簿。”傅亮《文章志》曰：“廣川木玄虛爲《海賦》，文甚儁麗，足繼前良。”李充《翰林論》曰：“木氏《海賦》，壯則壯矣，然首尾負偈，狀若文章，亦將由未成而然也。”

仁和孫志祖《文選理學權輿補》曰：“《文選》載木玄虛《海賦》，似非全文。《南史》稱張融《海賦》勝玄虛，惜今不傳。”

梁有徐爰注《射雉賦》一卷。亡。

徐爰有《繫辭注》，見經部易類。

《文選》潘安仁《射雉賦》注：善曰：“《射雉賦序》曰：‘余徙家於琅邪，其俗實善射。聊以講肄之餘暇而習媒翳之事，遂樂而賦之也。’徐爰注曰：‘媒者，少養雉子，至長狎人，能招引野雉，因名曰媒。翳者，所隱以射者也。晉邦過江，斯藝乃廢。歷代迄今，寡能厥事，嘗覽茲賦，昧而莫曉。聊記所聞，以備遺忘。'"案潘安仁名岳，有集，見別集類晉中朝人文中。

獻賦十八卷

不著撰人。

《唐書‧經籍志》：《獻賦集》十卷，卞鏗撰。

《唐書‧藝文志》：卞鑠《獻賦集》十卷。

案《舊唐志》作卞鏗，《新志》作卞鑠。卞鏗未詳。卞鑠有集，見別集類南齊人文中。

圍棊賦一卷　梁武帝撰

梁武帝有《歷代賦》，見前。

嚴氏《全梁文編》曰："梁武帝《圍棋賦》，見《藝文類聚》七十四。"

觀象賦一卷

不著撰人。

《魏書‧術藝傳》：張淵，不知何許人也。明占候，曉內外星分。世祖神廳中，爲太史令、驃騎軍謀祭酒，嘗著《觀象賦》。

《北史‧藝術傳》：張深著《觀象賦》，其言星文甚備，文多不載。

汪氏《文選理學權輿》曰："選注所引群書有張泉《觀象賦》，又引《觀象賦》自注。"

嚴氏《後魏文編》曰："淵，仕苻堅，官爵未詳。又仕姚興父子，爲靈臺令。姚泓滅，仕赫連昌，爲太史令。太武平統萬。復爲太史令，遷驃騎軍謀祭酒。著《觀象賦》并序，有注，見《魏書》本傳，又見《十六國春秋》六十九，無注。《北史》作'張深'，《文選‧月賦》注引作'張泉'，皆避唐諱。又《初學記》卷一略載此賦，作'宋張鏡'。《隋志》有《宋新安太守張鏡集》十卷，豈此賦又見《張鏡集》耶？疑《初學》有誤。"

洛神賦一卷　孫壑注

孫壑始末未詳。

《文選》曹子建《洛神賦序》曰："黄初三年，余朝京師，還濟洛川。古人有言，斯水之神，名曰宓妃。感宋玉對楚王神女之事，遂作此賦。"李善引《感甄賦記》曰："魏東阿王，漢末求甄逸女，既不遂。太祖回與五官中郎將。植黄初中入朝，帝示植甄后玉鏤金帶枕，植見之，不覺泣。時已爲郭后讒死。帝意亦尋悟，因以枕賚植。植還，度轘轅，作《感甄賦》。後明帝見之，改爲《洛神賦》。"

枕賦一卷　張居祖撰　_{"居"當爲"君"。}

張君祖始末未詳。

《通志·藝文略》：《枕賦》一卷，張君祖撰。_{鄭氏所據即本志此一條，其所見本作"張君祖"也。}

馮氏《陳詩紀》曰："張君祖，爵里無考。有《答庾僧淵詩》、《贈沙門竺法頳詩》及《詠懷詩》、《道樹經贊》、《三昧經贊》凡九首。又有《庾僧淵答張君祖詩》二首，並見《廣弘明集》。案諸詩皆恬淡雅逸，有晉風。歷選陳世，無此作也。考《高僧傳》有康僧淵、竺法雅者，並在晉成帝時。疑即此人歟？《廣弘明集》云：'陳張君祖既不能明。'姑列於此。"

嚴氏《全陳文編》曰："張君祖，未詳。馮惟訥《詩紀》云云，或是'頳'與'庾'字誤。有詩序、經贊凡三篇。"_{案嚴氏亦疑爲晉人，故謂竺法頳或是竺法雅，庾僧淵或是康僧淵也。漢魏時有《柟榴枕賦》，張紘諸人皆致思焉。}

二都賦音一卷　李軌撰

李軌有《二京賦音》，見前。

案李軌既爲張平子撰《二京賦音》，此《二都賦音》豈爲班孟

堅《兩都賦》而作歟？抑二京之誤，即前條所謂梁有今亡者
是也。

百賦音十卷　宋御史褚詮之撰　"百"當爲"古"。

褚詮之有集，見別集類宋代人文中。

《顏氏家訓·勉學篇》："習賦誦者，信褚詮而忽呂忱。"江陰趙
曦明注曰："案《漢書·揚雄傳》所載諸賦注内，時引諸詮之之
説，宋祁亦時引之。《經典釋文》間亦引之。諸、褚字不同，未
知孰是。"

《唐書·經籍志》：《百賦音》一卷，褚令之撰。

《唐書·藝文志》：褚令之《古賦音》一卷。案二《志》皆作令之，又云
一卷，似皆寫刊之誤。

錢氏《隋書考異》曰："《經籍志》：《百賦音》十卷，宋御史褚詮
之撰。案宋子京校《漢書》揚雄三賦屢引諸詮《音》，蓋即此
書，謁'褚'爲'諸'，又敚'之'字耳。子京未必親見此書，蓋采
諸蕭該《漢書音義》也。《顏氏家訓·勉學篇》云：'習賦誦者，
信褚詮而忽呂忱。'亦指此書而言。"案《唐·藝文志》明修宋版作《古賦
音》，他本多作"百"，故錢氏亦云《百賦音》。

梁有《賦音》二卷，郭徵之撰，亡。

郭徵之或作郭微之，始末並未詳。

《唐書·經籍志》：《賦音》二卷，郭微之撰。

《唐書·藝文志》：郭微之《賦音》二卷。

梁有《雜賦圖》十七卷，亡。

不著撰人。

　案《世説·巧藝篇》："戴安道就范宣學，視范所爲：范讀書
亦讀書，范抄書亦抄書。唯獨好畫。范以爲無用，不宜勞
思於此。戴乃畫《南都賦圖》，范看畢咨嗟，甚以爲有益，始
重畫。"張氏《名畫記》叙古來祕畫珍圖，亦有載安道《南都

賦圖》，又有晉明帝《洛神賦圖》，史道碩《蜀都賦圖》、《琴賦圖》，宋陸探微《叙夢賦服乘圖》，史敬文《西京賦圖》，南齊王孜《嘯賦圖》。此十七卷，大抵皆此之類。

以上總集賦之屬及注解音訓圖譜，凡十八部，附梁有二十三部，爲第二類。

大隋封禪書一卷

不著撰人。

《隋書·高祖本紀》：開皇九年春正月，陳國平。六月，時朝野物議，咸願登封。詔以後言及禪封，宜即禁絕。冬十一月，考使定州刺史豆盧通等上表，請封禪，上不許。

又《儒林傳》：何妥撰《封禪書》一卷。

錢氏《隋書考異》曰：“《經籍志》：《大隋封禪書》一卷，不著撰人。蓋何妥所撰，見《儒林傳》。”

案何妥有《周易講疏》，見經部易類。此題大隋，蓋仍隋人書目舊文也。隋人撰書目時妥猶在，故不著撰人，而本志亦仍之。

上封禪書二卷

不著撰人。

案此似亦隋代所上者。《禮儀志》：“開皇十四年，群臣請封禪。高祖不納。晉王廣又率百官抗表，固請，帝命有司草儀注。於是牛弘、辛彥之、許善心、姚察、虞世基等創定其禮，奏之。帝遄巡其事曰：‘但當東狩，因拜岱山耳。’”本紀：“十五年春正月庚午，上以歲旱，祠太山，以謝愆咎，大赦天下。”此二卷似即牛弘等所上。又《薛冑傳》：“冑，徐兗州刺史，以天下太平，登封告禪帝王盛烈。遂遣博士登太山，觀古迹，撰《封禪圖》及《儀》上之。高祖謙讓不許。”則又似冑所上者。

梁有《雜封禪文》八卷,亡。

不著撰人。

《文心雕龍·封禪篇》:史遷八書,明述封禪者,固禋祀之殊體,銘號之祕祝,祀天之壯觀矣。秦皇銘岱,文自李斯,法家辭氣,體乏弘潤。然疏而能壯,亦彼時之絶采也。鋪觀兩漢隆盛,孝武禪號於肅然,光武巡封于梁父,誦德銘勳,乃鴻筆耳。觀相如《封禪》,蔚爲唱首。爾其表權輿,序皇王,炳元符,鏡鴻業。驅前古于當今之下,騰休明于列聖之上,歌之以禎瑞,贊之以介丘,絶筆兹文,固維新之作也。及光武勒碑,則文自張純。首胤典謨,末同祝辭,引鉤讖,叙離亂,計武功,述文德。事覈理舉,華不足而實有餘矣!凡此二家,並岱宗實跡也。及揚雄《劇秦》,班固《典引》,事非鐫石,而體因紀禪。至于邯鄲《受命》,攀響前聲,風末力寡,輯韻成頌。陳思《魏德》,假論客主,勞深勣寡,颺炎缺焉。

《漢書·東方朔傳》:劉向所録朔之文辭,有《封泰山》。

《吳志》:天璽元年,吳興陽羨山有空石,長十餘丈,名曰石室,在所表爲大瑞。乃遣司徒董朝、兼太常周處至陽羨縣,封禪國山。明年,改元天紀,大赦。

《太平御覽·禮儀部》:孫嚴《宋書》曰:"袁淑爲吏部郎。元嘉二十六年,侍坐,從容曰:'願上《封禪書》一篇。'"案亦見《宋書》本傳。

案梁以前爲《封禪文》可考見者,約略如右。北齊魏收亦撰《封禪文》,則非《七録》所及。

梁有《秦帝刻石文》一卷,宋會稽太守褚淡撰。亡。

《宋書·褚叔度傳》:《南史》作褚裕之。叔度,河南陽翟人。長兄秀之,秀之弟淡之,字仲源,亦歷顯官。高祖受命,爲侍中。

後以爲會稽太守。元嘉二年卒,年四十五。謚曰質子。

案經部小學類有《秦皇東巡會稽刻石文》一卷,似即此書。宋時會稽石刻猶在,褚爲太守,摹搨以傳。然此題《秦帝刻石文》,又列在封禪類中,或併連泰山、之罘諸石刻亦未可知也。其文並見《史記・秦始皇本紀》。

以上總集封禪文之屬,凡二部,附梁有二部,爲第三類。

集雅篇五卷

不著撰人。

靖恭堂頌一卷　晉涼王李暠撰

涼王李暠見史部霸史類《敦煌實録》條。

《晉書・涼武昭王列傳》:王字玄盛,好學,性沈敏寬和,美器度,通涉經史,尤善文義。隆安中,爲涼公、秦、涼二州牧,於敦煌南門外臨水起堂,名曰靖恭之堂,以議朝政,閱武事。圖讚自古聖帝明王、忠臣孝子、烈士貞女,親爲序頌,以明鑒誡。當時文武群僚亦有圖焉。《北史・序傳》云:"當時文武群公寮佐,亦皆圖讚所志。"有白雀翔於靖恭堂,玄盛觀之大悦。又立泮宫,增高門學士五百人。

《魏書・劉炳傳》:炳隱居酒泉,李暠徵爲儒林祭酒、從事中郎。著《敦煌實録》十卷,《靖恭堂銘》一卷。

《唐書・經籍志》:《靖恭堂頌》一卷,李暠撰。

《唐書・藝文志》:李暠《靖恭堂頌》一卷。

梁有《頌集》二十卷,王僧綽撰,亡。

王僧綽有集,見別集類宋人文中。

梁有《木連理頌》二卷,太元十九年群臣上,亡。

《宋書・符瑞志》:木連理,王者德澤純洽,八方合爲一,則生。晉孝武帝太元十一年四月,琅邪費有榆木,異根連理,相去四尺九寸。十八年十月,臨川東興令惠欣之言,縣東南溪旁有白銀樹、芳靈樹、李樹，並連理。十九年正月丁亥，華林園延賢堂西北李樹連理。

《唐書·經籍》、《藝文志》：《木連理頌》二卷。

以上總集雅頌之屬，凡二部，附梁有二部，爲第四類。

詩集五十卷　謝靈運撰。梁五十一卷。

謝靈運有《賦集》，見前。

鍾嶸《詩品》曰："至於謝客集詩，逢詩輒取，曾無品第。"

《唐書·經籍志》：《詩集》五十卷，謝靈運撰。

《唐書·藝文志》：謝靈運《詩集》五十卷。

梁又有宋侍中張敷、袁淑補謝靈運《詩集》一百卷，亡。

袁淑有集，見別集類宋人文中。

《宋書·張敷傳》：敷字景胤，吳郡吳人，吳興太守卲子也。性整貴，風韻甚高，好讀玄書，兼屬文論，少有盛名。元嘉中，歷祕書丞、黃門侍郎、司徒左長史。父喪，毀瘠成疾，卒，年四十一。世祖即位，詔贈侍中。改所居爲孝張里。

《通志·藝文略》：《補謝靈運詩集》一百卷，宋張敷、袁淑補。

梁又有《詩集》百卷并例、錄二卷，顏峻撰，亡。

顏峻有集，見別集類宋代人文中。

《唐書·經籍志》：《詩集》一百卷，顏峻撰。《詩例錄》二卷，顏峻撰。

《唐書·藝文志》："顏峻《詩集》一百卷。"又文史類："顏峻《詩例錄》二卷。"

梁又有《詩集》四十卷，宋明帝撰，亡。

宋明帝有集，見別集類。

《唐書·經籍志》：《詩集新撰》三十卷，《詩集》二十卷，宋明帝撰。

《唐書·藝文志》：宋明帝《新撰詩集》三十卷，《詩集》二十卷。

梁又有《雜詩》七十九卷，江邃撰，亡。

　　《南史·江秉之傳》：秉之，濟陽考城人，宋元嘉中臨海太守。秉之宗人邃之，字玄遠，頗有文義。撰《文釋》傳於世，位司徒記室參軍。案《文釋》十卷，見《唐·藝文志》雜家，本志不著錄。

梁又有《雜詩》二十卷，宋太子洗馬劉和注，亡。

　　劉和始末未詳。馮氏《詩紀》有晉劉和妻王氏《正朝詩》，不知是否即此劉和。

　　《唐書·經籍志》：《詩集》二十卷，劉和撰。岑刊本作"謝和"，似因上文謝靈運寫誤。

　　《唐書·藝文志》：劉和《詩集》二十卷。

梁又有《二晉雜詩》二十卷，亡。

　　不著撰人。

梁又有《古今五言詩美文》五卷，荀綽撰，亡。

　　荀綽有《晉後略記》，見史部雜史類。

　　《通志·藝文略》：《古今五言詩美文》五卷，荀綽撰。

梁又有《詩鈔》十卷，亡。

　　不著撰人。

詩集鈔十卷　　謝靈運撰

　　謝靈運有《賦集》、《詩集》，並見前。

　　《唐書·經籍志》：《詩異鈔》十卷，謝靈運撰。一本作《集鈔》。

　　《唐書·藝文志》：謝靈運《詩集》五十卷，又《詩集鈔》十卷。

梁有《雜詩鈔》十卷，錄一卷，謝靈運撰，亡。

　　案此似即前條《詩集鈔》十卷之本，故《唐志》不別出。

古詩集九卷

　　不著撰人。

六代詩集鈔四卷

　　不著撰人。

　　《唐書·經籍志》：《六代詩集鈔》四卷，徐陵撰。一本誤作"凌"。

《唐書‧藝文志》：許凌《六代詩集鈔》四卷，徐陵《六代詩集鈔》四卷。

案《舊唐志》唯載徐陵一家，《新志》又別出許凌，似史駁文。徐陵有集，見別集類陳代人文中。

又案徐陵有《文府》十卷，見子部雜家。此殆從《文府》中析出別行者。

梁有《雜言詩鈔》五卷，謝朏撰，亡。

謝朏有集，見別集類梁代人文中。

詩英九卷　謝靈運集。梁十卷。

謝靈運有《賦集》、《詩集》、《詩集鈔》、《雜詩鈔》，並見前。

《唐書‧經籍志》：《詩英》十卷，謝靈運撰。

《唐書‧藝文志》：謝靈運《詩英》十卷。

案鍾嶸言：“謝客集詩，逢詩輒取，曾無品第。”疑出後人依託。此與《詩集鈔》、《雜詩鈔》似又後人從《詩集》五十卷中析出而仍題謝名者。

梁又有《文章英華》三十卷，梁昭明太子撰，亡。

昭明太子有《文選》，見前。

案《梁書》本傳云：“又撰古今典誥文言，爲《正序》十卷。五言詩之善者，爲《文章英華》二十卷。”案《正序》十卷，本志不見。《文章英華》即《詩苑英華》，別見於後。此似合《正序》、《詩苑》爲一編者。

今詩英八卷

不著撰人。

案此類從於昭明太子諸文中，似即《文章英華》之佚存本。

古今詩苑英華十九卷　梁昭明太子撰

昭明太子集《答湘東王求文集及詩苑英華書》曰：“得疏知須《詩苑英華》及諸文製，發函伸紙，閱覽無輟。往年因暇搜采英華，上下數十年間，未易詳悉，猶有遺恨，而其書已傳。雖未爲精覈，亦粗足諷覽。集乃不工，而並作多麗。汝既須之，皆遺送也。”

《南史》本傳：又撰五言詩之善者，爲《英華集》二十卷。

《唐書·經籍志》：《古今詩苑英華集》二十卷，梁昭明太子撰。

《唐書·藝文志》：梁昭明太子《古今詩苑英華》二十卷。

汪氏《文選理學權輿》曰：“選注所引群書有昭明太子《古今詩苑英華》。”

詩纘十三卷

不著撰人。

《唐書·經籍》、《藝文志》：《詩纘》十二卷。

衆詩英華一卷

不著撰人。

詩類六卷

不著撰人。

玉臺新詠十卷　徐陵撰

徐陵有《六代詩集鈔》，見前。

陵自序略曰：“往世名篇，當今巧製，分諸麟閣，散在鴻都。不藉篇章，無由披覽。於是然脂暝寫，弄筆晨書，撰録豔歌，凡爲十卷。曾無忝於雅頌，亦靡濫於風人。涇渭之間，若斯而已。”

《唐日本國見在書目》：《玉臺新詠集》十卷，徐瑗撰。“瑗”當爲“陵”。

《唐書·經籍志》：《玉臺新詠》十卷，徐陵撰。

《唐書·藝文志》：徐陵《玉臺新詠》十卷。《宋史·藝文志》同。

晁氏《讀書志》：《玉臺新詠》十卷，陳徐陵纂。唐李康成云：“昔陵在梁世，父子俱事東朝，特見優遇。時承平好文，雅尚宮體，故采西漢以來詞人所著樂府豔詩，以備諷覽，且爲之序。"

《四庫提要》曰："案唐劉肅《大唐新語》曰：'梁簡文爲太子，好作豔詩，境內化之，晚年欲改作，追之不及，乃令徐陵爲《玉臺集》以大其體。'據此，則是書作於梁時，故簡文稱'皇太子'，元帝稱'湘東王'。今本題陳尚書左僕射太子少傅東海徐陵撰，殆後人之所追改。其書前八卷爲自漢至梁五言詩，第九卷爲歌行，第十卷爲五言二韻之詩。雖皆取綺羅脂粉之詞，而去古未遠，猶有講於溫柔敦厚之遺，未可概以淫豔斥之。其中如曹植《棄婦篇》、庾信《七夕詩》，今本集皆失載，據此可補闕佚。又如馮惟訥《詩紀》載蘇伯玉妻《盤中詩》作漢人，據此知爲晉代。梅鼎祚《詩乘》載蘇武妻《答外詩》，據此知爲魏文帝作。古詩《西北有高樓》等九首，《文選》無名氏，據此知爲枚乘作。《飲馬長城行》，《文選》亦無名氏，據此知爲蔡邕作。其有資考證者，亦不一。"

又《簡明目錄》曰："《玉臺新咏》大抵皆緣情之作，而去古未遠，猶有溫柔敦厚之遺。或與韓偓《香奩集》並稱，殊非其比。或以爲選録女子之詩，則尤未睹而臆説矣。"

百志詩九卷　干寶撰。梁五卷。

干寶有《周易注》，見經部易類。

《唐書·經籍志》：《百志詩集》五卷，干寶撰。

《唐書·藝文志》：干寶《百志詩集》五卷。

《通志·藝文略》：《百志詩集》五卷，干寶集。

　　案《百志詩》大抵集古來言志之詩，如張茂先《勵志詩》之類。存録百家或百篇，以爲是集歟？原編五卷，隋九卷，後有所續歟？前人無説，莫能詳也。

梁又有《古游仙詩》一卷，亡。

不著撰人。新出常熟丁氏《補晉書藝文志》以爲應貞注，似誤讀此一條注文。

《文選》郭景純《游仙詩》注曰："凡游仙之篇,皆所以滓穢塵綱,錙銖纓紱,飡霞倒景,餌玉玄都。"

梁又有應貞注應璩《百一詩》八卷。亡。

應璩、應貞,並有集,見別集類魏晉人文中。

《文選·百一詩注》:《文章録》曰:"曹爽多違法度,璩爲詩以諷焉。"

《唐書·經籍志》:《百一詩》八卷,應璩撰。

《唐書·藝文志》:應璩《百一詩》八卷。

《通志·藝文略》:《百一詩》八卷,應璩集。

馮氏《詩紀·辨證篇》:《丹陽集》曰:"余觀楚國先賢,傳言汝南應璩作《百一詩》,譏切時事。及觀《文選》所載璩《百一篇》,略不及時事,何耶? 又觀郭茂倩《雜體詩》載《百一詩》五篇,皆璩所作,其末篇即《文選》所載第四篇,似有諷諫,所謂'苟欲娛耳目,快心樂腹腸,我躬不悦歡,安能慮死亡'。方是時,曹爽事多違法,而璩爲爽長史,切諫如此。而爽卒不悟,以及於禍。所謂百一者,庶幾百分有一補於爽也。或謂以百言爲一篇者,以字數而言也。或謂百者,數之終;一者,數之始,士有百行終始如一者,以士行而言也。然皆穿鑿之説,何足論哉! 後何遜亦有擬百一體,其詩一百十字,恐亦出於或者之説。然璩詩每篇字數各不同,第不過四十字爾。"

　案《百一詩》詳見本集條下。《文選注》引《晉陽秋》曰:"璩作五言詩百三十篇,言時事。"又引《今書七志》曰:"應璩集謂之新詩。"知其詩已編入本集。此因其子貞注本別行,故《七録》著於雜文類中。詳見篇末。貞所注百三十篇,大抵述其時事,故多至八卷。兩《唐志》不注"應貞注"字,固爲疏漏。《藝文略》云"應璩集"，以爲集他人之詩，則更失考矣。
百一之名，聚訟不已，要當以孫盛、李善之説爲據。此條文法
與前類郭璞注《子虚》、《上林賦》、薛綜注《二京賦》諸條相同，故知此八卷爲應貞
注本。丁氏《補晉書藝文志》以"應貞注"三字屬上文，謂應貞注《游仙詩》，似
不然。

梁又有《百一詩》二卷，晉蜀都太守李彪撰。亡。

《唐書·經籍志》：《百一詩集》二卷，李夔撰。

《唐書·藝文志》：李夔《百一詩集》二卷。

《通志·藝文略》：《百一詩》又二卷，李彪集。

案李彪、李夔史志記載不一，始末並未詳。此亦似注本，故
《七録》類從於應貞之次。《通志略》題李彪集，又以爲集他
人詩，恐未然也。

齊釋奠會詩一十卷　"一"當爲"二"。

不著撰人。

《初學記·禮部》：《夏小正》曰："二月丁亥，萬用入學。"丁亥
者，吉日也。萬者，干戚舞也。入學者，太學也。謂今時大舍
音釋。菜也。又有齊王儉《侍皇太子釋奠宴詩》。

《南齊書·禮志》：永明三年正月，詔立學，創立堂宇。有司
奏："宋元嘉舊事，學生到，先釋奠先聖先師；又有釋菜，未詳
今當行何禮？用何樂及禮器？"尚書令王儉議："中朝以來，釋
菜禮廢，今之所行，釋奠而已。宜設軒縣之樂，六佾之舞，牲
牢器用，悉依上公。"其冬，皇太子講《孝經》，親臨釋奠，車駕
幸聽。

又《武帝本紀》：永明三年冬十月壬戌，詔曰："皇太子長懋講
畢，當釋奠，王公已下可悉往觀禮。"案齊代太學釋奠始于此，是集大抵
亦是王文憲諸人所編上者也。

《唐書·經籍》、《藝文志》：《齊釋奠會詩集》二十卷。

齊讌會詩十七卷

不著撰人。

《南齊書》本紀：高帝建元元年九月戊申，車駕幸宣武堂宴會，詔諸王公以下賦詩。二年三月己亥，車駕幸樂游苑宴，王公已下賦詩。

又《王融傳》：永明九年，上幸芳林園，禊宴朝臣，使融爲《曲水詩序》，文藻富麗，當世稱之。

《文選》王元長《三月三日曲水詩序》末曰："有詔曰：'今日嘉會，咸可賦詩。'凡四十有五人，其辭云爾。"案齊代宴會諸詩，唯此一集爲最著。

青溪詩三十卷　齊讌會作

不著撰人。

《南齊書·武帝本紀》：永明元年春正月甲子，爲築青溪舊宮，詔槳仗瞻履。二年秋七月癸未，詔曰："夫樂所自生，先哲垂誥，禮不忘本，積代同風。是以漢光遲同於南陽，魏文殷勤於譙國。青溪宮體天含暉，則地栖寶，光定靈源，允集符命。在昔期運初開，經綸方遠，繕築之勞，我則未暇。時流事往，永惟哽咽。朕以寡薄，嗣奉鴻基，思存締構，式表王迹。考星創制，揆日興功，子來告畢，規模昭備。宜申釁落之禮，以暢感慰之懷，可克日小會。"八月丙午，車駕幸舊宮小會，設金石樂，在位者賦詩。詔申京師獄及三署見徒，量所降宥。領宮職司，詳賜幣帛。

又《五行志》：世祖起青溪舊宮，時人反之曰："舊宮者，窮廄也。"及上崩後，宮人出居之。《梁書·南平元襄王偉傳》：齊世青溪宮改爲芳林苑。天監初，賜偉爲第。偉又加穿築，命從事中郎蕭子範爲之記。梁世藩邸之盛，無以過焉。

《唐書·經籍志》：《清溪集》三十卷，齊武帝命撰。

《唐書·藝文志》:《清溪集》三十卷,齊武帝敕撰。

梁有魏、晉、宋《雜祖餞讌會詩集》二十一部,一百四十三卷,亡。今略其數。

並不著撰人。

案《唐·經籍志》有《晉元正宴會詩集》四卷,伏滔、袁豹、謝靈運等撰。《宋元嘉西池宴會詩集》三卷,顏延之撰。《元嘉宴會游山詩集》五卷,不著撰人。此三部即二十一部中之佚存者。本志於《七録》亡書皆附著於行間,此蓋不勝其繁,故略其數,以前史部舊事、職官、儀注、刑法、雜傳、譜系、簿録諸篇,校以《七録·叙目》,實已有此例,而未明著於其間,至是始發其凡如此。

西府新文十一卷并録　梁蕭淑撰

《梁書·蕭介傳》:介,蘭陵人。中大同二年,以侍中都官尚書,辭疾致事,拜光禄大夫。性高簡,少交游,惟與族兄琛、從兄眹素及洽、從弟淑等文酒賞會,時人以比謝氏烏衣之游。

《顏氏家訓·文章篇》:"吾家世文章,甚爲典正,不從流俗。梁孝元在蕃邸時,撰《西府新文紀》,無一篇見録者,亦以不偶于世,無鄭、衛之音故也。"江陰趙曦明注曰:"《隋書·經籍志》:《西府新文》十一卷并録,梁蕭淑撰。案《金樓子·著書篇》所載諸書有自撰者,有使顏協、劉緩、蕭賁諸人撰者,此書當亦元帝所使爲之。"案顏氏稱家世文章,不見録于《西府新文紀》者,即謂其父協。見《梁書·文學傳》:"協自釋褐至大同五年卒,始終在湘東蕃邸云。"

《唐書·經籍志》:《西府新文》十卷,蕭淑撰。

《唐書·藝文志》:蕭淑《西府新文》十卷。

錢氏《隋書考異》曰:"《經籍志》《西府新文》十一卷,梁蕭淑撰。案《顏氏家訓·文章篇》,梁元帝在蕃時撰《西府新文紀》。《志》云蕭淑者,當是元帝慕僚,奉命撰集者。"

百國詩四十三卷

不著撰人。

《魏書》《北史·列傳》：崔光，清河人，本名孝伯，字長仁，孝文賜名焉。太和六年，拜中書博士，累遷特進，車騎大將軍，進司徒，太保。歷仕孝文、宣武、孝明，賜爵朝陽子，進爲侯，封博平縣公。靈太后臨朝，更封爲赤平恩縣侯。正光四年卒，年七十三。謚曰文宣。初，光太和中依宮、商、角、徵、羽本音而爲五韻詩，以贈李彪，彪爲十二次詩以報光。光又爲百三郡國詩以答之，國別爲卷，爲百三卷焉。案此則百三郡國詩爲崔氏自作，不知本志何以編入總集。蓋依仿《七錄》雜文之類也。

《唐書·經籍志》：《百國詩集》二十九卷，崔光撰。

《唐書·藝文志》：崔光《百國詩集》二十九卷。

文林館詩府八卷　後齊文林館作

《北齊書·後主本紀》："武平四年二月景午，置文林館。"又曰："帝幼而令善，及長，頗學綴文，置文林館引諸文士焉。"又《文苑傳》序：祖珽輔政，說後主屬意斯文。三年，珽奏立文林館，于是更召引文學士，謂之待詔文林館焉。珽又奏撰《御覽》，詔珽及魏收、徐之才、崔劼、張雕、陽休之監撰。珽等奏追韋道孫、陸乂、王劭、李孝基、魏澹、劉仲威、袁奭、朱才、睦道閑、崔子樞、薛道衡、盧思道、崔德、諸葛漢、鄭公超、鄭子信等入館撰書，并敕蕭放、蕭愨、顔之推、王孝式等同撰。復令封孝琰、鄭元禮、杜臺卿、王訓、羊肅、馬元熙、劉珉、李師正、溫君悠入館，亦令撰書。復命崔季舒、劉逖、李孝貞、李德林續入待詔。尋又諸人各舉所知，又有李壽、魏騫、蕭漑、陸仁惠、江旰、辛德源、陸開明、封孝騫、張德沖、高行恭、古道子、劉顗、崔德儒、李元楷、陽師孝、劉儒行、陽辟疆、盧公順、周子深、王友伯、崔君洽、魏師騫並入館待詔。又敕右僕射段孝言亦入焉。《御覽》成後,所撰録人亦有不時待詔,付所司處分者。凡此諸人,亦有文學膚淺,附會親識,妄相推薦者十三四焉。雖然,當時操筆之徒,搜求略盡。其外如廣平宋孝王、信都劉善經輩三數人,論其才性,入館諸賢亦十三四不逮之也。待詔文林,亦是一時盛事,故存録其姓名。案自祖珽以迄段孝言,凡六十有二人。

《唐書・經籍》、《藝文志》:《文林詩府》六卷,北齊後主作。

詩評三卷,鍾嶸撰。或曰《詩品》。

《梁書・文學傳》:鍾嶸字仲偉,潁川長社人,晉侍中雅七世孫也。父蹈,齊中軍參軍。鍾雅、鍾蹈並有集,見別集類。嶸與兄岏、弟嶼並好學,有思理。仕齊,入梁,至西中郎晉安王記室,卒官。嶸嘗品古今五言詩,論其優劣,名爲《詩評》。

《南史・文學傳》:嶸嘗求譽於沈約,約拒之。及約卒,嶸品古今詩爲評,言其優劣,云:“觀休文衆製,五言最優。齊永明中,相王愛文,王元長等皆宗附約。于時謝朓未遒,江淹才盡,范雲名級又微,故稱獨步。故當辭密于范,意淺于江。”蓋追宿恨,以此報約也。

《唐書・藝文志》文史類:鍾嶸《詩評》三卷。

《宋史・藝文志》文史類:鍾嶸《詩評》一卷。

《崇文總目》文史類:鍾嶸《詩品》三卷。

趙希弁《讀書附志》別集類:《詩品》三卷,梁征遠記室參軍鍾嶸撰。字仲緯。《南史》有傳。

陳氏《書録》文史類:《詩品》三卷,梁記室參軍潁川鍾嶸仲偉撰。以古今作者爲三品而評之,上品十一人,中品三十九人,下品六十九人。

《四庫》詩文評類提要曰:“嶸學通《周易》,詞藻兼長。所品古今五言詩,自漢、魏以來一百有三人,論其優劣,分爲上、中、下三品。每品之首，各冠以序。皆妙達文理，可與《文心雕龍》並稱。近時王士禎極論其品題之間，多所違失。然梁代迄今，邈踰千祀，遺篇舊製，什九不存，未可以掇拾殘文，定當日全集之優劣。惟其論某人源出某人，若一一親見其師承者，則不免附會耳。史稱嶸求譽于沈約，約弗爲獎借。故嶸怨之，列約中品。案約詩列之中品，未爲排抑。惟序中深詆聲律之學，謂'蜂腰鶴膝，僕病未能；雙聲疊韻，里俗已具'，是則攻擊約說，顯然可見，言亦不盡無因也。"

古樂府八卷

不著撰人。

《漢書·藝文志》：自孝武立樂府而采歌謠，於是有趙代之謳，秦楚之風，皆感於哀樂，緣事而發，亦可以觀風俗，知厚薄云。

《宋書·樂志》：凡樂章古辭，今之存者，並漢世街陌謠謳，《江南可采蓮》、《烏生十五子》、《白頭吟》之屬是也。

《文選·古樂府》注曰："漢武定郊祀而立樂府。"

　案後文既有樂府歌詩自爲一類，則此八卷當列後與彼爲伍。

文會詩三卷　陳仁威記室徐伯陽撰

《陳書》、《南史·文學傳》：徐伯陽字隱忍，東海人也。父僧權，梁東宮通事舍人。僧權預修《華林遍略》，見子部雜家。伯陽敏而好學。梁大同中，爲侯官令。陳天嘉中，除司空侯安都府記室參軍。太建初，與中記室李爽、記室張正見、左戶郎賀徹、學士阮卓、黃門郎蕭詮、三公郎王由禮、處士馬樞、記室祖孫登、比部郎賀循、長史劉刪等爲文會友，後有蔡凝、劉助、陳暄、孔範亦預焉。皆一時士也。游宴賦詩，勒成卷軸，伯陽爲其集序，盛傳於世。伯陽後歷鎮右新安府諮議參軍。十三年卒，年六十六。

《陳書·侯安都傳》：安都工隸書，能鼓琴，涉獵書傳，爲五言詩,亦頗清靡。世祖即位,遷司空。自王琳平後,安都勳庸轉大,自以功安社稷,漸用驕矜,數招聚文武之士,或射馭馳騁,或命以詩賦,第其高下,以差次賞賜之。文士則褚介、馬樞、陰鑑、張正見、徐伯陽、劉删、祖孫登,武士則蕭摩訶、裴子烈等,並爲之賓客。案《文帝本紀》:"天嘉四年六月癸巳,司空侯安都賜死。"後六年,始爲宣帝太建元年,徐爲文會詩在司空記室之後。又侯安都爲仁威將軍,在梁敬帝紹泰元年入陳之後,累加號至征北大將軍。此題仁威記室,本傳不具,當亦在太建中。

《唐書·經籍志》:《文會詩集》四卷,徐伯陽撰。

《唐書·藝文志》:徐伯陽《文會詩集》四卷。

張氏《百三家·張正見集》題詞有曰:"東海徐隱忍,在陳太建時,與名士十餘人游宴賦詩,動成卷軸,集而叙之。至今稱文會者,輒頌侯司空諸記室云。隱忍詩不多見,惟《日出東南隅行》與《游鍾山開善寺》二詩,盛行世間。餘客詩文少,傳其最多者,則推清河張見賾云。"

五岳七星迴文詩一卷

不著撰人。

案後文樂府歌詩類中,引梁有《迴文詩》三部,若移列於此書之後,與下雜詩圖相類從,則有倫有叙矣。

梁有雜詩圖一卷亡。

不著撰人。

案畫家有詩圖,如後漢劉褒有《北風圖》、《雲漢圖》。見於張氏《名畫記》者不一其人。詩家亦有詩圖,如唐張爲《主客圖》、宋高似孫《文選摘句圖》。而古今所豔稱者,則莫如《迴文織錦圖》。此一卷次《迴文詩》後,大抵亦是其類。

毛伯成詩一卷。伯成,東晉征西將軍。"將軍"當爲"參軍"。

毛伯成有集一卷,見別集類東晉人中。

案此與別集類之一卷不知是一是二,或毛集多寄存他人詩,亦有似乎總集歟？

春秋寶藏詩四卷　張胐撰

張胐始末未詳。

江淹擬古一卷　羅潛注

羅潛始末未詳。江淹有集,見別集類梁代人文中。

《文選》江文通《雜體詩》三十首序曰:"關西、鄴下,既已罕同;河外、江南,頗爲異法。今作三十首詩,斅其文體,雖不足品藻淵流,庶亦無乖商搉。"

案本志編次之例,以圖譜之屬殿每類之末,此類已録至《迴文詩》及《雜詩圖》,則亦已畢訖。而又別出此三部,何也?蓋梁代書目之外爲見存書目所有者,遂節次鈔入,不復計及,自亂其例也。

以上總集詩之屬及注解評論圖譜,凡二十五部,附梁有三十六部。內略去二十一部。爲第五類。

樂府歌辭鈔一卷

不著撰人。《唐·藝文志》樂類有鄭譯《樂府歌辭》八卷,此或鈔節其書。

歌録十卷

不著撰人。

《唐書·經籍》、《藝文志》:《歌録集》八卷。

汪氏《文選理學權輿》曰:"《文選注》引群書有《歌録集》。"案宋郭茂倩《樂府詩集》亦數引之。

古歌録鈔二卷

不著撰人。

晉歌章八卷。梁十卷

不著撰人。

吳聲歌辭曲一卷。梁二卷

不著撰人。

《宋書·樂志》曰：“吳歌雜曲並出江東。晉、宋以來稍有增廣。”

又曰：“楊泓《拂舞序》曰：‘自到江南，見《白符舞》，或言《白鳧鳩舞》，云有此來數十年。察其詞旨，乃是吳人患孫晧虐政，思屬晉也。又有《白紵舞》，案舞有巾袍之言，紵本吳地所出，宜是吳舞也。’”

梁又有《樂府歌詩》二十卷，秦伯文撰。亡。

秦伯文始末未詳。

梁又有《樂府歌詩》十二卷，亡。

不著撰人。《舊唐志》有《新撰録樂府集》十一卷，謝靈運撰。《藝文志》樂類同，疑即此。

梁又有《樂府三校歌詩》十卷，亡。

不著撰人。《舊唐志》有《樂府歌詩》十卷，亦無撰人，似即此。《新志》樂類有《翟子樂府歌詩》十卷，或亦即此。

案“三校”未詳，疑是“三調”之異名。《通志略》“樂府”作“皇府”，似誤。

梁又有《樂府歌辭》九卷，亡。

不著撰人。《舊唐志》有《樂府歌詞》十卷，亦無撰人，似即此。

梁又有《太樂歌詩》八卷，《歌辭》四卷，張永記，亡。

張永有集，見別集類宋人文中。

《南史》本傳：永曉音律，太極殿前鍾聲嘶，孝武嘗以問永。永答鍾有銅滓，乃扣鍾求其處，鑿而去之，聲遂清越。

案張永別有《元嘉正聲伎録略》，見經部樂類。疑此從《伎録》中鈔出者。

梁又有《魏讌樂歌辭》七卷，亡。

不著撰人。

梁又有《晉歌章》十卷，亡。

不著撰人。

案前已著録《晉歌章》八卷，注云梁十卷。此似即十卷之本。審是，則前後兩見。又似前所見者是《七録》，此所見乃《七録》外梁有別家書目也。

梁又有《晉歌詩》十八卷，《晉讌樂歌辭》十卷，荀勖撰，亡。

荀勖有《晉中經》，見史部簿録類。

《晉書》本傳：勖既掌樂事，又修律吕，並行於世。初，勖於路逢趙賈人牛鐸，識其聲。及掌樂，音韻未調，乃曰："得趙之牛鐸則諧矣。"遂下郡國，悉送牛鐸，果得諧者。舉世伏其明識。

《宋書·樂志》："晉武太始五年，尚書奏使太僕傅玄、中書監荀勖、黄門侍郎張華各造正旦行禮及王公上壽酒食舉樂歌詩。詔又使成公綏亦作。荀勖表曰：'魏氏哥詩，或二言，或三言，或四言，或五言，與古詩不類。'以問司律中郎將陳頎，頎曰：'被之金石，未必皆當。'故勖造晉歌，皆爲四言，唯公王上壽酒一篇爲三言五言。九年，勖典知樂事，使郭夏、宋識等造《正德》、《大豫》之舞，而勖及傅玄、張華又各造此舞歌詩。"又曰："清商三調歌詩，荀勖撰舊詞施用者。"

《唐書·經籍志》：《太樂雜歌詞》三卷，荀勖撰。《太樂歌詞》二卷。《樂府歌詩》十卷。

《唐書·藝文志》樂類：荀勖《太樂雜歌辭》三卷。又《太樂歌辭》二卷，《樂府歌詩》十卷。

梁又有《宋太始祭高禖歌辭》十一卷，亡。

不著撰人。

案太始，宋明帝年號。明帝有集，見別集類。高禖，祀典，見《續漢書·禮儀志》。太始祭高禖故事，則無由考見矣。

梁又有《齊三調雅辭》五卷，亡。

不著撰人。

《宋書·樂志》曰："凡諸曲，始皆徒哥，既而被之絃管。又因有絃管金石,造哥以被之,魏世三調哥辭之類是也。"_{案三調起于}魏之三祖。

又曰:"清商三調哥詩,曰平調,曰清調,曰瑟調。"_{案瑟調亦云}側調。

梁又有《古今九代歌詩》七卷,張湛撰,亡。

張湛有《列子注》,見子部道家。

案古今九代者,大都是唐、虞、夏、商、周、秦、漢、魏、晉也。

梁又有《三調相和歌辭》五卷,亡。

不著撰人。

《宋書·樂志》曰:"《但歌》四曲,出自漢世,無弦節,作伎,最先一人倡,三人和。魏武帝尤好之。時有宋容華者,清澈好聲,善唱此曲,當時特妙。自晉以來,不復傳,遂絕。《相和》,漢舊歌也。絲竹更相和,執節者歌。本一部,魏明帝分爲二。本十七曲,朱生、宋識、列和等復合之爲十三曲。"_{案三調見前。}《相和》似即《但歌》之遞變,故《宋志》首言《但歌》,次言《相和》。

《唐書·經籍志》:《三調相和歌辭》三卷。_{岑刊本誤作"相如"。}

《唐書·藝文志》樂類:翟子《樂府歌詩》十卷,又《三調相和歌辭》五卷。_{案翟子,不知何人,似有敓文。}

案此蓋以《三調》及《相和》兩種歌辭合錄爲一編者。

梁又有《三調詩吟錄》六卷,亡。

不著撰人。

梁又有《奏鞞鐸舞曲》二卷,亡。

不著撰人。

《宋書·樂志》曰:"《鞞舞》,未詳所起,然漢代已施於燕享矣。傅毅、張衡所賦,皆其事也。曹植《鞞舞歌序》曰:'漢靈帝《西園故事》,有李堅者,能《鞞舞》。遭亂,西隨段煨。先帝聞其舊有伎,召之。堅既中廢,兼古曲多謬誤,異代之文,未必相

襲，故依前曲改作新哥五篇。不敢充之黃門，近以成下國之
陋樂焉。'晉《鞞舞歌》亦五篇。"又曰："《鞞舞》，即今之《鞞扇
舞》也。孝武大明中，以《鞞》、《拂》、雜舞合之鍾石，施於殿
庭。"又《隋書·樂志》："牛弘曰：'《鞞舞》，漢巴、渝舞也。至章帝造《鞞舞辭》。'"
又曰："樂器凡八音，一曰金。金，鐘也，鎛也，錞也，鐲也，鐃
也，鐸也。鐸，大鈴也。《周禮》：'以金鐸通鼓。'"又曰："晉
《鐸舞歌》一篇，《幡舞哥》一篇，《鼓舞伎》六曲，並陳于元會。"

  案《隋書·音樂志》云："牛弘請存《鞞》、《鐸》、《巾》、《拂》等
  四舞，稱'四舞，漢、魏以來，並施於宴饗'。又曰：'此雖非
  正樂，亦前代舊聲。'故梁武報沈約云：'《鞞》、《鐸》、《巾》、
  《拂》，古之遺風。'"此二卷，蓋古四舞中之二，特未詳《鐸
  舞》之所由起。

梁又有《管絃録》一卷，亡。

  不著撰人。

梁又有《伎録》一卷，亡。

  不著撰人。

  案宋郭茂倩《樂府詩集》稱《古今樂録》引王僧虔《伎録》至
  多，輯之猶可成卷。此一卷或即王僧虔書。《古今樂録》，陳沙門
  智匠撰，見樂類。

梁又有《太樂備問鍾鐸律奏舞歌》四卷，郝生撰，亡。

  郝生始末未詳。

  案《宋書·樂志》云："魏、晉之世，有孫氏善弘舊曲，宋識善
  擊節倡和，陳左善清歌，列和善吹笛，郝索善彈箏，朱生善
  琵琶，尤發新聲。傅玄著書曰：'人若欽所聞而忽所見，不
  亦惑乎！設此六人生於上世，越古今而無儷，何但夔、牙同
  契哉！'案此説，則自茲以後，皆孫、朱等之遺則也。"案傅、
  沈兩家推重此六人如此，而六人所著不概見。此郝生者或

即郝索其人歟？

梁又有《迴文集》十卷，謝靈運撰，亡。

謝靈運有《賦集》、《詩集》、《詩集鈔》、《雜詩鈔》、《詩英》，並見前。

《唐書·經籍志》：“《迴文詩集》一卷，謝靈運撰。”

《唐書·藝文志》：“謝靈運《迴文詩集》一卷。”

梁又有《迴文詩》八卷，亡。

不著撰人。

《困學紀聞·評詩篇》：“《詩苑類格》謂囬文出於竇滔妻所作。

《文心雕龍》云：‘囬文所興，則道原爲始。’又傅咸有《囬文反覆詩》，溫嶠有《囬文詩》，皆在竇妻前。”閻若璩箋曰：“道原不可考。”

梁又有《織錦迴文詩》一卷，苻堅秦州刺史竇氏妻蘇氏作，亡。

《晉書·列女傳》竇滔妻蘇氏，始平人也，名蕙，字若蘭，善屬文。滔苻堅時爲秦州刺史，被徙流沙。蘇氏思之，織錦爲迴文旋圖詩以贈滔。宛轉循環以讀之，詞甚悽惋。凡八百四十字，文多不録。

《文選》江文通《別賦》注：《織錦迴文詩序》曰：“竇韜秦州被徙沙漠。其妻蘇氏。秦州臨去別蘇，誓不更娶，至沙漠，便娶婦。蘇氏織錦端中，作此迴文以贈之。符國時人也。”

唐如意元年《大周天册金輪皇帝御製織錦迴文記》曰：“前秦苻堅時，撫風竇滔妻蘇氏名蕙字若蘭，以滔鎮襄陽絶蘇氏音問，蘇氏因織錦爲迴文，五彩相宣，縱廣八寸，題詩二百餘首，計八百餘言，縱橫反覆，皆成章句。”

宋黃伯思《東觀餘論》曰：“蘇蕙《織錦迴文詩》所傳舊矣，故少常沈公復傳其畫。由是若蘭之才益著。然其詩囬旋書之，讀者惟曉外繞七言，至其中方，則漫弗可考矣。若沈公之博古，亦謂辭句脫略，讀之成文，殊不知此詩纔成本五色相宣，因以別三、四、五、七言之異。後人流傳不復施采，故迷其句讀，非辭句之敓略也。政和初，予在洛陽，於晉玉許得唐申誠所釋，而後曉然。是時，初不舛脫，蓋沈公未嘗見此本耳。"

《四庫提要》別集類：《璇璣圖詩讀法》一卷，明康萬民撰。蘇蕙織錦迴文，古今傳爲佳話。唐申誠嘗作釋文，今不傳。宋、元間有僧起宗者，以意推求，得三、四、五、六、七言詩三千七百五十二首，分爲七圖。萬民更爲尋繹，又於第三圖內增立一圖，併增讀其詩，至四千二百六首。合起宗所讀，共成七千九百五十八首，合兩家之圖，輯爲此編。夫但求協韻成句，而不問義之如何。輾轉鉤連，旁行斜上，原可愈增愈多。然必以爲若蘭本意如斯，則未之能信。存以爲藝林之玩可矣。

　　案此迴文集三家，在梁代書目自爲一類，而乃雜置之樂府歌詩類中，又不與前五岳七星迴文詩爲伍，蓋當屬稿之時，唯取諸家書目節節鈔入，於前後流別部居未嘗措意及之也。

梁又有《頌集》二十卷，王僧綽撰。《木連理頌》二卷，晉太元十九年群臣上。

　　案此兩書前已附注於《靖恭堂頌》一卷條下，此復重出，豈前所云梁有爲《七錄》，此梁有又一《七錄》歟？是亦足證注梁有者，不盡《七錄》一書也。蓋梁有書目有以頌一類列《封禪文》之後者，如前所載是也。又有列於《迴文詩》之後者，則此所載是也。諸家部居不一律，故本志鈔取亦兩歧。

梁又有鼓吹、清商、樂府、讌樂、高禖、鞞、鐸等《歌辭舞錄》凡十部。

　　並不著撰人。

　　案《唐·經籍志》有《漢魏吳晉鼓吹曲》四卷，《藝文志》樂類同,亦皆不著名字,似即此十部之一。又前注:"梁有《魏晉宋雜祖餞讌會詩》二十一部,凡若干卷,今略其數。"此與前同例,并卷數亦從其略焉。

又案此綜録十部爲一條,似亦據梁有別家書目也。蓋別目亦有以樂舞歌詩次頌集之後者,故本志亦依其次而連屬之。

陳郊廟歌辭三卷并録　徐陵撰

徐陵有集,見別集類陳代人文中。

樂府新歌十卷　秦王記室崔子發撰

崔子發有《齊記》,見史部古史類。

樂府新歌二卷　秦王司馬殷僧首撰

《陳書·孝行傳》:殷不害字長卿,陳郡長平人。仕梁武帝、簡文帝、元帝。江陵陷,與王褒、庾信俱入長安。太建七年,自周還朝。後主即位,至給事中。初,不害之還也,留其長子僧首,因居關中。禎明三年,京師陷,僧首來迎,不害道病卒。

案此題秦王司馬者,其後入隋爲秦孝王俊寮屬。俊,隋文帝第三子也。俊于伐陳之役爲山南道行軍元帥,後爲揚州總管四十四州諸軍事,轉并州總管三十四州諸軍事,頗有令聞。僧首爲司馬,當在其時。

以上總集樂府歌曲之屬,凡八部,附梁有二十九部,內略去十部。又雜出迴文詩一類,三部重出,頌集二部。爲第六類。

古今箴銘集十四卷　張湛撰　録一卷

張湛有《古今九代歌詩》,見前。

《唐書·經籍志》:《古今箴銘集》十三卷,張湛撰。

《唐書·藝文志》:張湛《古今箴銘集》十三卷。

梁有《箴集》十六卷,亡。

不著撰人。

梁有《雜誡箴》二十四卷,亡。

不著撰人。

《唐書·經籍》、《藝文志》:《雜戒箴》二十四卷,亡。

梁有《女箴》一卷,亡。

不著撰人。

梁有《女史箴圖》一卷,亡。

不著撰人。

> 案《文選》張茂先《女史箴》注:"曹嘉之《晉紀》曰:'張華懼
> 后族之盛,作《女史箴》。'"又《藝文類聚·后妃門》有後漢
> 皇甫規《女師箴》、晉裴頠《女史箴》,此圖大抵爲張茂先之
> 箴而作。

梁又有《銘集》十一卷,亡。

不著撰人。

梁又有陸少玄撰《佛像雜銘》十三卷。亡。

《南史·張率傳》:時陸少玄家有父澄書萬餘卷,率與少玄善,
遂通書籍,盡讀其書。<small>案陸澄有《漢書注》,見史部正史類。少玄,他始末不概見。</small>

梁又有釋僧祐撰《箴器雜銘》五卷,亡。

僧祐有《薩婆多部傳》,見史部雜傳類。

> 以上總集箴銘之屬一部,附梁有七部,爲第七類。

衆賢誡集十卷。殘缺。

詳見子部儒家,此重出。儒家載十三卷,此十卷,故云殘缺。

梁有《誡林》三卷,綦母邃撰,亡。

綦母邃有《二京賦音》、《三都賦注》,並見前。

《唐書·經籍志》儒家:《誡林》三卷,綦母氏撰。

《唐書·藝文志》儒家:綦母氏《誡林》三卷。

梁有《四帝誡》三卷,王誕撰。亡。

王誕有集,見別集類東晉人文中。

梁有《雜家誡》七卷，亡。

梁有《諸家雜誡》九卷，亡。

梁有《集誡》二十二卷，亡。

並不著撰人。

諸葛武侯誡一卷

詳見子部儒家，云二卷。

女誡一卷

不著撰人。

嚴氏《全三國文編》曰：“諸葛武侯有《集誡》一卷，《女誡》一卷。”

案嚴氏謂武侯有《女誡》一卷，即據本志此條也。審是，疑即《集誡》之第二卷。《唐·藝文志》傳記類有諸葛亮《貞潔記》一卷，或即此書。又武侯之前有杜篤、荀爽、蔡邕皆有《女誡》，此或裒錄諸家爲一編。

女誡一卷　曹大家撰

詳見子部儒家。此重也。

女鑒一卷

詳見子部儒家。此重出。

梁有《女訓》十六卷，亡。

不著撰人。

《晉書·賈充傳》：充前妻李氏，淑美有才行，作《女訓》，行於世。

《世説·賢媛篇》：“賈充前婦，是李豐女。作《女訓》，行於世。”注：《婦人集》曰：“李氏名婉，字淑。父豐，誅徙樂浪。”又曰：“李氏至樂浪，遺二女《典式》八篇。”《晉諸公贊》曰：“李氏有才德，世稱‘李夫人訓’者。”

《唐書·經籍志》：《女訓集》六卷。岑刊本誤作“文訓集”。

《唐書·藝文志》傳記類：《女訓集》六卷。

案此十六卷或即《典式》八篇之上下。或不止李氏一家之訓。

又兩《唐志》皆六卷，或此衍"十"字。

婦人訓誡集十一卷并錄。梁十卷。宋司空徐湛之撰

娣姒訓一卷　馮少冑撰

貞順志一卷

並詳見子部儒家。此重出。

以上總集誡訓之屬八部，附梁有六部，爲第八類。

讚集五卷　謝莊撰

謝莊有集，見別集類宋代人文中。

《唐書·經籍志》：《讚集》五卷，謝莊撰。

《唐書·藝文志》：謝莊《讚集》五卷。

書讚五卷　漢明帝殿閣畫　魏陳思王讚。梁五十卷。

魏陳思王《畫讚序》曰："蓋畫者，鳥書之流也。昔明德馬后，美於色，厚於德，帝用嘉之，嘗從觀畫。過虞舜之像見娥皇女英，帝指戲后曰：'恨不得如此人爲妃。'又前見唐堯之像，后指堯曰：'嗟乎，群臣百僚恨不得戴君如是！'帝顧而咨嗟焉。故夫畫所見多矣。上形太極混元之前，卻列將來未形之事。"

又曰："觀畫者，見三皇五帝，莫不仰戴；見三季暴主，莫不悲惋；見篡臣賊嗣，莫不切齒；見高節妙士，莫不忘食；見忠節死難，莫不抗首；見放臣斥子，莫不歎息；見淫夫妬婦，莫不側目；見令妃順后，莫不嘉貴。是知存乎鑒戒者，圖畫也。"

張彥遠《歷代名畫記》叙畫之源流曰："圖畫者，有國之鴻寶，理亂之紀綱。是以漢明帝宮殿，贊茲粉繪之功；蜀都學堂，義存勸戒之道。馬后女子，尚願戴君于唐堯；石勒羯胡，猶觀自古之忠孝。"又叙畫之興廢曰："漢武創置祕閣，以聚圖書；漢明雅好丹青，別開畫室。"

又述古之祕畫珍圖曰："《漢明帝畫宮圖》五十卷，第一起庖犧，五十雜畫贊。漢明帝雅好畫圖，別立畫官，詔博洽之士班固、賈逵輩，取諸經史事，命尚方畫工圖畫，謂之畫贊。至陳思王曹植爲贊傳。”

《唐書・經籍》史部雜傳類：《畫贊》五十卷，漢明帝撰。

《唐・藝文志》史部傳記類：漢明帝《畫贊》五十卷。

嚴氏《全三國文編》曰：“《藝文類聚》、《太平御覽》及《名畫記》引曹植《畫贊序》。《初學記》、《類聚》、《御覽》引曹植《畫贊》文，自庖犧以迄班婕妤，凡三十一條。”

　　案《初學記・職官部》：“蔡質《漢官典職》曰：‘尚書奏事于明光殿，省中畫古烈士，重行書贊。’”是即殿閣畫之一處。蓋每圖有贊，故曰畫贊。班、賈諸儒所作也。至陳思王別爲之贊，贊後而係以小傳，略如《華陽國志・諸郡士女贊》之體。《名畫記》稱贊傳者，或以此夫？

梁又有《誄集》十三卷，謝莊撰，亡。

謝莊有《贊集》，見前。

　　以上總集贊文之屬二部，附梁有誄文一部。爲第九類。

七集十卷　謝靈運撰

謝靈運有《賦集》、《詩集》、《詩集鈔》、《雜詩鈔》、《詩英》、《迴文集》，並見前。

《唐書・藝文志》：謝靈運《七集》十卷。

七林十卷。梁十二卷。　錄二卷　卞景撰

卞景始末未詳。

《唐書・經籍志》：《七林集》十二卷，卞氏撰。

《唐書・藝文志》：卞氏《七林集》十二卷。

梁又有《七林》三十卷，音一卷，亡。

不著撰人。

　　案《太平御覽・文部》引傅玄《七謨序》，末云：“傅子集古今七篇品之,署曰《七林》。"是傅子有《七林》之集,在謝客之前,疑即是書。其《音》一卷,不知何人作。

七悟一卷　顏之推撰

顏之推有《訓俗文字略》,見經部小學家。

《唐書·經籍志》:《七悟集》一卷,顏延之撰。"延之"當爲"之推"。

《唐書·藝文志》:顏之推《七悟集》一卷。

案《北齊書·文苑傳》載有文三十卷,《隋》、《唐志》皆不著。傳載其《觀我生賦》自爲之注,述其生平甚悉。《書録解題》有《稽聖賦》三卷,擬天問而作,其孫師古注。《中興書目》稱李淳風注,今不傳。此《七悟》一卷,《唐志》作《七悟集》,不知爲自撰、爲集録也。以上總集七篇之屬,《御覽·文部》目曰七辭。凡三部,附梁有一部,爲第十類。

梁有《弔文集》六卷,録一卷,亡。

梁有《弔文》二卷,亡。

並不著撰人。

碑集二十九卷

雜碑集二十九卷

雜碑集二十二卷

並不著撰人。

《唐書·經籍》、《藝文志》:《雜碑文》二十卷。

梁有《碑集》十卷,謝莊撰,亡。

謝莊有《贊集》、《誄集》,並見前。

梁有《釋氏碑文》三十卷,梁元帝撰,亡。

梁元帝有《漢書注》,見史部正史類。

《廣弘明集》:梁元帝《内典碑銘集林序》曰:"予幼好雕蟲,長而彌篤,游心釋典,寓目詞林,頃常搜聚,有懷著述。譬諸法海,無讓波瀾;亦等須彌,同歸一色。故不擇高卑,唯能是與。

倘未詳悉,隨而足之。名爲《内典碑銘集林》,合三十卷:庶
將來君子,或裨觀覽焉。"

《南史·隱逸·阮孝緒傳》:湘東王著《忠臣傳》,集釋氏碑銘、
《丹陽尹録》、《研神記》,並先簡孝緒而後施行。案《忠臣傳》、《丹陽
尹傳》、《研神記》,並見史部雜傳家。

案《金樓子·著書篇》:"《碑集》十秩百卷,付蘭陵蕭賁撰。"

蓋其後所撰集。此三十卷或亦合并百卷中。

梁有《雜碑》二十二卷,《碑文》十五卷,晉將作大匠陳勰撰,亡。

陳勰始末未詳。

梁有《碑文》十卷,車灌撰,亡。

車灌有《修復山陵故事》,見史部舊事類。

梁又有《羊祜墮淚碑》一卷,亡。

《晉書·羊祜傳》:祜卒,吳守邊將士亦爲之泣,其仁德所感如
此。襄陽百姓於峴山祜平生游憩之所建碑立廟,歲時饗祭
焉。望其碑者,莫不流涕,杜預因名爲墮淚碑。荆州人爲祜
諱名,屋室皆以門爲稱,改户曹爲辭曹焉。

梁又有《桓宣武碑》十卷,亡。

不著撰人。

案桓宣武即桓温,見《晉書·叛逆傳》。

梁又有《長沙景王碑文》三卷,亡。

不著撰人。

案長沙景王道憐,宋武帝中弟也,見《宋書·宗室傳》。

**梁又有《荆州雜碑》三卷,《雍州雜碑》四卷,《廣州刺史碑》十二
卷,亡。**

並不著撰人。

梁又有《義興周許碑》一卷,亡。"許"當爲"處"。

不著撰人。

嚴氏《全晉文編》闕名類：《晉平西將軍周處碑》，在宜興孝侯廟，題陸機撰，王羲之書。唐元和六年，義興縣令陳從諫重樹，據文有"太興二年"語，明非陸機撰。反覆觀之，其駢儷對偶，當屬舊文，餘則唐人以新修《晉書》及他説添補。今以舊文當格，其添補文旁注，以別異之。

> 案周處見《晉書》本傳，有《風土記》，見史部地理類。唐人重立周孝侯廟碑，今在宜興、荆溪兩縣治。傳所云長橋，今亦名蛟橋，亦在治所。

梁又有《太原王氏家碑誄頌贊銘集》二十六卷，亡。

不著撰人。

> 案本志史部雜傳類有《太原王氏家傳》二十三卷，與琅邪王氏並盛於魏晉南北朝。當時是集殆與家傳並行者。

梁又有《諸寺碑文》四十六卷，釋僧祐撰，亡。

梁又有《雜祭文》六卷　《衆僧行狀》四十卷　釋僧祐撰，亡。

僧祐有《箴銘雜器》，見前。

僧祐《法集總目》有曰："少受律學，刻意毗尼，旦夕諷持，四十餘載，春秋講説，七十餘遍。既禀義先師，弗敢墜失，標括章條，爲《律記》十卷。并雜碑記，撰爲一帙。"又曰："《法集雜記傳銘》七卷。"案此三書蓋其所集七卷之外者，僧祐所作有《釋迦譜》、《出三藏記》等書，此等皆其所集以取資者。

> 以上總集弔文、碑文、祭文、行狀之屬，三部，附梁有十七部。爲第十一類。

設論集二卷　劉楷撰

劉楷始末未詳。案宋齊間有三劉楷，一祕書郎劉楷，爲元凶劭所殺，見《宋書·長沙景王附傳》。一大司農劉楷，爲交州刺史，見《齊書》武帝永明三年本紀。一南中郎司馬劉楷，爲司州刺史，見永明九年本紀。此不著時代，莫能詳焉。

《唐書·經籍志》：《設論集》三卷，劉楷撰。

《唐書·藝文志》：劉楷《設論集》三卷。

梁有《設論集》三卷，東晉人撰，亡。

案兩《唐志》有謝靈運《設論集》五卷，疑即此書。

梁有《客難集》二十卷。亡。

不著撰人。

論集七十三卷

雜論十卷

並不著撰人。

案兩《唐志》有殷仲堪《雜論》九十五卷。本志子部雜家載殷仲堪《論集》八十六卷，注云梁九十六卷。又有《雜論》五十八卷，《雜論》十三卷，亡。此兩書疑與雜家重復互見。

明真論一卷　晉兗州刺史宗岱撰　“宗”當爲“宋”。

宋岱有《周易論》，見經部易類。

案宋岱爲青州刺史時著《無鬼論》，鄰州化之。疑此即《無鬼論》之異名。

東西晉興亡論一卷

不著撰人。

陶神論五卷

不著撰人。

《唐書·經籍志》：“《陶神論》五卷，釋靈裕撰。”

案靈裕有集，①見別集類陳代人文中。《法苑珠林·傳記篇》載靈裕撰《陶神論》十卷。

正流論一卷

詳見史部簿録家。此重出。

以上總集論之屬。客難亦設論之支流，故附其中。凡七部，

---

① “靈”，原誤作“籍”，據上下文意改。

附梁有二部。爲第十二類。

黃芳引連珠一卷

黃芳始末未詳。

《通志·藝文略》：《黃芳引連珠》一卷。

案此似引《連珠集》句成文者。

梁武連珠一卷　沈約注

梁武帝有《歷代賦》，沈約有《集鈔》，並見前。

《金樓子·興王篇》：梁高祖武皇帝，臺城内起至敬殿。又奉爲太祖，於鍾山起大愛敬寺。又奉爲獻后，起大智度寺。又作《連珠》五十首，以明孝道云。

《藝文類聚》沈約《注制旨連珠表》曰："竊聞連珠之作，始自子雲，放《易》象《論》，動模經誥，班固謂之命世，桓譚以爲絶倫。連珠者，蓋謂辭句連續，互相發明，若珠之結排也。"

嚴氏《全梁文編》曰："梁武《連珠》，今存凡三條，並見《藝文類聚》五十七。"

梁武帝制旨連珠十卷　梁邵陵王綸注

邵陵王綸有集，見別集類梁代人文中。

《梁書·文學·丘遲傳》：時高祖著《連珠》，詔群臣繼作者數十人，遲文最美。

《唐書·經籍志》：《制旨連珠》四卷，梁武帝撰。

《唐書·藝文志》：梁武帝《制旨連珠》四卷。

梁武帝制旨連珠十卷　陸緬注

《南史·陸慧曉傳》：慧曉，吳郡吳人。第三子倕，倕子纘，早慧，爲童子郎，卒。次緬，有似于倕，一看殆不能别。案《梁書·陸倕傳》不及緬。《南史》附載此二語，又不及其生平。殆《梁書》喪亂亡失，無從徵采故耳。此與前十卷似皆梁武選録諸臣工之作。

《唐書·經籍志》：《制旨連珠》十卷，陸緬注。

《唐書・藝文志》：陸緬注《制旨連珠》十一卷。

梁有《設論連珠》十卷。

不著撰人。

梁有謝靈運《連珠》五卷，亡。

謝靈運有《賦集》、《詩集》、《詩英》、《回文詩集》、《七集》等凡七種，並見前。

《唐書・經籍志》：《連珠集》五卷，謝靈運撰。

《唐書・藝文志》：謝靈運《連珠集》五卷。

梁有陳證撰《連珠》十五卷，亡。

陳證始末未詳。

梁又有《連珠》一卷，陸機撰，何承天注，亡。

陸機有《吳章篇》，何承天有《禮論》，並見經部小學類、禮類。

案《南史・隱逸・沈麟士傳》：“麟士隱居教授，重陸機《連珠》，每爲諸生講之。”是六朝盛行其文。《文選》有陸士衡《演連珠》五十首，劉孝標注。何氏之注唯見於此。

梁又有班固《典引》一卷，蔡邕注，亡。

班固有《太甲篇》、《在昔篇》，蔡邕有《月令章句》，並見經部小學類、禮類。

《文選》班孟堅《典引》序曰：“永平十七年，臣與賈逵、傅毅、杜矩、展隆、郗萌等召詣雲龍門，小黃門趙宣持《秦始皇帝本紀》問臣等曰：‘太史遷下贊語中，寧有非耶？’臣對：‘此贊賈誼《過秦篇》云：向使子嬰有庸主之才，僅得中佐，秦之社稷，未宜絕也。此言非是。’即召臣入，問：‘本聞此論非耶？將見問意開悟耶？’臣具對素聞知狀。詔因曰：‘司馬遷以身陷刑之故，微文刺譏，貶損當世，非誼士也。司馬相如至於疾病而頌述功德，言封禪事，忠臣効也，賢遷遠矣。’臣固嘗伏誦聖論，昭明好惡，不遺微細，緣事斷誼，動有規矩。臣固不勝區區，竊作《典引》一篇云。"

《後漢書》本傳：固又作《典引篇》，述叙漢德。以爲相如《封禪》靡而不典，揚雄《美新》典而不實。蓋自謂得其致焉。

《文心雕龍·封禪篇》："班固《典引》，體因紀禪。"又曰："《典引》所叙，雅有懿采，歷鑒前作，能執厥中，其致義會文，斐然餘巧。故稱'《封禪》麗而不典，《劇秦》典而不實'，豈非追觀易爲明，循勢易爲力歟？"

李善《文選注》：蔡邕曰："《典引》者，篇名也。典者，常也，法也。引者，伸也，長也。"《尚書疏》："堯之常法，謂之《堯典》。漢紹其緒，伸而長之也。"

梁代雜文三卷

不著撰人。

以上總集連珠之屬，附以《典引》、《雜文》，凡五部，梁有五部。爲第十三類。

詔集區分四十一卷　後周獸門學士宗幹撰

宗幹或作宋幹，始末並未詳。

《唐書·經籍志》：《詔集區別》二十七卷，宋幹撰。

《唐書·藝文志》史部詔令類：宋幹《詔集區別》二十七卷。

魏朝雜詔二卷

不著撰人。

案後文有《後魏詔集》若干卷，此或謂西魏，未詳也。

梁有《漢高祖手詔》一卷，亡。

不著撰人。

《漢書·藝文志》儒家：《高祖傳》十三篇，高祖與大臣述古語及詔策也。

《玉海·聖文·御製篇》：《隋志》：梁有《漢高祖手詔》一卷。《古文苑》有《高祖手敕太子》五條。

録魏吳二志詔二卷。梁有《三國詔誥》十卷,亡。

並不著撰人。

晉咸康詔四卷 <small>案晉成帝改元咸康凡八年。</small>

不著撰人。

晉朝雜詔九卷

不著撰人。

梁有《晉雜詔》百卷,録一卷,亡。

不著撰人。

《唐書‧經籍志》史部起居注類:《晉書雜詔書》一百卷。上“書”<small>字衍。</small>

《唐書‧藝文志》起居注詔令類:《晉雜詔書》一百卷。

梁又有《晉雜詔》二十八卷,録一卷,亡。

不著撰人。

《唐書‧經籍志》起居注類:《晉雜詔書》又二十八卷。<small>《藝文志》</small><small>詔令類同。</small>

梁又有《晉詔》六十卷,亡。

不著撰人。

《唐書‧經籍志》起居注類:《晉雜詔書》六十六卷。<small>《藝文志》詔</small><small>令類同。</small>

梁又有《晉文王武帝雜詔》十二卷,亡。

不著撰人。

案下文又有《晉武帝詔》十二卷,此大抵録文武兩世爲晉王時之詔令,晉人追尊故稱詔。

録晉詔十四卷

不著撰人。

案此大抵亦如前録魏、吳二志詔,從諸家《晉書》中録出者。

梁有《晉武帝詔》十二卷，亡。

梁有《成帝詔草》十七卷，亡。

梁有《康帝詔草》十卷，亡。

梁有《建元直詔》三卷，亡。_{案晉康帝在位二年，改元建元。}

梁有《永和副詔》九卷，亡。_{案晉穆帝紀元永和凡十二年。}

梁有《升平、隆和、興寧副詔》十卷，亡。_{案晉穆帝改元升平，凡五年。哀帝}
_{隆和一年，興寧三年。}

梁有《泰元、咸寧、寧康副詔》二十二卷，亡。_{案晉孝武帝即位，改元寧}
_{康，凡三年。又改元太元，凡二十一年。寧康在太元之前，而此顛倒在後。又咸寧爲}
_{武帝年號，遠在晉初，此乃叙于太元之後，舛誤彌甚。}

　並不著撰人。

　《唐書·經籍志》起居注類：《晉太元副詔》二十一卷。_{《藝文志》}
_{詔令類同。案《唐志》，則本志此一條"咸寧寧康"四字，史駮文也。}

梁有《隆安直詔》五卷，《元興太亨副詔》三卷，亡。_{案隆安、元興、太}
_{亨，並晉安帝年號。}

　並不著撰人。

　《唐書·經籍志》起居注類：《晉崇安元興太亨副詔》八卷。_{《藝}
_{文志》詔令類同。案此八卷，即合梁有之《直詔》五卷、《副詔》三卷也。}

晉義熙詔十卷。梁有《義熙副詔》十卷，亡。_{案晉安帝改元義熙，凡十四年。}

　並不著撰人。

　《唐書·經籍志》起居注類：《晉義熙詔》二十二卷。_{《藝文志》詔}
_{令類同。}

梁有《義熙以來至于大明詔》三十卷，亡。_{案大明宋孝武帝改元，自晉義}
_{熙元年乙巳至宋大明八年甲辰，首尾凡六十年。}

梁有《晉宋雜詔》四卷，亡。

　不著撰人。

梁又有《晉宋雜詔》八卷，王韶之撰，亡。

　王韶之有《晉紀》，見史部古史類。

梁又有《雜詔》十四卷，亡。

　　不著撰人。

梁又有《班五條詔》十卷，亡。

　　《晉書·武帝本紀》：泰始四年十二月，班五條詔書于郡國，一曰正身，二曰勤百姓，三曰撫孤寡，四曰敦本息末，五曰去人事。

宋永初雜詔十三卷

　　不著撰人。

　　《唐書·經籍志》起居注類：《宋永初詔》六卷。《藝文志》詔令類同。

梁有《詔集》百卷，起漢訖宋，亡。

梁有《武帝詔》四卷，亡。

梁有《宋元熙詔令》五卷，亡。案元熙，晉恭帝紀元，明年禪位于宋。

梁有《宋永初二年五年詔》三卷，亡。案宋武帝受禪紀元永初止三年，此云“五年”，蓋“三年”之誤。

梁有《永初以來中書雜詔》二十卷，亡。

宋孝建詔一卷　　案宋孝武帝紀元孝建，凡三年。

梁有《宋景平詔》三卷，亡。案宋少帝改元景平，盡一年。

宋元嘉副詔十五卷

梁有《宋元嘉詔》六十二卷，亡。案元嘉，宋文帝年號，凡三十年。

　　並不著撰人。

　　《唐書·經籍志》起居注類：《宋元嘉詔》二十一卷。《藝文志》詔令類同。

梁又有《宋孝武詔》五卷，《宋大明詔》七十卷，亡。案宋孝武孝建三年，大明八年，此“孝武”疑是“孝建”之誤。

梁又有《宋永光、景和詔》五卷，亡。案永光、景和，並宋前廢帝年號，盡一年。

梁又有《宋泰始、泰豫詔》二十二卷，亡。案泰始、泰豫，宋明帝年號，凡八年。

梁又有《宋義嘉僞詔》一卷，亡。案義嘉，晉安王子勛僞號也。事在明帝泰始
二年。

梁又有《宋元徽詔》十二卷，亡。案元徽，後廢帝年號，凡四年。

梁又有《宋昇明詔》四卷，亡。案昇明，順帝年號，凡二年，禪位于齊。

齊雜詔十卷

齊中興二年詔三卷　案中興二年，即齊和帝禪位于梁之歲。梁武即位，改是年
爲天監元年。

梁有《齊建元詔》五卷，亡。案齊高帝受禪改元建元，凡四年。《南史》本紀云：
"所著文，詔中書侍郎江淹撰次之。"似謂其文集，非指此書。

梁有《永明詔》三卷，《武帝中詔》十卷，亡。案永明，齊武帝年號，凡十
一年。

梁有《齊隆平、延興、建武詔》九卷，《齊建武二年副詔》九卷，亡。
案鬱林王即位改元隆昌。此曰隆平，蓋誤。海陵王即位改元延興，明帝即位又改元
建武，是歲一年，凡三改元。

梁有《天監元年至七年詔》十二卷，《天監九年、十年詔》二卷，
亡。案梁武帝天監紀元凡十八年，此但十年以前之詔令，亡佚多矣。

後魏詔集十六卷

不著撰人。

　　案《魏書·常景傳》："延昌初，受敕撰門下詔書凡四十卷。"
　　延昌，宣武帝即位之十三年也。此十六卷似即其殘賸者。

後周雜詔八卷

雜詔八卷

雜敕書六卷

陳天嘉詔草三卷　案天嘉，陳文帝紀元，凡六年。

並不著撰人。

霸朝集三卷　李德林撰

李德林有集，見別集類隋代人文中。

《隋書》本傳：開皇五年，敕令撰録作相時文翰，勒成五卷，謂之《霸朝雜集》。序其事，末云：“前奉敕旨，集納麓已還，至於受命文筆，當時制述，條目甚多，今日收撰，略爲五卷云爾。”高祖省讀訖，明旦謂德林曰：“自古帝王之興，必有異人輔佐。我昨讀《霸朝集》，方知感應之理。昨宵恨夜長，不能早見公面。必令公貴與國始終。”

《唐日本國見在書目》：《霸朝集》三卷，李德林撰。

《唐書·經籍志》：《霸朝雜集》五卷，李德林撰。

《唐書·藝文志》：李德林《霸朝雜集》五卷。

皇朝詔集九卷
皇朝陳事詔十三卷

並不著撰人。

梁有《雜九錫文》四卷，亡。

不著撰人。

《漢書·武帝本紀》元朔元年注：應劭曰：“九錫：一曰車馬，二曰衣服，三曰樂器，四曰朱户，五曰納陛，六曰虎賁百人，七曰鈇鉞，八曰弓矢，九曰秬鬯。”張晏曰：“九錫，經本無文，《周禮》以爲九命，《春秋説》有之。”臣瓚曰：“九錫備物，伯者之盛禮，齊桓、晉文猶不能備。”

《困學紀聞》曰：“《周官》：‘上公九命。’《王制》‘有加賜不過九命’。伏生《大傳》謂‘諸侯三年一貢士，一適謂之好德，再適謂之賢賢，三適謂之有功。有功者，天子一賜以車服弓矢，再賜以秬鬯，三賜以虎賁百人，號曰命諸侯’。此言三賜而已。《漢武紀》元朔元年有司奏議曰：‘古者諸侯貢士，壹適謂之好德，再適謂之賢賢，三適謂之有功。迺加九錫。’九錫始見於此。遂爲篡臣竊國之資，自王莽始。”

案《九錫文》，《王莽傳》但載其事，非如後世之稱物備數一

一筆之於策書也。《文選》載潘勖撰《魏公九錫文》,《文心
雕龍》以爲絕群。魏文帝策命孫權《九錫文》,略見《藝文類
聚》。晉文帝封晉公加九錫,其事見《晉書·文紀》魏景元
四年,其文不知何人作。其後惠懷之際,若趙王倫、齊王
冏、成都王穎、東海王越皆加九錫,見《晉書·八王傳》。江
左袁宏撰《桓溫九錫文》,見《晉書·謝安及王彪之傳》。其
文皆不傳。桓玄、傅玄矯詔封楚王加九錫,殷仲文撰文,亦
不傳。此外如傅亮撰《宋公九錫文》,王儉撰《齊公九錫
文》,任昉撰《梁公九錫文》,並見宋、齊梁諸史本紀。此梁
以前九錫文之略可考見者。其後若徐陵撰《陳公九錫文》,魏收撰《齊
王九錫文》,李德林撰《隋公九錫文》,亦見諸史本紀。

以上總集詔令册命之屬,凡二十部,附梁有四十三部。爲
第十四類。

上法書表一卷　虞和撰

虞和有《法書目録》六卷,見史部簿録類。

嚴氏《全宋文編》曰:“虞龢,會稽餘姚人。大明中太學博士,
泰始中遷儀曹郎長兼博士,歷中書郎,拜廷尉卿。有《上明帝
論書表》。”

案此表張彦遠《法書要録》全載其文,蓋即其所上《法書目
録》之表,竇蒙《述書賦》注所謂“表本行於世,真蹟故起居
舍人李造得之者也”。並詳見於《簿録篇》。

梁中表十一卷　梁邵陵王撰

邵陵王綸有《制旨連珠注》,見前。

案《梁書》、《南史·王筠傳》:“敕撰中書表奏三十卷。”《陳
書·姚察傳》:“察在祕書省,奏撰中書表集。”此《中表》似
敚“書”字,蓋即其類。兩《唐志》有《梁中書表集》二百五十
卷,不著撰人,似梁代故府所留遺者。

梁有《漢名臣奏》三十卷,《魏名臣奏》三十卷,陳長壽撰,亡。

陳長壽即陳壽,有《三國志》,見史部正史類。本志傳記類載《益部耆舊傳》,亦云陳長壽,以是知爲一人。

案本志史部刑法家《漢名臣奏事》三十卷,不著撰人。兩《唐志》並云陳壽撰。刑法家又有《魏名臣奏事》四十卷,目一卷,陳壽撰。此漢魏各三十卷,蓋即刑法家所著錄者,特卷數名題稍有別異耳。並詳見於史部。

梁有《魏雜事》七卷,亡。

梁有《晉諸公奏》十一卷,亡。

梁有《雜表奏駁》三十五卷,亡。

並不著撰人。

梁有《漢丞相匡衡、大司馬王鳳奏》五卷,亡。

匡衡、王鳳,並見《漢書》列傳。

案此五卷大抵從別本《漢名臣奏》中佚出者。《唐·藝文志》刑法家陳壽之前別有《漢名臣奏》二十九卷,列漢人中,不僅陳壽一家也。《經籍志》亦載之。

梁有《劉隗奏》五卷,亡。

劉隗有集,見別集類東晉人文中。

案《晉書》本傳載其奏戴若思、王籍之、顏含、梁龕、宋挺、阮抗、王含、周筵、劉胤、李匡、周顗等諸事,似皆在是書。史稱其彈奏不畏彊圉,深爲王氏所忌疾,故不容於王敦,而流亡于石勒。

梁有《孔群奏》二十二卷,亡。

《晉書·孔愉傳》:愉從弟群,字敬林。有智局,志尚不羈。歷中丞。性嗜酒,王導嘗戒之。卒於官。

《世說·方正篇》注:《會稽後賢記》曰:“群字敬休,山陰人。祖竺,吳豫章太守。父奕,全椒令。群有智局,仕至御史中丞。"

曲阜孔繼汾《闕里文獻考》：孔氏別集有先聖二十五代孫、晉御史中丞群《奏議》二十二卷。

　　案《通志・藝文略》題曰"《漢孔群奏》二十二卷"，以爲漢人。蓋以本志此一段上文有"漢匡衡、王鳳奏"，而劉隗、孔群《奏》無"晉"字，遂皆以爲漢人，其謬乃如此。

梁有《晉金紫光祿大夫周閔奏事》四卷，亡。

《晉書・周顗傳》：顗，汝南安城人。顗子閔，字子騫。方直有父風。歷衡陽、建安、臨川太守，侍中，中領軍，吏部尚書，尚書左僕射，護軍，領祕書監。卒追贈金紫光祿大夫，謚曰烈。

梁有《晉中丞劉卲奏事》六卷，亡。

《晉書・劉隗附傳》：隗伯父訥，訥子疇，疇兄子卲。有才幹，辟琅邪王丞相掾。咸康世歷御史中丞，侍中，尚書，豫章太守，秩中一千石。

梁有《中丞司馬無忌奏事》十三卷，亡。

司馬無忌即譙烈王也，有集九卷，見別集類東晉人文中。

《晉書・宗室傳》：譙烈王無忌，建元初累遷御史中丞。

梁有《中丞虞谷奏事》六卷，亡。

《晉書・虞潭傳》：潭，會稽餘姚人，吳騎都尉翻之孫也。潭兄子騑，與譙國桓彝俱爲吏部郎，情好甚篤。彝遣溫拜騑，騑使子谷拜彝。谷位至吳國内史。

梁有《中丞高崧奏事》五卷，亡。

《晉書》本傳：崧字茂琰，廣陵人也。少好學，善史書。州舉秀才，除太學博士。數遷。簡文帝輔政，爲撫軍司馬，遷侍中。以公事免。卒於家。

又《謝安傳》：安始爲桓溫司馬，將發新亭，朝士咸送。中丞高崧戲之曰："卿累違朝旨，高臥東山，諸人每相與言，安石不

出，將如蒼生何！蒼生今亦將如卿何！"安甚有媿色。_{案本傳不}
載爲中丞官，唯此稱爲中丞。

梁又有《諸彈事》等十四部，亡。

並不著撰人。

案此與前《雜祖餞讌會詩》二十一部、《樂府歌辭舞録》十部
同例，皆所謂略其數也。《梁書·徐勉傳》撰《左丞彈事》五
卷，《孔休元傳》："勒成奏議彈文十五卷。"本志史部刑法家
有《晉彈事》十卷，皆此之類，亦或在此十四部中。

雜露布十二卷

不著撰人。

《通志·藝文略》：《雜露布》十二卷。梁書籍。案此本志從《見存書
目》鈔入，向由知其爲梁書籍乎？豈以此一條前後皆梁有亡書，遂皆以爲梁代之書
乎？鄭氏虛浮無當，類如此。

梁有《雜檄文》十七卷，亡。

不著撰人。

《通志·藝文略》：《雜檄文》十七卷。見《隋志》。案前注"梁書
籍"，若與此注"見《隋志》"互易，則庶幾近之矣。

梁有《魏武帝露布文》九卷，亡。

唐封演《聞見記》曰："露布，捷書之別名也。自漢以來有之，
亦謂之露版。《魏武事奏》云：'有警急，輒露版，插羽是也。'"
以上總集表奏之屬，附以檄文露布，凡三部，梁有二十九
部。內十四部略其數。爲第十五類。

山公啟事三卷

山濤有集，見別集類西晉人文中。

《晉書》本傳："詔以濤爲吏部尚書。前後選舉，周遍內外，而
並得其才。"又曰："濤再居選職十有餘年，每一官缺，輒啟擬
數人，詔旨有所向，然後顯奏，隨帝意所欲爲先。故帝之所

用,或非舉首,衆情不察,以濤輕重任意。或譖之於帝,故帝手詔戒濤曰:'夫用人惟才,不遺疏遠卑賤,天下便化矣。'而濤行之自若,一年之後衆情乃寢。濤所奏甄拔人物,爲各題目,時稱《山公啓事》。濤中立於朝,晚值后黨專權,不欲任楊氏,多有諷諫,帝雖悟而不能改。"

史臣曰:"自東京喪亂,吏曹湮滅,西園有三公之錢,蒲陶有一州之任,貪饕方駕,寺署斯滿。時移三代,世歷九王,拜謝私庭,此爲成俗。若乃餘風稍殄,理或可言。委以銓綜,則群情自抑;通乎魚水,則專用生疑。將矯前失,歸諸後正,惠絶臣名,恩馳大口,世稱《山公啓事》者,豈斯之謂歟? 若盧子家之前代,何足算也。"案盧毓字子家,再爲吏部尚書。《魏志》有傳。

《世説・政事篇》:山司徒前後選,殆周遍百官,舉無失才,凡所題目,皆如其言。唯用陸亮,是詔所用,舉公意異,爭之不從。亮亦尋爲賄敗。

《唐書・經籍志》:《山濤啓事》三卷。

《唐書・藝文志》:《山濤啓事》十卷。案此作十卷,據《舊志》實《范寧啓事》之卷數。《新志》此條"啓事"之下敚"三卷"二字,又敚"范寧啓事",以兩書誤合爲一條,故卷數不符,非詳勘不能知也。

嚴氏《全晉文編》曰:"《山濤啓事》,今見《魏志》、《蜀志》注、《世説》注、《文選》注、《通典》及諸類書所引,凡五十一條。"

　案《文選》應休璉《與滿公琰書》注引賈弼之《由公表注》,似即此《啓事》,則此書舊有賈弼之注。賈即爲《十八州姓氏譜狀》,以譜學世其家者也,晉太元中人。又此《啓事》當亦編入本集。本志別集類注云梁又有《山濤集》十卷,齊奉朝請裴津注,則又有裴氏注。

范寧啓事三卷。梁十卷。

　范寧有《古文尚書注》,見經部書類。

《晉書》本傳：寧由臨淮太守徵拜中書侍郎，在職多所獻替，有益政道。孝武帝雅好文學，甚被親愛。朝廷疑議，輒諮訪之。寧指斥朝士，直言無諱。及爲豫章太守，臨發上疏，末云："臣久欲粗啓所懷，日復一日。今當永離左右，不能令心有餘恨。請出臣啓事，付外詳擇。"帝詔公卿牧守普議得失，又陳時政，帝善之。寧之出，非帝本意，故所啓多合旨。

《唐書·經籍志》：《范寧啓事》十卷。《藝文志》敚去此條，詳見前《山公啓事》條下。

梁有《雜薦文》十二卷，亡。

不著撰人。

梁有《薦文集》七卷，亡。

不著撰人。

《唐書·經籍》、《藝文志》：《薦文集》七卷。

善文五十卷　杜預撰

杜預有《喪服要集》，見經部禮類。

《唐書·經籍志》：《善文》四十九卷，杜預撰。

《唐書·藝文志》：杜預《善文》四十九卷。

《玉海·藝文類》：《唐志》杜預《善文》四十九卷，《隋志》五十卷。《史記·李斯傳》注：辯士隱姓名，遺秦將章邯書。在《善文》中。

雜集一卷　殷仲堪撰

殷仲堪有《毛詩雜義》，見經部詩類。

案本志子部雜家載殷仲堪《論集》八十六卷，梁九十六卷。

此一卷或在所集啓事之屬。

梁魏周齊陳皇朝聘使雜啓九卷

不著撰人。

案此六朝往來聘問，諸使臣並見六史本紀中。

政道集十卷

不著撰人。

《隋書・列傳》：博陵李文博，性貞介鯁直，好學不倦。至於教義名理，特所留心。每讀書至治亂得失，忠臣烈士，未嘗不反覆吟翫。開皇中，爲羽騎尉，特爲吏部侍郎薛道衡所知，恒令在聽事幃中披檢書史，并察己行事。若遇治政善事，即鈔撰記録，如選用疏謬，即委之臧否。道衡每得其語，莫不欣然從之。後直祕書内省，守道居貧。恒以禮法自處，儕輩莫不敬憚焉。道衡知其貧，每延於家，給以資費。文博商量古今，治政得失，如指諸掌。稍遷校書郎，出爲縣丞，數歲不得調。道衡爲司隷大夫，遇之於東都尚書省，甚嗟愍之，遂奏爲從事。後遭離亂播遷，不知所終。文博本爲經學，後讀史書，于諸子及論尤所該洽。性長議論，亦善屬文，著《治道集》十卷，大行於世。《北史・文苑傳》作《政道集》，與本志所題同。

《唐・經籍志》子部法家：《治道集》十卷，李文博撰。

《唐書・藝文志》法家：李文博《治道集》十卷。《宋志》法家同，又見雜家。

《玉海・藝文》雜著類：《中興書目》：李文博《政道集》十卷，雜載前賢所論治理之要，凡一百二十篇。

嘉興沈濤《銅熨斗齋隨筆》曰：“唐柳伯存《馬總意林序》曰：‘隋代博陵李文博，攈綴諸子，編成《理道集》十卷。’《隋志》不載，當本名《治道集》，唐人諱‘治’因改爲‘理’。”案沈氏以本志子部法家無是書，又以此作《政道集》不著撰人，與《唐志》法家所題不同，遂以爲《隋志》不載焉。

　以上總集啓事之屬，凡六部，附梁有二部，爲第十六類。

書集八十八卷　晉散騎常侍王履撰

王履始末未詳。

《唐書・經籍志》：《書集》八十卷，王履撰。

《唐書·藝文志》：王履《書集》八十卷。

書林十卷

不著撰人。

案此似即應璩《書林》，詳見於後。

雜逸書六卷。梁二十二卷。徐爰撰。

徐爰有《射雉賦注》，見前。

梁有《應璩書林》八卷，夏赤松撰。

應璩有《百一詩》，見前。

《南史·蕭惠基傳》：惠基善弈棋。當時能棋者，琅邪王抗第一品，吳郡褚思莊、會稽夏赤松第二品。赤松思速，善于大行。案夏赤松，齊時人，其見于史者唯此。

《魏志·高堂隆傳》注：棧潛字彥皇，見應璩《書林》。

《文心雕龍·書記篇》曰："休璉好事，留意詞翰。"

《唐書·經籍志》：《書林》六卷，夏赤松撰。

《唐書·藝文志》：夏赤松《書林》六卷。

《通志·藝文略》文部書類：應璩《書林》八卷，夏赤松集。

案此蓋夏赤松重編應氏之書，或刪節，或註釋。

梁有《抱朴君書》一卷，葛洪撰，亡。

葛洪有《喪服變除》，見經部禮類。

梁有《蔡司徒書》三卷，蔡謨撰，亡。

蔡謨有《喪服譜》，見經部禮類。

案葛、蔡兩家書或其手蹟之僅存者，後人錄以相傳，如《歐公試筆》之類，皆集外別行歟？亦或出此兩家所傳之名人尺牘也。

梁有《前漢雜筆》十卷，亡。

梁有《吳晉雜筆》九卷，亡。

並不著撰人。

梁有《吳朝文》二十四卷，亡。

不著撰人。

案前已著録《吳朝士文集》十卷，注云梁十三卷，此或其書啓雜文，故附于此歟？

梁有《李氏家書》八卷，亡。

不著撰人。

案《續漢書·祭祀志》注引《李氏家書》曰："司空李郃侍祠南郊，不見六宗祠，奏曰云云。"《天文志》注：《李氏家書》曰："時天有變氣，李郃上書諫。"《五行志》注曰："《李氏家書》：司空李郃上書。"案李郃，字孟節，漢中南鄭人，見《後漢書·方術傳》。郃子固，桓帝時太尉，爲梁冀所陷死。小子燮，河南尹。燮姊文姬及其父門生王成、弟子趙承等並見列傳。此《李氏家書》蓋即其家所傳。又趙承等七十二人共論固言迹，以爲《德行》一篇，當在此書。又《舊》、《新唐志》傳記類有《李固別傳》七卷，《藝文類聚》、《太平御覽》各有《李郃別傳》、《李燮別傳》，當亦在此書。

梁有《晉左將軍王鎮惡與劉丹陽書》一卷，亡。

案王鎮惡，北海劇人，苻堅丞相王猛孫也。佐宋武帝拒盧循，討劉毅，克長安，後爲沈田子所殺，時晉安帝義熙十四年也。贈左將軍。《宋書》、《南史》並有傳。劉丹陽者，當是劉穆之。穆之亦爲宋武佐命，時爲丹陽尹，總朝政云。

後周與齊軍國書二卷

不著撰人。

高澄與侯景書一卷

《梁書·侯景傳》：齊神武疾篤，謂子澄曰："侯景狡猾多計，反覆難知，我死後，必不爲汝用。"乃爲書召景。景知之，慮及于禍，太清元年，乃遣其行臺郎中丁和來上表請降。及神武卒,其子澄嗣,是爲文襄帝。魏既新喪元帥,景又舉河南内附,齊文襄慮景與西、南合從,方爲己患,乃以書喻景,若還,許以豫州刺史,終其身,所部文武更不追攝,闔門無恙。并還寵妻愛子。景報書不從。

《北齊‧文襄紀》:世宗文襄皇帝諱澄,字子惠,神武長子也。魏武定五年正月景午,神武崩。辛亥,司徒侯景據河南反。七月戊戌,魏帝詔以文襄爲渤海王。八月,議者咸云侯景猶有北望之心,但信命不至耳。又景將蔡遵道北歸,稱景有悔過之心。王以爲信然,謂可誘而致,乃遺景書。

以上總集書札之屬五部,附梁有八部,爲第十七類。

集策一卷　殷仲堪撰

殷仲堪有《雜集》一卷,見前。

《通志‧藝文略》:殷仲堪《策集》一卷。

策集六卷

不著撰人。

《唐書‧經籍志》:《策集》六卷,謝靈運撰。

《唐書‧藝文志》:宋伯宜《策集》六卷。

案兩《唐志》各有《策集》,而撰人各不同,未詳孰是。謝靈運有《賦集》、《連珠集》等凡八種,見前。宋伯宜始末未詳。

梁有《孝秀對策》十二卷,亡。

不著撰人。

《通志‧藝文略》:“《秀孝對策》十二卷。”注云《隋志》。

案《秀孝對策》者,舉秀才對策,舉孝廉對策也。鄭漁仲氏所見《隋志》作“秀孝”。今本作“孝秀”者,似後人妄改。

宋元嘉策孝秀文十卷

不著撰人。

《唐書‧經籍》、《藝文志》:《宋元嘉策》五卷。

《通志·藝文略》：《宋元嘉策秀孝文》十卷。

以上總集策對、策問之屬，三部，附梁有一部，爲第十八類。

誹諧文三卷

不著撰人。

誹諧文十卷　　袁淑撰

袁淑有集，見別集類宋代人文中。

《唐書·經籍志》：《誹諧文》十五卷，袁淑撰。

《唐書·藝文志》：袁淑《俳諧文》十五卷。

張氏《百三家·袁忠憲集》輯本序曰：“陽源《俳諧集》，文皆調笑，其于藝苑，亦博簺之流也。”

嚴氏《全宋文編》曰：“《藝文類聚》、《初學記》、《太平御覽》並引袁淑《俳諧集》，合存《雞九錫文》，又《勸進牋》、《驢山公九錫文》、《大蘭王九錫文》、《常山王九錫文》，凡五篇。”

梁有《續誹諧文集》十卷，亡。

不著撰人。

梁又《誹諧文》一卷，沈宗之撰，亡。

沈宗之有集，見別集類宋代人文中。

案《七錄》、《隋志》載《誹諧文》共四部。殷芸《小說》引《誹諧文》一條，云孔文舉中夜暴疾，命門人鑽火。其夜陰暝，門人忿然曰：“君責人太不以道，今暗若漆，何不把火照我，當得鑽火具，然後得火。”文舉聞之曰：“責人當以其道。”不知在何家之書。

梁又有《任子春秋》一卷，杜嵩撰，亡。

《晉書·儒林·杜夷傳》：夷，廬江灊人也。著《幽求子》二十篇。夷兄崧，字行高，亦有志節。惠帝時俗多浮僞，著《任子春秋》以刺之。

《晉書·惠帝本紀》：帝之爲太子也，朝廷咸知不堪。及居大位，政出群下，綱紀大壞，貨賂公行，勢位之家，以貴陵物，忠賢路絶，讒邪得志，更相薦舉，天下謂之互市焉。高平王沈作《釋時論》，南陽魯褒作《錢神論》，廬江杜嵩作《任子春秋》，皆疾時之作也。

崑山顧炎武《日知録》曰：“晉惠帝時，廬江杜嵩作《壬子春秋》。壬子，元康二年，賈后殺楊太后于金墉城之歲。”

案顧氏言則“任子”即“壬子”，殆因觸時忌，故變其文歟？

梁又有《博陽秋》一卷，宋零陵令辛邕之撰，亡。

辛邕之始末未詳。

法集百七卷　梁沙門釋寶唱撰

寶唱有《名僧傳》，見史部雜傳家。

《開元釋教録》：寶昌博識洽聞，武帝甚相崇敬。天監年中，頻敕撰集，皆愜帝旨。

以上總集誹諧之屬二部，附梁有四部，殿以《法集》一部，爲第十九類。終焉。

右一百七部二千二百一十三卷，通計亡書合二百四十九部五千二百二十四卷。實在著録一百四十七部，附著梁有亡書二百三十四部，内略去四十五部，實附著一百八十九部，通計三百三十六部。

案《七録叙目·文集録第三》曰：“總集部十六種。”《第四》曰：“雜文部二百七十三種。”兩部併計二百八十九種。本志合爲總集一類，蓋自第二類賦集以下皆雜文之屬也，存佚併計增輯者四十七種。

凡集五百五十四部六千六百二十二卷，通計亡書合一千一百四十六部一萬三千三百九十卷。實在著録五百九十部，附著梁有亡書六百五十九部，通計一千二百四十九部。

凡四部經傳三千一百二十七部三萬六千七百八卷，通計亡書合四千一百九十一部四萬九千四百六十七卷。實在著録三千二百十二

部,附著梁有亡書一千五百四十五部,通計四千七百五十七部。

道經三百七十七部一千二百一十六卷。凡分四部,詳見卷首叙録。

　　案《七録叙目・仙道録外篇第二》曰:"經戒部、服餌部、房中部、符圖部,四部四百二十五種,四百五十九帙,一千一百三十八卷。"與本志部目略同,則梁、隋《道藏》無所更張也。

佛經一千九百五十部六千一百九十八卷。凡分十一部,詳見卷首叙録。

　　案《七録叙目・佛法録外篇第一》曰:"戒律部、禪定部、智慧部、疑似部、論記部,五部二千四百一十種,二千五百九十六帙,五千四百卷。"與本志部分大異,則梁代經藏之類例與隋人不同也。

後　序

　　《隋書》十志，皆包括梁、陳、齊、周、隋五代，其纂脩《經籍志》也，以隋代官私書目所謂見存者類次爲長編，附以梁代之所有。其四部總序之末，皆援據《漢書·藝文志》爲説，知其師範班書。而漢魏以下，典籍莫備于梁代，欲綜括梁以來所有爲一志，以繼班氏之墜緒，矯前史之未備焉。其篇叙每云"今據見存"，案見存書目不一家，如牛弘、王劭之所撰，及本志簿録篇所載《開皇八年書目》、《香廚四部目録》、《大業正御書目》之類，皆是也。所注"梁有"亦不止《七録》一家，如丘賓卿《天監四年書目》、殷鈞《天監六年書目》、劉遵《東宮書目》、劉孝標《文德殿書目》之類，亦是也。或以爲梁有諸書皆《七録》，不盡然也。詳見子部從橫家末。卷首總叙云："今考見存，分爲四部，合條爲一萬四千四百六十六部，有八萬九千六百六十六卷。"此即其所鈔長編之數。領其事者，即就此數删除其復重，寫爲定本。而删除不盡仍不免於重復者，則以但見書目，不見本書，疑爲別本，不妨互見故也。校書有本書可見，修志唯書目是從，各爲一事，亦各異其職，故史志與書目似同而實異，未可一例論。然書目門類各不相同，書名題目亦多別異，修志者于門目類例既不甚明曉，于書名同異又多所拘摰，故其中有見於前復出於後，著於此復注於彼者。而注文不與本文相維繫，率意比附，於撰人時代每多離合失次，章法亦未能盡善。其於《七録》所載之書，亦多有删棄。總集篇注云："梁有魏、晉、宋《雜祖餞讌會詩集》二十一部，凡如干卷，今略其數。"知所略二十一部皆此之類。是則删繁就簡，得事要矣。而史部舊事、職官、儀注、刑法、雜傳、譜系、簿録七篇，以《七録》叙目校之，略

2248

其所載之書幾及三百種，皆不言所略部數，自亂其例。以簿錄篇略去諸書覈之，非皆不足紀，實草率了事也。四部之中，經部根據《七錄》，大純小疵。史部前九篇著錄無多，有條不紊，雜傳、地理兩篇爲陸澄、任昉兩書所淆奪，編次無法，殊失體裁。子部五行及醫家之後半篇收載最多，紊如亂絲。此四篇爲全書之疵累。集部別集一類，有時代可循，易於部署。總集一類，則各按文體，排比本易，故節次而下，亦有條理。統觀大致，經、集兩部爲優，史、子兩部瑕不掩瑜。大抵長篇累牘，記載繁富，夾雜于見存《七錄》者，皆未能範我馳驅，首尾一貫。類例不熟，故分隸不清，動爲他家書目所束縛，而遷就依違，茫無把握。知當日與修是志者，非專門之學，不能如李淳風之於《律曆》、《五行》而勝任愉快也。此本志緣起事理及四部純駁之大略也。四部所載存、佚併計，綜四千七百五十餘部。散見於傳記有著其本事者，有言其命意者，有稱道其美、詆諆其短者，有載其文字而錄存其序目者。自《史》、《漢》、《三國》以迄李延壽《南》、《北朝》十五史之中，不知其幾百千條也。其見於諸子雜家、類書、小説、文集中者，亦略相等。而自古迄今，未有罔羅薈萃爲一家言者，亦未有注釋校勘起而修治之者。夫以略而不詳之撰人，亡而不見之書名，茫無可考之體例，亂無可理之頭緒，與夫門類節次之殊，古今存佚之數，寫失刊誤之處，避諱改芟之故，舉凡急索解人不得者，一旦疏通證明，使之原原本本，粲然盈矚，豈非一大快事哉！前哲既未有成書，説部中有考論是志者，僅數條或數十條而止。予故樂爲之而不疲也。夫考證之學，至無窮盡，識大識小，或得或失，各就其心。目之所致，吾于此書多心得之言，爲前人所未發，亦有駁前人舊説之未安者。當其危疑莫釋，埋没無徵，有累日尋思不得，忽開悟於俄頃之間；有一時委曲未詳而轉輾得數事之證，思之思之，鬼神通之；有不期然而然者，亦莫之爲而爲也。一書之中，凡本事可考及命意所在者，靡不著于篇。其或疑信參半，亦姑過而存之。撰人始末，必求其詳盡。如漢之劉歆，魏之崔浩，皆一代聞人。而歆之後事，本傳不具，散見於《翟義》、《王莽傳》；浩之死難，千古痛酷，別見於《史通》及《高允傳》。凡斯之類，欲略見其梗概，故不覺其曼衍，儻亦所謂知人論世之一助乎？劉歆有《爾雅注》，崔浩有《周易注》，並見經部小學類、易類。取裁安處之間，幾經審慎而始定；訂正疑異之處，數易稿草而後成。《世本》一書，史部譜系篇所載凡三部，自來著録之家所言皆誤。今分别是正，至四易稿而定。其他類是者，亦間有焉。力摒繁冗不切之言，務存簡要覈實之語，其節引《四庫提要》、《簡明目録》及近人序跋者，則其書尚傳于世，可知也。引諸家輯本序録及《孫祠書目》、《書目答問》者，則其書皆亡，亦或因善本、足本而舉出者也。又自古甄録詩文者，莫如《文選》。自古評論詩文今存于世者，莫如鍾嶸《詩品》、劉勰《文心雕龍》。而蒐聚詩文之遺篇佚句近而可徵者，則惟馮氏《詩紀》、嚴氏《文編》爲備。故于别集類皆引述之，以見大凡。而佚文有無多寡之數，亦于此可見也。唯恐不出于人，不得已而始謀諸己。大抵四部之中，可考見者十之八九，其不可知者，多無足重輕之書。故前人置不復道，亦不引用也。昔顏監集注班書，謂蔡謨以來之注本大率意浮功淺，吾於此書不能詳稽遠攬，功誠淺矣，而彌縫闕失，積累餖飣，意則自信其不浮也。雖然，豈無憾哉！吾家自先贈公以來，聚書至數萬卷，不爲寒儉矣。而唐許嵩《建康實録》二十卷，《四庫》别史類著録，昭文張海鵬亦刻之，與原本《書鈔》、《續高僧傳》等書，求之累年不獲，皆所未睹。又昔年嘗見明修宋版《隋書》，今復不可得，無以諟證。故篇中失考之處，每不能自己。此新撰《考證》未盡之例之大略也。隋、唐相去不遠，故二代著録亦略相同。隋代亡書，唐時復出，著於《群書四録》者，不知凡幾，即《唐書·經籍》、

《藝文》二志之所載是也。本志所有見於二志者，亦十有八九。往往于本志疑滯不解之處，尋求二志互相證驗，則渙然冰釋，得其本原。蓋標題詳略之間，雖一二字之異同增減，足以袪疑釋滯而有餘。故書中於《唐》、《宋志》著錄之文，必分析條舉，以見其概，不以爲煩瑣而省略之。而《經籍志》全鈔《群書四錄》，于本志尤近，其爲裨益胡可勝言？《舊志》據毋煚等所撰，故條理井井。《新志》欲駕而上之，多所更易，反形其拙。若無此二志，則沈霾黯昧，不幾面牆而無從措手乎？予既從二志參互考訂，頗得端緒。又從《七錄·叙目》反覆勘驗，并得脩纂取裁之所以然，故于是志頗能見其會通，條例節目，約略可言，著見於篇中者，時或有焉。《通志·藝文略》紕繆多端，不能辨隋、唐三志之異同，故類多重複，疑誤後學。已于子部雜家博覽條下發之，又略見史部譜系類中。與夫高氏之《子略》，割裂挂漏，略見子部道家《老子》類中。又曆譜家後魏甄叔遵《七曜本起》條。皆顏監所謂"意浮功淺，流俗短書"。唯關於考證者，間一及之。焦氏《經籍志》，更妄誕不經，無所取材焉。《宋史·藝文志》、《崇文總目》、晁《志》、陳《錄》、《玉海》、《通考》、《經義考》、《小學考》，時有采獲。而《玉海》區分類別，事事徵實，賴以觸發者尤多。此外如章氏《考證》，雖止乙部十三篇；馬氏輯本，亦唯經子之什一，藉以取證，亦頗可觀。而新雕嚴氏《文編》，則收錄之富，考據之密，尤沾溉不窮焉。嚴氏深于目錄考證之學，所輯之書，舊在《四錄堂類集》，傳刻者止十二種。見《鐵橋漫稿·自編四錄堂總目》。後輯《文編》，多彙次於其中，雖曰總集，而兼包四部。于子部之書所輯尤多，集部則佚文皆在，實爲考據淵藪。所次撰人小傳，多有不見於史，而皆有援據，無一字無來歷。其書始事于嘉慶十三年，致力九年而粗定，又致力十八年而竣事。後五十五年，光緒癸巳九月，刊成于粵東會垣之廣雅書局，名曰《全上古三代秦漢三國六朝文》。作者三千四百九十七人，分代編

次，爲十五集，七百四十六卷。其序例目録，亦見所著《鐵橋漫
稾》中。而《漫稾》所載輯本序、跋，有在《文編》之外者，尤足以
備采擷焉。《文編》未刻之前，其鄉人蔣鑿慮其亡散，爲編次目
録，蔣之友會稽教諭汪曰楨序而刊行之。予昔時所采獲者，皆
其目也。其中輯本自《歸藏》以下不知若干種，皆有自序題識，
于是志甚有益，故并記于此。此又新撰《考證》推尋事理得所藉
手之大略也。始事於癸巳四月，至明年歲除而稿具。逾年正
月，接寫清本，時復輟業，迄丁酉六月完畢，首尾凡四年有半云。
昔歲暮春，予寫清本至子部雜家，吾友陶大令文沖以常熟曾君
樸新撰《補後漢書藝文志》十卷見貽。越數日，陶國學守次又以
常熟丁君國鈞《晉書藝文志》二册見貽。二君之學與予有同志，
近在數百里，惜不得見之。其書亦各有心得之語，因復剌取若
干條於各類中，出其姓名。舊例於今人不著名氏，或云避標榜
之嫌耳。予惟擇善而從，不知其他。

二十五史藝文經籍志考補萃編總目